Manque de temps ?

Envie de réussir ?

Besoin d'aide ?

La solution

Le *Compagnon Web* :
www.erpi.com/marieb.cw

Il contient des outils en ligne qui vous permettront de tester ou d'approfondir vos connaissances.

Vous aurez accès aux réponses à toutes les questions de révision et questions de réflexion et application, accompagnées d'une référence aux endroits où le sujet est traité dans le manuel.

ELAINE N. MARIEB
BIOLOGIE
humaine
2e ÉDITION

Comment accéder au Compagnon Web de votre manuel ?

Étape 1 : Allez à l'adresse **www.erpi.com/marieb.cw**
Étape 2 : Lorsqu'ils seront demandés, entrez le nom d'usager et le mot de passe ci-dessous :

Nom d'usager [redacted]

Mot de passe [redacted]

Ce livre **ne peut être retourné** si les cases ci-dessus sont découvertes.

Étape 3 : Suivez les instructions à l'écran
Assistance technique : tech@erpi.com

ERPI

20429W

BIOLOGIE
humaine

2e ÉDITION

BIOLOGIE
humaine

2e ÉDITION

Elaine N. Marieb

Adaptation française : René Lachaîne

COMPAGNON WEB

René Lachaîne

ÉDITIONS DU RENOUVEAU PÉDAGOGIQUE INC.

5757, RUE CYPIHOT, SAINT-LAURENT (QUÉBEC) H4S 1R3

TÉLÉPHONE : 514 334-2690 TÉLÉCOPIEUR : 514 334-4720

erpidlm@erpi.com www.erpi.com

Direction, développement de produits
Sylvain Giroux

Supervision éditoriale
Sylvie Chapleau

Traduction
Michel Boyer et France Boudreault,
Annie Desbiens, Marie-Claude Désorcy

Révision linguistique
Dominique Johnson

Correction d'épreuves
Odile Dallaserra

Recherche iconographique
Nathalie Bouchard et Yasmine Mazani

Direction artistique
Hélène Cousineau

Supervision de la production
Muriel Normand

Édition électronique
Infoscan Collette, Québec

Conception de l'intérieur et de la couverture
Martin Tremblay

Cet ouvrage est une version française de la huitième édition de *Essentials of Human Anatomy and Physiology* de Elaine N. Marieb, publiée et vendue à travers le monde avec l'autorisation de Pearson Education, Inc.

Dans cet ouvrage, le générique masculin est utilisé sans aucune discrimination et uniquement pour alléger le texte.

Dépôt légal - Bibliothèque et Archives nationales du Québec, 2008
Dépôt légal - Bibliothèque et Archives Canada, 2008
Imprimé au Canada

ISBN 978-2-7613-2292-8

567890 II 16 15 14 13
20429 ABCD SM9

Au professeur

Les causes et les conséquences des changements climatiques nous montrent qu'une approche globale s'impose quand nous avons affaire à de vastes ensembles complexes. L'organisme humain est un de ces ensembles complexes. Un manuel de biologie doit le présenter comme un tout; il est toutefois risqué, sur le plan pédagogique, de tenter d'en expliquer le fonctionnement sans le compartimenter en ses différents systèmes. S'il faut l'étudier par parties, on ne peut, à tout le moins, se permettre de négliger complètement celles qui ne sont pas au programme.

Nous croyons en effet qu'il n'est pas possible de réussir à traiter adéquatement des grandes fonctions de l'organisme humain en se limitant à quelques-uns de ses systèmes. Qu'il s'agisse des mécanismes de régulation nerveuse, de régulation endocrine, de reproduction ou même de transmission des gènes, on ne peut le faire clairement et de façon intéressante sans avoir régulièrement recours à des notions concernant les systèmes autres que ceux directement impliqués. Il est évident, par exemple, qu'on ne peut montrer comment le système nerveux participe au contrôle de la digestion si on n'a pas présenté un minimum de notions de base en ce qui concerne l'anatomie et le fonctionnement du système digestif. C'est dans cette optique qu'a été effectuée l'adaptation de la présente édition de *Biologie humaine*: apporter à l'étudiant qui ne verra pas à fond tous les systèmes de l'organisme les notions nécessaires pour comprendre les rapports que les systèmes étudiés entretiennent avec le reste de l'organisme.

Ce manuel, maintenant à sa deuxième édition, constitue une introduction à l'étude de la structure et de la fonction du corps humain. Écrit dans un style accessible, il permettra à ceux qui ont des connaissances limitées en sciences de comprendre les concepts fondamentaux de l'anatomie humaine et du fonctionnement du corps.

ORGANISATION

Les professeurs qui ont procédé à un examen attentif de la matière nous ont aidés à établir la présentation de la deuxième édition. Nous avons choisi de continuer, comme auparavant, à organiser la matière selon un ordre qui favorise l'apprentissage. Ainsi, le premier chapitre permet aux étudiants de s'orienter dans un monde de connaissances nouveau pour eux. C'est pourquoi il présente les termes anatomiques, les noms des principales régions du corps et un survol des fonctions qui permettent le maintien de la vie.

Ce manuel traite ensuite successivement de la chimie, des cellules, des tissus et du premier système (le système tégumentaire). La plupart des étudiants trouvent ce système particulièrement intéressant, de sorte que la transition vers l'analyse des autres systèmes s'effectue harmonieusement. Les chapitres suivants traitent de systèmes dont l'étude requiert l'emploi de nombreux termes anatomiques (par exemple, les systèmes osseux, musculaire et nerveux). Nous abordons chaque système en passant du plus simple au plus complexe, l'accent étant mis sur la compréhension des concepts plutôt que sur l'apprentissage par cœur.

S'il est un système du corps humain qui établit de multiples relations avec les autres, c'est bien le système nerveux: 15 des 17 chapitres de ce manuel y font référence et présentent une fonction où il intervient. C'est pourquoi, et on le remarquera sans doute dès le premier coup d'œil jeté sur cette deuxième édition, le chapitre traitant du système nerveux (chapitre 7) a été considérablement augmenté: le nombre de pages qui lui est consacré a presque doublé. Nous y traitons de façon plus substantielle notamment de l'influx nerveux, des neurotransmetteurs, du développement embryonnaire de l'encéphale et de son anatomie fonctionnelle (cortex cérébral, noyaux basaux, système limbique, formation réticulaire) et des conséquences de lésions touchant les diverses aires corticales. Nous abordons également de nouvelles notions telles que les fonctions mentales supérieures (sommeil, mémoire) ainsi que les faisceaux et les tractus ascendants et descendants de la moelle épinière. Ces modifications et ajouts importants répondront, nous l'espérons, aux vœux formulés par de nombreux professeurs.

La présente édition comporte aussi un chapitre de plus que la précédente, soit celui couvrant les notions de base de la génétique (chapitre 17). Ce nouveau chapitre est une adaptation du chapitre 29 d'*Anatomie et physiologie humaines* d'Elaine Marieb. Nous y avons ajouté des explications sur la formation des gamètes, abordé la notion du dihybridisme et proposé de nombreux problèmes de génétique; ces derniers sont solutionnés dans le Compagnon Web.

Flexibilité de l'organisation

Un bon manuel répond aux attentes des professeurs comme à celles des étudiants. Parce que chaque professeur a son style bien à lui et sa philosophie de l'enseignement et de l'organisation des cours, tous les chapitres ont été écrits de façon à permettre une grande flexibilité dans l'étude de la matière. Chacun des chapitres forme un tout, afin que le professeur puisse les présenter dans l'ordre qui lui plaira. Notre souci de flexibilité nous a aussi guidés dans la révision des objectifs apparaissant en début de chapitre. Ils sont encore plus nombreux et plus détaillés. L'enseignant n'aura qu'à choisir ce qui lui convient dans ces listes exhaustives.

CARACTÉRISTIQUES DE LA PRÉSENTE ÉDITION

Les éléments qui caractérisent ce manuel ont tous été conçus pour faciliter le processus d'apprentissage de l'étudiant et répondre aux besoins du professeur. Entre autres, nous avons fait les mises à jour qui s'imposaient en ce qui concerne la terminologie anatomique. L'enseignant qui utilise aussi, dans d'autres cours, *Anatomie et physiologie humaines* remarquera que nous avons veillé à harmoniser la terminologie des deux manuels. Les termes anatomiques employés sont les mêmes dans ces deux ouvrages et respectent, avec certaines exceptions dictées par l'importance de l'usage courant, la *Nomina Anatomica.*

Nouveautés

- **Encadrés « Faites-en l'expérience ».** Dans ces encadrés, nous proposons des exercices pratiques qui incitent l'étudiant à vérifier les faits par lui-même et à cultiver son esprit critique. Par exemple, on peut facilement et rapidement montrer que notre salive contient une enzyme. Les instructions sont données dans l'encadré de la page 49, au chapitre 2. On peut aussi calculer le métabolisme basal pour découvrir la quantité d'énergie nécessaire au fonctionnement de l'organisme. La façon de procéder est indiquée dans l'encadré de la page 532, au chapitre 14.
- **Encadrés « Gros plan ».** Ces encadrés se sont enrichis de nouveaux thèmes, dans cette édition, tels que les empreintes génétiques, le tatouage, les maladies neurodégénératives (maladie d'Alzheimer, maladie de Parkinson et chorée de Huntington), les espoirs suscités par l'hormone de croissance et le cancer du poumon. Pour chacun de ces encadrés, de même que pour tous les autres qui ont été conservés de la première édition, des efforts particuliers ont été faits afin que les informations fournies rendent compte des plus récents développements dans le domaine. Dans le but d'inciter l'étudiant à prendre connaissance de leur contenu, nous avons ajouté au moins un objectif et une question de révision se rapportant à chacun d'eux.
- **Questions.** Certaines figures sont accompagnées de questions qui poussent l'étudiant à interpréter les concepts ou les processus illustrés, ou à prévoir ce qui en découle. Les réponses sont données à l'envers sur la même page.
- **Compagnon Web.** L'ouvrage a maintenant un Compagnon Web (www.erpi.com/marieb.cw) contenant les réponses à toutes les questions de la rubrique « Questions de révision », qui se trouve à la fin de chacun des chapitres. Deux des trois sections de cette rubrique ont d'ailleurs fait l'objet d'une attention particulière. Nous nous sommes en effet efforcés de couvrir de façon encore plus complète tous les sujets importants présentés dans le chapitre. Plusieurs questions ou sous-questions ont donc été ajoutées.
- **Glossaire.** Nous avons donné, dans cette édition, beaucoup plus d'importance au glossaire. Celui-ci contient maintenant tous les termes en caractères gras apparaissant dans le texte des chapitres de ce manuel (à l'exception de quelques termes anatomiques). L'intention sous-jacente est de simplifier la recherche pour l'étudiant qui a besoin de comprendre une fonction ou de situer une structure associée à un système que son programme de cours ne couvre pas. Le glossaire pourra lui servir d'outil de dépannage en lui fournissant les rudiments nécessaires, dans les cas où il a besoin d'une information rapidement et ne peut se permettre de prendre le temps de lire tout le chapitre où cette fonction ou structure est traitée.
- **Nouvel appendice.** La présente édition fournit aussi, en appendice, la signification des éléments qui servent à former la plupart des termes utilisés dans cet ouvrage, de même qu'un exemple de chacun, tiré le plus souvent possible du manuel.

Mise à jour des figures

Nous avons ajouté plusieurs nouvelles figures dans la présente édition et beaucoup de celles qui existaient auparavant ont été améliorées. Il est très important, pour l'étude d'un sujet aussi vaste que l'anatomie et la physiologie humaines, d'établir certains automatismes qui favorisent l'apprentissage. Dans cet esprit, nous nous sommes employés à conserver un style uniforme et à utiliser les mêmes couleurs pour représenter les structures qui reviennent d'un chapitre à l'autre. Nous avons prêté une attention particulière à la cohérence des termes utilisés dans les illustrations et dans les explications du texte.

Supplément

Anatomie et physiologie humaines. Cahier d'activités d'Elaine Marieb, adapté par Linda Moussakova (ISBN 978-2-7613-2036-8). Cet excellent cahier d'exercices permet d'approfondir ses connaissances au moyen de questions et de dessins. Il combine les caractéristiques les plus utiles du guide et du cahier à colorier.

CARACTÉRISTIQUES RETENUES DE LA PREMIÈRE ÉDITION

- **Présentation de l'anatomie, de la physiologie et des maladies importantes sur le plan clinique.** Ce manuel présente un contenu anatomique et physiologique équilibré. Il traite également des maladies et des dysfonctionnements lorsque cela permet de mettre en évidence la structure et la fonction normales. Par ailleurs, les notions difficiles sont expliquées à l'aide d'analogies afin de stimuler l'intérêt de l'étudiant plutôt que de le décourager. Lorsqu'un effort soutenu de mémorisation de la terminologie et des faits est nécessaire, la matière est présentée à la fois dans le texte et sous forme de tableau.
- **Style.** Le style est volontairement familier. Les termes nouveaux sont écrits en caractères gras ou italiques. Ces termes sont définis dans le texte et, pour les termes en caractères gras, dans le glossaire.
- **«Tous pour un, un pour tous».** Cette rubrique résume très simplement les informations essentielles au sujet des interactions entre le système étudié et les autres systèmes de l'organisme. Présentée pour chaque système, elle aide l'étudiant à comprendre que l'organisme est un ensemble dynamique formé de parties interdépendantes.
- **Appendices.** L'appendice B donne le tableau périodique des éléments et l'appendice C fournit l'information essentielle au sujet des vitamines et des minéraux.
- **Outils pédagogiques.** Plusieurs outils pédagogiques sont utilisés pour faire en sorte que l'étudiant apprenne les termes et les concepts importants. Ainsi, on trouvera au début de chaque chapitre une liste des objectifs d'apprentissage et à la fin des chapitres un résumé et des questions de révision.
- **«Réflexion et application».** Les questions «Réflexion et application» présentées à la fin de chaque chapitre aideront les étudiants à appliquer leurs nouvelles connaissances à des situations cliniques.
- **Exemples cliniques mettant l'accent sur l'homéostasie.** Parce que l'état normal et désirable de l'organisme est l'homéostasie, ou stabilité du milieu interne, nous abordons ce concept dès le chapitre 1 et nous y revenons tout au long du manuel. Nous insistons également sur le fait que la perte de l'homéostasie entraîne une maladie ou un trouble – temporaire ou permanent. Pour cette raison, les paragraphes traitant des états pathologiques sont intégrés dans le texte à des endroits où ils clarifient le fonctionnement normal: ils ne constituent pas une fin en soi. Nous commençons toujours par expliquer le fonctionnement normal. Nous choisissons ensuite des exemples cliniques d'anomalies fréquentes. Nous cherchons ainsi à familiariser les étudiants avec les effets possibles de lésions ou de troubles fonctionnels. L'état pathologique est toujours indiqué à l'aide d'un symbole violet évoquant une bascule en déséquilibre ( ), afin de rappeler aux étudiants que la maladie constitue une perte de l'homéostasie.
- **Développement et vieillissement.** Chaque chapitre se termine par une section portant sur le développement et le vieillissement. Cette section décrit la formation du système chez l'embryon et en suit l'évolution jusqu'à la vieillesse. Nous présentons les principaux problèmes de santé particuliers au système étudié en mettant l'accent sur les troubles associés au processus du vieillissement.

Elaine N. Marieb et René Lachaîne

Remerciements

Quelques mots pour exprimer ma reconnaissance à tous les membres de cette équipe avec laquelle je travaille depuis maintenant dix ans. Je vais énumérer les noms par ordre alphabétique car, comme dans toute bonne équipe, il n'est pas facile d'établir un ordre d'importance dans les différentes contributions, tant l'apport de chacun est appréciable : Jean-Pierre Albert (qui a osé me proposer cet autre projet), Chantal Bordeleau (qui a traité si efficacement mes demandes de ressources de toute nature), Michel Boyer (qui s'est acquitté de la traduction avec une très grande rigueur), Sylvie Chapleau (qui a veillé à tout, du tout début à la toute fin, et avec qui j'ai tellement communiqué par courriel que tous nos messages réunis pourraient constituer, eux aussi, un assez volumineux ouvrage), Odile Dallaserra (qui a corrigé les épreuves dans leurs moindres détails), Sylvain Giroux (qui a, notamment, fait le lien entre le travail d'adaptation et les besoins des enseignants), Dominique Johnson (qui a vu à l'emploi du mot juste et de l'expression correcte) et Muriel Normand (qui a transformé mes ébauches en figures attrayantes). Je tiens à nommer aussi Janine, mon épouse, qui a accepté de vivre comme si son mari était disparu, six matinées sur sept, pendant la plus grande partie de la dernière année. Elle ne fait pas officiellement partie de l'équipe, mais c'est tout comme ; sa contribution est bénévole et indirecte, mais elle n'en est pas moins très précieuse. Quant à Véronique, ma fille, qui a utilisé la première édition de ce manuel dans son cours au cégep et qui nous a transmis ses suggestions et celles de ses camarades de classe en ce qui concerne le Compagnon Web, je crois bien qu'elle mérite aussi qu'on mentionne sa contribution.

La réalisation de cet ouvrage ressemble de façon étonnante au sujet dont il traite : les deux sont le fruit d'une coopération active et soutenue entre plusieurs parties diverses et d'une coordination sans faille et j'ai, pour les deux, une grande admiration.

René Lachaîne

À l'étudiant

L'étude de l'anatomie et de la physiologie humaines est plus qu'intéressante ; elle est fascinante, comme vous le verrez dans le présent ouvrage. Celui-ci a été écrit pour vous et c'est pourquoi il présente plusieurs caractéristiques destinées à vous aider dans votre travail.

Le style familier vous invite à l'étude de l'anatomie et de la physiologie de manière engageante. Nous souhaitons que vous ayez du plaisir à lire ce manuel.

Nous avons conçu les encadrés et les tableaux en pensant à vous. Les encadrés présentent de l'information scientifique que vous pouvez appliquer dans la vie quotidienne. Lorsque vous les lirez, vous vous direz probablement « Je ne savais pas que... » ou « Maintenant, je comprends pourquoi... ». Les tableaux constituent des résumés de l'information contenue dans le texte. Vous devriez les utiliser lorsque vous étudiez avant un examen et lorsque vous faites votre révision sur un sujet important.

Les termes dont vous devez connaître la signification sont définis dans le texte à l'endroit approprié. Vous trouverez également tous les termes apparaissant en caractères gras (et leur signification) dans le glossaire présenté à la fin du manuel.

Tous les examens causent une certaine anxiété, et ceux de biologie humaine ne font pas exception. Pour vous préparer à un examen, passez en revue la liste d'objectifs apparaissant au début de chaque chapitre, objectifs qui couvrent l'ensemble des notions présentées : déterminez, avec votre professeur, ceux sur lesquels votre étude devra surtout porter et cochez, au fur et à mesure, les objectifs que vous croyez suffisamment posséder. Pour mieux comprendre ce que vous venez de lire, consultez les résumés du chapitre, les questions de révision et les questions de réflexion et application à la fin du chapitre. Les réponses à toutes les questions apparaissant dans ce manuel sont données dans le Compagnon Web (www.erpi.com/marieb.cw). Les rubriques « Tous pour un, un pour tous », qui accompagnent l'étude de chaque système, vous aideront aussi à vous préparer parce qu'elles expliquent très simplement les interactions les plus importantes entre les systèmes de l'organisme.

Les figures sont conçues de manière à vous aider à comprendre les différentes structures et fonctions du corps humain. Vous trouverez dans le texte une référence pour toutes les figures. La meilleure façon d'utiliser les illustrations consiste à les étudier en parallèle avec la lecture du texte.

Et surtout ne vous laissez pas impressionner par l'abondance des notions à mémoriser. Travaillez en premier lieu à comprendre le *déroulement général* des mécanismes étudiés et à saisir comment ils contribuent au maintien de l'*homéostasie* de l'organisme ; en ce qui concerne l'anatomie, tentez le plus possible de *relier une structure à sa fonction*, et avant d'essayer d'apprendre par cœur les différents termes de vocabulaire, cherchez d'abord les éléments de formation de ces mots et leur signification (consultez l'appendice A à cet effet). Vous aurez alors beaucoup moins d'efforts de mémorisation à fournir et les liens que vous aurez établis dureront plus longtemps (au moins jusqu'à l'examen et peut-être toute votre vie).

Nous espérons très sincèrement que vous apprécierez ce manuel et qu'il fera de l'apprentissage de l'anatomie et de la physiologie un processus agréable et gratifiant.

Elaine N. Marieb et René Lachaîne

Guide visuel

Sommaire et objectifs d'apprentissage

Le sommaire présenté au début des chapitres indique aux étudiants les points les plus importants du chapitre. C'est à cet endroit également que les étudiants trouveront une liste d'objectifs détaillés qu'ils pourront utiliser comme outil d'étude et de révision afin de vérifier leur compréhension.

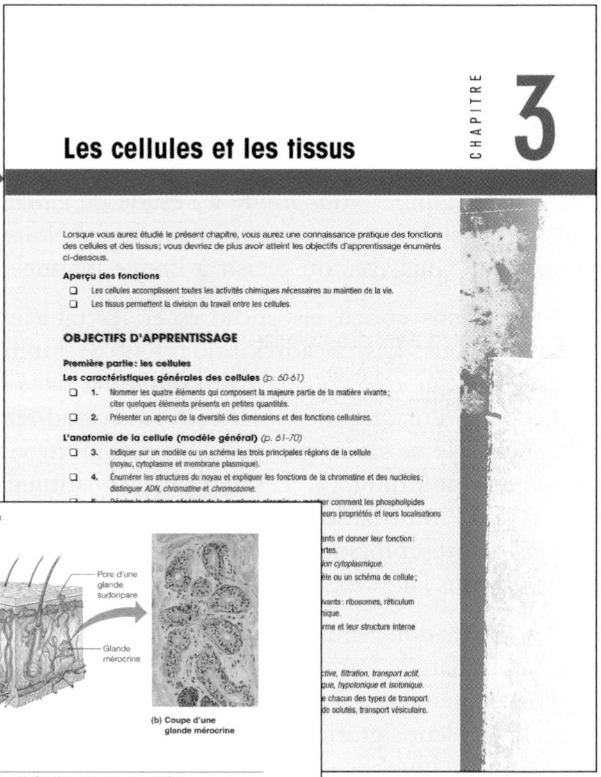

CHAPITRE 3
Les cellules et les tissus
Aperçu des fonctions
OBJECTIFS D'APPRENTISSAGE
Première partie : les cellules
Les caractéristiques générales des cellules (p. 60-61)
L'anatomie de la cellule (modèle général) (p. 61-70)

Questions clés et réponses

Les questions portant sur une sélection de figures servent de guide pour l'interprétation des concepts ou des processus illustrés. Les réponses apparaissent à l'envers au bas de la page.

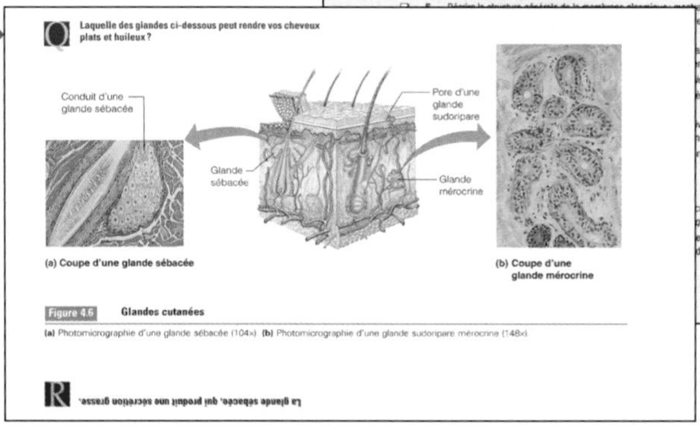

Laquelle des glandes ci-dessous peut rendre vos cheveux plats et huileux ?
(a) Coupe d'une glande sébacée
(b) Coupe d'une glande mérocrine
Figure 4.6 Glandes cutanées

Tableaux

Des tableaux souvent illustrés résument l'information fournie. La synthèse ainsi obtenue constitue un bon outil d'étude.

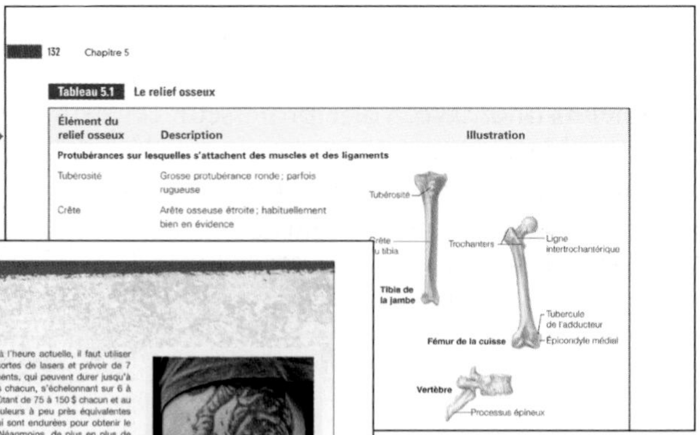

132 Chapitre 5
Tableau 5.1 Le relief osseux
Élément du relief osseux
Description
Illustration

Encadrés « Gros plan »

Ces encadrés explorent les innovations de la technologie médicale, les découvertes en recherche médicale et d'importantes questions sociétales.

GROS PLAN
Les tatouages

Rubrique « Tous pour un, un pour tous »

Cette rubrique résume très simplement les informations essentielles au sujet des interactions entre le système étudié et les autres systèmes de l'organisme.

Tous pour un, un pour tous

Les relations entre le système musculaire et les autres systèmes de l'organisme

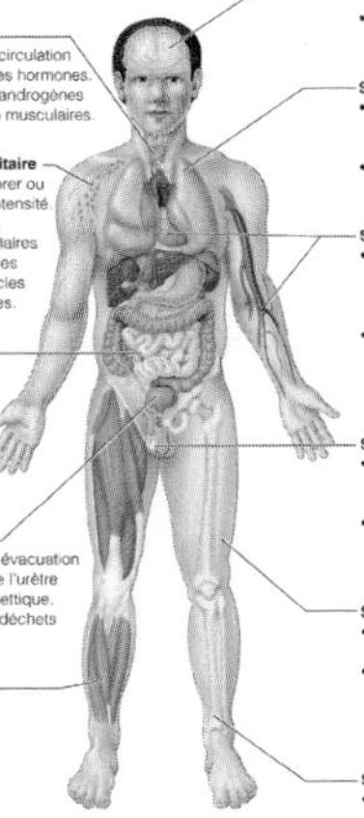
Système nerveux
• L'activité des muscles faciaux permet l'expression des émotions.
• Le système nerveux stimule l'activité musculaire et en assure la régulation.
Système endocrinien
• L'activité musculaire favorise la circulation sanguine et donc le transport des hormones.
• L'hormone de croissance et les androgènes déterminent la force et la masse musculaires.
Système respiratoire
• Les muscles squelettiques permettent les mouvements respiratoires ; l'exercice musculaire accroît la capacité pulmonaire.
• Le système respiratoire fournit de l'oxygène aux myocytes et en évacue le gaz carbonique.
Système lymphatique et immunitaire
• L'exercice physique peut améliorer ou entraver l'immunité, selon son intensité.
• Le système lymphatique draine les liquides échappés des capillaires sanguins musculaires ; les cellules immunitaires protègent les muscles squelettiques contre les maladies.
Système cardiovasculaire
• L'activité des muscles squelettiques augmente l'efficacité du système cardiovasculaire ; elle prévient l'athérosclérose et provoque l'hypertrophie du cœur.
• Le système cardiovasculaire apporte aux myocytes l'oxygène et les nutriments dont ils ont besoin, et les débarrasse de leurs déchets.
Système digestif
• L'activité physique augmente la motilité intestinale au repos.
• Le système digestif fournit les nutriments nécessaires au maintien des muscles et à la physiologie musculaire ; le foie métabolise l'acide lactique.
Système génital
• Les muscles squelettiques soutiennent les organes génitaux internes dans l'abdomen (l'utérus chez la femme, par exemple).
• Les androgènes synthétisés par les testicules entraînent une augmentation du volume des muscles.
Système urinaire
• L'activité physique favorise une évacuation normale ; le muscle sphincter de l'urètre (volontaire) est un muscle squelettique.
• Le système urinaire évacue les déchets azotés des myocytes
Système tégumentaire
• L'exercice musculaire favorise l'irrigation de la peau et maintient celle-ci en bon état.
• La peau protège les muscles en les enveloppant ; elle contribue à dissiper l'augmentation de la température corporelle causée par l'exercice musculaire.
Système musculaire
Système osseux
• L'activité des muscles squelettiques assure l'intégrité et la solidité des os.
• Les os fournissent des leviers pour l'activité musculaire et constituent un réservoir de calcium nécessaire à la contraction musculaire.

Icône de l'homéostasie

Ce symbole évoquant une bascule en déséquilibre indique les endroits où on étudie des troubles dans le fonctionnement de l'organisme.

Déséquilibre homéostatique

La perméabilité sélective est une caractéristique des cellules saines et en bon état. Lorsqu'une cellule meurt ou subit un dommage grave, sa membrane plasmique devient perméable à presque toutes les substances. Ce phénomène se manifeste très clairement à la suite d'une brûlure grave. Les liquides, les protéines et les ions « suintent », c'est-à-dire qu'ils s'écoulent des cellules mortes et endommagées de la région brûlée, ce qui peut avoir de graves conséquences sur le fonctionnement du système cardiovasculaire (voir le chapitre 4, p. 117). ▲

Encadrés « Faites-en l'expérience »

Ces encadrés proposent des exercices pratiques qui incitent l'étudiant à vérifier les faits par lui-même et à cultiver son esprit critique.

FAITES-EN L'EXPÉRIENCE

Montrez que l'eau et l'huile ne se mélangent pas

Versez de l'eau et de l'huile végétale dans un bocal et agitez. Vous pourrez remarquer que l'huile se sépare de l'eau, en formant d'abord des gouttelettes, qui s'agglomèrent petit à petit en bulles plus volumineuses pour finalement venir reposer en une seule couche à la surface de l'eau.

L'eau est une molécule polaire alors que l'huile est composée de molécules non polaires, dépourvues de charge électrique. Lorsqu'on les mélange à l'huile, les molécules d'eau s'attirent entre elles et se rassemblent, repoussant ainsi les autres molécules à l'extérieur des régions qu'elles occupent. Avec le temps, l'huile est refoulée et contrainte à former des gouttelettes de plus en plus grosses jusqu'à ce qu'elle se sépare complètement de l'eau. Elle s'élève au-dessus de cette dernière parce qu'elle est moins dense qu'elle.

Vous n'avez sans doute pas de phospholipides à portée de la main. Mais, si vous en aviez et que vous répétiez l'expérience précédente, vous obtiendriez un résultat bien différent, parce que les phospholipides ne se séparent pas de l'eau. Au microscope, vous verriez un grand nombre de petites sphères, composées chacune d'une bicouche de phospholipides autour d'un petit volume d'eau. En fait, vous auriez là une version non vivante de la membrane externe de la cellule avec son contenu.

Résumé du chapitre

Ces résumés complets, accompagnés de renvois aux pages appropriées, sont présentés de façon à constituer un outil de révision très utile lors de l'étude individuelle ou en groupe.

98 Chapitre 3

Résumé du chapitre 3

Première partie : les cellules *(p. 60-82)*

LES CARACTÉRISTIQUES GÉNÉRALES DES CELLULES

1. Une cellule est composée en majeure partie de quatre éléments – le carbone, l'hydrogène, l'oxygène et l'azote – ainsi que de nombreux autres éléments présents en petites quantités, et d'oligoéléments. La matière vivante est formée à plus de 60 % d'eau. Les protéines sont les principaux constituants des cellules.
2. La longueur des cellules varie entre quelques micromètres et plus d'un mètre. La forme des cellules reflète souvent leur fonction. Par exemple, la forme allongée des

et les peroxysomes neutralisent les substances chimiques dangereuses. Les éléments du cytosquelette soutiennent la cellule et en permettent les mouvements. Les centrioles interviennent dans la division cellulaire et sont à l'origine des cils et des flagelles.

LA PHYSIOLOGIE DE LA CELLULE

1. Toutes les cellules sont excitables, absorbent des nutriments, excrètent des déchets, se reproduisent, croissent et métabolisent ; toutes sont le siège de mouvement et certaines sont mobiles.
2. Transport des substances à travers la membrane plasmique :
   a) Les mécanismes de transport passifs sont la diffusion et la filtration.
      1) La diffusion est le mouvement d'une substance à partir d'une région où elle est fortement concentrée vers une région où elle est moins concentrée. Elle est attribuable à l'énergie cinétique des molécules. La diffusion des solutés à travers la bicouche lipidique de la membrane plasmique est appelée

Questions de révision

Ces questions aideront les étudiants à vérifier s'ils ont bien compris ce qu'ils ont lu et à déterminer sur quels points ils devraient travailler davantage. Les réponses aux questions sont données dans le Compagnon Web (www.erpi.com/marieb.cw).

100 Chapitre 3

Questions de révision

QUESTIONS À CHOIX MULTIPLE

Pour certaines questions, il peut y avoir plus d'une bonne réponse.

1. Laquelle des structures qui suivent vous attendez-vous à trouver sur ou dans des cellules dont la fonction principale est l'absorption ?
   a) Les microvillosités.
   b) Les cils.
   c) Les jonctions ouvertes.
   d) Les vésicules de sécrétion.
2. Les cellules adultes chez lesquelles on peut s'attendre à trouver des jonctions ouvertes sont celles :
   a) des muscles squelettiques.
   b) des os.
   c) du cœur.
   d) des muscles lisses.

7. Quels énoncés parmi ceux qui suivent sont exacts ?
   a) La division cellulaire produit deux cellules filles possédant les mêmes gènes que la cellule mère.
   b) Le terme *mitose* est synonyme de *division cellulaire.*
   c) La réplication de l'ADN précède normalement la division de la cellule.
   d) L'interphase est un temps de repos pour la cellule.
   e) Les cellules multinucléées de l'organisme sont le résultat de divisions des noyaux non suivies de divisions du cytoplasme.
8. La séquence qui suit fait référence au déroulement de la synthèse des protéines :
   Codons, triplets, anticodons, acides aminés, protéines, réactions chimiques de la cellule.
   Lesquels, parmi les énoncés suivants, sont justes ?
   a) *Triplets* devrait venir en premier.
   b) *Enzymes* devrait apparaître entre *protéines* et *réactions chimiques de la cellule.*
   c) *Acides aminés* n'a pas sa place.
   d) Tout est correct.

Réflexion et application

Ces questions, identifiées par une icône représentant un stéthoscope, amènent les étudiants à intégrer les notions acquises et à utiliser cette intégration dans la résolution de problèmes cliniques. Les réponses aux questions sont données dans le Compagnon Web (www.erpi.com/marieb.cw).

Réflexion et application

1. Un médecin recommande à M. Ahmadi de perdre du poids et de se mettre au jogging. M. Ahmadi commence donc à courir chaque jour. Le sixième jour, il doit faire un saut de côté pour éviter une voiture folle. Au même moment, il entend un claquement dans la partie inférieure de son mollet droit, suivi immédiatement d'une douleur. M. Ahmadi s'aperçoit alors qu'il y a un renfoncement entre son mollet enflé et son talon, et qu'il n'est plus capable d'effectuer la flexion plantaire. À votre avis, que s'est-il passé ?
2. En repeignant sa maison, Françoise tombe d'une échelle et se fracture la clavicule droite. Le médecin de l'urgence lui recommande, entre autres choses, de porter son bras droit en écharpe afin d'immobiliser la clavicule et d'accélérer sa guérison. Quels muscles sont temporairement mis au repos par l'écharpe ?
3. Un jour, lorsque Éric revient de faire son jogging, il respire péniblement, transpire abondamment et se plaint d'avoir les jambes endolories et faibles. Sa femme lui donne

Table des matières

3 Les cellules et les tissus 59

4 La peau et les membranes de l'organisme 103

5 Le système osseux 127

7 Le système nerveux 219

8 Les sens 305

CHAPITRE 1

Le corps humain : introduction

Lorsque vous aurez étudié le présent chapitre, vous devriez avoir atteint les objectifs d'apprentissage énumérés ci-dessous.

OBJECTIFS D'APPRENTISSAGE

Définition générale de l'anatomie et de la physiologie *(p. 2)*

- ❑ **1.** Définir l'*anatomie* et la *physiologie*.
- ❑ **2.** Expliquer la relation entre l'anatomie et la physiologie.

Les niveaux d'organisation structurale *(p. 2-7)*

- ❑ **3.** Énumérer, dans un ordre croissant de complexité, les niveaux d'organisation structurale du corps humain et expliquer les relations entre eux.
- ❑ **4.** Nommer les 11 systèmes de l'organisme et expliquer les principales fonctions de chacun.
- ❑ **5.** Classer chacun des organes décrits dans le système auquel il appartient.
- ❑ **6.** Situer les organes qui sont illustrés dans un schéma ou sur un torse.

Le maintien de la vie *(p. 7-9)*

- ❑ **7.** Énumérer et décrire les fonctions que l'organisme doit accomplir pour assurer sa survie.
- ❑ **8.** Définir les besoins vitaux de l'organisme et expliquer les fondements de chacun.

L'homéostasie *(p. 10-11)*

- ❑ **9.** Définir l'*homéostasie* et expliquer son importance.
- ❑ **10.** Définir la *rétro-inhibition* et décrire son rôle dans le maintien de l'homéostasie et le fonctionnement normal de l'organisme ; expliquer pourquoi les exemples de rétroactivation dans l'organisme sont peu nombreux.
- ❑ **11.** Énumérer, dans l'ordre, les éléments d'un mécanisme de régulation de l'homéostasie et montrer, à l'aide d'un exemple, comment ils sont liés.

Vocabulaire de l'anatomie *(p. 11-17)*

- ❑ **12.** Décrire verbalement la position anatomique ou en faire la démonstration, et expliquer son importance.
- ❑ **13.** À l'aide des termes anatomiques appropriés, décrire l'orientation, les régions et les plans du corps.
- ❑ **14.** Définir et distinguer entre eux les trois grands types de coupes (sagittale, frontale et transversale).
- ❑ **15.** Nommer et situer les deux grandes cavités du corps et leurs subdivisions ; énumérer les principaux organes qu'elles renferment.
- ❑ **16.** Nommer et situer les neuf subdivisions (régions) de la cavité abdominopelvienne.

Définition générale de l'anatomie et de la physiologie

Nous avons tous ou presque la curiosité naturelle de notre corps; nous voulons savoir comment il fonctionne. On voit cette curiosité à l'œuvre chez les bébés, qui peuvent s'amuser de longs moments à regarder leurs propres mains ou à tripoter le nez de leur mère. On la voit aussi chez les enfants plus âgés, qui se demandent bien où va la nourriture qu'ils avalent et qui croient parfois qu'une pastèque poussera dans leur «bedon» s'ils en avalent des pépins. Ils hurlent quand un médecin ou une infirmière s'approche d'eux (de peur de se faire piquer), mais ils aiment jouer au docteur. Quant aux adultes, ils s'inquiètent quand leur cœur palpite, lorsqu'ils ont des bouffées de chaleur ou qu'ils ne réussissent pas à maintenir leur poids.

L'anatomie et la physiologie humaines, deux branches de la biologie, permettent d'explorer de tels sujets, car elles décrivent les structures du corps humain et le fonctionnement de celles-ci.

L'ANATOMIE

L'**anatomie** est l'étude de la structure et de la forme du corps et de ses parties, ainsi que des relations que celles-ci ont les unes avec les autres. L'*anatomie macroscopique* est l'étude du corps ou de ses structures visibles à l'œil nu, comme le cœur ou les os; c'est l'étude des grandes structures facilement observables. En fait, le terme *anatomie* (*ana* signifie «à travers»; *temnein* veut dire «découper») s'applique surtout à l'anatomie macroscopique parce que cette discipline consiste à disséquer (découper) des animaux ou des organes préparés afin de les examiner. En revanche, lorsqu'on utilise un microscope ou un instrument grossissant pour voir de très petites structures dans le corps, il s'agit d'*anatomie microscopique.* Ainsi, les cellules et les tissus du corps peuvent être observés uniquement au moyen d'un microscope. L'anatomie des cellules est appelée *cytologie* et celle des tissus, *histologie.*

LA PHYSIOLOGIE

La **physiologie** (*phusio*, «nature»; *logos*, «étude») est l'étude du fonctionnement du corps et de ses parties. Comme l'anatomie, elle englobe de nombreuses spécialités. Par exemple, la *neurophysiologie* explique le fonctionnement du système nerveux et la *physiologie cardiaque* examine le fonctionnement du cœur, ce muscle qui agit comme une pompe pour faire circuler le sang dans tout le corps.

LA RELATION ENTRE L'ANATOMIE ET LA PHYSIOLOGIE

Dans la réalité, l'anatomie et la physiologie sont indissociables. Les parties de votre corps sont organisées de manière à former une unité cohérente, et chacune de ces parties a une tâche à accomplir pour que le corps fonctionne comme un tout. C'est la structure qui détermine les fonctions de chaque partie. Par exemple, les poumons ne sont pas des cavités musculaires comme le cœur et ne peuvent pas faire circuler le sang dans tout le corps, mais, parce que les parois de leurs alvéoles sont très minces, ils *peuvent* échanger les gaz pour alimenter le corps en oxygène et le débarrasser de son gaz carbonique. Dans le présent manuel, pour faciliter votre apprentissage, nous mettrons souvent l'accent sur l'étroite relation qui existe entre l'anatomie et la physiologie (ou entre une structure et sa fonction).

Les niveaux d'organisation structurale

DES ATOMES AUX ORGANISMES

Le corps humain comporte plusieurs niveaux de complexité (figure 1.1). Tout au bas de cette organisation hiérarchique se trouve le *niveau chimique,* que nous étudierons au chapitre 2. À ce niveau, de minuscules particules de matière, les **atomes**, se combinent pour former des *molécules* comme l'eau, le sucre et les protéines. À leur tour, ces molécules s'associent de manière précise pour former diverses entités microscopiques, les *organites*, qui composent les **cellules**, les plus petites unités de tout organisme vivant. Nous étudierons le *niveau cellulaire* au chapitre 3. Les cellules ont des dimensions et des formes très variées qui reflètent la diversité de leurs fonctions dans l'organisme.

Les organismes les plus simples ne sont constitués que d'une seule cellule, mais chez des organismes complexes comme les arbres et les êtres humains, le *niveau tissulaire* représente l'échelon suivant. Les **tissus** sont des groupes de cellules semblables qui remplissent une même fonction. Comme nous le verrons au chapitre 3, chacun des quatre grands types de tissus (épithélial, conjonctif, musculaire et nerveux) joue dans l'organisme un rôle particulier et distinct.

Un **organe** est une structure constituée d'au moins deux types de tissus, qui exerce une fonction précise dans l'organisme. Au *niveau des organes*, des processus physiologiques extrêmement complexes deviennent possibles. Par exemple, l'intestin grêle, qui digère et absorbe

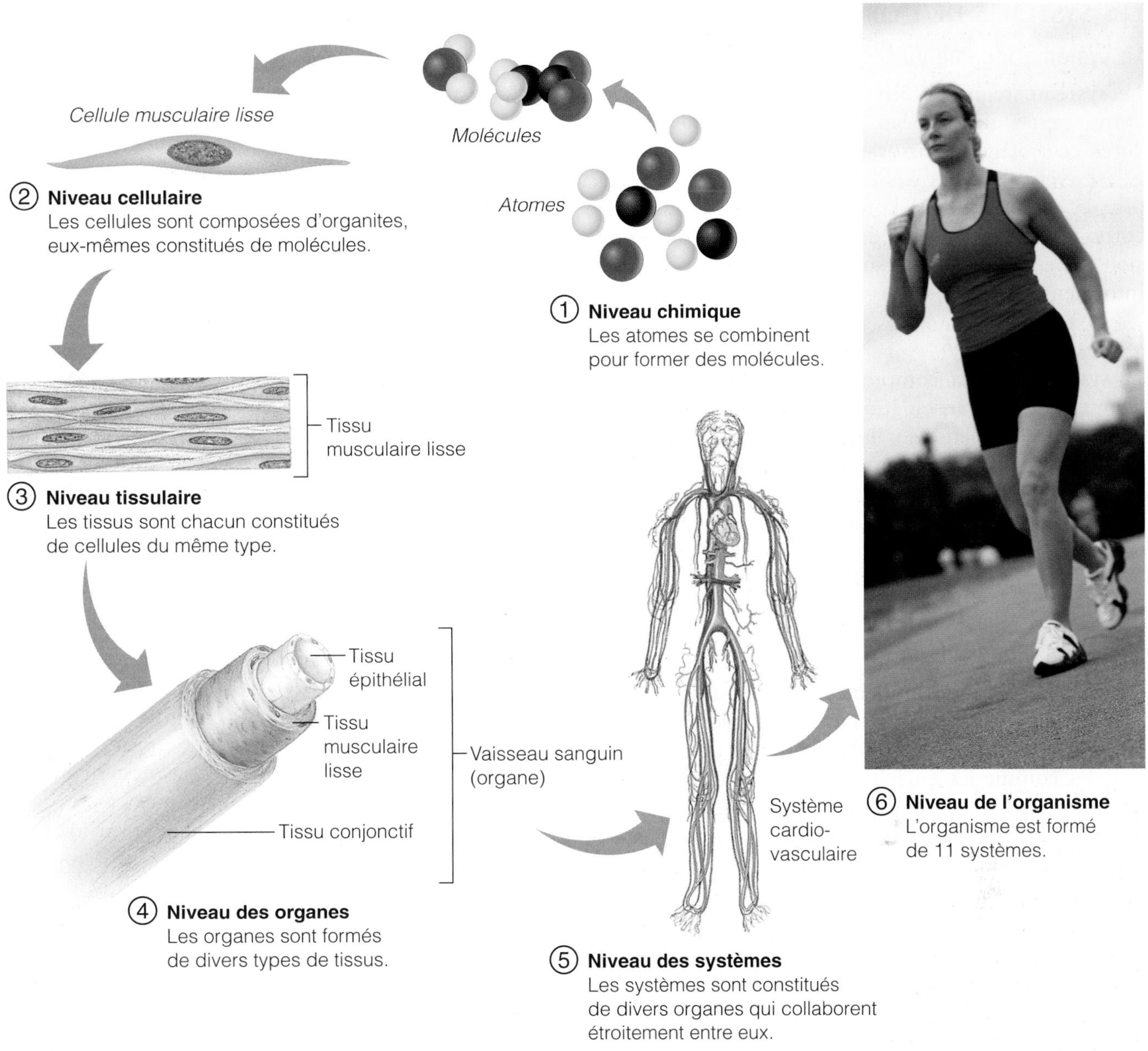

Cellule musculaire lisse
Molécules
Atomes
① Niveau chimique
Les atomes se combinent pour former des molécules.
② Niveau cellulaire
Les cellules sont composées d'organites, eux-mêmes constitués de molécules.
Tissu musculaire lisse
③ Niveau tissulaire
Les tissus sont chacun constitués de cellules du même type.
Tissu épithélial
Tissu musculaire lisse
Tissu conjonctif
Vaisseau sanguin (organe)
④ Niveau des organes
Les organes sont formés de divers types de tissus.
Système cardio-vasculaire
⑤ Niveau des systèmes
Les systèmes sont constitués de divers organes qui collaborent étroitement entre eux.
⑥ Niveau de l'organisme
L'organisme est formé de 11 systèmes.

Figure 1.1 **Les niveaux d'organisation structurale**

Dans ce diagramme, les différents niveaux d'organisation structurale du corps humain sont illustrés à l'aide du système cardiovasculaire.

les aliments, est composé des quatre grands types de tissus. Tous les organes du corps sont groupés de façon à former un certain nombre de systèmes. Un **système** est un groupe d'organes qui accomplissent ensemble une fonction commune. Par exemple, le système digestif comprend, entre autres organes, l'œsophage, l'estomac, l'intestin grêle et le gros intestin. Ces organes ont chacun une tâche à accomplir, mais, en travaillant de concert, ils acheminent les aliments à travers le système digestif afin de les dégrader en nutriments qui peuvent passer dans le sang pour nourrir toutes les cellules de l'organisme. En tout, l'être humain vivant, c'est-à-dire l'**organisme**, est constitué de 11 systèmes. Ce dernier niveau d'organisation est appelé *niveau de l'organisme*. Les principaux organes de chaque système sont illustrés à la figure 1.2. Consultez cette figure en lisant les paragraphes qui suivent, lesquels décrivent chacun des systèmes.

LES SYSTÈMES DE L'ORGANISME

Le système tégumentaire

Le **système tégumentaire** est l'enveloppe externe du corps, c'est-à-dire la peau. La peau imperméabilise le corps et protège les tissus profonds contre les lésions. Elle excrète aussi des sels et de l'urée lorsqu'elle transpire, et elle contribue à la régulation de la température corporelle. Les récepteurs de la température, de la pression et de la douleur qui sont situés dans la peau nous informent de ce qui se passe à la surface du corps.

Le système osseux

Le **système osseux** comprend les os, les cartilages, les ligaments et les articulations. Il soutient le corps et forme une charpente sur laquelle les muscles squelettiques agissent pour produire le mouvement. Le système osseux a aussi une fonction protectrice (par exemple, le crâne enveloppe et protège l'encéphale). L'*hématopoïèse*, ou formation des globules sanguins, se déroule dans les cavités du squelette. La substance dure des os constitue une réserve de minéraux.

Le système musculaire

Les muscles du corps ont une propriété unique : ils *se contractent.* Lorsqu'il se contracte, un muscle raccourcit et produit un mouvement. On peut donc considérer les muscles comme les « machines » du corps. La mobilité du corps dans son ensemble reflète l'activité des *muscles squelettiques*, c'est-à-dire les gros muscles charnus qui sont attachés aux os. Grâce à la contraction de ceux-ci, vous pouvez vous tenir droit, marcher, sauter, saisir un objet, lancer une balle ou sourire. Les contractions peuvent aussi avoir un effet sur la stabilité des articulations. De plus, elles produisent toujours de la chaleur, ce qui contribue au maintien de la température corporelle. Les muscles squelettiques forment le **système musculaire**. Ils sont distincts des muscles du cœur et des autres organes creux, qui font circuler des liquides (sang, urine) ou d'autres substances (comme les aliments) dans certaines voies de l'organisme.

Le système nerveux

Le **système nerveux** est le système de régulation rapide de l'organisme. Il comprend l'encéphale, la moelle épinière, les nerfs et les récepteurs sensoriels. L'organisme doit être capable de réagir sans délai aux agents irritants ou aux stimulus qui viennent autant de l'extérieur du corps (comme la lumière, le bruit ou les changements de température) que de l'intérieur de celui-ci (comme la diminution de l'oxygène ou l'étirement des tissus). Les récepteurs sensoriels détectent ces changements et envoient des messages (appelés *influx nerveux*) au système nerveux central (encéphale et moelle épinière) afin que celui-ci demeure en tout temps informé de ce qui se passe. Le système nerveux central évalue alors le contenu du message et soit le met en mémoire, soit réagit immédiatement en activant les effecteurs appropriés (muscles ou glandes) dans l'organisme.

Le système endocrinien

Comme le système nerveux, le **système endocrinien** assure la régulation de certaines activités de l'organisme, mais il agit beaucoup plus lentement. Les glandes endocrines sécrètent des molécules chimiques appelées *hormones* et les libèrent dans le sang, qui les transporte jusqu'à des organes cibles relativement éloignés. Ces hormones peuvent être aussi libérées par des amas de cellules non groupés en glandes ; c'est le cas des hormones digestives notamment.

Parmi les glandes endocrines figurent l'hypophyse, la glande thyroïde, les glandes parathyroïdes, les glandes surrénales, le thymus, le pancréas, le corps pinéal, les ovaires (chez la femme) et les testicules (chez l'homme). Sur le plan anatomique, les glandes endocrines ne sont pas liées entre elles comme le sont les parties des autres systèmes. Elles ont toutefois un point commun : elles sécrètent toutes des hormones, qui agissent sur d'autres structures. Les fonctions corporelles régies par les hormones sont nombreuses et diverses, et mettent à contribution toutes les cellules de l'organisme. La croissance, la reproduction ainsi que l'utilisation des nutriments par les cellules (fonctions qui s'étendent sur un temps relativement long) sont des fonctions régies (du moins en partie) par les hormones.

Le système cardiovasculaire

Les principaux organes du **système cardiovasculaire** sont le cœur et les vaisseaux sanguins. En se servant du sang comme véhicule, le système cardiovasculaire transporte l'oxygène, les nutriments, les hormones et d'autres substances vers les cellules où des échanges se produisent ; il rapporte aussi diverses substances provenant de ces cellules vers leur lieu de destination dans le corps. Les globules blancs et plusieurs substances chimiques du sang aident à protéger l'organisme contre les agresseurs tels que les bactéries, les toxines et les cellules tumorales. Le cœur, en agissant comme une pompe, fait circuler le sang dans les vaisseaux sanguins pour alimenter tous les tissus du corps.

Figure 1.2 **Les systèmes de l'organisme**

Les éléments structuraux des systèmes sont représentés schématiquement. Les principales fonctions de chaque système sont énumérées sous l'illustration correspondante.

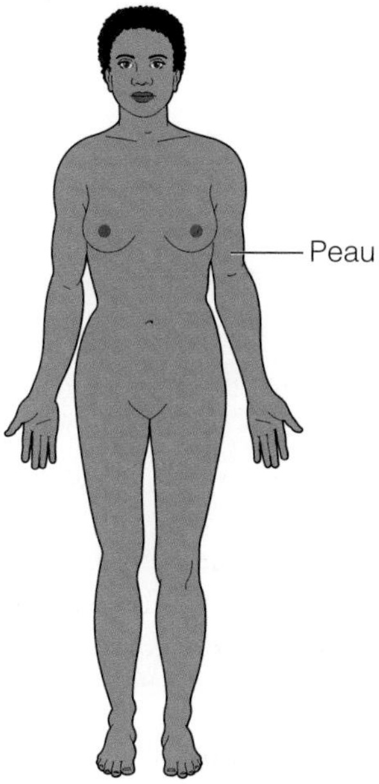
Peau

(a) Système tégumentaire
Forme l'enveloppe externe de l'organisme; protège les tissus plus profonds contre les lésions; synthétise la vitamine D; contient les récepteurs cutanés (douleur, pression, etc.) ainsi que les glandes sudoripares et sébacées.

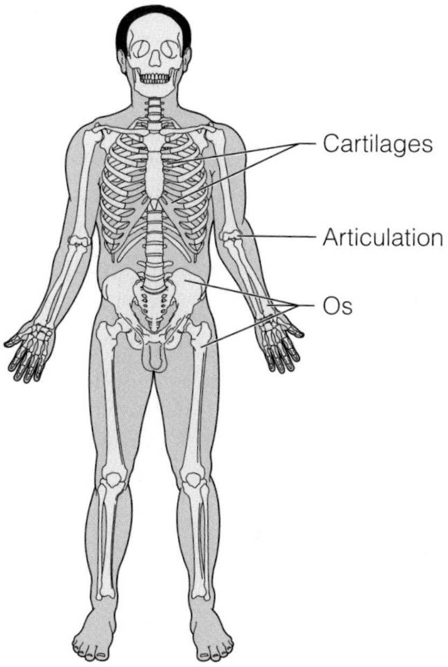
Cartilages
Articulation
Os

(b) Système osseux
Protège et soutient les autres organes; constitue une charpente sur laquelle les muscles agissent pour produire le mouvement et conserver la posture; fabrique les globules sanguins dans la moelle des os; constitue une réserve de minéraux.

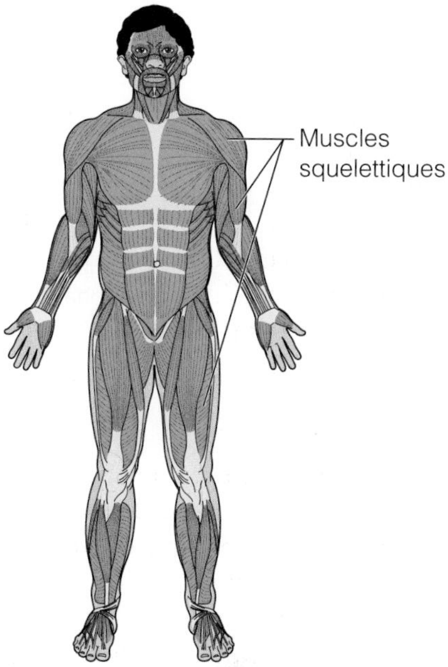
Muscles squelettiques

(c) Système musculaire
Permet la manipulation d'objets dans l'environnement, la locomotion, l'expression faciale et le maintien de la posture; produit de la chaleur.

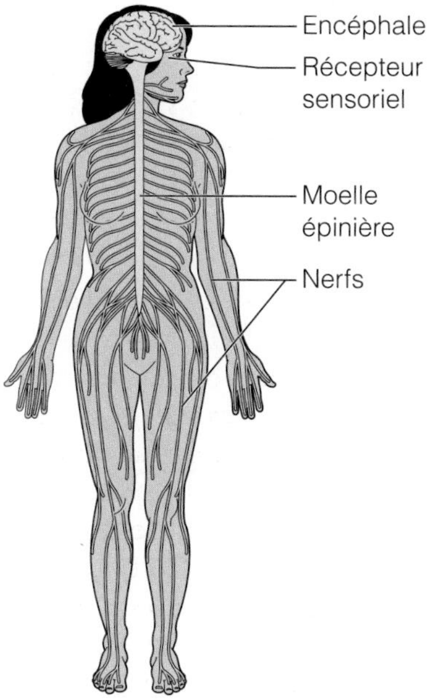
Encéphale
Récepteur sensoriel
Moelle épinière
Nerfs

(d) Système nerveux
Assure la régulation rapide de l'organisme; réagit instantanément aux changements internes et externes en activant les glandes et les muscles appropriés; comprend les centres nerveux, siège des fonctions mentales supérieures.

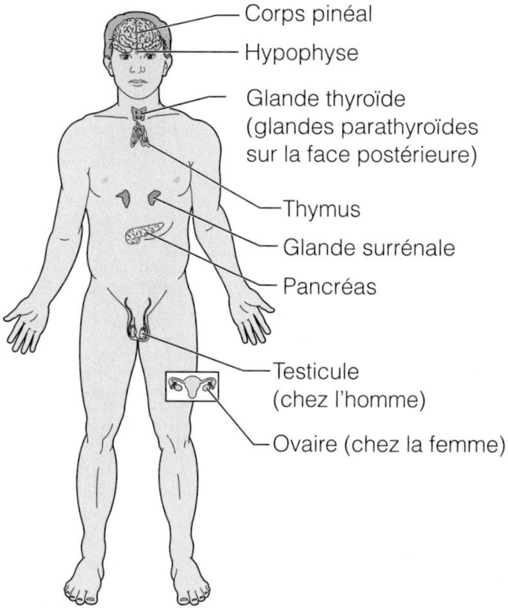
Corps pinéal
Hypophyse
Glande thyroïde (glandes parathyroïdes sur la face postérieure)
Thymus
Glande surrénale
Pancréas
Testicule (chez l'homme)
Ovaire (chez la femme)

(e) Système endocrinien
Comprend des glandes qui sécrètent des hormones réglant des processus relativement lents et complexes comme la croissance, la reproduction et l'utilisation des nutriments par les cellules (métabolisme).

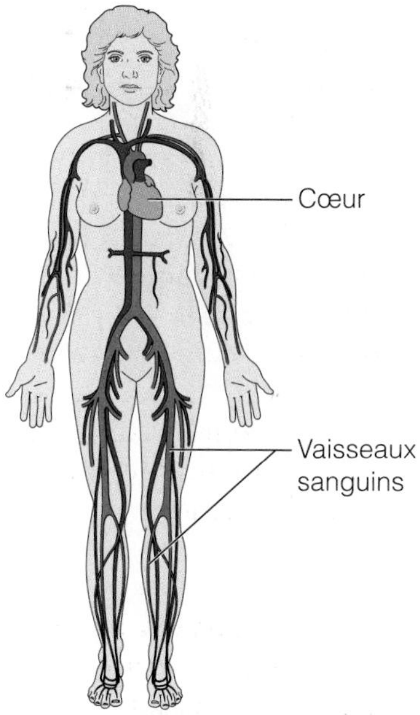
Cœur
Vaisseaux sanguins

(f) Système cardiovasculaire
Comprend les vaisseaux sanguins qui transportent le sang contenant de l'oxygène, du gaz carbonique, des nutriments, des déchets, etc.; comprend le cœur, qui fait circuler le sang en agissant comme une pompe.

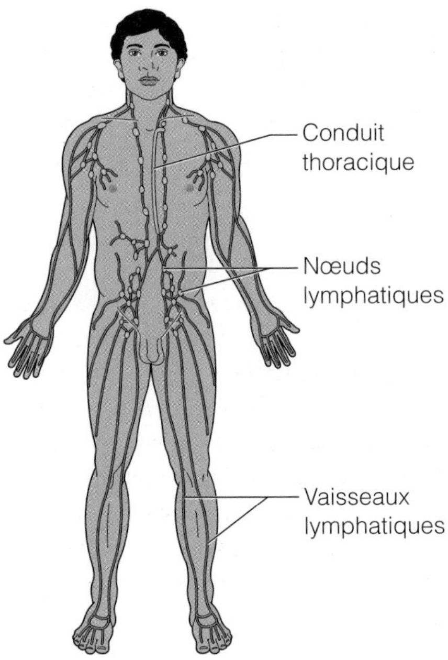
Conduit
thoracique
Nœuds
lymphatiques
Vaisseaux
lymphatiques

(g) Système lymphatique
Recueille les liquides qui s'échappent des vaisseaux sanguins et les réachemine vers le sang ; élimine les déchets circulant dans la lymphe grâce aux nœuds lymphatiques ; contient les globules blancs qui jouent un rôle dans l'immunité.

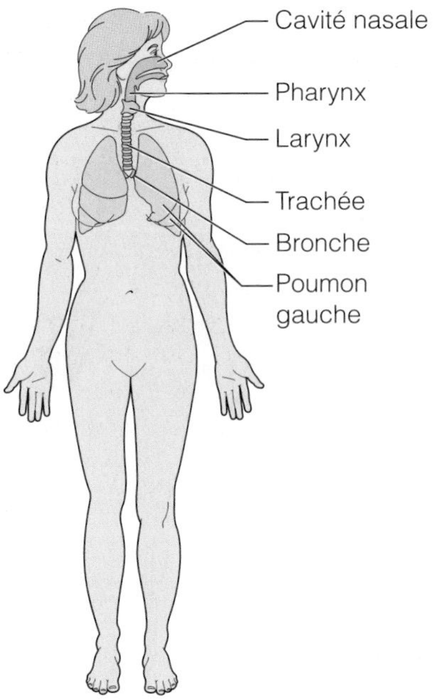
Cavité nasale
Pharynx
Larynx
Trachée
Bronche
Poumon
gauche

(h) Système respiratoire
Assure en permanence l'oxygénation du sang et l'élimination du gaz carbonique qu'il contient ; les échanges gazeux se produisent à travers les parois des alvéoles pulmonaires.

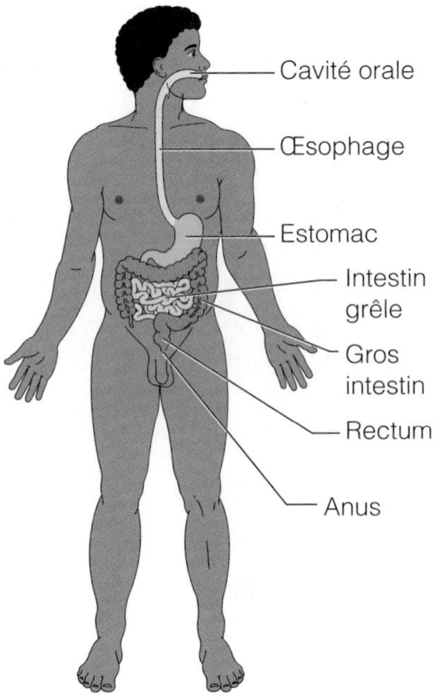
Cavité orale
Œsophage
Estomac
Intestin
grêle
Gros
intestin
Rectum
Anus

(i) Système digestif
Dégrade les aliments en nutriments absorbables qui passent dans le sang pour être distribués aux cellules ; les substances non digérées sont rejetées sous forme de selles.

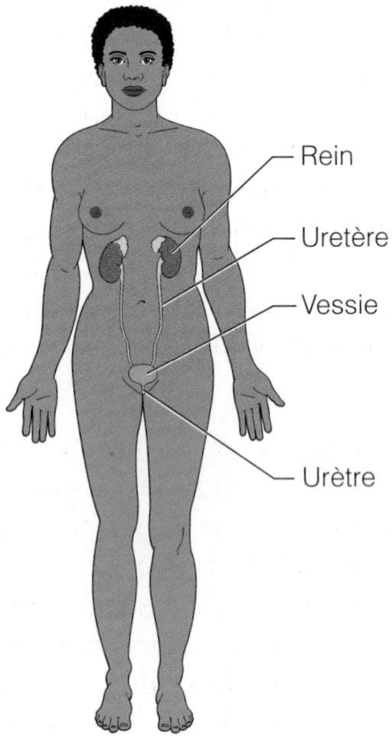
Rein
Uretère
Vessie
Urètre

(j) Système urinaire
Élimine du corps les déchets azotés ; règle l'équilibre hydrique, électrolytique et acidobasique du sang.

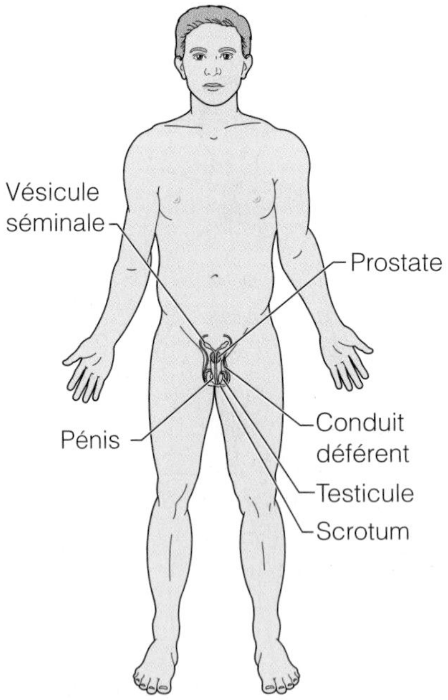
Vésicule
séminale
Prostate
Pénis
Conduit
déférent
Testicule
Scrotum

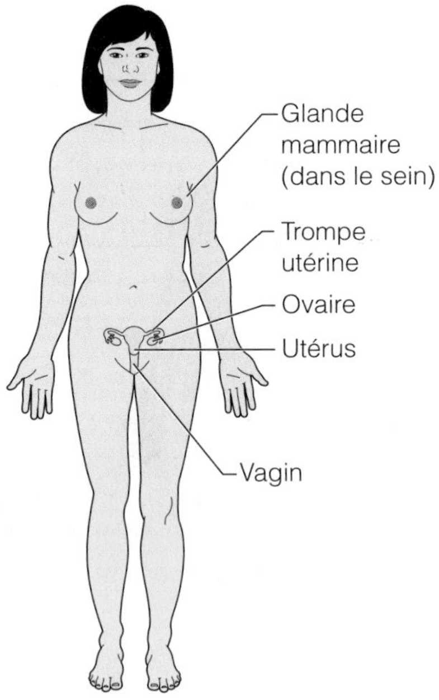
Glande
mammaire
(dans le sein)
Trompe
utérine
Ovaire
Utérus
Vagin

(k) Système génital de l'homme **(l) Système génital de la femme**
Assurent la reproduction. Les testicules produisent les spermatozoïdes et l'hormone sexuelle mâle ; les conduits et les glandes permettent de déposer les spermatozoïdes viables dans les voies génitales de la femme. Les ovaires produisent les ovules et les hormones sexuelles femelles ; les autres organes sont le siège de la fécondation et du développement du fœtus. Les glandes mammaires situées dans les seins sécrètent du lait servant à nourrir le nouveau-né.

Le système lymphatique

Le **système lymphatique** a un rôle complémentaire à celui du système cardiovasculaire. Les organes du système lymphatique comprennent les vaisseaux lymphatiques, les nœuds lymphatiques et d'autres organes lymphatiques comme la rate et les amygdales (ou tonsilles). Les vaisseaux lymphatiques recueillent les liquides qui s'échappent des vaisseaux sanguins et les réacheminent vers le sang, de façon que celui-ci soit continuellement en circulation dans l'organisme. Les nœuds lymphatiques (et d'autres organes lymphatiques) contribuent à nettoyer le sang et renferment les cellules qui participent à l'immunité.

Le système respiratoire

Le rôle du **système respiratoire** consiste à assurer en permanence l'oxygénation du sang et l'élimination du gaz carbonique qu'il contient. Le système respiratoire comprend les cavités nasales, le pharynx, le larynx, la trachée, les bronches et les poumons. Les poumons renferment de minuscules sacs d'air appelés *alvéoles pulmonaires.* C'est à travers les minces parois de ces alvéoles que les échanges gazeux s'effectuent.

Le système digestif

Le **système digestif** est en fait un tube qui s'étend de la bouche à l'anus. Les organes du système digestif comprennent la bouche, l'œsophage, l'estomac, l'intestin grêle, le gros intestin et le rectum. Ces organes ont pour rôle de dégrader les aliments en nutriments que le sang et la lymphe peuvent absorber, et que le sang peut distribuer aux cellules de l'organisme. Les aliments non digérés qui restent dans le tube digestif sont rejetés par l'anus sous forme de selles. Les activités de dégradation commencent dans la bouche et se terminent dans l'intestin grêle. À partir de là, la principale fonction du système digestif consiste à récupérer l'eau. Le foie est considéré comme un organe du système digestif, parce que la bile qu'il sécrète aide à dégrader les graisses. Le pancréas, qui fournit une grande variété d'enzymes digestives à l'intestin grêle, est également un organe digestif sur le plan fonctionnel.

Le système urinaire

Au fur et à mesure qu'il accomplit ses fonctions, l'organisme produit naturellement des déchets dont il doit se débarrasser. Parmi ces derniers, certains contiennent de l'azote (c'est le cas de l'urée et de l'acide urique), qui provient de la dégradation des protéines et des acides nucléiques par les cellules de l'organisme. Le **système urinaire** débarrasse le sang des déchets azotés et les élimine dans l'urine. Souvent appelé *système excrétoire,* le système urinaire comprend les reins, les uretères, la vessie et l'urètre. En plus du nettoyage du sang, le système urinaire remplit deux autres fonctions importantes: le maintien de l'équilibre hydrique et électrolytique de l'organisme, ainsi que la régulation de l'équilibre acidobasique du sang.

Le système génital

Le **système génital** a pour principale fonction d'assurer la reproduction. Les spermatozoïdes sont produits par les testicules de l'homme. Le système génital de ce dernier comprend aussi le scrotum, le pénis, les glandes accessoires et les conduits qui transportent le sperme à l'extérieur du corps. Chez la femme, les ovaires produisent les ovules; les conduits du système génital sont les trompes utérines, l'utérus et le vagin. L'utérus est le siège du développement du fœtus (bébé immature) après que la fécondation a eu lieu.

Le maintien de la vie

LES FONCTIONS VITALES

Après la description des niveaux d'organisation structurale du corps humain, il nous faut maintenant essayer de comprendre le fonctionnement de cet organisme si bien structuré. Comme tous les animaux complexes, les êtres humains doivent maintenir leurs limites, bouger, réagir aux changements de leur environnement, ingérer et digérer des aliments, réaliser une activité métabolique, éliminer des déchets, se reproduire et croître. Nous traiterons ici brièvement de chacune de ces fonctions vitales, qui sont expliquées en détail dans des chapitres ultérieurs.

Les systèmes ne travaillent pas de façon indépendante: ils collaborent tous au bien-être de l'organisme entier. Comme nous mettons l'accent sur cette réalité tout au long du manuel, nous allons voir quels sont les systèmes qui contribuent le plus à chacune des fonctions vitales (figure 1.3). Pour mieux comprendre cette section, reportez-vous aux descriptions détaillées des systèmes de l'organisme (p. 4-7) ainsi qu'à la figure 1.2.

Le maintien des limites

Tout organisme vivant doit pouvoir assurer le **maintien des limites** entre son environnement (milieu externe) et son milieu interne. Toutes les cellules du corps humain sont délimitées par une membrane qui garde leur contenu cellulaire à l'intérieur. Cette membrane laisse entrer les substances utiles tout en empêchant généralement le

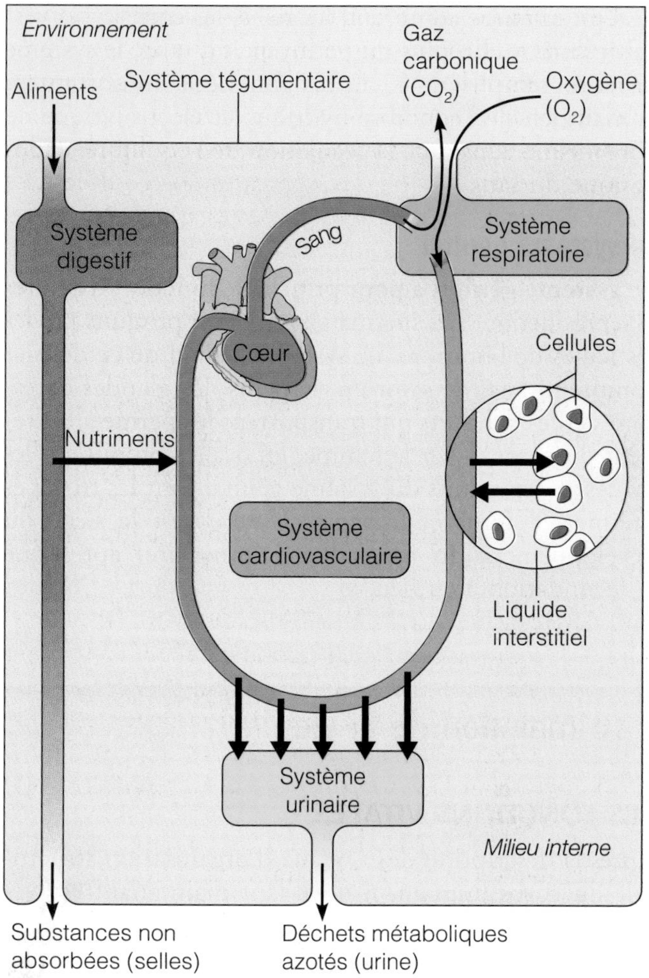
Environnement
Gaz carbonique (CO_2)
Oxygène (O_2)
Aliments
Système tégumentaire
Système digestif
Sang
Système respiratoire
Cœur
Cellules
Nutriments
Système cardiovasculaire
Liquide interstitiel
Système urinaire
Milieu interne
Substances non absorbées (selles)
Déchets métaboliques azotés (urine)

Figure 1.3 **Exemples de relations fondamentales entre divers systèmes de l'organisme**

Le système tégumentaire protège l'ensemble du corps de l'environnement. Les systèmes digestif et respiratoire, qui sont en contact avec l'environnement, permettent l'entrée des nutriments et de l'oxygène, respectivement, qui sont ensuite distribués par le sang à toutes les cellules. L'élimination des déchets métaboliques à l'extérieur de l'organisme est effectuée par les systèmes urinaire et respiratoire.

passage de substances inutiles ou nuisibles. L'ensemble du corps est, quant à lui, recouvert du système tégumentaire (peau). Le système tégumentaire prévient le dessèchement des organes internes (ce qui serait fatal) tout en les protégeant des bactéries et des effets nocifs de la chaleur, des rayons ultraviolets du soleil et des innombrables substances chimiques qui sont présentes dans l'environnement.

Le mouvement

Par **mouvement**, on entend toutes les activités permises par le système musculaire, comme le déplacement au moyen de la marche, de la nage et ainsi de suite, et les manipulations d'objets dans l'environnement grâce à nos doigts. Le système musculaire est secondé par le système osseux, qui constitue la charpente sur laquelle les muscles peuvent agir. La circulation du sang dans le système cardiovasculaire, le déplacement des aliments dans le système digestif et l'écoulement de l'urine dans le système urinaire sont aussi des mouvements.

L'excitabilité

L'**excitabilité** est la faculté de percevoir les changements (stimulus) de l'environnement et d'y réagir de manière adéquate. Par exemple, si on se blesse la main sur un éclat de verre, on éloigne involontairement la main du stimulus douloureux (l'éclat de verre touché). Il n'est même pas nécessaire d'y penser, le geste est automatique. Un phénomène similaire se produit quand la concentration de gaz carbonique dans le sang s'élève jusqu'à atteindre un niveau dangereux : l'organisme réagit en augmentant le rythme de la respiration pour se débarrasser de l'excès de gaz carbonique.

Comme les cellules nerveuses sont extrêmement excitables et communiquent rapidement entre elles au moyen d'influx nerveux, le système nerveux joue un rôle déterminant dans l'excitabilité. Cependant, toutes les cellules de l'organisme sont excitables dans une certaine mesure.

La digestion

La **digestion** est le processus de dégradation des aliments en molécules simples qui peuvent ensuite passer dans le sang (ou la lymphe) et être acheminées à toutes les cellules de l'organisme par le système cardiovasculaire. Dans un organisme unicellulaire comme l'amibe, c'est la cellule elle-même qui constitue l'« usine de digestion » ; mais dans un organisme multicellulaire complexe comme le corps humain, c'est le système digestif qui remplit cette fonction pour l'ensemble de l'organisme.

Le métabolisme

Le terme **métabolisme** englobe toutes les réactions chimiques qui se déroulent à l'intérieur des cellules. Plus précisément, le métabolisme comprend la dégradation de certaines substances complexes en leurs constituants, la fabrication de structures cellulaires plus grosses (plus complexes) à partir de matériaux plus petits (plus simples) et l'utilisation des nutriments et de l'oxygène pour produire des molécules d'adénosine triphosphate (ATP) qui fournissent l'énergie nécessaire à l'activité des cellules. Le métabolisme dépend des systèmes digestif et respiratoire, qui font passer les nutriments et l'oxygène dans le sang, ainsi que du système cardiovasculaire, qui distribue ces substances à l'ensemble de l'organisme ; les déchets qui résultent du métabolisme sont, quant à eux, acheminés par le système cardiovasculaire au système respiratoire ou au système urinaire. La régulation du métabolisme se fait principalement par l'intermédiaire des hormones sécrétées par les glandes du système endocrinien.

L'excrétion

L'**excrétion** est l'élimination des *excreta*, ou déchets de l'organisme. Pour fonctionner correctement, le corps doit se débarrasser des substances inutiles, comme les résidus de la digestion, ou même potentiellement toxiques, comme des sous-produits du métabolisme. La fonction d'excrétion est accomplie par plusieurs systèmes. Par exemple, les résidus de nourriture impossibles à digérer sont rejetés par le système digestif sous forme de selles, et le système urinaire élimine dans l'urine les déchets métaboliques azotés.

La reproduction

La **reproduction**, c'est-à-dire la production de descendants, s'effectue au niveau cellulaire et au niveau de l'organisme. La reproduction des cellules se fait par division cellulaire (mitose), une cellule originale (cellule mère) produisant deux cellules filles identiques pour assurer la croissance ou la guérison d'une lésion. La reproduction de l'organisme humain, c'est-à-dire la génération d'un nouvel être humain, est la fonction des organes du système génital, qui fabriquent des spermatozoïdes et des ovules. Lorsqu'un spermatozoïde s'unit à un ovule, l'ovule ainsi fécondé se développe à l'intérieur de l'organisme maternel jusqu'à la naissance d'un individu à la fois semblable et différent de ses parents. La fonction du système génital est réglée de façon très fine par les hormones du système endocrinien.

La croissance

La **croissance** est l'augmentation de volume de l'organisme, habituellement par la multiplication des cellules. Pour qu'une croissance ait lieu, il faut que les activités de synthèse cellulaire se fassent à un rythme plus rapide que les activités de dégradation.

LES BESOINS VITAUX

Presque tous les systèmes de l'organisme travaillent d'une façon ou d'une autre au maintien de la vie. Cependant, la vie est extraordinairement fragile et plusieurs facteurs lui sont nécessaires. Ce sont ces facteurs que nous appelons *besoins vitaux*, soit les nutriments, l'oxygène, l'eau ainsi qu'une température et une pression atmosphérique adéquates.

Les **nutriments** proviennent de l'alimentation et contiennent les substances chimiques qui servent à produire de l'énergie ou à fabriquer des cellules dont les glucides sont la principale source d'énergie. Les protéines et, dans une moindre mesure, les lipides sont essentiels à l'élaboration des structures de la cellule. Ces derniers protègent aussi les organes et constituent une réserve d'énergie. Quant aux vitamines et aux minéraux, ils sont indispensables, notamment, aux réactions chimiques qui se déroulent à l'intérieur des cellules ainsi qu'au transport de l'oxygène par le sang.

Tous les nutriments du monde seraient inutiles sans **oxygène**, puisque les réactions chimiques qui permettent de tirer de l'énergie des nutriments en ont besoin. Ce gaz forme 20 % de l'air que nous respirons. Il se rend jusqu'aux cellules grâce au travail conjoint du système respiratoire et du système cardiovasculaire.

L'**eau** compte pour 60 à 80 % de la masse corporelle ; c'est la substance chimique la plus abondante de l'organisme. Elle constitue la substance de base des sécrétions et des excrétions. L'organisme tire l'eau des aliments et des liquides ingérés, et il la perd par évaporation au niveau des poumons et de la peau ainsi que par les excrétions.

L'organisme ne peut fonctionner adéquatement que si la **température corporelle** est maintenue à environ 37 °C. Tout abaissement de la température au-dessous de ce point entraîne un ralentissement progressif des réactions métaboliques puis, en définitive, leur arrêt. À l'inverse, si la température est excessive, les réactions chimiques deviennent trop rapides et les protéines de l'organisme commencent à se dégrader. La majeure partie de la chaleur du corps est produite par les muscles squelettiques. Les deux extrêmes de température sont mortels ; l'organisme doit donc posséder des mécanismes relativement efficaces de contrôle de la température corporelle.

La force exercée par l'air sur la surface du corps est appelée **pression atmosphérique**. La respiration et les échanges d'oxygène et de gaz carbonique dans les poumons dépendent de la pression atmosphérique. En altitude, là où l'air est peu dense et la pression atmosphérique faible, l'apport en oxygène est parfois insuffisant et ne peut donc permettre un métabolisme normal.

Pour assurer la survie, non seulement les facteurs décrits ci-dessus doivent exister, mais ils doivent être présents en quantité appropriée ; les excès peuvent être tout aussi néfastes que les insuffisances. Par exemple, nous devons consommer des aliments de bonne qualité et en quantité adéquate afin d'éviter les troubles nutritionnels, l'obésité ou l'inanition.

L'homéostasie

Notre corps est constitué de millions de millions de cellules presque toujours en activité. Le fait qu'il y survienne si peu de problèmes de fonctionnement ne peut que nous émerveiller. Le mot **homéostasie** désigne la capacité de l'organisme de maintenir une stabilité relative du milieu interne malgré les fluctuations constantes de l'environnement. Même si l'étymologie du terme fait référence à un état stable (*homoios*, «semblable»; *stasis*, «position»), l'homéostasie ne désigne pas vraiment un état sans changement, mais plutôt un état d'équilibre *dynamique* dans lequel les conditions internes varient et changent, mais toujours dans des limites relativement étroites.

En général, on considère que l'organisme est en état d'homéostasie quand il fonctionne bien et que ses besoins sont satisfaits. Presque tous les systèmes contribuent à maintenir un milieu interne stable. Ainsi, l'organisme doit non seulement maintenir à tout moment une concentration adéquate de nutriments dans le sang; il doit aussi surveiller et ajuster sans arrêt l'activité cardiaque et la pression artérielle afin que le sang puisse être acheminé à une vitesse appropriée à tous les tissus. Par ailleurs, l'organisme doit aussi éviter l'accumulation des déchets et assurer une régulation précise de la température corporelle.

LES MÉCANISMES DE RÉGULATION DE L'HOMÉOSTASIE

La communication entre les divers systèmes de l'organisme est donc essentielle au maintien de l'homéostasie. Ce sont principalement le système nerveux et le système endocrinien qui assurent cette communication au moyen de signaux électriques acheminés par des nerfs ou par des hormones transportées par le sang, respectivement. Nous étudierons en détail le fonctionnement de ces deux grands systèmes de régulation dans des chapitres ultérieurs. Pour l'instant, nous nous contenterons de décrire les caractéristiques fondamentales des systèmes de régulation nerveuse et hormonale de l'homéostasie.

Quel que soit le facteur contrôlé (appelé *variable*), tous les mécanismes de régulation comportent au moins trois éléments (figure 1.4). Le premier est un **récepteur**. C'est essentiellement une structure dont le rôle consiste à capter les changements dans l'environnement (le milieu extérieur aussi bien que le milieu intérieur de l'organisme) et à y réagir. Pour réagir à ces changements, appelés *stimulus*, le récepteur envoie de l'information (entrée) au second élément, qui est le *centre de régulation*. Cette information va du récepteur au centre de régulation en suivant la *voie afférente*. (Il est parfois utile de se rappeler que, sur la voie *afférente*, l'information *s'approche* du centre de régulation.)

Le **centre de régulation**, qui fixe le niveau (valeur de référence) auquel la variable doit être maintenue, analyse l'information qu'il reçoit et détermine la réponse ou la réaction appropriée.

Le troisième élément est l'**effecteur**, grâce auquel le centre de régulation apporte une réponse (sortie) au stimulus. Pour aller du centre de régulation à l'effecteur, l'information suit la *voie efférente*. (Sur la voie *efférente*, l'information *s'éloigne* du centre de régulation.) La réponse engendre alors une *rétroaction* qui agit sur le stimulus. Cette rétroaction peut avoir pour effet de réduire le stimulus (rétro-inhibition), de sorte que tout le mécanisme de régulation cesse son activité, ou elle peut le renforcer (rétroactivation), de sorte que la réaction se poursuit avec une intensité croissante.

La majorité des mécanismes de régulation de l'homéostasie sont des **mécanismes de rétro-inhibition**, c'est-à-dire des systèmes qui, par leur réponse au stimulus, mettent fin au stimulus de départ ou réduisent son intensité. Pour illustrer le système de rétro-inhibition, on utilise souvent l'exemple d'un appareil de chauffage relié à un thermostat. Le thermostat contient à la fois le récepteur et le centre de régulation. S'il est réglé à 20 °C, il met l'appareil de chauffage (l'effecteur) en marche dès que la température de la pièce descend au-dessous de cette valeur. L'appareil réchauffe alors l'air ambiant. Lorsque la température atteint 20 °C ou un peu plus, le thermostat envoie un signal pour couper l'alimentation de l'appareil de chauffage. Le «thermostat» de votre corps, situé dans une partie de l'encéphale appelée *hypothalamus*, fonctionne à peu près selon le même principe pour maintenir la température corporelle. D'autres mécanismes de rétro-inhibition règlent le rythme cardiaque, la pression artérielle, la fréquence respiratoire ainsi que les concentrations de glucose, d'oxygène, de gaz carbonique et de minéraux dans le sang.

Étant donné qu'ils ont tendance à amplifier la fluctuation initiale (stimulus) de sorte que la variable *s'éloigne* de plus en plus de sa valeur de départ, les **mécanismes de rétroactivation** sont beaucoup plus rares que les mécanismes de rétro-inhibition. En général, ils régissent des phénomènes peu fréquents qui surviennent brusquement et qui ne nécessitent pas d'ajustements continus. La coagulation sanguine et l'accouchement sont deux exemples bien connus qui font intervenir de tels mécanismes.

Q **Si le mécanisme illustré ici avait pour fonction de maintenir une température agréable dans une pièce en hiver, quel type de dispositif servirait d'effecteur ?**

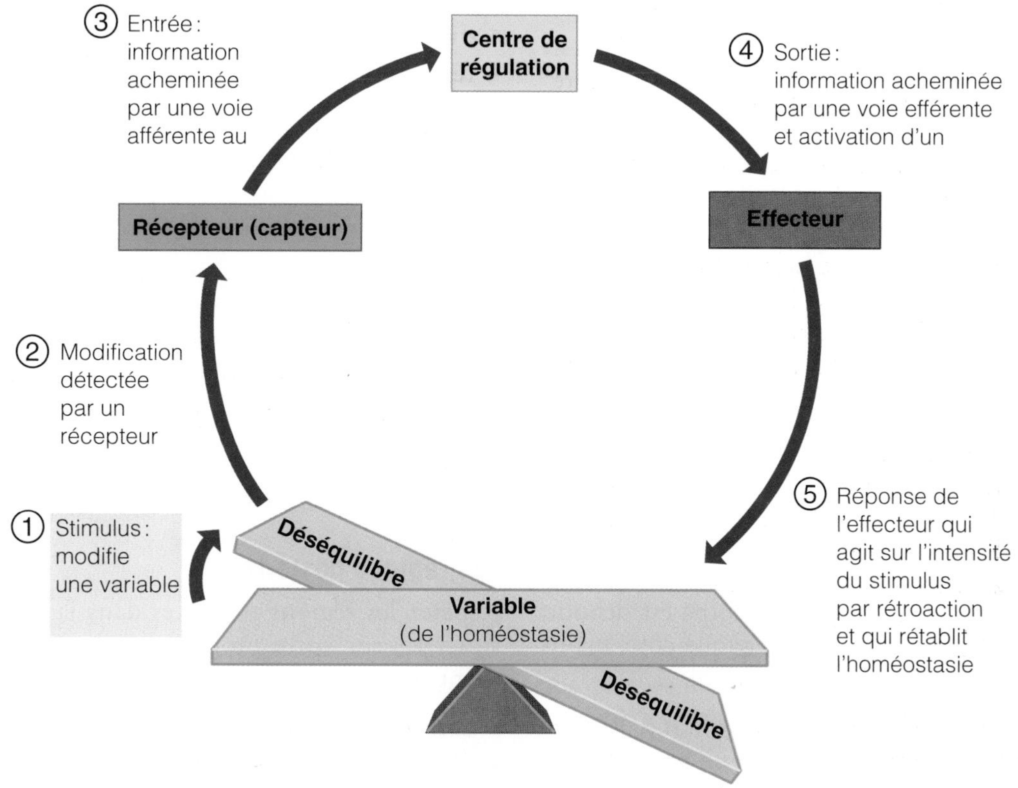
③ Entrée : information acheminée par une voie afférente au
Centre de régulation
④ Sortie : information acheminée par une voie efférente et activation d'un
Récepteur (capteur)
Effecteur
② Modification détectée par un récepteur
① Stimulus : modifie une variable
Déséquilibre
Variable
(de l'homéostasie)
Déséquilibre
⑤ Réponse de l'effecteur qui agit sur l'intensité du stimulus par rétroaction et qui rétablit l'homéostasie

Figure 1.4 **Les éléments d'un mécanisme de régulation de l'homéostasie**

Les communications entre le récepteur, le centre de régulation et l'effecteur sont essentielles au bon fonctionnement de ce mécanisme.

Déséquilibre homéostatique

L'importance de l'homéostasie est telle qu'on considère que la plupart des maladies sont causées par un **déséquilibre homéostatique**, c'est-à-dire par une perturbation de l'homéostasie. Lorsque nous avançons en âge, nos organes deviennent de moins en moins efficaces et notre milieu interne est de plus en plus instable. Il en résulte un risque croissant de maladie ainsi que les modifications inhérentes au vieillissement.

Tout au long du manuel, vous trouverez des exemples de déséquilibres homéostatiques qui vous permettront de mieux comprendre les mécanismes physiologiques normaux. Les paragraphes décrivant des déséquilibres homéostatiques commencent par le symbole pour indiquer qu'on y explique un état anormal. ▲

R **L'appareil de chauffage.**

Vocabulaire de l'anatomie

L'étude du corps humain est fascinante, mais notre intérêt est parfois quelque peu refroidi par la nécessité d'apprendre les termes employés en anatomie et en physiologie. Vous avez sans doute déjà remarqué qu'un manuel de biologie ne se lit pas comme un roman ! Les termes spécialisés sont malheureusement essentiels pour éviter la confusion. Lorsqu'on regarde un ballon, il est facile de savoir que « au-dessus » désigne toujours la région située plus haut que celui-ci. Les autres directions peuvent être désignées de façon tout aussi claire, parce que le ballon est une sphère ; tous ses côtés et surfaces sont égaux. À l'opposé, le corps humain présente plusieurs saillies et courbes. On est donc obligé de se demander : « Au-dessus de quoi ? » Pour bien se comprendre, les anatomistes ont adopté une série de termes qui permettent de nommer et de situer toutes les structures avec précision et en peu de mots. Dans les sections qui suivent, nous définissons et expliquons ces termes anatomiques.

LA POSITION ANATOMIQUE

Pour décrire avec précision une partie du corps et sa position, il faut une posture de référence et une direction. Pour éviter la confusion, on suppose toujours que le corps est dans une position standard appelée **position anatomique**. Assurez-vous que vous comprenez bien cette position, car, dans le présent manuel, la plupart des termes anatomiques font référence à un individu comme s'il était dans cette position, *quelle que soit* sa véritable posture. Les schémas des figures 1.5 et 1.6 ainsi que du tableau 1.1 illustrent la position anatomique. Comme vous pouvez le constater, le corps est debout, les pieds joints, les bras pendant de chaque côté, mains ouvertes et paumes tournées vers l'avant.

- Levez-vous et prenez la position anatomique. Remarquez que cette position est celle que l'on prend quand on se tient au garde-à-vous, mais qu'elle est moins confortable parce que les mains se trouvent dans une position qui n'est pas naturelle, puisqu'elles sont ouvertes vers l'avant (les pouces pointant vers l'extérieur du corps) plutôt que tournées vers les cuisses.

LES RÉGIONS DU CORPS

La surface du corps humain peut se subdiviser en de nombreuses régions.

Les régions antérieures

Examinez la figure 1.5a et repérez les régions du corps qui sont énumérées ci-après. Reprenez-les une par une, sans regarder les définitions, et montrez où se trouve chaque région sur votre propre corps.

- **abdominale** : régions de la paroi antérieure de l'abdomen
- **antérieure du carpe** : poignet
- **antérieure du cou** : face avant du cou
- **antérieure du genou** : face avant du genou
- **axillaire** : aisselle
- **brachiale antérieure** : face avant du bras
- **buccale** : joue
- **coxale** : hanche
- **crurale antérieure** : face avant de la jambe
- **cubitale antérieure** : face avant du coude
- **deltoïdienne** : saillie de l'épaule
- **digitale** : doigts de la main
- **fémorale antérieure** : face avant de la cuisse
- **fibulaire** : côté extérieur de la jambe
- **inguinale** : région où la cuisse rejoint le tronc ; aine
- **nasale** : nez
- **ombilicale** : ombilic
- **orale** : bouche
- **orbitaire** : œil
- **pectorale** : régions de la poitrine
- **pelvienne** : bassin
- **présternale** : région du sternum
- **pubienne** : région située au-dessus du pubis
- **talocrurale antérieure** : cheville

Les régions postérieures

Repérez les régions suivantes dans la figure 1.5b, puis situez-les sur votre propre corps sans regarder dans le manuel.

- **calcanéenne** : talon
- **crurale postérieure** : mollet
- **cubitale postérieure** : face arrière du coude
- **de la tête** : régions associées aux os de la tête
- **deltoïdienne** : saillie de l'épaule formée par le gros muscle deltoïde
- **fémorale postérieure** : face arrière de la cuisse
- **glutéale** : fesse
- **lombaire (ou lombale)** : région du dos entre les côtes et les hanches
- **occipitale** : face postérieure de la tête
- **postérieure du genou** : arrière du genou (comprenant la fosse poplitée)
- **sacrale** : entre les hanches
- **scapulaire** : région de la scapula (omoplate)
- **vertébrale** : région de la colonne vertébrale (dorsale et lombaire)

La région plantaire (ou **plante du pied**), qui appartient en fait à la face inférieure du corps, est représentée sur la figure 1.5b avec les régions postérieures.

L'ORIENTATION

Pour décrire précisément la position d'une structure corporelle par rapport à une autre, le personnel médical et

Q **Examinez attentivement la figure, puis répondez aux deux questions suivantes. Où aurez-vous mal si 1) vous vous étirez un muscle de la région inguinale et 2) vous vous fracturez un os de la région occipitale ?**

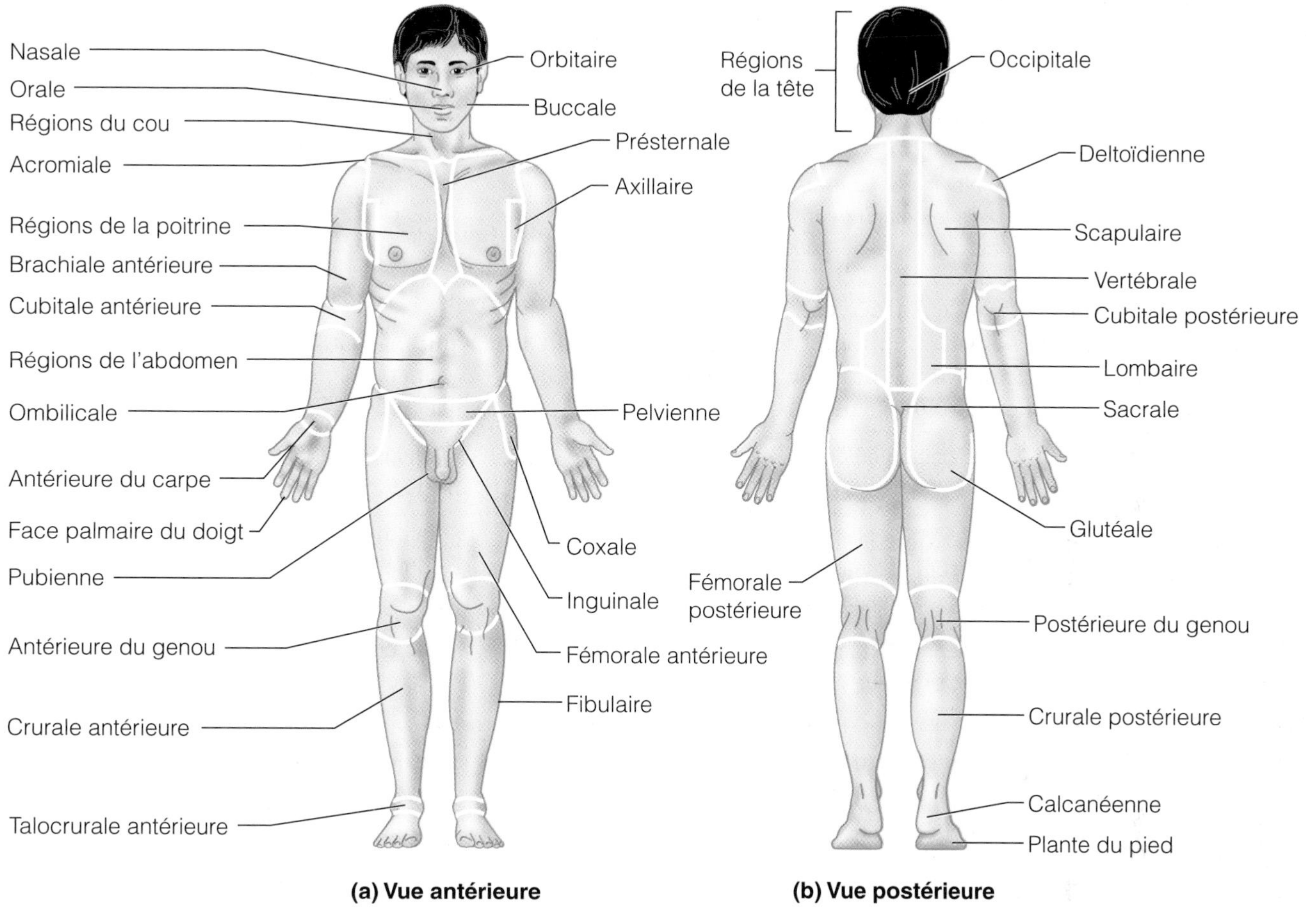

Nasale
Orale
Régions du cou
Acromiale
Régions de la poitrine
Brachiale antérieure
Cubitale antérieure
Régions de l'abdomen
Ombilicale
Antérieure du carpe
Face palmaire du doigt
Pubienne
Antérieure du genou
Crurale antérieure
Talocrurale antérieure
Orbitaire
Buccale
Présternale
Axillaire
Pelvienne
Coxale
Inguinale
Fémorale antérieure
Fibulaire
Régions de la tête
Occipitale
Deltoïdienne
Scapulaire
Vertébrale
Cubitale postérieure
Lombaire
Sacrale
Glutéale
Fémorale postérieure
Postérieure du genou
Crurale postérieure
Calcanéenne
Plante du pied
(a) Vue antérieure
(b) Vue postérieure

Figure 1.5 **Anatomie de surface : les régions du corps**

(a) Régions antérieures. **(b)** Régions postérieures. Les talons sont légèrement soulevés pour montrer la face plantaire du pied.

les anatomistes emploient des termes relatifs à l'**orientation**. Par exemple, pour décrire la relation qui existe entre les oreilles et le nez, on pourrait dire : « Les oreilles se trouvent de chaque côté de la tête, à droite et à gauche du nez. » En termes anatomiques, cette phrase deviendrait : « Les oreilles sont latérales par rapport au nez. » De toute évidence, la terminologie anatomique est plus concise et, une fois maîtrisée, beaucoup plus claire. Les principaux termes relatifs à l'orientation sont définis et illustrés dans le tableau 1.1. Bien qu'ils soient employés dans la vie de tous les jours, la plupart de ces termes prennent un sens très précis en anatomie. (Notez que, lorsqu'on emploie les termes *droit* et *gauche* en anatomie, on fait toujours référence à la droite et à la gauche du sujet observé, et non à celles de l'observateur.)

Avant de poursuivre, vérifiez votre compréhension du tableau 1.1. À l'aide des termes anatomiques appropriés, indiquez la relation qui existe entre les parties du corps suivantes.

Le poignet est ____________ par rapport à la main.

Le sternum est ____________ par rapport à la colonne vertébrale.

L'encéphale est ____________ par rapport à la moelle épinière.

R **1) À l'aine. 2) À l'arrière du crâne.**

Tableau 1.1 Termes relatifs à l'orientation

Terme	Définition	Illustration	Exemple
Supérieur (céphalique ou crânial)	Vers la tête, ou vers le haut d'une structure ou du corps; au-dessus	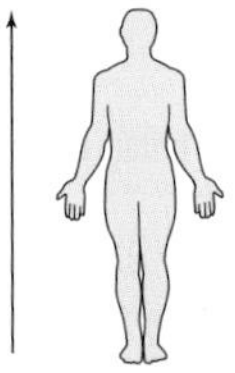	Le front est supérieur par rapport au nez.
Inférieur (caudal)[a]	Plus éloigné de la tête, ou vers le bas d'une structure ou du corps; au-dessous	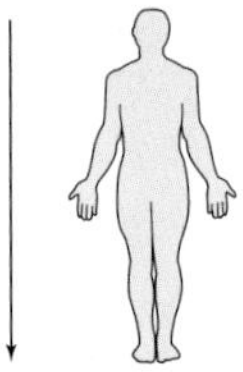	L'ombilic est inférieur par rapport au sternum.
Antérieur (ventral)[b]	Vers l'avant ou à l'avant du corps; devant	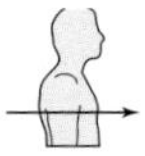	Le sternum est antérieur par rapport à la colonne vertébrale.
Postérieur (dorsal)[b]	Vers le dos ou au dos du corps; derrière	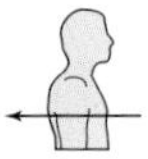	Le cœur est postérieur par rapport au sternum.
Médial et médian	Médial: vers le plan médian du corps; sur la face intérieure de; médian: situé dans le plan médian	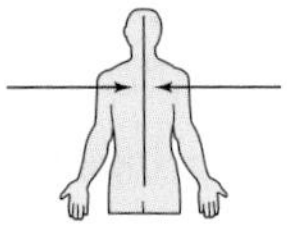	Le cœur est médial par rapport au bras; l'ombilic est une structure médiane.
Latéral	Plus éloigné du plan médian du corps; sur la face extérieure de	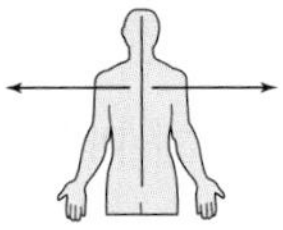	Les bras sont latéraux par rapport à la poitrine.
Intermédiaire ou moyen	Entre une structure plus médiale et une structure plus latérale	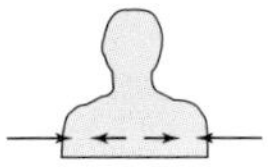	Les seins sont intermédiaires entre le sternum et les bras.
Proximal	Plus près de l'origine d'une structure ou du point d'attache d'un membre au tronc	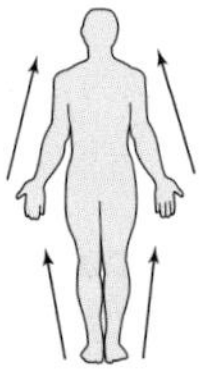	Le coude est proximal par rapport au poignet (le coude est plus près de l'épaule ou du point d'attache du bras que le poignet).
Distal	Plus éloigné de l'origine d'une structure ou du point d'attache d'un membre au tronc	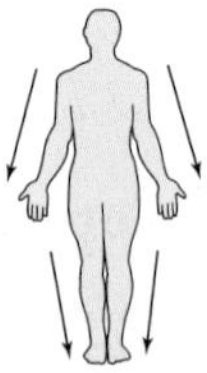	Le genou est distal par rapport à la cuisse.
Superficiel (externe)	Près de la surface ou à la surface du corps	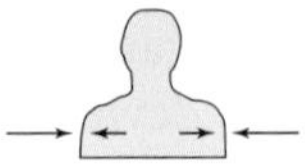	La peau est superficielle par rapport au squelette.
Profond (interne)	Loin de la surface du corps; plus interne	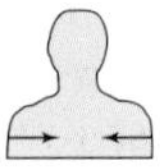	Les poumons sont profonds par rapport à la cage thoracique.

a. Le terme *caudal*, qui signifie «vers la queue», ne s'applique qu'à l'extrémité *inférieure* de la colonne vertébrale.

b. Les termes *antérieur* et *ventral* sont synonymes chez les humains, mais non chez les quadrupèdes. *Ventral* signifie «relatif à l'abdomen» chez les vertébrés et, par conséquent, correspond à la face inférieure des quadrupèdes. De même, *postérieur* et *dorsal*, synonymes chez les humains, ne le sont pas chez les quadrupèdes, puisque le terme *dorsal* signifie «relatif au dos» et que le dos est la face supérieure des quadrupèdes.

Les intestins sont __________ par rapport à l'estomac.

Le pouce est __________ par rapport à l'index.

(Attention : dans ce dernier cas, ne perdez pas de vue la position anatomique.)

LES PLANS ET LES COUPES

Lorsqu'ils se préparent à examiner les structures internes du corps, les étudiants en médecine doivent effectuer une **coupe**. À travers une paroi du corps ou un organe, elle est réalisée le long d'une ligne imaginaire appelée **plan**. Comme le corps est tridimensionnel, il existe trois types de plans ou coupes qui se situent à angle droit les uns par rapport aux autres (figure 1.6).

Une **coupe sagittale** est une coupe verticale, c'est-à-dire longitudinale par rapport au corps, qui divise le corps en deux parties : droite et gauche. Quand elle est située exactement sur le plan médian du corps et que les parties droite et gauche sont symétriques, la coupe sagittale est appelée **coupe sagittale médiane**, ou **coupe médiane**.

Une **coupe frontale** est également verticale, mais elle divise le corps (ou l'organe) en deux parties : antérieure et postérieure. La coupe frontale est aussi appelée **coupe coronale**.

Une **coupe transversale** est une coupe horizontale, c'est-à-dire perpendiculaire à l'axe du corps, qui divise le corps ou l'organe en deux parties : supérieure et inférieure. La coupe transversale est aussi appelée **coupe horizontale**, ou **coupe transverse**.

Des coupes du corps ou d'un organe selon plusieurs plans peuvent donner des images d'aspect totalement différent. Par exemple, une coupe transversale du tronc au niveau des reins montrerait très clairement la structure de ces derniers. Cependant, leur anatomie semblerait très différente sur une coupe frontale du tronc, alors qu'ils seraient invisibles sur une coupe sagittale médiane du tronc. La figure 1.6 montre les données que la remnographie (RMN) peut fournir au sujet de la localisation des organes selon différents plans. (La remnographie est décrite dans l'encadré « Gros plan », p. 19-20.)

LES CAVITÉS DU CORPS

Dans les manuels d'anatomie et de physiologie, on indique habituellement que le corps humain est divisé en deux grandes cavités internes qui protègent, à divers degrés, les organes qu'elles contiennent (figure 1.7). Ces cavités diffèrent par leur embryogenèse, leur fonction et les membranes qui en tapissent les parois. Dans beaucoup d'ouvrages de référence en anatomie, on ne considère pas la cavité postérieure, ou nerveuse, comme une cavité interne du corps. Néanmoins, la notion de deux grandes cavités internes est utile sur le plan pédagogique et nous allons continuer de l'employer ici.

La cavité postérieure

La **cavité postérieure** se subdivise en deux cavités qui sont en communication directe : la cavité crânienne et le canal vertébral. La **cavité crânienne** est l'espace délimité par les os du crâne. L'encéphale est bien abrité parce qu'il occupe cette cavité. Le **canal vertébral** part de la cavité crânienne et se rend presque jusqu'à l'extrémité de la colonne vertébrale. La moelle épinière, qui est un prolongement de l'encéphale, est protégée par les vertèbres qui constituent les parois du canal vertébral.

La cavité antérieure

La **cavité antérieure**, beaucoup plus grande que la cavité postérieure, contient toutes les structures situées à l'intérieur de la poitrine et de l'abdomen, c'est-à-dire tous les viscères qui se trouvent dans ces régions. Comme la cavité postérieure, la cavité antérieure se subdivise en deux parties : la cavité thoracique et la cavité abdominopelvienne. Située au-dessus de la cavité abdominopelvienne, la **cavité thoracique** est séparée du reste de la cavité antérieure par un muscle en forme de voûte, le **diaphragme**. Les organes contenus dans la cavité thoracique (poumons, cœur et autres) sont protégés jusqu'à un certain point par la cage thoracique. Au milieu se trouve une région appelée le **médiastin**, qui renferme le cœur, la trachée et d'autres viscères ; les poumons sont situés de part et d'autre du médiastin et occupent les cavités droite et gauche de la cavité thoracique.

La **cavité abdominopelvienne** est située au-dessous de la cage thoracique. Certains préfèrent diviser cette cavité en une cavité supérieure, la **cavité abdominale**, qui contient l'estomac, le foie, les intestins et d'autres organes, et une cavité inférieure, la **cavité pelvienne**, qui renferme les organes génitaux internes, la vessie et le rectum. Cependant, la cavité abdominopelvienne n'est physiquement divisée par aucune structure. Si vous examinez attentivement la figure 1.7, vous verrez que la cavité pelvienne n'est pas alignée avec la cavité abdominale ; elle est plutôt inclinée vers l'arrière.

Déséquilibre homéostatique

Lorsque le corps subit un trauma (dans un accident de voiture, par exemple), les organes abdominopelviens les plus vulnérables sont ceux de la cavité abdominale, puisque les parois antérieure et latérales de celle-ci sont formées seulement des muscles abdominaux et ne sont pas renforcées par des os. Par contre, les organes pelviens sont relativement bien protégés par les os du bassin dont ils sont entourés. ▲

Q **Quel type de coupe faut-il faire pour séparer les yeux ?**

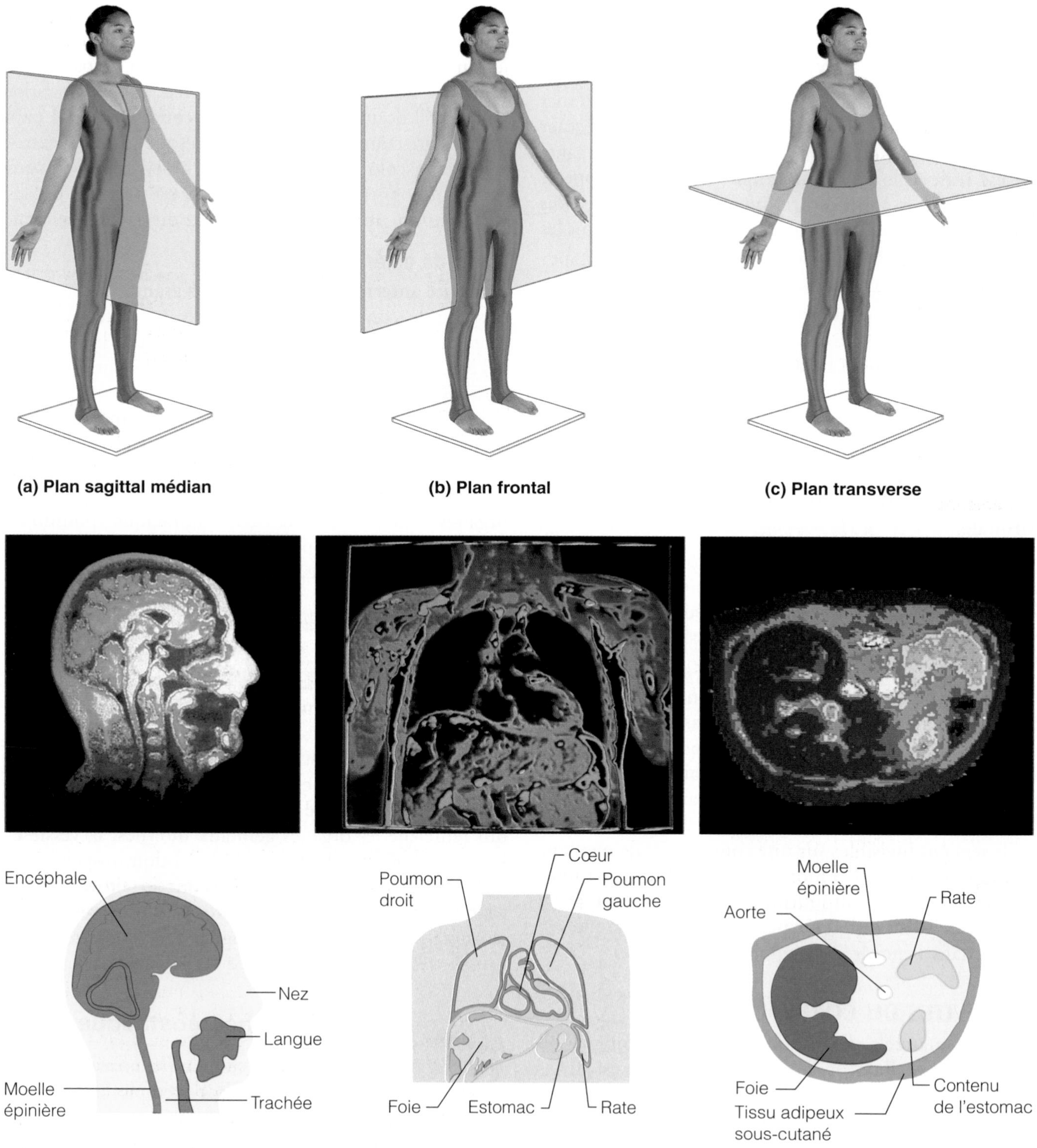
(a) Plan sagittal médian
(b) Plan frontal
(c) Plan transverse
Encéphale
Nez
Langue
Moelle épinière
Trachée
Cœur
Poumon droit
Poumon gauche
Foie
Estomac
Rate
Moelle épinière
Rate
Aorte
Foie
Tissu adipeux sous-cutané
Contenu de l'estomac

R **Une coupe sagittale médiane.**

Figure 1.6 **La position anatomique et les plans du corps**

La rangée du haut illustre les trois principaux plans du corps (sagittal médian, frontal et transverse) chez une personne en position anatomique. Dans la rangée du milieu, on a reproduit certaines régions du corps obtenues par remnographie dans chacun des trois plans. Dans la rangée du bas, les schémas montrent les organes que la remnographie permet de visualiser.

Étant donné que la cavité abdominopelvienne est assez grande et qu'elle contient de nombreux organes, il est plus facile de l'étudier si on la divise en parties plus petites. Une des façons de procéder, couramment utilisée par le personnel médical, consiste à séparer la cavité abdominopelvienne en quatre régions plus ou moins égales appelées *quadrants*; ceux-ci sont ensuite nommés selon leur position relative. On obtient ainsi le quadrant supérieur droit, le quadrant inférieur droit, le quadrant supérieur gauche et le quadrant inférieur gauche (figure 1.8a).

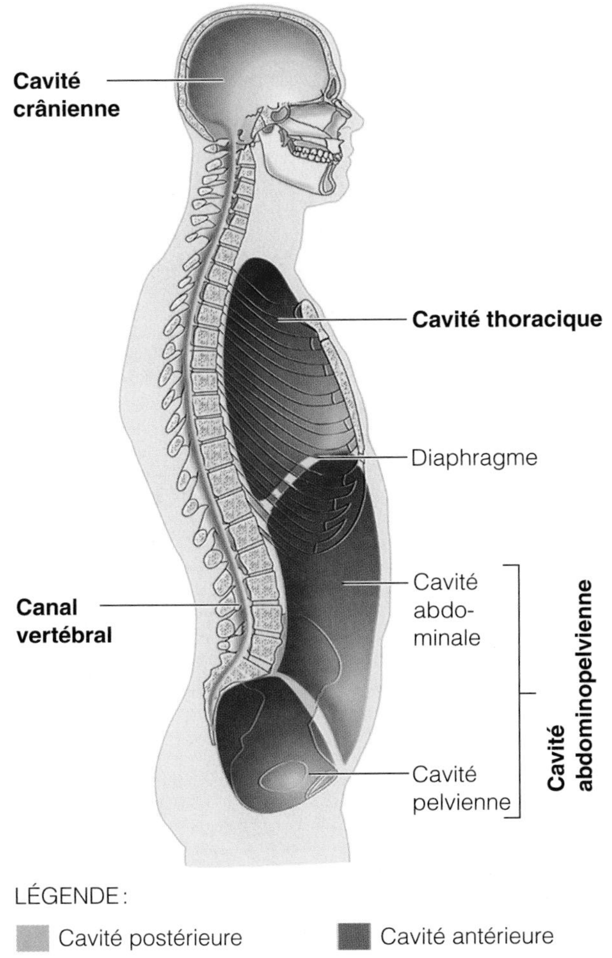
Cavité crânienne
Cavité thoracique
Diaphragme
Canal vertébral
Cavité abdo-minale
Cavité pelvienne
Cavité abdominopelvienne
LÉGENDE:
Cavité postérieure
Cavité antérieure

Figure 1.7 **Les cavités du corps**

Notez l'angle formé par les cavités abdominale et pelvienne.

L'autre façon de subdiviser la cavité abdominopelvienne, privilégiée surtout par les anatomistes, consiste à séparer la cavité en neuf *régions* distinctes au moyen de quatre plans, comme le montre la figure 1.8b. En même temps que vous repérez les neuf régions à la figure 1.8b, consultez la figure 1.8c pour voir les organes qu'elles contiennent.

- La **région ombilicale** est située derrière l'ombilic (nombril) et autour de celui-ci.
- La **région épigastrique** est supérieure par rapport à la région ombilicale (*epi*, «sur»; *gastrion*, «ventre»).
- La **région pubienne** est inférieure par rapport à la région ombilicale.
- Les **régions inguinales droite** et **gauche** sont latérales par rapport à la région pubienne (*inguen*, «aine»).
- Les **régions latérales droite** et **gauche de l'abdomen** sont situées de part et d'autre de la région ombilicale (*latus*, «côté»).
- Les **régions hypochondriaques droite** et **gauche** sont situées de part et d'autre de la région épigastrique et contiennent les côtes inférieures (*hypo*, «au-dessous»; *khondros*, «cartilage»).

FAITES-EN L'EXPÉRIENCE

Les mécanismes de rétro-inhibition n'arrêtent jamais de fonctionner

En règle générale, les mécanismes de rétro-inhibition s'acquittent bien de leur tâche, qui consiste à maintenir les fluctuations de certaines variables contrôlées dans des limites acceptables. Ces fluctuations sont habituellement si faibles qu'elles passent inaperçues.

Vous pouvez, au moyen d'un exercice simple, mettre en lumière les petits changements qui s'opèrent continuellement dans les variables suivantes: votre équilibre et la maîtrise des mouvements de vos membres.

Commencez par vous tenir debout et, sans bouger, fixez du regard un point au loin. Tout apparaît stable, comme si le corps est parfaitement immobile. Ensuite, fixez le même point au moyen de jumelles puissantes. Vous constaterez que votre champ visuel s'est mis à danser.

Pourquoi? Le corps utilise la musculature pour faire constamment de petites mises au point posturales grâce auxquelles vous pouvez vous tenir droit et bien maîtriser la position de vos mains et de vos bras. Les jumelles vous permettent de prendre conscience de ces petits ajustements en amplifiant leur effet sur votre vision.

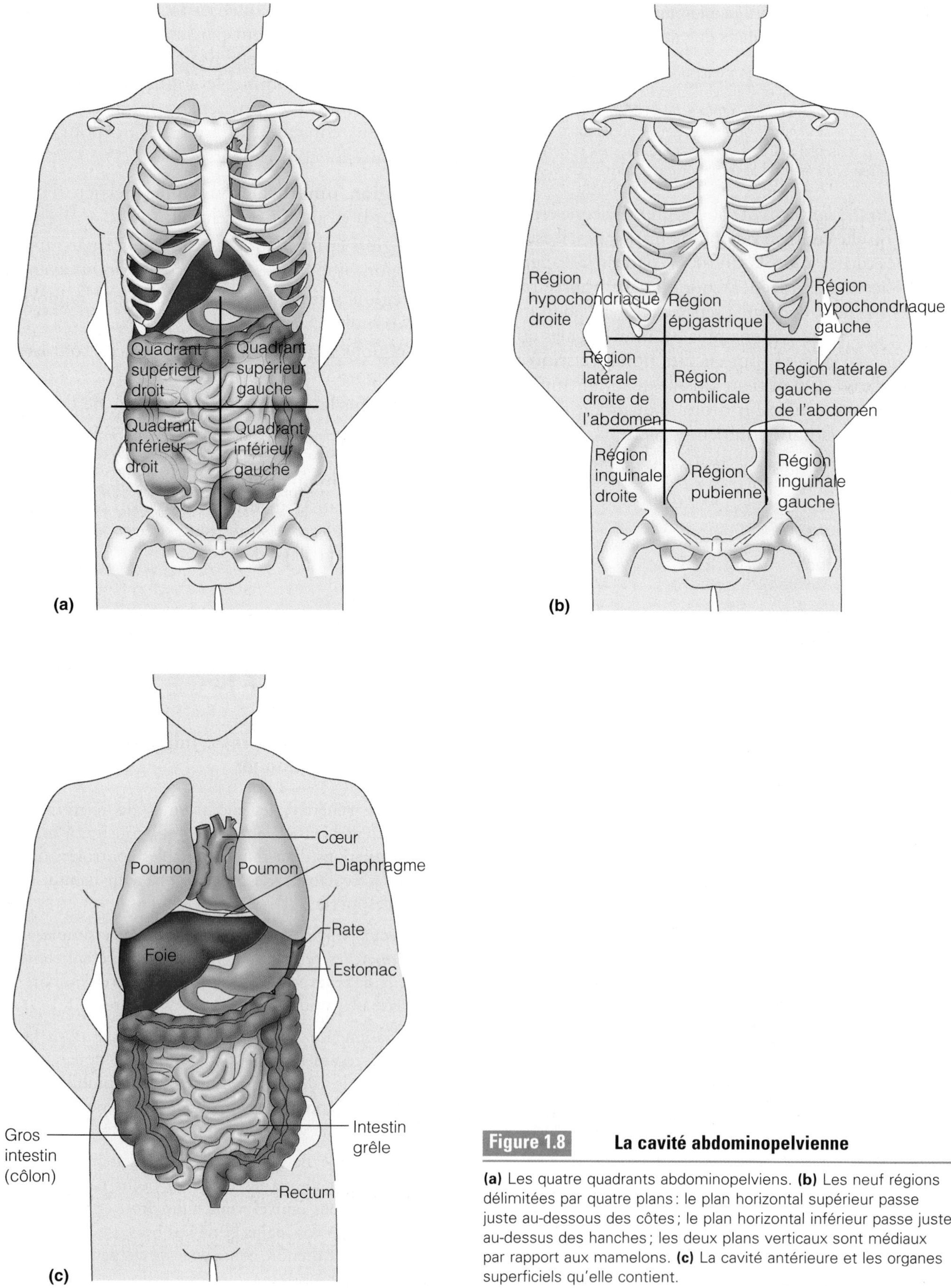
Quadrant supérieur droit
Quadrant supérieur gauche
Quadrant inférieur droit
Quadrant inférieur gauche
(a)
Région hypochondriaque droite
Région épigastrique
Région hypochondriaque gauche
Région latérale droite de l'abdomen
Région ombilicale
Région latérale gauche de l'abdomen
Région inguinale droite
Région pubienne
Région inguinale gauche
(b)
Cœur
Poumon
Poumon
Diaphragme
Rate
Foie
Estomac
Gros intestin (côlon)
Intestin grêle
Rectum
(c)

Figure 1.8 **La cavité abdominopelvienne**

(a) Les quatre quadrants abdominopelviens. **(b)** Les neuf régions délimitées par quatre plans : le plan horizontal supérieur passe juste au-dessous des côtes ; le plan horizontal inférieur passe juste au-dessus des hanches ; les deux plans verticaux sont médiaux par rapport aux mamelons. **(c)** La cavité antérieure et les organes superficiels qu'elle contient.

GROS PLAN

L'imagerie médicale : pour explorer les profondeurs du corps humain

En bombardant le corps d'énergie, les nouvelles techniques d'observation nous révèlent la structure de nos organes internes et nous fournissent aussi des renseignements sur le fonctionnement de leurs molécules, lequel nous était jusqu'alors inconnu. Ces nouvelles techniques d'imagerie sont en train de transformer le monde du diagnostic médical.

Il y a 50 ans, pour observer l'intérieur de l'organisme vivant, on ne disposait que des rayons X, technique remarquable mais donnant des images floues. La radiographie est surtout utile aujourd'hui pour l'observation de structures dures et denses (os, dents) et la détection d'objets anormalement denses (nodules tuberculeux dans les poumons ou tumeurs dans les seins, par exemple). Au milieu du xxe siècle, est apparue la médecine nucléaire (examen du corps à l'aide de radio-isotopes) et l'ultrasonographie. Les années 1970 ont été marquées par l'avènement de la tomographie, de la tomographie par émission de positons ainsi que de la résonance magnétique nucléaire.

La plus connue des nouvelles techniques d'imagerie est la *tomographie par ordinateur* (autrefois désignée par le terme *tomographie axiale par ordinateur* et encore appelée couramment en anglais *scanner*), qui est une forme perfectionnée de radiographie. Comme le faisceau de rayonnement est limité à tout moment à une mince « tranche » du corps (*tomê* signifie « section ») de l'épaisseur de l'ordre du millimètre, la tomographie élimine toute confusion découlant de la superposition des organes comme dans la radiographie ordinaire. Grâce à la clarté des images produites, cette technique a virtuellement éliminé la chirurgie exploratrice. Le patient est déplacé lentement dans le tomodensitomètre, appareil en forme d'anneau, pendant que le tube à rayons X tourne autour de lui. Le degré d'absorption de la radiation varie selon les tissus. À partir des données ainsi recueillies, l'ordinateur du tomodensitomètre reconstitue une coupe transversale détaillée de toutes les régions examinées. La tomographie constitue actuellement le fer de lance de la technique médicale pour le diagnostic de la plupart des troubles cérébraux (image a) et abdominaux, ainsi que pour celui de la calcification des artères coronaires chez les personnes dont les prédispositions aux maladies cardiaques sont élevées. Des procédés tomographiques spéciaux à grande vitesse permettent la *reconstruction spatiale dynamique* (*RSD*), qui donne des images tridimensionnelles des organes sous n'importe quel angle, tout en permettant d'examiner leurs mouvements et les modifications de leurs volumes internes à vitesse normale, au ralenti et à un instant précis. Ces méthodes se révèlent utiles pour l'examen des poumons et d'autres organes mobiles, mais elles servent surtout à reconstituer les battements du cœur et la circulation sanguine ; on est ainsi en mesure d'observer les malformations cardiaques, les resserrements des vaisseaux sanguins et l'état des pontages coronariens.

L'*angiographie numérique avec soustraction* est une autre technique radiologique assistée par ordinateur (*angiographie* signifie « images des vaisseaux »). Elle permet d'obtenir une image très claire des vaisseaux sanguins affectés. On prend des radiographies traditionnelles avant et après injection d'un agent de contraste dans une artère. L'ordinateur soustrait ensuite l'image « avant » de l'image « après », faisant ainsi disparaître toute trace des structures qui cachent le vaisseau à examiner. On se sert souvent de cette technique pour trouver les obstructions des artères qui alimentent le muscle cardiaque et le cerveau (image b).

La radiographie numérique biplan à basse dose (système EOS), qui a fait son apparition en 2003, permet d'utiliser des doses de radiations jusqu'à dix fois plus faibles que la radiographie classique, pour obtenir, après traitement par ordinateur, des images en trois dimensions à partir de deux radiographies seulement d'un sujet debout (une de face et une de profil).

Tout comme la radiographie a donné naissance à d'autres techniques plus avancées, les progrès réalisés en médecine nucléaire ont débouché sur la *tomographie par émission de positons* (*TEP*), excellent outil d'observation des processus métaboliques. La TEP est particulièrement intéressante pour étudier l'activité cérébrale des personnes atteintes d'une maladie mentale, de la maladie d'Alzheimer, ou d'épilepsie. On obtient aussi de bons résultats avec cette technique lorsqu'on souhaite déterminer chez des personnes *saines* les parties du cerveau qui sont actives en cours d'exécution de certaines tâches (parole, écoute de musique et ainsi de suite). On injecte au patient des molécules biologiques (du glucose, par exemple) marquées par un radio-isotope de vie courte (moins de deux heures)

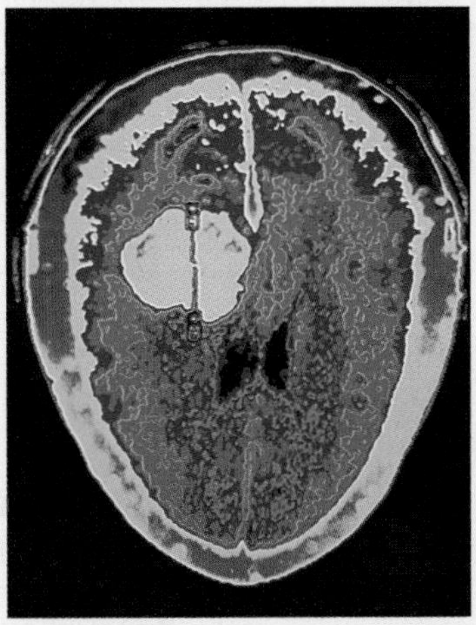
(a)

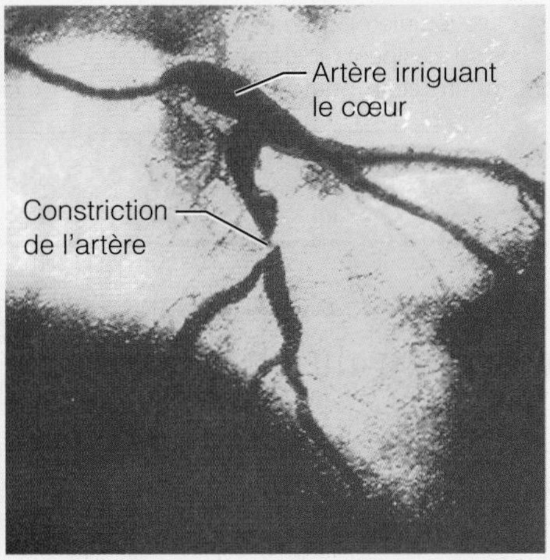
Artère irriguant le cœur
Constriction de l'artère
(b)

Deux méthodes pour examiner l'intérieur du corps humain

(a) Tomographie d'une tumeur au cerveau (ovale jaune du côté droit de l'encéphale)
(b) Vue des artères qui irriguent le cœur par angiographie numérique avec soustraction

comme le carbone 11 ou l'azote 13, puis on le place dans le tomographe à émission de positrons. Les radio-isotopes, qui émettent des rayons gamma à haute énergie, sont absorbés par les cellules du cerveau qui sont les plus actives. L'émission de ces rayons gamma qui peuvent être captés par une caméra à positrons est analysée par l'ordinateur, qui reconstitue alors en direct une image en couleurs très contrastées de l'activité biochimique du cerveau.

L'*échographie*, ou *ultrasonographie*, possède des avantages évidents sur les procédés décrits plus haut : l'équipement est peu coûteux, et les ondes sonores de haute fréquence (ultrasons) utilisées comme source d'énergie ne semblent pas avoir d'effets néfastes sur les tissus vivants (dans l'état actuel des connaissances) comme les rayonnements ionisants. Le corps est traversé d'impulsions sonores qui produisent des échos lorsqu'elles sont réfléchies et déviées par les tissus. À partir de ces échos et du temps écoulé entre l'émission et la réception de l'onde sonore, un ordinateur reconstruit des images (qui peuvent être en couleurs aujourd'hui) des organes examinés. Grâce à son innocuité, l'échographie est la technique d'imagerie de choix en obstétrique. Elle permet de déterminer l'âge, le sexe et la position du fœtus, de surveiller son développement ainsi que de situer le placenta. Cette technique sert aussi à examiner un grand nombre d'organes de la cavité abdominale. L'échographie est toutefois de peu d'utilité pour l'examen des structures remplies d'air (poumons) ou entourées d'os (encéphale et moelle épinière) parce que les ondes sonores se dissipent rapidement dans l'air et n'ont qu'un faible pouvoir de pénétration.

La *remnographie*, ou *résonance magnétique nucléaire* (*RMN*), est une autre technique faisant appel à des rayonnements non ionisants. Elle consiste à appliquer des champs magnétiques atteignant jusqu'à 60 000 fois l'intensité du magnétisme terrestre pour recueillir de l'information sur les tissus vivants. Le patient est étendu à l'intérieur d'un caisson entouré d'un énorme aimant. Le mot *nucléaire* dans le nom de cette technique renvoie au fait qu'on y utilise une propriété des *noyaux* des atomes d'hydrogène (élément qui se trouve en abondance dans l'eau et les graisses de l'organisme) ; ceux-ci tournent comme des toupies dans le champ magnétique en s'orientant de façon particulière par rapport à celui-ci (on dit qu'ils sont « en résonance ») ; on accroît leur énergie à l'aide d'ondes radio ayant des fréquences spécifiques, ce qui modifie l'orientation des noyaux d'hydrogène. Lorsque l'émission des ondes radio cesse, l'énergie libérée est transformée en image par l'ordinateur. La remnographie doit son immense popularité aux possibilités qu'elle offre, nettement supérieures à celles de la tomographie par ordinateur. Étant donné que les structures denses n'apparaissent pas à la remnographie, les os du crâne ou de la colonne vertébrale n'empêchent pas la visualisation de *tissus mous* comme l'encéphale (voir la figure 1.6a). Ce procédé est aussi très utile au diagnostic de diverses tumeurs et maladies dégénératives ; par exemple, la tomographie ne permet pas de déceler les zones sans myéline caractéristiques de la sclérose en plaques, mais celles-ci sont très visibles par RMN. Un des sujets de pointe de la recherche en RMN consiste à étudier comment le développement et le comportement du cerveau évoluent avec l'âge et l'expérience.

Une nouvelle forme de RMN, la *spectroscopie par résonance magnétique*, fournit une carte de la distribution d'éléments autres que l'hydrogène (le phosphore, le carbone et le sodium, entre autres), révélant ainsi les effets de la maladie sur la chimie de l'organisme. En 1992, la remnographie a fait un bond en avant avec la mise au point de la *RMN fonctionnelle*, qui permet de suivre le flux sanguin du cerveau en temps réel. Auparavant, pour établir des liens entre des pensées, des activités et des maladies, d'une part, et l'activité cérébrale correspondante, d'autre part, on ne disposait que de la TEP. Comme elle ne nécessite aucune injection de traceurs, la RMN fonctionnelle représente donc une autre voie, peut-être plus souhaitable pour ce type d'études. En dépit de ses avantages, la résonance magnétique nucléaire pose certains problèmes. Par exemple, le puissant champ magnétique produit peut « aspirer » les objets métalliques comme les stimulateurs cardiaques et les obturations dentaires mal assujetties, au point de les déloger complètement. Par ailleurs, il n'existe aucune preuve convaincante que les champs magnétiques utilisés sont sans danger pour l'organisme.

Quoi qu'il en soit, la médecine moderne dispose d'excellents outils de diagnostic. Ainsi, dans 25 % des cas où l'on fait appel à un procédé d'imagerie, on se sert de la tomographie et de la TEP. L'ultrasonographie est la plus employée des nouvelles méthodes parce qu'elle est apparemment sans danger et peu coûteuse. La radiographie ordinaire reste toutefois très utile puisqu'on y recourt encore dans plus de 50 % des cas où l'on a besoin d'un procédé d'imagerie.

Résumé du chapitre 1

DÉFINITION GÉNÉRALE DE L'ANATOMIE ET DE LA PHYSIOLOGIE *(p. 2)*

1. L'anatomie est l'étude des structures du corps. On utilise l'observation pour voir la taille des différentes structures et les relations entre elles.

2. La physiologie est l'étude du fonctionnement des structures du corps (que ce soit une cellule, un organe ou un système).

3. La structure détermine la fonction ; par conséquent, si la structure change, la fonction doit aussi changer.

LES NIVEAUX D'ORGANISATION STRUCTURALE *(p. 2-7)*

1. Il y a six niveaux d'organisation structurale. Les atomes (niveau chimique) se combinent pour former l'unité structurale et physiologique de la vie, c'est-à-dire la cellule. Les cellules se regroupent en tissus, qui à leur tour sont arrangés de façon précise pour former des organes. Un certain nombre d'organes composent un système, qui remplit une fonction spécifique dans l'organisme (c'est-à-dire une fonction qu'aucun autre système ne peut

accomplir). L'ensemble des systèmes constitue l'organisme, ou l'être vivant.

2. Les pages 4 à 7 présentent une description des systèmes; on y indique les organes qu'ils comprennent et les fonctions qu'ils remplissent.

LE MAINTIEN DE LA VIE *(p. 7-9)*

1. Pour assurer sa survie, un organisme doit être capable de maintenir ses limites, de bouger, de réagir aux stimulus, de digérer des nutriments, d'excréter des déchets, d'avoir une activité métabolique, de se reproduire et de croître: c'est ce qu'on appelle les *fonctions vitales*.

2. Les besoins vitaux sont les nutriments, l'oxygène, l'eau ainsi qu'une température corporelle et une pression atmosphérique appropriées. Les excès dans l'un ou l'autre de ceux-ci peuvent être néfastes.

L'HOMÉOSTASIE *(p. 10-11)*

1. Les systèmes de l'organisme communiquent entre eux pour maintenir l'homéostasie, c'est-à-dire un milieu interne relativement stable. L'homéostasie est essentielle à la survie et à la santé; sa perturbation entraîne la maladie.

2. Tous les mécanismes de régulation de l'homéostasie comportent un récepteur qui réagit aux changements dans l'environnement, ainsi qu'un centre de régulation qui évalue ces changements et y réagit en activant un troisième élément, l'effecteur.

3. La plupart des mécanismes de régulation de l'homéostasie sont des mécanismes de rétro-inhibition, dont l'action atténue ou fait cesser le stimulus initial.

VOCABULAIRE DE L'ANATOMIE *(p. 11-17)*

1. La terminologie anatomique est relative et se base sur la position anatomique (debout, pieds joints, bras pendants, paumes tournées vers l'avant).

2. Termes relatifs aux régions. Consultez la page 12, où se trouvent les noms des principales régions du corps ainsi que les termes relatifs à celles-ci.

3. Termes relatifs à l'orientation
   a) Supérieur (céphalique ou crânial): au-dessus, vers la tête.
   b) Inférieur (caudal): au-dessous, vers le bas.
   c) Antérieur (ventral): vers l'avant du corps ou d'une structure, devant.
   d) Postérieur (dorsal): vers le dos du corps ou d'une structure, derrière.
   e) Médial: vers le plan médian du corps; médian: dans le plan médian.
   f) Latéral: plus éloigné par rapport au plan médian du corps.
   g) Intermédiaire ou moyen: entre une structure plus médiale et une structure plus latérale.
   h) Proximal: plus près du point d'attache.
   i) Distal: plus éloigné du point d'attache.
   j) Superficiel (externe): à la surface du corps ou près de celle-ci.
   k) Profond (interne): loin de la surface du corps, plus interne.

4. Plans et coupes
   a) Coupe sagittale: coupe verticale qui sépare le corps en deux parties, droite et gauche.
   b) Coupe frontale (coronale): coupe verticale qui sépare le corps en deux parties, antérieure et postérieure.
   c) Coupe transversale (horizontale): coupe horizontale qui sépare le corps en deux parties, supérieure et inférieure.

5. Cavités du corps
   a) Cavité postérieure: contient des organes bien protégés par les os; est divisée en deux cavités:
      1) la cavité crânienne, qui renferme l'encéphale;
      2) le canal vertébral, qui renferme la moelle épinière.
   b) Cavité antérieure: contient des organes moins bien protégés; est divisée en deux cavités:
      1) la cavité thoracique, située au-dessus de la cavité abdominopelvienne, qui s'étend vers le bas jusqu'au diaphragme; elle contient le cœur et les poumons qui sont protégés par la cage thoracique;
      2) la cavité abdominopelvienne, située au-dessous de la cavité thoracique, qui contient les organes digestifs, urinaires et génitaux internes. La partie abdominale est vulnérable parce qu'elle est protégée uniquement par les muscles abdominaux. La partie pelvienne est relativement bien protégée par les os du bassin. La cavité abdominopelvienne est souvent divisée en quatre quadrants ou neuf régions (voir la figure 1.8).

Questions de révision

QUESTIONS À CHOIX MULTIPLE

Pour certaines questions, il peut y avoir plus d'une bonne réponse.

1. Voici les différents niveaux d'organisation structurale: 1) cellule; 2) chimique; 3) organe; 4) organisme; 5) système; 6) tissu. Lequel des choix suivants énumère les différents niveaux dans un ordre croissant de complexité?
   a) 1, 2, 3, 4, 5, 6.
   b) 1, 4, 5, 2, 3, 6.
   c) 2, 3, 1, 6, 3, 4.
   d) 2, 1, 6, 3, 5, 4.
   e) 4, 5, 3, 6, 1, 2.

2. Quels systèmes de l'organisme ont à la fois une porte d'entrée pour des substances provenant normalement de l'environnement et une porte de sortie pour des substances qui y sont normalement libérées, au cours de la réalisation des fonctions vitales?
   a) Les systèmes cardiovasculaire, respiratoire et urinaire.
   b) Les systèmes tégumentaire et digestif.
   c) Les systèmes musculaire, endocrinien et génital.
   d) Les systèmes digestif et respiratoire.
   e) Les systèmes digestif et urinaire.

3. Parmi les éléments suivants, lesquels participent aux mécanismes homéostatiques?
   a) L'effecteur.
   b) Le centre de régulation.
   c) Le récepteur.
   d) La rétroaction.
   e) L'absence de changement dans l'environnement.

4. Parmi les éléments suivants, lequel n'est pas essentiel à la survie de l'organisme?
   a) L'eau.
   b) L'oxygène.
   c) La gravité.
   d) La pression atmosphérique.
   e) Les nutriments.

5. Les termes d'anatomie qui s'appliquent à l'arrière du corps dans la position anatomique sont:
   a) ventral et antérieur.
   b) du dos et derrière.
   c) postérieur et dorsal.
   d) de la tête et latéral.

6. Un neurochirurgien prescrit une ponction lombaire pour un patient. Dans quelle cavité de l'organisme l'aiguille devra-t-elle être insérée?
   a) Antérieure.
   b) Thoracique.
   c) Postérieure.
   d) Crânienne.
   e) Pelvienne.

7. Parmi les énoncés suivants, lesquels sont exacts?
   a) Les bras sont latéraux par rapport à la poitrine.
   b) Le cœur est médial par rapport aux bras.
   c) Le genou est proximal par rapport à la cuisse.
   d) Le sternum est antérieur par rapport à la colonne vertébrale.
   e) Le coude est distal par rapport à l'épaule.

8. Quelle association, parmi les suivantes, est erronée?
   a) Rate et cavité thoracique.
   b) Encéphale et cavité crânienne.
   c) Foie et cavité abdominale.
   d) Moelle épinière et canal vertébral.
   e) Vessie et cavité pelvienne.

QUESTIONS À COURT DÉVELOPPEMENT

1. Définissez l'*anatomie* et la *physiologie.*

2. Pourquoi vous serait-il difficile d'étudier la physiologie sans avoir d'abord étudié l'anatomie?

3. Déterminez à quel niveau d'organisation structurale appartient chacun des éléments suivants: un fœtus, un muscle squelettique, un œil, de l'oxygène gazeux, la peau, le sang, le squelette, un spermatozoïde.

4. Énumérez les 11 systèmes du corps humain, puis décrivez brièvement la fonction de chacun. Ensuite, nommez deux organes de chaque système.

5. En plus de l'activité métabolique, de la croissance, de la digestion des nutriments et de l'excrétion des déchets, quelles fonctions un organisme doit-il remplir pour assurer sa survie?

6. Définissez l'*homéostasie.*

7. Quelle est la conséquence de la perte de l'homéostasie, c'est-à-dire d'un déséquilibre homéostatique?

8. Décrivez la position anatomique.

9. À l'aide des termes appropriés, indiquez la localisation de chacune des structures suivantes: nez, mollet, oreilles, ombilic, ongles.

10. Voici plusieurs paires de structures précédées d'un terme relatif à l'orientation. Dans chaque paire, choisissez la structure qui correspond à l'orientation donnée.
    a) Distal: genou et pied.
    b) Latéral: joue et nez.
    c) Supérieur: cou et menton.
    d) Antérieur: talon et ongles des orteils.
    e) Superficiel: peau et muscles squelettiques.

11. Quel type de coupe doit-on effectuer pour diviser l'encéphale en parties antérieure et postérieure?

12. Parmi les systèmes suivants, lesquels s'étendent dans les *deux* subdivisions de la cavité antérieure: système digestif, système respiratoire, système génital, système cardiovasculaire, système urinaire, système musculaire? Lesquels sont situés dans la cavité thoracique seulement? dans la cavité abdominopelvienne seulement?

13. Pour chacune des techniques d'imagerie médicale suivantes, précisez quel type d'énergie est utilisé (rayons X, rayons gamma, ultrasons, champs magnétiques puissants): angiographie numérique avec soustraction, échographie, EOS, radiographie traditionnelle, RMN, tomographie par ordinateur, TEP.

Réflexion et application

1. Une infirmière explique à Jean qu'elle va lui faire une injection d'antibiotiques dans la région deltoïdienne. Jean doit-il enlever sa chemise ou baisser son pantalon pour recevoir l'injection ? Avant que Jean quitte l'hôpital, l'infirmière remarque qu'il a une vilaine ecchymose dans la région scapulaire gauche. De quelle partie du corps parle-t-elle ?

2. De quelle façon l'homéostasie (ou la perturbation de l'homéostasie) est-elle liée à la maladie et au vieillissement ? Donnez quelques exemples pour appuyer votre raisonnement.

3. En temps normal, une personne qui commence à être déshydratée se met à avoir soif, ce qui la pousse à boire. À partir de ce que vous savez maintenant sur les systèmes de régulation, dites si la sensation de soif fait partie d'un mécanisme de rétro-inhibition ou de rétroactivation. Expliquez pourquoi.

4. Mme Bachand est enceinte de trois mois. Son obstétricien veut mesurer la tête du fœtus pour vérifier s'il se développe normalement. Quelle technique d'imagerie médicale préférera-t-il utiliser ? Pourquoi ?

CHAPITRE 2

Notions de chimie

Lorsque vous aurez étudié le présent chapitre, vous devriez avoir atteint les objectifs d'apprentissage énumérés ci-dessous.

OBJECTIFS D'APPRENTISSAGE

Les concepts de matière et d'énergie *(p. 26-27)*

❑ **1.** Établir clairement la distinction entre matière et énergie.

❑ **2.** Décrire les quatre principales formes d'énergie qui jouent un rôle important dans l'organisme et donner un exemple de l'utilisation de chacune par celui-ci.

❑ **3.** Expliquer pourquoi on dit que les conversions énergétiques sont *relativement inefficaces* et montrer les conséquences de ce fait pour l'organisme.

La composition de la matière *(p. 27-32)*

❑ **4.** Définir un *élément chimique* et nommer les quatre principaux éléments qui composent le corps humain.

❑ **5.** Expliquer la relation entre les éléments et les atomes.

❑ **6.** Énumérer les particules subatomiques; donner leur masse relative, leur charge et leur position dans l'atome; comparer le modèle planétaire et le modèle des orbitales de l'atome.

❑ **7.** Définir le *numéro atomique*, le *nombre de masse* et la *masse atomique*.

❑ **8.** Définir un *isotope* et un *radio-isotope*; montrer l'utilité des radio-isotopes dans le diagnostic et le traitement des maladies.

Les molécules et les composés *(p. 32)*

❑ **9.** Définir une *molécule* et expliquer sa relation avec les composés.

Les liaisons chimiques et les réactions chimiques *(p. 33-38)*

❑ **10.** Préciser quelle particule subatomique participe aux réactions chimiques; expliquer la règle qui régit les différents comportements de ce type de particule (gains, pertes ou échanges).

❑ **11.** Établir et illustrer à l'aide d'exemples la distinction entre les liaisons ioniques et les liaisons covalentes (molécules polaires et non polaires); démontrer l'importance des liaisons hydrogène.

❑ **12.** Comparer les réactions de synthèse, de dégradation et d'échange; déterminer à quel type une réaction donnée appartient.

La biochimie: la composition chimique de la matière vivante *(p. 38-52)*

❑ **13.** Établir la distinction entre les composés organiques et les composés inorganiques.

❑ **14.** Établir la distinction entre un sel, un acide et une base.

❑ **15.** Expliquer l'importance de l'eau dans l'homéostasie de l'organisme; donner des exemples des divers rôles de l'eau.

❑ **16.** Nommer les principaux sels (ou leurs ions) vitaux pour l'organisme et donner une fonction de chacun; expliquer pourquoi on dit des sels qu'ils sont des *électrolytes*.

- ☐ **17.** Expliquer la notion de pH ; préciser la valeur du pH dans le sang et illustrer par un exemple l'importance de sa stabilité dans l'organisme.
- ☐ **18.** Définir et comparer les unités de base, les structures générales et les fonctions biologiques des glucides, des lipides, des protéines et des acides nucléiques ; illustrer des réactions de synthèse et des réactions d'hydrolyse qui interviennent à l'intérieur de ces quatre grandes classes de substances organiques.
- ☐ **19.** Établir la distinction entre les protéines fibreuses et les protéines globulaires sur les plans de la structure et de la fonction.
- ☐ **20.** Comparer la structure de l'ADN et celle de l'ARN ; donner un aperçu de leurs fonctions ; définir ce qu'on entend par empreintes génétiques.
- ☐ **21.** Définir une *enzyme* ; expliquer son rôle et son mode de fonctionnement.
- ☐ **22.** Décrire la structure de l'ATP ; montrer comment cette molécule peut emmagasiner ou libérer de l'énergie ; expliquer son importance dans l'organisme.

On manque souvent de temps dans les cours d'anatomie et de physiologie pour aborder la question de la chimie. Alors, pourquoi en parler ici ? La réponse va de soi : vos aliments et les médicaments que vous prenez quand vous êtes malade sont constitués de substances chimiques, et le corps humain renferme des milliers de composés chimiques qui entrent sans cesse en interaction à une vitesse phénoménale.

Bien qu'il soit possible d'étudier l'anatomie sans beaucoup parler de chimie, ce sont bien des réactions chimiques qui rendent possibles tous les processus physiologiques – le mouvement, la digestion, les actions de pompage du cœur, et même la pensée. C'est pourquoi nous présentons les notions de base de la chimie et de la biochimie (la chimie de la matière vivante), qui vous permettront de mieux comprendre les fonctions de l'organisme.

Les concepts de matière et d'énergie

LA MATIÈRE

La **matière** est la substance qui forme l'Univers. On peut presque toujours la voir et la toucher. Plus précisément, c'est tout ce qui occupe un volume et possède une masse. La chimie est l'étude de la nature de la matière, plus particulièrement des modes d'association et d'interaction de ses constituants les uns avec les autres.

La matière peut exister sous forme solide, liquide ou gazeuse. On trouve chacun de ces états à l'intérieur de l'organisme humain. Les *solides*, comme les os et les dents, ont une forme et un volume bien définis. Les *liquides*, comme le plasma sanguin et le liquide interstitiel dans lequel baignent toutes les cellules, occupent un certain volume, mais épousent la forme de leur contenant. Les *gaz* n'ont ni forme ni volume définis ; l'air que nous respirons est un mélange de gaz.

La matière peut se transformer de deux façons. Les *changements physiques* n'influent pas sur la nature d'une substance. Ils comprennent divers changements d'état comme la glace qui fond et devient de l'eau, ou l'action de couper les aliments en petits morceaux. Les *changements chimiques modifient* la composition d'une substance, souvent de façon considérable. La fermentation des raisins pour la fabrication du vin et la digestion des aliments par l'organisme en sont des exemples.

L'ÉNERGIE

Contrairement à la matière, l'**énergie** n'a pas de masse et n'occupe aucun volume. On ne peut la mesurer que par l'intermédiaire de ses effets sur la matière. On définit l'énergie comme la capacité de fournir un travail ou de mettre de la matière en mouvement (ou de modifier celui-ci). L'**énergie cinétique** est représentée par le mouvement, tandis que l'**énergie potentielle** se trouve sous forme stockée, ou inactive (comme dans une pile inutilisée). Toutes les formes d'énergie présentent des caractéristiques cinétiques et potentielles.

L'étude de l'énergie est en fait un sous-domaine de la physique, mais la matière et l'énergie sont indissociables. Tous les êtres vivants sont constitués de matière et ont besoin d'énergie pour croître et fonctionner. La matière est la substance, et l'énergie déplace cette même substance. Nous allons donc examiner brièvement les diverses formes d'énergie qui sont à l'œuvre dans le fonctionnement de l'organisme humain.

Les formes d'énergie

- L'**énergie chimique** est emmagasinée dans les liaisons des diverses substances chimiques. Lorsque ces liaisons sont rompues, cette énergie (potentielle) est libérée et se transforme en énergie active (cinétique). Par exemple, dans un moteur d'automobile, les liaisons des molécules d'essence se rompent et l'énergie libérée fait avancer le véhicule. De la même manière, toutes les fonctions de l'organisme sont alimentées par l'énergie chimique que nous fournissent les aliments.
- L'**énergie électrique** résulte du mouvement de particules chargées. Dans une habitation, l'énergie électrique est engendrée par le déplacement d'électrons dans des fils électriques. Dans votre corps, des particules chargées (appelées *ions*) produisent des phénomènes électrochimiques lorsqu'elles traversent des membranes cellulaires.
- L'**énergie mécanique** produit *directement* un mouvement de matière. Lorsque vous faites de la bicyclette, vos jambes fournissent une énergie mécanique qui permet d'actionner les pédales. En termes anatomiques, on peut dire que lorsqu'ils se contractent, les muscles de la jambe exercent une traction sur les os, ce qui permet à la jambe de bouger (pour pédaler).
- L'**énergie de rayonnement** se propage sous forme d'ondes. Ces ondes constituent le spectre électromagnétique qui comprend la lumière visible, les rayons infrarouges, les ondes radio, les rayons ultraviolets (UV) ainsi que les rayons X. La lumière qui stimule la rétine de votre œil joue un rôle important dans la vision. Les rayons UV provoquent le bronzage de la peau et stimulent la production de vitamine D par notre organisme.

La conversion des formes d'énergie

À quelques exceptions près, toute forme d'énergie peut facilement se convertir en une autre. Par exemple, dans l'ampoule d'une lampe, l'énergie électrique est convertie en énergie lumineuse. Dans notre corps, l'énergie chimique fournie par les aliments est emprisonnée dans les liaisons d'une molécule riche en énergie, l'adénosine triphosphate (ATP). L'énergie de l'ATP peut se transformer en énergie électrique au moment de la production d'un influx nerveux ou en énergie mécanique lorsque les muscles raccourcissent.

Les conversions énergétiques sont relativement inefficaces parce qu'une partie de l'énergie initiale est toujours « perdue » dans l'environnement sous forme de chaleur. (Elle n'est pas réellement perdue, car l'énergie ne peut être ni créée ni détruite ; elle devient *inutilisable.*) Il est facile de démontrer ce principe. Si vous touchez une ampoule allumée, vous vous apercevrez très vite qu'une partie de l'énergie électrique est aussi transformée en chaleur. De la même façon, toutes les conversions énergétiques qui ont lieu dans l'organisme dégagent de la chaleur. C'est ce qui explique notre température corporelle relativement élevée et ce qui fait de nous des animaux à sang chaud ; cette chaleur a également une très grande influence sur le fonctionnement de notre organisme. Par exemple, lorsqu'on chauffe une certaine quantité de matière, le mouvement des particules qui la constituent s'accélère, c'est-à-dire que l'énergie cinétique de celles-ci augmente. On peut dire que, jusqu'à un certain point, plus la température s'élève, plus les réactions chimiques se produisent rapidement. Nous reparlerons de ce phénomène plus loin.

La composition de la matière

LES ÉLÉMENTS ET LES ATOMES

Toute matière est constituée de substances appelées **éléments**. Ces derniers ont des propriétés uniques et ne peuvent pas être dégradés en substances plus simples au moyen de méthodes chimiques ordinaires. L'oxygène, le carbone, l'or, l'argent, le cuivre et le fer sont des éléments bien connus.

On connaît actuellement avec certitude 112 éléments ; certains des éléments 113 à 118 sont encore hypothétiques ou instables, et de durée de vie très courte. On en trouve 92 dans la nature, les autres étant produits artificiellement à l'aide d'accélérateurs de particules. Quatre éléments (le carbone, l'oxygène, l'hydrogène et l'azote) forment environ 96 % de notre masse corporelle ; plusieurs autres sont à l'état de traces dans notre organisme. À l'appendice B, nous reproduisons le **tableau périodique**, une grille de forme bien particulière qu'on trouve dans toutes les classes de chimie au monde et qui contient la liste complète des éléments connus. Le tableau 2.1 présente les éléments qui contribuent à la masse de notre corps ainsi que leur importance relative.

Le constituant d'un élément, ou la plus petite particule qui conserve toujours ses propriétés spécifiques, est appelé **atome**. Parce que tous les éléments sont uniques,

Tableau 2.1 Les éléments présents dans le corps humain

Élément	Symbole chimique	Pourcentage de la masse corporelle	Rôles
Éléments principaux (96,1 %)			
Oxygène	O	65,0	Constituant important des molécules organiques et inorganiques ; à l'état gazeux, il est essentiel à l'oxydation du glucose et d'autres combustibles alimentaires, et contribue ainsi à la production de l'énergie cellulaire (ATP).
Carbone	C	18,5	Principal constituant de toutes les molécules organiques, notamment des glucides, des lipides, des protéines et des acides nucléiques.
Hydrogène	H	9,5	Présent dans la plupart des molécules organiques ; sous forme d'ion H^+ (proton), sa concentration détermine le pH des liquides de l'organisme.
Azote	N	3,2	Présent dans les protéines et les acides nucléiques (matériel génétique).
Éléments moins abondants (3,9 %)			
Calcium	Ca	1,5	Présent sous forme de sel dans les os et les dents ; sous forme d'ion, il est nécessaire aux contractions musculaires, à la transmission de l'influx nerveux et à la coagulation du sang.
Phosphore	P	1,0	Constituant du phosphate de calcium, un sel présent dans les os et les dents ; également présent dans les acides nucléiques, de nombreuses protéines et l'ATP.
Potassium	K	0,4	L'ion potassium (K^+) est le cation le plus abondant dans les cellules ; nécessaire à la propagation de l'influx nerveux et à la contraction musculaire.
Soufre	S	0,3	Présent dans les protéines, notamment dans les protéines contractiles des muscles.
Sodium	Na	0,2	L'ion sodium (Na^+) est le principal cation des liquides extracellulaires ; important pour l'équilibre hydrique, la propagation de l'influx nerveux et la contraction musculaire.
Chlore	Cl	0,2	L'ion chlorure (Cl^-) est l'anion le plus abondant dans les liquides extracellulaires.
Magnésium	Mg	0,1	Présent dans les os ; cofacteur important de l'activité enzymatique dans de nombreuses réactions métaboliques.
Iode	I	0,1	Essentiel à la production des hormones thyroïdiennes.
Fer	Fe	0,1	Constituant de l'hémoglobine (qui assure le transport de l'oxygène dans les globules rouges du sang) et de certaines enzymes.
Oligoéléments (moins de 0,01 %)			
Chrome (Cr), cobalt (Co), cuivre (Cu), étain (Sn), fluor (F), manganèse (Mn), molybdène (Mo), sélénium (Se), silicium (Si), vanadium (V), zinc (Zn). (Ces éléments sont appelés *oligoéléments* parce qu'ils sont nécessaires en très petite quantité ; plusieurs entrent dans la composition d'enzymes ou sont indispensables à leur activation.)			

les atomes d'un élément donné diffèrent des atomes d'un autre élément. Chaque élément est désigné par un **symbole chimique**, formé d'une ou de deux lettres, généralement la ou les premières de son nom. Par exemple, « C » représente le carbone, « O » l'oxygène et « Ca » le calcium. Dans quelques cas, le symbole chimique vient du nom latin de l'élément ; par exemple, le symbole du sodium est « Na » (du mot latin *natrium*).

LA STRUCTURE DE L'ATOME

Le mot *atome* vient d'un mot grec signifiant « indivisible ». Jusqu'au XXe siècle, l'indivisibilité de l'atome avait le statut d'une vérité scientifique. En effet, on croyait qu'il était théoriquement possible de diviser un élément pur, comme un bloc d'or, en particules de plus en plus petites jusqu'à ce qu'on atteigne les atomes individuels, qui n'étaient alors plus divisibles. On sait aujourd'hui que les atomes sont eux-mêmes constitués de particules encore plus petites (les particules subatomiques), et qu'ils peuvent être scindés en ces particules à l'aide d'outils très perfectionnés. Mais l'ancienne notion d'indivisibilité de l'atome est encore utile, puisque celui-ci perd les propriétés uniques de son élément si on le dissocie en ses particules.

Les atomes des divers éléments se composent de trois particules subatomiques dont le nombre et la proportion varient ; ces particules diffèrent par leur masse, leur charge électrique et la position qu'elles occupent dans l'atome (tableau 2.2). Les **protons** (p^+) ont une charge électrique positive, alors que les **neutrons** (n^0) n'ont pas de charge électrique (ils sont neutres). Les protons et les neutrons sont des particules subatomiques lourdes ; ils ont à peu près la même masse (une unité de masse atomique ou 1 u). Les minuscules **électrons** (e^-) ont une charge négative qui équivaut à la charge positive du proton. Un électron possède toutefois une masse si petite qu'on lui attribue généralement une valeur de 0 u.

La charge électrique d'une particule correspond à sa capacité d'attirer ou de repousser d'autres particules chargées. Les particules qui ont le même type de charge (+ et + ou encore – et –) se repoussent, tandis que celles qui ont des charges différentes (+ et –) s'attirent. Les particules neutres ne sont ni attirées ni repoussées par les particules chargées.

Étant donné que tous les atomes sont électriquement neutres, le nombre d'électrons doit être exactement égal au nombre de protons (pour que les charges positives et les charges négatives s'annulent). Ainsi, l'hydrogène a 1 proton et 1 électron, et le fer a 26 protons et 26 électrons. Dans chaque atome, le nombre de protons et d'électrons est toujours le même. Nous verrons sous peu que les atomes peuvent gagner ou perdre des électrons ; on les appelle alors *ions*.

Le modèle planétaire et le modèle des orbitales de l'atome

Le **modèle planétaire** représente l'atome comme un système solaire miniature dans lequel les protons et les neutrons sont groupés au centre de l'atome, dans le noyau (figure 2.1a). Puisqu'il contient toutes les particules lourdes, le noyau est particulièrement dense et sa charge est positive. Les minuscules électrons tournent autour du noyau sur des orbites fixes généralement circulaires, comme des planètes autour d'un soleil. Mais en fait il est impossible de connaître la position exacte des électrons à un moment donné parce qu'ils se déplacent de façon erratique en suivant des trajectoires indéterminées. Par conséquent, au lieu de parler d'*orbites* bien distinctes, les chimistes emploient le terme *orbitales*, c'est-à-dire des *régions* autour du noyau où l'on a de bonnes chances de trouver un électron ou une paire d'électrons la plupart du temps. Ce modèle plus récent de la structure atomique, appelé **modèle des orbitales**, est plus utile lorsqu'on tente de prévoir le comportement chimique des atomes. À la figure 2.1b, on a illustré le modèle des orbitales en représentant l'emplacement général des électrons à l'extérieur du noyau (ce qu'on appelle le *nuage électronique*). Les régions où il est le plus probable de trouver des électrons sont représentées par une teinte plus foncée plutôt que par des lignes orbitales. Quel que soit le modèle utilisé, il faut noter que les électrons peuvent occuper la totalité ou presque du volume de l'atome et qu'ils déterminent son comportement chimique, c'est-à-dire sa capacité de se lier à d'autres atomes. Dans le présent manuel, nous décrirons souvent la structure atomique en nous servant du modèle planétaire qui, bien qu'il soit un peu dépassé, est simple et facile à comprendre et à utiliser.

Tableau 2.2 Les particules subatomiques

Particule	Position dans l'atome	Masse (u)	Charge
Proton (p^+)	Noyau	1	+
Neutron (n^0)	Noyau	1	0
Électron (e^-)	Orbitales à l'extérieur du noyau	1/1800	–

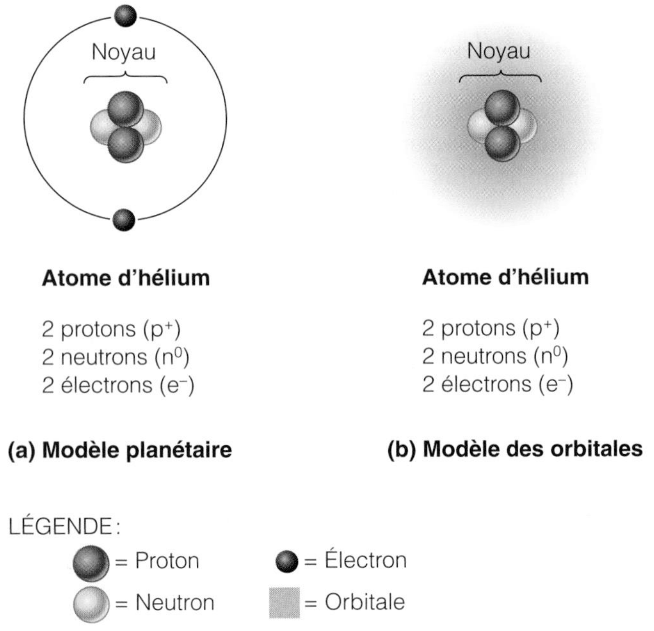

Noyau
Noyau
Atome d'hélium
2 protons (p+)
2 neutrons (n0)
2 électrons (e-)
Atome d'hélium
2 protons (p+)
2 neutrons (n0)
2 électrons (e-)
(a) Modèle planétaire
(b) Modèle des orbitales
LÉGENDE :
= Proton
= Électron
= Neutron
= Orbitale

Figure 2.1 **La structure d'un atome**

Le noyau central très dense contient les protons et les neutrons. **(a)** Selon le modèle planétaire de la structure atomique, les électrons décrivent des orbites fixes autour du noyau. **(b)** Dans le modèle des orbitales, on reconnaît qu'on ne sait jamais exactement où se trouvent les électrons ; on les représente donc comme un nuage de charge négative.

L'hydrogène, qui ne possède qu'un proton et un électron, est l'atome le plus simple. Pour illustrer sa structure spatiale, imaginons un modèle à l'échelle d'une sphère avec un diamètre égal à la longueur d'un terrain de football ; on pourrait alors représenter le noyau par une bille de plomb de la taille d'une boule de gomme placée exactement au centre de la sphère, et l'électron unique par une mouche volant de façon totalement imprévisible à l'intérieur de cette sphère. Vous devriez donc vous souvenir que la plus grande partie du volume d'un atome est vide et que presque toute sa masse est concentrée dans le noyau, au centre.

L'IDENTIFICATION DES ÉLÉMENTS

Tous les protons sont identiques, quel que soit l'atome dont ils font partie. Cela est également vrai de tous les neutrons et de tous les électrons. Alors, pourquoi les éléments ont-ils tous des propriétés distinctes ? Parce que les atomes des divers éléments sont composés d'un *nombre différent* de protons, de neutrons et d'électrons.

L'hydrogène, qui est l'atome le plus simple et le plus petit, possède un proton, un électron et zéro neutron (figure 2.2). L'atome d'hélium est un peu plus gros avec deux protons, deux neutrons et deux électrons en orbite. Puis vient le lithium avec trois protons, quatre neutrons et trois électrons. Si nous poursuivions cette énumération, nous obtiendrions tous les types d'atomes connus en ajoutant un proton et un électron pour chacun d'eux. Le nombre de neutrons n'est pas facile à déterminer ; les atomes légers ont tendance à avoir un nombre égal de protons et de neutrons, tandis que, dans les atomes plus lourds, les neutrons sont plus nombreux que les protons. Toutefois, pour pouvoir nommer un élément donné, il suffit de connaître son numéro atomique, son nombre de masse et sa masse atomique. Ces données offrent un portrait assez complet de chaque élément.

Le numéro atomique

Le **numéro atomique** d'un atome est égal au nombre de protons de son noyau. Les atomes d'un élément donné contiennent un nombre de protons différent de celui qu'on trouve dans les atomes de tout autre élément.

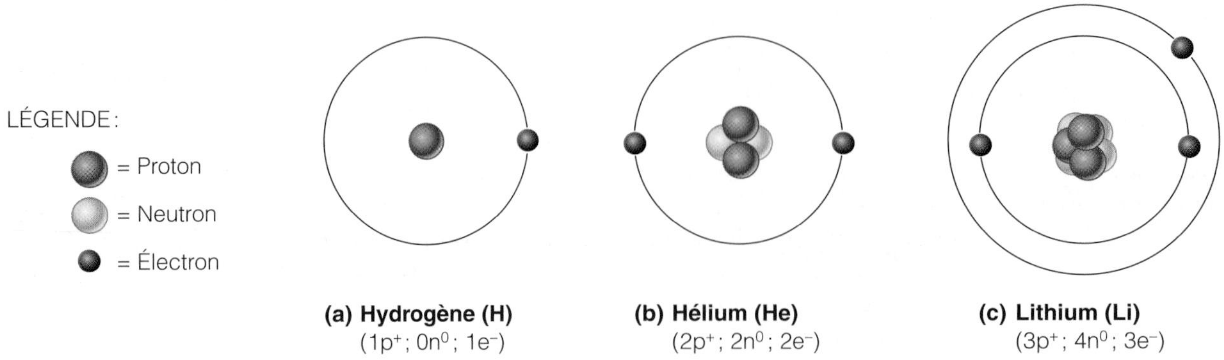

LÉGENDE :
= Proton
= Neutron
= Électron
(a) Hydrogène (H)
(1p+ ; 0n0 ; 1e-)
(b) Hélium (He)
(2p+ ; 2n0 ; 2e-)
(c) Lithium (Li)
(3p+ ; 4n0 ; 3e-)

Figure 2.2 **La structure atomique des trois plus petits atomes**

C'est pourquoi le numéro atomique de chaque élément est unique. Puisque, dans un atome, le nombre de protons est toujours égal au nombre d'électrons, le numéro atomique permet aussi de connaître *indirectement* le nombre d'électrons de l'atome en question.

Le nombre de masse

Le **nombre de masse** d'un atome est la somme de la masse de ses protons et de celle de ses neutrons. (La masse des électrons est si faible qu'on la néglige.) Le noyau de l'hydrogène ne contient qu'un proton et zéro neutron ; le numéro atomique et le nombre de masse de cet élément ont donc une valeur de 1. L'hélium, qui possède deux protons et deux neutrons, a un nombre de masse de 4. On indique habituellement le nombre de masse par un chiffre en exposant placé à gauche du symbole chimique (figure 2.3).

La masse atomique et les isotopes

On pourrait penser que la **masse atomique** est égale au nombre de masse ; ce serait vrai si un seul type d'atome constituait chaque élément. Toutefois, presque tous les éléments connus ont au moins deux variétés d'atomes (appelés **isotopes**), qui possèdent le même nombre de protons et d'électrons, mais pas le même nombre de *neutrons.* Les isotopes d'un élément ont donc le même numéro atomique, mais des nombres de masse différents. Puisque tous les isotopes d'un élément ont le même nombre d'électrons (et que les électrons déterminent le potentiel de liaison d'un atome), leurs propriétés chimiques sont *exactement* les mêmes. De façon générale, la masse atomique d'un élément est à peu près égale au nombre de masse de son isotope le plus abondant. Par exemple, comme nous l'avons mentionné, le numéro atomique de l'hydrogène est 1, mais cet élément possède aussi des isotopes qui ont des nombres de masse de 1, de 2 et de 3 (figure 2.3). Cependant, sa masse atomique est de 1,0079, ce qui reflète le fait que, dans la nature, son isotope le plus léger existe en quantité beaucoup plus grande que ses isotopes lourds. Vous trouverez au tableau 2.3 le numéro atomique, le nombre de masse et la masse atomique des principaux éléments présents dans le corps humain.

Les isotopes les plus lourds de certains éléments sont instables et souvent se décomposent spontanément en formes plus stables. Ces isotopes sont appelés **radio-isotopes**. Les raisons de ce phénomène sont complexes ; la « colle » nucléaire qui relie les noyaux atomiques est, semble-t-il, moins efficace dans les isotopes lourds. Ce processus de désintégration atomique est appelé **radioactivité** ; on pourrait le comparer à une minuscule explosion. Dans tous les types de radioactivité, des particules (*alpha* ou *bêta*) ou de l'énergie électromagnétique (*rayons gamma*) sont éjectées du noyau atomique et endommagent les cellules vivantes. Les particules alpha ont le pouvoir de pénétration le plus faible et les rayons gamma, le plus élevé. Contrairement à ce que certains croient, les rayons ionisants ne dénaturent pas directement les atomes sur leur passage. Ils projettent plutôt dans tous les sens les électrons qui se trouvent sur leur trajectoire, à la manière d'une boule qui frappe des quilles. Ce sont ces électrons qui occasionnent les dégâts.

Certains radio-isotopes, utilisés en quantités infimes, servent de marqueurs pour suivre des molécules biologiques dans le corps humain. Ce sont des outils précieux pour le diagnostic et le traitement des maladies. La tomographie par émission de positons (TEP), qui utilise des radio-isotopes, est décrite dans l'encadré « Gros plan » du chapitre 1, p. 19-20. Par exemple, le radio-isotope

Q **Lequel des isotopes qui suivent est le plus lourd ?**

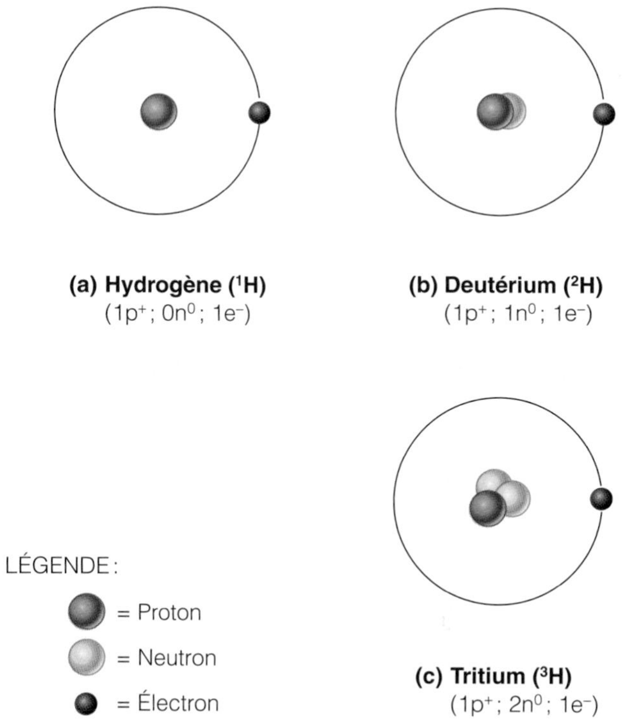
(a) Hydrogène (^1H)
($1p^+$; $0n^0$; $1e^-$)
(b) Deutérium (^2H)
($1p^+$; $1n^0$; $1e^-$)
LÉGENDE :
= Proton
= Neutron
= Électron
(c) Tritium (^3H)
($1p^+$; $2n^0$; $1e^-$)

Figure 2.3 **Les isotopes de l'hydrogène**

R **Le tritium.**

Tableau 2.3 **Les structures atomiques des éléments les plus abondants dans le corps humain**

Élément	Symbole	Numéro atomique (nombre de protons)	Nombre de masse (nombre de protons et de neutrons)	Masse atomique	Électrons dans la couche de valence
Azote	N	7	14	14,007	5
Calcium	Ca	20	40	40,08	2
Carbone	C	6	12	12,011	4
Chlore	Cl	17	35	35,453	7
Fer	Fe	26	56	55,847	2
Hydrogène	H	1	1	1,008	1
Iode	I	53	127	126,905	7
Magnésium	Mg	12	24	24,305	2
Oxygène	O	8	16	15,999	6
Phosphore	P	15	31	30,974	5
Sodium	Na	11	23	22,99	1
Soufre	S	16	32	32,064	6

de l'iode sert parfois à examiner la glande thyroïde et à détecter des tumeurs sur cette glande. On utilise le radium, le cobalt et certains autres radio-isotopes pour détruire des cellules cancéreuses localisées.

Les molécules et les composés

Un ensemble de plusieurs atomes unis par des liaisons chimiques est appelé **molécule**. Si deux ou plusieurs atomes d'un même élément sont combinés, il en résulte une molécule de cet élément. Par exemple, lorsqu'ils se lient, deux atomes d'hydrogène forment une molécule d'hydrogène :

$$\text{H (atome)} + \text{H (atome)} \rightarrow H_2 \text{ (molécule)}^*$$

Dans notre exemple, les atomes qui participent à la réaction sont désignés par leur symbole chimique, et la composition du produit final est représentée par une *formule moléculaire.* On représente la réaction chimique en écrivant une *équation chimique.*

Quand ils se lient entre eux, plusieurs types d'atomes d'éléments *différents* forment des molécules d'un **composé.** Ainsi, le composé formé par la liaison de quatre atomes d'hydrogène et d'un atome de carbone est le méthane :

$$4H + C = CH_4 \text{ (méthane)}$$

Remarquez bien que les molécules de méthane sont des composés, mais que celles d'hydrogène n'en sont pas ; ces dernières portent alors le nom d'*hydrogène moléculaire.*

Il est important de comprendre que les propriétés des composés sont généralement très différentes de celles des atomes qu'ils contiennent. Il est même presque impossible de savoir quels atomes constituent un composé sans procéder à une analyse chimique de ce dernier. Tout comme l'atome est la plus petite particule d'un élément qui possède encore les propriétés de cet élément, une molécule est la plus petite particule d'un composé qui possède encore les propriétés de ce composé. Si on brise les liens qui unissent les atomes d'un composé, ce sont les propriétés de ces atomes, et non celles du composé, que l'on retrouvera.

---

* Lorsque le nombre d'atomes est écrit en indice, cela signifie que les atomes sont unis par une liaison chimique. Ainsi, « 2H » représente deux atomes séparés, tandis que « H_2 » désigne deux atomes d'hydrogène unis pour former une molécule.

Les liaisons chimiques et les réactions chimiques

Une **réaction chimique** a lieu chaque fois que des atomes se combinent avec d'autres atomes ou s'en dissocient. Lorsque les atomes s'unissent chimiquement, il y a liaison chimique.

LA FORMATION D'UNE LIAISON CHIMIQUE

Une liaison chimique n'est pas une structure physique comparable à une paire de menottes reliant les poignets de deux personnes ; c'est une relation énergétique entre les électrons des atomes qui participent à une réaction chimique. Nous allons décrire brièvement le rôle des électrons dans la formation d'une liaison.

Le rôle des électrons

Les électrons occupent des régions de l'espace appelées **couches électroniques**, ou *niveaux d'énergie*. Les atomes connus peuvent posséder jusqu'à sept couches électroniques (numérotées de 1 à 7 à partir du noyau). La force d'attraction entre le noyau chargé positivement et l'électron chargé négativement est plus grande près du noyau et plus faible lorsque l'électron s'en éloigne. Cela permet de comprendre pourquoi les électrons les plus éloignés du noyau sont ceux qui établissent le plus facilement des interactions chimiques avec d'autres atomes.

On peut comparer ce phénomène au développement d'un enfant. Jusqu'à l'âge scolaire, l'enfant passe le plus clair de son temps à la maison ; il est donc façonné par les idées et les exigences de ses parents. Lorsqu'il commence à fréquenter l'école, il est de plus en plus influencé par ses amis et d'autres adultes, tels ses professeurs. Tout comme l'enfant a plus de chances de subir l'influence de gens de l'extérieur lorsqu'il s'éloigne du foyer, l'électron est de plus en plus influencé par les autres atomes à mesure qu'il s'éloigne de l'influence positive du noyau.

Chaque couche électronique peut recevoir un nombre maximal d'électrons. La couche 1, qui est la plus proche du noyau, ne peut contenir que deux électrons. La couche 2 peut contenir au maximum 8 électrons ; la couche 3 peut en contenir jusqu'à 18. Les couches suivantes peuvent avoir un nombre d'électrons de plus en plus élevé. Les couches se remplissent le plus souvent (mais pas toujours) les unes après les autres.

Lorsque les atomes forment des liaisons, les électrons les plus déterminants sont ceux de la couche la plus externe, appelée **couche de valence**. Cette couche renferme les électrons chimiquement réactifs. Les électrons des couches internes ne participent généralement pas aux liaisons.

Lorsque la couche de valence contient huit électrons, l'atome atteint un état stable et il devient chimiquement inerte, c'est-à-dire non réactif. Les atomes dont la couche de valence accueille moins de huit électrons ont tendance à gagner, à perdre ou à mettre en commun des électrons afin d'atteindre un état stable. Chacun de ces événements déclenche une liaison chimique. La figure 2.4 présente des exemples d'éléments et chimiquement inertes et chimiquement réactifs.

La clé de la réactivité chimique est la *règle de l'octet*, ou règle des huit électrons. Si on excepte la couche 1 qui est complète lorsqu'elle contient deux électrons, les atomes interagissent généralement de façon que leur couche de valence contienne huit électrons. Pour qu'ils interagissent, les électrons doivent se rapprocher les uns des autres, et même superposer leurs couches électroniques les plus externes.

Les types de liaisons chimiques

Les liaisons ioniques Une **liaison ionique** est créée lorsque des électrons passent complètement d'un atome à l'autre. Les atomes sont électriquement neutres, mais quand ils gagnent ou perdent des électrons au cours d'une liaison, l'équilibre parfait des charges positives et des charges négatives est rompu ; on obtient des particules chargées appelées **ions**. L'atome qui gagne un électron acquiert une charge nette négative parce qu'il a plus d'électrons que de protons. Cet atome est appelé *anion*. L'atome qui perd un électron acquiert une charge nette positive parce qu'il a plus de protons que d'électrons ; il est appelé *cation*. (Pour faciliter votre mémorisation, associez le « t » de *cation* au signe +.) Des anions et des cations se forment chaque fois qu'une liaison ionique survient. Étant donné que les charges opposées s'attirent, ces ions tendent à rester voisins.

Comme exemple de liaison ionique, citons le chlorure de sodium (NaCl), notre sel de table. La couche de valence du sodium ne possède qu'un seul électron, ce qui la rend incomplète (figure 2.5). Si elle perd cet unique électron, c'est la couche 2, comptant déjà huit électrons, qui devient la couche de valence. Le sodium atteint alors un état stable et devient un cation (Na^+). Le chlore quant à lui n'a besoin que d'un électron pour compléter sa couche de valence, et il est plus facile de gagner un électron (pour former le Cl^-) que d'essayer d'en céder sept. C'est pourquoi, lorsque ces deux atomes interagissent, le sodium cède un électron au chlore. La plupart des composés ioniques tels que le chlorure de sodium entrent dans la catégorie chimique des **sels**.

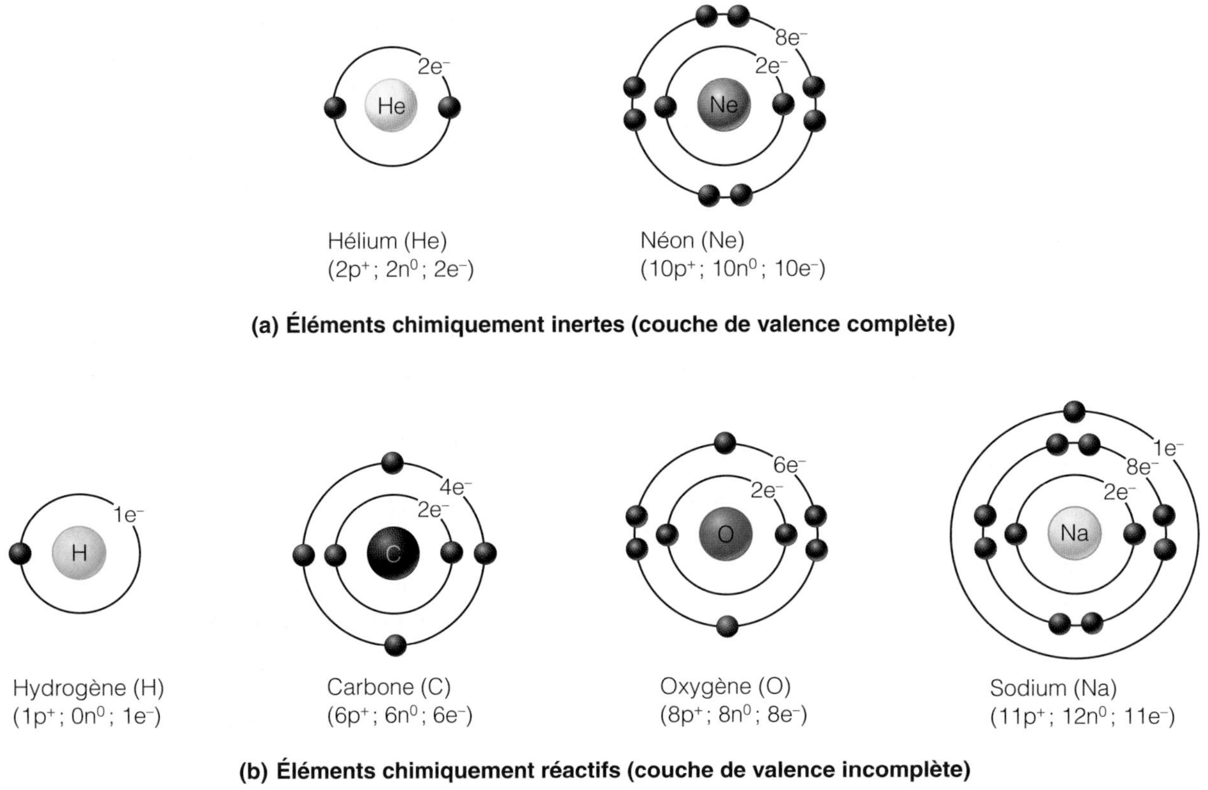
2e⁻
He
8e⁻
2e⁻
Ne
Hélium (He)
(2p⁺ ; 2n⁰ ; 2e⁻)
Néon (Ne)
(10p⁺ ; 10n⁰ ; 10e⁻)
(a) Éléments chimiquement inertes (couche de valence complète)
1e⁻
H
4e⁻
2e⁻
C
6e⁻
2e⁻
O
1e⁻
8e⁻
2e⁻
Na
Hydrogène (H)
(1p⁺ ; 0n⁰ ; 1e⁻)
Carbone (C)
(6p⁺ ; 6n⁰ ; 6e⁻)
Oxygène (O)
(8p⁺ ; 8n⁰ ; 8e⁻)
Sodium (Na)
(11p⁺ ; 12n⁰ ; 11e⁻)
(b) Éléments chimiquement réactifs (couche de valence incomplète)

Figure 2.4 **Éléments chimiquement inertes et éléments réactifs**

(a) L'hélium et le néon sont chimiquement inertes parce que leur niveau d'énergie le plus externe possède le nombre maximal d'électrons (leur couche de valence est complète). **(b)** Les éléments dont la couche de valence est incomplète sont chimiquement réactifs. Ces atomes tendent à réagir avec d'autres atomes en gagnant, en perdant ou en mettant en commun des électrons pour compléter leur couche de valence. (Afin de simplifier les schémas, on a représenté les noyaux atomiques par un cercle portant le symbole chimique de l'atome ; les protons et les neutrons ne sont pas dessinés.)

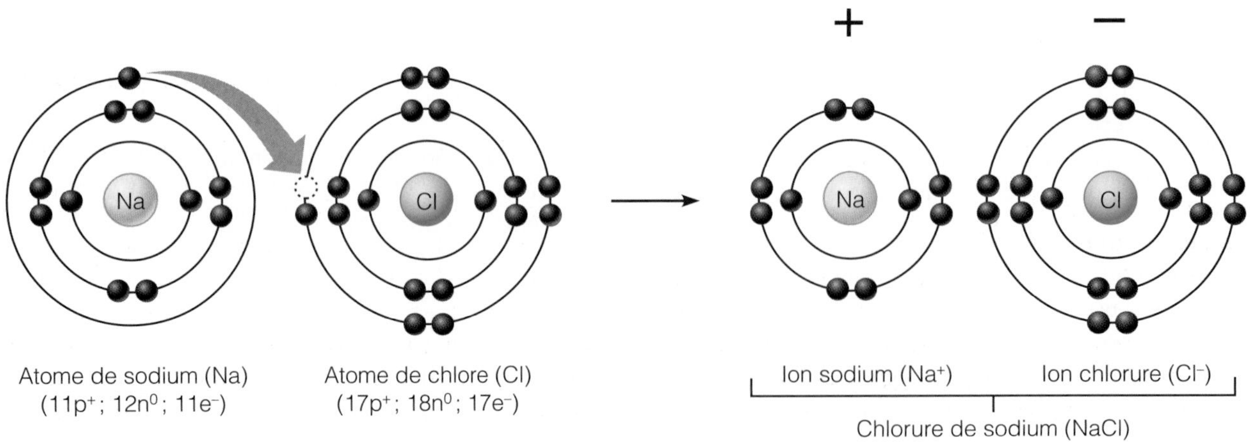
+
−
Na
Cl
Na
Cl
Atome de sodium (Na)
(11p⁺ ; 12n⁰ ; 11e⁻)
Atome de chlore (Cl)
(17p⁺ ; 18n⁰ ; 17e⁻)
Ion sodium (Na⁺)
Ion chlorure (Cl⁻)
Chlorure de sodium (NaCl)

Figure 2.5 **La formation d'une liaison ionique**

Les atomes de sodium et de chlore sont chimiquement réactifs parce que leur couche de valence n'est pas complète. Pour devenir stables, le sodium doit perdre un électron et le chlore en gagner un. Après le transfert de l'électron, le sodium s'est transformé en ion sodium (Na^+) et le chlore en ion chlorure (Cl^-). Ces deux ions de charges opposées s'attirent.

Les liaisons covalentes Un transfert complet d'électrons n'est pas toujours nécessaire pour que les atomes atteignent un état stable. Chaque atome peut également compléter sa couche de valence au moins une partie du temps en partageant des électrons.

Les molécules dont les atomes partagent des électrons sont appelées *molécules covalentes* et elles forment des **liaisons covalentes** (*co*, « avec » ; *valere*, « valoir »). Par exemple, un atome d'hydrogène, qui ne possède qu'un seul électron, peut compléter sa seule couche d'électrons (la couche 1 est alors la couche de valence) en partageant une paire d'électrons – le sien et celui d'un autre atome. Lorsqu'il la partage avec un autre atome d'hydrogène, on obtient une molécule d'hydrogène (figure 2.6a). La paire d'électrons mis en commun gravite autour de l'ensemble de la molécule et assure ainsi la stabilité de chaque atome d'hydrogène. De la même manière, et selon la règle de l'octet, deux atomes d'oxygène (chacun ayant une couche de valence de six électrons) peuvent partager deux paires d'électrons (liaisons covalentes doubles) pour former une molécule d'oxygène (O_2) (figure 2.6b).

L'hydrogène peut aussi partager une paire d'électrons avec des atomes d'autres éléments pour former des composés. Dans l'atome de carbone, quatre électrons composent la couche de valence, mais il en faut huit pour assurer un état stable. Pendant la formation d'une molécule de méthane (CH_4), le carbone partage quatre paires d'électrons avec quatre atomes d'hydrogène (une paire avec chacun des atomes d'hydrogène). Dans ce cas également, les électrons mis en commun « appartiennent à » l'ensemble de la molécule autour de laquelle ils gravitent, ce qui permet à la couche de valence de chaque atome de se compléter pendant suffisamment de temps pour assurer la stabilité des atomes (figure 2.6c).

Dans les liaisons covalentes dont nous avons parlé jusqu'ici, les électrons de valence étaient mis en commun de manière *équilibrée* entre les atomes. Les molécules ainsi formées sont équilibrées électriquement et on les appelle *molécules non polaires*; mais il n'en est pas toujours ainsi. Lorsqu'elle possède une ou plusieurs liaisons covalentes, une molécule adopte toujours une forme tridimensionnelle. La forme d'une molécule donnée permet de savoir avec quels atomes (ou avec quelles autres molécules) elle pourra interagir ; cette forme particulière peut aussi produire un partage inégal des paires d'électrons. Les deux exemples suivants illustrent ce principe (figure 2.7).

Dans le gaz carbonique, l'atome de carbone partage quatre paires d'électrons avec deux atomes d'oxygène. L'oxygène est très avide d'électrons (on dit qu'il est *électronégatif*) ; il attire donc les électrons de valence beaucoup plus fortement que le carbone. Cependant, comme la molécule de gaz carbonique est linéaire (O=C=O), l'attraction exercée par un atome d'oxygène est contrebalancée par celle qui est exercée par l'autre atome, comme dans une partie de souque à la corde où les équipes sont de force égale. Par conséquent, les électrons de valence sont répartis de façon équilibrée tout autour de la molécule : le gaz carbonique est une molécule non polaire.

La molécule d'eau se forme lorsqu'il y a liaison covalente entre deux atomes d'hydrogène et un seul atome d'oxygène. Chaque atome d'hydrogène partage une paire d'électrons avec l'atome d'oxygène, et c'est encore l'oxygène qui a la plus grande force d'attraction. Dans ce cas-ci, la molécule a la forme d'un V (H \O/ H).

Les deux atomes d'hydrogène sont situés à la même extrémité de la molécule, et l'atome d'oxygène à l'extrémité opposée. La répartition des paires d'électrons n'est donc pas équilibrée, puisque ceux-ci passent plus de temps au voisinage de l'atome d'oxygène. L'extrémité où se trouve l'oxygène est rendue légèrement plus négative (indiquée par δ^-) et l'extrémité où se trouve l'hydrogène est légèrement plus positive (indiquée par δ^+). Comme la molécule d'eau a deux pôles chargés, on dit que c'est une *molécule polaire*, ou *dipôle.*

Les molécules polaires s'orientent par rapport aux autres dipôles ou aux particules chargées (comme les ions, les protéines, etc.), et elles jouent un rôle essentiel dans les réactions chimiques qui se déroulent dans les cellules de l'organisme. Puisque les tissus de l'organisme sont constitués de 60 à 80 % d'eau, le fait que l'eau soit une molécule polaire revêt une importance particulière, comme nous le verrons plus loin.

Les liaisons hydrogène Les **liaisons hydrogène** sont des liaisons extrêmement faibles qui se forment quand un atome d'hydrogène déjà lié à un atome électronégatif (généralement d'azote ou d'oxygène) est attiré par un autre atome électronégatif, créant ainsi une sorte de pont entre eux. Les liaisons hydrogène sont communes entre les molécules d'eau (figure 2.8a) ; il en résulte une tension superficielle qui explique pourquoi l'eau qu'on répand sur une surface dure forme de petites sphères ou pourquoi certains Insectes, comme le patineur d'eau, peuvent marcher sur l'eau sans en rompre la surface (figure 2.8b).

Les liaisons hydrogène constituent également d'importantes *liaisons intramoléculaires* reliant diverses parties d'une *même* molécule pour lui donner la structure tridimensionnelle qui la caractérise. Ces liaisons assez fragiles

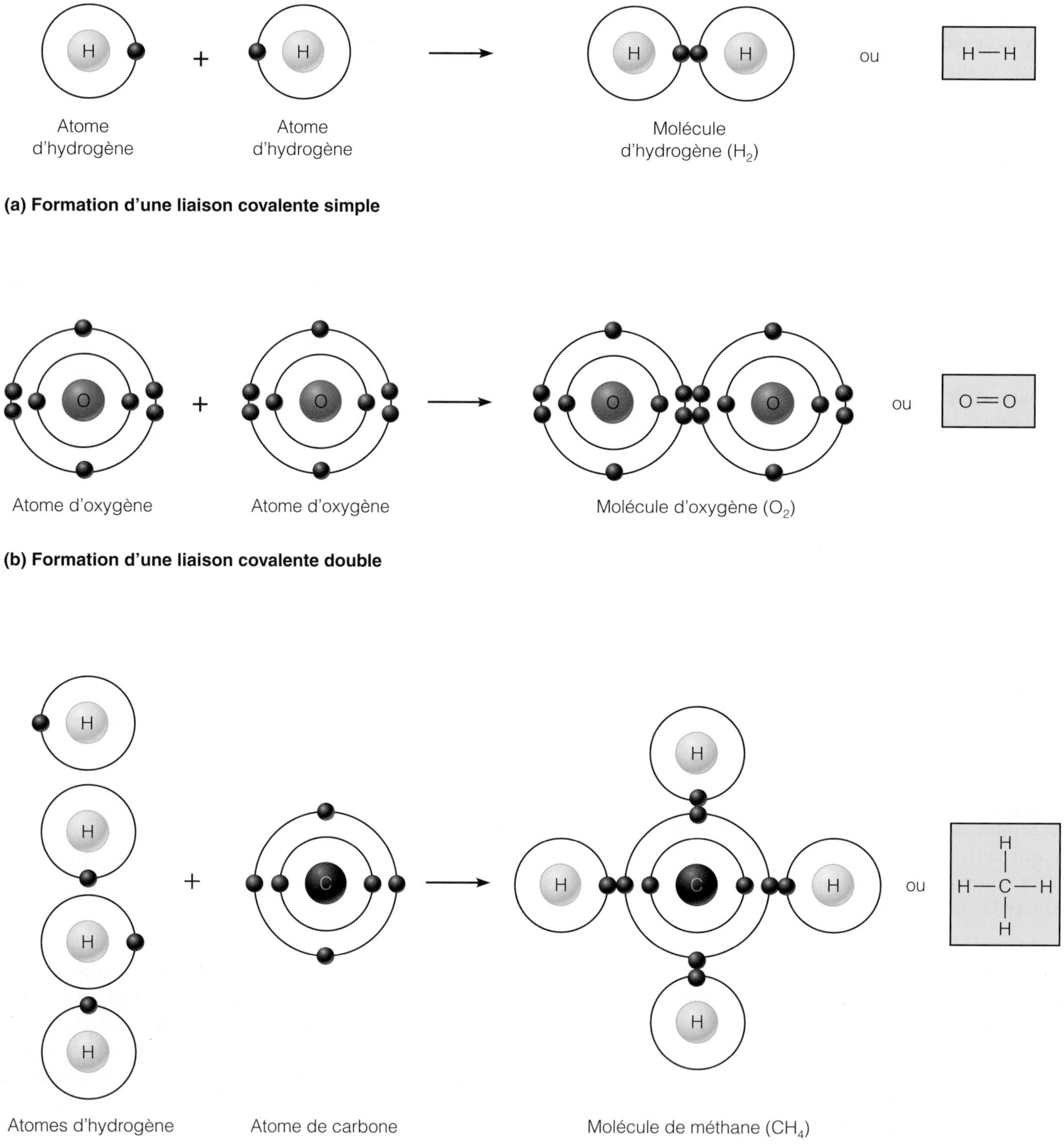

H
H
H
H
ou
H—H
Atome d'hydrogène
Atome d'hydrogène
Molécule d'hydrogène (H_2)
(a) Formation d'une liaison covalente simple
O
O
O
O
ou
O═O
Atome d'oxygène
Atome d'oxygène
Molécule d'oxygène (O_2)
(b) Formation d'une liaison covalente double
H
H
H
H
C
H
H
C
H
H
ou
H—C—H
Atomes d'hydrogène
Atome de carbone
Molécule de méthane (CH_4)

(c) Formation de quatre liaisons covalentes simples

Figure 2.6 **La formation de liaisons covalentes**

(a) Formation d'une liaison covalente simple entre deux atomes d'hydrogène pour obtenir une molécule d'hydrogène. **(b)** Formation d'une molécule d'oxygène ; chaque atome d'oxygène partage deux paires d'électrons avec un autre atome d'oxygène, ce qui crée une liaison covalente double. **(c)** Formation d'une molécule de méthane ; l'atome de carbone partage quatre paires d'électrons avec quatre atomes d'hydrogène. À l'extrême droite, dans les rectangles ombrés, chaque liaison covalente est représentée par un tiret reliant les atomes qui partagent la paire d'électrons.

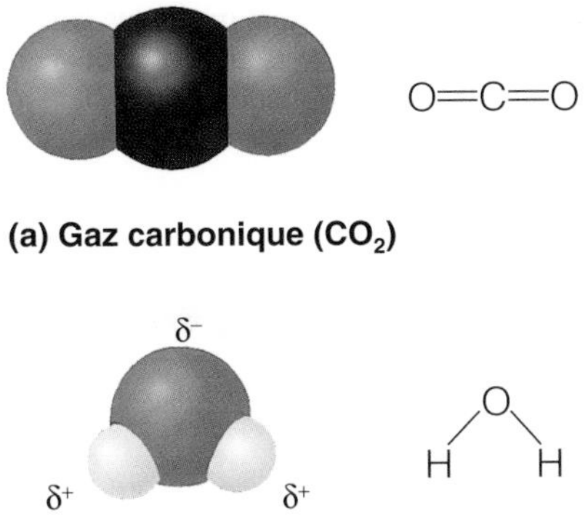
O═C═O
δ⁻
δ⁺
δ⁺
O
H
H

(a) Gaz carbonique (CO_2)

(b) Eau (H_2O)

Figure 2.7 **Modèles moléculaires représentant la structure tridimensionnelle des molécules de gaz carbonique et des molécules d'eau**

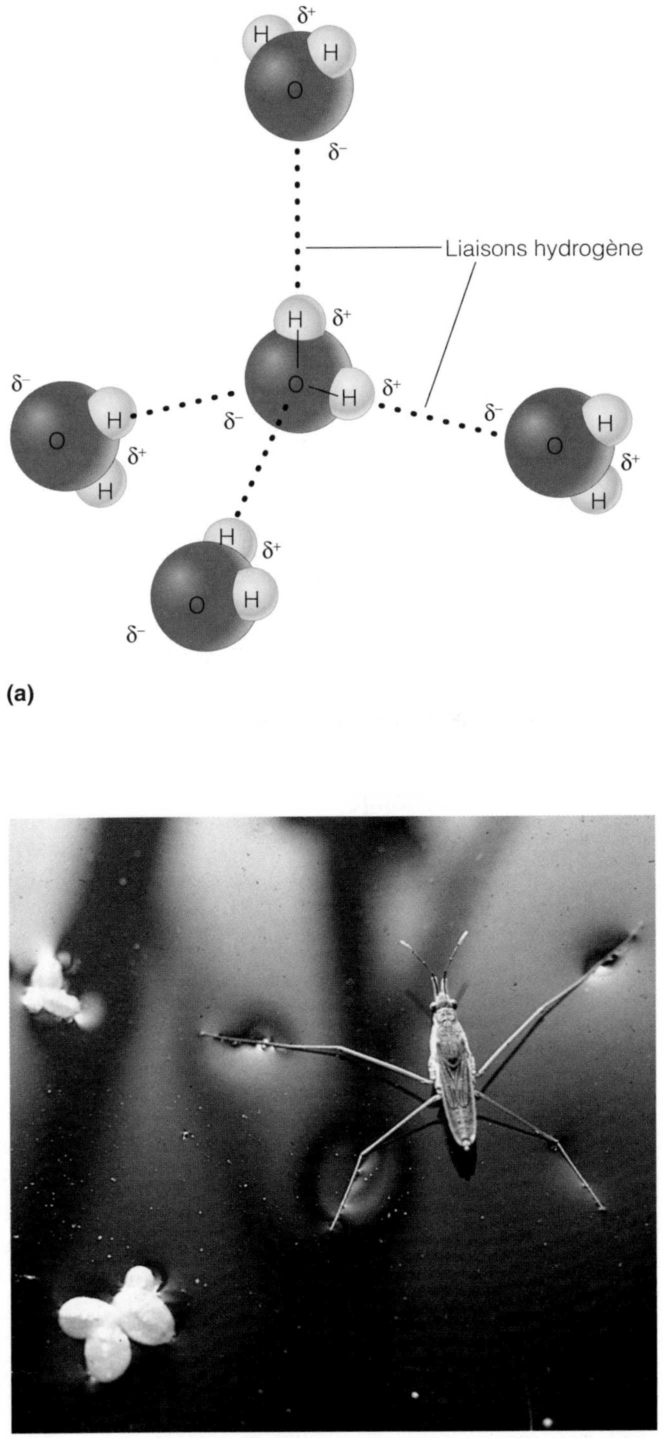
Liaisons hydrogène
δ⁺
δ⁻
H
O

(a)

(b)

Figure 2.8 **Liaisons hydrogène entre des molécules d'eau (polaires)**

(a) Les pôles légèrement positifs (indiqués par δ^+) des molécules d'eau s'alignent en direction des pôles légèrement négatifs (indiqués par δ^-) d'autres molécules d'eau. **(b)** La somme des liaisons hydrogène confère à l'eau une tension superficielle élevée que le patineur d'eau utilise pour marcher sur l'étang sans s'enfoncer.

contribuent de façon notable à stabiliser la structure des molécules de protéines, qui assurent des fonctions vitales et sont de précieux constituants de l'organisme ; elles maintiennent également la structure de l'ADN, dont nous reparlerons plus loin dans le chapitre.

LES MODES DE RÉACTIONS CHIMIQUES

Une réaction chimique a lieu chaque fois que des atomes se lient ou se dissocient. Le nombre total d'atomes demeure le même, mais ceux-ci sont organisés de manière différente. La plupart des réactions chimiques se font selon l'un des trois modes qui suivent.

Les réactions de synthèse

Lorsque des atomes ou des molécules se combinent pour former une molécule plus grosse et plus complexe, on parle de **réaction de synthèse**. On la représente de la façon suivante :

$$A + B \rightarrow AB$$

Les réactions de synthèse entraînent toujours la formation de liaisons. Puisqu'il faut de l'énergie pour créer ces liaisons, on dit que les réactions de synthèse sont *endothermiques*, ou *endergoniques*.

Les réactions de synthèse constituent la base des activités anaboliques au sein des cellules de l'organisme. Elles sont particulièrement importantes pour la croissance et pour la reconstitution des tissus usés ou endommagés. Le regroupement de petites molécules appelées *acides aminés* en grosses molécules de protéines est une réaction de synthèse (figure 2.9a).

Les réactions de dégradation

Une **réaction de dégradation** a lieu quand une molécule est brisée en molécules, en atomes ou en ions plus petits :

$$AB \rightarrow A + B$$

Les réactions de dégradation sont essentiellement l'inverse des réactions de synthèse, puisque des liens sont rompus. Les produits de ces réactions sont plus petits et plus simples que les molécules d'origine. La rupture d'une liaison libère de l'énergie chimique ; la réaction est dite *exothermique*, ou *exergonique*.

Les réactions de dégradation sont à la base des processus cataboliques qui ont lieu dans les cellules de l'organisme. Par exemple, la rupture du glycogène (grosse molécule de glucide emmagasinée dans le foie), qui libère du glucose (figure 2.9b) lorsque le taux de glucose sanguin (glycémie) commence à baisser, est un exemple de dégradation qui se produit dans les cellules. La digestion des aliments en nutriments (unités de base des grosses molécules d'aliments) constitue un exemple de réaction de dégradation se produisant dans le tube digestif (donc à l'extérieur des cellules [voir le chapitre 14]).

Les réactions d'échange

Les **réactions d'échange** comportent à la fois une synthèse et une dégradation, c'est-à-dire qu'il y a simultanément création et rupture de liaisons. Dans une réaction d'échange, il y a échange de parties de molécules (changement de partenaires, en quelque sorte) et, ainsi, formation de molécules différentes :

$$AB + C \rightarrow AC + B \text{ et } AB + CD \rightarrow AD + CB$$

C'est une réaction d'échange qui a lieu lorsque l'ATP réagit avec le glucose et cède son groupement phosphate terminal au glucose, produisant ainsi du glucose phosphate (figure 2.9c). Simultanément, l'ATP se transforme en ADP ; cette importante réaction se déroule chaque fois que du glucose pénètre dans une cellule de l'organisme, et elle a pour effet d'emprisonner la molécule de glucose dans la cellule.

La biochimie : la composition chimique de la matière vivante

Toutes les substances chimiques qui se trouvent dans l'organisme entrent dans deux grandes classes de molécules : les composés inorganiques et les composés organiques. La seule différence entre ces deux classes est la présence ou l'absence de carbone. À quelques exceptions

Q **Des liaisons chimiques sont modifiées dans toutes les réactions représentées ici. Quelle particule subatomique se trouve au cœur de ces modifications ?**

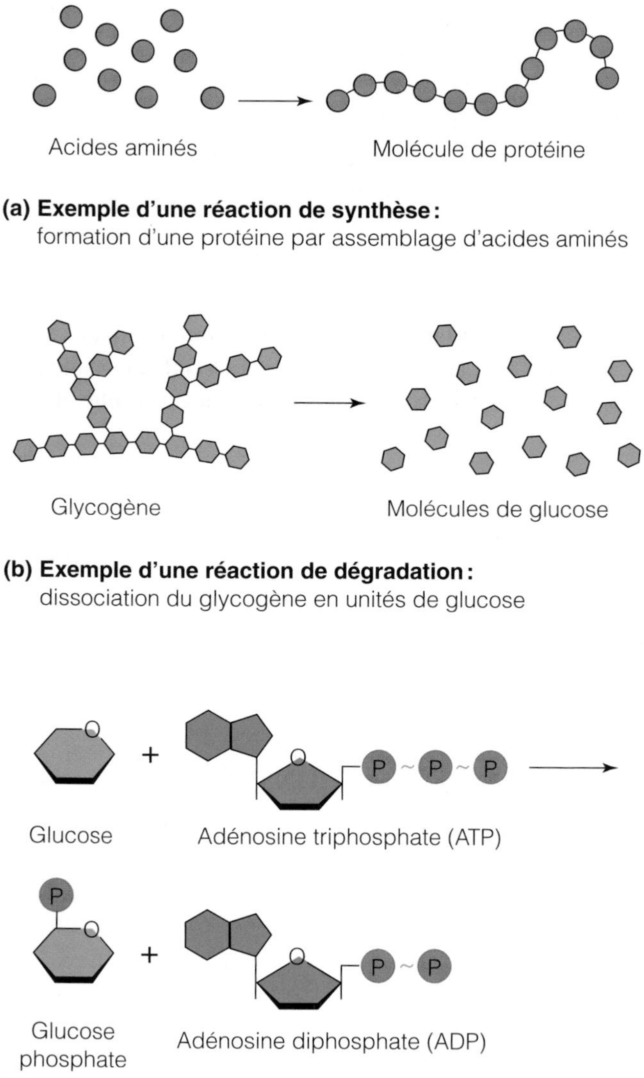
Acides aminés
Molécule de protéine
Glycogène
Molécules de glucose
Glucose
Adénosine triphosphate (ATP)
P
P
P
Glucose phosphate
Adénosine diphosphate (ADP)

(a) Exemple d'une réaction de synthèse : formation d'une protéine par assemblage d'acides aminés

(b) Exemple d'une réaction de dégradation : dissociation du glycogène en unités de glucose

(c) Exemple d'une réaction d'échange : formation du glucose phosphate par transfert du groupement phosphate terminal de l'ATP au glucose

Figure 2.9 Modes de réactions chimiques

(a) Dans les réactions de synthèse, de petites particules (atomes, ions ou molécules) forment des molécules plus grosses et plus complexes en se liant les unes aux autres. **(b)** Dans les réactions de dégradation, des liaisons sont rompues. **(c)** Dans les réactions d'échange, des liaisons sont rompues et d'autres sont formées.

R **L'électron.**

près qui échappent à toute logique (comme le gaz carbonique), les **composés inorganiques** ne contiennent pas de carbone ; ce sont donc des molécules plus simples et plus petites. L'*eau*, les *sels* et de nombreux *acides* et *bases* sont des exemples de composés inorganiques présents dans le corps. Les **composés organiques**, quant à eux, contiennent du carbone. Ceux que l'on trouve dans le corps humain appartiennent à quatre grands groupes : les *glucides*, les *lipides*, les *protéines* et les *acides nucléiques*. Tous les composés organiques sont des molécules relativement grosses ; les liaisons chimiques à l'intérieur de ces molécules sont de nature covalente.

Les composés inorganiques et organiques sont aussi vitaux les uns que les autres. Tenter de déterminer quelle catégorie est la plus importante reviendrait à chercher à savoir si c'est le système d'allumage ou le moteur qui est le plus utile pour faire avancer une automobile.

LES COMPOSÉS INORGANIQUES

L'eau

L'eau, qui est le composé inorganique le plus abondant et le plus important dans le corps, constitue environ les deux tiers de la masse corporelle. Les propriétés qui rendent ce liquide si vital sont les suivantes :

1. **La forte capacité thermique.** L'eau a une *forte capacité thermique*, c'est-à-dire qu'elle absorbe ou dégage une grande quantité de chaleur avant que sa température change de façon marquée. Elle empêche donc les changements soudains de température attribuables à des facteurs externes, tels les rayons du soleil ou l'exposition au vent, ou à des processus internes (telle une activité musculaire intense) qui libèrent une grande quantité de chaleur.
2. **La polarité et les propriétés de solvant.** Comme elle est polaire, l'eau est un solvant sans égal. On la qualifie même de *solvant universel*. Un *solvant* est un liquide ou un gaz dans lequel on peut dissoudre ou placer en suspension de petites quantités d'autres substances, appelées *solutés* (gazeux, liquides ou solides). Le mélange qui en résulte porte le nom de *solution* lorsque les particules de solutés sont extrêmement petites, et de *suspension* quand les particules de solutés sont assez grosses. Les mélanges translucides formés de particules de dimension moyenne sont désignés par le terme *colloïdes*.

   Les petites molécules réactives (comme les sels, les acides et les bases) se dissocient dans l'eau et se répartissent de façon uniforme. Les molécules biologiques ne sont chimiquement réactives que si elles sont en solution, et ce sont les propriétés de solvant de l'eau qui rendent possibles presque toutes les réactions chimiques de notre organisme.

   Puisque les nutriments, les gaz respiratoires (oxygène et gaz carbonique) et les déchets métaboliques se dissolvent dans l'eau, celle-ci est à la fois un moyen de transport et un site d'échange dans l'organisme. Ainsi, toutes ces substances voyagent d'une région du corps à une autre en empruntant le plasma sanguin, et elles passent du sang aux cellules des tissus (ou inversement) en traversant le liquide interstitiel.

   Les molécules particulières qui servent à lubrifier des structures de l'organisme utilisent aussi l'eau comme solvant. Ces substances comprennent le mucus, qui facilite le déplacement des fèces dans les intestins, et la salive, qui humidifie la nourriture et la prépare pour la digestion. La sérosité réduit la friction entre les viscères, et la synovie « huile » l'extrémité des os pour qu'ils puissent bouger dans la cavité articulaire.
3. **La réactivité chimique.** L'eau est un *réactif* important dans de nombreuses réactions chimiques. Par exemple, pour digérer les aliments ou briser des molécules biologiques, des molécules d'eau sont ajoutées aux liaisons des plus grosses molécules. On appelle ce phénomène *réaction d'hydrolyse*, pour bien souligner le rôle de l'eau.
4. **La fonction protectrice.** L'eau assure aussi une fonction protectrice. Le liquide cérébrospinal, qui entoure l'encéphale et la moelle épinière, les protège de toute lésion physique. Le liquide amniotique, où baigne le fœtus dans l'utérus, joue un rôle similaire de protection pour l'être vivant qui se développe.

Les sels

Les **sels** de nombreux éléments métalliques sont communs dans l'organisme. Cependant, les sels les plus abondants sont ceux qui contiennent du phosphore et du calcium, et que l'on trouve surtout dans les os et les dents. Lorsqu'ils se dissolvent dans les liquides de l'organisme, les sels, qui sont des composés ioniques, subissent une séparation des ions qui les composent. Ce processus, appelé *dissociation*, se produit aisément parce que les ions sont déjà formés. Il ne reste plus qu'à éloigner ces ions les uns des autres. Pour ce faire, les molécules polaires de l'eau orientent leurs pôles légèrement négatifs vers les cations et leurs pôles légèrement positifs vers les anions, afin de vaincre l'attraction entre les ions (figure 2.10).

Sous leur forme ionique ou en combinaison avec d'autres éléments, les sels jouent un rôle vital dans les fonctions de notre corps. Par exemple, les ions sodium et potassium sont essentiels à la propagation de l'influx nerveux,

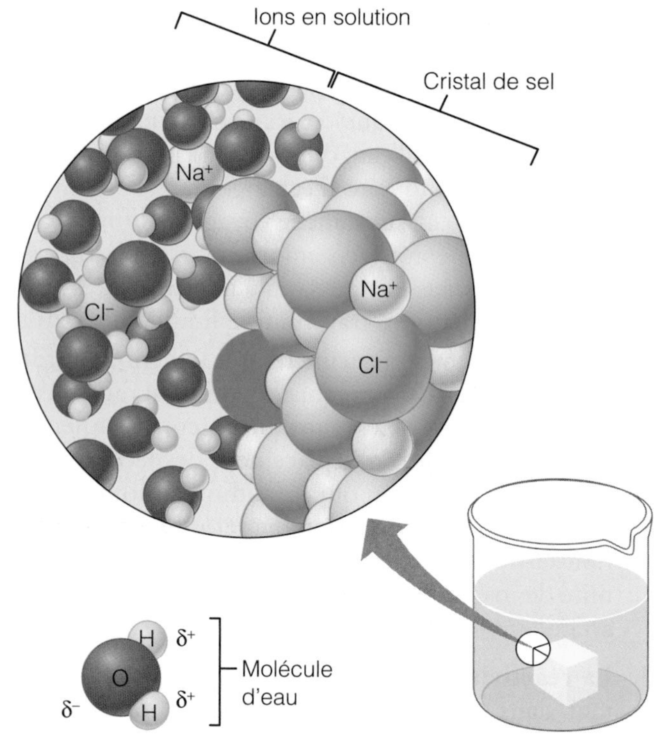

Ions en solution
Cristal de sel
Na+
Na+
Cl-
Cl-
H
O
H
δ+
δ+
δ-
Molécule d'eau

Figure 2.10 **La dissociation d'un sel dans l'eau**

Les pôles légèrement négatifs des molécules d'eau (δ^-) sont attirés par le Na^+, et les pôles légèrement positifs des molécules d'eau (δ^+) s'orientent vers le Cl^-, ce qui a pour effet de faire sortir les ions du cristal de sel.

et le fer entre dans la composition des molécules d'hémoglobine qui transportent l'oxygène dans les globules rouges.

Les ions étant des particules chargées, tous les sels sont des **électrolytes**, c'est-à-dire des substances qui conduisent l'électricité lorsqu'elles sont mises en solution. Lorsque l'équilibre ionique (ou électrolytique) est très perturbé, presque plus rien ne fonctionne dans l'organisme. Le tableau 2.1 (p. 28) résume quelques-unes des fonctions importantes des éléments présents dans les sels de notre organisme.

Les acides et les bases

Comme les sels, les acides et les bases sont des électrolytes, c'est-à-dire qu'ils s'ionisent et se dissocient dans l'eau; ils peuvent alors conduire un courant électrique.

Les caractéristiques des acides Les **acides** ont un goût aigre; ils peuvent dissoudre de nombreux métaux et « brûler » les tapis en y laissant des trous. Mais, pour nos besoins ici, la meilleure définition d'un acide est la suivante: c'est une substance qui libère des *ions hydrogène* (H^+) en quantité détectable. Comme un ion hydrogène n'est que le noyau d'un atome d'hydrogène (un proton « nu »), les acides sont également appelés **donneurs de protons**.

Lorsqu'il se dissout dans l'eau, un acide libère des ions hydrogène et des anions. C'est la concentration de protons qui détermine l'acidité d'une solution. L'ionisation de l'acide chlorhydrique (qui est sécrété par les cellules de l'estomac et intervient dans la digestion) est représentée dans l'équation que voici:

$$\underset{\text{(acide chlorhydrique)}}{HCl} \rightarrow \underset{\text{(proton)}}{H^+} + \underset{\text{(anion)}}{Cl^-}$$

D'autres acides se trouvent dans notre organisme ou y sont produits, comme l'acide acétique (CH_3COOH), partie acide du vinaigre, et l'acide carbonique (H_2CO_3).

Les acides, tel l'acide chlorhydrique, qui s'ionisent complètement et libèrent tous leurs protons sont appelés *acides forts*. Ceux qui ne s'ionisent pas complètement, tels l'acide acétique et l'acide carbonique, sont appelés *acides faibles*. Par exemple, lorsque l'acide carbonique se dissout dans l'eau, seules quelques molécules s'ionisent pour libérer des ions H^+:

$$\underset{\text{(acide carbonique)}}{H_2CO_3} \rightarrow \underset{\text{(proton)}}{H^+} + \underset{\text{(anion)}}{HCO_3^-} + \underset{\text{(acide carbonique)}}{H_2CO_3}$$

Les caractéristiques des bases Les **bases** ont un goût amer et sont visqueuses au toucher; ce sont des **accepteurs de protons**. Parmi les bases inorganiques communes, on trouve les hydroxydes qui, tout comme les acides, s'ionisent et se dissocient dans l'eau, sauf qu'ils libèrent des *ions hydroxyle* (OH^-) et des cations. L'ionisation de l'hydroxyde de sodium (NaOH), communément appelé *soude caustique*, est représentée de la façon suivante:

$$\underset{\text{(hydroxyde de sodium)}}{NaOH} \rightarrow \underset{\text{(cation)}}{Na^+} + \underset{\text{(ion hydroxyle)}}{OH^-}$$

L'ion hydroxyle étant avide de protons (H^+), toutes les bases qui en contiennent sont fortes. Par comparaison, l'*ion bicarbonate* (HCO_3^-), base particulièrement abondante dans le sang, est relativement faible.

Lorsqu'ils sont mélangés, un acide et une base entrent en interaction et subissent une réaction d'échange qui produit de l'eau et un sel:

$$\underset{\text{(acide)}}{HCl} + \underset{\text{(base)}}{NaOH} \rightarrow \underset{\text{(eau)}}{H_2O} + \underset{\text{(sel)}}{NaCl}$$

Ce type de réaction d'échange, qui a lieu entre un acide et une base, est appelé **réaction de neutralisation**.

Le pH : les concentrations acide-base La concentration relative d'ions hydrogène (et hydroxyle) dans les liquides de l'organisme se mesure en unités de concentration appelées **unités de pH** (potentiel d'hydrogène). C'est Søren Sørensen, biochimiste danois et brasseur de bière à ses heures, qui a eu le premier l'idée d'une échelle des pH en 1909. Cette échelle exprime la concentration de protons dans une solution en moles par litre. (La *mole* est une unité de concentration dont la définition précise ne nous est pas nécessaire ici.) L'échelle va de 0 à 14 (voir la figure 2.11) et, d'une unité à la suivante, la concentration d'ions hydrogène est modifiée par un facteur de 10.

À un pH de 7 – le centre de l'échelle –, le nombre d'ions hydrogène est exactement égal au nombre d'ions hydroxyle ; on dit que la solution est *neutre* (ni acide, ni basique). Les solutions de pH inférieur à 7 sont acides : les ions hydrogène y sont plus abondants que les ions hydroxyle. Une solution dont le pH est de 6 contient 10 fois plus d'ions hydrogène qu'une autre dont le pH est de 7, et un pH de 3 indique que la concentration d'ions hydrogène est 10 000 fois plus importante (10 × 10 × 10 × 10) que dans la solution de pH égale à 7. Les solutions de pH supérieur à 7 sont alcalines (basiques) : dans des solutions de pH 8 et 12, la concentration des ions hydrogène est respectivement de 1/10 et de 1/100 000 de celle de la solution de pH 7.

Les cellules vivantes sont extrêmement sensibles aux variations même très légères du pH de leur milieu. C'est pourquoi l'équilibre acidobasique est réglé de façon très précise par les reins et les poumons ainsi que par des systèmes chimiques appelés **tampons**, qui sont présents dans les liquides de l'organisme. Comme nous le verrons au chapitre 15, les acides faibles et les bases faibles sont d'importantes composantes des systèmes tampons, lesquels assurent le maintien d'un pH stable en absorbant les ions hydrogène et hydroxyle excédentaires.

Puisque le sang entre en contact étroit avec presque toutes les cellules de notre corps, la régulation de son pH est essentielle. Normalement, le pH sanguin ne varie que dans un intervalle très restreint (de 7,35 à 7,45). Toute variation de plus de quelques dixièmes d'unité au-dessous ou au-dessus de ces limites peut être mortelle. Il existe des centaines d'exemples pouvant illustrer ce fait, mais nous nous contenterons de mentionner l'un des plus importants. Lorsque le pH sanguin baisse au point d'atteindre la zone acide, la quantité d'oxygène vitale que l'hémoglobine peut transporter vers les cellules vivantes chute rapidement à des niveaux dangereusement bas. La figure 2.11 présente les valeurs approximatives du pH de quelques liquides de l'organisme et d'un certain nombre de substances dont plusieurs sont fréquemment ingérées.

Q **Quel est l'ion qui fait augmenter l'acidité ?**

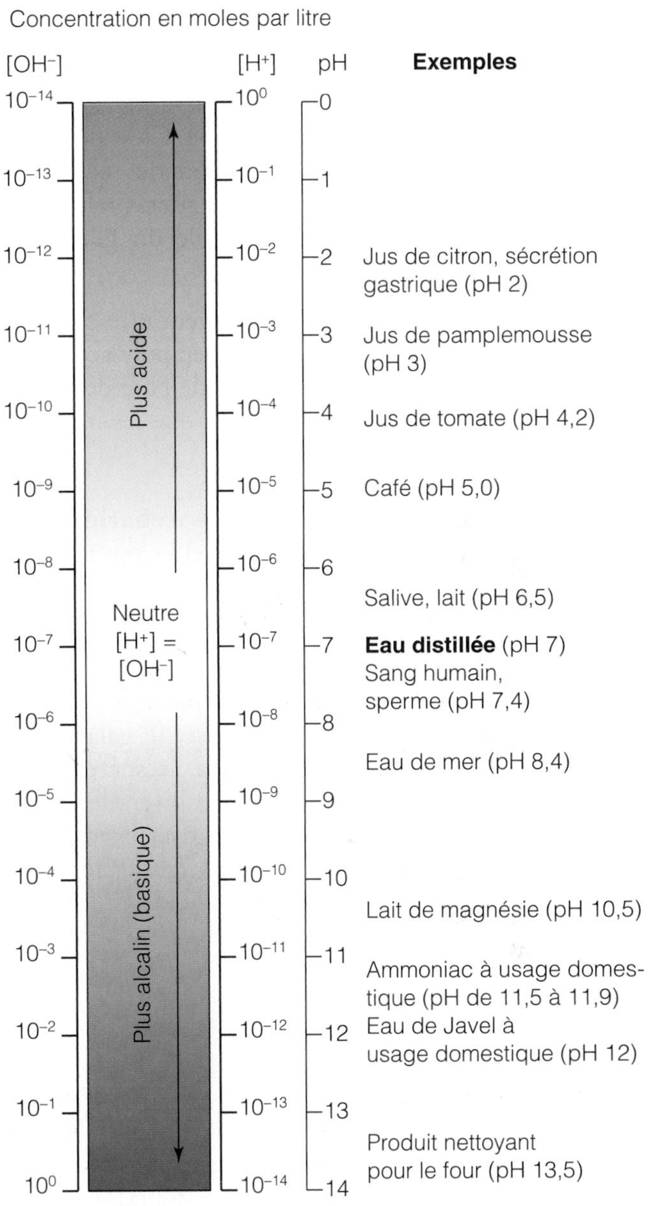
Concentration en moles par litre
[OH⁻]
[H⁺]
pH
Exemples
Plus acide
Neutre
[H⁺] = [OH⁻]
Plus alcalin (basique)
10⁻¹⁴ 10⁰ 0
10⁻¹³ 10⁻¹ 1
10⁻¹² 10⁻² 2 Jus de citron, sécrétion gastrique (pH 2)
10⁻¹¹ 10⁻³ 3 Jus de pamplemousse (pH 3)
10⁻¹⁰ 10⁻⁴ 4 Jus de tomate (pH 4,2)
10⁻⁹ 10⁻⁵ 5 Café (pH 5,0)
10⁻⁸ 10⁻⁶ 6 Salive, lait (pH 6,5)
10⁻⁷ 10⁻⁷ 7 Eau distillée (pH 7)
Sang humain, sperme (pH 7,4)
10⁻⁶ 10⁻⁸ 8 Eau de mer (pH 8,4)
10⁻⁵ 10⁻⁹ 9
10⁻⁴ 10⁻¹⁰ 10 Lait de magnésie (pH 10,5)
10⁻³ 10⁻¹¹ 11 Ammoniac à usage domestique (pH de 11,5 à 11,9)
10⁻² 10⁻¹² 12 Eau de Javel à usage domestique (pH 12)
10⁻¹ 10⁻¹³ 13 Produit nettoyant pour le four (pH 13,5)
10⁰ 10⁻¹⁴ 14

Figure 2.11 **Échelle des pH et pH de quelques substances représentatives**

L'échelle des pH est une mesure du nombre d'ions hydrogène en solution. Pour chaque unité de pH, on a indiqué la concentration des ions hydrogène $[H^+]$ et celle des ions hydroxyle $[OH^-]$ en moles par litre. À un pH de 7, les concentrations d'ions hydrogène et hydroxyle sont égales, et la solution est neutre. À un pH inférieur à 7, la solution est acide ; supérieur à 7, elle est basique, ou alcaline.

R **L'ion hydrogène.**

LES COMPOSÉS ORGANIQUES

Les glucides

Les **glucides**, qui regroupent les sucres et les amidons, contiennent du carbone, de l'hydrogène et de l'oxygène. Les atomes d'hydrogène et d'oxygène s'y trouvent dans le même rapport que dans l'eau, soit deux atomes d'hydrogène pour un atome d'oxygène. C'est pour cette raison qu'on appelait autrefois les glucides *hydrates de carbone.* La formule moléculaire des sucres reflète également ce rapport. Par exemple, celle du glucose est $C_6H_{12}O_6$ et celle du ribose, $C_5H_{10}O_5$.

Selon leur taille, les glucides peuvent être classés en monosaccharides, en disaccharides ou en polysaccharides. Les monosaccharides sont les unités de base de tous les glucides, car c'est grâce à leur liaison que les molécules des deux autres groupes se forment.

Les monosaccharides Les **monosaccharides** contiennent un (*mono*) sucre (*saccharide*); c'est pourquoi on les appelle aussi *sucres simples.* Ils sont formés d'une seule chaîne ou d'une seule structure cyclique contenant de trois à sept atomes de carbone (figure 2.12a).

Les monosaccharides les plus importants de notre organisme sont le glucose, le fructose, le galactose, le ribose et le désoxyribose. Le **glucose**, le sucre présent dans le sang, est la source énergétique universelle des cellules. Le *fructose* et le *galactose* sont convertis en glucose pour remplir la même fonction. Le *ribose* et le *désoxyribose* font partie de la structure des acides nucléiques, autre groupe de molécules organiques.

Les disaccharides Un **disaccharide**, ou *sucre double*, est formé par une réaction de synthèse, appelée **déshydratation**, qui combine deux monosaccharides (figure 2.12b). La formation de la liaison entraîne la perte d'une molécule d'eau (figure 2.13).

Les disaccharides importants dans l'alimentation sont le *sucrose* (glucose-fructose), c'est-à-dire le sucre de canne, le *lactose* (glucose-galactose), présent dans le lait, et le *maltose* (glucose-glucose), aussi appelé *sucre de malt*, contenu dans les grains d'orge. Comme ils sont trop gros pour traverser les membranes cellulaires, les disaccharides doivent être dégradés en sucres simples au cours de la digestion afin de pouvoir passer du tube digestif au sang. Ce processus est appelé **hydrolyse**. La liaison entre les sucres simples est rompue par l'addition d'une molécule d'eau (voir la figure 2.13).

Les polysaccharides Les **polysaccharides** sont de longues chaînes ramifiées de sucres simples (figure 2.12c). Comme ils sont de grosses molécules insolubles, les polysaccharides constituent un mode de stockage idéal. Du fait de leur grande taille, ils n'ont pas le goût sucré des monosaccharides et des disaccharides.

Deux polysaccharides seulement sont importants pour notre organisme. L'*amidon* est la forme sous laquelle les végétaux constituent des réserves de glucides. Nous le consommons sous forme d'aliments qui en contiennent beaucoup, comme les céréales (blé, maïs) et les légumes à racines (pommes de terre). Le *glycogène* est un glucide légèrement plus petit, mais similaire. Il est mis en réserve

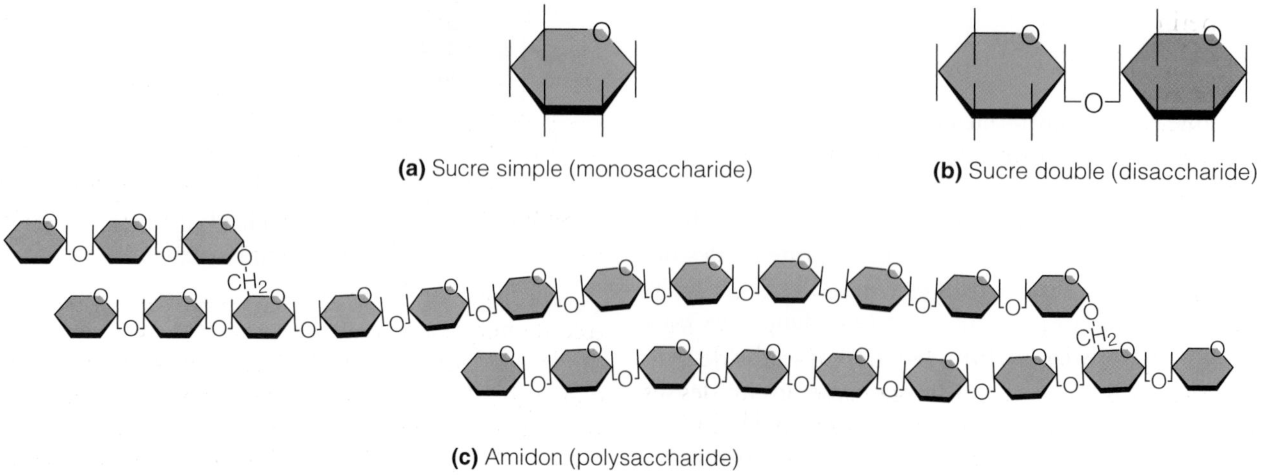
O
CH2
(a) Sucre simple (monosaccharide)
(b) Sucre double (disaccharide)
(c) Amidon (polysaccharide)

Figure 2.12 **Glucides**

(a) Structure générale d'un monosaccharide. **(b-c)** Structures de base d'un disaccharide et d'un polysaccharide, respectivement.

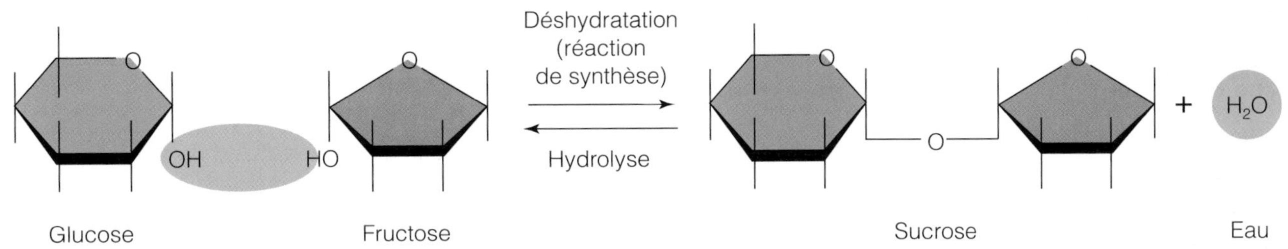
Déshydratation
(réaction
de synthèse)
Hydrolyse
OH
HO
O
+
H_2O
Glucose
Fructose
Sucrose
Eau

Figure 2.13 **La déshydratation (réaction de synthèse) et l'hydrolyse d'une molécule de sucrose**

Dans la réaction de synthèse allant vers la droite (déshydratation), le glucose et le fructose sont liés grâce à un processus pendant lequel une molécule d'eau est retirée du site de liaison. Le disaccharide ainsi créé est le sucrose. Lorsque la réaction est inversée (de droite à gauche), on observe une hydrolyse. Le sucrose est dégradé en unités de sucre simple, et une molécule d'eau doit être ajoutée à la liaison pour libérer les monosaccharides.

dans les tissus animaux, en particulier les muscles et le foie. Comme l'amidon, il est formé d'unités de glucose reliées entre elles.

Les glucides sont un combustible que les cellules peuvent obtenir et employer facilement, et le glucose vient en tête du « menu cellulaire ». Au cours de la série complexe de réactions chimiques menant à l'oxydation du glucose (combinaison avec l'oxygène), le glucose est dégradé en gaz carbonique et en eau. Une partie de l'énergie libérée lorsque les liaisons du glucose sont rompues est captée par les molécules d'ATP riches en énergie, qui représentent la « devise » énergétique de toutes les cellules vivantes. Lorsqu'ils ne sont pas immédiatement utilisés pour la synthèse de l'ATP, les glucides sont convertis en glycogène ou en graisses, et stockés. Tous ceux d'entre nous qui ont pris du poids parce qu'ils ont trop mangé d'aliments riches en glucides connaissent bien ce processus de transformation !

De petites quantités de glucides, qui constituent de 1 à 2 % de la masse cellulaire, servent à des fonctions structurales. Certains sucres sont présents dans nos gènes, d'autres sont fixés à la surface des cellules, où ils jouent le rôle de panneaux indicateurs facilitant les interactions cellulaires.

Les lipides

Les **lipides** forment un groupe important et diversifié de composés organiques (tableau 2.4). Ils sont ingérés sous forme de viandes grasses, de jaunes d'œufs, de produits laitiers et d'huiles. Dans l'organisme, les lipides les plus abondants sont les triglycérides, les phospholipides et les stéroïdes. Comme les glucides, tous les lipides contiennent du carbone, de l'hydrogène et de l'oxygène, mais ils ont beaucoup plus d'atomes de carbone et d'hydrogène que d'atomes d'oxygène ; ainsi, la formule de la tristéarine, corps gras typique, est $C_{57}H_{110}O_6$. La plupart des lipides sont insolubles dans l'eau mais très solubles dans les autres lipides et dans les solvants organiques comme l'alcool et l'acétone.

Les triglycérides Les **triglycérides** ou triacylglycérols, aussi appelés **graisses neutres**, sont composés de deux types d'unités de base, les **acides gras** et le **glycérol**, ou 1,2,3-propanetriol. Lors de leur synthèse, trois chaînes d'acides gras se lient à une molécule de glycérol pour constituer une molécule en forme de « E » qui ressemble aux dents d'une fourchette (figure 2.14a). Bien que le squelette de glycérol soit le même pour toutes les graisses neutres, les chaînes d'acides gras varient, et il existe donc divers types de graisses neutres. Les triglycérides peuvent être solides (graisses d'origine animale) ou liquides (huiles végétales). En général, les graisses d'origine animale sont *saturées* et celles d'origine végétale, *insaturées*. Dans les graisses saturées, tous les atomes de carbone sont réunis par des liaisons simples ; chaque atome de carbone, à l'intérieur de la chaîne d'acides gras, peut donc se lier aussi à deux atomes d'hydrogène (il faut se rappeler qu'il y a quatre électrons dans la couche de valence du carbone). Les acides gras sont, dans ce cas, saturés en hydrogène. Les atomes de carbone des graisses insaturées forment parfois des liaisons doubles (ou triples) ; il y a donc moins de possibilités de liaisons pour les atomes d'hydrogène, et les acides gras sont insaturés en hydrogène.

Les triglycérides constituent la source la plus concentrée d'énergie utilisable par l'organisme ; en effet, lorsqu'ils sont oxydés, ils libèrent de grandes quantités d'énergie. Les dépôts de graisses neutres se trouvent surtout sous la peau et autour des organes, où ils contribuent à l'isolation du corps et protègent les tissus plus profonds du froid et des lésions d'origine mécanique.

Les phospholipides Les **phospholipides**, ou phosphoglycérolipides, ressemblent beaucoup aux triglycérides.

Tableau 2.4 **Quelques lipides présents dans l'organisme**

Type de lipide	Emplacement et fonction
Graisses neutres (triglycérides)	Présentes dans le tissu adipeux (sous-cutané et entourant certains organes) ; protègent et isolent les organes ; constituent la principale forme de réserve d'énergie dans l'organisme.
Phospholipides (céphaline et autres)	Présents dans les membranes cellulaires ; rôle dans le transport des lipides dans le plasma ; abondants dans l'encéphale et le tissu nerveux en général, où ils contribuent à la formation de substance blanche isolante.
Stéroïdes	
Cholestérol	Constituant de base de tous les stéroïdes de l'organisme.
Sels biliaires	Produits de dégradation du cholestérol ; sécrétés par le foie et libérés dans le tube digestif, où ils contribuent à la digestion et à l'absorption des graisses.
Vitamine D	Élaborée dans la peau, sous l'effet de l'exposition aux rayons UV, à partir d'une molécule de cholestérol modifiée ; nécessaire à la croissance et au fonctionnement normal des os.
Hormones sexuelles	Œstrogènes et progestérone (hormones sexuelles femelles) et testostérone (hormone sexuelle mâle), élaborés à partir du cholestérol ; nécessaires à la fonction reproductive normale ; les déficits hormonaux peuvent rendre stérile.
Corticostéroïdes (hormones du cortex surrénal)	Cortisol (glucocorticoïde) : hormone antistress vitale à effet prolongé ; aldostérone : par son action sur les reins, contribue à la régulation de l'équilibre des sels et de l'eau dans les liquides de l'organisme.
Autres substances lipoïdes	
Vitamines liposolubles :	
A	Présente dans les légumes (carottes) et les fruits (tomates) à pigments orange ; constituant du pigment photorécepteur intervenant dans la vision.
E	Présente dans les produits végétaux comme le germe de blé et les légumes verts à feuilles ; prétendue (non démontré chez l'humain) contribution à la cicatrisation des plaies et à la fertilité ; antioxydant ; contribution possible à la neutralisation des particules très réactives appelées *radicaux libres*, qui pourraient jouer un rôle dans le déclenchement de certains cancers.
K	Élaborée chez l'humain surtout par l'action de bactéries intestinales ; présente dans un grand nombre d'aliments ; nécessaire à la coagulation du sang.
Prostaglandines	Dérivés des acides gras présents dans les membranes cellulaires ; divers effets, selon leur classe, dont la stimulation des contractions utérines (induisant le travail et l'avortement), la régulation de la pression artérielle ainsi que la régulation de la sécrétion gastrique et de la motilité du tube digestif ; interviennent dans la réaction inflammatoire.
Lipoprotéines	Formées de substances lipoïdes et de protéines qui transportent des acides gras et du cholestérol dans le sang ; principaux types : lipoprotéines de haute densité (HDL, pour *high density lipoproteins*) et lipoprotéines de basse densité (LDL, pour *low density lipoproteins*).

Ils en diffèrent par le fait qu'un groupement phosphate, fréquemment associé à un composé azoté, est toujours présent dans la molécule pour remplacer l'une des chaînes d'acides gras. Les phospholipides présentent donc deux chaînes d'acides gras au lieu de trois (figure 2.14b).

Étant donné qu'elle est électriquement chargée, la portion associée au groupement phosphate (la « tête ») confère aux phospholipides leurs propriétés chimiques caractéristiques et leur polarité. Ainsi, contrairement aux chaînes d'acides gras (qui forment la « queue »), les molécules chargées attirent l'eau et les ions, avec lesquels elles interagissent. La présence de phospholipides dans les membranes cellulaires permet aux cellules de choisir quels éléments les pénétreront.

Les stéroïdes Les **stéroïdes** sont essentiellement des molécules plates formées de quatre anneaux hydrocarbonés juxtaposés (figure 2.14c) ; ils ont donc une structure très différente de celle des graisses. À l'instar des graisses, toutefois, ils sont liposolubles et sont constitués surtout d'atomes d'hydrogène et de carbone.

Q **Les triglycérides et les phospholipides se ressemblent à bien des égards. Quelle est la principale différence structurale entre eux ?**

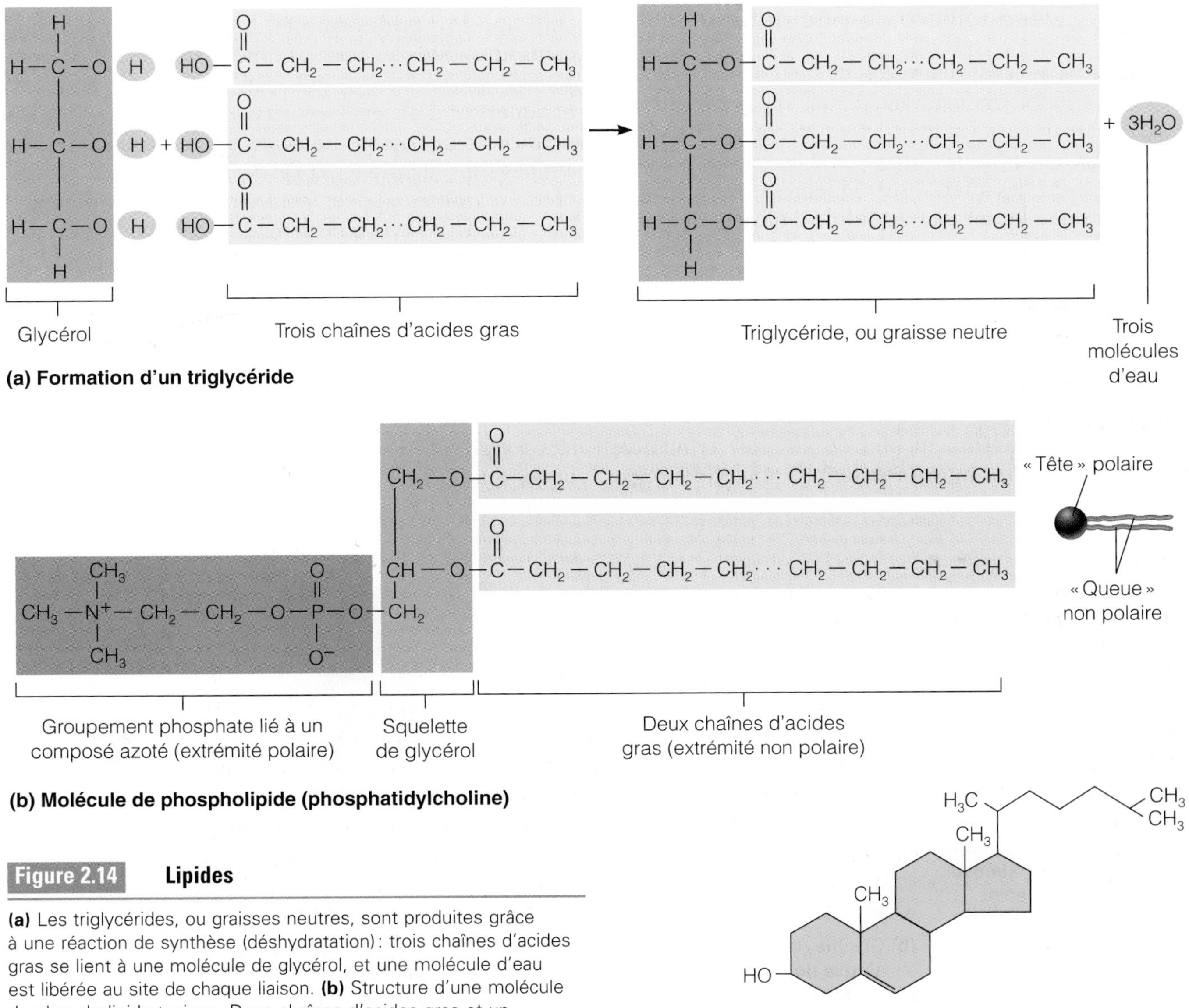

Glycérol
Trois chaînes d'acides gras
Triglycéride, ou graisse neutre
+ 3H₂O
Trois molécules d'eau
(a) Formation d'un triglycéride
« Tête » polaire
« Queue » non polaire
Groupement phosphate lié à un composé azoté (extrémité polaire)
Squelette de glycérol
Deux chaînes d'acides gras (extrémité non polaire)
(b) Molécule de phospholipide (phosphatidylcholine)
H3C
CH3
HO

(c) Cholestérol

Figure 2.14 **Lipides**

(a) Les triglycérides, ou graisses neutres, sont produites grâce à une réaction de synthèse (déshydratation) : trois chaînes d'acides gras se lient à une molécule de glycérol, et une molécule d'eau est libérée au site de chaque liaison. **(b)** Structure d'une molécule de phospholipide typique. Deux chaînes d'acides gras et un groupement phosphate (lui-même associé à un composé azoté) sont liés au squelette carboné de glycérol. **(c)** Structure générale du cholestérol. Le cholestérol est le point de départ de la formation de tous les stéroïdes synthétisés dans l'organisme.

R **Les deux types de molécules ont un squelette de glycérol. Les triglycérides ont trois chaînes d'acides gras liées au glycérol, alors que les phospholipides n'en ont que deux, la troisième étant remplacée par un groupement contenant du phosphore.**

Le stéroïde le plus important pour l'être humain est le **cholestérol**, que nous ingérons dans les produits d'origine animale comme les œufs, la viande et le fromage. Notre foie en fabrique une certaine quantité sans qu'il nous soit nécessaire d'en consommer. Le cholestérol est présent dans toutes les membranes cellulaires, et on le trouve en abondance dans l'encéphale. C'est le matériau à partir duquel sont produits la vitamine D, certaines hormones (hormones sexuelles et cortisol) et les sels biliaires.

Déséquilibre homéostatique

Les graisses saturées, de même que le cholestérol, ont mauvaise réputation à cause du rôle qu'elles jouent dans l'athérosclérose (dépôt de substances grasses sur les parois des artères) et dans l'artériosclérose (durcissement des artères) subséquente. C'est pourquoi on nous vante les mérites de l'huile d'olive et des tartinades faites d'acides gras polyinsaturés – c'est-à-dire contenant plusieurs doubles liaisons entre les atomes de carbone –, qui nous permettraient (contrairement au beurre) d'avoir un aliment à la fois savoureux et inoffensif pour nos artères. ▲

Les protéines

Les **protéines** constituent plus de 50 % de la matière organique du corps humain et sont les molécules organiques aux fonctions les plus variées. Certaines sont des matériaux de structure, et d'autres jouent un rôle essentiel dans le fonctionnement cellulaire. Comme les glucides et les lipides, toutes les protéines renferment du carbone, de l'oxygène et de l'hydrogène. De plus, elles contiennent de l'azote et, parfois, du soufre. Les protéines peuvent s'associer à certains glucides pour former des *glycoprotéines*, ou à des lipides et constituer des *lipoprotéines* (tableau 2.4).

Les unités de base des protéines sont de petites molécules appelées **acides aminés**. Il existe 20 acides aminés communs. Tous les acides aminés sont dotés d'un *groupement amine* (NH_2), qui leur confère des propriétés basiques, et d'un *groupement acide* (COOH), qui leur permet d'agir comme un acide. En fait, tous les acides aminés sont identiques, à l'exception d'un seul groupement d'atomes appelé *groupement R*, ou *radical R* (figure 2.15). Le comportement chimique qui caractérise chacun des acides aminés est donc déterminé par les différences dans leurs groupements R.

Les acides aminés forment des chaînes de molécules de protéines imposantes et complexes, pouvant contenir entre 50 et plusieurs milliers d'acides aminés. (Les chaînes contenant moins de 50 acides aminés sont appelées *polypeptides*.) Chaque acide aminé a des caractéristiques qui lui sont propres ; selon l'ordre dans lequel ils

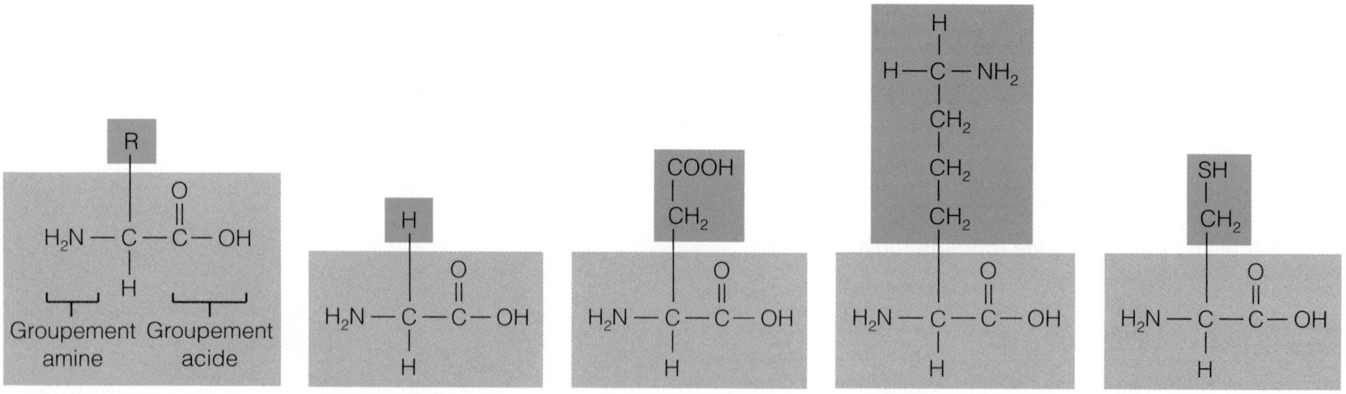
R
H2N — C — C — OH
Groupement amine
Groupement acide
COOH
CH2
H — C — NH2
SH

(a) **Structure générale des acides aminés** (b) **Glycine (le plus simple des acides aminés)** (c) **Acide aspartique (acide aminé acide)** (d) **Lysine (acide aminé basique)** (e) **Cystéine (acide aminé soufré)**

Figure 2.15 La structure de quelques acides aminés

(a) Structure générale des acides aminés. Tous les acides aminés ont un groupement amine (–NH2) et un groupement acide (–COOH) ; ils ne diffèrent que par la structure atomique de leurs groupements R (en vert). **(b-e)** Structure de quatre acides aminés. Le groupement R de l'acide aminé le plus simple (la glycine) ne comporte qu'un seul atome d'hydrogène. La présence d'un groupement acide dans le groupement R rend l'acide aminé (l'acide aspartique dans cet exemple) encore plus acide. La présence d'un groupement amine dans le groupement R rend l'acide aminé encore plus basique (comme dans la lysine). La présence d'un groupement thiol (–SH) dans le groupement R de la cystéine indique que cet acide aminé est probablement impliqué dans les liaisons intramoléculaires.

sont assemblés, les acides aminés peuvent donc former des protéines aux structures et aux fonctions extrêmement diverses. On peut comparer les 20 acides aminés à un alphabet de 20 lettres servant à former des mots (les protéines). Tout comme il est possible de changer le sens d'un mot en remplaçant une lettre par une autre (fendre → fondre), on peut créer une nouvelle protéine ayant une fonction différente en remplaçant un acide aminé ou en le déplaçant (fiable → faible). Il peut aussi arriver que les modifications de la séquence d'acides aminés donnent des protéines non fonctionnelles, comme si on avait formé un nouveau mot dépourvu de sens (faire → faore). L'organisme renferme des milliers de protéines. Leur structure est déterminée par nos gènes, comme nous le verrons au chapitre 3.

Les protéines fibreuses et globulaires On classe habituellement les protéines selon leur forme générale et leur structure en deux catégories, soit les protéines fibreuses et les protéines globulaires (figure 2.16). Les **protéines fibreuses**, également appelées **protéines structurales**, sont filiformes et se trouvent le plus souvent dans les structures de l'organisme. Elles jouent un rôle essentiel dans les liaisons entre les structures et le maintien de la résistance de certains tissus. Par exemple, le *collagène*, qui est la protéine la plus abondante dans l'organisme, est présent dans les os, le cartilage et les tendons. La *kératine*, qui est la protéine structurale des cheveux et des ongles, est aussi présente dans la peau.

Les **protéines globulaires** sont des molécules mobiles, généralement sphériques, qui jouent un rôle essentiel dans presque tous les processus biologiques. Étant donné qu'elles remplissent des fonctions plutôt qu'elles ne forment simplement des structures, on les désigne parfois par le terme **protéines fonctionnelles**. Comme il est indiqué au tableau 2.5, elles s'acquittent d'une vaste gamme de tâches. Certaines de ces protéines (anticorps) jouent un rôle dans l'immunité, d'autres (hormones) assurent la régulation de la croissance et du développement, d'autres encore (enzymes) sont des catalyseurs essentiels à presque toutes les réactions chimiques qui ont lieu dans l'organisme.

Les protéines fibreuses sont très stables, alors que les protéines globulaires le sont beaucoup moins. La structure de ces dernières est maintenue par les liaisons hydrogène, mais celles-ci sont très fragiles et facilement détruites par la chaleur ou un pH excessif. Lorsqu'elles perdent leur forme tridimensionnelle, on dit que les protéines sont *dénaturées* : elles ne peuvent plus assurer leurs fonctions biologiques. En effet, l'activité d'une protéine dépend de sa structure tridimensionnelle, en particulier de la présence, à sa surface, de **sites actifs** qui sont constitués d'atomes s'ajustant à d'autres molécules de forme et de charge complémentaires et interagissant chimiquement avec ces dernières (figure 2.17). Nous avons vu plus haut que l'hémoglobine n'est plus capable de se lier à l'oxygène pour le transporter lorsque le sang est trop acide ; la pepsine, une enzyme qui digère les protéines,

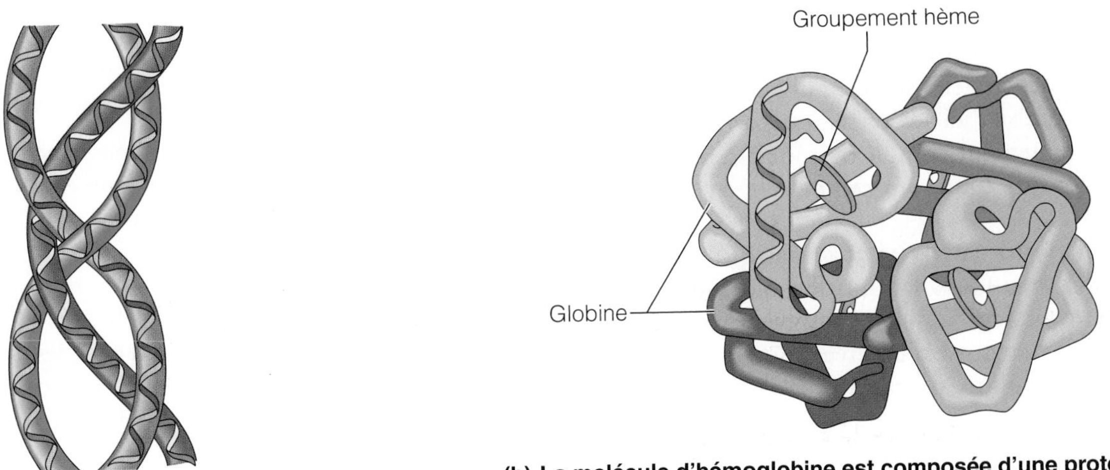
Groupement hème
Globine

(a) Triple hélice du collagène (protéine fibreuse ou structurale)

(b) La molécule d'hémoglobine est composée d'une protéine, la globine, à laquelle sont associés des groupements hème. (La globine est une protéine globulaire, ou fonctionnelle.)

Figure 2.16 **La structure générale (a) d'une protéine fibreuse et (b) d'une protéine globulaire**

Tableau 2.5 Quelques groupes de protéines fonctionnelles

Groupe	Rôle(s) dans l'organisme
Anticorps (immunoglobulines)	Protéines très spécialisées qui reconnaissent et neutralisent les bactéries, les toxines et certains virus en se liant avec ces substances et ces agents étrangers ; leur rôle dans la réaction immunitaire est de contribuer à protéger l'organisme des agents étrangers qui l'envahissent.
Hormones	Contribuent à la régulation du métabolisme, de la croissance et du développement. Par exemple : • l'insuline intervient dans la régulation du taux de glucose sanguin ; • l'hormone de croissance est une hormone anabolique nécessaire à une croissance optimale ; • le facteur de croissance des cellules nerveuses guide la croissance des neurones au cours du développement du système nerveux.
Protéines de transport	L'hémoglobine, présente dans les globules rouges du sang, transporte l'oxygène ; dans le sang, d'autres protéines servent au transport du fer, du cholestérol et d'autres substances.
Catalyseurs (enzymes)	Les enzymes sont essentielles à presque toutes les réactions biochimiques de l'organisme ; elles multiplient par au moins un million la vitesse des réactions chimiques ; en leur absence (ou lorsqu'elles sont détruites), les réactions biochimiques cessent.

est quant à elle inactivée dans un milieu alcalin. Dans chacun de ces cas, la structure qui permet la fonction a été modifiée par un pH inadéquat.

Nous parlerons des principaux types de protéines fonctionnelles, à l'exception des enzymes, lorsque nous étudierons les systèmes d'organes ou les processus fonctionnels auxquels ils se rapportent. Par exemple, les hormones seront abordées au chapitre 9 (système endocrinien), l'hémoglobine sera traitée au chapitre 10 (sang) et les anticorps seront décrits au chapitre 12 (système lymphatique et défenses de l'organisme). Cependant, nous présentons ici les enzymes, parce que ces molécules extrêmement complexes sont essentielles au fonctionnement de toutes les cellules.

Les enzymes et l'activité enzymatique Les **enzymes** sont des protéines fonctionnelles qui jouent le rôle de catalyseurs biologiques. Un **catalyseur** est une substance qui accélère la vitesse d'une réaction chimique, mais qui n'est ni consommée ni transformée par la réaction. Pour accomplir cet exploit, les enzymes se lient aux molécules sur lesquelles elles agissent (les substrats) et les maintiennent dans la bonne position pour que l'interaction chimique ait lieu. Alors qu'ils sont liés au site actif de l'enzyme (figure 2.17a), les substrats subissent des transformations de structure qui conduiront à la formation d'un nouveau produit. Après cette réaction, l'enzyme relâche le produit. Puisqu'elle ne change pas pendant ce processus, l'enzyme est réutilisable et la cellule n'a besoin que de petites quantités de chaque enzyme.

Les enzymes sont capables de catalyser des millions de réactions par minute. Cependant, elles ne font pas qu'accélérer les réactions chimiques ; elles déterminent également lesquelles seront possibles à un moment donné. Pas d'enzyme, pas de réaction. On peut comparer l'enzyme au soufflet que l'on utilise pour attiser un feu. En l'absence d'enzymes, les réactions biochimiques deviendraient si lentes qu'elles cesseraient pratiquement.

Bien qu'il existe des centaines d'enzymes différentes dans les cellules vivantes, chacune est extrêmement spécifique, c'est-à-dire qu'elle ne peut agir que sur une seule réaction chimique ou sur un petit groupe de réactions apparentées. Généralement, on nomme les enzymes d'après le type de réaction qu'elles catalysent : les *hydrolases* ajoutent une molécule d'eau, les *oxydases* causent l'oxydation, et ainsi de suite. (Les noms de la plupart des enzymes se terminent par le suffixe **ase**.)

De nombreuses enzymes sont fabriquées sous une forme inactive et ne deviennent fonctionnelles que si elles sont activées. Certaines autres sont inactivées aussitôt après qu'elles ont joué leur rôle de catalyseur. On observe ces deux cas dans les enzymes qui assurent la coagulation sanguine lorsqu'il y a lésion des parois d'un

Q **Comment une enzyme reconnaît-elle son substrat ?**

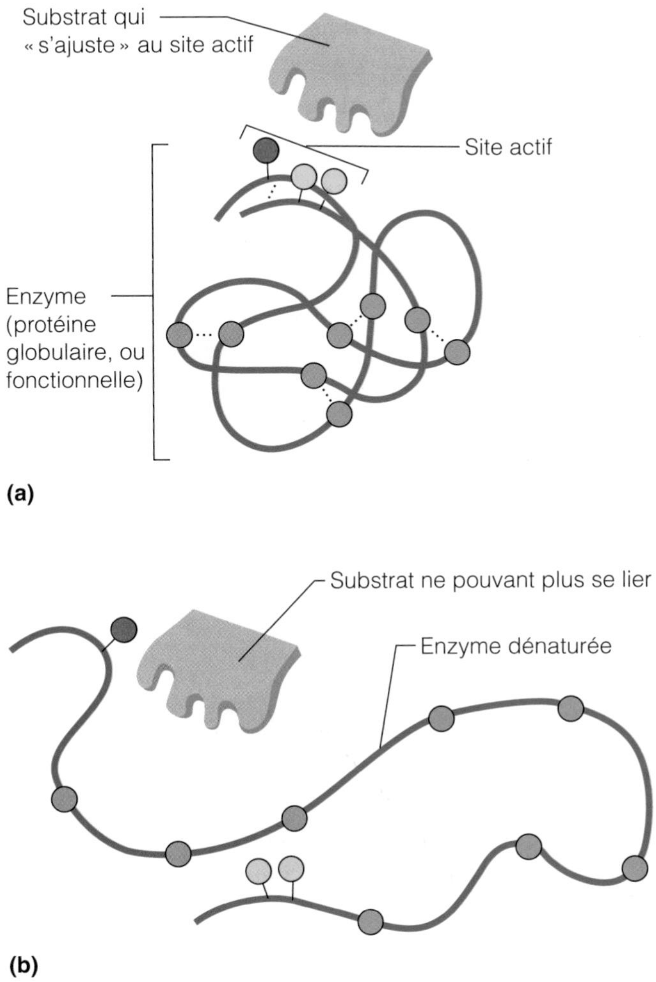
Substrat qui « s'ajuste » au site actif
Site actif
Enzyme (protéine globulaire, ou fonctionnelle)
(a)
Substrat ne pouvant plus se lier
Enzyme dénaturée
(b)

Figure 2.17 **Représentation schématique de la dénaturation d'une protéine fonctionnelle : exemple d'une enzyme**

(a) La structure globulaire de la protéine est maintenue par des liaisons intramoléculaires. On a représenté chacun des atomes qui constituent le site actif de l'enzyme par une boule au bout d'une tige. Le substrat, ou molécule de réactif, a un site de liaison correspondant, et les deux sites s'adaptent parfaitement l'un à l'autre. **(b)** Si les liaisons intramoléculaires qui maintiennent la structure tridimensionnelle de l'enzyme sont rompues, la molécule devient linéaire et les atomes qui constituaient le site actif se trouvent très éloignés les uns des autres. La liaison entre l'enzyme et le substrat est alors impossible.

R **Le contour du site actif de l'enzyme doit correspondre à la forme du substrat.**

vaisseau sanguin. Si les enzymes ne fonctionnaient pas ainsi, un grand nombre de caillots sanguins inutiles et dangereux se formeraient.

Les acides nucléiques

Les **acides nucléiques** jouent un rôle fondamental : ils constituent les gènes, qui fournissent le plan de fabrication de la matière dont la vie est faite. Ces acides déterminent non seulement quel type d'organisme nous sommes, mais également notre croissance et notre développement. Ils agissent principalement en dictant la structure des protéines. (Rappelez-vous que les enzymes, qui catalysent toutes les réactions chimiques ayant lieu dans notre corps, sont des protéines.)

Les acides nucléiques, qui sont composés de carbone, d'oxygène, d'hydrogène, d'azote et de phosphore, sont les plus grandes molécules de l'organisme. Les **nucléotides**, leurs unités de base, sont assez complexes. Chaque nucléotide est lui-même formé de trois composants : 1) une base azotée, 2) un sucre (pentose) et 3) un groupement phosphate (figure 2.18a et b).

Cinq principaux types de bases azotées forment un nucléotide : l'*adénine* (A), la *guanine* (G), la *cytosine* (C), la *thymine* (T) et l'*uracile* (U). L'adénine et la guanine

FAITES-EN
L'EXPÉRIENCE

Constatez que votre salive contient une enzyme

Vous pouvez révéler la présence d'une enzyme, soit une protéine catalytique, dans un de vos propres liquides organiques, en l'occurrence votre salive.

Mettez un morceau de biscotte dans votre bouche. Ne l'avalez pas, mais retournez-le plusieurs fois avec votre langue pour qu'il s'imprègne de salive. Après quelque temps (environ une minute), vous commencerez à percevoir un goût sucré qui n'était pas là au début. C'est que votre salive contient une enzyme qui brise les liaisons de l'amidon dans la biscotte et libère un disaccharide sucré, le maltose. Vous venez ainsi de démontrer que l'hydrolyse (digestion) de l'amidon débute en fait dans la bouche, soit bien avant que l'aliment atteigne votre estomac.

Pour prouver que l'amidon a été dégradé par une enzyme et non par la composante aqueuse de votre salive, mouillez un autre morceau de biscotte avec de l'eau du robinet. Laissez-la tremper aussi longtemps que la première biscotte, puis mettez-la dans votre bouche. Notez qu'il n'y a pas de goût sucré.

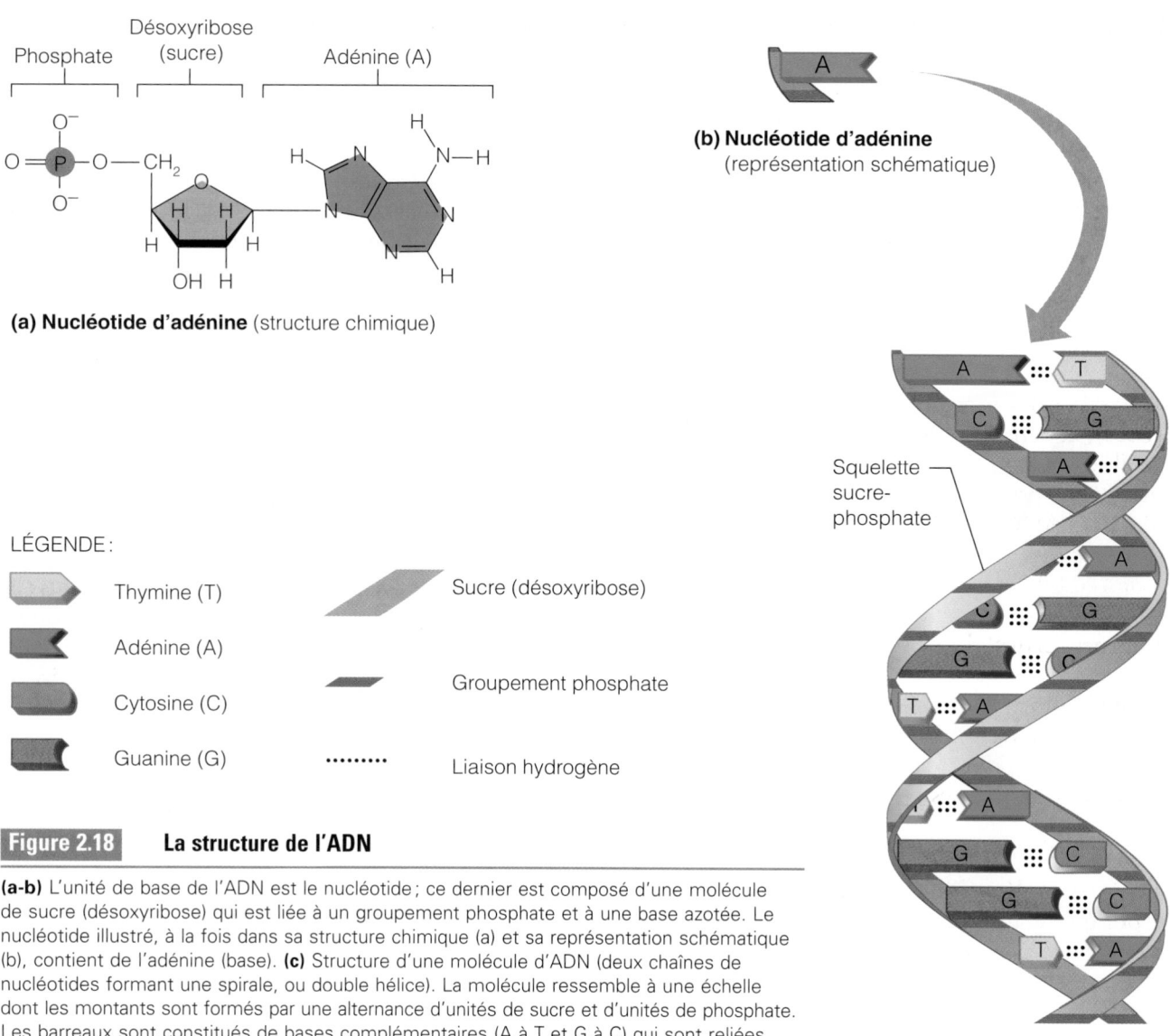

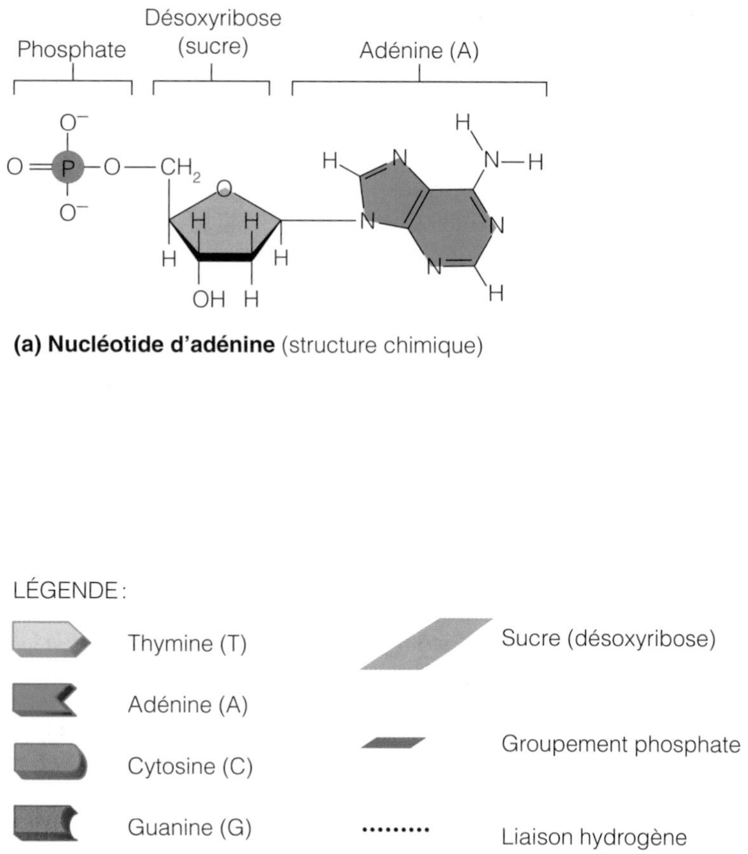
Désoxyribose
Phosphate
(sucre)
Adénine (A)
(a) Nucléotide d'adénine (structure chimique)
LÉGENDE :
Thymine (T)
Adénine (A)
Cytosine (C)
Guanine (G)
Sucre (désoxyribose)
Groupement phosphate
Liaison hydrogène

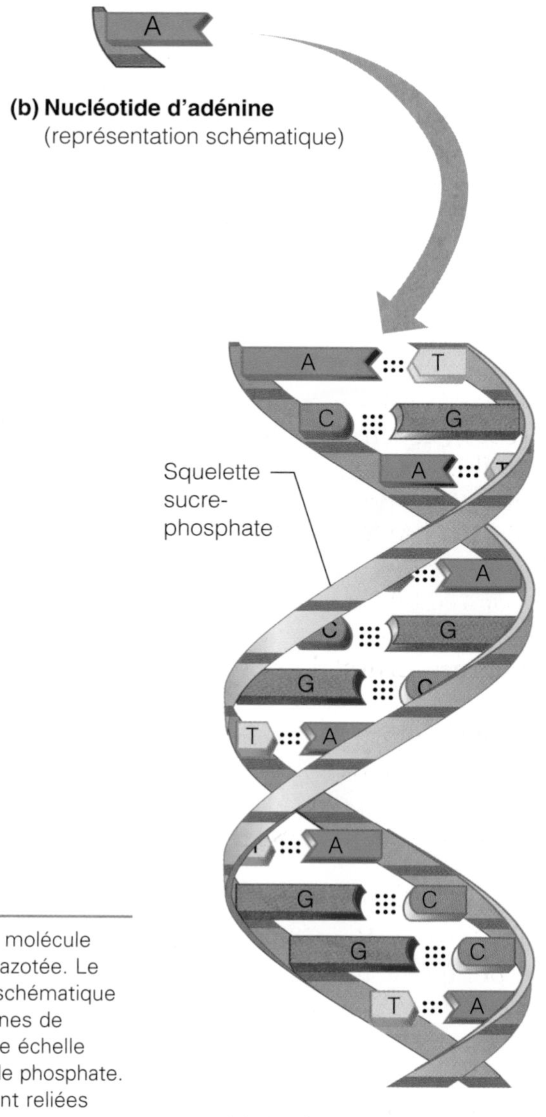
(b) Nucléotide d'adénine
(représentation schématique)
Squelette sucre-phosphate
(c) Molécule d'ADN

Figure 2.18 **La structure de l'ADN**

(a-b) L'unité de base de l'ADN est le nucléotide ; ce dernier est composé d'une molécule de sucre (désoxyribose) qui est liée à un groupement phosphate et à une base azotée. Le nucléotide illustré, à la fois dans sa structure chimique (a) et sa représentation schématique (b), contient de l'adénine (base). **(c)** Structure d'une molécule d'ADN (deux chaînes de nucléotides formant une spirale, ou double hélice). La molécule ressemble à une échelle dont les montants sont formés par une alternance d'unités de sucre et d'unités de phosphate. Les barreaux sont constitués de bases complémentaires (A à T et G à C) qui sont reliées par des liaisons hydrogène.

sont de grosses molécules composées de deux structures cycliques ; les autres sont des molécules plus petites ne comportant qu'une seule structure cyclique. Les nucléotides sont nommés en fonction de la base qu'ils renferment : ceux qui contiennent de l'adénine sont appelés *nucléotides d'adénine*, ceux qui contiennent de la cytosine portent le nom de *nucléotides de cytosine*, et ainsi de suite.

Les acides nucléiques comprennent deux grandes catégories de molécules : l'**acide désoxyribonucléique** (**ADN**) et l'**acide ribonucléique** (**ARN**). Il existe de nombreuses différences entre eux. L'ADN se trouve surtout dans le noyau (centre de régulation) de la cellule, où il compose les gènes (le matériel génétique). Il a deux fonctions principales : 1) il se réplique (donne deux copies identiques) juste avant la division cellulaire, de sorte que chaque cellule issue de la division reçoit la même information génétique que la cellule mère, et 2) il fournit les instructions pour la production de toutes les protéines de l'organisme. L'ARN se trouve surtout à l'extérieur du noyau et est en quelque sorte la « molécule esclave » de l'ADN, puisqu'il assure la synthèse des protéines en suivant les directives données par l'ADN.

Bien que l'ADN et l'ARN soient tous deux composés de nucléotides, leur structure est différente. L'ADN est constitué d'une double chaîne de nucléotides (figure 2.18c). Ses bases sont A, G, T et C, et son sucre est le *désoxyribose*. Les deux chaînes de nucléotides sont retenues par des liaisons hydrogène reliant les bases, et le tout a l'allure d'une échelle. Les « montants » sont constitués par l'alternance des unités de sucre et des unités de phosphate de chacune des chaînes, et les « barreaux » sont formés par les bases reliées entre elles. Les liaisons entre les bases se produisent de façon très spécifique : A est toujours associée à T, et G à C. A et T sont donc des *bases complémentaires*, tout comme C et G. Par conséquent, la séquence ATGA d'une chaîne de nucléotides sera nécessairement liée à TACT (séquence complémentaire) sur l'autre brin. L'ensemble de la molécule s'enroule sur elle-même en formant une sorte d'escalier en colimaçon ; on appelle cette structure *double hélice.*

Alors que l'ADN est constitué de deux brins, les molécules d'ARN sont des brins simples de nucléotides. Les bases de l'ARN sont A, G, C et U (U remplace le T de l'ADN), et son sucre est le *ribose*, et non le désoxyribose. Il existe trois grandes variétés d'ARN, chacune jouant un rôle précis dans l'exécution des instructions fournies par l'ADN : l'*ARN messager*, l'*ARN de transfert* et l'*ARN ribosomique.* L'ARN messager achemine, des gènes de l'ADN jusqu'aux ribosomes (sites de synthèse des protéines), l'information nécessaire à la constitution des protéines. L'ARN de transfert, quant à lui, transporte les acides aminés jusqu'aux ribosomes. Pour sa part, l'ARN ribosomique s'intègre aux ribosomes, où il supervise la traduction du message et la liaison entre les acides aminés qui formeront les protéines. Nous donnons plus de détails sur la synthèse des protéines au chapitre 3.

L'adénosine triphosphate (ATP)

La synthèse de l'**adénosine triphosphate** (**ATP**) est essentielle, puisqu'elle fournit une forme d'énergie utilisable par toutes les cellules de l'organisme. En l'absence d'ATP, les molécules ne peuvent être synthétisées, les cellules ne peuvent plus maintenir leurs limites et tous les processus biologiques cessent.

Bien que le glucose soit le principal combustible cellulaire, l'énergie chimique contenue dans les liaisons de cette molécule n'est pas directement utilisable pour les fonctions cellulaires. Au lieu de cela, l'énergie qui résulte de la dégradation du glucose est captée et emmagasinée par petits paquets dans certaines liaisons de l'ATP.

Du point de vue de la structure, l'ATP est un nucléotide modifié formé d'une base d'adénine, de ribose et de trois groupements phosphate (figure 2.19a). Les groupements phosphate sont reliés par des liaisons chimiques appelées couramment *liaisons phosphate riches en énergie* (mais cette expression est trompeuse, car la richesse en énergie découle plutôt de la conformation particulière de l'ensemble de la molécule et non des liaisons chimiques elles-mêmes). Lorsque ces liaisons sont rompues (hydrolysées), les cellules peuvent exploiter immédiatement l'énergie libérée pour effectuer un type donné de travail. Il peut s'agir de synthétiser des protéines, de permettre à des substances de traverser les membranes cellulaires ou, dans le cas des cellules musculaires, de se contracter (figure 2.19b). On peut comparer l'ATP à un ressort sous

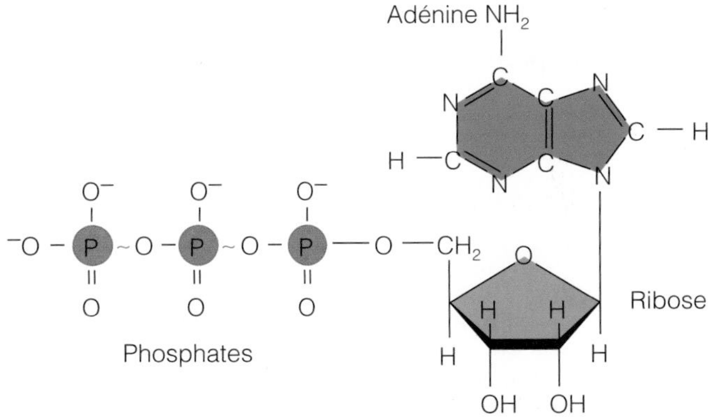
Adénine NH_2
Ribose
Phosphates

(a) Adénosine triphosphate (ATP)

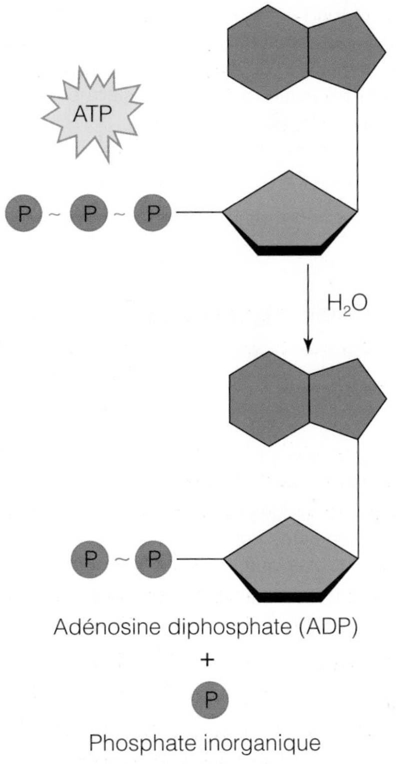
ATP
H_2O
Adénosine diphosphate (ADP)
+
Phosphate inorganique

(b) Hydrolyse de l'ATP

Figure 2.19 ATP

(a) Structure de l'ATP (adénosine triphosphate). **(b)** Hydrolyse de l'ATP pour libérer l'ADP (adénosine diphosphate), le phosphate inorganique et de l'énergie (non représentée). Les liaisons riches en énergie sont représentées par un tilde (~) rouge.

tension prêt à se détendre avec une très grande énergie dès qu'il sera relâché. Lorsque le groupement phosphate terminal de l'ATP se détache, il se produit ce qui suit:

ATP	→	ADP	+	Ⓟ	+	E
(adénosine triphosphate)		(adénosine diphosphate)		(phosphate inorganique)		(énergie)

L'hydrolyse de l'ATP pour les besoins énergétiques de la cellule provoque une augmentation de la quantité d'**adénosine diphosphate (ADP)**, et les réserves d'ATP sont reconstituées par l'oxydation de combustibles alimentaires (figure 2.20). En fait, il faut qu'une quantité d'énergie égale à celle qui a été dégagée par l'hydrolyse des phosphates terminaux de l'ATP puisse être captée et mise à profit afin de rétablir les liaisons phosphate (c'est-à-dire pour inverser cette réaction).

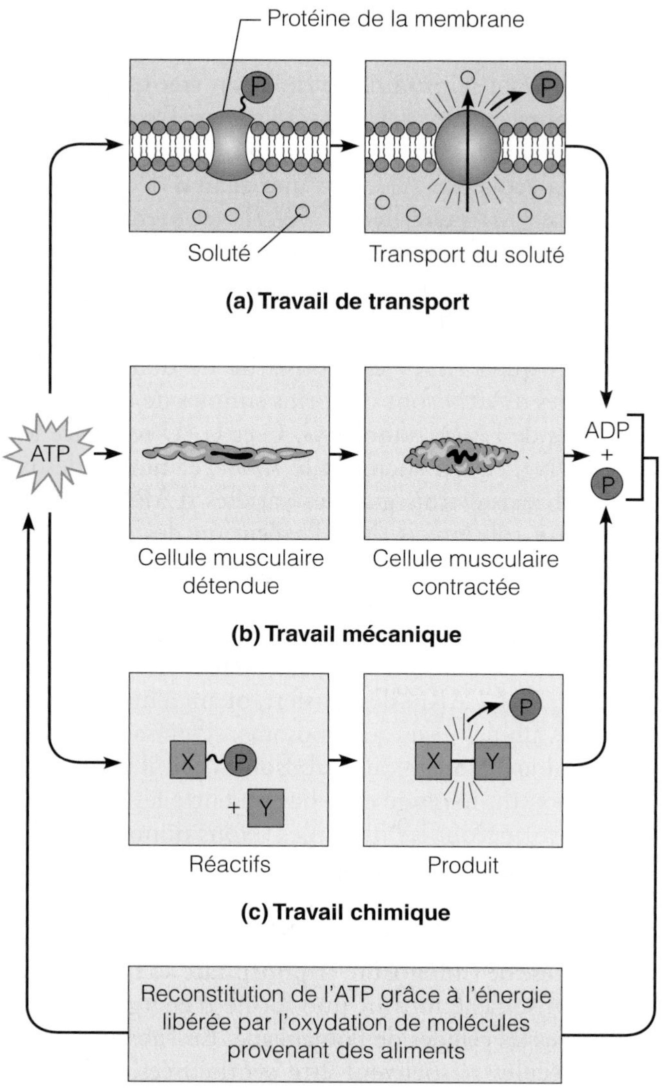

Protéine de la membrane
P
Soluté
Transport du soluté
(a) Travail de transport
ATP
Cellule musculaire détendue
Cellule musculaire contractée
(b) Travail mécanique
ADP + P
X P
+ Y
X Y
Réactifs
Produit
(c) Travail chimique
Reconstitution de l'ATP grâce à l'énergie libérée par l'oxydation de molécules provenant des aliments

Figure 2.20 Trois exemples montrant comment l'ATP permet le travail cellulaire

Lorsqu'elles sont rompues, les liaisons phosphate riches en énergie libèrent leur énergie, qui peut alors être utilisée par la cellule. **(a)** L'ATP fournit l'énergie nécessaire pour faire passer certains solutés (acides aminés, par exemple) à travers la membrane cellulaire. **(b)** L'ATP active les protéines contractiles des cellules musculaires, ce qui permet à ces cellules de se contracter et de produire un travail mécanique. **(c)** L'ATP fournit l'énergie nécessaire aux réactions chimiques endothermiques (qui absorbent de l'énergie). L'ATP est reconstitué (un groupement phosphate est lié à l'ADP) lorsque l'énergie libérée par l'oxydation de molécules provenant des aliments est captée et retenue dans la liaison ADP–Ⓟ.

GROS PLAN L'identification génétique: le décryptage de notre «code à barres» héréditaire

L'attentat terroriste perpétré contre le World Trade Center de New York le 11 septembre 2001 a fait plus de 3000 morts. Les corps ont été enfouis sous des millions de tonnes de débris. Au fil des semaines qui suivirent la catastrophe, il devint clair que, même si on arrivait à tirer les victimes des décombres, leurs corps seraient probablement mutilés, écrasés, brûlés ou décomposés à tel point que même leurs proches ne les reconnaîtraient pas.

Dans un cas pareil, comment peut-on identifier des individus avec certitude? Le service de médecine légale de New York s'est tourné vers la **technique des empreintes génétiques**, qui consiste à analyser des échantillons infimes d'ADN tirés du sperme, de la salive (laissée sur une cigarette ou une enveloppe, par exemple), de la peau, du sang, d'un cheveu avec racine, ou de tout autre liquide, tissu ou organe de l'organisme. Cette méthode est fondée sur le principe que le matériel génétique de deux individus d'une espèce donnée ne peut avoir une composition identique, sauf s'il s'agit de vrais jumeaux. En fait, elle met au jour un «code à barres» génétique unique qui nous distingue chacun de tous les autres êtres humains. Examinons comment cela fonctionne.

Créer un profil d'ADN

Rappelons que l'ADN contient quatre nucléotides – A, G, C et T – qui forment des paires de bases complémentaires. Tous les membres d'une espèce donnée ont en eux le même bagage d'ADN, à 99,9 %. Cela signifie que seulement 0,1 % de votre ADN

Électrophorèse de l'ADN
Scientifique examinant des fragments d'ADN dans un gel d'électrophorèse

est différent de celui des autres humains, y compris de celui de vos parents proches – c'est néanmoins assez pour que vous soyez unique du point de vue génétique. Sur une séquence d'ADN qui compte trois milliards d'unités, ce 0,1 % représente trois millions de variations qui se distinguent légèrement de celles des autres. Sauf si vous êtes un vrai jumeau, votre bagage d'ADN est à nul autre pareil. La technique des empreintes génétiques permet d'analyser l'ADN d'un individu, de révéler sa composition unique et de le comparer à d'autres profils d'ADN afin d'établir s'il y a une correspondance.

Une des techniques les plus souvent utilisées pour créer un profil d'ADN consiste à examiner 13 régions particulières sur les chromosomes. Chaque région comprend une suite de courts segments d'ADN nucléaire qui se répètent. La longueur du motif unitaire varie beaucoup d'un individu à l'autre, allant de 1 à 30 segments ou plus. Le nombre de répétitions est également variable. Bien qu'il soit théoriquement possible que des personnes sans lien de parenté affichent des répétitions identiques dans les 13 régions, les chances d'un tel événement sont de 1 sur 1000 milliards.

Il est parfois difficile d'obtenir assez d'ADN nucléaire pour faire une analyse. Par exemple, les échantillons d'ADN prélevés sur les lieux d'un crime sont souvent contaminés par des saletés, des fibres et des débris. Dans bien des cas, les restes trouvés dans le World Trade Center étaient carbonisés, pulvérisés ou dans un état de décomposition avancée, limitant la quantité de tissus analysables. La récupération de l'ADN peut se transformer en course contre la montre, car les microbes, les enzymes, les Insectes et les facteurs environnementaux tels que la chaleur et l'humidité accélèrent le processus de décomposition.

C'est ainsi que les échantillons sont parfois incomplets, comme si on ne trouvait qu'une partie d'empreinte digitale. En revanche, les mitochondries contiennent aussi de l'ADN qu'il est possible de récupérer en bon état dans les os, les dents et les bouts de cheveux ou de poils. On peut alors définir le profil de l'ADN mitochondrial pour le comparer aux profils connus. Dans certains cas, on peut le combiner à un profil nucléaire partiel et obtenir ainsi une identification certaine. C'est l'analyse de l'ADN mitochondrial qui a permis d'identifier, en 1997, les corps du tsar Nicholas II et ceux des membres de sa famille assassinés à Ekaterinbourg (Russie), en 1918.

Trier et identifier l'ADN

Pour obtenir le profil d'ADN d'un individu, il faut d'abord réduire l'acide nucléique en fragments analysables au moyen d'*enzymes de restriction* (il en existe des centaines de types différents), qui reconnaissent des séquences de bases précises et coupent l'ADN uniquement à ces endroits. Ce traitement enzymatique débite les chromosomes en millions de pièces qu'on sépare selon leur longueur par *électrophorèse sur gel.* L'ADN est déposé sur un gel et soumis à un champ électrique. Comme ils portent une charge négative, les fragments d'ADN sont attirés par l'électrode positive et se mettent à migrer vers elle. Les plus petits d'entre eux se déplacent plus rapidement que les plus longs, si bien qu'on arrive ainsi à trier les fragments selon leur taille.

Pour repérer un segment qui se répète, les chercheurs produisent une *sonde d'ADN* ayant une séquence complémentaire au segment, et la marquent au moyen d'un composé radioactif (un isotope du phosphore, par exemple). La sonde se lie à la région où se trouvent les répétitions parce que leurs séquences sont complémentaires. En mettant le gel en présence d'un film radiographique, on obtient une image qui révèle des bandes foncées là où la sonde s'est liée à l'ADN.

On compare ensuite le profil d'ADN de la victime à des profils de référence afin d'en trouver un qui correspond. Dans le cas de l'attentat du World Trade Center, on a prélevé l'ADN de référence sur les effets personnels des victimes, tels que leur brosse à dents et leur peigne. L'analyse par ordinateur de ces données a permis d'établir les correspondances voulues.

Les empreintes génétiques et la médecine légale

La technique des empreintes génétiques est devenue un outil indispensable en médecine légale (qui met les connaissances médicales au service des enquêtes judiciaires). Elle a été utilisée pour la première fois en Angleterre en 1986 et en 1988 au Canada. On s'en sert pour identifier les cadavres sans nom. Dans les forces armées américaines, on prélève des échantillons de sang et de salive de toutes les recrues pour être en mesure d'établir l'identité des soldats tués au combat. Cette méthode permet aussi de reconnaître les victimes de grandes catastrophes comme les accidents d'avion ou le tsunami en Asie du Sud-Est, fin décembre 2004. La tragédie du World Trade Center a nécessité des analyses génétiques sur une échelle sans précédent : on pense qu'il aura fallu faire jusqu'à un million d'analyses pour identifier toutes les personnes disparues. On a aussi effectué l'analyse de centaines de milliers d'échantillons d'ADN en vue du procès, en 2007, de Robert Pickton, accusé de meurtres en série à Vancouver.

La méthode des empreintes génétiques peut fournir la preuve qu'un suspect se trouvait effectivement sur les lieux du crime. Dans certaines régions des États-Unis, on exige maintenant que les criminels condamnés soient tenus de fournir des échantillons d'ADN qui sont classés et conservés. Les profils d'ADN peuvent aussi innocenter un suspect. Ils ont par exemple permis, en 1997, de reconnaître l'innocence de David Milgaard, accusé d'un viol et d'un meurtre commis à Saskatoon, en Saskatchewan, accusation pour laquelle il avait passé 23 ans en prison.

Les empreintes génétiques servent par ailleurs à vérifier les liens de parenté dans les cas où on se dispute la propriété de biens. On l'utilise pour identifier des parents qu'on a perdus de vue depuis longtemps. Elle permet aussi d'établir la paternité s'il y a lieu et même de régler des cas de recherche de paternité en suspens depuis des siècles. Par exemple, les historiens se sont demandé, dans des débats parfois acharnés, si Thomas Jefferson (1743-1826), troisième président des États-Unis, avait eu des enfants par son esclave Sally Hemings. Les spécialistes de l'ADN se sont mis de la partie en faisant le profil du chromosome Y de Jefferson. Ayant comparé 19 marqueurs génétiques des chromosomes Y de Jefferson avec ceux des descendants de Hemings, ils ont découvert une correspondance parfaite entre la lignée de Jefferson et le fils cadet de Hemings. Serait-ce le fait du hasard ? La probabilité est de moins de 1 %.

Résumé du chapitre 2

LES CONCEPTS DE MATIÈRE ET D'ÉNERGIE *(p. 26-27)*

1. La matière
   a) La matière est tout ce qui occupe un volume et possède une masse.
   b) La matière existe sous trois formes : gazeuse, liquide et solide.
2. L'énergie
   a) L'énergie est la capacité de fournir un travail ou de mettre de la matière en mouvement. Elle peut se trouver sous forme d'énergie cinétique (active) ou potentielle (stockée).
   b) Les formes d'énergie qui jouent un rôle important dans le fonctionnement de l'organisme sont l'énergie chimique, l'énergie électrique, l'énergie mécanique et l'énergie de rayonnement.
   c) L'énergie peut être convertie d'une forme à une autre, mais, au cours de ces transformations, une certaine quantité devient toujours inutilisable (perdue sous forme de chaleur).

LA COMPOSITION DE LA MATIÈRE *(p. 27-32)*

1. Les éléments et les atomes
   a) Chaque élément est une substance unique qu'il est impossible de décomposer en substances plus simples par les méthodes chimiques ordinaires. Il existe un peu plus de 110 éléments qui diffèrent les uns des autres par leurs propriétés chimiques et physiques.
   b) Quatre éléments (carbone, hydrogène, oxygène et azote) constituent 96 % de la masse corporelle. On en trouve plusieurs autres en petites quantités ou à l'état de traces dans notre organisme.
   c) Les constituants des éléments sont des atomes. Chaque atome est désigné par un symbole chimique, formé d'une ou de deux lettres.
2. La structure de l'atome
   a) Les atomes sont formés de trois particules subatomiques : les protons, les électrons et les neutrons. Étant donné que tous les atomes sont électriquement neutres, le nombre d'électrons est exactement égal au nombre de protons.
   b) Le modèle planétaire représente l'atome comme un système solaire miniature dans lequel les protons et les neutrons sont groupés dans le noyau. Les électrons tournent autour du noyau sur des orbites fixes. Dans le modèle des orbitales, les protons et les neutrons sont aussi situés dans un noyau central, mais les électrons occupent des régions appelées *orbitales* et forment un nuage électronique de charge négative autour du noyau.
3. L'identification des éléments
   a) Tout atome se caractérise par son numéro atomique, qui est égal au nombre de protons de son noyau.
   b) Le nombre de masse d'un atome est la somme de la masse de ses protons et de celle de ses neutrons.
   c) Les isotopes sont des formes atomiques différentes d'un même élément ; ils ne diffèrent que par le nombre de neutrons qu'ils contiennent dans leur noyau. De nombreux isotopes lourds sont instables et se décomposent en formes plus stables en émettant des particules ou de l'énergie à partir de leur noyau ; ce phénomène est appelé *radioactivité*. De tels radioisotopes sont utiles au diagnostic et au traitement des maladies ainsi qu'à la recherche en biochimie.
   d) La masse atomique d'un élément est approximativement égale au nombre de masse de son isotope le plus abondant.

LES MOLÉCULES ET LES COMPOSÉS *(p. 32)*

1. La molécule est la plus petite unité résultant de la liaison chimique entre deux atomes ou plus. S'ils sont différents, les atomes forment une molécule de composé.
2. Les propriétés des composés sont différentes de celles des atomes qu'ils contiennent.

LES LIAISONS CHIMIQUES ET LES RÉACTIONS CHIMIQUES *(p. 33-38)*

1. La formation d'une liaison chimique
   a) Les liaisons chimiques sont des réactions énergétiques. Les électrons situés dans la couche la plus éloignée du noyau (couche de valence) des atomes réactifs participent à la liaison.
   b) Quand la couche de valence est complète (deux électrons dans la première couche ou huit dans les couches suivantes), l'atome est chimiquement inerte. Les atomes dont la couche de valence est incomplète interagissent avec d'autres atomes (en perdant, en gagnant ou en partageant des électrons) de façon à atteindre la stabilité (une couche de valence complète).
   c) Il y a formation d'une liaison ionique lorsque des électrons de valence sont complètement transférés d'un atome à un autre. Les charges opposées des ions s'attirent pour former une liaison. Les sels sont des exemples de liaisons ioniques.
   d) Il y a formation d'une liaison covalente lorsque les atomes partagent des paires d'électrons. Si les électrons sont répartis également, la molécule est non polaire. S'ils sont répartis de façon inégale, la molécule est polaire. Les molécules polaires s'orientent par rapport aux particules chargées.
   e) Les liaisons hydrogène sont des liaisons faibles qui retiennent ensemble les molécules d'eau ou diverses parties d'une même molécule (liaisons

intramoléculaires). Elles sont fréquentes dans les grosses molécules organiques complexes telles que les protéines et les acides nucléiques.

2. Les modes de réactions chimiques

a) Une réaction chimique a lieu chaque fois que des liaisons chimiques se forment ou se rompent. On représente la réaction chimique en écrivant une équation chimique, qui donne de l'information sur la composition atomique (formule) des réactifs et de leurs produits.

b) Une réaction de synthèse a lieu lorsque des atomes ou des molécules se combinent pour former une molécule plus grosse et plus complexe ; il y a formation de liaisons.

c) Une réaction de dégradation a lieu quand une molécule est brisée en molécules ou en atomes plus petits ; des liaisons sont rompues.

d) Les réactions d'échange comportent à la fois une synthèse et une dégradation. Les atomes sont remplacés par d'autres atomes.

LA BIOCHIMIE : LA COMPOSITION CHIMIQUE DE LA MATIÈRE VIVANTE *(p. 38-52)*

1. Les composés inorganiques

a) Les composés inorganiques que l'on trouve dans l'organisme ne contiennent pas de carbone (le CO et le CO_2 font exception). Ils comprennent l'eau, les sels, les acides et les bases.

b) L'eau est le composé le plus abondant de notre organisme. Elle joue le rôle de solvant universel dans lequel les électrolytes (sels, acides et bases) s'ionisent et où les réactions chimiques ont lieu. Elle absorbe et libère la chaleur lentement, ce qui lui permet de maintenir la température corporelle, et elle est la base de tous les liquides de transport et les lubrifiants corporels. Elle protège mécaniquement certaines structures fragiles (comme l'encéphale) en formant un coussin absorbant. L'eau est aussi un réactif important dans les réactions d'hydrolyse.

c) Sous leur forme ionique, les sels interviennent dans la propagation de l'influx nerveux, la contraction musculaire, la coagulation sanguine, le transport de l'oxygène par l'hémoglobine, la perméabilité des cellules, le métabolisme et bien d'autres réactions. Les sels de calcium confèrent leur dureté aux os.

d) Les acides sont des donneurs de protons. Dans l'eau, ils libèrent des ions hydrogène. Les acides forts se dissocient complètement, tandis que les acides faibles ne se dissocient pas complètement.

e) Les bases sont des accepteurs de protons. Les principales bases inorganiques sont les hydroxydes. L'ion bicarbonate est une base importante dans notre organisme. Lorsqu'on les mélange, un acide et une base subissent une réaction de neutralisation qui produit de l'eau et un sel.

f) On mesure la concentration relative d'ions hydrogène et hydroxyle dans les divers liquides de l'organisme à l'aide de l'échelle des pH. Chaque fluctuation d'une unité de pH représente une modification par un facteur de 10 de la concentration d'ions hydrogène. Une solution de pH 7 est neutre (les concentrations d'ions hydrogène et hydroxyle sont égales). Si le pH est plus bas que 7, la solution est acide, et s'il est plus élevé que 7, elle est alcaline, ou basique.

g) Le pH normal du sang se situe entre 7,35 et 7,45. Toute variation au-dessous ou au-dessus de ces limites peut être mortelle.

2. Les composés organiques

a) Les composés organiques que l'on trouve dans l'organisme contiennent du carbone. Les glucides, les lipides, les protéines et les acides nucléiques en sont des exemples. Ils contiennent tous du carbone, de l'oxygène et de l'hydrogène. Les protéines et les acides nucléiques contiennent aussi des quantités substantielles d'azote, de soufre (pour les protéines) et de phosphore (pour les acides nucléiques).

b) Les glucides contiennent du carbone, de l'hydrogène et de l'oxygène dans des proportions que reflète leur formule générale $(CH_2O)_n$; les unités de base des glucides sont les monosaccharides, dont les plus importants sont le glucose, le fructose, le galactose, le désoxyribose et le ribose. Les disaccharides comprennent le sucrose, le maltose et le lactose ; les polysaccharides incluent l'amidon et le glycogène. Les glucides sont ingérés sous forme de sucres et d'amidon, et ils constituent (le glucose en particulier) la principale source d'énergie servant à la formation d'ATP.

c) Les lipides comprennent les triglycérides (glycérol et trois chaînes d'acides gras), les phospholipides et les stéroïdes (dont le plus important est le cholestérol). Les triglycérides sont surtout présents dans le tissu adipeux, où ils servent d'isolant et constituent une réserve d'énergie pour l'organisme. Les phospholipides et le cholestérol sont présents dans toutes les membranes cellulaires. Le cholestérol est également le précurseur de certaines hormones, des sels biliaires et de la vitamine D. Tout comme les glucides, les lipides sont dégradés par hydrolyse et synthétisés par déshydratation.

d) Les acides aminés sont les unités de base des protéines ; il y a 20 acides aminés connus dans l'organisme. Toute protéine se caractérise par la séquence d'acides aminés qui la compose. Les protéines fibreuses sont des matériaux de structure de l'organisme. Les protéines globulaires (par exemple les enzymes, certaines hormones et l'hémoglobine) sont aussi appelées protéines fonctionnelles. Toute rupture des liaisons hydrogène des protéines globulaires entraîne leur dénaturation et leur désactivation.

e) Les enzymes accroissent la vitesse des réactions chimiques en se liant aux réactifs et en les maintenant dans la position appropriée pour leur permettre d'interagir. Elles ne deviennent jamais une partie de leur produit. De nombreuses enzymes sont élaborées sous une forme inactive ou sont inactivées aussitôt après avoir joué leur rôle.

f) Les acides nucléiques sont l'acide désoxyribonucléique (ADN) et l'acide ribonucléique (ARN). Les nucléotides sont les unités de base des acides nucléiques; ils sont formés d'une base azotée, d'un sucre (pentose) et d'un groupement phosphate. L'ADN (le matériel génétique) maintient l'héritage génétique en produisant une copie identique à lui-même avant chaque division cellulaire, et il fournit les instructions pour la production de toutes les protéines de l'organisme. L'ARN assure la synthèse des protéines en suivant les instructions provenant de l'ADN.

g) L'ATP (adénosine triphosphate) est la source d'énergie universelle des cellules de l'organisme. Une partie de l'énergie produite par la dégradation du glucose est emmagasinée dans les liaisons phosphate riches en énergie des molécules d'ATP et stockée pour de futurs besoins.

Questions de révision

QUESTIONS À CHOIX MULTIPLE

Pour certaines questions, il peut y avoir plus d'une bonne réponse.

1. Parmi les affirmations suivantes concernant le noyau de l'atome, laquelle ou lesquelles sont vraies?

a) Il constitue la totalité ou presque de la masse de l'atome.
b) Les particules chargées négativement s'y trouvent.
c) Les particules qui s'y trouvent peuvent être éjectées.
d) Il contient des particules qui déterminent le numéro atomique.
e) Il contient des particules qui interagissent avec les autres atomes.

2. Sur 100 atomes d'un élément imaginaire, 98 atomes possèdent 10 protons et 11 neutrons, et 2 atomes possèdent 10 protons et 12 neutrons. Déterminez les énoncés corrects, parmi les suivants:

a) Le numéro atomique de cet élément est 10.
b) Cet élément possède 10 électrons.
c) Le nombre de masse de cet élément est de 21.
d) La masse atomique de cet élément est légèrement supérieure à 21.
e) Cet élément possède un isotope.

3. Le symbole O_2 représente:

a) deux molécules d'oxygène.
b) un composé.
c) une molécule d'oxygène.
d) deux atomes d'oxygène unis.
e) deux atomes d'oxygène séparés.

4. Trouvez les associations correctes entre le nom de l'élément et le nombre d'électrons dans la couche de valence.

a) Oxygène: 6.
b) Chlore: 8.
c) Phosphore: 5.
d) Azote: 3.
e) Carbone: 4.

5. Les sels en solution dans les liquides de l'organisme libèrent:

a) des anions.
b) des cations.
c) des anions et des cations.
d) des protons.
e) des ions hydroxyle.

6. Les fonctions importantes de l'eau comprennent:

a) un coussin absorbant.
b) un milieu de transport.
c) une participation aux réactions chimiques.
d) un solvant pour les sucres, les sels et d'autres solutés.
e) une protection contre les fluctuations excessives de température.

7. Parmi les substances suivantes, laquelle ou lesquelles sont alcalines?

a) Le suc gastrique.
b) L'eau.
c) Le sang.
d) Le jus d'orange.
e) L'ammoniac.

8. Le glucose est à l'amidon ce:

a) qu'un stéroïde est à un lipide.
b) qu'un nucléotide est à un acide nucléique.
c) qu'un acide aminé est à une protéine.
d) qu'un polypeptide est à un acide aminé.

9. Quel type de lipide constitue le matériau de base de la membrane cellulaire?

a) Triglycéride.
b) Stéroïde.
c) Vitamine D.
d) Phospholipide.
e) Prostaglandine.

10. Lequel, parmi les énoncés suivants ayant trait aux enzymes, est faux?

a) Une même molécule d'enzyme peut être utilisée plusieurs fois.
b) Les enzymes appartiennent à la classe biochimique des protéines.
c) Pour qu'une réaction chimique ait lieu dans une cellule, il faut que l'enzyme spécifique à cette réaction soit présente.
d) Les molécules d'enzymes sont très résistantes à la chaleur et aux variations de pH.
e) Quelques parties seulement de la molécule d'enzyme servent à reconnaître le substrat sur lequel elle agit.

11. Quelle base azotée n'est pas un composant de l'ADN?
   a) L'adénine.
   b) La cytosine.
   c) La guanine.
   d) La thymine.
   e) L'uracile.

12. Choisissez le ou les bons énoncés.
   a) L'ATP est une unité de base des acides nucléiques.
   b) L'ATP contient des liaisons phosphate riches en énergie.
   c) L'ATP contient du désoxyribose.
   d) L'ATP contient de l'adénine.
   e) L'ATP peut libérer de l'énergie quand il se transforme en ADP.

13. L'élément essentiel au bon fonctionnement de la glande thyroïde est:
   a) l'iode.
   b) le fer.
   c) le cuivre.
   d) le sélénium.
   e) le zinc.

14. Quel élément chimique est présent dans toutes les protéines mais ne fait partie ni des glucides ni des triglycérides?
   a) Le carbone.
   b) L'oxygène.
   c) L'hydrogène.
   d) L'azote.

QUESTIONS À COURT DÉVELOPPEMENT

1. Pourquoi l'étude des notions de chimie est-elle essentielle pour comprendre la physiologie humaine?

2. Décrivez la relation entre la matière et le corps humain.

3. La matière occupe un volume et possède une masse. Montrez pourquoi l'énergie *doit* être définie selon ces deux caractéristiques, puis définissez l'énergie.

4. Donnez la forme d'énergie utilisée dans chacun des exemples suivants.
   a) La mastication des aliments.
   b) La vision (deux formes... prenez le temps de réfléchir!).
   c) La flexion des doigts pour former un poing.
   d) La rupture des liaisons de molécules d'ATP fournissant aux cellules musculaires l'énergie pour former ce poing.

5. On dit que «toute conversion énergétique entraîne une perte d'énergie». Expliquez cette affirmation. (Efforcez-vous de répondre aux questions suivantes: l'énergie est-elle vraiment perdue? Sinon, que devient-elle?)

6. On rapporte que, dans la Grèce antique, un scientifique parcourut un jour les rues pour proclamer qu'il avait changé du plomb en or. Le plomb et l'or sont tous deux des éléments. En fonction de vos connaissances sur la nature des éléments, expliquez pourquoi la joie de cet homme a été de courte durée.

7. Quels sont les quatre éléments qui forment la plus grande partie de la matière vivante? (Donnez leur nom et leur symbole chimique.) Lesquels trouve-t-on principalement dans les protéines et les acides nucléiques?

8. Quelle est la relation entre un atome et un élément?

9. Tous les atomes sont neutres. Expliquez pourquoi il en est ainsi.

10. Remplissez le tableau suivant pour donner une description complète des particules subatomiques d'un atome.

Particule	Position dans l'atome	Charge	Masse
Proton			
Neutron			
Électron			

11. Expliquez pourquoi la masse atomique d'un élément n'est pas souvent un nombre entier.

12. Définissez la radioactivité. Si un élément possède trois isotopes, lequel d'entre eux (le plus léger, celui qui a une masse intermédiaire ou le plus lourd) est le plus susceptible d'être un radio-isotope? Pourquoi?

13. Définissez une molécule. Établissez la distinction entre une molécule d'un élément et une molécule d'un composé.

14. Expliquez le mécanisme de la liaison ionique. En quoi les liaisons ioniques diffèrent-elles des liaisons covalentes?

15. Que sont les liaisons hydrogène et pourquoi sont-elles si importantes pour notre organisme?

16. Les deux atomes d'oxygène formant les molécules de l'oxygène que l'on respire sont liés par une liaison covalente polaire. Est-ce vrai ou faux? Pourquoi?

17. Donnez le type de réaction (synthèse, dégradation, échange) pour chacune des équations suivantes:

$$2Hg + O_2 \rightarrow 2HgO$$
$$Fe^{2+} + CuSO_4 \rightarrow FeSO_4 + Cu^{2+}$$
$$HCl + NaOH \rightarrow NaCl + H_2O$$
$$HNO_3 \rightarrow H^+ + NO_3^-$$

18. Établissez la distinction entre les composés inorganiques et les composés organiques, et donnez les principales catégories de chaque classe dans l'organisme.

19. Les sels, les acides et les bases sont des électrolytes. Qu'est-ce qu'un électrolyte?

20. Comparez les acides et les bases; montrez leurs différences.

21. Définissez le pH. Le pH du sang se situe entre 7,35 et 7,45. Le sang est-il donc légèrement acide ou légèrement alcalin?

22. Un pH de 3,3 est-il 1 fois, 10 fois, 100 fois ou 1000 fois plus acide qu'un pH de 4,3?

23. Définissez un monosaccharide, un disaccharide et un polysaccharide. Donnez au moins deux exemples pour chacun. Lequel est l'unité de base des glucides? Quelle est la principale fonction des glucides dans l'organisme?

24. À quel mode de réaction chimique (synthèse, dégradation, échange) appartient la réaction d'hydrolyse du sucrose? Justifiez votre réponse.

25. Quelles sont les structures générales des graisses neutres, des phospholipides et des stéroïdes? Donnez une ou deux fonctions importantes assurées par chacun de ces lipides dans l'organisme.

26. Quelle caractéristique des stéroïdes nous permet de les placer dans la classe des lipides?

27. L'unité de base des protéines est l'acide aminé. Faites un schéma de la structure générale d'un acide aminé. Expliquez l'importance du groupement R.

28. Classez les protéines en deux catégories selon leur structure et leur fonction dans l'organisme, et donnez deux exemples pour chaque catégorie.

29. Définissez une enzyme et décrivez le mécanisme de l'activité enzymatique. Quel nom donneriez-vous à l'enzyme qui donne un goût sucré au morceau de biscotte que vous avez imprégné de salive?

30. En l'absence d'enzymes, aucune réaction chimique ou presque ne peut se produire dans l'organisme. Expliquez comment une température corporelle excessivement élevée ou l'acidose (acidité du pH sanguin) perturbe l'activité enzymatique.

31. Quelle est l'unité de base des acides nucléiques? Nommez les deux principales catégories d'acides nucléiques présentes dans l'organisme, puis comparez-les selon:
a) les bases et le sucre qu'elles contiennent;
b) leur structure tridimensionnelle générale;
c) leurs fonctions relatives.

32. Qu'est-ce que l'ATP, et quelle est sa principale fonction dans l'organisme? Quelle différence structurale y a-t-il entre l'ATP et un nucléotide?

33. Expliquez pourquoi, en faisant attention, on peut remplir un verre d'eau de façon que le niveau du liquide s'élève au-dessus du bord du contenant.

34. L'eau potable est une ressource naturelle dont les réserves commencent à diminuer en beaucoup d'endroits sur la planète. Certains proposent qu'on ait recours à la désalinisation (extraction du sel) de l'eau de mer pour résoudre ce problème. Pourquoi ne recommande-t-on pas de boire de l'eau salée?

Réflexion et application

1. Certains antibiotiques se lient à des enzymes essentielles de la bactérie qu'ils doivent combattre. Quel effet ces antibiotiques ont-ils sur les réactions chimiques régies par ces enzymes? Quelles seront les conséquences possibles pour la bactérie? Et pour la personne qui prend l'antibiotique?

2. Mme Robert est tombée dans un coma diabétique et vient d'être admise à l'hôpital. Son pH sanguin montre qu'elle souffre d'acidose grave et on prend immédiatement des mesures pour le ramener dans les limites normales. Dites quel est le pH normal du sang et expliquez pourquoi une acidose prononcée est grave.

3. Évelyne est fière de sa ligne et se vante de ne pas avoir «un gramme de graisse en trop». Son amie Béatrice souffre d'embonpoint. Elle se plaint d'avoir toujours chaud et est particulièrement incommodée les jours de grande chaleur. Évelyne frissonne toujours un peu, sauf lorsqu'il fait très chaud. En vous appuyant sur ce que vous avez appris sur les composés organiques dans le chapitre, expliquez la sensibilité relative de ces deux femmes à la température ambiante.

4. Une enquête est en cours pour une affaire de viol. M. X est soupçonné. L'analyse des empreintes génétiques pourrait-elle être utile pour établir la preuve étant donné que l'on sait que le suspect est vasectomisé?

CHAPITRE 3

Les cellules et les tissus

Lorsque vous aurez étudié le présent chapitre, vous aurez une connaissance pratique des fonctions des cellules et des tissus ; vous devriez de plus avoir atteint les objectifs d'apprentissage énumérés ci-dessous.

Aperçu des fonctions

- ❑ Les cellules accomplissent toutes les activités chimiques nécessaires au maintien de la vie.
- ❑ Les tissus permettent la division du travail entre les cellules.

OBJECTIFS D'APPRENTISSAGE

Première partie : les cellules

Les caractéristiques générales des cellules *(p. 60-61)*

- ❑ **1.** Nommer les quatre éléments qui composent la majeure partie de la matière vivante ; citer quelques éléments présents en petites quantités.
- ❑ **2.** Présenter un aperçu de la diversité des dimensions et des fonctions cellulaires.

L'anatomie de la cellule (modèle général) *(p. 61-70)*

- ❑ **3.** Indiquer sur un modèle ou un schéma les trois principales régions de la cellule (noyau, cytoplasme et membrane plasmique).
- ❑ **4.** Énumérer les structures du noyau et expliquer les fonctions de la chromatine et des nucléoles ; distinguer *ADN*, *chromatine* et *chromosome*.
- ❑ **5.** Décrire la structure générale de la membrane plasmique ; montrer comment les phospholipides et les protéines participent aux fonctions de cette structure par leurs propriétés et leurs localisations particulières.
- ❑ **6.** Décrire brièvement les éléments membranaires spécialisés suivants et donner leur fonction : microvillosités, jonctions serrées, desmosomes et jonctions ouvertes.
- ❑ **7.** Définir les termes *cellule*, *cytoplasme*, *cytosol*, *organite* et *inclusion cytoplasmique*.
- ❑ **8.** Décrire les organites cytoplasmiques et les localiser sur un modèle ou un schéma de cellule ; expliquer les principales fonctions de chacun.
- ❑ **9.** Montrer les liens fonctionnels qui existent entre les éléments suivants : ribosomes, réticulum endoplasmique, complexe golgien, vésicules et membrane plasmique.
- ❑ **10.** Nommer quelques types de cellules et indiquer comment leur forme et leur structure interne sont liées à leurs fonctions.

La physiologie de la cellule *(p. 70-82)*

- ❑ **11.** Définir les termes suivants : *liquide interstitiel*, *perméabilité sélective*, *filtration*, *transport actif*, *transport passif*, *exocytose*, *endocytose*, *phagocytose*, *hypertonique*, *hypotonique* et *isotonique*.
- ❑ **12.** Illustrer, à l'aide d'un exemple, les principales caractéristiques de chacun des types de transport suivants : diffusion simple, diffusion facilitée, osmose, pompage de solutés, transport vésiculaire.

- ❑ **13.** Décrire brièvement la réplication de l'ADN, les étapes de la mitose ainsi que la cytocinèse ; expliquer l'importance de la mitose.
- ❑ **14.** Décrire, dans ses grandes lignes, le processus de la synthèse des protéines et en montrer l'importance pour la cellule ; préciser les rôles qu'y jouent l'ADN et les trois principaux types d'ARN ; distinguer les deux grandes étapes de ce processus (transcription et traduction).

Deuxième partie : les tissus *(p. 82-94)*

- ❑ **15.** Nommer les quatre tissus primaires et leurs principales sous-classes ; expliquer les différences structurales et fonctionnelles entre les tissus primaires.
- ❑ **16.** Citer les deux critères qui permettent de classifier les épithéliums.
- ❑ **17.** Préciser l'origine, la composition et les principales fonctions des composantes de la matrice extracellulaire du tissu conjonctif.
- ❑ **18.** Indiquer les principales localisations des divers types de tissus et citer les caractéristiques tissulaires qui sont mises en valeur dans chacune.
- ❑ **19.** Décrire le processus de réparation des tissus (cicatrisation) ; distinguer *régénération* et *fibrose*.

Troisième partie : le développement et le vieillissement des cellules et des tissus *(p. 94-96)*

- ❑ **20.** Définir le terme *néoplasme* et expliquer la différence entre un néoplasme bénin et un néoplasme malin ; définir *hyperplasie* et *atrophie*.
- ❑ **21.** Expliquer les conséquences du fait que le tissu musculaire et le tissu nerveux sont généralement amitotiques après leur phase de croissance.
- ❑ **22.** Citer quelques exemples de causes possibles du vieillissement des cellules et des tissus, et quelques exemples des changements que peut causer ce vieillissement.

PREMIÈRE **PARTIE**

LES CELLULES

À la fin du XVIIe siècle, le scientifique anglais Robert Hooke observait du liège à l'aide d'un microscope rudimentaire. Les structures cubiques qu'il aperçut sans savoir qu'elles étaient mortes depuis longtemps lui rappelèrent les chambres des moines dans un monastère ; il leur donna le nom de **cellules**. Le terme inventé par Hooke a traversé les siècles et sert toujours à désigner l'unité fondamentale de tous les organismes végétaux et animaux. Quels que soient son comportement et sa forme, la cellule dispose de tous les outils permettant de survivre dans un environnement en perpétuel changement. Le corps humain en contient des billions.

Les caractéristiques générales des cellules

La caractéristique la plus étonnante des cellules est sans doute la complexité de leur structure. L'analyse chimique révèle que les cellules sont formées de quatre éléments de base – le carbone, l'oxygène, l'hydrogène et l'azote – ainsi que de plusieurs autres éléments moins abondants. Même si les principaux éléments constituent l'essentiel de la structure des cellules (composées en majeure partie de protéines), les éléments moins abondants et les oligoéléments revêtent une importance primordiale pour l'accomplissement de certaines fonctions. Le calcium, par exemple, est nécessaire à la coagulation du sang (entre autres fonctions), et le fer entre dans la composition de l'hémoglobine, qui est la protéine transportant l'oxygène dans les globules rouges du sang. L'iode, par ailleurs, sert à la synthèse des hormones thyroïdiennes qui régissent le métabolisme. Dans leur forme ionique, nombre de métaux (tels le calcium, le sodium et le potassium) peuvent porter une charge électrique; ils sont alors appelés *électrolytes.* Les ions sodium et potassium sont essentiels à la propagation des influx nerveux et à la contraction des muscles (voir le tableau 2.1).

Aussi étrange que cela puisse paraître, surtout si l'on songe à la fermeté des muscles, les cellules vivantes sont composées d'eau à environ 60 %. Voilà du reste l'une des raisons pour lesquelles l'eau est essentielle à la vie. Outre qu'elles contiennent une grande quantité d'eau, toutes les cellules de l'organisme baignent dans une solution salée diluée (analogue à l'eau de mer) appelée *liquide interstitiel.* Tous les échanges entre les cellules et le sang s'effectuent à travers ce liquide dérivé du sang.

La taille des cellules varie considérablement: elle peut aller de deux micromètres (deux millionièmes de mètre) pour les plus petites cellules à un mètre pour les neurones qui vous permettent de bouger le gros orteil. Par ailleurs, la structure d'une cellule reflète souvent sa fonction; vous le constaterez vous-même en lisant le présent chapitre. Les cellules présentent aussi toutes sortes de formes. Certaines sont circulaires (les globules rouges), d'autres sont dotées de prolongements filiformes (les neurones), d'autres ressemblent à des cure-dents aux deux bouts pointus (les cellules musculaires lisses), d'autres enfin sont cubiques (certains types de cellules épithéliales).

Les fonctions des cellules sont encore plus diverses que leur taille et leur forme. Les globules blancs, par exemple, circulent librement dans les tissus et protègent l'organisme en détruisant les bactéries et les autres corps étrangers. Certaines cellules élaborent les hormones, qui sont les substances chimiques qui exercent une action sur un autre tissu ou un autre organe. D'autres cellules encore purifient le sang (les cellules des tubules rénaux) ou participent aux échanges gazeux dans les poumons.

L'anatomie de la cellule (modèle général)

Chaque type de cellule diffère quelque peu des autres, mais toutes les cellules ont en commun plusieurs caractéristiques structurales et fonctionnelles. C'est pourquoi nous nous servirons d'un **modèle général** pour décrire les structures et les fonctions communes à *toutes* les cellules.

Les cellules comportent le plus souvent trois régions principales: un *noyau,* un *cytoplasme* et une *membrane plasmique* (figure 3.1). Le noyau est habituellement situé au centre de la cellule, entouré d'un cytoplasme

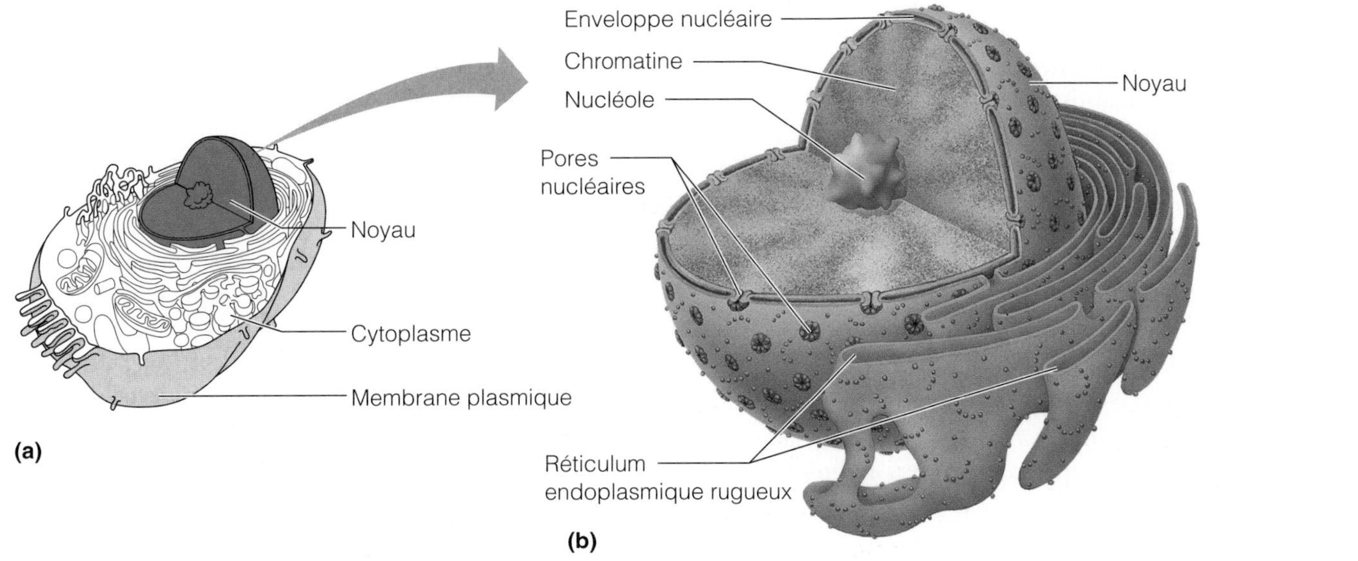
Noyau
Cytoplasme
Membrane plasmique
(a)
Enveloppe nucléaire
Chromatine
Nucléole
Noyau
Pores nucléaires
Réticulum endoplasmique rugueux
(b)

Figure 3.1 **L'anatomie du noyau (modèle général de la cellule animale)**

(a) Les trois principales régions de la cellule. **(b)** Structure du noyau.

semi-liquide. Le cytoplasme est enfermé dans la membrane plasmique, qui forme la limite externe de la cellule. (La figure 3.4, p. 65, montre les détails que permet d'observer le microscope électronique.)

LE NOYAU

N'importe quel travail donne de meilleurs résultats s'il est bien dirigé. Dans les cellules, le « centre de commande », ou centre de régulation, est le **noyau**, qui contient les gènes. Le matériel génétique, ou *acide désoxyribonucléique* (ADN), est le code qui comprend toutes les directives nécessaires à la constitution et au fonctionnement de l'organisme. Il apparaît ainsi évident que l'ADN d'un être humain diffère de celui d'une grenouille. En termes plus précis, l'ADN renferme les directives pour l'élaboration des *protéines*. Il est en outre absolument essentiel à la reproduction des cellules. Une cellule qui a perdu ou éjecté son noyau, pour quelque raison que ce soit, est condamnée à mort ; c'est le cas par exemple des globules rouges.

Le noyau a habituellement la même forme que la cellule. Il peut donc être allongé si la cellule est allongée, mais il est le plus souvent sphérique ou ovale. On y observe trois régions ou structures distinctes : l'enveloppe nucléaire, les nucléoles et la chromatine.

L'enveloppe nucléaire

Le noyau est délimité par l'**enveloppe nucléaire**, qui est une membrane double (voir la figure 3.1). Un espace rempli de liquide est situé entre les deux feuillets de l'enveloppe nucléaire. À certains endroits, les feuillets sont fusionnés et forment des **pores nucléaires**. Comme les autres membranes de la cellule, l'enveloppe nucléaire a une perméabilité sélective, mais elle laisse passer les substances beaucoup plus librement en raison de la grosseur relative des pores. Elle enferme un liquide gélatineux appelé *nucléoplasme* dans lequel les autres structures nucléaires se trouvent en suspension.

Les nucléoles

Le noyau contient un ou plusieurs corpuscules sphériques qui retiennent bien le colorant, les **nucléoles** (« petits noyaux »). C'est là que sont assemblées les sous-unités qui constitueront les *ribosomes*, siège de la synthèse des protéines, avant que ces derniers migrent pour la plupart dans le cytoplasme. Nous reviendrons plus loin sur les ribosomes.

La chromatine

Dans une cellule qui n'est pas en cours de division, l'ADN est associé à des protéines ; il prend la forme de fils renflés par endroits et dispersés dans le noyau. Cet enchevêtrement est appelé **chromatine**. Quand la cellule se divise pour former deux cellules filles, les fils de chromatine s'enroulent et se condensent comme un ressort qui raccourcit et épaissit quand on le relâche. Les fils de chromatine forment alors de petits bâtonnets appelés **chromosomes**. Nous traitons des fonctions de l'ADN et de la division cellulaire dans la section intitulée « La physiologie de la cellule », p. 70-82.

LA MEMBRANE PLASMIQUE

La **membrane plasmique** est une barrière fragile et transparente, souple, qui enferme le contenu de la cellule et le sépare du milieu environnant. (Cette membrane est parfois appelée *membrane cellulaire*, mais, comme presque tous les organites possèdent aussi une membrane, nous préférons désigner la membrane externe de la cellule par le terme *membrane plasmique*.) Bien qu'elle contribue largement à définir les limites de la cellule, la membrane plasmique représente bien plus qu'une enveloppe passive. Ce n'est pas l'équivalent d'un simple sac de plastique. Comme nous le verrons, en effet, sa structure très particulière lui permet d'assurer une fonction dynamique dans de nombreuses activités cellulaires.

La membrane plasmique est constituée de deux couches lipidiques dont les molécules sont accolées queue contre queue et dans lesquelles flottent des molécules de protéines (figure 3.2). La partie lipidique est surtout composée de *phospholipides* (auxquels des groupements glucides sont parfois liés), mais elle contient aussi une importante quantité de *cholestérol*. (Nous présentons au chapitre 2 les caractéristiques de ces lipides spécialisés.) La bicouche lipidique, analogue à de l'huile d'olive, forme la trame fondamentale de la membrane. Les « têtes » polaires des molécules de phospholipide sont *hydrophiles* (« amies de l'eau ») et sont attirées par l'eau, principal constituant des liquides intracellulaire et interstitiel. C'est pourquoi elles s'alignent sur les surfaces intérieure et extérieure de la membrane. Les « queues » non polaires sont *hydrophobes*, c'est-à-dire qu'elles fuient l'eau et, pour éviter celle-ci, elles se tournent vers l'intérieur de la membrane, formant ainsi une barrière qui la rend relativement imperméable à la plupart des molécules hydrosolubles. Le cholestérol exerce un effet stabilisant et contribue à maintenir la fluidité de la membrane.

Les protéines disséminées dans la bicouche lipidique, dont certaines sont des enzymes, accomplissent la plupart des fonctions spécialisées de la membrane. Un bon nombre des protéines rattachées à l'extérieur de la cellule constituent des récepteurs pour les messagers chimiques tels que les hormones ou présentent des sites de liaison

Q **Pourquoi les phospholipides s'assemblent-ils en bicouche, avec toutes les queues tournées vers l'intérieur, lorsqu'ils sont dans un milieu aqueux ?**

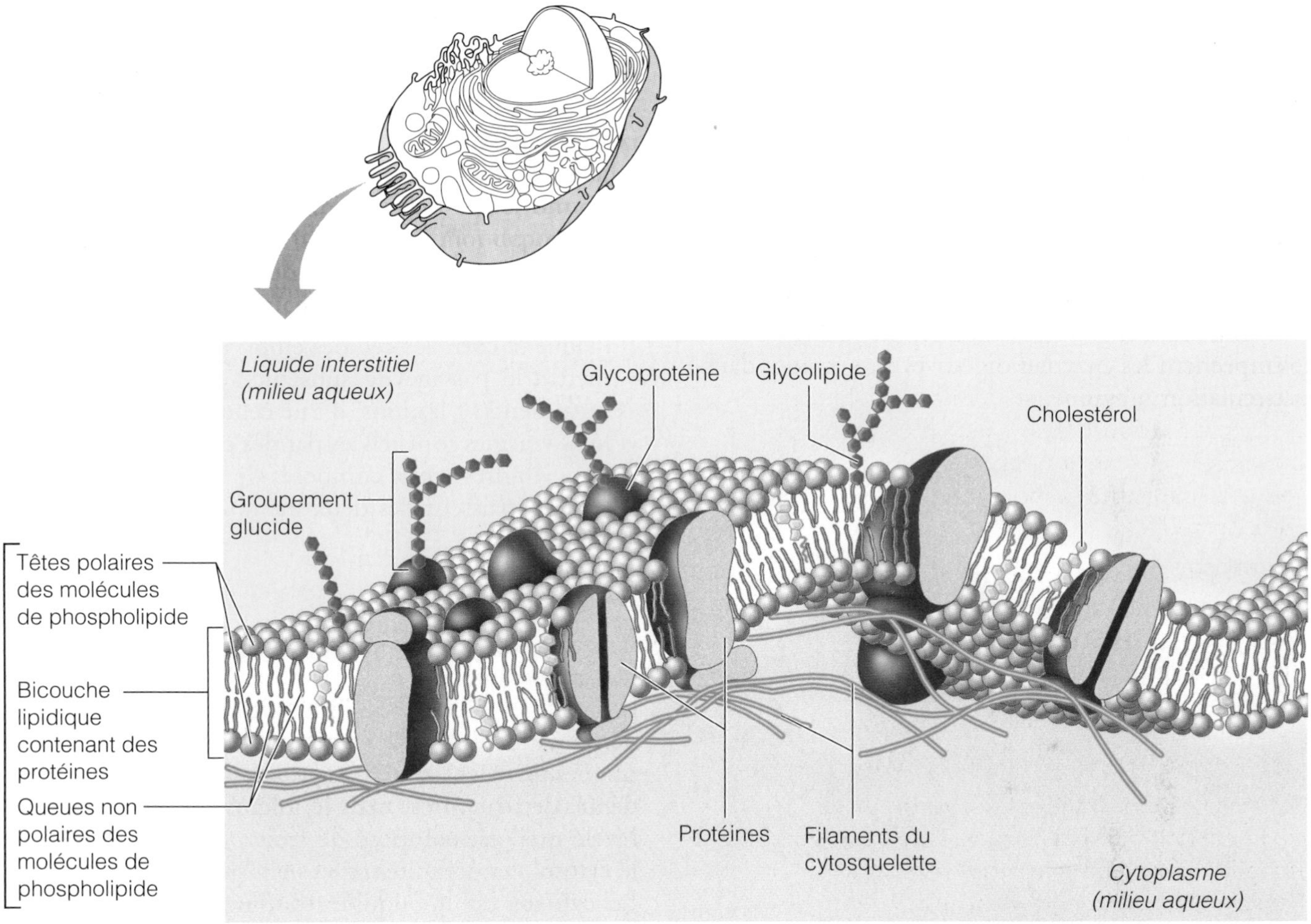

Liquide interstitiel (milieu aqueux)
Glycoprotéine
Glycolipide
Cholestérol
Groupement glucide
Têtes polaires des molécules de phospholipide
Bicouche lipidique contenant des protéines
Queues non polaires des molécules de phospholipide
Protéines
Filaments du cytosquelette
Cytoplasme (milieu aqueux)

Figure 3.2 **La structure de la membrane plasmique**

servant à ancrer la cellule aux fibres ou à d'autres structures dans son voisinage. La plupart des protéines qui traversent de part en part la membrane participent au transport des substances. Ainsi, quelques-unes se regroupent pour former des canaux protéiques (petits *pores*) qui laissent passer l'eau ainsi que les petites molécules hydrosolubles et les ions. D'autres protéines sont des *transporteurs* qui se lient à une substance pour lui faire traverser la membrane. La plupart des protéines qui font face à l'espace interstitiel portent des glucides ramifiés et sont donc appelées *glycoprotéines.* Elles rendent la surface de la cellule floue, collante et riche en glucides. (On peut se représenter la cellule comme enrobée de sucre.) Les glycoprotéines déterminent le groupe sanguin, se lient à des bactéries, à des virus ou à des toxines, et interviennent dans les interactions des cellules. Les glycoprotéines subissent des changements radicaux lorsqu'une cellule devient cancéreuse. (Nous traitons du cancer dans l'encadré « Gros plan », p. 96-97.)

R **La molécule d'un phospholipide est constituée d'une région hydrophile et d'une région hydrophobe. La région hydrophobe (queue) fuit l'eau et se réfugie dans la partie intérieure de la membrane dans un milieu aqueux.**

Les éléments spécialisés de la membrane plasmique

La membrane plasmique des cellules épithéliales qui forment le revêtement des organes creux, tel l'intestin grêle, présente généralement des éléments spécialisés, comme les microvillosités et les jonctions membranaires (figure 3.3). Les **microvillosités** sont de minuscules prolongements qui accroissent considérablement la superficie de la membrane plasmique, ce qui accélère l'absorption.

La structure des **jonctions membranaires** varie selon leur rôle.

- Les **jonctions serrées** sont des joints imperméables qui empêchent les molécules de s'infiltrer entre les cellules adjacentes. Elles se forment par la fusion des membranes plasmiques de cellules contiguës qui s'imbriquent comme les dents d'une fermeture éclair. Dans l'intestin grêle, par exemple, les jonctions serrées empêchent les enzymes digestives de s'écouler dans la circulation sanguine.
- Les **desmosomes** sont des jonctions d'ancrage qui unissent des cellules soumises à des tensions mécaniques (telles les cellules de la peau) et les empêchent de se séparer. Du point de vue de la structure, les desmosomes sont des plaques, c'est-à-dire des épaississements en forme de bouton, de membranes plasmiques adjacentes reliées par des filaments protéiniques. Des filaments protéiques plus épais partent de la face cytoplasmique des plaques, traversent l'intérieur de la cellule et s'ancrent à une autre plaque située du côté opposé, constituant ainsi un réseau ininterrompu de « haubans ».
- La principale fonction des **jonctions ouvertes** (qu'on trouve notamment entre les cellules du muscle cardiaque et entre les cellules embryonnaires) est de permettre le passage de substances chimiques, tels les nutriments et les ions, d'une cellule à l'autre. Les cellules voisines sont reliées par des **connexons**, qui sont des cylindres creux composés de protéines traversant toute l'épaisseur des deux membranes adjacentes.

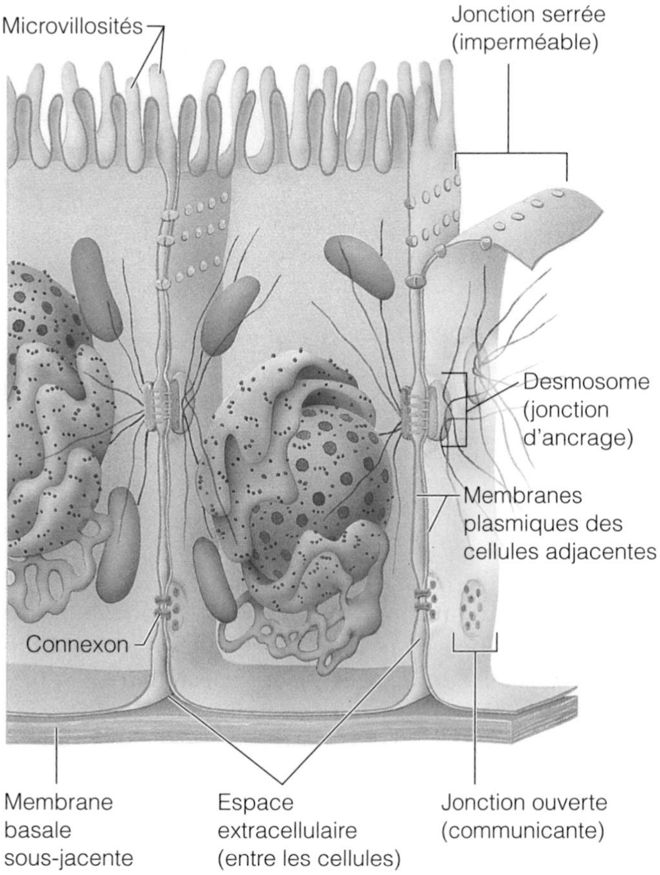

Microvillosités
Jonction serrée (imperméable)
Desmosome (jonction d'ancrage)
Membranes plasmiques des cellules adjacentes
Connexon
Membrane basale sous-jacente
Espace extracellulaire (entre les cellules)
Jonction ouverte (communicante)

Figure 3.3 **Les jonctions cellulaires**

Représentation schématique d'une cellule épithéliale reliée aux cellules adjacentes par les trois principaux types de jonctions : jonctions serrées, desmosomes et jonctions ouvertes. La figure montre aussi des microvillosités (sur la face libre de la cellule).

LE CYTOPLASME

Le **cytoplasme** est le matériel cellulaire à l'extérieur du noyau et à l'intérieur de la membrane plasmique. On peut le comparer à une zone industrielle, car c'est là que se déroulent la plupart des activités de la cellule. Les scientifiques pensaient autrefois que le cytoplasme était un gel dénué de structures, mais le microscope électronique a révélé qu'il est composé de trois principaux éléments : le cytosol, les organites et les inclusions cytoplasmiques. Le **cytosol** est un liquide translucide dans lequel les autres éléments se trouvent en suspension. Constitué en grande partie d'eau, il contient des nutriments et divers autres solutés (substances dissoutes).

Les **organites**, que nous décrirons en détail plus loin, constituent l'appareil métabolique de la cellule. Chaque type d'organite est spécialisé : il assure une fonction précise pour l'ensemble de la cellule. Certains synthétisent des protéines, d'autres les emballent, etc.

Les **inclusions cytoplasmiques** ne sont pas des éléments fonctionnels, mais des substances chimiques qui peuvent être présentes ou non, selon le type de cellule considéré. La plupart des inclusions cytoplasmiques sont des nutriments emmagasinés ou des produits de la cellule. Elles comprennent les gouttelettes de lipides présentes dans les cellules adipeuses, les granules de glycogène qui sont abondants dans les cellules du foie et des muscles, les pigments comme la mélanine contenus dans les cellules des poils et de la peau, le mucus et d'autres sécrétions, ainsi que divers types de cristaux.

Les organites cytoplasmiques

Les organites (« petits organes ») du cytoplasme sont des compartiments intracellulaires spécialisés (figure 3.4) ; chacun assure une fonction précise servant à maintenir la cellule en vie. De nombreux organites sont délimités par une membrane analogue à la membrane plasmique, de sorte que leur milieu interne peut être différent du cytosol qui les entoure. Ce cloisonnement est essentiel à l'accomplissement de leurs fonctions spécialisées. Étudions à présent le fonctionnement de chacun de ces « ateliers » de l'usine cellulaire.

Les mitochondries On représente habituellement les **mitochondries** comme de minuscules organites filiformes (*mitos*, « fil ») ou en forme de saucisse (voir la figure 3.4). Dans les cellules vivantes, cependant, elles se tortillent, s'allongent et changent de forme presque continuellement. Leur paroi est composée d'une double membrane équivalant à *deux* membranes plasmiques placées côte à côte. La membrane externe est lisse et sans relief, tandis que la membrane interne se replie vers l'intérieur pour former des *crêtes*. Les nutriments (qui ont subi une première transformation dans le cytoplasme) sont dégradés

Q Quel composant nucléaire porte vos gènes ?

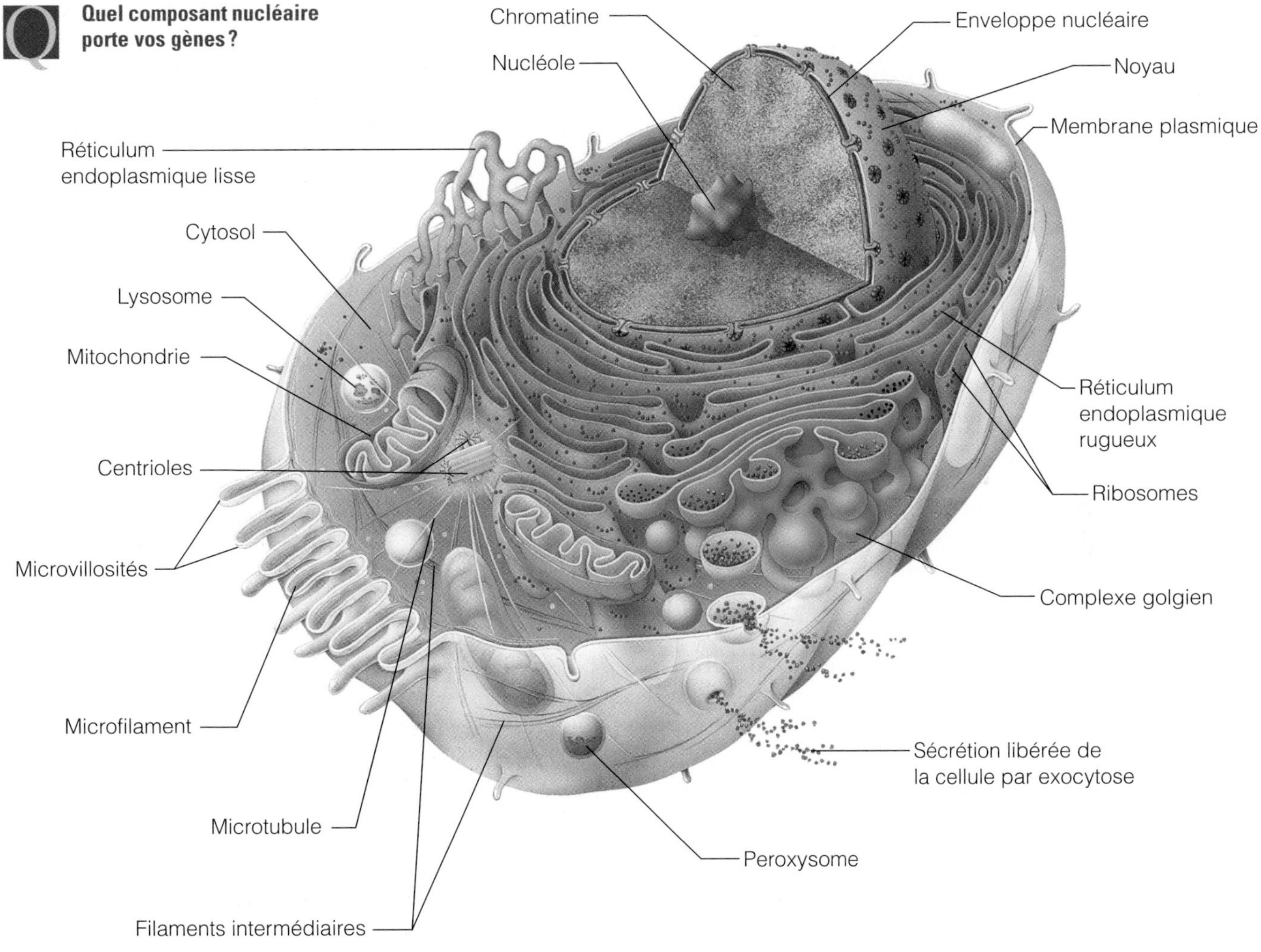

Chromatine
Nucléole
Enveloppe nucléaire
Noyau
Membrane plasmique
Réticulum endoplasmique lisse
Cytosol
Lysosome
Mitochondrie
Centrioles
Microvillosités
Microfilament
Microtubule
Filaments intermédiaires
Peroxysome
Sécrétion libérée de la cellule par exocytose
Complexe golgien
Ribosomes
Réticulum endoplasmique rugueux

Figure 3.4 La structure de la cellule, modèle général

Aucune cellule n'est parfaitement identique à celle-ci, mais ce modèle permet de représenter les caractéristiques communes à un grand nombre de cellules humaines.

R La chromatine.

par des enzymes dissoutes dans le liquide contenu à l'intérieur des mitochondries et par des enzymes de la membrane des crêtes. Ces réactions de dégradation font intervenir l'oxygène et libèrent de l'énergie. Une grande partie de cette énergie s'échappe sous forme de chaleur, mais une certaine quantité est captée et utilisée pour constituer des *molécules d'ATP*. L'ATP est la source d'énergie nécessaire au travail cellulaire, et toute cellule vivante en a continuellement besoin pour accomplir ses nombreuses activités. Comme ce sont les mitochondries qui fournissent la majeure partie de l'ATP, on les appelle parfois les *centrales d'énergie* de la cellule.

Les cellules très actives sur le plan métabolique, comme celles du foie et des muscles, utilisent d'énormes quantités d'ATP et contiennent des centaines de mitochondries. Par contre, les cellules relativement inactives tels les ovules non fécondés n'en renferment que quelques-unes.

Les ribosomes Les ribosomes sont de petits granules sombres à deux lobes composés de protéines et d'un type d'ARN, l'*ARN ribosomique*. Ils sont le siège de la synthèse des protéines dans la cellule. Certains flottent librement dans le cytoplasme, où ils produisent des protéines appelées à rester dans la cellule. D'autres sont fixés à des membranes. Ils peuvent être isolés les uns des autres ou attachés, et former des chaînes. L'association des ribosomes à la membrane forme le *réticulum endoplasmique rugueux*.

Le réticulum endoplasmique Le **réticulum endoplasmique (RE)** est un réseau de citernes (tubules et canaux) remplies de liquide qui s'enroulent et se tordent dans le cytosol. Il forme à peu près la moitié des membranes de la cellule. Il constitue en quelque sorte un système circulatoire en miniature, car ses canaux transportent les substances (les protéines principalement) entre les diverses parties de la cellule. Il existe deux types de réticulum endoplasmique ; une cellule peut n'en contenir qu'un seul ou contenir les deux, selon ses fonctions.

Le **RE rugueux** est ainsi appelé parce qu'il est parsemé de ribosomes. On peut le considérer comme l'usine à membranes de la cellule, car c'est là (sur ou dans le RE rugueux) que sont fabriqués presque tous les constituants des membranes. Les enzymes qui catalysent la synthèse des lipides membranaires sont situées sur la face externe du RE rugueux, où les unités de base des lipides sont disponibles. Les protéines assemblées par les ribosomes pénètrent dans les tubules du RE rugueux, où elles prennent leur forme tridimensionnelle avant d'être expédiées, à l'intérieur de *vésicules de transport*, vers d'autres régions de la cellule (figure 3.5). En règle générale, la quantité de RE rugueux présente dans une cellule est fonction de la quantité de protéines que cette cellule synthétise. Le RE rugueux est particulièrement abondant dans les cellules sécrétrices et notamment dans les cellules du pancréas, qui produisent des enzymes digestives destinées à l'intestin grêle.

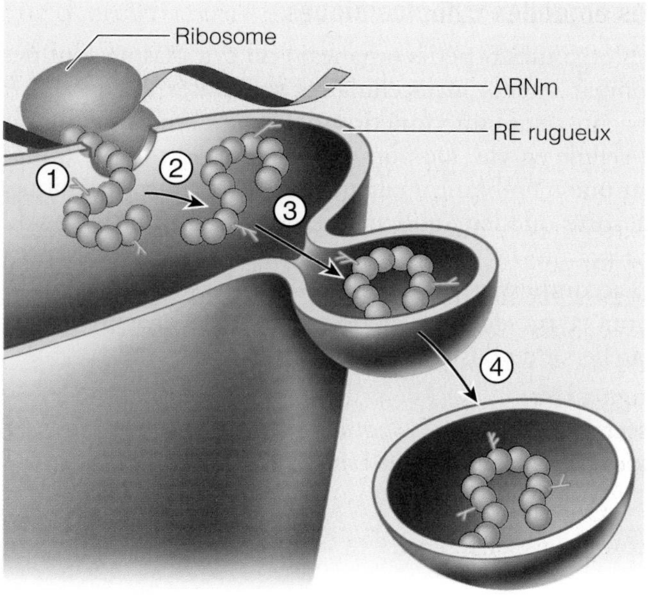
Ribosome
ARNm
RE rugueux
①
②
③
④
Protéine dans une vésicule de transport

Figure 3.5 **La synthèse par le RE rugueux d'une protéine destinée à l'exportation**

① Au fur et à mesure qu'elle se dévide du ribosome qui la synthétise, la protéine pénètre dans une citerne du RE rugueux. ② Là, de courtes chaînes de glucides peuvent être liées à la protéine (pour former une glycoprotéine). En même temps, celle-ci se replie sur elle-même et prend sa forme fonctionnelle. ③ La protéine est alors enfermée dans une petite enveloppe membraneuse appelée *vésicule de transport*. ④ Cette dernière se détache du RE rugueux et gagne soit le complexe golgien pour y subir d'autres modifications, soit la membrane plasmique où son contenu sera sécrété dans le liquide interstitiel.

Le **RE lisse** communique avec le RE rugueux, mais il ne participe pas à la synthèse des protéines. Il intervient dans le métabolisme des lipides (synthèse et dégradation des graisses et du cholestérol) et dans la détoxication de médicaments, de drogues et de pesticides. Il n'est donc pas étonnant que les cellules hépatiques soient gorgées de RE lisse. Il en va de même des cellules qui produisent les hormones stéroïdes, telles les cellules des testicules qui synthétisent la testostérone.

Le complexe golgien Le **complexe golgien** (ou appareil de Golgi) ressemble à une pile de sacs membraneux aplatis entourée d'un essaim de petites vésicules. Il est généralement situé à proximité du noyau, et c'est lui qui dirige l'essentiel du « trafic » des protéines dans la cellule. Sa principale fonction est de modifier et d'emballer les protéines (qui lui parviennent du RE rugueux dans des **vésicules de transport**) selon leur destination finale (figure 3.6).

Les sacs membraneux se gonflent à mesure que s'accumulent les protéines destinées au transport. Leurs extrémités renflées, remplies de protéines, s'étranglent et forment des **vésicules de sécrétion** qui se dirigent vers la membrane plasmique. Les vésicules fusionnent avec la membrane, une ouverture se crée et le contenu du sac se déverse à l'extérieur de la cellule (voie 1 de la figure 3.6). Telle est la manière dont sont emballés et sécrétés le mucus ainsi que les enzymes digestives élaborées par les cellules du pancréas.

Outre qu'il emballe les sécrétions de la cellule, le complexe golgien produit des vésicules contenant des protéines et des phospholipides destinés à la membrane plasmique (voie 2 de la figure 3.6). Il emballe de même des hydrolases (enzymes digestives) dans des sacs membraneux appelés *lysosomes* qui demeurent à l'intérieur de la cellule (voie 3 de la figure 3.6).

Les lysosomes Les **lysosomes** (« corps de désintégration ») sont des vésicules sphériques de taille variable. Puisqu'ils contiennent de puissantes enzymes digestives capables de digérer les structures cellulaires usées ou inutilisables ainsi que la plupart des substances étrangères qui pénètrent dans la cellule, on peut les considérer comme les broyeurs cellulaires. Les lysosomes sont particulièrement abondants dans les globules blancs, ces cellules qui « engouffrent » les bactéries et les substances nuisibles. Les enzymes contenues dans les lysosomes sont élaborées par les ribosomes et emballées par le complexe golgien.

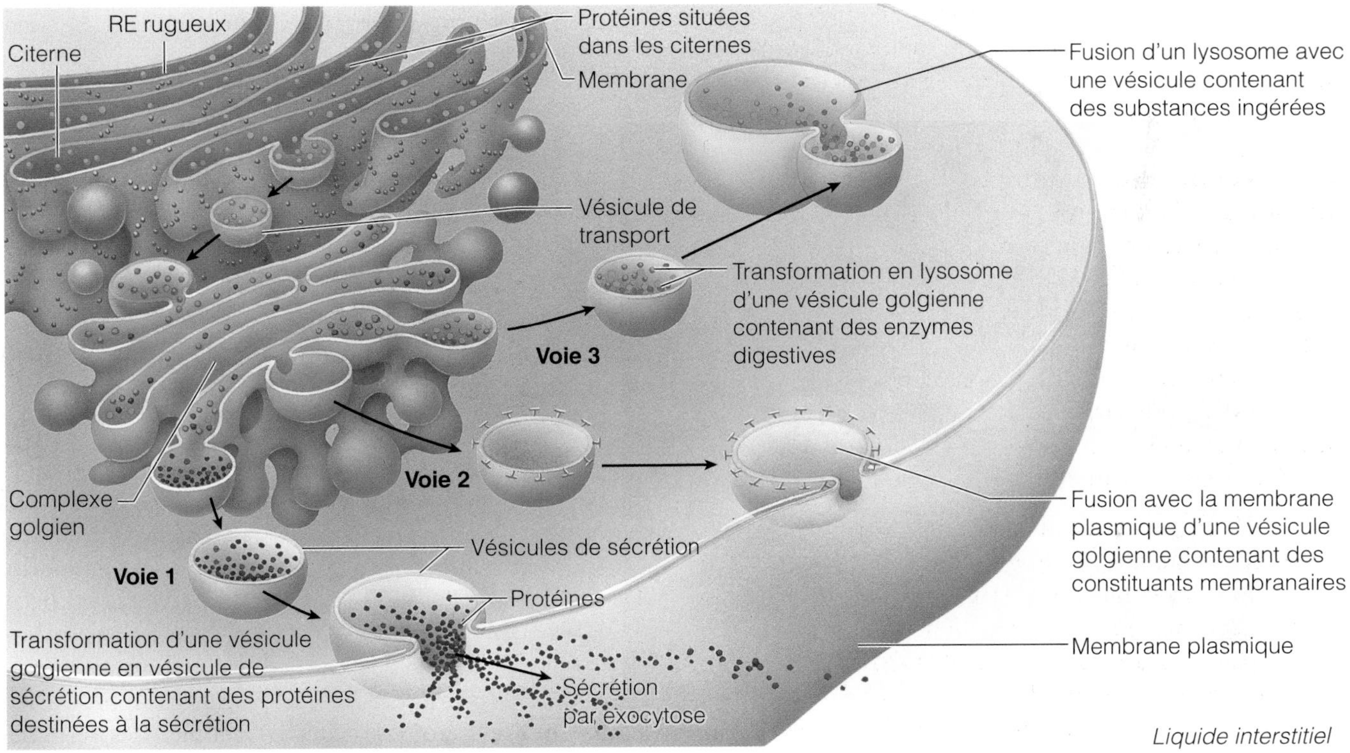
RE rugueux
Citerne
Protéines situées dans les citernes
Membrane
Fusion d'un lysosome avec une vésicule contenant des substances ingérées
Vésicule de transport
Transformation en lysosome d'une vésicule golgienne contenant des enzymes digestives
Voie 3
Voie 2
Complexe golgien
Fusion avec la membrane plasmique d'une vésicule golgienne contenant des constituants membranaires
Vésicules de sécrétion
Voie 1
Protéines
Transformation d'une vésicule golgienne en vésicule de sécrétion contenant des protéines destinées à la sécrétion
Membrane plasmique
Sécrétion par exocytose
Liquide interstitiel

Figure 3.6 **Le rôle du complexe golgien dans l'emballage des produits du RE rugueux**

Les vésicules de transport contenant les protéines se détachent du RE rugueux et migrent jusqu'au complexe golgien, avec lequel elles fusionnent. En traversant le complexe golgien, les protéines sont triées (et légèrement modifiées). Elles sont ensuite emballées dans des vésicules qui se séparent du complexe golgien et prennent diverses destinations (voies 1 à 3).

Déséquilibre homéostatique

La membrane du lysosome est habituellement assez stable, mais elle devient fragile lorsque la cellule est endommagée ou privée d'oxygène, ou encore en présence d'un excès de vitamine A. La rupture du lysosome entraîne l'autodigestion de la cellule. ▲

Les peroxysomes Les **peroxysomes** sont des sacs membraneux qui contiennent des oxydases, c'est-à-dire de puissantes enzymes qui utilisent l'oxygène moléculaire (O_2) pour neutraliser un grand nombre de substances nuisibles ou toxiques, dont l'alcool et le formaldéhyde. La principale fonction des peroxysomes consiste toutefois à désamorcer les dangereux **radicaux libres**, substances chimiques très réactives dont les électrons non appariés peuvent semer le désordre dans la structure des protéines et des acides nucléiques. Les radicaux libres sont un sous-produit normal du métabolisme cellulaire, mais leur accumulation peut avoir des effets désastreux sur les cellules. Les peroxysomes, comme leur nom le laisse entendre (*peroxysome*, « corps de peroxyde »), convertissent les radicaux libres en peroxyde d'hydrogène (H_2O_2). La *catalase*, qui est une enzyme, transforme ensuite l'excès de peroxyde d'hydrogène en eau. Les peroxysomes sont particulièrement nombreux dans les cellules du foie et des reins, très actives dans le processus de détoxification.

Bien qu'ils ressemblent à de petits lysosomes (voir la figure 3.4), les peroxysomes ne se forment pas par bourgeonnement à partir du complexe golgien. Ils semblent plutôt se reproduire en se divisant tout simplement en deux, comme le font les mitochondries.

Le cytosquelette Le **cytosquelette** (figure 3.7) est un réseau complexe de structures protéiniques qui s'étend dans le cytoplasme (voir la figure 3.2). Il agit en quelque sorte comme le « squelette » et la « musculature » de la cellule, car il détermine sa forme, soutient les autres organites et fournit l'appareillage nécessaire au transport intracellulaire ainsi qu'aux divers types de mouvements de la cellule. Ses éléments sont, des plus gros aux plus petits, les microtubules, les filaments intermédiaires et les microfilaments (voir les figures 3.4 et 3.7). Les fonctions de ces éléments ne sont pas clairement départagées. En règle générale, cependant, les **filaments intermédiaires**, gros, stables et ressemblant à des cordages, entrent dans la composition des desmosomes (voir la figure 3.3) et

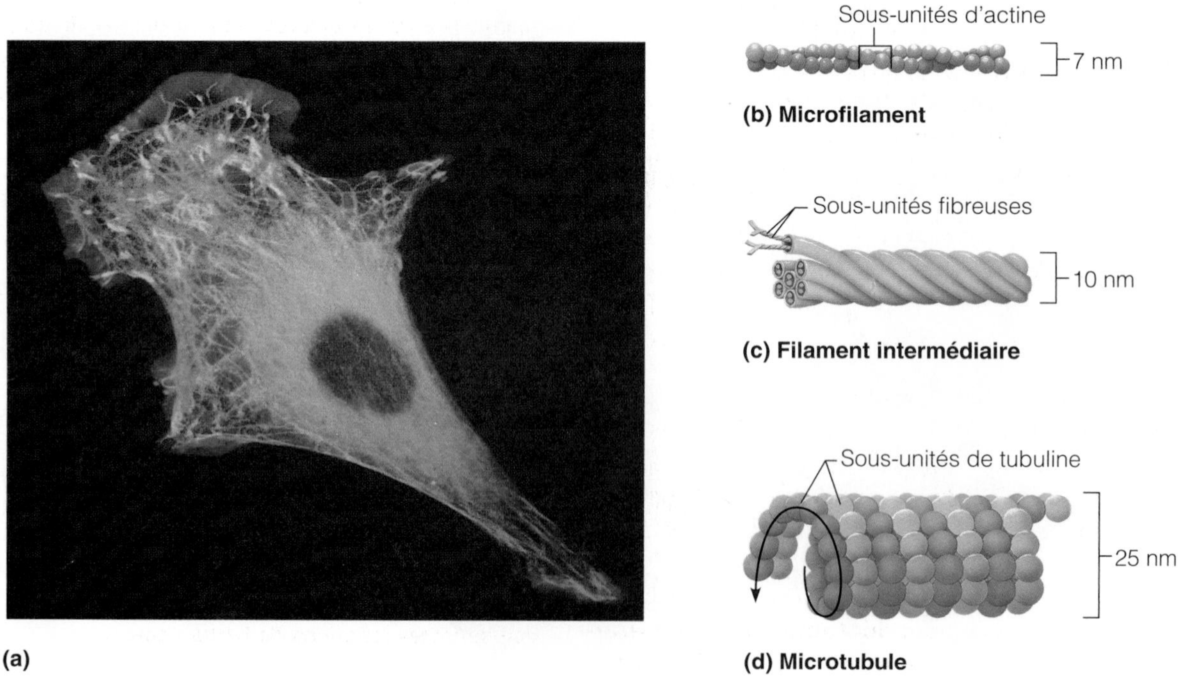
(a)
Sous-unités d'actine
7 nm
(b) Microfilament
Sous-unités fibreuses
10 nm
(c) Filament intermédiaire
Sous-unités de tubuline
25 nm
(d) Microtubule

Figure 3.7 **Le cytosquelette**

(a) Dans cette photographie du cytosquelette d'un fibroblaste prise au microscope optique, les microtubules apparaissent en vert et les microfilaments, en bleuté. Le reste du réseau est constitué en majeure partie de filaments intermédiaires. **(b-d)** Schémas des trois types d'éléments du cytosquelette.

agissent comme des haubans internes qui s'opposent aux forces d'étirement exercées sur la cellule. Les **microfilaments** (comme l'*actine* et la *myosine*) concourent principalement à la motilité et aux changements de forme de la cellule. Les **microtubules**, de forme tubulaire, déterminent la forme générale de la cellule et la répartition des organites. Nous verrons plus loin qu'ils jouent un rôle capital dans la division cellulaire (p. 77-78).

Les centrioles Les **centrioles**, au nombre de deux par cellule, sont situés à proximité du noyau (voir la figure 3.4). Constituées de fins microtubules, ces petites structures cylindriques forment un angle droit l'une par rapport à l'autre. Pendant la division cellulaire, les centrioles régissent la formation du *fuseau mitotique* (voir la figure 3.15, p. 79).

En plus des structures que nous avons décrites jusqu'à maintenant, certaines cellules sont dotées de **cils**, extensions cellulaires semblables à des fouets qui déplacent les substances sur la surface de la cellule. Par exemple, les cellules ciliées qui tapissent les voies respiratoires poussent le mucus vers le haut pour en débarrasser les poumons. Les cils se trouvent généralement en grand nombre sur les surfaces exposées des cellules. Lorsque les cils sont sur le point d'apparaître, les centrioles se multiplient et s'alignent sous la membrane plasmique de la face exposée. Les microtubules commencent alors à « germer » à partir des centrioles et à pousser sur la membrane plasmique en formant des projections. Lorsque les projections formées par les centrioles sont beaucoup plus longues, on les nomme **flagelles**. La seule cellule flagellée du corps humain est le spermatozoïde, dont l'unique flagelle propulsif est appelé *queue* (voir la figure 3.8g). *Rappelez-vous que les cils déplacent d'autres substances à la surface de la cellule, tandis que le flagelle propulse la cellule elle-même.*

LA DIVERSITÉ DES CELLULES

Nous nous sommes penchés jusqu'ici sur les caractéristiques générales de la cellule humaine. Or, dans les millions de millions de cellules de l'organisme humain, on trouve quelque 200 types de cellules aux formes, aux tailles et aux fonctions très diverses. Parmi les formes possibles, citons les cellules adipeuses qui sont sphériques, les globules rouges du sang qui sont discoïdes, les neurones qui sont ramifiés et les cellules des tubules des reins qui sont cubiques. La figure 3.8 montre le parallèle qui existe

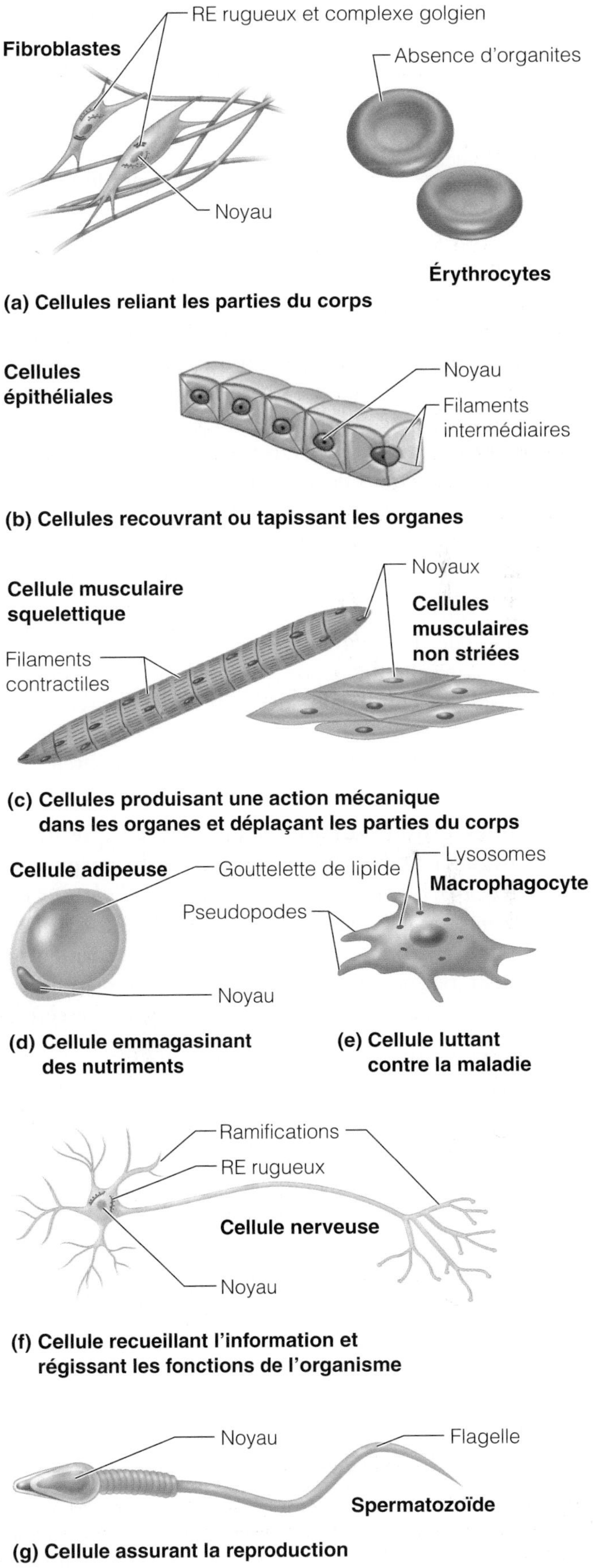
RE rugueux et complexe golgien
Fibroblastes
Absence d'organites
Noyau
Érythrocytes
(a) Cellules reliant les parties du corps
Cellules épithéliales
Noyau
Filaments intermédiaires
(b) Cellules recouvrant ou tapissant les organes
Noyaux
Cellule musculaire squelettique
Cellules musculaires non striées
Filaments contractiles
(c) Cellules produisant une action mécanique dans les organes et déplaçant les parties du corps
Lysosomes
Cellule adipeuse
Gouttelette de lipide
Macrophagocyte
Pseudopodes
Noyau
(d) Cellule emmagasinant des nutriments
(e) Cellule luttant contre la maladie
Ramifications
RE rugueux
Cellule nerveuse
Noyau
(f) Cellule recueillant l'information et régissant les fonctions de l'organisme
Noyau
Flagelle
Spermatozoïde
(g) Cellule assurant la reproduction

Figure 3.8 **La diversité des cellules**

La forme de ces cellules humaines et la quantité relative des divers organites qu'elles contiennent sont en rapport avec la fonction qu'elles accomplissent.

entre la forme de la cellule, la quantité relative des divers organites qu'elle contient et la fonction particulière qu'elle est appelée à accomplir. Examinons maintenant quelques-unes des spécialisations des cellules.

1. **Cellules reliant les parties du corps:**
   - *Fibroblaste.* Cette cellule est tout en longueur, comme les fibres en forme de câble qu'elle sécrète. Elle est riche en RE rugueux et possède un grand complexe golgien pour produire et sécréter les composantes protéiques de ces fibres.
   - *Érythrocyte (globule rouge).* Cette cellule transporte l'oxygène dans le sang. Sa forme ronde et biconcave lui procure une grande surface qui favorise l'absorption d'oxygène et lui donne un profil qui facilite ses déplacements dans les vaisseaux sanguins. Il y a dans un érythrocyte une telle quantité de pigments de transport d'oxygène que tous les autres organites ont été expulsés de la cellule pour leur faire de la place.
2. **Cellules recouvrant ou tapissant les organes:** *Cellule épithéliale.* Ici, on est en présence d'une forme hexagonale, bien proche de celle d'une autre « cellule », soit celle des rayons d'une ruche, qui permet aux cellules épithéliales de s'assembler en feuillets. Les filaments intermédiaires abondent dans ces cellules, ce qui fait qu'ils peuvent résister à l'étirement et à la friction sans se déchirer.
3. **Cellules produisant une action mécanique dans les organes et déplaçant les parties du corps:** *Cellule musculaire squelettique (striée)* et *cellule musculaire non striée.* Ces cellules sont longues et remplies de nombreux filaments contractiles (microfilaments) qui leur permettent de se contracter avec force et d'actionner les os ou de modifier la taille des viscères.
4. **Cellules emmagasinant des nutriments:** *Cellule adipeuse.* La grande taille et la forme sphérique de la cellule adipeuse est le fait d'une grosse gouttelette de lipide dans son cytoplasme (inclusion cytoplasmique).
5. **Cellules luttant contre la maladie:** *Macrophagocyte.* Cette cellule projette en avant de longs pseudopodes (« faux pieds ») grâce auxquels elle se déplace dans les tissus à la recherche des foyers d'infection. Elle contient de nombreux lysosomes grâce auxquels elle digère les microorganismes infectieux qu'elle ingère.
6. **Cellules recueillant l'information et régissant les fonctions de l'organisme:** *Cellule nerveuse (neurone).* Cette cellule possède de longues ramifications qui lui permettent de recevoir des messages et d'en transmettre à son tour à d'autres structures de l'organisme. La membrane plasmique s'étend sur une très grande surface et enveloppe toutes les ramifications. La cellule contient beaucoup de RE rugueux où sont synthétisées les composantes des membranes.
7. **Cellules assurant la reproduction:**
   - *Ovocyte (chez la femme).* La plus grosse cellule du corps. Elle contient de nombreux exemplaires de tous les organites qui sont répartis entre les cellules filles lorsque l'ovule fécondé se divise pour constituer l'embryon.
   - *Spermatozoïde (chez l'homme).* Cette cellule est longue et profilée. Elle est faite pour nager jusqu'à l'ovule qu'elle féconde. Elle possède un flagelle qui bat comme un fouet et lui permet d'avancer.

La physiologie de la cellule

Comme nous l'avons indiqué plus haut, chacune des parties internes de la cellule est destinée à accomplir une fonction précise. La plupart des cellules ont la capacité de *métaboliser* (utiliser les nutriments pour renouveler leurs composantes, dégrader les substances et produire de l'ATP), d'*éliminer les déchets,* de *se reproduire,* de *croître* et de *réagir aux stimulus* (excitabilité) ; en outre, bien que quelques types de cellules seulement soient capables de se déplacer, toutes les cellules sont le siège de mouvements intracellulaires ou au niveau de leur membrane. Nous étudierons en détail la plupart des fonctions réalisées par les cellules dans des chapitres ultérieurs. Nous traiterons par exemple du métabolisme au chapitre 14 et de l'excitabilité au chapitre 7. Pour l'instant, nous limiterons notre étude à trois fonctions: le transport membranaire (les mécanismes par lesquels les substances traversent la membrane plasmique), la reproduction cellulaire (division cellulaire) et la synthèse des protéines.

LE TRANSPORT MEMBRANAIRE

Le milieu liquide situé de part et d'autre de la membrane plasmique est une solution. Il est important que vous compreniez bien ce qu'est une solution avant d'amorcer l'étude du transport membranaire. Au sens le plus strict du terme, une **solution** est un mélange homogène de deux constituants ou plus. Les exemples de solutions ne manquent pas: l'air que nous respirons (mélange de gaz), l'eau de mer (mélange d'eau et de sels), l'alcool à friction (mélange d'eau et d'alcool). Le constituant le plus abondant dans une solution est appelé

solvant. L'eau est le principal solvant dans l'organisme. Les constituants présents en quantité moindre sont appelés **solutés**. Dans une solution, les solutés sont si petits qu'ils ne se déposent pas au fond de leur contenant.

Le **liquide intracellulaire** (formé du nucléoplasme et du cytosol) est une solution composée de petites quantités de gaz (oxygène et gaz carbonique), de nutriments et de sels dissous dans l'eau. Il en va de même du **liquide interstitiel**, dans lequel les cellules baignent constamment. On peut considérer celui-ci comme une sorte de soupe riche et nourrissante qui contient des milliers d'ingrédients, dont des nutriments (acides aminés, sucres, acides gras, vitamines), des substances régulatrices (hormones et neurotransmetteurs, par exemple), des sels et des déchets. Pour rester saine, chaque cellule doit extraire de cette soupe des quantités précises de chacune des substances dont elle a besoin à tout instant et empêcher l'entrée de toute substance excédentaire.

La membrane plasmique forme une barrière à **perméabilité sélective**, c'est-à-dire qu'elle ne laisse passer que certaines substances, comme les nutriments, et exclut de nombreux produits indésirables. En même temps, elle retient les précieuses protéines cellulaires et d'autres molécules, et laisse sortir les déchets.

Déséquilibre homéostatique

La perméabilité sélective est une caractéristique des cellules saines et en bon état. Lorsqu'une cellule meurt ou subit un dommage grave, sa membrane plasmique devient perméable à presque toutes les substances. Ce phénomène se manifeste très clairement à la suite d'une brûlure grave. Les liquides, les protéines et les ions « suintent », c'est-à-dire qu'ils s'écoulent des cellules mortes et endommagées de la région brûlée, ce qui peut avoir de graves conséquences sur le fonctionnement du système cardiovasculaire (voir le chapitre 4, p. 117). ▲

On peut envisager le mouvement des substances à travers la membrane plasmique sous plusieurs angles, soit la nature et la taille des molécules ou des ions qui traversent la membrane, les propriétés de ces substances (liposolubles ou hydrosolubles, polaires ou non polaires...), les composantes de la membrane qui sont impliquées dans le transport (bicouche lipidique, canaux protéiniques ou transporteurs protéiniques). Ici, nous considérerons d'abord que ces mouvements de substances peuvent se produire de deux façons, c'est-à-dire activement ou passivement. Dans les **mécanismes de transport passifs**, les molécules traversent la membrane sans que la cellule fournisse d'énergie. Dans les **mécanismes de transport actifs**, la cellule dépense de l'énergie métabolique (ATP) pour transporter la substance à travers la membrane.

Les mécanismes de transport passifs : la diffusion et la filtration

La *diffusion* est un mécanisme de transport passif qui joue un rôle important dans toutes les cellules de l'organisme. La *filtration*, l'autre mécanisme de transport passif, ne se produit généralement qu'à travers les parois des capillaires. Voyons maintenant quelles sont les différences entre ces deux mécanismes.

La diffusion La **diffusion** est la tendance qu'ont les molécules et les ions à se disséminer dans l'espace disponible. Rappelez-vous que toutes les molécules possèdent de l'*énergie cinétique* (énergie du mouvement), comme nous l'avons vu au chapitre 2. Comme elles se déplacent au hasard et à haute vitesse, elles s'entrechoquent et changent de direction après chaque collision. Par suite de ce mouvement aléatoire, les molécules vont des endroits où leur concentration est forte (où elles sont le plus nombreuses) vers les endroits où leur concentration est plus faible (où elles sont le moins nombreuses). On dit que les molécules suivent leur **gradient de concentration**. Puisque le moteur (source d'énergie) de la diffusion est l'énergie cinétique des molécules elles-mêmes, la vitesse de la diffusion dépend de leur taille (plus elles sont petites, plus elles diffusent vite) et de leur température (plus elle est élevée, plus la diffusion est rapide).

Un exemple devrait aider à comprendre le phénomène de la diffusion. Imaginez que vous remplissez une tasse de café et que vous ajoutez un morceau de sucre (sans remuer). Juste à ce moment, le téléphone sonne : on vous demande de vous rendre immédiatement à votre travail. Vous ne buvez pas votre café. Le soir, à votre retour, vous y goûtez : il est sans doute froid mais a aussi un goût sucré, même si vous ne l'avez pas remué. Les molécules de sucre, en effet, se sont déplacées toute la journée et se sont réparties uniformément dans le café. La figure 3.9 présente un exemple tiré du laboratoire, que certains étudiants connaissent sans doute bien.

La membrane plasmique constitue une barrière physique à la diffusion. Cependant, la diffusion *passive* et non assistée d'une molécule à travers la membrane plasmique est possible si la molécule répond aux conditions suivantes : elle doit être petite, non chargée électriquement (non polaire) et doit pouvoir se dissoudre dans la partie lipidique de la membrane (comme les lipides, les vitamines liposolubles, l'oxygène, le gaz carbonique) (voir la figure 3.10). La diffusion non assistée de solutés à travers la membrane plasmique (ou toute autre membrane à perméabilité sélective) est appelée **diffusion simple** (figure 3.10a).

Figure 3.9 **La diffusion**

Les particules en solution sont toujours en mouvement et s'entrechoquent continuellement. Elles tendent par conséquent à s'éloigner des régions où leur concentration est la plus élevée et à se disséminer uniformément, comme l'illustre l'exemple de la diffusion des molécules d'un colorant dans un bécher d'eau.

La diffusion de l'eau à travers une membrane à perméabilité sélective telle que la membrane plasmique est appelée **osmose**. Comme elle est fortement polaire, la molécule d'eau est repoussée par le cœur lipidique (non polaire) de la membrane plasmique. Elle peut cependant passer facilement dans certains pores appelés *aquaporines* («pores d'eau»), formés par les protéines de la membrane. L'eau entre dans la cellule et en sort constamment par osmose, en suivant son gradient de concentration.

Certaines molécules essentielles à la cellule (le glucose notamment) sont à la fois non liposolubles et trop volumineuses pour passer par les pores de la membrane plasmique. Elles la traversent cependant très facilement grâce à la **diffusion facilitée** (figure 3.10b). La diffusion facilitée répond aux lois de la diffusion (en ce sens que les substances suivent leur gradient de concentration), mais elle fait intervenir un canal protéique (c'est le cas pour de nombreux ions) ou encore un «véhicule»,

Q **Qu'est-ce qui «facilite» la diffusion facilitée?**

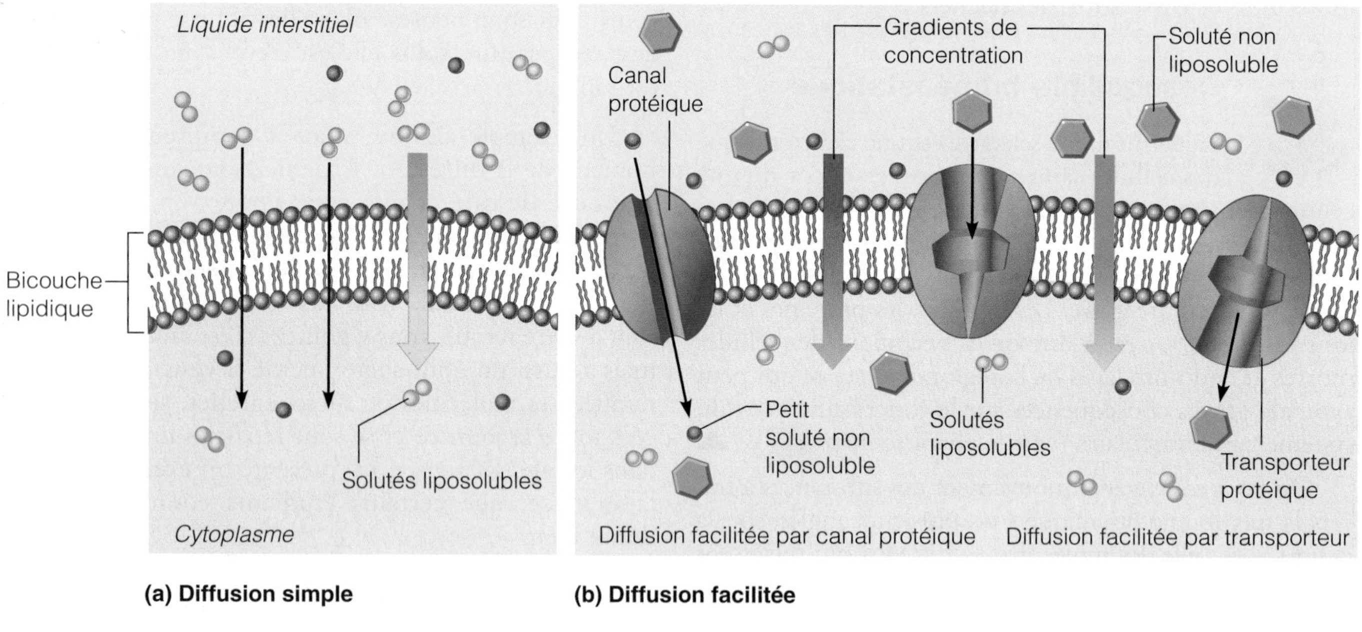
Liquide interstitiel
Bicouche lipidique
Solutés liposolubles
Cytoplasme
Canal protéique
Gradients de concentration
Soluté non liposoluble
Petit soluté non liposoluble
Solutés liposolubles
Transporteur protéique
Diffusion facilitée par canal protéique
Diffusion facilitée par transporteur
(a) Diffusion simple
(b) Diffusion facilitée

Figure 3.10 **La diffusion à travers la membrane plasmique**

(a) Diffusion simple. Les molécules liposolubles diffusent directement à travers la bicouche lipidique de la membrane plasmique, dans laquelle elles peuvent se dissoudre. **(b)** Diffusion facilitée. À gauche, on voit de petites molécules non liposolubles (molécules d'eau ou petits ions) qui diffusent à travers les canaux membranaires formés par des protéines. À droite, la diffusion facilitée permet à de grosses molécules non liposolubles (comme le glucose) de traverser la membrane. Dans cet exemple, la substance à transporter se lie à un transporteur protéique transmembranaire.

R **Les transporteurs protéiques ou les canaux protéiques.**

GROS PLAN

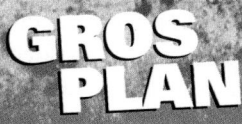

Les solutions intraveineuses et la tonicité des cellules

Pourquoi est-il capital qu'un patient reçoive seulement les *solutions intraveineuses* appropriées?

Il y a sans cesse de petites molécules qui traversent la membrane plasmique dans un sens ou dans l'autre. La diffusion des solutés à travers celle-ci est plutôt lente, mais l'osmose (mouvement de l'eau à travers la membrane) se produit très rapidement. Toute personne qui installe une perfusion intraveineuse doit donc utiliser la solution appropriée pour éviter que les cellules du patient se déshydratent ou, au contraire, éclatent par suite d'un apport d'eau excessif.

La force qui attire ou retient les molécules d'eau dans une solution est appelée *pression osmotique*. Celle-ci est directement proportionnelle à la concentration des solutés dans la solution. Plus la concentration est forte, plus la pression osmotique est élevée et plus l'eau a tendance à entrer dans la solution. De nombreuses molécules, les protéines et certains ions en particulier, ne peuvent diffuser à travers la membrane plasmique. Par conséquent, toute variation de leur concentration d'un côté de la membrane entraîne un mouvement de l'eau d'un côté à l'autre et, par le fait même, un gain ou une perte d'eau pour la cellule. La capacité d'une solution de modifier la taille et la forme des cellules en agissant sur leur volume d'eau interne est appelée *tonicité* (*tonos*, «tension»).

Les solutions dont les concentrations en eau et en solutés sont égales à celles des cellules (comme le lactate de Ringer, le dextrose à 5 % et les solutions salines à 0,9 %) sont qualifiées d'*isotoniques* («de la même tonicité»). Ces solutions ne produisent aucun changement visible dans les cellules; lorsqu'elles sont perfusées dans la circulation sanguine, les globules rouges conservent leur taille et leur forme discoïde normales (photographie a). Comme on pourrait s'y attendre, le liquide interstitiel et la plupart des solutions intraveineuses sont isotoniques.

Les globules rouges exposés à une solution *hypertonique* (qui contient plus de solutés que les cellules) rétrécissent et deviennent *crénelés*. En effet, la concentration d'eau est plus élevée à l'intérieur de la cellule qu'à l'extérieur, de sorte que l'eau suit son gradient de concentration et sort de celle-ci (photographie b). On administre parfois des solutions hypertoniques aux patients qui souffrent d'*œdème* (enflure des pieds et des mains causée par la rétention d'eau). Ces solutions font passer l'eau du compartiment interstitiel vers la circulation sanguine, et l'excès est éliminé par les reins.

Une solution qui contient moins de solutés (et par conséquent plus d'eau) que les cellules est une solution *hypotonique*. Les cellules placées dans des solutions hypotoniques se gonflent rapidement d'eau (photographie c). L'eau distillée est l'exemple extrême de liquide hypotonique. Comme elle ne contient aucun soluté, elle continue d'entrer dans les cellules jusqu'à ce que celles-ci éclatent, ou se lysent. On administre parfois des solutions hypotoniques par voie intraveineuse (lentement et méticuleusement) pour réhydrater les tissus des patients très déshydratés. La consommation de liquides hypotoniques suffit en général à traiter la déshydratation modérée. De nombreux liquides de consommation courante, tels le thé, les boissons gazeuses, le jus de pomme et les boissons pour sportifs, sont hypotoniques.

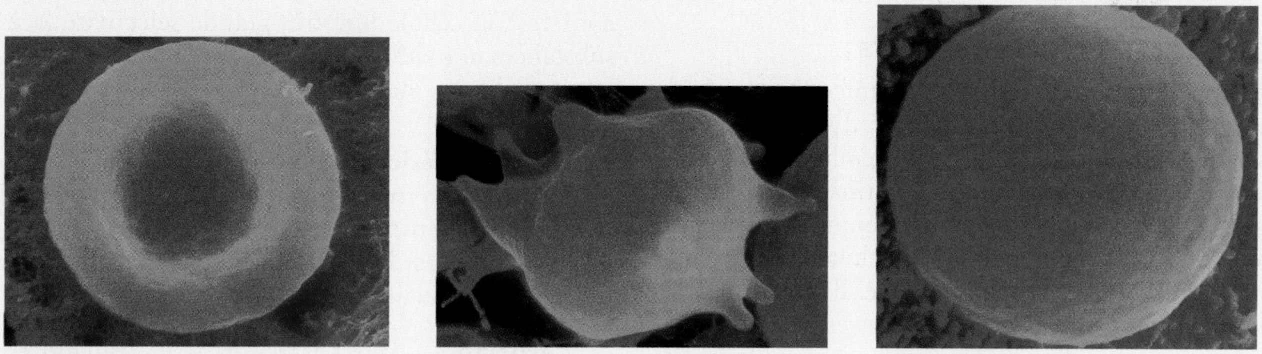

(a) Solution isotonique **(b) Solution hypertonique** **(c) Solution hypotonique**

L'effet de la tonicité d'une solution intraveineuse sur les globules rouges vivants

soit un transporteur protéique (c'est le cas pour le glucose et les acides aminés). Certaines des protéines de la membrane plasmique forment donc des canaux ou ont pour rôle de transporter passivement le glucose ou certains autres solutés à travers la membrane plasmique afin de le mettre à la disposition de la cellule.

Le transport passif des molécules à travers la membrane plasmique représente une énorme économie d'énergie cellulaire. Sachant combien l'eau, le glucose et l'oxygène sont nécessaires aux cellules, on mesure l'importance des mécanismes de transport passifs. Le glucose et l'oxygène entrent sans cesse dans les cellules (où leur concentration est moindre qu'à l'extérieur parce que les cellules les utilisent constamment) ; au contraire, le gaz carbonique (déchet de l'activité cellulaire) sort continuellement des cellules pour entrer dans la circulation sanguine (où sa concentration est moins élevée).

La filtration La **filtration** est le mécanisme par lequel l'eau et les solutés traversent une membrane ou la paroi d'un capillaire sous l'effet de la *pression hydrostatique.* Dans l'organisme, la pression hydrostatique est habituellement exercée par le sang. Comme la diffusion, la filtration est un mécanisme de transport passif et fait intervenir un gradient. C'est cependant un **gradient de pression** qui fait passer un liquide contenant des solutés (*filtrat*) d'une région à pression élevée vers une région à pression moins élevée. Le bon fonctionnement des reins repose sur la filtration. En effet, l'eau et les petits solutés contenus dans les capillaires filtrent dans les tubules rénaux parce que la pression sanguine dans les capillaires est plus élevée que la pression hydrostatique dans les tubules. Une partie du filtrat ainsi formé devient de l'urine. La filtration n'est pas un mécanisme très sélectif. Seuls les globules sanguins et les molécules de protéines, trop volumineux pour passer par les pores des membranes, demeurent dans le compartiment d'origine.

Les mécanismes de transport actifs

Dans tous les cas où la cellule consomme une partie de l'énergie qu'elle contient sous forme d'ATP pour faire passer des substances à travers la membrane, on parle de *mécanisme de transport actif.* Normalement, si une substance traverse la membrane plasmique par un mécanisme actif, c'est parce que la diffusion ne lui permet pas de passer dans la direction voulue. Il se peut que les molécules soient trop grosses pour passer par les canaux membranaires, qu'elles ne trouvent pas dans la membrane de transporteurs protéiques appropriés, qu'elles ne puissent pas se dissoudre dans le cœur lipidique de la membrane ou qu'elles doivent se déplacer *à l'encontre* de leur gradient de concentration. Les deux principaux mécanismes de transport membranaire actifs sont le *pompage de solutés* et le *transport vésiculaire.*

Le pompage de solutés Le *pompage de solutés* (appelé aussi, plus simplement, *transport actif*) ressemble à la diffusion facilitée par transporteur protéique dont nous avons parlé plus tôt. Comme celle-ci, il fait intervenir des protéines membranaires qui se lient de façon réversible avec les substances à transporter. Cependant, la diffusion facilitée est alimentée par l'énergie cinétique des particules qui diffusent, tandis que l'action des transporteurs protéiques, appelés **pompes à solutés**, nécessite de l'ATP. Les acides aminés, certains sucres et la plupart des ions sont transportés par des pompes à solutés et, dans la plupart des cas, *contre* leur gradient de concentration (ou leur gradient électrique). Ils se déplacent donc dans la direction opposée à celle qu'ils suivraient normalement par diffusion. Telle est la raison pour laquelle le mécanisme nécessite de l'énergie sous forme d'ATP. Les molécules des acides aminés sont nécessaires à la synthèse des protéines cellulaires, mais elles sont trop grosses pour passer par les canaux membranaires et ne sont pas liposolubles. La **pompe à sodium et à potassium** transporte des ions sodium vers l'extérieur de la cellule en même temps qu'elle transporte des ions potassium vers l'intérieur ; elle est absolument essentielle à la propagation des influx nerveux dans les neurones. Les ions sodium (Na^+) sont éjectés des cellules par des pompes à solutés (figure 3.11). Plus abondants à l'extérieur de la cellule qu'à l'intérieur, ils tendent à demeurer à l'intérieur jusqu'à ce que la cellule utilise de l'ATP pour les éjecter. Inversement, les ions potassium (K^+) sont plus abondants à l'intérieur de la cellule que dans le liquide interstitiel (extracellulaire), si bien que ceux qui sortent de la cellule doivent être activement ramenés vers l'intérieur par un pompage actif. Puisque chacune des pompes de la membrane plasmique ne transporte que des substances particulières, le pompage des solutés confère à la cellule une très grande sélectivité face aux substances non diffusibles. L'absence de pompe est synonyme d'absence de transport.

Le transport vésiculaire (en vrac) Les molécules qui ne peuvent traverser la membrane plasmique par diffusion ou par transport actif font l'objet d'un *transport vésiculaire* mû par l'ATP. Les deux principaux modes de transport vésiculaire sont l'*exocytose* et l'*endocytose.*

L'**exocytose** (« vers l'extérieur de la cellule ») est un mécanisme qui fait sortir les substances de la cellule (figure 3.12). Elle permet la sécrétion d'hormones, de mucus et d'autres substances ainsi que l'élimination de certains déchets cellulaires. Le produit destiné à être libéré est d'abord enfermé dans une petite vésicule membranaire (par le complexe golgien la plupart du temps). La vésicule migre ensuite en direction de la membrane plasmique et fusionne avec elle. La membrane se rompt au niveau de la fusion et le contenu de la vésicule se déverse à l'extérieur de la cellule (voir aussi la figure 3.6).

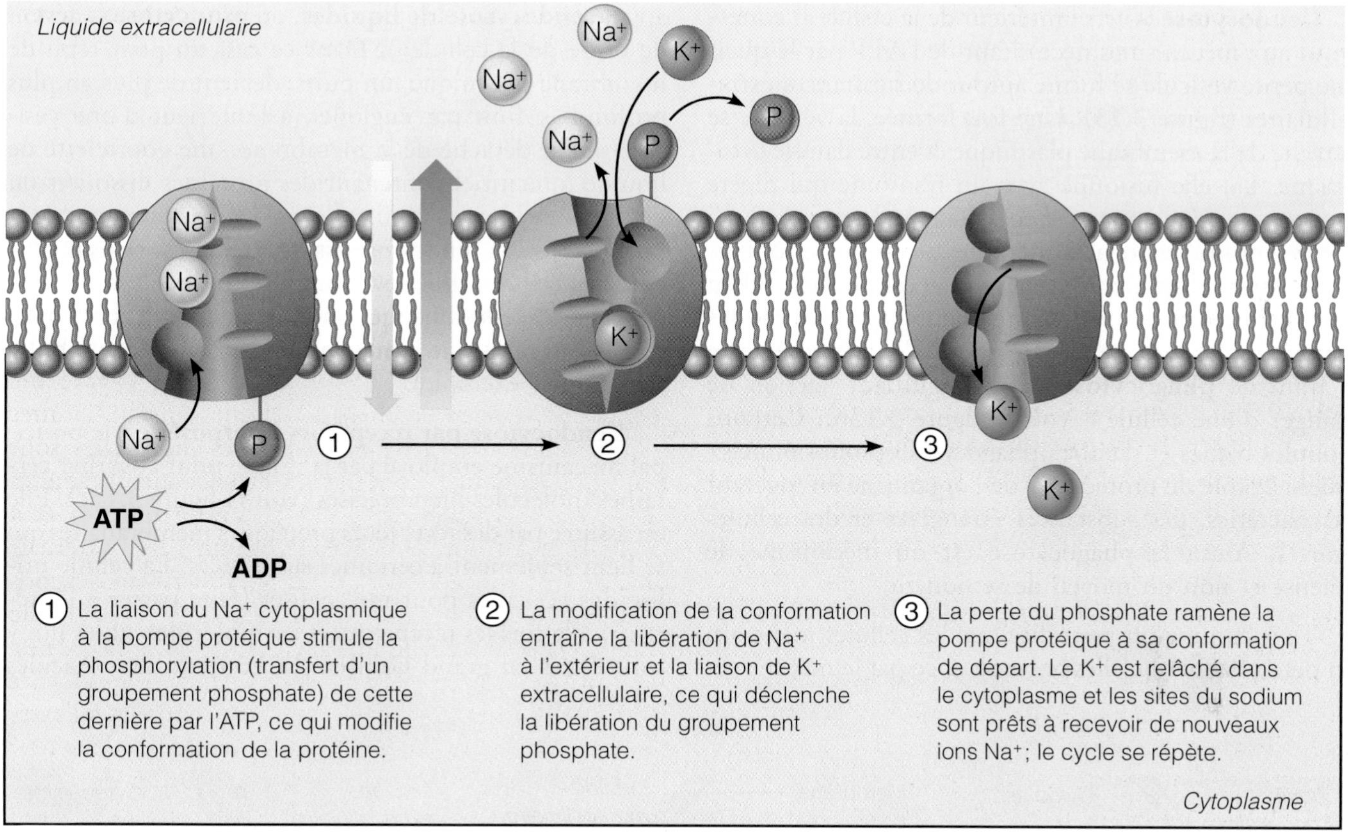

Liquide extracellulaire
Na+
K+
P
ATP
ADP
① La liaison du Na+ cytoplasmique à la pompe protéique stimule la phosphorylation (transfert d'un groupement phosphate) de cette dernière par l'ATP, ce qui modifie la conformation de la protéine.
② La modification de la conformation entraîne la libération de Na+ à l'extérieur et la liaison de K+ extracellulaire, ce qui déclenche la libération du groupement phosphate.
③ La perte du phosphate ramène la pompe protéique à sa conformation de départ. Le K+ est relâché dans le cytoplasme et les sites du sodium sont prêts à recevoir de nouveaux ions Na+ ; le cycle se répète.
Cytoplasme

Figure 3.11 **Le fonctionnement de la pompe à sodium et à potassium (pompe à solutés)**

L'ATP fournit l'énergie qui permet à la « pompe » protéique de faire passer trois ions sodium à l'extérieur de la cellule et d'introduire deux ions potassium à l'intérieur. Dans les deux cas, les ions se déplacent à l'encontre de leurs gradients de concentration.

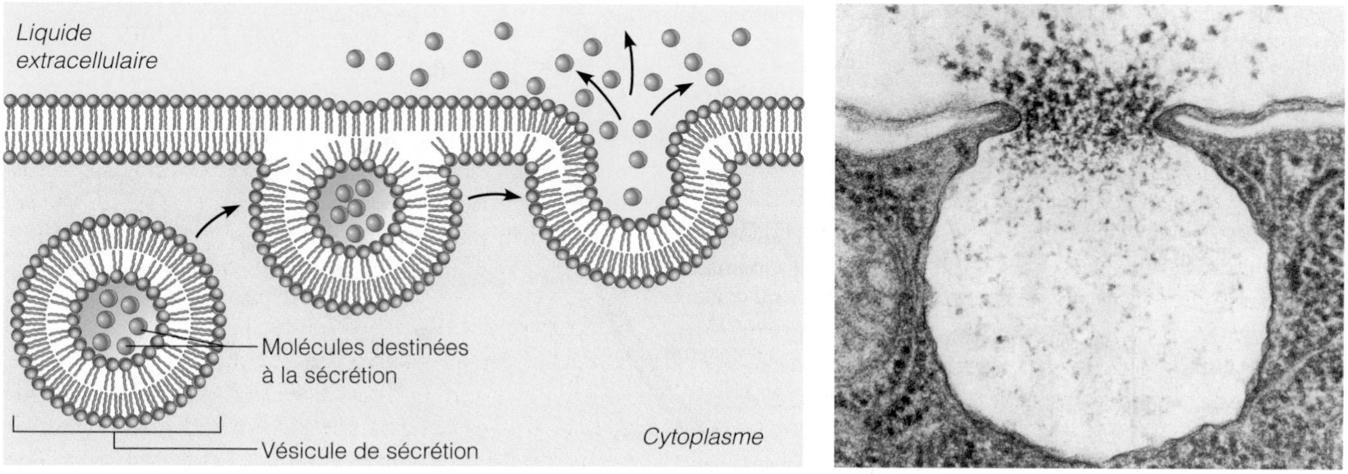

Liquide extracellulaire
Molécules destinées à la sécrétion
Vésicule de sécrétion
Cytoplasme

(a) (b)

Figure 3.12 **L'exocytose**

(a) Une vésicule de sécrétion s'approche de la membrane plasmique, et les membranes des deux structures (vésicule et membrane plasmique) fusionnent. Le site de fusion s'ouvre et libère le contenu de la vésicule dans le liquide interstitiel.
(b) Photographie au microscope électronique d'une vésicule au moment de l'exocytose (100 000×).

L'**endocytose** (« vers l'intérieur de la cellule ») correspond aux mécanismes nécessitant de l'ATP par lesquels une petite vésicule se forme autour de substances extracellulaires (figure 3.13). Une fois formée, la vésicule se détache de la membrane plasmique et entre dans le cytoplasme. Là, elle fusionne avec un lysosome qui digère son contenu (au moyen d'enzymes qu'il renferme). Si l'objet entouré est relativement gros, comme le sont les bactéries et les cellules mortes, et qu'il est isolé du milieu par la formation de prolongements cytoplasmiques appelés *pseudopodes*, le mécanisme de l'endocytose porte le nom de **phagocytose**, terme signifiant « action de manger d'une cellule » (voir la figure 3.13b). Certains globules blancs et d'autres phagocytes « professionnels » jouent le rôle de protecteurs de l'organisme en ingérant des bactéries, des substances étrangères et des cellules mortes. Ainsi, la phagocytose est un mécanisme de défense et non un moyen de se nourrir.

Tout comme on peut dire que les cellules mangent, on peut affirmer qu'elles boivent, et ce par le mécanisme appelé **endocytose de liquides**, ou **pinocytose** (« action de boire de la cellule »). Dans ce cas, un petit repli de membrane plasmique, un puits, devient de plus en plus profond et finit par englober, à l'intérieur d'une vésicule qui se détache de la membrane, une gouttelette de liquide interstitiel contenant des protéines dissoutes ou des lipides (voir la figure 3.13a). Contrairement à la phagocytose, la pinocytose est très fréquente dans la plupart des cellules. Elle revêt une importance toute particulière pour les cellules qui ont une fonction d'absorption (celles qui tapissent l'intestin grêle et celles des tubules rénaux, par exemple).

L'**endocytose par récepteurs interposés** est le principal mécanisme employé par la cellule pour absorber certaines molécules bien précises (voir la figure 3.13c). Elle est assurée par des récepteurs protéiques membranaires qui se lient seulement à certaines substances. La cellule utilise des vésicules pour internaliser (faire passer à l'intérieur) à la fois les récepteurs et les molécules cibles qui y sont fixées en grand nombre. Le contenu des vésicules

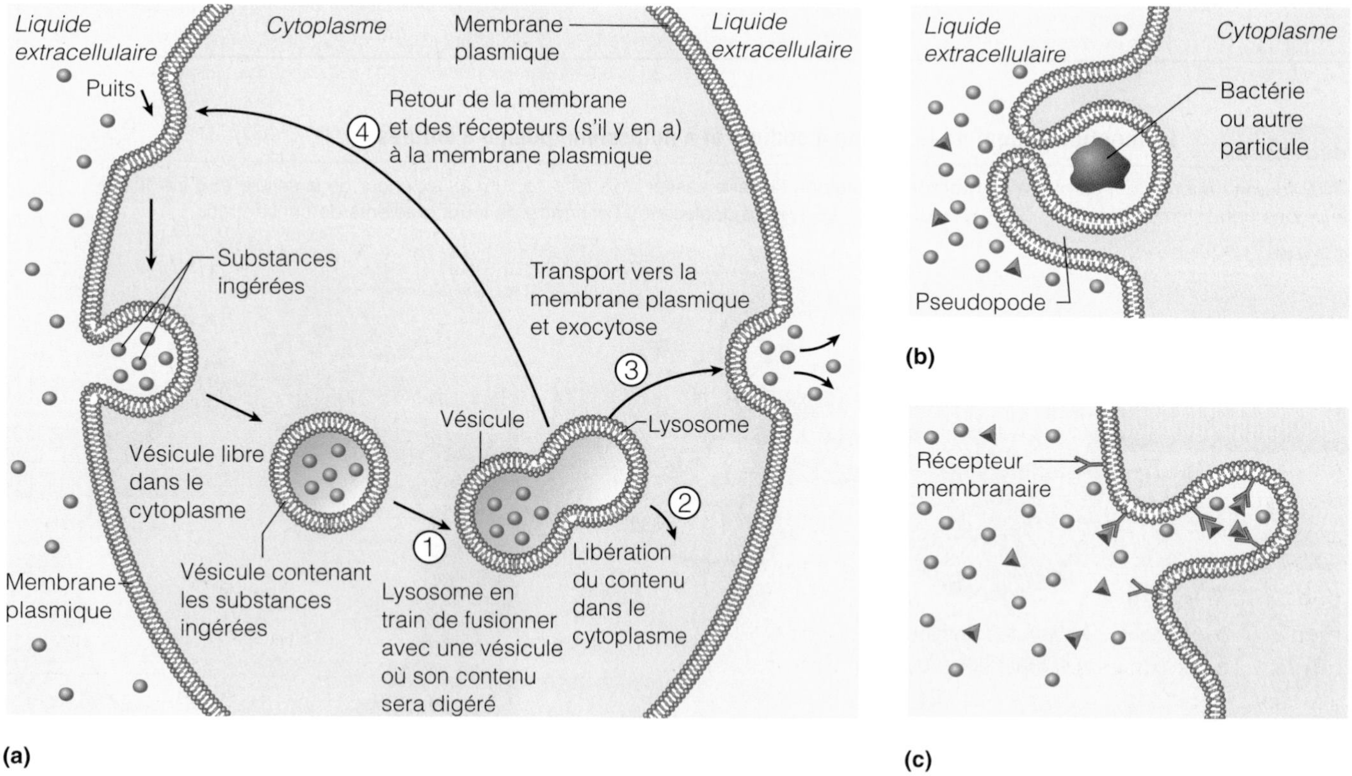
Liquide extracellulaire
Cytoplasme
Membrane plasmique
Liquide extracellulaire
Puits
Retour de la membrane
④ et des récepteurs (s'il y en a)
à la membrane plasmique
Substances ingérées
Transport vers la membrane plasmique et exocytose
③
Vésicule
Lysosome
Vésicule libre dans le cytoplasme
②
①
Libération du contenu dans le cytoplasme
Membrane plasmique
Vésicule contenant les substances ingérées
Lysosome en train de fusionner avec une vésicule où son contenu sera digéré
(a)
Liquide extracellulaire
Cytoplasme
Bactérie ou autre particule
Pseudopode
(b)
Récepteur membranaire
(c)

Figure 3.13 **Les trois types d'endocytose**

(a) Déroulement général de l'endocytose. Après que la vésicule s'est détachée de la membrane plasmique, son contenu peut être digéré dans un lysosome puis déversé dans le cytoplasme. La partie membranaire de la vésicule et, le cas échéant, les récepteurs qui s'y trouvent sont retournés à la membrane plasmique. Ou encore, la vésicule intacte peut traverser la cellule et libérer son contenu dans le liquide interstitiel par exocytose. Le schéma illustre la pinocytose, aussi appelée *endocytose de liquides*. **(b)** Phagocytose. **(c)** Endocytose par récepteurs interposés.

est alors soumis à un des traitements illustrés à la figure 3.13a. Contrairement à la phagocytose et à la pinocytose, l'endocytose par récepteurs interposés est très sélective. Les substances qu'elle permet de faire passer dans la cellule comprennent des enzymes, certaines hormones, le cholestérol et le fer. Malheureusement, le virus de la grippe emprunte aussi cette voie pour investir et ravager nos cellules.

LA DIVISION CELLULAIRE

Le **cycle cellulaire** est la série de transformations que subit une cellule entre l'instant où elle est formée et le moment où elle se divise. Il comporte deux périodes principales: l'**interphase**, pendant laquelle la cellule croît et accomplit ses activités métaboliques habituelles, et la **division cellulaire**, pendant laquelle elle se reproduit. Le terme *interphase* peut laisser croire que la cellule demeure au repos entre les divisions, mais il n'en est rien. En fait, l'interphase est de loin la phase la plus longue du cycle cellulaire; la cellule est alors très active et ne se repose que dans la mesure où elle ne se divise pas. Le terme *phase métabolique* serait plus précis.

La préparation à la division cellulaire: la réplication de l'ADN

La fonction de la division cellulaire est de produire d'autres cellules en vue de la croissance et de la réparation des tissus. Comme il est essentiel que toutes les cellules contiennent le même matériel génétique, un événement capital *précède toujours* la division cellulaire: la réplication du matériel génétique (les molécules d'ADN qui forment une partie de la chromatine). Ce phénomène a lieu à la fin de l'interphase.

Comme nous l'avons indiqué au chapitre 2, l'ADN est une molécule très complexe qui est composée d'unités de base appelées *nucléotides*, constituées chacune de désoxyribose, d'un groupement phosphate et d'une base azotée. La molécule d'ADN a la forme d'une *double hélice*, c'est-à-dire d'un escalier en colimaçon. Les parties verticales de l'«escalier» sont formées des groupements phosphate et des unités de désoxyribose alternés, tandis que les «marches» sont faites de paires de bases azotées.

On ne connaît pas précisément le mécanisme qui déclenche la synthèse de l'ADN, mais on sait qu'une fois amorcée elle continue jusqu'à la réplication de l'ADN entier. D'abord, la double hélice se déroule et se sépare graduellement en deux chaînes de nucléotides (figure 3.14). Chaque chaîne devient alors une *matrice*, c'est-à-dire un modèle, pour l'élaboration d'une nouvelle chaîne de nucléotides.

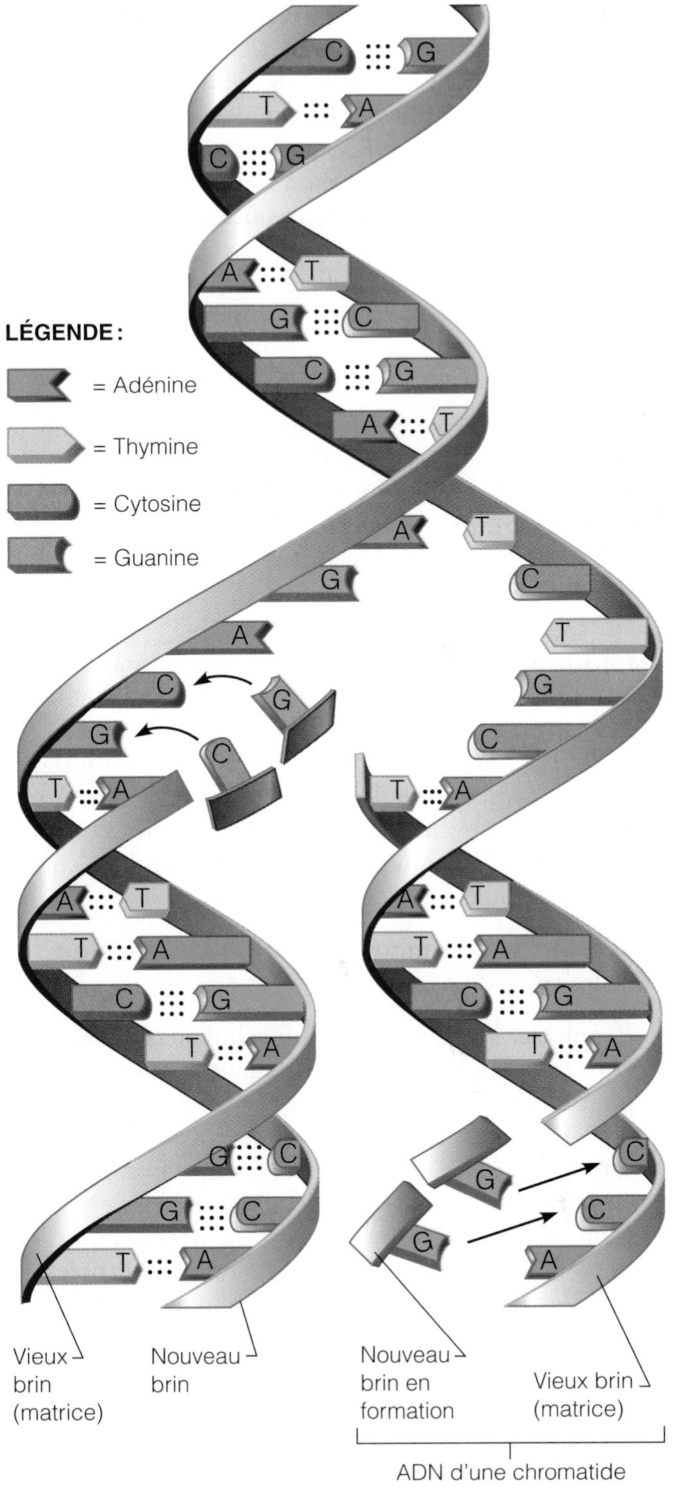
LÉGENDE:
= Adénine
= Thymine
= Cytosine
= Guanine
Vieux brin (matrice)
Nouveau brin
Nouveau brin en formation
Vieux brin (matrice)
ADN d'une chromatide

Figure 3.14 La réplication de la molécule d'ADN pendant l'interphase

La double hélice d'ADN se déroule (au centre), et ses chaînes de nucléotides se séparent. Chaque chaîne de nucléotides devient alors une matrice servant à la construction d'une chaîne complémentaire. Il se forme par conséquent deux doubles hélices d'ADN identiques à la double hélice initiale.

Rappelez-vous que les nucléotides s'unissent de façon *complémentaire*: l'adénine (A) se lie toujours à la thymine (T), et la guanine (G) se lie toujours à la cytosine (C). Par conséquent, l'ordre des nucléotides dans le brin modèle détermine leur ordre dans le nouveau brin. Par exemple, la séquence TACTGC dans le brin modèle s'unirait à de nouveaux nucléotides ATGACG. La réplication produit deux nouvelles molécules d'ADN identiques à la double hélice d'origine; chacune est composée d'un vieux brin et d'un nouveau brin.

Le déroulement de la division cellulaire

Dans la plupart des cellules de l'organisme humain (à part certaines cellules du système génital, les cellules des muscles squelettiques et les cellules du foie), la division cellulaire comprend deux événements distincts: la **mitose**, ou division du noyau, et la **cytocinèse**, ou division du cytoplasme, qui s'amorce à la fin de la mitose.

La mitose La mitose aboutit à la formation de deux noyaux fils contenant exactement les mêmes gènes que le noyau de la cellule mère. La réplication de l'ADN précède la mitose, de sorte que, durant un bref instant, le noyau contient une double quantité de gènes. Après la division du noyau, chaque *noyau fils* contient la *même* information génétique que celui de l'ovule fécondé duquel la cellule mère est issue.

Les phases de la mitose, représentées à la figure 3.15, sont les suivantes:

- **Prophase.** Lorsque la division cellulaire s'amorce, les filaments de chromatine s'enroulent et se condensent pour former des **chromosomes** en forme de bâtonnets (*khrôma*, « couleur »; *sôma*, « corps »). Comme la réplication de l'ADN a déjà eu lieu, les chromosomes sont en fait constitués de deux filaments appelés **chromatides** réunis par un petit corpuscule en forme de bouton, le **centromère**. Les paires de centrioles se séparent et se dirigent vers les extrémités opposées de la cellule. Tout en se déplaçant, elles régissent la formation du **fuseau mitotique** (composé de fins microtubules) entre elles. Le fuseau mitotique joue le rôle d'un échafaudage sur lequel les chromosomes se fixent et se déplacent pendant les phases ultérieures de la mitose. À la fin de la prophase, l'enveloppe nucléaire et les nucléoles se sont désintégrés et ont disparu, et les chromosomes se sont attachés au hasard aux microtubules du fuseau par leurs centromères.
- **Métaphase.** Pendant cette phase, les chromosomes se regroupent et s'alignent sur la *plaque équatoriale* (c'est-à-dire au milieu du fuseau, à mi-chemin entre les centrioles), de sorte qu'ils forment une ligne bien visible.
- **Anaphase.** Pendant l'anaphase, les centromères qui reliaient les chromatides se séparent. Les chromatides (qui redeviennent des chromosomes) s'éloignent lentement les uns des autres et se dirigent vers les extrémités opposées de la cellule. Les chromosomes semblent tirés par leurs demi-centromères, les « bras » pendant derrière eux. L'anaphase se termine lorsque cesse le mouvement des chromosomes.
- **Télophase.** La télophase est en quelque sorte une prophase à l'envers. Les chromosomes situés aux extrémités opposées de la cellule se déroulent et redeviennent des filaments de chromatine. Le fuseau mitotique se désintègre et disparaît, une enveloppe nucléaire se forme autour de chaque masse de chromatine et des nucléoles apparaissent dans chacun des noyaux fils.

La mitose se déroule de la même façon dans toutes les cellules animales. Selon le type de tissu, sa durée varie entre cinq minutes et plusieurs heures, mais s'établit le plus souvent à deux heures environ. La réplication des centrioles a lieu à la fin de l'interphase du cycle suivant, au moment où la réplication de l'ADN s'amorce.

La cytocinèse La division du cytoplasme, ou cytocinèse, commence habituellement à la fin de l'anaphase et se termine pendant la télophase. Sous l'effet d'un anneau contractile constitué de microfilaments, un **sillon de clivage** apparaît à l'équateur du fuseau. Ce sillon se creuse jusqu'à ce que la masse cytoplasmique soit partagée en deux. Il y a donc deux cellules filles à la fin de la division cellulaire. Chacune est plus petite et contient moins de cytoplasme que la cellule mère, mais elle lui est génétiquement identique. Les cellules filles croissent et accomplissent leurs activités normales jusqu'à ce qu'elles se divisent à leur tour.

La mitose et la cytocinèse sont habituellement indissociables, mais il peut arriver que le cytoplasme ne se divise pas. Il se forme alors des cellules *binucléées* (contenant deux noyaux) ou *multinucléées*. Le phénomène est la règle dans le cas des cellules musculaires squelettiques et il est assez fréquent pour les cellules du foie.

La mitose produit les « nouvelles » cellules nécessaires à la croissance pendant la jeunesse et à la réparation des tissus durant la vie entière. Le dérèglement de la mitose entraîne la formation de tumeurs.

LA SYNTHÈSE DES PROTÉINES

Le code génétique: plan de la structure des protéines

Outre qu'il se réplique en vue de la division cellulaire, l'ADN fournit les directives pour la synthèse des

Q **Pendant quelles phases du cycle cellulaire les chromosomes sont-ils composés de deux chromatides ?**

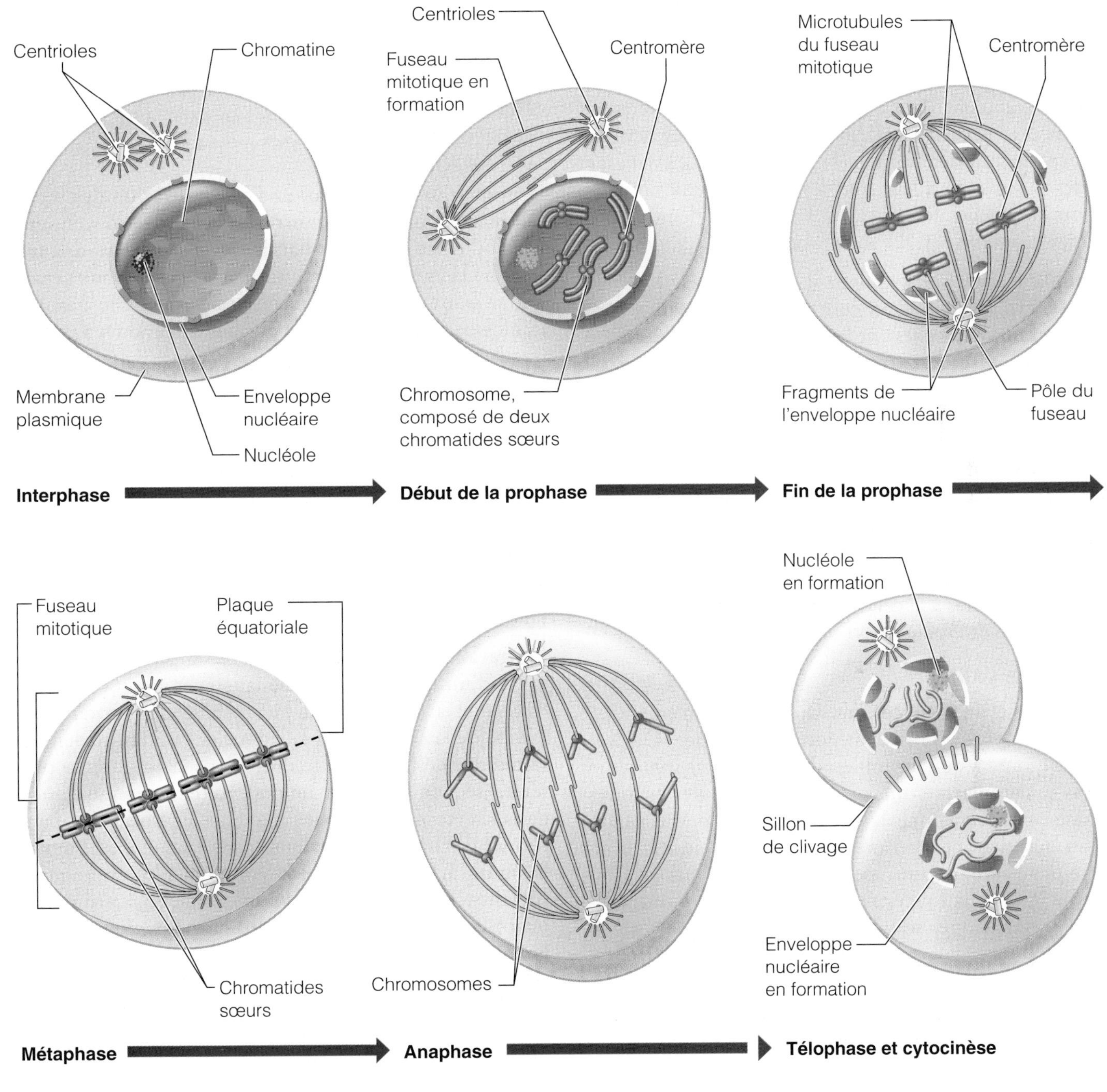
Centrioles
Chromatine
Membrane plasmique
Enveloppe nucléaire
Nucléole
Interphase
Centrioles
Fuseau mitotique en formation
Centromère
Chromosome, composé de deux chromatides sœurs
Début de la prophase
Microtubules du fuseau mitotique
Centromère
Fragments de l'enveloppe nucléaire
Pôle du fuseau
Fin de la prophase
Fuseau mitotique
Plaque équatoriale
Chromatides sœurs
Métaphase
Chromosomes
Anaphase
Nucléole en formation
Sillon de clivage
Enveloppe nucléaire en formation
Télophase et cytocinèse

Figure 3.15 **Les phases de la mitose**

protéines. Selon la définition traditionnelle, un **gène** est un segment d'une chaîne de la molécule d'ADN qui porte les directives pour l'élaboration d'une protéine ou d'une chaîne polypeptidique.

Les protéines jouent un rôle primordial dans tous les aspects de la vie d'une cellule. Comme il a été indiqué au chapitre 2, les protéines *fibreuses*, ou *structurales*,

R **De la fin de l'interphase jusqu'au début de l'anaphase.**

constituent les principaux composants des cellules. Les protéines *globulaires*, ou *fonctionnelles*, jouent d'autres rôles. Les **enzymes** par exemple, qui catalysent les réactions chimiques dans les cellules, sont toutes des protéines fonctionnelles. Elles sont de la plus haute importance pour l'organisme. Pour la plupart des réactions chimiques qui se déroulent dans l'organisme, une enzyme particulière est nécessaire. L'ADN régit donc les activités des cellules en déterminant la structure des enzymes, et celles-ci régissent à leur tour les réactions chimiques au cours desquelles les glucides, les lipides, d'autres protéines et même l'ADN sont produits et dégradés.

Comment l'ADN remplit-il ses fonctions? Il semble que son information soit codée dans la chaîne de bases qui forme les « marches » de la molécule. Chaque séquence de *trois* bases (ou *triplet*) code pour un *acide aminé* précis (voir la figure 3.16). (Les acides aminés sont les unités de base des protéines assemblées pendant la synthèse des protéines.) Par exemple, la séquence de bases azotées AAA code pour l'acide aminé appelé *phénylalanine,* et la séquence CCT pour la glycine. Tout comme différents enchaînements de notes sur une partition correspondent à différentes mélodies, les différents enchaînements de A, C, T et G dans un gène codent pour toutes les protéines nécessaires à la cellule. On estime qu'un seul gène peut porter de 300 à 3000 bases successives.

Le rôle de l'ARN

L'ADN est un peu comme une bande magnétique: l'information qu'il contient doit être décodée. De plus, les ribosomes (qui assemblent les protéines) sont situés dans le cytoplasme, mais l'ADN des cellules en interphase ne quitte jamais le noyau. L'ADN a donc besoin d'un décodeur et d'un messager pour préciser la structure des protéines qui seront fabriquées dans les ribosomes. Ces deux fonctions sont assurées par l'autre type d'acide nucléique, soit l'**acide ribonucléique** (**ARN**).

Comme nous l'avons indiqué au chapitre 2, l'ARN diffère de l'ADN: il ne comporte qu'une seule chaîne, et contient un ribose au lieu d'un désoxyribose et l'uracile (U) au lieu de la thymine (T). Trois formes d'ARN jouent des rôles particuliers dans la synthèse des protéines. Les molécules de l'**ARN de transfert** (**ARNt**) sont petites et ressemblent à des feuilles de trèfle; elles apportent les acides aminés au ribosome, comme nous le verrons plus loin. L'**ARN ribosomique** (**ARNr**) entre dans la composition des ribosomes, les organites qui assemblent les protéines. Les molécules d'**ARN messager** (**ARNm**), enfin, sont de longues chaînes de nucléotides qui ressemblent à une moitié de molécule d'ADN et qui transportent les directives pour la synthèse des protéines entre le gène (dans le noyau) jusqu'aux ribosomes (dans le cytoplasme).

La synthèse des protéines se fait en deux grandes étapes: la *transcription*, c'est-à-dire la fabrication d'ARNm complémentaire à partir du gène de l'ADN, et la *traduction*, soit l'assemblage des protéines par décodage de l'information que portent les molécules d'ARNm. Ces étapes sont résumées à la figure 3.16 et décrites en détail ci-après.

La transcription

Le mot *transcription* évoque l'une des tâches des secrétaires: saisir un texte à partir de notes prises en sténographie ou enregistrées sur bande magnétique. En d'autres termes, la même information passe d'une forme à une autre. Dans les cellules, la **transcription** est le transfert d'information d'une séquence de bases de l'ADN à une séquence *complémentaire* de l'ARNm (figure 3.16, étape 1). Seuls l'ADN et l'ARNm interviennent dans le mécanisme de transcription. On appelle **triplet** une séquence de trois bases qui, dans le gène d'ADN, code pour un acide aminé particulier, mais on appelle **codon** la séquence correspondante de trois bases dans l'ARNm. La forme est différente, mais l'information est la même. Les triplets AAT-CGT-TCG dans l'ADN correspondent, par exemple, aux codons UUA-GCA-AGC dans l'ARNm.

La traduction

Le travail d'un traducteur consiste à prendre connaissance d'un message dans une langue et à le reconstituer dans une autre. Pendant la synthèse des protéines, à l'étape de la **traduction**, la langue des acides nucléiques (séquence de bases) est traduite dans la langue des protéines (séquence d'acides aminés). La traduction se déroule dans le cytoplasme et fait intervenir les trois principales formes d'ARN. Comme le montrent les étapes 2 à 5 de la figure 3.16, la traduction comprend les événements suivants. Une fois que l'ARNm s'attache au ribosome (étape 2), l'ARNt entre en jeu. Il a pour fonction d'apporter les acides aminés au ribosome. Là, des enzymes assemblent les acides aminés selon la séquence dictée par le gène (et son ARNm). Il existe environ 45 types courants d'ARNt, chacun pouvant se lier à un des 20 acides aminés courants et l'apporter aux ribosomes. Or, les minuscules molécules d'ARNt doivent reconnaître les codons d'ARNm qui codent pour les acides aminés qu'elles transportent. Pour ce faire, elles portent sur la « tête » un **anticodon**, une séquence spéciale de trois bases qui peut se lier au codon complémentaire de l'ARNm (étape 3).

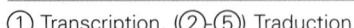

Figure 3.16 **La synthèse des protéines**

① Transcription. (②-⑤) Traduction.

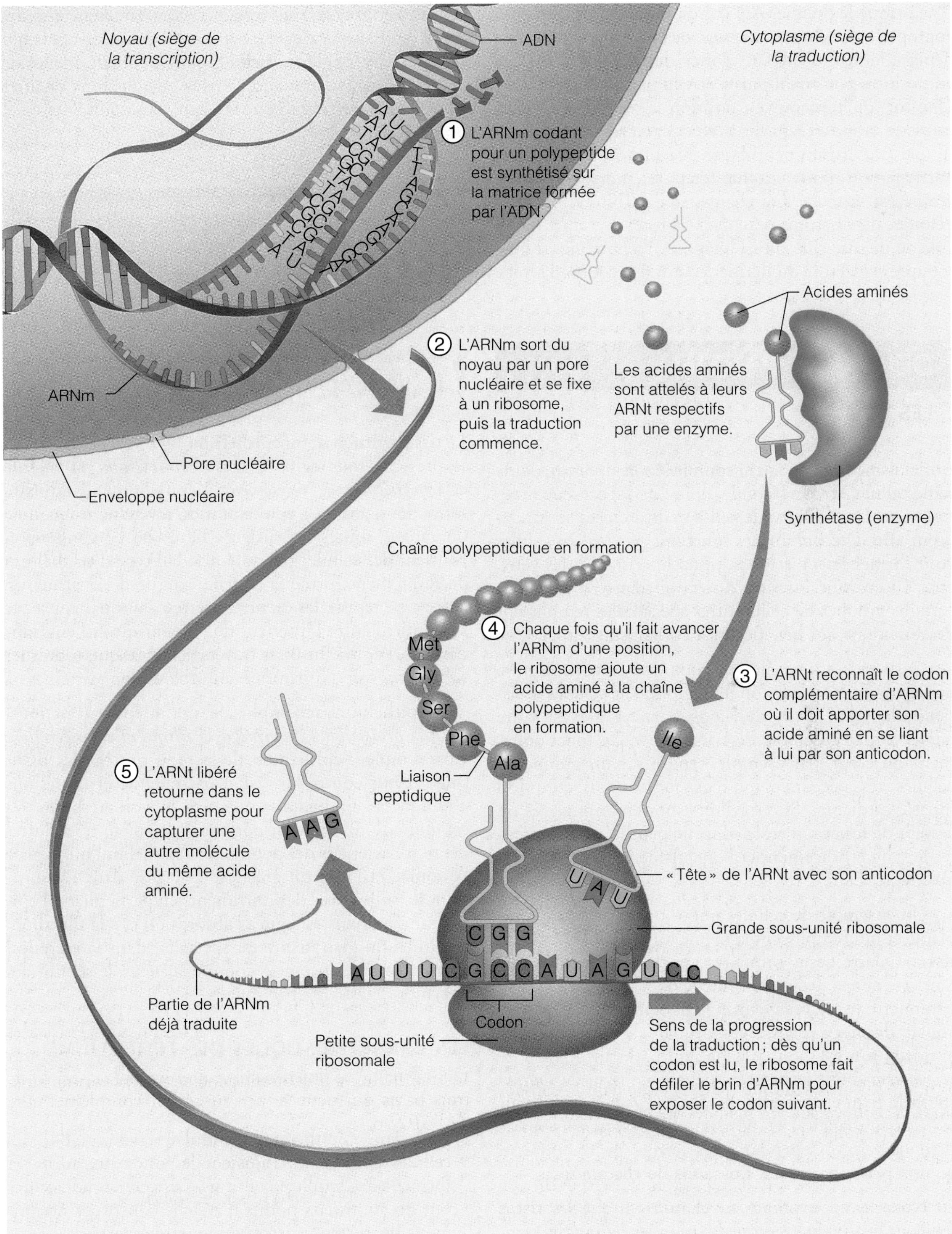
Noyau (siège de la transcription)
ADN
Cytoplasme (siège de la traduction)
① L'ARNm codant pour un polypeptide est synthétisé sur la matrice formée par l'ADN.
Acides aminés
② L'ARNm sort du noyau par un pore nucléaire et se fixe à un ribosome, puis la traduction commence.
Les acides aminés sont attelés à leurs ARNt respectifs par une enzyme.
ARNm
Pore nucléaire
Enveloppe nucléaire
Synthétase (enzyme)
Chaîne polypeptidique en formation
Met
Gly
Ser
Phe
Ala
④ Chaque fois qu'il fait avancer l'ARNm d'une position, le ribosome ajoute un acide aminé à la chaîne polypeptidique en formation.
③ L'ARNt reconnaît le codon complémentaire d'ARNm où il doit apporter son acide aminé en se liant à lui par son anticodon.
Ile
⑤ L'ARNt libéré retourne dans le cytoplasme pour capturer une autre molécule du même acide aminé.
Liaison peptidique
A A G
« Tête » de l'ARNt avec son anticodon
U A U
C G G
Grande sous-unité ribosomale
A U U U C G G C C A U A G U C C
Partie de l'ARNm déjà traduite
Codon
Petite sous-unité ribosomale
Sens de la progression de la traduction ; dès qu'un codon est lu, le ribosome fait défiler le brin d'ARNm pour exposer le codon suivant.

Lorsque le premier ARNt s'est placé dans la position appropriée au début du message de l'ARNm, le ribosome déplace le brin d'ARNm et met ainsi le codon suivant en position pour qu'il puisse être lu par un autre ARNt. Une fois qu'il est mis en position le long de l'ARNm, un acide aminé est rattaché à celui qui est arrivé juste avant lui par une liaison peptidique, réaction qui nécessite la participation d'une enzyme (étape 4). Lorsqu'un acide aminé est rattaché à la chaîne, son ARNt est libéré et s'éloigne du ribosome pour aller capturer une autre molécule du même acide aminé (étape 5). La protéine est libérée après la lecture du dernier codon (ou codon d'arrêt).

DEUXIÈME **PARTIE**

LES TISSUS

L'organisme humain, aussi complexe soit-il, dérive d'une seule cellule, l'ovule fécondé, qui se divise presque indéfiniment. Les millions de cellules ainsi créées se spécialisent afin d'accomplir des fonctions particulières. Elles vont former les muscles, la peau, le cristallin des yeux, etc. Il y a donc division du travail dans l'organisme: certains groupes de cellules très spécialisées remplissent des fonctions qui bénéficient à l'organisme entier.

La spécialisation cellulaire comporte certains risques. La destruction ou la lésion d'un groupe de cellules indispensables peut avoir des conséquences graves, voire fatales pour l'ensemble de l'organisme. Le fonctionnement du cœur, par exemple, repose sur un groupe de cellules très spécialisées qui régissent les contractions du muscle cardiaque. Si ces cellules sont endommagées ou cessent de fonctionner, le cœur ne peut plus faire circuler le sang efficacement et l'organisme entier en souffre ou meurt, faute d'oxygène.

Un ensemble de cellules qui ont une structure semblable et qui remplissent la même fonction constitue un **tissu**. Quatre tissus primaires s'enchevêtrent pour former la « trame » de l'organisme: le tissu épithélial, le tissu conjonctif, le tissu nerveux et le tissu musculaire. Si l'on voulait donner à chaque tissu primaire le nom qui décrit le mieux son rôle fondamental, on parlerait de tissu de *revêtement* (pour le tissu épithélial), de tissu de *soutien* (pour le tissu conjonctif), de tissu de *mouvement* (pour le tissu musculaire) et de tissu de *régulation* (pour le tissu nerveux). Cependant, ces termes ne traduiraient qu'une petite partie des fonctions de chaque tissu.

Nous avons expliqué au chapitre 1 que les tissus forment des *organes* tels que le cœur, les reins et les poumons. La plupart des organes contiennent plusieurs types de tissus, et c'est la disposition de ces derniers qui détermine la structure et les capacités fonctionnelles de chaque organe. L'étude des tissus devrait donc faciliter notre étude des organes et de leur fonctionnement.

Commençons par nous familiariser avec les principales ressemblances et différences entre les tissus primaires. Comme nous ne reviendrons plus sur l'épithélium ni sur certains types de tissu conjonctif, nous fournirons plus de détails ici sur ces tissus que sur les tissus musculaire, nerveux et osseux (un tissu conjonctif), dont nous ferons une description plus poussée dans des chapitres ultérieurs.

Le tissu épithélial

Le **tissu épithélial**, ou **épithélium** (*epi*, « sur », « dessus »), se présente sous deux formes: l'*épithélium glandulaire* et l'*épithélium de revêtement*. L'épithélium glandulaire forme les glandes. L'épithélium de revêtement recouvre ou tapisse toutes les surfaces libres de l'organisme et contient des cellules polyvalentes. Un type d'épithélium de revêtement forme la couche externe de la peau: un autre type tapisse les cavités ouvertes. Puisqu'il constitue la frontière entre l'intérieur de l'organisme et l'environnement, l'épithélium est traversé par presque toutes les substances que l'organisme absorbe ou émet.

L'épithélium accomplit de nombreuses fonctions, dont la *protection*, l'*absorption*, la *filtration* et la *sécrétion*. Par exemple, l'épithélium de la peau protège les tissus sous-jacents contre l'invasion bactérienne et les lésions chimiques; l'épithélium qui tapisse les voies respiratoires est muni de cils qui transportent la poussière et les autres débris à l'extérieur des poumons; l'épithélium qui tapisse l'estomac et l'intestin grêle est spécialisé dans l'absorption des substances (les nutriments en particulier); l'épithélium des reins est apte à l'absorption et à la filtration. L'épithélium glandulaire est spécialisé dans la sécrétion et produit des substances comme la sueur, le sébum, les enzymes digestives et le mucus.

LES CARACTÉRISTIQUES DES ÉPITHÉLIUMS

Les épithéliums présentent généralement les caractéristiques suivantes:

- Sauf dans l'épithélium glandulaire (voir p. 84), les cellules épithéliales s'ajustent les unes aux autres et forment des feuillets continus. Les cellules adjacentes ont de nombreux points d'attache constitués notamment de desmosomes et de jonctions serrées.

- Toutes les membranes possèdent une **surface apicale**, soit une surface libre exposée à l'extérieur de l'organisme ou à la cavité d'un organe interne. Les surfaces exposées de certains épithéliums sont lisses, tandis que d'autres présentent des modifications telles que des microvillosités ou des cils.
- La surface inférieure (basale) d'un épithélium repose sur une **membrane basale**, constituée de matériau sécrété en partie par les cellules de l'épithélium et en partie par les cellules du tissu conjonctif sous-jacent.
- Les épithéliums sont dépourvus de vaisseaux sanguins (ils sont *avasculaires*). Les nutriments et l'oxygène leur parviennent par diffusion à partir des capillaires du tissu conjonctif sous-jacent.
- Les cellules épithéliales se régénèrent facilement si elles sont bien nourries.

LA CLASSIFICATION DES ÉPITHÉLIUMS

Chaque type d'épithélium porte deux noms. Le premier indique le nombre relatif de couches de cellules dont l'épithélium est constitué (figure 3.17a) ; un épithélium est dit **simple** si ses cellules forment une seule couche, et **stratifié** si elles forment plus d'une couche. Le second nom décrit la forme des cellules de l'épithélium (figure 3.17b) ; un épithélium *squameux* est formé de cellules aplaties comme des écailles de poisson (*squama*, « écaille »), un épithélium *cuboïde* de cellules cubiques et un épithélium *prismatique* de cellules en forme de colonnes. Les deux noms combinés décrivent donc entièrement l'épithélium. Notez que, pour désigner les épithéliums stratifiés, on considère la forme des cellules situées sur la *surface libre* de la membrane épithéliale et non celle des cellules qui reposent sur la membrane basale.

Les épithéliums simples

Les épithéliums simples assurent surtout des fonctions d'absorption, de sécrétion et de filtration. Comme ils sont habituellement très minces, ils n'ont pas vraiment de rôle protecteur.

L'épithélium simple squameux L'**épithélium simple squameux** est formé d'une seule couche de minces cellules squameuses reposant sur une membrane basale. Les cellules sont accolées comme les carreaux d'un dallage. Ce type d'épithélium forme habituellement des membranes où se produisent la filtration ou l'échange de substances par diffusion rapide. Il constitue la paroi des alvéoles pulmonaires, où s'effectuent les échanges d'oxygène et de gaz carbonique (figure 3.18a), ainsi que les parois des capillaires, où ont lieu les transferts de nutriments et de gaz entre les cellules et le sang. L'épithélium simple squameux forme aussi les **séreuses**, membranes translucides qui tapissent la cavité abdominale et en recouvrent les organes. Les séreuses sont décrites en détail au chapitre 4.

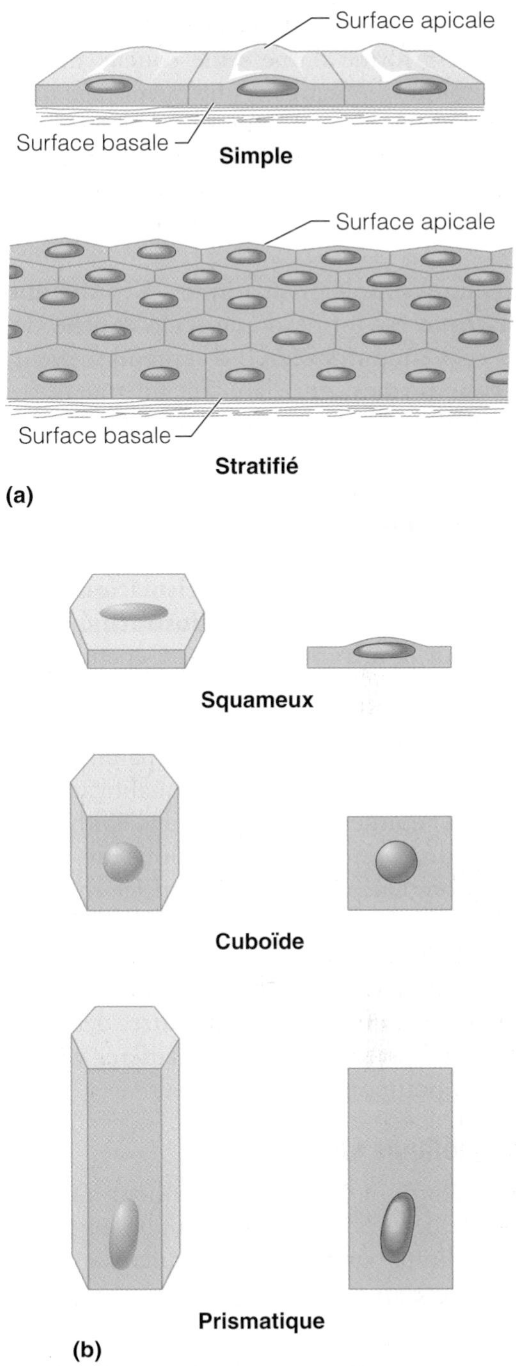
Surface apicale
Surface basale
Simple
Surface apicale
Surface basale
Stratifié
(a)
Squameux
Cuboïde
Prismatique
(b)

Figure 3.17 **La classification des épithéliums**

(a) Classification selon le nombre de couches de cellules. **(b)** Classification selon la forme des cellules ; la cellule est représentée en entier à gauche et en coupe à droite.

L'épithélium simple cuboïde L'**épithélium simple cuboïde** est formé d'une seule couche de cellules de forme cubique reposant sur une membrane basale. Il est présent dans les glandes (comme les glandes salivaires et le pancréas) et leurs conduits. Par ailleurs, il constitue les parois des tubules rénaux et recouvre la surface des ovaires (figure 3.18b).

L'épithélium simple prismatique L'**épithélium simple prismatique** est formé d'une seule couche de cellules hautes et très rapprochées. Il comprend souvent des **cellules caliciformes**, qui élaborent un mucus lubrifiant. Un épithélium simple prismatique tapisse le tube digestif de l'estomac à l'anus (figure 3.18c). Les épithéliums qui recouvrent les cavités ouvertes sur l'environnement sont appelés **muqueuses**.

L'épithélium pseudostratifié prismatique Toutes les cellules d'un **épithélium pseudostratifié prismatique** reposent sur la membrane basale. Cependant, certaines d'entre elles sont plus courtes que les autres et leurs noyaux sont situés à différentes hauteurs au-dessus de la membrane basale. L'épithélium paraît donc stratifié alors qu'il n'en est rien, d'où le qualificatif de *pseudostratifié*. Cet épithélium, à l'instar de l'épithélium simple prismatique, remplit des fonctions de sécrétion et d'absorption. Une variété ciliée (appelée *épithélium pseudostratifié prismatique cilié*) tapisse la majeure partie des voies respiratoires supérieures (figure 3.18d). Le mucus élaboré par les cellules caliciformes de cet épithélium retient la poussière inhalée et les autres débris; les mouvements des cils propulsent ces matières vers le haut, à l'écart des poumons.

Les épithéliums stratifiés

Les épithéliums stratifiés comprennent au moins deux couches de cellules. Ils sont beaucoup plus résistants que les épithéliums simples; leur principale fonction est donc la protection.

L'épithélium stratifié squameux L'**épithélium stratifié squameux** est le plus abondant des épithéliums stratifiés de l'organisme. Il est généralement formé de plusieurs couches de cellules. Les cellules de sa surface libre sont squameuses, tandis que celles de ses couches profondes sont cuboïdes ou prismatiques. On trouve cet épithélium dans les endroits qui sont sujets à la friction et à l'usure, tels l'œsophage, la bouche et la partie externe de la peau (figure 3.18e).

Les épithéliums stratifiés cuboïde et prismatique L'**épithélium stratifié cuboïde** est habituellement constitué de deux couches de cellules seulement; les cellules de la surface (au moins) sont cuboïdes. Les cellules superficielles de l'**épithélium stratifié prismatique** sont prismatiques, mais les cellules plus profondes ont des formes et des dimensions variées. Ces deux épithéliums sont rares dans l'organisme; on les trouve principalement dans les conduits des grosses glandes. (Étant fort peu répandus, ils ne sont pas représentés dans la figure 3.18. Nous ne les décrivons ici que pour fournir une liste complète des tissus épithéliaux.)

L'épithélium transitionnel L'**épithélium transitionnel** est un épithélium stratifié squameux fortement modifié qui tapisse seulement la vessie, les uretères et une partie de l'urètre. *Tous* ces organes font partie du système urinaire et sont soumis à des étirements considérables (figure 3.18f). Les cellules les plus profondes sont cuboïdes ou prismatiques; celles de la surface libre ont un aspect variable. Lorsque l'organe n'est pas étiré, l'épithélium présente plusieurs couches de cellules et ses cellules superficielles sont bombées. Lorsque, en revanche, l'urine provoque une distension de l'organe, l'épithélium s'amincit et prend un aspect squameux. Grâce à leur capacité de changer de forme (d'effectuer des « transitions ») et de glisser l'une contre l'autre, les cellules de l'épithélium transitionnel permettent à la paroi des uretères de s'étirer avec l'augmentation du volume d'urine qui s'écoule dans ces tubes. Dans la vessie, elles permettent le stockage d'un important volume d'urine.

L'épithélium glandulaire

Une **glande** est constituée d'une ou de plusieurs cellules qui élaborent et sécrètent un produit particulier. Cette substance, appelée **sécrétion**, est un liquide aqueux (à base d'eau) qui contient généralement des protéines. Le terme *sécrétion* désigne aussi le *processus* actif par lequel les cellules glandulaires tirent certaines substances du sang, les transforment et en libèrent le produit.

Deux grands types de glandes émergent des feuillets épithéliaux. Les **glandes endocrines** perdent les conduits qui les relient à la surface; c'est pourquoi on les désigne souvent par le terme *glandes à sécrétion interne.* Leurs produits (des hormones) diffusent directement dans les vaisseaux sanguins qui parcourent les glandes. La glande thyroïde, les glandes surrénales et l'hypophyse sont des glandes endocrines.

Les **glandes exocrines**, telles que les glandes sudoripares, les glandes sébacées, le foie et le pancréas, conservent leurs conduits et déversent leurs sécrétions par l'intermédiaire de ceux-ci à la surface de l'épithélium. On trouve des glandes exocrines internes et des glandes exocrines externes. Nous les décrirons en même temps que les systèmes auxquels elles sont associées.

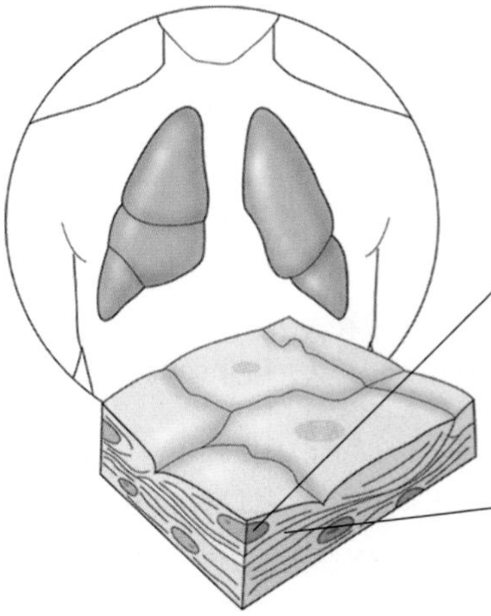
Noyau de la
cellule de l'épithélium
squameux
Membrane
basale

(a) Schéma : Épithélium simple squameux

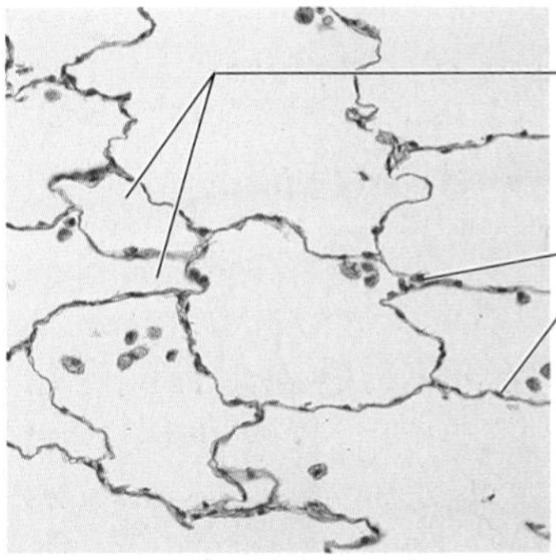
Alvéoles
pulmonaires
Noyaux
des cellules
de l'épithélium
squameux

Photomicrographie : Épithélium simple squameux faisant partie de la paroi des alvéoles pulmonaires (400x)

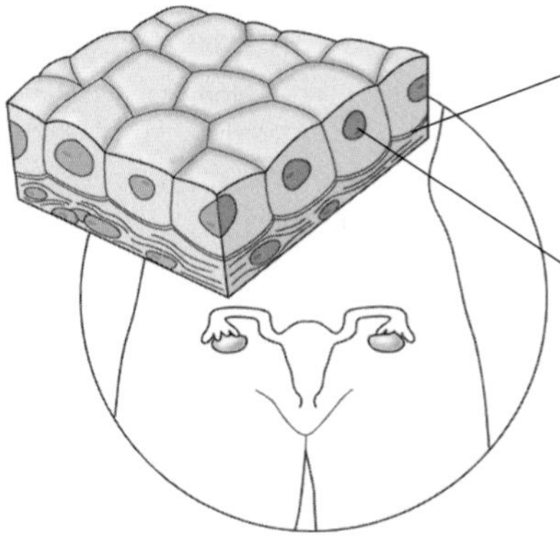
Membrane
basale
Noyau de la
cellule de l'épithélium
simple cuboïde

(b) Schéma : Épithélium simple cuboïde

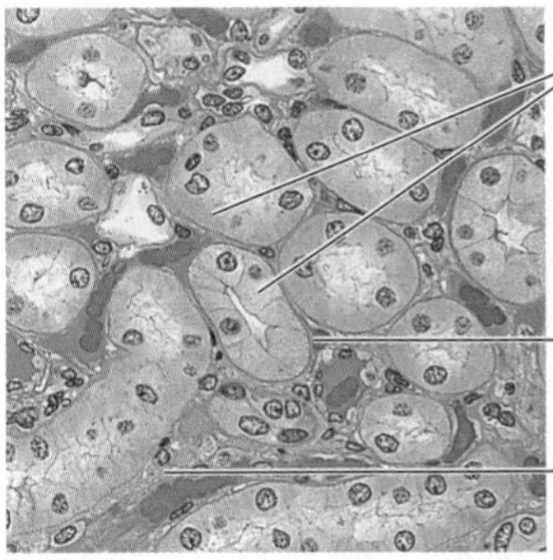
Cellules
de l'épithélium
simple cuboïde
Membrane
basale
Tissu conjonctif

Photomicrographie : Épithélium simple cuboïde des tubules rénaux (400x)

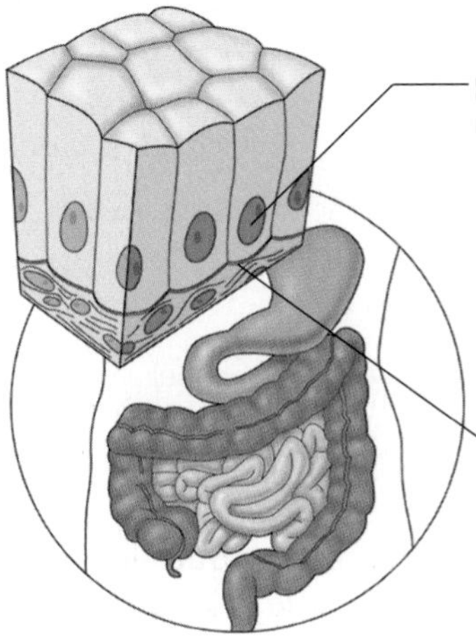
Noyau de la cellule de
l'épithélium simple prismatique
Membrane
basale

(c) Schéma : Épithélium simple prismatique

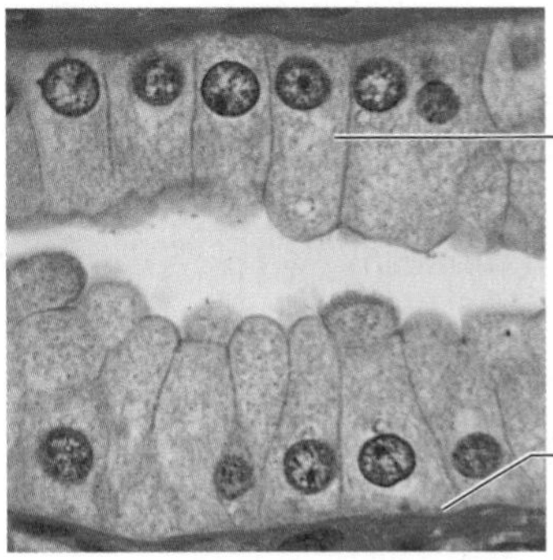
Cellule de
l'épithélium
simple
prismatique
Membrane
basale

Photomicrographie : Épithélium simple prismatique de la muqueuse gastrique (1300x)

Figure 3.18 **Types d'épithéliums et exemples de localisations**

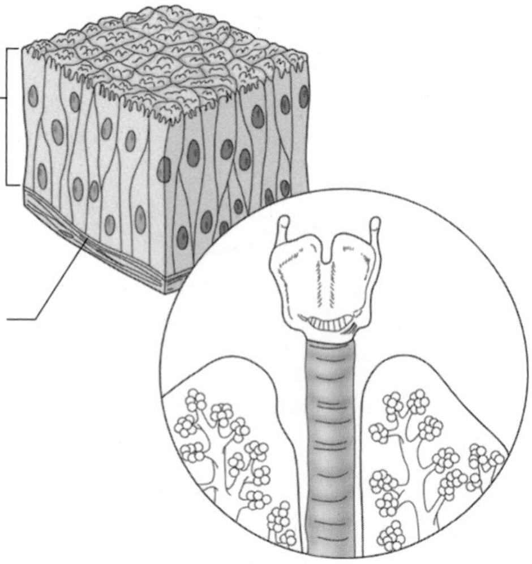
Couche d'épithélium pseudostratifié
Membrane basale

(d) **Schéma :** Épithélium pseudostratifié prismatique (cilié)

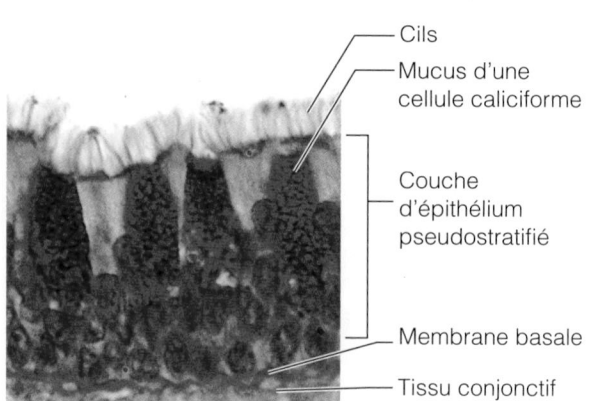

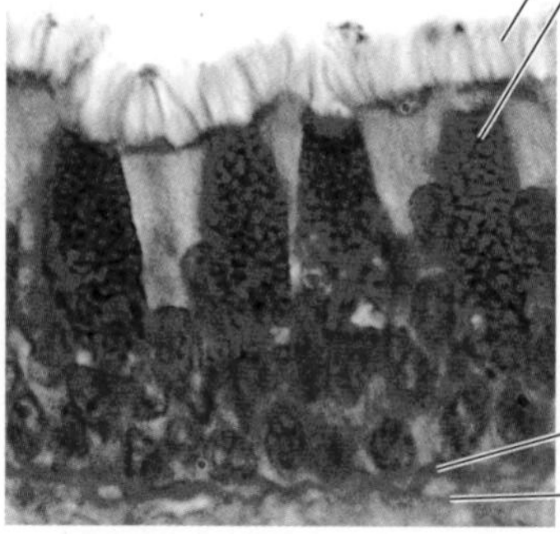
Cils
Mucus d'une cellule caliciforme
Couche d'épithélium pseudostratifié
Membrane basale
Tissu conjonctif

Photomicrographie : Épithélium pseudostratifié prismatique cilié tapissant la trachée (400x)

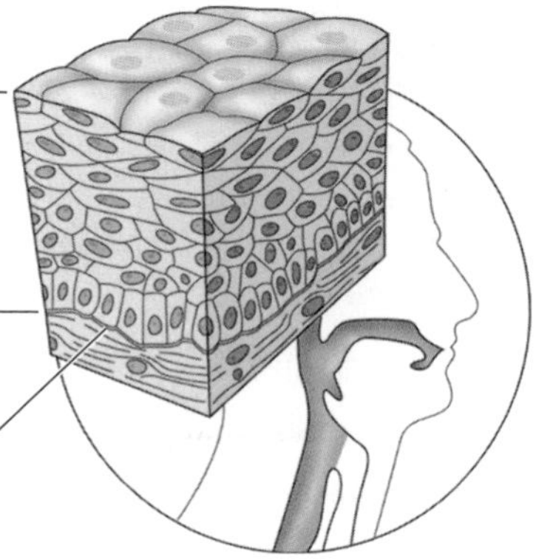
Épithélium stratifié squameux
Membrane basale

(e) **Schéma :** Épithélium stratifié squameux

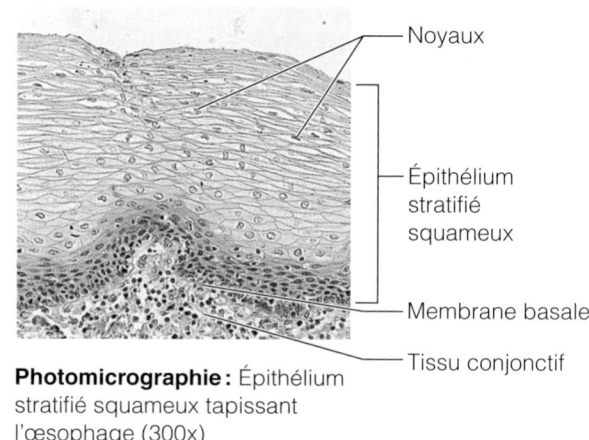

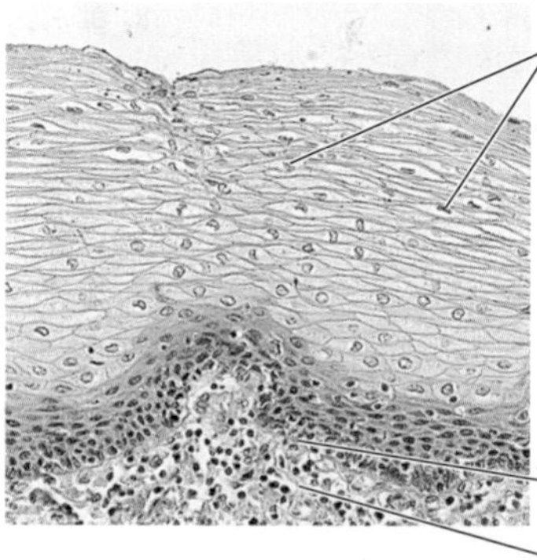
Noyaux
Épithélium stratifié squameux
Membrane basale
Tissu conjonctif

Photomicrographie : Épithélium stratifié squameux tapissant l'œsophage (300x)

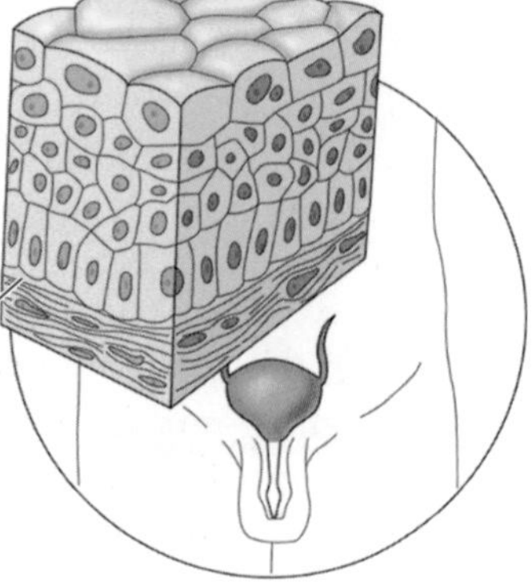
Épithélium transitionnel
Membrane basale

(f) **Schéma :** Épithélium transitionnel

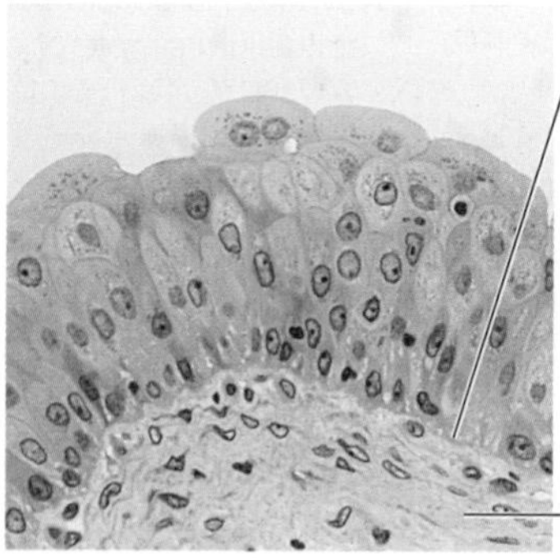
Membrane basale
Épithélium transitionnel
Tissu conjonctif

Photomicrographie : Épithélium transitionnel tapissant la vessie à l'état de repos (500x) ; notez l'aspect bombé des cellules superficielles, qui peuvent s'aplatir et s'étendre quand la vessie est pleine.

Figure 3.18 (*suite*) **Types d'épithéliums et exemples de localisations**

Le tissu conjonctif

Le **tissu conjonctif**, comme son nom l'indique, sert à lier des parties du corps. On le trouve partout dans l'organisme. C'est le plus abondant et le plus répandu des types de tissus. Il remplit de nombreuses fonctions dont les principales sont la *protection*, le *soutien* et la *réunion* d'autres tissus.

LES CARACTÉRISTIQUES DES TISSUS CONJONCTIFS

Les caractéristiques des tissus conjonctifs comprennent notamment :

- La vascularisation variable. La plupart des tissus conjonctifs sont bien *vascularisés* (comprennent beaucoup de vaisseaux sanguins), mais il y a des exceptions. Ainsi, les tendons et les ligaments sont peu vascularisés, et le cartilage est avasculaire. Par conséquent, ces trois dernières structures guérissent très lentement après une lésion. (C'est la raison pour laquelle certaines personnes disent que, à tout prendre, elles aimeraient mieux subir une fracture qu'une déchirure ligamentaire.)
- La matrice extracellulaire. Les tissus conjonctifs sont composés de nombreux types de cellules et d'une quantité variable de matrice extracellulaire, matière non vivante située à l'extérieur des cellules.

LA MATRICE EXTRACELLULAIRE

La **matrice extracellulaire** mérite qu'on s'y attarde un peu, car c'est elle qui donne au tissu conjonctif son caractère particulier. Elle est élaborée par les cellules du tissu conjonctif, puis sécrétée à l'extérieur. Elle est composée de deux éléments principaux, une substance fondamentale sans forme définie et des fibres. La *substance fondamentale* est constituée en majeure partie d'eau, mais aussi de protéines d'adhérence et de grosses molécules chargées, contenant des polysaccharides. Les protéines d'adhérence jouent le rôle d'une colle qui permet aux cellules du tissu conjonctif de se fixer aux fibres enchâssées dans la substance fondamentale. Les polysaccharides chargés, dont les chaînes moléculaires s'entrelacent, emprisonnent l'eau dans leurs mailles. Selon leur abondance dans les tissus, ces polysaccharides déterminent la consistance de la matrice qui peut alors être liquide, gélatineuse, ferme ou très dure. Grâce à son énorme capacité de rétention des liquides, la substance fondamentale sert de réservoir d'eau pour l'organisme.

Selon la nature du tissu conjonctif, la matrice comporte divers types de *fibres* en quantités variables. Parmi ces fibres, on compte les fibres collagènes (blanches), qui se distinguent par leur grande résistance à la traction, les fibres élastiques (jaunes), dont la caractéristique la plus importante est la capacité de reprendre leur forme après avoir été étirées, et les fibres réticulaires, de minces fibres collagènes (de nature différence de celle des fibres collagènes blanches déjà mentionnées) qui forment la charpente de certains organes mous tels que la rate. Les divers types de fibres sont de longues chaînes moléculaires qui s'assemblent spontanément à partir d'unités, appelées *monomères*, élaborées par les cellules du tissu conjonctif puis sécrétées dans la substance fondamentale.

Grâce à la matrice extracellulaire, le tissu conjonctif peut former une gaine moelleuse autour des organes ; il peut soutenir des poids, résister à des tensions importantes et supporter des agressions, comme le frottement, qu'aucun autre tissu ne pourrait tolérer. Les variations, cependant, sont importantes. À un extrême, on trouve le tissu adipeux, qui est composé principalement de cellules et dont la matrice est molle. À l'autre extrême, on trouve les os et le cartilage, qui contiennent très peu de cellules mais une grande quantité de matrice dure qui les rend extrêmement résistants. Reportez-vous à la figure 3.19 à mesure que vous lirez la description des différents types de tissu conjonctif.

LES TYPES DE TISSU CONJONCTIF

Comme nous l'avons vu, tous les tissus conjonctifs sont constitués de cellules vivantes intégrées dans une matrice. Ils diffèrent les uns des autres par le type de fibres et la proportion de celles-ci dans la matrice. Les principales classes de tissu conjonctif sont, de la consistance la plus ferme à la consistance la moins ferme, le *tissu osseux*, le *cartilage*, le *tissu conjonctif dense*, le *tissu conjonctif lâche* et le *sang*.

Le tissu osseux

Le **tissu osseux**, qui forme les **os**, est composé de cellules appelées *ostéocytes*. Ces cellules sont situées dans des cavités qui portent le nom de *lacunes* et elles sont entourées de couches de matrice très dure qui contient des sels de calcium, en plus d'une grande quantité de fibres collagènes (figure 3.19a). Grâce à sa grande rigidité, le tissu osseux est apte à protéger et à soutenir les organes (le crâne, par exemple, abrite l'encéphale et les os des jambes supportent le tronc). Les os font l'objet du chapitre 5.

Le cartilage

Moins dur et plus flexible que le tissu osseux, le cartilage n'est présent qu'en de rares endroits dans l'organisme. Le type le plus répandu est le **cartilage hyalin** (figure 3.19b), dont les abondantes fibres collagènes sont cachées par une matrice caoutchouteuse qui a un aspect blanc bleuté vitreux (*hualos*, « verre »). Le cartilage hyalin forme les structures de soutien du larynx, relie les côtes au sternum et recouvre les extrémités des os dans les articulations. Il compose la majeure partie du squelette du fœtus mais est graduellement remplacé par du tissu osseux au cours du développement prénatal.

Il existe deux autres types de cartilage dans l'organisme : le cartilage élastique et le cartilage fibreux. Le **cartilage fibreux** est très compressible ; il forme les disques intervertébraux, c'est-à-dire les coussins situés entre les vertèbres (figure 3.19c). On trouve du **cartilage élastique** dans les structures qui nécessitent de l'élasticité. Ainsi, le cartilage élastique soutient le pavillon de l'oreille. (Il n'est pas représenté dans la figure 3.19.)

Le tissu conjonctif dense

Les fibres collagènes prédominent dans la matrice du **tissu conjonctif dense** (figure 3.19d). On trouve entre les fibres collagènes des rangées de *fibroblastes*, c'est-à-dire des cellules qui produisent les monomères des fibres. Le type de tissu conjonctif dense que l'on appelle *tissu conjonctif dense régulier* forme des structures allongées et résistantes comme les tendons et les ligaments. Les **tendons** relient les muscles squelettiques aux os, tandis que les **ligaments** relient des os dans les articulations. Les ligaments contiennent plus de fibres élastiques que les tendons ; ils sont donc plus extensibles. Le tissu conjonctif dense constitue également les couches profondes de la peau (derme), où il est disposé en feuillets.

Le tissu conjonctif lâche

Le **tissu conjonctif lâche** est plus mou et contient plus de cellules et moins de fibres que tous les autres types de tissu conjonctif, excepté le sang.

Le tissu aréolaire Le **tissu aréolaire** est le tissu conjonctif le plus répandu dans l'organisme. Spongieux et souple, il forme un filet autour des organes qu'il contribue ainsi à protéger (figure 3.19e). Il joue le rôle d'un « matériau d'emballage » et d'une « colle », car il relie les organes internes et les maintient en position. Toutes les muqueuses reposent, du côté de leur membrane basale, sur une couche molle de tissu aréolaire appelée *lamina propria*. La matrice liquide du tissu aréolaire contient tous les types de fibres et celles-ci forment un réseau lâche. De fait, la majeure partie de la matrice apparaît au microscope comme un espace vide, d'où le nom de ce tissu (*areola*, « petit espace libre »). Étant donné sa forte teneur en liquide, le tissu conjonctif aréolaire constitue un réservoir d'eau et de sels pour les tissus environnants ; presque toutes les cellules de l'organisme tirent leurs nutriments de ce liquide interstitiel et y expulsent leurs déchets. En cas d'inflammation, le tissu aréolaire de la région atteinte absorbe comme une éponge l'excédent de liquide, ce qui provoque un gonflement, c'est-à-dire un **œdème**. De nombreux types de *phagocytes* circulent dans le tissu aréolaire et détruisent les bactéries, les cellules mortes et les autres débris.

Le tissu adipeux Le **tissu adipeux** (appelé *graisse* dans le langage courant) est fondamentalement un tissu conjonctif aréolaire où prédominent les adipocytes, ou cellules adipeuses (figure 3.19f). La majeure partie du volume de la cellule adipeuse est occupée par une gouttelette lipidique luisante qui repousse le noyau de côté. La région lipidique paraît vide et la bande de cytoplasme d'où le noyau fait saillie ressemble à une bague munie d'un chaton.

Le tissu adipeux compose le tissu sous-cutané et isole l'organisme de la chaleur et du froid extrêmes. De plus, il protège certains organes ; il forme par exemple une capsule autour des reins et capitonne les bulbes de l'œil dans les orbites. Enfin, il s'accumule en certains endroits, tels les hanches et les seins, et constitue des réserves d'énergie où l'organisme puise en cas de besoin.

Le tissu réticulaire Le **tissu réticulaire** est composé d'un fin réseau de fibres réticulaires entrelacées associées à des *cellules réticulaires* ressemblant à des fibroblastes (figure 3.19g). Le tissu réticulaire n'apparaît qu'à certains endroits. Il forme le **stroma** (mot signifiant littéralement « tapis », « couverture »), c'est-à-dire la trame, qui soutient un grand nombre de globules blancs libres (principalement des lymphocytes) dans les nœuds lymphatiques, la rate et la moelle osseuse rouge.

Le sang

Le **sang**, ou *tissu vasculaire*, est considéré comme un tissu conjonctif parce qu'il est composé de cellules appelées *globules sanguins* qui baignent dans une matrice liquide nommée *plasma* (figure 3.19h). Les « fibres » du sang sont des protéines solubles qui se transforment en fibres visibles au cours de la coagulation. Nous devons néanmoins admettre que le sang est un tissu conjonctif plutôt atypique. C'est le véhicule du système cardiovasculaire : il transporte dans l'organisme les nutriments, les déchets, les gaz respiratoires et un grand nombre d'autres substances. Il fait l'objet du chapitre 10.

Figure 3.19 **Tissus conjonctifs et exemples de localisations**

(Les tissus représentés en **e**, **f** et **g** sont des sous-classes du tissu conjonctif lâche.)

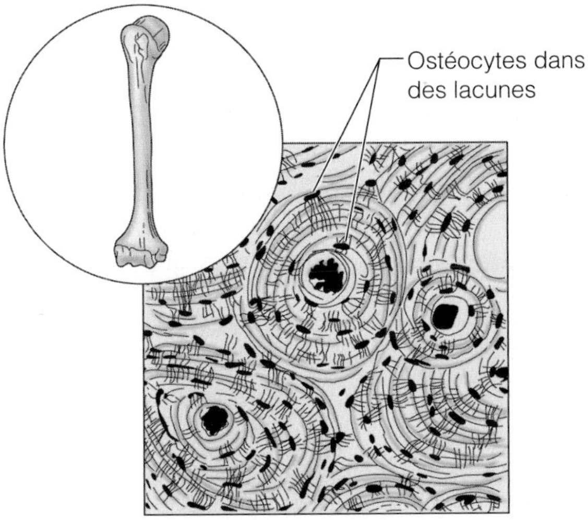
Ostéocytes dans
des lacunes

(a) **Schéma :** Tissu osseux

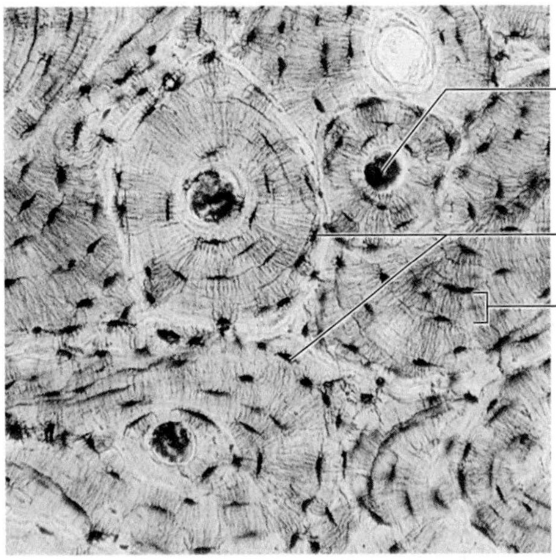
Canal central
Lacunes
Lamelle

Photomicrographie : Coupe transversale d'un os (70x)

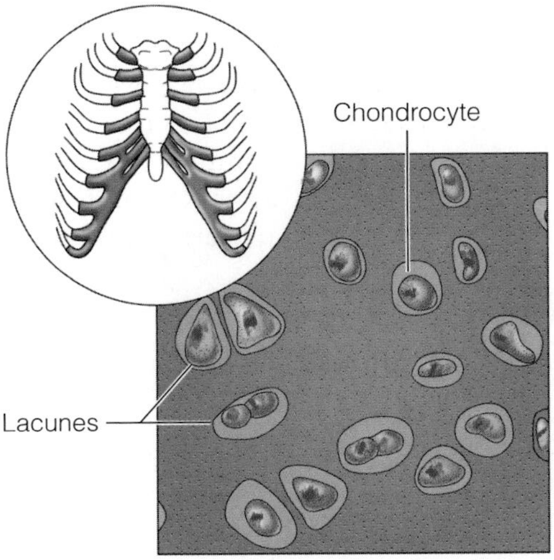
Chondrocyte
Lacunes

(b) Schéma : Cartilage hyalin

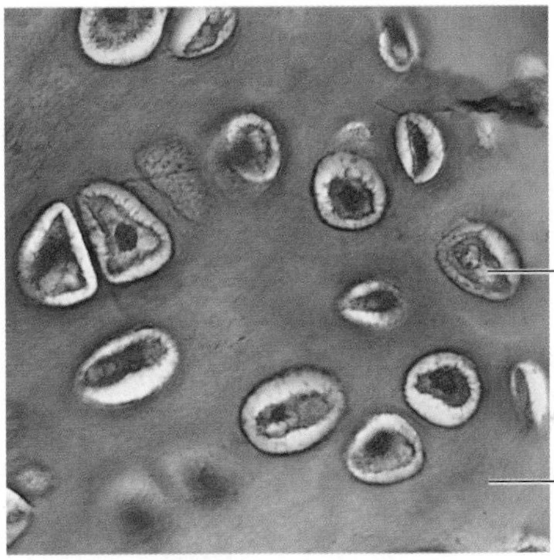
Chondrocyte dans
une lacune
Matrice

Photomicrographie : Cartilage hyalin de la trachée (300x)

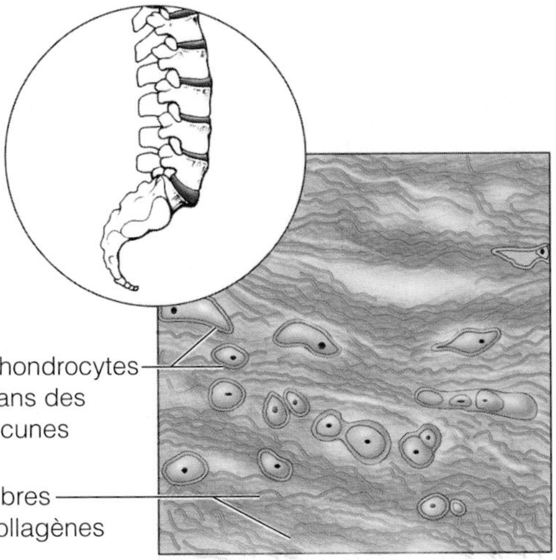
Chondrocytes
dans des
lacunes
Fibres
collagènes

(c) Schéma : Cartilage fibreux

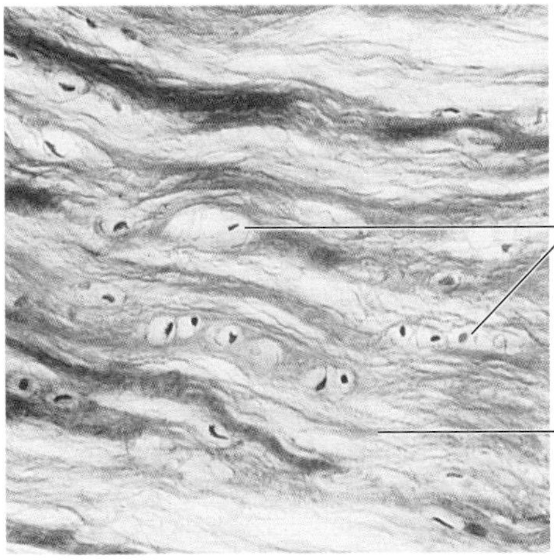
Chondrocytes
dans des lacunes
Fibre collagène

Photomicrographie : Cartilage fibreux d'un disque intervertébral (200x)

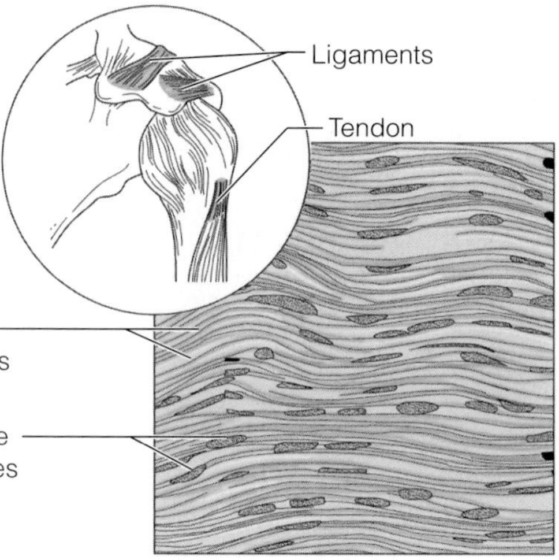

Ligaments
Tendon
Fibres collagènes
Noyaux de fibroblastes

(d) Schéma : Tissu conjonctif dense régulier

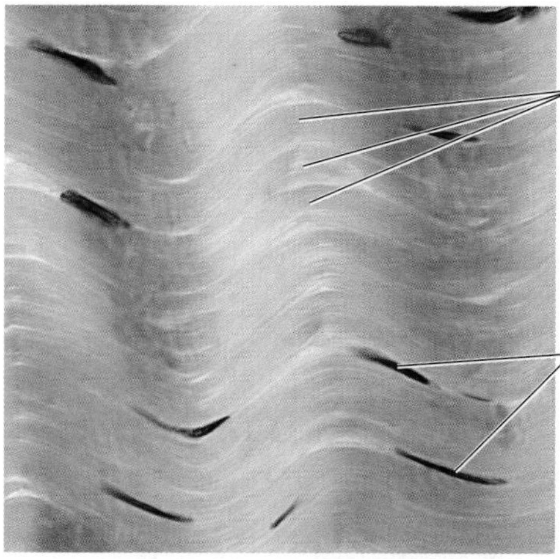

Fibres collagènes
Noyaux de fibroblastes

Photomicrographie : Tissu conjonctif dense régulier d'un tendon (1000x)

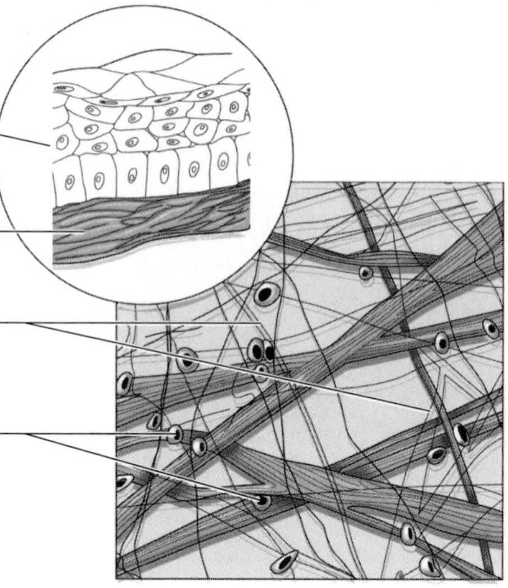

Épithélium de la muqueuse
Lamina propria
Fibres de la matrice
Noyaux de fibroblastes

(e) Schéma : Tissu conjonctif aréolaire

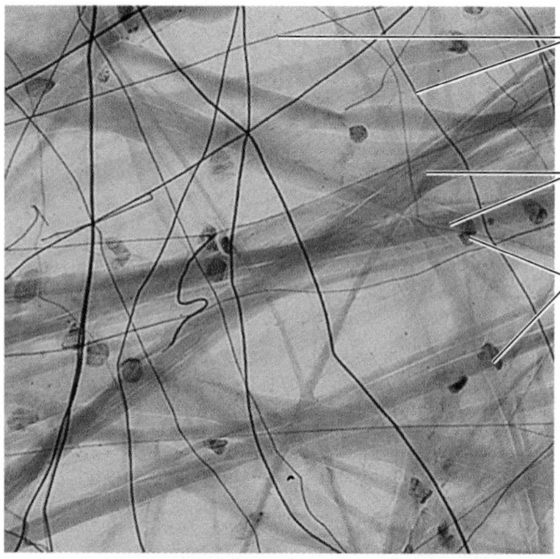

Fibres élastiques
Fibres collagènes
Noyaux de fibroblastes

Photomicrographie : Tissu conjonctif aréolaire, tissu souple servant de rembourrage entre d'autres tissus (400x)

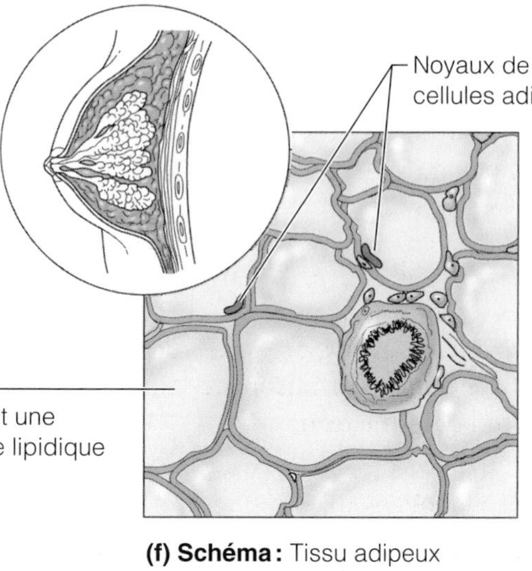

Noyaux de cellules adipeuses
Vacuole renfermant une gouttelette lipidique

(f) Schéma : Tissu adipeux

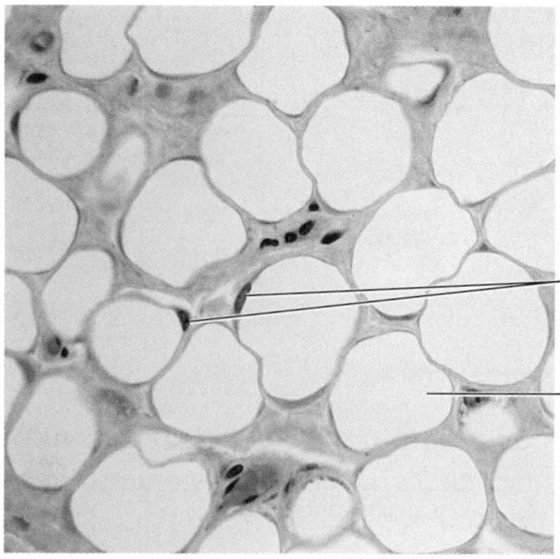

Noyaux de cellules adipeuses
Vacuole renfermant une gouttelette lipidique

Photomicrographie : Tissu adipeux sous-cutané (600x)

Figure 3.19 (*suite*) **Tissus conjonctifs et exemples de localisations**

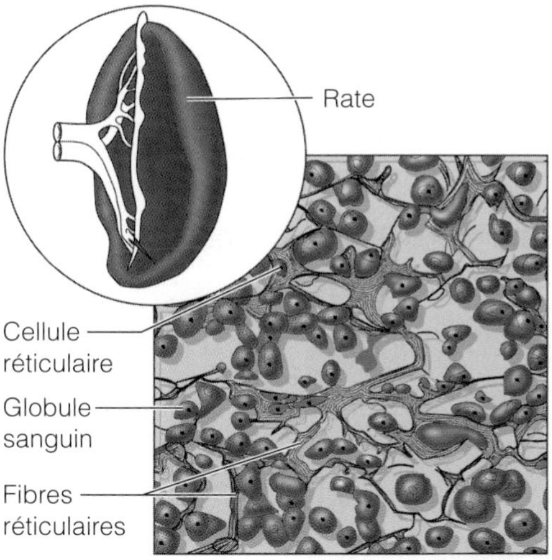
Rate
Cellule réticulaire
Globule sanguin
Fibres réticulaires

(g) Schéma : Tissu conjonctif réticulaire

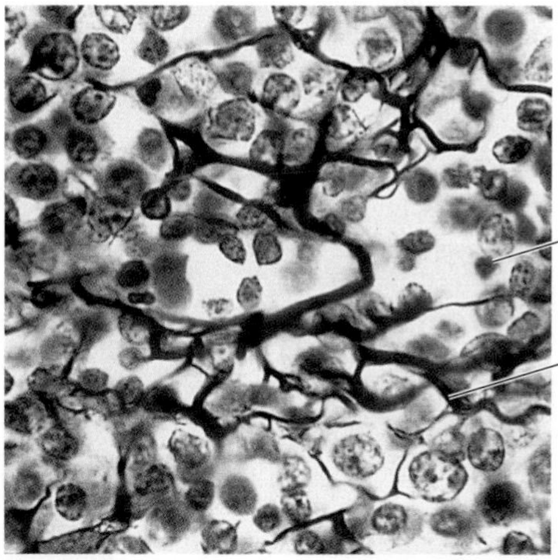
Globule blanc (lymphocyte)
Fibres réticulaires

Photomicrographie : Réseau de fibres de tissu conjonctif réticulaire (350x)

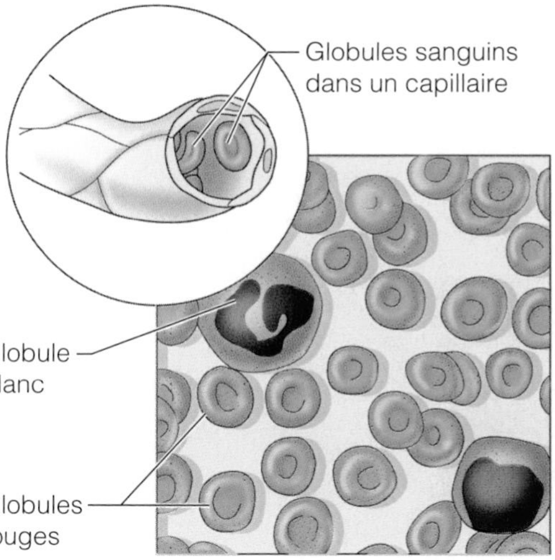
Globules sanguins dans un capillaire
Globule blanc
Globules rouges

(h) Schéma : Sang

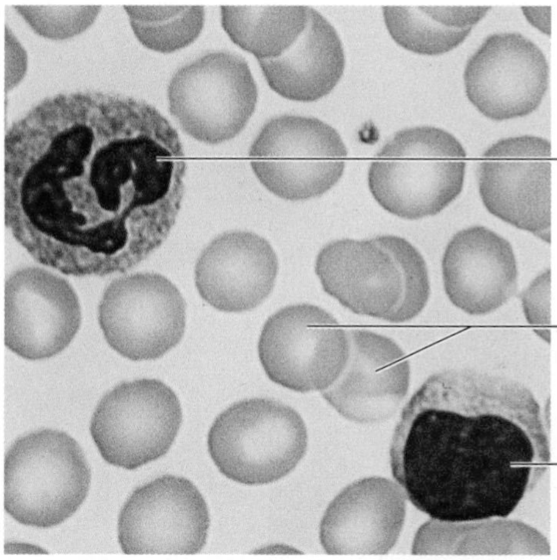
Granulocyte neutrophile (un globule blanc)
Globules rouges
Monocyte (un globule blanc)

Photomicrographie : Frottis de sang humain (1500x) ; on voit deux globules blancs parmi de nombreux globules rouges

Le tissu musculaire

Le **tissu musculaire** a la propriété de *se contracter*, ou de *raccourcir*, pour produire le mouvement. Ses cellules sont appelées *myocytes.*

LES TYPES DE TISSU MUSCULAIRE

Les trois types de tissu musculaire sont représentés à la figure 3.20. Notez-en les ressemblances et les différences à mesure que vous lirez les descriptions qui suivent.

Le tissu musculaire squelettique

Le **tissu musculaire squelettique** est enveloppé de couches de tissu conjonctif; il forme des organes appelés *muscles squelettiques* qui sont attachés au squelette. Ces muscles, qui répondent à des commandes *volontaires* (conscientes), constituent la chair du corps humain ou, plus précisément, le système musculaire (voir le chapitre 6). En se contractant, les muscles tirent sur les os ou la peau, ce qui rend possibles les mouvements ou les expressions du visage. Les myocytes squelettiques sont longs et cylindriques, et renferment plusieurs noyaux; ils présentent un aspect *strié.* On les appelle souvent *fibres musculaires* en raison de leur forme allongée, qui favorise la contraction.

Le tissu musculaire cardiaque

Le **tissu musculaire cardiaque**, dont nous traiterons plus en détail au chapitre 11, ne se trouve que dans le cœur. En se contractant, le cœur joue le rôle d'une

Q **En règle générale, la division cellulaire donne naissance à deux cellules filles ayant chacune un noyau. Comment peut-on expliquer que les cellules des muscles squelettiques soient multinucléées ?**

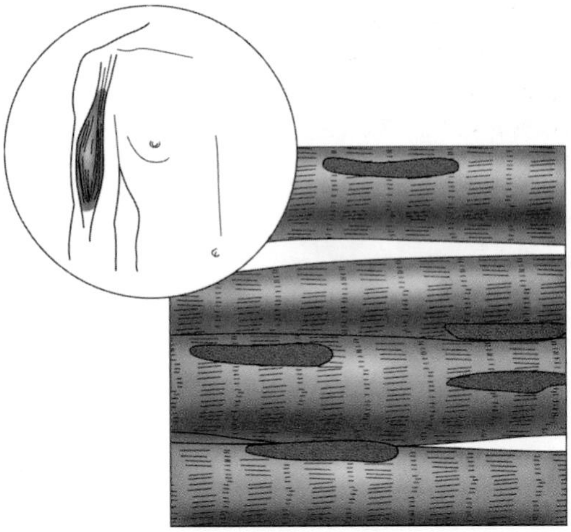

(a) Schéma : Tissu musculaire squelettique

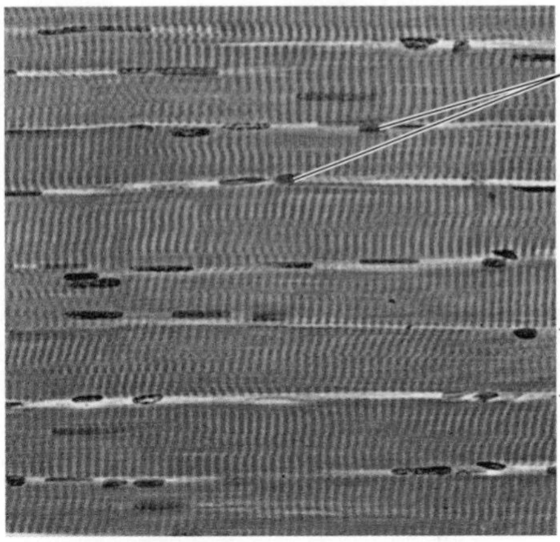
Noyaux
Partie d'un myocyte

Photomicrographie : Muscle squelettique (env. 300x)

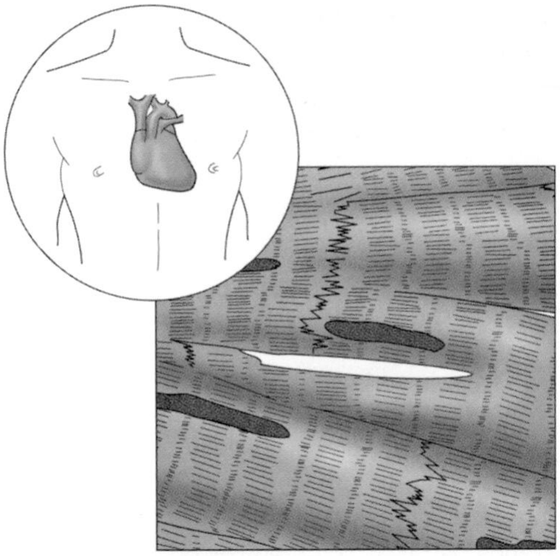

(b) Schéma : Tissu musculaire cardiaque

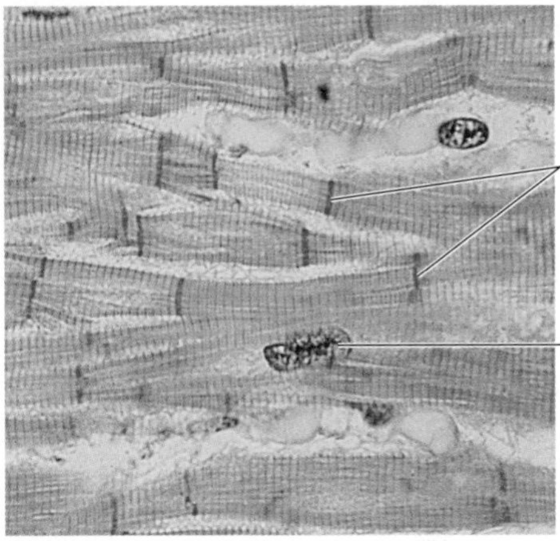
Disques intercalaires
Noyau

Photomicrographie : Muscle cardiaque (800x)

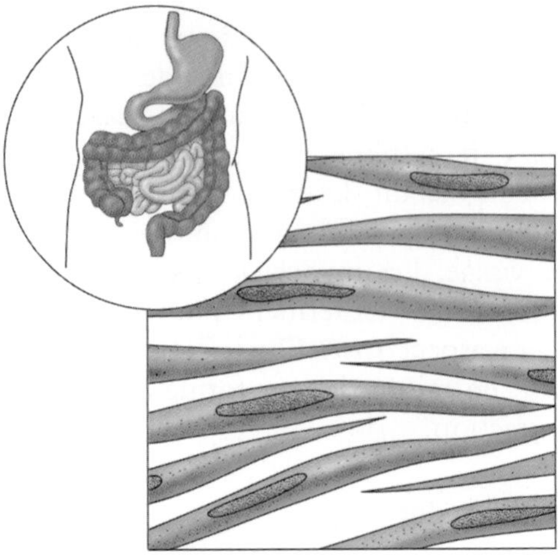

(c) Schéma : Tissu musculaire lisse

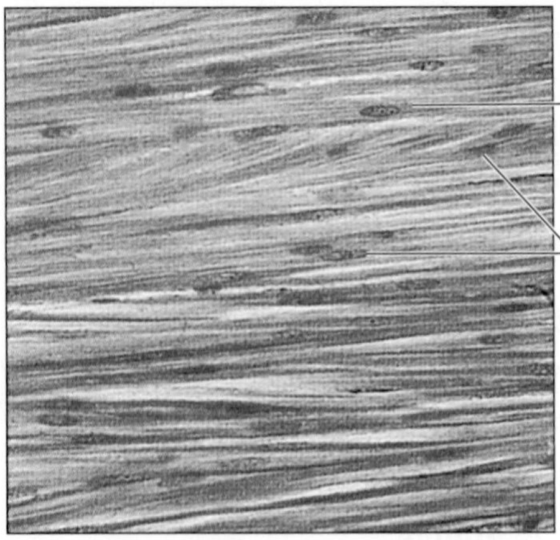
Myocyte non strié (lisse)
Noyaux

Photomicrographie : Feuillet de muscle lisse (env. 600x)

R **Les myocytes squelettiques effectuent à plusieurs reprises des mitoses qui ne sont pas suivies de cytocinèse.**

Figure 3.20 **Types de tissu musculaire et exemples (a et c) de localisations**

(Remarque : le tissu musculaire cardiaque ne se trouve que dans le cœur.)

pompe et propulse le sang dans les vaisseaux sanguins. Les cellules du muscle cardiaque, comme celles des muscles squelettiques, sont striées, mais elles renferment un seul noyau et sont relativement courtes. Elles se ramifient et s'imbriquent au niveau de jonctions appelées **disques intercalaires**. Les disques intercalaires contiennent des jonctions ouvertes qui laissent librement passer les ions d'une cellule à l'autre, ce qui entraîne une transmission rapide de l'influx électrique à travers le cœur. Le tissu musculaire cardiaque obéit à des *commandes involontaires*, c'est-à-dire que nous ne pouvons en régir consciemment l'activité (encore que de rares individus s'en disent capables).

Le tissu musculaire lisse

Le **tissu musculaire lisse** est ainsi nommé parce qu'il ne porte pas de stries visibles. Les myocytes non striés sont fusiformes et renferment un seul noyau. On trouve du tissu musculaire lisse dans les parois des organes creux comme l'estomac, la vessie, l'utérus et les vaisseaux sanguins. Les contractions du muscle lisse provoquent, en alternance, des constrictions et des dilatations successives de la paroi d'un organe creux, de sorte que les substances le parcourent dans un sens précis. Le muscle lisse se contracte beaucoup plus lentement que les deux autres types de tissu musculaire. Le *péristaltisme*, un mouvement ondulatoire qui pousse les aliments dans l'intestin grêle, est représentatif de son activité.

Le tissu nerveux

Le **tissu nerveux** est composé de deux grands types de cellules : les neurones et les gliocytes. Tous les **neurones** reçoivent et transmettent des influx électrochimiques, d'où les deux principales caractéristiques fonctionnelles du tissu nerveux, soit l'*excitabilité* et la *conductivité*. Les neurones présentent une structure toute particulière (figure 3.21). Leur cytoplasme forme de longs prolongements, qui peuvent atteindre jusqu'à un mètre de long dans les jambes, si bien qu'un seul neurone peut transmettre un influx nerveux sur des distances considérables. Les **gliocytes**, entre autres fonctions, isolent, soutiennent et protègent les fragiles neurones et forment avec eux

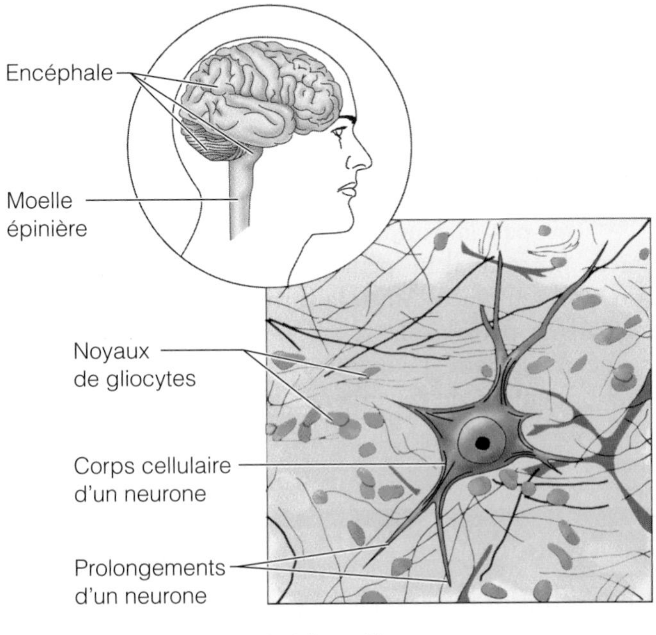
Encéphale
Moelle épinière
Noyaux de gliocytes
Corps cellulaire d'un neurone
Prolongements d'un neurone

Schéma : Tissu nerveux

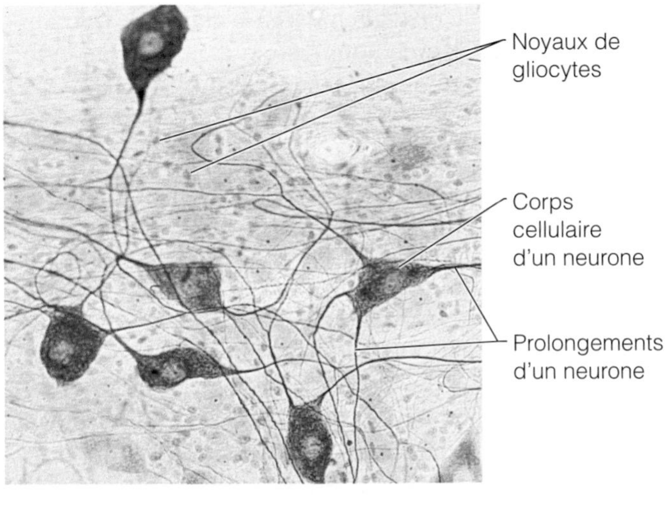
Noyaux de gliocytes
Corps cellulaire d'un neurone
Prolongements d'un neurone

Photomicrographie : Neurones (100x)

Figure 3.21 **Tissu nerveux**

Les neurones et les gliocytes forment l'encéphale, la moelle épinière et les nerfs.

les structures du système nerveux, c'est-à-dire l'encéphale, la moelle épinière et les nerfs. Les neurones et les gliocytes sont traités de façon détaillée au chapitre 7.

La réparation des tissus (cicatrisation)

L'organisme dispose de plusieurs moyens de se protéger contre les lésions et les «envahisseurs». Les barrières physiques intactes, comme la peau, les muqueuses, les cils et l'acide fort élaboré par les glandes de l'estomac, ne sont que quelques-uns des moyens de défense mis en place au niveau des tissus. Lorsqu'une lésion survient, la réaction inflammatoire et la réponse immunitaire se déclenchent, et la cicatrisation s'amorce presque aussitôt. La réaction inflammatoire est un processus non spécifique qui vise à prévenir une aggravation de la lésion. La réponse immunitaire, quant à elle, est extrêmement spécifique et s'attaque vigoureusement aux agents pathogènes et aux substances étrangères (bactéries, virus, toxines, etc.). La réaction inflammatoire et la réponse immunitaire sont décrites en détail au chapitre 12. Nous nous pencherons ici sur le processus de réparation des tissus proprement dit.

La réparation des tissus, ou cicatrisation, prend deux formes: la régénération et la fibrose. La **régénération** est le remplacement du tissu détruit par du tissu du même type; la **fibrose** entraîne la prolifération de tissu conjonctif dense, c'est-à-dire la formation de *tissu cicatriciel.* Deux facteurs déterminent lequel de ces deux processus se produira: 1) le type de tissu atteint et 2) la gravité de la lésion. En règle générale, les incisions (coupures nettes) guérissent beaucoup mieux que les lacérations (déchirures).

La lésion d'un tissu déclenche une série d'événements (nous prendrons l'exemple d'une lésion à la peau).

- **Les capillaires deviennent très perméables.** Cela permet à un liquide contenant des facteurs de coagulation et d'autres substances de s'infiltrer dans la région atteinte. Les facteurs de coagulation provoquent ensuite la formation d'un caillot qui arrête le saignement, réunit les bords de la plaie et isole la région atteinte afin d'empêcher les bactéries et les substances nocives de se répandre dans les tissus environnants. La partie du caillot qui est exposée à l'air sèche et durcit rapidement, et forme une croûte.
- **Il y a formation de tissu de granulation.** Le *tissu de granulation* est un tissu rose délicat composé principalement de nouveaux capillaires qui croissent à partir des capillaires intacts et s'étendent jusque dans la région atteinte. Ces capillaires sont fragiles et se mettent à saigner si on gratte la croûte. Le tissu de granulation renferme des phagocytes qui éliminent le caillot sanguin et des cellules de tissu conjonctif (fibroblastes) qui synthétisent les monomères des fibres collagènes (tissu cicatriciel); ces fibres combleront définitivement la brèche dans le tissu lésé.
- **L'épithélium superficiel se régénère.** Au fur et à mesure qu'il se régénère, l'épithélium superficiel pénètre dans le tissu de granulation situé juste au-dessous de la croûte, laquelle se détache après un bref laps de temps. Le résultat du processus est un épithélium superficiel pleinement régénéré reposant sur du tissu cicatriciel. La cicatrice peut être invisible ou former une mince ligne blanche, selon la gravité de la blessure.

On savait que plusieurs facteurs influencent la vitesse de cicatrisation: l'effet de certains états pathologiques et de certains facteurs chimiques sont bien connus. Des recherches récentes révèlent aussi que l'application de champs électriques peut favoriser la cicatrisation en accélérant la migration cellulaire.

On sait aussi que les tissus n'ont pas tous la même capacité de régénération, loin de là. Ainsi, les tissus épithéliaux, tels que l'épiderme et les muqueuses, se régénèrent facilement, tout comme le tissu osseux et les tissus conjonctifs qui sont bien vascularisés. Par contre, le tissu musculaire squelettique se reconstitue mal, si tant est qu'il le fasse. Le tissu musculaire cardiaque et le tissu nerveux de l'encéphale et de la moelle épinière sont en majeure partie remplacés par du tissu cicatriciel.

Déséquilibre homéostatique

Le tissu cicatriciel est très solide, mais il n'a pas la souplesse de la plupart des tissus intacts. Surtout, il ne peut accomplir les fonctions du tissu qu'il remplace. Ainsi, la formation de tissu cicatriciel dans la paroi de la vessie, du cœur ou d'un autre organe musculaire peut entraver considérablement le fonctionnement de cet organe. ▲

TROISIÈME **PARTIE**

LE DÉVELOPPEMENT ET LE VIEILLISSEMENT DES CELLULES ET DES TISSUS

Tous les êtres humains sont issus d'une unique cellule qui se divise des milliers de fois pour former un embryon pluricellulaire. Très tôt au cours du développement embryonnaire, les cellules commencent à se spécialiser et à constituer les tissus primaires, si bien que la plupart des organes sont bien formés et fonctionnent dès la naissance. L'organisme continue de croître pendant l'enfance et l'adolescence en produisant de nouvelles cellules par le mécanisme de division cellulaire.

La division cellulaire revêt donc une importance capitale pendant la période de croissance de l'organisme. La plupart des cellules (sauf les neurones) subissent des mitoses jusqu'à ce que le corps atteigne sa taille adulte, c'est-à-dire à la fin de la puberté. La croissance se termine alors. Parmi les quelques groupes de cellules qui continueront de se diviser par la suite, on compte celles qui sont sujettes à la friction et à l'usure, telles les cellules de la peau et celles de la surface interne de l'intestin. Les cellules du foie cessent normalement de se diviser, mais elles demeurent tout de même aptes à le faire si jamais certaines d'entre elles mouraient ou se détérioraient. Certains groupes de cellules (celles du muscle cardiaque et du tissu nerveux, par exemple) perdent complètement leur capacité de se diviser lorsqu'elles atteignent la maturité; autrement dit, elles deviennent *amitotiques.* Les lésions font le plus grand tort aux tissus amitotiques, car les cellules détruites ne peuvent être remplacées par des cellules du même type. Par exemple, le muscle cardiaque endommagé est remplacé par du tissu cicatriciel qui ne se contracte pas. C'est ainsi qu'après quelques infarctus graves le cœur s'affaiblit et a de plus en plus de difficulté à exercer sa fonction de pompe.

Le vieillissement commence dès l'atteinte de la maturité (voire dès la naissance, selon certains auteurs). On ne connaît pas encore la *cause* du vieillissement, mais les hypothèses ne manquent pas. Certains spécialistes pensent qu'il s'agit des petites « agressions chimiques » qui se succèdent au cours de la vie, comme la présence de substances toxiques (l'alcool, certains médicaments et drogues, le gaz carbonique, etc.) dans le sang et le manque temporaire de substances essentielles tels le glucose et l'oxygène. On croit que les effets de ces facteurs pourraient s'accumuler et, finalement, perturber le fragile équilibre chimique des cellules. D'autres experts pensent que des facteurs physiques extérieurs tels que les radiations (rayons X et rayons UV) contribuent au vieillissement. Enfin, quelques chercheurs avancent que l'« horloge » du corps humain est génétiquement réglée. Nous connaissons tous des femmes de 50 ans qui en paraissent 35 et des jeunes hommes de 25 ans qui semblent avoir dépassé la quarantaine, ou vice-versa. Il semble que ces caractères soient héréditaires.

Chose certaine, le vieillissement s'accompagne de phénomènes scientifiquement établis. Par exemple, les membranes épithéliales s'amincissent et se fragilisent; la peau perd de son élasticité et se relâche. L'activité des glandes exocrines (tissu épithélial) ralentit, de sorte que l'organisme produit moins de sébum, de mucus et de sueur. De même, certaines glandes endocrines produisent moins de sécrétions hormonales et les fonctions que ces hormones régissent (tels le métabolisme et la reproduction) ralentissent ou cessent.

Le vieillissement entraîne aussi des changements dans les structures formées de tissu conjonctif. Les os deviennent poreux et s'affaiblissent, et la cicatrisation ralentit. Le tissu musculaire s'atrophie. Certains de ces phénomènes peuvent être reliés à un mauvais régime alimentaire, mais ils sont surtout attribuables à une diminution de l'efficacité circulatoire, qui réduit l'apport d'oxygène et de nutriments aux tissus.

Le vieillissement entraîne des changements tissulaires dont le rythme s'accélère à mesure que nous prenons de l'âge. En outre, les cellules et les tissus peuvent subir des modifications à tout moment de la vie. Si, par exemple, les cellules cessent d'obéir aux mécanismes de

FAITES-EN L'EXPÉRIENCE

Montrez que l'eau et l'huile ne se mélangent pas

Versez de l'eau et de l'huile végétale dans un bocal et agitez. Vous pourrez remarquer que l'huile se sépare de l'eau, en formant d'abord des gouttelettes, qui s'agglomèrent petit à petit en bulles plus volumineuses pour finalement venir reposer en une seule couche à la surface de l'eau.

L'eau est une molécule polaire alors que l'huile est composée de molécules non polaires, dépourvues de charge électrique. Lorsqu'on les mélange à l'huile, les molécules d'eau s'attirent entre elles et se rassemblent, repoussant ainsi les autres molécules à l'extérieur des régions qu'elles occupent. Avec le temps, l'huile est refoulée et contrainte à former des gouttelettes de plus en plus grosses jusqu'à ce qu'elle se sépare complètement de l'eau. Elle s'élève au-dessus de cette dernière parce qu'elle est moins dense qu'elle.

Vous n'avez sans doute pas de phospholipides à portée de la main. Mais, si vous en aviez et que vous répétiez l'expérience précédente, vous obtiendriez un résultat bien différent, parce que les phospholipides ne se séparent pas de l'eau. Au microscope, vous verriez un grand nombre de petites sphères, composées chacune d'une bicouche de phospholipides autour d'un petit volume d'eau. En fait, vous auriez là une version non vivante de la membrane externe de la cellule avec son contenu.

régulation de la division cellulaire, elles se multiplient de manière anarchique et forment une masse anormale appelée **néoplasme** («nouvelle croissance»). On distingue les néoplasmes bénins et les néoplasmes malins (cancéreux). (Voir l'encadré «Gros plan» ci-dessous, qui porte sur le cancer.)

Cependant, les proliférations de cellules ne sont pas toutes néoplasiques. Ainsi, certains tissus (ou organes) peuvent augmenter de volume sous l'effet d'un agent irritant local ou d'un état qui stimule les cellules. Il s'agit alors d'**hyperplasie**. Chez la femme enceinte, par exemple, les seins augmentent de volume en raison d'un accroissement de la production hormonale. C'est là une situation normale et temporaire qui ne nécessite pas de traitement. À l'opposé de l'hyperplasie, l'**atrophie** est une diminution du volume d'un organe ou d'une partie du corps qui survient par suite d'une absence de stimulation. Ainsi, les muscles qui ne sont pas sollicités ou qui ont perdu leur innervation s'atrophient et fondent rapidement.

GROS PLAN

Le cancer: l'ennemi intime

Pour la plupart des gens, le mot *cancer* évoque quelque chose de redoutable. Pourquoi le cancer s'attaque-t-il à certains d'entre nous seulement? Avant de tenter de répondre à cette question, définissons quelques termes importants. Lorsque les mécanismes normaux de régulation n'ont plus d'effet sur la division des cellules, celles-ci se reproduisent de façon excessive et donnent naissance à une masse anormale appelée *néoplasme* ou *tumeur*. Tous les néoplasmes ne sont pas cancéreux. On distingue les néoplasmes bénins et les néoplasmes malins. Un *néoplasme bénin* est strictement localisé. Ces masses compactes, souvent encapsulées, ont une croissance plutôt lente et tuent rarement leur hôte si on les retire avant qu'elles compriment un organe vital. Par contre, les *néoplasmes malins* (*cancéreux*) sont des masses non encapsulées à croissance très rapide et qui peuvent être mortelles. Leurs cellules ne sont pas aussi différenciées que celles du tissu dans lequel elles prolifèrent; sous cet aspect, les cellules cancéreuses ressemblent à des cellules souches (on découvre d'ailleurs des cellules souches cancéreuses dans de plus en plus de types de cancer). Les cellules cancéreuses envahissent littéralement les tissus environnants plutôt que de simplement les repousser, comme l'indique l'étymologie du mot (*cancer* vient d'un mot latin signifiant «crabe»: une tumeur pouvant ressembler à un crabe avec sa masse centrale et ses ramifications ou évoquer la capacité que possède cet animal de reconstituer une partie de ses tissus). Des cellules malignes peuvent également se détacher de la masse primaire et se disséminer par l'intermédiaire du sang ou de la lymphe pour atteindre d'autres organes où elles forment de nouvelles masses, appelées *métastases* (90 % des décès par cancer sont attribuables aux métastases). En 2007, on a isolé la protéine (la galectine-3) qui permet aux cellules cancéreuses d'adhérer aux parois des vaisseaux pour migrer vers un nouvel organe.

Mais quel est le phénomène qui cause la transformation (conversion d'une cellule normale en cellule cancéreuse)? Il est bien connu que les rayonnements, certaines infections virales et de nombreuses substances chimiques (goudrons du tabac, saccharine) sont cancérogènes. Le point commun de tous ces facteurs est qu'ils provoquent des *mutations*, c'est-à-dire des modifications de l'ADN qui altèrent l'expression de certains gènes. Cependant, les cancérogènes ne produisent pas toujours de tels dommages parce que la plupart d'entre eux sont éliminés par les enzymes des peroxysomes ou des lysosomes, ou bien par le système immunitaire. De plus, il ne suffit pas d'une seule mutation; il faut apparemment une série de plusieurs changements génétiques pour transformer une cellule normale en véritable cellule cancéreuse (figure a).

La découverte des oncogènes (*onco*, «tumeur»), ou gènes provoquant le cancer, puis des protooncogènes a permis de comprendre en partie le rôle des gènes dans les cancers à évolution rapide. Les protooncogènes codent pour les protéines qui sont essentielles à la division et à la croissance cellulaires. Cependant, nombre d'entre eux possèdent des sites fragiles qui se brisent lorsqu'ils sont exposés à des cancérogènes, ce qui en fait des oncogènes. Ce type de «trahison» peut entraîner, par exemple, la mise en marche de gènes dormants qui permettent aux cellules de devenir envahissantes (les cellules de l'embryon et les cellules cancéreuses ont cette capacité, mais non les cellules adultes normales). On a détecté des oncogènes dans 15 à 20 % des cancers humains (au total, on connaît maintenant plus d'une centaine d'oncogènes), de sorte que les chercheurs n'ont pas été surpris de découvrir par la suite des gènes suppresseurs de tumeurs, ou *anti-oncogènes*, comme *p53* et *p16* qui ont pour effet d'empêcher l'apparition du cancer (une quinzaine d'anti-oncogènes ont été découverts jusqu'ici). Ces gènes agissent sur les mécanismes qui inactivent les cancérogènes, ils contribuent à la réparation de l'ADN et facilitent la destruction des cellules cancéreuses par le système immunitaire. Étant donné que, dans la plupart des cellules, *p53* et *p16* stimulent la production de protéines qui «freinent» la division cellulaire, il est clair que tout dommage causé à ces gènes (ou tout ralentissement dans leur fonctionnement) rend plus probable l'apparition d'une division anarchique et d'un cancer. La figure b présente un modèle de certaines des mutations qui, dans l'état des connaissances actuelles, se produisent dans le cancer colorectal, l'un des cancers humains les mieux connus. L'un des premiers signes est la formation d'un polype, c'est-à-dire une petite excroissance bénigne causée par une augmentation anormale de la fréquence des mitoses des cellules apparemment normales de la muqueuse du côlon. À mesure que la division se poursuit, l'excroissance s'agrandit et devient un adénome (néoplasme). Dans la plupart des cas, ces modifications s'accompagnent de transformations au niveau de l'ADN de ces cellules, soit l'activation d'un oncogène et l'inactivation de deux gènes suppresseurs de tumeurs. Mais, quel que soit le facteur en cause, les « germes » du cancer semblent bien se trouver dans nos gènes ou dans nos chromosomes (on a découvert que des anomalies chromosomiques sont souvent associées à l'apparition de cellules précancéreuses), ou dans les deux ; le cancer est véritablement un ennemi intime.

Chaque année, 150 000 personnes reçoivent un diagnostic de cancer au Canada et 70 000 en meurent ; dans l'ensemble des pays européens, 3,2 millions de nouveaux cas ont été diagnostiqués en 2006 et 1,7 million de personnes en sont mortes. À cause du vieillissement de la population, dans quelques années, cela pourrait être une personne sur deux qui sera atteinte de cette maladie. Le cancer peut apparaître parmi presque tous les types de cellules, mais les cancers les plus communs affectent la peau, les poumons, le côlon, le sein et la prostate.

Les procédures de dépistage, comme la recherche de bosses dans les seins et les testicules ainsi que de sang dans les selles, permettent une détection précoce du cancer. Cependant, la plupart des cancers ne sont diagnostiqués que lorsqu'ils ont commencé à produire des symptômes (douleur, écoulements sanguinolents, présence d'une masse, etc.), et la méthode de diagnostic la plus courante est la biopsie. La biopsie consiste à prélever par chirurgie (ou raclage) un échantillon de la tumeur primitive qu'on examine ensuite au microscope pour y chercher les modifications structurales propres aux cellules malignes.

La plupart des cancers sont enlevés par voie chirurgicale. S'il n'est pas possible de pratiquer un acte chirurgical (dans les cas où le cancer a envahi trop de tissus, par exemple), on a recours à la radiothérapie (traitement aux rayons X ou aux radioisotopes, ou les deux) et à la chimiothérapie (prise de médicaments cytotoxiques). Les médicaments anticancéreux ont des effets secondaires désagréables parce que la plupart d'entre eux affectent *toutes* les cellules qui se divisent fréquemment, les cellules normales comprises. Parmi les effets secondaires, on note des nausées, des vomissements et la chute des cheveux. Même s'ils sont dirigés vers une cible très localisée, les rayons X ont également des effets secondaires parce que, lorsqu'ils traversent l'organisme, ils tuent aussi des cellules saines qui se trouvent devant les cellules cancéreuses.

Il est largement reconnu que les traitements actuels (consistant à « couper, brûler et empoisonner ») ne sont pas assez raffinés et qu'ils sont trop pénibles. De nouvelles méthodes prometteuses misent sur la libération plus exclusive et plus précise de médicaments sur le site même du cancer (par l'intermédiaire d'anticorps monoclonaux qui ne réagissent qu'à un seul type de protéine présent sur une cellule cancéreuse) et sur une stimulation, par des vaccins, de la réaction immunitaire contre les cellules cancéreuses (des essais cliniques de vaccins contre le cancer de la prostate sont actuellement en cours). Par ailleurs, une équipe de l'Université d'Alberta a récemment annoncé avoir découvert qu'une molécule connue (le DCA), et déjà utilisée comme médicament à d'autres fins, provoque l'apoptose (mort cellulaire) des cellules cancéreuses. La recherche emprunte aussi diverses autres voies, comme la réactivation des gènes suppresseurs de tumeurs ou la privation de nutriments pour les tumeurs en inhibant leur capacité de se doter de l'importante vascularisation dont elles ont besoin. Dans cette dernière voie, en 2007, une nouvelle molécule (L-NNA), qui bloque la synthèse de monoxyde d'azote responsable de la formation des vaisseaux sanguins, a subi des essais cliniques avec succès semble-t-il. Bref, les chercheurs sont loin d'avoir baissé les bras et il ne passe guère une semaine sans qu'on annonce une nouvelle percée dans la lutte contre cette terrible maladie.

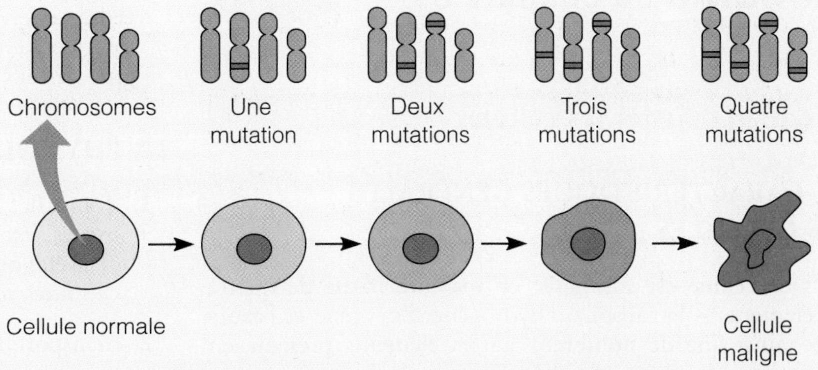
Chromosomes
Une mutation
Deux mutations
Trois mutations
Quatre mutations
Cellule normale
Cellule maligne

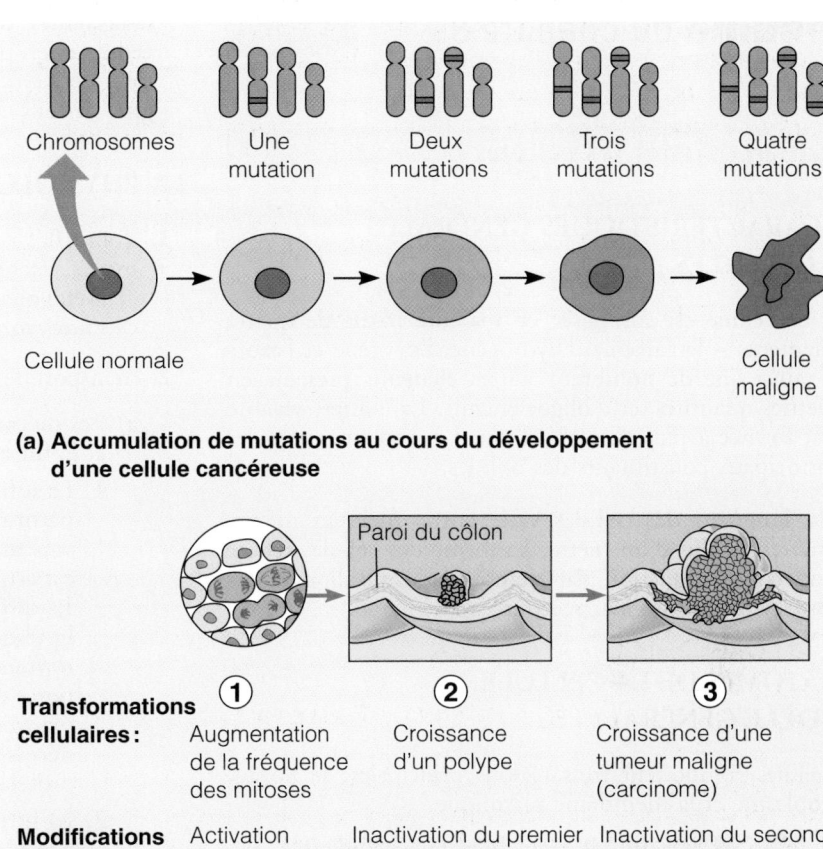

(a) Accumulation de mutations au cours du développement d'une cellule cancéreuse

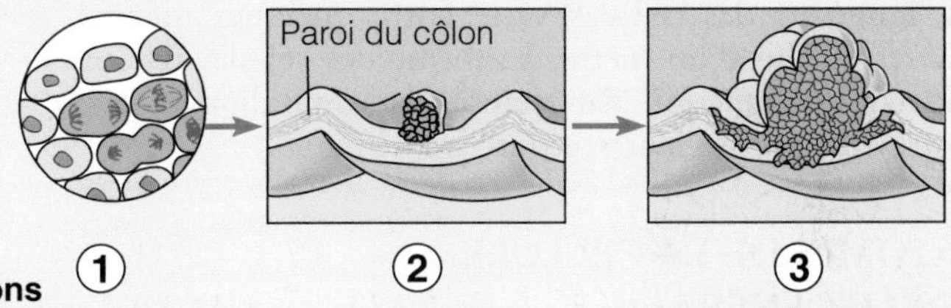
Paroi du côlon
1
2
3

	①	②	③
Transformations cellulaires :	Augmentation de la fréquence des mitoses	Croissance d'un polype	Croissance d'une tumeur maligne (carcinome)
Modifications au niveau de l'ADN :	Activation de l'oncogène	Inactivation du premier gène suppresseur de tumeurs	Inactivation du second gène suppresseur de tumeurs

(b) Étapes dans le développement d'un cancer du côlon typique

Résumé du chapitre 3

Première partie : les cellules *(p. 60-82)*

LES CARACTÉRISTIQUES GÉNÉRALES DES CELLULES

1. Une cellule est composée en majeure partie de quatre éléments – le carbone, l'hydrogène, l'oxygène et l'azote – ainsi que de nombreux autres éléments présents en petites quantités, et d'oligoéléments. La matière vivante est formée à plus de 60 % d'eau. Les protéines sont les principaux constituants des cellules.

2. La longueur des cellules varie entre quelques micromètres et plus d'un mètre. La forme des cellules reflète souvent leur fonction. Par exemple, la forme allongée des myocytes favorise leur raccourcissement.

L'ANATOMIE DE LA CELLULE (MODÈLE GÉNÉRAL)

Les cellules comportent trois régions principales : le noyau, le cytoplasme et la membrane plasmique.

a) Le noyau est le centre de régulation de la cellule. Il dirige l'activité cellulaire et intervient dans la division cellulaire. Il contient le matériel génétique (ADN), c'est-à-dire les directives pour la synthèse des protéines.

b) La membrane plasmique délimite et enferme le cytoplasme, et sert de barrière sélective au mouvement des substances vers l'intérieur ou l'extérieur de la cellule. Elle est constituée d'une bicouche lipidique contenant des protéines. La partie lipidique, imperméable à l'eau, en forme la structure fondamentale. Les protéines (dont un grand nombre sont des glycoprotéines) jouent le rôle d'enzymes ou de transporteurs, forment des canaux membranaires, servent de récepteurs pour les hormones et d'autres substances chimiques, et interviennent dans la reconnaissance et les interactions cellulaires pendant le développement et la réponse immunitaire.

La membrane plasmique comprend des éléments spécialisés : des microvillosités (qui accroissent la surface de la membrane) et des jonctions cellulaires (desmosomes, jonctions serrées et jonctions ouvertes).

c) Le cytoplasme est le siège de la majeure partie des activités de la cellule. Sa substance fluide, le cytosol, contient des inclusions cytoplasmiques, c'est-à-dire des matières emmagasinées ou inactives (gouttelettes de lipide, vésicules remplies d'eau, cristaux, etc.) et des corpuscules spécialisés, appelés *organites*, ayant chacun une fonction précise. Par exemple, les mitochondries synthétisent l'ATP, les ribosomes synthétisent les protéines et le complexe golgien emballe les substances que la cellule sécrète. Les lysosomes assurent la digestion intracellulaire et les peroxysomes neutralisent les substances chimiques dangereuses. Les éléments du cytosquelette soutiennent la cellule et en permettent les mouvements. Les centrioles interviennent dans la division cellulaire et sont à l'origine des cils et des flagelles.

LA PHYSIOLOGIE DE LA CELLULE

1. Toutes les cellules sont excitables, absorbent des nutriments, excrètent des déchets, se reproduisent, croissent et métabolisent ; toutes sont le siège de mouvement et certaines sont mobiles.

2. Transport des substances à travers la membrane plasmique :

   a) Les mécanismes de transport passifs sont la diffusion et la filtration.

   1) La diffusion est le mouvement d'une substance à partir d'une région où elle est fortement concentrée vers une région où elle est moins concentrée. Elle est attribuable à l'énergie cinétique des molécules. La diffusion des solutés à travers la bicouche lipidique de la membrane plasmique est appelée *diffusion simple*. La diffusion de l'eau à travers des pores particuliers (aquaporines) de la membrane plasmique est appelée *osmose*. La diffusion qui nécessite un canal protéique ou un transporteur protéique porte le nom *diffusion facilitée*.
   2) La filtration est le mouvement d'une substance à travers une membrane à partir d'une région où la pression hydrostatique est élevée vers une région où la pression hydrostatique est moindre. Dans l'organisme, la pression hydrostatique est habituellement exercée par le sang.

   b) Les mécanismes de transport actifs nécessitent de l'énergie (ATP) fournie par la cellule.

   1) Dans le pompage des solutés, des protéines appelées *pompes à solutés* transportent des substances à travers la membrane plasmique à l'encontre d'un gradient de concentration ou d'un gradient électrique. Les acides aminés, certains sucres et la plupart des ions sont transportés par des pompes à solutés.
   2) Les deux modes de transport vésiculaire mus par l'ATP sont l'exocytose et l'endocytose. L'exocytose est un mécanisme qui fait sortir les sécrétions et d'autres substances de la cellule ; une vésicule fusionne avec la membrane plasmique, se rompt et déverse son contenu à l'extérieur de la cellule. L'endocytose comprend les mécanismes par lesquels une vésicule se forme autour des particules extracellulaires ; elle comprend la phagocytose (absorption de solides), l'endocytose de liquides (pinocytose) et l'endocytose par récepteurs interposés. Cette dernière est très sélective : elle fait intervenir des récepteurs membranaires qui se lient à des molécules cibles bien précises. Ces molécules sont les seules à pénétrer dans la cellule par ce mécanisme.

3. La pression osmotique dépend de la concentration de solutés dans une solution. Elle détermine si la cellule absorbera ou rejettera de l'eau (encadré «Gros plan»).
   a) Les solutions hypertoniques contiennent plus de solutés (et moins d'eau) que les cellules. Les cellules qui baignent dans une solution hypertonique perdent de l'eau par osmose et deviennent crénelées.
   b) Les solutions hypotoniques contiennent moins de solutés (et plus d'eau) que les cellules. Les cellules qui baignent dans une solution hypotonique se gonflent d'eau et peuvent éclater (se lyser).
   c) Les solutions isotoniques contiennent autant de solutés et d'eau que les cellules. Les cellules qui baignent dans une solution isotonique ne changent ni de taille ni de forme.

4. La division cellulaire comprend deux phases: la mitose (division du noyau) et la cytocinèse (division du cytoplasme).
   a) La mitose commence après la réplication de l'ADN (qui a lieu pendant l'interphase). Elle comprend quatre phases: la prophase, la métaphase, l'anaphase et la télophase. Elle aboutit à la formation de deux noyaux fils identiques au noyau de la cellule mère.
   b) La cytocinèse commence habituellement pendant l'anaphase. La cellule s'étrangle progressivement jusqu'à ce que le cytoplasme soit divisé en deux. En l'absence de cytocinèse, on obtient des cellules binucléées ou multinucléées.
   c) La mitose produit des cellules pour la croissance et la réparation des tissus.

5. La synthèse des protéines fait intervenir autant l'ADN (les gènes) que les trois types d'ARN.
   a) Un gène est un segment d'ADN qui porte les directives pour la fabrication d'une protéine. L'information est encodée dans la séquence des bases azotées qui forment les brins de nucléotides. Chaque séquence de trois bases (triplet) code pour un acide aminé particulier.
   b) L'ARN messager transporte les directives pour la synthèse des protéines entre l'ADN (gène) et les ribosomes. L'ARN de transfert apporte les acides aminés aux ribosomes. L'ARN ribosomique entre dans la composition des ribosomes et contribue à coordonner la synthèse des protéines.

Deuxième partie: les tissus *(p. 82-94)*

1. L'épithélium est le tissu qui recouvre et tapisse les organes, et qui forme les glandes. Ses fonctions comprennent la protection, l'absorption et la sécrétion. Les termes relatifs aux différents épithéliums indiquent le nombre relatif de couches de cellules (*simple*, *stratifié*) et leur forme (*squameux*, *cuboïde*, *prismatique*).

2. Le tissu conjonctif soutient, protège et relie les organes. Il se caractérise par la présence d'une matrice extracellulaire (substance fondamentale et fibres) non vivante élaborée et sécrétée par les cellules. Sa quantité et sa consistance varient selon les parties du corps. Le tissu adipeux, les ligaments, les tendons, le tissu osseux et le cartilage sont des tissus conjonctifs ou sont formés de tissu conjonctif.

3. Le tissu musculaire a la propriété de se contracter (raccourcir) pour produire le mouvement. Les trois types de tissu musculaire sont le tissu musculaire squelettique (rattaché au squelette), le tissu musculaire cardiaque (qui forme le cœur) et le tissu musculaire lisse (dans les parois des organes creux).

4. Le tissu nerveux est composé de neurones et de gliocytes. Les neurones sont des cellules excitables, spécialisées dans la réception, la propagation et la transmission des influx nerveux. Les neurones jouent un rôle important dans la régulation des fonctions de l'organisme. Le tissu nerveux est situé dans les structures du système nerveux, soit l'encéphale, la moelle épinière et les nerfs.

5. La réparation des tissus (cicatrisation) peut prendre la forme de la régénération, de la fibrose ou des deux. La régénération est le remplacement de cellules endommagées par le même type de cellules. La fibrose produit du tissu cicatriciel. Les épithéliums et la plupart des tissus conjonctifs se régénèrent facilement. Le muscle cardiaque adulte et le tissu nerveux sont réparés par la formation de tissu cicatriciel.

Troisième partie: le développement et le vieillissement des cellules et des tissus *(p. 94-96)*

1. Les cellules se divisent jusqu'à la puberté, moment où la croissance se termine. Les cellules exposées à la friction (comme les cellules épithéliales) se renouvellent tout au long de la vie. Les cellules du tissu conjonctif continuent à subir des mitoses et forment le tissu cicatriciel de réparation. La majeure partie du tissu nerveux devient amitotique peu de temps après la naissance et l'essentiel du tissu musculaire, à la fin de la puberté. Les blessures causent beaucoup de tort aux tissus amitotiques.

2. On ne connaît pas la cause du vieillissement, mais on pense qu'il s'agit d'agressions chimiques et physiques accumulées, et de facteurs génétiques.

3. Les néoplasmes bénins et malins sont des masses de cellules anormales qui n'obéissent plus aux mécanismes de régulation de la division cellulaire. L'hyperplasie (augmentation de volume) d'un tissu ou d'un organe peut être provoquée par une stimulation ou une irritation importantes. L'atrophie (diminution de volume) d'un tissu ou d'un organe fait suite à une absence de stimulation.

Questions de révision

QUESTIONS À CHOIX MULTIPLE

Pour certaines questions, il peut y avoir plus d'une bonne réponse.

1. Laquelle des structures qui suivent vous attendez-vous à trouver sur ou dans des cellules dont la fonction principale est l'absorption?
- **a)** Les microvillosités.
- **b)** Les cils.
- **c)** Les jonctions ouvertes.
- **d)** Les vésicules de sécrétion.

2. Les cellules adultes chez lesquelles on peut s'attendre à trouver des jonctions ouvertes sont celles:
- **a)** des muscles squelettiques.
- **b)** des os.
- **c)** du cœur.
- **d)** des muscles lisses.

3. Lesquelles des fonctions qui suivent peuvent être associées aux glycoprotéines de la membrane plasmique?
- **a)** La détermination des groupes sanguins.
- **b)** Les sites de liaison pour les toxines ou les bactéries.
- **c)** La contribution à l'union du spermatozoïde et de l'ovule.
- **d)** L'augmentation de l'efficacité de l'absorption.

4. Une cellule possédant d'abondants peroxysomes est susceptible de jouer un rôle dans:
- **a)** la sécrétion.
- **b)** l'accumulation de réserves de glycogène.
- **c)** la synthèse de l'ATP.
- **d)** le mouvement.
- **e)** la détoxification.

5. Une cellule qui reçoit une stimulation l'amenant à augmenter sa sécrétion de stéroïdes aura:
- **a)** un grand nombre de ribosomes.
- **b)** un RE rugueux développé.
- **c)** un RE lisse développé.
- **d)** un grand nombre de complexes golgiens.
- **e)** un grand nombre de vésicules de sécrétion.

6. Pour que la diffusion ait lieu, il doit y avoir:
- **a)** une membrane à perméabilité sélective.
- **b)** des quantités égales de solutés de part et d'autre.
- **c)** un gradient de concentration.
- **d)** un transporteur quelconque.
- **e)** toutes ces conditions.

7. Quels énoncés parmi ceux qui suivent sont exacts?
- **a)** La division cellulaire produit deux cellules filles possédant les mêmes gènes que la cellule mère.
- **b)** Le terme *mitose* est synonyme de *division cellulaire.*
- **c)** La réplication de l'ADN précède normalement la division de la cellule.
- **d)** L'interphase est un temps de repos pour la cellule.
- **e)** Les cellules multinucléées de l'organisme sont le résultat de divisions des noyaux non suivies de divisions du cytoplasme.

8. La séquence qui suit fait référence au déroulement de la synthèse des protéines:

Codons, triplets, anticodons, acides aminés, protéines, réactions chimiques de la cellule.

Lesquels, parmi les énoncés suivants, sont justes?
- **a)** *Triplets* devrait venir en premier.
- **b)** *Enzymes* devrait apparaître entre *protéines* et *réactions chimiques de la cellule.*
- **c)** *Acides aminés* n'a pas sa place.
- **d)** Tout est correct.

9. Parmi les types d'épithéliums qui suivent, lequel devrait présenter des cellules caliciformes?
- **a)** Simple cuboïde.
- **b)** Simple prismatique.
- **c)** Simple squameux.
- **d)** Stratifié squameux.
- **e)** Transitionnel.

10. Lequel des épithéliums qui suivent peut le mieux supporter la friction?
- **a)** Simple squameux.
- **b)** Stratifié squameux.
- **c)** Simple cuboïde.
- **d)** Simple prismatique.
- **e)** Pseudostratifié.

11. Lequel des tissus conjonctifs qui suivent agit comme une éponge, absorbant les liquides en cas d'œdème?
- **a)** Aréolaire.
- **b)** Adipeux.
- **c)** Dense régulier.
- **d)** Osseux.
- **e)** Cartilage.

12. Quel type de tissu conjonctif permet aux os de se rapprocher quand les muscles se contractent?
- **a)** Dense régulier.
- **b)** Aréolaire.
- **c)** Cartilage hyalin.
- **d)** Adipeux.
- **e)** Réticulaire.

13. Parmi les termes suivants, lequel ou lesquels conviennent à la description des myocytes cardiaques?
- **a)** Striés.
- **b)** Disques intercalaires.
- **c)** Multinucléés.
- **d)** Involontaires.
- **e)** Ramifiés.

14. Quelles cellules, parmi les suivantes, ne peuvent plus se diviser, dans un organisme adulte ?

a) Les cellules de la peau.

b) Les cellules du muscle cardiaque.

c) Les cellules nerveuses.

d) Les cellules du foie.

e) Les cellules de l'épithélium intestinal.

QUESTIONS À COURT DÉVELOPPEMENT

1. Nommez les quatre éléments qui forment la majeure partie de la matière vivante.

2. Définissez les termes *cellule* et *organite.*

3. Quelles sont les fonctions communes à *toutes* les cellules ?

4. Quelle est la fonction générale du noyau ? Quelle est la fonction particulière de l'ADN situé dans le noyau ? Quelles sont les structures nucléaires qui contiennent l'ADN ? Lesquelles contribuent à la formation des ribosomes ?

5. Décrivez la structure générale et la fonction de la membrane plasmique.

6. Décrivez la composition générale et la fonction du cytosol et des inclusions cytoplasmiques.

7. Nommez les organites et expliquez les fonctions de chacun.

8. Quelle est la principale différence entres les mécanismes de transport actifs et les mécanismes de transport passifs ?

9. Définissez les termes suivants : *diffusion, osmose, diffusion simple, diffusion facilitée, filtration, pompage des solutés, exocytose, endocytose, phagocytose, endocytose de liquides* et *endocytose par récepteurs interposés.*

10. Est-il exact de dire que l'osmose est de la « diffusion d'eau » ? Justifiez votre réponse.

11. Indiquez un point commun et une différence entre le mécanisme de pompage des solutés et celui de diffusion facilitée.

12. Quelles sont les deux caractéristiques structurales de la membrane plasmique qui déterminent si les substances peuvent la traverser passivement ? Qu'est-ce qui détermine si une substance peut être transportée activement ou non à travers la membrane plasmique ?

13. En quoi le fait que le transport de l'oxygène, du gaz carbonique et du glucose s'effectue par diffusion est-il un avantage pour l'organisme ?

14. Expliquez les effets d'une solution hypertonique, d'une solution hypotonique et d'une solution isotonique sur des cellules vivantes (par exemple les globules rouges).

15. Décrivez brièvement la réplication de l'ADN.

16. Définissez le terme *mitose.* Pourquoi la mitose est-elle importante ?

17. Pourquoi dit-on que la télophase est une prophase à l'envers ? Est-il exact de dire que la cytocinèse se produit *après* la mitose ?

18. Quel est le rôle du fuseau mitotique pendant la mitose ?

19. Pourquoi un organe dont les cellules sont amitotiques peut-il subir des dommages permanents ?

20. Faites un parallèle entre le rôle de l'ADN et celui de l'ARN messager dans la synthèse des protéines.

21. Étant donné la séquence de bases azotées suivantes dans l'ADN : GATCTA, quelle séquence de bases azotées auront les codons et les anticodons correspondants ? Combien d'acides aminés cette séquence de bases de l'ADN peut-elle mettre en place ?

22. Définissez le terme *tissu.* Énumérez les quatre tissus primaires. Lequel est le plus abondant dans l'organisme ?

23. Donnez les caractéristiques générales du tissu épithélial. Énumérez les principales fonctions des tissus épithéliaux et donnez des exemples pour chacune.

24. Comment classe-t-on les tissus épithéliaux ?

25. Où trouve-t-on un épithélium cilié, et quelle est sa fonction ?

26. Qu'est-ce qui distingue les glandes endocrines et les glandes exocrines du point de vue de la structure et de la fonction ?

27. Quelles sont les caractéristiques structurales générales des tissus conjonctifs ? Quelles sont les fonctions des tissus conjonctifs ? Quel est le rapport entre ces fonctions et la structure des tissus conjonctifs ?

28. Nommez un tissu conjonctif dont la matrice est : a) liquide ; b) dure.

29. Qu'est-ce qu'un œdème et quel type de tissu conjonctif est en cause ?

30. Quelle est la fonction du tissu musculaire ?

31. Nommez les trois types de tissu musculaire et indiquez leur localisation dans l'organisme.

32. Pourquoi dit-on que les muscles lisses sont involontaires ? Quel type de muscle est volontaire ?

33. Quelles sont les deux caractéristiques fonctionnelles qui sont très marquées dans les neurones ?

34. Définissez les termes *néoplasme, atrophie* et *hyperplasie.*

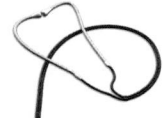

Réflexion et application

1. Voici deux exemples de médicaments antinéoplasiques (destinés à traiter le cancer). En vous appuyant sur la description de leurs effets, expliquez les raisons pour lesquelles chacun peut détruire les cellules.
   - Vincristine : endommage le fuseau mitotique.
   - Adriamycine : se lie à l'ADN et entrave la synthèse de l'ARN messager.
2. L'hydrocortisone est un médicament anti-inflammatoire qui stabilise les membranes des lysosomes. Expliquez les raisons pour lesquelles il réduit les dommages subis par les cellules et atténue l'inflammation.
3. Jean s'est infligé une grave blessure au cours d'une séance d'entraînement de son équipe de football. On lui a dit qu'il s'était déchiré un cartilage du genou. Pourquoi l'a-t-on aussi prévenu que la guérison et la convalescence seraient longues ?
4. Un médecin examine trois patients traités à l'unité des soins intensifs. L'un souffre de lésions cérébrales consécutives à un accident vasculaire cérébral, l'autre a subi un infarctus et présente de graves lésions au cœur, et le troisième a de graves lésions au foie (une glande) à la suite d'un accident de la circulation. Les trois patients ont été stabilisés et auront la vie sauve, mais un seul d'entre eux ne gardera pas de séquelles fonctionnelles en raison de la régénération de l'organe touché. Quel est ce patient et pourquoi l'organe blessé se régénérera-t-il ?

La peau et les membranes de l'organisme

CHAPITRE 4

Lorsque vous aurez étudié le présent chapitre, vous aurez une connaissance pratique des fonctions de la peau et des membranes de l'organisme ; vous devriez de plus avoir atteint les objectifs d'apprentissage énumérés ci-dessous.

Aperçu des fonctions

- ❑ Les membranes de l'organisme couvrent, protègent et lubrifient les surfaces corporelles.
- ❑ La peau constitue la barrière la plus externe de l'organisme ; elle le protège des lésions de toutes sortes.

OBJECTIFS D'APPRENTISSAGE

La classification des membranes de l'organisme *(p. 104-106)*

❑ **1.** Énumérer les fonctions générales des types de membranes de l'organisme (peau, muqueuse, séreuse et membrane synoviale) et situer chacune dans l'organisme.

❑ **2.** Comparer la structure tissulaire des principaux types de membranes de l'organisme.

Le système tégumentaire (peau) *(p. 106-119)*

❑ **3.** Énumérer les principales fonctions du système tégumentaire, ainsi que les structures responsables de chacune, et décrire les mécanismes qui permettent de les remplir.

❑ **4.** Au moyen d'un modèle ou d'un schéma de la peau, repérer et nommer les structures cutanées suivantes : épiderme, derme (zones papillaire et réticulaire), hypoderme, poil et follicule du poil, muscle arrecteur du poil, glande sébacée et glande sudoripare ; localiser les récepteurs nerveux.

❑ **5.** Nommer, de la plus profonde à la plus superficielle, les couches de l'épiderme et citer les caractéristiques de chacune.

❑ **6.** Expliquer le rôle de la couche basale de l'épiderme dans le renouvellement de celui-ci.

❑ **7.** Distinguer la nature, l'origine et la fonction de la kératine et de la mélanine.

❑ **8.** Énumérer les structures contenues dans le derme et donner un aperçu de leur fonction.

❑ **9.** Nommer les facteurs qui déterminent la couleur de la peau ; définir les termes suivants : *cyanose*, *jaunisse*, *ecchymose* et *hématome*.

❑ **10.** Décrire de façon sommaire la structure des dérivés de l'épiderme (glandes sébacées, glandes sudoripares et poils) ; donner un aperçu de leur répartition et décrire leurs fonctions.

❑ **11.** Citer quelques exemples des lésions cutanées les plus communes.

❑ **12.** Comparer les brûlures de premier, de deuxième et de troisième degré.

❑ **13.** Définir la règle des neuf et expliquer son importance.

❑ **14.** Décrire brièvement les caractéristiques de l'épithélioma basocellulaire, de l'épithélioma spinocellulaire et du mélanome malin.

Le développement et le vieillissement de la peau et des membranes de l'organisme *(p. 120-122)*

❑ **15.** Citer quelques exemples des effets du vieillissement sur le système tégumentaire.

Les **membranes** de l'organisme recouvrent des surfaces, tapissent des cavités et forment une couche protectrice (et souvent lubrifiante) autour des organes. On les divise en deux principaux groupes : 1) les membranes de nature *épithéliale*, qui englobent la peau, les muqueuses et les séreuses et 2) les membranes de nature *conjonctive*, représentées par la membrane synoviale de la capsule articulaire. Dans le présent chapitre, nous nous intéresserons surtout à la peau, mais nous décrirons d'abord brièvement les autres membranes de l'organisme.

La classification des membranes de l'organisme

Les membranes de l'organisme sont classées en deux grandes catégories, en fonction du type de tissu qui les compose : le tissu épithélial et le tissu conjonctif.

LES MEMBRANES DE NATURE ÉPITHÉLIALE

Les **membranes de nature épithéliale**, aussi appelées *membranes de revêtement*, comprennent la peau, les muqueuses et les séreuses (figure 4.1). Cependant, dire que ces membranes sont *épithéliales* non seulement peut prêter à confusion, mais est inexact. En effet, même si elles contiennent *toutes* un feuillet épithélial, celui-ci repose toujours sur une couche de tissu conjonctif. En fait, on peut considérer ces membranes comme des organes simples. Nous aborderons la peau plus loin, et la citons ici uniquement comme exemple de membrane de nature épithéliale.

La peau

À la surface de la **peau** se trouve l'épiderme, qui est formé d'un épithélium stratifié squameux kératinisé. Le derme sous-jacent est composé principalement de tissu conjonctif dense. Contrairement aux autres types de tissu épithélial, la peau est exposée à l'air ; c'est donc une membrane *sèche*.

Les muqueuses

Les **muqueuses** sont formées d'épithélium (dont le type varie selon la localisation) posé directement sur une couche de tissu conjonctif lâche appelée *lamina propria*. Elles tapissent toutes les cavités qui s'ouvrent sur l'environnement, comme celles des organes creux du tube digestif et des voies respiratoires, urinaires et génitales (voir la figure 4.1b). Notez que le terme *muqueuse* traduit la localisation de la membrane épithéliale et *non* sa composition cellulaire. Celle-ci varie, bien que la majorité des muqueuses soient composées d'un épithélium stratifié squameux (comme dans la bouche et l'œsophage) ou d'un épithélium simple prismatique (comme dans le reste du tube digestif). Toutes les muqueuses sont *humides*, c'est-à-dire qu'elles baignent dans des sécrétions ou, dans le cas de la muqueuse des voies urinaires, dans de l'urine.

L'épithélium des muqueuses assure souvent des fonctions d'absorption et de sécrétion. Un grand nombre de muqueuses sécrètent du mucus, mais toutes n'ont pas cette propriété. Ainsi, les muqueuses du tube digestif et des voies respiratoires produisent d'abondantes quantités de mucus protecteur et lubrifiant, tandis que la muqueuse des voies urinaires n'en fabrique pas.

Les séreuses

Les **séreuses**, ou **membranes séreuses**, sont formées d'une couche d'épithélium simple squameux reposant sur une mince couche de tissu conjonctif lâche (aréolaire). Contrairement aux muqueuses, qui tapissent les cavités ouvertes sur l'environnement, elles tapissent les cavités fermées (sauf la cavité postérieure et les cavités articulaires).

Les séreuses comportent deux couches (voir la figure 4.1c). Le *feuillet pariétal* (*paries*, « paroi ») recouvre une région précise de la paroi de la cavité antérieure. Il se replie sur lui-même pour former le *feuillet viscéral*, qui enveloppe la face externe des organes de cette cavité.

Pour visualiser le lien entre les feuillets des séreuses, imaginez un poing enfoncé dans un ballon mou (voir la figure 4.1d). La partie du ballon qui adhère au poing correspond au feuillet viscéral adhérant à la surface externe des organes. La paroi externe du ballon représente le feuillet pariétal qui tapisse les parois des cavités et qui, contrairement au ballon, n'est jamais exposé puisqu'il fusionne avec la paroi de la cavité. Dans l'organisme, les feuillets des séreuses ne sont pas séparés par de l'air, mais plutôt par un liquide clair et translucide, appelé **sérosité**, qui est sécrété par les deux feuillets. Bien qu'ils soient théoriquement séparés par un espace, les feuillets ont tendance à adhérer l'un à l'autre.

La sérosité permet aux organes de glisser facilement, sans friction, sur les parois de la cavité et les uns sur les autres afin d'exécuter leurs fonctions habituelles. Elle joue ainsi un rôle très important pour les organes en mouvement, comme le cœur qui bat ou l'estomac qui brasse la nourriture.

On nomme les séreuses en fonction de leur localisation. Par exemple, la séreuse qui tapisse la cavité abdominale et ses organes est appelée **péritoine**. Dans le

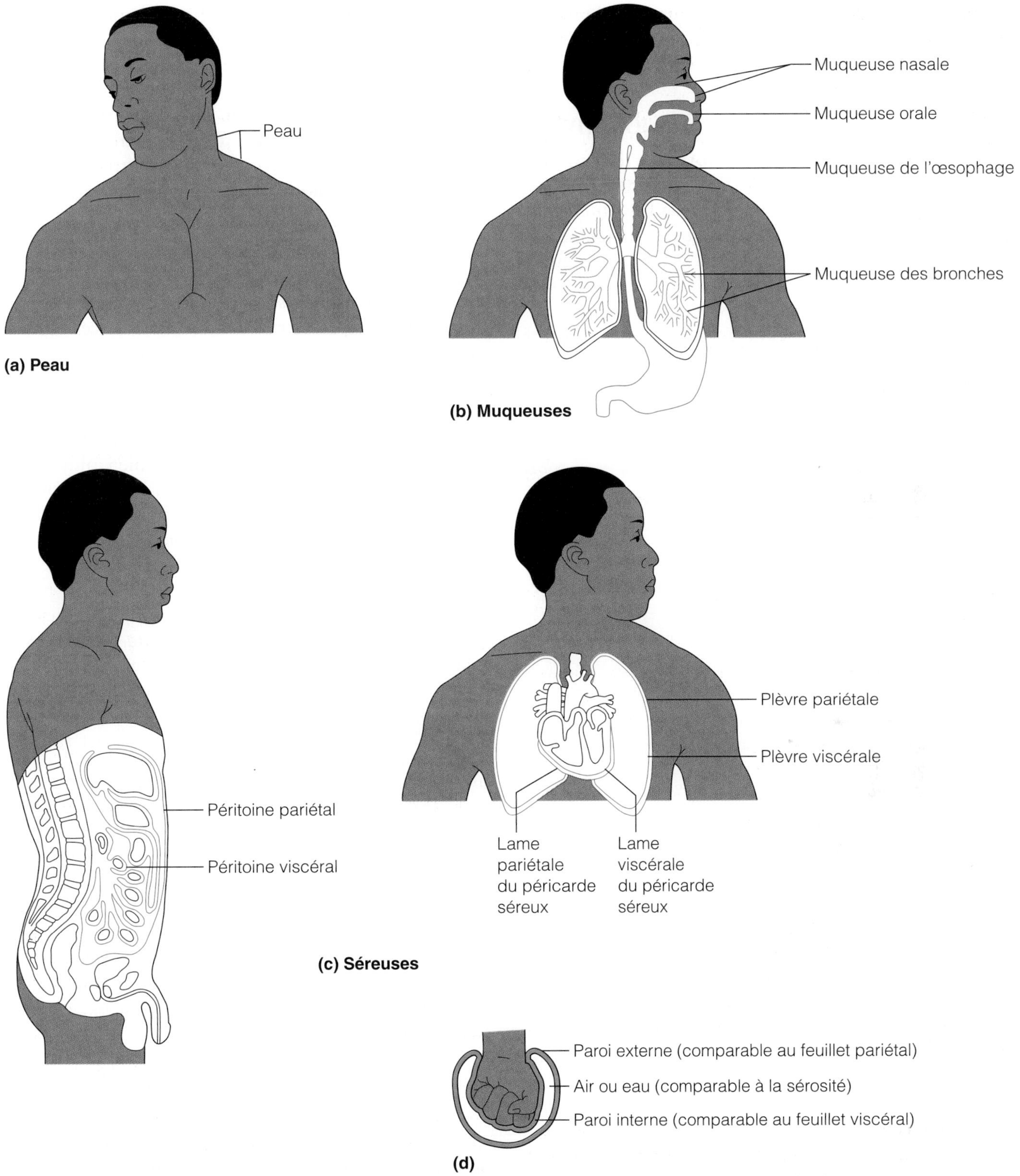
Peau
(a) Peau
Muqueuse nasale
Muqueuse orale
Muqueuse de l'œsophage
Muqueuse des bronches
(b) Muqueuses
Péritoine pariétal
Péritoine viscéral
Plèvre pariétale
Plèvre viscérale
Lame pariétale du péricarde séreux
Lame viscérale du péricarde séreux
(c) Séreuses
Paroi externe (comparable au feuillet pariétal)
Air ou eau (comparable à la sérosité)
Paroi interne (comparable au feuillet viscéral)
(d)

Figure 4.1 **Les membranes de nature épithéliale**

(a) Peau. **(b)** Les muqueuses (en bleu) tapissent les cavités qui s'ouvrent sur l'environnement. **(c)** Les séreuses (en rouge) recouvrent les cavités fermées. **(d)** L'image d'un poing qui s'enfonce dans un ballon mou illustre la relation entre le feuillet pariétal et le feuillet viscéral des séreuses.

thorax, des séreuses séparent les poumons du cœur. Celle qui entoure les poumons (voir la figure 4.1c) s'appelle **plèvre**; celle qui recouvre le cœur, **péricarde**.

LES MEMBRANES DE NATURE CONJONCTIVE

La **membrane synoviale de la capsule articulaire** est formée de tissu conjonctif lâche aréolaire et ne contient aucune cellule épithéliale. Elle tapisse la face interne de la membrane fibreuse qui entoure les articulations (figure 4.2), où elle fournit une surface lisse et un liquide lubrifiant (synovie). Elle enrobe également de petits sacs de tissu conjonctif, appelés *bourses* et *gaines de tendons*. Ces structures lubrifient les organes qui frottent les uns sur les autres au cours d'une activité musculaire, par exemple lorsqu'un tendon frotte sur la surface d'un os.

Le système tégumentaire (peau)

Que penseriez-vous d'une publicité qui vanterait les mérites d'un vêtement imperméable, élastique, lavable,

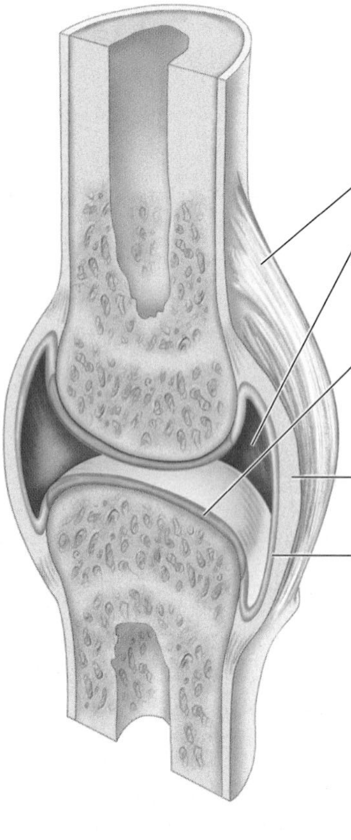

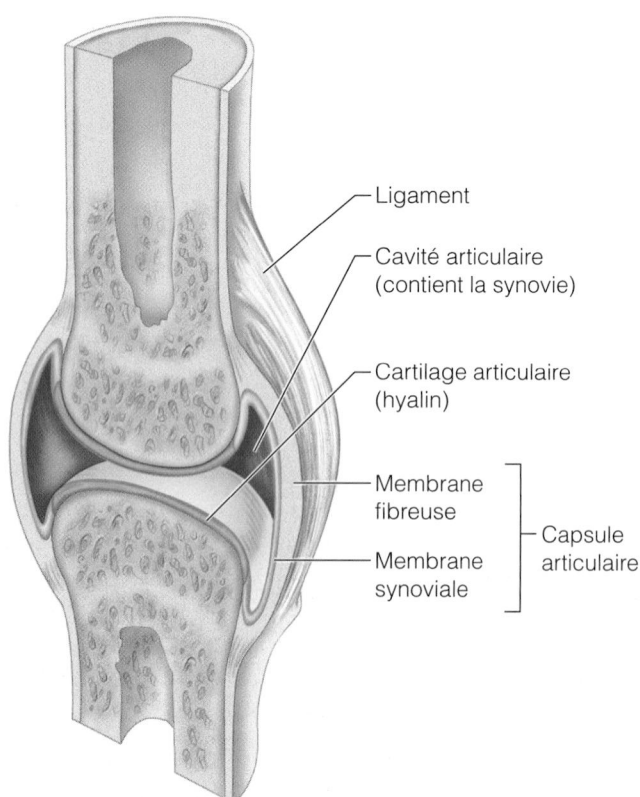

Ligament
Cavité articulaire
(contient la synovie)
Cartilage articulaire
(hyalin)
Membrane
fibreuse
Membrane
synoviale
Capsule
articulaire

Figure 4.2 **Articulation synoviale typique**

infroissable, réparant lui-même ses petites coupures, déchirures et brûlures grâce à d'invisibles outils de raccommodage, et garanti à vie dans la mesure où l'on en prend raisonnablement soin ? Cela vous paraîtrait sûrement trop beau pour être vrai. Pourtant, vous possédez déjà un tel vêtement: votre **peau**. Et qui plus est, on peut aujourd'hui, en l'espace de deux ou trois semaines, à partir d'un petit morceau de quelques centimètres carrés mis en culture, produire plus d'un mètre carré de ce « vêtement ».

La peau et ses annexes (glandes sudoripares et sébacées, poils et ongles) assurent de nombreuses fonctions pour la plupart protectrices. L'ensemble de ces organes est appelé **système tégumentaire**.

LES PRINCIPALES FONCTIONS DE LA PEAU

La peau est aussi appelée **tégument** (ce qui signifie simplement « couverture »), mais elle est bien plus qu'un revêtement pour le contenu du corps. Elle joue un rôle vital, car elle maintient à l'intérieur de l'organisme l'eau et d'autres molécules précieuses, tout en le protégeant de l'eau et des facteurs et substances indésirables de l'environnement. (C'est ce qui explique qu'on puisse nager pendant des heures sans se gonfler d'eau.) Au point de vue de la structure, la peau est un chef-d'œuvre. À la fois souple et résistante, elle est capable de subir les constantes attaques d'agents de l'environnement. En fait, si on nous enlevait notre peau, nous serions rapidement la proie des bactéries et péririons par suite de la déperdition d'eau et de chaleur.

La peau assure de nombreuses fonctions, dont la plupart visent la protection (tableau 4.1). Elle isole et rembourre les organes internes profonds et protège l'ensemble du corps des lésions mécaniques (coups et coupures), chimiques (acides et bases, par exemple) et thermiques (chaleur et froid), des rayons UV (soleil) et des bactéries. Sur la surface de la peau, la **kératine** et la *couche cornée* empêchent l'eau de s'échapper de l'organisme.

Grâce à son riche réseau de vaisseaux sanguins et à ses glandes sudoripares (régis par le système nerveux), la peau joue un rôle important dans la régulation de la température corporelle. Elle agit comme un système d'excrétion miniature; lorsque nous suons, nous excrétons par la peau de l'urée, des sels et de l'eau. La peau fabrique aussi plusieurs protéines intervenant dans l'immunité et synthétise la vitamine D. (Les molécules de cholestérol modifiées qui se trouvent dans la peau se transforment en vitamine D sous l'action du soleil.) Enfin, la peau est riche en *récepteurs sensoriels cutanés*, qui sont des éléments du système nerveux. Ces minuscules récepteurs, qui détectent le toucher, la pression, la

Tableau 4.1 Les fonctions de la peau

Fonctions	Mécanismes
Protège les tissus profonds contre :	
• Les lésions mécaniques (coups)	Sa barrière physique contient de la kératine, qui confère aux cellules leur résistance, et des récepteurs de la pression et de la douleur, qui avertissent le système nerveux des lésions possibles.
• Les lésions chimiques (acides et bases)	Ses cellules kératinisées sont relativement imperméabilisantes. Elle contient des récepteurs de la douleur, qui avertissent le système nerveux des lésions possibles.
• Les lésions biologiques	Sa surface est continue et elle sécrète un film de liquide acide (qui retarde la multiplication des bactéries) ; ses phagocytes ingèrent les substances étrangères et les agents pathogènes pour les empêcher de pénétrer dans les tissus plus profonds.
• Les rayons UV (effets nocifs du soleil)	La mélanine synthétisée par les mélanocytes offre une protection contre les lésions que peuvent causer les rayons UV.
• Les lésions thermiques (chaleur ou froid)	La peau contient des récepteurs du chaud, du froid et de la douleur.
• Le dessèchement	La peau contient des substances imperméabilisantes (glycolipides et kératine).
Contribue à évacuer ou à retenir la chaleur corporelle (en collaboration avec le système nerveux)	Perte de chaleur : en stimulant les glandes sudoripares et en permettant au sang d'affluer vers les vaisseaux sanguins dermiques. Rétention de chaleur : en ne permettant pas au sang d'affluer vers les vaisseaux sanguins dermiques.
Contribue à l'excrétion de l'urée et de l'acide urique	Ces substances passent dans la sueur élaborée par les glandes sudoripares.
Synthétise la vitamine D	Les molécules de cholestérol modifiées de la peau sont converties en vitamine D sous l'effet des rayons du soleil.

température et la douleur, nous fournissent une grande quantité d'information sur notre environnement. Ils nous alertent lorsque nous recevons un coup et que nous sommes en présence de facteurs nocifs pour nos tissus, et nous permettent de sentir le vent dans nos cheveux ou une caresse.

LA STRUCTURE DE LA PEAU

La peau est formée de deux types de tissus. En surface, l'**épiderme** est composé d'un épithélium stratifié squameux capable de se *kératiniser*, c'est-à-dire de durcir. Le **derme** sous-jacent est constitué de tissu conjonctif dense. L'épiderme et le derme sont solidement collés ensemble. Lorsqu'une brûlure ou la friction d'une chaussure mal ajustée sépare ces deux parties et permet au liquide interstitiel de s'accumuler dans l'espace ainsi créé, une *phlyctène* (cloque) apparaît.

Juste sous la peau se trouve le tissu sous-cutané, appelé **hypoderme**, constitué essentiellement de tissu adipeux. Il ne fait pas véritablement partie de la peau, mais la relie aux structures sous-jacentes. L'hypoderme absorbe les chocs et isole les tissus plus profonds de l'organisme contre les changements brusques de la température externe. Il est également à l'origine des courbes qui caractérisent l'anatomie féminine. Étudions à présent les principales parties et structures de la peau, qui sont illustrées également dans les figures 4.3 et 4.4.

L'épiderme

L'épiderme comprend quatre ou cinq couches, aussi appelées *strates* ou *stratum* (voir la figure 4.3). De la plus profonde à la plus superficielle, on trouve la couche basale (ou stratum basale), la couche épineuse (ou stratum spinosum), la couche granuleuse (ou stratum granulosum), la couche claire (ou stratum lucidum) et la couche cornée (ou stratum corneum).

Comme tous les épithéliums, l'épiderme est *avasculaire*, c'est-à-dire qu'il ne reçoit aucun apport sanguin. Cela explique pourquoi un homme peut se raser chaque jour et lacérer plusieurs couches superficielles de sa peau sans jamais saigner.

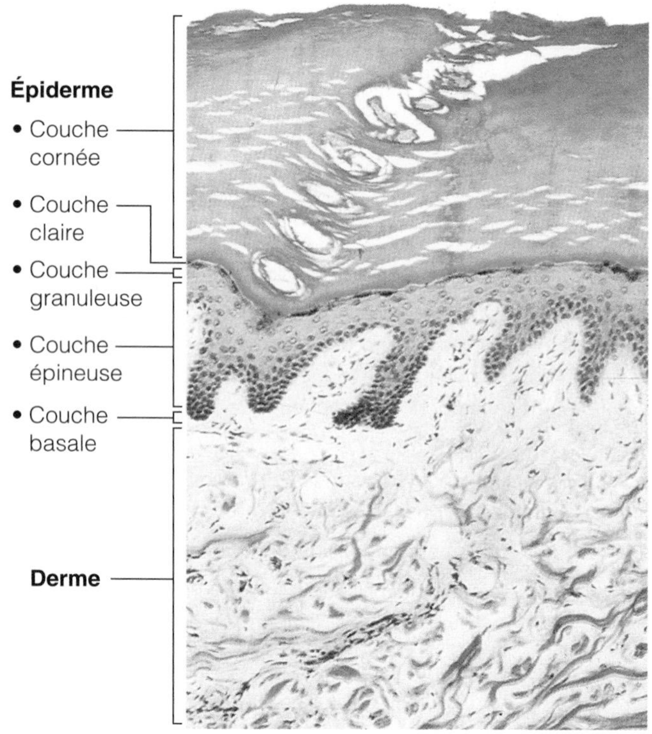
Épiderme
• Couche cornée
• Couche claire
• Couche granuleuse
• Couche épineuse
• Couche basale
Derme

Figure 4.3 **L'épiderme de la peau épaisse** (150×)

Source: Henry Gray, *Gray's Anatomy*, Churchill Livingstone, Royaume-Uni.

La plupart des cellules de l'épiderme, soit 90 %, sont des **kératinocytes** qui synthétisent la kératine, une protéine fibreuse dont les molécules s'associent en filaments intermédiaires et qui confère sa dureté à l'épiderme. La **couche basale** est la couche la plus profonde de l'épiderme. Elle est fixée au derme sous-jacent et contient les cellules épidermiques qui reçoivent la nutrition la plus adéquate (grâce aux nutriments qui diffusent du derme). Ces cellules se divisent constamment et des millions de nouvelles cellules sont produites quotidiennement. Les cellules filles sont poussées vers le haut, loin de la source de nutrition, et deviennent une partie des couches de l'épiderme les plus rapprochées de la surface de la peau. À mesure qu'elles s'éloignent du derme pour atteindre les couches plus superficielles, c'est-à-dire d'abord la **couche épineuse** (ainsi nommée en raison des nombreux desmosomes qui joignent les cellules entre elles et qui ont l'aspect d'« épines ») puis la **couche granuleuse** (son cytoplasme contient des « grains » d'une substance à l'origine de la kératine), ces cellules s'aplatissent, se remplissent de kératine, puis meurent et forment la **couche claire** (on ne peut plus distinguer les limites entre les cellules qui sont très aplaties). Cette dernière couche de l'épiderme ne se retrouve pas partout. On ne l'observe que là où la peau est très épaisse et dépourvue de poils, soit sur la plante des pieds et dans la paume des mains. Du fait qu'elles accumulent de la kératine, qu'elles sécrètent une glycoprotéine imperméabilisante dans le compartiment extracellulaire et qu'elles s'éloignent de plus en plus du derme vascularisé, les cellules de la couche claire sont condamnées, car elles ne peuvent plus recevoir les nutriments et l'oxygène dont elles ont besoin.

La **couche cornée**, la couche la plus superficielle de l'épiderme, se compose elle-même de 20 à 30 couches de cellules et peut occuper jusqu'aux trois quarts de l'épaisseur de l'épiderme. Les cellules mortes entièrement remplies de fibrilles de kératine sont appelées *cellules kératinisées*, ou *cornées* (*cornu*, « corne »). La kératine est une protéine exceptionnellement résistante. Grâce à sa présence, la couche cornée procure au corps une « enveloppe » durable qui protège les cellules plus profondes des agressions de l'environnement (l'air) et de la déperdition d'eau. Elle empêche également la pénétration de substances chimiques et de bactéries dans le milieu interne tout en limitant les effets des conditions physiques de l'environnement. Sous l'effet continu de la friction, la couche cornée se détache lentement de la peau et est remplacée par les cellules nées par mitose des cellules de la couche basale profonde. En fait, nous renouvelons entièrement notre épiderme tous les 25 à 50 jours, selon les régions du corps.

La **mélanine**, un pigment qui varie du brun-noir au brun-rouge, est synthétisée par des cellules spécialisées (appelées **mélanocytes** ; voir la figure 4.7), présentes surtout dans la couche basale. Les mélanocytes possèdent des prolongements s'insinuant entre les kératinocytes, au moyen desquels ils peuvent leur transférer leurs *mélanosomes* (vésicules produisant et stockant la mélanine). Lorsque la peau est exposée aux rayons du soleil, les mélanocytes produisent une plus grande quantité de mélanine, ce qui explique le bronzage. Les kératinocytes de la couche basale phagocytent (mangent) les mélanosomes. Cette accumulation de mélanine sur la face du noyau tournée vers le milieu externe forme un parasol pigmentaire qui protège l'ADN (matériel génétique) des cellules de la couche basale contre les effets nocifs des rayons UV. Les *taches de rousseur* et les *nævus pigmentaires* (grains de beauté) sont produits par une accumulation locale de mélanine.

Déséquilibre homéostatique

Une exposition excessive au soleil finit par endommager la peau, et ce en dépit des effets protecteurs de la mélanine. On assiste alors à une agglutination des fibres élastiques qui donne à la peau

Q **Lequel de ses éléments constitutifs confère à l'hypoderme sa capacité d'absorber les chocs et d'isoler l'organisme ?**

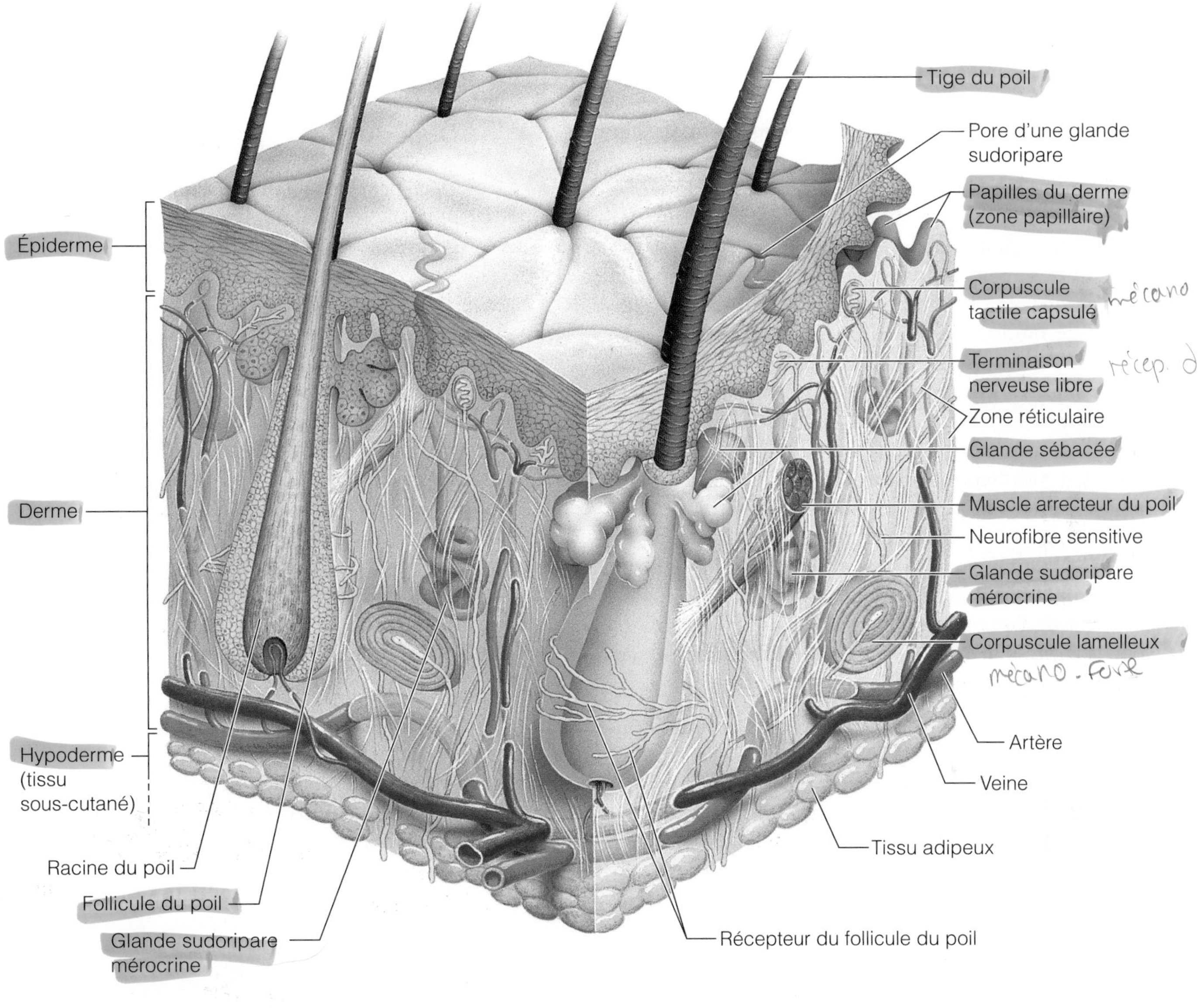

Tige du poil
Pore d'une glande sudoripare
Papilles du derme (zone papillaire)
Corpuscule tactile capsulé
Terminaison nerveuse libre
Zone réticulaire
Glande sébacée
Muscle arrecteur du poil
Neurofibre sensitive
Glande sudoripare mérocrine
Corpuscule lamelleux
Artère
Veine
Tissu adipeux
Récepteur du follicule du poil
Épiderme
Derme
Hypoderme (tissu sous-cutané)
Racine du poil
Follicule du poil
Glande sudoripare mérocrine

Figure 4.4 **La structure de la peau**

Vue tridimensionnelle schématique de la peau et de l'hypoderme.

un aspect tanné, ainsi qu'à une dépression temporaire du système immunitaire. C'est peut-être pourquoi chez bien des personnes porteuses du virus de l'herpès humain (*Herpes simplex*), un feu sauvage apparaît après une exposition aux rayons du soleil. La surexposition provoque parfois une altération de l'ADN qui mènera éventuellement à un cancer de la peau. Le fait que les individus de race noire ne soient que rarement atteints de cancers de la peau démontre à quel point la mélanine constitue un écran solaire efficace. ▲

Le derme

Le derme est une enveloppe résistante et flexible qui couvre et maintient tout l'organisme à la manière d'un collant. On peut dire qu'il est notre « dépouille » : il correspond exactement aux dépouilles animales dont on tire les cuirs de grand prix (sacs, ceintures, chaussures, etc.).

R **Son tissu adipeux.**

Le tissu conjonctif dense qui constitue le derme comprend deux couches, la *zone papillaire* et la *zone réticulaire*. Tout comme l'épiderme, le derme est d'épaisseur variable. Par exemple, il est particulièrement épais dans la paume des mains et sur la plante des pieds, et plutôt mince sur les paupières.

La **zone papillaire** est la couche supérieure du derme. Elle ne forme pas une surface plane; sa partie supérieure, dans certaines régions (bout des doigts, paume des mains, plante des pieds), est constellée de projections mamillaires, appelées **papilles du derme** (*papilla*, « bout du sein »), qui confèrent à la surface externe du derme un relief accidenté. De nombreuses papilles du derme sont pourvues de bouquets capillaires qui nourrissent l'épiderme. D'autres abritent des récepteurs de la douleur (*terminaisons nerveuses libres*) et des récepteurs du toucher, appelés *corpuscules tactiles capsulés*. Sur la paume des mains et la plante des pieds, les papilles ont des formes précises qui produisent les crêtes et les sillons que l'on peut voir à la surface de la peau; ces crêtes augmentent la friction et accroissent la capacité d'adhérence des doigts et des pieds. La localisation des papilles est déterminée génétiquement. Étant bien pourvus en glandes sudoripares et en pores de ces mêmes glandes, les bouts des doigts laissent, sur presque tout ce qu'ils touchent, une mince couche de transpiration que l'on appelle *empreinte digitale*.

La **zone réticulaire** est la couche la plus profonde du derme. Elle contient des vaisseaux sanguins, des glandes sudoripares et sébacées, et des récepteurs de la pression situés en profondeur, les *corpuscules lamelleux* (voir la figure 4.4). Les phagocytes présents dans la zone réticulaire (et dans l'ensemble du derme) empêchent les bactéries qui ont réussi à pénétrer l'épiderme d'atteindre les couches plus profondes de la peau.

Le derme contient et des *fibres collagènes* et des *fibres élastiques* produites par des fibroblastes. Les fibres collagènes confèrent à la peau sa résistance; elles attirent et fixent l'eau, et contribuent à l'hydratation de la peau. Ces fibres sont réunies en faisceaux enchevêtrés (d'où le nom de cette couche du derme). Les fibres élastiques, quant à elles, sont responsables de l'élasticité de la peau. À mesure que nous vieillissons, le nombre de fibres collagènes et élastiques que nous possédons diminue, de même que le nombre de cellules adipeuses dans le tissu sous-cutané. C'est pourquoi notre peau devient moins élastique et qu'elle commence à ramollir et à se rider.

Le derme est abondamment vascularisé, ce qui lui permet de jouer un rôle important dans la régulation de la température corporelle. Lorsque la température de l'organisme est élevée, les vaisseaux sanguins de la zone papillaire se gonflent de sang chaud; la peau rougit et devient chaude. La chaleur corporelle irradie à la surface de la peau. Lorsque la température ambiante est basse et que la chaleur corporelle doit être conservée, le sang évite temporairement ces mêmes vaisseaux afin que la température interne reste élevée.

Déséquilibre homéostatique

Si la peau ne reçoit pas un apport sanguin normal, ses cellules meurent; lorsque cette situation s'aggrave ou se prolonge, des ulcères se forment. Les *escarres de décubitus* (plaies de lit) apparaissent chez les patients alités que l'on néglige de tourner régulièrement ou que l'on déplace dans leur lit en les traînant. Le poids du corps exerce une pression sur la peau, surtout aux endroits où les os saillent. Comme cette pression limite l'apport sanguin, la peau pâlit ou blanchit aux points d'appui. Lorsque la pression se relâche, la peau rougit, mais si la situation n'est pas corrigée, les cellules commencent à mourir, et l'on aperçoit souvent de petites fentes là où la peau a été comprimée. Les lésions permanentes des vaisseaux sanguins superficiels et des tissus peuvent entraîner la dégénérescence et l'ulcération de la peau (figure 4.5). ▲

Le derme est également riche en neurofibres. Comme nous l'avons indiqué plus haut, nombre de ces terminaisons nerveuses sont équipées de récepteurs spécialisés qui envoient des messages au système nerveux central afin qu'il interprète les divers stimulus provenant de facteurs de l'environnement (pression, température, etc.). Ces récepteurs cutanés sont décrits plus en détail au chapitre 7.

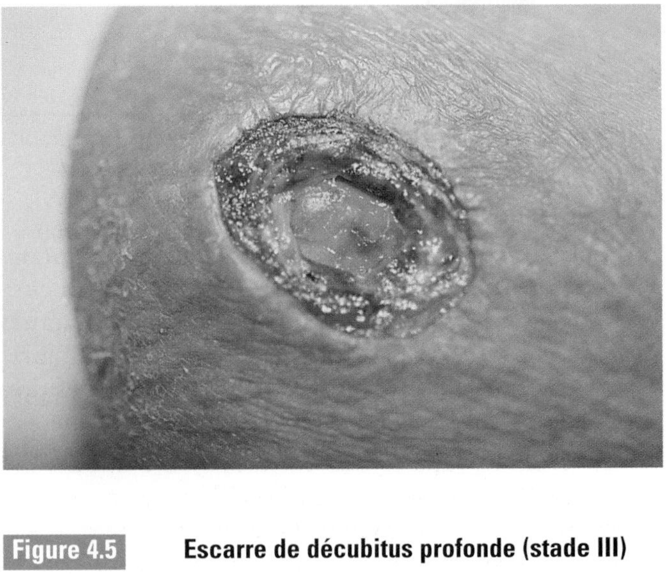

Figure 4.5 **Escarre de décubitus profonde (stade III)**

GROS PLAN Les tatouages

La pratique du tatouage – l'utilisation d'aiguilles pour introduire des pigments dans le derme – remonte à environ 10 000 ans. Au cours des dernières années, le tatouage a été utilisé par les hommes pour marquer l'appartenance à des groupes particuliers (forces armées, gangs, fraternités). Pour certaines personnes, c'est un moyen d'affirmer son individualité. Les femmes l'adoptent aussi de plus en plus comme moyen de s'exprimer et à des fins esthétiques : le ligneur (*eye-liner*) permanent et l'accentuation des lèvres gagnent en popularité. Au Canada, une recherche Léger Marketing effectuée fin 2002 indiquait que 11 % des Canadiens portaient un tatouage.

Et si cette forme de parement cesse d'être à la mode ou que le pigment se met à migrer ? On peut envisager de l'enlever, mais l'intervention est coûteuse et douloureuse. Jusqu'à récemment, une fois qu'on était tatoué, c'était pour la vie, car les tentatives de faire disparaître ces marques – par dermabrasion, cryochirurgie (gel des tissus) ou application de produits caustiques – laissaient de vilaines cicatrices. Aujourd'hui, les dermatologues ont recours à des techniques au laser pour détruire sans difficulté les pigments noirs ou bleus qui étaient utilisés il y a une génération, mais les nouvelles œuvres multicolores restent un défi. Contre la multiplicité de colorants employés à l'heure actuelle, il faut utiliser plusieurs sortes de lasers et prévoir de 7 à 9 traitements, qui peuvent durer jusqu'à 30 minutes chacun, s'échelonnant sur 6 à 8 mois, coûtant de 75 à 150 $ chacun et au prix de douleurs à peu près équivalentes à celles qui sont endurées pour obtenir le tatouage. Néanmoins, de plus en plus de personnes se précipitent pour faire enlever les ornements qu'elles ne veulent plus.

D'autres risques guettent ceux et celles qui se font tatouer. Il n'est pas sûr, par exemple, que les pigments utilisés soient sans danger. En effet, l'analyse des colorants prélevés dans des studios de tatouage a révélé la présence d'agents cancérogènes qui pourraient être activés lorsqu'on les enlève. Santé Canada a publié en 2003 un *Guide de prévention des infections relativement au tatouage, au perçage des oreilles et au perçage corporel*, et le Conseil de l'Europe a adopté, la même année, une Résolution sur les tatouages, mais la réglementation est encore à peu près inexistante, de sorte que rien ne garantit que ces directives soient toujours et partout respectées. Autre risque : les compétences des tatoueurs varient énormément. Si les règles de la stérilité ne sont pas appliquées rigoureusement, on peut transmettre des infections (hépatites et sida, notamment). Le risque de contracter l'hépatite C (infection chronique du foie) est 15 fois plus élevé chez les personnes qui se font tatouer. Pour les femmes, on s'inquiète du risque que pourrait peut-être constituer un tatouage dans le bas du dos, au cours d'une éventuelle épidurale.

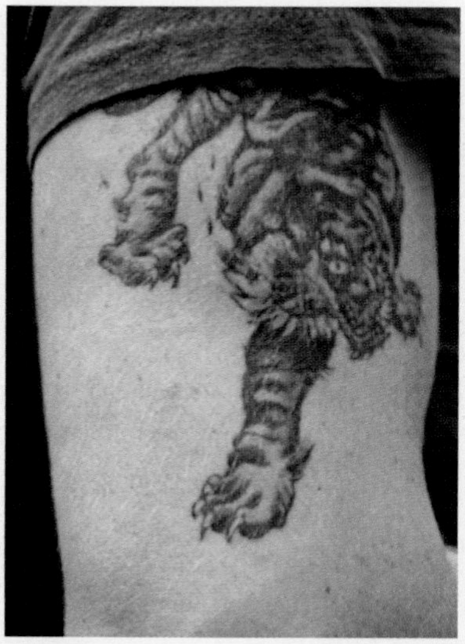

En conclusion, si vous songez à vous faire tatouer, sachez bien à quoi vous vous engagez. Même avec les techniques modernes de décoloration au laser, peut-on se permettre de prendre le risque ?

LA COULEUR DE LA PEAU

Trois pigments sont responsables de la couleur de la peau :

1. La quantité et le type de *mélanine* (*eumélanine*, brun-noir, et *phéomélanine*, brun-rouge orangé) dans l'épiderme ; les deux types de mélanine sont présents, mais la proportion de chacun varie pour chaque couleur de peau.
2. La quantité de *carotène* se déposant dans la couche cornée et le tissu adipeux sous-cutané (le carotène est un pigment dont les tons varient du jaune à l'orangé et que l'on trouve en abondance dans les carottes, certains végétaux de couleur orange ou jaune foncé et les légumes verts à feuilles). Les personnes qui consomment beaucoup d'aliments riches en carotène ont souvent un teint plutôt jaunâtre ou orange.
3. La quantité d'oxygène liée à l'*hémoglobine* (pigment des globules rouges) dans les vaisseaux sanguins dermiques : l'hémoglobine passe du rouge vif au rouge sombre au fur et à mesure qu'il libère son oxygène.

Les personnes à la peau noire ou brune produisent une grande quantité de mélanine (de l'eumélanine surtout) : leurs mélanocytes sont plus gros et possèdent jusqu'à 10 fois plus de *mélanosomes* que les mélanocytes des personnes à la peau blanche. Les personnes à la peau pâle de type caucasien en produisent moins ; la teinte rouge foncé de l'hémoglobine oxygénée circulant dans les vaisseaux sanguins dermiques est visible à travers les couches transparentes de leur peau et donne à cette dernière sa couleur rosée.

Déséquilibre homéostatique

Lorsque l'oxygénation de l'hémoglobine est insuffisante, le sang et la peau des personnes à la peau blanche prennent une teinte bleuâtre. Ce phénomène, appelé *cyanose*, est fréquent en cas d'infarctus du myocarde ou de graves difficultés respiratoires. Chez les personnes à la peau foncée, la peau ne change pas de couleur parce que la mélanine dissimule les effets de la cyanose ; celle-ci est toutefois apparente sur les muqueuses et sur le lit de l'ongle. ▲

Divers stimulus émotionnels influent également sur la couleur de la peau, et de nombreuses fluctuations de sa coloration peuvent indiquer certains états pathologiques :

- *Rougeur*, ou *érythème*: une peau qui tire sur le rouge peut indiquer de l'embarras (rougissement), de la fièvre, de l'hypertension, une inflammation ou une allergie.
- *Pâleur*, ou *blancheur*: certains individus pâlissent sous le coup de tensions émotionnelles (peur, colère, etc.). Une peau pâle peut aussi être un signe d'anémie, d'hypotension ou de mauvaise circulation dans cette même région.
- *Jaunisse*, ou *ictère*: une coloration jaune anormale de la peau révèle généralement des problèmes d'ordre hépatique, où les pigments biliaires s'accumulent dans le sang et se déposent dans tous les tissus du corps.
- *Bleus*, ou *ecchymoses*: on trouve des marques bleu-noir dans les régions où le sang s'est échappé des vaisseaux sanguins pour se coaguler sous la peau. Ces masses de sang coagulé sont appelées *hématomes*. L'apparition trop fréquente de bleus constitue parfois un signe de carence en vitamine C ou d'hémophilie.

LES ANNEXES CUTANÉES

Les **annexes cutanées** comprennent les glandes cutanées, les poils et les follicules du poil, et les ongles (voir la figure 4.4). Chacune de ces annexes est dérivée de l'épiderme et joue un rôle important dans le maintien de l'homéostasie de l'organisme.

Les glandes cutanées

Toutes les glandes cutanées sont des **glandes exocrines** qui libèrent leurs sécrétions par des conduits excréteurs à la surface de la peau (figure 4.6). On distingue deux

Q Laquelle des glandes ci-dessous peut rendre vos cheveux plats et huileux ?

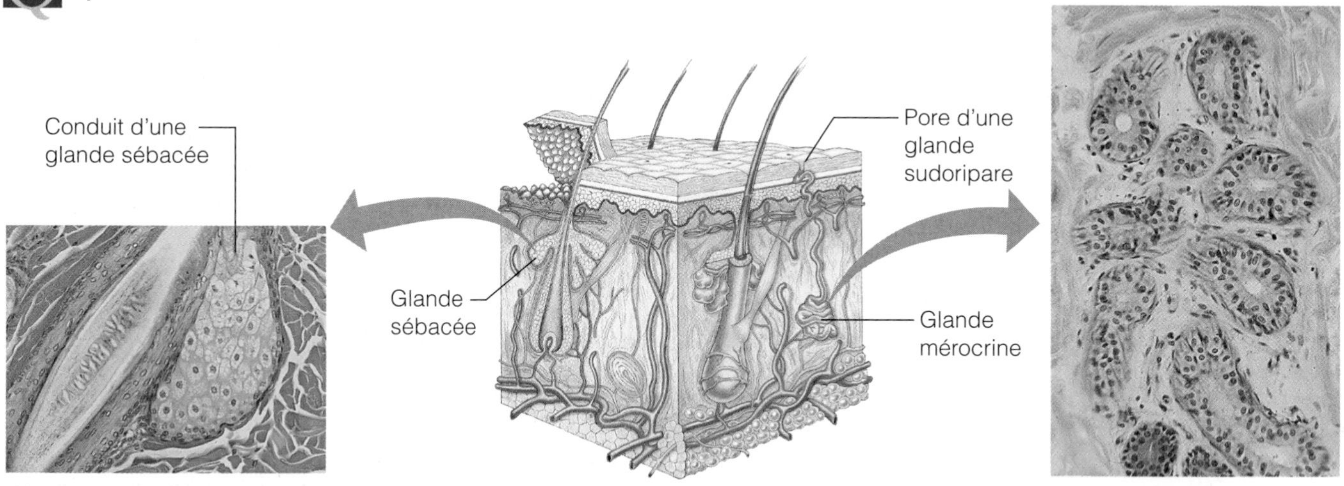
Conduit d'une glande sébacée
Glande sébacée
Pore d'une glande sudoripare
Glande mérocrine

(a) Coupe d'une glande sébacée

(b) Coupe d'une glande mérocrine

Figure 4.6 **Glandes cutanées**

(a) Photomicrographie d'une glande sébacée (104×). **(b)** Photomicrographie d'une glande sudoripare mérocrine (148×).

R La glande sébacée, qui produit une sécrétion grasse.

groupes de glandes cutanées: les *glandes sébacées* et les *glandes sudoripares.* Comme elles sont produites par les cellules de la couche basale, ces glandes envahissent les couches plus profondes de la peau et finissent par se retrouver presque entièrement incluses dans le derme.

Les glandes sébacées Les **glandes sébacées** sont présentes sur tout le corps, à l'exception de la paume des mains et de la plante des pieds. Leurs conduits excréteurs se déversent habituellement dans le follicule du poil (voir les figures 4.4 et 4.6), mais certaines glandes s'ouvrent directement à la surface de la peau.

Le produit excrété par les glandes sébacées est le **sébum** (*sebum*, «suif»), mélange de substances huileuses et de cellules fragmentées. Le sébum assouplit et lubrifie les poils et la peau, et empêche les cheveux de devenir cassants. Il contient aussi des substances *bactéricides* qui jouent un rôle essentiel en empêchant les bactéries présentes à la surface de la peau de pénétrer dans ses couches plus profondes. Les glandes sébacées deviennent très actives lorsque les taux d'hormones sexuelles mâles augmentent (chez les deux sexes) pendant l'adolescence. La peau tend toujours à être plus huileuse au cours de cette période de la vie.

Déséquilibre homéostatique

Lorsqu'une accumulation de sébum bouche le conduit d'une glande sébacée, un *point blanc* apparaît à la surface de la peau. Si elle s'oxyde et sèche, la matière noircit et forme un *point noir.* L'*acné* résulte d'une inflammation des glandes sébacées qui provoque la formation de boutons sur la peau. Elle peut prendre une forme anodine ou extrêmement virulente et, dans ce dernier cas, laisser des cicatrices permanentes. La *séborrhée*, appelée *croûtes de lait* chez le nouveau-né, est le résultat d'une sécrétion excessive des glandes sébacées. Elle apparaît sur le cuir chevelu, sous forme de lésions roses boursouflées qui jaunissent puis brunissent progressivement avant de commencer à former des squames huileuses. ▲

Les glandes sudoripares Les **glandes sudoripares** sont réparties sur tout le corps. Chaque être humain en possède plus de 2,5 millions, à raison d'une centaine ou de quelques centaines par centimètre carré. On distingue les glandes sudoripares *mérocrines* et *apocrines.* (Pendant la sécrétion, les cellules sécrétrices de la glande mérocrine restent intactes, tandis que celles de la glande apocrine perdent leur partie apicale.)

Les **glandes sudoripares mérocrines** sont de loin les plus nombreuses, et on les trouve sur tout le corps. Elles sécrètent la **sueur**, un filtrat clair composé principalement d'eau, de quelques sels minéraux (chlorure de sodium), de vitamine C, de traces de déchets métaboliques (ammoniac, urée, acide urique) et d'acide lactique (substance s'accumulant au cours d'une activité musculaire vigoureuse). La sueur est acide (pH entre 4 et 6), ce qui lui permet d'inhiber la croissance des bactéries toujours présentes à la surface de la peau. Habituellement, elle emprunte un conduit qui débouche sur un *pore* en forme d'entonnoir à la surface de la peau (voir les figures 4.4 et 4.6). Notez que ces pores diffèrent des «pores» de la peau du visage, qui sont en fait les orifices externes des follicules du poil.

Les glandes sudoripares mérocrines contribuent dans une large mesure à la thermorégulation de l'organisme. Les terminaisons nerveuses qui les atteignent leur permettent de sécréter de la sueur lorsque la température ambiante ou corporelle est élevée. La sueur qui s'échappe à la surface de la peau emporte avec elle une grande partie de la chaleur corporelle. Lorsqu'il fait chaud, l'organisme peut éliminer jusqu'à sept litres d'eau par jour de cette façon. Les fonctions thermorégulatrices de l'organisme sont importantes, car si la température centrale interne s'éloigne de plus de quelques degrés de la normale (36,8 °C), des changements dangereux surviennent. Nous étudions plus en détail la régulation de la température corporelle au chapitre 14.

Les **glandes sudoripares apocrines** sont confinées dans une large mesure aux régions axillaires et urogénitale. Elles sont plus grosses que les glandes mérocrines, et leur conduit débouche dans un follicule du poil. Outre les constituants de base de la sueur des glandes mérocrines, les sécrétions des glandes apocrines comprennent des acides gras et des protéines. Elles sont donc parfois de couleur laiteuse ou jaunâtre. Ces sécrétions sont inodores, mais quand les bactéries qui vivent sur la peau se nourrissent des protéines et des lipides qu'elles contiennent, elles prennent une odeur musquée assez déplaisante.

Les glandes apocrines commencent à fonctionner à la puberté sous l'influence des *androgènes* (hormones sexuelles mâles). Même si leur fonction sécrétrice est presque continuelle, elles ne jouent qu'un rôle restreint dans la thermorégulation. Leur fonction précise n'est pas encore clairement établie, mais on sait qu'elles sont activées par les neurofibres sympathiques sous l'effet de la douleur et du stress de même qu'au cours des préliminaires sexuels.

Les poils et les follicules du poil

Des millions de **poils** recouvrent notre corps. À part les quelques fonctions protectrices mineures qu'ils assurent

– protéger la tête des coups, abriter les yeux (grâce aux cils) et filtrer les particules étrangères dans les voies respiratoires (par l'intermédiaire des poils du nez) –, les poils ne nous sont plus guère utiles. En effet, à l'instar des Animaux à fourrure, les premiers humains étaient recouverts d'une toison qui les protégeait du froid, mais nous avons maintenant d'autres moyens de conserver notre chaleur.

Le poil est produit par le *follicule du poil*, qui est une structure épithéliale souple. La *racine du poil* est la partie du poil qui s'enfonce dans le follicule, tandis que la *tige du poil* est la partie qui émerge de la surface du cuir chevelu ou de la peau (figure 4.7). Le poil est le produit de la division de cellules épithéliales bien vascularisées de la couche basale; ces divisions ont lieu dans la *matrice* (zone de croissance) du bulbe du poil, dans la partie inférieure du follicule. Les cellules filles s'éloignent de la zone de croissance, deviennent kératinisées et meurent. Comme pour l'épiderme, la majeure partie de la tige du poil est donc constituée de cellules mortes et est presque entièrement de nature protéinique.

Au centre de chaque poil se trouve la *médulla du poil*, enveloppée d'une couche volumineuse, le *cortex du poil*. Le cortex du poil est lui-même entouré d'une couche externe, la *cuticule du poil*, constituée d'une simple couche de cellules qui se chevauchent comme des tuiles sur un toit. Cette disposition particulière des cellules maintient la séparation des poils et les empêche ainsi de s'emmêler (voir la figure 4.7b et la figure 4.8). La cuticule du poil est la région la plus abondamment kératinisée; elle renforce le poil et permet aux couches internes de rester compactes. Elle est particulièrement exposée à l'abrasion et s'amenuise au bout du poil, ce qui amène les fibrilles de kératine contenues dans le cortex et dans la médulla à rebiquer, phénomène bien connu sous le nom de *pointe fourchue*. Le pigment du poil est synthétisé par des mélanocytes situés dans le bulbe du poil. Différentes couleurs de mélanine (jaune, rouille, brun et noir) s'assemblent en proportions inégales afin de composer la couleur du poil, qui peut aller du blond au noir de jais.

Les poils sont de tailles et de formes variées. Ceux de nos sourcils sont courts et raides, tandis que ceux de notre tête (les cheveux) sont longs et souples. Partout ailleurs sur le corps, les poils sont presque invisibles. Lorsque la section de la tige du poil est ovale, le poil est lisse, soyeux et ondulé; lorsqu'elle est plate et présente l'apparence d'un ruban, le poil est crépu; si elle est parfaitement ronde, le poil est raide et a tendance à être rêche. Les poils recouvrent toute la surface du corps, sauf la paume des mains, la plante des pieds, les mamelons et

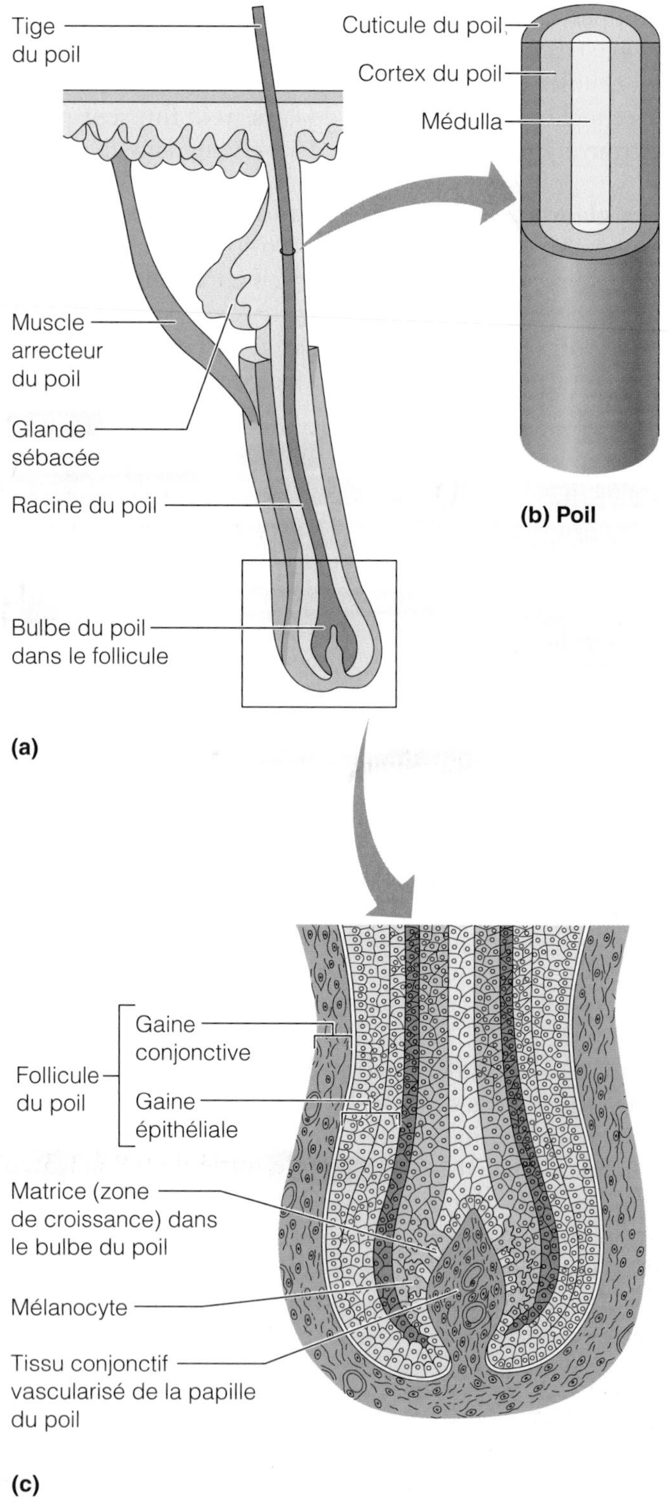

Tige du poil
Muscle arrecteur du poil
Glande sébacée
Racine du poil
Bulbe du poil dans le follicule
(a)
Cuticule du poil
Cortex du poil
Médulla
(b) Poil
Follicule du poil
Gaine conjonctive
Gaine épithéliale
Matrice (zone de croissance) dans le bulbe du poil
Mélanocyte
Tissu conjonctif vascularisé de la papille du poil
(c)

Figure 4.7 **La structure du poil et de son follicule**

(a) Coupe longitudinale d'un poil à l'intérieur de son follicule.
(b) Grossissement de la coupe longitudinale d'un poil.
(c) Grossissement de la coupe longitudinale du follicule dont le renflement forme le bulbe du poil, qui contient les cellules épithéliales de la matrice; leur division permet la croissance des poils.

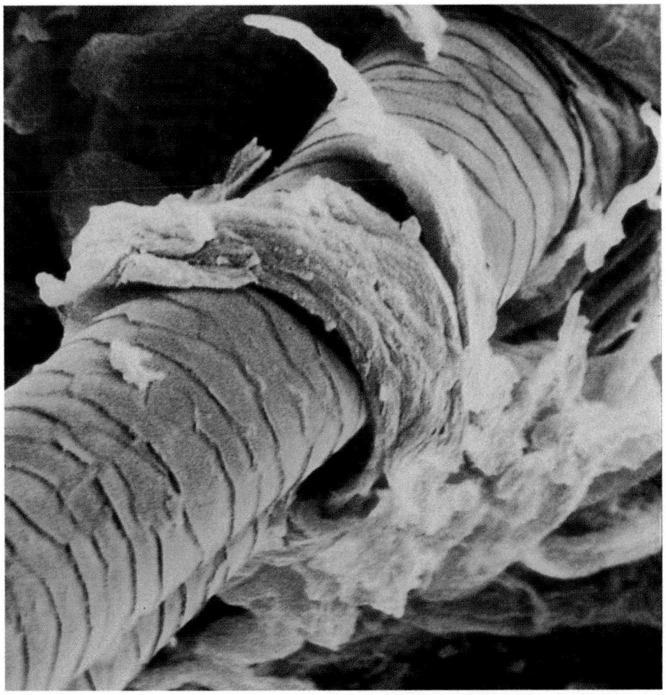

Figure 4.8 **Micrographie électronique à balayage d'un poil émergeant de son follicule à la surface de l'épiderme**

Remarquez de quelle façon les cellules de la cuticule se chevauchent (1500×).

les lèvres. Les humains naissent et meurent avec le même nombre de follicules du poil (on en compte environ 150 000 dans le cuir chevelu), et les poils figurent parmi les tissus dont la croissance est la plus rapide (la croissance des cheveux, par exemple, varie de 0,9 à 1,3 cm par mois, selon le type de cheveu, la plus rapide étant celle du type asiatique). Les hormones sont responsables du développement des poils dans certaines régions, dites *poilues*, par exemple sur le cuir chevelu et, chez l'adulte, sur le pubis et les aisselles.

Le **follicule du poil** comprend deux enveloppes. La *gaine épithéliale*, interne et de structure semblable à celle de l'épiderme, forme le poil. La *gaine conjonctive*, externe et dérivée du tissu conjonctif dermique, fournit à la partie épidermique l'apport sanguin et la résistance qui lui sont nécessaires. La *papille* du poil, saillie en forme de mamelon, nourrit de sang la matrice du bulbe du poil.

Regardez attentivement la structure du follicule du poil représenté à l'avant-plan de la figure 4.4. Le follicule est oblique. De petites bandes de myocytes lisses appelées **muscles arrecteurs des poils** relient chaque extrémité du follicule du poil au derme. Lorsque ces muscles se contractent (sous l'effet du froid ou de la peur), les poils se redressent et produisent à la surface de la peau la « chair de poule ». Ce mécanisme protège certains animaux contre le froid en emprisonnant une couche d'air isolante dans leur fourrure ; un animal effrayé qui dresse ses poils apparaît bien plus gros et impressionnant à son adversaire. Cependant, ce phénomène n'est pas d'une grande utilité à l'être humain.

Les ongles

Un **ongle** est une modification écailleuse de l'épiderme qui correspond au sabot ou à la griffe des animaux. Chaque ongle est constitué d'une partie attachée visible, le *corps de l'ongle*, et d'une partie enfouie sous la peau, la *racine de l'ongle*. Les bords de l'ongle sont recouverts d'un pli cutané appelé *vallum de l'ongle*. La partie épaisse du vallum proximal (l'*éponychium*) est couramment appelée *cuticule* (figure 4.9).

La couche basale de l'épiderme s'étend sous l'ongle et forme le *lit de l'ongle*, ou *lectule*. La partie proximale épaisse du lit de l'ongle, appelée *matrice de l'ongle*, est

FAITES-EN L'EXPÉRIENCE

Constatez la distribution des glandes sudoripares

L'expérience qui suit vous fera connaître la distribution des glandes sudoripares dans diverses parties de votre corps. Il vous faudra deux carrés de papier contenant de l'amidon (de 1 cm sur 1 cm), du ruban adhésif, une solution d'iode et un coton-tige.

Commencez par colorer à l'iode une bande de peau le long du côté médial de votre paume gauche (en évitant les plis de la main) et le long de votre avant-bras. Laissez sécher l'iode complètement. Demandez à un autre étudiant de coller soigneusement un carré de papier sur chacune des régions colorées, que vous laisserez en place durant 20 minutes.

Au bout de 20 minutes, retirez les carrés de papier et comptez les points bleu foncé qui y apparaissent. Chacun de ces points représente une glande sudoripare active. (L'iode dans le pore se dissout dans votre sueur et réagit avec l'amidon dans le papier, produisant la couleur bleu foncé.) Vous avez ainsi fait un relevé des glandes sudoripares dans deux régions de votre peau. Laquelle de celles-ci a la plus forte densité de glandes ?

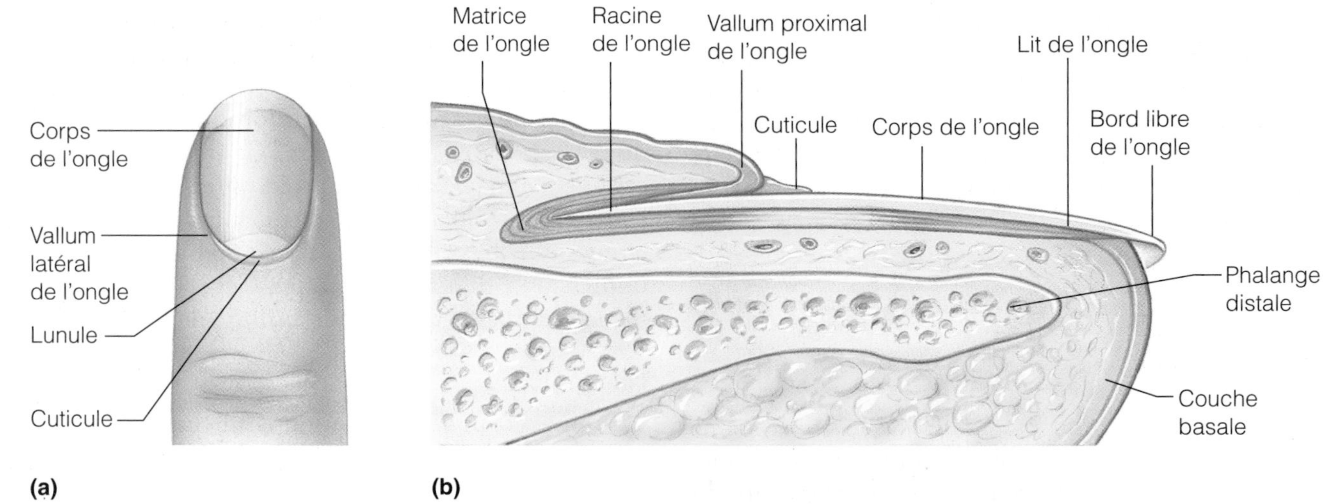
Corps
de l'ongle
Vallum
latéral
de l'ongle
Lunule
Cuticule
(a)
Matrice
de l'ongle
Racine
de l'ongle
Vallum proximal
de l'ongle
Lit de l'ongle
Cuticule
Corps de l'ongle
Bord libre
de l'ongle
Phalange
distale
Couche
basale
(b)

Figure 4.9 **La structure de l'ongle**

(a) Vue antérieure. **(b)** Coupe longitudinale de la partie distale du doigt montrant les parties de l'ongle et la matrice de l'ongle responsable de sa croissance.

responsable de la croissance de l'ongle. À mesure qu'elles sont élaborées par la matrice, les cellules de l'ongle deviennent de plus en plus kératinisées et meurent. Tout comme les poils, les ongles sont donc presque entièrement composés de matière morte.

Les ongles sont transparents et presque incolores, mais ils présentent une teinte rosée en raison de l'abondance des vaisseaux sanguins se trouvant dans le derme sous-jacent. La région qui repose sur la partie la plus épaisse de la matrice de l'ongle apparaît cependant sous la forme d'un croissant blanc appelé *lunule* (*lunul*, « croissant »). Comme nous l'avons vu plus haut, lorsque le sang dans le lit de l'ongle manque d'oxygène, ce dernier prend une teinte bleutée (cyanose).

Déséquilibres homéostatiques de la peau

Il est difficile d'ignorer les problèmes qui touchent la peau, car lorsque celle-ci se « révolte », le phénomène ne passe pas inaperçu. Un déséquilibre homéostatique au niveau des cellules et des organes peut se refléter sur la peau de façon spectaculaire. La peau peut présenter plus de mille troubles différents, dont les plus courants sont les allergies et les infections causées par les bactéries, les virus ou les levures. Les brûlures et les cancers de la peau sont moins fréquents, mais leurs effets sont beaucoup plus destructeurs. Nous traitons brièvement ici de certains déséquilibres homéostatiques de la peau.

Les infections et les allergies

- **Pied d'athlète.** Ainsi appelé parce que les athlètes marchant pieds nus dans les lieux où l'on pratique des activités sportives en sont souvent atteints; infection de la peau entre les orteils causée par un champignon microscopique (*Trichophyton* ou *Epidermophyton*) et qui se manifeste par des lésions prurigineuses, rouges et squameuses. Le pied d'athlète est aussi appelé *tinea pedis*.
- **Furoncles et clous.** Inflammation aiguë de follicules du poil et de glandes sébacées, fréquemment localisée à l'arrière du cou. Un amas de furoncles qui a tendance à s'étendre est appelé *anthrax*; il peut être causé par une bactérie (souvent le staphylocoque doré, *Staphylococcus aureus*).
- **Feux sauvages.** Petites cloques remplies de liquide provoquant des démangeaisons et une sensation de brûlure, causées par le virus de l'herpès humain de type 1. Ce virus se niche dans les neurofibres cutanées, où il demeure au repos jusqu'à ce qu'il soit activé par un choc émotionnel, de la fièvre ou les rayons UV. Les feux sauvages apparaissent généralement sur les lèvres et sur les muqueuses de la bouche (figure 4.10a).
- **Dermatite de contact allergique.** Affection de la peau caractérisée par des démangeaisons, des rougeurs et un œdème qui progressent jusqu'à la formation d'une cloque; causée par l'exposition à des substances chimiques (comme celles qui sont contenues dans le sumac vénéneux ou « herbe à puce » au Québec) qui provoquent une réaction allergique chez les personnes sensibles.

- **Impétigo** (*impetere*, « attaquer »). Infection à staphylocoques ou à streptocoques qui se manifeste par des lésions roses, pustuleuses et gonflées (touchant souvent le tour de la bouche, le nez, les mains et les surfaces exposées en général) qui produisent une croûte jaune et finissent par se rompre (figure 4.10b) ; très contagieuse ; courante chez les enfants d'âge scolaire.
- **Psoriasis.** Affection chronique non infectieuse caractérisée par des lésions épidermiques rougeâtres couvertes de squames argentées et sèches (figure 4.10c) ; elle peut défigurer lorsqu'elle se manifeste de façon aiguë. On croit que la maladie est d'origine auto-immune, c'est-à-dire qu'elle est causée par le système immunitaire qui se retourne contre l'organisme. L'affection se caractérise par une accélération du rythme de division des cellules de la couche basale de l'épiderme (les divisions cellulaires peuvent se faire jusqu'à huit fois plus vite que la normale) ; elle est parfois héréditaire ; les crises de psoriasis sont souvent déclenchées par un traumatisme, une infection, des changements hormonaux, le stress ou tout simplement un changement de saison. Environ 2 % de la population serait affectée par ce problème cutané.

Les brûlures

Bien qu'elle constitue le plus gros organe du corps, par sa surface (près de 2 m^2) et sa masse (15 % de la masse corporelle), la peau est à peu près aussi épaisse qu'une serviette de papier (5 mm pour la peau la plus épaisse), ce qui n'est guère impressionnant. Pourtant, lorsqu'elle est gravement endommagée, presque tout l'organisme s'en ressent. Le métabolisme s'accélère ou se dérègle, le système immunitaire est perturbé et le système cardiovasculaire peut faiblir. Les brûlures causent parfois de tels troubles. Une **brûlure** est une détérioration des tissus de la peau associée à une destruction des cellules ; elle est occasionnée par une chaleur intense, un courant électrique, les rayonnements ionisants (coups de soleil) ou certaines substances chimiques (comme les acides).

Les brûlures constituent un grave danger pour la peau. Lorsque celle-ci est brûlée et que ses cellules sont détruites, on observe deux conséquences graves. Le suintement, à la surface, des liquides de l'organisme contenant des protéines et des électrolytes provoque une déshydratation et un déséquilibre électrolytique. Ces dérèglements entraînent à leur tour un arrêt de la fonction rénale et un *choc hypovolémique* (insuffisance de la circulation sanguine causée par une réduction du volume sanguin). Il faut immédiatement remplacer les liquides perdus pour sauver le patient.

Il est possible d'évaluer le volume des liquides perdus en utilisant la **règle des neuf**, qui permet de calculer le pourcentage de la surface corporelle lésée. Selon cette méthode, on divise le corps en régions représentant chacune 9 % (ou un multiple de neuf) de la surface corporelle totale, plus une région qui entoure les organes génitaux externes (le périnée) formant 1 % de la surface corporelle (figure 4.11a).

Une fois la crise initiale surmontée, c'est l'infection qui constitue le plus grand danger : elle est en effet la principale cause de mortalité chez les grands brûlés. Une peau brûlée est stérile durant 24 heures environ. Cette période écoulée, des agents *pathogènes*, tels que des bactéries et des

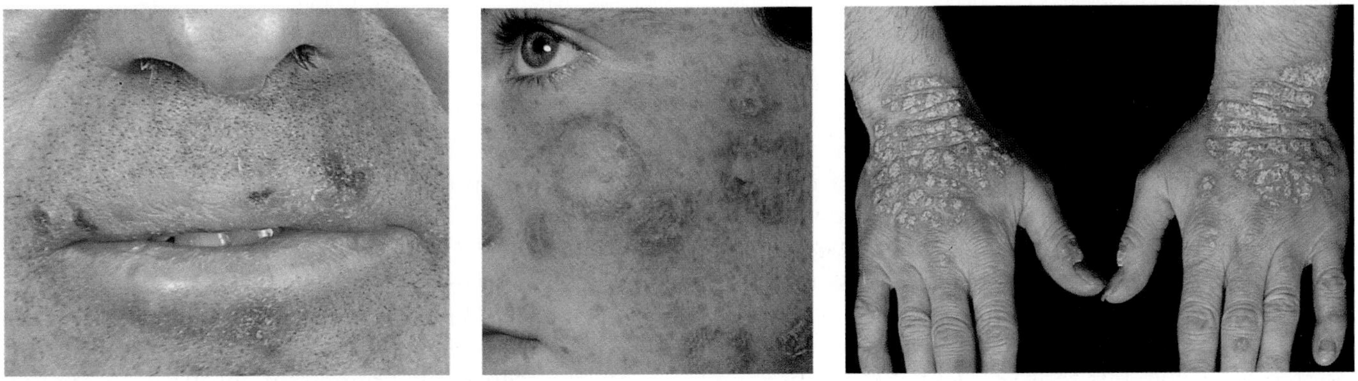

(a) (b) (c)

Figure 4.10 Lésions cutanées

(a) Feux sauvages. **(b)** Impétigo. **(c)** Psoriasis.

Q **Peut-on s'attendre à voir repousser des poils sur une partie de la peau qui a été brûlée au troisième degré ? Pourquoi ?**

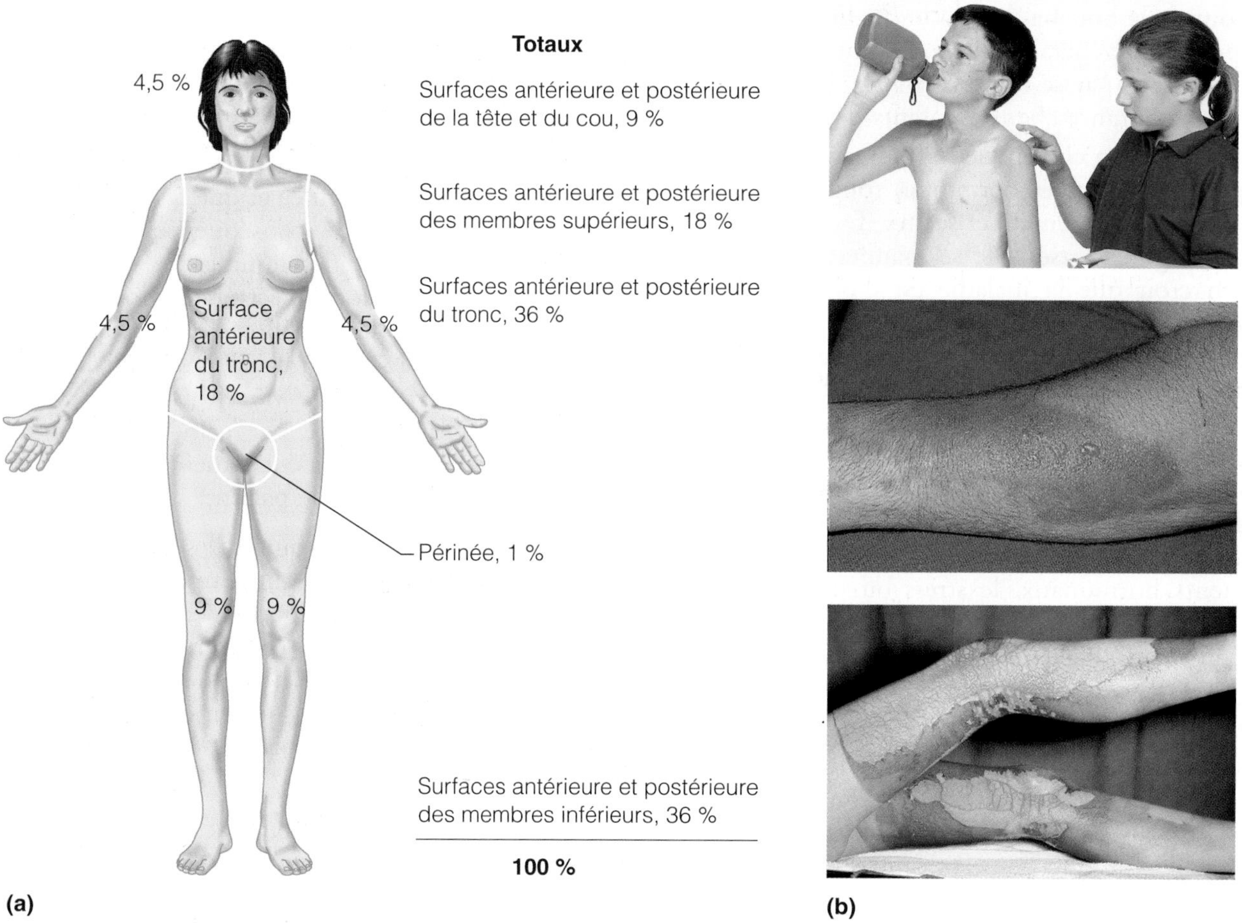
4,5 %
Totaux
Surfaces antérieure et postérieure de la tête et du cou, 9 %
Surfaces antérieure et postérieure des membres supérieurs, 18 %
Surfaces antérieure et postérieure du tronc, 36 %
4,5 %
Surface antérieure du tronc, 18 %
4,5 %
Périnée, 1 %
9 %
9 %
Surfaces antérieure et postérieure des membres inférieurs, 36 %
100 %
(a)
(b)

Figure 4.11 **Brûlures**

(a) On évalue l'étendue des brûlures grâce à la règle des neuf. Les surfaces correspondant à la partie antérieure du corps sont indiquées sur la silhouette humaine. Les surfaces totales (surfaces antérieure et postérieure du corps) sont présentées à droite de la figure. Les valeurs sont données pour un adulte ; chez l'enfant, elles diffèrent en ce qui concerne la tête notamment. **(b)** Exemples de brûlures dont la gravité va en augmentant (du haut vers le bas) : brûlures du premier degré, du deuxième degré et du troisième degré.

champignons microscopiques, peuvent aisément envahir les régions où la barrière de la peau a été anéantie et se multiplier rapidement dans ce milieu de tissus morts contenant des nutriments. Ce problème est aggravé par une déficience du système immunitaire qui se manifeste un ou deux jours après une brûlure grave.

Les brûlures sont classées, selon leur gravité (profondeur), en trois catégories : premier degré, deuxième degré et troisième degré (figure 4.11b). Dans les **brûlures du premier degré,** seul l'épiderme est touché. Des rougeurs et un œdème apparaissent. Ce type de brûlure n'occasionne qu'un malaise temporaire et guérit en deux ou trois jours sans qu'il soit nécessaire d'y apporter de soins particuliers. Par exemple, les coups de soleil sont généralement des brûlures du premier degré. Les **brûlures du deuxième degré** endommagent l'épiderme et la couche superficielle du derme. La peau est rouge et sensible, et des *cloques* apparaissent. Étant donné qu'il reste un nombre suffisant de cellules épithéliales, et si l'on prend soin de prévenir l'infection, la peau se régénère et ne gardera aucune cicatrice. Les brûlures du premier et du deuxième degré sont appelées **brûlures superficielles**.

R **Non, parce que les brûlures du troisième degré détruisent l'épiderme et le derme.**

Les **brûlures du troisième degré** touchent toute l'épaisseur de la peau. Elles sont aussi nommées **brûlures profondes**. La région brûlée prend une coloration blême (grisâtre) ou noire. Les terminaisons nerveuses ayant été détruites, la région brûlée n'est pas douloureuse. Aucune régénération de la peau n'est possible, et on doit recourir à une greffe de la peau pour recouvrir les tissus sous-jacents exposés.

En général, on considère que le brûlé est dans un état *critique* quand:

1. plus de 25 % du corps est brûlé au deuxième degré;
2. plus de 10 % du corps est brûlé au troisième degré; ou
3. le visage, les pieds ou les mains sont brûlés au troisième degré.

En cas de brûlures faciales, les voies respiratoires peuvent être touchées; elles gonflent (œdème) et provoquent la suffocation. Les brûlures aux articulations posent souvent des problèmes sérieux, car la formation de tissu cicatriciel peut réduire gravement la mobilité.

Les cancers de la peau

De nombreux types de néoplasmes (tumeurs) peuvent atteindre la peau. La plupart sont bénins et ne s'étendent pas à d'autres régions du corps. (La *verrue*, qui est provoquée par un virus, en est un exemple.) Certaines tumeurs cependant sont malignes, ou cancéreuses, c'est-à-dire qu'elles se propagent à d'autres parties du corps (métastases). Le cancer de la peau est le cancer le plus souvent diagnostiqué chez l'être humain. Au Canada, on estimait en 2007 qu'il y aurait 73 600 nouveaux cas de cancer de la peau durant l'année. On ignore encore la cause de la plupart de ces cancers, mais l'un des facteurs de risque les plus importants est l'exposition excessive aux rayons UV du soleil. L'irritation répétée de la peau attribuable à des infections, à des substances chimiques ou à des blessures peut aussi constituer un facteur prédisposant au cancer de la peau.

L'épithélioma basocellulaire L'*épithélioma basocellulaire* est à la fois le moins malin et le plus courant des cancers de la peau. Les cellules de la couche basale cessent de synthétiser de la kératine et ne respectent plus la barrière séparant l'épiderme du derme. Elles prolifèrent et envahissent le derme et le tissu sous-cutané. Les lésions cancéreuses apparaissent la plupart du temps dans les régions du visage exposées au soleil et prennent la forme de nodules brillants à la surface bombée (figure 4.12a) qui provoquent la formation d'un ulcère central à la bordure «perlée». L'épithélioma basocellulaire croît à une vitesse relativement faible et, généralement, il est décelé avant d'avoir eu le temps de former des métastases. La guérison est totale dans 99 % des cas lorsqu'on effectue une excision chirurgicale.

L'épithélioma spinocellulaire L'*épithélioma spinocellulaire* est issu des cellules de la couche épineuse. La lésion se présente d'abord sous la forme d'une *papule* (petite saillie circulaire) à la surface squameuse et rougeâtre qui se transforme en ulcère creux à la bordure ferme et soulevée (figure 4.12b). Ce cancer prend naissance la plupart du temps sur le cuir chevelu, les oreilles, le dos de la main et la lèvre inférieure. Il a tendance à croître rapidement et à envahir les nœuds lymphatiques adjacents s'il n'est pas enlevé. L'exposition excessive au soleil est probablement aussi en cause dans ce type de cancer. Lorsqu'il est décelé assez tôt et traité chirurgicalement ou par radiothérapie, les chances de guérison complète sont bonnes.

Mélanome malin Le *mélanome malin* est un cancer des mélanocytes. Il constitue 5 % seulement des cancers de la peau, mais son incidence augmente rapidement (4600 nouveaux cas en 2007 au Canada, 8000 en France) et il est souvent mortel. Les mélanomes peuvent prendre naissance partout où l'on trouve des mélanocytes. La plupart de ces cancers surgissent spontanément, mais certains se développent à partir d'un grain de beauté. Le mélanome résulte d'une accumulation de lésions dans l'ADN d'une cellule de la peau. Il apparaît le plus souvent sous la forme d'une tache qui s'agrandit sans cesse et dont la couleur varie du brun au noir (figure 4.12c). Il se propage rapidement aux vaisseaux lymphatiques et sanguins environnants. Les chances de survie sont d'environ 50 %; elles sont meilleures si le diagnostic est établi au début de la maladie. Les sociétés de lutte contre le cancer suggèrent aux fanatiques du bronzage d'examiner régulièrement leur peau afin de vérifier s'il n'y apparaît pas de nouveaux grains de beauté ou des taches pigmentées, et d'appliquer la **règle ABCD**, qui permet de reconnaître un mélanome:

(A) Asymétrie: les deux côtés d'une tache pigmentée sont dissemblables.

(B) Bordures irrégulières: les bordures de la lésion ne sont pas régulières mais dentelées.

(C) Couleur: la surface des taches pigmentées est de plusieurs couleurs (noir, brun, bronze et parfois bleu ou rouge).

(D) Diamètre: le diamètre de la tache est supérieur à 6 mm.

On traite habituellement un mélanome malin par une excision chirurgicale suivie d'une immunothérapie. ▲

Q Lequel de ces cancers prend naissance dans les cellules les plus superficielles de l'épiderme ?

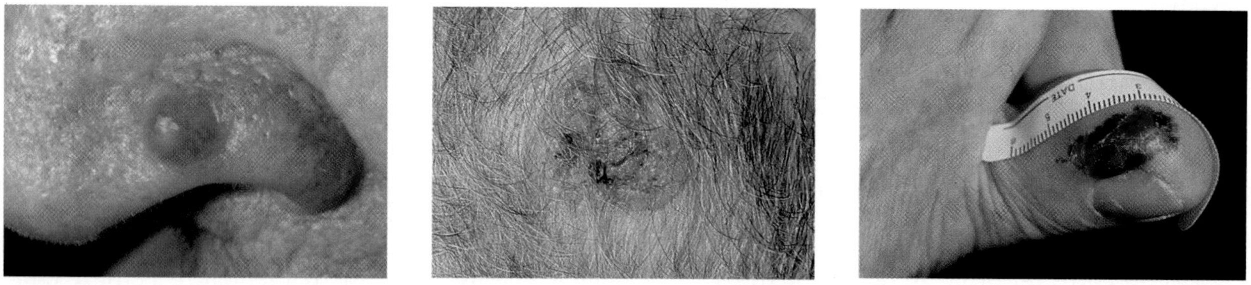

(a) (b) (c)

Figure 4.12 Photographies de cancers de la peau

(a) Épithélioma basocellulaire. **(b)** Épithélioma spinocellulaire. **(c)** Mélanome.

Le développement et le vieillissement de la peau et des membranes de l'organisme

Pendant les cinquième et sixième mois de développement, le fœtus est recouvert d'un manteau de poils fins appelé *lanugo.* Ce revêtement velu disparaît habituellement avant la naissance. La peau du nouveau-né est recouverte de *vernix caseosa,* enduit blanchâtre et gras élaboré par les glandes sébacées pour protéger la peau du fœtus pendant son séjour dans la cavité amniotique. À la naissance, la peau est très mince et laisse entrevoir les vaisseaux sanguins. Sur le front et le nez, on remarque souvent des accumulations dans les glandes sébacées qui prennent la forme de petites taches blanches appelées *milium.* Ces taches disparaissent normalement vers la troisième semaine de vie. La peau s'épaissit pendant l'enfance et de la graisse se dépose dans l'hypoderme.

À l'adolescence, la peau et les poils deviennent plus gras, parce que les glandes sébacées entrent en fonction ; de l'acné peut apparaître. Celle-ci diminue généralement chez les jeunes adultes et la peau acquiert son apparence optimale durant la vingtaine et la trentaine. Par la suite, la peau commence à ressentir les effets des agressions constantes de l'environnement (abrasion par le frottement, vent, soleil, substances chimiques) et de l'obstruction de ses pores par les polluants atmosphériques et les bactéries. L'acné, la desquamation et diverses inflammations de la peau, ou *dermatites,* sont alors plus fréquentes.

Avec l'âge, la couche hypodermique s'amincit et entraîne cette intolérance au froid si fréquente chez les personnes âgées. Les substances lubrifiantes et les fibres collagènes se raréfient. Par conséquent, la peau s'assèche et démange. Elle s'amincit et se trouve plus sujette aux contusions et autres types de blessures. La diminution de l'élasticité de la peau associée à la perte de graisse dans le tissu sous-cutané provoque la formation de poches sous les yeux et l'affaissement des joues. Puisque l'exposition au soleil et le tabagisme accélèrent cette perte d'élasticité, le meilleur service que l'on puisse rendre à notre peau est de la protéger avec des écrans solaires et des vêtements, et de cesser de fumer (s'il y a lieu). Ces mesures diminueront également les risques de cancer. Bien qu'il n'existe aucun moyen d'éviter le vieillissement de la peau, une bonne alimentation, une consommation adéquate de liquides et une hygiène appropriée peuvent ralentir ce processus.

Les cheveux perdent de leur lustre au cours du vieillissement. Vers l'âge de cinquante ans, le nombre de follicules du poil actifs est réduit d'un tiers et il continue à baisser. Les poils commencent alors à se clairsemer et une certaine calvitie, ou *alopécie,* apparaît. De nombreux

R L'épithélioma spinocellulaire.

Tous pour un, un pour tous

Les relations entre le système tégumentaire et les autres systèmes de l'organisme

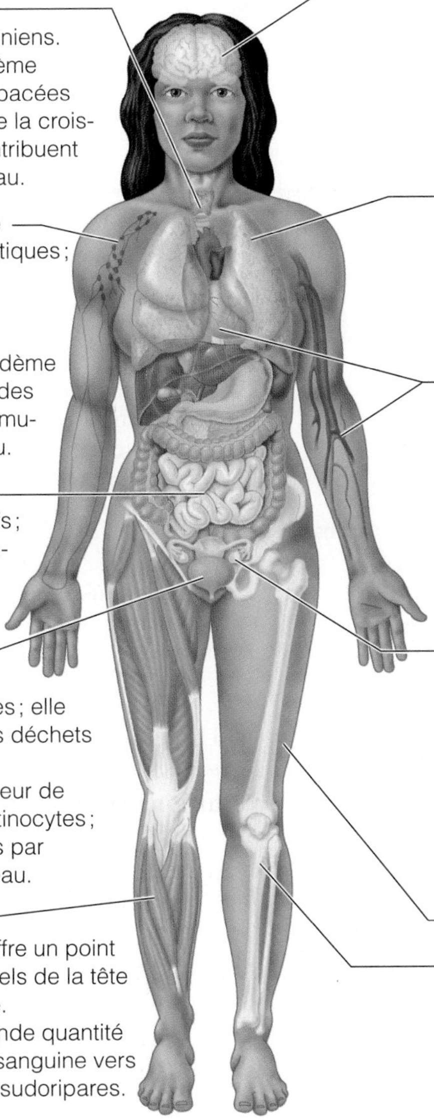

Système endocrinien
- La peau protège les organes endocriniens.
- Les androgènes sécrétés par le système endocrinien stimulent les glandes sébacées et jouent un rôle dans la régulation de la croissance des poils ; les œstrogènes contribuent au maintien de l'hydratation de la peau.

Système lymphatique et immunitaire
- La peau protège les organes lymphatiques ; elle empêche l'invasion d'agents pathogènes et contient elle-même des cellules immunitaires.
- Le système lymphatique prévient l'œdème en absorbant les liquides échappés des capillaires de la peau ; le système immunitaire protège les cellules de la peau.

Système digestif
- La peau protège les organes digestifs ; elle synthétise la vitamine D indispensable à l'absorption du calcium.
- Le système digestif fournit les nutriments nécessaires à la peau.

Système urinaire
- La peau protège les organes urinaires ; elle élimine des sels minéraux et certains déchets azotés dans la sueur.
- Le système urinaire active le précurseur de la vitamine D synthétisé par les kératinocytes ; il élimine les déchets azotés produits par le métabolisme des cellules de la peau.

Système musculaire
- La peau protège les muscles ; elle offre un point d'attache pour les muscles superficiels de la tête responsables de l'expression faciale.
- L'activité musculaire produit une grande quantité de chaleur qui accroît la circulation sanguine vers la peau et peut stimuler les glandes sudoripares.

Système nerveux
- La peau protège les organes du système nerveux et renferme des récepteurs sensoriels.
- Le système nerveux règle le diamètre des vaisseaux sanguins dermiques ; il stimule les glandes sudoripares et contribue à la thermorégulation ; il interprète les sensations cutanées et active les muscles arrecteurs des poils.

Système respiratoire
- La peau protège les organes respiratoires.
- Le système respiratoire procure de l'oxygène aux cellules de la peau et élimine le gaz carbonique par l'intermédiaire des échanges gazeux avec le sang.

Système cardiovasculaire
- La peau protège les organes cardiovasculaires ; elle empêche la perte des liquides de l'organisme et fait office de réservoir sanguin.
- Le système cardiovasculaire transporte l'oxygène et les nutriments vers la peau et en retire les déchets ; il fournit aux glandes de la peau les substances nécessaires à la production de leurs sécrétions.

Système génital
- La peau protège les organes génitaux ; elle contient des récepteurs nerveux sensibles aux stimulus érotiques ; des glandes sudoripares fortement modifiées, les glandes mammaires, produisent le lait maternel. Pendant la grossesse, la peau s'étire à mesure que le fœtus croît ; des changements dans la pigmentation de la peau peuvent survenir.

Système tégumentaire (peau)

Système osseux
- La peau protège les os ; elle synthétise la vitamine D nécessaire à l'absorption normale du calcium et au dépôt des sels de calcium qui contribuent à durcir les os.
- Le système osseux procure un support à la peau.

hommes deviennent chauves en vieillissant, phénomène appelé *calvitie hippocratique*. En réalité, ces hommes ne sont pas vraiment chauves, car des poils sont présents dans les zones de calvitie. Mais, comme les follicules du poil sont en voie de dégénérescence, les cheveux perdent leur couleur et deviennent très minces (certains n'émergent même pas du follicule). Ils ont l'apparence d'un fin duvet. Le grisonnement des cheveux est une autre conséquence du vieillissement. Tout comme la calvitie, il est régi par des gènes « à retardement » qui, lorsqu'ils entrent en action, provoquent une baisse du dépôt de mélanine dans le poil ; les cheveux deviennent progressivement gris ou blancs.

Déséquilibre homéostatique

Certains événements peuvent provoquer prématurément le grisonnement ou la chute des cheveux. Par exemple, beaucoup de gens affirment que leurs cheveux ont soudainement grisonné à la suite d'un choc émotionnel grave. On sait aussi que l'anxiété, des régimes alimentaires pauvres en protéines, la prise de certains médicaments (chimiothérapie), une irradiation, un excès de vitamine A et certaines maladies fongiques (teignes) peuvent provoquer le grisonnement et la perte des cheveux. Cependant, lorsqu'elle n'est pas imputable à des facteurs génétiques, la chute des cheveux est habituellement réversible. ▲

Résumé du chapitre 4

LA CLASSIFICATION DES MEMBRANES DE L'ORGANISME *(p. 104-106)*

1. Membranes de nature épithéliale : organes simples, constitués de tissu épithélial et de tissu conjonctif.
   a) Peau : épiderme (épithélium stratifié squameux) se superposant au derme (tissu conjonctif dense) ; protège la surface corporelle.
   b) Muqueuses : feuillet épithélial posé directement sur la lamina propria (tissu conjonctif lâche) ; tapisse les cavités qui s'ouvrent sur l'environnement.
   c) Séreuses : épithélium simple squameux posé sur une couche de tissu conjonctif lâche ; tapisse la cavité antérieure.

2. Membranes de nature conjonctive : membrane synoviale de la capsule articulaire ; tapisse les cavités articulaires.

LE SYSTÈME TÉGUMENTAIRE (PEAU) *(p. 106-119)*

1. La peau assure diverses fonctions : protection des tissus profonds contre les lésions chimiques, les bactéries, les coups et le dessèchement ; thermorégulation par l'irradiation et la transpiration ; synthèse de la vitamine D et de protéines intervenant dans l'immunité. La peau est riche en récepteurs sensoriels cutanés.

2. L'épiderme se compose d'un épithélium stratifié squameux capable de se kératiniser ; il n'est pas vascularisé. Il comprend les couches suivantes (de la plus profonde à la plus superficielle) : couche basale, couche épineuse, couche granuleuse, couche claire (dans la peau très épaisse seulement) et couche cornée. Les cellules qui atteignent la surface sont mortes et se détachent continuellement. Elles sont remplacées par les cellules nées par mitose des cellules de la couche basale profonde. À mesure qu'elles s'éloignent de la couche basale, ces cellules se remplissent de kératine, puis meurent. La mélanine, pigment synthétisé par les mélanocytes, protège le noyau des cellules épithéliales des effets nocifs du soleil.

3. Le derme est composé de tissu conjonctif dense. Il contient des vaisseaux sanguins, des neurofibres et des annexes de l'épiderme. Il se divise en deux parties : la zone papillaire et la zone réticulaire. La zone papillaire possède des crêtes et des sillons qui donnent les empreintes digitales.

4. Les annexes cutanées dérivent de l'épiderme mais sont situées dans le derme.
   a) Les glandes sébacées produisent une sécrétion huileuse (sébum) ; leur conduit débouche habituellement dans le follicule du poil. Le sébum lubrifie et assouplit la peau et les poils, et présente des propriétés bactéricides.
   b) Les glandes sudoripares, sous l'effet du système nerveux, sécrètent la sueur ; leur conduit débouche à la surface de la peau. Leur principale fonction est de participer à la thermorégulation. Elles se divisent en deux groupes : les glandes mérocrines (les plus nombreuses) et les glandes apocrines (leurs sécrétions contiennent des acides gras et des protéines dont les bactéries de la peau sont friandes).
   c) Le poil est principalement constitué de cellules kératinisées mortes ; il est produit par la matrice dans le bulbe du poil. Sa racine est entourée d'une gaine, le follicule du poil.
   d) L'ongle est une modification écailleuse de l'épiderme. Comme le poil, il est composé principalement de cellules kératinisées mortes.

5. Les problèmes cutanés mineurs les plus fréquents sont d'ordre infectieux ou allergique; les plus graves comprennent les brûlures et les cancers. Les brûlures constituent une menace grave pour l'organisme, car elles perturbent les fonctions protectrices de la peau.

a) Les brûlures entraînent une perte de liquides de l'organisme et une infection bactérienne. La règle des neuf sert à évaluer l'étendue des brûlures. Les brûlures sont divisées en trois catégories selon leur gravité (profondeur): premier degré (épiderme seulement), deuxième degré (épiderme et couche superficielle du derme) et troisième degré (épiderme et derme complètement détruits). Une brûlure du troisième degré nécessite une greffe de peau.

b) L'exposition aux rayons UV du soleil est la cause la plus fréquente des cancers de la peau. La guérison des épithéliomas basocellulaires et des épithéliomas spinocellulaires est totale s'ils sont retirés avant d'avoir eu le temps de former des métastases. Le mélanome malin, un cancer des mélanocytes, est plus rare, mais fatal dans environ 50 % des cas.

LE DÉVELOPPEMENT ET LE VIEILLISSEMENT DE LA PEAU ET DES MEMBRANES DE L'ORGANISME *(p. 120-122)*

1. La peau est épaisse, souple et bien hydratée pendant la première partie de la vie, mais elle perd de son élasticité et s'amincit à mesure que l'on vieillit. Les cancers de la peau sont une grave menace lorsque la peau est trop exposée aux rayons du soleil.

2. Au cours du vieillissement, la calvitie ou le grisonnement des cheveux surviennent. Ces deux phénomènes sont déterminés par des gènes, mais d'autres facteurs (médicaments, choc émotionnel, etc.) peuvent en être les déclencheurs.

Questions de révision

QUESTIONS À CHOIX MULTIPLE

Pour certaines questions, il peut y avoir plus d'une bonne réponse.

1. Lequel des énoncés qui suivent, se rapportant aux muqueuses et aux séreuses, est faux?

a) Le type d'épithélium est le même dans toutes les séreuses, mais il existe divers types d'épithélium dans les différentes muqueuses.

b) Les séreuses tapissent les cavités fermées de l'organisme, tandis que les muqueuses tapissent les cavités de l'organisme qui s'ouvrent sur l'environnement.

c) Les séreuses produisent toujours une sérosité et les muqueuses sécrètent toujours du mucus.

d) Les deux types de membranes sont constituées d'un épithélium et d'une couche de tissu conjonctif lâche.

2. Les séreuses:

a) tapissent l'intérieur de la bouche.

b) ont un feuillet viscéral et un feuillet pariétal.

c) possèdent une couche de tissu conjonctif appelée *lamina propria.*

d) sécrètent un liquide lubrifiant.

3. Lesquelles, parmi les composantes de la peau qui suivent, participent directement à sa fonction imperméabilisante?

a) La mélanine.

b) La kératine.

c) Les glycoprotéines.

d) La couche cornée.

e) La couche basale.

4. En comparant l'épiderme et le derme, on observe que:

a) le derme est constitué surtout de tissu adipeux alors qu'on n'en trouve pas dans l'épiderme.

b) le derme est plus épais que l'épiderme.

c) seul le derme contient des cellules vivantes.

d) le derme et l'épiderme renferment des vaisseaux sanguins.

e) le pigment qui confère la couleur à la peau est situé uniquement dans l'épiderme.

5. Lesquelles des substances qui suivent ne sont *pas* des constituants de la sueur?

a) L'eau.

b) Le chlorure de sodium.

c) Le sébum.

d) L'ammoniac.

e) La vitamine D.

6. Laquelle des structures qui suivent n'est *pas* associée au poil?

a) La tige.

b) Le cortex.

c) La lunule.

d) La matrice.

e) La cuticule.

7. Quelles questions faut-il poser dans le but de trouver la cause de la raréfaction des cheveux?

a) Votre régime est-il déficient en protéines?

b) Prenez-vous des suppléments de vitamine C en grande quantité?

c) Avez-vous été exposé à des doses excessives de radiations?

d) Avez-vous subi récemment un traumatisme émotionnel sérieux?

8. Laquelle des structures qui suivent n'est *pas* associée à l'ongle?

a) La lectule.

b) La lunule.

c) Le vallum.

d) Le follicule.

e) La cuticule.

9. Laquelle des structures qui suivent n'est *pas* associée à la production de sueur?
   a) La glande sudoripare.
   b) Le pore.
   c) Le muscle arrecteur du poil.
   d) La glande mérocrine.
   e) La glande apocrine.

10. Un individu adulte ayant subi une brûlure au deuxième degré de la totalité de la surface des membres supérieur et inférieur droits:
    a) ne serait pas dans un état critique, car la brûlure est limitée aux membres.
    b) aurait 13,5 % de la surface corporelle brûlée et ne serait donc pas dans un état critique.
    c) aurait 13,5 % de la surface corporelle brûlée et serait donc dans un état critique.
    d) aurait 27 % de la surface corporelle brûlée et serait donc dans un état critique.

11. Laquelle des structures qui suivent ne fait *pas* partie du système tégumentaire?
    a) Le corpuscule lamelleux.
    b) La papille du derme.
    c) Le poil.
    d) L'ongle.

QUESTIONS À COURT DÉVELOPPEMENT

1. Nommez la membrane de nature conjonctive qui tapisse les cavités articulaires.
2. Quels tissus primaires sont en partie détruits lorsque la peau est endommagée?
3. Pourquoi la peau est-elle considérée comme un organe?
4. De quels types de lésions la peau protège-t-elle l'organisme?
5. Indiquez une différence structurale entre la peau fine et la peau épaisse; citez un endroit du corps où on trouve chacun des deux types de peau.
6. Expliquez pourquoi la peau devient bronzée lorsqu'elle est exposée au soleil.
7. Qu'est-ce qu'une escarre de décubitus? Qu'est-ce qu'une phlyctène (ou cloque)? Quelle est la cause de chacun de ces deux problèmes?
8. Un albinos (individu atteint d'albinisme) n'a pas ou très peu de pigmentation au niveau de la peau. Quel type de cellules cutanées est en cause? À quel facteur de l'environnement cette personne est-elle plus sensible?
9. Nommez deux catégories de sécrétions cutanées et les glandes qui les produisent. Les glandes cutanées appartiennent-elles à l'épiderme ou au derme? Expliquez.
10. Quelles structures du système tégumentaire sont à l'origine des empreintes digitales? Comment celles-ci se forment-elles?
11. De quelle façon la peau participe-t-elle à la thermorégulation?
12. Qu'est-ce qu'un point noir?
13. Qu'est-ce qui rend certains cheveux ondulés et d'autres droits?
14. Un poil sur la tête prend le nom de *cheveu*; citez quatre autres noms que peuvent porter les poils selon leur localisation sur le corps.
15. Que sont les muscles arrecteurs des poils? Quel est leur rôle?
16. Lesquels, parmi les problèmes associés à la peau qui suivent, n'impliquent pas un microorganisme? Anthrax, feux sauvages, dermatite de contact, impétigo, pied d'athlète, psoriasis.
17. Établissez la distinction entre les brûlures du premier, du deuxième et du troisième degré.
18. Quelles sont les conséquences graves des brûlures du troisième degré? Pourquoi celles-ci ne sont-elles pas douloureuses?
19. Comparez les trois types de cancer de la peau suivants sur le plan de leur origine, de la rapidité de leur propagation et de leur malignité: épithélioma basocellulaire, épithélioma spinocellulaire, mélanome.
20. Nommez trois changements cutanés qui accompagnent le vieillissement.
21. Pourquoi les cheveux grisonnent-ils? Un homme chauve ne possède-t-il réellement plus de cheveux? Expliquez.
22. Quels sont les principaux risques auxquels s'expose une personne qui se fait tatouer?

Réflexion et application

1. Une infirmière informe le médecin que l'un de ses patients est cyanosé. Qu'est-ce que la cyanose? Qu'indique-t-elle?
2. Les nouveau-nés comme les personnes âgées n'ont que très peu de tissu sous-cutané. Pourquoi cela augmente-t-il leur sensibilité aux basses températures?
3. Un maître nageur de quarante ans vous explique que, grâce à son bronzage, il avait beaucoup de succès quand il était jeune, mais que maintenant son visage est tout ridé et que plusieurs taches pigmentées foncées sont apparues sur son corps et grandissent rapidement au point d'être devenues aussi grosses que des pièces de monnaie. Il vous montre les taches et vous pensez immédiatement

«ABCD». Qu'est-ce que ces lettres signifient et pourquoi cette personne a-t-elle de bonnes raisons de s'inquiéter?

4. Marthe amène son bébé de treize mois à l'hôpital pour faire examiner sa peau, devenue orange. Pourquoi le pédiatre lui pose-t-il des questions sur l'alimentation de l'enfant?

5. L'eau d'une piscine étant hypotonique par rapport à nos cellules et aux liquides de notre organisme, pourquoi ne nous gonflons-nous pas d'eau au point d'exploser lorsque nous y nageons?

6. M. Bellavance, pêcheur à la fin de la soixantaine, se rend à l'hôpital pour se plaindre d'ulcères sur les deux avant-bras de même que sur la figure et les oreilles. Bien que ces ulcères soient apparus il y a plusieurs années, il n'a pas eu d'autres problèmes. Quel sera probablement le diagnostic, et quelle est vraisemblablement la cause de ces ulcères?

7. On traite la maladie de M. Legris au moyen d'un médicament transdermique (administré à travers la peau). Expliquez pourquoi ce type de médicament est liposoluble plutôt qu'hydrosoluble.

Le système osseux

CHAPITRE 5

Lorsque vous aurez étudié le présent chapitre, vous aurez une connaissance pratique des fonctions du système osseux ; vous devriez de plus avoir atteint les objectifs d'apprentissage énumérés ci-dessous.

Aperçu des fonctions

Le système osseux constitue la charpente de notre corps ; il protège les organes en les enveloppant et sert de levier aux muscles squelettiques, dont la contraction permet le mouvement.

OBJECTIFS D'APPRENTISSAGE

Les os : caractéristiques générales *(p. 128-137)*

- ❑ **1.** Définir les deux grandes subdivisions du squelette (axial et appendiculaire).
- ❑ **2.** Énumérer et décrire brièvement au moins trois fonctions du système osseux.
- ❑ **3.** Nommer et distinguer les deux grands types de tissus osseux et les quatre principales catégories d'os ; donner un exemple d'os appartenant à chacune.
- ❑ **4.** Citer les deux grandes catégories d'éléments du relief osseux et donner leurs fonctions générales respectives.
- ❑ **5.** Nommer les principales régions anatomiques d'un os long.
- ❑ **6.** Décrire l'anatomie microscopique d'un os long.
- ❑ **7.** Expliquer la contribution de la partie inorganique et de la partie organique de la matrice osseuse à la dureté et à la souplesse des os respectivement.
- ❑ **8.** Décrire brièvement le processus de formation des os chez le fœtus et la croissance en longueur et en diamètre d'un os long pendant l'enfance et l'adolescence ; résumer les étapes du remaniement osseux au cours de la vie et montrer comment les hormones, les ostéoblastes et les ostéoclastes participent à ce processus.
- ❑ **9.** Nommer et décrire les divers types de fractures ; expliquer brièvement comment s'effectue la consolidation d'une fracture.

Le squelette axial *(p. 137-149)*

- ❑ **10.** Sur un crâne ou un schéma de crâne, nommer et situer les os de la tête.
- ❑ **11.** Associer chacun des éléments qui suivent à l'os auquel il appartient et préciser sa fonction : arcades alvéolaires, canal carotidien, crista galli, foramen jugulaire, foramen magnum, méat acoustique externe, selle turcique.
- ❑ **12.** Définir et situer les sinus paranasaux ; décrire leur rôle et expliquer brièvement en quoi consiste une sinusite.
- ❑ **13.** Décrire les différences entre les os de la tête d'un nouveau-né (ou d'un fœtus) et ceux d'un adulte, et expliquer la fonction des fontanelles.
- ❑ **14.** Nommer les caractéristiques d'une vertèbre typique ; expliquer les différences entre les vertèbres cervicales, thoraciques et lombaires.
- ❑ **15.** Expliquer l'importance des disques intervertébraux et des courbures de la colonne vertébrale.

❑ **16.** Établir la distinction entre les courbures anormales de la colonne vertébrale (scoliose, lordose et cyphose).

❑ **17.** Décrire la structure du thorax osseux; faire la distinction entre vraies côtes, fausses côtes et côtes flottantes.

Le squelette appendiculaire *(p. 151-157)*

❑ **18.** Sur un squelette ou un schéma de squelette, situer et nommer les os de l'épaule, de la ceinture pelvienne et des membres qui s'y rattachent.

❑ **19.** Associer chacun des éléments suivants à l'os auquel il appartient et décrire sa fonction: acétabulum, acromion, foramen obturé, olécrâne, processus coracoïde.

❑ **20.** Comparer la ceinture scapulaire et la ceinture pelvienne sur les plans de la structure, de la fonction et des caractéristiques de mobilité et de stabilité.

❑ **21.** Décrire les différences marquées qui existent entre le bassin masculin et le bassin féminin.

Les articulations *(p. 158-165)*

❑ **22.** Nommer les trois principales catégories d'articulations sur le plan fonctionnel et comparer l'amplitude de mouvement que chacune permet.

❑ **23.** Décrire les principales caractéristiques structurales des trois grandes catégories d'articulations (fibreuse, cartilagineuse et synoviale).

❑ **24.** Citer les principaux types d'articulations synoviales et donner pour chacun un exemple de localisation dans le squelette et un exemple de mouvement permis.

❑ **25.** Décrire brièvement en quoi consistent une luxation, une bursite, une entorse; distinguer arthrite, arthrose et polyarthrite rhumatoïde.

Le développement et le vieillissement du squelette *(p. 165-167)*

❑ **26.** Décrire quelques-uns des troubles osseux et articulaires qui surviennent aux divers stades de la vie, et donner leurs principales causes.

Bien que le mot *squelette* vienne du grec et signifie «corps desséché», notre charpente interne est un modèle d'ingéniosité et de technicité. Résistant mais léger, le squelette est parfaitement adapté aux fonctions de protection et de motricité qu'il assure. Sa forme actuelle s'est dessinée il y a quelques millions d'années, quand nos ancêtres ont commencé à se dresser sur leurs membres postérieurs pour devenir bipèdes; la disposition de nos os est telle que nous pouvons nous tenir debout et rester en équilibre. Aucun autre animal ne possède d'aussi longs membres inférieurs (par rapport aux membres supérieurs) ou des pieds aussi étranges que les nôtres, et la force de préhension de nos mains est unique. Même si elle présente d'abord la forme d'une arche, la colonne vertébrale du jeune enfant adopte rapidement la forme en S, c'est-à-dire la cambrure, nécessaire à la position debout.

Le squelette est divisé en deux parties: le **squelette axial**, dont les os forment l'axe longitudinal du corps, et le **squelette appendiculaire**, qui comprend les os des membres et des ceintures. Outre les os, le **système osseux** inclut les *articulations*, les *cartilages* et les *ligaments* (faisceaux de tissu conjonctif unissant les os au niveau des articulations). Les articulations confèrent au corps humain sa souplesse et nous permettent de bouger.

Les os: caractéristiques générales

Nous avons tous entendu des expressions comme *avoir mal aux os*, *sec comme un os*, *un sac d'os*, etc., autant d'images peu flatteuses et inexactes de l'un des tissus les plus intéressants de notre organisme. D'abord, c'est notre cerveau, et non les os, qui détermine la sensation d'épuisement; ensuite, les os n'ont rien de sec; enfin, pour ce qui est du *sac d'os*, les os sont effectivement plus visibles chez certains d'entre nous, mais s'ils n'étaient pas là pour former notre squelette, nous ramperions sur le sol comme des limaces. Étudions à présent comment les os contribuent à l'homéostasie globale de l'organisme.

LES FONCTIONS DES OS

Les os donnent à notre corps sa forme extérieure; ils remplissent aussi plusieurs fonctions importantes:

1. **Le soutien.** Les os sont les «poutres d'acier» et le «béton armé» de notre corps. Ils constituent une structure rigide qui sert de support à notre corps et d'ancrage à tous ses organes mous. Les os des membres inférieurs agissent comme des piliers qui portent notre tronc lorsque nous nous tenons debout, et la cage thoracique soutient les parois du thorax.
2. **La protection.** Les os protègent les organes mous. Par exemple, l'encéphale est étroitement recouvert par les os du crâne. Les vertèbres entourent la moelle épinière et la cage thoracique abrite les organes vitaux du thorax.
3. **Le mouvement.** Les muscles squelettiques, qui sont reliés aux os par des tendons, agissent sur les os comme des leviers pour déplacer le corps ou ses parties. C'est ainsi que nous pouvons marcher, nager, lancer une balle ou respirer. Imaginez un instant que vous êtes en train de courir et que vos os se mettent soudainement à ramollir. Qu'arriverait-il? Imaginez maintenant que vos os forment une structure métallique rigide à l'intérieur de votre corps, comme le système de plomberie de votre maison. Quels problèmes cette rigidité vous occasionnerait-elle? Ces images devraient vous faire mieux comprendre la merveilleuse machine qu'est le système osseux, une machine qui nous offre soutien et protection tout en nous permettant de bouger.
4. **Le stockage de minéraux et de graisses.** Les cavités internes de certains os représentent un lieu de stockage des graisses. Le tissu osseux lui-même constitue un réservoir de minéraux, dont les plus importants sont le calcium et le phosphore. Une petite quantité de calcium sous forme d'ions (Ca^{2+}) doit être constamment présente dans le sang et le liquide interstitiel pour que le système nerveux transmette ses messages, que les muscles se contractent et que le sang coagule. Puisque la plus grande partie du calcium se dépose dans les os sous forme de sels, les os fournissent au sang les ions calcium dont il a besoin. Lorsque le sang contient trop ou pas assez de calcium, des troubles surviennent. Des hormones régissent le transfert du calcium entre les os et le sang en tenant compte des besoins de l'organisme. En fait, des «dépôts» et des «retraits» de calcium (et d'autres minéraux) s'effectuent de manière presque continuelle dans les os.
5. **La formation des globules sanguins.** La formation des globules sanguins, ou hématopoïèse, a lieu dans les cavités médullaires de certains os.

LA CLASSIFICATION DES OS

Le squelette d'un adulte comprend 206 os. On distingue deux types de tissu osseux, ou os: l'**os compact**, dense et d'apparence lisse et solide, et l'**os spongieux**, ou trabéculaire, constitué de petites pièces (trabécules) pointues entrecoupées de nombreuses cavités.

Il existe des os de toutes les grosseurs et de toutes les formes. Par exemple, le petit os pisiforme du poignet est de la taille et de la forme d'un petit pois, alors que le fémur (os de la cuisse) peut mesurer près de 60 cm de longueur et est pourvu d'une grosse tête sphérique. Les os présentent chacun une forme particulière qui répond à un besoin précis; ils sont ainsi classés en quatre catégories: les os longs, courts, plats et irréguliers (figure 5.1).

Comme leur nom l'indique, les **os longs** sont habituellement plus longs que larges. Un os long typique comprend un corps et deux extrémités. Il est surtout composé d'os compact. Tous les os des membres sont longs, sauf ceux du carpe et du tarse.

Les **os courts** sont généralement cubiques et contiennent surtout de l'os spongieux. Les os du carpe et du tarse sont des os courts. Les *os sésamoïdes*, qui se forment à l'intérieur des tendons, sont un type particulier d'os court. L'exemple le mieux connu est la rotule.

Les **os plats** sont minces, aplatis et en général courbés. Ils sont composés de deux couches d'os compact minces séparées par une couche d'os spongieux. La plupart des os de la tête, les côtes et le sternum sont des os plats.

Les os qui n'appartiennent à aucune des catégories précédentes sont dits **irréguliers**. Les vertèbres, qui forment la colonne vertébrale, et les os coxaux sont de ce type.

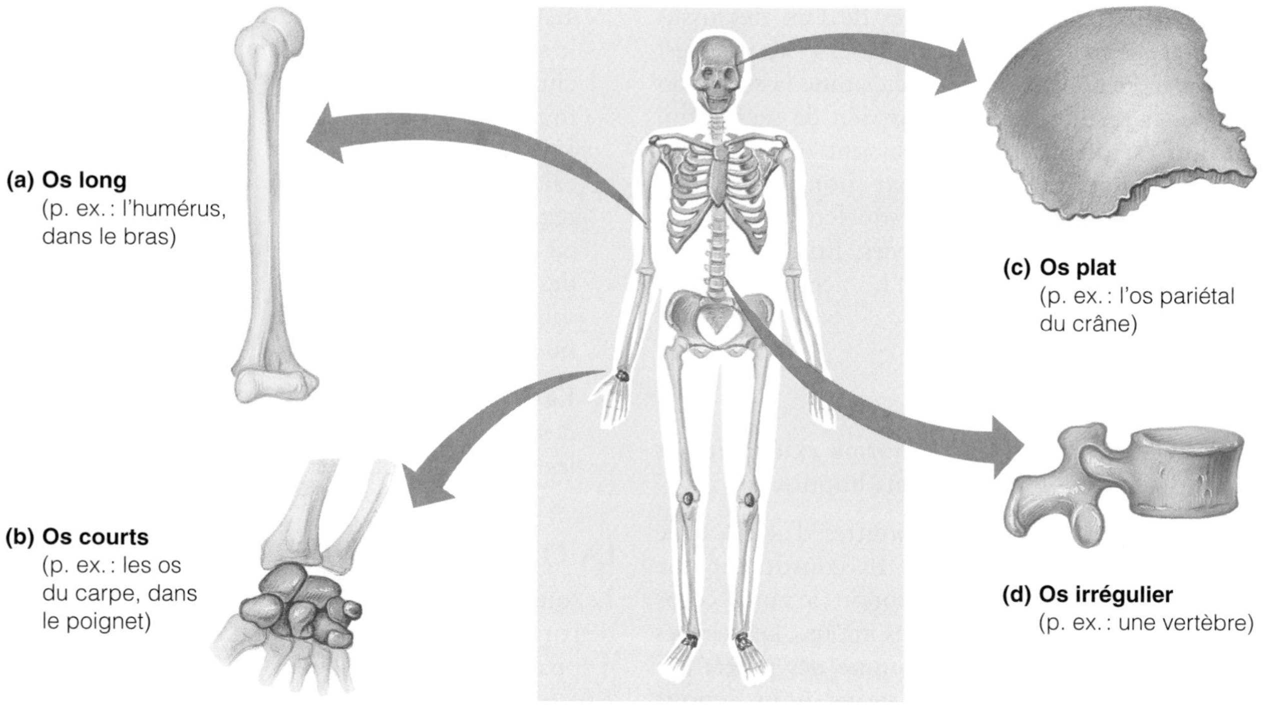
(a) Os long
(p. ex. : l'humérus, dans le bras)
(b) Os courts
(p. ex. : les os du carpe, dans le poignet)
(c) Os plat
(p. ex. : l'os pariétal du crâne)
(d) Os irrégulier
(p. ex. : une vertèbre)

Figure 5.1 **Les classification des os selon leur forme**

LA STRUCTURE D'UN OS LONG

L'anatomie macroscopique

La structure macroscopique d'un os long est illustrée à la figure 5.2. La **diaphyse**, ou corps d'un os long, occupe presque toute la longueur de l'os et est constituée d'os compact. Elle est recouverte d'une membrane de tissu conjonctif dense, le **périoste**, qui la protège. Des centaines de fibres de tissu conjonctif, appelées **fibres de Sharpey**, servent de points d'ancrage entre le périoste et l'os sous-jacent. Du côté interne de la diaphyse et bordant la cavité médullaire, se trouve une fine membrane, appelée **endoste**, composée de cellules qui produisent la substance osseuse et d'autres cellules qui la détruisent. Les **épiphyses** sont les extrémités de l'os long. Chacune est formée d'une fine couche d'os compact délimitant une région constituée d'os spongieux. La face externe des épiphyses est recouverte de **cartilage articulaire** plutôt que d'un périoste. C'est un cartilage hyalin lisse qui réduit la friction entre les surfaces articulaires.

Chez l'adulte, une mince ligne de tissu osseux, dont l'aspect diffère du reste de l'os dans cette région, traverse l'épiphyse. C'est la **ligne épiphysaire**, reliquat du **cartilage épiphysaire** (disque plat de cartilage hyalin) d'un os jeune en pleine croissance. Les cartilages épiphysaires assurent la croissance en longueur d'un os long. À la fin de la puberté, lorsque les hormones se mettent à inhiber la croissance des os longs, les cartilages épiphysaires sont complètement remplacés par du tissu osseux; seules les lignes épiphysaires témoignent de leur présence.

La cavité de la diaphyse adulte sert principalement de réservoir pour le tissu adipeux, qui constitue la plus grande partie de la **moelle jaune**. Elle est appelée **cavité médullaire**. Chez l'enfant, cette cavité abrite la **moelle rouge**, dans laquelle se forment les globules rouges. Chez l'adulte, la moelle rouge ne se trouve que dans la cavité de l'os spongieux des os plats et aux épiphyses proximales de certains os longs.

Au premier coup d'œil, on peut constater que la surface des os n'est pas lisse, mais plutôt parsemée de bosses, de trous et de crêtes. Le **relief osseux**, qui est décrit et illustré dans le tableau 5.1, indique les points d'attache de muscles, de tendons et de ligaments, et les passages de vaisseaux sanguins et de nerfs. On distingue deux catégories d'éléments du relief osseux : a) les *protubérances*, qui dépassent de la surface osseuse, et b) les *dépressions*, ou *ouvertures*, qui forment des creux dans les os. Il n'est pas nécessaire d'apprendre ces termes maintenant, mais ils vous seront utiles lorsque nous décrirons plus loin les particularités des différents os.

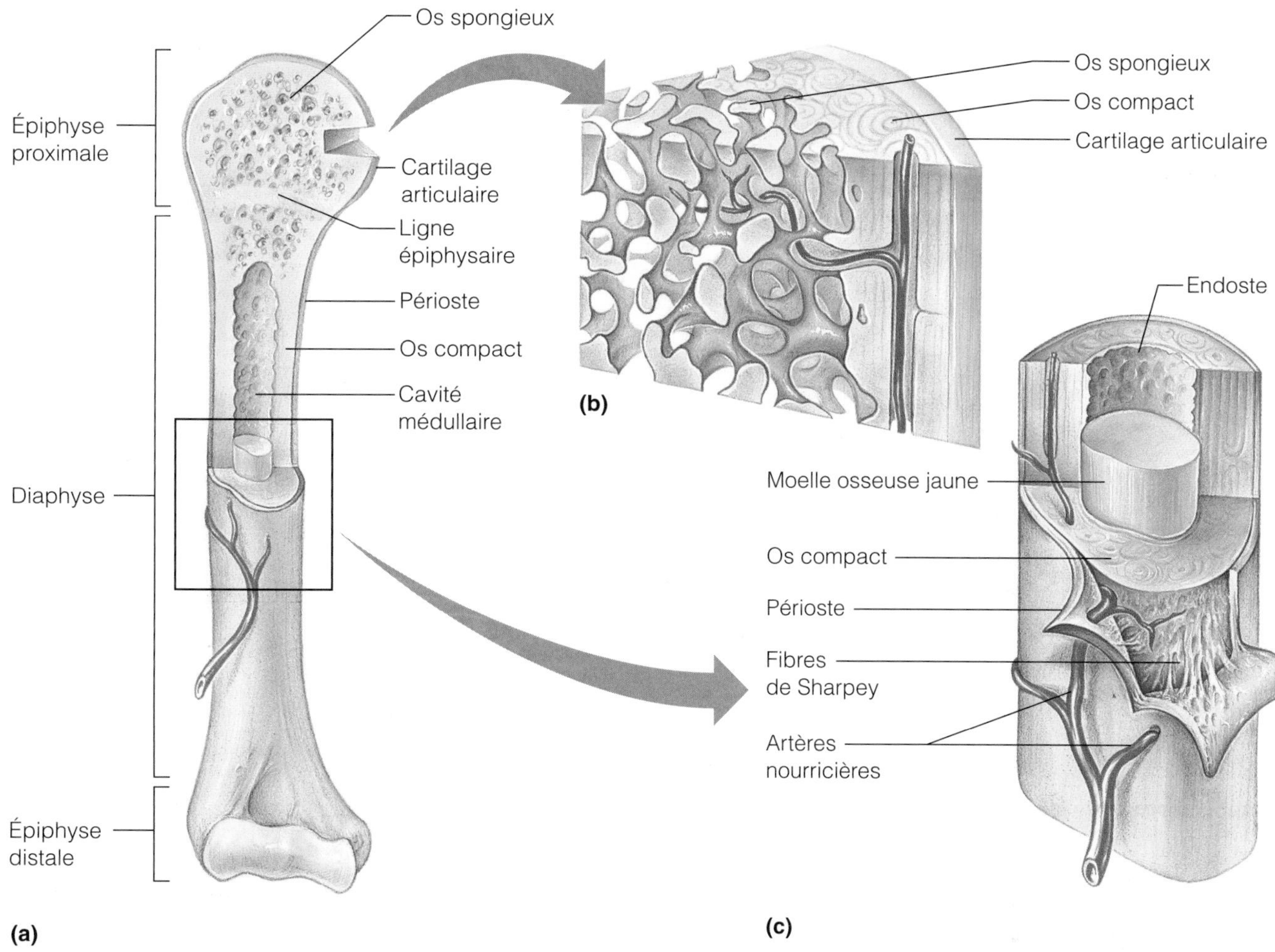
Os spongieux
Épiphyse proximale
Cartilage articulaire
Ligne épiphysaire
Périoste
Os compact
Cavité médullaire
Diaphyse
Épiphyse distale
(a)
Os spongieux
Os compact
Cartilage articulaire
(b)
Endoste
Moelle osseuse jaune
Os compact
Périoste
Fibres de Sharpey
Artères nourricières
(c)

Figure 5.2 **La structure d'un os long (humérus)**

(a) Vue antérieure avec coupe frontale montrant l'intérieur de l'extrémité proximale. **(b)** Vue tridimensionnelle triangulaire de l'os spongieux et de l'os compact de l'épiphyse. **(c)** Coupe transversale du corps (diaphyse). Remarquez que la face externe de la diaphyse est enveloppée de périoste, mais que la surface articulaire de l'épiphyse (voir en b) est recouverte de cartilage hyalin.

L'anatomie microscopique

À l'œil nu, la structure de l'os spongieux semble lâche et inégale, tandis que celle de l'os compact paraît très dense. Au microscope, on peut constater à quel point la structure du tissu de l'os compact est complexe (figure 5.3). Celui-ci possède une multitude de passages contenant des neurofibres et des vaisseaux sanguins, entre autres éléments, qui fournissent à ses cellules vivantes des nutriments et les débarrassent de leurs déchets. Les **ostéocytes** sont des cellules osseuses mûres qui assurent l'entretien de la partie organique de la matrice osseuse; ils sont situés dans des petits espaces vides de la matrice appelés **lacunes osseuses**, disposés en cercles concentriques, à la jonction de lamelles osseuses appelées **lamelles de l'ostéon** et autour d'un **canal central de l'ostéon**. Les lamelles de l'ostéon contiennent des fibres de collagènes parallèles, mais dont l'orientation diffère d'une lamelle à l'autre. Chaque ensemble constitué d'un canal central et de cylindres emboîtés de matrice osseuse formés par les lamelles est appelé **ostéon**, ou système de Havers. Les canaux centraux de l'ostéon parcourent la matrice en suivant l'axe longitudinal de la diaphyse et permettent aux vaisseaux sanguins et aux neurofibres de desservir toutes les régions de l'os. Des canaux très fins, les **canalicules**, irradient du canal central de l'ostéon et le relient à toutes les lacunes. Ils servent de relais entre les cellules osseuses et la source des nutriments, puisqu'ils traversent la matrice osseuse durcie. C'est grâce à ce réseau complexe de canaux que les cellules osseuses sont bien alimentées, même si la matrice osseuse est dure, et que

Tableau 5.1 Le relief osseux

Élément du relief osseux	Description
Protubérances sur lesquelles s'attachent des muscles et des ligaments	
Tubérosité	Grosse protubérance ronde ; parfois rugueuse
Crête	Arête osseuse étroite ; habituellement bien en évidence
Trochanter	Processus (protubérance) très gros, épais, de forme irrégulière (les seuls exemples se trouvent sur le fémur)
Ligne	Arête osseuse étroite ; moins en évidence qu'une crête
Tubercule	Protubérance ou relief arrondi et de petite taille
Épicondyle	Partie renflée sur un condyle ou au-dessus de celui-ci
Épine	Relief fin, étroit, souvent pointu
Processus	Toute protubérance osseuse
Protubérances participant à la formation des articulations	
Tête	Renflement osseux porté sur un col étroit
Facette	Surface articulaire lisse, presque plate
Condyle	Protubérance articulaire arrondie
Branche	Bras formé par un os
Dépressions et ouvertures servant de passage aux vaisseaux sanguins et aux nerfs	
Méat	Passage en forme de canal
Sinus	Espace creux à l'intérieur d'un os ; rempli d'air et tapissé d'une muqueuse
Fossette	Dépression peu profonde et concave d'un os, pouvant aussi servir de surface articulaire
Gouttière	Sillon profond
Sillon	Dépression linéaire
Foramen	Ouverture arrondie ou ovale dans un os
Fissure	Fente, échancrure

Illustration

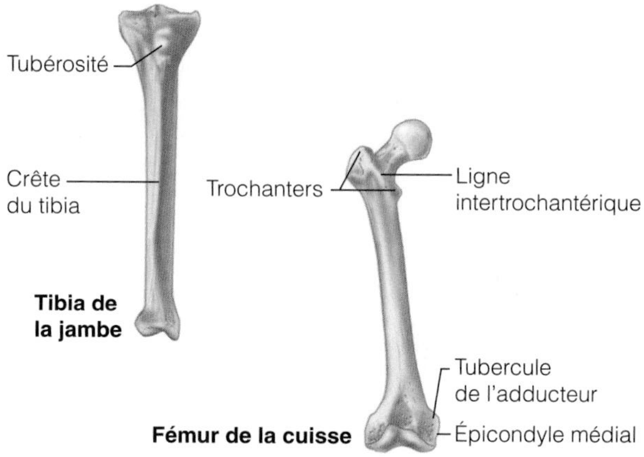

Tubérosité
Crête du tibia
Tibia de la jambe
Trochanters
Ligne intertrochantérique
Tubercule de l'adducteur
Épicondyle médial
Fémur de la cuisse

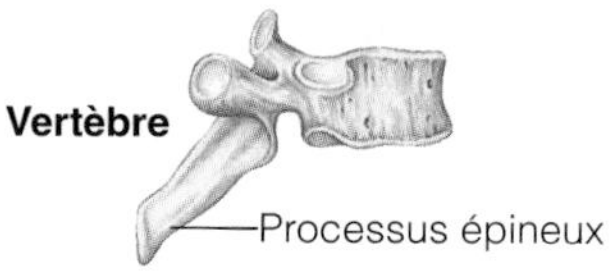

Vertèbre
Processus épineux

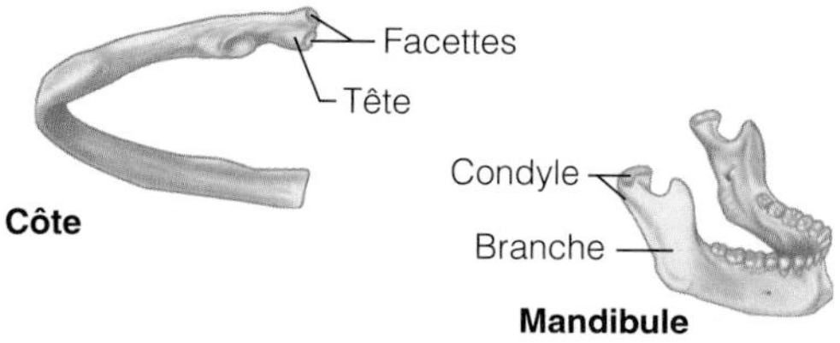

Facettes
Tête
Côte
Condyle
Branche
Mandibule

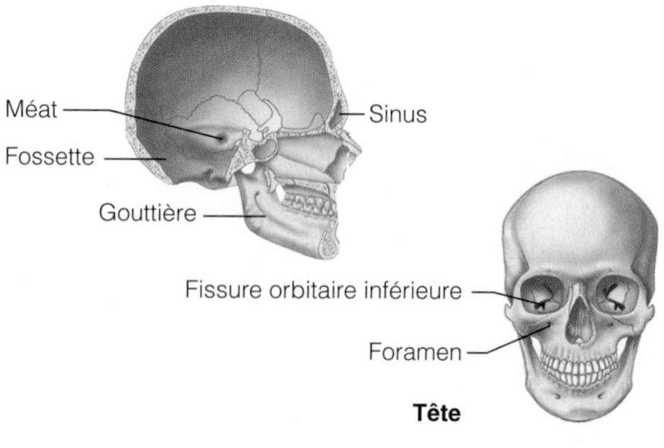

Méat
Sinus
Fossette
Gouttière
Fissure orbitaire inférieure
Foramen
Tête

les lésions osseuses guérissent vite et bien. La communication entre l'extérieur de l'os et son intérieur (et les canaux centraux) est assurée par les **canaux perforants de l'os compact**, ou canaux de Volkmann, qui pénètrent dans l'os compact en suivant un axe perpendiculaire à celui de la diaphyse.

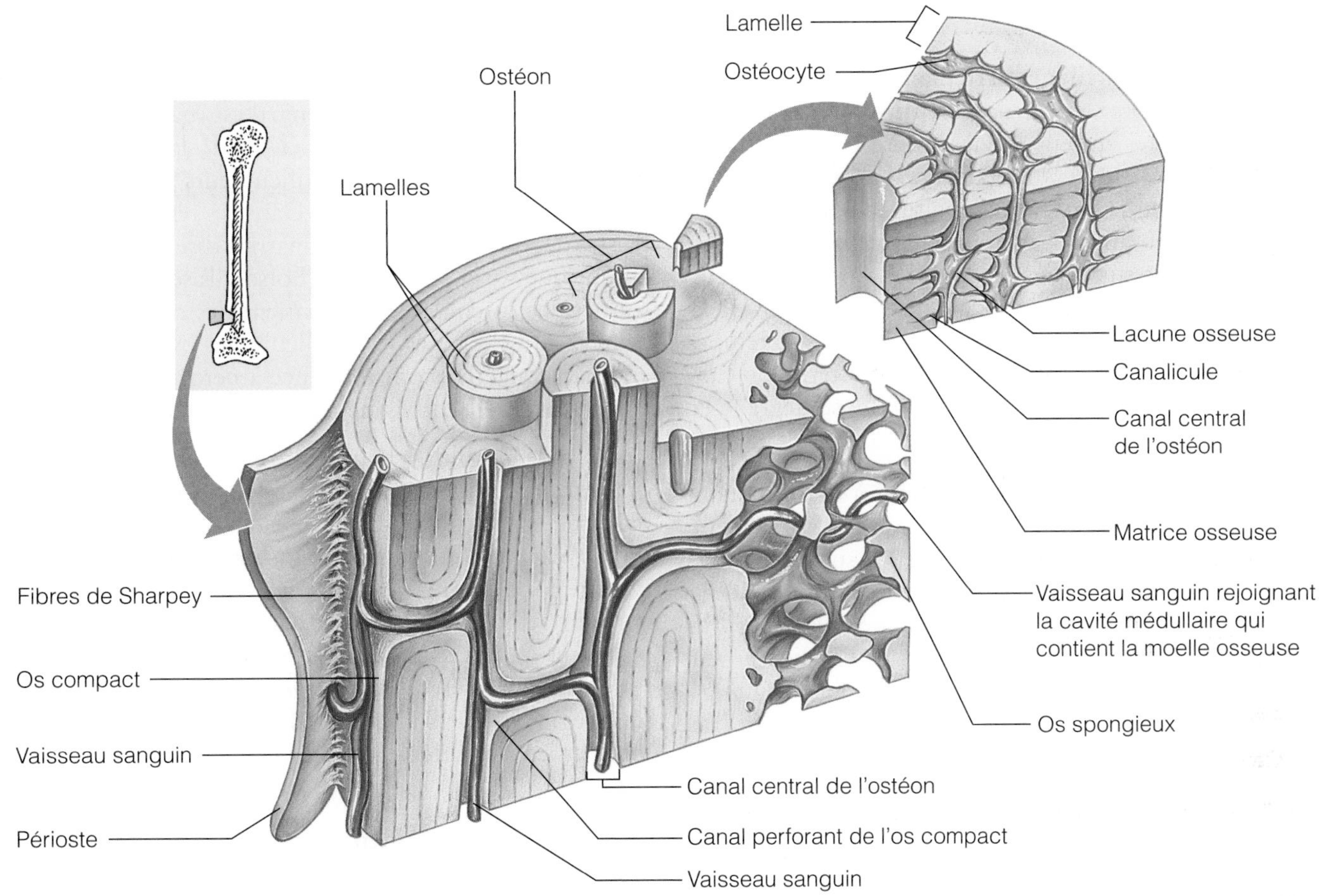
Lamelle
Ostéocyte
Ostéon
Lamelles
Lacune osseuse
Canalicule
Canal central de l'ostéon
Matrice osseuse
Vaisseau sanguin rejoignant la cavité médullaire qui contient la moelle osseuse
Os spongieux
Fibres de Sharpey
Os compact
Vaisseau sanguin
Périoste
Canal central de l'ostéon
Canal perforant de l'os compact
Vaisseau sanguin

Figure 5.3 **La structure microscopique de l'os compact**

Schéma tridimensionnel triangulaire de l'os compact. (En médaillon, une partie de l'ostéon à plus fort grossissement.) Remarquez la localisation des ostéocytes dans les lacunes osseuses (petites cavités de la matrice osseuse).

Les os comptent parmi les matériaux les plus durs du corps humain et, bien qu'ils soient relativement légers, ils offrent une extraordinaire résistance à la tension et aux autres forces qui s'exercent sur eux. La nature a doté l'être humain d'une charpente extrêmement robuste et simple (voire primaire) sans pour autant le priver de sa mobilité. Les sels de calcium et de phosphore qui se déposent dans la matrice osseuse – et forment sa partie inorganique – confèrent à l'os sa dureté; la substance ostéoïde (en particulier les fibres collagènes) – qui forme la partie organique de la matrice – fournit à l'os sa souplesse et sa grande force de traction.

LA FORMATION, LA CROISSANCE ET LE REMANIEMENT DES OS

Le squelette est constitué de cartilage et d'os, deux des tissus les plus forts et les plus résistants de l'organisme. Le squelette de l'embryon humain est surtout composé de cartilage hyalin; chez le jeune enfant, ce cartilage est presque entièrement remplacé par du tissu osseux, sauf dans certaines régions isolées comme le dos du nez, une partie des côtes et les articulations.

Mis à part les os plats, qui se forment à partir de membranes fibreuses par **ossification intramembraneuse**, la plupart des os se développent en prenant pour « modèles » les structures du cartilage hyalin. Ce dernier processus de formation osseuse, appelé **ossification endochondrale**, comporte deux grandes étapes (figure 5.4a). Dans un premier temps, le modèle de cartilage hyalin est entièrement recouvert de matrice osseuse (ou gaine osseuse) par les **ostéoblastes**, cellules productrices de matière osseuse qui synthétisent aussi une hormone agissant sur le métabolisme; ainsi, pendant une courte période, une gaine « osseuse » recouvre l'« os » de cartilage hyalin du fœtus. Par la suite, le modèle de cartilage hyalin se désintègre, faisant place à une cavité médullaire dans l'os nouvellement formé.

À la naissance ou peu après, la plupart des modèles de cartilage hyalin ont été convertis en tissu osseux, sauf dans deux régions : les **cartilages articulaires** (qui recouvrent l'extrémité des os) et les **cartilages épiphysaires.** Les cartilages articulaires durent la vie entière et réduisent la friction entre les surfaces articulaires. Les cartilages épiphysaires assurent la croissance longitudinale des os longs au cours de l'enfance. Du nouveau cartilage se forme continuellement sur la face externe du cartilage articulaire et à la surface du cartilage épiphysaire, qui est la plus éloignée de la cavité médullaire. En même temps, le vieux cartilage qui s'appuie sur la face interne du cartilage articulaire et de la cavité médullaire se dégrade et est remplacé par de la matrice osseuse (figure 5.4b).

Les os en croissance doivent épaissir à mesure qu'ils s'allongent. Pour ce faire, les ostéoblastes qui se trouvent sous le périoste ajoutent du tissu osseux à la surface externe de la diaphyse, tandis que les ostéoclastes situés sur l'endoste détruisent l'os avoisinant la cavité médullaire (voir la figure 5.4b). Comme ces deux processus ont lieu à peu près à la même vitesse, la circonférence de l'os long augmente et ce dernier devient plus gros. Ce moyen utilisé par l'os pour élargir son diamètre s'appelle *croissance par apposition.* Le processus de croissance des os longs est régi par des hormones, l'*hormone de croissance* en particulier, et par les *hormones sexuelles* pendant l'adolescence. Il prend fin à l'adolescence, une fois que les cartilages épiphysaires ont été complètement remplacés par du tissu osseux.

On croit souvent que les os sont des structures inertes qui ne changent plus une fois que la croissance osseuse est terminée. Rien n'est plus faux, car le tissu osseux est actif et dynamique. Les os sont constamment remaniés pour répondre aux changements touchant 1) la concentration du calcium sanguin et 2) les forces de traction musculaire et de gravité s'exerçant sur le squelette. On estime que le squelette est entièrement renouvelé tous les 10 ans (certaines épiphyses, en quelques mois seulement). Étudions maintenant la façon dont ces changements agissent sur les os.

La chute de la concentration du calcium sanguin au-dessous des valeurs homéostatiques (hypocalcémie) stimule les glandes parathyroïdes, situées dans la gorge, qui libèrent de la parathormone (PTH) dans le sang. La parathormone active les **ostéoclastes**, cellules géantes multinucléées et très mobiles, qui phagocytent la matrice osseuse et libèrent des ions calcium dans le sang. De même, lorsque la concentration du calcium sanguin est trop élevée (*hypercalcémie*), l'activité des ostéoclastes est inhibée par la calcitonine (hormone de la glande thyroïde), et du calcium se dépose dans la matrice osseuse sous forme de sels durs.

Le **remaniement osseux** est essentiel au maintien des proportions normales et de la force des os pendant le processus de croissance des os longs, au cours duquel la taille et le poids du corps augmentent. Il est également responsable de l'épaississement des os et de la formation de grandes protubérances qui fortifient leurs points d'attache avec des muscles volumineux. Dans ces régions, les ostéoblastes déposent une nouvelle matrice osseuse, qui devient en quelque sorte leur prison. (Lorsqu'ils sont ainsi emprisonnés, les ostéoblastes deviennent des cellules osseuses mûres, ou ostéocytes.) Par ailleurs, les os des personnes alitées ou inactives ont tendance à perdre de leur masse et à s'atrophier, car ils ne subissent aucune contrainte.

Afin de simplifier le plus possible l'interaction entre ces deux mécanismes de régulation, on peut dire d'une part que la parathormone et la calcitonine déterminent *à quel moment* (ou *si*) des os seront détruits ou formés pour répondre aux augmentations ou aux baisses de la concentration d'ions calcium dans le sang. D'autre part, les forces de traction musculaire et de gravité s'exerçant sur le squelette déterminent l'*endroit où* la matrice osseuse sera dégradée ou formée afin d'assurer au squelette une force et une vitalité constantes.

Déséquilibre homéostatique

Le *rachitisme* est une maladie infantile caractérisée par la non-calcification des os. Il provoque un ramollissement des os et une cambrure bien définie des os des membres inférieurs qui supportent le poids du corps. Le rachitisme est habituellement causé par une carence en calcium dans l'alimentation ou une carence en vitamine D, qui est nécessaire à l'absorption du calcium dans le sang. Il en existe actuellement peu de cas en Amérique du Nord et en Europe, où l'accent est mis sur une bonne alimentation ; il y a 50 ans, le Québec venait cependant au deuxième rang dans le monde pour ce qui est de ce problème. On ajoute de la vitamine D au lait, au pain et à d'autres aliments, et la plupart des enfants boivent suffisamment de lait riche en calcium. Cependant, le rachitisme peut atteindre les bébés nourris au sein si la mère vient à manquer de vitamine D au cours d'un long hiver gris (le lait maternel étant déjà, au départ, très pauvre en vitamine D). Par ailleurs, il demeure un problème dans d'autres régions du monde où, pour diverses raisons, l'exposition au soleil est insuffisante. ▲

LES FRACTURES DES OS

Déséquilibre homéostatique

En dépit de leur masse relativement faible, les os ont une résistance remarquable. Songez, par

Q **(a) De quel type sont les cellules qui produisent la gaine osseuse ? (b) Selon vous, à quoi ressemblerait un os long à la fin de l'adolescence s'il n'y avait pas de remaniement osseux ?**

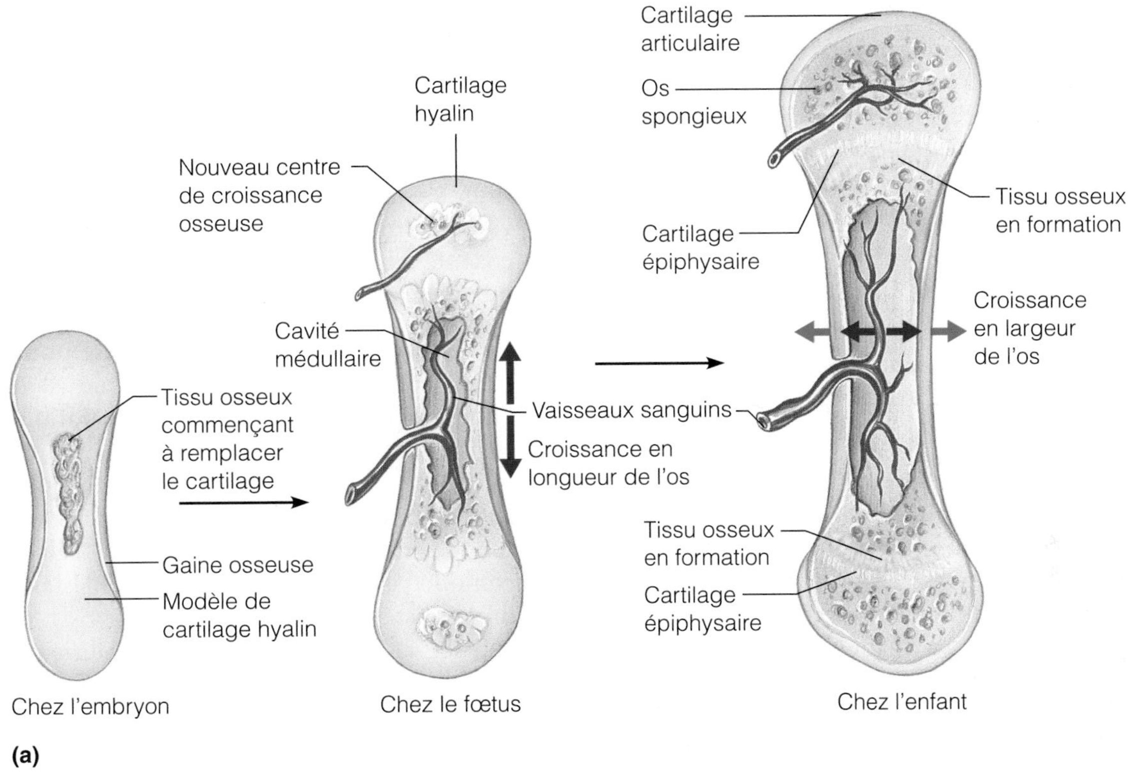

Cartilage articulaire
Os spongieux
Cartilage hyalin
Nouveau centre de croissance osseuse
Tissu osseux en formation
Cartilage épiphysaire
Croissance en largeur de l'os
Cavité médullaire
Tissu osseux commençant à remplacer le cartilage
Vaisseaux sanguins
Croissance en longueur de l'os
Tissu osseux en formation
Cartilage épiphysaire
Gaine osseuse
Modèle de cartilage hyalin
Chez l'embryon
Chez le fœtus
Chez l'enfant
(a)

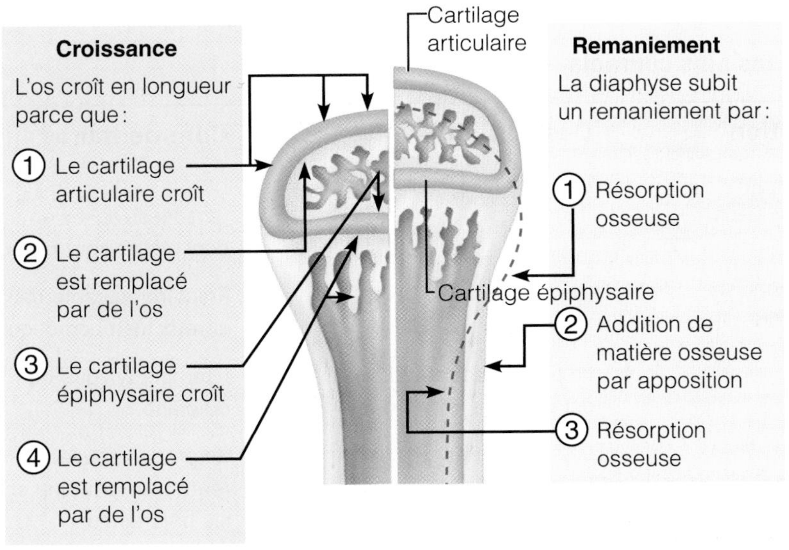

Croissance
L'os croît en longueur parce que :
① Le cartilage articulaire croît
② Le cartilage est remplacé par de l'os
③ Le cartilage épiphysaire croît
④ Le cartilage est remplacé par de l'os
Cartilage articulaire
Cartilage épiphysaire
Remaniement
La diaphyse subit un remaniement par :
① Résorption osseuse
② Addition de matière osseuse par apposition
③ Résorption osseuse

(b)

Figure 5.4 La formation et la croissance d'un os long

(a) Étapes de la formation d'un os long chez l'embryon, le fœtus et l'enfant. **(b)** Les phénomènes indiqués à gauche constituent l'ossification qui se produit au niveau des cartilages articulaires et des cartilages épiphysaires pendant la croissance en longueur. Les phénomènes indiqués à droite sont ceux de la croissance par apposition, qui a lieu pendant que l'os gagne en longueur et qui permet à ce dernier de conserver ses proportions en élargissant son diamètre.

R **(a) Les ostéoblastes produisent la gaine osseuse. (b) L'os long aurait le corps mince et relativement court, et de longues extrémités renflées.**

exemple, aux forces auxquelles ils sont soumis chez les joueurs de football ou de hockey professionnel. Toutefois, malgré leur grande résistance, les os peuvent être **fracturés**, ou cassés, à n'importe quel moment de la vie. Au cours de l'enfance, la plupart des fractures sont causées par un trauma exceptionnel (l'os est tordu ou fracassé). Les activités sportives comme le football, le patinage et le ski alpin représentent des risques pour les os, et les accidents d'automobile font leur part de dégâts. Chez les personnes âgées, les os s'amincissent et perdent de leur solidité, et les fractures sont de plus en plus fréquentes.

Si un os se casse net sans percer la peau, la fracture est appelée *fracture fermée.* Lorsqu'un des fragments d'os traverse la peau, elle est qualifiée d'*ouverte.* Les types de fractures les plus courants sont décrits et illustrés au tableau 5.2. ▲

De tous les types de fractures, 90 % se réparent spontanément sans complication. Mais il faut d'abord traiter la fracture par **réduction**, intervention consistant à réaligner les parties fracturées. Dans la *réduction à peau fermée,* on replace les deux extrémités de l'os dans leur position normale de façon manuelle. Au cours d'une *réduction chirurgicale,* on relie les deux extrémités fracturées au moyen de tiges ou de fils métalliques. Après réduction, l'os est immobilisé dans un plâtre ou par traction pour permettre le début de la consolidation. Les fractures fermées sont consolidées au bout de six à huit semaines, mais la consolidation peut nécessiter beaucoup plus de temps dans le cas des gros os porteurs ou chez les personnes âgées (parce que leur circulation se fait moins bien).

La consolidation d'une fracture se fait en quatre étapes principales (figure 5.5):

1. **Un hématome se forme.** Au moment d'une fracture, les vaisseaux sanguins se rompent, ce qui provoque la formation d'un **hématome** (masse de sang coagulé). Les cellules osseuses qui ne sont plus alimentées meurent.

2. **Le cal fibreux constitue une éclisse pour l'os fracturé.** Comme nous l'avons indiqué au chapitre 3, l'une des premières étapes de la réparation d'un tissu est la croissance de nouveaux capillaires (tissu de granulation), à l'intérieur de l'hématome qui s'est formé au siège de la lésion, et la phagocytose des tissus morts. Entre-temps, divers types de cellules de tissu conjonctif (notamment des fibroblastes provenant du périoste) forment une masse de tissu reconstitué, appelée **cal fibreux**, contenant plusieurs éléments (matrice de type cartilagineux, matrice osseuse et fibres collagènes) et constituant une éclisse qui réunit les extrémités de la fracture.

Tableau 5.2 Les types de fractures les plus courants

Type de fracture	Illustration	Description	Commentaires
Plurifragmentaire (ou comminutive)	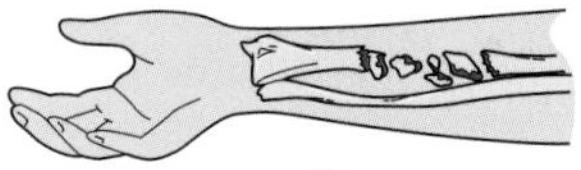	L'os est brisé en de nombreux fragments.	Fracture courante chez les personnes âgées en particulier, dont les os sont plus cassants.
Par tassement	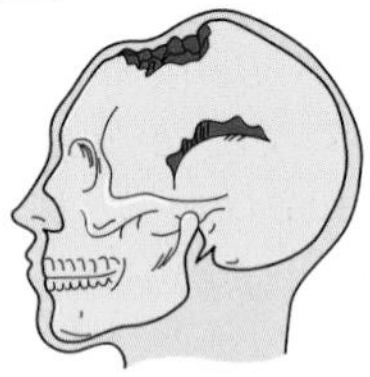	L'os est écrasé.	Fracture courante dans les os poreux (ostéoporotiques).
Enfoncement localisé		La partie fracturée de l'os est poussée vers l'intérieur.	Exemple typique de fracture du crâne.
Engrenée	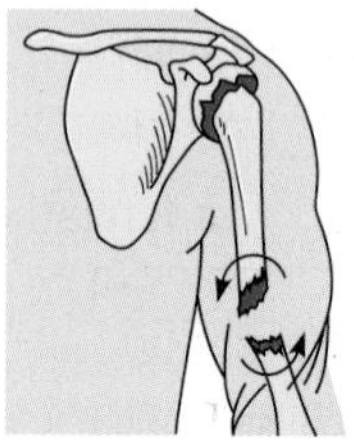	Les extrémités de l'os fracturé sont poussées l'une vers l'autre.	Se produit souvent lorsqu'on tente d'amortir une chute avec les bras tendus.
En spirale		La cassure, irrégulière, se produit lorsqu'une trop grande force tend à faire tourner l'os sur lui-même.	Fracture courante chez les sportifs.
En bois vert	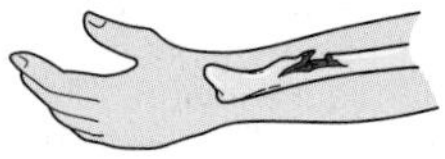	L'os est fracturé de façon incomplète, à la façon d'une brindille de bois vert.	Fracture courante chez les enfants, dont les os sont plus flexibles que ceux des adultes.

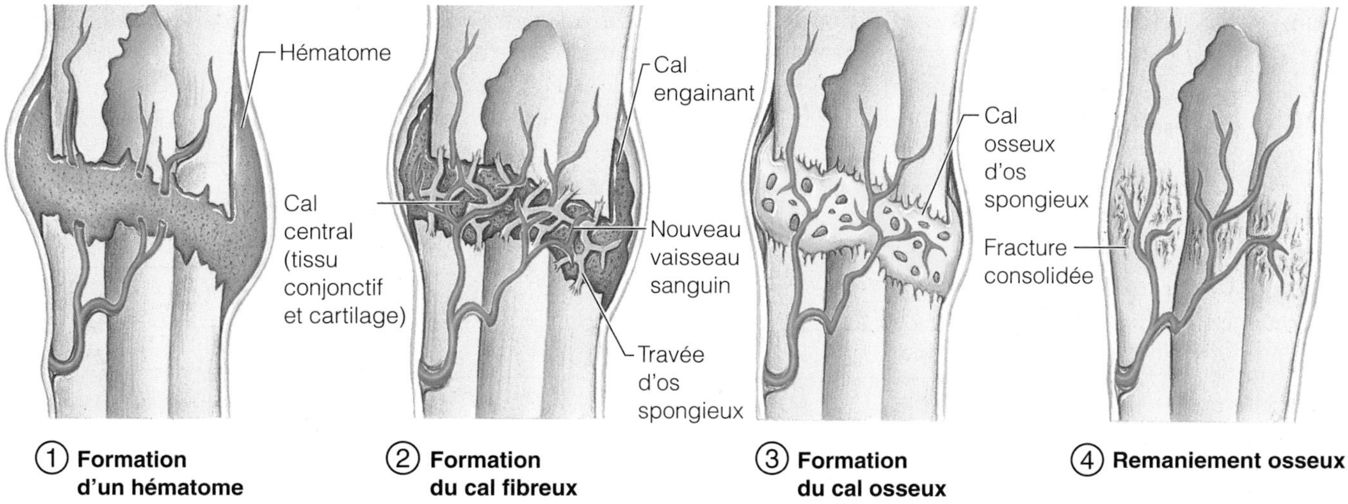
Hématome
Cal central (tissu conjonctif et cartilage)
Cal engainant
Nouveau vaisseau sanguin
Travée d'os spongieux
Cal osseux d'os spongieux
Fracture consolidée
① Formation d'un hématome
② Formation du cal fibreux
③ Formation du cal osseux
④ Remaniement osseux

Figure 5.5 **Les étapes de la consolidation d'une fracture**

3. **Un cal osseux se forme.** Les ostéoblastes et les ostéoclastes continuent de migrer du périoste vers l'intérieur et de se multiplier rapidement. Le cal fibreux est graduellement remplacé par un **cal osseux** composé d'os spongieux.
4. **Un remaniement osseux s'effectue.** Dans les semaines ou les mois qui suivent, selon la taille de l'os et le siège de la fracture, le cal osseux subit un remaniement, car il réagit aux stimulus mécaniques qui lui sont imposés. Il forme donc une « pièce » permanente et résistante sur la région fracturée, comme si le tissu osseux avait été rapiécé.

Le squelette axial

Nous avons vu que le squelette est divisé en deux parties : le *squelette axial* et le *squelette appendiculaire*. Le squelette axial forme l'axe longitudinal du corps et correspond aux os colorés en brun de la figure 5.6. Il est lui-même subdivisé en trois parties : la *tête osseuse*, la *colonne vertébrale* et le *thorax osseux*.

LA TÊTE OSSEUSE

La **tête osseuse** (ou **os de la tête**) est formée de deux groupes d'os. Les **os du crâne** entourent et protègent les tissus fragiles de l'encéphale. Les **os de la face** maintiennent les yeux en position antérieure et permettent aux muscles faciaux de traduire nos émotions (sourires ou froncements des sourcils, par exemple). Tous les os de la tête sont soudés par des articulations immobiles, les *sutures*, qui emboîtent les os les uns dans les autres. Seule la mandibule est reliée au reste de la tête osseuse par une articulation mobile.

Les os du crâne

Les huit grands os du crâne, qui forment une boîte, sont plats. Tous sont impairs, sauf les os pariétaux et temporaux (figure 5.7).

L'os frontal L'os frontal constitue le front, les proéminences osseuses sous les sourcils et la partie supérieure de chaque orbite.

Les os pariétaux Les deux os pariétaux forment la majeure partie des faces latérale et supérieure du crâne. Ils se rejoignent à la ligne médiane de celui-ci pour former la **suture sagittale**, et s'unissent à l'os frontal au niveau de la **suture coronale**.

Les os temporaux Les os temporaux sont situés au-dessous des os pariétaux qu'ils rejoignent au niveau des **sutures squameuses**. Plusieurs éléments importants du relief osseux sont visibles sur l'os temporal :

- Le **méat acoustique externe** est un conduit qui s'étend du pavillon de l'oreille jusqu'au tympan et à l'oreille moyenne.
- Le **processus styloïde de l'os temporal** est une saillie osseuse située juste au-dessous du méat acoustique externe. Il sert de point d'attache à de nombreux muscles du cou.

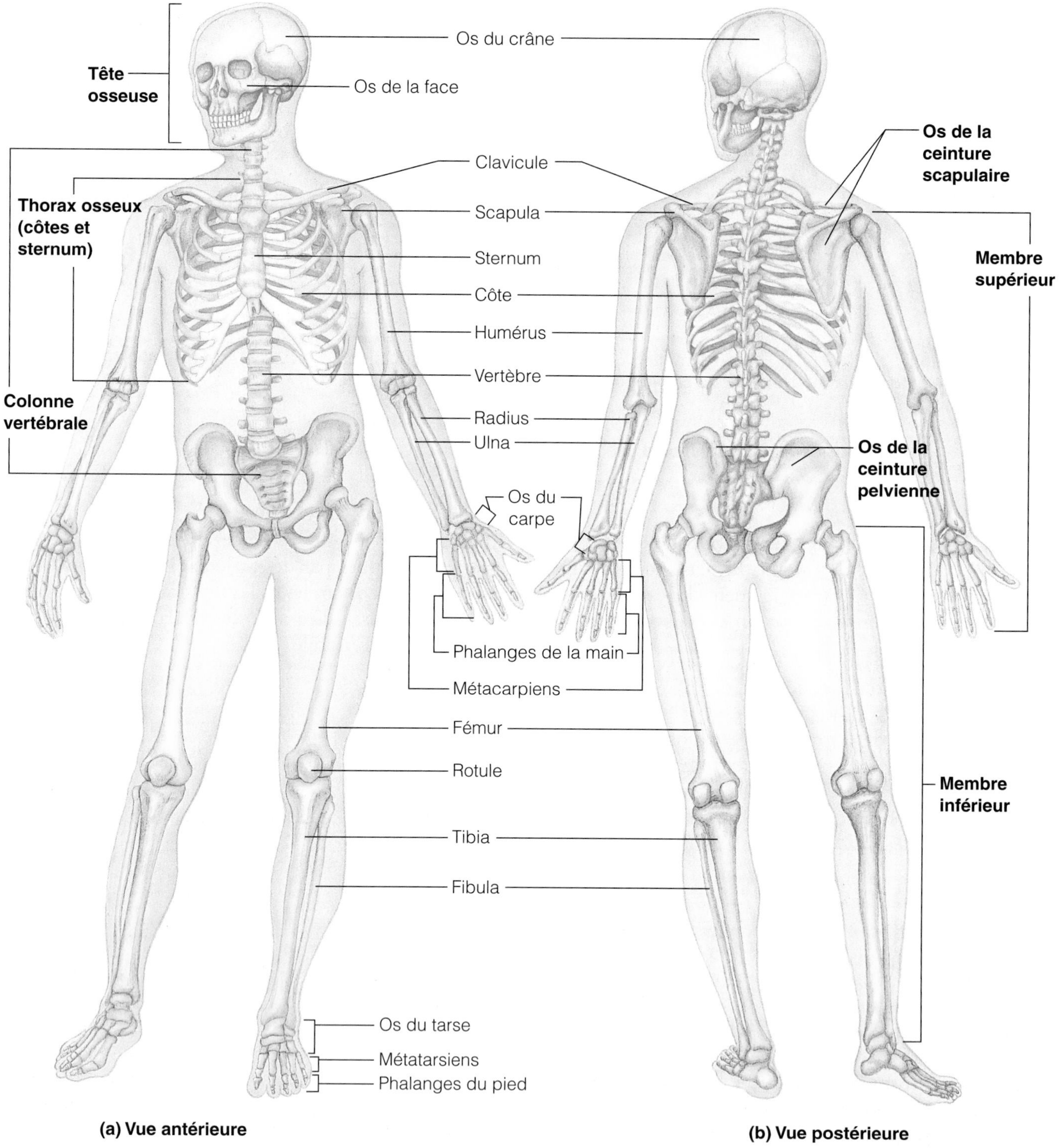
Os du crâne
Tête osseuse
Os de la face
Clavicule
Os de la ceinture scapulaire
Thorax osseux (côtes et sternum)
Scapula
Sternum
Membre supérieur
Côte
Humérus
Vertèbre
Colonne vertébrale
Radius
Ulna
Os de la ceinture pelvienne
Os du carpe
Phalanges de la main
Métacarpiens
Fémur
Rotule
Membre inférieur
Tibia
Fibula
Os du tarse
Métatarsiens
Phalanges du pied
(a) Vue antérieure
(b) Vue postérieure

Figure 5.6 **Le squelette humain**

On a représenté en vert les os du squelette axial pour les distinguer de ceux du squelette appendiculaire.

- Le **processus zygomatique du temporal** est une mince paroi osseuse qui s'articule en avant avec l'os zygomatique de la face.
- Le **processus mastoïde** forme une bosse grossière en arrière et au-dessous du méat acoustique externe; il renferme des petites cavités remplies d'air appelées

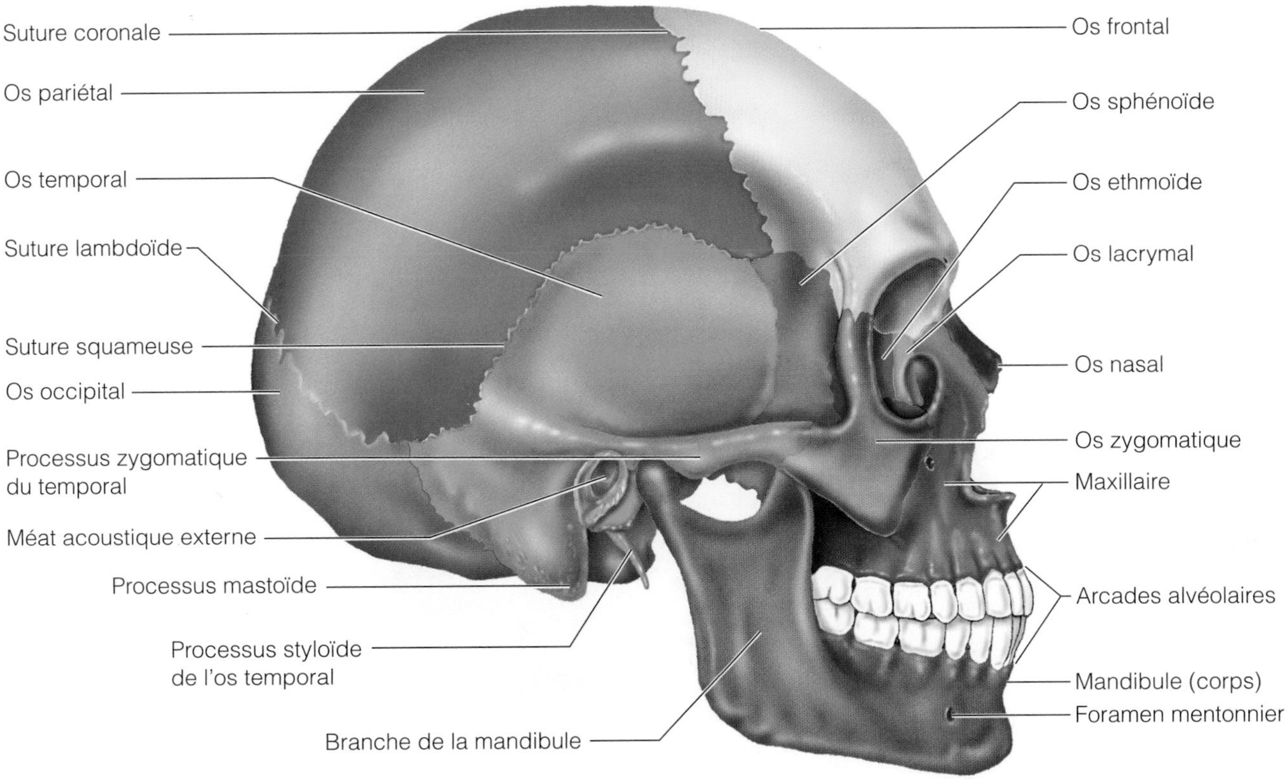
Suture coronale
Os pariétal
Os temporal
Suture lambdoïde
Suture squameuse
Os occipital
Processus zygomatique du temporal
Méat acoustique externe
Processus mastoïde
Processus styloïde de l'os temporal
Branche de la mandibule
Os frontal
Os sphénoïde
Os ethmoïde
Os lacrymal
Os nasal
Os zygomatique
Maxillaire
Arcades alvéolaires
Mandibule (corps)
Foramen mentonnier

Figure 5.7 **Vue latérale de la tête osseuse**

cellules mastoïdiennes. Il fournit un point d'attache à certains muscles du cou. Les cellules mastoïdiennes sont si rapprochées de l'oreille moyenne (région très sensible aux infections) qu'elles sont elles aussi sujettes à une infection, la *mastoïdite.* La mastoïdite peut se compliquer en une infection de l'encéphale, car les cellules mastoïdiennes sont situées très près de ce dernier.

- Le **foramen jugulaire**, à la jonction de l'os occipital et des os temporaux (figures 5.8 et 5.9), fournit un passage à la veine jugulaire, la plus grande veine de la tête, qui draine l'encéphale. Juste devant, dans la cavité crânienne, se trouve le **méat acoustique interne** (figure 5.8) qui ouvre le passage aux nerfs crâniens VII et VIII (nerfs facial et vestibulocochléaire). Situé devant le foramen jugulaire, sur la face inférieure du crâne, le **canal carotidien** (figure 5.9) est le lieu d'entrée de l'artère carotide interne, qui fournit la plus grande partie de l'apport sanguin à l'encéphale.

L'os occipital L'os occipital forme la base et la partie la plus postérieure du crâne (figures 5.7, 5.8 et 5.9). Il s'articule en avant avec les deux os pariétaux par l'intermédiaire de la **suture lambdoïde.** Sur sa face inférieure se trouve le **foramen magnum.** C'est par cette ouverture que la partie inférieure de l'encéphale communique avec la moelle épinière. Le foramen magnum est bordé latéralement par les **condyles occipitaux**, en forme de berceau (voir la figure 5.9), qui s'articulent avec la première vertèbre de la colonne vertébrale.

L'os sphénoïde L'os sphénoïde est un os en forme de papillon qui s'articule avec tous les autres os du crâne; il occupe toute la largeur de la tête et constitue une partie de la base de la cavité crânienne (voir la figure 5.8). Sur la ligne médiane de l'os sphénoïde, la **selle turcique** offre un abri bien ajusté à l'hypophyse. Le **foramen ovale du sphénoïde**, grande ouverture ovale en continuité avec l'extrémité postérieure de la selle turcique (voir la figure 5.9), livre passage aux neurofibres du nerf crânien V (nerf trijumeau) qui se rendent aux muscles masticateurs de la mâchoire inférieure (mandibule). Diverses parties de l'os sphénoïde, plus ou moins apparentes suivant les personnes, forment une partie des orbites et présentent deux ouvertures importantes: le **canal optique**, qui permet au nerf optique d'atteindre l'œil, et la **fissure orbitaire supérieure**, fente par laquelle

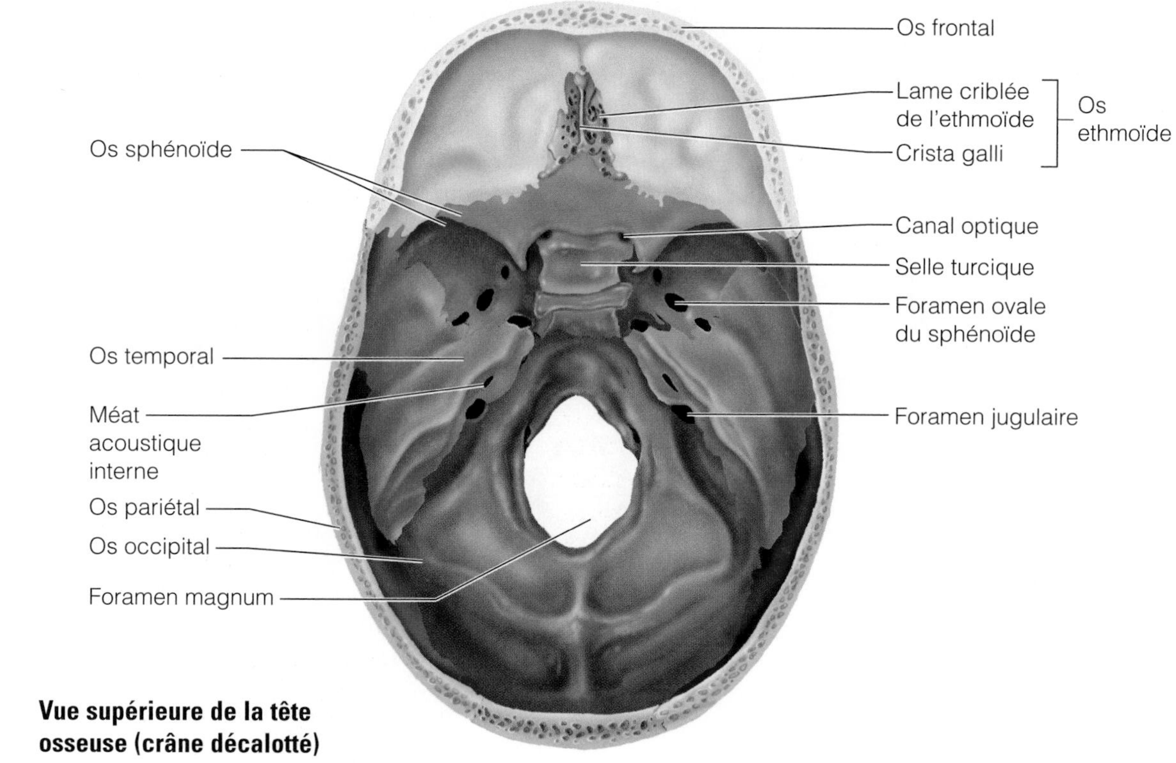

Os frontal
Lame criblée de l'ethmoïde
Crista galli
Os ethmoïde
Os sphénoïde
Canal optique
Selle turcique
Foramen ovale du sphénoïde
Os temporal
Méat acoustique interne
Foramen jugulaire
Os pariétal
Os occipital
Foramen magnum

Figure 5.8 **Vue supérieure de la tête osseuse (crâne décalotté)**

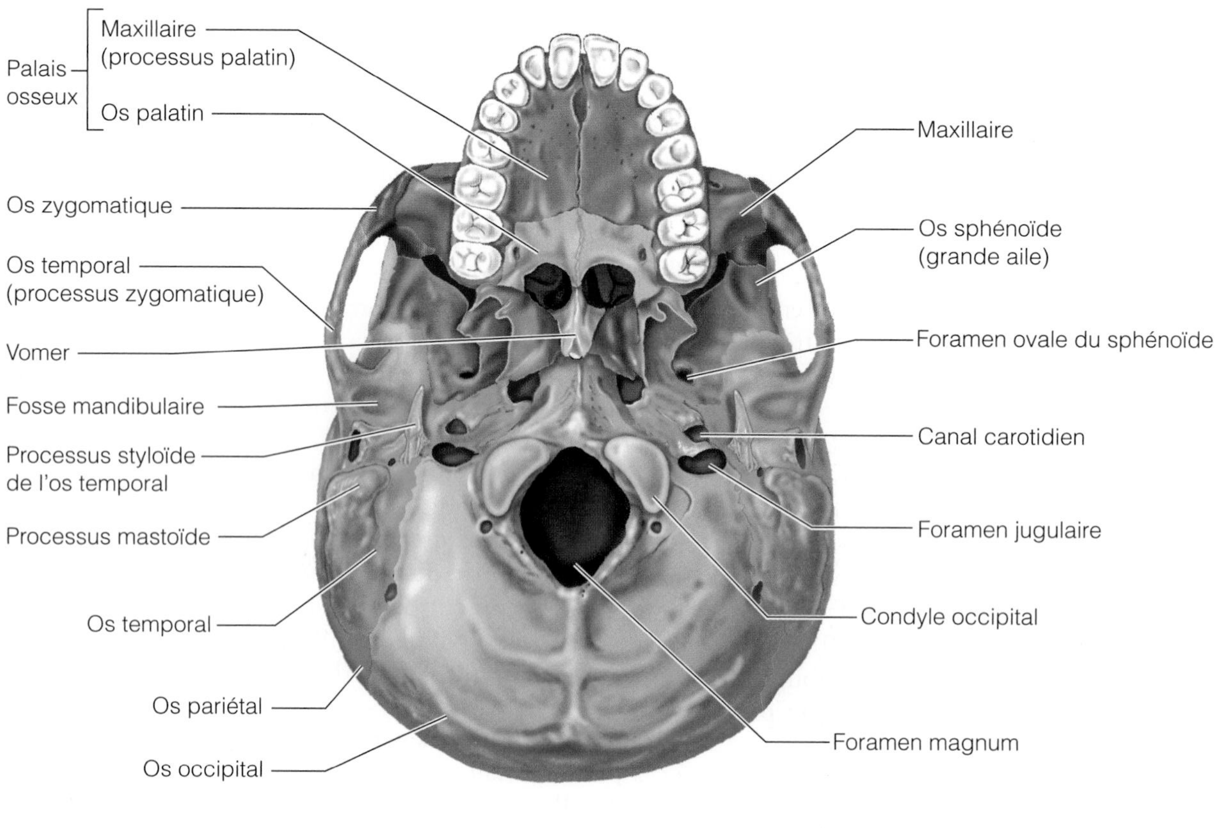

Palais osseux
Maxillaire (processus palatin)
Os palatin
Maxillaire
Os zygomatique
Os sphénoïde (grande aile)
Os temporal (processus zygomatique)
Vomer
Foramen ovale du sphénoïde
Fosse mandibulaire
Canal carotidien
Processus styloïde de l'os temporal
Foramen jugulaire
Processus mastoïde
Condyle occipital
Os temporal
Os pariétal
Foramen magnum
Os occipital

Figure 5.9 **Vue inférieure de la tête osseuse. La mandibule n'est pas représentée.**

passent les nerfs crâniens III, IV et VI qui régissent les mouvements des yeux (voir les figures 5.8 et 5.11). Le corps central de l'os sphénoïde renferme deux cavités, les **sinus sphénoïdaux** (figure 5.10).

L'os ethmoïde L'os ethmoïde, situé en avant de l'os sphénoïde, a une forme très irrégulière (voir les figures 5.7, 5.8 et 5.11). Il constitue le toit des cavités nasales et une partie des parois médiales des orbites. Sa face supérieure présente un processus osseux appelé **crista galli** (voir la figure 5.8), auquel est fixée la dure-mère, l'enveloppe externe de l'encéphale. De part et d'autre de la crista galli se trouve une région percée de nombreux petits trous, la **lame criblée de l'ethmoïde**; elle livre passage aux neurofibres olfactives qui se rendent des récepteurs de l'odorat situés dans le nez jusqu'au cerveau. Des prolongements de l'os ethmoïde, les **cornets nasaux moyen** et **supérieur** (figure 5.11), forment une partie des parois latérales de la cavité nasale et accentuent la turbulence de l'air qui circule dans les voies nasales.

Les os de la face

Des 14 os qui composent le squelette facial, 12 sont pairs; seuls la mandibule et le vomer sont des os impairs. Les figures 5.7 et 5.11 montrent la plupart des os de la face.

Les maxillaires Les deux maxillaires fusionnent et forment la mâchoire supérieure. Tous les os de la face, sauf la mandibule, sont soudés avec les maxillaires, que l'on peut donc considérer comme les os clés du massif facial. Les **arcades alvéolaires** des maxillaires maintiennent les dents supérieures en place.

Les **processus palatins** prolongent les maxillaires et constituent la partie antérieure du palais osseux de la bouche (voir la figure 5.9). Comme de nombreux autres os de la face, les maxillaires contiennent des **sinus** qui communiquent avec les cavités nasales (voir la figure 5.10). Les **sinus paranasaux**, ainsi nommés parce qu'ils sont regroupés autour des cavités nasales, allègent les os de la tête et augmentent la résonance de la voix. Ils sont aussi une source de désagrément pour bien des gens. En effet, la muqueuse les tapissant communique avec celle des cavités nasales et de la gorge, et les infections frappant ces deux régions ont tendance à se propager aux sinus, ce qui provoque la *sinusite*. La sinusite peut occasionner des maux de tête ou des douleurs dans la mâchoire supérieure, selon les sinus qui sont infectés.

Les os palatins Les os palatins sont situés derrière les processus palatins des maxillaires. Ils forment la partie postérieure du palais osseux (voir la figure 5.9). L'absence de fusion médiane des os palatins ou des processus palatins des maxillaires se traduit par une fente palatine et souvent un *bec-de-lièvre*.

Les os zygomatiques Les os zygomatiques (ou malaires) sont plus couramment appelés *os des pommettes*. Ils forment aussi une partie importante des parois latérales des orbites.

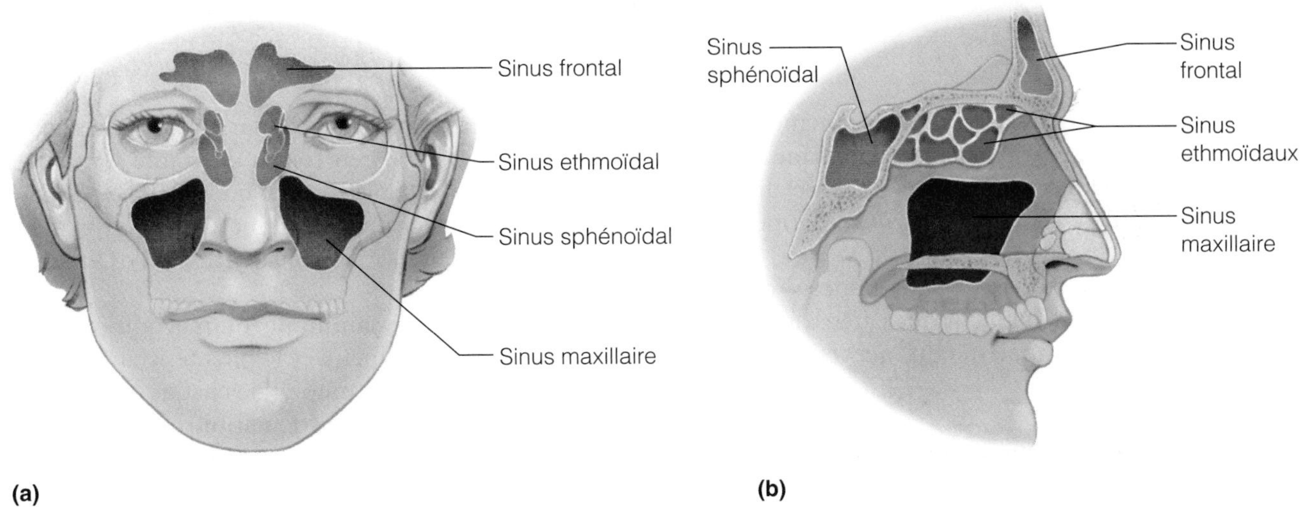
Sinus frontal
Sinus ethmoïdal
Sinus sphénoïdal
Sinus maxillaire
(a)
Sinus sphénoïdal
Sinus frontal
Sinus ethmoïdaux
Sinus maxillaire
(b)

Figure 5.10 **Les sinus paranasaux**

(a) Vue antérieure. **(b)** Vue médiale.

Q **Quel os s'articule avec tous les autres os de la face ?**

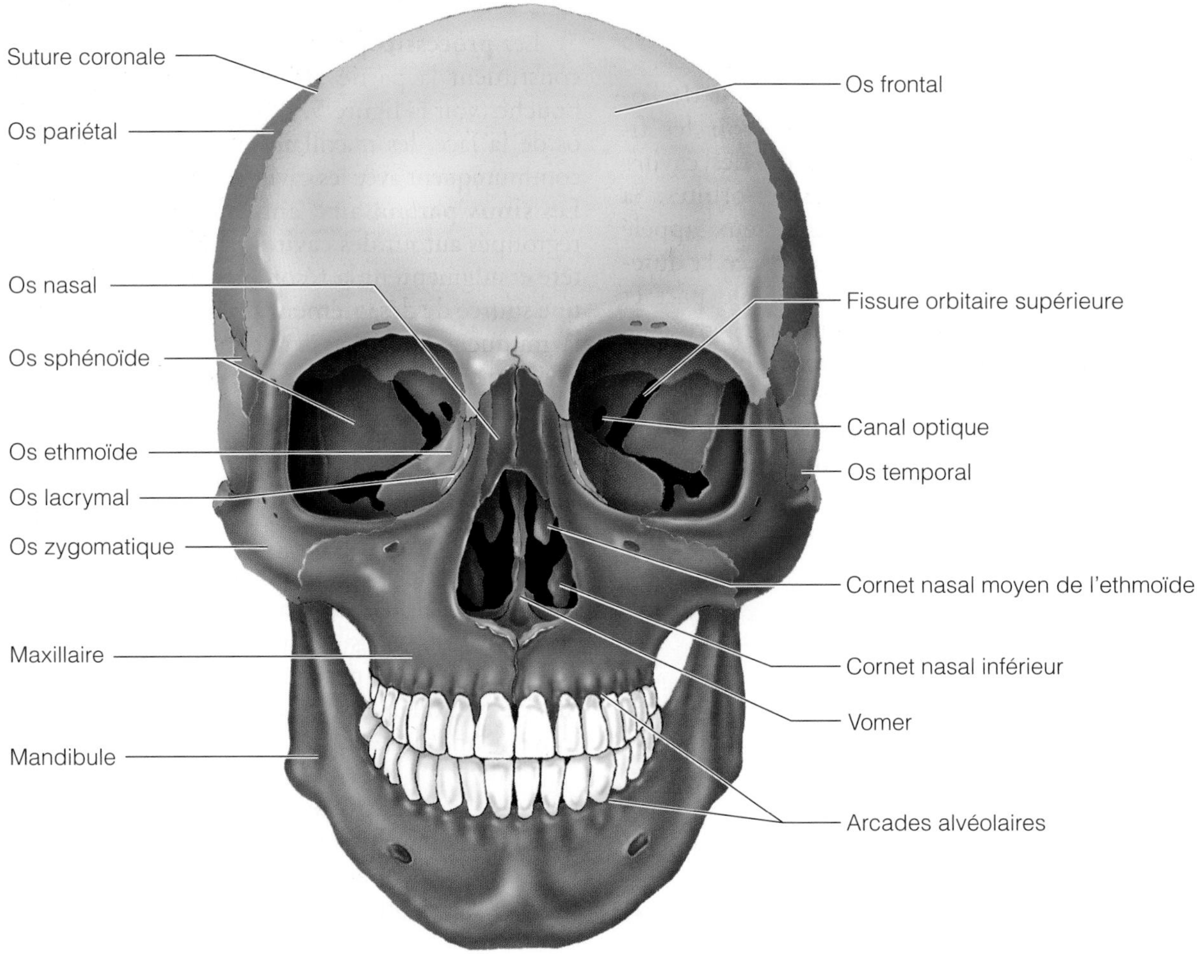
Suture coronale
Os pariétal
Os nasal
Os sphénoïde
Os ethmoïde
Os lacrymal
Os zygomatique
Maxillaire
Mandibule
Os frontal
Fissure orbitaire supérieure
Canal optique
Os temporal
Cornet nasal moyen de l'ethmoïde
Cornet nasal inférieur
Vomer
Arcades alvéolaires

Figure 5.11 **Vue antérieure de la tête osseuse**

Les os lacrymaux Les os lacrymaux, délicatement sculptés en forme d'ongle, participent aux parois médiales de chaque orbite. Chaque os lacrymal présente un sillon par lequel les larmes s'écoulent (*lacrima*, « larme »).

Les os nasaux Les os nasaux sont minces et rectangulaires ; ils se joignent pour former l'arête du nez. (La partie inférieure du squelette du nez est composée de cartilage.)

Le vomer Le vomer (littéralement « soc de charrue ») est le seul os situé sur la ligne médiane de la cavité nasale. Il constitue la majeure partie du septum nasal.

R **Le maxillaire.**

Les cornets nasaux inférieurs Les cornets nasaux inférieurs sont des os fins en forme de volute formant une partie des parois latérales des cavités nasales. (Les cornets nasaux supérieurs et moyens, dont nous avons parlé plus haut, sont similaires, mais font partie de l'os ethmoïde.)

La mandibule La mandibule, ou mâchoire inférieure, est l'os le plus volumineux et le plus résistant de la face. Elle s'articule avec l'os temporal de chaque côté du visage, fournissant ainsi la seule articulation mobile de la tête. On peut palper cette articulation en plaçant les doigts juste en avant de l'ouverture du méat acoustique externe, puis en ouvrant et fermant la bouche. La partie horizontale de la mandibule (*corps de la mandibule*) forme le menton. Deux tiges osseuses verticales (*branches de la mandibule*) prolongent le corps et relient la mandibule à l'os temporal. Les dents inférieures sont insérées dans des cavités (*alvéoles dentaires*), elles-mêmes situées dans les **arcades alvéolaires** du bord supérieur du corps de la mandibule.

L'os hyoïde

Même s'il ne fait pas réellement partie des os de la tête, l'**os hyoïde** (figure 5.12) est étroitement relié à la mandibule et aux os temporaux. C'est le seul os du corps humain qui ne s'articule pas directement avec un autre os. Il est situé dans la région médiane du cou, à environ 2 cm au-dessus du larynx, où il est retenu par des ligaments aux processus styloïdes des os temporaux. L'os hyoïde est en forme de fer à cheval : il comprend un *corps* et deux paires de *cornes*. Il sert de base mobile à la langue et de point d'attache aux muscles du cou qui relèvent et abaissent le larynx lorsque nous parlons et avalons.

La tête osseuse du fœtus

Les os de la tête chez le fœtus ou le nouveau-né sont différents à bien des égards de ceux d'un adulte. Comme vous pouvez le constater dans la figure 5.13b, la face d'un nouveau-né est très petite par rapport au crâne, mais la tête est volumineuse si l'on considère la longueur totale du corps. Chez un adulte, la tête représente un huitième seulement de la longueur totale du corps, tandis que chez le nouveau-né cette proportion est de un quart. À la naissance, le squelette est encore en formation. Certaines parties du cartilage hyalin ne sont pas encore ossifiées, c'est-à-dire qu'elles ne sont pas encore devenues du tissu osseux. Dans certaines régions du crâne, des intervalles membraneux relient les os entre

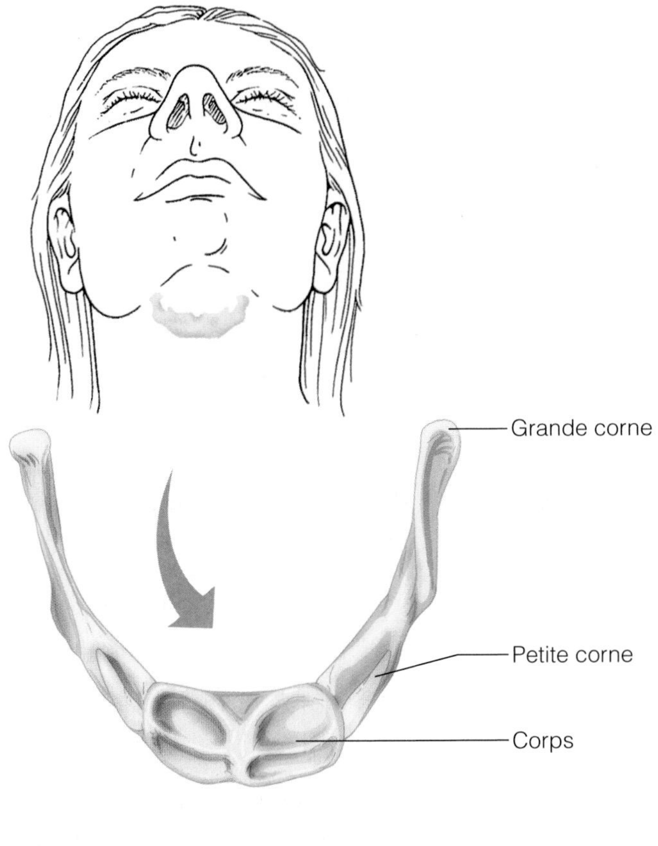

Grande corne
Petite corne
Corps

Figure 5.12 **Les caractéristiques anatomiques de l'os hyoïde**

L'os hyoïde est suspendu au milieu du cou par des ligaments fixés aux petites cornes de cet os et aux processus styloïdes des os temporaux.

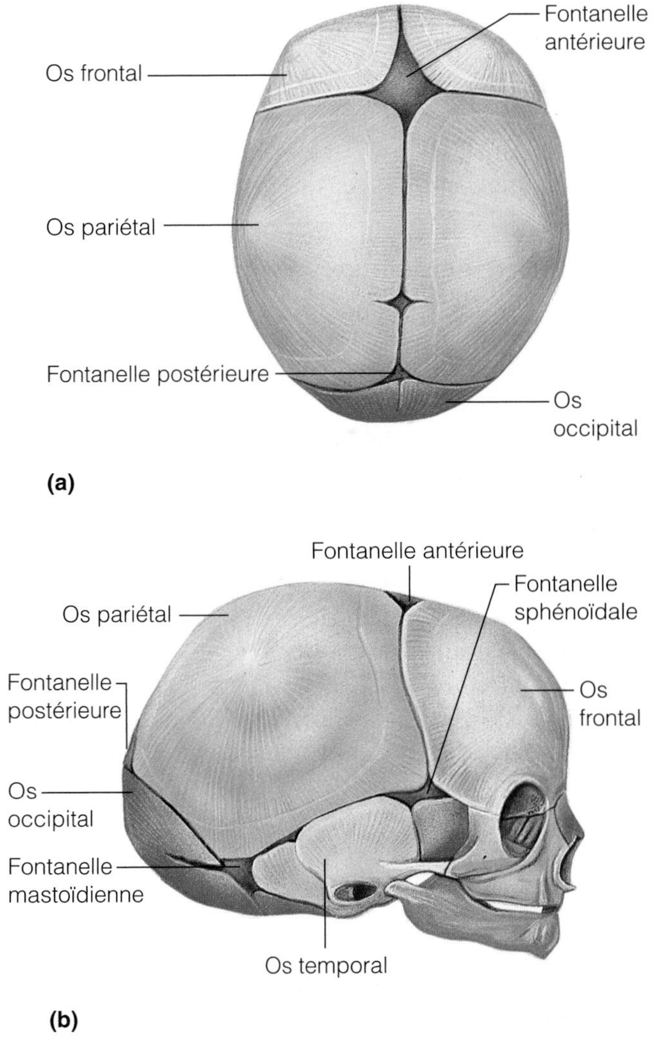

Fontanelle antérieure
Os frontal
Os pariétal
Fontanelle postérieure
Os occipital
(a)
Fontanelle antérieure
Fontanelle sphénoïdale
Os pariétal
Fontanelle postérieure
Os frontal
Os occipital
Fontanelle mastoïdienne
Os temporal
(b)

Figure 5.13 **La tête osseuse du fœtus**

(a) Vue supérieure. **(b)** Vue latérale.

eux ; ce sont les **fontanelles**. On peut sentir le pouls du bébé en ces endroits, d'où leur nom (*fontanella*, « petite fontaine »). Les fontanelles les plus grandes sont la *fontanelle antérieure*, en forme de losange, et la *fontanelle postérieure*, plus petite, en forme de triangle. C'est grâce aux fontanelles que l'encéphale du fœtus puis du nourrisson peut poursuivre son développement et que la tête peut subir une compression modérée à la naissance. Cela serait impossible si les os du crâne étaient soudés comme ils le sont chez l'adulte. Les fontanelles se transforment progressivement en os chez le nourrisson et sont imperceptibles au toucher de 22 à 24 mois après la naissance.

LA COLONNE VERTÉBRALE

La **colonne vertébrale**, ou **rachis**, offre un soutien axial au corps ; elle s'étend de la tête, qu'elle supporte, jusqu'au bassin, où elle transmet le poids du tronc aux membres inférieurs. On pense souvent à tort que la colonne vertébrale n'est qu'une tige de soutien rigide, mais c'est en fait un ensemble de 26 os irréguliers, reliés entre eux et renforcés par des ligaments, qui forme une structure souple et ondulée (figure 5.14) renfermant dans sa cavité centrale la moelle épinière, qu'elle protège ainsi.

Avant la naissance, la colonne vertébrale comprend 33 os distincts appelés **vertèbres**. Neuf de ces vertèbres vont fusionner pour donner deux os, le *sacrum* et le *coccyx*, qui constituent la partie inférieure de la colonne vertébrale. Les 24 autres vertèbres comprennent les 7 *vertèbres cervicales*, les 12 *vertèbres thoraciques* et les 5 *vertèbres lombaires*, qui supportent le bas du dos.

Les vertèbres sont séparées les unes des autres par des **disques intervertébraux,** faits d'un anneau de cartilage fibreux dur entourant une partie centrale gélatineuse et souple. Ces disques servent de coussins et amortissent les chocs, tout en donnant de la flexibilité à la colonne. Chez le jeune adulte, ils contiennent une grande quantité d'eau (environ 90 %), ce qui les rend spongieux et compressibles. Avec l'âge, la quantité d'eau décroît (comme à l'intérieur d'autres tissus de l'organisme) ; ces derniers durcissent et perdent de leur compressibilité.

Q **Qu'est-ce qu'une hernie discale ?**

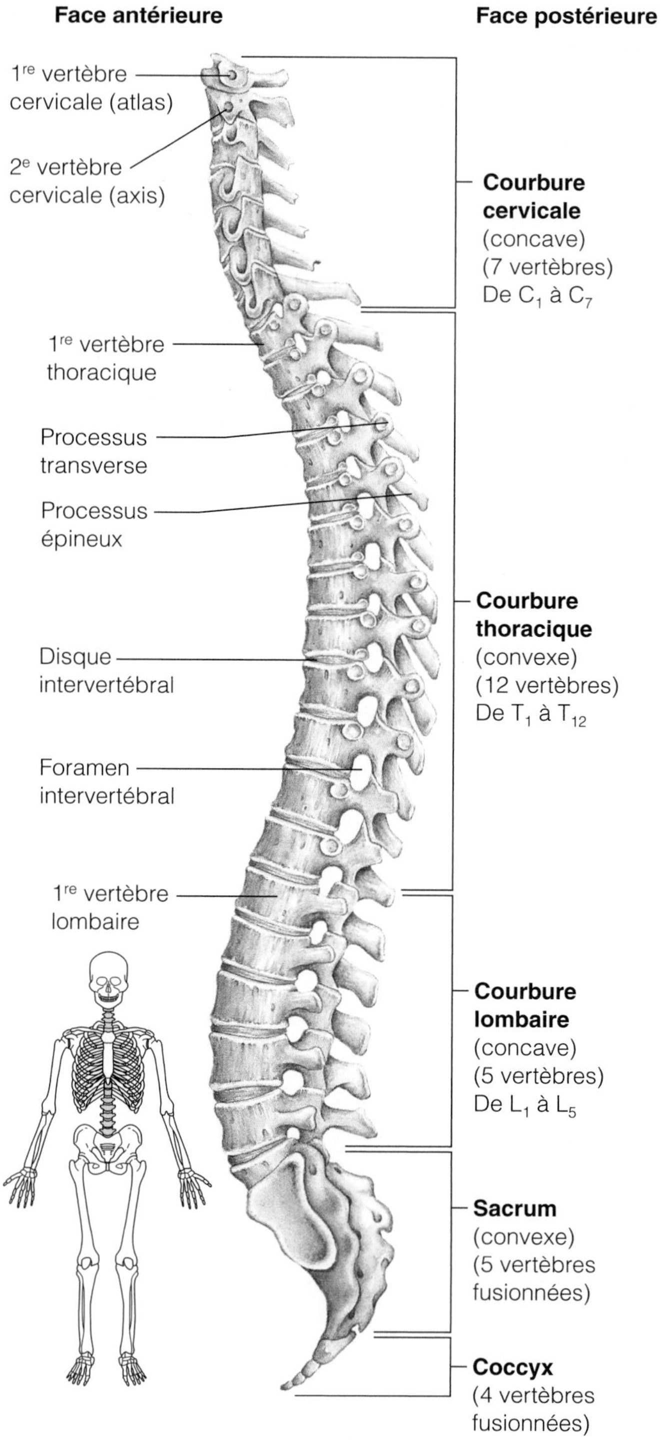

Face antérieure
Face postérieure
1re vertèbre cervicale (atlas)
2e vertèbre cervicale (axis)
1re vertèbre thoracique
Processus transverse
Processus épineux
Disque intervertébral
Foramen intervertébral
1re vertèbre lombaire
Courbure cervicale (concave) (7 vertèbres) De C_1 à C_7
Courbure thoracique (convexe) (12 vertèbres) De T_1 à T_{12}
Courbure lombaire (concave) (5 vertèbres) De L_1 à L_5
Sacrum (convexe) (5 vertèbres fusionnées)
Coccyx (4 vertèbres fusionnées)

Figure 5.14 **La colonne vertébrale**

Les minces disques intervertébraux situés entre les vertèbres thoraciques permettent une grande flexibilité dans le segment thoracique de la colonne vertébrale ; les disques intervertébraux plus épais situés entre les vertèbres lombaires réduisent la flexibilité dans ce segment. Notez que les termes *convexe* et *concave* font référence à la courbure de la colonne vertébrale observée du côté postérieur.

R **C'est une saillie anormale d'un disque intervertébral qui peut provoquer de la douleur en comprimant des nerfs adjacents.**

Déséquilibre homéostatique

La détérioration des disques intervertébraux de même que l'affaiblissement des ligaments de la colonne vertébrale prédisposent les personnes âgées aux *hernies discales*. Celles-ci peuvent également survenir quand la colonne vertébrale est soumise à des torsions très fortes. L'anneau fibreux du disque peut se rompre et permettre l'éjection de la partie centrale qui, en appuyant sur la moelle épinière ou les nerfs spinaux issus de celle-ci, peut provoquer de l'engourdissement et une douleur insupportable. ▲

Les disques intervertébraux et la structure en forme de S de la colonne vertébrale protègent la tête des chocs pendant la marche ou la course. Ils contribuent également à rendre le tronc plus souple. Les courbures des segments thoracique et sacrococcygien sont des **courbures primaires**, car elles sont présentes à la naissance. Plus tard, les **courbures secondaires** se développent. La courbure cervicale apparaît dès que le bébé relève seul la tête, et la courbure lombaire quand il commence à marcher.

Déséquilibre homéostatique

Il existe plusieurs types de courbures anormales de la colonne vertébrale. La figure 5.15 en montre trois : la *scoliose*, la *cyphose* et la *lordose*. Certaines sont congénitales (présentes à la naissance), d'autres s'installent à la suite d'une maladie, d'une mauvaise posture ou d'une traction musculaire sur la colonne vertébrale plus forte d'un côté que de l'autre. En étudiant la figure, essayez d'expliquer les différences entre chacune de ces anomalies et une colonne vertébrale normale. ▲

Toutes les vertèbres possèdent une même structure de base (figure 5.16). Leurs principales caractéristiques sont les suivantes :

- **Corps vertébral** : situé sur la face antérieure de la vertèbre ; partie discoïde constituant la région portante de la vertèbre.
- **Arc vertébral** : arc formé par la fusion des prolongements postérieurs du corps vertébral, soit les **lames** et les **pédicules**.
- **Foramen vertébral** : orifice offrant un passage à la moelle épinière.
- **Processus transverses** : deux protubérances latérales du corps vertébral.
- **Processus épineux** : protubérance impaire issue de la face postérieure de l'arc vertébral (où les lames fusionnent).
- **Processus articulaires supérieurs et inférieurs** : projections paires latérales par rapport au foramen vertébral, offrant à la vertèbre des points d'attache avec les vertèbres adjacentes (voir aussi la figure 5.17).

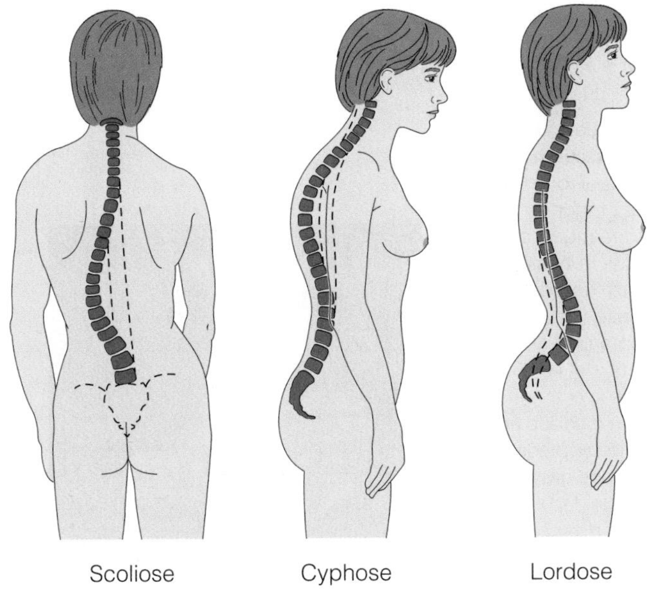
Scoliose
Cyphose
Lordose

Figure 5.15 **Courbures anormales de la colonne vertébrale**

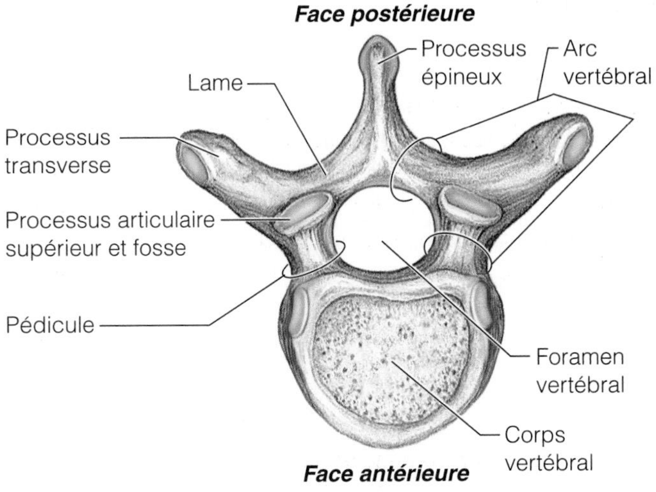
Face postérieure
Lame
Processus épineux
Arc vertébral
Processus transverse
Processus articulaire supérieur et fosse
Pédicule
Foramen vertébral
Corps vertébral
Face antérieure

Figure 5.16 **Vue supérieure de la structure d'une vertèbre typique**

Les processus articulaires inférieurs ne sont pas représentés.

GROS PLAN

Protégez votre dos : c'est le seul que vous avez !

La pratique régulière d'exercices physiques est essentielle au maintien de la force de la colonne vertébrale et à la préservation de sa structure merveilleusement proportionnée. Malheureusement, la plupart des gens négligent leur dos jusqu'à ce que la douleur leur rappelle l'importance de lui prêter attention. Après le mal de gorge et le rhume, le mal de dos est le motif de consultation médicale le plus fréquent. Deux personnes sur trois au Canada et huit sur dix en France ont déjà souffert ou souffriront un jour de maux de dos. En France, c'est la première cause d'invalidité chez les individus âgés de moins de 45 ans.

Bien que le mal de dos puisse être symptomatique de nombreuses affections, allant de la tumeur rachidienne à la maladie rénale, plus de 80 % des problèmes de cette partie du corps sont attribuables à une faiblesse des muscles ou liés au stress. Cela n'a rien d'étonnant quand on sait que les puissants muscles abdominaux et les muscles très flexibles du dos et des hanches jouent un rôle prépondérant dans le renforcement de l'architecture délicate de la colonne vertébrale, et que le stress peut « nouer » les muscles. La tension musculaire peut aggraver un mal de dos, même si elle n'en est pas la cause. Les personnes obèses ou sédentaires sont les principaux candidats aux douleurs lombaires. En fait, certains orthopédistes (spécialistes des os) considèrent le mal de dos comme un indicateur du genre de vie que nous menons : plus nous utilisons de gadgets qui font le travail à notre place, plus nous pouvons rester assis ou couchés, et plus nos muscles s'affaiblissent. À l'autre extrême, les gens qui sont appelés dans leur travail à soulever des objets lourds sont des cibles faciles pour le mal de dos s'ils ne font pas attention à la façon dont ils s'y prennent.

L'adage dit : « Mieux vaut prévenir que guérir. » Ce ne sont pas des paroles vides, car les maux de dos peuvent être très intenses et leur traitement difficile. On peut probablement prévenir de 70 à 80 % des cas de maux de dos grâce à 10 minutes seulement d'exercices quotidiens, si l'alignement du corps et certaines précautions sont respectés. Voici quelques conseils qui peuvent vous aider à protéger votre dos.

1. Maintenez un poids santé. L'embonpoint impose à la colonne vertébrale une charge qui dépasse largement celle que représente l'excès de poids, surtout si celui-ci n'est pas réparti uniformément (s'il est concentré dans le ventre, par exemple). Lorsqu'on a trop de ventre, le corps est tiré vers l'avant, ce qui oblige les muscles du dos à se contracter plus fortement pour contrebalancer le poids. Par exemple, un excès de poids de 5 kilogrammes logé dans la région de l'abdomen et situé à 25 centimètres devant la colonne force les muscles du dos à exercer 23 kilogrammes de force supplémentaire pour contrebalancer la traction exercée par les 5 kilogrammes en trop.
2. Portez le moins souvent possible des chaussures à talons hauts ou à talons surbaissés ; n'en portez pas du tout si vous avez des problèmes de dos. Ces deux types de chaussures modifient l'alignement de la colonne. Les talons hauts font incliner le bassin vers l'avant et causent une tension supplémentaire dans les muscles du ventre et du dos. Quant aux talons surbaissés, ils font incliner le bassin vers l'arrière et rendent difficile le transfert du poids du corps pendant la marche.
3. Maintenez une bonne posture. Votre tête doit être alignée avec votre dos ; votre ventre (muscles abdominaux contractés) et vos fesses doivent être rentrés. Les physiothérapeutes disent qu'il faut « allonger sa colonne et s'agrandir ».
4. Lorsque vous soulevez un objet lourd, utilisez une bonne mécanique corporelle. Tout objet, y compris une personne, a un centre de gravité autour duquel sa masse est uniformément répartie. Chez un adulte en position debout, le centre de gravité se trouve dans le bassin, un peu en arrière du bord antérieur de l'articulation située entre le sacrum et la cinquième vertèbre lombaire. Un des principes fondamentaux de la mécanique corporelle est le suivant : plus le polygone de sustentation (surface entre les points d'appui des deux pieds) est grand et plus votre centre de gravité est bas, plus vous serez stable. Pour appliquer ce principe lorsqu'on soulève un objet lourd, il faut écarter légèrement les pieds et plier les genoux (plutôt que le dos) pour s'accroupir et prendre l'objet à soulever (voir la photographie ci-contre) en le gardant près de soi plutôt qu'à bout de bras. Le poids de l'objet est alors transféré aux muscles des jambes, qui sont puissants, plutôt qu'à votre colonne, qui est fragile. Si vous devez déplacer un gros objet, poussez-le au lieu de le tirer.
5. Évitez de rester trop longtemps en position assise ; cela fait beaucoup plus forcer le dos que la position debout. D'ailleurs, chez les camionneurs, le risque de mal de dos et de hernie discale est cinq fois plus élevé que la normale. Si vous devez rester en position assise durant une période prolongée, appuyez vos pieds sur un petit tabouret (ou sur le dernier tiroir d'un bureau) afin de réduire la tension imposée à votre colonne vertébrale.
6. Prenez 10 minutes par jour pour étirer les muscles extenseurs du bas de votre dos et les muscles fléchisseurs de vos hanches, et pour renforcer vos muscles abdominaux (voir les figures et les indications a à c à la page suivante). Si vous avez des antécédents de maux de dos, évitez les exercices qui font forcer le bas du dos, y compris 1) les redressements assis effectués en gardant les jambes étirées, 2) l'élévation des deux jambes en même temps et 3) l'élévation de la tête, des bras et des jambes en position couchée sur le ventre.

N'attendez pas ! Prêtez attention à votre colonne et vous n'aurez peut-être jamais à vous plaindre de votre dos.

S'accroupir pour abaisser le centre de gravité.

a) *Étirement des muscles extenseurs du bas du dos.* Étendez-vous sur le dos, genoux fléchis et pieds à plat sur le sol. En gardant les bras allongés de chaque côté du corps, ramenez un genou vers la poitrine. Ensuite, descendez le pied au sol en gardant le genou fléchi, puis faites glisser votre pied sur le sol jusqu'à ce que votre jambe soit entièrement étirée. Faites pivoter votre jambe doucement d'un côté à l'autre.

Reprenez la position de départ et faites la même chose avec l'autre jambe. Refaites l'exercice cinq ou six fois.

b) *Étirement des muscles fléchisseurs de la hanche.* Étendez-vous sur le dos. En expirant, ramenez les deux genoux vers la poitrine. Puis, en tenant un genou contre la poitrine, laissez glisser la jambe opposée sur le sol jusqu'à ce qu'elle soit complètement étirée. Essayez de toucher le sol avec l'arrière du genou (région postérieure du genou) de la jambe étirée. Gardez cette position durant six secondes.

Reprenez la position de départ et faites la même chose avec l'autre jambe. Refaites l'exercice cinq ou six fois.

c) *Renforcement des muscles abdominaux.* Étendez-vous sur le dos, genoux fléchis et pieds à plat sur le sol. En gardant les bras allongés de chaque côté du corps, ramenez un genou vers la poitrine. En expirant, soulevez la tête comme si vous vouliez qu'elle touche votre genou plié. Comptez jusqu'à six. Reprenez la position de départ et faites doucement rouler votre tête de gauche à droite. Inspirez et faites la même chose avec l'autre jambe.

Refaites l'exercice de 8 à 10 fois, puis augmentez graduellement la fréquence jusqu'à 25 fois par jour.

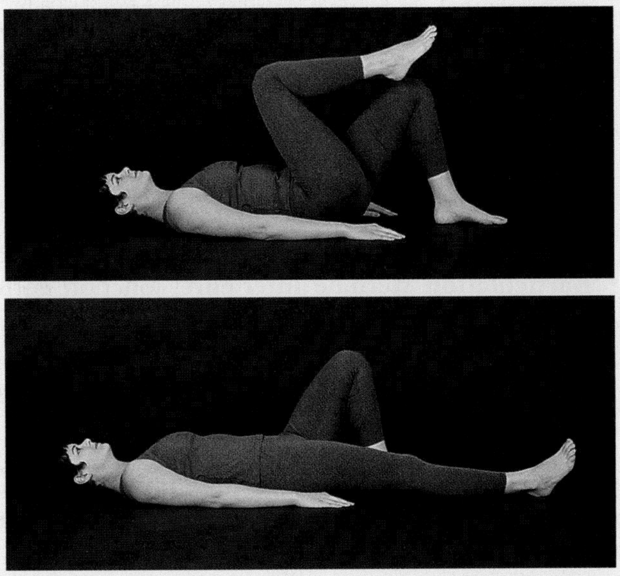

(a)

(b)

(c)

Outre les caractéristiques anatomiques communes décrites plus haut, les vertèbres des divers segments de la colonne vertébrale présentent des particularités liées à leur structure. Nous décrivons maintenant ces particularités régionales.

Les vertèbres cervicales

Les sept **vertèbres cervicales**, numérotées de C_1 à C_7, forment le segment cervical de la colonne vertébrale. Les deux premières (l'*atlas* et l'*axis*) ont un aspect distinct qui traduit leurs fonctions particulières. L'**atlas** (C_1) ne possède pas de corps vertébral et a la forme d'une bague (figure 5.17a). Les faces supérieures de ses processus transverses présentent de grandes fosses qui reçoivent les condyles de l'os occipital de la tête. Ces articulations nous permettent d'incliner la tête en signe d'assentiment. L'**axis** (C_2) est le pivot autorisant la rotation de l'atlas (et de la tête). Il est pourvu d'un processus vertical volumineux appelé **dent de l'axis**, ou **apophyse odontoïde**, qui joue le rôle de pivot. L'articulation entre C_1 et C_2 permet de tourner la tête d'un côté et de l'autre en signe de dénégation.

Les vertèbres cervicales « typiques » (de C_3 à C_7) sont illustrées à la figure 5.17b. Elles sont les plus petites et les plus légères des vertèbres, et possèdent un processus épineux court divisé en deux tubercules, sauf la septième dont le processus épineux proéminent peut être palpé sous la peau de la nuque. Les processus transverses des vertèbres cervicales sont percés d'un foramen transversaire par lequel les artères vertébrales montent en direction de l'encéphale. Chaque fois que vous verrez cette ouverture sur une vertèbre, vous saurez que c'est une vertèbre cervicale.

Les vertèbres thoraciques

Les 12 **vertèbres thoraciques** (de T_1 à T_{12}) sont toutes de forme semblable. Elles sont plus grandes que les vertèbres cervicales (figure 5.17c). Leur corps, dont le volume augmente de T_1 à T_{12}, est plus ou moins en forme de cœur et présente de chaque côté deux *fosses costales* (surfaces articulaires) qui entrent en contact avec les têtes costales. Leur processus épineux est long et dirigé obliquement vers le bas, ce qui donne à la vertèbre l'aspect d'une tête de girafe vue de côté.

Les vertèbres lombaires

Les cinq **vertèbres lombaires** (de L_1 à L_5) sont les vertèbres les plus volumineuses ; elles ont un corps massif et carré. Leur processus épineux court en forme de « hachette » (figure 5.17d) leur confère un profil qui rappelle une tête d'orignal. Elles ont pour fonction de porter une lourde charge, comme en témoigne leur structure plus robuste. La région lombaire supporte en effet la plus grande partie de la compression que subit la colonne vertébrale.

Le sacrum

Le **sacrum** est issu de la fusion graduelle de cinq vertèbres (figure 5.18). Il s'articule à sa partie supérieure avec L_5 et à sa partie inférieure avec le coccyx. Ses **ailes** se joignent aux deux os des hanches pour former les articulations sacro-iliaques. Le sacrum constitue la paroi postérieure du bassin. Sur la face postérieure, la ligne médiane est surélevée par la **crête sacrale médiane** (fusion des processus épineux des vertèbres sacrales). La crête est flanquée de part et d'autre des foramens sacraux-dorsaux. Le canal vertébral se poursuit dans le sacrum sous le nom de **canal sacral** et se termine au-dessous par une grande ouverture appelée **hiatus sacral**.

Le coccyx

Le **coccyx** compte entre trois et cinq petites vertèbres irrégulières qui, comme dans le cas du sacrum, se soudent graduellement entre elles avec l'âge (voir la figure 5.18). Il est un vestige de la queue des mammifères.

LE THORAX OSSEUX

Le sternum, les côtes et les vertèbres thoraciques forment le **thorax osseux,** appelé souvent **cage thoracique** puisqu'il constitue une cage de forme conique composée d'os minces protégeant les organes de la cavité thoracique (cœur, poumons et gros vaisseaux sanguins). Le thorax osseux est illustré à la figure 5.19.

Le sternum

Le **sternum** est un os plat typique issu de la fusion de trois os : le **manubrium sternal**, le **corps du sternum** et le **processus xiphoïde.** Il s'articule avec les sept premières paires de côtes.

Le sternum présente trois repères anatomiques importants : l'incisure jugulaire, l'angle sternal et l'articulation sternale inférieure.

- L'**incisure jugulaire** (bord supérieur concave du manubrium) est facile à palper ; en règle générale, elle se situe au niveau de la troisième vertèbre thoracique.
- L'**angle sternal** se trouve à la jonction du manubrium et du corps du sternum. Il forme une arête horizontale au niveau de la deuxième paire de côtes. Il fournit un repère pratique pour compter les côtes et trouver le deuxième espace intercostal par lequel on peut écouter les bruits produits par certaines valves cardiaques.
- L'**articulation sternale inférieure**, jonction entre le corps du sternum et le processus xiphoïde, fait face à la neuvième vertèbre thoracique.

Palpez votre angle sternal et votre incisure jugulaire.

Le sternum est si rapproché de la surface corporelle qu'on peut aisément prélever sur celui-ci des échantillons de tissu hématopoïétique pour diagnostiquer certains troubles hématologiques. Cette procédure, qui consiste à insérer une aiguille dans cet os pour prélever un échantillon de moelle osseuse, est appelée *ponction sternale.* Lorsqu'il la pratique, le médecin doit faire très attention de ne pas transpercer le sternum, car il risque d'atteindre le cœur situé immédiatement derrière.

Les côtes

Les parois du thorax osseux sont formées de 12 paires de **côtes**. (Contrairement à la croyance populaire, les hommes n'ont *pas* une côte de moins que les femmes !) Toutes les côtes s'articulent à l'arrière aux vertèbres thoraciques de la colonne vertébrale, puis s'incurvent vers le bas en direction de la paroi antérieure du thorax. Les sept premières paires, appelées **vraies côtes**, sont jointes directement au sternum par des cartilages costaux, constitués de cartilage hyalin dont la flexibilité permet les mouvements respiratoires. Les cinq autres paires de côtes sont appelées **fausses côtes**, car leur point d'attache au sternum est soit indirect (elles sont reliées au corps du sternum par un cartilage commun), soit inexistant. Les

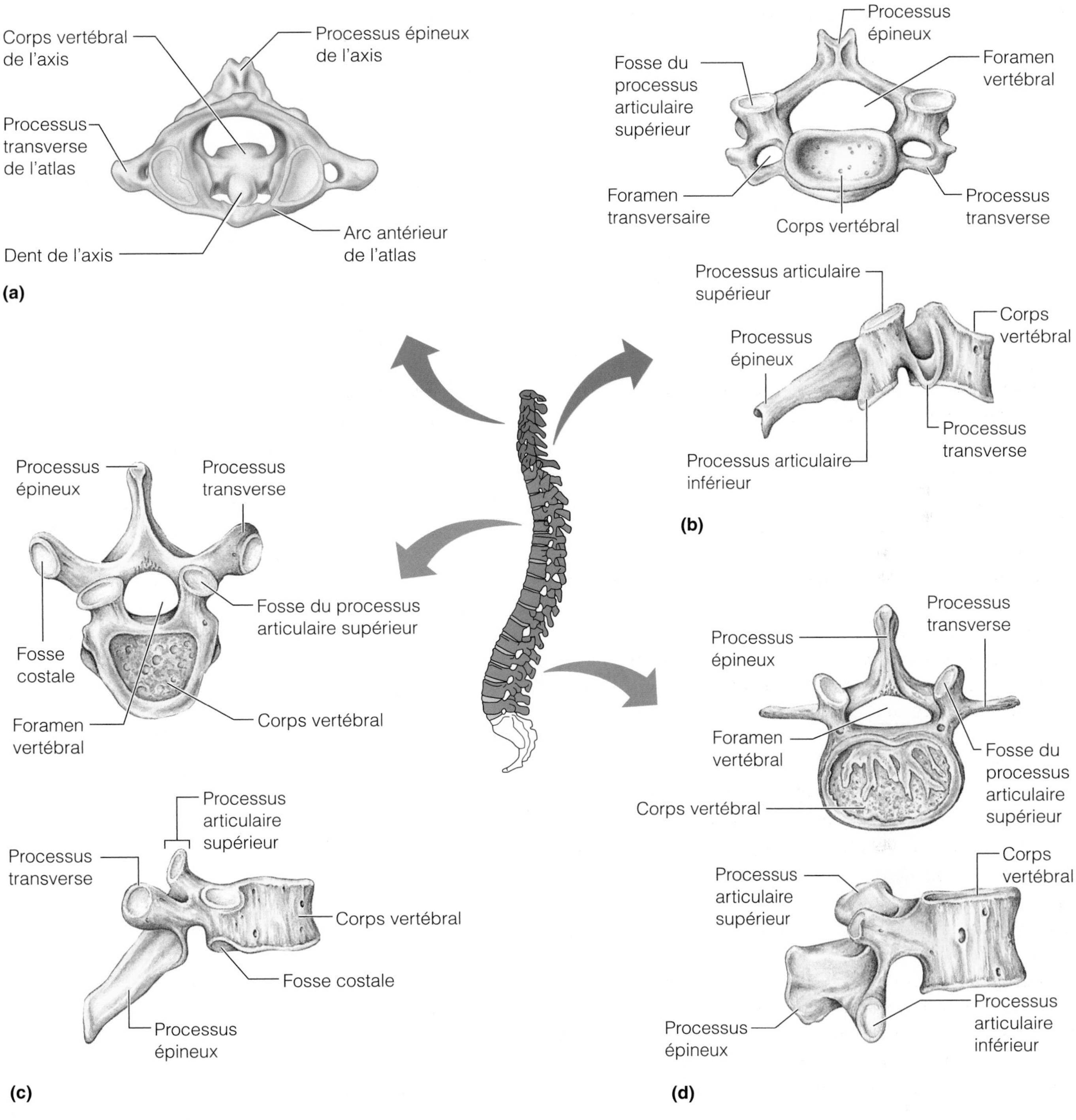
Corps vertébral de l'axis
Processus épineux de l'axis
Processus transverse de l'atlas
Dent de l'axis
Arc antérieur de l'atlas
(a)
Processus épineux
Fosse du processus articulaire supérieur
Foramen vertébral
Foramen transversaire
Corps vertébral
Processus transverse
Processus articulaire supérieur
Processus épineux
Corps vertébral
Processus transverse
Processus articulaire inférieur
(b)
Processus épineux
Processus transverse
Fosse du processus articulaire supérieur
Fosse costale
Foramen vertébral
Corps vertébral
Processus transverse
Processus articulaire supérieur
Corps vertébral
Fosse costale
Processus épineux
(c)
Processus épineux
Processus transverse
Foramen vertébral
Fosse du processus articulaire supérieur
Corps vertébral
Processus articulaire supérieur
Corps vertébral
Processus épineux
Processus articulaire inférieur
(d)

Figure 5.17 **Les caractéristiques des vertèbres selon leur localisation**

(a) Vue supérieure de l'atlas s'articulant avec l'axis. **(b)** Vue supérieure (en haut) et vue latérale des vertèbres cervicales. **(c)** Vue supérieure (en haut) et vue latérale des vertèbres thoraciques. **(d)** Vue supérieure (en haut) et vue latérale des vertèbres lombaires.

deux dernières paires de côtes portent le nom de **côtes flottantes**, car elles n'ont pas de point d'ancrage sur le sternum.

Les espaces intercostaux (espaces entre les côtes) sont occupés par les muscles intercostaux qui participent à la respiration.

Figure 5.18 **Vue postérieure du sacrum et du coccyx**

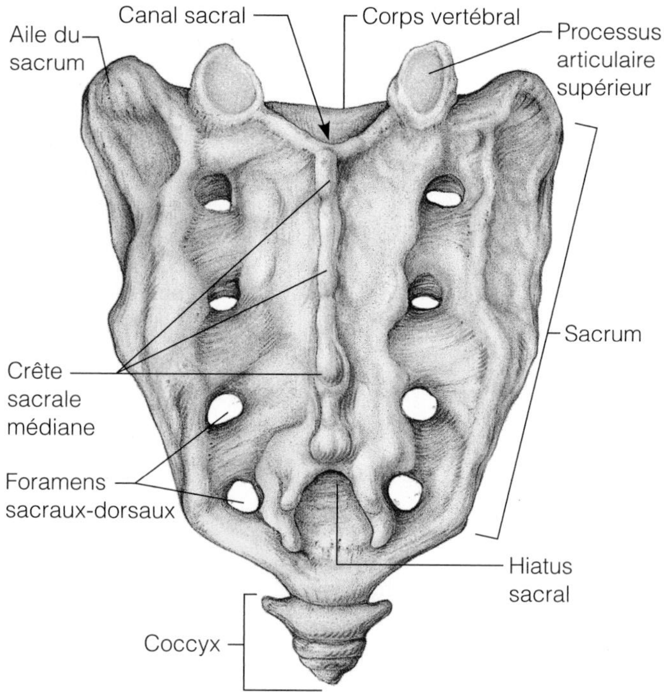

Aile du sacrum
Canal sacral
Corps vertébral
Processus articulaire supérieur
Sacrum
Crête sacrale médiane
Foramens sacraux-dorsaux
Hiatus sacral
Coccyx

Figure 5.19 **Le thorax osseux**

(a) Vue antérieure du thorax osseux (les cartilages costaux sont représentés en bleu). **(b)** Vue latérale gauche du thorax, montrant la relation entre les repères anatomiques superficiels du thorax et la partie thoracique de la colonne vertébrale.

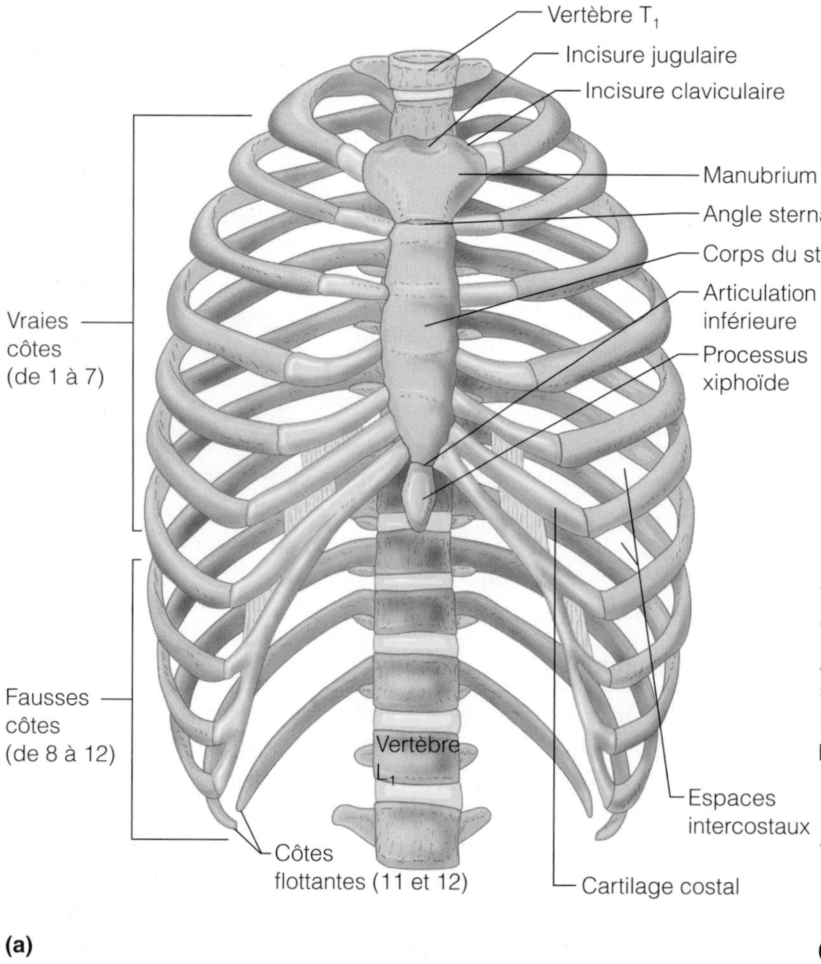

Vertèbre T_1
Incisure jugulaire
Incisure claviculaire
Manubrium sternal
Angle sternal
Corps du sternum
Articulation sternale inférieure
Processus xiphoïde
Sternum
Vraies côtes (de 1 à 7)
Fausses côtes (de 8 à 12)
Vertèbre L_1
Côtes flottantes (11 et 12)
Cartilage costal
Espaces intercostaux
(a)

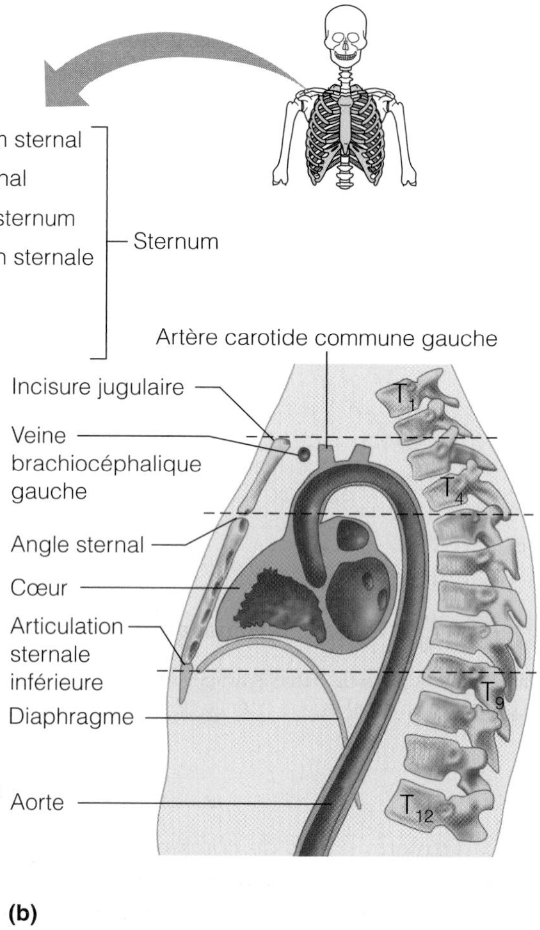

Artère carotide commune gauche
Incisure jugulaire
Veine brachiocéphalique gauche
Angle sternal
Cœur
Articulation sternale inférieure
Diaphragme
Aorte
T_1
T_4
T_9
T_{12}
(b)

Le squelette appendiculaire

Dans la figure 5.6, le *squelette appendiculaire* est représenté en jaune. Il comprend les 126 os des membres supérieurs et inférieurs ainsi que des ceintures scapulaire et pelvienne, qui attachent les membres au squelette axial.

LES OS DE LA CEINTURE SCAPULAIRE (PECTORALE)

Chaque **ceinture scapulaire**, aussi appelée **ceinture pectorale**, est formée de deux os, la clavicule et la scapula (figure 5.20).

La **clavicule** est un os mince incurvé en S. Sa partie médiale (extrémité sternale) s'articule avec le manubrium sternal, et sa partie latérale (extrémité acromiale) avec la scapula, où elle participe à l'articulation de l'épaule. La clavicule maintient le bras écarté de la partie supérieure du thorax, ce qui aide à prévenir la luxation de l'épaule. Cette dernière fonction devient évidente en cas de fracture de la clavicule: toute la région de l'épaule s'effondre alors vers l'intérieur.

Les **scapulas**, ou omoplates, sont des os triangulaires; on les appelle souvent les *ailes*, car elles s'évasent quand nous étirons nos bras vers l'arrière. Chaque scapula présente un corps aplati et deux processus larges: l'**acromion**, qui termine l'épine scapulaire, et le **processus coracoïde**, qui ressemble à un doigt recourbé. L'acromion s'articule latéralement avec la clavicule par l'**articulation acromioclaviculaire**. Le processus coracoïde fait saillie sur le bord supérieur de l'épaule et participe à la fixation de certains muscles du bras (le muscle biceps brachial notamment y a son point d'attache proximal). Tout près du processus coracoïde, du côté médial, se trouve la grande **incisure scapulaire**, par laquelle passent des nerfs. La scapula ne s'articule pas directement avec le squelette axial; elle est plutôt maintenue en place par des muscles du tronc. Elle présente trois bords (supérieur, médial [spinal] et latéral [axillaire], et forme trois angles (supérieur, inférieur et latéral). La **cavité glénoïdale de la scapula**, cavité peu profonde qui répond à la tête de l'humérus, est située dans l'angle latéral.

La ceinture scapulaire est très légère et procure aux membres supérieurs une liberté de mouvement unique, pour les raisons suivantes:

1. L'*articulation sternoclaviculaire* est le seul point d'ancrage de la ceinture scapulaire au squelette axial.
2. Très peu rattachée au reste du corps, la scapula peut se mouvoir assez librement sur le thorax sous l'effet de l'activité musculaire.
3. La cavité glénoïdale de la scapula est peu profonde, et l'articulation de l'épaule est faiblement maintenue par des ligaments.

La ceinture scapulaire possède donc une exceptionnelle flexibilité, mais, en contrepartie, celle-ci explique la fréquence des luxations de l'épaule.

LES OS DES MEMBRES SUPÉRIEURS

Trente os forment le squelette de chaque membre supérieur (figures 5.21 et 5.22). Ils se répartissent entre le bras, l'avant-bras et la main.

Le bras

L'**humérus**, l'unique os du bras, est un os long typique (figure 5.21a et b). Son épiphyse proximale a la forme d'une tête arrondie qui s'insère dans la cavité glénoïdale de la scapula. En face de la tête, on trouve les **grand** et **petit tubercules**, qui servent de points d'attache aux muscles. À mi-chemin de la diaphyse, la **tubérosité deltoïdienne** est le point d'attache d'aspect rugueux du gros muscle deltoïde de l'épaule. Non loin de là, le **sillon du nerf radial** traverse obliquement la face postérieure du corps de l'humérus. Ce sillon marque la trajectoire du nerf radial, nerf important du membre supérieur. À l'extrémité distale de l'humérus, et sur sa face antérieure, on trouve du côté médial la **trochlée humérale**, qui ressemble à un sablier couché sur le côté, et du côté latéral la forme arrondie du **capitulum de l'humérus**. Ces deux processus s'articulent avec les os de l'avant-bras. Au-dessus de la trochlée, la **fosse coronoïdienne** déprime la face antérieure, et la **fosse olécrânienne**, la face postérieure. Ces deux dépressions, flanquées des **épicondyles médial** et **latéral de l'humérus**, permettent aux processus correspondants de l'ulna de jouer librement lorsque le coude est fléchi ou étendu. Se frapper le coude peut causer une douleur vive, qui provient de la stimulation du nerf ulnaire qui passe sur la face postérieure de l'épicondyle médial.

L'avant-bras

Deux os, le radius et l'ulna, constituent le squelette de l'avant-bras (figure 5.21c). En position anatomique, le **radius** est l'os latéral (du côté du pouce). Quand on tourne la main vers l'arrière, l'extrémité distale du radius croise l'ulna et devient médiale par rapport à ce dernier. Le radius et l'ulna se joignent l'un à l'autre en haut et en bas au niveau des petites **articulations radio-ulnaires**. La **membrane interosseuse antébrachiale** est une

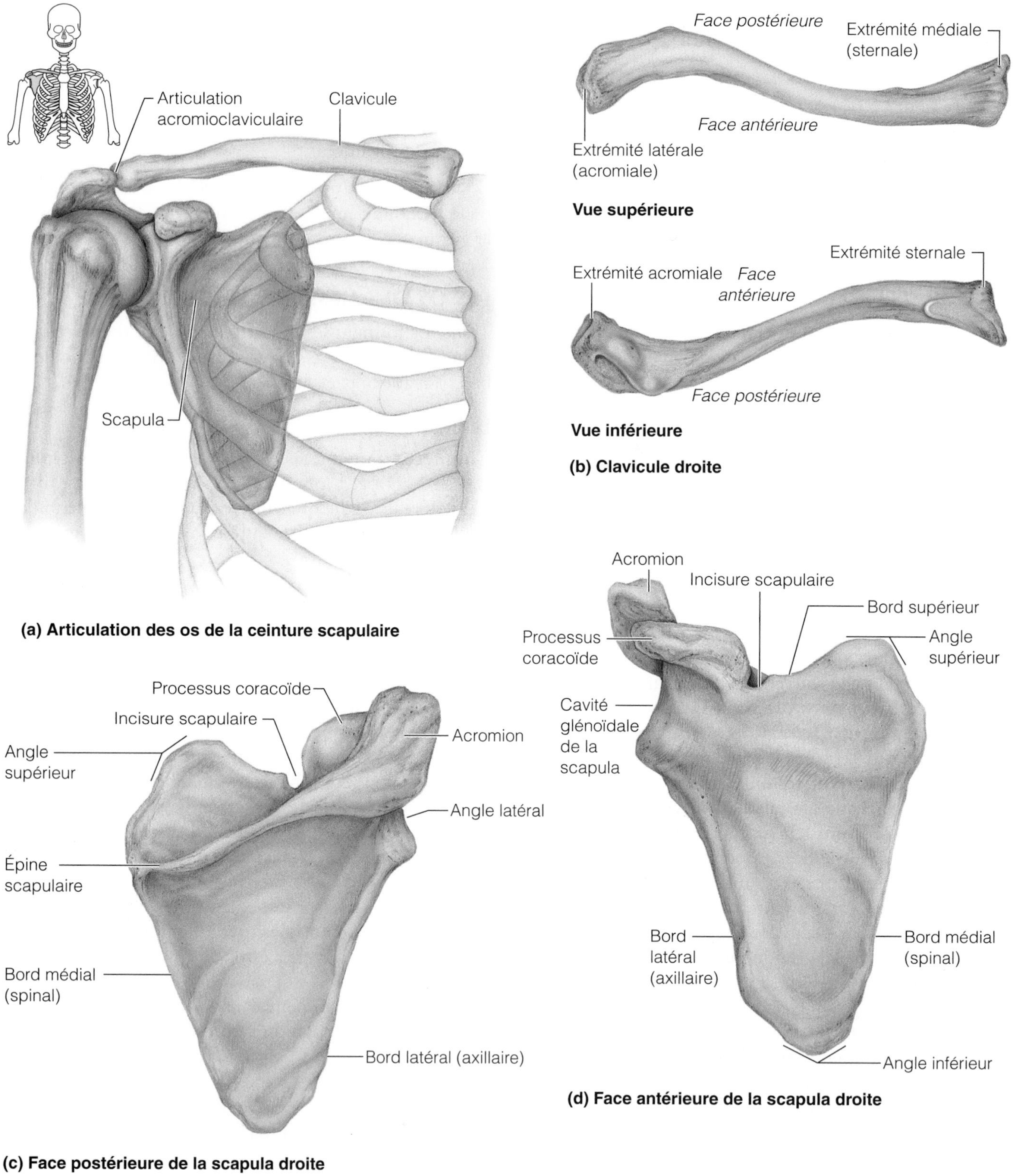
Articulation acromioclaviculaire
Clavicule
Scapula
Face postérieure
Extrémité médiale (sternale)
Face antérieure
Extrémité latérale (acromiale)
Vue supérieure
Extrémité sternale
Extrémité acromiale
Face antérieure
Face postérieure
Vue inférieure
Processus coracoïde
Incisure scapulaire
Angle supérieur
Acromion
Angle latéral
Épine scapulaire
Bord médial (spinal)
Bord latéral (axillaire)
Acromion
Incisure scapulaire
Bord supérieur
Processus coracoïde
Angle supérieur
Cavité glénoïdale de la scapula
Bord latéral (axillaire)
Bord médial (spinal)
Angle inférieur

(a) Articulation des os de la ceinture scapulaire

(b) Clavicule droite

(c) Face postérieure de la scapula droite

(d) Face antérieure de la scapula droite

Figure 5.20 **Les os de la ceinture scapulaire**

(a) Relation entre la ceinture scapulaire droite d'une part et le thorax osseux et les os du bras d'autre part. **(b)** Vues supérieure et inférieure de la clavicule droite. **(c)** Vue postérieure de la scapula droite. **(d)** Vue antérieure de la scapula droite.

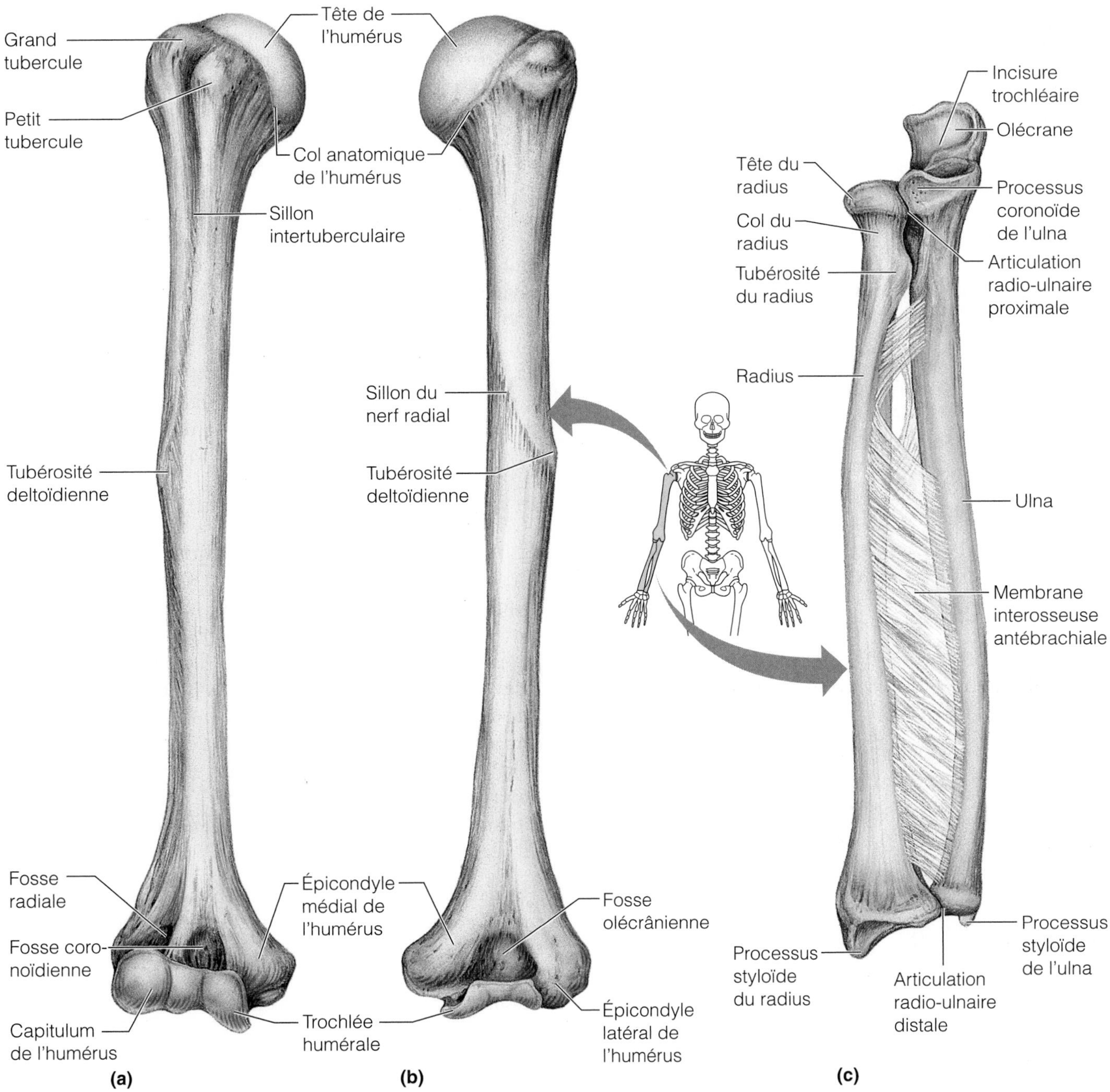
Grand tubercule
Petit tubercule
Tête de l'humérus
Col anatomique de l'humérus
Sillon intertuberculaire
Tubérosité deltoïdienne
Fosse radiale
Fosse coro-noïdienne
Capitulum de l'humérus
Épicondyle médial de l'humérus
Trochlée humérale
(a)
Sillon du nerf radial
Tubérosité deltoïdienne
Fosse olécrânienne
Épicondyle latéral de l'humérus
(b)
Incisure trochléaire
Olécrane
Tête du radius
Col du radius
Tubérosité du radius
Processus coronoïde de l'ulna
Articulation radio-ulnaire proximale
Radius
Ulna
Membrane interosseuse antébrachiale
Processus styloïde du radius
Articulation radio-ulnaire distale
Processus styloïde de l'ulna
(c)

Figure 5.21 **Les os du bras et de l'avant-bras droits**

(a) Vue antérieure de l'humérus. **(b)** Vue postérieure de l'humérus. **(c)** Vue antérieure des os de l'avant-bras (le radius et l'ulna).

membrane flexible qui relie ces deux os sur toute leur longueur. L'ulna et le radius ont tous deux un **processus styloïde** à leurs extrémités distales.

La tête discoïde du radius s'articule aussi avec le capitulum de l'humérus. Juste au-dessous de cette tête, la **tubérosité du radius** fournit le point d'attache distal au muscle biceps brachial.

En position anatomique, l'**ulna** est l'os médial de l'avant-bras (du côté du petit doigt). Son extrémité proximale porte le **processus coronoïde de l'ulna** à l'avant et l'**olécrane** à l'arrière, tous deux séparés par l'**incisure trochléaire**. Ensemble, le processus coronoïde et l'olécrane forment une articulation stable pour la trochlée humérale.

La main

Le squelette de la main comprend les os du carpe, les métacarpiens et les phalanges (figure 5.22). Les huit **os du carpe**, disposés en deux rangées irrégulières de quatre os chacune, forment la partie de la main appelée **carpe**, ou plus communément le *poignet*. Ils sont unis par des ligaments qui limitent les mouvements des os entre eux. (Le nom de chacun de ces os est indiqué à la figure 5.22.)

La paume de la main est formée de **métacarpiens**. Les **phalanges** sont les os des doigts. Les métacarpiens sont numérotés de I à V, du pouce à l'auriculaire. Poing serré, les têtes des métacarpiens deviennent proéminentes ; ce sont les articulations, communément appelées *jointures*. Chaque main comprend 14 phalanges. Les doigts, sauf le pouce, possèdent chacun trois phalanges (proximale, moyenne et distale). Le pouce n'a pas de phalange moyenne.

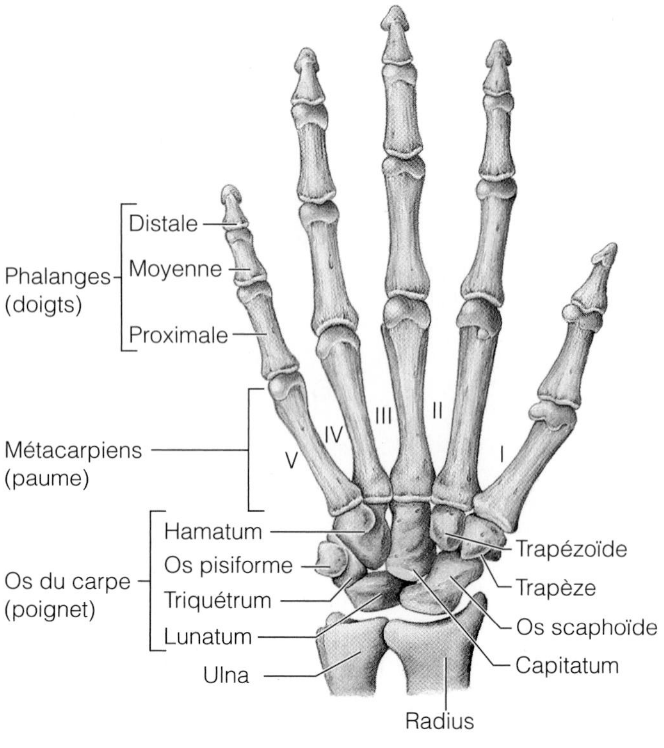
Distale
Phalanges (doigts)
Moyenne
Proximale
Métacarpiens (paume)
V
IV
III
II
I
Os du carpe (poignet)
Hamatum
Os pisiforme
Triquétrum
Lunatum
Ulna
Radius
Trapézoïde
Trapèze
Os scaphoïde
Capitatum

Figure 5.22 **Vue antérieure des os de la main droite**

LES OS DE LA CEINTURE PELVIENNE

La **ceinture pelvienne** est formée de deux **os coxaux**, appelés plus couramment **os de la hanche**. L'association des os coxaux, du sacrum et du coccyx forme le *bassin,* ou *pelvis* (figure 5.23). Il faut noter que les termes *ceinture pelvienne* et *pelvis* désignent deux structures différentes.

Les os de la ceinture pelvienne, volumineux et lourds, sont fixés solidement au squelette axial. Leurs cavités articulaires, avec lesquelles s'articulent les os de la cuisse, sont profondes et consolidées par des ligaments qui retiennent fermement les membres sur la ceinture. La principale fonction de la ceinture pelvienne est de supporter le poids du corps ; le poids total du haut du corps repose sur le bassin. Le bassin abrite et protège aussi les organes génitaux internes, la vessie et une partie du gros intestin.

Chaque os coxal provient de la fusion de trois os : l'ilium, l'ischium et le pubis. L'**ilium**, qui rejoint vers l'arrière le sacrum pour former l'**articulation sacro-iliaque**, est un grand os évasé qui constitue la majeure partie de l'os coxal. Lorsqu'on la pose sur la hanche, la main s'appuie sur l'*aile* de l'ilium. Le bord supérieur de l'aile, ou **crête iliaque**, fournit des points d'attache aux muscles abdominaux et constitue un repère anatomique important lorsqu'on procède à des injections. Chaque crête iliaque se termine en avant par l'**épine iliaque antérosupérieure** et en arrière par l'**épine iliaque postérosupérieure**. Au-dessous se trouvent de petites épines inférieures.

L'**ischium** est l'os sur lequel on s'assied, car il constitue la partie la plus inférieure de l'os coxal. La **tubérosité ischiatique** est une région épaisse qui supporte entièrement le poids du corps en position assise. Au-dessus de la tubérosité, l'**épine ischiatique** est un autre repère anatomique important, surtout pour les femmes enceintes. En effet, elle rétrécit le détroit inférieur du petit bassin par lequel le fœtus doit passer pendant l'accouchement. Une autre structure importante de l'ischium est la **grande incisure ischiatique**, que les vaisseaux sanguins et le gros nerf sciatique (ou nerf ischiatique) empruntent à l'arrière pour pénétrer dans la cuisse. Les injections dans la fesse doivent toujours être faites loin de cette région.

Le **pubis** constitue la partie la plus antérieure de l'os coxal. Les deux *branches* antérieures du pubis rejoignent l'ischium vers l'arrière pour délimiter une ouverture presque entièrement fermée par une membrane, le **foramen obturé**, mais qui laisse passer quelques nerfs et vaisseaux sanguins dans la région antérieure de la cuisse.

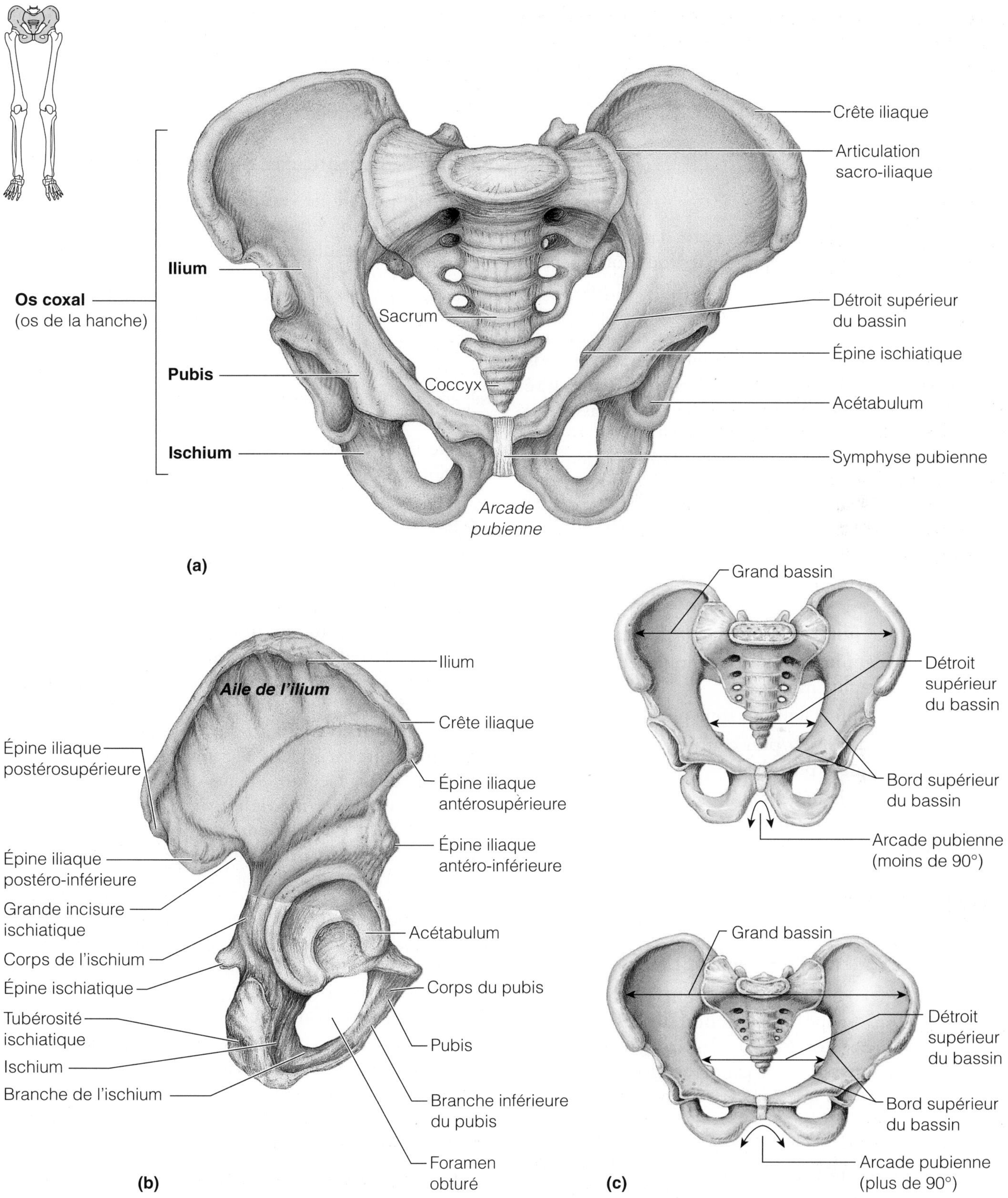
Crête iliaque
Articulation sacro-iliaque
Ilium
Os coxal
(os de la hanche)
Sacrum
Pubis
Coccyx
Ischium
Détroit supérieur du bassin
Épine ischiatique
Acétabulum
Symphyse pubienne
Arcade pubienne
(a)
Ilium
Aile de l'ilium
Crête iliaque
Épine iliaque postérosupérieure
Épine iliaque antérosupérieure
Épine iliaque postéro-inférieure
Épine iliaque antéro-inférieure
Grande incisure ischiatique
Acétabulum
Corps de l'ischium
Épine ischiatique
Corps du pubis
Tubérosité ischiatique
Pubis
Ischium
Branche de l'ischium
Branche inférieure du pubis
Foramen obturé
(b)
Grand bassin
Détroit supérieur du bassin
Bord supérieur du bassin
Arcade pubienne (moins de 90°)
Grand bassin
Détroit supérieur du bassin
Bord supérieur du bassin
Arcade pubienne (plus de 90°)
(c)

Figure 5.23 **Le bassin**

(a) Bassin masculin en position anatomique. **(b)** Os coxal droit, montrant le point de jonction de l'ilium, de l'ischium et du pubis.
(c) Comparaison des bassins masculin (en haut) et féminin (en bas).

La **symphyse pubienne** est un disque de cartilage fibreux formant l'articulation antérieure des deux os coxaux.

Au point de jonction de l'ilium, de l'ischium et du pubis, on observe une profonde cavité, l'**acétabulum**, dont la partie articulaire, en forme de C et recouverte de cartilage, reçoit la tête du fémur.

Le bassin est divisé en deux régions. Le **grand bassin** est situé au-dessus du petit bassin et limité latéralement par les ailes de l'ilium. Le **petit bassin**, situé sous les ailes de l'ilium, est circonscrit de tous côtés par des os. La taille du petit bassin d'une femme est un facteur important à considérer, car il doit être assez grand pour laisser passer la tête d'un bébé. Les dimensions de cette cavité, en particulier celles du **détroit inférieur du bassin** (ouverture inférieure du bassin) et du **détroit supérieur du bassin** (ouverture supérieure du bassin), se révèlent très importantes au moment de l'accouchement et sont soigneusement mesurées par l'obstétricien.

Chaque bassin est unique, mais il existe des différences marquées entre le bassin féminin et le bassin masculin. Examinez de nouveau la figure 5.23c et prenez note des caractéristiques qui permettent de différencier chacun :

- Le bassin féminin est plus large et plus arrondi.
- Le bassin féminin est moins profond, et ses os sont plus légers et plus minces.
- Les ailes de l'ilium féminin sont plus évasées.
- Le sacrum féminin est plus court et moins recourbé ; le coccyx est aussi plus droit.
- Les épines ischiatiques féminines sont plus courtes et plus éloignées les unes des autres, ce qui rend le détroit inférieur plus large.
- L'arcade pubienne féminine est plus arrondie, car son angle est plus grand.

LES OS DES MEMBRES INFÉRIEURS

Les membres inférieurs soutiennent entièrement le poids du corps en position debout. Il n'est donc pas surprenant que les os formant les trois segments des membres inférieurs (cuisse, jambe et pied) soient plus massifs et plus forts que ceux des membres supérieurs.

La cuisse

Le **fémur** est l'unique os de la cuisse (figure 5.24a et b). C'est le plus lourd et le plus fort de tous les os du corps. À son extrémité proximale, le fémur présente une tête sphérique, un col et les **grand** et **petit trochanters** (séparés à l'avant par la **ligne intertrochantérique** et à l'arrière par la **crête intertrochantérique**). Les trochanters, la crête intertrochantérique et la **tubérosité glutéale**, située sur la diaphyse fémorale, servent tous de points d'attache musculaires. La tête du fémur s'articule avec l'acétabulum de l'os coxal dans une cavité profonde et sûre. Cependant, les fractures du col du fémur sont fréquentes, en particulier chez les personnes âgées.

Le fémur oblique vers l'intérieur pour aller rejoindre les os de la jambe situés plus bas ; cette disposition permet aux genoux de se rapprocher du centre de gravité du corps. L'orientation vers l'intérieur des deux fémurs est encore plus accusée chez la femme, dont le bassin est plus large. À son extrémité distale, le fémur se termine par les **condyles latéral** et **médial**, qui s'articulent avec le tibia situé au-dessous. À l'arrière, ces condyles sont séparés par une échancrure profonde, la **fosse intercondylaire**. L'avant du fémur à cet endroit présente une plaque lisse, la **surface patellaire**, qui forme une articulation avec la rotule (ou patella).

La jambe

Deux os, soit le tibia et la fibula, constituent le squelette de la jambe (figure 5.24c). Ces os sont attachés l'un à l'autre sur toute leur longueur par la **membrane interosseuse de la jambe**. Le **tibia** est le plus large des deux et le plus médial. Son extrémité proximale présente les **condyles médial** et **latéral** (séparés par l'**éminence intercondylaire**), qui s'articulent avec l'extrémité distale du fémur pour former l'articulation du genou. Le ligament patellaire est attaché à la **tubérosité tibiale**, région rugueuse de la face antérieure du tibia. À l'extrémité distale, la **malléole médiale** forme la bosse interne de la cheville. La face antérieure du tibia présente un bord saillant, la **crête du tibia**, qui n'est pas protégée par des muscles ; on peut donc la palper facilement sous la peau.

La **fibula**, os mince en forme de baguette, est parallèle au tibia et s'articule avec lui aux deux bouts. Elle ne participe pas à l'articulation du genou et ne joue donc pas un rôle de support ; elle fournit cependant de nombreux points d'attache aux muscles des pieds et des orteils. En outre, à son extrémité distale, la **malléole latérale** forme la bosse externe de la cheville qui s'articule avec le talus.

Le pied

Le squelette du pied comprend les os du tarse, les métatarsiens et les phalanges. Il assure deux fonctions primordiales : il reçoit le poids du corps et agit comme un levier pour propulser celui-ci en avant lorsque nous marchons ou courons.

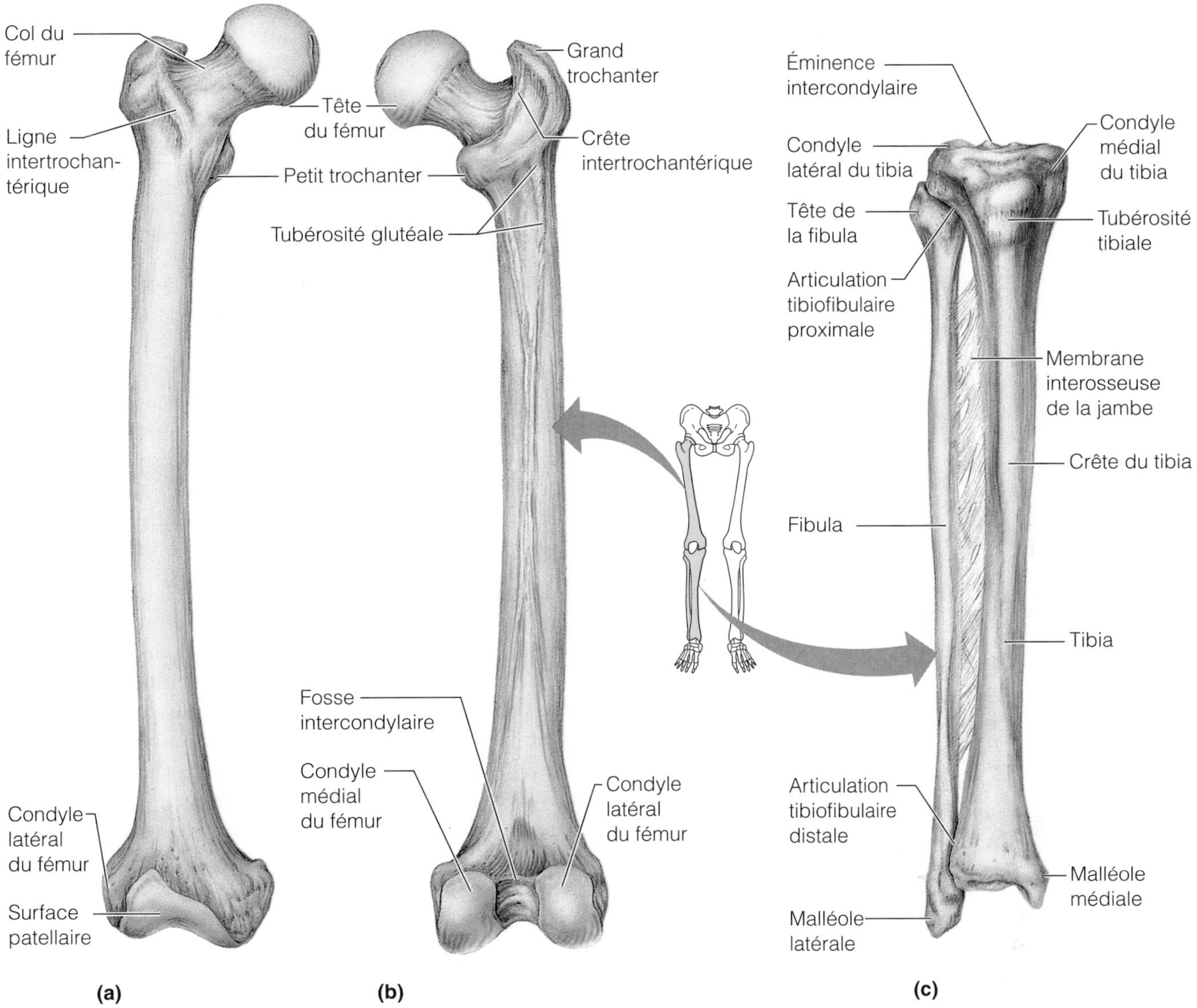
Col du fémur
Ligne intertrochantérique
Condyle latéral du fémur
Surface patellaire
(a)
Tête du fémur
Petit trochanter
Tubérosité glutéale
Grand trochanter
Crête intertrochantérique
Fosse intercondylaire
Condyle médial du fémur
Condyle latéral du fémur
(b)
Éminence intercondylaire
Condyle latéral du tibia
Tête de la fibula
Articulation tibiofibulaire proximale
Condyle médial du tibia
Tubérosité tibiale
Membrane interosseuse de la jambe
Crête du tibia
Fibula
Tibia
Articulation tibiofibulaire distale
Malléole latérale
Malléole médiale
(c)

Figure 5.24 **Les os de la cuisse et de la jambe droites**

(a) Vue antérieure du fémur (os de la cuisse). **(b)** Vue postérieure du fémur. **(c)** Vue antérieure du tibia et de la fibula de la jambe.

Les **os du tarse** sont au nombre de sept (figure 5.25) et forment la moitié postérieure du pied. Le **calcanéus** (ou os du talon) et le **talus**, situé entre le tibia et le calcanéus, sont les deux plus gros os du tarse; ils supportent presque tout le poids du corps. Les 5 **métatarsiens** forment la plante du pied, et les 14 **phalanges** sont les os des orteils. Comme les doigts, chaque orteil possède trois phalanges, sauf le gros orteil, qui n'en compte que deux.

Les os du pied sont disposés de façon à former trois arcs puissants: deux arcs longitudinaux (médial et latéral) et un arc transversal (figure 5.26). Les *ligaments* qui relient les os du pied et les *tendons* des muscles du pied maintiennent ces os solidement en place et contribuent ensemble à garder le pied en position arquée. Ils permettent toutefois une certaine élasticité. Lorsque les arcs s'affaiblissent, cela provoque un affaissement du pied, aussi appelé *pied plat*.

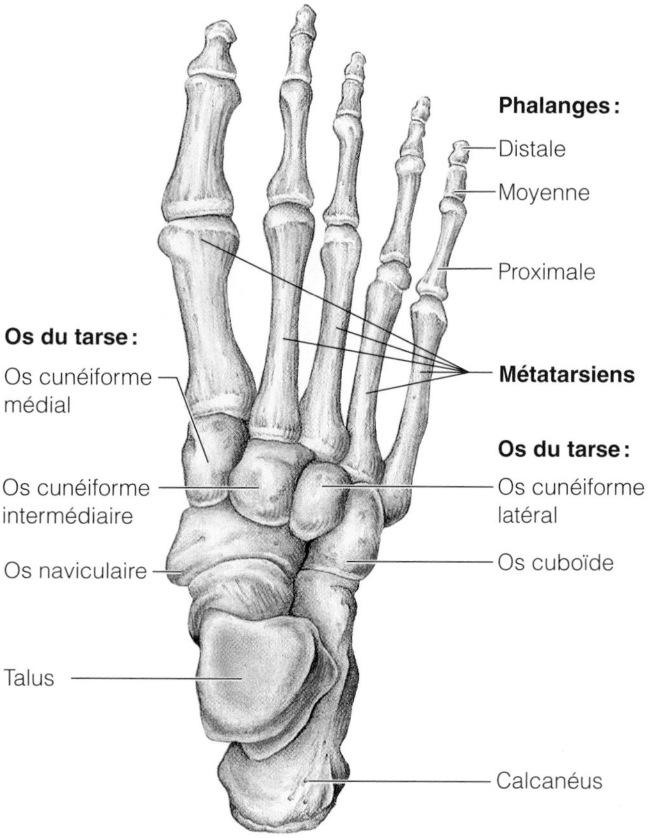
Phalanges :
Distale
Moyenne
Proximale
Métatarsiens
Os du tarse :
Os cunéiforme latéral
Os cuboïde
Calcanéus
Os du tarse :
Os cunéiforme médial
Os cunéiforme intermédiaire
Os naviculaire
Talus

Figure 5.25 **Vue supérieure des os du pied droit**

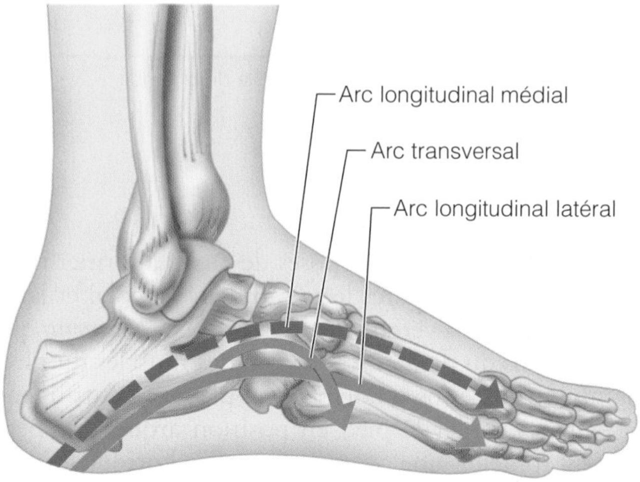
Arc longitudinal médial
Arc transversal
Arc longitudinal latéral

Figure 5.26 **Les arcs du pied**

Les articulations

Chaque os du squelette s'articule avec au moins un autre os, à l'exception de l'os hyoïde du cou. Les **articulations** assurent deux fonctions. Elles confèrent à notre squelette une certaine mobilité et relient solidement nos os entre eux.

Les mouvements gracieux des danseuses de ballet et les rudes bousculades des joueurs de football illustrent bien la grande variété de mouvements que les articulations, ces points d'union de deux ou de plusieurs os, rendent possible. Si nous avions moins d'articulations, nous bougerions comme des robots. Néanmoins, les articulations sont tout aussi importantes pour la cohésion des os que pour leur rôle dans la mobilité. Ainsi, c'est grâce aux articulations rigides du crâne, par exemple, que notre précieux cerveau se trouve abrité dans un réceptacle résistant.

Les articulations sont classées selon leur structure et leur fonction. La classification fonctionnelle prend en compte le degré du mouvement permis par l'articulation. Cette classification comprend les **articulations immobiles** (ou synarthroses), les **articulations semi-mobiles** (ou amphiarthroses) et les **articulations mobiles** (ou diarthroses). Les articulations mobiles sont plus nombreuses dans les membres supérieurs et inférieurs, qui ont besoin d'une grande mobilité, tandis que les articulations immobiles et semi-mobiles sont situées presque uniquement dans le squelette axial, où la solidité des liens entre les os et la protection des organes internes importent davantage.

La classification structurale est fondée sur les matériaux qui unissent les os (cartilage ou tissu conjonctif dense) et sur la présence ou l'absence d'une cavité articulaire ; elle comprend les *articulations fibreuses*, *cartilagineuses* et *synoviales*. En règle générale, les articulations fibreuses sont immobiles et les articulations synoviales sont totalement mobiles. Les articulations cartilagineuses offrent des exemples d'articulations immobiles et semi-mobiles, bien que la plupart appartiennent à cette dernière catégorie fonctionnelle. Les catégories structurales étant mieux définies que les catégories fonctionnelles, nous utiliserons ici la classification structurale. La figure 5.27 présente les types d'articulations décrits ci-après.

LES ARTICULATIONS FIBREUSES

Dans les **articulations fibreuses**, les os sont reliés par du tissu conjonctif. Les meilleurs exemples de ce type d'articulation sont les *sutures* du crâne (voir la figure 5.27a). Les bords irrégulièrement découpés des os qui s'articulent s'emboîtent les uns dans les autres et des fibres de tissu

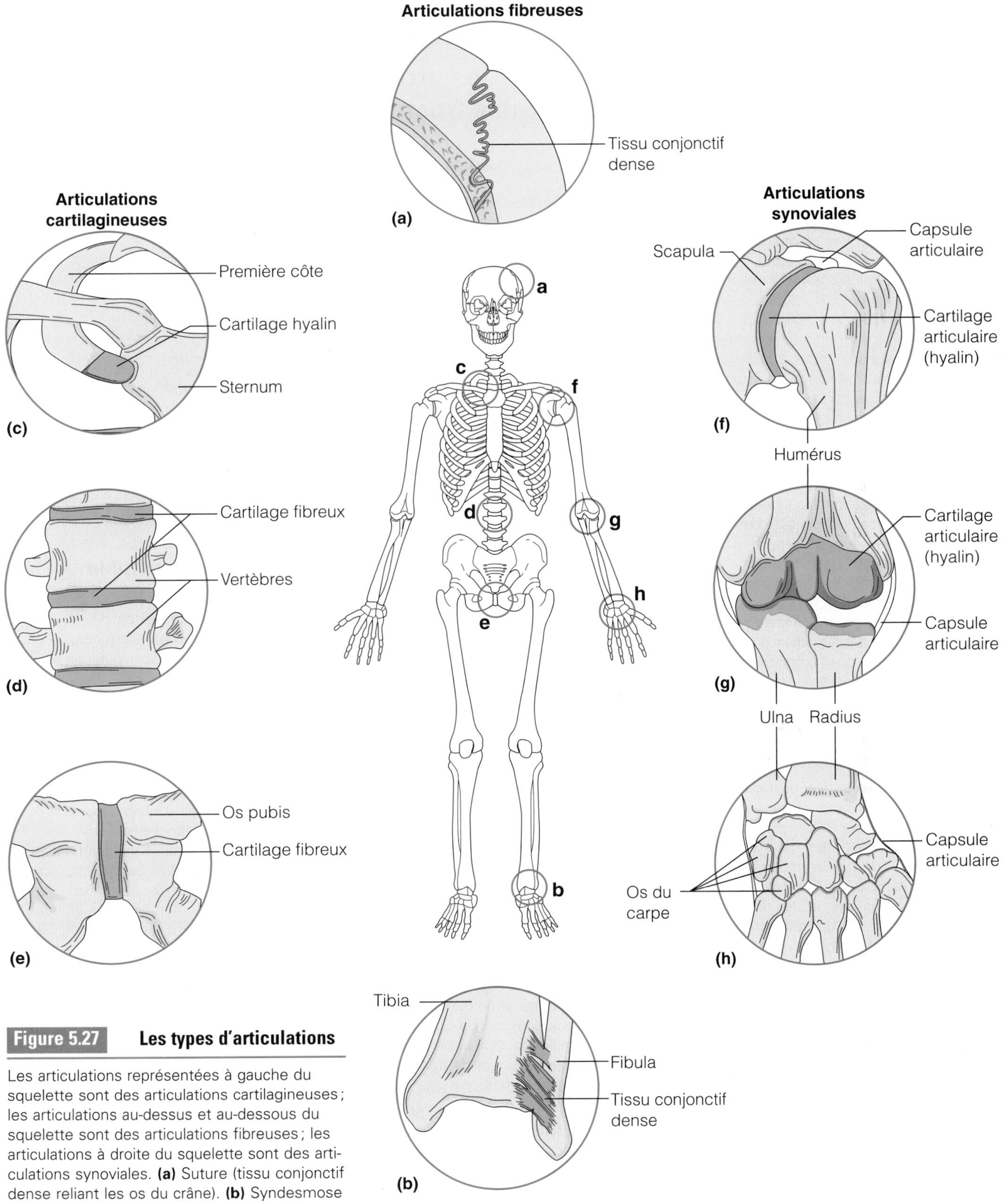
Articulations fibreuses
Tissu conjonctif dense
(a)
Articulations cartilagineuses
Première côte
Cartilage hyalin
Sternum
(c)
Cartilage fibreux
Vertèbres
(d)
Os pubis
Cartilage fibreux
(e)
Articulations synoviales
Scapula
Capsule articulaire
Cartilage articulaire (hyalin)
(f)
Humérus
Cartilage articulaire (hyalin)
Capsule articulaire
(g)
Ulna
Radius
Capsule articulaire
Os du carpe
(h)
a
b
c
d
e
f
g
h
Tibia
Fibula
Tissu conjonctif dense
(b)

Figure 5.27 **Les types d'articulations**

Les articulations représentées à gauche du squelette sont des articulations cartilagineuses ; les articulations au-dessus et au-dessous du squelette sont des articulations fibreuses ; les articulations à droite du squelette sont des articulations synoviales. **(a)** Suture (tissu conjonctif dense reliant les os du crâne). **(b)** Syndesmose (tissu conjonctif dense reliant les extrémités distales du tibia et de la fibula). **(c)** Synchondrose (articulation entre le cartilage costal de la première côte et le sternum). **(d)** Symphyses (disques intervertébraux de cartilage fibreux reliant des vertèbres adjacentes). **(e)** Symphyse (symphyse pubienne de cartilage fibreux reliant les deux os pubis à l'avant). **(f)** Articulation synoviale (de l'épaule ; mouvement multiaxial). **(g)** Articulation synoviale (du coude ; mouvement uniaxial). **(h)** Articulations synoviales (articulations entre la plupart des os du carpe ; mouvement non axial).

GROS PLAN Des os remis à neuf : les progrès cliniques dans le traitement des fractures

Bien que les os possèdent le remarquable pouvoir de se régénérer eux-mêmes, il est des circonstances dans lesquelles leurs efforts les plus acharnés restent vains. De nombreuses fractures plurifragmentaires à la suite d'accidents de la route, une mauvaise circulation sanguine dans des os âgés et certaines anomalies congénitales en constituent des exemples. Nous allons maintenant nous pencher sur les problèmes de consolidation que les os ne peuvent pas surmonter. Regardons certaines techniques qu'on emploie à l'heure actuelle pour remettre les os à neuf.

La **stimulation électrique des sites de fracture** contribue fortement à accélérer la guérison et à assurer qu'elle soit complète dans les cas de fractures qui guérissent très lentement. On sait depuis bien des années que le tissu osseux se dépose dans les régions de charge négative (régions sollicitées) et est résorbé dans les zones chargées positivement, mais on ne sait pas exactement comment l'électricité favorise la guérison. Selon une des hypothèses proposées, les champs électriques empêchent la parathormone de stimuler les ostéoclastes qui résorbent l'os au site de la fracture. Selon une autre hypothèse, les champs électriques induisent la production de facteurs de croissance qui stimulent les ostéoblastes.

Les **ultrasons**, dont nous avons évoqué l'utilisation en imagerie médicale au chapitre 1, peuvent accélérer la consolidation des fractures récentes. Une exposition quotidienne à des ultrasons en impulsions de faible intensité réduit le temps de guérison des os des bras et des tibias fracturés de 35 à 45 %. Le traitement semble pousser les chondrocytes à produire un cal fibrocartilagineux.

Les lésions osseuses les plus opiniâtres sont les fractures avec absence de formation ou d'ossification du cal, où les deux fragments d'un os brisé ne parviennent pas à se ressouder. Le traitement classique consiste à greffer dans l'interstice un morceau d'os tiré de la hanche. Mais cela nécessite plusieurs interventions pour faire les greffes, et le tiers de celles-ci ne prennent pas. Il est possible d'améliorer les chances de succès grâce à la **greffe vascularisée libre de la fibula**, qui consiste à remplacer l'os manquant par des morceaux de fibula. Les greffes par les méthodes traditionnelles échouent souvent parce que l'intérieur du greffon ne reçoit pas un apport sanguin suffisant. Grâce à cette nouvelle technique, on peut greffer des vaisseaux sanguins normaux en même temps que l'os. Le remaniement osseux qui s'ensuit produit une réplique assez fidèle de l'os d'origine.

Les implants osseux se sont révélés efficaces chez les adultes, mais ils donnent des résultats moins satisfaisants chez les enfants en pleine croissance où, pour ajuster la longueur de la prothèse à la croissance du membre, on doit périodiquement recourir à des interventions susceptibles de laisser des séquelles (infections, tissus cicatriciels...). Ce problème a été partiellement résolu, au moins pour ceux qui ont besoin d'une prothèse du genou, grâce aux **endoprothèses autoextensibles**. Le segment télescopique de ces appareils (voir la figure) permet au membre de s'allonger continuellement et automatiquement en réponse à la flexion du genou. Les tissus mous environnants, en exerçant sur la prothèse une tension qui augmente après chaque élongation, puis diminue graduellement au fur et à mesure que les tissus croissent, préviennent un allongement excessif de la prothèse.

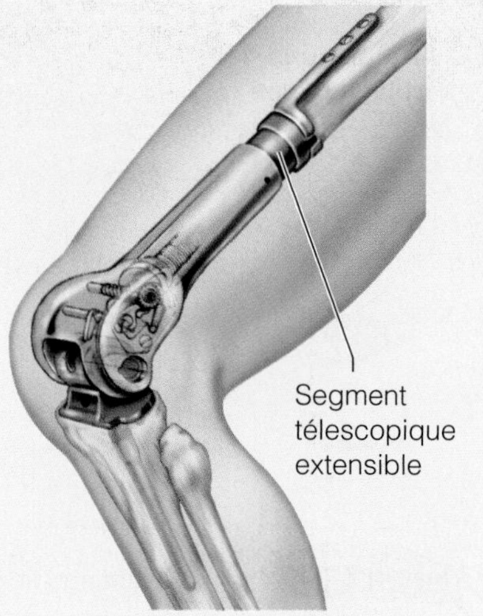
Segment
télescopique
extensible

Prothèse autoextensible du genou

L'ajustement à la croissance en longueur du membre s'effectue grâce au segment télescopique.

Beaucoup de recherches ont été faites pour mettre au point des **substituts osseux** (à partir de matériaux synthétiques ou d'os broyés prélevés sur des cadavres) capables de combler le vide dans les fractures avec absence de soudure de l'os. On mélange la poudre d'os provenant de cadavres humains à de l'eau pour obtenir une pâte à laquelle on peut donner la forme voulue ou qu'on peut faire entrer dans des endroits exigus ou difficiles d'accès. Malheureusement, l'os prélevé sur un cadavre est un tissu étranger que le système immunitaire de l'hôte est susceptible de rejeter, et il arrive que l'organisme ne parvienne pas à le remplacer par du tissu osseux nouveau, ce qu'il doit faire pour que la guérison ait lieu. De plus, il y a un risque faible mais réel de transmission de microorganismes pathogènes.

Il existe à l'heure actuelle plusieurs sortes de matériaux osseux artificiels qui peuvent servir d'échafaudages pour soutenir la formation de nouveaux os. Pro Osteon, tiré du corail, permet de contourner les problèmes de rejet occasionnés par les greffes d'os de cadavres. On chauffe le corail à 200 °C pour tuer ses cellules vivantes et convertir le carbonate de calcium qu'il contient en hydroxyapatite, le composé présent dans les os humains. L'implant de corail est ensuite moulé dans la forme voulue, stérilisé, enduit d'une substance naturelle qui stimule la croissance des os (protéines morphogénétiques osseuses) et enfin greffé. Des ostéoblastes, des ostéoclastes et des vaisseaux sanguins migrent de l'os naturel adjacent vers la structure poreuse de l'implant de corail, qui sert de support passif et est graduellement détruit et remplacé par de l'os vivant. Les recherches ont mené également à la production de plusieurs types de substituts d'os en céramique. L'un d'eux est le TCP (pour *tricalcium phosphate*), céramique biodégradable assez malléable pour qu'on puisse lui donner la forme voulue, mais, comme l'« os de corail », elle n'est pas très solide en raison des caractéristiques de la porosité de ces matériaux (taille et morphologie des pores, etc.). On l'a surtout utilisée dans le remplacement d'os non porteurs tels que ceux du crâne.

Le Norian SRS (pour *Skeletal Repair System*), ciment pour les os fait de phosphate de calcium, procure un soutien structural immédiat aux os fracturés ou ostéoporotiques, et permet aux patients de reprendre plus rapidement une vie normale. Préparé au moment de la chirurgie, le ciment est injecté dans les régions où les os sont endommagés et forme un «plâtre interne» entièrement biocompatible. La pâte durcit en quelques minutes et le produit final offre de 4 à 10 fois plus de résistance à la compression que l'os spongieux. Comme sa structure cristalline est de même type que celle de l'os naturel, le Norian SRS procure un soutien continu pendant qu'il est graduellement remanié et remplacé par le tissu osseux de l'hôte. Malheureusement, il n'est utilisable qu'aux extrémités des os longs ou pour les os non porteurs, car il ne résiste pas à la compression et à la torsion imposées à la diaphyse.

Le produit à l'essai qui est peut-être le plus prometteur est la Megagraft 1000, biocéramique mise au point par OsteoMedica. Composée d'hydroxyapatite de synthèse, qui a été chauffée à 700 à 850 °C, la biocéramique est plus résistante que les substituts décrits plus haut. Mieux encore, elle peut être moulée et sculptée pour former des pièces allongées qui peuvent combler les fissures dans la diaphyse des os longs. Elle fait essentiellement office de greffe osseuse artificielle. Dans les essais sur des animaux, elle s'est avérée jusqu'ici capable de supporter du poids, même après plusieurs mois de consolidation et de remaniement osseux naturel.

Les recherches actuelles concernent aussi les facteurs à ajouter au matériel de substitution de l'os de façon à favoriser la repousse osseuse. Le recours aux cellules souches (cellules capables de se différencier en cellules cartilagineuses ou osseuses) qu'on trouve dans la moelle osseuse ou sur l'os à réparer lui-même et l'utilisation de substances (facteurs de croissance) pouvant favoriser la prolifération et la différentiation de ces cellules semblent être une voie prometteuse.

conjonctif soudent les os entre eux, de sorte qu'ils sont maintenus fermement en place, sans possibilité de mouvement. Dans les **syndesmoses**, les fibres de tissu conjonctif sont plus longues que dans les sutures, si bien que l'articulation a plus de «jeu». L'articulation qui relie les extrémités distales du tibia et de la fibula est un exemple de syndesmose (voir la figure 5.27b).

LES ARTICULATIONS CARTILAGINEUSES

Les os sont unis par du cartilage dans les **articulations cartilagineuses**. La *symphyse pubienne* du bassin (voir la figure 5.27e) et les *articulations intervertébrales* de la colonne vertébrale (voir la figure 5.27d), où les surfaces articulaires sont reliées entre elles par des coussinets de cartilage fibreux, sont des articulations cartilagineuses semi-mobiles. Les cartilages épiphysaires des os longs en croissance forment des articulations cartilagineuses immobiles, de même que le cartilage costal entre la première côte et le sternum (voir la figure 5.27c).

LES ARTICULATIONS SYNOVIALES

Dans les **articulations synoviales**, les os s'unissent par l'intermédiaire d'une cavité remplie de liquide synovial, ou synovie (voir la figure 5.27f à h). Toutes les articulations des membres sont de ce type.

Les articulations synoviales présentent quatre caractéristiques (figure 5.28):

1. **Cartilage articulaire.** Les surfaces des os qui s'articulent sont recouvertes d'un cartilage articulaire (hyalin).
2. **Capsule articulaire.** Les surfaces articulaires sont enfermées dans une capsule articulaire constituée d'une membrane fibreuse, externe, et d'une *membrane synoviale*, interne (c'est pourquoi ces articulations sont qualifiées de *synoviales*).
3. **Cavité articulaire.** La capsule articulaire entoure une cavité articulaire remplie de liquide synovial lubrifiant.
4. **Ligaments.** La capsule articulaire est habituellement renforcée par des ligaments.

Les bourses et les gaines de tendons ne font pas véritablement partie des articulations synoviales, mais elles leur sont souvent associées (voir la figure 5.28). Ce sont essentiellement des pochettes de lubrifiant que l'on peut comparer à des roulements à billes; elles jouent en effet un rôle de prévention en réduisant la friction entre les articulations et les structures adjacentes au cours des mouvements. Les **bourses** sont des sacs fibreux aplatis, tapissés d'une membrane synoviale; elles contiennent une mince pellicule de liquide synovial. La majorité des bourses se trouvent aux endroits où les ligaments, les muscles, la peau, les tendons ou les os frottent les uns contre les autres. Une **gaine de tendon** (voir la figure 5.28) est une bourse allongée qui entoure un tendon soumis à un frottement, un peu comme le petit pain entoure la saucisse dans un hot dog.

Déséquilibre homéostatique

Une *luxation* est un déplacement des os de leur position normale dans une cavité articulaire. Seul un médecin peut replacer l'os dans sa position normale en procédant à une *réduction*. Une personne non formée qui tente ce genre de manœuvre risque d'empirer la situation plutôt que de l'améliorer. ▲

Q **Quelle est la différence structurale entre cette articulation et les articulations fibreuses et cartilagineuses ?**

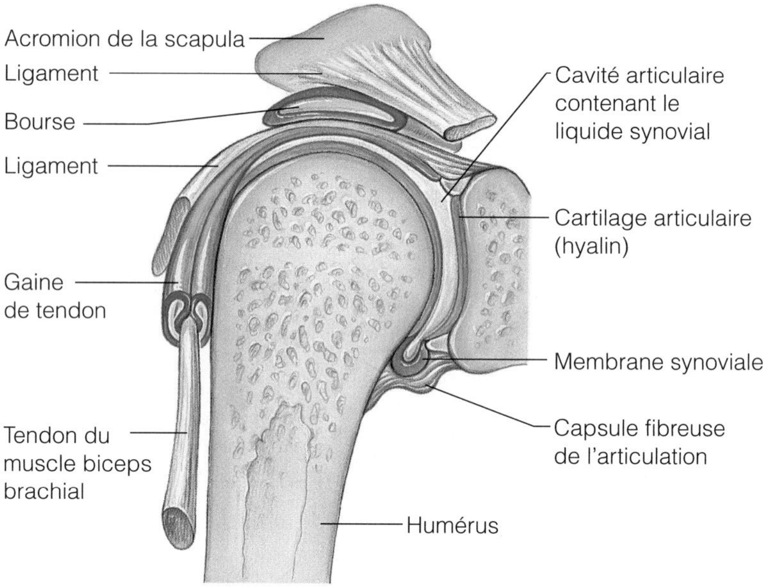

Acromion de la scapula
Ligament
Bourse
Ligament
Gaine de tendon
Tendon du muscle biceps brachial
Cavité articulaire contenant le liquide synovial
Cartilage articulaire (hyalin)
Membrane synoviale
Capsule fibreuse de l'articulation
Humérus

Figure 5.28 **La structure générale d'une articulation synoviale**

La classification des articulations synoviales selon la forme des surfaces articulaires

La forme des surfaces articulaires des os détermine la nature des mouvements autorisés par les articulations. C'est ainsi que, selon cette forme, une articulation synoviale peut être *plane*, *trochléenne*, *trochoïde*, *condylaire*, *en selle* ou *sphéroïde* (figure 5.29).

- Dans une **articulation plane** (voir la figure 5.29a), les surfaces articulaires sont plates, de faibles dimensions en général, et elles ne permettent que de petits mouvements de glissement. Ces mouvements sont de type *non axial*, c'est-à-dire qu'il n'y a aucune rotation autour d'un axe. Les articulations entre la plupart des os du carpe, dans le poignet, fournissent le meilleur exemple d'articulation plane.
- Dans l'**articulation trochléenne** (voir la figure 5.29b), l'extrémité convexe ou cylindrique d'un os s'ajuste à la surface concave d'un autre os. Le mouvement angulaire s'effectue dans un seul plan et ressemble à celui d'une charnière mécanique. C'est le cas, par exemple, des articulations du coude et de la cheville, et de celles qui se trouvent entre les phalanges des doigts. L'articulation trochléenne est dite *uniaxiale* (« un axe ») ; le mouvement qu'elle autorise s'effectue autour d'un seul axe, comme le montre l'unique flèche en violet de la figure 5.29b.
- Dans une **articulation trochoïde**, ou à pivot (voir la figure 5.29c), l'extrémité arrondie d'un os s'adapte à un anneau osseux (ou formé de ligaments) d'un autre os. Puisque l'os qui se déplace peut tourner seulement autour de son axe long, l'articulation est uniaxiale (voir la flèche unique de la figure 5.29c). L'articulation radio-ulnaire proximale et celle qui est située entre l'atlas et la dent de l'axis en sont des exemples.
- Dans une **articulation condylaire** (*kondulos*, « articulaire »), la surface articulaire convexe d'un os s'ajuste au creux complémentaire d'un autre os (voir la figure 5.29d). Dans ce cas, les deux surfaces articulaires sont ovales. L'articulation condylaire permet à l'os mobile de se déplacer 1) d'un côté à l'autre et 2) d'avant en arrière, mais lui interdit de tourner autour de son axe long. Le mouvement ayant lieu autour de deux axes, l'articulation est dite *biaxiale* (*bi*, « deux »). Les articulations métacarpophalangiennes (des jointures) sont condylaires.
- Dans l'**articulation en selle**, chacune des deux surfaces articulaires possède à la fois une partie concave dans une direction et une partie convexe dans l'autre direction, à la manière d'une selle (voir la figure 5.29e). Cette articulation biaxiale autorise essentiellement les mêmes déplacements que l'articulation condylaire. Le meilleur exemple est l'articulation carpométacarpienne

R **Les os de cette articulation ne sont pas séparés par du cartilage ou du tissu conjonctif dense, mais sont joints par une cavité articulaire.**

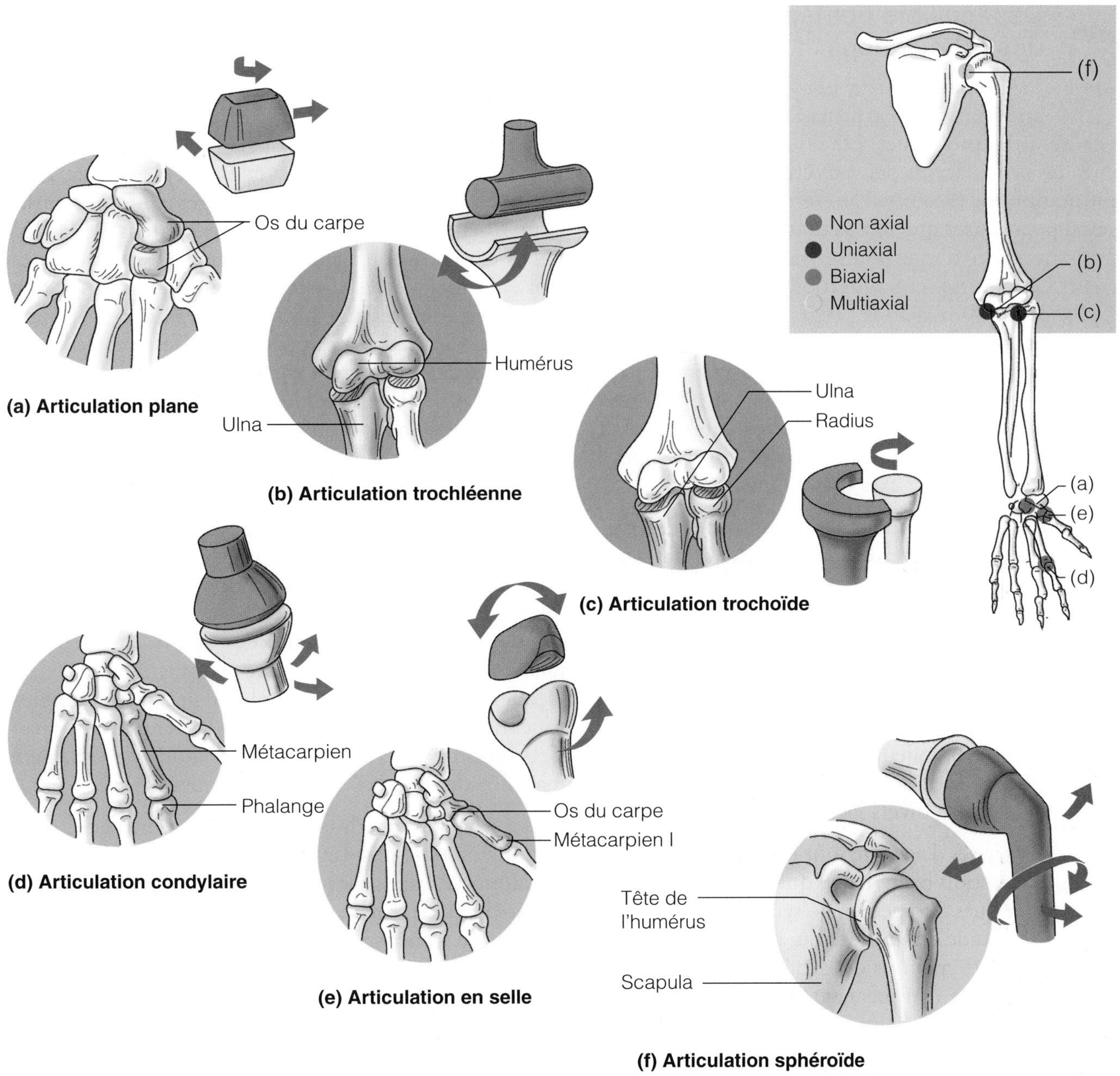
Os du carpe
(a) Articulation plane
Humérus
Ulna
(b) Articulation trochléenne
Non axial
Uniaxial
Biaxial
Multiaxial
(f)
(b)
(c)
(a)
(e)
(d)
Ulna
Radius
(c) Articulation trochoïde
Métacarpien
Phalange
(d) Articulation condylaire
Os du carpe
Métacarpien I
(e) Articulation en selle
Tête de
l'humérus
Scapula
(f) Articulation sphéroïde

Figure 5.29 **Les types d'articulations synoviales**

(a) Articulation plane (articulations entre les os du carpe et entre les os du tarse). **(b)** Articulation trochléenne (articulations du coude et articulations interphalangiennes). **(c)** Articulation trochoïde (articulation radio-ulnaire proximale). **(d)** Articulation condylaire (articulations métacarpophalangiennes). **(e)** Articulation en selle (articulation carpométacarpienne du pouce). **(f)** Articulation sphéroïde (articulations de l'épaule et de la hanche).

des pouces, et les mouvements qu'elle permet apparaissent clairement lorsqu'on «se tourne les pouces».

- Dans l'**articulation sphéroïde** (voir la figure 5.29f), la tête sphérique d'un os s'emboîte dans la cavité concave d'un autre os. Cette articulation *multiaxiale* peut bouger dans tous les plans et permet même la rotation (voir les petites flèches de la figure 5.29f). C'est l'articulation synoviale qui autorise la plus grande liberté de mouvement. Elle est représentée par les articulations de l'épaule et de la hanche.

Les divers types de mouvements qu'autorisent les articulations synoviales sont décrits en détail dans le chapitre 6, puisqu'ils sont liés à l'activité musculaire.

Déséquilibre homéostatique des articulations

La plupart d'entre nous prêtons bien peu attention à nos articulations, sauf si celles-ci nous causent des problèmes. Les douleurs et les inflammations des articulations peuvent être attribuables à un certain nombre de facteurs. Par exemple, une chute sur un genou peut causer une *bursite* douloureuse provenant de l'inflammation d'une bourse ou d'une membrane synoviale. Les entorses et les luxations (dont nous avons parlé plus haut) sont d'autres types de problèmes qui occasionnent un œdème et de la douleur. Une *entorse* est une élongation ou une déchirure des ligaments ou des tendons qui renforcent une articulation. Comme les tendons et les ligaments sont des structures de tissu conjonctif dense peu vascularisées, les entorses guérissent lentement et sont très douloureuses.

L'arthrite est l'un des troubles inflammatoires des articulations les plus douloureux. Le mot **arthrite** (*arthron*, « articulation » ; *ite*, « inflammation ») est un terme générique désignant plus d'une centaine de maladies inflammatoires ou dégénératives qui touchent les articulations. L'arthrite sous toutes ses formes affecte une personne sur six au Canada (dont un million au Québec). Au stade initial, toutes les variétés présentent plus ou moins les mêmes symptômes : douleur, raideur et enflure de l'articulation. Selon la forme spécifique de la maladie, les lésions vont atteindre divers éléments de l'articulation.

Les formes aiguës d'arthrite sont habituellement causées par une infection bactérienne qui doit être traitée à l'aide d'antibiotiques. La membrane synoviale s'épaissit et la sécrétion de liquide diminue, ce qui provoque une augmentation du frottement et de la douleur. Les variétés chroniques d'arthrite comprennent l'arthrose, la polyarthrite rhumatoïde et les arthropathies goutteuses. À des stades avancés, les symptômes et les conséquences varient pour chacune de ces maladies, que nous décrivons ci-après.

La forme d'arthrite la plus répandue est l'**arthrose**, une maladie dégénérative chronique qui s'observe plus fréquemment chez les sujets âgés (incidence maximale dans la cinquantaine) ; l'arthrose touche, à divers degrés, 700 000 personnes au Québec et près de 5 000 000 en France. Elle affecte les cartilages articulaires. Au fil des années, elle provoque le ramollissement, l'éraillement et la destruction des cartilages. À mesure que la maladie progresse, l'os dénudé s'épaissit et forme des *excroissances osseuses* qui empiètent sur les bords du cartilage érodé et réduisent l'amplitude du mouvement. Les personnes atteintes se plaignent d'une raideur au lever qui s'estompe avec l'activité physique. Les articulations touchées peuvent faire entendre un craquement (*crépitation*) lorsqu'elles bougent. Les articulations qui supportent le poids du corps (genoux, hanches, celles des vertèbres cervicales et lombaires) sont le plus souvent touchées, mais celles des doigts peuvent aussi être atteintes.

L'évolution de l'arthrose est généralement lente et irréversible, mais cette maladie est rarement invalidante. Dans la plupart des cas, un analgésique léger comme l'aspirine et un programme d'exercices modérés gardant les articulations mobiles soulagent les symptômes. Le repos est conseillé lorsque les douleurs s'intensifient. Certaines personnes atteintes d'arthrose affirment que frictionner la peau sur les articulations douloureuses avec de la capsaïcine (extrait de piment fort) leur procure un soulagement. D'autres jurent par les propriétés analgésiques du sulfate de glucosamine, qui est un supplément alimentaire.

La **polyarthrite rhumatoïde** est une maladie inflammatoire chronique au début insidieux. Elle survient habituellement chez les personnes âgées de 40 à 50 ans, mais elle peut se présenter à tout âge. Elle frappe une personne sur cent au Canada et presque trois fois plus de femmes que d'hommes. De nombreuses articulations, particulièrement celles des doigts, du carpe, du tarse et des pieds, sont atteintes en même temps et de façon symétrique. Par exemple, si le coude droit est touché, il est fort probable que le gauche le sera aussi. L'évolution de la polyarthrite rhumatoïde est variable et marquée de poussées suivies de rémissions.

La polyarthrite rhumatoïde est une maladie auto-immune, c'est-à-dire un trouble dans lequel le système immunitaire attaque les tissus de l'organisme. Le facteur déclenchant cette réaction est inconnu, mais il se pourrait que des bactéries ou des virus en soient la cause.

La polyarthrite rhumatoïde se manifeste par une inflammation de la membrane synoviale. Cette dernière s'épaissit, et le liquide synovial s'accumule et entraîne le gonflement de l'articulation. Les cellules associées à la réaction inflammatoire (lymphocytes et autres) sortent du sang, pénètrent dans la cavité articulaire et y déversent une marée de molécules inflammatoires qui, relâchées comme ici de façon inappropriée, détruisent les tissus. Avec le temps, la membrane synoviale enflammée et épaissie constitue le *pannus*, un tissu anormal qui adhère aux cartilages articulaires. Le cartilage finit par être érodé et il se forme un tissu cicatriciel qui unit les extrémités osseuses. Par la suite, ce tissu cicatriciel s'ossifie, et les extrémités des os se soudent (*ankylose*), ce qui provoque souvent la déformation des doigts (figure 5.30). Tous les cas de polyarthrite rhumatoïde n'évoluent pas jusqu'au stade de l'ankylose invalidante, mais ils se caractérisent tous par une restriction du mouvement de l'articulation et une douleur intense.

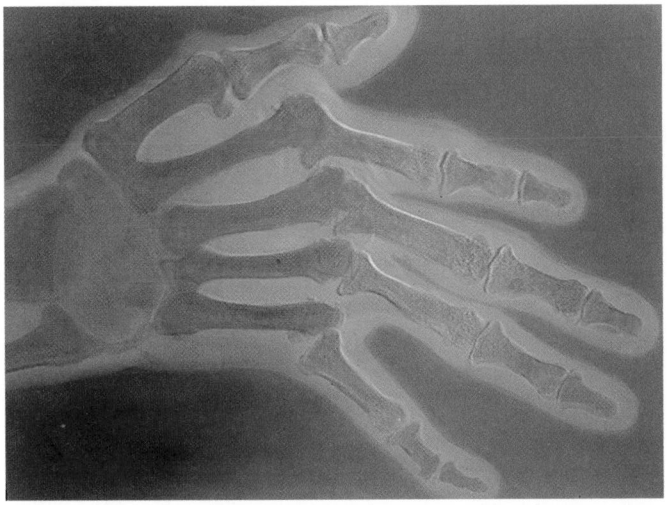

Figure 5.30 **Radiographie d'une main déformée par la polyarthrite rhumatoïde**

Le traitement actuel de la polyarthrite rhumatoïde consiste à combiner toute une variété de médicaments. Certains, comme le méthotrexate et la cyclosporine, sont des médicaments puissants capables de neutraliser les substances chimiques associées à la réaction inflammatoire qui sont présentes dans les espaces articulaires et d'empêcher (c'est ce qu'on espère) la déformation des articulations. Cependant, on commence habituellement le traitement par l'administration d'aspirine qui, en larges doses, constitue un agent anti-inflammatoire efficace. L'activité physique permet de maintenir le plus possible la mobilité des articulations. Les applications froides ont pour effet de diminuer l'œdème et la douleur, et les applications chaudes peuvent être utiles pour enrayer la raideur matinale. Les prothèses articulaires ou l'ablation de l'os sont le dernier recours des malades rendus invalides par une polyarthrite rhumatoïde grave.

Dans l'**arthropathie goutteuse**, ou **goutte**, le taux d'acide urique (déchet produit normalement par le métabolisme des purines des acides nucléiques) devient excessif; cet acide peut se déposer dans les tissus mous des articulations sous forme de cristaux effilés. Les dépôts provoquent des attaques de goutte, généralement très douloureuses. L'attaque touche habituellement une articulation à la fois, le plus souvent celle du gros orteil. La goutte est quatre fois plus fréquente chez les hommes que chez les femmes et survient rarement avant l'âge de 30 ans; elle affecte 500 000 personnes au Canada. Comme elle semble frapper des familles entières, il est probable que des facteurs héréditaires sont en jeu.

Si la maladie n'est pas traitée, elle peut provoquer de véritables ravages; les extrémités des os se soudent parfois, immobilisant ainsi les articulations. Fort heureusement, plusieurs médicaments dont la colchicine et l'ibuprofène peuvent arrêter ou prévenir les accès de goutte. Il est conseillé aux patients de perdre du poids s'ils sont obèses, de ne pas consommer d'aliments riches en purines, comme le foie, les rognons et les sardines, et d'éviter l'alcool, qui inhibe l'excrétion de l'acide urique par les reins. ▲

Le développement et le vieillissement du squelette

Nous avons vu plus haut que les premiers « os longs » d'un très jeune fœtus sont constitués de cartilage hyalin et que les premiers « os plats » du crâne sont en réalité des membranes fibreuses. À mesure que le fœtus poursuit son développement et sa croissance, ses modèles d'os plats et longs sont convertis en tissu osseux (figure 5.31). À la naissance, certaines fontanelles restent sur le crâne pour permettre la croissance de l'encéphale et s'ossifient graduellement au cours des deux premières années de vie. À la fin de l'adolescence, les cartilages épiphysaires des os longs qui assurent leur croissance en longueur pendant l'enfance s'ossifient, ce qui met un terme à la croissance des os longs.

Le squelette évolue tout au long de la vie, mais c'est chez l'enfant que les modifications sont les plus spectaculaires. À la naissance, le crâne du bébé est énorme par rapport au visage (figure 5.32). La croissance rapide du crâne avant et après la naissance suit de près le développement de l'encéphale. À deux ans, le crâne a atteint les trois quarts de sa taille adulte, et à huit ou neuf ans, il a presque atteint ses dimensions définitives. Entre 6 et 11 ans, la tête paraît grossir considérablement parce que la face se dessine. Les mâchoires augmentent en volume, les pommettes et le nez sont plus accusés; ces transformations sont liées au développement des voies respiratoires et des dents permanentes.

Les courbures primaires de la colonne vertébrale sont présentes à la naissance et montrent une convexité postérieure, conférant à l'enfant l'allure arquée d'un quadrupède. Plus tard apparaissent les courbures secondaires à convexité antérieure. Elles proviennent d'un remodelage des disques intervertébraux et non de modifications des vertèbres osseuses; elles produisent la courbure typique en forme de S que l'on observe chez l'adulte.

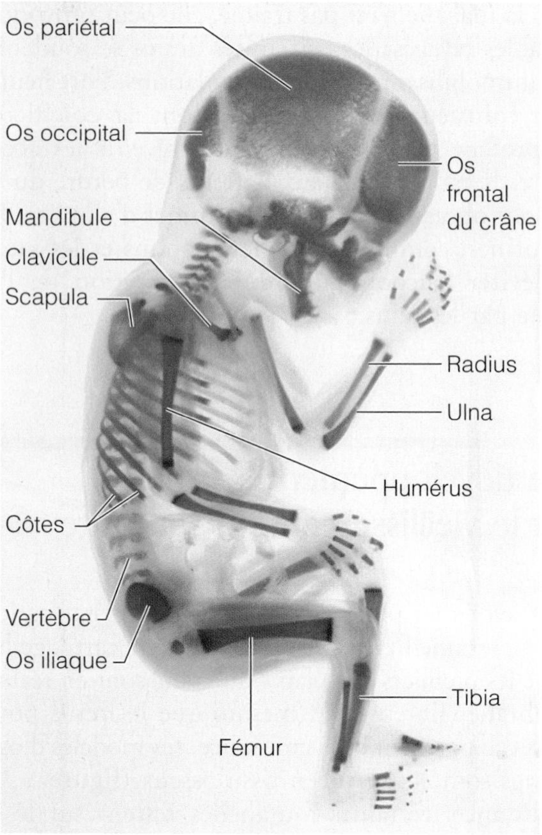
Os pariétal
Os occipital
Os frontal du crâne
Mandibule
Clavicule
Scapula
Radius
Ulna
Humérus
Côtes
Vertèbre
Os iliaque
Tibia
Fémur

Figure 5.31 **Les points d'ossification dans le squelette de ce fœtus de 12 semaines correspondent aux régions plus foncées. Les régions qui sont encore fibreuses ou cartilagineuses sont pâles.**

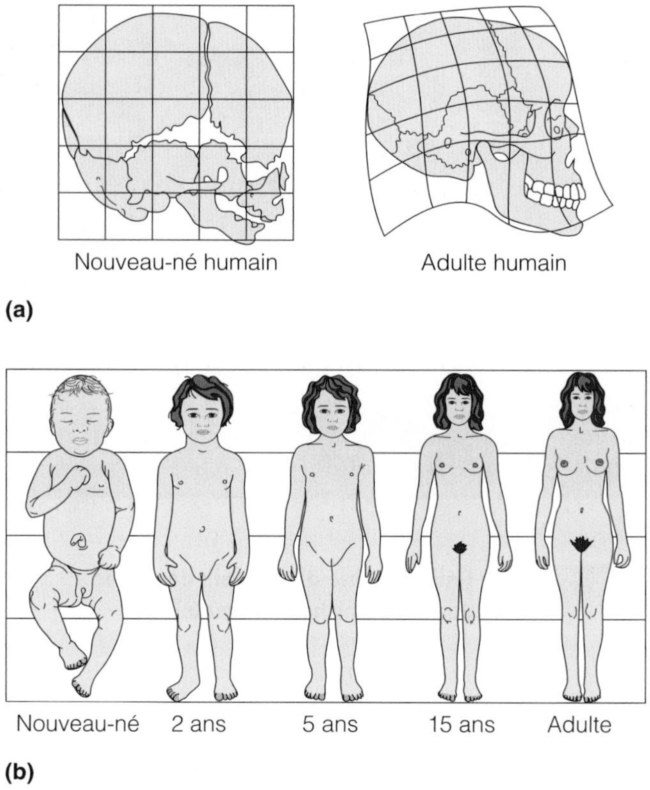
Nouveau-né humain
Adulte humain
(a)
Nouveau-né
2 ans
5 ans
15 ans
Adulte
(b)

Figure 5.32 **Les différences dans le rythme de croissance de certaines parties de l'organisme déterminant les proportions du corps**

(a) Grâce à la croissance différentielle, le crâne arrondi et court du nouveau-né se transforme pour devenir le crâne incliné de l'adulte. **(b)** Pendant la croissance de l'être humain, les bras et les jambes croissent plus rapidement que la tête et le tronc, comme l'illustre cette représentation d'individus d'âge différent mais dessinés sur une même échelle.

La plupart des anomalies touchant les courbures de la colonne vertébrale, telles la scoliose et la lordose (voir la figure 5.15), sont congénitales, mais certaines sont également causées par des lésions. Ces courbures sont habituellement corrigées par une intervention chirurgicale, une orthèse ou un plâtre. De manière générale, une personne jeune et saine n'aura aucun problème osseux si elle s'alimente bien et mène une vie raisonnablement active.

Pendant l'enfance, la croissance osseuse modifie non seulement la taille, mais également les proportions du squelette (voir la figure 5.32). Le rapport partie supérieure (PS)/partie inférieure du corps (PI) varie avec l'âge. À la naissance, il est de 1,7/1, c'est-à-dire que la tête et le tronc sont environ une fois et demie plus longs que les membres inférieurs. Ceux-ci se développant beaucoup plus vite que le tronc, le rapport n'est plus que de 1/1 environ à l'âge de 10 ans, et il demeure à peu près constant par la suite. À la puberté, le bassin des filles s'élargit en prévision d'éventuelles grossesses, et l'ensemble du squelette des garçons gagne en robustesse. Le squelette d'un adulte sain ne se modifie plus guère jusqu'à la fin de la cinquantaine.

Il est essentiel de se rappeler que les os ont besoin d'être soumis à des tensions pour rester sains. Chez les personnes physiquement actives, l'activité musculaire et la force de gravité exercent une pression sur le squelette, qui réagit en se renforcissant. Chez les personnes totalement inactives, les os s'amincissent et deviennent fragiles. L'**ostéoporose** est une maladie caractérisée par une perte de masse osseuse qui atteint 1 400 000 Canadiens et 2 000 000 de Français, soit la moitié des femmes de plus de 65 ans et quelque 20 % des hommes de plus de 70 ans. C'est une maladie « silencieuse », ne causant pas de douleur, mais elle rend les os si fragiles que même une étreinte ou un éternuement peuvent provoquer une fracture (figure 5.33). Les os de la colonne vertébrale, du poignet et de la région du col du fémur sont particulièrement vulnérables; or, les fractures du col du fémur (« fracture de la hanche ») sont mortelles dans plus de 20 % des cas (par suite d'infection ou de formation de caillots sanguins). Les tassements vertébraux font souvent courber le dos, entraînant une déformation (cyphose) qu'on nomme familièrement *bosse de sorcière* (figure 5.34).

Les œstrogènes contribuent au maintien de la densité osseuse chez la femme, et la carence en œstrogènes accompagnant la ménopause (cessation des menstruations) ou faisant suite à l'ovariectomie est une des principales causes d'ostéoporose. Les autres facteurs de risque de l'ostéoporose sont une alimentation pauvre en calcium et en protéines, une carence en vitamine D, le tabagisme, la consommation d'alcool et un manque d'exercices physiques imposant une charge aux os. Malheureusement, de nombreuses personnes âgées croient à tort que c'est en « ménageant leurs forces » et en évitant tout effort physique qu'elles resteront en bonne santé. Cette erreur les rend vulnérables aux *fractures pathologiques* (fractures spontanées sans traumatisme apparent), dont l'incidence augmente considérablement avec l'âge et qui constituent le trouble osseux le plus courant chez les personnes âgées.

FAITES-EN L'EXPÉRIENCE

Montrez que les articulations sont stabilisées par les muscles et les ligaments

Faites l'expérience qui suit pour mettre en évidence le rôle que jouent les ligaments, les tendons et les muscles dans la stabilisation des articulations. Asseyez-vous sur une chaise basse, allongez une jambe devant vous, le talon au sol, et détendez-vous. Déplacez doucement votre rotule (patella) d'un côté puis de l'autre avec vos doigts. Remarquez comment il est facile de bouger l'os. Maintenant, sans changer de position, tendez les muscles de la cuisse. Pouvez-vous encore déplacer votre rotule?

La rotule est reliée au tibia par un ligament et aux muscles de la cuisse par un tendon. Lorsque vous contractez les muscles de la cuisse, ceux-ci tirent sur le tendon et le ligament, et l'augmentation de tension immobilise la rotule. Maintenant, placez votre main juste au-dessous du genou. Observez la tension dans le ligament patellaire lorsque vous tendez puis relâchez les muscles de la cuisse.

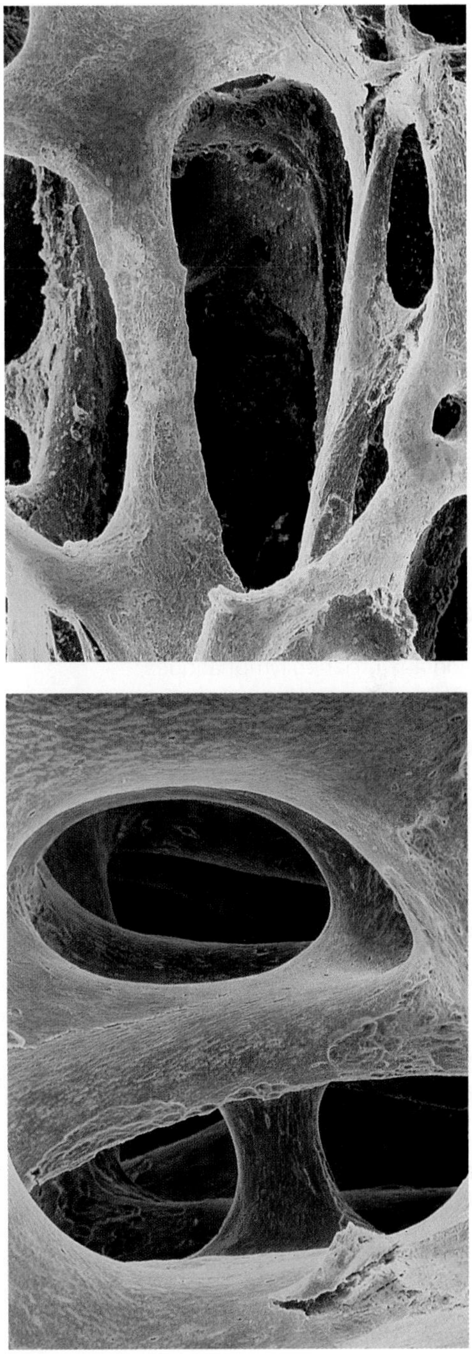

Figure 5.33 **Ostéoporose**

Architecture d'un os frappé d'ostéoporose (en haut) comparée à celle d'un os sain (en bas).

Le vieillissement n'épargne pas non plus les articulations. Les articulations portantes commencent à dégénérer et l'*arthrose* est fréquente. C'est pourquoi on entend si souvent les personnes âgées dire que leurs articulations ne leur obéissent plus.

Tous pour un, un pour tous

Les relations entre le système osseux et les autres systèmes de l'organisme

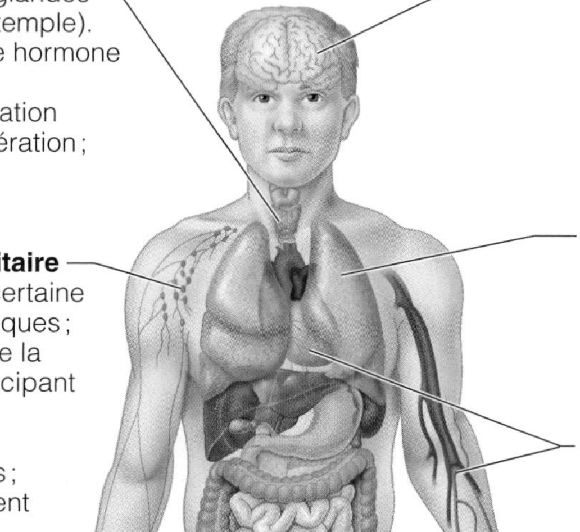

Système endocrinien
- Le système osseux fournit une certaine protection osseuse à quelques glandes endocrines (l'hypophyse, par exemple). Les ostéoblastes produisent une hormone qui agit sur le métabolisme.
- Les hormones règlent l'accumulation du calcium dans les os et sa libération ; elles favorisent la croissance et la maturation des os longs.

Système lymphatique et immunitaire
- Le système osseux fournit une certaine protection aux organes lymphatiques ; la moelle osseuse est le siège de la formation des lymphocytes participant à la réponse immunitaire.
- Le système lymphatique draine les liquides échappés des tissus ; les cellules immunitaires protègent le squelette contre les agents pathogènes.

Système digestif
- Le système osseux fournit une certaine protection osseuse aux intestins, aux organes pelviens et au foie.
- Le système digestif fournit les nutriments nécessaires au maintien et à la croissance des os.

Système urinaire
- Le système osseux protège les organes pelviens (la vessie, par exemple).
- Le système urinaire (les reins) active la vitamine D nécessaire à l'absorption du calcium ; il évacue les déchets azotés des cellules osseuses.

Système musculaire
- Le système osseux fournit des leviers ainsi que du calcium pour l'activité musculaire.
- La traction des muscles sur les os accroît leur solidité et leur vitalité ; elle contribue à la détermination de leur forme.

Système nerveux
- Le système osseux protège l'encéphale et la moelle épinière ; il sert de réservoir au calcium nécessaire au fonctionnement du système nerveux.
- Les nerfs innervent les os et les capsules articulaires, et permettent ainsi la sensation de douleur et de mouvement dans les articulations.

Système respiratoire
- Le système osseux protège les poumons en les enfermant (cage thoracique).
- Le système respiratoire fournit de l'oxygène aux cellules osseuses et en évacue le gaz carbonique.

Système cardiovasculaire
- La moelle rouge des os est le siège de la formation des globules rouges, des globules blancs et des plaquettes sanguines ; la matrice osseuse emmagasine le calcium nécessaire à l'activité du muscle cardiaque.
- Le système cardiovasculaire achemine les nutriments et l'oxygène aux cellules osseuses, et évacue leurs déchets.

Système génital
- Le système osseux fournit une certaine protection aux organes génitaux internes.
- Les gonades synthétisent des hormones qui influent sur la forme du squelette et l'ossification des cartilages épiphysaires.

Système tégumentaire
- Le système osseux fournit un support aux organes du corps, y compris la peau.
- La peau fournit la vitamine D nécessaire à la bonne absorption et à l'utilisation du calcium.

Système osseux

Figure 5.34 **Les tassements vertébraux provoqués par l'ostéoporose**

En vieillissant, les femmes atteintes d'ostéoporose post-ménopausique sont exposées aux fractures des os de la colonne vertébrale. Avec le temps, les vertèbres ont tendance à se tasser, ce qui fait courber la colonne. La personne raccourcit et devient bossue, sa cage thoracique s'affaisse et son abdomen fait saillie.

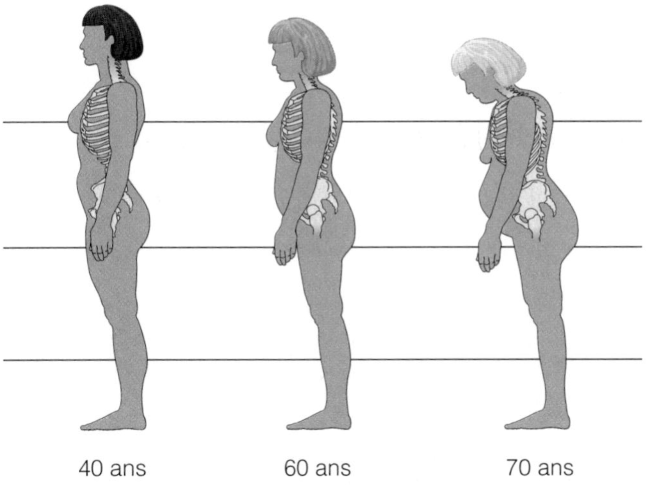
40 ans
60 ans
70 ans

Résumé du chapitre 5

LES OS : CARACTÉRISTIQUES GÉNÉRALES *(p. 128-137)*

1. Les os supportent et protègent les organes internes ; ils servent de leviers sur lesquels les muscles prennent appui pour permettre les mouvements au niveau des articulations ; ils servent de réservoir au calcium, aux graisses et à diverses substances dont l'organisme a besoin ; ils contiennent la moelle rouge, siège de la production des globules sanguins.

2. Les os sont classés en quatre groupes (longs, courts, plats et irréguliers) en fonction de leur forme et de la quantité d'os compact ou spongieux qu'ils contiennent. Le relief osseux fournit des repères anatomiques importants indiquant les points d'attache des muscles et le passage de vaisseaux sanguins et de nerfs.

3. Un os long est constitué d'un corps (diaphyse) et de deux extrémités (épiphyses). Le corps est composé d'os compact et sa cavité contient la moelle jaune. Les épiphyses sont recouvertes de cartilage hyalin et composées d'os spongieux (pouvant contenir de la moelle rouge dans certains os chez l'adulte).

4. La partie organique (fibres collagènes) de la matrice osseuse confère aux os leur souplesse, tandis que sa partie inorganique (sels de calcium) les rend durs.

5. Les os se forment à partir de « modèles » de cartilage hyalin ou de membranes fibreuses. Ces structures de soutien initiales sont remplacées par du tissu osseux. Les cartilages épiphysaires demeurent en place pour permettre la croissance en longueur des os longs pendant l'enfance et cessent leur activité à la fin de la puberté.

6. Les os changent de forme à mesure que nous vieillissons. Ce remaniement survient sous l'effet d'hormones (par exemple la parathormone, qui régit la concentration de calcium sanguin) et de tensions mécaniques s'exerçant sur le squelette.

7. Une fracture se produit lorsqu'un os se casse. Les types courants de fractures sont les fractures fermées, ouvertes, plurifragmentaires, par tassement et en bois vert. On doit procéder à une réduction de la fracture pour permettre sa guérison.

LE SQUELETTE AXIAL *(p. 137-149)*

1. La tête osseuse compte les os du crâne et les os de la face. Les huit os du crâne protègent l'encéphale ; ce sont des os pairs (temporaux et pariétaux) et des os impairs (frontal, occipital, ethmoïde et sphénoïde). Les 14 os de la face sont tous pairs (maxillaires, zygomatiques, palatins, nasaux et lacrymaux, et cornets nasaux inférieurs), à l'exception du vomer et de la mandibule. L'os hyoïde, qui ne fait pas réellement partie des os de la tête, est maintenu dans le cou par des ligaments.

2. Le crâne d'un nouveau-né contient des fontanelles (intervalles membraneux) qui permettent la croissance de l'encéphale. Chez le nouveau-né, les os de la face sont très petits par rapport à la taille de la tête.

3. La colonne vertébrale comprend 24 vertèbres, le sacrum et le coccyx. On distingue 7 vertèbres cervicales, 12 vertèbres thoraciques et 5 vertèbres lombaires, qui ont toutes des caractéristiques communes et distinctives. Les vertèbres sont séparées les unes des autres par des disques de cartilage fibreux qui confèrent à la colonne sa souplesse.

La courbure en S de la colonne est nécessaire à la position debout. Les courbures de la colonne vertébrale présentes à la naissance sont les courbures des segments thoracique et sacrococcygien ; les courbures secondaires (cervicale et lombaire) apparaissent après la naissance.

4. Le thorax osseux est formé des vertèbres thoraciques, du sternum et de 12 paires de côtes. Toutes les côtes s'articulent à l'arrière avec les vertèbres thoraciques. À l'avant, les sept premières paires de côtes s'articulent directement avec le sternum (vraies côtes) ; les cinq autres (fausses côtes) ont un point d'attache indirect ou inexistant avec le sternum. Le thorax osseux protège les poumons, le cœur et les autres organes de la cavité thoracique.

LE SQUELETTE APPENDICULAIRE *(p. 151-157)*

1. La ceinture scapulaire comprend deux os, la scapula et la clavicule, qui relient le membre supérieur au squelette axial. La ceinture scapulaire est légère et peu renforcée, ce qui procure au membre supérieur une grande liberté de mouvement.

2. Les os des membres supérieurs sont l'humérus du bras, le radius et l'ulna de l'avant-bras et les os du carpe, les métacarpiens et les phalanges de la main.

3. La ceinture pelvienne est formée de deux os coxaux (os des hanches). Chaque os coxal résulte de la fusion de l'ilium, de l'ischium et du pubis. La ceinture pelvienne est solidement fixée au sacrum du squelette axial, et la cavité de l'acétabulum qui reçoit la tête du fémur est profonde et bien renforcée. Cette ceinture reçoit le poids du haut du corps et le transfère aux membres inférieurs. Le bassin féminin est plus léger et plus large que le bassin masculin ; ses détroits supérieur et inférieur sont plus larges pour permettre le passage du bébé pendant l'accouchement.

4. Les os des membres inférieurs comprennent le fémur de la cuisse, le tibia et la fibula de la jambe, en plus des os du tarse, des métatarsiens et des phalanges du pied.

LES ARTICULATIONS *(p. 158-165)*

1. Les articulations sont les points d'union entre les os ; elles permettent la mobilité du squelette.

2. La classification fonctionnelle comprend trois catégories d'articulations : les articulations immobiles (synarthroses), semi-mobiles (amphiarthroses) et mobiles (diarthroses).

3. La classification structurale divise les articulations en articulations fibreuses, cartilagineuses ou synoviales, selon la substance qui sépare les os.

4. La plupart des articulations fibreuses sont immobiles et la plupart des articulations cartilagineuses sont semi-mobiles. Ces deux derniers types d'articulations se trouvent surtout dans le squelette axial.

5. La plupart des articulations sont synoviales ; ce type d'articulation prédomine dans les membres. Dans les articulations synoviales, les surfaces osseuses sont recouvertes de cartilage articulaire et elles sont enfermées dans une cavité articulaire entourée d'une capsule articulaire (elle-même constituée d'une membrane fibreuse et d'une membrane synoviale). Toutes les articulations synoviales sont mobiles.

6. L'arthrite, ou inflammation des articulations, est le trouble le plus fréquent qui touche les articulations. L'arthrose est le résultat de la dégénérescence des articulations au fil des ans, et elle atteint souvent les personnes âgées. La polyarthrite rhumatoïde peut s'observer autant chez les personnes jeunes que chez les personnes âgées ; on la considère comme une maladie auto-immune. Les arthropathies goutteuses, causées par des dépôts de cristaux d'acide urique, frappent habituellement une seule articulation.

LE DÉVELOPPEMENT ET LE VIEILLISSEMENT DU SQUELETTE *(p. 165-167)*

1. Les fontanelles, présentes sur le crâne à la naissance, permettent la croissance de l'encéphale et facilitent le passage de la tête pendant l'accouchement. Le développement du crâne après la naissance est lié à celui de l'encéphale. L'agrandissement du massif facial fait suite à la mise en place des dents et à l'élargissement des voies respiratoires.

2. La colonne vertébrale est arquée à la naissance (présence des courbures des segments thoracique et sacrococcygien). Les courbures secondaires apparaissent quand le bébé redresse la tête puis commence à marcher.

3. Les os longs continuent leur croissance jusqu'à la fin de l'adolescence. Le rapport PS/PI passe de 1,7/1 à 1/1 vers l'âge de 10 ans.

4. Les fractures sont le problème osseux qui touche le plus les personnes âgées. L'ostéoporose, perte de masse osseuse causée principalement par une déficience hormonale ou l'inactivité, est également fréquente dans ce groupe d'âge.

Questions de révision

QUESTIONS À CHOIX MULTIPLE

Pour certaines questions, il peut y avoir plus d'une bonne réponse.

1. Laquelle des associations qui suivent est incorrecte ?
   a) Os temporal – protection.
   b) Métacarpiens – soutien.
   c) Côtes – protection.
   d) Tibia – déplacement de l'organisme.
   e) Humérus – stockage de calcium.

2. Lesquelles des associations qui suivent sont exactes?
   a) Os court – carpe.
   b) Os long – jambe.
   c) Os irrégulier – sternum.
   d) Os plat – crâne.

3. Où trouve-t-on du cartilage dans un os long d'enfant?
   a) À la surface de l'épiphyse uniquement.
   b) À la surface de l'épiphyse et à la jonction de l'épiphyse et de la diaphyse.
   c) À la surface de la diaphyse uniquement.
   d) À la surface de l'épiphyse et de la diaphyse.
   e) À tous ces endroits.

4. Un conduit servant à faire communiquer les ostéocytes d'un ostéon se nomme:
   a) canal central.
   b) lamelle.
   c) lacune.
   d) canalicule.
   e) canal perforant de l'os compact.

5. Parmi les structures ou processus qui suivent, lesquels devraient être très développés ou manifester une grande activité dans les ostéoclastes?
   a) Le complexe golgien.
   b) Les lysosomes.
   c) Les microfilaments.
   d) L'exocytose.

6. Une douleur osseuse à l'arrière du méat acoustique externe est probablement associée à l'os:
   a) maxillaire.
   b) ethmoïde.
   c) sphénoïde.
   d) temporal.
   e) lacrymal.

7. Lesquels des os qui suivent s'articulent avec l'os sphénoïde?
   a) Pariétal.
   b) Vomer.
   c) Maxillaire.
   d) Zygomatique.
   e) Ethmoïde.

8. À quel type de vertèbres peut s'appliquer la description suivante: «Corps massif et carré et processus épineux court»?
   a) Cervicales.
   b) Thoraciques.
   c) Lombaires.
   d) Sacrales.
   e) Atlas et axis.

9. Les fausses côtes:
   a) sont toutes non rattachées au sternum.
   b) sont rattachées au sternum, mais ne s'articulent pas avec les vertèbres thoraciques.
   c) sont soit non rattachées au sternum, soit rattachées à un cartilage qui, lui, s'attache au sternum.
   d) ne s'articulent ni avec le sternum, ni avec les vertèbres thoraciques.

10. Quel processus de l'humérus s'articule avec le radius?
    a) La trochlée.
    b) Le grand tubercule.
    c) Le petit tubercule.
    d) Le capitulum.
    e) La fosse olécrânienne.

11. Quel os du bras correspond au fémur du membre inférieur?
    a) L'ulna.
    b) L'humérus.
    c) Le radius.
    d) Le tibia.
    e) La fibula.

12. Parmi les énoncés qui suivent se rapportant aux articulations, lequel est faux?
    a) Les articulations immobiles et semi-mobiles sont surtout situées dans le squelette axial.
    b) Les articulations fibreuses sont en général mobiles, les articulations cartilagineuses sont surtout semi-mobiles et les articulations synoviales sont immobiles.
    c) La jonction entre l'épiphyse et la diaphyse d'un os long en croissance est constituée d'une articulation cartilagineuse immobile.
    d) Les articulations des membres supérieurs et inférieurs sont toutes des articulations synoviales.

13. À quel moment de la vie le rapport PS/PI devient-il 1/1?
    a) À la naissance.
    b) Vers l'âge de 10 ans.
    c) À la puberté.
    d) Quand les cartilages épiphysaires fusionnent.
    e) À aucun moment.

QUESTIONS À COURT DÉVELOPPEMENT

1. Donnez trois fonctions du système osseux.

2. Quels termes anatomiques emploie-t-on pour désigner le corps d'un os long et ses extrémités? Qu'est-ce que la moelle jaune? Quelle est la différence entre l'os spongieux et l'os compact?

3. Qu'est-ce qui constitue la partie organique de l'os? la partie inorganique? Quelle propriété chacune de ces parties confère-t-elle à l'os?

4. Quelle est la différence entre «ligne épiphysaire» et «cartilage épiphysaire»?

5. Pourquoi les lésions osseuses guérissent-elles beaucoup plus rapidement que les lésions cartilagineuses?

6. Comparez le rôle de la parathormone et de la calcitonine d'une part et celui des forces mécaniques d'autre part qui agissent sur le squelette au cours du remaniement osseux. Quel effet pourrait avoir un séjour de plusieurs mois dans l'espace sur la masse osseuse d'un individu?

7. Définissez la *fracture*. Quels types de fractures frappent le plus souvent les personnes âgées ? Pourquoi les fractures en bois vert sont-elles plus fréquentes chez les enfants ?

8. Nommez les trois principales parties du squelette axial.

9. Nommez les huit os du crâne.

10. Quels os sont unis par la suture coronale ? par la suture sagittale ?

11. Tous les os de la tête sont unis par des sutures, sauf un. Nommez-le.

12. Qu'est-ce qu'une fontanelle ? Quelle est la fonction des fontanelles ? À quel moment de la vie disparaissent-elles ?

13. Quel os de la face forme le menton ? la pommette de la joue ? la mâchoire supérieure ? les proéminences sous les sourcils ? Quels os forment l'orbite de l'œil ? le palais osseux ?

14. Donnez deux caractéristiques qui distinguent la tête osseuse d'un fœtus de celle d'un adulte.

15. Nommez les cinq principaux segments de la colonne vertébrale ; combien y a-t-il de vertèbres dans chaque segment ? Quel segment est constitué des vertèbres les plus petites et les plus légères ? Lequel supporte la plus grande partie de la compression que subit la colonne vertébrale ?

16. Dessinez les courbures normales de la colonne vertébrale, puis les courbures de la scoliose et de la lordose.

17. Quelle est la fonction des disques intervertébraux ?

18. Nommez les principales composantes du thorax osseux.

19. Qu'est-ce qu'une vraie côte ? une fausse côte ? Une côte flottante est-elle une vraie côte ou une fausse côte ? Pourquoi les côtes flottantes se fracturent-elles facilement ?

20. Qu'est-ce qu'une ponction sternale ? Pourquoi pratique-t-on cette intervention au niveau du sternum ?

21. Nommez les os de la ceinture scapulaire.

22. Nommez tous les os avec lesquels l'ulna s'articule.

23. La principale fonction de la ceinture scapulaire est de procurer de la souplesse. Quelle est la principale fonction de la ceinture pelvienne ?

24. Quelle différence y a-t-il entre le pelvis et la ceinture pelvienne ?

25. Nommez les trois os qui s'associent pour former l'os coxal. Lequel de ces os est le plus grand ? Lequel comprend les tubérosités sur lesquelles nous nous asseyons ? Lequel est le plus antérieur ?

26. Donnez trois différences entre le bassin féminin et le bassin masculin.

27. Nommez les os des membres inférieurs, du haut vers le bas.

28. Quel est le seul os de notre organisme qui n'est articulé avec aucun autre ? Quel est l'os le plus mobile et le plus fort de l'organisme ?

29. Quels os forment le poignet ? la paume de la main ? la hanche ? la cheville ? le talon ? la plante du pied ?

30. Pourquoi choisit-on la fibula pour effectuer une greffe vascularisée libre ? (Voir l'encadré « Gros plan », p. 160-161.)

31. Quelles sont les deux grandes fonctions des articulations ?

32. Comparez l'amplitude de mouvement permise par les articulations immobiles, semi-mobiles et mobiles. Reliez cette classification fonctionnelle aux trois catégories d'articulations de la classification structurale (articulations fibreuses, cartilagineuses ou synoviales).

33. Décrivez la structure d'une articulation synoviale.

34. Définissez l'*arthrite*. Quel est le type d'arthrite le plus fréquent chez les personnes âgées ? Lequel soupçonne-t-on d'être une conséquence d'une attaque du système immunitaire sur les tissus articulaires ?

35. Qu'est-ce qu'une luxation ? une entorse ? une bursite ?

36. Le professeur Robert montre le foramen magnum de la tête osseuse et déclare : « Les aliments passent par cette ouverture quand vous avalez. » Certains étudiants le croient, mais d'autres disent que c'est une grossière erreur. Qu'en pensez-vous ? Justifiez votre réponse.

37. Yolande examine au microscope une préparation d'os sur une lame. Elle observe des couches concentriques autour d'une cavité ou d'un canal central. Cette coupe provient-elle de la diaphyse ou du cartilage épiphysaire de l'échantillon d'os ?

38. Donnez deux facteurs qui contribuent à maintenir les os en bonne santé. Donnez ensuite deux facteurs susceptibles de causer un ramollissement ou une atrophie des os.

Réflexion et application

1. Dans un accident de train, une femme de 75 ans et sa petite-fille de 9 ans, qui sont assises l'une à côté de l'autre, sont blessées à la poitrine. Les radiographies indiquent que la grand-mère présente plusieurs côtes fracturées, mais que la fillette n'en a aucune. Expliquez ces différences étonnantes, du moins en apparence.

2. À la suite d'un rhume grave accompagné de congestion nasale, Hélène se plaint d'une céphalée frontale et d'une

douleur du côté droit du visage. Quelles structures osseuses ont pu être infectées par des bactéries ou des virus ayant causé ce rhume ?

3. Mme Le Vaillant, 75 ans, a trébuché en marchant et a senti une terrible douleur dans la hanche gauche. À l'hôpital, un examen radiographique révèle une fracture de la hanche. On observe également que l'os compact et l'os spongieux de sa colonne vertébrale sont très minces. De quel mal souffre Mme Le Vaillant ?

4. Au travail, Bernadette reçoit sur la région deltoïdienne un carton tombé d'une étagère. À la salle d'urgence, le médecin palpe la tête de son humérus et constate qu'elle s'est déplacée dans l'aisselle. Qu'est-il arrivé à Bernadette ?

5. La radiographie du bras d'une personne victime d'un accident montre une ligne courbe à peine visible autour et vers le bas de la diaphyse de l'os. De quel genre de fracture peut-il s'agir ?

6. On se sert parfois de radiographies des os pour déterminer si une personne a fini de grandir. Qu'est-ce que les médecins vérifient dans ces cas-là ?

7. Un individu se plaint d'une douleur débutant dans la mandibule et irradiant vers le cou. L'anamnèse (ou historique de la maladie) révèle que, en cas de stress, il grince des dents. Quelle articulation est responsable de sa douleur ?

Le système musculaire

CHAPITRE 6

Lorsque vous aurez étudié le présent chapitre, vous aurez une connaissance pratique des fonctions du système musculaire ; vous devriez de plus avoir atteint les objectifs d'apprentissage énumérés ci-dessous.

Aperçu des fonctions

- ❑ Les muscles du corps produisent le mouvement, maintiennent la posture, stabilisent les articulations et dégagent de la chaleur.

OBJECTIFS D'APPRENTISSAGE

Le tissu musculaire : caractéristiques générales *(p. 176-180)*

- ❑ **1.** Décrire les ressemblances et les différences dans la structure, la fonction et le mode de fonctionnement des trois types de tissu musculaire, et préciser leur localisation dans l'organisme.
- ❑ **2.** Définir et expliquer le rôle des structures suivantes : endomysium, périmysium, épimysium, tendon et aponévrose.
- ❑ **3.** Donner et expliquer brièvement les quatre grandes fonctions des muscles squelettiques.

L'anatomie microscopique du muscle squelettique *(p. 180-182)*

- ❑ **4.** Décrire la structure microscopique du muscle squelettique ; montrer la relation entre la disposition des myofilaments d'actine et de myosine, et celle des différentes stries et zones d'un sarcomère.

L'activité du muscle squelettique *(p. 182-191)*

- ❑ **5.** Donner et expliquer les deux grandes propriétés des myocytes.
- ❑ **6.** Expliquer comment un potentiel d'action est déclenché dans un myocyte et montrer comment l'acétylcholine intervient dans ce processus.
- ❑ **7.** Décrire les événements qui se produisent au cours de la contraction d'un myocyte, d'après la théorie du glissement des filaments ; préciser le rôle du calcium, du réticulum sarcoplasmique, des myofilaments, de l'ATP et des protéines régulatrices dans la contraction.
- ❑ **8.** Définir les termes suivants, relatifs au muscle squelettique : *réponse graduée, tétanos complet, fatigue musculaire* et *tonus musculaire* ; expliquer en quoi consiste une unité motrice.
- ❑ **9.** Définir et comparer *contraction isotonique* et *contraction isométrique* ; donner un exemple pour illustrer chaque type de contraction.
- ❑ **10.** Décrire et comparer les caractéristiques des trois modes de régénération de l'ATP pendant la contraction d'un muscle squelettique.
- ❑ **11.** Définir *dette d'oxygène* et *fatigue musculaire.* Énumérer les causes possibles de la fatigue musculaire.
- ❑ **12.** Décrire les effets des exercices aérobiques et des exercices contre résistance sur les muscles squelettiques et les autres systèmes de l'organisme.

Les mouvements des muscles, les types de muscles et les noms des muscles *(p. 191-198)*

- ❑ **13.** Citer les cinq grands principes qui régissent l'activité musculaire squelettique.
- ❑ **14.** Distinguer l'origine et l'insertion d'un muscle, et décrire les fonctions des muscles agonistes, antagonistes, synergiques et fixateurs.
- ❑ **15.** Montrer, décrire ou nommer les divers types de mouvements du corps.
- ❑ **16.** Énumérer certains des critères appliqués pour nommer les muscles, et citer des noms de muscles déterminés d'après ces critères.
- ❑ **17.** Décrire les divers types d'agencements des faisceaux musculaires dans un muscle squelettique et relier ces derniers à l'amplitude et à la puissance du mouvement produit.

L'anatomie macroscopique des muscles squelettiques *(p. 198-207)*

- ❑ **18.** Nommer ou situer les principaux muscles du corps humain (sur un mannequin, dans un tableau ou sur un schéma), et indiquer l'action de chacun.
- ❑ **19.** Nommer les principaux muscles qui permettent chacune des fonctions qui suivent: la mastication, la respiration ainsi que les mouvements de la tête, de la colonne vertébrale, de l'épaule, du bras, de l'avant-bras, de la main, de la hanche, de la cuisse, de la jambe et du pied.
- ❑ **20.** Indiquer la principale différence qui existe entre la fonction générale des muscles de la ceinture scapulaire et celle des muscles de la ceinture pelvienne.

Le développement et le vieillissement du système musculaire *(p. 207-213)*

- ❑ **21.** Expliquer l'importance de l'innervation et de l'exercice dans le maintien de l'intégrité musculaire.
- ❑ **22.** Décrire les changements qui se produisent dans les muscles au cours du vieillissement.
- ❑ **23.** Présenter les symptômes et les causes possibles de deux des principaux problèmes qui touchent le système musculaire, soit la dystrophie musculaire progressive de Duchenne et la myasthénie.

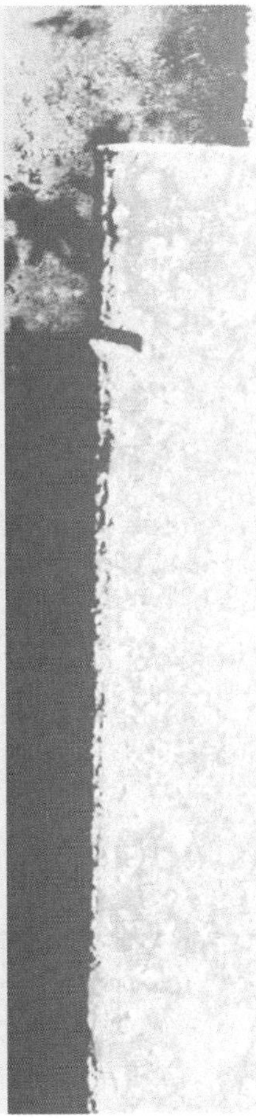

Parce que les muscles au travail lui faisaient penser à des souris s'activant sous la peau, un scientifique du début du XIVe siècle leur a donné le nom de *muscles*, du mot latin *musculus* qui désigne la souris (*Mus musculus*). En effet, lorsqu'on entend parler de muscles, ce sont souvent ceux, bien visibles, des boxeurs ou des haltérophiles qui viennent à l'esprit. Mais le cœur et les parois des autres organes creux contiennent aussi une certaine proportion de tissu musculaire. Sous ses différentes formes, celui-ci constitue près de la moitié de notre masse corporelle.

La fonction essentielle du muscle est de *se contracter*, c'est-à-dire de *se raccourcir*. En raison de cette caractéristique unique, le muscle est un tissu qui se distingue de tous les autres tissus du corps humain. Grâce à leur capacité de se contracter, les muscles sont responsables de presque tous les mouvements de l'organisme. On peut les considérer comme les moteurs du corps.

Le tissu musculaire: caractéristiques générales

LES TYPES DE MUSCLES

Il existe trois types de tissu musculaire: squelettique, cardiaque et lisse. Comme le résume le tableau 6.1, ces types de tissu diffèrent par la structure de leurs cellules (appelées *myocytes*, comme nous l'avons vu au chapitre 3), par leur localisation dans le corps et par la façon dont leurs contractions se déclenchent. Toutefois, avant de nous pencher sur leurs différences, examinons quelques-uns de leurs points communs.

D'abord, les myocytes ont une forme très allongée (cette caractéristique est moins marquée chez les myocytes cardiaques, cependant). C'est pour cette raison que les cellules musculaires en général sont aussi appelées

Tableau 6.1 **Comparaison des muscles squelettiques, cardiaque et lisses**

Caractéristiques	Muscles squelettiques	Muscle cardiaque	Muscles lisses
Localisation	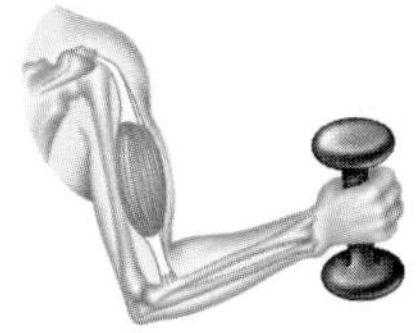 Attachés aux os ou, pour certains muscles faciaux, à la peau	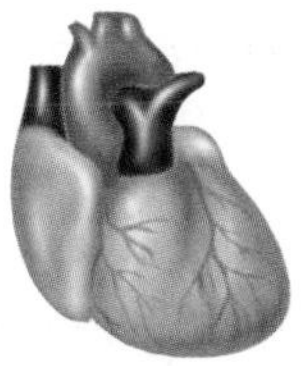 Parois du cœur	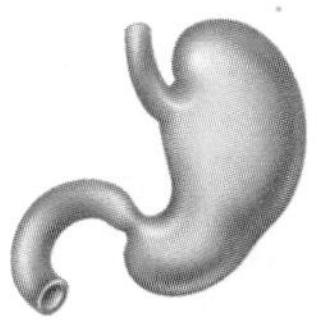 Surtout dans les parois des organes viscéraux creux (autres que le cœur)
Forme et apparence des cellules	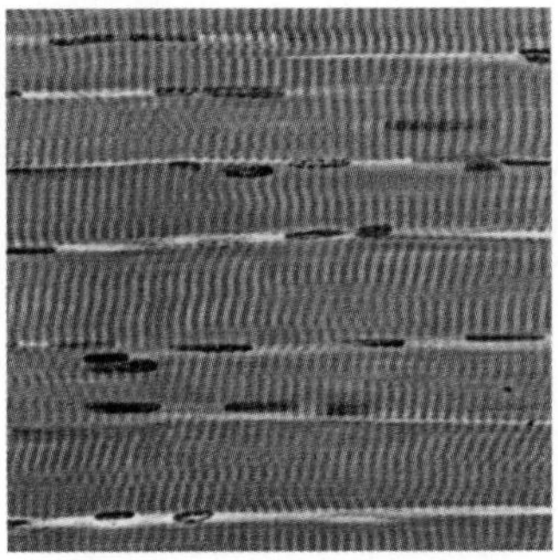  Cellules autonomes, très longues, cylindriques, multinucléées et portant des stries très évidentes	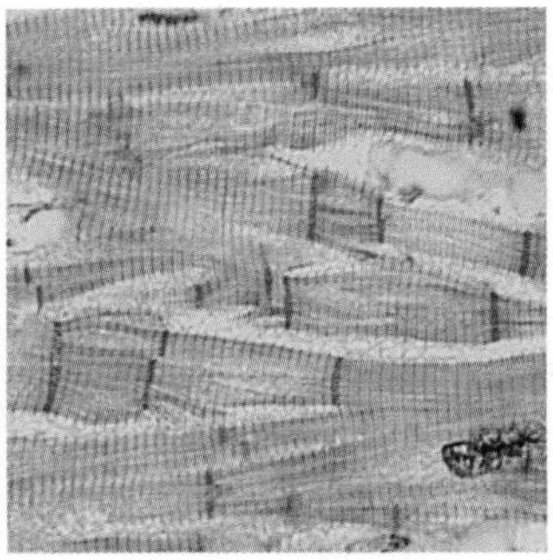  Chaînes ramifiées de cellules ; à un seul noyau ; striées ; disques intercalaires	  Cellules autonomes, fusiformes, à un seul noyau ; non striées
Régulation de la contraction	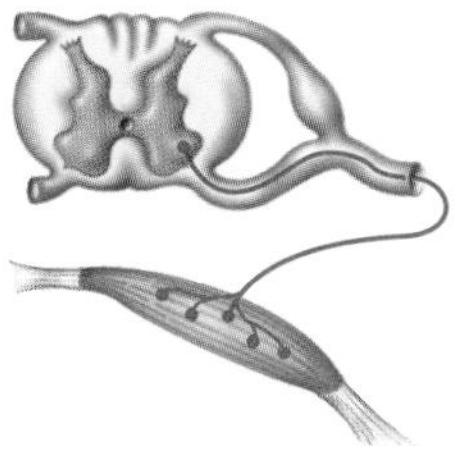 Volontaire ; par l'intermédiaire du système nerveux	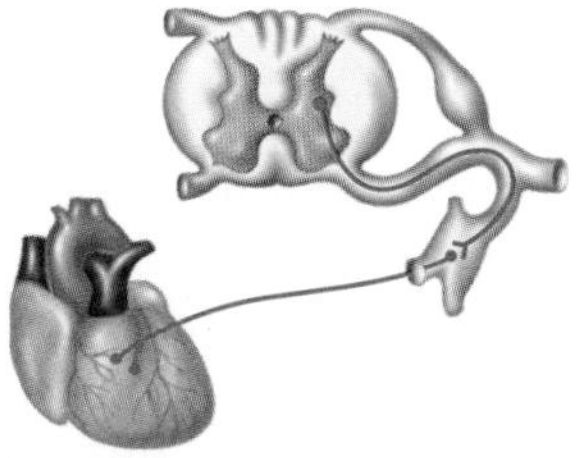 Involontaire ; le cœur possède un système intrinsèque de régulation ; par l'intermédiaire du système nerveux ; hormones	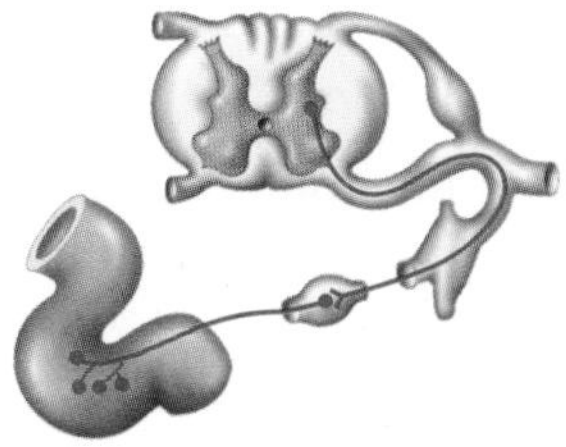 Involontaire ; par l'intermédiaire du système nerveux ; hormones, substances chimiques, étirement
Vitesse de la contraction	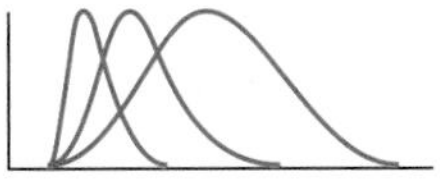 De lente à rapide	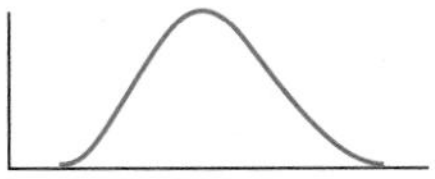 Lente	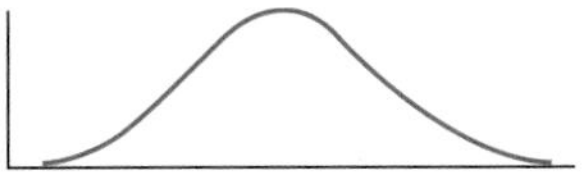 Très lente
Contractions rythmiques	Non	Oui	Oui, dans certains muscles

fibres musculaires. Ensuite, la capacité d'un muscle de se raccourcir ou de se contracter dépend de deux types de *myofilaments*, qui sont les équivalents musculaires des microfilaments du cytosquelette décrits au chapitre 3.

Enfin, le troisième point commun se rapporte à la terminologie : chaque fois que vous verrez les préfixes *myo* ou *my* (« muscle »), ou *sarco* (« chair »), vous saurez qu'il sera fait référence au muscle. Par exemple, dans les myocytes, le cytoplasme est appelé *sarcoplasme.*

Les muscles squelettiques

Les **fibres musculaires squelettiques** forment les organes appelés *muscles squelettiques* qui s'attachent au squelette. Notre charpente osseuse présente un grand nombre de saillies et de protubérances ; en la recouvrant, les *muscles squelettiques* contribuent à en adoucir les contours. Les fibres musculaires squelettiques sont des cellules multinucléées (des centaines de noyaux par cellule) en forme de cigare. Des trois types de fibres musculaires, ce sont les fibres ayant les dimensions les plus grandes (certaines atteignent 30 cm de longueur). En fait, dans les gros muscles qui travaillent beaucoup, comme les muscles antigravifiques de la hanche, les fibres sont tellement grosses et épaisses qu'on pourrait les voir à l'œil nu.

Le muscle squelettique est aussi un **muscle strié**, parce que ses fibres semblent former des stries, et un **muscle volontaire**, parce qu'il est le seul type de muscle soumis à la volonté. Par ailleurs, il faut savoir que les muscles squelettiques peuvent également être activés par des réflexes, c'est-à-dire involontairement. Lorsque vous pensez au tissu musculaire squelettique, vous devez avoir à l'esprit ces trois mots clés : *squelettique*, *strié* et *volontaire.* Le tissu musculaire squelettique peut se contracter rapidement et avec une grande force, mais il se fatigue aussi rapidement et doit prendre du repos après de courtes périodes d'intense activité.

Comme toutes les cellules vivantes, les fibres musculaires squelettiques sont molles et étonnamment fragiles. Pourtant, les muscles squelettiques sont capables d'exercer une très grande force – même que la force qu'ils déploient est souvent de loin supérieure à ce qui est nécessaire pour faire le travail. Comment cela se fait-il ? Si les muscles squelettiques ne se déchirent pas lorsqu'ils exercent une force, c'est parce que des milliers de leurs fibres sont enveloppées ensemble dans du tissu conjonctif, lequel procure résistance et soutien à l'ensemble du muscle (figure 6.1). Chaque fibre musculaire est recouverte d'une fine gaine de tissu conjonctif appelée **endomysium**. Plusieurs fibres et leur endomysium sont enveloppés à leur tour d'une membrane fibreuse plus épaisse appelée **périmysium** pour constituer un ensemble de fibres qui porte le nom de **faisceau**. De nombreux faisceaux sont regroupés dans un revêtement encore plus résistant de tissu conjonctif, l'**épimysium**, qui recouvre l'ensemble du muscle. Les épimysiums peuvent attacher les muscles *directement* à des os ou à des cartilages, ou fusionner pour constituer des structures résistantes en forme de cordon, les **tendons**, ou en forme de feuillet, les **aponévroses** ; ces deux types de structures attachent alors *indirectement* les muscles aux revêtements de tissu conjonctif des os et des cartilages.

En plus de l'ancrage des muscles, les tendons assurent plusieurs fonctions. Les plus importantes sont liées à leur solidité et à leur petite taille qui permet de conserver l'espace. Comme ils sont composés presque entièrement de fibres collagènes résistantes, les tendons supportent beaucoup mieux la friction des saillies osseuses que le tissu musculaire, qui est délicat et pourrait se déchirer. Par ailleurs, grâce à leur taille relativement petite, les tendons peuvent traverser une articulation en plus grand nombre que les muscles, plus charnus.

Q **Quelle est la signification de *epi*? de *my*? Qu'est-ce que ces racines grecques nous apprennent sur le rôle et l'emplacement de l'épimysium ?**

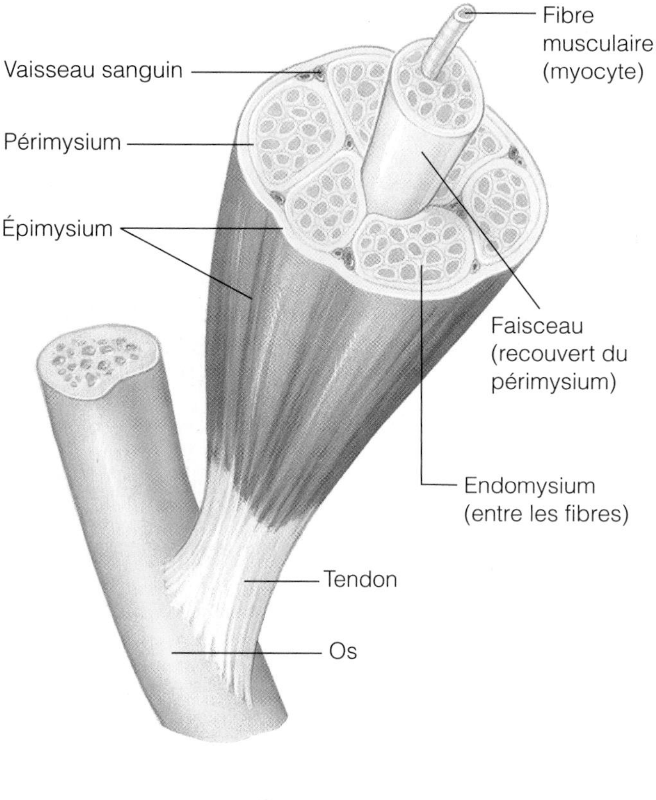
Fibre musculaire (myocyte)
Vaisseau sanguin
Périmysium
Épimysium
Faisceau (recouvert du périmysium)
Endomysium (entre les fibres)
Tendon
Os

Figure 6.1 **Les enveloppes de tissu conjonctif d'un muscle squelettique**

R ***Épi***, **« sur », « au-dessus », et *my*, « muscle ». L'épimysium est une membrane qui entoure le muscle.**

On pense souvent que les muscles forment tous une «protubérance» dont les deux extrémités sont amincies. Toutefois, la façon dont leurs fibres sont disposées varie considérablement. Dans de nombreux muscles, les fibres sont en fuseau, comme nous venons de le décrire, mais dans d'autres muscles, elles sont en éventail ou en cercle (voir p. 197).

Les muscles lisses

Les **muscles lisses** ne sont pas striés et sont involontaires, c'est-à-dire qu'ils ne sont pas soumis à la volonté. Ils se trouvent principalement dans les parois des organes viscéraux creux tels que l'estomac, la vessie et les voies respiratoires. Leur fonction consiste à propulser des substances dans certaines voies de l'organisme. Les mots qui décrivent le mieux le muscle lisse sont *viscéral, non strié* et *involontaire.*

Comme nous l'avons décrit au chapitre 3, les myocytes lisses sont fusiformes et possèdent un seul noyau (voir aussi le tableau 6.1). Leurs fibres sont disposées en couches, le plus souvent au nombre de deux: l'une circulaire et l'autre longitudinale, comme le montre la figure 6.2a. Lorsqu'elles se contractent et se relâchent en alternance, les deux couches changent la taille et la forme de l'organe. Le mouvement des aliments dans le tube digestif ainsi que l'évacuation de la vessie et des intestins sont des exemples d'activités d'«entretien» normalement accomplies par les muscles lisses. Les contractions des fibres musculaires lisses sont lentes et soutenues. Si l'on peut comparer le muscle squelettique à une voiture rapide qui s'épuise vite, alors on peut comparer le muscle lisse à une machine puissante qui fonctionne inlassablement. Comme nous le verrons dans les prochains chapitres, les deux types de muscles sont toutefois nécessaires dans l'accomplissement d'une même grande fonction de l'organisme: la digestion, par exemple, commence par des contractions de muscles squelettiques (la mastication dans la bouche) et se poursuit plus loin dans l'estomac et l'intestin en faisant intervenir des contractions de muscles lisses.

Le muscle cardiaque

Le **muscle cardiaque** se trouve à un seul endroit dans l'organisme, le cœur, qui agit comme une pompe pour propulser le sang dans les vaisseaux sanguins et dans tous les tissus de l'organisme. Le muscle cardiaque est strié comme les muscles squelettiques. Il est involontaire comme les muscles lisses et n'est pas soumis à la volonté chez la plupart d'entre nous. Les mots clés à retenir pour ce type de muscle sont donc *cardiaque, strié* et *involontaire.*

Les fibres musculaires cardiaques sont recouvertes de petites quantités de tissu conjonctif souple. Elles sont disposées en spirales ou en faisceaux en forme de 8, comme le montre la figure 6.2b. Lorsque le cœur se contracte, ses cavités internes deviennent plus petites, propulsant le sang dans les grosses artères qui le quittent. Rappelez-vous que les fibres musculaires cardiaques sont des cellules ramifiées reliées par des jonctions particulières appelées *disques intercalaires* (voir la figure 3.20b, p. 92). C'est grâce à ces deux caractéristiques structurales, ainsi qu'à la disposition en spirales des faisceaux musculaires du cœur, que l'activité cardiaque est étroitement coordonnée. Le muscle cardiaque se contracte à un rythme relativement constant déterminé par le centre rythmogène (centre de régulation intrinsèque situé dans la paroi du cœur), mais le système nerveux peut aussi le faire fonctionner en accéléré durant de courts moments, par exemple lorsque vous courez pour attraper l'autobus.

Le tissu musculaire cardiaque joue donc un rôle primordial dans la circulation du sang, mais il est assisté des deux autres types de tissus musculaires: le travail des muscles lisses qui se trouvent dans la paroi des artères est aussi essentiel au fonctionnement du système circulatoire (nous l'expliquons au chapitre 11), tandis que la contraction des muscles squelettiques pendant un exercice favorise la circulation.

LES FONCTIONS DES MUSCLES

Les muscles de notre organisme exercent quatre fonctions importantes: ils *produisent le mouvement, maintiennent la posture, stabilisent les articulations* et *dégagent de la chaleur.*

La production du mouvement

Presque tous les mouvements du corps humain se font grâce à des contractions musculaires. La mobilité de l'ensemble du corps résulte de l'activité des muscles squelettiques, qui assurent la locomotion (la marche, la nage et le ski de fond, par exemple) et la manipulation. Les muscles squelettiques nous permettent de réagir rapidement aux événements qui surviennent dans notre environnement. Ainsi, grâce à leur rapidité et à leur puissance, nous pouvons bondir au dernier moment pour éviter une voiture folle puis suivre des yeux sa fuite. Les muscles squelettiques nous permettent aussi d'exprimer nos émotions par des sourires ou des froncements de sourcils.

Ces mouvements sont différents de ceux qui sont produits par les muscles lisses des parois des vaisseaux sanguins et par le muscle cardiaque, qui travaillent ensemble pour faire circuler le sang et maintenir la pression artérielle. Ils sont différents également de ceux qui sont effectués par les muscles lisses des organes creux

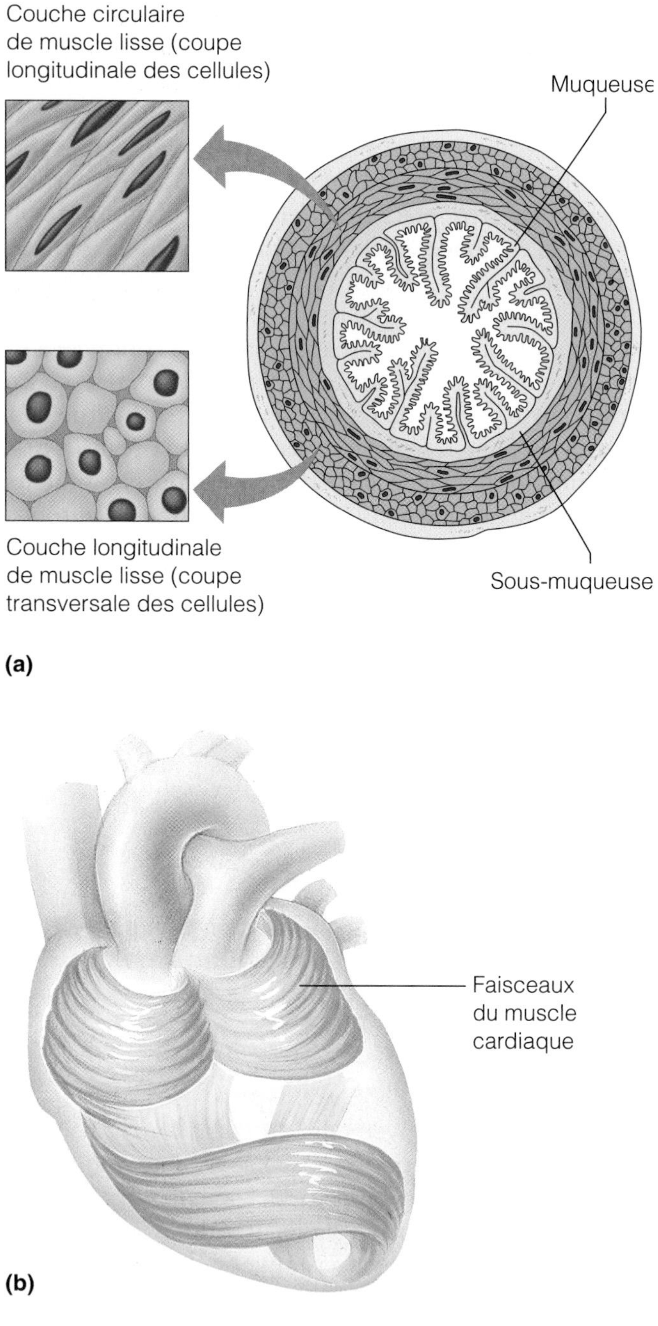
Couche circulaire de muscle lisse (coupe longitudinale des cellules)
Muqueuse
Couche longitudinale de muscle lisse (coupe transversale des cellules)
Sous-muqueuse
(a)
Faisceaux du muscle cardiaque
(b)

Figure 6.2 **La disposition des myocytes lisses et cardiaques**

(a) Représentation schématique d'une coupe transversale de l'intestin. Les couches circulaire et longitudinale des muscles montrent respectivement une coupe longitudinale et une coupe transversale de fibres musculaires lisses. **(b)** Vue longitudinale du cœur montrant la disposition en spirale des myocytes cardiaques des parois.

qui déplacent des liquides (urine, bile) et des substances (aliments) dans les divers conduits de l'organisme, ou le fœtus à l'accouchement.

Le maintien de la posture

Nous sommes rarement conscients du fonctionnement des muscles squelettiques qui déterminent notre posture. Leur action cependant est presque constante : ils effectuent sans cesse des ajustements infimes grâce auxquels nous pouvons conserver notre posture assise ou debout malgré l'effet omniprésent de la force de la gravité.

La stabilisation des articulations

Au cours même de la traction qu'ils exercent pour déplacer les os, les muscles stabilisent les articulations du squelette. En fait, les tendons des muscles jouent un rôle extrêmement important dans le renforcement et la stabilisation des articulations dont les surfaces articulaires ne sont pas parfaitement complémentaires, comme celle de l'épaule.

Le dégagement de chaleur

La quatrième fonction des muscles, le dégagement de chaleur, résulte de l'activité musculaire. Lorsque l'ATP est utilisé pour produire une contraction musculaire, presque 75 % de son énergie se perd sous forme de chaleur. Cette chaleur revêt une importance vitale, car elle maintient l'organisme à une température adéquate. Étant donné que les muscles squelettiques constituent au moins 40 % de la masse corporelle, c'est le type de muscles qui dégage le plus de chaleur.

Ainsi que vous le constatez, chacun des trois types de muscles possède une structure et une fonction parfaitement adaptées au travail qu'il doit accomplir dans l'organisme. Cependant, comme le terme **système musculaire** s'applique de façon particulière aux muscles squelettiques, c'est sur ce type de muscles que nous nous concentrerons dans le présent chapitre. Le tableau 6.1 (p. 177) résume les aspects structuraux et fonctionnels les plus importants des trois types de muscles.

L'anatomie microscopique du muscle squelettique

Ainsi que nous l'avons mentionné et comme le montre la figure 6.3a, les myocytes squelettiques sont multinucléés. De nombreux noyaux ovales se trouvent juste au-dessous de la membrane plasmique, qui est appelée **sarcolemme** (« enveloppe du muscle ») dans les myocytes. Le sarcolemme se prolonge à l'intérieur de la cellule en y formant de longs tuyaux appelés **tubules T**, ou *tubules transverses*, qui constituent des canaux de communication.

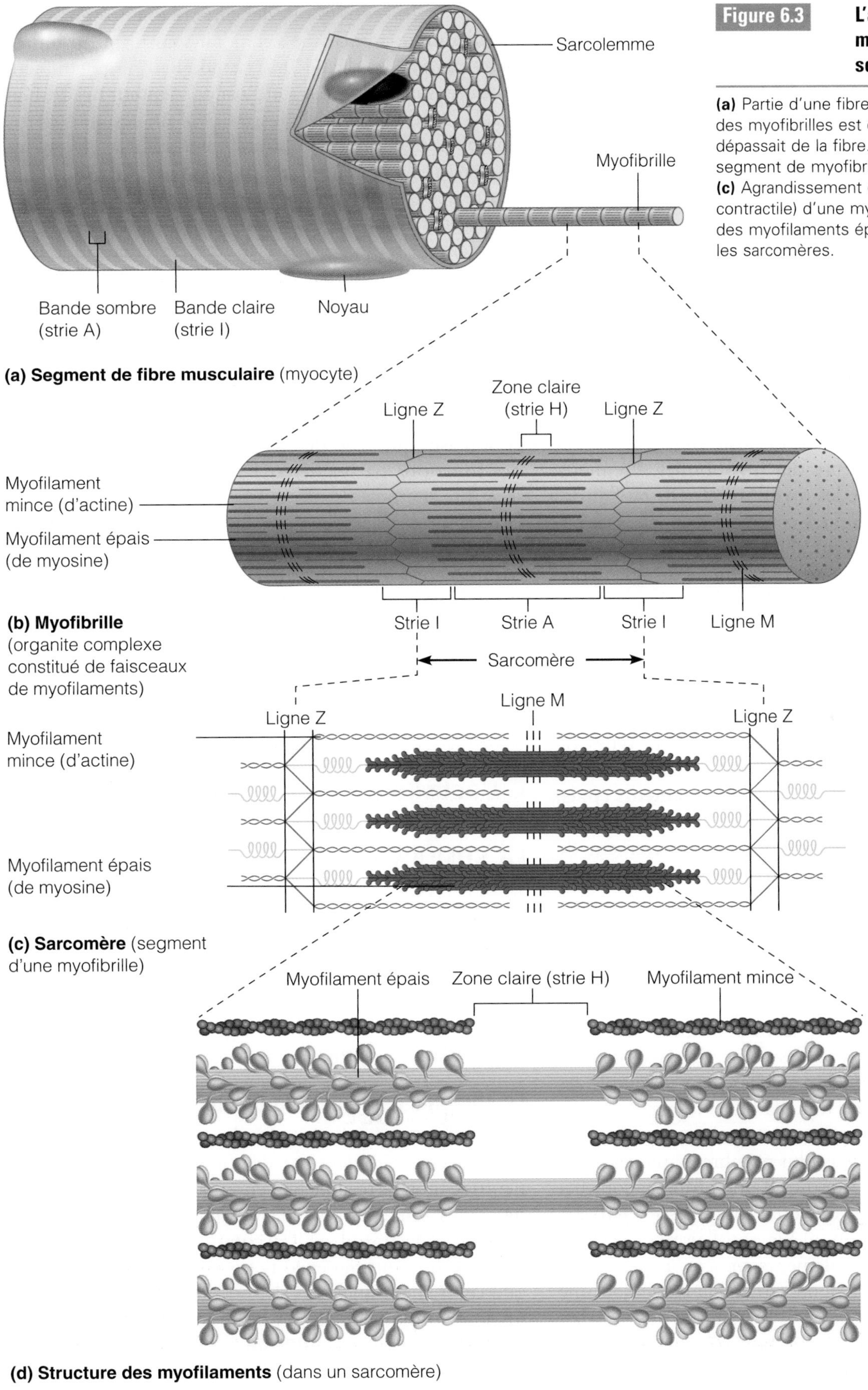

Sarcolemme
Myofibrille
Bande sombre (strie A)
Bande claire (strie I)
Noyau
(a) Segment de fibre musculaire (myocyte)
Zone claire (strie H)
Ligne Z
Ligne Z
Myofilament mince (d'actine)
Myofilament épais (de myosine)
Strie I
Strie A
Strie I
Ligne M
(b) Myofibrille (organite complexe constitué de faisceaux de myofilaments)
Sarcomère
Ligne M
Ligne Z
Ligne Z
Myofilament mince (d'actine)
Myofilament épais (de myosine)
(c) Sarcomère (segment d'une myofibrille)
Myofilament épais
Zone claire (strie H)
Myofilament mince
(d) Structure des myofilaments (dans un sarcomère)

Figure 6.3 **L'anatomie d'une fibre musculaire (myocyte) squelettique**

(a) Partie d'une fibre musculaire. L'une des myofibrilles est dessinée comme si elle dépassait de la fibre. **(b)** Agrandissement d'un segment de myofibrille et de son aspect strié. **(c)** Agrandissement d'un sarcomère (unité contractile) d'une myofibrille. **(d)** Structure des myofilaments épais et minces constituant les sarcomères.

Le myocyte possède des organites uniques en forme de ruban, les **myofibrilles**, qui remplissent presque tout le cytoplasme. Le long des myofibrilles parfaitement alignées se trouve une alternance de bandes claires et de bandes sombres appelées respectivement **stries I** et **stries A** (à des fins mnémotechniques, vous pouvez associer le I à *illuminé* et le A à *assombri*). Ces bandes donnent à l'ensemble de la cellule un aspect strié. Lorsqu'on examine de plus près les stries, on remarque qu'au milieu de chaque strie I se trouve une zone plus foncée appelée *ligne Z*, et qu'au milieu de chaque strie A se trouve une zone plus claire appelée *zone claire*, ou *strie H* (figure 6.3b). La *ligne M* au milieu de la zone claire contient des protéines qui ressemblent à de petits barreaux attachant ensemble les myofilaments épais adjacents.

Mais pourquoi se préoccuper de toutes ces lignes, zones et stries ? Parce que leur disposition révèle l'aspect fonctionnel de la structure des myofibrilles. Premièrement, il faut savoir que les myofibrilles sont en fait des chaînes de minuscules unités contractiles appelées **sarcomères**. Les sarcomères sont alignés bout à bout comme les wagons d'un train sur toute la longueur des myofibrilles. Deuxièmement, c'est la disposition de structures encore plus petites (myofilaments), à l'*intérieur* des sarcomères, qui donne aux myofibrilles leur aspect strié.

Examinons comment la disposition ordonnée des myofilaments confère l'aspect strié. Dans chacun des sarcomères (les « wagons ») se trouvent deux types de **myofilaments**, structures filiformes constituées de protéines contractiles (figure 6.3c). Les **myofilaments épais**, ou *filaments de myosine*, sont les plus gros et les moins nombreux ; ils sont composés presque entièrement de molécules entassées d'une protéine appelée **myosine**, mais ils contiennent également de l'ATPase, une enzyme qui dissocie l'ATP pour produire l'énergie nécessaire à la contraction musculaire. Remarquez que les myofilaments épais parcourent toute la longueur de la strie A. Notez aussi que la partie centrale d'un myofilament épais est lisse, mais que ses extrémités sont parsemées de petites saillies (figure 6.3d). Ces saillies ou *têtes* de myosine sont appelées **ponts d'union** lorsqu'elles lient ensemble les myofilaments épais et les myofilaments minces pendant la contraction. Les **myofilaments minces**, plus petits en diamètre mais deux fois plus nombreux que les myofilaments épais, sont composés d'une protéine contractile appelée **actine** et de quelques protéines régulatrices qui participent à la liaison ou à la non-liaison de la myosine à l'actine. Les myofilaments minces, ou *filaments d'actine*, sont ancrés à la ligne Z (laquelle est en fait une membrane en forme de disque). Remarquez que la strie I comporte des parties de deux sarcomères adjacents et contient *seulement* les filaments minces. Bien qu'ils dépassent les extrémités des myofilaments épais, les myofilaments minces ne s'étendent pas jusqu'au milieu d'un sarcomère relâché ; par conséquent, la région centrale du sarcomère (la zone claire, dépourvue de filaments d'actine) semble effectivement un peu plus claire. Lorsqu'une contraction survient et que les filaments contenant de l'actine glissent les uns vers les autres au centre des sarcomères, ces zones claires disparaissent, car les filaments d'actine et de myosine se chevauchent alors entièrement. Pour l'instant, toutefois, retenez que c'est la disposition ordonnée des myofilaments dans les myofibrilles qui donne leur aspect strié aux myocytes squelettiques.

Dans la fibre musculaire se trouve un autre organite très important qui n'apparaît pas dans la figure 6.3 : le **réticulum sarcoplasmique** (**RS**), soit un réticulum endoplasmique lisse de structure complexe et assurant des fonctions particulières. Le réseau de tubules et de sacs (ou citernes) du RS enlace chaque myofibrille, un peu comme la manche d'un chandail aux mailles lâches recouvre votre bras. La fonction principale de ce réseau complexe est d'emmagasiner le calcium et de le libérer sur demande lorsqu'une stimulation entraîne la contraction de la fibre musculaire. Comme nous le verrons plus loin, cette libération de calcium est le signal qui donne le feu vert à la contraction.

L'activité du muscle squelettique

LA STIMULATION ET LA CONTRACTION D'UN MYOCYTE SQUELETTIQUE

Les myocytes possèdent deux propriétés particulières qui leur permettent d'accomplir leurs fonctions. La première est l'*excitabilité*, soit la faculté de percevoir un stimulus et d'y répondre. La seconde est la *contractilité*, soit la capacité de se contracter (avec force) en présence de la stimulation appropriée.

Le stimulus nerveux et le potentiel d'action

Pour se contracter, les cellules des muscles squelettiques doivent être stimulées par des influx nerveux. Un seul neurone moteur (cellule nerveuse) peut stimuler quelques myocytes seulement ou des centaines selon le muscle sollicité et le travail qu'il accomplit. On appelle **unité motrice** un neurone et tous les myocytes squelettiques que celui-ci stimule (figure 6.4). Le neurone comporte un long prolongement filiforme appelé *neurofibre*, ou **axone**. Lorsqu'il se rend jusqu'au muscle, un axone se ramifie en un certain nombre de **terminaisons axonales**

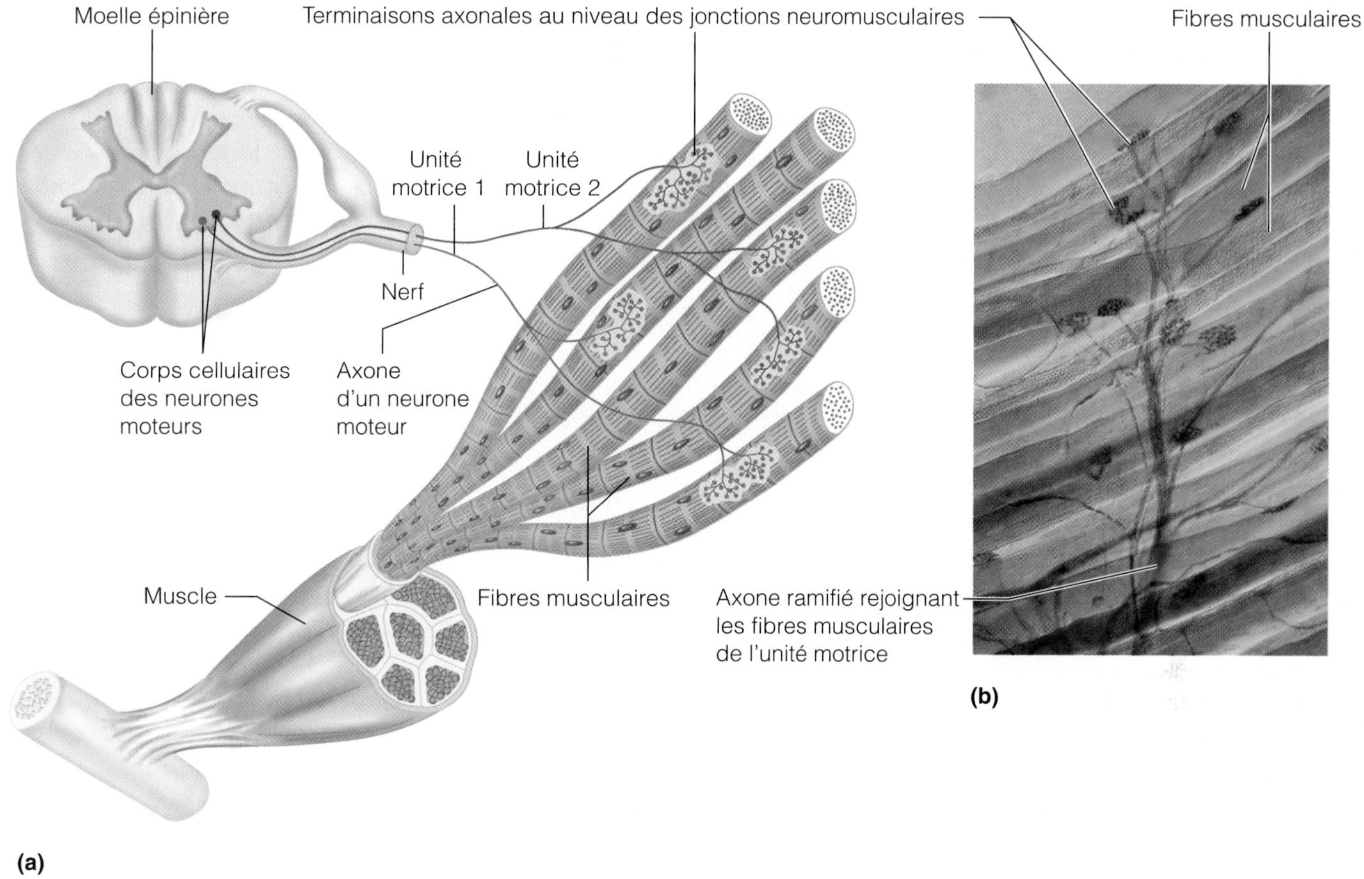

Moelle épinière
Terminaisons axonales au niveau des jonctions neuromusculaires
Fibres musculaires
Unité motrice 1
Unité motrice 2
Nerf
Corps cellulaires des neurones moteurs
Axone d'un neurone moteur
Muscle
Fibres musculaires
Axone ramifié rejoignant les fibres musculaires de l'unité motrice
(b)
(a)

Figure 6.4 **Unités motrices**

Chaque unité motrice comprend un neurone moteur et toutes les fibres musculaires qu'il rejoint. **(a)** Le schéma montre certaines parties de deux unités motrices. Les neurones moteurs se trouvent dans la moelle épinière, et leurs axones s'étendent jusqu'au muscle. À l'intérieur du muscle, chaque axone se ramifie en un certain nombre de terminaisons axonales, qui rejoignent des fibres musculaires disséminées dans le muscle. **(b)** Photomicrographie d'une partie d'une unité motrice (110×). Remarquez les terminaisons axonales divergentes et les jonctions neuromusculaires qu'elles forment avec les fibres musculaires.

dont chacune forme une jonction avec le sarcolemme d'un myocyte différent (figure 6.5). Ces jonctions sont appelées **jonctions neuromusculaires** (littéralement « nerf-muscle »). Bien qu'elles soient très proches les unes des autres, les terminaisons axonales et les membranes des myocytes ne se touchent jamais ; elles sont séparées par un espace, appelé **fente synaptique**, qui est rempli de liquide interstitiel.

Maintenant que nous avons décrit la structure d'une jonction neuromusculaire, nous sommes prêts à examiner ce qui s'y passe. Lorsqu'un influx nerveux parvient aux terminaisons axonales, une substance chimique appelée **neurotransmetteur** est libérée. Le neurotransmetteur qui stimule les cellules des muscles squelettiques est l'**acétylcholine** (**ACh**). Celle-ci diffuse à travers la fente synaptique et se lie à des protéines précises du sarcolemme qui jouent le rôle de récepteurs de l'ACh. Si la quantité d'ACh libérée est suffisante, cette région du sarcolemme devient *temporairement* plus perméable aux ions sodium (Na^+), qui pénètrent alors dans le myocyte, et aux ions potassium (K^+), qui eux quittent la cellule. Toutefois, il y a plus d'ions Na^+ qui entrent que d'ions K^+ qui sortent, et cela provoque un excès d'ions positifs à l'intérieur de la cellule, renversant l'état électrique du sarcolemme et ouvrant d'autres canaux qui laissent entrer des ions Na^+ seulement. Ce « dérangement » produit un courant électrique appelé **potentiel d'action**. Une fois amorcé, le potentiel d'action ne peut être arrêté ; il se propage sur toute la longueur du sarcolemme et, par les tubules T situés à l'intérieur de la cellule, à toutes les myofibrilles. Il en résulte une contraction du myocyte.

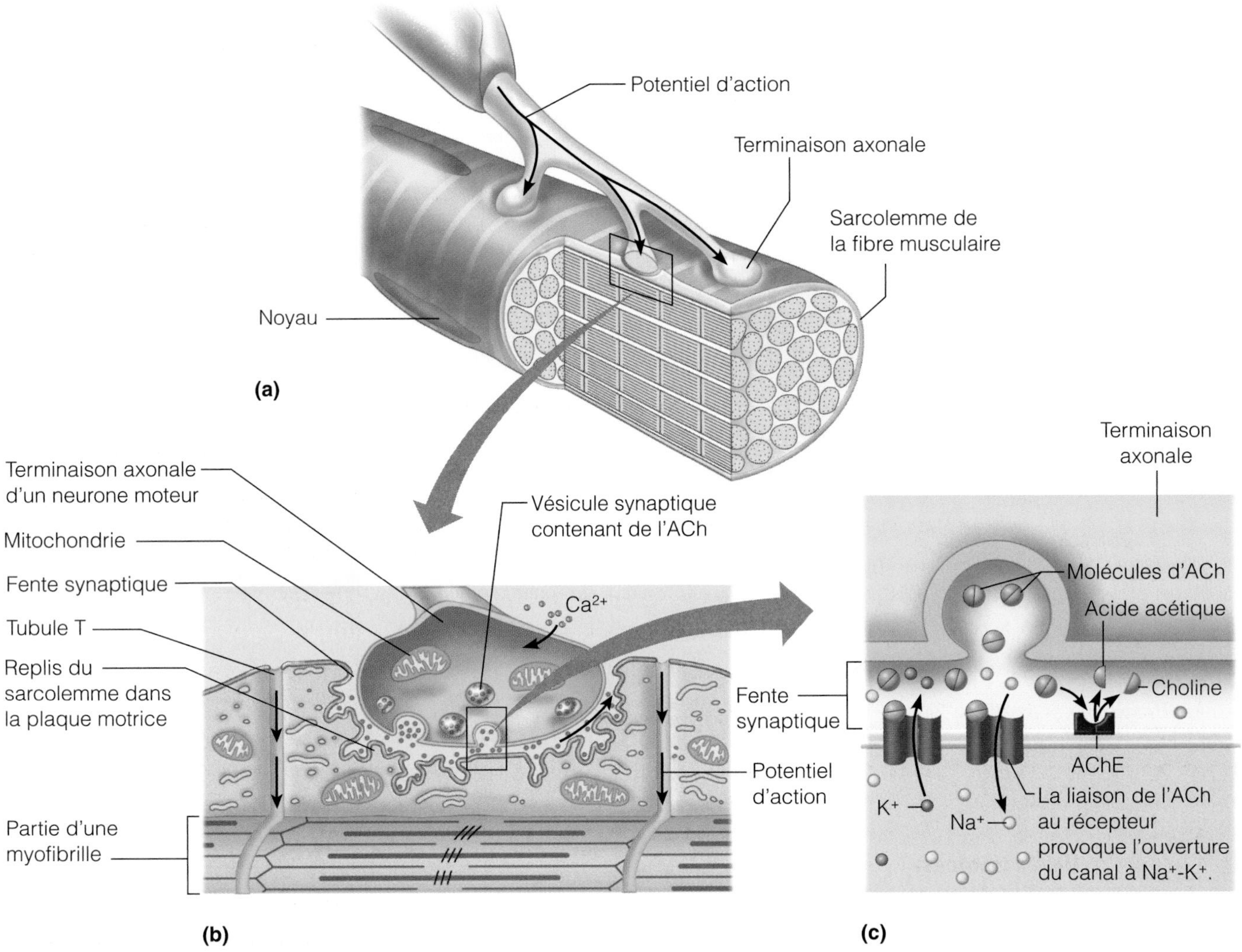
Potentiel d'action
Terminaison axonale
Sarcolemme de la fibre musculaire
Noyau
(a)
Terminaison axonale d'un neurone moteur
Mitochondrie
Fente synaptique
Tubule T
Replis du sarcolemme dans la plaque motrice
Partie d'une myofibrille
Vésicule synaptique contenant de l'ACh
Ca2+
Fente synaptique
Potentiel d'action
(b)
Terminaison axonale
Molécules d'ACh
Acide acétique
Choline
AChE
K+
Na+
La liaison de l'ACh au récepteur provoque l'ouverture du canal à Na+-K+.
(c)

Figure 6.5 **Jonction neuromusculaire**

(a) Terminaisons axonales d'un neurone moteur formant une jonction neuromusculaire avec une fibre musculaire.
(b) La terminaison axonale contient des vésicules remplies d'acétylcholine (ACh), un neurotransmetteur qui est libéré lorsque l'influx nerveux atteint la terminaison axonale. Dans la région de la fente synaptique, le sarcolemme présente de nombreux replis abritant des récepteurs de l'acétylcholine. **(c)** L'acétylcholine diffuse à travers la fente synaptique et se lie aux récepteurs de l'ACh situés sur le sarcolemme, ce qui provoque des changements dans l'état électrique de ce dernier.

Pendant que le potentiel d'action a lieu, l'ACh qui a déclenché le processus est dégradée en acide acétique et en choline par des enzymes (acétylcholinestérase, ou AChE) situées sur le sarcolemme (voir la figure 6.5c). C'est pour cette raison qu'un seul influx nerveux produit une seule contraction. Cela empêche le myocyte de continuer à se contracter en l'absence d'autres influx nerveux; il se relâche jusqu'à ce qu'il soit stimulé par une autre libération d'ACh.

Cette suite d'événements est décrite plus en détail aux pages 233 à 236, où nous expliquons la physiologie des nerfs, mais il serait peut-être utile de la comparer à un événement plus concret comme allumer une brindille sèche avec une allumette (figure 6.6). La carbonisation de la brindille par la flamme de l'allumette correspond au changement de perméabilité de la membrane qui permet aux ions Na^+ d'entrer dans la cellule. Lorsque cette partie de la brindille est suffisamment chaude (lorsqu'un nombre suffisant d'ions Na^+ ont pénétré dans la cellule), la brindille s'enflamme soudainement et la flamme la consume (le potentiel d'action se propage sur toute la longueur du sarcolemme). La brindille qui a brûlé ne

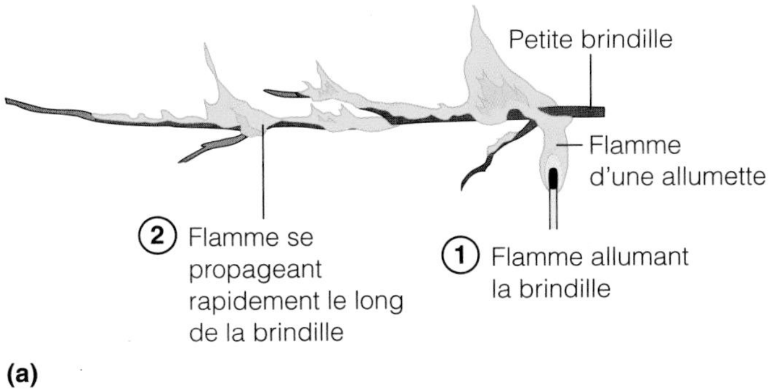
Petite brindille
Flamme d'une allumette
(2) Flamme se propageant rapidement le long de la brindille
(1) Flamme allumant la brindille
(a)
Myocyte (fibre musculaire)
Stries
Neurofibre
Jonction neuro-musculaire
(2) Potentiel d'action se propageant rapidement le long du sarcolemme
(1) Na⁺ diffusant dans la cellule
(b)

Figure 6.6 **Comparaison entre un potentiel d'action et une flamme brûlant une brindille**

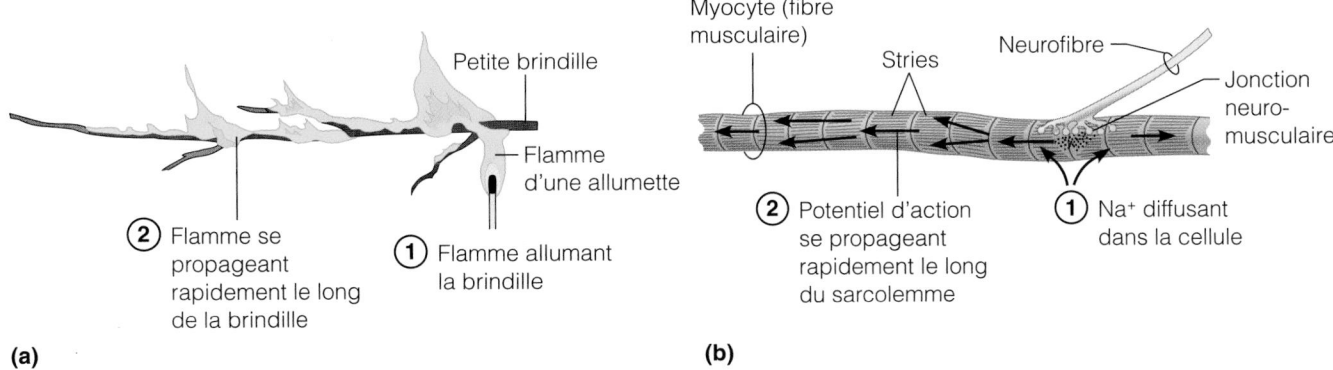

(a) Lorsqu'on désire mettre le feu à une brindille, la flamme d'une allumette doit tout d'abord être placée sous une partie de la brindille. Ensuite, lorsqu'elle est suffisamment chauffée, la brindille s'enflamme, et la flamme se propage en consumant la brindille. **(b)** Dans la stimulation d'un myocyte, on observe aussi essentiellement deux phénomènes. Tout d'abord, les ions sodium (Na^+) diffusent rapidement à l'intérieur de la cellule lorsque la perméabilité du sarcolemme se modifie. Ensuite, le potentiel d'action se propage sur toute la longueur du sarcolemme lorsque suffisamment d'ions sodium ont pénétré dans la cellule pour y changer l'état électrique.

peut pas revenir à un état qui lui permettrait d'être enflammée de nouveau, contrairement au myocyte. Les phénomènes qui permettent au myocyte de revenir à son état initial sont les suivants: 1) diffusion des ions potassium (K^+) vers l'extérieur de la cellule et 2) opération de la pompe à sodium et à potassium, mécanisme de transport actif qui retourne les ions Na^+ et K^+ du côté de la membrane où ils se trouvaient avant le stimulus initial.

Le mécanisme de contraction musculaire: la théorie du glissement des filaments

Comment les filaments glissent-ils? Cette question nous ramène aux têtes de myosine qui font saillie tout autour des extrémités des myofilaments épais. Quand les myocytes sont stimulés par le système nerveux, comme nous venons de le décrire, les têtes de myosine s'accrochent à des sites de liaison situés sur les myofilaments minces, et le glissement s'amorce. Alimentée par l'ATP, chaque tête de myosine s'attache et se détache plusieurs fois pendant la contraction, agissant comme une minuscule crémaillère pour produire une tension et tirer le myofilament mince vers le centre du sarcomère. Comme ce phénomène se déroule simultanément dans tous les sarcomères de toutes les myofibrilles, le myocyte raccourcit (figure 6.7). Mais les têtes de myosine ont besoin d'ions calcium (Ca^{2+}) pour se fixer à l'actine. Alors, d'où vient le calcium? À la figure 6.5b, on voit que les potentiels d'action (flèches noires) plongent profondément dans le myocyte le long de tubules membraneux qui sont en fait des invaginations du sarcolemme. Dans la cellule,

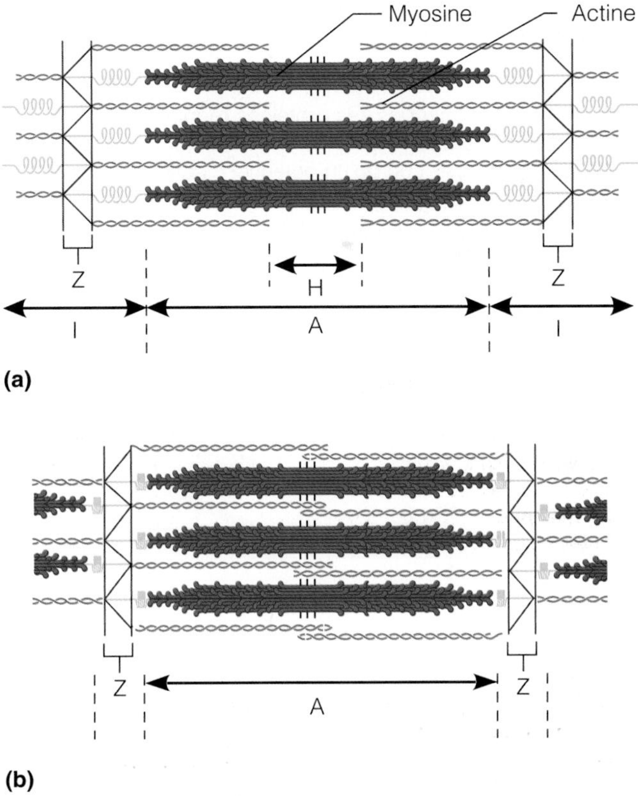
Myosine
Actine
Z
H
Z
I
A
I
(a)
Z
A
Z
(b)

Figure 6.7 **Schémas d'un sarcomère**

(a) Au repos. **(b)** Au terme d'une contraction. Remarquez que, dans le sarcomère contracté, la zone claire (strie H) au centre de la strie A a disparu, les lignes Z sont plus proches des myofilaments épais et les stries I ont presque disparu. Les stries A se rapprochent les unes des autres, mais leur longueur ne change pas.

les potentiels d'action stimulent le réticulum sarcoplasmique (RS), qui libère alors des ions calcium dans le cytoplasme. Ces derniers provoquent la liaison de la myosine à l'actine, ce qui met en branle le glissement des filaments. La figure 6.8 illustre le mécanisme du glissement et montre le rôle précis du calcium dans la contraction. Lorsque le potentiel d'action prend fin, les ions Ca^{2+} retournent immédiatement, par transport actif, dans les régions de stockage du RS, et le myocyte se relâche et reprend sa longueur initiale. Tous ces événements surviennent en quelques millièmes de seconde seulement.

LA CONTRACTION D'UN MUSCLE SQUELETTIQUE ENTIER

Les réponses graduées

Dans les muscles squelettiques, la loi du « tout ou rien » de la physiologie musculaire s'applique au *myocyte* et non

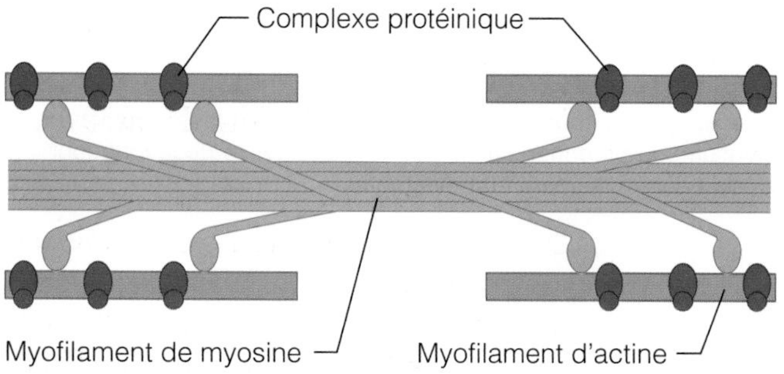
Complexe protéinique
Myofilament de myosine
Myofilament d'actine

(a)

Dans un myocyte au repos, les protéines régulatrices qui forment une partie des myofilaments d'actine empêchent la liaison de la myosine. Lorsqu'un potentiel d'action se propage sur le sarcolemme et qu'un myocyte est excité, des ions calcium (Ca^{2+}) sont libérés des régions de stockage intracellulaires (citernes du RS).

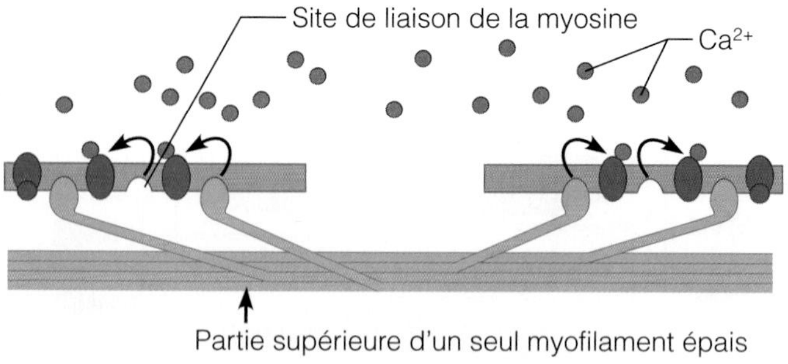
Site de liaison de la myosine
Ca2+
Partie supérieure d'un seul myofilament épais

(b)

Dans la série d'événements qui permet la contraction, l'arrivée de calcium est le dernier signal qui donne le feu vert à la contraction ; en effet, lorsque le calcium se lie aux protéines régulatrices situées sur les filaments d'actine, celles-ci changent à la fois leur forme et leur position sur les myofilaments minces. Ce changement provoque l'exposition des sites de liaison de la myosine qui se trouvent sur l'actine et auxquels les têtes de myosine peuvent s'attacher ; les têtes de myosine se mettent alors immédiatement à chercher des sites de liaison.

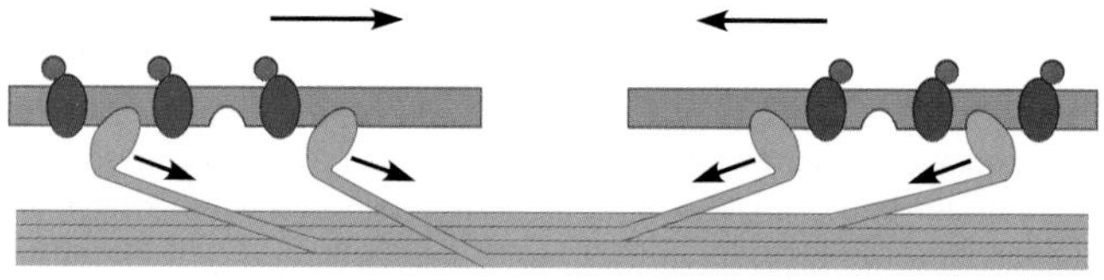

(c)

La myosine libre possède une propriété unique : ses têtes sont « armées », comme l'est un piège dont on a tendu le ressort. La liaison de la myosine à l'actine « déclenche le piège », c'est-à-dire que les têtes de myosine se tournent (pivotent) vers le centre du sarcomère. Comme l'actine et la myosine sont encore fermement attachées ensemble lorsque cela se produit, les myofilaments minces sont légèrement attirés vers le centre du sarcomère. L'ATP fournit l'énergie nécessaire pour libérer et réarmer chaque tête de myosine de façon que celle-ci soit prête à « faire un autre pas » et à se lier à un site de liaison situé plus loin sur le myofilament mince. Cette « marche » des têtes de myosine sur les myofilaments minces pendant la contraction musculaire rappelle beaucoup la démarche d'un mille-pattes. Quelques têtes de myosine (les « jambes ») sont toujours en contact avec l'actine (le « sol »), de telle manière que les myofilaments minces ne peuvent pas glisser vers l'arrière pendant que ce cycle se répète encore et encore au cours de la contraction. Remarquez que les myofilaments eux-mêmes ne raccourcissent pas pendant la contraction ; ils glissent tout simplement les uns entre les autres. Lorsque le potentiel d'action prend fin et que les ions Ca^{2+} sont réabsorbés dans les régions de stockage du RS, les protéines régulatrices reprennent leur forme et leur position initiales, puis empêchent à nouveau l'attachement de la myosine aux myofilaments minces. Maintenant que la myosine ne peut plus se lier à rien, le myocyte se détend et reprend sa longueur initiale.

Figure 6.8 **Représentation schématique du mécanisme de contraction : théorie du glissement des filaments**

au muscle entier. Suivant cette loi, un myocyte se contracte au maximum lorsqu'il est stimulé adéquatement; il ne se contracte jamais partiellement. Toutefois, les muscles squelettiques sont des organes qui contiennent des milliers de myocytes, et ils réagissent aux stimulations par des **réponses graduées**, c'est-à-dire par divers degrés de contraction. En règle générale, la contraction musculaire graduée peut être produite de deux façons: 1) par le changement de la *fréquence* des stimulations et 2) par le changement du *nombre* de myocytes stimulés. Nous décrivons brièvement ci-après la réponse d'un muscle à chacun de ces changements.

La réponse du muscle à des stimulations dont la fréquence est de plus en plus élevée Bien qu'elles surviennent parfois en raison d'anomalies du système nerveux, des **secousses musculaires** (contractions brusques et isolées) ne représentent *pas* la façon dont nos muscles fonctionnent normalement. La plupart du temps, les influx nerveux parviennent au muscle à une fréquence très élevée – si élevée que le muscle n'a pas le temps de se détendre complètement entre les stimulations. En conséquence, les effets des contractions successives « s'additionnent », et les contractions du muscle deviennent plus fortes et plus uniformes. Lorsque le muscle est stimulé à une fréquence telle qu'il n'a pas le temps de se relâcher et que les contractions sont continues et uniformes, on dit que le muscle est en **tétanos complet** ou **fusionné**, ou encore en *contraction tétanique**. Au-dessous de ce degré d'excitation, on dit que le muscle est en **tétanos incomplet** ou **intermittent** (figure 6.9).

La réponse du muscle à des stimulations plus fortes Bien que le tétanos provoque aussi des contractions musculaires plus fortes, sa fonction principale consiste à produire des contractions musculaires uniformes et continues. La force de la contraction dépend dans une large mesure du nombre de cellules qui sont stimulées dans le muscle. Lorsque quelques cellules seulement sont stimulées, la contraction du muscle entier sera faible. Par contre, lorsque toutes les unités motrices du muscle sont actives et que toutes les cellules sont stimulées, la contraction est à son maximum. Les contractions musculaires peuvent donc être faibles ou vigoureuses, selon la tâche à accomplir. (Une main peut aussi bien caresser que gifler!)

La production d'énergie pour la contraction musculaire

Lorsqu'un muscle se contracte, les liaisons des molécules d'ATP sont hydrolysées pour fournir l'énergie qui servira à « réarmer » les têtes de myosine. Chose surprenante, les quantités d'ATP emmagasinées dans les muscles ne sont pas très importantes (elles permettent une contraction de quatre à six secondes), mais elles suffisent. Étant donné qu'il est la *seule* source d'énergie qui peut alimenter directement la contraction musculaire, l'ATP doit être régénéré de façon continue afin que la contraction puisse se poursuivre.

* La contraction tétanique est normale et souhaitable, et elle est très différente de la maladie appelée *tétanos* qui est causée par une toxine élaborée par une bactérie. Le tétanos entraîne des spasmes musculaires incontrôlables et peut provoquer un arrêt respiratoire.

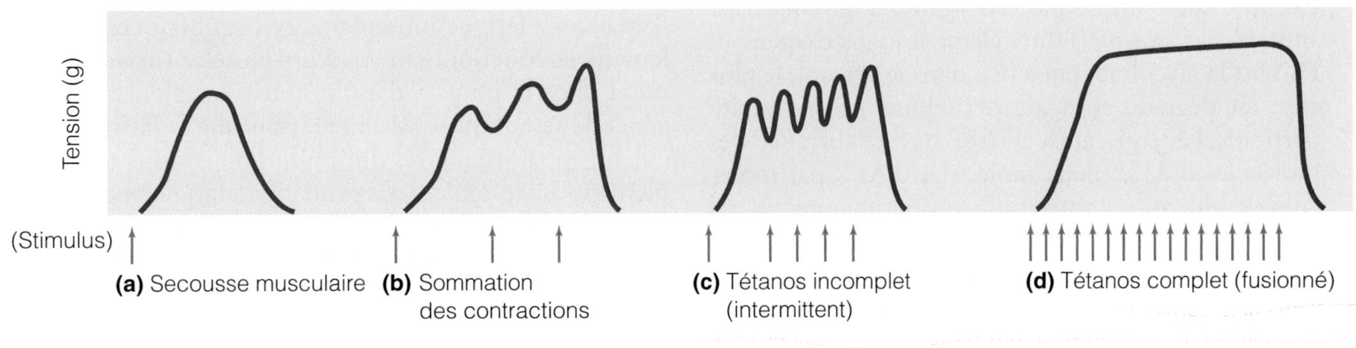
Tension (g)
(Stimulus)
(a) Secousse musculaire
(b) Sommation des contractions
(c) Tétanos incomplet (intermittent)
(d) Tétanos complet (fusionné)

Figure 6.9 **La réponse d'un muscle entier à des stimulus de différentes fréquences**

En **(a)**, un seul stimulus est appliqué, le muscle se contracte et se détend (secousse musculaire). En **(b)**, les stimulus sont appliqués avec une fréquence telle que le muscle n'a pas le temps de se relâcher complètement; la force de contraction augmente parce que les effets des secousses individuelles s'additionnent. En **(c)**, les stimulus sont appliqués avec une fréquence plus grande encore et la fusion des contractions est plus poussée (tétanos incomplet). En **(d)**, il y a tétanos complet ou fusionné: la contraction est uniforme et continue; elle ne donne aucun signe de relâchement, et est attribuable à une fréquence de stimulation très rapide. (Les flèches rouges indiquent les points auxquels les stimulus sont appliqués. La tension, mesurée en grammes et représentée sur l'axe vertical, correspond à la force relative de la contraction musculaire.)

La contraction musculaire utilise essentiellement trois voies de régénération de l'ATP.

1. **La phosphorylation directe de l'ADP par la créatine phosphate** (figure 6.10a). La **créatine phosphate (CP)**, molécule à haute énergie très particulière, est présente dans les fibres musculaires mais pas dans les autres types de cellules. Lorsque les réserves d'ATP s'épuisent, les interactions entre la CP et l'ADP provoquent des transferts d'un groupement phosphate à haute énergie de la CP vers l'ADP. Ces transferts régénèrent l'ATP en une fraction de seconde. Bien que les myocytes emmagasinent environ cinq fois plus de créatine phosphate que d'ATP, les réserves de CP s'épuisent elles aussi rapidement (en 15 secondes environ).
2. **La respiration cellulaire aérobie** (figure 6.10b). Au repos et en cours d'activité musculaire légère ou modérée, environ 95 % de l'ATP utilisé par les muscles provient de la **respiration cellulaire aérobie**, qui a lieu dans les mitochondries et fait appel à une série de voies métaboliques utilisant l'oxygène. Ces voies sont groupées sous l'appellation de *phosphorylation oxydative.* Pendant la respiration cellulaire aérobie, le glucose est entièrement dégradé en gaz carbonique et en eau, et une partie de l'énergie libérée au cours de cette dégradation est captée dans les liaisons des molécules d'ATP. La respiration aérobie fournit de grandes quantités d'ATP (environ 36 molécules d'ATP par molécule de glucose), mais elle est relativement lente, sans compter qu'elle nécessite un apport continu d'oxygène et de nutriments pour maintenir l'activité musculaire.
3. **La glycolyse anaérobie et la production d'acide lactique** (figure 6.10c). Les premières étapes de la dégradation du glucose constituent la *glycolyse.* Comme elle n'utilise pas d'oxygène, la glycolyse est appelée *voie anaérobie* (littéralement « sans oxygène »). Durant la glycolyse, qui a lieu dans le cytosol, le glucose est dégradé en acide pyruvique, et une petite partie de l'énergie ainsi libérée sert à fabriquer des molécules d'ATP (deux molécules d'ATP par molécule de glucose). Tant que l'oxygène est présent en quantité suffisante, l'acide pyruvique pénètre dans la voie aérobie, processus réalisé dans les mitochondries et nécessitant de l'oxygène ; il y a alors production d'autres molécules d'ATP, comme nous l'avons vu plus haut. Quand l'activité musculaire est intense, cependant, ou lorsque l'apport d'oxygène et de glucose est temporairement insuffisant par rapport aux besoins des muscles en action, les mécanismes aérobies sont trop lents pour répondre à la demande d'ATP. Dans ces conditions, l'acide pyruvique provenant de la glycolyse est transformé en **acide lactique**, et l'ensemble du processus est appelé **glycolyse anaérobie**.

Par molécule de glucose, la glycolyse anaérobie produit seulement 5 % environ de l'ATP que fournit la voie aérobie. Cependant, elle est environ deux fois et demie plus rapide et peut procurer presque tout l'ATP nécessaire pour 30 à 60 secondes d'activité musculaire soutenue. La glycolyse anaérobie présente deux grands défauts : il lui faut d'énormes quantités de glucose pour produire de petites quantités d'ATP, et l'accumulation d'acide lactique qu'elle occasionne contribue à la fatigue musculaire et à l'endolorissement des muscles.

La fatigue musculaire et la dette d'oxygène

Si nous faisons travailler nos muscles pendant une longue période, la **fatigue musculaire** apparaît. Un muscle est fatigué lorsqu'il n'est plus capable de se contracter même en présence de stimulations. Si on ne le laisse pas se reposer, un muscle qui travaille se fatiguera peu à peu, se contractera de plus en plus faiblement et finira par ne plus réagir ; il cessera de se contracter. Il semble que la fatigue musculaire soit attribuable à la **dette d'oxygène** qui se produit au cours d'une activité musculaire prolongée : l'organisme est incapable de consommer suffisamment d'oxygène pour fournir aux muscles tout l'oxygène dont ils ont besoin lorsqu'ils travaillent intensément. Le travail qu'un muscle peut fournir et le temps pendant lequel il peut le faire sans se fatiguer dépendent donc de son apport sanguin. Lorsqu'un muscle manque d'oxygène, l'acide lactique se met à s'accumuler dans celui-ci par la voie anaérobie décrite plus haut. De plus, la réserve d'ATP du muscle commence à s'épuiser. En raison de cette acidité croissante et de ce manque d'ATP, le muscle se contracte de moins en moins efficacement et finit par cesser complètement de se contracter.

La vraie fatigue musculaire, celle qui fait cesser totalement le fonctionnement d'un muscle, survient rarement chez la plupart d'entre nous ; en effet, la fatigue générale se faisant sentir bien avant que la fatigue musculaire apparaisse, nous diminuons ou cessons tout simplement notre activité. Cependant, la fatigue musculaire se produit assez souvent chez les marathoniens, à qui il arrive de s'écrouler littéralement lorsque leurs muscles fatigués ne peuvent plus travailler.

La dette d'oxygène, qu'une activité musculaire intense provoque toujours quoique à des degrés divers, doit être « remboursée », qu'il y ait fatigue ou non. Durant la période de repos qui suit une activité physique intense, l'individu respirera rapidement et profondément, et il continuera à le faire jusqu'à ce que ses muscles aient reçu la quantité d'oxygène dont ils ont besoin pour se débarrasser de l'acide lactique accumulé et pour reconstituer leurs réserves d'ATP et de créatine phosphate.

Q **Parmi ces moyens de produire de l'ATP, lequel observe-t-on fréquemment dans les muscles des jambes d'un cycliste de fond (exercice prolongé)?**

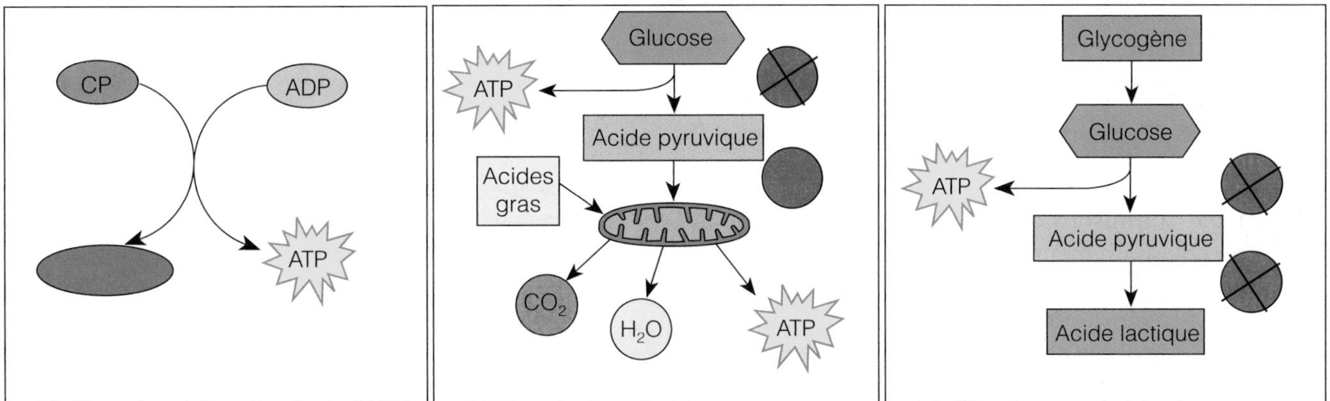
CP
ADP
ATP
Glucose
ATP
Acide pyruvique
Acides gras
CO_2
H_2O
ATP
Glycogène
Glucose
ATP
Acide pyruvique
Acide lactique

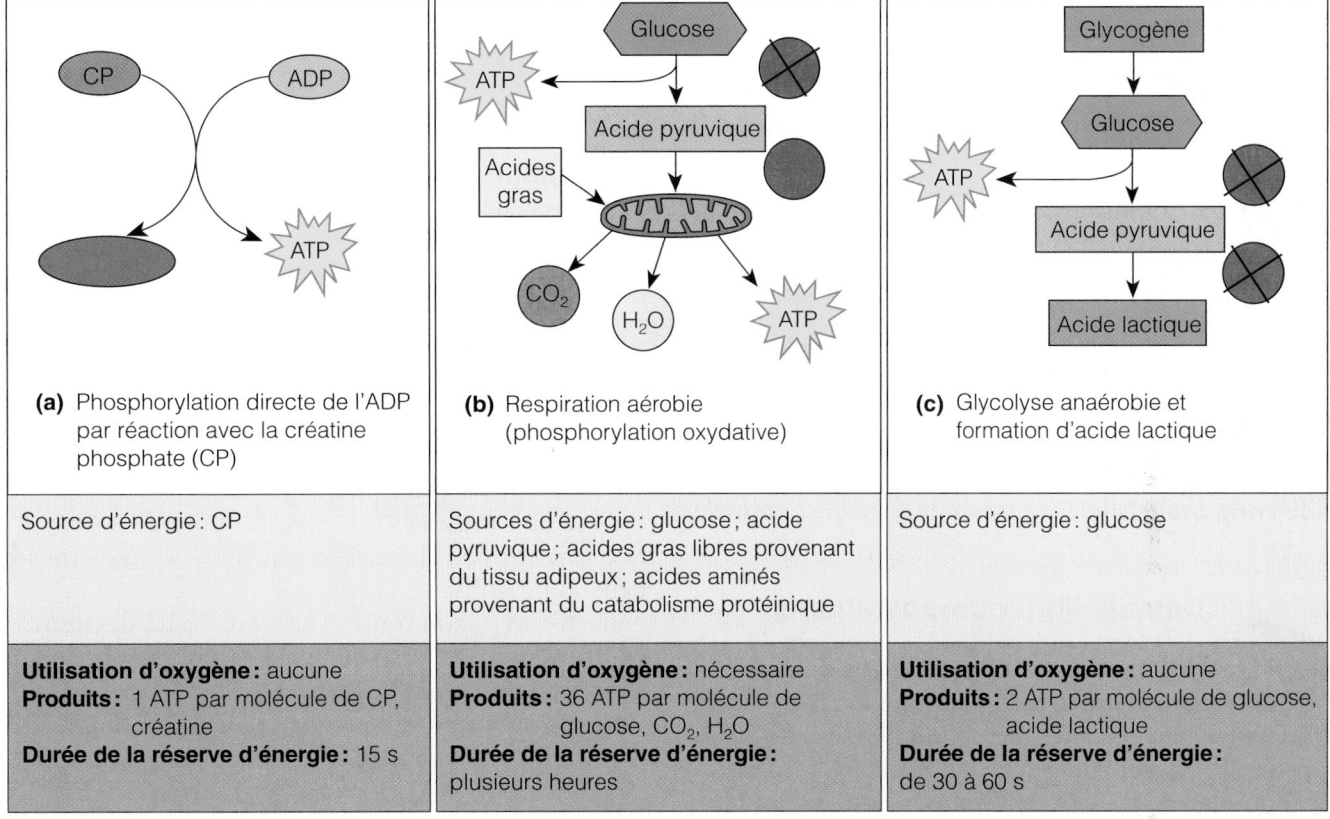

(a) Phosphorylation directe de l'ADP par réaction avec la créatine phosphate (CP)	**(b)** Respiration aérobie (phosphorylation oxydative)	**(c)** Glycolyse anaérobie et formation d'acide lactique
Source d'énergie: CP	Sources d'énergie: glucose; acide pyruvique; acides gras libres provenant du tissu adipeux; acides aminés provenant du catabolisme protéinique	Source d'énergie: glucose
Utilisation d'oxygène: aucune **Produits:** 1 ATP par molécule de CP, créatine **Durée de la réserve d'énergie:** 15 s	**Utilisation d'oxygène:** nécessaire **Produits:** 36 ATP par molécule de glucose, CO_2, H_2O **Durée de la réserve d'énergie:** plusieurs heures	**Utilisation d'oxygène:** aucune **Produits:** 2 ATP par molécule de glucose, acide lactique **Durée de la réserve d'énergie:** de 30 à 60 s

Figure 6.10 **Les voies de régénération de l'ATP pendant l'activité musculaire**

Le mécanisme le plus rapide est la phosphorylation directe **(a)**; le plus lent est la voie aérobie **(b)**.

Les types de contractions musculaires: isométriques et isotoniques

Nous avons traité jusqu'ici de la contraction des muscles en fonction de leur raccourcissement, mais les muscles ne raccourcissent pas toujours pendant une contraction. (Cela vous paraît sans doute étrange; lisez donc attentivement ce qui suit.) Ce qui est commun à toutes les contractions musculaires, c'est qu'une *tension* apparaît dans le muscle lorsque les myofilaments d'actine et de myosine interagissent et que les ponts de myosine essaient avec ou sans succès de faire glisser les myofilaments d'actine vers le centre des sarcomères des fibres musculaires.

R **Le mécanisme aérobie (représenté en b).**

Les **contractions isotoniques** (littéralement « même tension ») sont les plus connues. Au cours d'une contraction isotonique, les myofilaments exécutent leurs mouvements de glissement, le muscle raccourcit et un mouvement est effectué. Par exemple, lorsque vous pliez le genou, que vous faites tourner vos bras ou que vous souriez, il y a des contractions isotoniques dans vos muscles.

Dans une **contraction isométrique** (littéralement « même longueur »), le muscle ne raccourcit pas. Les myofilaments de myosine « dérapent » et la tension dans le muscle continue d'augmenter. Les myofilaments d'actine essaient de glisser, mais une résistance provenant d'un objet plus ou moins mobile s'oppose au raccourcissement du muscle. Par exemple, il y a des contractions isométriques dans vos muscles lorsque vous essayez de soulever par vous-même une commode de

150 kilogrammes. Si votre coude est fléchi et que vous l'étirez (extension du coude), il y aura des contractions isotoniques dans votre muscle triceps brachial, mais, si vous poussez contre un mur avec les coudes fléchis, le mur ne bougera pas et vos muscles triceps brachiaux, qui ne pourront pas raccourcir pour mettre vos coudes en extension, se contracteront de façon isométrique.

Le tonus musculaire

Il y a un aspect de l'activité des muscles squelettiques qui n'est pas soumis à notre volonté. Même lorsqu'un muscle est volontairement relâché, certaines de ses fibres sont contractées. En fait, ce sont des groupes de fibres qui se contractent à tour de rôle. Leurs contractions ne sont pas visibles, mais c'est grâce à elles que les muscles restent fermes et prêts à répondre à une stimulation. Ce phénomène de contractions partielles continues est appelé **tonus musculaire**. Le tonus musculaire est le résultat de la stimulation systématique, par le système nerveux, de différentes unités motrices disséminées dans le muscle.

Déséquilibre homéostatique

Si l'innervation d'un muscle est détruite (à la suite d'un accident, par exemple), le système nerveux ne peut plus stimuler le muscle de cette façon. Il en résulte la perte du tonus musculaire et la paralysie. Peu après, le muscle devient *flasque*, c'est-à-dire mou, et il commence à *s'atrophier* (à diminuer de volume). ▲

Les effets de l'exercice physique sur les muscles

La somme de travail effectuée par un muscle engendre des modifications du muscle lui-même. L'inactivité (par suite d'une perte de l'innervation ou d'une immobilisation, notamment) entraîne toujours un affaiblissement des muscles et une diminution de leur volume. Les muscles sont comme la mémoire: pour en préserver l'intégrité, il faut les utiliser.

L'exercice physique régulier augmente la taille, la force et l'endurance des muscles. Ce ne sont toutefois pas tous les types d'exercices physiques qui produisent ces effets. Les bienfaits de l'activité physique varient selon le type d'exercices qu'on fait.

Les **exercices aérobiques**, ou **exercices d'endurance**, comme la course à pied, le cyclisme et la gymnastique aérobique (figure 6.11a), augmentent la force et la souplesse des muscles, sans compter qu'ils accroissent la résistance à la fatigue. Ces changements sont attribuables, entre autres facteurs, à l'augmentation de l'apport sanguin aux muscles et au fait que les myocytes, qui voient leur nombre de mitochondries augmenter, emmagasinent plus d'oxygène. Cependant, les bienfaits des exercices aérobiques ne se limitent pas aux muscles squelettiques: le métabolisme général devient plus efficace, la digestion s'améliore (ainsi que l'élimination), la coordination neuromusculaire s'accroît et le squelette est renforcé. Le cœur grossit (*s'hypertrophie*), de sorte que chaque battement expulse une plus grande quantité de sang, les parois des vaisseaux sanguins se débarrassent de leurs dépôts de graisses, et les échanges gazeux qui ont lieu dans les poumons deviennent plus efficaces. Ces bienfaits peuvent être permanents ou temporaires, selon la fréquence et l'intensité de l'activité physique.

Les exercices aérobiques n'entraînent *pas* d'augmentation notable du volume des muscles, même si l'exercice dure des heures. L'hypertrophie des muscles biceps brachiaux et des muscles pectoraux des haltérophiles professionnels est surtout la conséquence d'**exercices contre résistance**, ou **exercices isométriques** (figure 6.11b), au cours desquels un poids immobile (ou presque) est opposé aux muscles. Les exercices contre résistance se font en très peu de temps; quelques minutes tous les deux jours suffisent. De plus, ils nécessitent peu d'équipement (ou pas du tout). Ainsi, pour faire des exercices contre résistance, on peut pousser contre un mur ou contracter fortement les muscles des fesses pendant qu'on attend dans une file au supermarché. Le but visé est d'obliger les muscles à se contracter avec le plus de force

13407

(a) (b)

Figure 6.11 **Les effets de l'exercice aérobique comparativement à ceux de l'exercice contre résistance**

(a) Marathonien. **(b)** Haltérophile.

possible. L'augmentation du volume et de la force musculaires qui en résulte traduit surtout l'augmentation des dimensions des myocytes (ils synthétisent plus de myofibrilles ou de myofilaments contractiles, ou les deux). La quantité de tissu conjonctif qui renforce les muscles augmente aussi. Par ailleurs, l'entraînement ne fait pas qu'augmenter la masse musculaire; il peut aussi modifier la nature des fibres musculaires composant un muscle et leurs proportions. En effet, un muscle squelettique peut contenir trois types de fibres musculaires selon notamment le type de myosine présente: un premier type à contraction lente, un deuxième à contraction jusqu'à 10 fois plus rapide et un troisième à vitesse de contraction intermédiaire. Le premier type prédomine chez un marathonien, tandis qu'un sprinter devrait posséder des fibres du second type en plus grande quantité.

Étant donné que les exercices d'endurance et contre résistance produisent différents modes de réponse musculaire, il est important de bien définir ses objectifs lorsqu'on s'entraîne. Ainsi, le lever de poids n'aura aucun effet sur votre endurance au triathlon. De même, la course à pied corrigera peu l'apparence de vos muscles pour le prochain concours de M. ou Mme Muscle, et elle ne vous rendra pas plus fort pour déménager des meubles. De toute évidence, le meilleur programme d'entraînement est celui qui comporte les deux types d'exercices.

Tableau 6.2 Les cinq règles d'or de l'activité musculaire squelettique

1. Sauf quelques exceptions, tous les muscles croisent au moins une articulation.
2. En général, la majeure partie d'un muscle se trouve du côté proximal de l'articulation que celui-ci croise.
3. Tous les muscles ont au moins deux points d'attache: l'origine et l'insertion.
4. Les muscles peuvent seulement tirer; ils ne poussent jamais.
5. Pendant une contraction, le point d'insertion du muscle se rapproche du point d'origine.

Les mouvements des muscles, les types de muscles et les noms des muscles

La présente section est en quelque sorte une section fourre-tout. Elle traite de sujets qui ne vont pas nécessairement ensemble, mais qui ne s'insèrent pas bien ailleurs non plus. Par exemple, il existe cinq points fondamentaux qu'il faut connaître au sujet de l'activité musculaire. Nous les considérons comme les *cinq règles d'or* de l'activité des muscles squelettiques; vous devez absolument acquérir une bonne compréhension de ces règles afin de pouvoir comprendre les mouvements des muscles et les liens entre les muscles. Ces règles d'or sont résumées dans le tableau 6.2.

LES TYPES DE MOUVEMENTS

Chacun de nos quelque 600 muscles squelettiques s'attache, en deux points au moins, à des os ou à d'autres structures de tissu conjonctif. L'un de ces points d'attache, l'**origine**, est lié à l'os immobile ou à l'os le moins mobile (figure 6.12). L'autre point d'attache,

Q **Outre le mouvement illustré ici, le biceps brachial est le muscle qui vous permet de toucher la barre fixe avec votre torse lorsque vous faites des élévations à cet appareil. L'avant-bras sert-il encore d'insertion pour ce mouvement?**

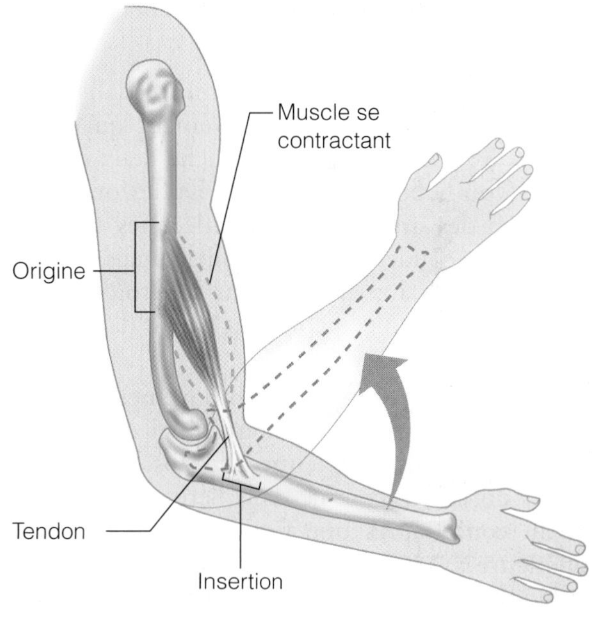
Muscle se contractant
Origine
Tendon
Insertion

Figure 6.12 Les points d'attache d'un muscle (origine et insertion)

Lorsqu'un muscle squelettique se contracte, son insertion se rapproche de son origine.

R **Non, l'insertion dans ce cas se trouve sur l'humérus. Le point d'attache sur l'avant-bras (qui ne bouge pas durant cet exercice) est l'origine.**

l'**insertion**, est attaché à l'os mobile. Lorsqu'un muscle se contracte, son insertion se rapproche de son origine. Sur certains muscles, l'origine et l'insertion sont interchangeables. Par exemple, le muscle droit de la cuisse croise deux articulations, soit celles de la hanche et du genou. Il est utilisé le plus souvent pour allonger la jambe et, dans ce cas, l'origine est sur le bassin. Quand il est plié (par d'autres muscles), le genou participe à la flexion de la hanche. Son point d'attache distal, sur la jambe, lui sert alors d'origine.

En règle générale, lorsqu'une articulation est située entre les deux points d'attache d'un muscle, il y a mouvement quand le muscle se contracte. Le type de mouvement effectué dépend de la mobilité de l'articulation et de la localisation du muscle par rapport à l'articulation. Les mouvements qui illustrent le mieux l'action des muscles sur les os sont les mouvements qui se produisent aux articulations des membres. Toutefois, les muscles peuvent aussi faire bouger des os moins mobiles, par exemple les vertèbres lorsqu'on incline le torse sur le côté.

Les principaux types de mouvements sont décrits ci-après et illustrés dans la figure 6.13. En lisant la description de chacun de ces mouvements, essayez de l'exécuter.

- **Flexion.** Habituellement accomplie dans le plan sagittal, la flexion est un mouvement qui diminue l'angle de l'articulation et rapproche deux os l'un de l'autre (voir la figure 6.13a et b). La flexion est caractéristique des articulations trochléennes (comme le genou ou le coude, qu'on peut plier), mais elle se produit également aux articulations sphéroïdes (comme la hanche et l'épaule, qu'on peut fléchir dans un mouvement vers l'avant).
- **Extension.** L'extension est le mouvement inverse de la flexion ; c'est donc un mouvement qui augmente l'angle, ou la distance, entre deux os ou entre deux parties du corps (comme dans l'étirement du genou ou du coude après une flexion). Si l'extension est supérieure à 180° (comme lorsqu'on penche la tête ou le torse vers l'arrière pour faire pointer le menton vers le plafond), on parle d'*hyperextension* (voir la figure 6.13a et b).
- **Rotation.** La rotation est le mouvement d'un os autour de son axe longitudinal (voir la figure 6.13c). Elle est caractéristique des articulations sphéroïdes et décrit le mouvement de la première vertèbre cervicale autour de la dent de l'axis (comme lorsqu'on fait non de la tête).
- **Abduction.** Habituellement accomplie dans le plan frontal, l'abduction est un mouvement qui écarte un membre du plan médian du corps (voir la figure 6.13d). Le terme *abduction* peut aussi être employé pour désigner le mouvement d'écartement en éventail des doigts ou des orteils.
- **Adduction.** L'adduction est le mouvement inverse de l'abduction ; c'est donc le mouvement d'un membre vers le plan médian du corps (voir la figure 6.13d).
- **Circumduction.** La circumduction comporte des mouvements de flexion, d'extension, d'abduction et d'adduction. Elle est caractéristique des articulations sphéroïdes comme l'épaule. L'extrémité proximale du membre est stationnaire, alors que son extrémité distale trace un cercle. Le membre dans son ensemble décrit un cône dans l'espace (voir la figure 6.13d).

Les mouvements spéciaux

Certains mouvements n'appartiennent à aucune des catégories que nous avons mentionnées et ne se produisent qu'à quelques articulations. La figure 6.13 en présente quelques-uns.

- **Dorsiflexion et flexion plantaire.** On emploie des termes particuliers pour désigner les mouvements du pied dans le plan vertical au niveau de la cheville. Ainsi, on appelle *dorsiflexion* le mouvement consistant à lever le pied en direction du tibia (se tenir sur les talons) et *flexion plantaire* l'action de pointer les orteils vers le bas, par exemple pour se tenir sur la pointe des pieds (voir la figure 6.13e). La dorsiflexion correspond à l'extension du poignet, alors que la flexion plantaire est analogue à la flexion du poignet.
- **Inversion et éversion.** L'inversion et l'éversion sont aussi des mouvements spéciaux du pied (voir la figure 6.13f). Dans l'inversion, la plante du pied est tournée vers le plan médian ; dans l'éversion, elle est tournée vers l'extérieur.
- **Supination et pronation.** Les termes *supination* (« tourner vers l'arrière ») et *pronation* (« tourner vers l'avant ») désignent les mouvements du radius autour de l'ulna (voir la figure 6.13g). La supination est la rotation latérale de l'avant-bras pour tourner la paume en position antérieure ; dans ce cas, le radius et l'ulna sont parallèles. Dans la pronation, l'avant-bras décrit une rotation vers le plan médian et la paume se trouve en position postérieure. Le mouvement fait passer le radius par-dessus l'ulna, si bien que les deux os forment un X. Voici une astuce pour vous aider à vous en souvenir : quand vous portez à votre bouche un bol de soupe *posé dans la paume de vos mains*, le mouvement que vous effectuez est la « *soup*ination ».
- **Opposition.** Dans la paume de la main, l'articulation en selle entre le métacarpien I et les os du carpe

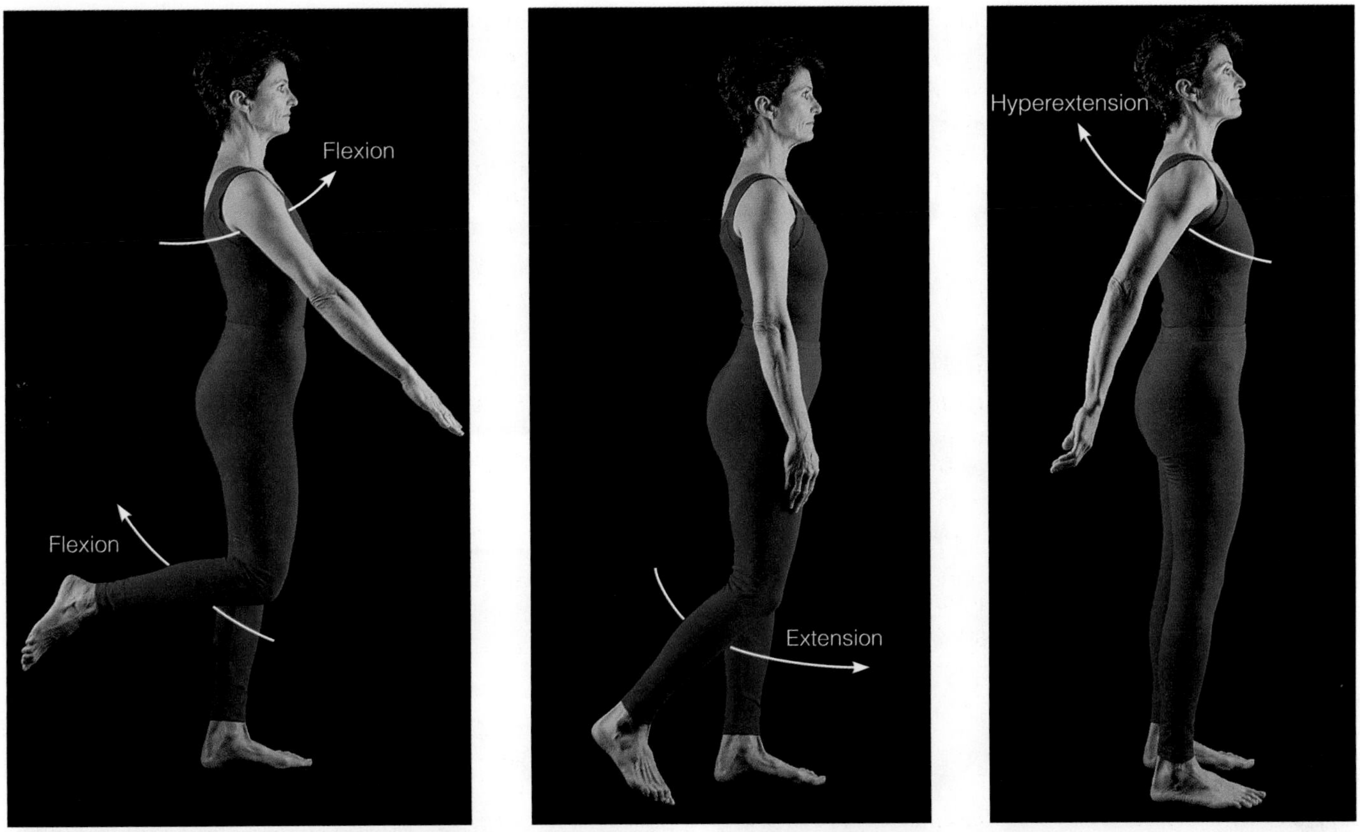
Flexion
Flexion
Extension
Hyperextension

(a) Flexion et extension de l'épaule et du genou

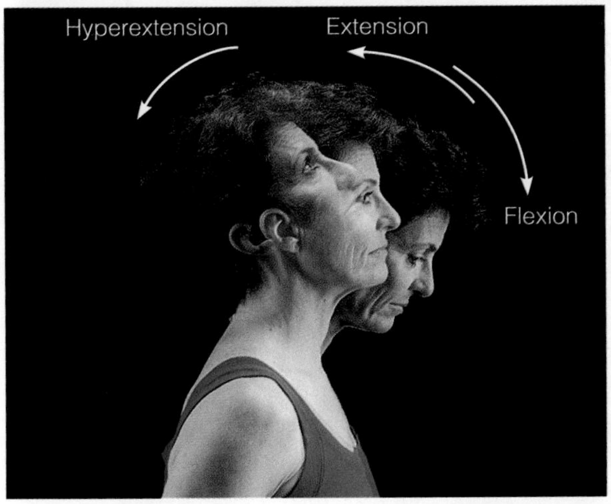
Hyperextension
Extension
Flexion

(b) Flexion, extension et hyperextension

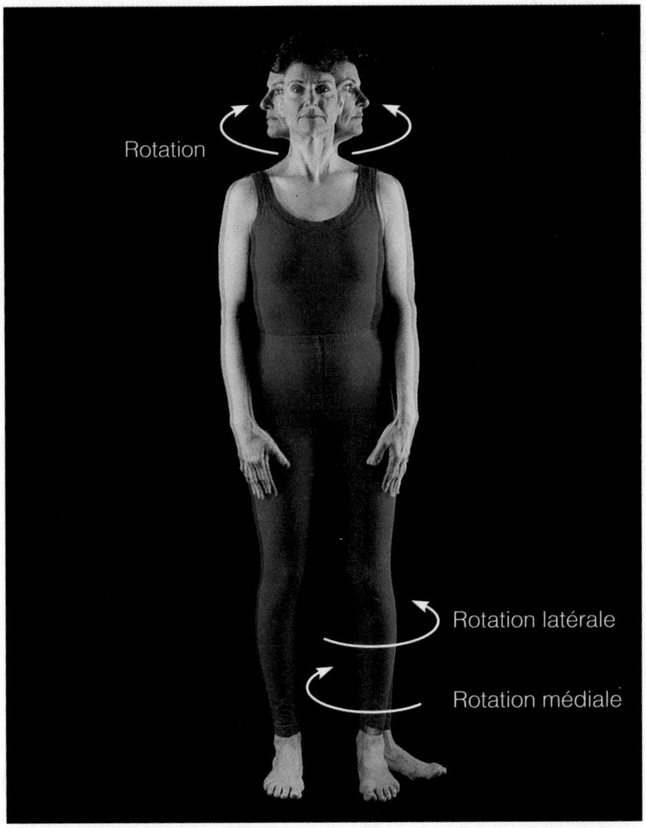
Rotation
Rotation latérale
Rotation médiale

(c) Rotation

Figure 6.13 **Mouvements du corps**

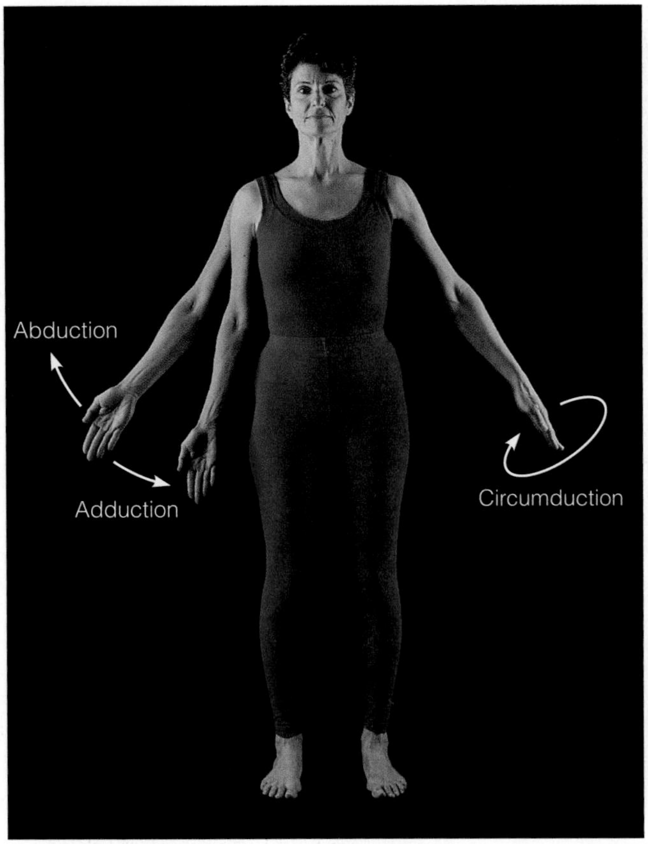
Abduction
Adduction
Circumduction
(d) Abduction, adduction et circumduction

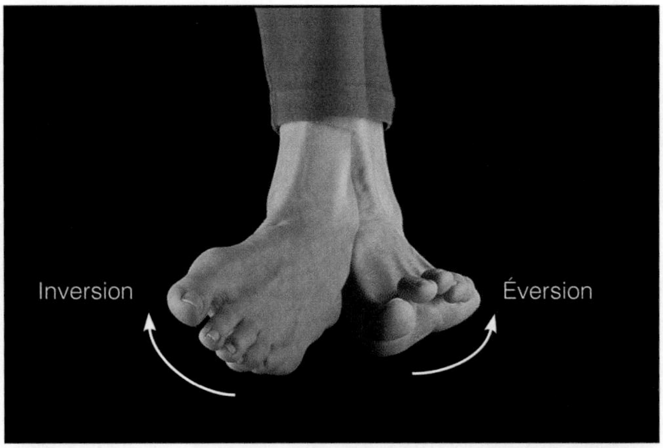
Inversion
Éversion
(f) Inversion et éversion

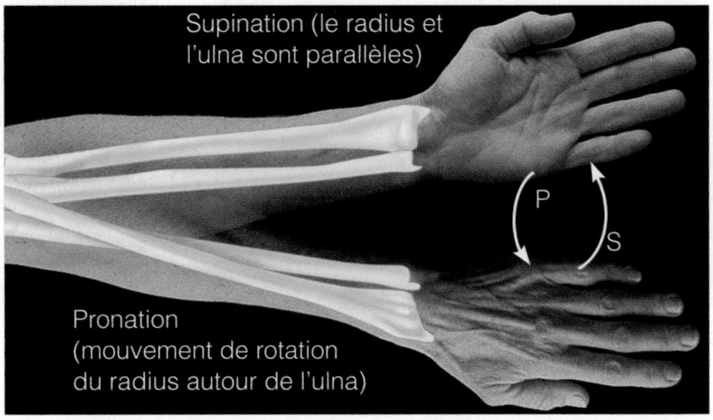
Supination (le radius et l'ulna sont parallèles)
P
S
Pronation (mouvement de rotation du radius autour de l'ulna)
(g) Supination (S) et pronation (P)

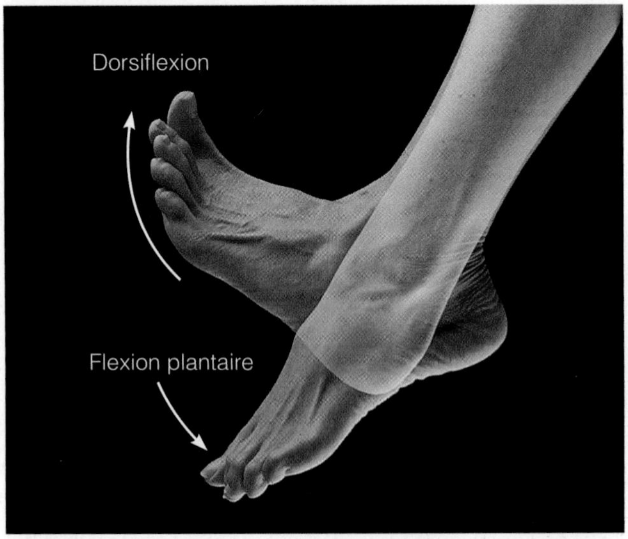
Dorsiflexion
Flexion plantaire
(e) Dorsiflexion et flexion plantaire

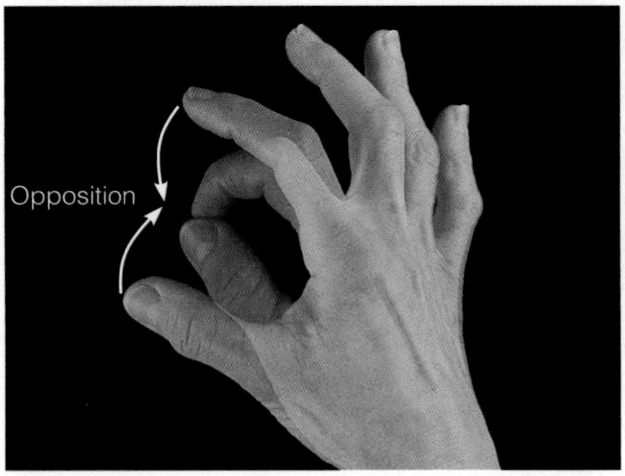
Opposition
(h) Opposition

Figure 6.13 (*suite*) **Mouvements du corps**

permet un mouvement de flexion du pouce appelé *opposition* (voir la figure 6.13h). Le pouce peut ainsi toucher le bout des autres doigts de la même main. C'est l'opposition qui fait de la main humaine un outil si bien adapté à la préhension et à la manipulation des objets.

GROS PLAN

Les stéroïdes anabolisants : les athlètes en sortent-ils gagnants ?

Tout le monde aime les gagnants, et les athlètes de haut niveau sont populaires et font beaucoup d'argent. Il n'est donc pas étonnant que certains d'entre eux soient prêts à faire n'importe quoi en vue d'améliorer leur performance, y compris à prendre des stéroïdes anabolisants. Ces substances sont souvent associées à la réalisation de grands exploits sportifs : par exemple, le vainqueur du Tour de France en 2006, l'Américain Floyd Landis, a été reconnu coupable d'en avoir fait usage. Fabriquées par les compagnies pharmaceutiques, ces hormones sont apparues dans les années 1950 pour traiter les victimes d'anémie et de certaines atrophies musculaires, ainsi que pour prévenir l'atrophie musculaire chez les patients immobilisés après une intervention chirurgicale.

La testostérone, stéroïde anabolisant naturel synthétisé par l'organisme, est à l'origine de l'augmentation de la masse musculaire et osseuse et d'autres changements physiques qui ont lieu durant la puberté et qui transforment le garçon en homme. Convaincus que des doses massives de stéroïdes anabolisants accentueraient les effets masculinisants chez les hommes adultes, un grand nombre d'athlètes ont commencé à utiliser ces hormones (à des doses de 10 à 100 fois plus élevées que les doses thérapeutiques) au début des années 1960 et continuent de le faire aujourd'hui. Ainsi, on estime qu'un jeune homme sur 10 a déjà pris des stéroïdes anabolisants ; l'usage de ces substances n'est donc plus le seul fait des athlètes en mal de performance.

L'utilisation de stéroïdes anabolisants est aujourd'hui bannie de la plupart des compétitions sportives internationales ; les utilisateurs de stéroïdes (de même que les médecins qui en prescrivent et les individus qui en vendent illégalement) sont donc réticents à en parler. Cependant, il ne fait aucun doute que les stéroïdes anabolisants sont utilisés régulièrement par un grand nombre de culturistes professionnels et d'athlètes qui participent à des compétitions nécessitant une grande force musculaire (le lancer du disque ou le lever de poids, par exemple). Certaines vedettes de sports tels que le football ont ainsi admis qu'ils prenaient des stéroïdes pour se préparer aux matches. Les utilisateurs de stéroïdes anabolisants attribuent à ces hormones les avantages suivants : augmentation de la masse et de la force musculaires, accroissement de la capacité du sang de transporter de l'oxygène (en raison du volume accru des globules rouges), diminution de la sensation de fatigue et du temps de récupération, et augmentation de l'agressivité (le désir d'« écraser l'adversaire »).

Cependant, les stéroïdes produisent-ils tous les effets qu'on leur attribue ? Des études indiquent qu'on observe effectivement une augmentation de la force isométrique et de la masse corporelle chez les utilisateurs. Bien que ces résultats puissent faire rêver nombre d'haltérophiles, il existe une vive controverse au sujet de la prétendue capacité des stéroïdes d'accroître l'endurance et la coordination musculaire fine dont les coureurs de fond et autres athlètes ont besoin.

Les avantages apparemment modestes des stéroïdes l'emportent-ils sur les risques ? Absolument pas ! Les médecins affirment que les stéroïdes causent de l'acné, des maux de tête, une bouffissure du visage (signe d'un excès de stéroïdes), un rapetissement des testicules, une diminution de la production des spermatozoïdes pouvant aller jusqu'à la stérilité (la consommation de testostérone tend à inhiber leur production par l'organisme) ; qu'ils endommagent le foie et les reins et favorisent le cancer du foie ; et qu'ils entraînent des hausses de pression artérielle, une diminution de la densité des capillaires au niveau des tendons et des muscles, ainsi que des changements dans les taux de cholestérol sanguin (diminution du « bon » cholestérol et augmentation du « mauvais » cholestérol, ce qui peut augmenter le risque de maladie coronarienne chez les utilisateurs de longue date). De plus, le tiers environ des utilisateurs de stéroïdes finissent par éprouver de graves troubles mentaux. Les comportements maniaques qui se manifestent par des troubles de la personnalité et une violence extrême (qu'on appelle *rage des stéroïdes*) sont courants, de même que la dépression et le délire. Souvent, pour tenter de contrer ces effets néfastes, les utilisateurs de stéroïdes prendront divers médicaments qui ne feront qu'empirer la situation. Et outre tous ces dangers provenant de la substance elle-même, il ne faut pas négliger les risques que représente la méthode employée quand les stéroïdes anabolisants sont administrés par injection avec des seringues souillées.

L'androstènedione est un nouveau produit dopant que l'on fait passer pour un « supplément alimentaire qui améliore la performance ». Cette substance est convertie par l'organisme en testostérone, mais peu après qu'on l'a ingérée, elle est en grande partie détruite par le foie. Néanmoins, les quelques milligrammes qui restent élèvent temporairement le taux de testostérone. Un grand nombre de jeunes qui rêvent de prouesses athlétiques se ruent sur ces produits. La situation est inquiétante ; l'androstènedione vendue sur Internet échappe au contrôle des autorités, et ses effets à long terme sont imprévisibles. Certaines études en cours ont révélé que les hommes qui consomment le supplément produisent non seulement plus de testostérone, mais aussi plus d'œstrogènes, hormone femelle, et s'exposent ainsi à des effets féminisants tels que l'apparition de seins ; ils risquent aussi une puberté précoce et un arrêt prématuré de la croissance osseuse.

Et ce n'est pas tout. Depuis une vingtaine d'années, autant dans les sports d'endurance que dans ceux qui demandent de la force musculaire, on utilise de plus en plus d'autres substances anabolisantes, plus efficaces que les stéroïdes et plus difficiles à détecter, comme les bêta-agonistes et l'hormone de croissance. Les risques associés à la prise de doses massives de ces substances sont loin d'avoir tous été évalués, mais ils semblent, au moins, tout aussi nombreux et tout aussi sérieux que ceux qui sont liés aux stéroïdes anabolisants. Alors, pourquoi consomme-t-on toutes ces substances ? La réponse est simple : parce que certains athlètes se disent prêts à tout pour gagner, à part peut-être se tuer. Mais n'est-ce pas ce qu'ils sont en train de faire sans le savoir ?

LES INTERACTIONS ENTRE LES MUSCLES SQUELETTIQUES

En se contractant, les muscles ne peuvent pas pousser; ils peuvent seulement tirer. Par conséquent, la plupart des mouvements du corps résultent de l'activité de deux ou de plusieurs muscles qui travaillent ensemble ou en opposition. Les muscles sont disposés de telle façon que, pour toute action d'un muscle (ou d'un groupe de muscles), d'autres muscles produisent l'effet contraire, d'où leur capacité d'accomplir une immense variété de mouvements.

Le muscle qui est le principal responsable du mouvement provoqué est appelé **muscle agoniste**. Les muscles qui s'opposent à un mouvement ou qui produisent son effet contraire sont appelés **muscles antagonistes**. Lorsqu'un agoniste est en activité, son antagoniste est étiré et à l'état de repos. Des antagonistes peuvent aussi être agonistes. Par exemple, le muscle triceps brachial, antagoniste du muscle biceps brachial dans la flexion du coude, devient l'agoniste dans le mouvement d'extension du coude.

Les **muscles synergiques** (*sun*, « avec »; *ergon*, « travail ») aident les agonistes en favorisant le même mouvement ou en réduisant les mouvements indésirables qui peuvent survenir lorsqu'un agoniste se contracte. Ainsi, lorsqu'un muscle croise deux ou plusieurs articulations, sa contraction produirait un mouvement dans toutes ces articulations si des muscles synergiques n'étaient pas là pour les stabiliser. Par exemple, les muscles fléchisseurs des doigts croisent à la fois les articulations du poignet et celles des doigts; toutefois, il est possible de fermer le poing sans fléchir le poignet, car les muscles synergiques stabilisent l'articulation du poignet et permettent à l'agoniste de faire bouger les articulations des doigts seulement.

Les **muscles fixateurs** sont des muscles synergiques spécialisés. Ils servent à immobiliser un os ou à stabiliser l'origine d'un agoniste afin que toute la tension soit utilisée pour mouvoir l'os d'insertion. Les muscles de la posture qui stabilisent la colonne vertébrale sont des fixateurs, tout comme ceux qui ancrent les scapulas au thorax.

En résumé, bien que les muscles agonistes soient les principaux responsables de la réalisation d'un mouvement, l'action des muscles antagonistes et synergiques est tout aussi importante pour assurer des mouvements harmonieux, précis et coordonnés.

LES NOMS DES MUSCLES SQUELETTIQUES

Comme les os, les muscles ont chacun une forme et une taille distinctes qui sont adaptées aux rôles qu'ils jouent dans l'organisme. Les muscles squelettiques sont nommés selon certains critères qui s'appuient sur des caractéristiques structurales et fonctionnelles particulières. En prêtant attention à ces indices, il devient beaucoup plus facile d'apprendre leurs noms et leurs actions.

- **La direction des fibres musculaires.** Certains muscles sont nommés par rapport à une ligne imaginaire, généralement le plan médian du corps ou l'axe vertical de l'os d'un membre. Lorsque le nom d'un muscle comporte le terme *droit*, cela signifie que les fibres du muscle sont parallèles à cette ligne imaginaire. De même, lorsque le nom d'un muscle porte le terme *oblique*, cela veut dire que les fibres du muscle sont en diagonale par rapport à la ligne imaginaire. Par exemple, le muscle droit de la cuisse et le muscle oblique interne de l'abdomen sont des muscles dont le nom indique la direction des fibres.
- **La taille relative du muscle.** Des termes tels que *grand*, *petit* et *long* apparaissent souvent dans les noms des muscles. Par exemple, le muscle grand glutéal est le plus grand des muscles glutéaux.
- **La localisation du muscle.** Le nom de certains muscles indique l'os auquel le muscle est associé. Par exemple, les muscles temporal et occipitofrontal recouvrent respectivement l'os temporal et les os frontal et occipital du crâne.
- **Le nombre d'origines.** Lorsque les termes *biceps*, *triceps* ou *quadriceps* font partie du nom d'un muscle, on peut en déduire que ce dernier possède deux, trois ou quatre origines respectivement. Par exemple, le muscle biceps brachial a deux origines, ou *chefs*, tandis que le muscle triceps brachial en a trois.
- **Les points d'origine ou d'insertion du muscle.** Certains muscles sont nommés d'après leurs points d'attache. Par exemple, le muscle sternocléidomastoïdien a son point d'origine sur le sternum (*sterno*) et sur la clavicule (*cléido*), et son point d'insertion sur le processus *mastoïde* de l'os temporal.
- **La forme du muscle.** La forme distinctive de certains muscles sert à les nommer. Par exemple, le muscle deltoïde est presque triangulaire (*deltoïde*, « en forme de triangle »).
- **L'action du muscle.** Lorsque les muscles sont nommés d'après leur action, des termes tels que *fléchisseur*, *extenseur*, *adducteur* ou *abducteur* apparaissent dans leur nom. Par exemple, les muscles adducteurs de la cuisse produisent tous le mouvement d'adduction de la cuisse, et les muscles extenseurs du poignet concourent tous au mouvement d'extension du poignet.

L'AGENCEMENT DES FAISCEAUX

Les muscles sont composés de faisceaux, mais l'agencement de ces derniers est variable, si bien que les muscles diffèrent tant par leur structure que par leurs propriétés fonctionnelles. Nous décrivons ci-après les agencements les plus courants, représentés à la figure 6.14.

L'agencement des faisceaux est qualifié de **circulaire** lorsque ceux-ci sont disposés en cercles concentriques (figure 6.14a). La fonction des muscles circulaires consiste habituellement à fermer la lumière d'un conduit; ils sont réunis sous le nom générique de *sphincters* (*sphingein*, «serrer»). Le muscle orbiculaire de la bouche et le muscle orbiculaire de l'œil sont circulaires.

Un muscle est dit **convergent** lorsque ses faisceaux convergent vers un tendon unique au niveau de l'insertion. Sa forme est plus ou moins triangulaire, en éventail, comme celle du muscle grand pectoral situé sur la partie antérieure du thorax (figure 6.14b).

Dans l'agencement **parallèle**, les axes longitudinaux des faisceaux sont orientés parallèlement à l'axe longitudinal du muscle. Ces muscles ont la forme d'une sangle (figure 6.14c). Une adaptation de cet agencement, appelée **fusiforme**, confère au muscle l'aspect d'un fuseau avec un ventre (partie centrale) épais, comme dans le cas du muscle biceps brachial (figure 6.14f).

Dans le type **penné** (*penna*, «plume»), les faisceaux sont courts et s'attachent en diagonale à un tendon central. Si, comme c'est le cas du muscle long extenseur des orteils (muscle de la jambe), les faisceaux s'insèrent tous du même côté du tendon, le muscle est *unipenné* (figure 6.14d). S'ils s'insèrent sur deux côtés opposés du tendon ou à plusieurs endroits tout autour de celui-ci, on dit que le muscle est *bipenné* (figure 6.14g) ou *multipenné* (figure 6.14e), respectivement.

L'amplitude de mouvement d'un muscle et sa puissance sont fonction de l'agencement de ses faisceaux. Plus les fibres sont longues et parallèles à son axe longitudinal, plus le muscle peut se raccourcir. En revanche, ce type de muscle n'est pas très puissant en général. La

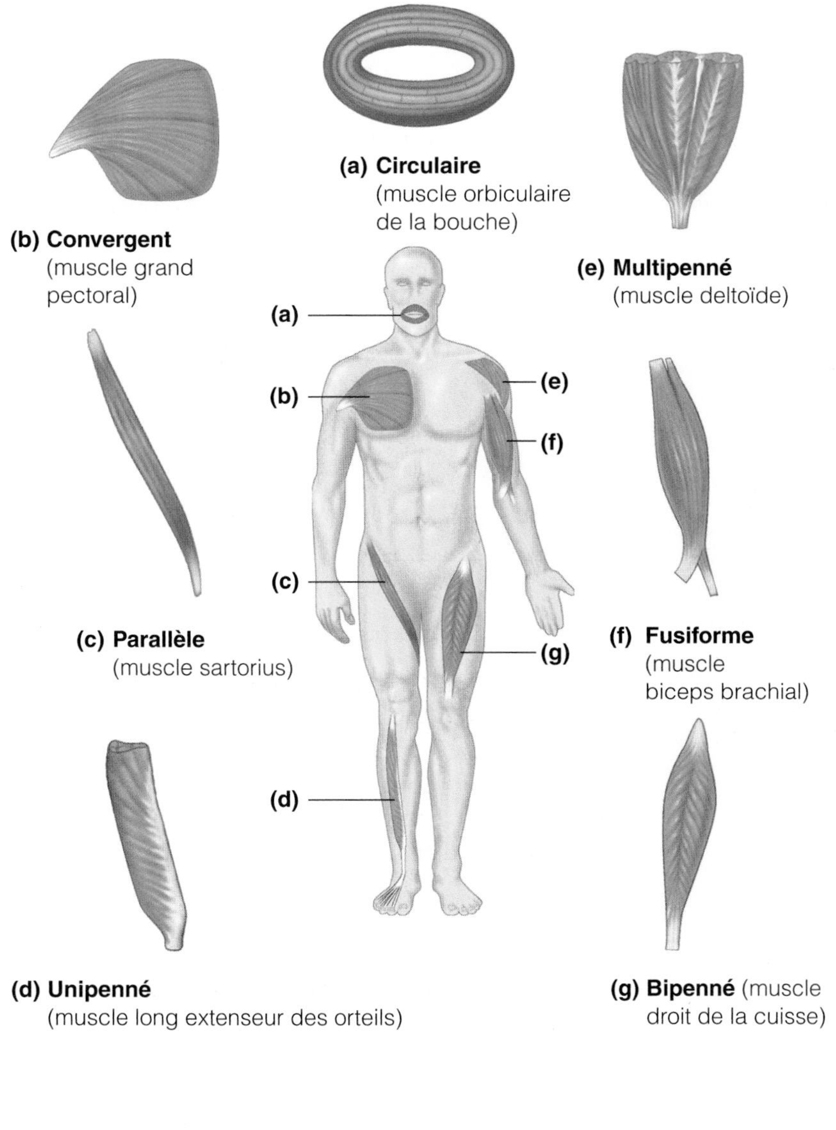
(a) Circulaire
(muscle orbiculaire de la bouche)
(b) Convergent
(muscle grand pectoral)
(c) Parallèle
(muscle sartorius)
(d) Unipenné
(muscle long extenseur des orteils)
(e) Multipenné
(muscle deltoïde)
(f) Fusiforme
(muscle biceps brachial)
(g) Bipenné (muscle droit de la cuisse)
(a)
(b)
(c)
(d)
(e)
(f)
(g)

Figure 6.14 **La relation entre l'agencement des faisceaux et la structure du muscle**

force d'un muscle dépend plutôt du nombre total de fibres qui le constituent. Les muscles épais de type bipenné et multipenné, qui renferment le plus grand nombre de fibres, raccourcissent très peu mais sont très puissants.

L'anatomie macroscopique des muscles squelettiques

Il est impossible de décrire ici les centaines de muscles squelettiques qui forment le corps humain. Nous nous contenterons de décrire les plus importants. Tous les muscles superficiels mentionnés sont résumés dans les tableaux 6.3 et 6.4, et sont illustrés dans les figures 6.21 et 6.22 qui les accompagnent (p. 208-211).

LES MUSCLES DE LA TÊTE ET DU COU

Les muscles de la tête (figure 6.15) constituent un groupe intéressant. Ils ont de nombreuses fonctions particulières, mais on les regroupe habituellement dans deux grandes catégories : les muscles de la face et les muscles masticateurs. Les muscles de la face sont uniques, car ils s'insèrent sur des tissus mous comme la peau ou d'autres muscles. Lorsqu'ils se contractent et tirent la peau du visage, ils nous permettent de sourire légèrement ou largement, de froncer les sourcils, de faire la moue, d'avancer les lèvres pour embrasser et ainsi de suite. Quant aux muscles masticateurs, ils commencent la dégradation des aliments que nous ingérons.

Les muscles de la face

Le ventre frontal du muscle occipitofrontal Le ventre frontal du muscle occipitofrontal recouvre l'os frontal de l'aponévrose épicrânienne jusqu'à la peau des sourcils, où il s'insère. Ce muscle vous permet d'élever les sourcils, comme lorsque vous prenez un air surpris, et de plisser la peau du front. À l'extrémité postérieure de l'aponévrose épicrânienne se trouve le petit ventre **occipital**, qui recouvre l'arrière du crâne et tire le cuir chevelu vers l'arrière.

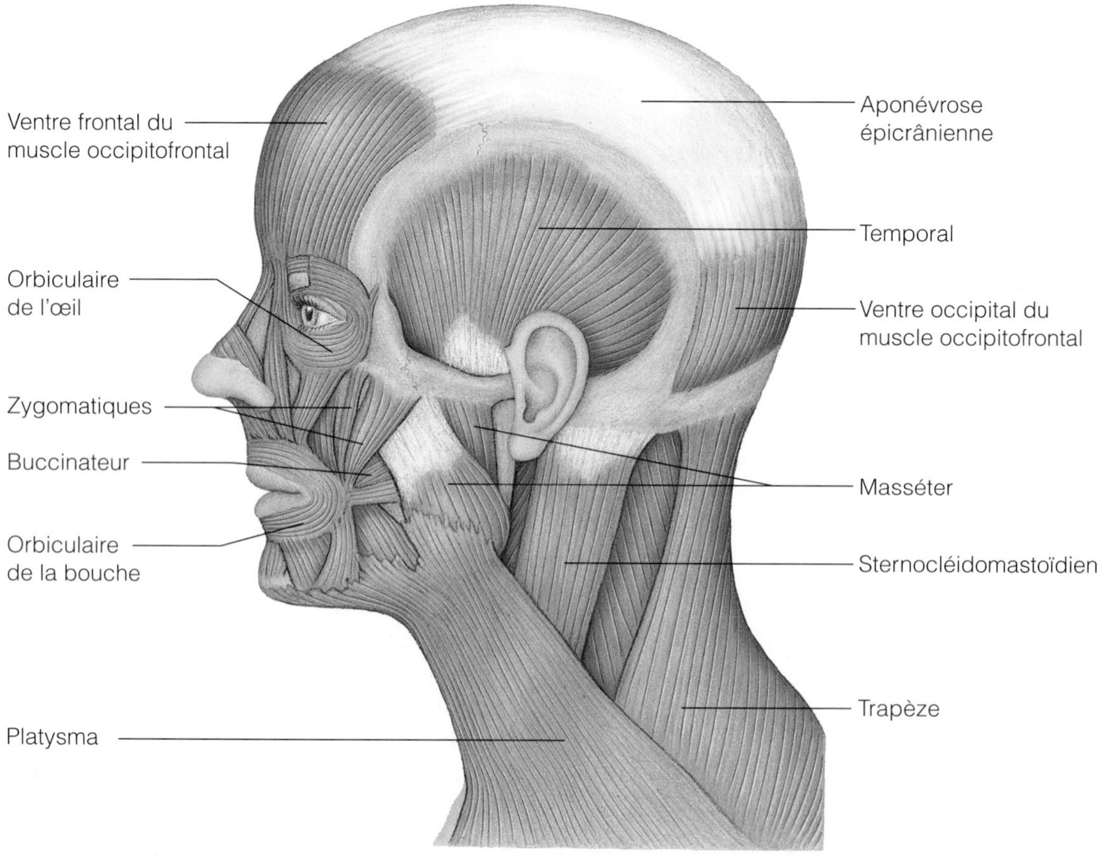
Ventre frontal du muscle occipitofrontal
Orbiculaire de l'œil
Zygomatiques
Buccinateur
Orbiculaire de la bouche
Platysma
Aponévrose épicrânienne
Temporal
Ventre occipital du muscle occipitofrontal
Masséter
Sternocléidomastoïdien
Trapèze

Figure 6.15 **Les muscles superficiels de la face et du cou**

L'orbiculaire de l'œil Les fibres du muscle orbiculaire de l'œil sont disposées en cercle autour des yeux. Ce muscle vous permet de fermer les yeux, de loucher, de cligner et de faire un clin d'œil.

L'orbiculaire de la bouche Le muscle orbiculaire de la bouche est le muscle circulaire des lèvres. Comme il permet de fermer la bouche et de projeter les lèvres vers l'avant, on l'appelle souvent le *muscle du baiser.*

Le buccinateur Le muscle buccinateur est un muscle charnu qui traverse horizontalement la joue et qui s'insère sur le muscle orbiculaire de la bouche. Il permet de rentrer les joues (comme pendant la succion et pour siffler ou pour souffler dans une trompette). Il fait également partie des muscles masticateurs, car il presse les joues pour maintenir les aliments entre les dents pendant la mastication.

Les zygomatiques Les muscles grand et petit zygomatiques s'étendent de la commissure des lèvres jusqu'à la pommette. On les appelle souvent les *muscles du sourire* parce qu'ils tirent la commissure des lèvres latéralement et vers le haut.

Les muscles masticateurs

Le muscle buccinateur fait partie des muscles masticateurs, mais il est décrit dans la section des muscles de la face.

Le masséter Le muscle masséter recouvre l'angle de la mâchoire inférieure. Il s'étend du processus zygomatique du temporal jusqu'à la mandibule. Ce muscle permet de fermer la mâchoire en élevant la mandibule. On peut le palper en serrant les dents.

Le temporal Le muscle temporal est un muscle en forme d'éventail qui recouvre l'os temporal. Il s'insère sur la mandibule et est synergique du muscle masséter dans la fermeture de la mâchoire. Il peut aussi tirer la mâchoire vers l'arrière (rétraction).

Les muscles du cou

Les muscles du cou, qui font bouger la tête et la ceinture scapulaire, sont pour la plupart petits et en forme de sangle. Deux muscles du cou seulement sont présentés ici.

Le platysma Le platysma est un muscle impair ayant la forme d'un feuillet qui couvre la région antérolatérale du cou (voir la figure 6.15). Son origine se situe sur les tissus conjonctifs recouvrant les muscles de la poitrine, et son point d'insertion se trouve dans la région entourant la bouche. Il permet d'abaisser les commissures des lèvres, produisant l'affaissement de la bouche, et de tendre la peau du cou.

Le sternocléidomastoïdien Le muscle sternocléidomastoïdien est un muscle à double chef de la région latérale du cou. Un des deux chefs du muscle prend son origine sur le manubrium (sternum) et l'autre, sur la clavicule. Les chefs fusionnent avant de s'insérer sur le processus mastoïde de l'os temporal. Lorsqu'ils se contractent simultanément, les deux muscles sternocléidomastoïdiens font fléchir le cou. (Certains les appellent les *muscles de la prière* parce qu'ils produisent la flexion du cou.) Lorsqu'il se contracte, un seul de ces deux muscles fait tourner la tête vers l'épaule du côté opposé.

Déséquilibre homéostatique

Au cours de certaines naissances difficiles, le bébé pourrait souffrir d'un *torticolis musculaire congénital* si un de ces muscles subit une lésion entraînant des spasmes. ▲

LES MUSCLES DU TRONC

Les muscles du tronc sont: 1) ceux qui font bouger la colonne vertébrale (la plupart d'entre eux sont des muscles antigravifiques postérieurs), 2) les muscles thoraciques antérieurs qui font bouger les côtes, la tête et les bras et 3) les muscles de la paroi abdominale qui aident à faire bouger la colonne vertébrale, mais, surtout, qui forment une « ceinture naturelle » de muscles pour l'abdomen.

Les muscles antérieurs (figure 6.16)

Le grand pectoral Le muscle grand pectoral, muscle large en forme d'éventail, couvre la partie supérieure du thorax. Il prend son origine sur le sternum, la ceinture scapulaire et les six premières côtes, et s'insère sur l'extrémité proximale de l'humérus. Ce muscle forme la paroi antérieure de l'aisselle; il permet l'adduction, la flexion et la rotation médiale du bras.

Les intercostaux Les muscles intercostaux sont des muscles profonds situés entre les côtes. (Ils ne sont pas illustrés dans la figure 6.16, qui montre seulement les muscles superficiels, mais apparaissent dans la figure 6.21.) Les muscles intercostaux externes jouent un rôle important dans la respiration, car ils contribuent à soulever la cage thoracique pour faire entrer l'air inspiré. Les muscles intercostaux internes, qui se trouvent en profondeur sous les muscles intercostaux externes, abaissent la cage thoracique et contribuent ainsi à faire sortir l'air des poumons au moment d'une expiration forcée.

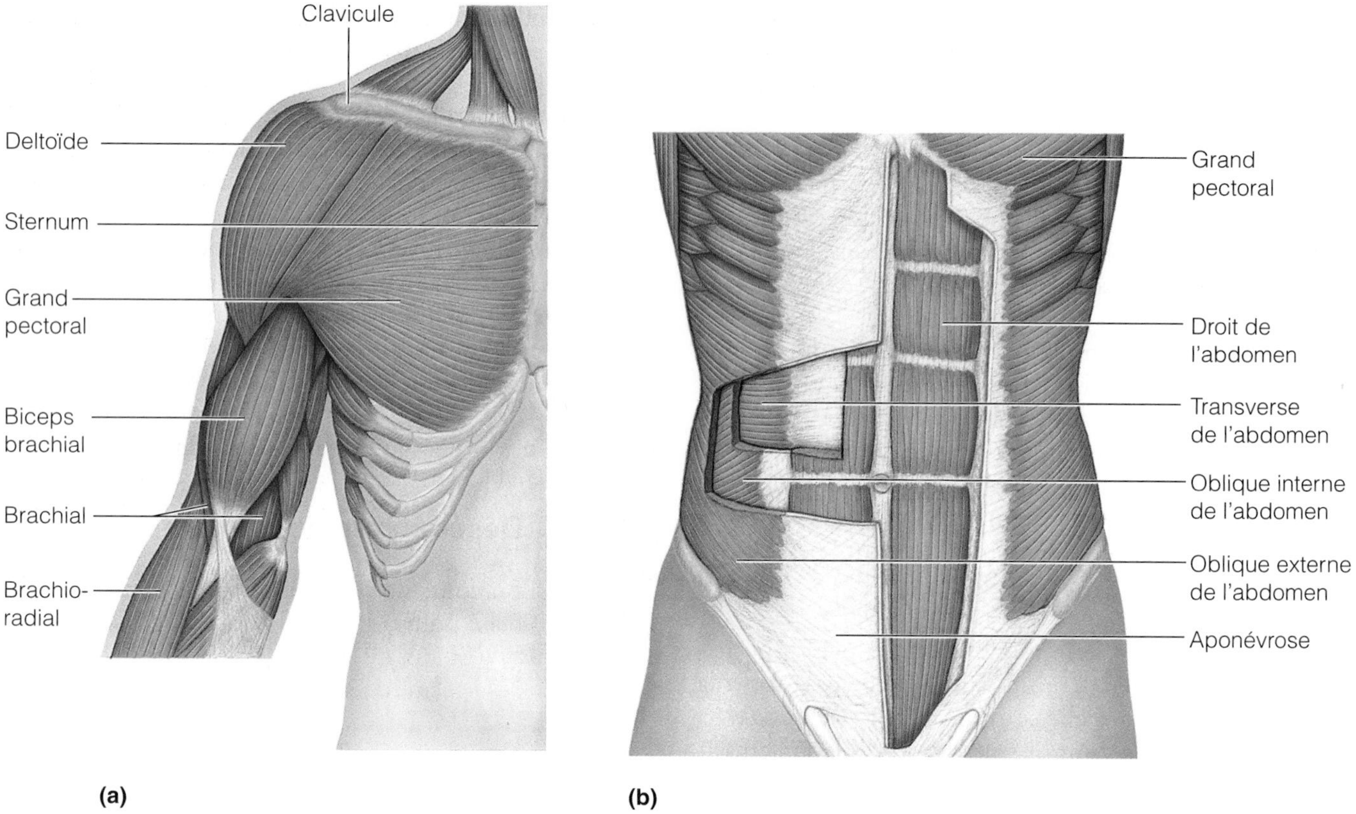
Clavicule
Deltoïde
Sternum
Grand pectoral
Biceps brachial
Brachial
Brachio-radial
(a)
Grand pectoral
Droit de l'abdomen
Transverse de l'abdomen
Oblique interne de l'abdomen
Oblique externe de l'abdomen
Aponévrose
(b)

Figure 6.16 **Les muscles antérieurs du tronc, de l'épaule et du bras**

(a) Muscles croisant l'articulation de l'épaule et à l'origine des mouvements du bras. On a enlevé le platysma du cou. **(b)** Muscles de la paroi abdominale. On a partiellement sectionné les muscles superficiels du côté droit de l'abdomen pour montrer les muscles profonds.

Les muscles de la paroi abdominale Les muscles abdominaux antérieurs (droit de l'abdomen, oblique interne de l'abdomen, oblique externe de l'abdomen et transverse de l'abdomen) forment une «ceinture» naturelle qui renforce le tronc. Ensemble, ils présentent une structure qui fait penser à une feuille de contreplaqué, car les fibres de chaque muscle ou paire de muscles sont orientées différemment. Comme le contreplaqué qui est exceptionnellement résistant pour son épaisseur, les muscles abdominaux forment une paroi musculaire bien adaptée à son rôle, qui consiste à envelopper et à protéger les viscères.

- **Droit de l'abdomen.** Le muscle droit de l'abdomen est un muscle en forme de sangle. C'est le muscle le plus superficiel de l'abdomen. Enveloppé d'une aponévrose, il s'étend du pubis jusqu'à la cage thoracique. Sa principale fonction consiste à fléchir la colonne vertébrale; il peut aussi en permettre la rotation. Il peut également comprimer les viscères abdominaux pendant la défécation et l'accouchement, et participer à la respiration forcée.
- **Oblique externe de l'abdomen.** Le muscle oblique externe de l'abdomen est un muscle superficiel qui forme la paroi latérale de l'abdomen. Ses fibres sont orientées vers le bas et le plan médian. Le muscle oblique externe de l'abdomen part des huit dernières côtes et s'insère sur l'ilium. Comme le muscle droit de l'abdomen, le muscle oblique externe de l'abdomen participe à la flexion de la colonne vertébrale, mais il concourt aussi à la rotation et à la flexion latérale du tronc.
- **Oblique interne de l'abdomen.** Le muscle oblique interne de l'abdomen est un muscle profond situé au-dessous du muscle oblique externe. Ses fibres sont orientées à angle droit par rapport à celles du muscle oblique externe de l'abdomen. Le muscle oblique interne de l'abdomen part de la crête iliaque et s'insère sur les trois dernières côtes. Ses fonctions sont identiques à celles du muscle oblique externe de l'abdomen.
- **Transverse de l'abdomen.** Le muscle transverse de l'abdomen est le muscle le plus profond de la paroi abdominale. Ses fibres s'étendent horizontalement. Le

muscle transverse de l'abdomen naît sur les dernières côtes et sur la crête iliaque, et s'insère sur la crête pubienne. Ce muscle comprime les organes abdominaux.

Les muscles postérieurs (figure 6.17)

Le trapèze Le muscle trapèze est le muscle postérieur le plus superficiel du cou et de la partie supérieure du tronc. Ensemble, les deux muscles trapèzes constituent une masse musculaire en forme de diamant ou de cerf-volant. Chacun possède une origine qui est très large : elle s'étend de l'os occipital du crâne jusqu'aux dernières vertèbres thoraciques. Le muscle s'évase ensuite vers le côté pour s'insérer sur l'épine scapulaire et la clavicule. Le muscle trapèze effectue l'extension de la tête (et est donc l'antagoniste du sternocléidomastoïdien). Il participe également à la rétraction, à l'adduction et à la stabilisation de la scapula. Assez curieusement, étant donné qu'il est formé de trois parties (faisceaux) orientées dans des directions différentes et innervé par plusieurs nerfs, le muscle trapèze peut à la fois élever et abaisser la scapula.

Le grand dorsal Le muscle grand dorsal est le muscle large et plat qui recouvre le bas du dos. Il prend naissance sur la partie inférieure de la colonne vertébrale et sur l'ilium, puis s'incurve pour s'insérer sur l'extrémité proximale de l'humérus. Le muscle grand dorsal effectue l'extension et l'adduction de l'humérus et la rotation médiale de la scapula. Ce muscle est très important lorsque le bras est lancé vigoureusement vers le bas comme pour donner un coup ou nager.

L'érecteur du rachis Le muscle érecteur du rachis est un groupe de muscles agonistes dans l'extension du dos. Ce sont les muscles profonds du dos, qui sont montrés dans la figure 6.17b. Chaque muscle érecteur du rachis comprend trois colonnes de muscles (soit, en allant vers le plan médian, le muscle iliocostal, le muscle longissimus et le muscle épineux) qui s'étendent sur toute la longueur de la colonne vertébrale. Ces muscles sont non seulement de puissants extenseurs du dos, mais ils fournissent aussi la résistance qui contribue à la maîtrise de la flexion vers l'avant, au niveau de la taille. Les muscles

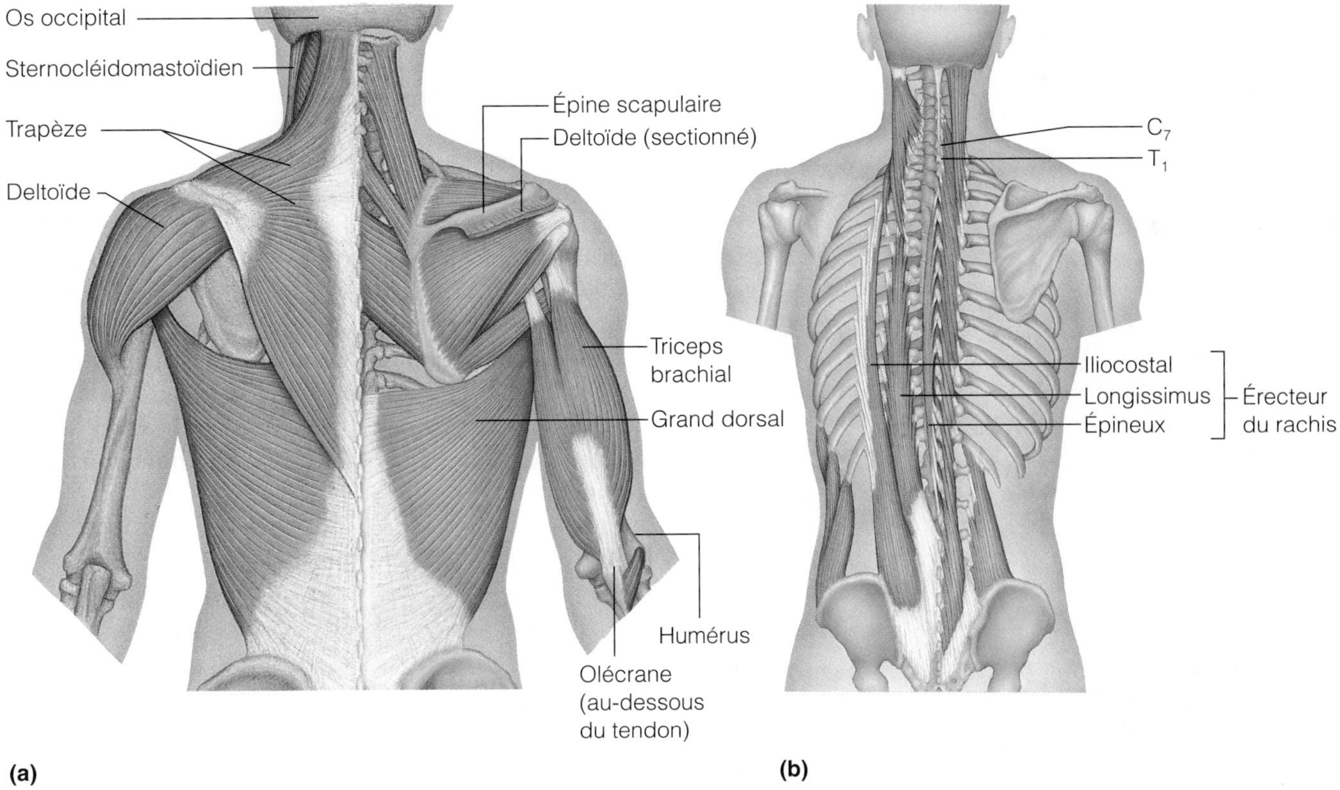
Os occipital
Sternocléidomastoïdien
Trapèze
Deltoïde
Épine scapulaire
Deltoïde (sectionné)
Triceps brachial
Grand dorsal
Humérus
Olécrane (au-dessous du tendon)
(a)
C7
T1
Iliocostal
Longissimus
Épineux
Érecteur du rachis
(b)

Figure 6.17 **Les muscles postérieurs du cou, du tronc et du bras**

(a) Muscles superficiels. **(b)** Muscles érecteurs du rachis (iliocostal, longissimus et épineux), muscles profonds du dos.

érecteurs du rachis sont sujets à des spasmes douloureux à la suite de blessures au dos.

Le deltoïde Le muscle deltoïde est un muscle charnu et triangulaire qui forme la masse arrondie de l'épaule (voir la figure 6.17a). Étant donné qu'il est très charnu, il est souvent utilisé comme point d'injection (figure 6.18) lorsqu'on doit injecter de petites quantités de médicaments (moins de 5 mL) par voie intramusculaire (dans le muscle). L'origine de chaque muscle deltoïde traverse la ceinture scapulaire depuis l'épine scapulaire jusqu'à la clavicule. Il s'insère sur l'extrémité proximale de l'humérus. Les muscles deltoïdes sont des agonistes dans l'abduction du bras. Leurs fibres sont disposées en trois groupes (antérieur, moyen et postérieur), comme celles des muscles trapèzes. La contraction indépendante de chaque groupe permet au muscle deltoïde d'effectuer une rotation médiale du bras ou une rotation latérale.

LES MUSCLES DU MEMBRE SUPÉRIEUR

Les muscles du membre supérieur sont divisés en trois groupes. Le premier comprend les muscles qui naissent sur la ceinture scapulaire et qui traversent l'articulation de l'épaule pour s'insérer sur l'humérus (voir les figures 6.16 et 6.17a). Nous avons déjà décrit ces muscles, qui font bouger le bras (le muscle grand pectoral, le muscle grand dorsal et le muscle deltoïde).

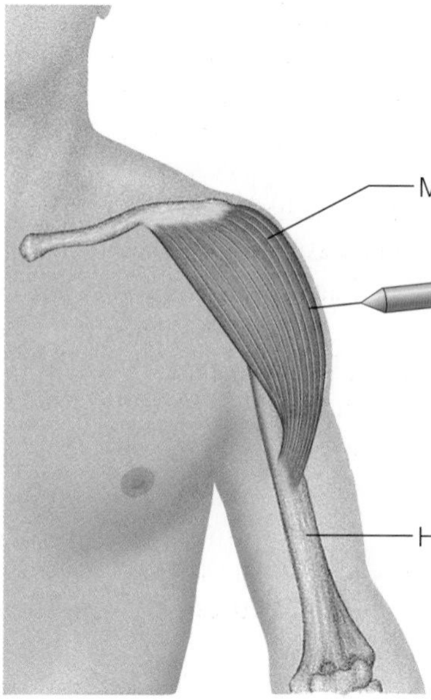
Muscle deltoïde
Humérus

Figure 6.18 **Le muscle deltoïde est un muscle charnu souvent utilisé comme point d'injection intramusculaire.**

Les muscles du deuxième groupe font bouger l'articulation du coude. Ils enveloppent l'humérus et s'insèrent sur les os de l'avant-bras. Seuls les muscles de ce groupe sont décrits dans la présente section.

Le troisième groupe comprend les muscles de l'avant-bras, qui s'insèrent sur les os de la main et produisent les mouvements de cette dernière. Ces muscles, minces et fusiformes, sont nombreux. Nous ne les décrivons pas ici, mais mentionnons leur nom et résumons leur fonction. En général, les muscles de l'avant-bras portent des noms qui traduisent leurs activités. Par exemple, le muscle fléchisseur radial du carpe et le muscle fléchisseur superficiel des doigts, situés sur la face antérieure de l'avant-bras, effectuent la flexion du poignet et des doigts respectivement. De même, le muscle court extenseur radial du carpe et le muscle long extenseur radial du carpe, d'une part, et le muscle extenseur commun des doigts, d'autre part, situés sur la face latérale et postérieure de l'avant-bras, effectuent l'extension du poignet et des doigts respectivement. (Certains de ces muscles sont décrits brièvement dans le tableau 6.4 et illustrés dans la figure 6.22.)

Les muscles de l'humérus agissant sur l'avant-bras

Tous les muscles de la face *antérieure* du bras participent à la flexion du coude. On trouve, par ordre décroissant de force, le brachial, le biceps brachial et le brachioradial (voir les figures 6.16a et 6.21).

Le biceps brachial Le muscle biceps brachial est le plus connu des muscles du bras, car il se bombe lorsque le coude est fléchi (voir la figure 6.16a). Ses deux chefs prennent leur origine sur la ceinture scapulaire et s'insèrent sur la tubérosité du radius. Ce muscle est un puissant agoniste dans la flexion de l'avant-bras et il effectue la supination de l'avant-bras. La meilleure façon de se rappeler son action est de comparer celle-ci au geste qui consiste à déboucher une bouteille de vin : le muscle biceps brachial « tourne le tire-bouchon *et* tire le bouchon ».

Le brachial Le muscle brachial est situé sous le biceps brachial et joue un rôle aussi important que ce dernier dans la flexion du coude.

Le brachioradial Le brachioradial est un muscle fléchisseur plutôt faible qui a son origine sur l'humérus et s'insère sur la partie distale de l'avant-bras (voir les figures 6.16a et 6.21). Ainsi, il est situé principalement dans l'avant-bras.

Le triceps brachial Le muscle triceps brachial est le seul muscle qui forme la partie charnue de la partie postérieure de l'humérus (voir la figure 6.17a). Ses trois chefs prennent naissance sur la ceinture scapulaire et la partie proximale de l'humérus, et s'insèrent sur l'olécrane de l'ulna. Puissant agoniste dans l'extension du coude, il est l'antagoniste du muscle biceps brachial et contribue à la stabilisation de l'épaule. Le muscle triceps brachial est souvent appelé le *muscle du boxeur* parce qu'il peut asséner un coup assez puissant pour vous mettre K.-O.

LES MUSCLES DU MEMBRE INFÉRIEUR

Les muscles qui agissent sur le membre inférieur font bouger les articulations de la hanche, du genou et du pied. Ils sont parmi les plus gros et les plus forts de l'organisme, et sont hautement spécialisés pour la marche et l'équilibre du corps. Étant donné que la ceinture pelvienne est constituée d'os lourds et fusionnés qui autorisent peu de mouvements, aucun groupe de muscles en particulier n'est nécessaire pour la stabiliser. Elle est donc très différente de la ceinture scapulaire, qui a besoin de plusieurs muscles fixateurs pour demeurer stable.

De nombreux muscles du membre inférieur croisent deux articulations et peuvent effectuer des mouvements à ces deux articulations. C'est pourquoi les termes *origine* et *insertion* sont souvent interchangeables quand on fait référence à ces muscles.

Les muscles qui agissent sur la cuisse sont gros. Ils aident à tenir le corps debout malgré la force de la gravité et produisent différents mouvements à l'articulation de la hanche. Les muscles qui agissent sur la jambe forment la partie charnue de la cuisse. (Rappelez-vous que le terme *jambe* désigne, dans l'usage courant, tout le membre inférieur; en anatomie, toutefois, il fait référence à la seule partie située entre le genou et la cheville.) Les muscles de la cuisse traversent le genou et effectuent sa flexion ou son extension. Étant donné qu'ils ont aussi des attaches sur la ceinture pelvienne, nombre de muscles de la cuisse peuvent également faire bouger l'articulation de la hanche.

Les muscles qui naissent sur la jambe produisent des mouvements assortis de la cheville et du pied. Nous décrivons seulement trois muscles de ce groupe, mais il y en a de nombreux autres qui participent à l'extension et à la flexion des articulations de la cheville et des orteils.

Les muscles agissant sur l'articulation de la hanche (figure 6.19)

Le grand glutéal Le muscle grand glutéal, muscle superficiel de la hanche, constitue l'essentiel de la masse de la fesse (voir la figure 6.19a). Il est un puissant extenseur de la hanche dont l'action aligne la cuisse avec le bassin. Bien qu'il ne joue qu'un rôle stabilisateur dans la marche, il est probablement le muscle le plus important dans l'extension de la hanche lorsqu'il faut exercer une force, par exemple pour monter un escalier ou sauter. Il prend naissance sur le sacrum et l'os iliaque, et il s'insère sur la tubérosité glutéale du fémur.

Le moyen glutéal Le muscle moyen glutéal s'étend de l'ilium au fémur et est en grande partie recouvert par le muscle grand glutéal. Il est un abducteur de la cuisse et joue un rôle important durant la marche en stabilisant le bassin. Le muscle moyen glutéal est un point d'injection intramusculaire important, surtout lorsqu'on veut administrer plus de 5 mL de médicament (voir la figure 6.19b). On pourrait penser que le muscle grand glutéal, le gros muscle charnu qui constitue l'essentiel de la masse de la fesse, conviendrait mieux pour ces injections, mais il ne faut pas oublier que la partie médiale de chaque fesse recouvre le *nerf sciatique*, qu'il est essentiel d'éviter. Pour s'assurer de ne pas toucher ce nerf, on peut diviser *mentalement* la fesse en quatre quadrants (voir les lignes formant une croix dans la figure 6.19b). Le quadrant supérieur droit est celui qui recouvre le muscle moyen glutéal; ce muscle est habituellement un point d'injection intramusculaire très sûr.

L'iliopsoas Le muscle iliopsoas est formé de deux muscles unis l'un à l'autre: l'*iliaque* et le *grand psoas* (voir la figure 6.19c). Il prend naissance sur l'os coxal et les vertèbres inférieures, dans les parties profondes du bassin, et s'insère sur le petit trochanter du fémur. Agoniste dans la flexion de la cuisse, il est aussi un muscle de la posture qui aide à empêcher le corps de tomber vers l'arrière lorsque nous sommes en position debout.

Les adducteurs Les muscles adducteurs forment la masse musculaire de la face médiale de chaque cuisse (voir la figure 6.19c). Comme leur nom l'indique, ils effectuent l'adduction des cuisses (ils les pressent ensemble) et leur rotation médiale. Toutefois, étant donné que la force de la gravité effectue la majeure partie du travail pour eux, ils ont tendance à devenir flasques très rapidement. Des exercices spéciaux sont habituellement nécessaires pour maintenir leur tonus. Les muscles adducteurs naissent sur le bassin et s'insèrent sur la partie proximale du fémur. Les «claquages de l'aine» sont causés par leur élongation.

Les muscles agissant sur l'articulation du genou (figure 6.19)

Les muscles de la loge postérieure de la cuisse Les muscles qui forment la masse musculaire de la partie postérieure de la cuisse (voir la figure 6.19a) sont regroupés

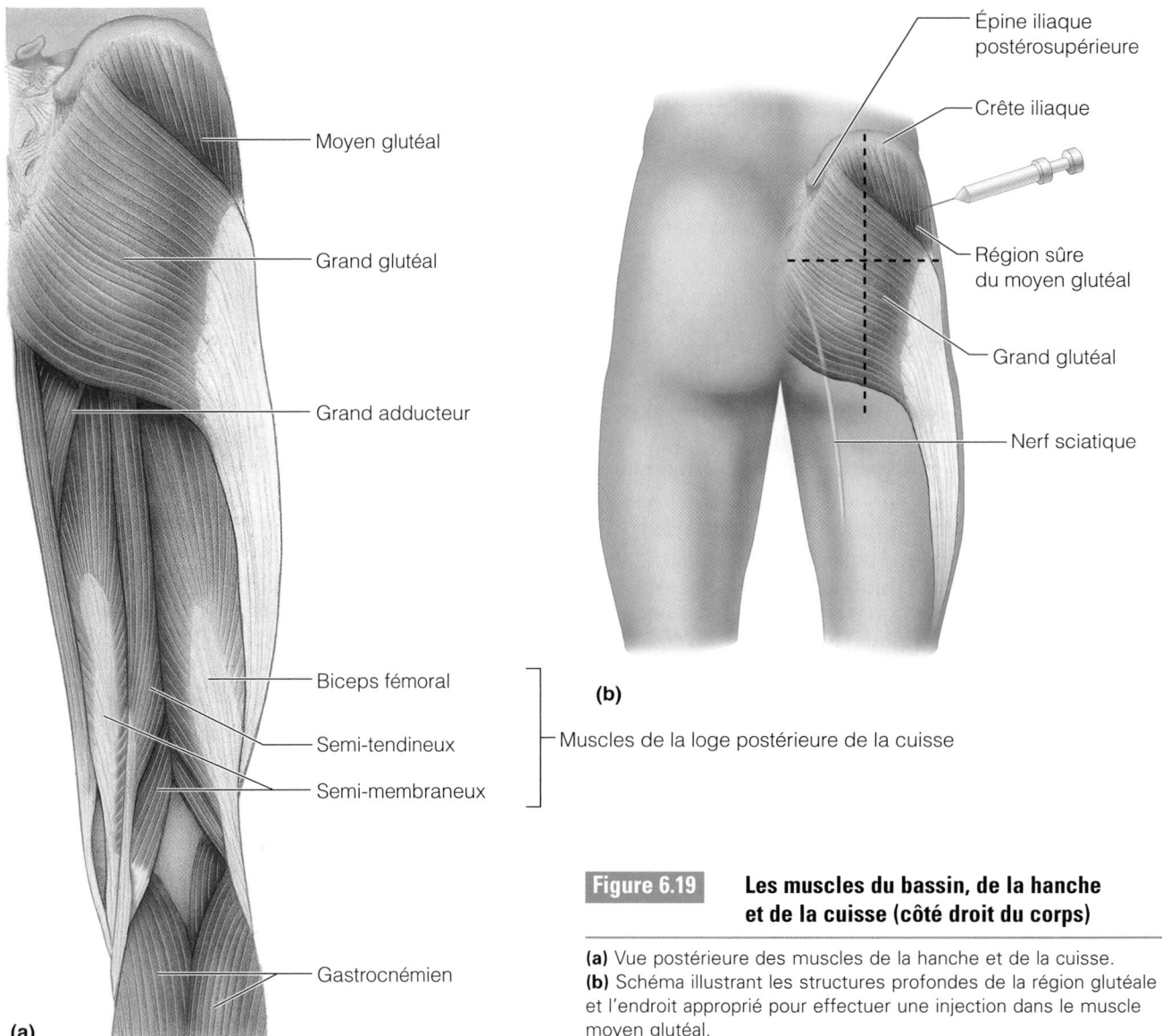

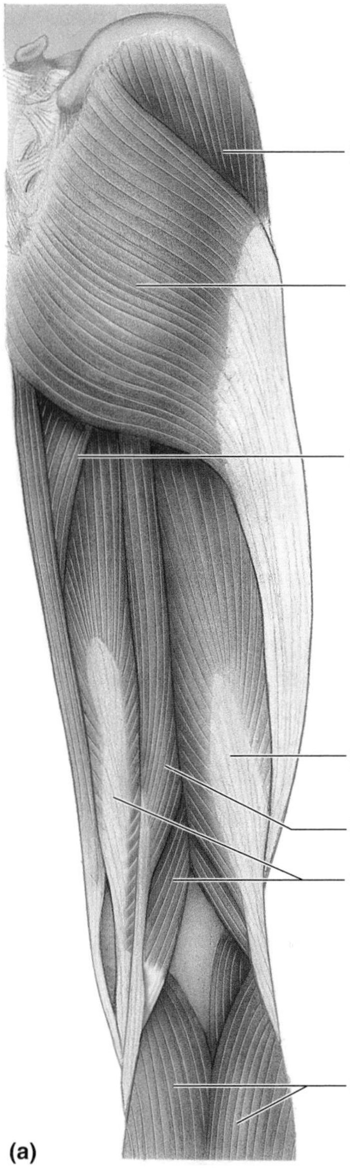
Moyen glutéal
Grand glutéal
Grand adducteur
Biceps fémoral
Semi-tendineux
Semi-membraneux
Muscles de la loge postérieure de la cuisse
Gastrocnémien
(a)

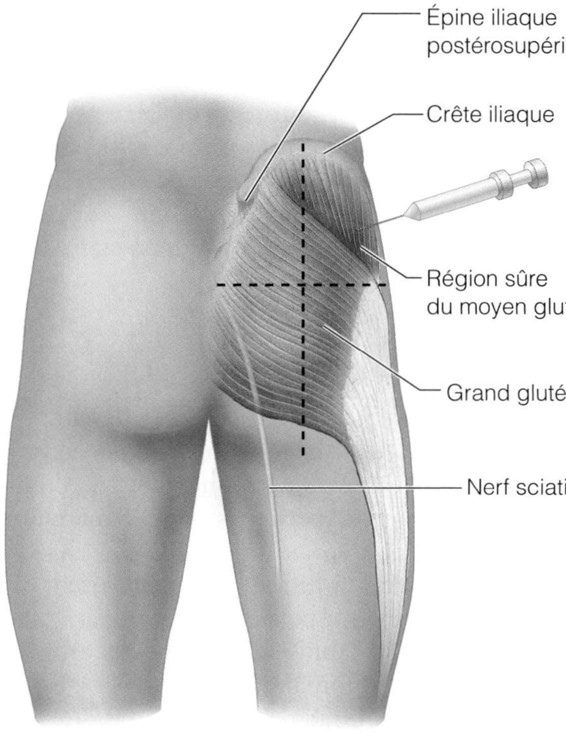
Épine iliaque postérosupérieure
Crête iliaque
Région sûre du moyen glutéal
Grand glutéal
Nerf sciatique
(b)

Figure 6.19 **Les muscles du bassin, de la hanche et de la cuisse (côté droit du corps)**

(a) Vue postérieure des muscles de la hanche et de la cuisse.
(b) Schéma illustrant les structures profondes de la région glutéale et l'endroit approprié pour effectuer une injection dans le muscle moyen glutéal.

en un ensemble de trois muscles nommés collectivement *muscles de la loge postérieure de la cuisse.* Ce sont le muscle **biceps fémoral**, le muscle **semi-membraneux** et le muscle **semi-tendineux**, qui naissent sur la tubérosité ischiatique et descendent le long de la cuisse pour s'insérer sur les deux côtés de l'extrémité proximale du tibia.

Le sartorius Le muscle sartorius, rubané et mince, n'est pas très important comparativement aux autres muscles de la cuisse qui sont décrits ici. Cependant, comme il est le muscle le plus superficiel de la cuisse, on ne peut guère le manquer (voir la figure 6.19c). Il croise obliquement la cuisse, de l'épine iliaque antérosupérieure à la face médiale du tibia. Le muscle sartorius est un fléchisseur (faible) de la cuisse. On l'appelle aussi *couturier* parce qu'il est synergique dans la position autrefois typique du tailleur (jambes croisées).

Le groupe du quadriceps fémoral Le groupe du quadriceps fémoral comprend quatre muscles (le muscle **droit de la cuisse** et trois muscles **vastes** – latéral, intermédiaire et médial) qui forment la partie charnue du devant de la cuisse. Les muscles vastes naissent sur le fémur, alors que le droit de la cuisse prend son origine sur le bassin. Les quatre muscles du groupe s'insèrent sur la tubérosité tibiale par le ligament patellaire. Le groupe du quadriceps fémoral est un puissant extenseur du genou qui sert, par exemple, à botter un ballon ou à sauter. Étant donné qu'il croise deux articulations, soit la hanche et le genou, le muscle droit de la cuisse

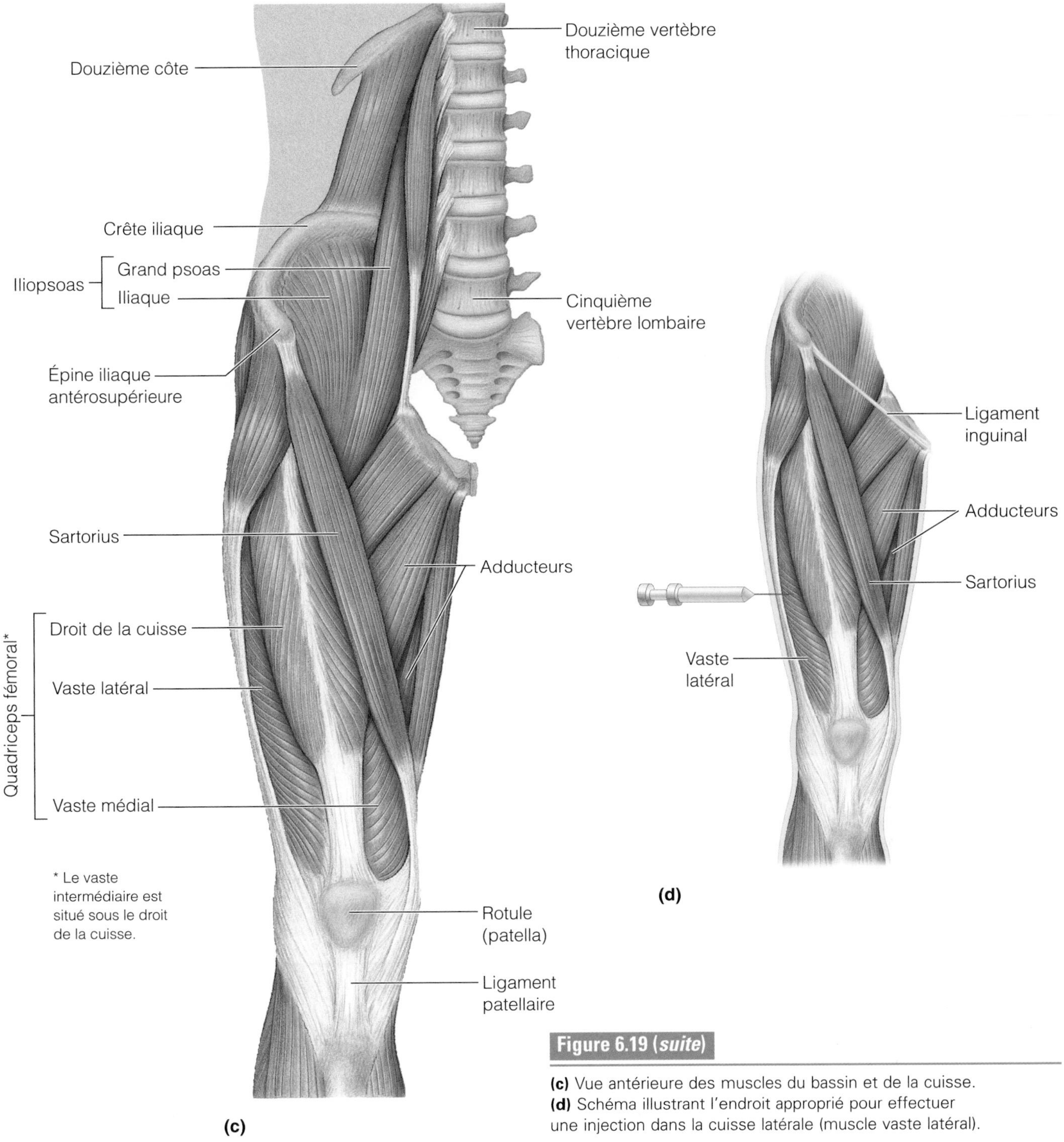
Douzième côte
Douzième vertèbre thoracique
Crête iliaque
Iliopsoas
Grand psoas
Iliaque
Cinquième vertèbre lombaire
Épine iliaque antérosupérieure
Sartorius
Adducteurs
Quadriceps fémoral*
Droit de la cuisse
Vaste latéral
Vaste médial
* Le vaste intermédiaire est situé sous le droit de la cuisse.
Rotule (patella)
Ligament patellaire
(c)
Ligament inguinal
Adducteurs
Sartorius
Vaste latéral
(d)

Figure 6.19 (*suite*)

(c) Vue antérieure des muscles du bassin et de la cuisse.
(d) Schéma illustrant l'endroit approprié pour effectuer une injection dans la cuisse latérale (muscle vaste latéral).

peut également participer à la flexion de la cuisse à la hanche. Le muscle vaste latéral et le muscle droit de la cuisse sont parfois utilisés comme points d'injection intramusculaire (voir la figure 6.19d), surtout chez les nourrissons, dont les muscles glutéaux sont peu développés.

Les muscles agissant sur les articulations de la cheville et du pied (figure 6.20)

Le tibial antérieur Le muscle tibial antérieur est un muscle superficiel de la partie antérieure de la jambe. Il naît sur la partie supérieure du tibia puis longe la crête

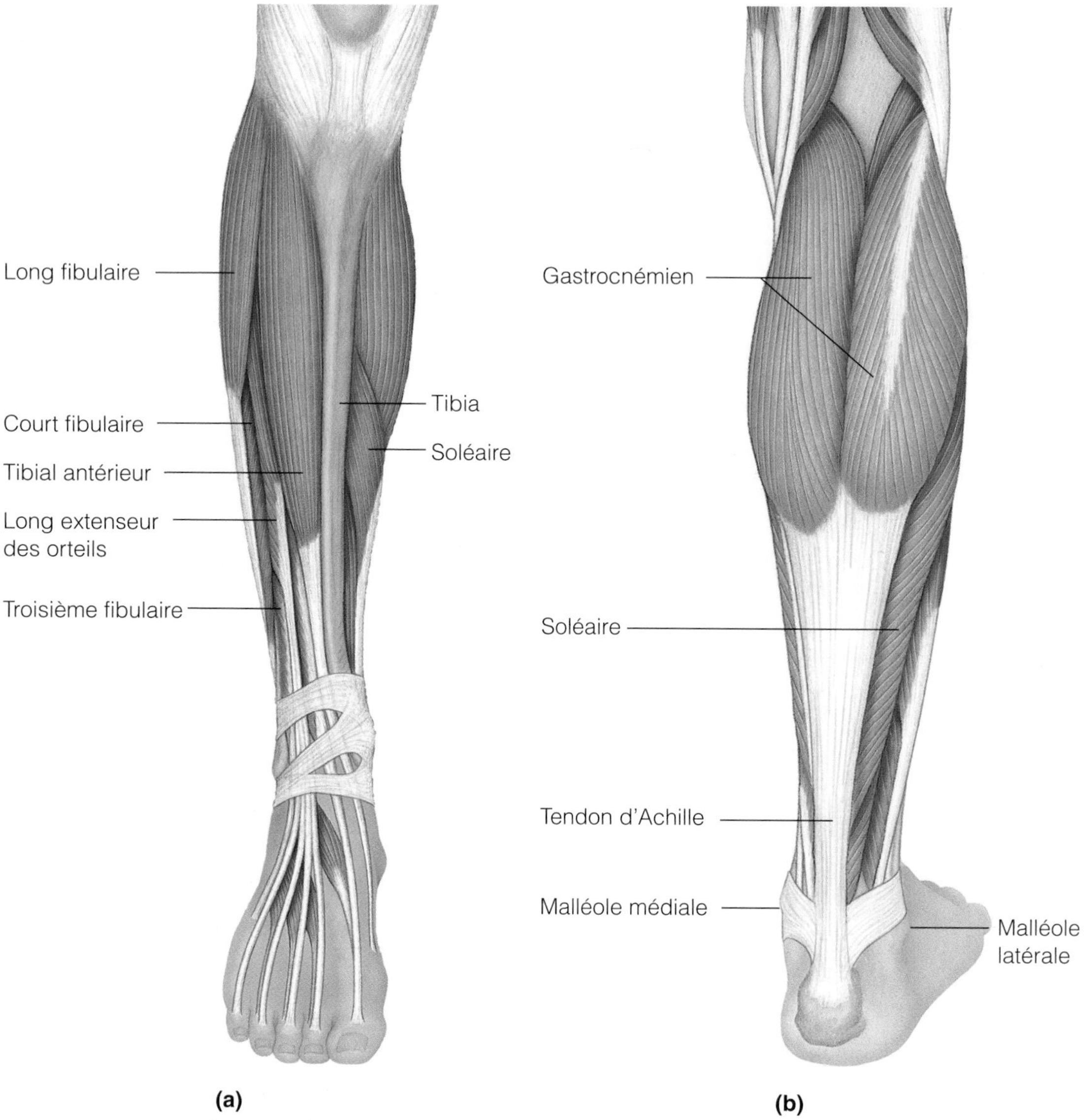
Long fibulaire
Court fibulaire
Tibial antérieur
Long extenseur des orteils
Troisième fibulaire
Tibia
Soléaire
(a)
Gastrocnémien
Soléaire
Tendon d'Achille
Malléole médiale
Malléole latérale
(b)

Figure 6.20 **Les muscles superficiels de la jambe droite**

(a) Vue antérieure. **(b)** Vue postérieure.

du tibia jusqu'au tarse, où il s'insère par un long tendon. Le muscle tibial antérieur participe à la dorsiflexion et à l'inversion du pied.

Le long extenseur des orteils En position latérale par rapport au tibial antérieur, le muscle long extenseur des orteils prend naissance sur le condyle latéral du tibia et la partie proximale de la fibula, et s'insère sur les phalanges des orteils II à V. C'est un agoniste dans l'extension des orteils qui participe aussi à la dorsiflexion du pied.

Les fibulaires Les trois muscles fibulaires, **long**, **court** et **troisième fibulaires**, sont situés sur la face latérale de la jambe. Ils naissent sur la fibula et s'insèrent sur les métatarsiens. Les muscles fibulaires participent à l'éversion du pied ; ils contribuent aussi à la flexion plantaire (sauf le troisième fibulaire qui, lui, participe à la dorsiflexion).

Le gastrocnémien Le muscle gastrocnémien est un muscle à deux ventres qui forme la courbure du mollet.

Il naît de deux chefs sur chaque côté de la partie distale du fémur et s'insère sur l'os du talon par le plus gros tendon de l'organisme, le *tendon d'Achille* (tendon calcanéen). Il est agoniste dans la flexion plantaire lorsque la jambe est étendue; c'est pour cette raison qu'on l'appelle parfois le *muscle de la danseuse sur pointes.* Si son tendon d'insertion est sectionné, la marche devient très difficile, car l'impossibilité de soulever le talon oblige à traîner le pied.

Le soléaire Le soléaire est un muscle charnu et plat situé sous le gastrocnémien. Comme il naît sur le tibia et la fibula (plutôt que sur le fémur), il ne participe pas aux mouvements du genou, mais, comme le gastrocnémien, il agit avec force sur la flexion plantaire.

Rappelez-vous que la plupart des muscles superficiels que nous venons de décrire sont illustrés dans les vues antérieure et postérieure du corps entier des figures 6.21 et 6.22. Vous trouverez également des résumés dans les tableaux 6.3 et 6.4. Prenez le temps de bien revoir tous ces muscles avant de poursuivre votre lecture du chapitre.

FAITES-EN L'EXPÉRIENCE

Palpez les muscles au moment où ils se contractent

Les démonstrations qui suivent vous aideront à situer et à reconnaître quelques-uns des muscles dont il a été question dans le chapitre.

- Accroupissez-vous jusqu'au sol. Pendant que vous vous relevez en faisant une extension de la hanche, palpez votre muscle *grand glutéal.*
- Asseyez-vous et demandez à quelqu'un d'immobiliser une jambe. Mettez en évidence la contraction du muscle droit de la cuisse en tentant d'effectuer une extension du genou pour étendre la jambe contre résistance. Notez la réaction du tendon qui relie ce muscle à la rotule (tendon du quadriceps fémoral). Le *biceps fémoral* de la loge postérieure de la cuisse est sollicité quand vous fléchissez le genou contre la résistance imposée par l'autre personne.
- Levez-vous sur la pointe des pieds. Demandez à quelqu'un de palper les chefs latéral et médial de votre *gastrocnémien* et de parcourir ce dernier jusqu'à son insertion dans le tendon d'Achille.
- Faites la dorsiflexion et l'inversion de votre pied, et palpez votre muscle *tibial antérieur,* qui suit la crête du tibia le long de la face latérale de la jambe.

Le développement et le vieillissement du système musculaire

Dans l'embryon qui se développe, le système musculaire se construit par segments (de façon très semblable à la structure d'un ver de terre). Peu à peu, des nerfs envahissent chaque segment musculaire. Les muscles de la région du thorax et de la région lombaire deviennent très étendus, puisqu'ils sont appelés à couvrir les os des membres et à les faire bouger. Le développement des muscles et leur régulation par le système nerveux se produisent très tôt au cours de la gestation. La mère est souvent étonnée par les premiers mouvements actifs du fœtus, qui sont habituellement perçus vers la seizième semaine de grossesse.

Déséquilibre homéostatique

Les troubles musculaires congénitaux sont très rares. L'un d'entre eux, la *dystrophie musculaire,* est un ensemble de maladies héréditaires qui attaquent certains groupes de muscles. Les muscles atteints s'hypertrophient parce qu'il s'y dépose des graisses et du tissu conjonctif, mais les fibres musculaires elles-mêmes dégénèrent et s'atrophient.

La forme la plus répandue et la plus grave de cette maladie est la *dystrophie musculaire progressive de Duchenne,* qui touche presque exclusivement les garçons (1 naissance sur 3500). Cette terrible maladie est habituellement diagnostiquée entre la deuxième et la sixième année de vie. Les enfants atteints, jusque-là actifs et apparemment normaux, deviennent maladroits et commencent à tomber souvent parce que leurs muscles s'affaiblissent. Le mal progresse de façon implacable à partir des extrémités, et finit par atteindre les muscles de la tête et du thorax. La plupart des victimes doivent utiliser un fauteuil roulant avant l'âge de 12 ans et elles ne dépassent pas le début de l'âge adulte. Les chercheurs ont découvert la cause de la dystrophie musculaire progressive de Duchenne (dans les fibres des muscles atteints, il manque une protéine – la dystrophine – qui aide à maintenir l'intégrité du sarcolemme), mais il n'existe pas encore de traitement. Des essais de transplantation de cellules musculaires saines et possédant le gène de la dystrophine sont toutefois en cours et ont déjà donné des résultats prometteurs. ▲

À la naissance, les mouvements du bébé sont mal coordonnés et déterminés en grande partie par des réflexes. Comme le système nerveux doit se développer pour que le bébé puisse maîtriser ses muscles, on peut

suite du texte à la page 213 ◆.

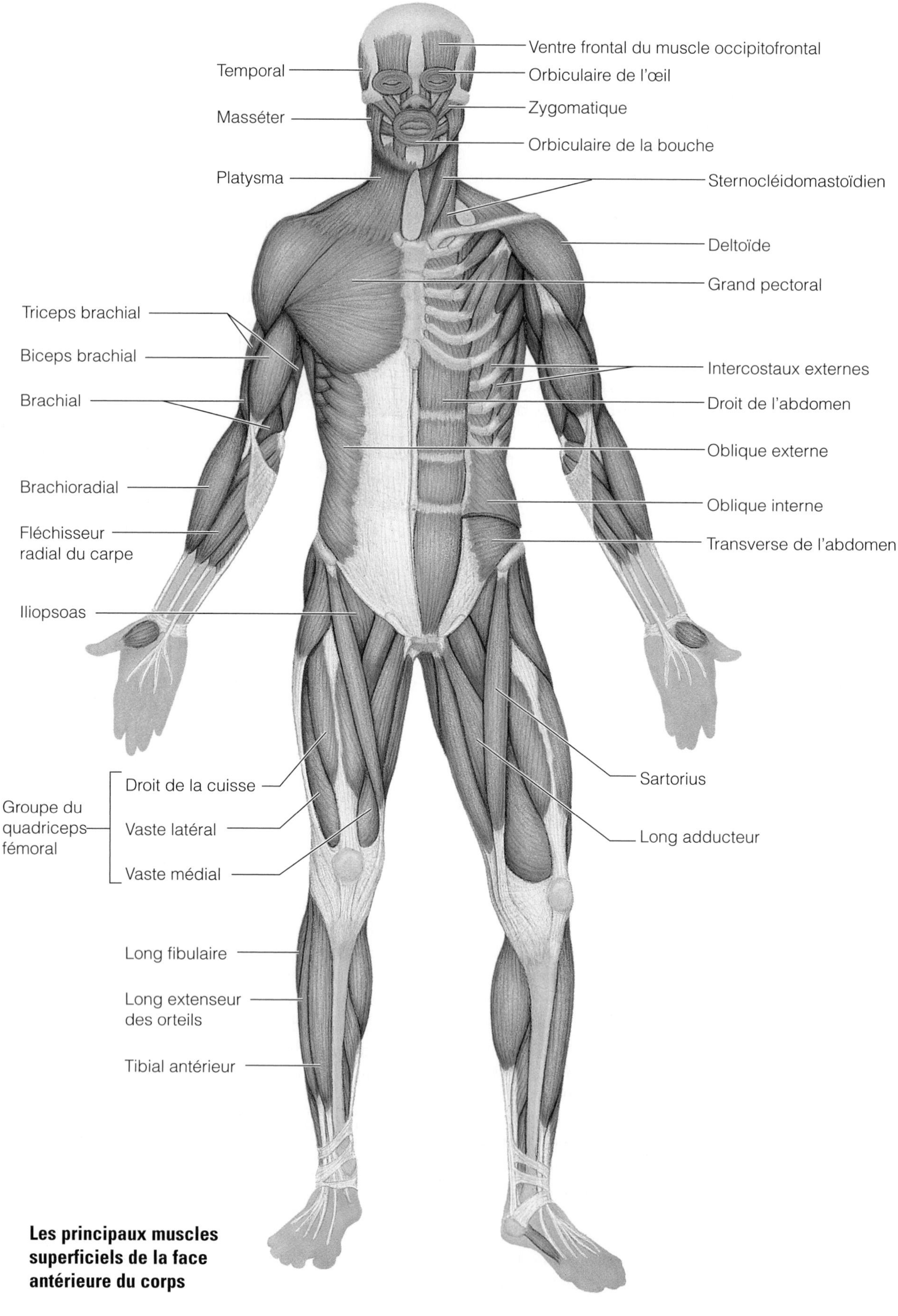
Temporal
Masséter
Platysma
Ventre frontal du muscle occipitofrontal
Orbiculaire de l'œil
Zygomatique
Orbiculaire de la bouche
Sternocléidomastoïdien
Deltoïde
Grand pectoral
Triceps brachial
Biceps brachial
Brachial
Brachioradial
Fléchisseur radial du carpe
Iliopsoas
Intercostaux externes
Droit de l'abdomen
Oblique externe
Oblique interne
Transverse de l'abdomen
Groupe du quadriceps fémoral
Droit de la cuisse
Vaste latéral
Vaste médial
Sartorius
Long adducteur
Long fibulaire
Long extenseur des orteils
Tibial antérieur

Figure 6.21 **Les principaux muscles superficiels de la face antérieure du corps**

Tableau 6.3 **Les muscles superficiels de la face antérieure du corps** (voir la figure 6.21)

Nom	Origine	Insertion	Actions principales
Muscles de la tête et du cou			
Ventre frontal du muscle occipitofrontal	Aponévrose épicrânienne	Peau des sourcils	Élévation des sourcils
Orbiculaire de l'œil	Os frontal et maxillaire	Tissu autour des yeux	Clignement et plissement des yeux
Orbiculaire de la bouche	Mandibule et maxillaire	Peau et muscle autour de la bouche	Fermeture des lèvres et projection de celles-ci vers l'avant
Temporal	Os temporal	Mandibule	Fermeture de la mâchoire
Grand et petit zygomatiques	Os zygomatique	Peau et muscle des commissures des lèvres	Élévation de la commissure des lèvres
Masséter	Os temporal et maxillaire	Mandibule	Fermeture de la mâchoire
Buccinateur	Maxillaire et mandibule, près des dents molaires	Orbiculaire de la bouche	Pression sur les joues comme dans l'action de siffler et d'aspirer; maintien des aliments entre les dents pendant la mastication
Sternocléidomastoïdien	Sternum et clavicule	Os temporal (processus mastoïde)	Flexion du cou et rotation de la tête
Platysma	Enveloppes conjonctives recouvrant les muscles de la poitrine et mandibule	Tissus (peau, muscles) autour de la bouche	Abaissement de la commissure des lèvres
Muscles du tronc			
Grand pectoral	Sternum, clavicule et six premières côtes	Extrémité proximale de l'humérus	Adduction et flexion de l'humérus
Droit de l'abdomen	Pubis	Sternum et de la cinquième à la septième côte	Flexion de la colonne vertébrale
Oblique externe	Huit dernières côtes	Crête iliaque	Flexion et rotation de la colonne vertébrale
Muscles du bras et de l'épaule			
Biceps brachial	Scapula	Extrémité proximale du radius	Flexion du coude et supination de l'avant-bras
Brachial	Partie distale de l'humérus	Extrémité proximale de l'ulna	Flexion du coude
Deltoïde	Voir le tableau 6.4		Abduction du bras
Muscles de la hanche, de la cuisse et de la jambe			
Iliopsoas	Ilium et vertèbres lombaires	Fémur (petit trochanter)	Flexion de la hanche
Adducteurs	Bassin	Extrémité proximale du fémur	Adduction de la cuisse
Sartorius	Ilium	Extrémité proximale du tibia	Flexion de la cuisse sur la hanche
Quadriceps fémoral (vastes médial, intermédiaire et latéral, et droit de la cuisse)	Vastes : fémur Droit de la cuisse : bassin	Tubérosité tibiale par le ligament patellaire Tubérosité tibiale par le ligament patellaire	Les quatre muscles effectuent l'extension du genou; le droit de la cuisse effectue aussi la flexion de la hanche sur la cuisse.
Tibial antérieur	Extrémité proximale du tibia	Cunéiforme médial (os du tarse) et métatarsien I	Dorsiflexion et inversion du pied
Long extenseur des orteils	Extrémité proximale du tibia et de la fibula	Phalanges moyennes et distales des orteils II à V	Extension des orteils et dorsiflexion du pied
Fibulaires	Fibula	Métatarsiens	Flexion plantaire et éversion du pied

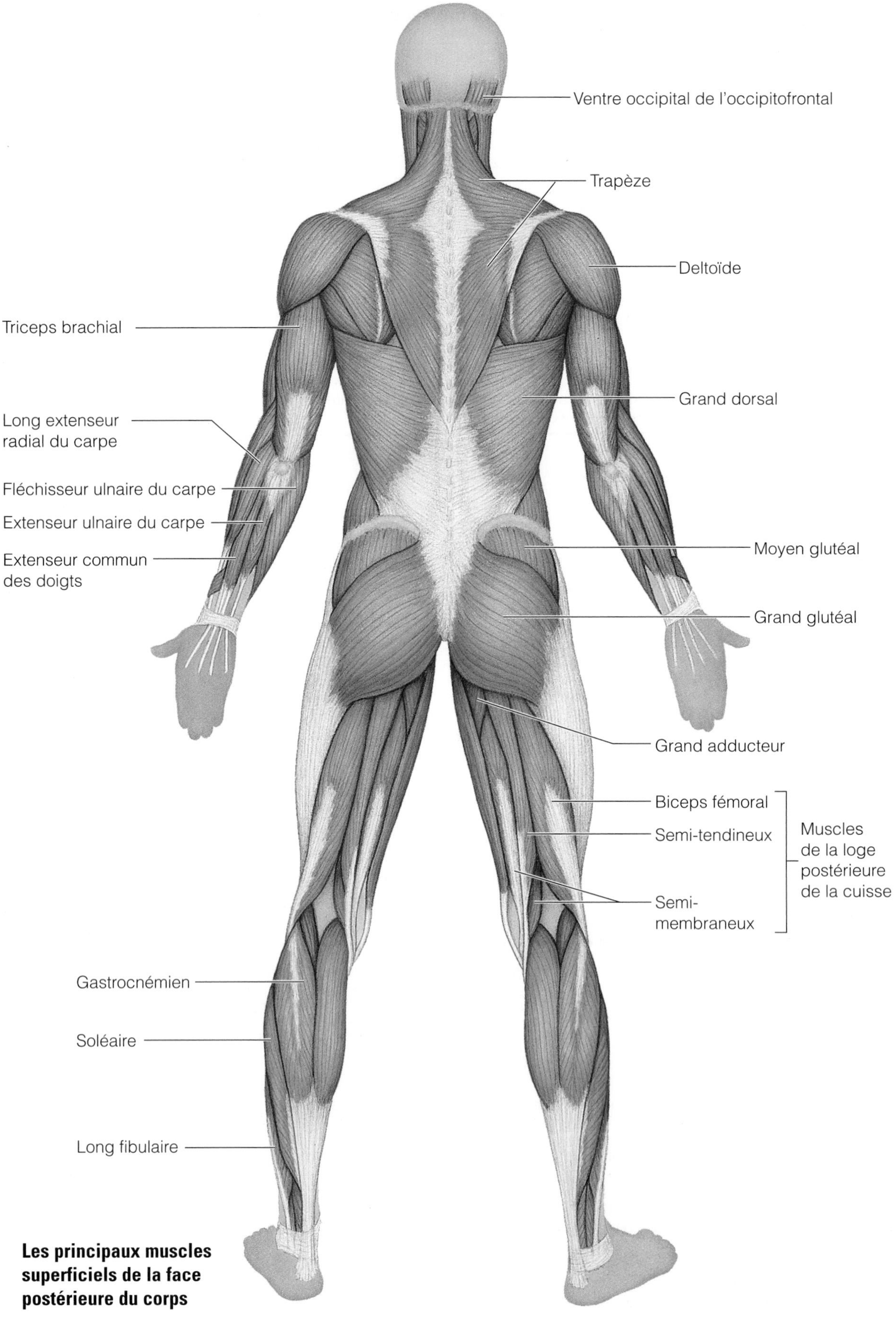
Ventre occipital de l'occipitofrontal
Trapèze
Deltoïde
Triceps brachial
Grand dorsal
Long extenseur radial du carpe
Fléchisseur ulnaire du carpe
Extenseur ulnaire du carpe
Extenseur commun des doigts
Moyen glutéal
Grand glutéal
Grand adducteur
Biceps fémoral
Semi-tendineux
Semi-membraneux
Muscles de la loge postérieure de la cuisse
Gastrocnémien
Soléaire
Long fibulaire

Figure 6.22 **Les principaux muscles superficiels de la face postérieure du corps**

Tableau 6.4 **Les muscles superficiels de la face postérieure du corps (quelques muscles de l'avant-bras sont également présentés)** (voir la figure 6.22)

Nom	Origine	Insertion	Actions principales
Muscles du cou, du tronc et de l'épaule			
Trapèze	Os occipital et toutes les vertèbres cervicales et thoraciques	Épine scapulaire et clavicule	Extension du cou et adduction de la scapula
Grand dorsal	Extrémité inférieure de la colonne vertébrale et crête iliaque	Extrémité proximale de l'humérus	Extension et adduction de l'humérus
Érecteur du rachis[a]	Crêtes iliaques, troisième à douzième côte, vertèbres	Côtes, vertèbres thoraciques et cervicales	Extension du dos
Deltoïde	Épine scapulaire et clavicule	Humérus (tubérosité deltoïdienne)	Abduction de l'humérus
Muscles du bras et de l'avant-bras			
Triceps brachial	Ceinture scapulaire et extrémité proximale de l'humérus	Olécrane	Extension du coude
Fléchisseur radial du carpe	Extrémité distale de l'humérus	Métacarpiens II et III	Flexion du poignet et abduction de la main (voir la figure 6.21)
Fléchisseur ulnaire du carpe	Extrémité distale de l'humérus et face postérieure de l'ulna	Os du carpe et métacarpiens IV et V	Flexion du poignet et adduction de la main
Fléchisseur superficiel des doigts[b]	Extrémité distale de l'humérus, de l'ulna et du radius	Phalanges moyennes du deuxième au cinquième doigt	Flexion du poignet et des doigts
Long extenseur radial du carpe	Humérus	Base du métacarpien II	Extension du poignet et abduction de la main
Extenseur commun des doigts	Extrémité distale de l'humérus	Phalanges distales du deuxième au cinquième doigt	Extension des doigts et du poignet
Muscles de la hanche, de la cuisse et de la jambe			
Grand glutéal	Sacrum et ilium	Extrémité proximale du fémur (tubérosité glutéale)	Extension de la hanche (lorsqu'une extension puissante est requise)
Moyen glutéal	Ilium	Extrémité proximale du fémur	Abduction de la cuisse ; stabilisation du bassin pendant la marche
Muscles de la loge postérieure de la cuisse (semi-tendineux, semi-membraneux et biceps fémoral)	Tubérosité ischiatique	Extrémité proximale du tibia (tête de la fibula dans le cas du muscle biceps fémoral)	Flexion du genou et extension de la hanche
Gastrocnémien	Extrémité distale du fémur	Calcanéus (talon par le tendon d'Achille)	Flexion plantaire et flexion du genou
Soléaire	Extrémité proximale du tibia et de la fibula	Calcanéus	Flexion plantaire du pied

a. Le muscle érecteur du rachis est un groupe de muscles profonds ; il n'est pas montré à la figure 6.22.

b. Bien que son nom laisse supposer qu'il est un muscle superficiel, le muscle fléchisseur superficiel des doigts est situé sous le muscle fléchisseur radial du carpe et n'est pas visible superficiellement.

Tous pour un, un pour tous

Les relations entre le système musculaire et les autres systèmes de l'organisme

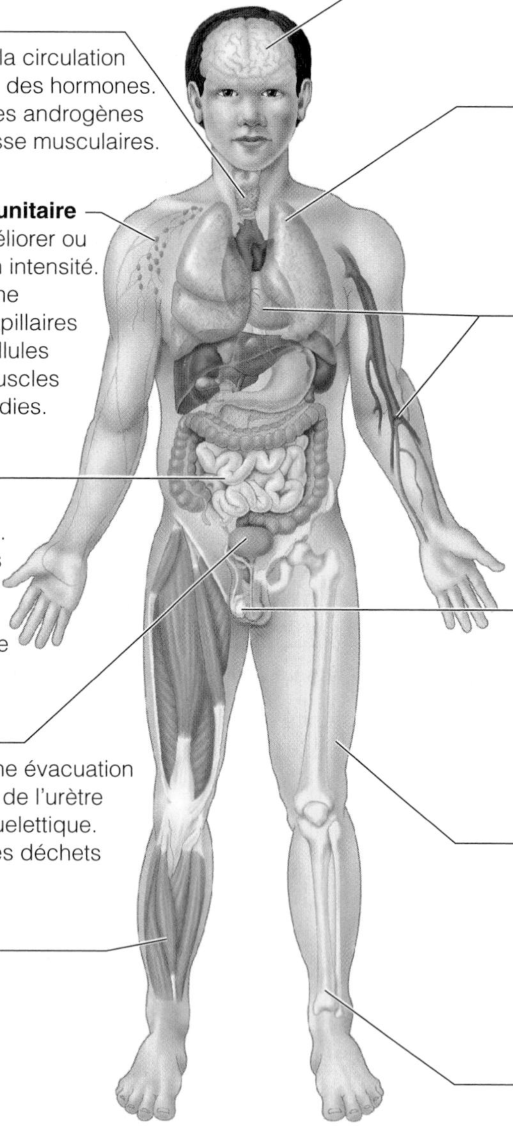

Système endocrinien
- L'activité musculaire favorise la circulation sanguine et donc le transport des hormones.
- L'hormone de croissance et les androgènes déterminent la force et la masse musculaires.

Système lymphatique et immunitaire
- L'exercice physique peut améliorer ou entraver l'immunité, selon son intensité.
- Le système lymphatique draine les liquides échappés des capillaires sanguins musculaires ; les cellules immunitaires protègent les muscles squelettiques contre les maladies.

Système digestif
- L'activité physique augmente la motilité intestinale au repos.
- Le système digestif fournit les nutriments nécessaires au maintien des muscles et à la physiologie musculaire ; le foie métabolise l'acide lactique.

Système urinaire
- L'activité physique favorise une évacuation normale ; le muscle sphincter de l'urètre (volontaire) est un muscle squelettique.
- Le système urinaire évacue les déchets azotés des myocytes.

Système musculaire

Système nerveux
- L'activité des muscles faciaux permet l'expression des émotions.
- Le système nerveux stimule l'activité musculaire et en assure la régulation.

Système respiratoire
- Les muscles squelettiques permettent les mouvements respiratoires ; l'exercice musculaire accroît la capacité pulmonaire.
- Le système respiratoire fournit de l'oxygène aux myocytes et en évacue le gaz carbonique.

Système cardiovasculaire
- L'activité des muscles squelettiques augmente l'efficacité du système cardiovasculaire ; elle prévient l'athérosclérose et provoque l'hypertrophie du cœur.
- Le système cardiovasculaire apporte aux myocytes l'oxygène et les nutriments dont ils ont besoin, et les débarrasse de leurs déchets.

Système génital
- Les muscles squelettiques soutiennent les organes génitaux internes dans l'abdomen (l'utérus chez la femme, par exemple).
- Les androgènes synthétisés par les testicules entraînent une augmentation du volume des muscles.

Système tégumentaire
- L'exercice musculaire favorise l'irrigation de la peau et maintient celle-ci en bon état.
- La peau protège les muscles en les enveloppant ; elle contribue à dissiper l'augmentation de la température corporelle causée par l'exercice musculaire.

Système osseux
- L'activité des muscles squelettiques assure l'intégrité et la solidité des os.
- Les os fournissent des leviers pour l'activité musculaire et constituent un réservoir de calcium nécessaire à la contraction musculaire.

suivre l'efficacité croissante du système nerveux en observant le développement musculaire du bébé. Ce développement se fait de la tête vers les orteils, et les mouvements globaux apparaissent avant les mouvements fins. Ainsi, le bébé saura lever la tête avant d'apprendre à s'asseoir, et il saura s'asseoir avant d'apprendre à marcher. La coordination neuromusculaire se fait également des parties proximales vers les parties distales, c'est-à-dire que le bébé apprendra à faire au revoir de la main et à approcher de lui des objets avant de maîtriser le geste du pincement (par lequel on peut ramasser une épingle entre le pouce et l'index). Pendant toute l'enfance, la maîtrise des muscles squelettiques par le système nerveux se précise de plus en plus. Vers le milieu de l'adolescence, la maîtrise naturelle de nos muscles a atteint son maximum, et nous pouvons soit l'accepter telle quelle, soit la perfectionner par un entraînement sportif.

Comme ils sont bien irrigués, les muscles squelettiques offrent une résistance étonnante à l'infection, et ce pendant toute la vie; il suffit d'une bonne alimentation pour qu'ils soient relativement bien protégés des maladies. Il faut toutefois bien comprendre que les muscles, comme les os, *vont* s'atrophier s'ils ne sont pas utilisés de façon continue, même si leur tonus est normal. Un programme d'exercices réguliers suivi pendant toute la vie permet de maximiser le fonctionnement de tout le corps.

Déséquilibre homéostatique

L'une des rares maladies qui peut toucher les muscles à l'âge adulte est la *myasthénie* (*asthenês*, «sans force»), qui affecte 5 personnes sur 100 000 et qui se manifeste par la chute des paupières supérieures, la difficulté à avaler et à parler, ainsi que par une faiblesse et une fatigabilité généralisée des muscles. Cette maladie est attribuable à un manque de récepteurs de l'acétylcholine au niveau des terminaisons neuromusculaires. Le sang d'un grand nombre de patients atteints de myasthénie contient des anticorps dirigés contre les récepteurs de l'acétylcholine, ce qui donne à penser que la myasthénie est une maladie auto-immune. Il semblerait que les récepteurs de l'acétylcholine soient initialement présents en quantité normale, mais qu'ils soient détruits à mesure que la maladie progresse. Quoi qu'il en soit, les myocytes ne sont pas stimulés de façon appropriée et s'affaiblissent graduellement. La maladie finit par causer la mort en raison de l'incapacité des muscles respiratoires de fonctionner. Cette incapacité est appelée *insuffisance respiratoire.* ▲

Au cours du vieillissement, la quantité de tissu conjonctif présente dans les muscles augmente, tandis que la quantité de tissu musculaire diminue. Les muscles deviennent donc plus fibreux ou plus tendineux. Comme les muscles squelettiques constituent une grande partie de la masse corporelle, la diminution naturelle de la masse musculaire réduit peu à peu la masse corporelle chez la personne âgée. La diminution de la masse musculaire cause aussi une diminution de la force musculaire: vers l'âge de 80 ans, celle-ci se trouve habituellement réduite d'environ 50 %. La pratique régulière d'exercices physiques aide à contrecarrer les effets du vieillissement sur le système musculaire. Ainsi, les personnes âgées plutôt frêles qui se mettent à lever des poids peuvent ralentir la diminution de leur masse musculaire et augmenter considérablement leur force: les fibres musculaires continueront à diminuer en nombre, mais les effets de cette diminution seront atténués par l'augmentation du volume des fibres restantes.

Résumé du chapitre 6

LE TISSU MUSCULAIRE: CARACTÉRISTIQUES GÉNÉRALES *(p. 176-180)*

1. Les muscles squelettiques sont les muscles attachés au squelette, qui font bouger les membres et d'autres parties du corps. Leurs cellules sont allongées, striées et multinucléées. Les fibres musculaires squelettiques sont soumises à la volonté. Des enveloppes de tissu conjonctif (endomysium, périmysium et épimysium) entourent et protègent les fibres musculaires, et elles augmentent la force des muscles squelettiques. Les muscles squelettiques forment le système musculaire.

2. Les cellules des muscles lisses ont un seul noyau; elles sont fusiformes et disposées en couches perpendiculaires les unes par rapport aux autres dans les parois des organes creux. Lorsqu'elles se contractent, elles déplacent des substances (aliments, urine) ou le fœtus dans ces organes. Les muscles lisses ne sont pas soumis à la volonté.

3. Les cellules du muscle cardiaque sont striées et ramifiées. Elles s'imbriquent les unes dans les autres et sont disposées en faisceaux spiralés dans le cœur. Leur contraction propulse le sang dans les vaisseaux sanguins. Le muscle cardiaque n'est pas soumis à la volonté.

4. L'unique fonction du tissu musculaire est de se contracter, c'est-à-dire de se raccourcir. La contraction des muscles produit des mouvements, maintient la posture, stabilise les articulations et dégage de la chaleur.

L'ANATOMIE MICROSCOPIQUE DU MUSCLE SQUELETTIQUE *(p. 180-182)*

1. Les fibres musculaires squelettiques, qui sont multinucléées et cylindriques, contiennent un grand nombre d'organites particuliers appelés *myofibrilles*. L'aspect strié des myofibrilles et de l'ensemble de la cellule est dû à la disposition ordonnée de myofilaments minces (d'actine) et de myofilaments épais (de myosine) à l'intérieur des sarcomères, les unités contractiles qui composent les myofibrilles.

2. Chaque myofibrille est enveloppée lâchement dans un réticulum endoplasmique complexe, appelé *réticulum sarcoplasmique* (RS), qui joue un rôle important dans l'emmagasinage et la libération d'ions calcium. La libération d'ions calcium est le signal qui donne le feu vert à la contraction musculaire.

L'ACTIVITÉ DU MUSCLE SQUELETTIQUE *(p. 182-191)*

1. Tous les myocytes squelettiques sont stimulés par des neurones moteurs. Lorsque le neurone libère un neurotransmetteur (acétylcholine), le sarcolemme devient plus perméable et laisse entrer des ions sodium dans le myocyte. Ce phénomène produit un courant électrique (potentiel d'action) qui se propage sur toute la longueur du sarcolemme et entraîne la libération, dans le sarcoplasme, d'ions calcium par le RS.

2. Le calcium ainsi libéré se lie à des protéines régulatrices situées sur les myofilaments minces et expose les sites de liaison à la myosine, ce qui permet aux têtes de myosine des myofilaments épais de s'attacher aux filaments d'actine. Les têtes attachées pivotent, ce qui fait glisser les myofilaments minces vers le centre du sarcomère, et la contraction se produit. L'ATP fournit l'énergie nécessaire au glissement, qui se poursuit tant que le calcium ionique n'est pas retourné dans le RS.

3. Bien que les myocytes individuels se contractent complètement lorsqu'ils sont stimulés adéquatement, un muscle (un organe) réagit aux stimulations par divers degrés de contraction, c'est-à-dire qu'il présente des réponses graduées.

4. La plupart des contractions des muscles squelettiques sont tétaniques (continues et uniformes) parce que des influx nerveux à fréquence élevée parviennent au muscle et que ce dernier ne peut pas se relâcher complètement entre les contractions. La force d'une contraction musculaire dépend du nombre relatif de myocytes qui se contractent (plus il y a de cellules, plus la contraction est forte).

5. L'ATP, source d'énergie directe de la contraction musculaire, est emmagasiné en petites quantités dans les fibres musculaires. Il s'épuise rapidement. L'ATP est régénéré par trois voies. De la plus rapide à la plus lente, ces trois voies sont la réaction couplée de la créatine phosphate avec l'ADP, la glycolyse anaérobie et la formation d'acide lactique et, enfin, la respiration cellulaire aérobie. Seule la respiration cellulaire aérobie nécessite de l'oxygène.

6. Si l'activité musculaire est intense et prolongée, la fatigue musculaire apparaît en raison de l'accumulation d'acide lactique dans le muscle et de la diminution de la réserve d'énergie (ATP). Après l'exercice, la dette d'oxygène est remboursée par une respiration profonde et rapide.

7. Les contractions musculaires sont soit isotoniques (le muscle raccourcit et un mouvement se produit), soit isométriques (le muscle ne raccourcit pas, mais sa tension augmente).

8. Le tonus musculaire permet aux muscles de rester fermes et prêts à répondre à une stimulation. Le tonus musculaire provient d'une série d'influx nerveux espacés qui sont acheminés à différentes unités motrices dispersées dans le muscle. Si l'innervation d'un muscle est détruite, celui-ci perd son tonus, devient paralysé et s'atrophie.

9. Les muscles inactifs s'atrophient. On peut augmenter la taille et la force des muscles en faisant des exercices contre résistance qui font travailler les muscles au maximum. Les muscles qu'on soumet à des exercices aérobiques réguliers gagnent en efficacité et en force, et ils peuvent travailler plus longtemps sans se fatiguer. Les exercices aérobiques sont également bénéfiques pour d'autres systèmes de l'organisme.

LES MOUVEMENTS DES MUSCLES, LES TYPES DE MUSCLES ET LES NOMS DES MUSCLES *(p. 191-198)*

1. Tous les muscles sont attachés en deux points à des os. L'origine est le point d'attache immobile ; l'insertion est le point d'attache osseuse mobile. Lorsqu'une contraction se produit, l'insertion du muscle se rapproche de son origine.

2. Les mouvements du corps sont la flexion, l'extension, l'abduction, l'adduction, la circumduction, la rotation, la pronation, la supination, l'inversion, l'éversion, la dorsiflexion, la flexion plantaire et l'opposition.

3. Selon les rôles qu'ils jouent dans l'organisme, les muscles sont considérés comme agonistes, antagonistes, synergiques ou fixateurs.

4. Les muscles sont nommés d'après certains critères, dont leur taille, leur forme, le nombre d'origines qu'ils comportent et la localisation de ces origines, les os auxquels ils sont rattachés et leur action.

5. Il existe plusieurs agencements des faisceaux des muscles, lesquels influent sur la force de ces derniers et sur leur capacité de se raccourcir.

L'ANATOMIE MACROSCOPIQUE DES MUSCLES SQUELETTIQUES *(p. 198-207)*

1. Les muscles de la tête sont divisés en deux groupes. Les muscles de l'expression faciale comprennent le ventre frontal du muscle occipitofrontal, le muscle orbiculaire de l'œil, le muscle orbiculaire de la bouche et les muscles zygomatiques. Les muscles masticateurs sont le muscle masséter, le muscle temporal et le muscle buccinateur (lequel est également un muscle de l'expression faciale).

2. Les muscles du tronc et du cou font bouger la tête, la ceinture scapulaire et le tronc, et forment la ceinture abdominale. Les muscles de la partie antérieure du cou et du tronc sont le platysma, le muscle sternocléidomastoïdien, le muscle grand pectoral, les muscles intercostaux internes et externes, le muscle droit de l'abdomen, les muscles obliques interne et externe, et le muscle transverse de l'abdomen. Les muscles de la partie postérieure du tronc et du cou sont le muscle trapèze, le muscle grand dorsal et le muscle deltoïde. Les muscles profonds du dos constituent un groupe de muscles appelé *muscle érecteur du rachis.*

3. Les muscles du membre supérieur agissent sur les articulations de l'épaule, du coude et de la main. Les muscles qui produisent les mouvements du coude sont le muscle brachial, le muscle biceps brachial, le muscle brachioradial et le muscle triceps brachial.

4. Les muscles du membre inférieur font bouger la hanche, le genou et le pied. Ils comprennent le muscle iliopsoas, le muscle grand glutéal, le muscle moyen glutéal, les muscles adducteurs, les muscles du quadriceps fémoral, les muscles de la loge postérieure de la cuisse, le muscle gastrocnémien, le muscle tibial antérieur, les muscles fibulaires, le muscle soléaire et le muscle long extenseur des orteils.

LE DÉVELOPPEMENT ET LE VIEILLISSEMENT DU SYSTÈME MUSCULAIRE *(p. 207-213)*

1. Chez l'enfant, la progression de la coordination musculaire reflète la maturation du système nerveux. Elle se fait de la tête vers les orteils et des régions proximales vers les régions distales.

2. Pour préserver l'intégrité des muscles, il faut faire de l'exercice régulièrement. Sans exercice, les muscles s'atrophient; si l'exercice est très vigoureux, ils s'hypertrophient.

3. Au cours du vieillissement, la masse musculaire diminue et les muscles deviennent plus fibreux. Toutefois, l'exercice aide à conserver la masse et la force musculaires.

Questions de révision

QUESTIONS À CHOIX MULTIPLE

Pour certaines questions, il peut y avoir plus d'une bonne réponse.

1. Laquelle, parmi les caractéristiques suivantes, n'est pas associée au muscle squelettique?
   a) Il se fatigue rapidement.
   b) Ses fibres sont striées.
   c) Il est soumis à la volonté.
   d) C'est un muscle à contraction lente.
   e) Il peut être activé par voie réflexe.

2. Lorsqu'un muscle se contracte, un seul des éléments suivants ne raccourcit pas. Lequel?
   a) La myofibrille.
   b) Le myofilament.
   c) La fibre musculaire.
   d) Le sarcomère.

3. Si vous comparez des micrographies au microscope électronique d'une fibre musculaire squelettique au repos et d'une fibre complètement contractée, lesquels des éléments suivants ne seront visibles que sur la micrographie de la fibre *au repos*?
   a) Les lignes Z.
   b) Les stries I.
   c) Les stries A.
   d) Les stries H.

4. L'étape qui suit immédiatement la liaison de l'ACh à ses récepteurs au niveau de la jonction neuromusculaire est:
   a) l'ouverture des canaux à sodium.
   b) la liaison du calcium aux protéines régulatrices des myofilaments minces.
   c) la formation des ponts.
   d) l'hydrolyse de l'ATP.

5. Au cours d'un exercice musculaire, lesquelles des substances qui suivent sont utilisées, dans l'ordre, pour fournir l'énergie nécessaire à la contraction?
   a) L'ATP, puis la créatine-phosphate, et enfin le glucose.
   b) Le glucose, puis l'ATP, et enfin la créatine-phosphate.
   c) La créatine-phosphate, puis le glucose et enfin l'ATP.
   d) L'ATP d'abord, puis le glucose, et enfin la créatine-phosphate.
   e) La créatine-phosphate, puis l'ATP, et enfin le glucose.

6. Ce qui distingue une contraction isométrique d'une contraction isotonique, c'est:
   a) qu'il n'y a pas de tension développée dans la contraction isotonique.
   b) qu'il n'y a pas de tension développée dans la contraction isométrique.

c) que la contraction isométrique ne produit pas de mouvement, contrairement à la contraction isotonique.

d) que, dans la contraction isométrique, le muscle raccourcit, contrairement à ce qui se passe dans la contraction isotonique.

e) que, dans la contraction isométrique, les myofilaments ne sont pas sollicités.

7. Votre force musculaire pourra augmenter grâce à quel type d'exercice?

a) Aérobique.
b) Endurance.
c) Contre résistance.
d) Natation.

8. Lorsque vous redressez le pouce pour faire de l'autostop, celui-ci est en:

a) extension.
b) flexion.
c) abduction.
d) adduction.

9. Lequel, parmi les énoncés suivants, est incorrect?

a) Quand un agoniste se contracte, son antagoniste doit nécessairement se contracter aussi pour que le mouvement se produise.

b) Tout muscle squelettique (ou groupe de muscles) responsable d'un mouvement doit avoir un muscle (ou un groupe de muscles) antagoniste.

c) Des muscles agonistes dans un mouvement particulier peuvent être antagonistes dans un autre mouvement.

d) L'agoniste n'est que le muscle principal dans un mouvement; généralement, cet agoniste a besoin de la participation d'autres muscles pour réaliser adéquatement son mouvement.

10. Lesquels des critères qui suivent ont été utilisés pour nommer les muscles?

a) Les points d'attache.
b) La taille.
c) La fonction.
d) La localisation.

11. Un muscle dont l'agencement des faisceaux de fibres est bipenné:

a) peut se raccourcir de beaucoup pendant la contraction.

b) renferme plus de fibres qu'un muscle dont l'agencement des faisceaux est parallèle.

c) peut produire des contractions plus puissantes qu'un muscle dont l'agencement des faisceaux est parallèle.

d) sert généralement à fermer la lumière d'un conduit.

12. Lesquels des muscles qui suivent s'attachent aux os de la hanche?

a) Le muscle droit de l'abdomen.
b) Le muscle droit de la cuisse.
c) Le muscle vaste médial.
d) Le muscle longissimus de l'érecteur du rachis.

13. Lesquels des muscles qui suivent permettent des mouvements au niveau de l'articulation de la hanche?

a) Le muscle droit de la cuisse.
b) Le muscle biceps fémoral.
c) Le muscle vaste latéral.
d) Le muscle semi-tendineux.

14. Lequel des muscles qui suivent a son point d'insertion sur l'os du bras?

a) Le muscle biceps brachial.
b) Le muscle triceps brachial.
c) Le muscle trapèze.
d) Le muscle grand dorsal.

15. Un certain muscle est situé sur la face antérieure de la cuisse; dans l'exécution d'un mouvement particulier, il a son point d'origine sur l'ilium et son point d'insertion sur la partie proximale du tibia. Quel sera ce mouvement?

a) La flexion du genou.
b) L'extension du genou.
c) La flexion de la cuisse à la hanche.
d) L'extension de la cuisse à la hanche.

QUESTIONS À COURT DÉVELOPPEMENT

1. Quelle est la principale fonction des muscles? Citez trois autres fonctions des muscles.

2. Comparez les muscles squelettiques, lisses et cardiaque en ce qui concerne leur anatomie microscopique, leur localisation, la disposition de leurs fibres dans les organes et leur fonction dans l'organisme.

3. À quoi précisément est attribuable l'aspect strié des myofibrilles des myocytes squelettiques?

4. Pourquoi les couches de tissu conjonctif qui enveloppent les muscles squelettiques sont-elles importantes? Nommez ces couches, de la plus fine à la plus épaisse.

5. Quelle est la fonction des tendons? Citez deux caractéristiques des tendons leur conférant un avantage dans cette fonction. En quoi un tendon est-il différent d'une aponévrose? En quoi est-il semblable?

6. Définissez les termes suivants: *jonction neuromusculaire*, *unité motrice*, *tétanos*, *réponse graduée*, *respiration cellulaire aérobie*, *glycolyse anaérobie*, *fatigue musculaire* et *neurotransmetteur*.

7. Décrivez les événements qui se produisent entre le moment où un neurone moteur libère de l'acétylcholine à la jonction neuromusculaire et le moment où le myocyte se contracte. Expliquez comment le myocyte peut revenir au repos après une contraction.

8. Citez les deux facteurs qui peuvent varier pour permettre aux contractions musculaires d'avoir différentes intensités.

9. De quelle substance le muscle tire-t-il son énergie dans les toutes premières secondes d'une activité musculaire *légère*? Dans les quelque cinq secondes suivantes? Dans les minutes et les heures qui suivent? Quel processus fournit l'énergie au muscle au cours d'une activité musculaire *intense*?

10. Qu'est-ce qui cause la fatigue musculaire? Qu'est-ce qu'une dette d'oxygène?

11. Qu'est-ce qui différencie les contractions isotoniques des contractions isométriques?

12. Le tonus musculaire garde les muscles fermes. Qu'est-ce que le tonus musculaire, et à quoi est-il attribuable? Qu'arrive-t-il à un muscle qui perd son tonus musculaire?

13. Un muscle squelettique est attaché à des os en deux points. Nommez chacun de ces deux points d'attache, et indiquez lequel est mobile et lequel est immobile.

14. Énumérez les 13 mouvements du corps décrits dans le chapitre et faites-en la démonstration.

15. En quoi un muscle agoniste diffère-t-il d'un muscle synergique? Comment se fait-il qu'un agoniste puisse être aussi considéré comme antagoniste?

16. Énumérez les quatre grands types d'agencements des faisceaux de fibres musculaires qu'on trouve chez les muscles squelettiques et donnez un exemple de chacun (autre que celui qui est mentionné dans le texte) en vous basant sur les figures 6.15 à 6.22.

17. À quelle activité vous adonnez-vous lorsque vous contractez et relâchez tour à tour votre muscle masséter? Nommez un muscle synergique du masséter.

18. Les muscles sternocléidomastoïdiens participent à la flexion du cou. Quels sont leurs antagonistes?

19. Nommez deux muscles qui effectuent le mouvement inverse de celui du muscle deltoïde.

20. Nommez l'agoniste de la flexion du coude. Nommez son antagoniste.

21. En plus de la participation à la flexion de la colonne et de la compression du contenu de l'abdomen, les muscles abdominaux jouent un rôle extrêmement important: ils protègent et enveloppent les viscères abdominaux. Quelles caractéristiques les muscles abdominaux possèdent-ils qui les rendent parfaitement adaptés à ces fonctions?

22. Les muscles du quadriceps fémoral et ceux de la loge postérieure de la cuisse sont antagonistes les uns des autres, et chaque groupe peut aussi être agoniste. De quelle action chacun de ces deux groupes de muscles est-il responsable?

23. De nombreux muscles du membre inférieur croisent deux articulations. Donnez un exemple de tels muscles (voir les tableaux 6.3 et 6.4).

24. Quel muscle à deux ventres forme la courbure du mollet? Quelle est sa fonction?

25. Quels muscles ont reçu les noms qui suivent et pourquoi les a-t-on nommés ainsi? *Muscle de la prière, muscle du boxeur, muscles du sourire, muscle du baiser, muscle de la danseuse sur pointes.*

26. Nommez trois muscles qui peuvent servir de point d'injection intramusculaire. Situez ces muscles et précisez une particularité associée à chacun des points d'injection.

27. Qu'arrive-t-il aux muscles d'une personne qui fait de l'exercice régulièrement? qui fait des exercices intenses comme le lever de poids? qui ne fait jamais d'exercice? Un triathlète qui s'entraîne doit-il faire des exercices aérobiques ou contre résistance? Justifiez votre réponse.

28. Quels sont les effets du vieillissement sur les muscles? Comment les personnes âgées peuvent-elles lutter contre ces effets?

29. Citez deux avantages que les utilisateurs des stéroïdes anabolisants attribuent à ces substances. Quels effets les stéroïdes anabolisants peuvent-ils avoir sur le foie, le cholestérol sanguin, la fertilité et le fonctionnement du système nerveux?

Réflexion et application

1. Un médecin recommande à M. Ahmadi de perdre du poids et de se mettre au jogging. M. Ahmadi commence donc à courir chaque jour. Le sixième jour, il doit faire un saut de côté pour éviter une voiture folle. Au même moment, il entend un claquement dans la partie inférieure de son mollet droit, suivi immédiatement d'une douleur. M. Ahmadi s'aperçoit alors qu'il y a un renfoncement entre son mollet enflé et son talon, et qu'il n'est plus capable d'effectuer la flexion plantaire. À votre avis, que s'est-il passé?

2. En repeignant sa maison, Françoise tombe d'une échelle et se fracture la clavicule droite. Le médecin de l'urgence lui recommande, entre autres choses, de porter son bras droit en écharpe afin d'immobiliser la clavicule et d'accélérer sa guérison. Quels muscles sont temporairement mis au repos par l'écharpe?

3. Un jour, lorsque Éric revient de faire son jogging, il respire péniblement, transpire abondamment et se plaint d'avoir les jambes endolories et faibles. Sa femme lui donne

une boisson énergétique et lui conseille de se reposer en attendant de reprendre son souffle. En vous appuyant sur les connaissances que vous avez acquises sur le métabolisme énergétique des muscles, répondez aux questions suivantes.

a) Pourquoi Éric respire-t-il péniblement ?

b) Quelle voie de régénération de l'ATP les muscles d'Éric ont-ils utilisée pour causer ce type de respiration ?

c) Quel produit métabolique (ou quels produits métaboliques) est responsable de la douleur musculaire d'Éric et de sa sensation de faiblesse musculaire ?

4. Dans les opérations importantes, on administre des agents chimiques pour détendre les muscles. Selon vous, laquelle des deux substances décrites ci-dessous constitue le meilleur myorelaxant ? Pourquoi ?

a) L'agent A se lie aux récepteurs de l'acétylcholine sur les myocytes et les rend inopérants.

b) L'agent B cause un afflux massif d'ions calcium dans le cytoplasme des myocytes.

5. M. Poliquin a subi une intervention chirurgicale au côlon. Il souffre maintenant d'une faiblesse musculaire du côté droit seulement, soit le côté où l'incision à travers la paroi musculaire de l'abdomen a été pratiquée. Conséquemment, les muscles abdominaux gauches se contractent plus fortement, ce qui a tendance à projeter le torse en position de flexion latérale. M. Poliquin doit faire de la physiothérapie. Quelle courbure anormale de la colonne vertébrale pourrait apparaître si M. Poliquin ne se prenait pas en main, et pourquoi ?

6. Lorsqu'une personne meurt, l'arrêt de la synthèse d'ATP se manifeste par l'apparition de la rigidité cadavérique. Expliquez pourquoi le manque d'ATP dans les myocytes rend les muscles rigides plutôt que flasques peu après le décès.

Le système nerveux

CHAPITRE 7

Lorsque vous aurez étudié le présent chapitre, vous aurez une connaissance pratique des fonctions du système nerveux ; vous devriez de plus avoir atteint les objectifs d'apprentissage énumérés ci-dessous.

Aperçu des fonctions

- ❑ Le système nerveux contribue au maintien de l'homéostasie de l'organisme en émettant des signaux électriques ; il est responsable des sensations, des fonctions mentales supérieures et des réactions émotionnelles ; il active les muscles et les glandes.

OBJECTIFS D'APPRENTISSAGE

L'organisation du système nerveux *(p. 222-223)*

- ❑ **1.** Énumérer les fonctions générales du système nerveux.
- ❑ **2.** Expliquer l'organisation du système nerveux selon sa structure et sa fonction.
- ❑ **3.** Définir *système nerveux central* et *système nerveux périphérique.* Énumérer les principales composantes du système nerveux central (SNC) et du système nerveux périphérique (SNP).

La structure et la fonction du tissu nerveux *(p. 223-243)*

- ❑ **4.** Donner les fonctions des différents types de gliocytes ; comparer les propriétés de ceux-ci avec celles des neurones.
- ❑ **5.** Décrire la structure générale du neurone ; nommer ses principales régions anatomiques et préciser les fonctions de celles-ci.
- ❑ **6.** Expliquer comment la myéline est produite dans le SNC et le SNP, et préciser le rôle de cette substance ; montrer le lien entre la myéline et la sclérose en plaques.
- ❑ **7.** Décrire la composition de la substance grise et de la substance blanche, et localiser les emplacements de chacune dans l'encéphale et la moelle épinière ; définir et distinguer les *noyaux*, les *ganglions*, les *faisceaux* (et *tractus*) et les *nerfs.*
- ❑ **8.** Classer les neurones selon leur structure et leur fonction ; localiser sommairement chacun des types de neurones dans le système nerveux.
- ❑ **9.** Énumérer les types de récepteurs sensoriels les plus simples et décrire leurs fonctions.
- ❑ **10.** Expliquer en quoi consiste le potentiel de repos de la membrane du point de vue électrochimique ; définir *dépolarisation*, *repolarisation* et *hyperpolarisation.*
- ❑ **11.** Décrire la production d'un potentiel d'action et la propagation de l'influx nerveux dans une fibre amyélinisée ; montrer en quoi ce processus diffère dans le cas des fibres myélinisées.
- ❑ **12.** Expliquer le mécanisme de transmission de l'influx nerveux au niveau de la synapse.
- ❑ **13.** Définir le terme *neurotransmetteur* et donner un aperçu de la classification des neurotransmetteurs selon leur nature chimique et leurs fonctions ; donner quelques exemples de substances (médicaments, drogues, poisons) agissant sur la transmission synaptique et préciser leur mode d'action.
- ❑ **14.** Donner la définition d'*arc réflexe* et énumérer, dans l'ordre, ses éléments.

- ☐ **15.** Distinguer, à l'aide d'exemples, les différents types de réflexes qui suivent : réflexes autonomes et somatiques, réflexes monosynaptiques et polysynaptiques, et réflexes spinaux et encéphaliques.

Le système nerveux central *(p. 243-276)*

- ☐ **16.** Décrire le développement embryonnaire de l'encéphale.
- ☐ **17.** Situer les principaux lobes, gyrus, fissures et aires fonctionnelles du cortex cérébral ; citer les principales fonctions de chacune des aires.
- ☐ **18.** Sur un modèle ou un schéma de l'encéphale humain, situer les hémisphères cérébraux, le diencéphale, le tronc cérébral et le cervelet ; nommer les principales composantes des trois premières de ces structures nerveuses et indiquer leurs fonctions respectives ; expliquer les fonctions du cervelet.
- ☐ **19.** Décrire les fonctions respectives des neurofibres commissurales, des neurofibres associatives et des neurofibres de projection ; donner des exemples de structures associées à chacun de ces groupes de neurofibres.
- ☐ **20.** Situer les noyaux basaux, expliquer leurs fonctions et énumérer les structures qui les constituent.
- ☐ **21.** Situer le système limbique, énumérer ses principales composantes et expliquer son rôle ; situer la formation réticulaire ; décrire le mode de fonctionnement et le rôle du système réticulaire activateur ascendant.
- ☐ **22.** Comparer le sommeil lent avec le sommeil paradoxal ; décrire le déroulement d'une nuit normale par rapport à ces deux types de sommeil et montrer l'importance de chaque type.
- ☐ **23.** Comparer les stades de la mémoire (court terme et long terme) ainsi que les catégories de la mémoire (déclarative et procédurale).
- ☐ **24.** Décrire les rôles respectifs des principales structures cérébrales associées à la mémoire déclarative et à la mémoire procédurale.
- ☐ **25.** Nommer et situer les trois méninges ainsi que les quatre ventricules cérébraux ; indiquer leurs fonctions.
- ☐ **26.** Décrire la formation, la circulation et la fonction du liquide cérébrospinal ; définir la barrière hématoencéphalique ; expliquer le rôle des villosités arachnoïdiennes.
- ☐ **27.** Définir et comparer *commotion cérébrale* et *contusion cérébrale.*
- ☐ **28.** Définir et comparer les causes et les signes d'un accident vasculaire cérébral, de la maladie d'Alzheimer, de la maladie de Parkinson et de la chorée de Huntington.
- ☐ **29.** Décrire l'électroencéphalogramme et expliquer comment il permet d'évaluer l'activité cérébrale ; distinguer les ondes alpha, bêta, thêta et delta ; donner un aperçu des autres techniques dont on dispose pour faire cette évaluation.
- ☐ **30.** Donner deux importantes fonctions de la moelle épinière.
- ☐ **31.** Décrire la structure générale de la moelle épinière ; localiser ses principaux éléments visibles sur une coupe transversale.
- ☐ **32.** Expliquer l'organisation structurale et fonctionnelle de la substance grise et de la substance blanche de la moelle épinière.
- ☐ **33.** Donner les caractéristiques structurales et fonctionnelles des principaux faisceaux et tractus de la moelle épinière.

Le système nerveux périphérique *(p. 276-290)*

- ☐ **34.** Décrire la structure générale d'un nerf.
- ☐ **35.** Énumérer les nerfs crâniens et donner leur numéro ; indiquer les principales fonctions de chacun.
- ☐ **36.** Préciser l'origine des structures qui suivent : racines ventrales et dorsales des nerfs spinaux, nerfs spinaux proprement dits, rameaux ventraux et dorsaux des nerfs spinaux ; décrire leur composition.
- ☐ **37.** Décrire la distribution des rameaux dorsaux et ventraux des nerfs spinaux.
- ☐ **38.** Nommer les quatre principaux plexus des nerfs spinaux, énumérer les nerfs qui les constituent et décrire leur distribution.
- ☐ **39.** Comparer le système nerveux somatique et le système nerveux autonome sur les plans de la structure et de la fonction ; comparer leurs organes effecteurs, leurs neurotransmetteurs et leurs voies motrices.

- ❑ **40.** Localiser les premiers neurones de la partie sympathique et de la partie parasympathique du système nerveux autonome; résumer et comparer les fonctions générales de ces deux parties.
- ❑ **41.** Comparer les effets de la partie sympathique du système nerveux autonome avec ceux de la partie parasympathique sur le cœur, les poumons, le système digestif, le système urinaire et les vaisseaux sanguins.

Le développement et le vieillissement du système nerveux *(p. 290-293)*

- ❑ **42.** Énumérer quelques facteurs qui peuvent nuire au développement de l'encéphale.
- ❑ **43.** Décrire brièvement la cause, les signes et les conséquences des trois anomalies congénitales suivantes: le spina bifida, l'anencéphalie et l'infirmité motrice cérébrale.
- ❑ **44.** Définir la *sénilité* et énumérer quelques causes possibles de cet état.
- ❑ **45.** Préciser les effets respectifs du vieillissement et de l'alcool sur le volume et la masse de l'encéphale.

Vous roulez sur une autoroute quand un avertisseur retentit à votre droite: vous donnez un coup de volant vers la gauche. Charles laisse un message sur la table de la cuisine: «À plus tard. Prépare la bouffe pour 18 h.» Vous savez que la «bouffe» se compose de tortillas et d'une sauce aux piments rouges. Vous somnolez quand votre bébé pousse un petit cri: vous vous réveillez aussitôt. Qu'ont en commun ces événements banals? Ils témoignent tous du fonctionnement de votre système nerveux, un des deux grands responsables du contrôle de l'activité incessante de vos cellules. La longueur de ce chapitre (plus de 80 pages) reflète l'importance du système nerveux dans l'organisme.

Le **système nerveux** est le centre de régulation et de communication de l'organisme; nos pensées, nos actions, nos émotions attestent son activité. Ses cellules communiquent au moyen de signaux électriques rapides et spécifiques qui entraînent des réponses presque immédiates.

Le système nerveux remplit trois fonctions étroitement liées (figure 7.1). Premièrement, par l'intermédiaire de ses millions de récepteurs sensoriels, il *reçoit de l'information sur les changements* qui se produisent tant à l'intérieur qu'à l'extérieur de l'organisme. Ces changements sont appelés *stimulus*, et l'information recueillie porte le nom d'**information sensorielle**. Deuxièmement, il *traite et interprète* l'information sensorielle et détermine l'action à entreprendre à tout moment, ce qui constitue le processus de l'**intégration**. Troisièmement, il *fournit* une **réponse motrice** qui active des muscles ou des glandes (effecteurs). Illustrons l'accomplissement de ces fonctions par un exemple.

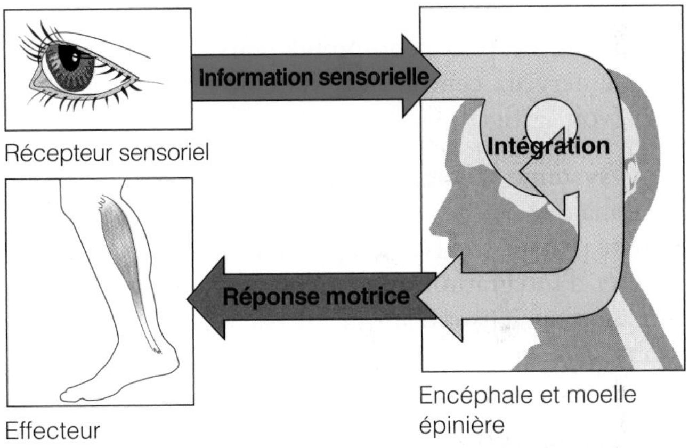
Information sensorielle
Récepteur sensoriel
Intégration
Réponse motrice
Effecteur
Encéphale et moelle épinière

Figure 7.1 **Les fonctions du système nerveux**

Quand vous êtes au volant et que vous voyez un feu rouge devant vous (information sensorielle), votre système nerveux assimile (intégration) cette information (le feu rouge signifie «arrêtez») et émet un influx moteur en direction des muscles de votre jambe droite, lesquels actionnent votre pied pour qu'il enfonce la pédale de frein (réponse motrice).

Le système nerveux n'est pas seul à régir et à maintenir l'homéostasie. Il partage cette tâche avec le système endocrinien. Alors que le système nerveux émet des signaux électriques rapides, le système endocrinien sécrète des hormones dans le sang. C'est ce qui explique que les commandes de ce dernier système soient acheminées plus lentement.

L'organisation du système nerveux

Nous possédons un seul système nerveux, mais sa complexité est telle qu'il est difficile d'en considérer toutes les parties simultanément. Pour en faciliter l'étude, on le divise selon ses structures (classification structurale) et selon ses activités (classification fonctionnelle). Nous décrivons ces deux classifications ci-après et résumons leurs rapports à la figure 7.2. Pour l'instant, il n'est pas nécessaire que vous mémorisiez ce schéma, mais consultez-le tout de même en lisant les explications afin de vous familiariser avec les principaux éléments et de les situer dans leur contexte. Vous ne vous y retrouverez que mieux dans la suite du chapitre. Nous reviendrons en détail sur chacun des termes et des concepts.

LA CLASSIFICATION STRUCTURALE

La classification structurale, qui englobe tous les organes du système nerveux, comprend deux subdivisions: le système nerveux central et le système nerveux périphérique (voir la figure 7.2).

Le **système nerveux central** (SNC) est formé de l'encéphale et de la moelle épinière, qui sont situés dans la cavité postérieure (voir la figure 1.7). Centre de régulation et d'intégration du système nerveux, il interprète l'information sensorielle qui lui parvient et produit au besoin des réponses motrices fondées sur l'expérience et les conditions ambiantes.

Le **système nerveux périphérique** (SNP) est la partie du système nerveux située à l'extérieur du SNC; il est principalement formé des nerfs issus de l'encéphale et de la moelle épinière. Les *nerfs spinaux* transmettent les influx entre certaines parties du corps et la moelle épinière, et inversement. Les *nerfs crâniens* acheminent les influx entre certaines autres parties du corps et l'encéphale, et inversement. Les nerfs du SNP sont donc de véritables lignes de communication qui relient toutes les parties du corps en transmettant les influx des récepteurs sensoriels au SNC, et du SNC aux glandes et aux muscles appropriés.

Nous traitons en détail des organes qui forment le SNC et le SNP plus loin dans ce chapitre.

LA CLASSIFICATION FONCTIONNELLE

La classification fonctionnelle s'applique uniquement aux structures du SNP. Elle comprend deux subdivisions (voir la figure 7.2).

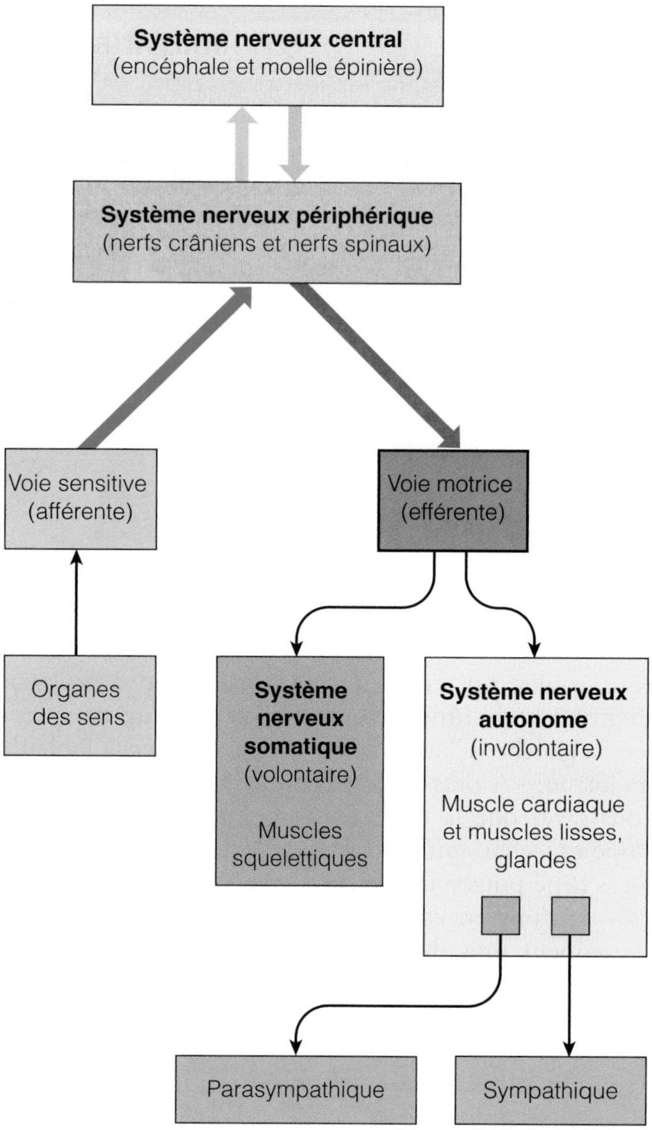

Système nerveux central
(encéphale et moelle épinière)
Système nerveux périphérique
(nerfs crâniens et nerfs spinaux)
Voie sensitive
(afférente)
Voie motrice
(efférente)
Organes
des sens
Système
nerveux
somatique
(volontaire)
Muscles
squelettiques
Système nerveux
autonome
(involontaire)
Muscle cardiaque
et muscles lisses,
glandes
Parasympathique
Sympathique

Figure 7.2 **L'organisation du système nerveux**

L'organigramme montre que le système nerveux central reçoit l'information par l'intermédiaire des neurofibres sensitives et émet des commandes par l'intermédiaire des neurofibres motrices. Les neurofibres sensitives et motrices forment les nerfs dont l'ensemble constitue le système nerveux périphérique.

La **voie sensitive**, ou **voie afférente**, est formée des neurofibres qui transportent *vers* le SNC les influx provenant des récepteurs sensoriels disséminés dans l'organisme. Les neurofibres sensitives qui conduisent les influx provenant de la peau, des muscles squelettiques et des articulations sont appelées *neurofibres afférentes somatiques* (*sôma*, signifiant «corps»), tandis que celles qui transmettent les influx provenant des viscères sont appelées *neurofibres afférentes viscérales*. La voie sensitive renseigne constamment le SNC sur les événements qui se déroulent tant à l'intérieur qu'à l'extérieur de l'organisme.

La **voie motrice**, ou **voie efférente**, est constituée des neurofibres qui transmettent aux organes effecteurs, c'est-à-dire les muscles et les glandes, les influx *provenant* du SNC. Ces influx nerveux activent les muscles et les glandes ; autrement dit, ils *déclenchent* une réponse motrice.

La voie motrice comprend elle aussi deux subdivisions (voir la figure 7.2) :

1. Le **système nerveux somatique** nous permet d'exercer une maîtrise consciente sur nos muscles squelettiques. C'est pourquoi on l'appelle souvent **système nerveux volontaire**. Cependant, l'activité des muscles squelettiques n'est pas toujours volontaire. Dans le cas des réflexes, comme le réflexe d'étirement, les mouvements sont involontaires, mais déclenchés par les neurofibres du système nerveux somatique.
2. Le **système nerveux autonome** (SNA) régit les activités automatiques, ou involontaires, comme celles des muscles lisses, du muscle cardiaque et des glandes. Communément appelé **système nerveux involontaire** ou encore *système nerveux végétatif*, il comprend deux subdivisions fonctionnelles : la *partie sympathique* et la *partie parasympathique*, qui produisent en général des effets contraires. Ce que l'un stimule, l'autre l'inhibe. Nous y reviendrons plus loin.

Le fait de subdiviser le système nerveux en facilite l'étude, certes, mais il ne faut pas oublier que cette compartimentation est artificielle et n'existe que pour des raisons de commodité. Le système nerveux constitue un tout intégré, tant du point de vue de la structure que de celui de la fonction.

La structure et la fonction du tissu nerveux

En dépit de sa complexité, le tissu nerveux est composé de deux principaux types de cellules seulement : les *gliocytes* et les *neurones.*

LES GLIOCYTES

Neuf fois plus nombreux que les neurones, les gliocytes forment dans le SNC la **névroglie** (signifiant littéralement « colle nerveuse »). Les différents types de gliocytes soutiennent, isolent et protègent les fragiles neurones (figure 7.3), et chacun remplit des fonctions particulières. La névroglie est composée des cellules suivantes :

- Les **astrocytes** : Les gliocytes les plus abondants sont les astrocytes en forme d'étoile. Leurs nombreux prolongements ont des extrémités renflées qui s'attachent aux neurones et les ancrent à leur source d'approvisionnement en nutriments, les capillaires sanguins (voir la figure 7.3a). Les astrocytes interviennent dans les échanges entre les capillaires et les neurones, et forment entre ces deux types de structures une barrière vivante. Ils protègent ainsi les neurones contre les substances nocives qui pourraient se trouver dans le sang. Les astrocytes participent aussi à la régulation du milieu chimique cérébral en récupérant les ions en excès et en effectuant le recaptage des neurotransmetteurs libérés.
- Les **microglies** : Les microglies, en forme d'araignée, sont des macrophagocytes qui éliminent les débris tels que les cellules mortes de l'encéphale et les bactéries (voir la figure 7.3b). On a observé une augmentation de leur taille et de leur nombre dans certaines maladies.
- Les **épendymocytes** : Les épendymocytes sont des cellules de type épithélial tapissant les cavités de l'encéphale et de la moelle épinière (voir la figure 7.3c). Le battement de leurs cils facilite la circulation du liquide cérébrospinal qui remplit ces cavités et forme un coussin protecteur autour du SNC.
- Les **oligodendrocytes** : Les oligodendrocytes sont pourvus de prolongements aplatis qui s'enroulent fermement autour des neurofibres du SNC. Ils constituent ainsi des enveloppes lipidiques isolantes appelées *gaines de myéline* (voir la figure 7.3d).

Les gliocytes sont semblables aux neurones sur le plan de la structure (comme eux, ils ont des prolongements cellulaires), mais, contrairement à ces derniers, ils ne transmettent pas d'influx nerveux et ne perdent jamais la capacité de se diviser. Par conséquent, la plupart des tumeurs cérébrales, qu'elles soient bénignes ou malignes, sont des *gliomes*, c'est-à-dire des masses formées à partir de gliocytes (des astrocytes le plus souvent).

Les gliocytes présents dans le SNP sont les neurolemmocytes et les gliocytes ganglionnaires (voir la figure 7.3e). Les **neurolemmocytes**, ou cellules de Schwann, forment les gaines de myéline autour des neurofibres du SNP. Les **gliocytes ganglionnaires** entourent l'amas de corps cellulaires dans les ganglions.

Du portrait que nous venons de tracer de l'ensemble des gliocytes on pourrait garder l'idée qu'ils ne sont que de vulgaires cellules de soutien. Mais ne concluons pas trop vite ! Des recherches récentes laissent croire que les

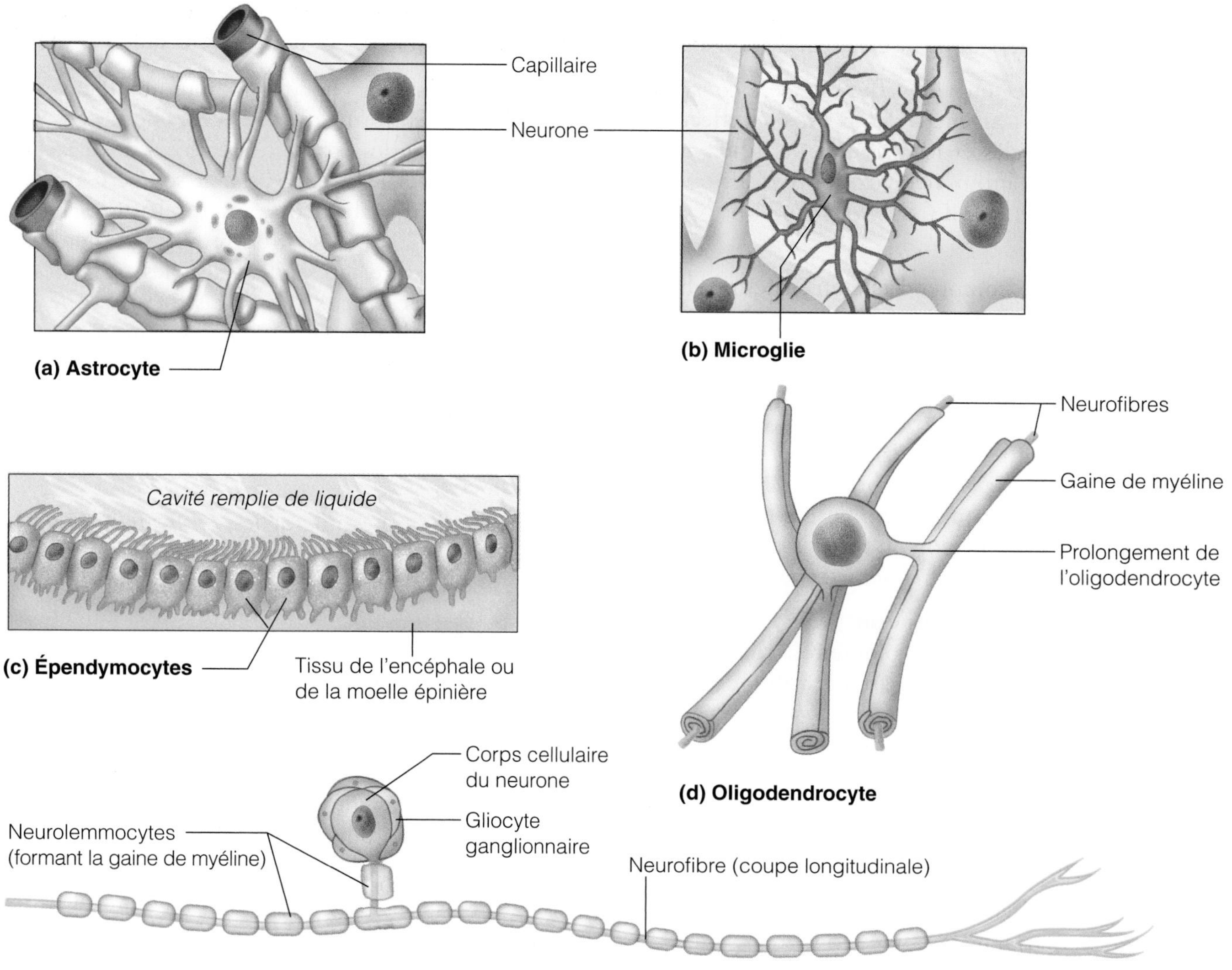
Capillaire
Neurone
(a) Astrocyte
(b) Microglie
Neurofibres
Gaine de myéline
Prolongement de l'oligodendrocyte
Cavité remplie de liquide
(c) Épendymocytes
Tissu de l'encéphale ou de la moelle épinière
(d) Oligodendrocyte
Corps cellulaire du neurone
Gliocyte ganglionnaire
Neurolemmocytes (formant la gaine de myéline)
Neurofibre (coupe longitudinale)
(e) Neurone sensitif avec des neurolemmocytes et des gliocytes ganglionnaires

Figure 7.3 **Gliocytes**

Les astrocytes **(a)** forment une barrière vivante entre les neurones et les capillaires dans le SNC. Les microglies **(b)** sont des macrophagocytes, tandis que les épendymocytes **(c)** tapissent les cavités remplies de liquide du SNC. Les oligodendrocytes **(d)** forment les gaines de myéline autour des neurofibres du SNC. **(e)** Relation entre les neurolemmocytes (cellules myélinisantes), les gliocytes ganglionnaires et un neurone sensitif dans le SNP.

gliocytes peuvent détecter l'activité des neurones et communiquer entre eux, formant en quelque sorte un réseau parallèle aux neurones qui participerait aussi au traitement de l'information. (Curieusement, on a trouvé dans certaines régions du cerveau d'Einstein un nombre de gliocytes bien au-dessus de la moyenne!)

LES NEURONES

L'anatomie des neurones

Les **neurones**, ou **cellules nerveuses**, sont spécialisés dans la transmission des messages (influx nerveux) entre les diverses parties du corps. Ils peuvent présenter des variations structurales, mais ont de nombreux points communs (figure 7.4). Ils possèdent tous un corps cellulaire, qui contient le noyau et constitue le centre métabolique de la cellule, et un ou plusieurs prolongements issus de ce corps cellulaire.

Le **corps cellulaire** est le centre métabolique du neurone. Il contient les organites habituels, sauf les centrioles (ce qui confirme la nature amitotique de la plupart de ces cellules). Le RE rugueux, appelé **substance chromatophile** ou corps de Nissl, et les **neurofibrilles** ou

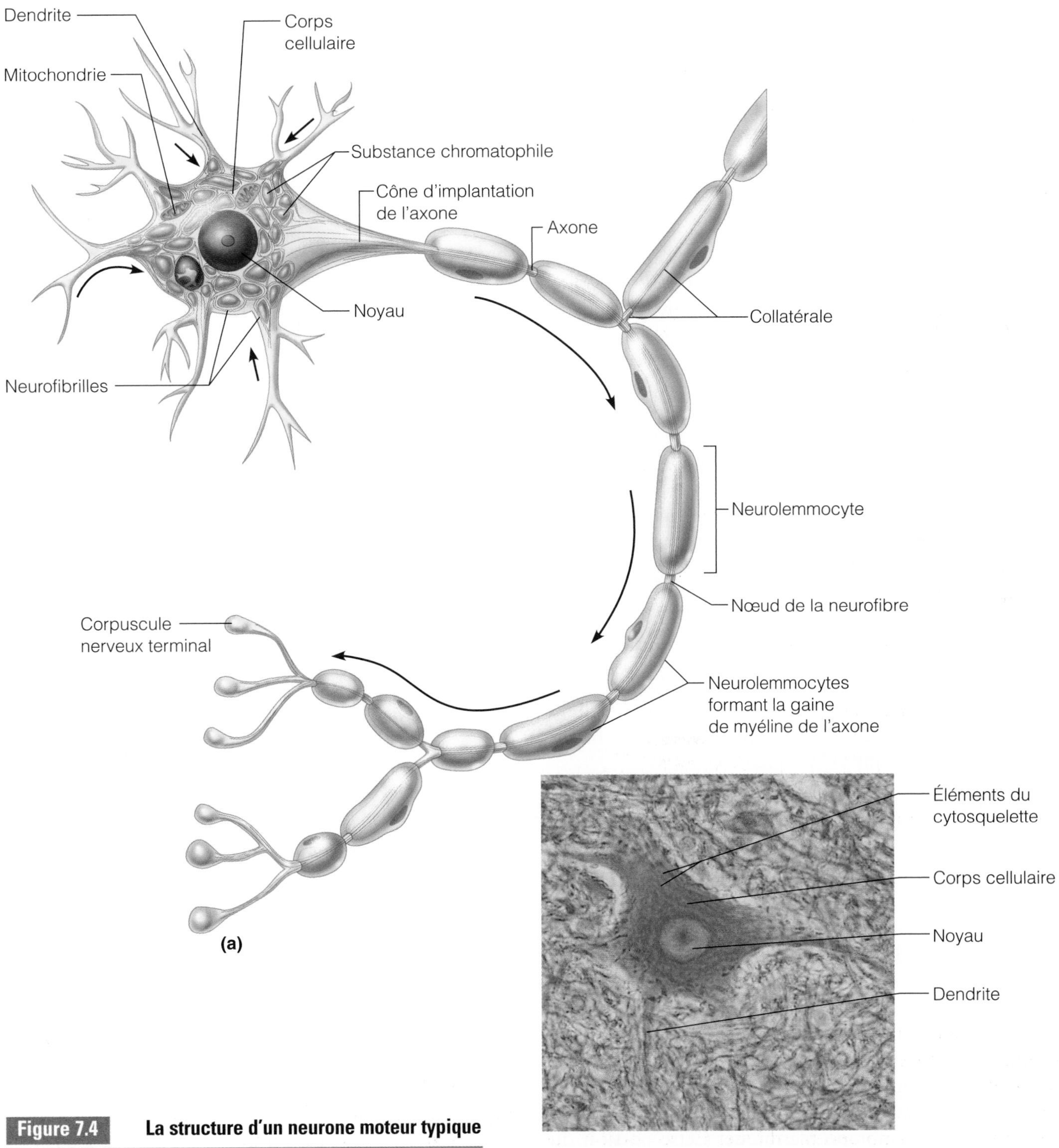
Dendrite
Corps cellulaire
Mitochondrie
Substance chromatophile
Cône d'implantation de l'axone
Axone
Noyau
Collatérale
Neurofibrilles
Neurolemmocyte
Nœud de la neurofibre
Corpuscule nerveux terminal
Neurolemmocytes formant la gaine de myéline de l'axone
(a)
Éléments du cytosquelette
Corps cellulaire
Noyau
Dendrite
(b)

Figure 7.4 **La structure d'un neurone moteur typique**

(a) Vue schématique. **(b)** Micrographie (265×).

neurofilaments (des filaments intermédiaires jouant un rôle important dans le maintien de la forme de la cellule), y sont particulièrement abondants.

La longueur des **prolongements**, ou **neurofibres**, varie de quelques micromètres à plus de un mètre. Chez l'être humain, les plus longs prolongements s'étendent de la région lombaire de la moelle épinière jusqu'au gros orteil. Les prolongements neuronaux qui transmettent les messages reçus par la cellule (signaux électriques) *vers* le corps cellulaire sont appelés **dendrites**; ceux qui produisent les influx nerveux et les transmettent *hors* du corps cellulaire portent le nom d'**axones**. Certains neurones sont dotés de centaines de dendrites ramifiées (*dendron*, «arbre»), mais tous ne possèdent qu'un seul axone, qui prend naissance dans une région du corps cellulaire appelée **cône d'implantation** de l'axone.

Certains axones projettent des ramifications appelées *collatérales*. Qu'un axone présente ou non des collatérales, son extrémité se divise en des centaines, voire des milliers, de ramifications (les **télodendrons**) dont les extrémités renflées sont appelées **corpuscules nerveux terminaux**. Ceux-ci contiennent des centaines de vésicules, ou sacs membraneux, dans lesquels sont emmagasinées des molécules désignées par le terme **neurotransmetteurs**. Comme nous l'avons déjà indiqué, les axones transmettent les influx nerveux hors du corps cellulaire. Lorsqu'ils atteignent les corpuscules nerveux terminaux, les influx entraînent la libération de neurotransmetteurs dans l'espace extracellulaire.

Chaque corpuscule nerveux terminal est séparé du neurone voisin par un mince espace, la **fente synaptique**. Cette jonction fonctionnelle est appelée **synapse** (*sunapsus*, «liaison», «point de jonction»). Les neurones sont rapprochés les uns des autres, mais ne se touchent jamais. Nous reviendrons plus loin sur les événements qui se déroulent dans la synapse.

La plupart des neurofibres longues sont recouvertes d'une substance lipidique cireuse et blanchâtre appelée **myéline**. Celle-ci protège et isole sur le plan électrique les neurofibres, et accroît la vitesse de propagation des influx nerveux (nous reviendrons sur ce sujet). À l'extérieur du SNC, les axones sont myélinisés par des **neurolemmocytes**, des gliocytes spécialisés qui s'enroulent fermement autour d'eux à la manière d'un roulé à la confiture (figure 7.5). Quand l'enroulement est achevé, l'axone se trouve entouré d'un grand nombre de couches concentriques de membrane formant la **gaine de myéline**. La plus grande part du cytoplasme du neurolemmocyte se trouve juste en dessous de la partie la plus externe de sa membrane plasmique. Cette portion du neurolemmocyte, qui entoure la gaine de myéline, est

Q **Pourquoi la gaine de myéline produite par les neurolemmocytes ne forme-t-elle pas un manchon continu sur toute la longueur de l'axone?**

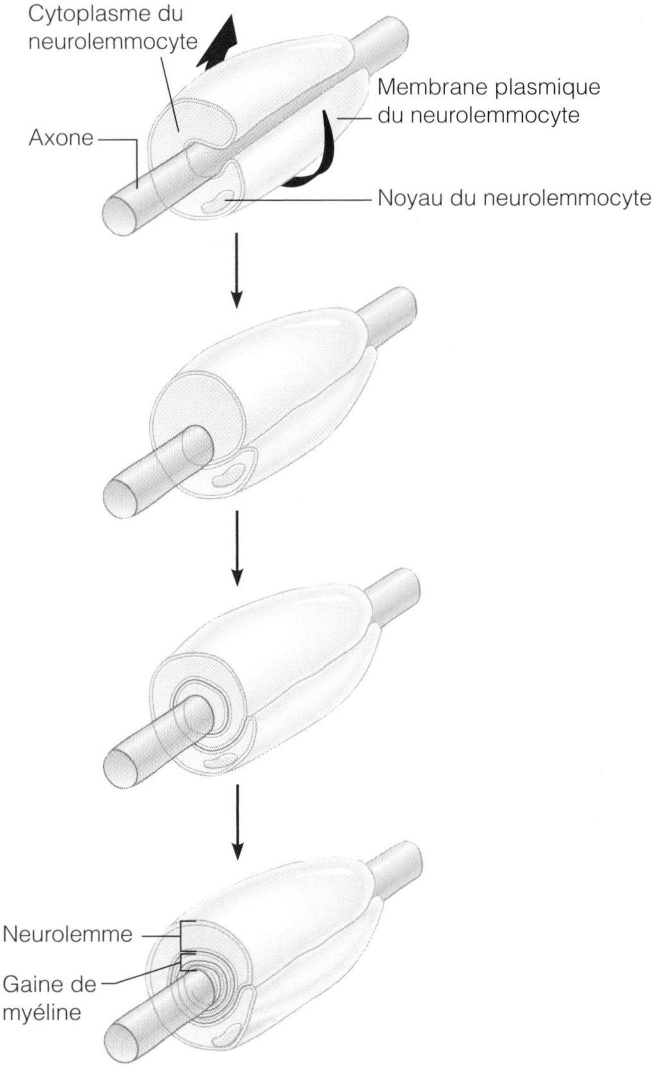
Cytoplasme du neurolemmocyte
Membrane plasmique du neurolemmocyte
Axone
Noyau du neurolemmocyte
Neurolemme
Gaine de myéline

Figure 7.5 **La relation entre les neurolemmocytes et les axones dans le système nerveux périphérique**

De haut en bas, les dessins représentent un neurolemmocyte qui enveloppe un segment d'axone par invagination de sa membrane plasmique et qui s'enroule autour de cet axone. La plus grande part du cytoplasme du neurolemmocyte se retrouve juste en dessous de la portion découverte de sa membrane plasmique. Les couches concentriques de membrane entourant l'axone constituent la gaine de myéline; la région formée par le cytoplasme du neurolemmocyte et sa membrane découverte est appelée *neurolemme*.

R **Parce qu'elle provient de plusieurs neurolemmocytes. Ceux-ci sont disposés côte à côte le long de l'axone et ne recouvrent qu'un segment de la neurofibre.**

appelée **neurolemme** (signifiant littéralement « écale de nerf »). Comme elle est formée de nombreux neurolemmocytes, la gaine de myéline présente des intervalles réguliers (de 1 à 2 mm) appelés **nœuds de la neurofibre**, ou *nœuds de Ranvier* (voir la figure 7.4).

On trouve également des neurofibres myélinisées dans le SNC. Là, cependant, ce sont des oligodendrocytes qui constituent les gaines de myéline (voir la figure 7.3d). Contrairement au neurolemmocyte, qui dépose de la myéline autour d'un petit segment d'une neurofibre, l'oligodendrocyte possède de nombreux prolongements plats qui peuvent s'enrouler autour de multiples axones (jusqu'à 60) à la fois. Les gaines de myéline formées par les neurolemmocytes et celles qui sont formées par les oligodendrocytes se ressemblent, mais ces dernières sont dépourvues de neurolemme. Une lésion d'une neurofibre périphérique laisse le neurolemme intact (pour l'essentiel). C'est pourquoi le neurolemme joue un rôle important dans la régénération de la neurofibre, phénomène extrêmement rare dans le SNC.

Déséquilibre homéostatique

L'importance du rôle isolant de la myéline dans la propagation de l'influx nerveux se manifeste avec une douloureuse éloquence dans les cas où cette substance est absente. Chez les personnes atteintes de maladies démyélinisantes comme la *sclérose en plaques* (SP), les gaines de myéline entourant les neurofibres se dégradent graduellement et se transforment en indurations appelées *scléroses* (celles-ci étant disséminées dans le SNC, on les dit *en plaques*). La disparition de la myéline entraîne des « fuites de courant », de sorte que la personne atteinte perd la maîtrise de ses muscles et devient de plus en plus handicapée. Les principaux autres symptômes de la maladie sont les troubles de vision et d'élocution, la fatigue extrême et parfois la paralysie. La SP est une maladie auto-immune causée par la destruction d'une protéine de la gaine de myéline par le système immunitaire. Elle est plus fréquente dans les pays nordiques, dont le Canada, qui a un des taux les plus élevés au monde (plus de 55 000 personnes atteintes, dont 3 fois et demie plus de femmes que d'hommes) ; en France, 60 000 personnes sont diagnostiquées. Il n'existe toujours pas de traitement contre la SP, bien que des essais cliniques en cours permettent de fonder un certain espoir dans un médicament pris par voie orale, le fingolimod. Pour l'instant, les injections d'interféron (substance semblable à une hormone et sécrétée par certaines cellules du système immunitaire) apportent un certain soulagement aux personnes atteintes. ▲

Les regroupements de corps cellulaires de neurones de même que de neurofibres portent des noms différents selon qu'ils se trouvent dans le SNC ou dans le SNP. En règle générale, les corps cellulaires situés dans le SNC sont groupés en amas appelés **noyaux**. La protection que leur procure leur localisation à l'intérieur du crâne ou de la colonne vertébrale est essentielle au maintien de l'intégrité du système nerveux – rappelez-vous que, généralement, les neurones ne se divisent plus après la naissance. Le corps cellulaire accomplit presque toutes les fonctions métaboliques du neurone, de sorte que, s'il subit une lésion, la cellule meurt sans être remplacée. On trouve de petits groupes de corps cellulaires appelés **ganglions** à quelques endroits dans le SNP, à l'extérieur du SNC. Les regroupements de neurofibres sont appelés **faisceaux** et **tractus** dans le SNC et **nerfs** dans le SNP. Les termes *substance blanche* et *substance grise* désignent respectivement les régions myélinisées et les régions amyélinisées du SNC. En règle générale, la **substance blanche** est composée de groupements denses d'axones myélinisés, et la **substance grise** contient surtout des corps cellulaires (dont la couleur est attribuable à la substance chromatophile) et des neurofibres amyélinisées (dont la couleur est attribuable à l'absence de myéline).

La classification des neurones

On peut classer les neurones selon leur fonction ou leur structure.

La classification fonctionnelle Dans la classification fonctionnelle, les neurones sont distribués selon le sens de propagation de l'influx nerveux par rapport au SNC. C'est ainsi que l'on trouve des neurones sensitifs, des neurones moteurs et des neurones d'association, ou interneurones (figure 7.6). Les neurones qui transmettent les influx des récepteurs sensoriels (de la peau ou des organes internes) vers le SNC sont appelés **neurones sensitifs**, ou **neurones afférents**. (Le mot *afférent* signifie littéralement « qui mène vers ».) Les *corps cellulaires* des neurones sensitifs sont pour la plupart situés dans un *ganglion* à l'extérieur du SNC. Les neurones sensitifs nous informent sur les événements qui se déroulent à l'intérieur et à l'extérieur du corps.

Les terminaisons *dendritiques* des neurones sensitifs sont habituellement associées à des **récepteurs** spécialisés qui sont activés par des stimulus précis. Nous traitons au chapitre 8 des récepteurs très complexes des organes des sens (la vision, l'ouïe, l'équilibre, le goût et l'odorat). Comme le montre la figure 7.7, les récepteurs sensoriels les plus simples se trouvent dans la peau (**récepteurs sensoriels cutanés**) ainsi que dans les muscles et les tendons (**propriocepteurs**). Les récepteurs de la

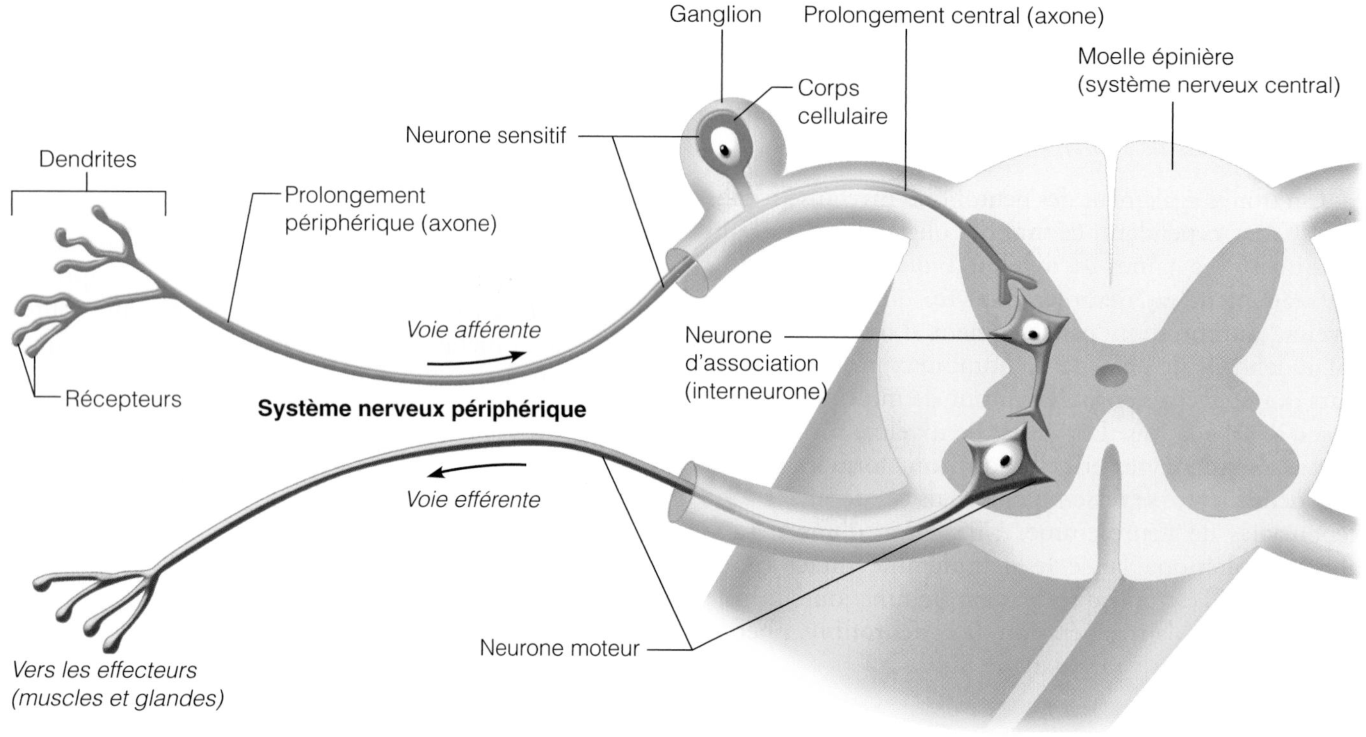
Ganglion
Prolongement central (axone)
Moelle épinière
(système nerveux central)
Corps
cellulaire
Neurone sensitif
Dendrites
Prolongement
périphérique (axone)
Voie afférente
Neurone
d'association
(interneurone)
Récepteurs
Système nerveux périphérique
Voie efférente
Neurone moteur
Vers les effecteurs
(muscles et glandes)

Figure 7.6 **La classification fonctionnelle des neurones**

Les neurones sensitifs (afférents) transmettent les influx nerveux provenant des récepteurs sensoriels (situés dans la peau, les viscères et les muscles) vers le SNC. Leurs corps cellulaires sont pour la plupart situés à l'intérieur de ganglions, dans le SNP. Les neurones moteurs (efférents) transmettent les influx nerveux provenant du SNC (encéphale et moelle épinière) vers les effecteurs situés en périphérie du corps. Les neurones d'association (interneurones) complètent les voies de communication entre les neurones sensitifs et les neurones moteurs. Les corps cellulaires des neurones moteurs et des neurones d'association sont situés dans le SNC.

douleur (qui sont en fait des terminaisons dendritiques libres) sont les moins spécialisés des récepteurs cutanés. Ce sont cependant les plus abondants, car la douleur nous signale la présence ou l'imminence d'une lésion. La stimulation intense de n'importe quel récepteur cutané (par la chaleur, la pression et le froid extrêmes, notamment) provoque aussi une sensation de douleur.

Les propriocepteurs détectent le degré d'étirement, ou de tension, dans les muscles squelettiques, les tendons et les articulations. Ils informent sans cesse l'encéphale de nos propres mouvements (*proprio*, «à soi»), afin que celui-ci passe les commandes nécessaires au maintien de l'équilibre et de la posture.

Les neurones qui transmettent les influx nerveux du SNC jusqu'aux viscères, aux muscles et aux glandes sont appelés **neurones moteurs**, ou **neurones efférents** (du latin *effere*, «porter hors») (voir la figure 7.6). Leurs corps cellulaires sont toujours situés dans le SNC.

Les **neurones d'association**, ou **interneurones**, relient les neurones sensitifs et les neurones moteurs dans les voies nerveuses. Comme ceux des neurones moteurs, leurs corps cellulaires sont toujours situés dans le SNC.

La classification structurale La classification structurale des neurones repose sur le nombre de prolongements qui émergent du corps cellulaire (figure 7.8). Les **neurones multipolaires** possèdent plusieurs prolongements. Comme tous les neurones moteurs et les neurones d'association sont multipolaires, c'est le type structural le plus courant. Les **neurones bipolaires** sont pourvus de deux prolongements – un axone et une dendrite. Ils sont peu nombreux dans l'organisme adulte; on n'en trouve que dans certains des organes des sens (tels les yeux et le nez) où, en tant que cellules réceptrices, ils participent au traitement de l'information sensorielle. Les **neurones unipolaires** comportent un

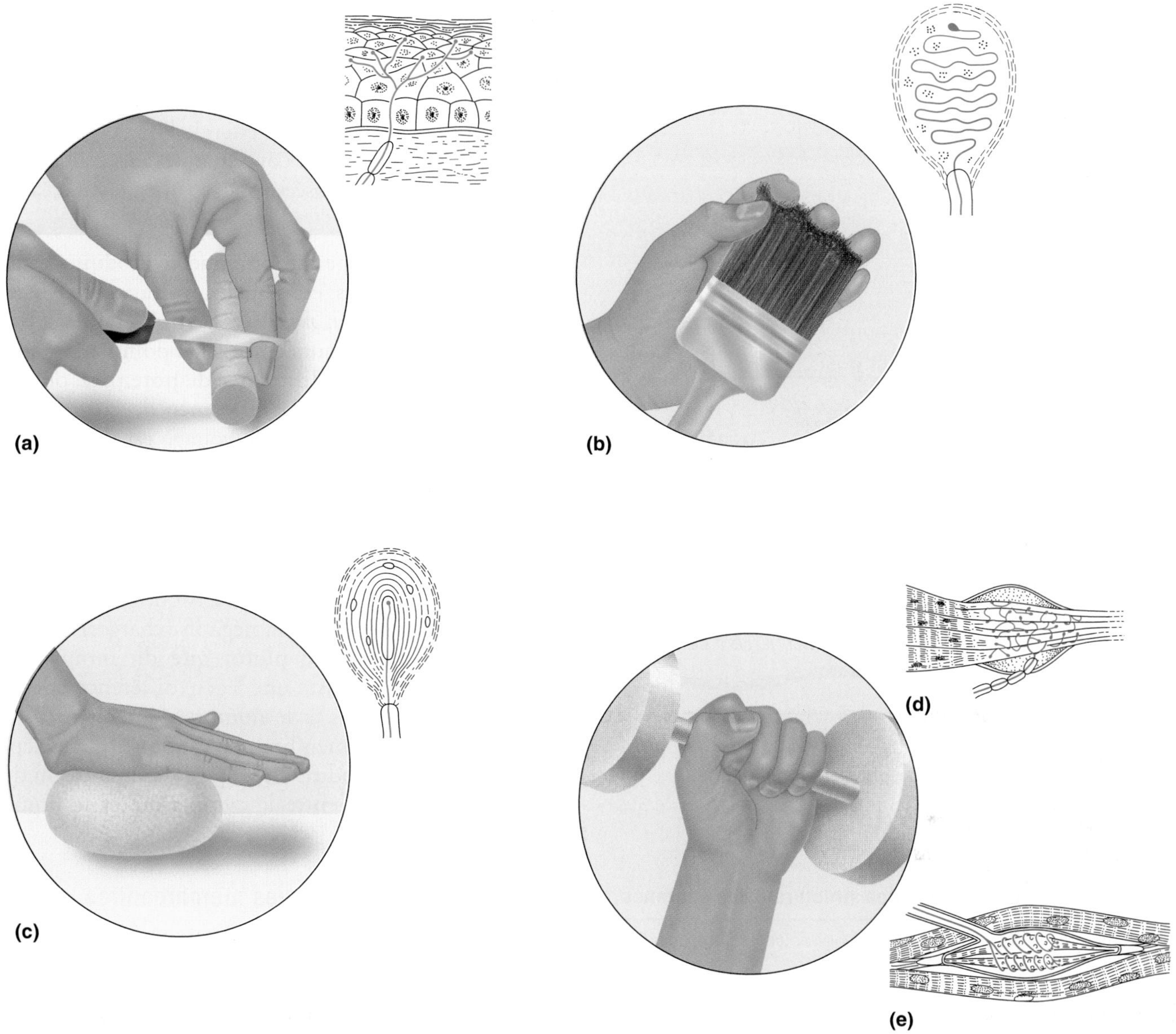
(a)
(b)
(c)
(d)
(e)

Figure 7.7 **Les types de récepteurs sensoriels**

(a) Terminaisons nerveuses libres (récepteurs de la douleur et de la température). **(b)** Corpuscule tactile capsulé (récepteur du toucher). **(c)** Corpuscule lamelleux (récepteur de la pression intense). **(d)** Fuseau neurotendineux (propriocepteur). **(e)** Fuseau neuromusculaire (propriocepteur).

prolongement unique qui émerge du corps cellulaire. Ce prolongement est d'ailleurs très court, et il se divise en forme de T en une branche proximale (prolongement central) et une branche distale (prolongement périphérique). Les neurones unipolaires ont ceci de particulier que seules les petites ramifications de l'extrémité du prolongement périphérique sont des dendrites. Le reste du prolongement périphérique de même que le prolongement central jouent le rôle d'axones. Dans le cas du neurone unipolaire, par conséquent, l'axone conduit les influx nerveux vers le corps cellulaire *et* hors du corps cellulaire. Les neurones sensitifs situés dans les ganglions du SNP sont unipolaires.

LA NEUROPHYSIOLOGIE

Les neurones sont très sensibles aux stimulus : on dit qu'ils sont *excitables*. Lorsqu'il reçoit un stimulus adéquat, un

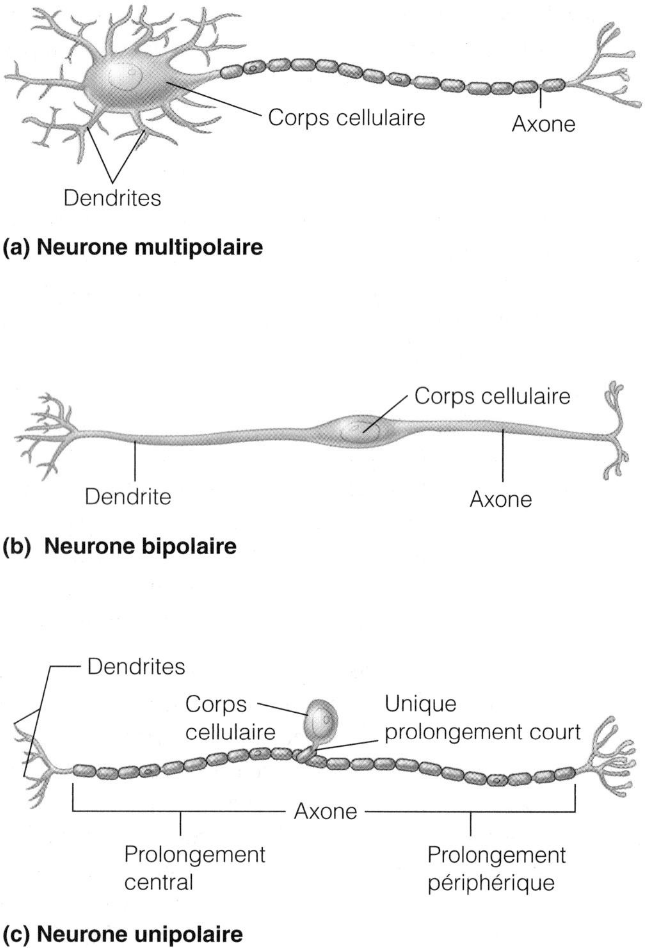
Corps cellulaire
Axone
Dendrites
(a) Neurone multipolaire
Corps cellulaire
Dendrite
Axone
(b) Neurone bipolaire
Dendrites
Corps cellulaire
Unique prolongement court
Axone
Prolongement central
Prolongement périphérique
(c) Neurone unipolaire

Figure 7.8 **La classification structurale des neurones**

(a) Neurone multipolaire. **(b)** Neurone bipolaire. **(c)** Neurone unipolaire.

neurone produit un signal électrique et le conduit sur toute la longueur de son axone. L'intensité du signal est toujours la même, quels que soient le type de stimulus et sa source. Ce phénomène électrique, appelé *potentiel d'action* (*influx nerveux*), est à la base même du fonctionnement du système nerveux.

Nous décrirons dans la présente section la manière dont les neurones sont excités ou inhibés ainsi que leurs modes de communication avec les autres neurones et les cellules des effecteurs musculaires et glandulaires. Mais voyons d'abord quelques principes fondamentaux d'électricité.

Les principes fondamentaux d'électricité

Au point de vue électrique, le corps humain est neutre dans son ensemble; il possède un nombre égal de charges positives et de charges négatives. Cependant, un type de charge prédomine dans certains endroits et rend ceux-ci positivement ou négativement chargés. Puisque les charges opposées s'attirent, il faut un apport d'énergie (un travail) pour les séparer. Inversement, quand des charges opposées s'unissent, l'énergie libérée peut servir à accomplir un travail. Par conséquent, dans toute situation où des charges opposées sont séparées, il y a création d'énergie potentielle.

La mesure de l'énergie potentielle produite par la séparation de charges est appelée **voltage**, et elle est exprimée en *volts* ou en *millivolts* (1 mV = 0,001 V). Le voltage se mesure toujours entre deux points de charges contraires; on l'appelle **différence de potentiel**, ou simplement **potentiel**. Plus la différence de charge entre deux points est grande, plus le voltage est élevé.

Le déplacement, ou flux, des charges électriques d'un point à un autre est appelé **courant**. Le courant est directement proportionnel au voltage: plus le voltage (différence de potentiel) est élevé, plus le courant est intense. Dans l'organisme, les courants électriques relèvent de la circulation des ions positifs et négatifs (charges) à travers la membrane plasmique plutôt que du mouvement d'électrons libres. Il existe une légère différence entre le nombre d'ions positifs et le nombre d'ions négatifs de part et d'autre de la membrane plasmique. Cette séparation des charges produit un voltage mesurable, ou différence de potentiel, entre le cytoplasme et le liquide interstitiel.

Le rôle des canaux ioniques membranaires

Les membranes plasmiques sont parcourues de *canaux ioniques* formés de protéines intégrées. On distingue les *canaux protéiques ouverts*, ou *à fonction passive*, qui sont toujours ouverts, des *canaux protéiques fermés*, ou *à fonction active*, qui s'ouvrent par intermittence (figure 7.9). Les canaux à fonction active comportent une «vanne», généralement constituée d'une ou de plusieurs protéines du canal, qui peut changer de forme pour ouvrir ou fermer le canal en réponse à divers signaux physiques ou chimiques. Il y a trois types de canaux à fonction active, dont deux nous intéressent ici. Les **canaux ligand-dépendants** s'ouvrent quand un ligand approprié (dans le cas présent un neurotransmetteur) se lie à la membrane. Les **canaux voltage-dépendants**, quant à eux, s'ouvrent et se ferment en réponse à des modifications du potentiel de membrane, ou voltage. Chaque type de canal est sélectif; par exemple, un canal à potassium ne laisse généralement passer que des ions potassium.

Quand les canaux ioniques à fonction active sont ouverts, les ions diffusent rapidement à travers la membrane dans le sens de leurs gradients électrochimiques;

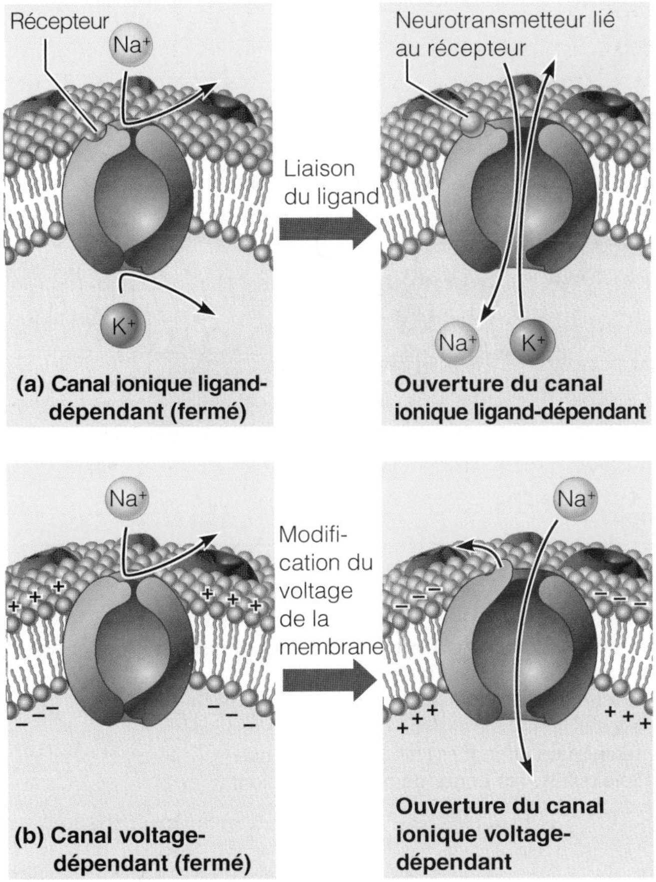
Récepteur
Na+
Liaison du ligand
K+
(a) Canal ionique ligand-dépendant (fermé)
Neurotransmetteur lié au récepteur
Na+
K+
Ouverture du canal ionique ligand-dépendant
Na+
Modification du voltage de la membrane
(b) Canal voltage-dépendant (fermé)
Na+
Ouverture du canal ionique voltage-dépendant

Figure 7.9 **Le fonctionnement des canaux à fonction active**

(a) Un canal ligand-dépendant (ici un canal à Na^+-K^+) s'ouvre quand le neurotransmetteur approprié se lie au récepteur, ce qui permet le mouvement simultané du Na^+ et du K^+ à travers le canal. **(b)** Un canal voltage-dépendant s'ouvre ou se ferme en réponse à des modifications du voltage. Dans cet exemple, un canal à Na^+ s'ouvre quand la face interne de la membrane devient positive.

ils créent des courants électriques et des modifications du voltage à travers la membrane. Examinons de plus près la notion de gradient électrochimique. Lorsqu'un ion se trouve à des concentrations différentes de part et d'autre de la membrane plasmique, cette variation est appelée *gradient de concentration*: l'ion diffuse passivement d'une région de forte concentration vers une région de faible concentration. La concentration étant un concept de chimie, on parle aussi de *gradient chimique*. Par ailleurs, le transfert d'un ion vers une région de charge électrique opposée correspond à un *gradient électrique* (gradient de potentiel). Le gradient chimique et le gradient électrique forment le **gradient électrochimique**. La diffusion des ions à travers les canaux de la membrane plasmique du neurone se fait donc selon le gradient électrochimique de cette membrane. Ce processus de diffusion est à l'origine de la production d'influx par le neurone.

Le potentiel de repos de la membrane

La différence de potentiel entre deux points se mesure à l'aide d'un voltmètre (figure 7.10). Lorsqu'on insère une des microélectrodes du voltmètre dans le cytoplasme d'un neurone et qu'on place l'autre sur sa face externe, on enregistre un voltage d'environ −70 mV à travers la membrane. Le symbole « moins » indique que la face cytoplasmique (interne) de la membrane du neurone est chargée négativement, alors que la face externe (du côté du liquide interstitiel) est chargée positivement. Cette différence de potentiel dans un neurone au repos est appelée **potentiel de repos**, et on dit alors que la membrane est **polarisée.** La mesure du potentiel de repos varie (de −40 à −90 mV) selon le type de neurone.

Le potentiel de repos n'existe qu'à travers la membrane; autrement dit, les solutions se trouvant à l'intérieur et à l'extérieur de la cellule sont électriquement neutres. Le potentiel de repos est engendré par des différences dans la composition ionique du cytoplasme et du liquide interstitiel, et par la différence de perméabilité de la membrane plasmique à ces ions, comme le montre la figure 7.11. Le cytosol contient une plus faible concentration de Na^+ et une plus forte concentration de K^+

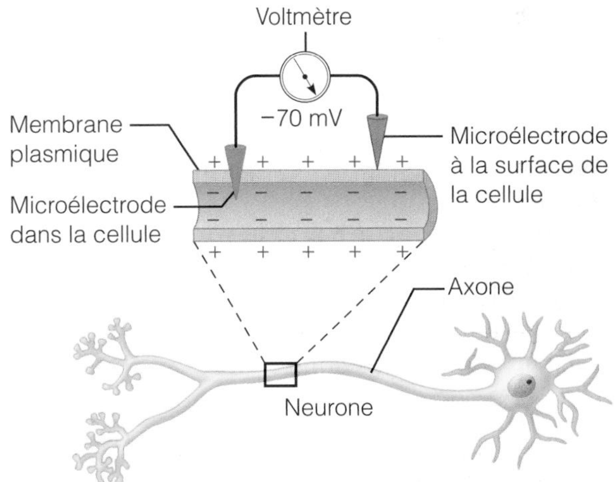
Voltmètre
−70 mV
Membrane plasmique
Microélectrode à la surface de la cellule
Microélectrode dans la cellule
Axone
Neurone

Figure 7.10 **La mesure de la différence de potentiel entre deux points dans les neurones**

Quand on place une électrode d'un voltmètre sur la face externe de la membrane et qu'on insère l'autre électrode dans le cytoplasme, on enregistre un voltage (un potentiel de membrane) d'environ −70 mV (face interne négative).

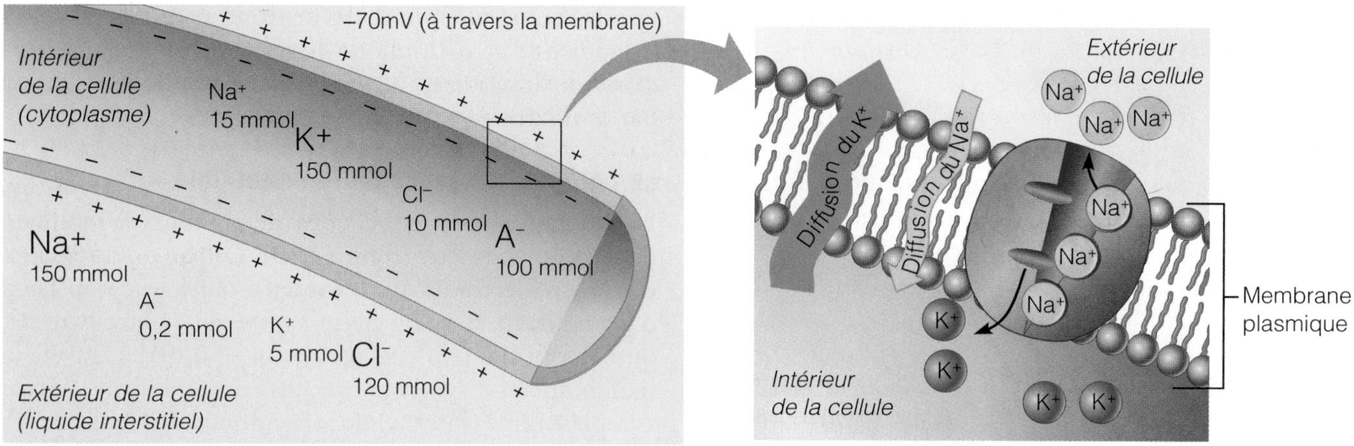

–70mV (à travers la membrane)
Intérieur
de la cellule
(cytoplasme)
Na+
15 mmol
K+
150 mmol
Cl–
10 mmol
A–
100 mmol
Na+
150 mmol
A–
0,2 mmol
K+
5 mmol
Cl–
120 mmol
Extérieur de la cellule
(liquide interstitiel)
Extérieur
de la cellule
Diffusion du K+
Diffusion du Na+
Intérieur
de la cellule
Membrane
plasmique

Figure 7.11 **La formation du potentiel de repos de la membrane**

Les concentrations ioniques approximatives à l'intérieur et à l'extérieur des cellules de mammifères sont indiquées en millimoles (mmol) par litre afin de pouvoir comparer les valeurs (mais il n'est pas nécessaire ici de connaître la définition de *millimole*). La diffusion constante du K^+ vers l'extérieur de la cellule à travers les canaux à fonction passive est grandement favorisée par son gradient de concentration. Le Na^+ est fortement attiré vers l'intérieur de la cellule par son gradient de concentration, mais il est beaucoup moins apte à traverser la membrane plasmique en raison de l'absence ou presque de canaux à Na^+ à fonction passive. La perméabilité relative de la membrane aux ions Na^+ et K^+ est indiquée par des flèches d'épaisseurs différentes. La diffusion nette vers l'extérieur de charges positives (K^+) entraîne un état de négativité relative sur la face interne de la membrane. Ce potentiel de membrane (–70 mV, intérieur négatif) est maintenu par la pompe à sodium et à potassium, qui transporte trois Na^+ hors de la cellule chaque fois qu'elle fait entrer deux K^+. Le gradient électrique ainsi entretenu a tendance à s'opposer à la sortie de K^+, mais favorise l'entrée de Na^+.

que le liquide interstitiel. Dans ce dernier, les charges positives des ions Na^+ et d'autres cations sont équilibrées principalement par les ions chlorure (Cl^-). Dans le cytoplasme, les protéines (A^-) chargées négativement (anioniques) facilitent l'équilibration des charges positives, et plus particulièrement celles des ions K^+. Les deux liquides renferment de nombreux autres solutés (du glucose, de l'urée et d'autres ions), mais c'est le potassium qui est le plus important en ce qui concerne la production du potentiel de membrane.

À l'état de repos, la membrane est imperméable aux grosses protéines cytoplasmiques anioniques, très légèrement perméable aux ions Na^+, environ 75 fois plus perméable aux ions K^+ qu'aux ions Na^+ et très perméable aux ions Cl^-. Ces perméabilités de repos sont liées aux propriétés des canaux ioniques à fonction passive présents dans la membrane. Les *gradients de concentration* des ions K^+ et Na^+ expliquent la diffusion des ions K^+ vers le liquide interstitiel et la diffusion des ions Na^+ vers le cytoplasme. Par ailleurs, les ions K^+ diffusent plus rapidement que les ions Na^+. L'exode des ions K^+ de la cellule se poursuit jusqu'à ce que la force du gradient de concentration de ces ions soit neutralisée par l'attraction qu'exercent les charges négatives à l'intérieur de la cellule. Dès lors, le va-et-vient des ions K^+ par diffusion à travers la membrane atteint un état d'équilibre et le potentiel de repos de la membrane se trouve établi.

Comme il y a toujours une certaine quantité de K^+ qui s'écoule de la cellule et une certaine quantité de Na^+ qui y entre, on pourrait penser que la concentration des ions Na^+ et K^+ de part et d'autre de la membrane va s'égaliser, ce qui entraînerait la disparition de leur gradient de concentration respectif. Or, tel n'est pas le cas : la pompe à sodium et à potassium actionnée par l'ATP éjecte trois Na^+ du cytoplasme en même temps qu'elle récupère deux K^+. Par conséquent, elle stabilise le potentiel de repos en maintenant les gradients de concentration du sodium et du potassium.

Les potentiels de membrane : une fonction de signalisation

Dans les neurones, les modifications du potentiel de membrane servent de signaux pour la réception de l'information, son intégration et l'acheminement de la réponse appropriée. Une modification du potentiel de membrane peut être causée par tous les facteurs 1) qui changent la perméabilité de la membrane à n'importe quel ion ou 2) qui modifient les concentrations ioniques de part et d'autre de la membrane plasmique. Une modification du potentiel de membrane peut produire deux types de signaux: des *potentiels gradués*, qui interviennent sur de courtes distances, et des *potentiels d'action*, qui interviennent sur de longues distances. Les **potentiels gradués** sont des modifications locales et de courte durée du potentiel de membrane. Ces changements provoquent l'apparition d'un courant électrique local dont le voltage diminue avec la distance parcourue. Ces potentiels sont dits *gradués* parce que leur voltage est directement proportionnel à l'intensité ou à la force du stimulus. Plus le stimulus est intense, plus le voltage augmente et plus grande est la distance parcourue par le courant. Quant aux potentiels d'action, nous en reparlerons à la section ci-dessous.

Il est important de bien comprendre les termes *dépolarisation* et *hyperpolarisation*, car nous les emploierons dans les sections qui suivent pour décrire les modifications du potentiel de membrane *par rapport au potentiel de repos*. La **dépolarisation** est la réduction du potentiel de membrane: la face interne de la membrane devient *moins négative* (plus proche de 0) que le potentiel de repos. Par exemple, le passage d'un potentiel de repos de −70 mV à un potentiel de −65 mV est une dépolarisation. On convient généralement que la dépolarisation comprend également les phénomènes pendant lesquels le potentiel de membrane s'inverse et passe au-dessus de 0 pour devenir positif.

L'**hyperpolarisation** se produit lorsque le potentiel de membrane augmente et devient *plus négatif* que le potentiel de repos. Par exemple, un changement de −70 à −75 mV est une hyperpolarisation. Comme nous allons le voir, la dépolarisation accroît la probabilité de production d'influx nerveux, tandis que l'hyperpolarisation la diminue.

Les potentiels d'action (influx nerveux)

Les neurones communiquent entre eux et avec les cellules des effecteurs musculaires et glandulaires en produisant et en transmettant des **potentiels d'action** le long de leur axone. En règle générale, seules les cellules pourvues de *membranes excitables* – les neurones et les myocytes – peuvent engendrer des potentiels d'action. Comme le montre la figure 7.12, un potentiel d'action est une brève inversion du potentiel de membrane, d'une amplitude totale (changement de voltage) d'environ 100 mV (de −70 à +30 mV). (Le potentiel d'action résulte donc d'une dépolarisation.) La phase de dépolarisation est suivie d'une phase de repolarisation et souvent d'une courte période d'hyperpolarisation. La durée totale du phénomène ne dépasse pas quelques millisecondes. Contrairement aux potentiels gradués, les potentiels d'action ne diminuent pas avec la distance.

La production et la transmission du potentiel d'action sont identiques dans les myocytes squelettiques et dans les neurones. Dans un neurone, un potentiel d'action est aussi appelé **influx nerveux** et *seuls les axones sont aptes à le produire.* Un neurone transmet un influx nerveux à la condition expresse de recevoir une stimulation adéquate. Le stimulus modifie la perméabilité aux ions de la membrane du neurone en ouvrant des canaux voltage-dépendants précis sur l'axone. Ces canaux s'ouvrent et se ferment en réponse à des changements du potentiel de membrane.

La production d'un potentiel d'action repose sur trois modifications de la perméabilité membranaire qui se succèdent tout en étant liées. Ces modifications sont attribuables à l'ouverture et à la fermeture des canaux ioniques à fonction active, deux phénomènes provoqués par la dépolarisation de la membrane axonale (voir la figure 7.12). Les modifications de la perméabilité sont, dans l'ordre: un accroissement transitoire de la perméabilité aux ions Na^+; le rétablissement de l'imperméabilité aux ions Na^+; et une augmentation de courte durée de la perméabilité aux ions K^+. Les deux premières modifications ont lieu pendant la *phase de dépolarisation* de la production du potentiel d'action, phase correspondant à la partie ascendante du tracé du potentiel d'action. La troisième modification provoque la *phase de repolarisation* (la partie descendante du tracé) et la *phase d'hyperpolarisation tardive* représentées dans la figure 7.12. Étudions chacune de ces phases en détail, en commençant par le neurone à l'état de repos (polarisé).

① **État de repos: canaux voltage-dépendants fermés.** Presque tous les canaux à Na^+ et à K^+ voltage-dépendants sont fermés. De petites quantités d'ions K^+ s'échappent toutefois de la cellule par des canaux à fonction passive, tandis que des quantités infimes d'ions Na^+ diffusent vers l'intérieur.

Les canaux à Na^+ voltage-dépendants sont en réalité pourvus de deux vannes qui réagissent aux changements de voltage: une *vanne d'activation*, fermée au repos, qui réagit à la dépolarisation en s'ouvrant rapidement, et une *vanne d'inactivation*, ouverte au repos, qui réagit à la dépolarisation en se fermant lentement. Ainsi, *la dépolarisation provoque l'ouverture puis la fermeture des canaux à* Na^+. Les deux vannes doivent être ouvertes pour que les ions Na^+ entrent dans le canal, mais la fermeture de *l'une* des deux vannes ferme le canal. À l'opposé, les canaux à K^+ à fonction active n'ont qu'une vanne sensible au voltage; celle-ci est fermée au repos et s'ouvre lentement en réponse à la dépolarisation.

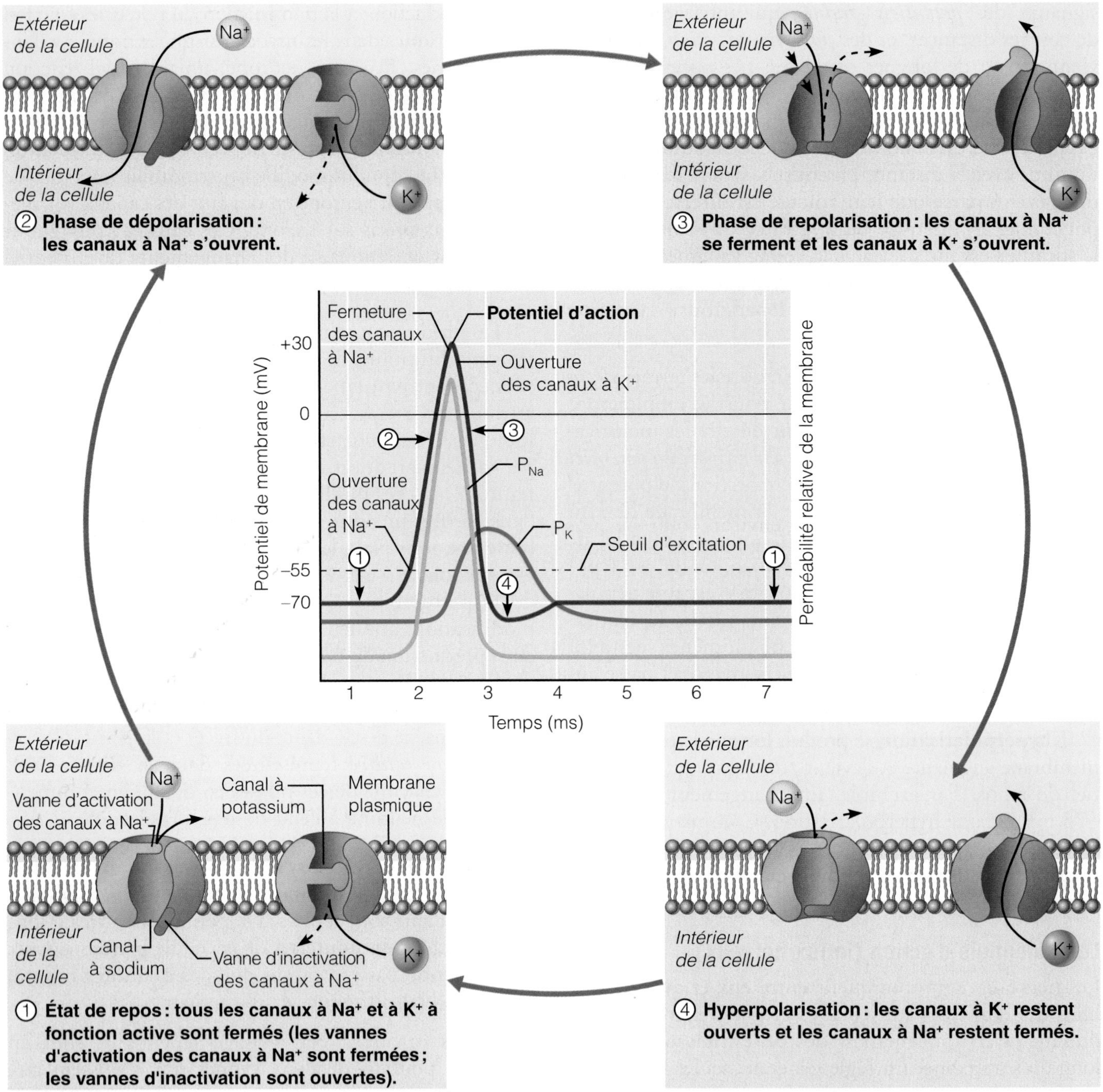
Extérieur de la cellule
Na+
Intérieur de la cellule
K+
② Phase de dépolarisation : les canaux à Na+ s'ouvrent.
Extérieur de la cellule
Na+
Intérieur de la cellule
K+
③ Phase de repolarisation : les canaux à Na+ se ferment et les canaux à K+ s'ouvrent.
Fermeture des canaux à Na+
Potentiel d'action
Ouverture des canaux à K+
+30
0
−55
−70
Potentiel de membrane (mV)
Perméabilité relative de la membrane
PNa
PK
Ouverture des canaux à Na+
Seuil d'excitation
1 2 3 4 5 6 7
Temps (ms)
Extérieur de la cellule
Na+
Vanne d'activation des canaux à Na+
Canal à potassium
Membrane plasmique
Intérieur de la cellule
Canal à sodium
Vanne d'inactivation des canaux à Na+
K+
① État de repos : tous les canaux à Na+ et à K+ à fonction active sont fermés (les vannes d'activation des canaux à Na+ sont fermées ; les vannes d'inactivation sont ouvertes).
Extérieur de la cellule
Na+
Intérieur de la cellule
K+
④ Hyperpolarisation : les canaux à K+ restent ouverts et les canaux à Na+ restent fermés.

Figure 7.12 **Les phases du potentiel d'action et le rôle des canaux ioniques à fonction active**

L'évolution du potentiel d'action représentée par le tracé au centre de la figure peut être divisée en quatre phases au cours desquelles les vannes des canaux à Na^+ et à K^+ voltage-dépendants présentent différents états, et la perméabilité de la membrane au sodium (P_{Na}) et au potassium (P_K) varie. ① Neurone au repos : aucun canal n'est ouvert. (Les vannes d'inactivation des canaux à Na^+ sont ouvertes, mais les vannes d'activation sont fermées.) ② Phase de dépolarisation du potentiel d'action : les canaux à Na^+ s'ouvrent, mais les canaux à K^+ restent fermés. ③ Phase de repolarisation du potentiel d'action : les vannes d'inactivation des canaux à Na^+ se referment, et les canaux à K^+ s'ouvrent. ④ Hyperpolarisation : les deux vannes des canaux à Na^+ sont fermées, mais les canaux à K^+ restent ouverts temporairement, car leurs vannes ont un fonctionnement relativement lent et n'ont pas eu le temps de réagir à la repolarisation de la membrane. Après 1 ou 2 ms, l'état de repos ① est rétabli, et le système est prêt à réagir à un nouveau stimulus.

② **Phase de dépolarisation : accroissement de la perméabilité au sodium et inversion du potentiel de membrane.** Lorsqu'il est assez fort pour se rendre au cône d'implantation du neurone, un potentiel gradué provoque l'ouverture rapide des vannes d'activation des canaux à Na^+. Cette ouverture entraîne la diffusion du sodium du compartiment extracellulaire vers le compartiment intracellulaire. Cet afflux de charges positives dépolarise encore davantage cette portion de membrane axonale et ouvre d'autres vannes d'activation, si bien que l'intérieur de la cellule devient progressivement moins négatif. Quand la dépolarisation au site de stimulation atteint un niveau critique appelé **seuil d'excitation** (souvent situé entre −55 et −50 mV), le processus de dépolarisation se poursuit de lui-même, alimenté par la rétroactivation. Autrement dit, après avoir été déclenchée par le stimulus, la dépolarisation de l'axone se poursuit grâce aux courants ioniques engendrés par les entrées de Na^+. À mesure que s'accroît la quantité de Na^+ qui entre dans la cellule, le voltage est à nouveau modifié et ouvre d'autres vannes d'activation jusqu'à ce que tous les canaux à Na^+ soient ouverts. À ce moment-là, la perméabilité aux ions Na^+ est environ 1000 fois plus grande qu'elle ne l'est dans un neurone au repos. Ainsi, le potentiel de membrane devient de moins en moins négatif, puis monte à environ +30 mV à mesure que les ions Na^+ diffusent vers l'intérieur de la cellule (gradient électrochimique). Cette dépolarisation et cette inversion de polarité rapides de la membrane plasmique de l'axone produisent le *pic* du potentiel d'action (voir le graphique de la figure 7.12).

Nous avons mentionné plus haut que le potentiel de membrane dépend de la perméabilité de la membrane, mais nous indiquons maintenant que la perméabilité de la membrane dépend du potentiel de membrane. En fait, ces deux assertions sont compatibles, car ce sont des relations distinctes qui établissent un cycle de *rétroactivation.* (L'augmentation de la perméabilité aux ions Na^+ attribuable à l'ouverture d'un nombre croissant de canaux intensifie la dépolarisation. La dépolarisation, à son tour, provoque une augmentation de la perméabilité aux ions Na^+, et ainsi de suite.) Ce cycle est à l'origine de la phase ascendante (de dépolarisation) des potentiels d'action, et c'est de lui que vient l'« action » à l'œuvre dans le potentiel d'action.

③ **Phase de repolarisation : diminution de la perméabilité au sodium.** La phase d'ascension rapide du potentiel d'action ne dure que 1 ms environ, et elle cesse d'elle-même. Lorsque le potentiel de membrane dépasse 0 mV et gagne en positivité, la charge intracellulaire positive résiste à l'entrée du sodium (répulsion des charges électriques de même signe). En outre, les vannes d'inactivation lentes des canaux à Na^+ se ferment après quelques millisecondes de dépolarisation. Ainsi, la perméabilité de la membrane au sodium retourne à sa valeur de repos et la diffusion nette de Na^+ cesse tout à fait. Par conséquent, la courbe du potentiel d'action arrête de s'élever et baisse abruptement.

Phase de repolarisation : accroissement de la perméabilité au potassium. À mesure que l'entrée de Na^+ diminue, les vannes lentes des canaux à K^+ voltage-dépendants s'ouvrent, et les ions K^+ diffusent passivement vers l'extérieur de la cellule, dans le sens de leur gradient électrochimique. En conséquence, le neurone recouvre la charge intracellulaire négative de l'état de repos. Ce phénomène est appelé **repolarisation** (voir le graphique de la figure 7.12). La brusque diminution de la perméabilité au sodium ainsi que l'augmentation de la perméabilité au potassium participent à la repolarisation.

④ **Hyperpolarisation : maintien de la perméabilité au potassium.** Comme les canaux à K^+ réagissent lentement au signal de dépolarisation, la période de perméabilité accrue aux ions potassium dure un peu plus longtemps qu'il n'est nécessaire pour revenir à l'état de repos. Par suite de la perte excessive d'ions K^+, on observe une **hyperpolarisation tardive** sur le graphique du potentiel d'action, c'est-à-dire une légère inflexion du tracé après le pic représentant le potentiel d'action (et avant la fermeture des vannes des canaux à K^+). Notez que, dans les canaux à Na^+, les vannes d'activation aussi bien que celles d'inactivation sont fermées pendant l'hyperpolarisation tardive ; cela signifie que le neurone est incapable de réagir à un stimulus et de se dépolariser au cours de cette phase.

La repolarisation rétablit les conditions électriques du potentiel de repos, mais elle *ne rétablit pas* les conditions ioniques de l'état de repos. La redistribution des ions s'accomplit par l'activation de la **pompe à sodium et à potassium** après la repolarisation. On pourrait penser qu'un très grand nombre d'ions Na^+ et K^+ changent de place pendant la production du potentiel d'action, mais tel n'est pas le cas. De petites quantités seulement de sodium et de potassium traversent la membrane. (L'afflux de Na^+ nécessaire pour atteindre le seuil d'excitation entraîne un changement de la concentration cellulaire en Na^+ de seulement 0,012 %.) Comme une membrane axonale comprend des milliers de pompes à sodium et à potassium, ces petits changements ioniques sont vite corrigés.

La propagation d'un potentiel d'action

Pour qu'il serve à des fins de signalisation, le potentiel d'action produit doit être **propagé** (envoyé) sur toute la longueur de l'axone (figure 7.13). Comme nous l'avons vu, le potentiel d'action est engendré par l'afflux d'ions Na^+ traversant une portion de la membrane plasmique (cette portion, dans le cas d'un influx se déplaçant à vitesse moyenne, serait d'une longueur d'environ 2 cm). Cela produit des courants locaux qui dépolarisent les régions adjacentes de la membrane plasmique (en s'éloignant du point d'origine de l'influx nerveux), avec pour résultat l'ouverture des canaux voltage-dépendants de cette région de la membrane et le déclenchement d'un potentiel d'action à cet endroit. Dans la région où un potentiel d'action vient de se produire, les canaux à Na^+ se referment et aucun nouveau potentiel d'action ne peut y être engendré. Par conséquent, le potentiel d'action se propage toujours en s'éloignant de son point d'origine. (Si un axone *isolé* est stimulé par une électrode ou qu'un axone est stimulé à un nœud de la neurofibre, l'influx nerveux se déplacera dans les deux directions le long de la membrane, à partir du point de stimulus.) Dans l'organisme, les potentiels d'action sont toujours engendrés à l'une des deux extrémités de l'axone et, de là, envoyés vers ses terminaisons (soit le corpuscule nerveux terminal [propagation orthodromique], soit le corps cellulaire [propagation antidromique]). Une fois engendré, un potentiel d'action *se propage de lui-même* le long de l'axone à vitesse constante, non sans rappeler l'« effet domino ».

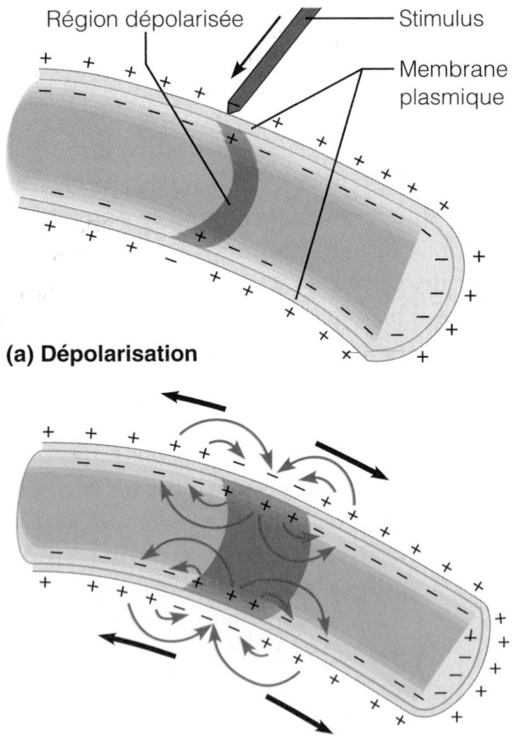
Région dépolarisée
Stimulus
Membrane plasmique
(a) Dépolarisation
(b) Propagation de la dépolarisation

Figure 7.13 **Le mécanisme de propagation d'une dépolarisation**

(a) Une petite région de la membrane s'est dépolarisée, ce qui a provoqué un changement de polarité à cet endroit. **(b)** À mesure que les ions positifs s'écoulent en direction des régions négatives (et que les ions négatifs s'écoulent en direction des régions adjacentes plus positives), il se crée des courants locaux qui dépolarisent les régions adjacentes de la membrane et qui permettent la propagation de la vague de dépolarisation.

Après sa dépolarisation, chaque segment de la membrane axonale subit une repolarisation, ce qui a pour effet de rétablir le potentiel de repos dans la région. Ces changements électriques engendrent aussi des courants locaux, si bien que la vague de repolarisation chasse la vague de dépolarisation vers l'extrémité de l'axone.

Bien qu'elle soit courante, l'expression *conduction de l'influx nerveux* n'est pas exacte, dans la mesure où les influx nerveux ne sont pas vraiment conduits comme l'est le courant dans un fil isolé. En réalité, les neurones sont d'assez piètres conducteurs et les flux de courant locaux décroissent rapidement avec la distance parce que les charges fuient à travers la membrane. L'expression *propagation de l'influx nerveux* est plus juste, car un potentiel d'action est *régénéré* en chaque point de la membrane, et tout potentiel d'action subséquent est identique à celui qui avait été engendré initialement.

Les explications que nous venons de donner s'appliquent à la propagation d'un influx nerveux le long des neurofibres amyélinisées. Celui-ci se propage de 10 à 100 fois plus rapidement dans les neurofibres recouvertes d'une gaine de myéline (où il peut atteindre 100 m/s), car il saute littéralement d'un nœud de la neurofibre à l'autre (figure 7.14). En effet, le courant ne peut traverser la couche isolante formée par la myéline autour de la membrane de l'axone. Cette forme rapide de propagation des influx nerveux est appelée *conduction saltatoire* (*saltare*, « sauter »). Tout en étant responsable de ce type de propagation de l'influx, la myéline permet d'économiser l'énergie de la pompe à sodium et à potassium, puisque celle-ci n'entre en action qu'au niveau des nœuds de la neurofibre.

Déséquilibre homéostatique

Un bon nombre de facteurs peuvent entraver la propagation des influx nerveux. Par exemple, les sédatifs et les anesthésiques bloquent les influx nerveux en altérant la perméabilité de la membrane aux ions, surtout les ions Na^+. Et, comme nous venons de le voir, il ne peut y avoir de potentiel d'action sans entrée de sodium dans la cellule.

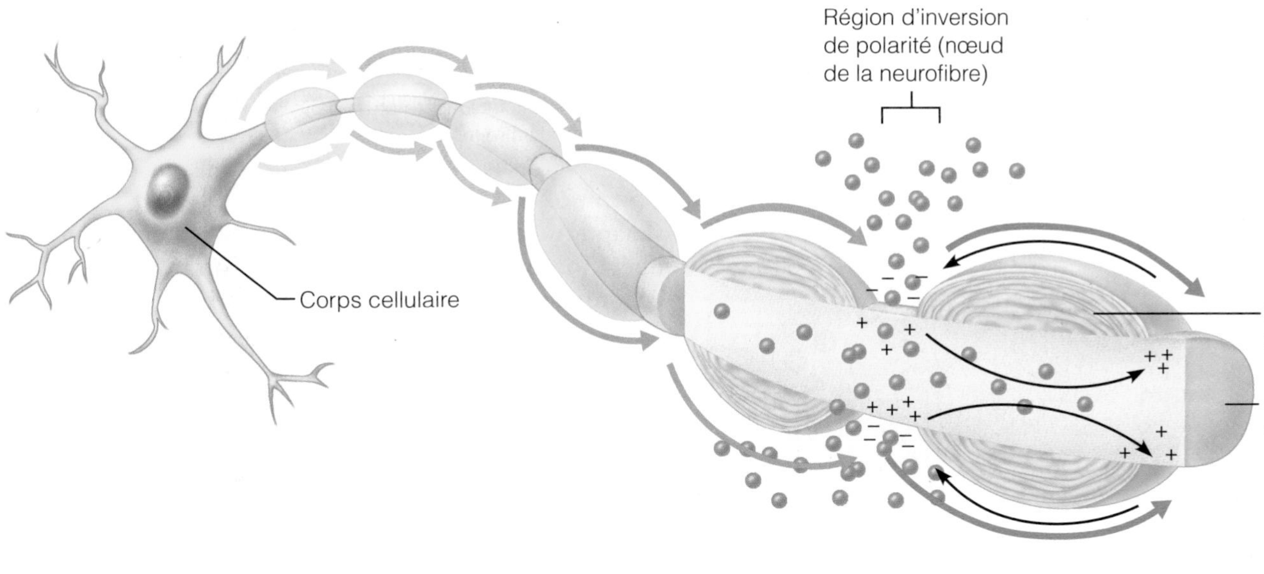
Région d'inversion
de polarité (nœud
de la neurofibre)
Corps cellulaire
Gaine de
myéline
Axone
distal

Figure 7.14 **La conduction saltatoire dans un axone myélinisé**

Dans les neurofibres myélinisées, les déplacements locaux des charges ioniques (minces flèches noires) engendrent un potentiel d'action (flèches rose pâle et rouges) qui semble sauter d'un nœud à l'autre. Notez que le courant circule le long de l'axone d'un nœud à l'autre, tandis que les potentiels d'action sont produits uniquement aux nœuds.

Le froid et la pression continue gênent aussi la propagation des influx nerveux, car ils interrompent la circulation sanguine (et, par le fait même, l'apport d'oxygène et de nutriments) vers les neurones. Par exemple, vos doigts s'engourdissent quand vous tenez un glaçon durant plus de quelques secondes. De même, votre pied s'engourdit si vous vous asseyez dessus. Quand vous vous réchauffez les doigts ou que vous retirez la pression de votre pied, la propagation des influx se rétablit et vous éprouvez une désagréable sensation de picotement. ▲

La synapse

Jusqu'ici, nous n'avons traité que de l'excitabilité des neurones. Qu'en est-il de la conductivité? En d'autres termes, comment l'influx électrique qui parcourt un axone traverse-t-il la synapse pour se transmettre à un autre neurone ou à une cellule effectrice? La réponse est simple: comme tel, *il ne la traverse pas*! Quand le potentiel d'action atteint les corpuscules nerveux terminaux, les petites vésicules qui contiennent les molécules de neurotransmetteur fusionnent avec la membrane de l'axone, ce qui entraîne la formation d'une sorte de pore par lequel le neurotransmetteur s'échappe. Celui-ci diffuse dans la synapse* et se lie à des récepteurs précis situés sur la membrane du neurone voisin (figure 7.15). Si la quantité de neurotransmetteur est suffisante, la série d'événements décrite plus haut (entrée de sodium, dépolarisation, etc.) se met en place, et un influx nerveux naît dans le neurone situé de l'autre côté de la fente synaptique (on appelle donc ce dernier *neurone postsynaptique*, alors que le premier neurone est qualifié de *présynaptique*). Cependant, les neurotransmetteurs ne produisent pas toujours une dépolarisation du neurone postsynaptique; certains inhibent le deuxième neurone ou ne font que modifier sa sensibilité. Le neurotransmetteur provoque des changements électriques très brefs, car il est rapidement éliminé de la synapse. Il est soit recapté par les corpuscules nerveux terminaux ou, comme nous l'avons déjà mentionné, par les astrocytes dans le SNC, soit dégradé par des enzymes; il peut aussi disparaître en diffusant hors de la synapse. C'est ainsi que l'effet d'un influx nerveux ne dure pas plus qu'une fraction de seconde.

Avec les signaux électriques, les *neurotransmetteurs* constituent donc le langage du système nerveux, le code qui permet à chaque neurone de communiquer avec les autres afin de traiter et d'envoyer des messages dans le reste de l'organisme. Le sommeil, la pensée, la colère, la faim, la mobilité et même le sourire découlent de l'action de ces molécules de communication polyvalentes. La plupart des facteurs qui influent sur la transmission

* La plupart des neurones communiquent au moyen de synapses *chimiques* semblables à celle que nous venons de décrire, mais il existe aussi des synapses *électriques*. Les neurones sont alors physiquement reliés par des jonctions ouvertes et les courants électriques se transmettent directement de l'un à l'autre.

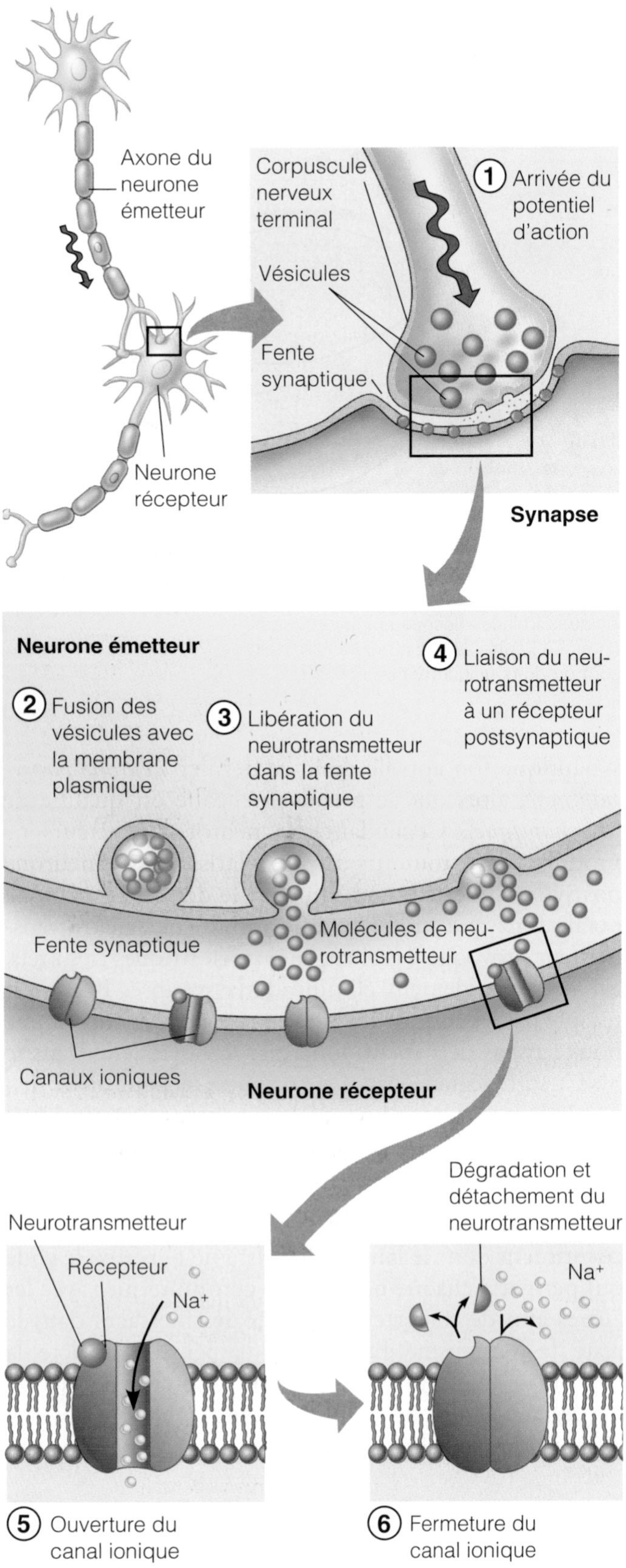
Axone du neurone émetteur
Corpuscule nerveux terminal
① Arrivée du potentiel d'action
Vésicules
Fente synaptique
Neurone récepteur
Synapse
Neurone émetteur
② Fusion des vésicules avec la membrane plasmique
③ Libération du neurotransmetteur dans la fente synaptique
④ Liaison du neurotransmetteur à un récepteur postsynaptique
Fente synaptique
Molécules de neurotransmetteur
Canaux ioniques
Neurone récepteur
Neurotransmetteur
Récepteur
Na+
Dégradation et détachement du neurotransmetteur
Na+
⑤ Ouverture du canal ionique
⑥ Fermeture du canal ionique

Figure 7.15 **La communication entre les neurones au niveau de la synapse**

Les chiffres indiquent l'ordre dans lequel les événements se déroulent dans la synapse.

synaptique agissent en augmentant ou en empêchant la libération ou la dégradation de neurotransmetteurs, ou encore en bloquant leur liaison aux récepteurs.

On connaît actuellement plus de 50 substances qui sont ou pourraient être des neurotransmetteurs. Bien que certains neurones produisent et libèrent un seul neurotransmetteur, la plupart en produisent deux ou plus et ils peuvent n'en libérer qu'un ou les libérer tous. Il semble que, dans la plupart des cas, la libération des différents neurotransmetteurs repose sur la fréquence de la stimulation, restriction qui évite la production d'un fatras de messages inintelligibles. Toutefois, la libération simultanée de deux neurotransmetteurs par les mêmes vésicules est attestée. La coexistence de quelques neurotransmetteurs dans un seul neurone permet à ce dernier d'exercer plusieurs effets plutôt qu'un seul qui serait toujours le même.

On classe les neurotransmetteurs selon leur structure chimique et selon leur fonction. Le tableau 7.1 présente les principales caractéristiques des neurotransmetteurs, et nous en décrirons quelques-uns ci-après. Vous pourrez vous référer à ce tableau lorsqu'il sera fait mention des neurotransmetteurs dans les chapitres ultérieurs.

La classification des neurotransmetteurs selon leur structure chimique

La structure moléculaire des neurotransmetteurs détermine leur appartenance à une des classes chimiques que nous décrivons ci-après. En règle générale, les neurotransmetteurs dont la molécule est de petite taille – comme l'acétylcholine, les amines biogènes et les acides aminés – ont une action très rapide (quelques millisecondes) et sont utilisés par exemple dans les activités réflexes ; à l'opposé, les neurotransmetteurs constitués par une molécule de grande taille – comme les neuropeptides – ont une action lente et prolongée et interviennent dans des processus à plus long terme.

L'acétylcholine (ACh) L'**acétylcholine** fut la première substance à être reconnue comme un neurotransmetteur. C'est aujourd'hui encore le neurotransmetteur le mieux connu, car il est libéré dans les terminaisons neuromusculaires, dont l'étude est plus facile que celle des

Tableau 7.1 Les neurotransmetteurs

Neurotransmetteurs	Effets	Sites de sécrétion	Remarques
Acétylcholine			
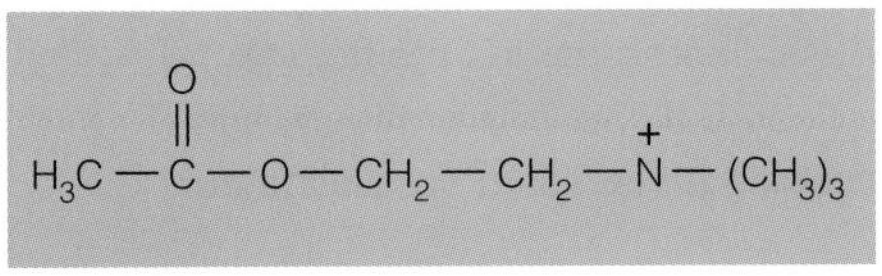	Excitatrice pour les muscles squelettiques ; excitatrice ou inhibitrice pour les effecteurs viscéraux, selon le récepteur auquel elle se lie	SNC : noyaux basaux et certains neurones du cortex moteur de l'encéphale, tronc cérébral SNP : toutes les terminaisons neuromusculaires dans les muscles squelettiques ; certaines terminaisons motrices autonomes (toutes les neurofibres préganglionnaires et postganglionnaires parasympathiques)	Les gaz neurotoxiques et les insecticides organophosphorés (malathion) prolongent ses effets (causant des spasmes musculaires tétaniques par suite de leurs propriétés anticholinestérasiques) ; la toxine botulinique et les barbituriques inhibent sa libération ; le curare (un myorésolutif) et certains venins de serpent inhibent sa liaison aux récepteurs ; diminution de concentration dans certaines aires cérébrales dans la maladie d'Alzheimer ; destruction de ses récepteurs dans la myasthénie ; la liaison de la nicotine aux récepteurs cholinergiques nicotiniques dans l'encéphale favorise la libération de neurotransmetteurs excitateurs (glutamate et ACh) en augmentant les concentrations présynaptiques de Ca^{2+} ; ce phénomène explique peut-être les effets comportementaux de la nicotine chez les fumeurs ; il y a compétition entre l'atropine et l'ACh pour les sites de liaison.
Amines biogènes			
Noradrénaline 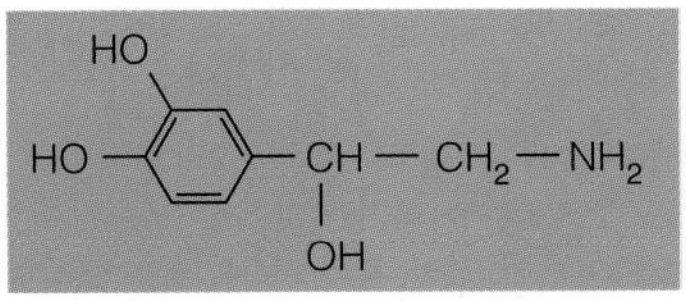	Excitatrice ou inhibitrice, selon le type de récepteur	SNC : tronc cérébral, en particulier le locus céruleus du mésencéphale ; système limbique ; certaines aires du cortex cérébral SNP : principal neurotransmetteur des fibres postganglionnaires du système nerveux sympathique	Procure une sensation de bien-être ; les amphétamines favorisent sa libération ; les antidépresseurs tricycliques (comme l'amitriptyline [Elavil]) et la cocaïne empêchent son retrait de la synapse ; la réserpine (médicament antihypertenseur) réduit ses concentrations dans l'encéphale, ce qui entraîne la dépression.
Dopamine 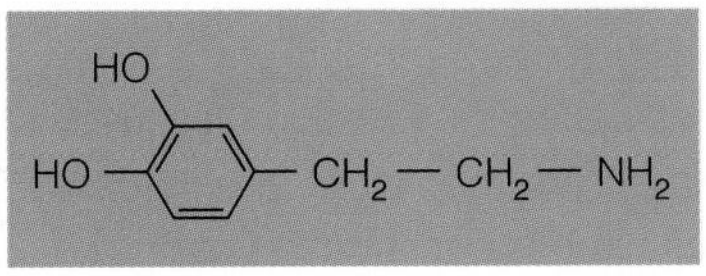	Excitatrice ou inhibitrice, selon le type de récepteur	SNC : substantia nigra du mésencéphale ; hypothalamus ; principal neurotransmetteur de la voie motrice secondaire SNP : certains ganglions sympathiques	Procure une sensation de bien-être ; la L-dopa et les amphétamines favorisent sa libération ; la cocaïne bloque son recaptage ; insuffisante dans la maladie de Parkinson ; une hyperstimulation de ses récepteurs pourrait intervenir dans la pathogenèse de la schizophrénie.

Tableau 7.1 Les neurotransmetteurs (*suite*)

Neurotransmetteurs	Effets	Sites de sécrétion	Remarques
Sérotonine (5-HT) 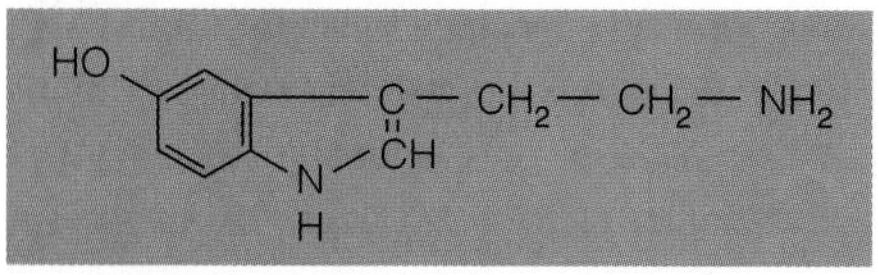	Inhibitrice en général	SNC : tronc cérébral, le mésencéphale en particulier ; hypothalamus ; système limbique ; cervelet ; corps pinéal ; moelle épinière	Le LSD bloque son activité ; pourrait intervenir dans le sommeil, l'appétit, les nausées, la migraine et la régulation de l'humeur ; les médicaments qui bloquent son recaptage (comme la fluoxétine [Prozac]) soulagent l'anxiété et la dépression en prolongeant son action.
Histamine 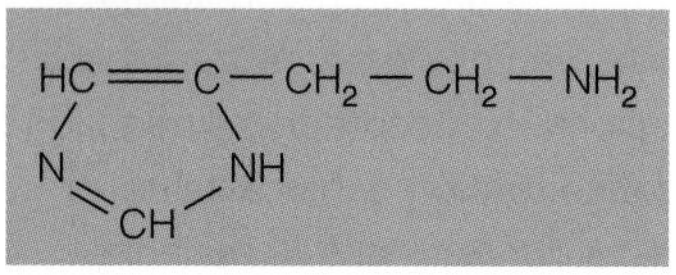		SNC : hypothalamus	Aussi libérée par les mastocytes au cours d'une inflammation ; agit comme un puissant vasodilatateur.
ATP 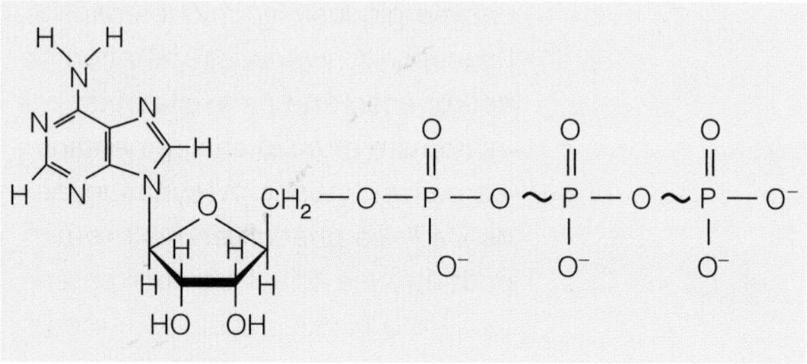	Excitatrice ou inhibitrice selon le type de récepteur	SNC : noyaux basaux, déclenche la propagation d'une onde de Ca^{2+} dans les astrocytes SNP : neurones des ganglions de la racine dorsale	L'ATP libérée par les neurones sensitifs (ainsi que celle qui est libérée par les cellules qui ont subi des lésions) provoque des sensations de douleur.
Acides aminés			
Acide gammaaminobutyrique (GABA) 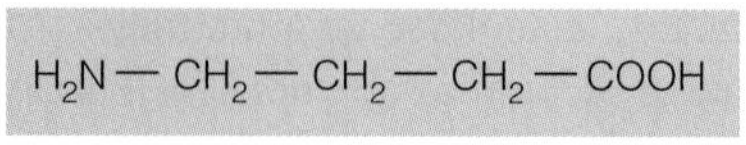	Inhibiteur en général	SNC : très répandu dans le cortex cérébral ; hypothalamus ; neurones piriformes du cervelet ; moelle épinière ; cellules granuleuses du bulbe olfactif ; rétine	Principal neurotransmetteur inhibiteur dans l'encéphale ; rôle important dans l'inhibition présynaptique dans les synapses axoaxonales ; ses effets inhibiteurs sont augmentés par l'alcool (ce qui se traduit par une altération de la coordination motrice) ainsi que par les anxiolytiques de la classe des benzodiazépines (Valium) ; les substances qui bloquent sa synthèse, sa libération ou son action provoquent des convulsions.
Glutamate 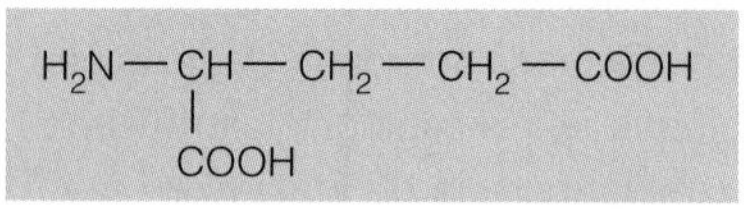	Excitateur en général	SNC : moelle épinière ; abondant dans l'encéphale, où il constitue le principal neurotransmetteur excitateur	Rôle important dans l'apprentissage et la mémoire ; neurotransmetteur de l'accident vasculaire cérébral – quand il est libéré en quantité excessive, il produit une excitotoxicité : les neurones sont stimulés jusqu'à ce qu'ils meurent ; cet état est habituellement causé par une ischémie (carence en oxygène [nécessaire pour le recaptage du glutamate] généralement attribuable à l'obstruction d'un vaisseau sanguin) ; lorsqu'il est libéré par un gliome, il favorise la croissance de la tumeur.

Tableau 7.1 (*suite*)

Neurotransmetteurs	Effets	Sites de sécrétion	Remarques
Glycine $H_2N—CH_2—COOH$	Inhibitrice en général	SNC : moelle épinière et tronc cérébral ; rétine	La strychnine inhibe ses récepteurs, ce qui provoque des convulsions et un arrêt respiratoire.
Peptides			
Endorphines, dynorphine, enképhalines (exemple représenté) Tyr–Gly–Gly–Phe–Met	Inhibitrices en général	SNC : très abondantes dans l'encéphale ; hypothalamus ; système limbique ; hypophyse ; moelle épinière	Opiacés naturels ; réduisent la douleur en inhibant la substance P ; la morphine, l'héroïne et la méthadone ont des effets similaires.
Tachykinines : substance P (exemple représenté), neurokinine A (NKA) Arg–Pro–Lys–Pro–Gln–Gln–Phe–Phe–Gly–Leu–Met	Excitatrices	SNC : noyaux basaux ; mésencéphale ; hypothalamus ; cortex cérébral SNP : certains neurones sensitifs des ganglions de la racine dorsale de la moelle épinière (afférents nociceptifs)	La substance P est le neurotransmetteur qui intervient dans la transmission nociceptive dans le SNP ; dans le SNC, les tachykinines interviennent dans la régulation des systèmes respiratoire et cardiovasculaire ainsi que dans celle de l'humeur.
Somatostatine Ala–Gly–Cys–Lys–Asn–Phe–Phe–Trp–Lys–Thr–Phe–Thr–Ser–Cys	Inhibitrice en général	SNC : hypothalamus ; rétine et autres parties de l'encéphale Pancréas	Inhibe la libération de l'hormone de croissance par l'hypophyse ; agit aussi sur le système digestif.
Cholécystokinine (CCK) Asp–Tyr(SO_4)–Met–Gly–Trp–Met–Asp–Phe	Neurotransmetteur possible	Cortex cérébral Intestin grêle	Son action sur le cerveau pourrait être associée aux comportements alimentaires ; agit aussi sur le système digestif.
Gaz dissous			
Monoxyde d'azote (NO)	Excitateur	SNC : encéphale, moelle épinière SNP : glandes surrénales ; nerfs du pénis SNA : neurones présynaptiques et postsynaptiques des systèmes sympathique et parasympathique	Sa libération potentialise les dommages causés par les AVC ; on traite certaines formes d'impuissance masculine et l'œdème pulmonaire en stimulant la libération de NO.
Monoxyde de carbone (CO)	Excitateur	Encéphale et certaines synapses neuromusculaires et neuroglandulaires	

synapses enfouies dans le SNC. L'acétylcholine est synthétisée et enfermée dans des vésicules synaptiques situées à l'intérieur des corpuscules nerveux terminaux.

Après sa libération par le corpuscule nerveux terminal, l'acétylcholine se lie brièvement aux récepteurs postsynaptiques. Elle est ensuite libérée et dégradée en acide acétique et en choline par une enzyme appelée **acétylcholinestérase** (**AChE**), localisée dans la fente synaptique et sur les membranes postsynaptiques. La choline libérée est recaptée par les corpuscules présynaptiques et réutilisée dans la synthèse de nouvelles molécules d'acétylcholine.

Tous les neurones qui stimulent les muscles squelettiques libèrent de l'acétylcholine, de même que certains neurones du système nerveux autonome. C'est également le cas d'une grande partie des neurones du système nerveux central.

Les amines biogènes La sérotonine et l'histamine, de même que les **catécholamines** telles que la dopamine, la noradrénaline et l'adrénaline, sont des neurotransmetteurs synthétisés à partir d'acides aminés, d'où leur nom d'**amines biogènes**. La *dopamine* et la *noradrénaline* sont synthétisées à partir de la tyrosine, un acide aminé, au cours d'un même processus composé de plusieurs étapes. Il semble que les neurones ne contiennent que les enzymes nécessaires à la production de leurs propres neurotransmetteurs. Ainsi, le processus de synthèse s'arrête à l'étape de la dopamine dans les neurones qui libèrent de la dopamine, mais il se poursuit jusqu'à l'étape de la noradrénaline dans les neurones qui libèrent la noradrénaline. La synthèse d'adrénaline dans les cellules de l'encéphale et de la médulla surrénale se fait par la même voie métabolique. La *sérotonine* est synthétisée à partir d'un acide aminé appelé *tryptophane*. L'*histamine* est synthétisée à partir de l'acide aminé appelé *histidine*.

On rencontre de nombreuses amines biogènes dans l'encéphale, où elles interviennent dans le comportement émotionnel et dans la régulation de l'horloge biologique. Par ailleurs, les catécholamines (la noradrénaline en particulier) sont libérées par certains neurones moteurs du système nerveux autonome. Les déséquilibres de ces neurotransmetteurs sont associés à la maladie mentale; ainsi, on observe une production excessive de dopamine chez les personnes atteintes de schizophrénie. Certains psychotropes (l'acide lysergique diéthylamide, ou LSD, pour *lysergic acid diethylamide*, et la mescaline, notamment) peuvent en outre se lier aux récepteurs des amines biogènes et provoquer des hallucinations.

Les acides aminés Il est plus difficile de prouver qu'un *acide aminé* est un neurotransmetteur. Alors que l'acétylcholine et les amines biogènes ne se rencontrent que dans les neurones et les glandes surrénales (dans le cas de la noradrénaline et de l'adrénaline), les acides aminés sont en effet présents dans toutes les cellules de l'organisme, et ils participent à de nombreuses réactions biochimiques autres que la synthèse des neurotransmetteurs. L'**acide gammaaminobutyrique** (**GABA**), la **glycine,** l'**aspartate** et le **glutamate** sont des acides aminés dont le rôle de neurotransmetteurs est attesté, mais il en existe probablement d'autres. Pour l'instant, c'est seulement dans le SNC qu'on a pu vérifier la présence d'acides aminés jouant le rôle de neurotransmetteurs.

Les peptides Les **neuropeptides** sont constitués essentiellement de chaînes d'acides aminés et comprennent un large éventail de molécules aux effets divers. Par exemple, un neuropeptide appelé **substance P** est un important médiateur des messages nociceptifs. À l'opposé, les **endorphines**, qui comprennent la bêtaendorphine et la dynorphine, et les **enképhalines** agissent comme des opiacés naturels en réduisant la perception de la douleur dans certaines conditions stressantes. L'activité de l'enképhaline s'accroît considérablement pendant l'accouchement. La libération d'endorphines s'intensifie lorsqu'une athlète trouve ce qu'on appelle communément son *second souffle*, et c'est probablement ce phénomène qui explique la sensation d'euphorie qu'elle éprouve alors. Par ailleurs, des spécialistes attribuent l'effet placebo à la libération d'endorphines. Ces neurotransmetteurs analgésiques ont été découverts quand des équipes de recherche ont commencé à étudier le rôle de la morphine et d'autres opiacés dans la réduction de l'anxiété et de la douleur. On s'est alors rendu compte que les molécules de ces médicaments s'attachent aux mêmes récepteurs que les opiacés naturels, et que ces médicaments produisent des effets semblables mais plus intenses.

Certains neuropeptides, en particulier la somatostatine et la cholécystokinine, sont aussi produits par des tissus non nerveux; on les rencontre notamment en grande quantité dans le système digestif.

Les différentes notions de neurophysiologie que nous venons de voir devraient vous avoir permis de tirer la conclusion suivante: l'influx nerveux dans son ensemble est un *phénomène électrochimique*. La propagation le long de la membrane du neurone est l'aspect *électrique* du phénomène, tandis que la transmission par le neurotransmetteur au neurone voisin en est l'aspect *chimique*. Tout neurone communique simultanément dans un sens ou dans l'autre (il reçoit des signaux ou en émet) avec une multitude d'autres neurones.

L'arc réflexe

Il existe de nombreux types de communication entre les neurones, mais une grande partie des activités courantes de l'organisme sont programmées sous forme de réflexes. Les **réflexes** sont des *réponses rapides*, *prévisibles* et *involontaires* aux stimulus. Une fois amorcé, un réflexe se déroule toujours de la même façon – l'influx nerveux suit toujours le même trajet. Les réflexes se produisent dans des voies nerveuses appelées **arcs réflexes**, et font intervenir des structures du SNC et du SNP.

On classe les réflexes en réflexes somatiques (ou viscéraux) et en réflexes autonomes. Les **réflexes somatiques** stimulent les muscles squelettiques. Éloigner rapidement la main d'un objet brûlant constitue un réflexe somatique. Les **réflexes autonomes** régissent l'activité des muscles lisses, du cœur et des glandes ; ils régulent des fonctions comme la digestion, l'élimination, la pression artérielle et la transpiration. La sécrétion de salive (réflexe salivaire) et les variations du diamètre des pupilles (réflexe pupillaire) sont deux exemples de réflexes autonomes.

Tous les arcs réflexes nécessitent la présence d'au moins cinq éléments (figure 7.16a) : un *récepteur sensoriel* (qui réagit à un stimulus), un *effecteur* (le muscle ou la glande stimulés), un *neurone sensitif* et un *neurone moteur* pour relier les deux premiers éléments, et un *centre d'intégration* où s'effectue – le plus souvent par l'intermédiaire d'un ou de plusieurs neurones d'association – la transmission synaptique entre les neurones sensitif et moteur, dans le SNC.

Le *réflexe patellaire*, représenté à la figure 7.16b et d, constitue un exemple d'arc réflexe monosynaptique (il n'y a pas de neurones d'association), le type le plus simple chez l'être humain. Qui ne connaît le réflexe patellaire au cours duquel le muscle quadriceps fémoral attaché au tendon percuté est étiré ? Les médecins ont l'habitude de le rechercher au cours d'un examen de routine afin d'évaluer l'état général de la partie motrice du système nerveux. La plupart des réflexes sont beaucoup plus complexes que celui-là et font intervenir un ou plusieurs neurones d'association dont les synapses sont situées dans le SNC (centre d'intégration). La figure 7.16c représente un réflexe polysynaptique, le *réflexe des raccourcisseurs* (ou *réflexe de retrait*), par lequel le bras ou un autre membre réagit à un stimulus douloureux. Les arcs réflexes de ce type comprennent les cinq éléments mentionnés au paragraphe précédent. Plus il y a de synapses dans une voie réflexe, plus le réflexe est lent. En effet, le neurotransmetteur met un certain temps à diffuser dans les fentes synaptiques.

De nombreux réflexes spinaux ne font intervenir que des neurones de la moelle épinière et se produisent sans que l'encéphale y participe. Ces réflexes, le réflexe des raccourcisseurs notamment, subsistent tant que la moelle épinière est intacte. Par ailleurs, certains réflexes comportent de l'information très diverse dont les éléments doivent être évalués pour que la « bonne » réponse se manifeste. Ces réflexes, telle la réaction des pupilles à la lumière, font donc intervenir l'encéphale.

Comme nous l'avons mentionné, la recherche des réflexes est un important outil d'évaluation de l'état du système nerveux. L'exagération, la distorsion ou l'absence d'un réflexe traduit toujours la présence d'un trouble. L'altération des réflexes apparaît souvent avant tout autre signe de maladie.

Le système nerveux central

La présente section porte sur la structure du SNC et traite des fonctions associées à ses régions anatomiques. Nous examinons brièvement ses fonctions d'intégration, telles que le cycle veille-sommeil et la mémoire, qui sont plus complexes.

LE DÉVELOPPEMENT EMBRYONNAIRE DE L'ENCÉPHALE

Nous traiterons en premier du développement embryonnaire de l'encéphale. En effet, il est plus facile de comprendre la terminologie associée aux divisions structurales de l'encéphale adulte si l'on est familiarisé avec son développement embryonnaire.

La figure 7.17 montre la première phase du développement de l'encéphale. Dès la troisième semaine de la grossesse, l'ectoderme (couche de cellules de la face dorsale) s'épaissit le long de l'axe médian dorsal de l'embryon, et forme la **plaque neurale**. Ensuite, la plaque neurale s'invagine et constitue le **sillon neural**, flanqué de deux **plis neuraux**. À mesure que le sillon s'approfondit, la partie supérieure des plis neuraux se rapproche et fusionne, fermant ainsi le sillon, pour constituer le **tube neural**. À cette étape cruciale du développement (appelée *neurulation*), l'encéphale est très sensible aux facteurs chimiques présents dans l'environnement cellulaire. Le tube neural va bientôt se détacher de l'ectoderme superficiel et s'enfoncer. Il est formé dès la quatrième semaine de la grossesse et, rapidement, il se différencie et donne naissance aux organes du SNC. Sa partie antérieure (ou rostrale) donne l'encéphale et sa partie postérieure (ou caudale), la moelle épinière. De petits groupes de cellules des plis neuraux migrent latéralement entre l'ectoderme superficiel et le tube neural. Ils vont former la **crête neurale** (voir la figure 7.17c), dans laquelle prendront naissance certains neurones destinés à se loger dans les ganglions.

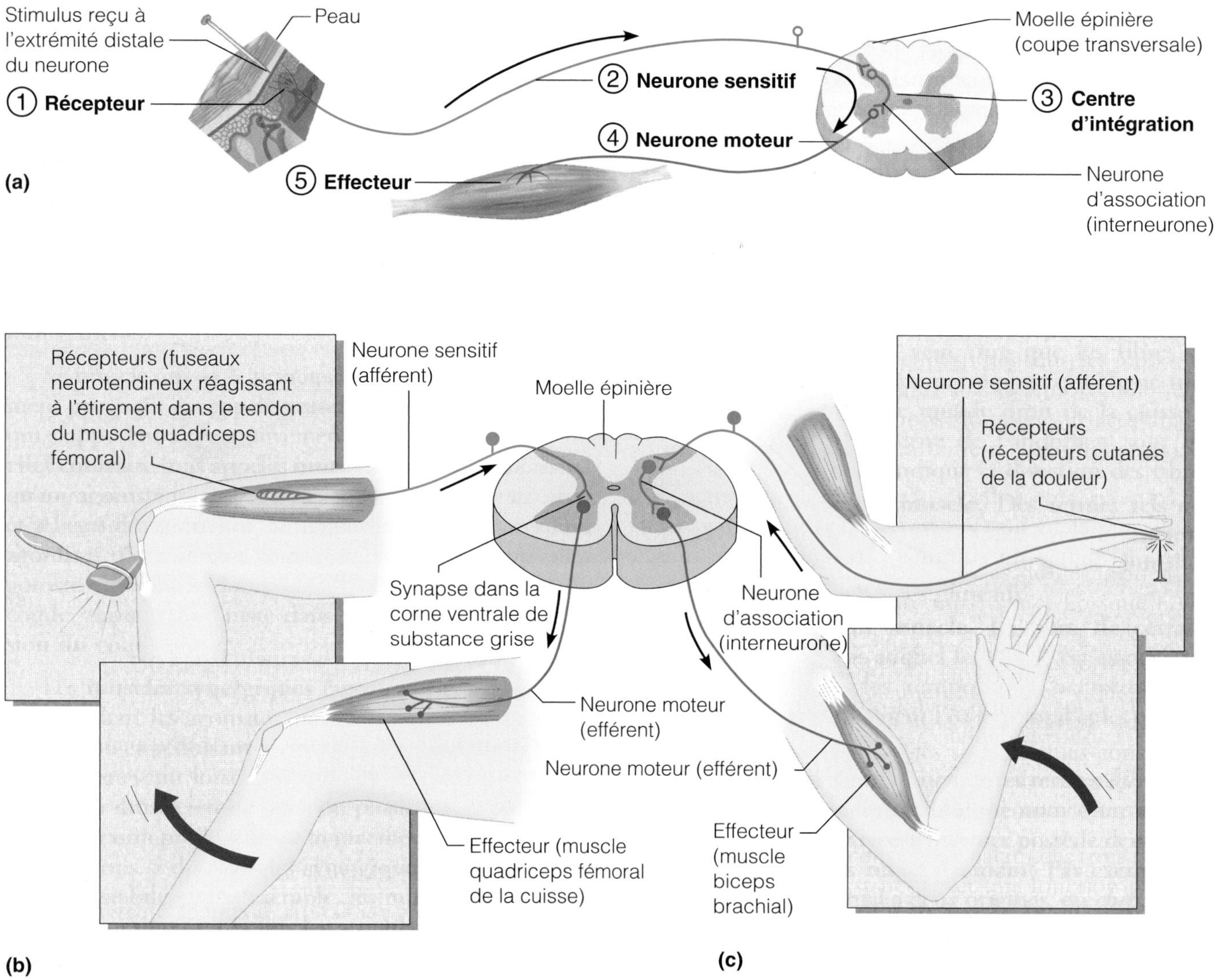

Stimulus reçu à l'extrémité distale du neurone
Peau
① Récepteur
② Neurone sensitif
③ Centre d'intégration
④ Neurone moteur
⑤ Effecteur
Moelle épinière (coupe transversale)
Neurone d'association (interneurone)
(a)
Récepteurs (fuseaux neurotendineux réagissant à l'étirement dans le tendon du muscle quadriceps fémoral)
Neurone sensitif (afférent)
Moelle épinière
Synapse dans la corne ventrale de substance grise
Neurone moteur (efférent)
Effecteur (muscle quadriceps fémoral de la cuisse)
Neurone sensitif (afférent)
Récepteurs (récepteurs cutanés de la douleur)
Neurone d'association (interneurone)
Neurone moteur (efférent)
Effecteur (muscle biceps brachial)
(b)
(c)

Figure 7.16 **Les arcs réflexes simples**

(a) Les cinq éléments fondamentaux de l'arc réflexe. **(b)** Arc réflexe monosynaptique (le réflexe patellaire, par exemple). **(c)** Arc réflexe polysynaptique (le réflexe des raccourcisseurs, par exemple).

Dès que le tube neural se forme, son extrémité rostrale se met immédiatement à croître. Des constrictions apparaissent et délimitent les trois **vésicules encéphaliques primitives** (figure 7.18), soit le **prosencéphale** (ou **cerveau antérieur**), le **mésencéphale** (ou **cerveau moyen**) et le **rhombencéphale** (ou **cerveau postérieur**). Le reste du tube neural forme la moelle épinière (nous y reviendrons plus loin).

À la cinquième semaine, les vésicules primitives donnent naissance aux **vésicules encéphaliques secondaires**. Le prosencéphale se divise en **télencéphale** et en **diencéphale**; le mésencéphale ne se divise pas; le rhombencéphale se divise en **métencéphale** et en **myélencéphale**. Chacune des cinq vésicules secondaires croît ensuite rapidement; elles constitueront les principales structures de l'encéphale adulte (voir la figure 7.18d). Les changements les plus marqués se produisent dans le télencéphale, d'où émergent deux renflements qui se projettent latéralement, un peu comme les oreilles de Mickey Mouse. Ces renflements deviennent les *hémisphères cérébraux*, qui composent le cerveau. Le diencéphale, issu lui aussi du prosencéphale, forme trois régions spécialisées: l'*hypothalamus*, le *thalamus* et l'*épithalamus*. Des changements moins spectaculaires se produisent dans le métencéphale et le myélencéphale, le premier

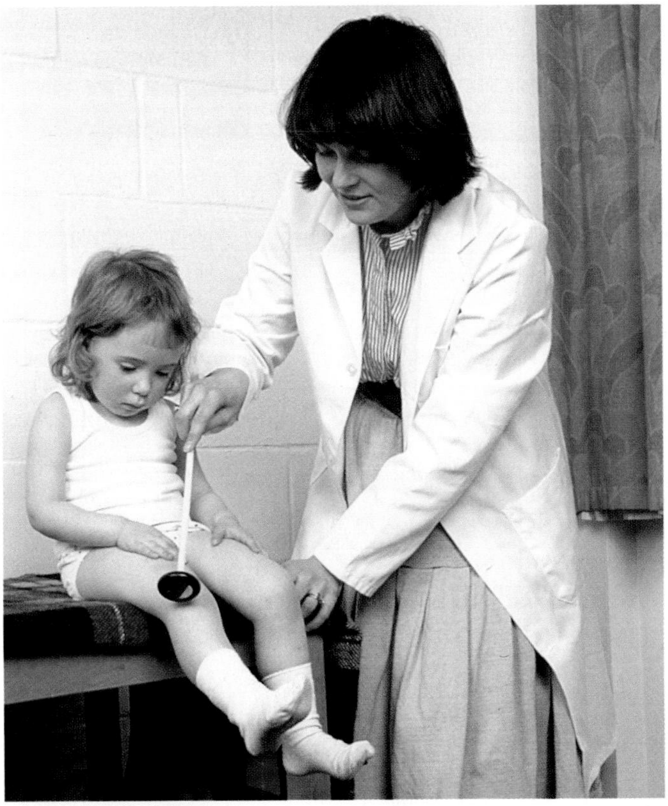

Figure 7.16 (*suite*) **Les arcs réflexes simples**

(d) Examen du réflexe patellaire.

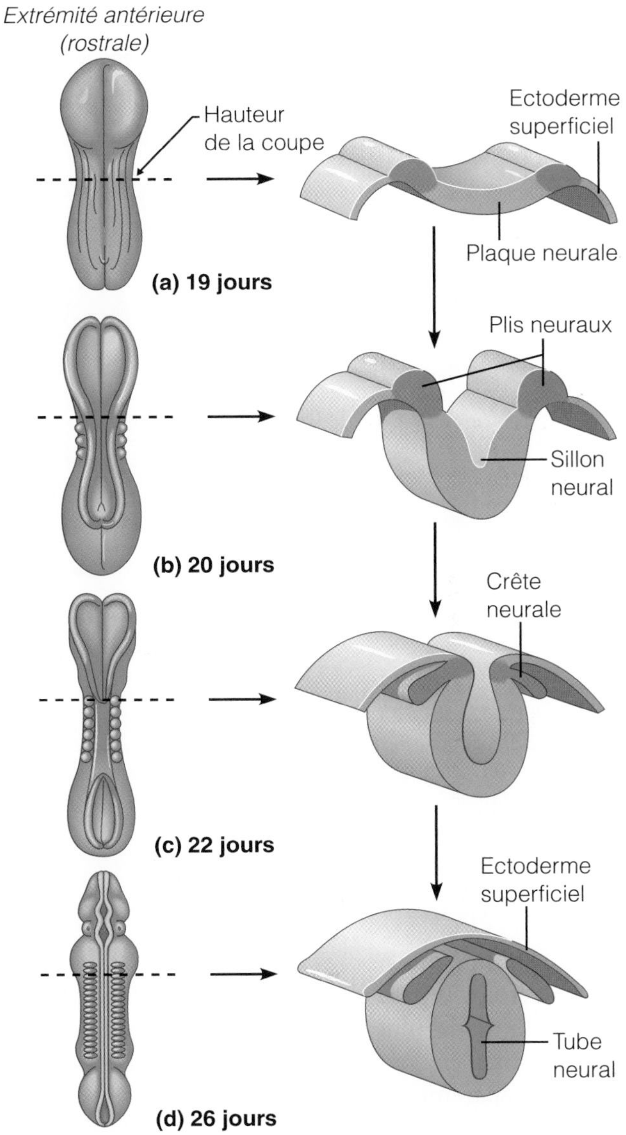

Extrémité antérieure (rostrale)
Hauteur de la coupe
Ectoderme superficiel
Plaque neurale
(a) 19 jours
Plis neuraux
Sillon neural
(b) 20 jours
Crête neurale
(c) 22 jours
Ectoderme superficiel
Tube neural
(d) 26 jours

Figure 7.17 **Le développement du tube neural à partir de l'ectoderme embryonnaire**

À gauche, vues de la face dorsale de l'embryon ; à droite, coupes transversales. **(a)** Formation de la plaque neurale à partir de l'ectoderme superficiel. **(b-d)** Développement de la plaque neurale en sillon neural (flanqué des plis neuraux), puis en tube neural. Le tube neural donnera naissance aux structures du SNC ; les cellules de la crête neurale formeront quelques-unes des structures du SNP.

donnant naissance au *pont* et au *cervelet*, et le second au *bulbe rachidien*. L'ensemble des structures du mésencéphale et du rhombencéphale, à l'exception du cervelet, forme le **tronc cérébral**. La cavité centrale du tube neural s'élargit à quatre endroits pour former les *ventricules* (« petits ventres ») cérébraux, que nous décrivons plus loin (ils sont représentés à la figure 7.31a et b).

Comme l'encéphale croît plus vite que le crâne membraneux dans lequel il se trouve, deux courbures se forment, la *courbure mésencéphalique* et la *courbure cervicale*, qui infléchissent le prosencéphale en direction du tronc cérébral (figure 7.19a). Le manque d'espace a aussi pour conséquence de forcer les hémisphères cérébraux à croître vers l'arrière et les côtés, en fer à cheval (comme l'indiquent les flèches noires dans la figure 7.19b et c). Ils finissent donc par envelopper presque complètement le diencéphale et le mésencéphale. À 26 semaines, leur surface est en train de se froisser et de se plisser (voir la figure 7.19c et d), ce qui produit les *gyrus* caractéristiques des hémisphères cérébraux et accroît leur superficie. C'est ainsi qu'un plus grand nombre de neurones peuvent occuper un espace restreint.

L'ANATOMIE FONCTIONNELLE DE L'ENCÉPHALE

L'apparence quelque peu insignifiante de l'encéphale humain ne laisse pas transparaître grand-chose de ses remarquables possibilités. Le cerveau, qui en est la principale structure, se présente en effet comme une masse de tissu gris rosâtre deux fois grosse comme le poing ; il

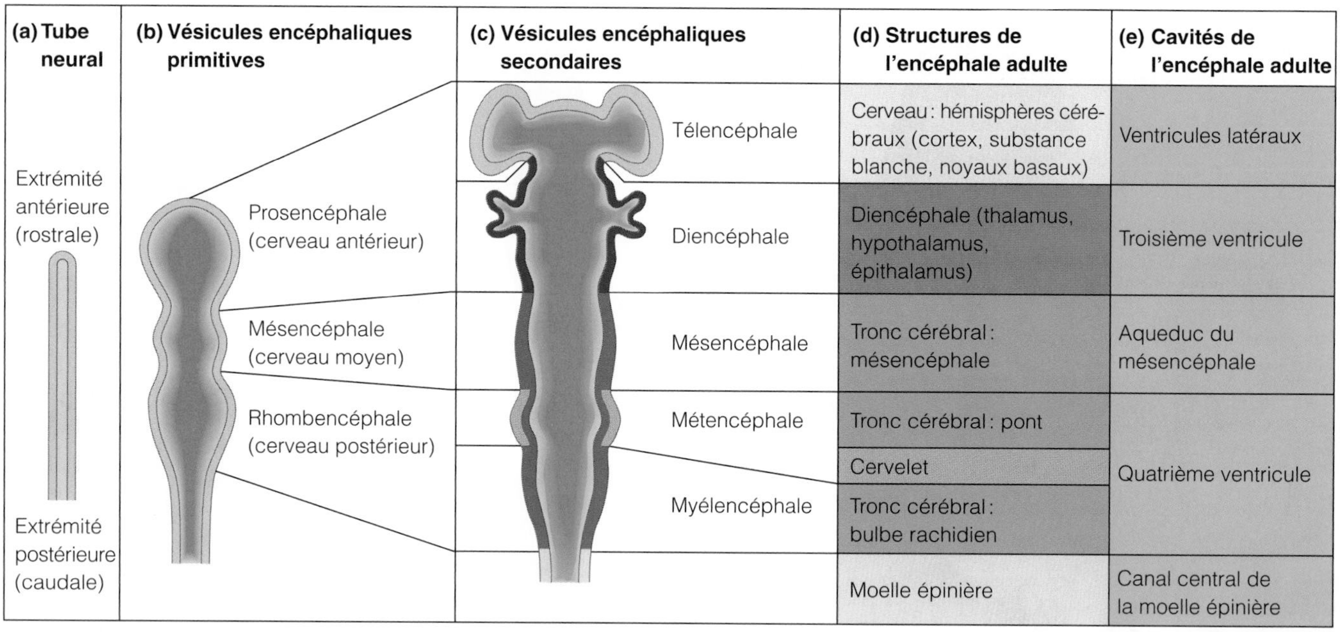
(a) Tube neural
(b) Vésicules encéphaliques primitives
(c) Vésicules encéphaliques secondaires
(d) Structures de l'encéphale adulte
(e) Cavités de l'encéphale adulte
Extrémité antérieure (rostrale)
Extrémité postérieure (caudale)
Prosencéphale (cerveau antérieur)
Mésencéphale (cerveau moyen)
Rhombencéphale (cerveau postérieur)
Télencéphale
Diencéphale
Mésencéphale
Métencéphale
Myélencéphale
Cerveau : hémisphères cérébraux (cortex, substance blanche, noyaux basaux)
Diencéphale (thalamus, hypothalamus, épithalamus)
Tronc cérébral : mésencéphale
Tronc cérébral : pont
Cervelet
Tronc cérébral : bulbe rachidien
Moelle épinière
Ventricules latéraux
Troisième ventricule
Aqueduc du mésencéphale
Quatrième ventricule
Canal central de la moelle épinière

Figure 7.18 **Le développement embryonnaire de l'encéphale humain**

(a) En place dès la quatrième semaine, le tube neural se subdivise rapidement en **(b)** vésicules encéphaliques primitives, qui formeront **(c)** les vésicules encéphaliques secondaires (cinquième semaine), lesquelles se différencieront pour former **(d)** les structures de l'encéphale adulte. **(e)** Structures de l'encéphale adulte dérivées du canal neural.

est plissé comme une noix et sa consistance rappelle celle du gruau froid. Il pèse un peu plus de 1300 g. Comme l'encéphale est la plus grosse et la plus complexe des masses de tissu nerveux dans l'organisme, il est d'usage de décrire séparément ses quatre principales régions, soit les *hémisphères cérébraux* (le *cerveau*), le *diencéphale*, le *tronc cérébral* et le *cervelet* (figure 7.19d).

Les hémisphères cérébraux

Les **hémisphères cérébraux**, ou **cerveau**, constituent la partie supérieure de l'encéphale ; à eux deux, ils sont beaucoup plus gros que les trois autres régions de l'encéphale confondues. En fait, comme nous l'avons mentionné, au fur et à mesure qu'ils se développent et croissent, les hémisphères cérébraux en viennent à recouvrir la majeure partie du tronc cérébral, si bien que les structures de ce dernier ne sont visibles qu'en coupe sagittale. Imaginez un champignon dont le chapeau couronne le pied : vous aurez une idée assez juste de la localisation des hémisphères cérébraux par rapport au diencéphale et à la partie supérieure du tronc cérébral (voir la figure 7.19).

La surface des hémisphères cérébraux (le cortex) est entièrement parcourue de saillies de tissu appelées **gyrus** (signifiant littéralement « tortillons »), ou *circonvolutions du cerveau*, qui sont séparées par des rainures. Les rainures superficielles portent le nom de **sillons**, tandis que les rainures profondes, moins nombreuses, sont désignées par le terme **fissures** (voir la figure 7.20a). Les fissures et les gyrus constituent d'importants points de repère anatomiques. La *fissure longitudinale du cerveau* sépare les deux hémisphères cérébraux, alors que la *fissure transverse du cerveau* sépare les hémisphères cérébraux du cervelet situé en contrebas. Certains sillons ou fissures divisent la surface des hémisphères cérébraux en cinq **lobes**, dont quatre sont nommés d'après les os qui les surmontent (figure 7.20). Dans le plan frontal, le **sillon central de l'hémisphère cérébral**, ou scissure de Rolando, sépare le **lobe frontal** du **lobe pariétal**. De part et d'autre du sillon central, on rencontre deux gyrus importants : le **gyrus précentral** à l'avant et le **gyrus postcentral** à l'arrière. Plus loin derrière, le **lobe occipital** est séparé du lobe pariétal par le **sillon pariéto-occipital**, qui est situé sur la face médiale de l'hémisphère.

Le profond **sillon latéral**, ou scissure de Sylvius, délimite le **lobe temporal** en le séparant des lobes pariétal et frontal qui se trouvent juste au-dessus. Le cinquième lobe de l'hémisphère cérébral est appelé **lobe insulaire**, ou insula (littéralement « île ») ; il est enfoui

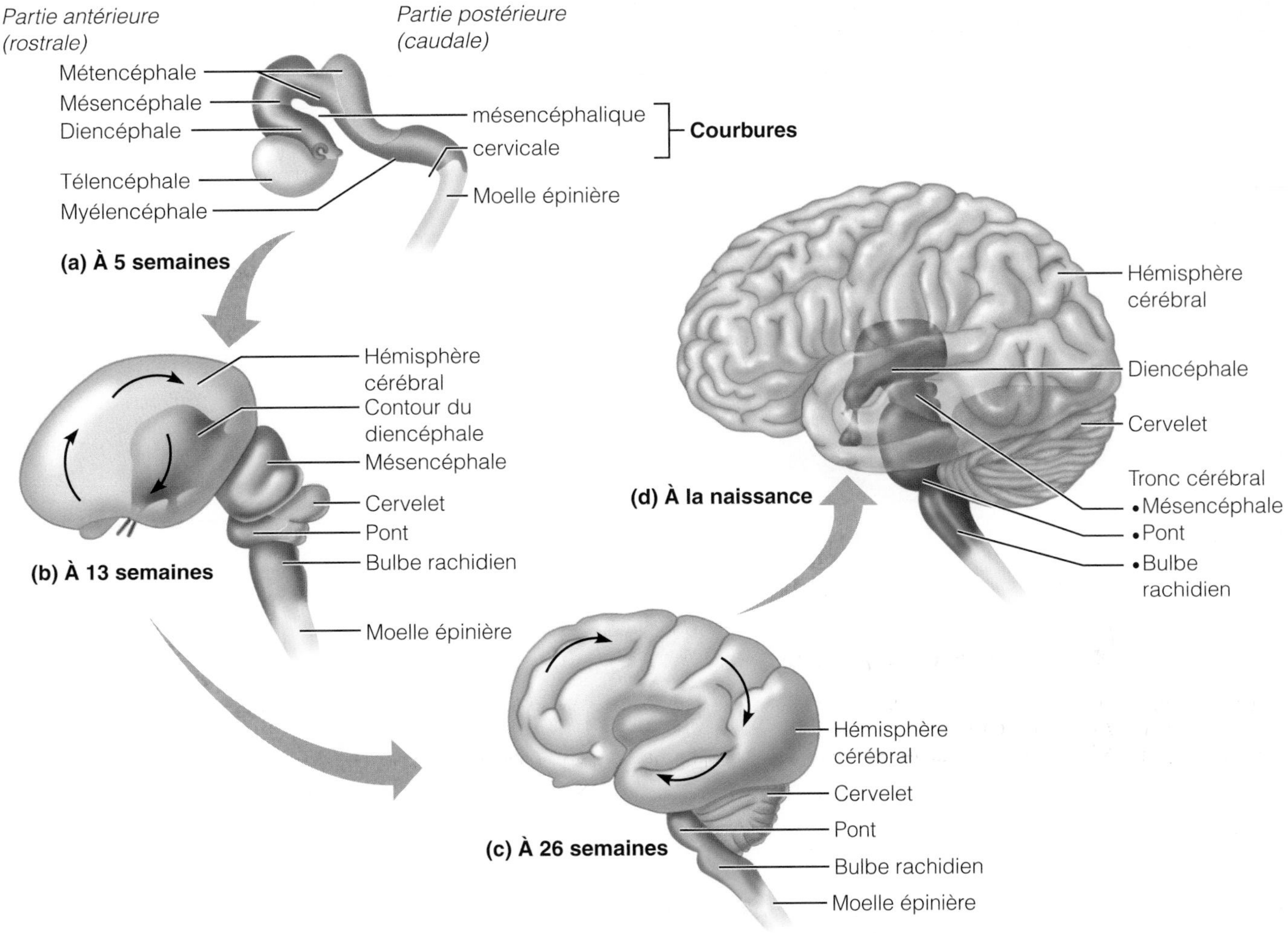
Partie antérieure (rostrale)
Partie postérieure (caudale)
Métencéphale
Mésencéphale
Diencéphale
Télencéphale
Myélencéphale
mésencéphalique
cervicale
Courbures
Moelle épinière
(a) À 5 semaines
Hémisphère cérébral
Contour du diencéphale
Mésencéphale
Cervelet
Pont
Bulbe rachidien
Moelle épinière
(b) À 13 semaines
(d) À la naissance
Hémisphère cérébral
Diencéphale
Cervelet
Tronc cérébral
• Mésencéphale
• Pont
• Bulbe rachidien
Hémisphère cérébral
Cervelet
Pont
Bulbe rachidien
Moelle épinière
(c) À 26 semaines

Figure 7.19 **Les conséquences du manque d'espace sur le développement de l'encéphale**

(a) La formation des deux grandes courbures à la cinquième semaine du développement repousse le télencéphale et le diencéphale vers le tronc cérébral. Développement des hémisphères cérébraux **(b)** à 13 semaines, **(c)** à 26 semaines et **(d)** à la naissance. À l'origine, la surface de l'encéphale est lisse ; des plis commencent à se creuser au cours du sixième mois et les gyrus prennent forme au fur et à mesure du développement. Les hémisphères cérébraux se développent en direction postérolatérale et finissent par recouvrir complètement le diencéphale et la partie supérieure du tronc cérébral (ces dernières structures, normalement cachées par l'hémisphère cérébral, sont représentées ici par transparence).

profondément dans le sillon latéral et constitue une partie de son plancher. Le lobe insulaire est recouvert par des parties des lobes temporal, pariétal et frontal.

Le cortex cérébral

La parole, la mémoire, le raisonnement, l'émotivité, la conscience, l'interprétation des sensations et les mouvements volontaires sont des fonctions qui relèvent des neurones de la surface des hémisphères cérébraux. L'étude des conséquences de diverses lésions au cerveau (thromboses ou tumeurs, notamment), des expériences de stimulation électrique de régions précises du cortex cérébral de même que l'enregistrement et la mise en évidence de l'activité électrique cérébrale ont permis de connaître de mieux en mieux la fonction de nombreuses régions de cette couche externe de neurones, appelées *aires corticales*, que nous allons maintenant présenter.

Les aires sensitives Les aires liées à la conscience des sensations, c'est-à-dire les **aires sensitives** du cortex, sont situées dans les lobes pariétal, temporal et occipital (figure 7.21).

1. **L'aire somesthésique primaire.** Cette aire est située dans le **lobe pariétal**, à l'arrière du **sillon central**

Q **Quels sens seraient altérés par une lésion au lobe temporal ? par une lésion au lobe occipital ?**

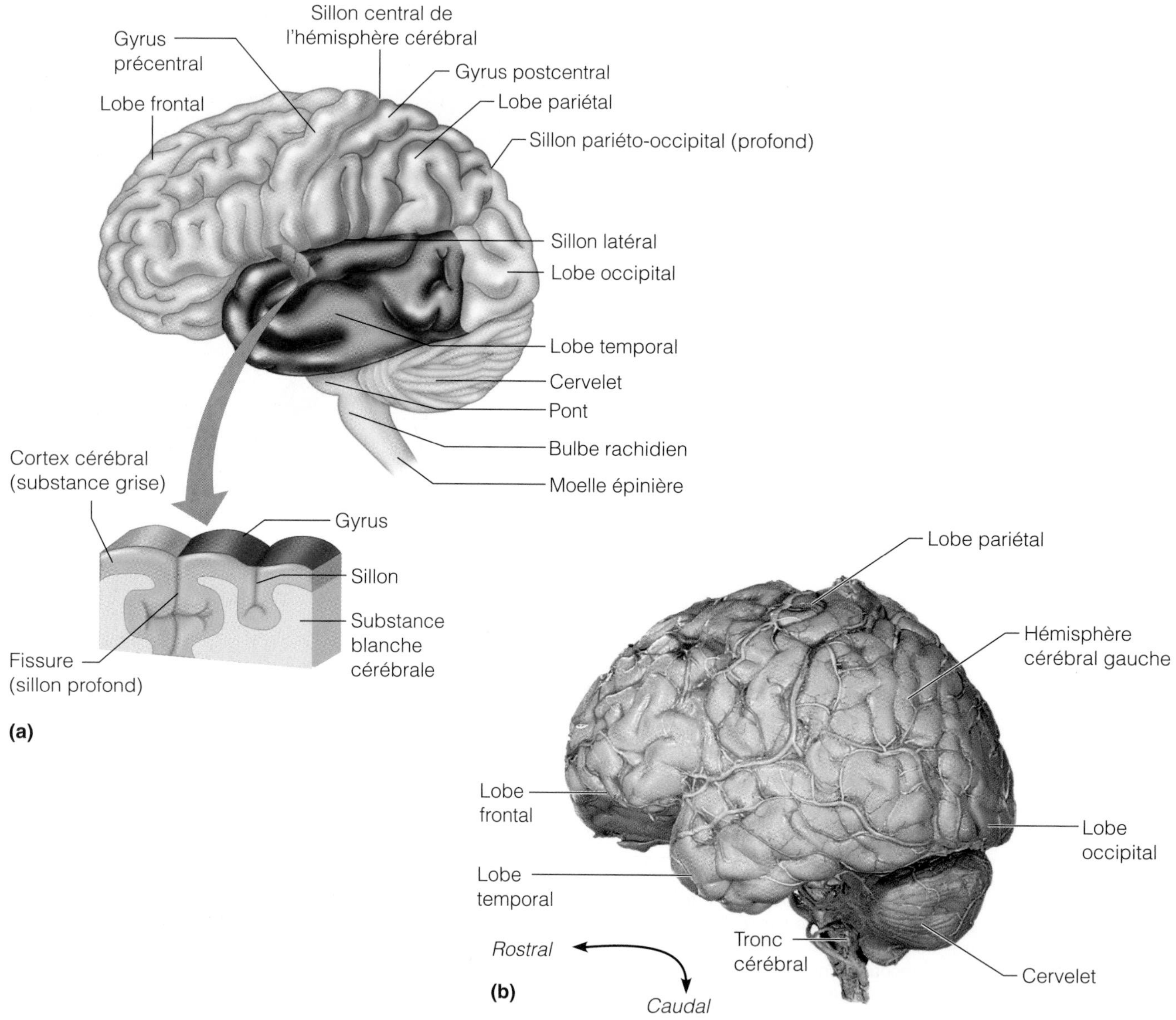
Sillon central de
l'hémisphère cérébral
Gyrus précentral
Gyrus postcentral
Lobe frontal
Lobe pariétal
Sillon pariéto-occipital (profond)
Sillon latéral
Lobe occipital
Lobe temporal
Cervelet
Pont
Bulbe rachidien
Moelle épinière
Cortex cérébral (substance grise)
Gyrus
Sillon
Substance blanche cérébrale
Fissure (sillon profond)
(a)
Lobe pariétal
Hémisphère cérébral gauche
Lobe frontal
Lobe occipital
Lobe temporal
Tronc cérébral
Cervelet
Rostral
Caudal
(b)

Figure 7.20 **Vue latérale gauche de l'encéphale**

(a) Représentation schématique des principales structures de l'encéphale. **(b)** Photographie.

de l'hémisphère cérébral. C'est là que sont localisés et interprétés les influx nerveux provenant des récepteurs sensoriels (récepteurs autres que ceux de la vue, de l'ouïe, de l'odorat et du goût). L'aire somesthésique primaire vous permet de ressentir la douleur, le froid et les contacts légers. Elle comprend quatre autres aires spécifiques dont chacune permet des aspects particuliers de la perception, comme détecter la texture, la taille ou la forme des objets, de sorte qu'une lésion limitée à une de ces quatre aires spécifiques se limitera aussi à une incapacité de discriminer un de ces aspects d'un objet.

R **Une lésion au lobe temporal (selon l'endroit où elle se trouve) pourrait affecter l'ouïe ou l'odorat, ou les deux. Une lésion au lobe occipital pourrait entraîner des troubles de la vue.**

Q **Quel point de repère anatomique sépare les aires motrices des aires sensitives dans le cortex cérébral ?**

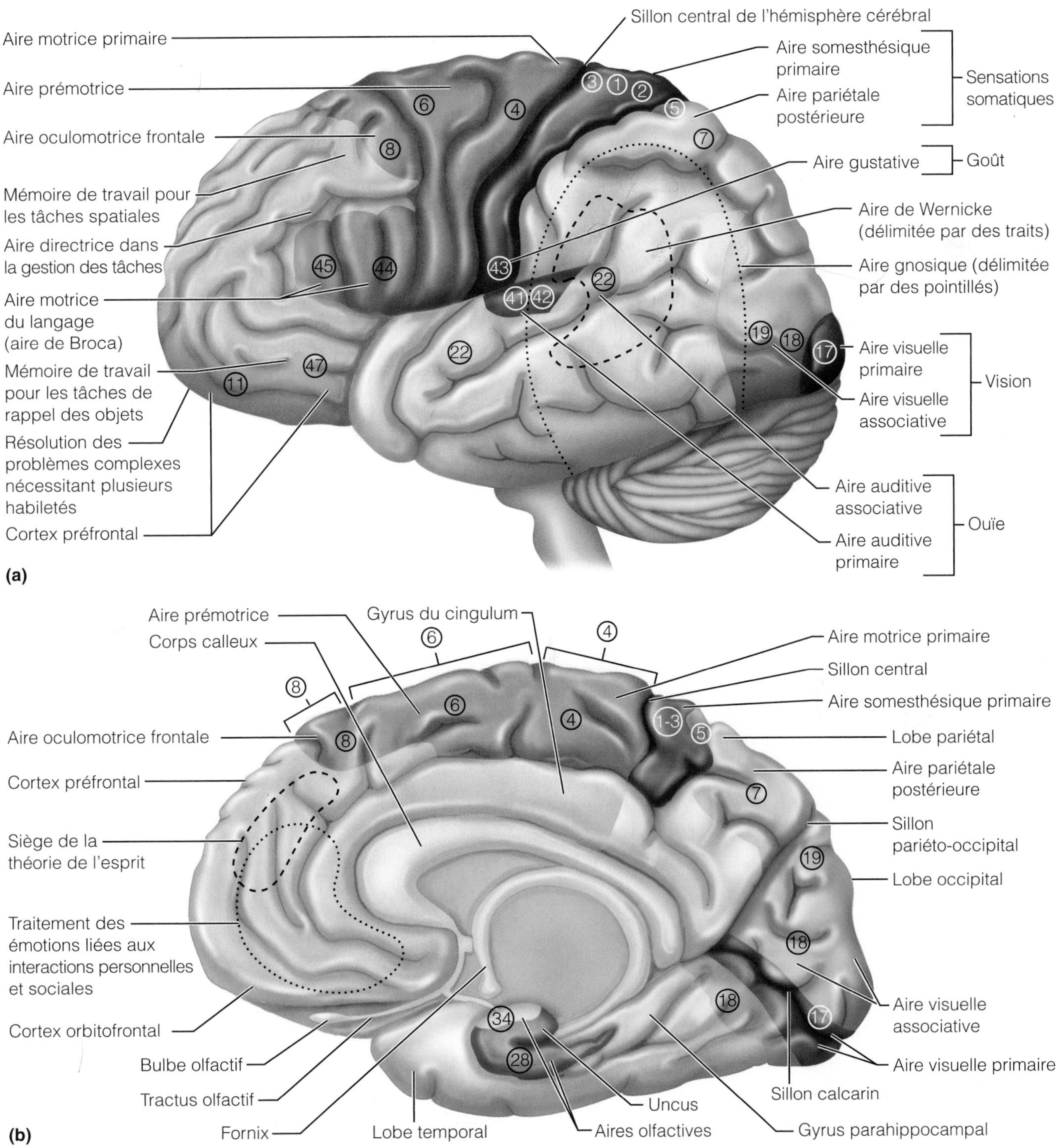
Aire motrice primaire
Aire prémotrice
Aire oculomotrice frontale
Mémoire de travail pour les tâches spatiales
Aire directrice dans la gestion des tâches
Aire motrice du langage (aire de Broca)
Mémoire de travail pour les tâches de rappel des objets
Résolution des problèmes complexes nécessitant plusieurs habiletés
Cortex préfrontal
Sillon central de l'hémisphère cérébral
Aire somesthésique primaire
Aire pariétale postérieure
Sensations somatiques
Aire gustative
Goût
Aire de Wernicke (délimitée par des traits)
Aire gnosique (délimitée par des pointillés)
Aire visuelle primaire
Aire visuelle associative
Vision
Aire auditive associative
Aire auditive primaire
Ouïe
3 1 2 5 7 6 4 8 45 44 43 41 42 22 22 19 18 17 47 11
(a)
Aire prémotrice
Corps calleux
Gyrus du cingulum
Aire motrice primaire
Sillon central
Aire somesthésique primaire
Aire oculomotrice frontale
Lobe pariétal
Cortex préfrontal
Aire pariétale postérieure
Siège de la théorie de l'esprit
Sillon pariéto-occipital
Lobe occipital
Traitement des émotions liées aux interactions personnelles et sociales
Aire visuelle associative
Cortex orbitofrontal
Aire visuelle primaire
Bulbe olfactif
Tractus olfactif
Sillon calcarin
Uncus
Fornix
Lobe temporal
Aires olfactives
Gyrus parahippocampal
8 6 4 8 6 4 1-3 5 7 19 18 18 17 34 28
(b)

Figure 7.21 **Les aires structurales et fonctionnelles du cortex cérébral**

(a) Vue latérale de l'hémisphère cérébral gauche. Les aires olfactives, qui sont situées sur la face médiale du lobe temporal, ne sont pas représentées. Les numéros indiquent les aires définies par Korbinian Brodmann (1868-1918), neuroanatomiste allemand qui a cartographié 52 aires corticales appelées *aires de Brodmann*. Les couleurs et les pointillés représentent les régions fonctionnelles du cortex. **(b)** Vue parasagittale de l'hémisphère droit.

R **Le sillon central.**

Comme le montre la figure 7.22, le corps est représenté à l'envers dans l'aire somesthésique primaire. Cette disposition porte le nom d'**homoncule** (« petit homme ») **somesthésique**. (Ce type de cartographie du cortex a été réalisé par le neurochirurgien Wilder Penfield, à Montréal, vers le milieu du XXe siècle. En stimulant électriquement la surface de cette aire chez un sujet éveillé, sous anesthésie locale, le médecin provoquait des sensations dans les parties du corps correspondant précisément à la région corticale stimulée.) Les régions du corps qui renferment le plus de récepteurs sensoriels (soit les lèvres et le bout des doigts) envoient des influx nerveux aux neurones qui composent une grande partie de l'aire somesthésique. En outre, les voies sensitives se croisent, de sorte que l'hémisphère gauche reçoit les influx nerveux provenant du côté droit du corps, et inversement. Une lésion de l'aire somesthésique primaire entraîne une diminution de la perception de la douleur, de la température et du toucher dans la partie du corps correspondant à la localisation de la lésion.

2. **L'aire pariétale postérieure.** L'aire pariétale postérieure est située immédiatement à l'arrière de l'aire somesthésique primaire et y est reliée par de nombreuses connexions. Sa principale fonction consiste à intégrer l'information somesthésique qui lui est acheminée par l'intermédiaire de l'aire somesthésique primaire et d'en retirer ainsi une signification globale. Quand vous mettez la main dans votre poche, par exemple, l'aire pariétale postérieure « consulte » vos souvenirs d'expériences sensorielles et reconnaît les objets que vous touchez comme des pièces de monnaie ou des clés. Une personne chez qui cette aire aurait été endommagée souffrirait d'agnosie tactile (*astéréognosie*) : elle ne pourrait reconnaître ces objets, uniquement par le toucher (même si ce sens est normal), sans les regarder. Des lésions de cette

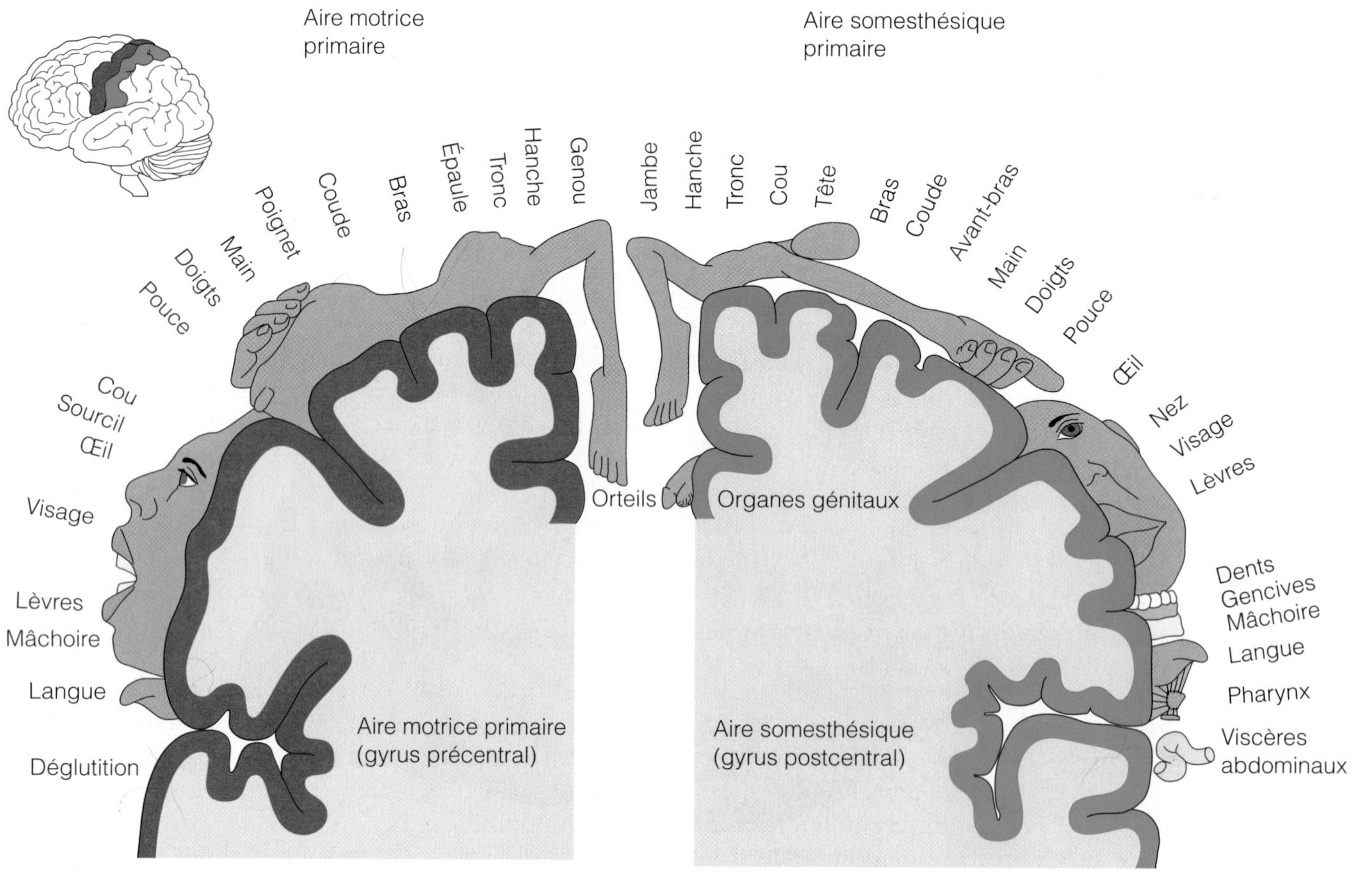
Aire motrice primaire
Aire somesthésique primaire
Pouce
Doigts
Main
Poignet
Coude
Bras
Épaule
Tronc
Hanche
Genou
Cou
Sourcil
Œil
Visage
Lèvres
Mâchoire
Langue
Déglutition
Orteils
Aire motrice primaire (gyrus précentral)
Jambe
Hanche
Tronc
Cou
Tête
Bras
Coude
Avant-bras
Main
Doigts
Pouce
Œil
Nez
Visage
Lèvres
Dents
Gencives
Mâchoire
Langue
Pharynx
Viscères abdominaux
Organes génitaux
Aire somesthésique (gyrus postcentral)

Figure 7.22 **L'aire somesthésique primaire et l'aire motrice primaire du cortex cérébral**

La quantité de tissu cortical réservée à la motricité ou à la sensibilité de chaque partie du corps correspond à la surface du gyrus occupée par le schéma de cette partie du corps. L'aire motrice primaire (représentée à gauche) et l'aire somesthésique (à droite) sont accompagnées de leur homoncule respectif.

aire peuvent aussi provoquer la perte de conscience d'une partie du corps ou d'une partie du milieu où vit le sujet atteint (la partie du côté opposé à la lésion) : au cours d'un repas, par exemple, le sujet ne prendra la nourriture que de la moitié gauche (ou droite) de son assiette.

3. **Les aires liées aux organes des sens.** Les influx provenant des organes des sens sont interprétés dans d'autres aires corticales (voir la figure 7.21a et b). Par exemple, l'aire visuelle est située dans la partie postérieure du **lobe occipital**, l'aire auditive dans le **lobe temporal**, en bordure du *sillon latéral*, et les aires olfactives sur la face médiale du lobe temporal. Dans le cas des aires visuelle et auditive, une aire primaire (**aire visuelle primaire** ou **aire auditive primaire**) reçoit l'information, tandis qu'une aire associative (**aire visuelle associative** ou **aire auditive associative**) interprète les stimulus visuels ou auditifs, et permet de les reconnaître. Il existe aussi une aire percevant les sensations gustatives (**aire gustative**) et une aire liée à l'équilibre (**aire vestibulaire**).

   Au cours d'expériences de stimulation électrique du cortex, on a constaté qu'une stimulation du cortex visuel primaire ne produisait pas d'impressions d'images nettes, mais plutôt des éclairs lumineux et des couleurs, alors qu'une stimulation du cortex auditif primaire provoquait la perception de sons (autres que des mots) de fréquences basses ou élevées. Quant aux diverses lésions de ces aires dont on a étudié les effets, on a notamment découvert qu'une lésion bilatérale de l'aire visuelle primaire cause, comme il fallait s'y attendre, une cécité complète ; une lésion localisée d'un seul côté de l'aire auditive primaire entraîne des problèmes de la perception de la direction des sons. Dans le cas des aires associatives, si les deux aires associatives visuelles sont lésées, le sujet voit mais ne reconnaît plus ce qu'il voit (agnosie visuelle), car il ne peut plus le comparer à l'information en mémoire. Il en va de même pour l'aire associative auditive : le sujet ne reconnaît plus les sons familiers (agnosie acoustique).

Les aires motrices Les **aires motrices** du cortex, qui régissent les mouvements volontaires, sont situées dans la partie postérieure des lobes frontaux. Ce sont l'aire motrice primaire, l'aire prémotrice, l'aire motrice du langage, ou aire de Broca, et l'aire oculomotrice frontale (voir la figure 7.21a). Nous présentons les trois premières de ces aires.

1. **L'aire motrice primaire.** L'**aire motrice primaire**, qui permet les mouvements conscients des muscles squelettiques, est située à l'avant du sillon central de l'hémisphère cérébral, dans le **lobe frontal**. Les axones des neurones moteurs qui la composent forment la voie motrice principale, soit le **tractus corticospinal**, ou **faisceau pyramidal**, qui s'étend jusque dans la moelle épinière. Comme dans l'aire somesthésique, le corps est représenté à l'envers dans l'aire motrice primaire, et les voies se croisent. La représentation du corps dans l'aire motrice est appelée **homoncule moteur**. La majeure partie des neurones de cette aire régissent les régions du corps dont les mouvements sont les plus précis, c'est-à-dire le visage, la bouche et les mains (voir la figure 7.22). La stimulation électrique (même très faible) de régions précises de cette aire provoque des contractions musculaires chez le côté du sujet opposé à la stimulation. Une lésion de cette aire entraîne au contraire une paralysie flasque (les muscles ne produisent même plus de réponses réflexes) de la partie du corps régie par la région corticale affectée et située du côté opposé à la lésion.

2. **L'aire prémotrice.** L'aire prémotrice est située à l'avant du gyrus précentral (voir la figure 7.21). Cette aire régit les habiletés motrices apprises de nature répétitive ou systématique telles que la pratique d'un instrument de musique et la saisie de texte au clavier. La stimulation, avec une certaine intensité (plus grande que pour l'aire motrice primaire), des neurones de cette aire provoque une contraction simultanée d'un ensemble de muscles synergiques et un relâchement des muscles antagonistes (les muscles qui doivent se relâcher pour permettre le mouvement). L'aire prémotrice coordonne donc les mouvements de plusieurs groupes de muscles squelettiques, soit simultanément, soit successivement. Son mode d'action principal consiste à envoyer des influx activateurs à l'aire motrice primaire. On peut comparer cette aire à une base de données où sont enregistrées des activités motrices spécialisées. Cette région semble aussi jouer un rôle dans la planification des mouvements, à partir d'information sensorielle traitée au préalable lui venant d'autres aires corticales. On peut aussi déduire que cette aire joue un rôle inhibiteur sur certains réflexes du fait qu'une lésion qui y est localisée entraîne une contracture (raideur musculaire occasionnant une résistance au mouvement) du côté opposé.

3. **L'aire motrice du langage.** Aussi appelée **aire de Broca**, l'aire motrice du langage est une aire spécialisée essentielle à l'utilisation du langage (voir la figure 7.21a). Elle est située à la base du gyrus précentral dans un seul hémisphère, généralement le gauche. Cette aire se met en activité lorsque nous

nous préparons à parler et à accomplir de nombreuses activités motrices volontaires autres que la parole. Les lésions touchant cette aire suppriment la capacité de prononcer les mots (aphasie motrice corticale). Les personnes atteintes de telles lésions savent ce qu'elles veulent dire, les muscles qui servent à prononcer les mots ne sont pas paralysés, mais elles n'arrivent pas à produire les influx nerveux nécessaires pour émettre les mots. L'aphasie motrice peut aussi être de type sous-cortical lorsque la cause de l'aphasie est la rupture des communications entre l'aire motrice du langage et l'aire motrice primaire. L'**aire de Wernicke**, située dans la partie postérieure du lobe temporal, permet la compréhension du langage. Comme l'aire motrice du langage, elle ne se trouve habituellement que dans un seul hémisphère, et une lésion à cet endroit peut provoquer l'aphasie sensorielle: le sujet entend des mots qui lui sont familiers, il peut les répéter, mais il ne comprend plus leur signification.

Les aires associatives Les **aires associatives** comprennent toutes les aires corticales qui ne sont pas qualifiées par l'adjectif *primaire.* Comme nous l'avons déjà mentionné, l'aire somesthésique primaire et chacune des aires sensitives primaires sont situées à proximité des aires associatives avec lesquelles elles communiquent. Nous décrivons ici deux aires associatives dont nous n'avons pas encore parlé, c'est-à-dire celles qui n'ont pas de lien avec les aires sensitives.

1. **Le cortex préfrontal.** Le cortex préfrontal occupe la partie antérieure du lobe frontal (voir la figure 7.21b); il constitue la plus complexe des régions corticales. Sa stimulation ne provoque pas de contractions musculaires. Il est relié à l'intellect, à la cognition (c'est-à-dire aux capacités d'apprentissage), à l'évocation ainsi qu'à la personnalité. De lui dépendent la production des idées abstraites, le jugement, le raisonnement, la persévérance, l'anticipation, l'altruisme et la conscience. Le cortex préfrontal est également associé au jugement intuitif et à l'humeur, car il est étroitement lié au système limbique (le siège des émotions). C'est le développement considérable de cette région qui distingue l'être humain des autres animaux. Une lésion bilatérale du cortex préfrontal entraîne des troubles de personnalité chez l'individu touché: perte de sens critique, d'esprit d'initiative, indifférence face à lui-même et à son entourage, incapacité d'expression des émotions.
2. **L'aire gnosique.** L'aire gnosique, ou aire commune de l'interprétation, est une région mal définie du cortex cérébral. Elle comprend des parties des lobes temporal, pariétal et occipital. On ne la rencontre que dans un seul hémisphère, en général le gauche. Selon l'interprétation traditionnelle, cette aire reçoit l'information sensorielle de toutes les aires sensitives associatives et, à partir de ces signaux, elle produit une pensée ou une compréhension unifiée de la situation. Supposons par exemple qu'une bouteille d'acide vous tombe des mains dans le laboratoire de chimie et que le contenu vous éclabousse. Vous voyez la bouteille voler en éclats, vous entendez le bruit du verre brisé, vous sentez la brûlure sur votre peau, vous respirez les vapeurs de l'acide. Or, ce ne sont pas ces perceptions qui dominent votre conscience, mais bien le message global de « danger ». Instantanément, les muscles de vos jambes vous portent en toute hâte jusqu'à la douche d'urgence.

Certaines lésions au niveau des aires associatives pourraient entraîner des difficultés d'intégration de l'information tellement considérables que l'individu atteint ne peut plus reconnaître son environnement (il se perd dans sa propre maison) ni les parties de son propre corps.

La substance blanche cérébrale

Les corps cellulaires des neurones qui participent aux fonctions des hémisphères cérébraux que nous venons de présenter se trouvent uniquement dans la couche superficielle de **substance grise** du cerveau, soit le **cortex cérébral**. Le reste du tissu de l'hémisphère cérébral, la **substance blanche** (voir la figure 7.20a), est en grande partie composé de *faisceaux* de neurofibres qui acheminent les influx issus du cortex ou qui lui sont destinés. L'échange d'information est constant dans le cerveau. Les aires corticales des deux hémisphères cérébraux communiquent entre elles et avec les centres sous-corticaux du SNC par l'intermédiaire de la substance blanche (figure 7.23). Cette substance est en grande partie composée de neurofibres myélinisées groupées en faisceaux. Suivant leur orientation, ces neurofibres sont dites *commissurales, associatives* ou *de projection.* Les faisceaux correspondants sont dits *commissuraux, d'association* ou *de projection.*

Les **neurofibres commissurales** relient les aires homologues des hémisphères et permettent leur coordination; elles forment des **commissures**. La principale commissure est le **corps calleux** (littéralement « corps épaissi »), qui est situé au-dessus des ventricules latéraux, au fond de la fissure longitudinale du cerveau. Le corps calleux décrit un arc au-dessus des structures du tronc cérébral et met les hémisphères cérébraux en communication l'un avec l'autre. C'est là une importante fonction, car certaines aires fonctionnelles du cortex cérébral ne se trouvent que dans un seul hémisphère.

Q **Comment expliquez-vous le fait que les deux hémisphères cérébraux sont en communication instantanée l'un avec l'autre alors qu'il est clair, d'après le schéma b, que les neurofibres de projection font partie de voies croisées et que l'information en provenance d'un côté du corps n'est transmise qu'à un seul hémisphère (celui du côté opposé) ?**

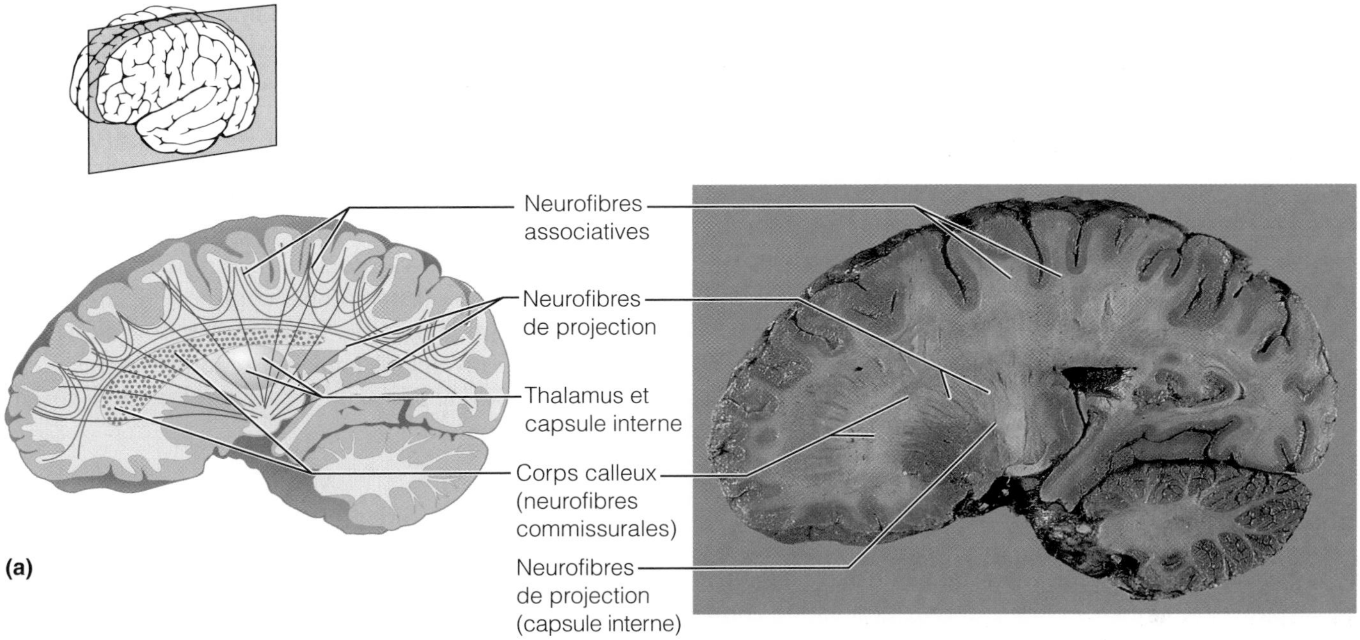

Neurofibres associatives
Neurofibres de projection
Thalamus et capsule interne
Corps calleux (neurofibres commissurales)
Neurofibres de projection (capsule interne)
(a)

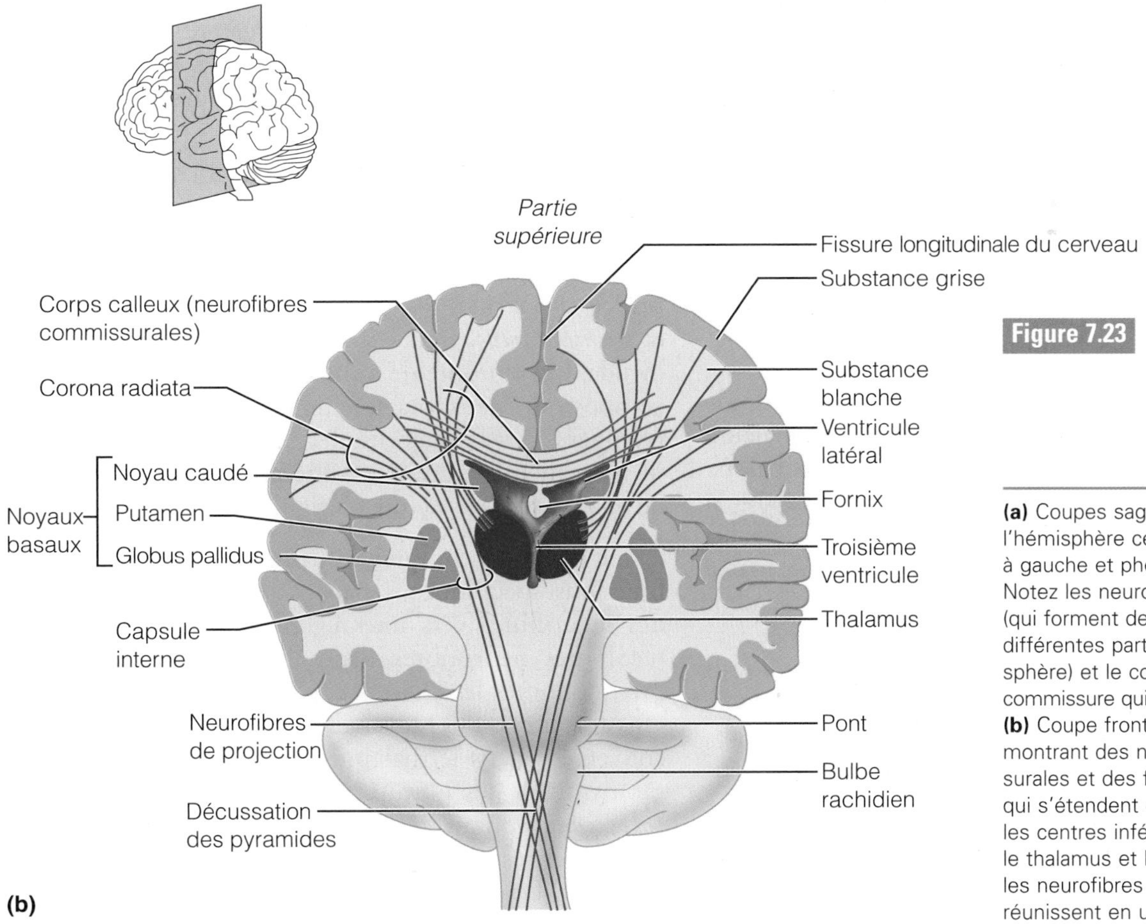

Partie supérieure
Fissure longitudinale du cerveau
Substance grise
Corps calleux (neurofibres commissurales)
Substance blanche
Corona radiata
Ventricule latéral
Noyaux basaux
Noyau caudé
Putamen
Globus pallidus
Fornix
Troisième ventricule
Capsule interne
Thalamus
Neurofibres de projection
Pont
Bulbe rachidien
Décussation des pyramides
(b)

Figure 7.23 **Les neurofibres composant la substance blanche cérébrale**

(a) Coupes sagittales médianes de l'hémisphère cérébral droit ; schéma à gauche et photographie à droite. Notez les neurofibres associatives (qui forment des faisceaux reliant différentes parties du même hémisphère) et le corps calleux, une commissure qui relie les hémisphères. **(b)** Coupe frontale de l'encéphale montrant des neurofibres commissurales et des fibres de projection qui s'étendent entre le cerveau et les centres inférieurs du SNC. Entre le thalamus et les noyaux basaux, les neurofibres de projection se réunissent en une bande compacte appelée *capsule interne*. Elles s'étalent ensuite en éventail pour former la corona radiata.

R **Les commissures permettent aux hémisphères cérébraux de communiquer l'un avec l'autre.**

Sont aussi présentes une **commissure antérieure du cerveau** et une **commissure postérieure**, ou commissure épithalamique.

Les **neurofibres associatives** transmettent les influx nerveux à l'intérieur d'un même hémisphère. Les neurofibres courtes relient les gyrus adjacents, tandis que les neurofibres longues relient les différents lobes corticaux entre eux.

Les **neurofibres de projection** pénètrent dans les hémisphères en provenance des centres inférieurs de l'encéphale ou de la moelle épinière ; elles comprennent également les neurofibres qui partent du cortex en direction de régions inférieures. Elles relient le cortex au reste du système nerveux ainsi qu'aux récepteurs et aux effecteurs du corps. Contrairement aux neurofibres commissurales et aux neurofibres associatives qui sont disposées horizontalement, les neurofibres de projection sont verticales (voir la figure 7.23b).

Les neurofibres de projection situées de part et d'autre du sommet du tronc cérébral forment une bande compacte appelée **capsule interne**, qui passe entre le thalamus et certains des noyaux basaux. Au-delà de ce point, elles rayonnent en éventail jusqu'au cortex à travers la substance blanche. Cette structure est appelée **corona radiata** (littéralement « couronne rayonnante »).

Les noyaux basaux

La majeure partie de la substance grise est située dans le cortex cérébral, mais on trouve quelques « îlots » de substance grise, appelés **noyaux basaux**, au cœur de la substance blanche des hémisphères cérébraux.

On convient généralement que le **noyau caudé**, le **putamen** et le **globus pallidus** constituent la majeure partie de la masse de chaque groupe de noyaux basaux (figure 7.24). Le putamen (littéralement « gousse ») – la structure ayant la plus grande taille – et le globus pallidus (littéralement « globe pâle ») forment une masse ovoïde, le **noyau lenticulaire**, qui borde latéralement la capsule interne. Le noyau caudé est en forme de virgule et se recourbe par-dessus le diencéphale. Le noyau lenticulaire et le noyau caudé sont appelés ensemble **corps strié**, car les neurofibres de projection de la capsule interne qui les longent ou les traversent semblent leur imprimer des stries.

Le **corps amygdaloïde** (*amygdala*, « amande ») se trouve sur la queue du noyau caudé et renferme plusieurs noyaux. Du point de vue anatomique, on l'associe traditionnellement aux noyaux basaux, alors que, fonctionnellement, il appartient au système limbique.

Par l'intermédiaire de tractus d'association passant par le thalamus, les noyaux basaux sont en communication avec l'aire prémotrice et influent ainsi sur les mouvements musculaires dirigés par l'aire motrice primaire, tout en n'ayant aucune liaison directe avec les voies motrices.

L'apport des noyaux basaux à la régulation motrice est très complexe. Ceux-ci jouent un rôle particulièrement important dans le déclenchement et la cessation des mouvements dirigés par le cortex, et dans la régulation de leur intensité, surtout lorsqu'il s'agit de mouvements relativement lents ou stéréotypés comme le balancement des bras pendant la marche. En outre, les noyaux basaux inhibent les mouvements antagonistes ou superflus. Leur apport semble donc nécessaire à l'accomplissement simultané de plusieurs activités.

Déséquilibre homéostatique

Les personnes atteintes de troubles des noyaux basaux sont souvent incapables de marcher ou d'accomplir normalement d'autres mouvements volontaires. La *chorée de Huntington* et la *maladie de Parkinson* sont deux exemples de maladies des noyaux basaux dont il est question dans l'encadré « Gros plan », p. 268-269. ▲

Le diencéphale

Le **diencéphale** surmonte le tronc cérébral et est entouré des hémisphères cérébraux (voir la figure 7.19d). Ses principales structures sont le *thalamus*, l'*hypothalamus* et l'*épithalamus* (figure 7.25). Le **thalamus**, de forme ovoïde qui entoure le mince *troisième ventricule*, est composé de deux masses jumelles de substance grise retenues, chez la majorité des individus, par une commissure médiane appelée **adhérence interthalamique**, ou *commissure grise* (voir les figures 7.23, 7.24 et 7.25).

Le thalamus comprend une douzaine de noyaux aux fonctions spécifiques. Chacun de ces noyaux projette des neurofibres vers une région définie du cortex, et reçoit des neurofibres issues de cette même région. Presque toutes les afférences provenant des organes des sens et toutes celles provenant des autres parties du corps convergent dans le thalamus et y font synapse avec au moins un de ses noyaux : le *corps géniculé latéral* et le *corps géniculé médial*, par exemple, sont d'importants relais pour les influx visuels et les influx auditifs respectivement. Le tri et une certaine forme de traitement de l'information s'effectuent dans le thalamus. Les influx liés à des fonctions semblables y sont groupés et retransmis aux aires sensitives et associatives appropriées par

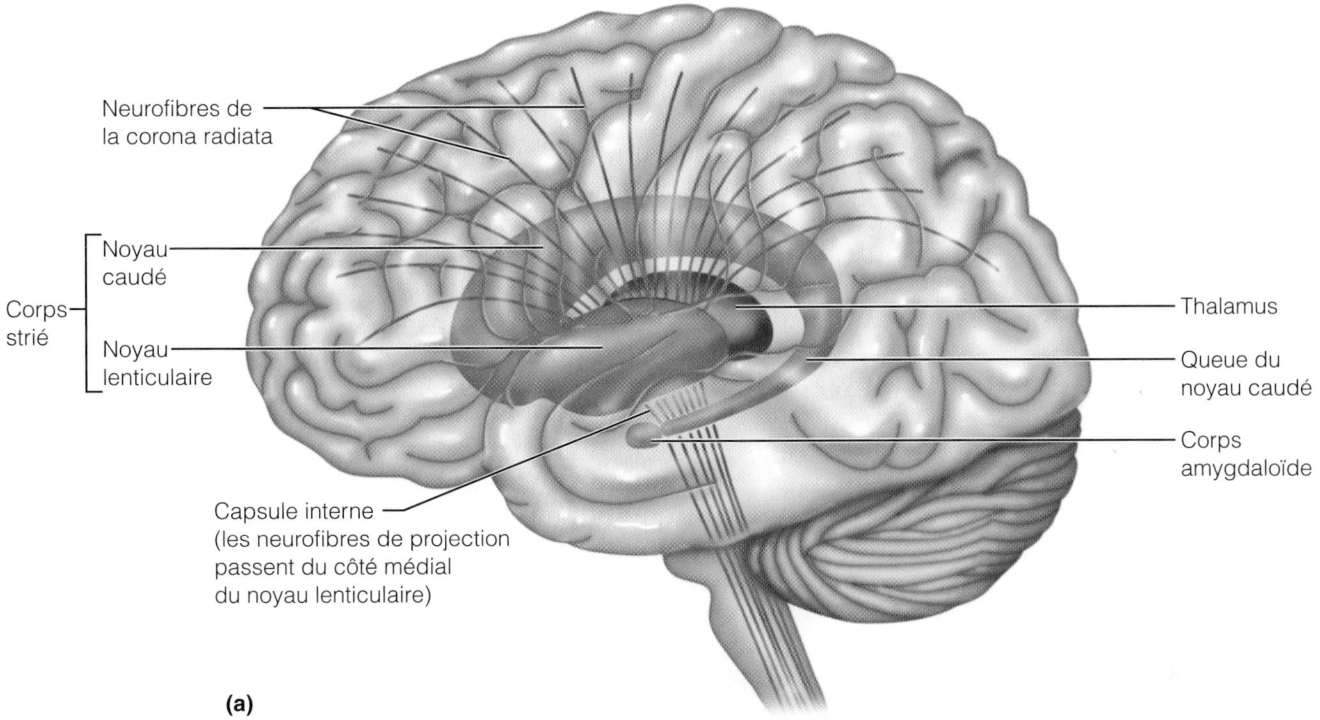
Neurofibres de
la corona radiata
Corps
strié
Noyau
caudé
Noyau
lenticulaire
Thalamus
Queue du
noyau caudé
Corps
amygdaloïde
Capsule interne
(les neurofibres de projection
passent du côté médial
du noyau lenticulaire)
(a)

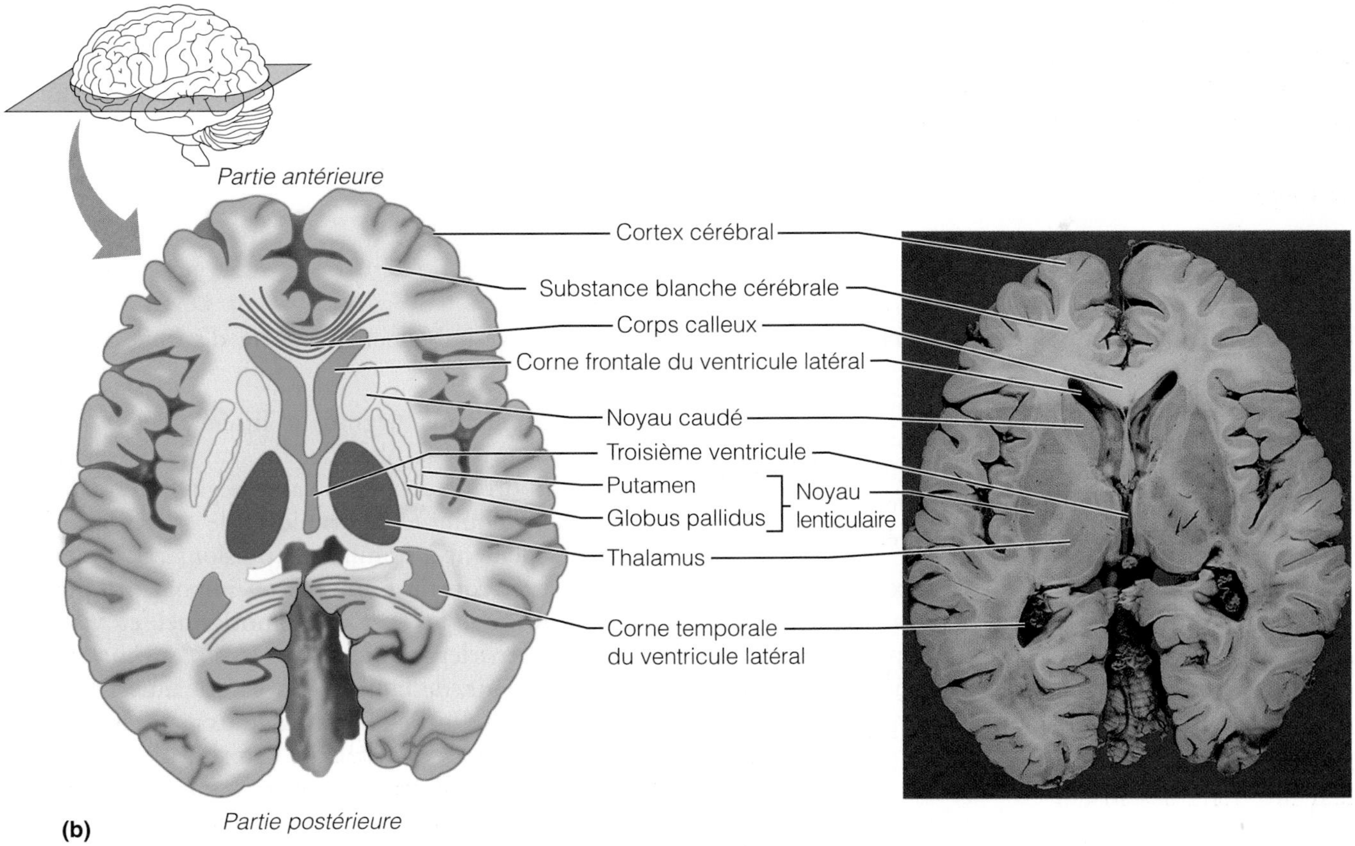
Partie antérieure
Cortex cérébral
Substance blanche cérébrale
Corps calleux
Corne frontale du ventricule latéral
Noyau caudé
Troisième ventricule
Putamen
Globus pallidus
Noyau
lenticulaire
Thalamus
Corne temporale
du ventricule latéral
(b)
Partie postérieure

Figure 7.24 **Les noyaux basaux**

(a) Vue en trois dimensions des noyaux basaux montrant leur situation dans le cerveau. **(b)** Coupe transversale du cerveau et du diencéphale montrant la situation des noyaux basaux par rapport au thalamus, au ventricule latéral et au troisième ventricule.

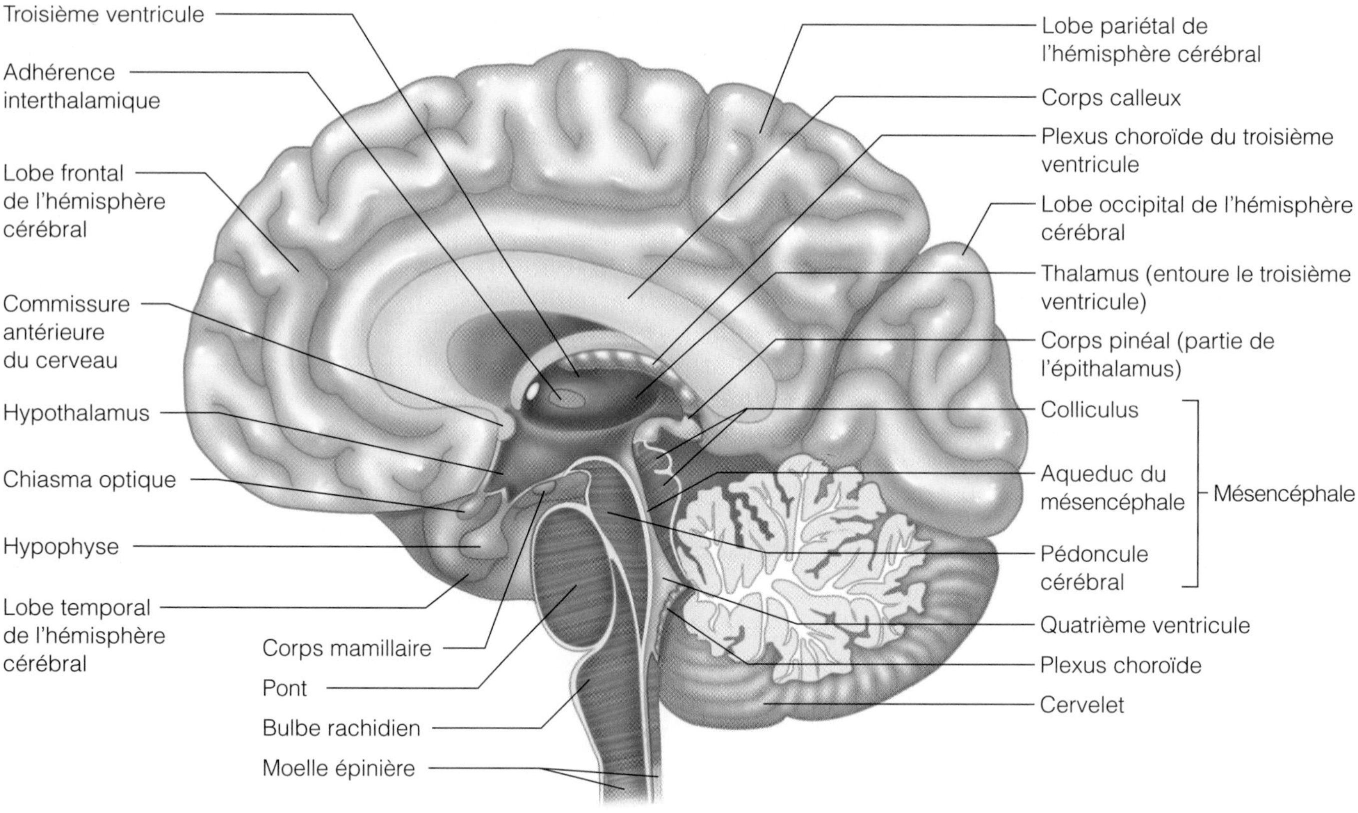
Troisième ventricule
Adhérence interthalamique
Lobe frontal de l'hémisphère cérébral
Commissure antérieure du cerveau
Hypothalamus
Chiasma optique
Hypophyse
Lobe temporal de l'hémisphère cérébral
Corps mamillaire
Pont
Bulbe rachidien
Moelle épinière
Lobe pariétal de l'hémisphère cérébral
Corps calleux
Plexus choroïde du troisième ventricule
Lobe occipital de l'hémisphère cérébral
Thalamus (entoure le troisième ventricule)
Corps pinéal (partie de l'épithalamus)
Colliculus
Aqueduc du mésencéphale
Mésencéphale
Pédoncule cérébral
Quatrième ventricule
Plexus choroïde
Cervelet

Figure 7.25 **Les structures du diencéphale et du tronc cérébral**

l'intermédiaire des tractus d'association et des neurofibres de la capsule interne. À mesure que les afférences sensitives atteignent le thalamus, nous pouvons distinguer grossièrement si la sensation que nous sommes sur le point d'éprouver sera agréable ou désagréable. Toutefois, la localisation et la distinction des stimulus se déroulent dans les différentes aires du cortex cérébral.

En fait, la *totalité ou presque* des influx nerveux envoyés au cortex cérébral passent par les noyaux thalamiques: les influx qui contribuent à la régulation des émotions et des fonctions viscérales traversent les noyaux antérieurs du thalamus en provenance de l'hypothalamus; certains de ceux qui dirigent l'activité des aires motrices traversent d'autres noyaux thalamiques en provenance du cervelet et des noyaux basaux respectivement. Quelques-uns des noyaux thalamiques jouent un rôle dans l'intégration de l'information sensorielle et projettent des neurofibres vers des aires associatives précises. Le thalamus joue donc un rôle essentiel dans la sensibilité, la motricité, l'excitation corticale, l'apprentissage et la mémoire; il constitue véritablement la porte d'entrée du cortex cérébral.

L'**hypothalamus** (signifiant littéralement «sous le thalamus») forme le plancher du troisième ventricule. Centre important du SNA, car il régit la température corporelle, l'équilibre hydrique et le métabolisme, il préside également à nombre de pulsions et d'émotions et, à ce titre, constitue une partie importante du **système limbique**, le «cerveau émotionnel et viscéral» dont nous reparlerons plus loin. Ainsi, les centres de la soif, de l'appétit, de la libido, de la douleur et du plaisir y sont situés. Enfin, l'hypothalamus régit l'hypophyse (glande endocrine) et synthétise deux hormones, l'ADH et l'ocytocine (qui sont vues au chapitre 9). L'**hypophyse** est suspendue par une mince tige à la partie antérieure du plancher de l'hypothalamus. (Nous expliquons ses fonctions au chapitre 9.) Les **corps mamillaires** sont des centres réflexes qui interviennent dans l'olfaction; ils font saillie sur le plancher de l'hypothalamus, à l'arrière de l'hypophyse.

L'**épithalamus** forme le toit du troisième ventricule. Ses principaux éléments sont le **corps pinéal** (qui fait partie du système endocrinien) et le **plexus choroïde** du troisième ventricule. Les plexus choroïdes sont des amas de capillaires qui se trouvent dans chacun des ventricules; ils produisent le liquide cérébrospinal.

Le tronc cérébral

Le **tronc cérébral**, qui a à peu près le diamètre du pouce, mesure environ 7,5 cm de long. Il est constitué du *mésencéphale*, du *pont* et du *bulbe rachidien*. Il fournit un passage aux tractus et aux faisceaux ascendants et descendants, et comprend de nombreuses régions de substance grise. Ces noyaux contiennent les corps cellulaires des neurones formant les nerfs crâniens; ils régissent des fonctions aussi vitales que la respiration et la pression artérielle. Repérez les éléments du tronc cérébral dans la figure 7.25 à mesure que vous lirez les descriptions qui suivent.

Le mésencéphale Le **mésencéphale** est une partie relativement petite du tronc cérébral. Il s'étend entre les corps mamillaires et le pont. Il est parcouru par un minuscule canal, l'**aqueduc du mésencéphale**, qui relie le troisième ventricule du diencéphale au quatrième ventricule situé au-dessous. Dans sa partie antérieure, le mésencéphale présente deux renflements formés par les **pédoncules cérébraux** (signifiant littéralement « petits pieds du cerveau »). Ceux-ci sont constitués de tractus qui acheminent des influx ascendants et descendants. Sur la face dorsale du mésencéphale se trouvent quatre structures arrondies, les **colliculus supérieurs** et **inférieurs**. Ces noyaux proéminents sont des centres réflexes qui interviennent dans la vision et l'audition.

Le pont Le **pont** est la structure arrondie qui fait saillie juste au-dessous du mésencéphale. Cette région du tronc cérébral est formée principalement de neurofibres longitudinales regroupées en tractus (communication entre les centres cérébraux supérieurs et la moelle épinière) et de neurofibres transversales (communication entre le cortex moteur et le cervelet). Le pont renferme cependant d'importants noyaux qui participent à la régulation de la respiration et d'autres noyaux dont sont issus plusieurs nerfs crâniens.

Le bulbe rachidien Le **bulbe rachidien**, ou moelle allongée, est la partie inférieure du tronc cérébral. Il s'unit à la moelle épinière, située au-dessous, sans présenter de changement structural visible. Comme le pont, le bulbe rachidien contient d'importants tractus et de nombreux noyaux qui président à des fonctions viscérales vitales. Ses centres régissent notamment la fréquence cardiaque, la pression artérielle, la respiration, la déglutition et le vomissement. Le **quatrième ventricule** est situé à l'arrière du pont et du bulbe rachidien, et à l'avant du cervelet.

Le cervelet

Le **cervelet**, dont la forme évoque celle d'un chou-fleur, fait saillie sous les lobes occipitaux des hémisphères cérébraux. Comme le cerveau, il comprend deux hémisphères et présente des circonvolutions. Il contient aussi un cortex (le cortex cérébelleux) composé de substance grise et une partie interne constituée de substance blanche.

Le cervelet régit l'équilibre et synchronise les contractions des muscles squelettiques de manière à produire des mouvements coordonnés. Il reçoit des influx provenant des récepteurs de l'équilibre (dans l'oreille interne), des yeux, des propriocepteurs des muscles squelettiques et des tendons, ainsi que de nombreuses autres parties du corps. On peut voir une analogie entre le cervelet et un pilote automatique qui compare les réglages des instruments de l'avion au trajet réel. En effet, le cervelet détecte la position du corps et le degré de tension de ses diverses parties. Il compare les intentions du cerveau aux mouvements exécutés par le corps et émet les messages visant à effectuer les corrections nécessaires.

Déséquilibre homéostatique

Les lésions du cervelet (causées par exemple par un coup à la tête, une tumeur ou un accident vasculaire cérébral) entraînent une désynchronisation des mouvements, appelée *ataxie*. Les personnes atteintes perdent l'équilibre et la coordination musculaire au point de paraître ivres. Elles sont incapables de porter un doigt à leur nez les yeux fermés, geste qu'accomplissent sans peine les individus bien-portants. ▲

Les systèmes de l'encéphale

Les systèmes de l'encéphale sont des réseaux de neurones et de noyaux qui contribuent à la même tâche bien qu'ils s'étendent dans plusieurs parties de l'encéphale. Le *système limbique* et la *formation réticulaire* en sont d'excellents exemples.

Le système limbique Le **système limbique** est un groupe de structures situé sur la face médiale des hémisphères cérébraux et dans le diencéphale. Ses structures cérébrales encerclent (*limbus*, « frange ») le sommet du tronc cérébral et comprennent une partie du *corps amygdaloïde* et des parties du rhinencéphale (structures du cerveau liées à l'olfaction) dont le gyrus du cingulum (ou circonvolution du corps calleux) et l'*hippocampe*, en forme de C. Dans le diencéphale, les principales structures limbiques sont l'*hypothalamus* et les *noyaux antérieurs du thalamus*. Le **fornix**, ou trigone cérébral (une commissure), et certains faisceaux relient ces régions du système limbique. Le système limbique et quelques-unes de ses structures sont illustrés à la figure 7.26.

Le système limbique est le *cerveau émotionnel* ou *affectif*. Deux de ses éléments semblent jouer un rôle particulièrement important dans les émotions : le corps amygdaloïde et la partie antérieure du **gyrus du cingulum**. Le premier reconnaît les expressions faciales qui dénotent la colère ou inspirent la crainte, il évalue le danger et déclenche la réaction de la peur ; la perturbation de son fonctionnement est associée à des problèmes d'anxiété et de dépression. Le second joue un rôle dans l'expression gestuelle des émotions et la résolution des conflits mentaux provoqués par la frustration.

Si les odeurs suscitent des réactions émotionnelles et rappellent des souvenirs, c'est qu'une grande partie du système limbique trouve son origine dans le rhinencéphale. Les réactions aux odeurs sont rarement neutres (une mouffette sent *mauvais* et nous répugne) ; par ailleurs, les odeurs font souvent surgir des souvenirs liés à des expériences chargées d'émotion.

La plupart des influx qui partent du système limbique passent par l'hypothalamus, qui joue le rôle de relais à cet égard. Comme l'hypothalamus est en quelque sorte le bureau central tant des fonctions autonomes (viscérales) que des réactions émotionnelles, il n'est pas surprenant que les personnes soumises à une tension émotionnelle aiguë ou prolongée soient prédisposées aux maladies viscérales telles que l'hypertension artérielle et les brûlures d'estomac.

Le système limbique interagit également avec le cortex préfrontal, si bien que les sentiments (le cerveau affectif) sont liés de près aux pensées (le cerveau cognitif). C'est ainsi que nous pouvons réagir émotionnellement aux événements dont nous sommes conscients et, en plus, apprécier la richesse des émotions qui colorent notre vie. Certaines parties du système limbique, soit les structures de l'**hippocampe** et le corps amygdaloïde, jouent aussi un rôle dans la mémoire.

La formation réticulaire La **formation réticulaire**, ou formation réticulée, s'étend à travers le bulbe rachidien, le pont et le mésencéphale (figure 7.27). Elle est composée de neurones dont les corps cellulaires constituent des noyaux réticulaires disséminés dans la substance

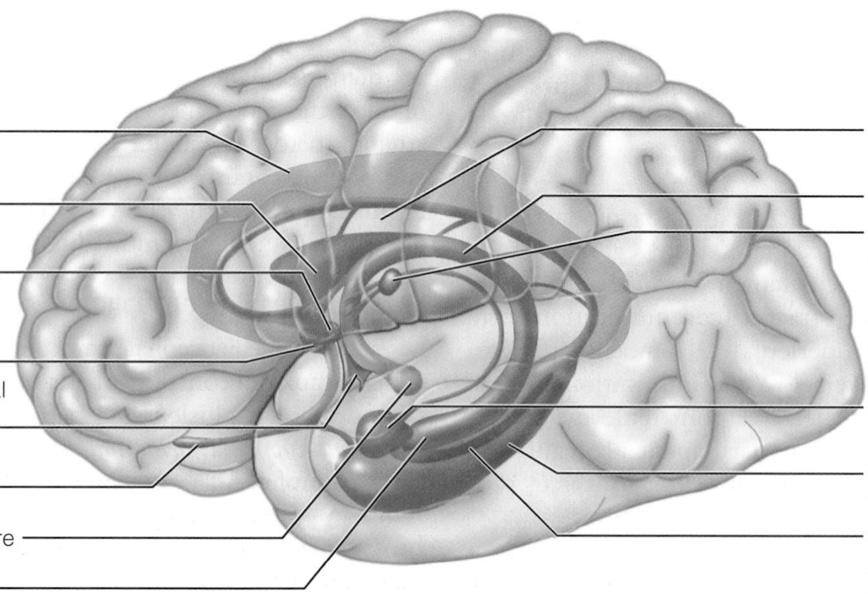

Gyrus du cingulum
Septum pellucidum
Commissure antérieure du cerveau
Septum précommissural
Hypothalamus
Bulbe olfactif
Corps mamillaire
Hippocampe
Corps calleux
Fornix
Noyaux antérieurs du thalamus (de part et d'autre du troisième ventricule)
Corps amygdaloïde
Gyrus parahippocampal
Gyrus dentatus (au-dessus du gyrus parahippocampal)

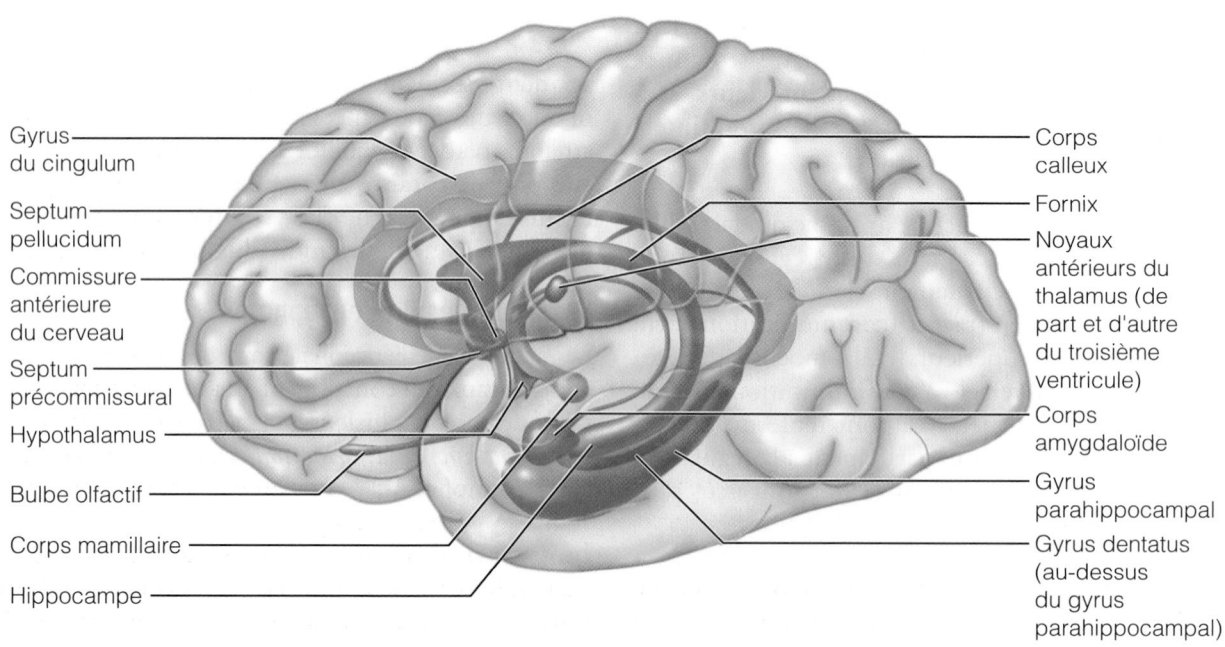

Figure 7.26 **Le système limbique**

Vue latérale du cerveau montrant quelques-unes des structures du système limbique (le cerveau émotionnel et viscéral). Le tronc cérébral n'est pas représenté.

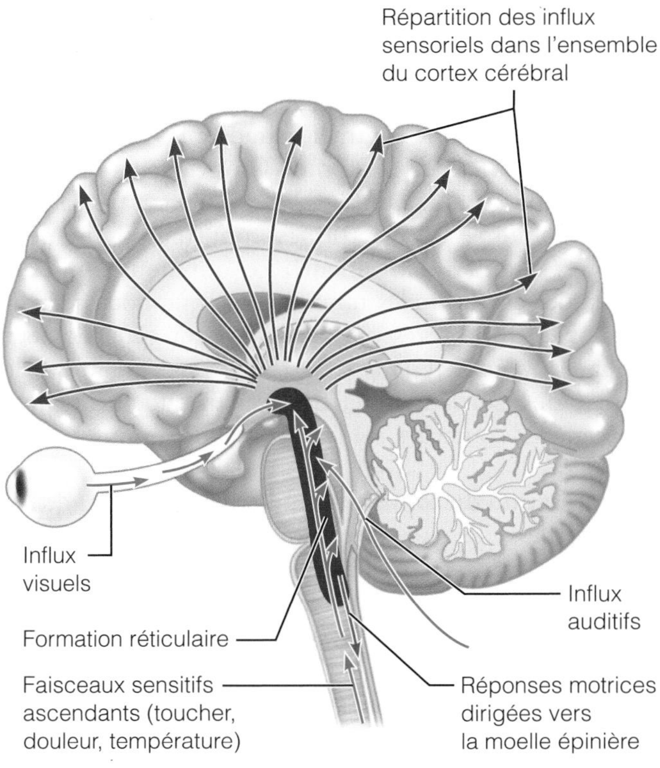
Répartition des influx sensoriels dans l'ensemble du cortex cérébral
Influx visuels
Formation réticulaire
Faisceaux sensitifs ascendants (toucher, douleur, température)
Influx auditifs
Réponses motrices dirigées vers la moelle épinière

Figure 7.27 **La formation réticulaire**

La formation réticulaire s'étend le long du tronc cérébral. Une portion de la formation réticulaire, le système réticulaire activateur ascendant, maintient le cortex cérébral en état de veille. Les flèches ascendantes représentent les influx sensitifs qui parviennent au système réticulaire activateur ascendant et les influx réticulaires acheminés au cortex cérébral par l'intermédiaire de noyaux thalamiques. D'autres noyaux réticulaires jouent un rôle dans la coordination de l'activité des muscles squelettiques. Leurs commandes motrices sont indiquées par la flèche rouge qui descend du tronc cérébral.

blanche. Les axones de ces neurones forment trois larges colonnes le long du tronc cérébral.

Les neurones de la formation réticulaire rejoignent, par leurs connexions axonales étendues, des cellules de l'hypothalamus, du thalamus, du cervelet et de la moelle épinière. De ce fait, ils sont particulièrement aptes à gouverner l'excitation de l'encéphale dans son ensemble. Certaines cellules réticulaires, à moins que d'autres régions cérébrales ne les inhibent, envoient un courant continu d'influx nerveux au cortex cérébral, ce qui maintient ce dernier en état de veille et augmente son excitabilité. Cette « branche » de la formation réticulaire est appelée **système réticulaire activateur ascendant**. Les influx provenant de tous les grands faisceaux sensitifs ascendants parviennent aux neurones de ce système, les gardant ainsi en activité et augmentant leur effet excitateur sur le cerveau. Le système réticulaire activateur ascendant sert aussi de filtre à cet afflux d'information sensorielle. Il ne laisse parvenir à la conscience que les influx inusités, importants ou intenses. Par exemple, vous n'êtes probablement pas dérangé par le ronronnement du réfrigérateur, mais, quand celui-ci cesse, vous le remarquez. Le système réticulaire activateur ascendant et le cortex cérébral négligent sans doute 99 % des stimulus sensoriels enregistrés par nos récepteurs. S'il n'en était pas ainsi, la surcharge sensorielle viendrait à bout de notre raison.

Le système réticulaire activateur ascendant est inhibé par les centres du sommeil situés dans l'hypothalamus et dans d'autres régions de l'encéphale ; l'alcool, les somnifères et les tranquillisants réduisent son activité. Les lésions graves de ce système entraînent une inconscience permanente (un *coma* irréversible).

La formation réticulaire a aussi une « branche » *motrice*. En effet, certains de ses noyaux moteurs sont reliés à des neurones moteurs de la moelle épinière par l'intermédiaire des *tractus réticulospinaux* et contribuent à régir les muscles squelettiques pendant les mouvements amples des membres. D'autres noyaux moteurs de la formation réticulaire, tels les centres vasomoteur, cardiaque et respiratoire du bulbe rachidien, sont des centres autonomes qui régissent les fonctions motrices des muscles lisses des viscères et du muscle cardiaque.

LES FONCTIONS MENTALES SUPÉRIEURES

Les ondes cérébrales, qui témoignent de l'activité électrique sur laquelle reposent les fonctions mentales supérieures, sont présentées dans l'encadré « Gros plan », p. 291-292. Nous traiterons ici du sommeil, puis de la mémoire, un domaine où nous devons encore nous en remettre à des hypothèses ou à des conjectures.

Le sommeil et le cycle veille-sommeil

Le **sommeil** se définit comme une inconscience partielle à laquelle on peut mettre fin par une stimulation. Sa relative précarité le distingue du *coma*, état d'inconscience qui *résiste* aux stimulus les plus vigoureux. Bien que l'activité corticale diminue pendant le sommeil, certaines fonctions régies par des noyaux du tronc cérébral subsistent, notamment la régulation de la respiration, de la fréquence cardiaque et de la pression artérielle. Le dormeur conserve même un certain contact avec l'environnement, puisque des stimulus forts (des bruits dans la nuit) le réveillent.

Les types de sommeil Les deux principaux types de sommeil, qui alternent durant la majeure partie du cycle du sommeil, sont le **sommeil lent** (**SL**) et le **sommeil paradoxal** (**SP**). Les types de sommeil sont déterminés par les ondes enregistrées sur les tracés électroencéphalographiques. Pendant les 30 à 45 minutes suivant l'endormissement, on distingue quatre stades de sommeil de plus en plus profond qui constituent le sommeil lent (tableau 7.2), au cours duquel la fréquence des ondes cérébrales diminue, tandis que leur amplitude augmente.

Environ 90 minutes après l'endormissement, une fois achevé le stade 4 du sommeil lent, le tracé électroencéphalographique change de façon soudaine. Il devient très irrégulier et semble rétrograder rapidement à travers les différents stades jusqu'à l'apparition des ondes alpha (généralement associées plutôt à l'état de veille) annonciatrices du sommeil paradoxal. Ce changement s'accompagne d'une augmentation de la température corporelle, de la consommation d'oxygène et de glucose, et de diverses autres modifications physiologiques. Chez l'adolescent et l'homme adulte, les épisodes de sommeil paradoxal sont fréquemment associés à l'érection.

Bien que les yeux se déplacent rapidement sous les paupières pendant le sommeil paradoxal – aussi appelé, de ce fait, *sommeil MOR* (pour « mouvements oculaires rapides », ou *REM*, pour *rapid eye movement*) –, la plupart des muscles squelettiques sont temporairement paralysés (inhibés activement), ce qui nous empêche d'effectuer en réalité les mouvements que nous accomplissons en rêve, rêves qui se produisent généralement pendant le sommeil paradoxal. (Notez cependant que la plupart des cauchemars et des terreurs nocturnes surviennent au cours des stades 3 et 4 du sommeil lent.)

L'organisation du sommeil L'alternance du sommeil et de l'état de veille suit un rythme naturel de 24 heures, le *rythme circadien*. À l'état de veille, la vigilance du cortex cérébral (le « cerveau conscient ») dépend des influx qui lui parviennent du *système réticulaire activateur*

Tableau 7.2 Les types et les stades du sommeil

Sommeil lent		
Stade 1		Les yeux sont fermés et la détente commence. Les pensées vont et viennent, et la sensation de flotter se fait sentir (état hypnagogique). Les signes vitaux (température corporelle, respiration, pouls et pression artérielle) sont normaux. Le tracé électroencéphalographique montre des ondes alpha qui sont graduellement remplacées par des ondes thêta. L'éveil est immédiat en cas de stimulation. Ce stade n'apparaît qu'une fois au début de la nuit ; on ne le rencontre plus par la suite.
Stade 2		Le tracé électroencéphalographique devient irrégulier ; les *fuseaux du sommeil* (bouffées d'ondes à fréquence rapide, soudaines et de forte amplitude, de 12 à 14 Hz) apparaissent, et le réveil est plus difficile.
Stade 3		Le sommeil s'approfondit et les ondes delta apparaissent. Les signes vitaux commencent à s'abaisser, et les muscles squelettiques sont très décontractés. Le rêve est fréquent. Ce stade est généralement atteint 20 minutes environ après le début du stade 1.
Stade 4		Le tracé électroencéphalographique est dominé par les ondes delta (de 1 à 4 Hz), d'où le terme *sommeil lent*. Les signes vitaux atteignent leurs niveaux normaux les plus bas, et la motilité digestive (l'activité des muscles lisses du tube digestif) s'accroît. Les muscles squelettiques sont décontractés, mais les dormeurs normaux changent de position toutes les 20 minutes environ. Le réveil est difficile. L'énurésie et le somnambulisme surviennent pendant cette phase.
Sommeil paradoxal		
		Le tracé électroencéphalographique repasse par tous les stades du sommeil lent, jusqu'au stade 1. Les signes vitaux s'intensifient et l'activité digestive diminue. Les muscles squelettiques (sauf les muscles oculaires) sont inhibés. C'est le stade où se produisent la plupart des rêves.

ascendant (voir la figure 7.27). Lorsque l'activité de ce système diminue, celle du cortex cérébral diminue également; c'est ce qui explique pourquoi les lésions de certains noyaux du système réticulaire activateur ascendant entraînent l'inconscience. Cependant, le sommeil ne se réduit pas à la « mise hors tension » du mécanisme d'excitation de ce système. Les centres du système réticulaire activateur ascendant non seulement contribuent au maintien de l'état de veille, mais ils sont aussi à l'origine de certains stades du sommeil, particulièrement du stade du rêve. Ce sont les noyaux de l'hypothalamus qui fixent l'ordre dans lequel se déroulent les stades du sommeil.

Au début et au milieu de l'âge adulte, la nuit de sommeil type est faite d'une alternance de périodes de sommeil lent et de périodes de sommeil paradoxal. Son déroulement pourrait se résumer ainsi: 1) endormissement, 2) stades 1 à 4 du sommeil lent, 3) sommeil paradoxal, 4) stades 2 à 4 du sommeil lent, 5) sommeil paradoxal. Par la suite, les étapes 4 et 5 se répètent. Il y a quatre ou cinq périodes de sommeil paradoxal par nuit. Celui-ci recommence toutes les 90 minutes environ, chaque période de ce type de sommeil s'allongeant par rapport à la précédente. La première de la nuit dure de 5 à 10 minutes et la dernière peut durer de 20 à 50 minutes. Par conséquent, les rêves les plus longs ont lieu juste avant le réveil (les rêves se déroulent en temps réel et non en accéléré, comme on le croit souvent). L'éveil se produit lorsque certains neurones de la formation réticulaire atteignent leur activité maximale.

L'importance du sommeil Le sommeil lent, plus particulièrement le stade 4, et le sommeil paradoxal jouent des rôles importants mais distincts. On pense que le stade 4 du sommeil lent constitue le stade réparateur, la période pendant laquelle la plupart des mécanismes nerveux passent à leurs niveaux de base. De fait, à la suite d'un manque de sommeil, le sommeil lent dure plus longtemps qu'en temps normal et il est concentré au début de la nuit, comme si c'était le besoin de ce type de sommeil qu'il fallait d'abord combler.

Les personnes qui sont continuellement privées de sommeil paradoxal présentent une certaine instabilité émotionnelle et divers troubles de la personnalité pouvant aller jusqu'à l'hallucination. Il se peut que le sommeil paradoxal donne au cerveau l'occasion d'analyser les événements de la journée et de s'attaquer par le rêve aux problèmes émotionnels. Certains spécialistes estiment que le sommeil paradoxal est un apprentissage inversé. D'après eux, nous captons sans cesse des messages contingents, répétitifs et absurdes que nous devons éliminer de nos réseaux neuronaux au moyen du rêve pour conserver à notre cerveau sa stabilité et sa vigueur. Autrement dit, nous rêverions pour oublier.

L'alcool et la plupart des somnifères (les barbituriques notamment) diminuent le sommeil paradoxal, mais non le sommeil lent. Par ailleurs, certains tranquillisants, tel le diazépam (Valium), réduisent le sommeil lent bien davantage que le sommeil paradoxal.

L'organisation du sommeil change au cours de la vie. Le sommeil paradoxal occupe environ la moitié du temps de sommeil total chez le nourrisson, puis diminue jusqu'à ce que l'enfant atteigne l'âge de 10 ans. La durée du sommeil paradoxal se stabilise alors à environ 25 %. Par contre, le stade 4 du sommeil lent raccourcit constamment à compter de la naissance et, souvent, il disparaît complètement chez les personnes de plus de 60 ans.

Déséquilibre homéostatique

Les personnes atteintes de **narcolepsie** tombent inopinément endormies au beau milieu de la journée; en général, elles entrent immédiatement dans le sommeil paradoxal. Leurs épisodes de sommeil diurne durent environ 15 minutes, peuvent survenir à tout moment et sont souvent provoqués par des circonstances agréables, qu'il s'agisse d'une bonne plaisanterie, d'une partie de cartes, etc. La cause de ce trouble pourrait être génétique. Par ailleurs, pendant le sommeil nocturne normal, les narcoleptiques ont une durée de sommeil paradoxal beaucoup plus courte que les individus normaux. On peut prévenir la somnolence soudaine par la prise de médicaments qui stimulent la libération de catécholamines. ▲

La mémoire

Le stockage et le rappel d'information ou, plus simplement, la capacité de se souvenir du passé, constituent la **mémoire**. La mémoire est essentielle à l'apprentissage, au façonnement du comportement et à la conscience. En un mot, toute votre vie repose dans les coffres de votre mémoire.

Les stades de la mémoire Le stockage des données s'effectue en deux stades: celui de la mémoire à court terme et celui de la mémoire à long terme (figure 7.28). La **mémoire à court terme**, aussi appelée *mémoire de travail*, est l'antichambre de la mémoire à long terme, l'instrument qui permet de chercher un numéro de téléphone dans l'annuaire, de le composer et de l'oublier à tout jamais. La capacité de la mémoire à court terme est limitée à sept ou huit unités d'information, tels les chiffres d'un numéro de téléphone. On peut cependant

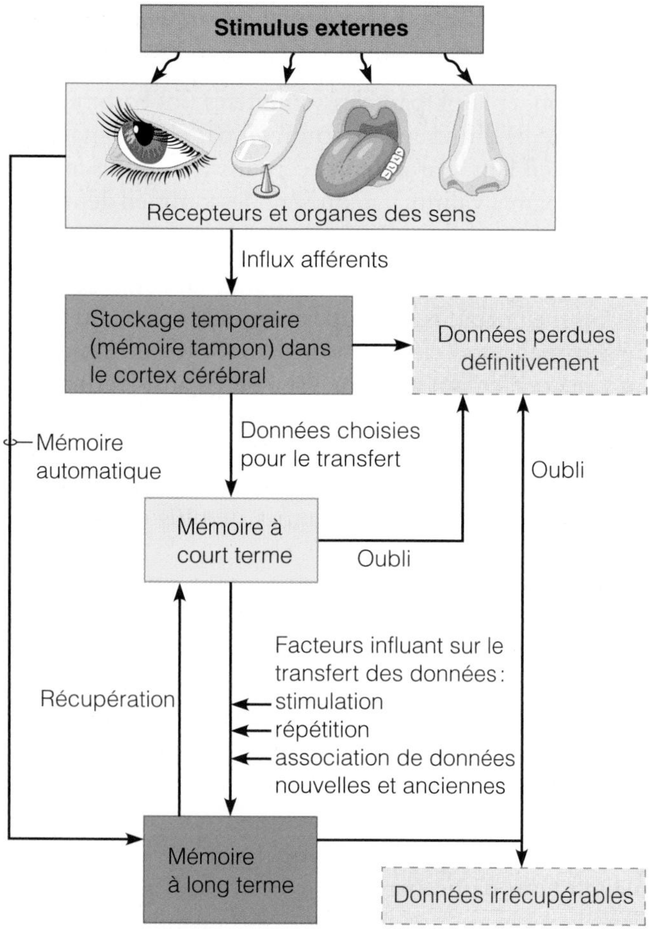
Stimulus externes
Récepteurs et organes des sens
Influx afférents
Stockage temporaire (mémoire tampon) dans le cortex cérébral
Données perdues définitivement
Mémoire automatique
Données choisies pour le transfert
Oubli
Mémoire à court terme
Oubli
Facteurs influant sur le transfert des données :
stimulation
répétition
association de données nouvelles et anciennes
Récupération
Mémoire à long terme
Données irrécupérables

Figure 7.28 **Le traitement mnésique**

Les influx sensitifs sont traités par le cortex cérébral (représenté par l'aire de stockage temporaire), qui choisit ce qui doit être envoyé dans la mémoire à court terme. Certains facteurs, dont la répétition, favorisent le transfert de l'information de la mémoire à court terme à la mémoire à long terme. Pour qu'une trace mnésique devienne permanente dans la mémoire à long terme, il doit y avoir consolidation. Certaines unités d'information qui ne subissent pas de traitement conscient passent directement dans la mémoire à long terme (mémoire automatique) ; elles ne font donc pas intervenir la mémoire à court terme.

augmenter cette capacité de plusieurs façons (en groupant les éléments en unités, par exemple).

Contrairement à la mémoire à court terme, la **mémoire à long terme** semble dotée d'une capacité illimitée. Alors que la mémoire à court terme peut à peine retenir un numéro de téléphone, la mémoire à long terme peut en receler des dizaines. Toutefois, sauf exception (tel ce prodige russe Veniamin [1886-1958], qui pouvait apprendre de longues listes de mots sans rapports les uns avec les autres et les répéter, dans le bon ordre et sans difficulté, plusieurs années plus tard), la capacité de stocker et de récupérer de l'information décline avec les années. Les souvenirs anciens peuvent s'évanouir ou le contenu de la mémoire se modifier au fil du temps.

Nous ne nous rappelons pas la majeure partie des événements qui se déroulent dans notre vie, pas plus d'ailleurs que nous ne les enregistrons consciemment. Notre cortex cérébral traite les influx à mesure qu'ils lui parviennent, et il choisit quelque 5 % de cette information pour la transférer dans la mémoire à court terme (voir la figure 7.28). La mémoire à court terme joue en quelque sorte le rôle d'entrepôt temporaire pour des données que nous conserverons ou non. Plusieurs facteurs influent sur le transfert de l'information de la mémoire à court terme à la mémoire à long terme.

1. **État émotionnel.** Devant un événement bouleversant, le transfert est presque immédiat.
2. **Répétition.** La répétition des données favorise leur stockage.
3. **Association.** Établir des liens entre de nouvelles données et celles qui sont déjà stockées dans la mémoire à long terme semble jouer un rôle très important dans la mémorisation des faits.
4. **Mémoire automatique.** Nous pouvons enregistrer inconsciemment le motif de la cravate d'un conférencier en même temps que le contenu de son exposé.

Les souvenirs transférés dans la mémoire à long terme mettent un certain temps à devenir permanents. La **consolidation mnésique** consiste apparemment à classer des données nouvelles dans les diverses catégories de connaissances déjà établies dans le cortex cérébral. Le sommeil (paradoxal) aurait un rôle à jouer dans ce travail de rangement, mais cela exige que l'information ait été préalablement acquise. (On ne peut remplacer une période d'étude par l'« écoute » d'une cassette durant le sommeil.)

Les catégories de la mémoire Le cerveau fait la distinction entre les connaissances factuelles et les habiletés, et il les traite et les emmagasine différemment. La **mémoire déclarative** (**mémoire des faits et des événements**) est associée à l'apprentissage de données explicites telles que des noms, des visages, des mots et des dates. Elle est liée à nos pensées conscientes et à notre capacité de manier les symboles et le langage. Lorsqu'ils sont transférés dans la mémoire à long terme, les souvenirs factuels sont généralement classés avec les autres éléments du contexte dans lequel ils ont été formés. Ainsi, lorsque vous pensez à votre nouvel ami Luc, vous le voyez sans doute à la partie de hockey où vous l'avez rencontré.

La **mémoire procédurale** passe par un apprentissage moins conscient et elle concerne généralement des activités motrices. L'exercice est le seul moyen de retenir une habileté. La mémoire procédurale n'enregistre pas les circonstances dans lesquelles une habileté a été acquise ; en fait, c'est en exerçant une habileté motrice que nous la mémorisons. Ainsi, vous n'avez pas à réfléchir pour nouer vos lacets. Une fois qu'une habileté est acquise, il est difficile de s'en débarrasser. Certains scientifiques considèrent que la mémoire procédurale fait partie d'une catégorie plus vaste (qu'ils appellent *mémoire non déclarative*), laquelle comprendrait aussi la mémoire des réponses comportementales.

Les structures cérébrales associées à la mémoire Les recherches montrent que les deux catégories de la mémoire font intervenir différentes structures cérébrales. Apparemment, le cerveau emmagasine des éléments précis de chaque souvenir près des régions qui en ont besoin afin d'associer rapidement les nouveaux influx aux anciens. Ainsi, les souvenirs visuels seraient stockés dans le cortex occipital, les souvenirs musicaux dans le cortex temporal, et ainsi de suite.

Mais comment les liens s'effectuent-ils ? Hypothétiquement, l'information suit le trajet illustré à la figure 7.29a. Lorsqu'une perception sensorielle se forme dans le cortex sensitif, les neurones corticaux distribuent les influx dans deux réseaux parallèles destinés à l'hippocampe et au corps amygdaloïde, qui jouent un rôle majeur dans la consolidation mnésique et l'accès aux souvenirs, et ont chacun des connexions avec le diencéphale, le télencéphale ventral et le cortex préfrontal. Le télencéphale ventral ferme ensuite la boucle de la mémoire en renvoyant les influx aux aires sensitives qui avaient initialement formé la perception. On pense que cette rétroaction réitérée transforme la perception en un souvenir relativement durable. Plus tard, le souvenir récent pourra resurgir à l'occasion d'une stimulation des mêmes neurones corticaux.

Au cours de l'exécution d'une tâche, il semble que l'intervention du cortex préfrontal soit nécessaire à la récupération de l'information entreposée dans la mémoire à long terme, ailleurs dans le cerveau. L'hippocampe est affecté à la surveillance des réseaux de neurones qui contribuent à l'apprentissage et à la mémorisation des relations spatiales. Le corps amygdaloïde, grâce à ses nombreux liens avec toutes les aires sensitives, le thalamus et les centres de l'hypothalamus qui régissent la réponse émotionnelle, associerait les souvenirs formés par l'entremise de différents sens et les relierait aux états émotionnels engendrés dans l'hypothalamus.

Il semble qu'on puisse provoquer l'oubli volontaire d'un souvenir malheureux (ce qui permettrait de traiter les syndromes de stress post-traumatique ou les phobies, par exemple) ; le processus prendrait alors son origine dans le cortex préfrontal qui, en contrôlant l'aire visuelle, le thalamus, l'hippocampe et l'amygdale, les réduirait au silence.

Déséquilibre homéostatique

Les lésions de l'hippocampe ou du corps amygdaloïde n'entraînent qu'une légère perte de mémoire, mais la destruction bilatérale des deux structures cause une amnésie répandue. Les souvenirs consolidés subsistent, mais les nouveaux influx sensitifs ne peuvent être associés aux anciens, et la personne atteinte vit littéralement dans l'instant présent. Ce phénomène est appelé *amnésie antérograde*, et il se distingue de l'*amnésie rétrograde*, qui consiste en une perte des souvenirs formés dans le passé lointain. Une personne atteinte d'amnésie antérograde peut soutenir avec vous une conversation animée et vous avoir oublié (ou oubliée) cinq minutes plus tard. ▲

Les personnes atteintes d'amnésie antérograde peuvent quand même acquérir des habiletés sensorimotrices ou apprendre des règles de raisonnement (mémoire procédurale). Des chercheurs en ont déduit l'existence d'un second réseau d'apprentissage, indépendant des voies servant à la mémoire déclarative (figure 7.29b). Lorsqu'il est activé par des influx sensitifs, le cortex cérébral signale au corps strié son intention de mobiliser la mémoire procédurale. Le corps strié communique ensuite avec au moins un des noyaux du tronc cérébral et avec le cortex afin de déclencher le mouvement désiré. Par conséquent, le corps strié constitue le lien entre un stimulus perçu et une réponse motrice. Le cervelet joue aussi un rôle dans la mémoire procédurale.

Les mécanismes de la mémoire La mémoire humaine est un sujet d'étude difficile, mais les résultats expérimentaux révèlent que, durant l'apprentissage, 1) la teneur en acide ribonucléique (ARN) des neurones est modifiée et des molécules d'ARNm nouvellement synthétisées sont expédiées aux axones et aux dendrites, 2) des protéines extracellulaires spéciales se déposent dans les synapses contribuant à la mémoire à long terme, 3) les terminaisons présynaptiques peuvent se multiplier et grossir, 4) la libération de neurotransmetteurs par les neurones présynaptiques augmente et 5) de nouveaux neurones apparaissent dans l'hippocampe qui semblent jouer un rôle dans le minutage des réponses apprises.

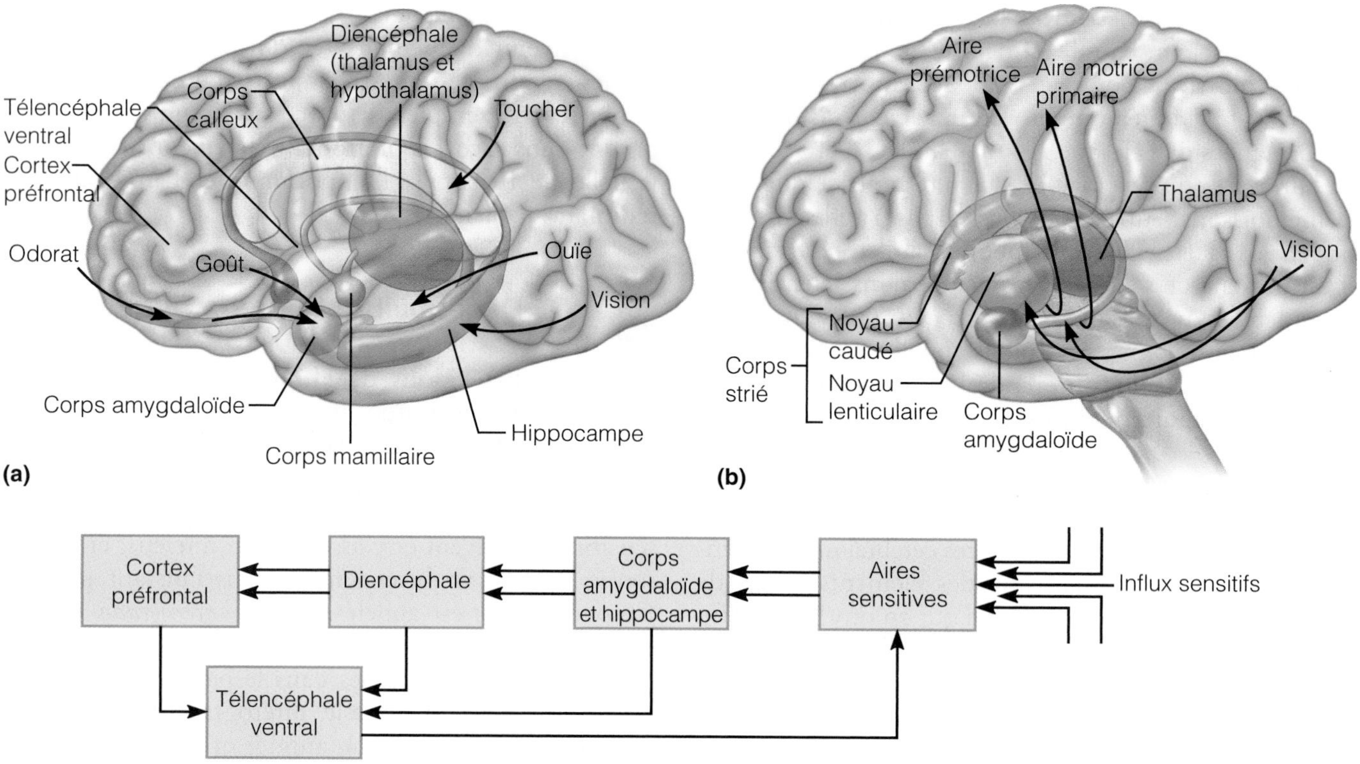
Diencéphale (thalamus et hypothalamus)
Corps calleux
Télencéphale ventral
Cortex préfrontal
Toucher
Odorat
Goût
Ouïe
Vision
Corps amygdaloïde
Corps mamillaire
Hippocampe
(a)
Aire prémotrice
Aire motrice primaire
Thalamus
Vision
Corps strié
Noyau caudé
Noyau lenticulaire
Corps amygdaloïde
(b)
Cortex préfrontal
Diencéphale
Corps amygdaloïde et hippocampe
Aires sensitives
Influx sensitifs
Télencéphale ventral

Figure 7.29 **Les réseaux hypothétiques du traitement mnésique**

(a) Structures renfermant les réseaux de neurones de la mémoire déclarative. L'organigramme indique l'enchaînement des interactions probables de ces structures dans le processus de mémorisation. Les influx sensitifs provenant du cortex empruntent des réseaux parallèles, dont l'un se rend à l'hippocampe et l'autre au corps amygdaloïde. Ces deux réseaux de neurones passent dans des parties du diencéphale, du télencéphale ventral et du cortex préfrontal. Le télencéphale ventral renvoie l'information au cortex sensitif, ce qui ferme la boucle de la mémoire. **(b)** Principales structures intervenant dans la mémoire procédurale. Le corps strié permet au cerveau d'engendrer une réponse (motrice) musculaire squelettique, automatique ou semi-automatique, à la suite d'un stimulus (ici visuel).

LA PROTECTION DU SYSTÈME NERVEUX CENTRAL

Le tissu nerveux est mou et fragile : une pression même légère peut endommager les neurones irremplaçables dont il est composé. La nature a cependant veillé à la protection de l'encéphale et de la moelle épinière en les abritant avec des os (le crâne et la colonne vertébrale), des membranes (les méninges) et un coussin aqueux (le liquide cérébrospinal). Le SNC est également protégé des substances nuisibles présentes dans le sang par ce qu'on appelle la *barrière hématoencéphalique.* Puisque nous avons déjà décrit le crâne au chapitre 5, nous nous pencherons ici sur les autres protections du SNC.

Les méninges

Les **méninges** sont trois membranes de tissu conjonctif qui recouvrent et protègent les structures du SNC (figure 7.30). La plus superficielle, la **dure-mère**, a la texture du cuir. Elle est composée de deux couches là où elle entoure l'encéphale. Sa couche *externe* adhère à la surface interne du crâne et en constitue le périoste. Sa couche *interne* compose l'enveloppe la plus externe de l'encéphale ; elle se prolonge en formant la dure-mère spinale qui protège la moelle épinière. Les deux couches de la dure-mère sont soudées, sauf en trois endroits où elles se séparent pour envelopper les *sinus de la dure-mère*, qui recueillent le sang veineux de l'encéphale.

La couche interne de la dure-mère s'enfonce à plusieurs endroits dans l'encéphale et forme des cloisons plates qui fixent celui-ci au crâne. L'une de ces cloisons, la **faux du cerveau**, apparaît dans la figure 7.30a. La **tente du cervelet** est une autre de ces cloisons : elle sépare le cervelet du cerveau (voir les figures 7.30b et 7.31c).

La méninge intermédiaire est appelée **arachnoïde**, car elle ressemble à une toile d'araignée (voir la figure 7.30). Ses prolongements filamenteux composés de fibres

Q Qu'adviendrait-il si les villosités arachnoïdes étaient obstruées ?

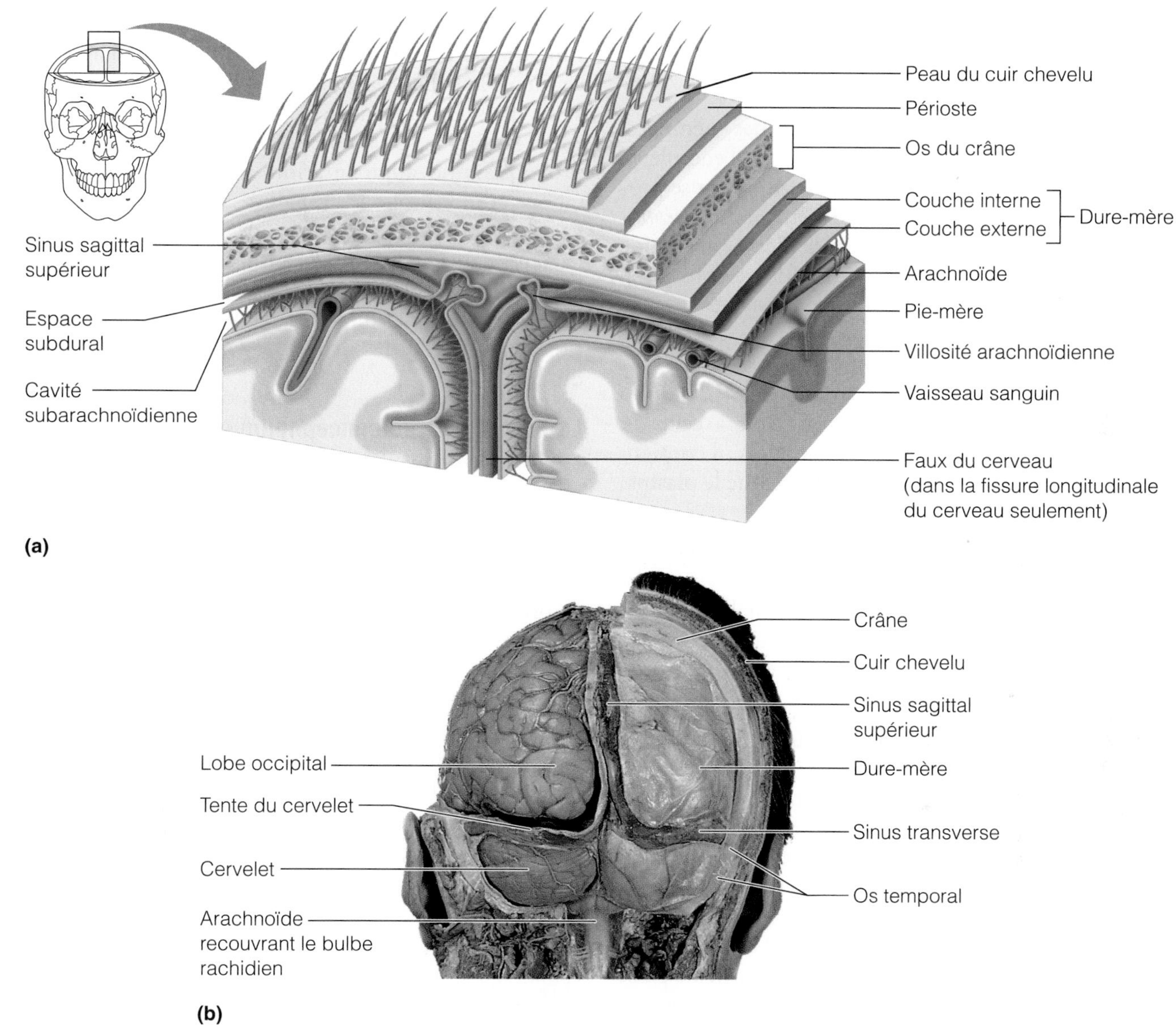
Peau du cuir chevelu
Périoste
Os du crâne
Couche interne
Couche externe
Dure-mère
Arachnoïde
Pie-mère
Villosité arachnoïdienne
Vaisseau sanguin
Faux du cerveau (dans la fissure longitudinale du cerveau seulement)
Sinus sagittal supérieur
Espace subdural
Cavité subarachnoïdienne
(a)
Crâne
Cuir chevelu
Sinus sagittal supérieur
Dure-mère
Sinus transverse
Os temporal
Lobe occipital
Tente du cervelet
Cervelet
Arachnoïde recouvrant le bulbe rachidien
(b)

Figure 7.30 Les méninges

(a) Coupe frontale en trois dimensions montrant les méninges (la dure-mère, l'arachnoïde et la pie-mère), qui entourent et protègent l'encéphale. Le schéma révèle aussi la position de la dure-mère par rapport à la faux du cerveau et au sinus sagittal supérieur. **(b)** Vue postérieure de l'encéphale *in situ*, entouré (à droite) de la dure-mère.

collagènes s'étendent dans la **cavité subarachnoïdienne** pour la rattacher à la méninge la plus profonde, la **pie-mère**. Délicate et contenant de nombreux petits vaisseaux sanguins, celle-ci adhère fermement à la surface de l'encéphale et de la moelle épinière en en épousant tous les replis.

R Il y aurait formation d'une hydrocéphalie. L'accumulation du liquide cérébrospinal (devenu incapable de passer dans les sinus de la dure-mère) ferait gonfler les ventricules.

La cavité subarachnoïdienne est remplie de liquide cérébrospinal ; elle loge les artères et les veines qui irriguent l'encéphale. Des prolongements spécialisés de l'arachnoïde, appelés **villosités arachnoïdiennes**, pénètrent dans la dure-mère. Ces villosités font passer le liquide cérébrospinal dans le sang veineux des sinus de la dure-mère.

Déséquilibre homéostatique

La *méningite*, l'inflammation des méninges, constitue une menace grave pour l'encéphale. En effet, la méningite virale ou bactérienne peut se propager au tissu nerveux du SNC et dégénérer en *encéphalite*. On diagnostique habituellement la méningite à l'aide de l'examen d'un échantillon de liquide cérébrospinal prélevé dans la cavité subarachnoïdienne. ▲

Le liquide cérébrospinal

Le **liquide cérébrospinal** (**LCS**) est un « bouillon » aqueux dont la composition est semblable à celle du plasma sanguin, duquel il est issu. Toutefois, il contient moins de protéines et plus de vitamine C que le plasma, et sa concentration ionique est différente.

Le LCS est élaboré par les plexus choroïdes, des amas de capillaires qui pendent du toit de chaque ventricule. Situé à l'intérieur et autour de l'encéphale et de la moelle épinière, il forme un coussin aqueux qui protège le fragile tissu nerveux des coups et autres traumatismes (figure 7.31).

Le LCS circule continuellement à l'intérieur de l'encéphale (voir la figure 7.31c). Il va des deux ventricules latéraux (grandes cavités symétriques en forme de C, une dans chaque hémisphère cérébral) jusqu'au troisième ventricule (fente verticale étroite située dans le diencéphale), puis traverse l'aqueduc cérébral du mésencéphale pour entrer dans le quatrième ventricule, à l'arrière du pont et du bulbe rachidien (voir la figure 7.31a et b). Une partie du liquide qui atteint le quatrième ventricule passe dans le **canal central** de la moelle épinière, mais la majeure partie pénètre dans la **cavité subarachnoïdienne** par trois ouvertures de la paroi du quatrième ventricule. Le liquide retourne dans le sang en passant par les villosités arachnoïdiennes des sinus de la dure-mère. Habituellement, la production et le drainage du LCS se font à une vitesse régulière, si bien que sa pression et son volume (150 mL) sont constants. Tout changement marqué de la composition du LCS (ou encore l'apparition de globules sanguins dans ce liquide) peut constituer un signe de la méningite ou d'autres troubles cérébraux (comme les tumeurs et la sclérose en plaques). Pour analyser le LCS, on en prélève un échantillon en procédant à une *ponction lombaire*. Comme le prélèvement abaisse la pression du liquide cérébrospinal, le patient doit demeurer couché durant 6 à 12 heures après l'intervention afin d'éviter une « céphalée spinale » extrêmement pénible.

Déséquilibre homéostatique

Le LCS peut s'accumuler et exercer une pression sur l'encéphale si quelque chose (une tumeur, par exemple) fait obstacle à son drainage. C'est ce qu'on appelle l'*hydrocéphalie* (signifiant littéralement « eau dans le cerveau »). Chez le nouveau-né, dont les os de la tête ne sont pas encore soudés, l'hydrocéphalie provoque une augmentation du volume de celle-ci. Chez l'adulte, dont le crâne est rigide, l'hydrocéphalie va plutôt entraîner des lésions cérébrales. En effet, l'accumulation de liquide écrase le fragile tissu nerveux. L'hydrocéphalie se traite par l'insertion dans les ventricules d'une dérivation par valve (sorte de tube en plastique) qui draine le surplus de liquide dans une veine du cou. ▲

La barrière hématoencéphalique

Le tissu nerveux de l'encéphale est, de tous les tissus de l'organisme, celui qui a le plus besoin d'un milieu interne absolument constant pour bien fonctionner. Les autres tissus peuvent tolérer les légères variations des concentrations d'hormones, d'ions et de nutriments qui se produisent sans cesse, surtout après les repas et les périodes d'activité physique. Si l'encéphale était soumis à de telles fluctuations chimiques, l'activité nerveuse se déréglerait. Rappelez-vous en effet que les ions sodium (Na^+) et potassium (K^+) participent au déclenchement des influx nerveux; en outre, certains acides aminés servent de neurotransmetteurs. Par conséquent, les neurones sont séparés des substances contenues dans le sang par la **barrière hématoencéphalique**, mécanisme de protection composé des capillaires les *moins* perméables de l'organisme (les cellules de leur paroi sont unies par des jonctions serrées). Parmi les substances hydrosolubles, seuls l'eau, le glucose et les acides aminés essentiels franchissent facilement les parois de ces capillaires. Les déchets du métabolisme, comme l'urée, les toxines, les protéines et la plupart des médicaments, ne peuvent pénétrer dans le tissu cérébral. Les acides aminés non essentiels et les ions K^+ ne peuvent entrer dans l'encéphale et, de plus, ils en sont activement éjectés et renvoyés dans le sang à travers la paroi des capillaires. L'étanchéité de la barrière est favorisée par les « pieds » bulbeux des astrocytes fixés aux capillaires, mais elle est surtout assurée par la relative imperméabilité des capillaires.

La barrière hématoencéphalique est à toutes fins utiles impuissante contre les lipides, les gaz respiratoires et les autres molécules liposolubles qui diffusent facilement à travers toutes les membranes plasmiques. C'est pourquoi l'alcool, la nicotine et les anesthésiques circulant dans le sang peuvent affecter le fonctionnement des neurones de l'encéphale.

Q Pourquoi les ventricules latéraux sont-ils arqués et non droits comme les troisième et quatrième ventricules ?

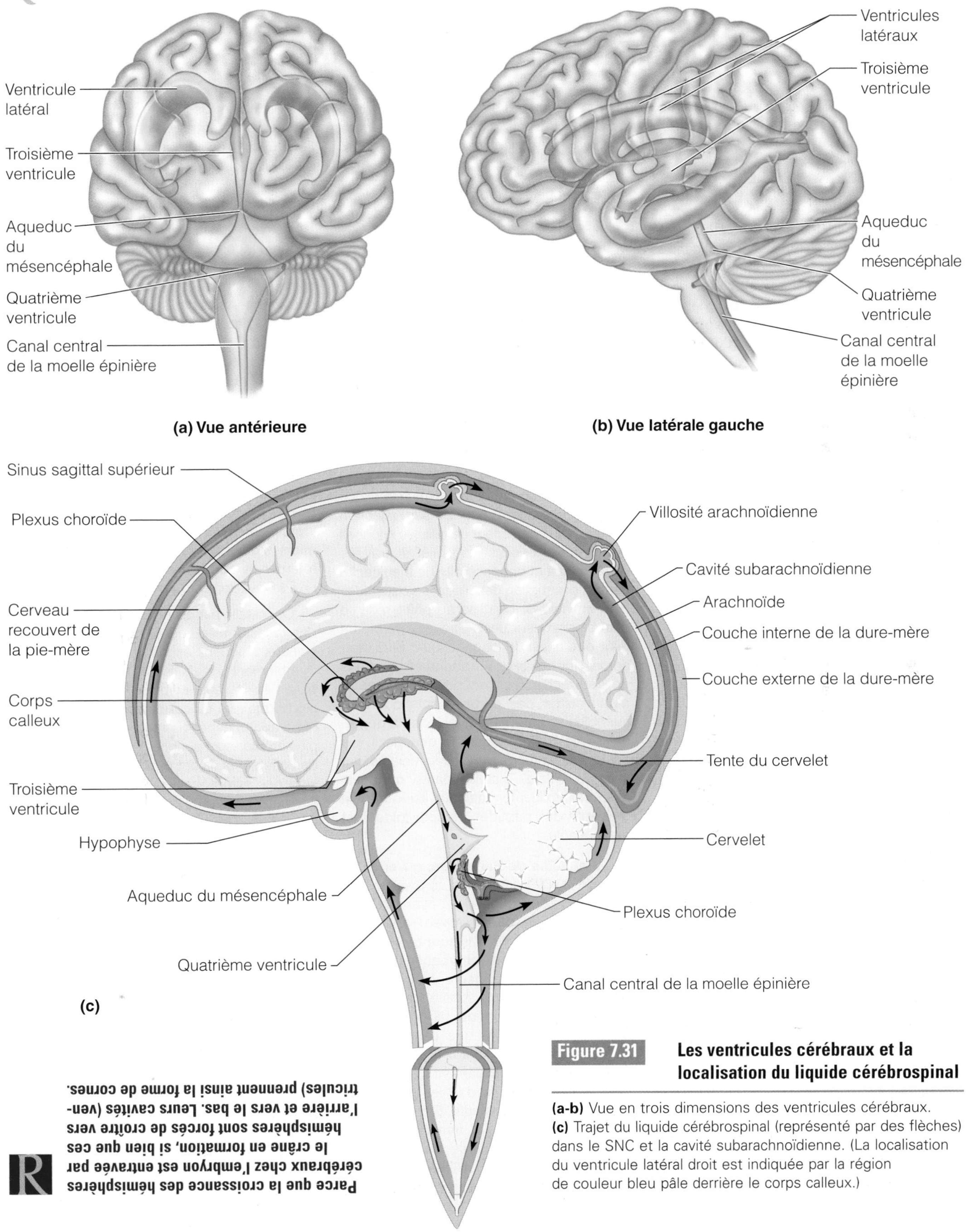
Ventricule latéral
Troisième ventricule
Aqueduc du mésencéphale
Quatrième ventricule
Canal central de la moelle épinière
(a) Vue antérieure
Ventricules latéraux
Troisième ventricule
Aqueduc du mésencéphale
Quatrième ventricule
Canal central de la moelle épinière
(b) Vue latérale gauche
Sinus sagittal supérieur
Plexus choroïde
Cerveau recouvert de la pie-mère
Corps calleux
Troisième ventricule
Hypophyse
Aqueduc du mésencéphale
Quatrième ventricule
(c)
Villosité arachnoïdienne
Cavité subarachnoïdienne
Arachnoïde
Couche interne de la dure-mère
Couche externe de la dure-mère
Tente du cervelet
Cervelet
Plexus choroïde
Canal central de la moelle épinière

Figure 7.31 **Les ventricules cérébraux et la localisation du liquide cérébrospinal**

(a-b) Vue en trois dimensions des ventricules cérébraux. **(c)** Trajet du liquide cérébrospinal (représenté par des flèches) dans le SNC et la cavité subarachnoïdienne. (La localisation du ventricule latéral droit est indiquée par la région de couleur bleu pâle derrière le corps calleux.)

R **Parce que la croissance des hémisphères cérébraux chez l'embryon est entravée par le crâne en formation, si bien que ces hémisphères sont forcés de croître vers l'arrière et vers le bas. Leurs cavités (ventricules) prennent ainsi la forme de cornes.**

GROS PLAN La maladie d'Alzheimer, la maladie de Parkinson et la chorée de Huntington, un triple fléau

Nous connaissons tous des personnes qui combattent l'une ou l'autre des trois plus redoutables maladies dégénératives du SNC.

La **maladie d'Alzheimer** est une maladie dégénérative de l'encéphale qui conduit à la démence (détérioration mentale). Près de la moitié de la clientèle des centres d'hébergement pour personnes âgées est constituée de personnes souffrant de la maladie d'Alzheimer. De 5 à 15 % des plus de 65 ans sont atteints, et jusqu'à 50 % des plus de 85 ans en meurent. En 2007, on estimait le nombre de personnes touchées à 800 000 en France et à 100 000 au Québec.

La maladie d'Alzheimer se caractérise par une perte de mémoire (des événements récents particulièrement), la réduction de la durée de l'attention, la désorientation et, dans les derniers stades de la maladie, l'incapacité à reconnaître les personnes et la perte du langage. Des personnes faciles à vivre deviennent en quelques années irritables, maussades, désorientées, parfois violentes, et finissent par avoir des hallucinations.

La maladie d'Alzheimer est associée à un déficit en acétylcholine (ACh) et à des changements structuraux de l'encéphale, en particulier dans les régions régissant la cognition et la mémoire. C'est ainsi qu'on observe un rétrécissement des gyrus et une atrophie de l'encéphale. La cause exacte est inconnue, mais la maladie semble avoir une composante héréditaire dans certains cas.

L'examen microscopique du tissu cérébral révèle des dépôts anormaux de protéines (amas de cellules et de neurofibres dégénérées autour d'un *noyau de peptides bêta-amyloïdes*), qui encombrent l'encéphale comme des éclats d'obus entre les neurones. On y voit aussi des *enchevêtrements neurofibrillaires* (des fibres entortillées dans le corps cellulaire des neurones). Les chercheurs ont eu la plus grande difficulté à déterminer comment les peptides bêta-amyloïdes peuvent agir comme une neurotoxine, car ces molécules se rencontrent également dans les cellules cérébrales saines (bien qu'en moindres quantités). On ne comprend pas encore ce qui dérègle la machine et favorise la surproduction de peptides bêta-amyloïdes. On sait toutefois que ce petit peptide cause ses ravages en augmentant l'afflux de Ca^{2+} dans certains neurones et que sa présence entraîne la libération de radicaux libres qui représentent toujours une menace pour les cellules.

Les chercheurs ont aussi étudié une protéine appelée *tau* dont le rôle, semblable à celui des dormants d'un chemin de fer, serait de relier les «rails» que constituent les microtubules. Dans l'encéphale des individus atteints de la maladie d'Alzheimer, tau cesse de stabiliser les microtubules et s'attache à d'autres molécules tau, formant ainsi des enchevêtrements neurofibrillaires. Cette dégénérescence s'installe au cours d'une période de quelques années pendant laquelle les proches de la personne atteinte la voient lentement «diminuer». Le processus est long et douloureux. On peut espérer que les recherches, en particulier celles qui concernent les cellules souches, convergeront un jour et aboutiront à la découverte d'un traitement. Une des pistes de recherche actuelles porte sur l'injection de microglies provenant de cellules souches de la moelle osseuse du sujet et traitées génétiquement pour accroître leur efficacité dans la destruction des plaques de peptides bêta-amyloïdes. La mise au point récente d'un biomarqueur des «plaques» permettra peut-être aussi de diagnostiquer plus rapidement la maladie. En attendant les fruits de ces recherches, on doit se contenter d'administrer des médicaments qui atténuent les symptômes en inhibant la dégradation de l'ACh, comme le donépézil. On peut aussi tenter de prévenir la maladie, par exemple à l'aide d'antioxydants, qui pourraient neutraliser les radicaux libres dont la présence des peptides bêtaamyloïdes est responsable.

La **maladie de Parkinson**, qui en 2007 touchait 25 000 personnes au Québec, est un exemple de trouble des noyaux basaux qui survient le plus souvent chez des personnes dans la cinquantaine et la soixantaine. Elle est provoquée par une dégénérescence des neurones de la substantia nigra (lame de substance grise du pédoncule cérébral) qui libèrent de la dopamine. À mesure que ces neurones se détériorent, les noyaux basaux qu'ils approvisionnent normalement en dopamine deviennent hyperactifs, d'où les symptômes bien connus de la maladie. Les personnes atteintes présentent un tremblement persistant au repos (qui se traduit par le hochement de la tête et les mouvements d'émiettement des doigts), marchent inclinées vers l'avant et d'un pas traînant, ont l'expression du visage figée et éprouvent de la difficulté à amorcer les mouvements ou à mettre leurs muscles en marche (bradykinésie).

La cause de la maladie de Parkinson est encore inconnue. La *lévodopa* (L-dopa) qui se transforme en dopamine dans l'organisme est un médicament qui permet de soulager certains des symptômes, mais elle ne guérit pas la maladie et perd de son efficacité au fur et à mesure que se poursuit la destruction des neurones. La lévodopa a en outre des effets indésirables tels que des nausées, des étourdissements et, dans certains cas, des troubles hépatiques. D'autres catégories de substances sont utilisées pour leurs effets qui imitent ceux de la dopamine ou qui inhibent sa destruction. Un médicament plus récent, le déprényl, ralentit quelque peu la détérioration neurologique lorsqu'il est administré aux premiers stades de la maladie. Il peut ainsi retarder de 18 mois la nécessité de recourir à la lévodopa.

On installe parfois un appareil qui envoie des signaux électriques au thalamus. Ces signaux bloquent les influx qui causent les tremblements, mais ils ne procurent guère plus. Les implants cérébraux de substantia nigra fœtale et de cellules de la substantia nigra adulte génétiquement modifiées sont plus prometteurs pour ce qui est de la durée des effets, car ils ont provoqué une régression des symptômes de la maladie. Mais l'utilisation de tissus fœtaux suscite une vive controverse et se heurte à des obstacles d'ordre éthique et juridique.

La **chorée de Huntington** touche 1 personne sur 10 000 au Canada; en France, 6000 personnes en souffrent. C'est une affection héréditaire qui survient généralement à l'âge mûr: le gène anormal est responsable d'une anomalie dans la structure d'une protéine, la huntingtine. Cette anomalie engendre une dégénérescence des noyaux basaux, puis du cortex cérébral. Au début, la maladie se caractérise souvent par des mouvements désordonnés, saccadés et presque continuels dont l'amplitude augmente avec le temps. Contrairement aux apparences, les mouvements anormaux sont involontaires. Dans ses dernières phases, la chorée (d'un mot grec signifiant «danse») de Huntington cause une détérioration

L'acteur américain d'origine canadienne Michael J. Fox, atteint de la maladie de Parkinson

mentale prononcée. La maladie est évolutive et la mort survient au cours des 15 années qui suivent l'apparition des symptômes.

Les signes et les symptômes de la chorée de Huntington se situent à l'opposé de ceux de la maladie de Parkinson (surstimulation plutôt qu'inhibition de l'appareil moteur), et on les traite généralement au moyen de médicaments qui bloquent les effets de la dopamine. On voit bien à quel point les neurotransmetteurs, qui sont le « vocabulaire » des neurones, peuvent brouiller la communication nerveuse lorsqu'ils se dérèglent. Les implants de tissus fœtaux semblent prometteurs pour le traitement de cette affection comme pour celui de la maladie de Parkinson.

LES DYSFONCTIONNEMENTS DE L'ENCÉPHALE

Déséquilibre homéostatique

Les dysfonctionnements qui touchent l'encéphale sont incroyablement variés. Nous en décrivons quelques-uns (voir l'encadré « Gros plan » ci-dessus), et traitons des troubles du développement dans la dernière section du chapitre. Nous nous penchons ici sur les traumatismes de l'encéphale et les accidents vasculaires cérébraux.

Les traumatismes de l'encéphale

Les traumatismes crâniens représentent de 50 à 70 % des morts accidentelles dans les pays industrialisés. Songez par exemple à ce qui peut se produire si votre voiture emboutit l'arrière d'un autre véhicule. Si vous n'avez pas bouclé votre ceinture de sécurité, votre tête sera entraînée vers l'avant, puis brusquement arrêtée dans son mouvement au moment de l'impact avec le pare-brise. Votre encéphale subira des lésions non seulement à l'endroit du choc contre le pare-brise, mais également à l'endroit où il heurtera, par contrecoup, la paroi opposée du crâne.

Une *commotion cérébrale* est causée par un choc peu important. La personne peut être étourdie, « voir des étoiles » ou perdre brièvement connaissance, mais elle ne subit pas d'atteinte neurologique permanente. Par contre, une *contusion cérébrale* se caractérise par une destruction importante du tissu nerveux. Les contusions du cortex n'entraînent pas toujours l'inconscience, tandis que les contusions graves du tronc cérébral provoquent toujours un coma plus ou moins prolongé (de quelques heures à un coma irréversible) en raison des lésions du système réticulaire activateur ascendant.

Des coups portés à la tête peuvent déclencher une *hémorragie intracrânienne* (écoulement de sang de vaisseaux déchirés) ou un *œdème cérébral* (gonflement de l'encéphale par suite de la réaction inflammatoire) parfois mortels. Quand une personne qu'un traumatisme crânien avait laissée lucide commence à présenter des signes de détérioration neurologique, on peut en conclure que le tissu cérébral est comprimé par une hémorragie intracrânienne ou un œdème cérébral.

Les accidents vasculaires cérébraux Après les maladies cardiovasculaires et le cancer, les **accidents vasculaires cérébraux** (AVC), souvent appelés *attaques*, constituent la principale cause de mortalité en Europe et en Amérique du Nord. Ils se produisent lorsqu'un caillot ou la rupture d'un vaisseau sanguin prive une région de l'encéphale d'irrigation sanguine et que le tissu nerveux est détruit. Après un AVC, il est souvent possible de déterminer la région cérébrale atteinte en observant les symptômes du patient. Nous en avons mentionné de nombreux exemples dans la section traitant des aires corticales. Ainsi, c'est vraisemblablement l'aire motrice du lobe frontal droit si le patient est paralysé du côté gauche. L'*aphasie* est fréquemment causée par une lésion de l'hémisphère gauche, siège des aires du langage. L'aphasie est une affection particulièrement pénible, car ses victimes conservent en général toutes leurs facultés intellectuelles. Les lésions cérébrales peuvent aussi entraîner des changements marqués de la personnalité (et, par exemple, faire un sinistre personnage d'un joyeux luron). Le cas échéant, on peut soupçonner que la personne a subi un AVC ou qu'elle présente une tumeur.

Moins du tiers des personnes qui survivent à un AVC sont encore en vie trois ans plus tard. La situation, pourtant, n'est pas désespérée. Certains patients recouvrent au moins une partie de leurs facultés, car les neurones intacts s'étendent jusque dans les régions endommagées et y accomplissent certaines des fonctions que remplissaient les neurones morts. Ce phénomène est à l'origine de la majeure partie du rétablissement après une lésion cérébrale.

De plus, les attaques ne sont pas toutes foudroyantes. Certaines, comme les *accidents ischémiques transitoires* (AIT), prennent la forme d'une diminution temporaire de l'apport sanguin. Elles durent de 5 à 50 minutes et se caractérisent par un engourdissement, une paralysie temporaire et une altération du langage. Ces déficits sont passagers, mais les AIT constituent des avertissements qui préviennent la personne du risque d'accidents plus graves. ▲

LA MOELLE ÉPINIÈRE

La **moelle épinière**, ou moelle spinale, est cylindrique et longue d'environ 42 cm. D'un blanc luisant, elle forme le prolongement du tronc cérébral. Elle achemine les influx qui proviennent de l'encéphale et ceux qui se dirigent vers lui. De plus, elle constitue un important centre réflexe, celui des réflexes spinaux. Enfermée dans la colonne vertébrale, la moelle épinière s'étend du foramen magnum de la tête jusqu'à la première ou à la deuxième vertèbre lombaire, juste sous les côtes (figure 7.32). Comme l'encéphale, elle est protégée par les méninges. Celles-ci ne se terminent pas à la deuxième vertèbre lombaire (L_2), mais se prolongent bien au-delà de l'extrémité inférieure de la moelle épinière dans le canal vertébral. Comme il est impossible d'endommager la moelle épinière au-delà de L_3, on prélève le liquide cérébrospinal à des fins diagnostiques dans la cavité subarachnoïdienne, au-dessous de ce point.

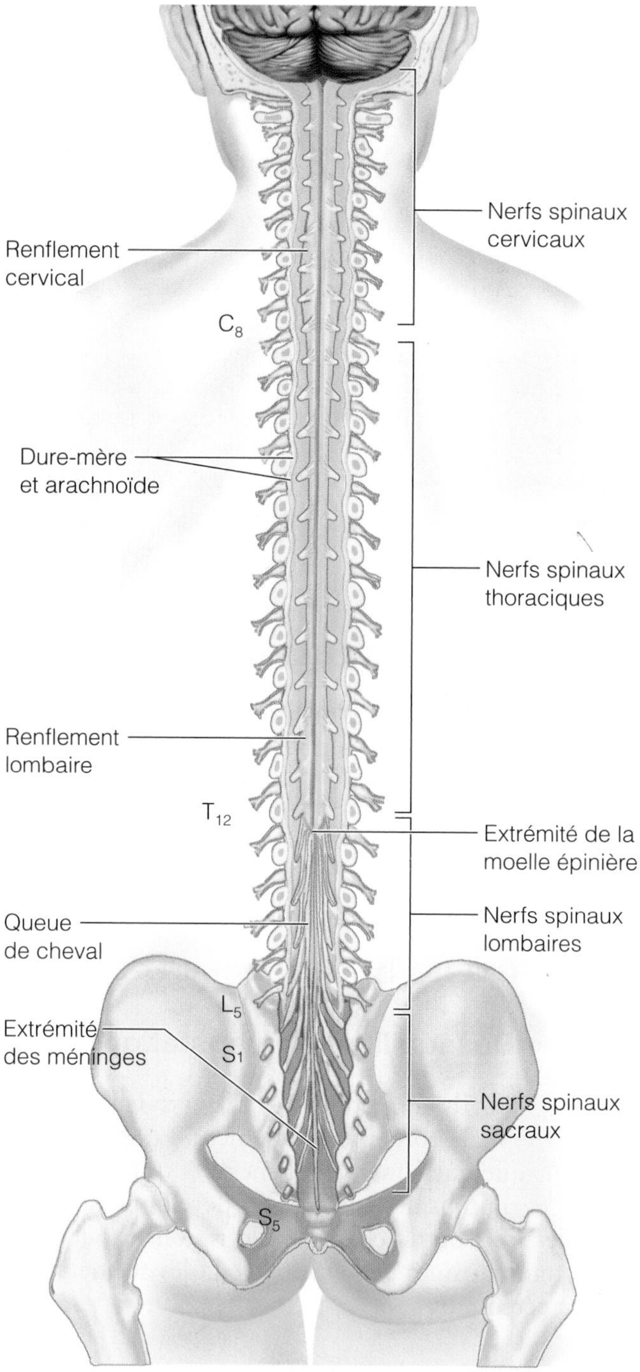

Nerfs spinaux cervicaux
Renflement cervical
C_8
Dure-mère et arachnoïde
Nerfs spinaux thoraciques
Renflement lombaire
T_{12}
Extrémité de la moelle épinière
Queue de cheval
Nerfs spinaux lombaires
L_5
Extrémité des méninges
S_1
Nerfs spinaux sacraux
S_5

Figure 7.32 **Vue postérieure de la moelle épinière**

Chez l'être humain, 31 paires de nerfs spinaux naissent de la moelle épinière et émergent de la colonne vertébrale pour aller innerver diverses régions du corps. La moelle épinière n'est pas plus large que le pouce sur presque toute sa longueur, mais elle présente des renflements notables (ou intumescences) dans les régions cervicale et lombaire, où prennent naissance les nerfs destinés aux membres supérieurs et inférieurs. Au cours de l'embryogenèse, elle ne s'agrandit pas aussi vite que la colonne vertébrale, si bien que, chez l'adulte, elle n'atteint pas l'extrémité inférieure de la colonne. Mais, puisqu'une paire de nerfs quitte celle-ci entre chaque vertèbre, les nerfs spinaux qui naissent de la partie inférieure de la moelle doivent parcourir une certaine distance dans le canal vertébral avant d'émerger. L'ensemble des nerfs spinaux situés à l'extrémité inférieure du canal vertébral porte le nom évocateur de **queue de cheval**.

La substance grise de la moelle épinière et les racines des nerfs spinaux

En coupe transversale, la substance grise de la moelle épinière présente la forme d'un H ou d'un papillon (figure 7.33). Elle est formée de masses grises symétriques reliées par un pont de substance grise, appelé **commissure grise**, qui entoure le canal central de la moelle épinière, ou canal de l'épendyme, qui contient le LCS. Les deux projections postérieures de la substance grise sont appelées **cornes dorsales** (ou **postérieures**), et les deux projections antérieures sont appelées **cornes ventrales** (ou **antérieures**). On rencontre une autre paire de projections de substance grise, moins étendues que les précédentes, les **cornes latérales**, dans les segments thoracique et lombaire supérieur de la moelle.

Tous les neurones dont le corps cellulaire est situé dans la substance grise de la moelle épinière sont des neurones multipolaires. Les cornes dorsales sont constituées entièrement de neurones d'association, ou interneurones. Les cornes ventrales sont en partie formées d'interneurones, mais elles renferment principalement des corps cellulaires de neurones moteurs somatiques. Les axones de ces neurones passent dans les **racines ventrales** des nerfs spinaux (voir la figure 7.33) avant d'atteindre les muscles squelettiques. La quantité de substance grise des cornes ventrales dans un segment donné de la moelle épinière est liée à la quantité de muscle squelettique à innerver. Par conséquent, les cornes ventrales atteignent leurs plus grandes dimensions dans les régions cervicale et lombaire de la moelle, qui innervent les membres, ce qui explique la présence de renflements à ces niveaux.

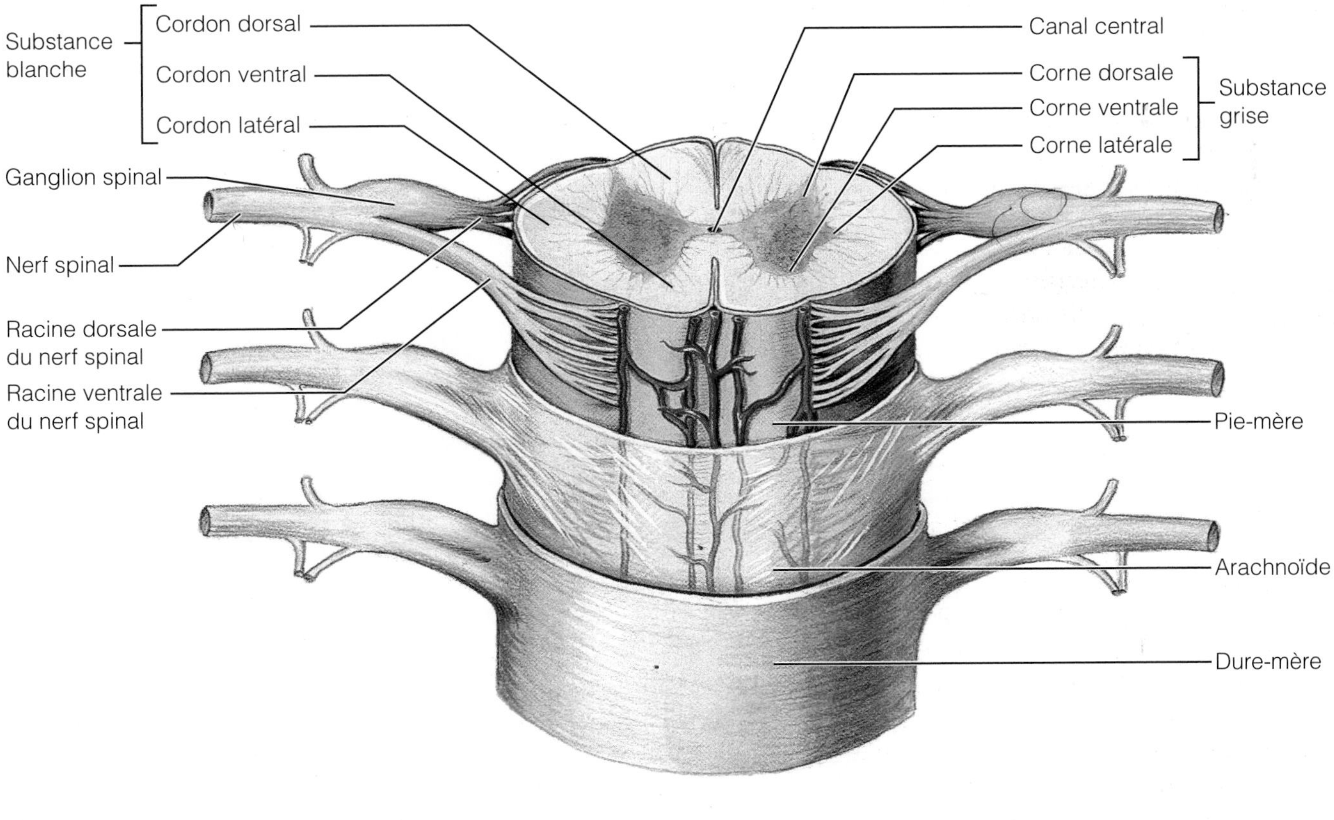
Substance blanche
Cordon dorsal
Cordon ventral
Cordon latéral
Ganglion spinal
Nerf spinal
Racine dorsale du nerf spinal
Racine ventrale du nerf spinal
Canal central
Corne dorsale
Corne ventrale
Corne latérale
Substance grise
Pie-mère
Arachnoïde
Dure-mère

Figure 7.33 **Vue en trois dimensions de la moelle épinière et des méninges**

Les cornes latérales renferment des neurones moteurs du système nerveux autonome (sympathique) qui desservent les muscles lisses des viscères, le muscle cardiaque et les glandes. Leurs axones sortent de la moelle épinière par les racines ventrales, avec ceux des neurones moteurs somatiques. Puisqu'elles comportent à la fois des efférents somatiques et des efférents autonomes, les racines ventrales servent autant au système nerveux somatique qu'au système nerveux autonome (figure 7.34).

Les axones des neurones afférents qui acheminent les influx provenant des récepteurs sensoriels périphériques forment les **racines dorsales** de la moelle épinière (voir la figure 7.33). Les corps cellulaires de ces neurones se trouvent dans un renflement de la racine dorsale appelé **ganglion spinal**. Une lésion de la racine dorsale du nerf spinal ou du ganglion spinal entraîne une perte de sensibilité dans la région du corps desservie par le nerf. Une fois entrés dans la moelle épinière, les axones de ces neurones peuvent prendre plusieurs directions. Ainsi, quelques-uns s'introduisent directement dans la substance blanche postérieure de la moelle épinière et vont faire synapse plus haut dans la moelle ou dans l'encéphale. D'autres font synapse avec des interneurones dans la substance grise des cornes dorsales de la moelle épinière à la hauteur à laquelle ils y pénètrent.

Les racines dorsales et ventrales sont très courtes et fusionnent latéralement pour former les **nerfs spinaux**, ou nerfs rachidiens, qui émergent de chaque côté de la moelle épinière. Nous étudierons ces nerfs, qui font partie du système nerveux périphérique, à la section suivante.

On peut subdiviser encore la substance grise de la moelle épinière selon le rôle que jouent ses neurones dans l'innervation des régions somatiques et viscérales de l'organisme. On distingue ainsi les quatre zones suivantes dans la substance grise de la moelle épinière (voir la figure 7.34) : la **zone sensitive somatique** (**SS**), la **zone sensitive viscérale** (autonome) (**SV**), la **zone motrice viscérale** (**MV**) et la **zone motrice somatique** (**MS**).

Déséquilibre homéostatique

Les lésions de la racine ventrale du nerf spinal entraînent la *paralysie flasque* des muscles correspondants. Tout mouvement volontaire ou involontaire de ces muscles devient impossible, car les influx nerveux ne les atteignent plus. Les muscles s'atrophient, faute de stimulation. ▲

La substance blanche de la moelle épinière

La substance blanche de la moelle épinière comprend des neurofibres myélinisées et des neurofibres amyélinisées. Elle prend la couleur blanche de la myéline, car le nombre d'axones myélinisés y est de beaucoup supérieur à celui des axones amyélinisés ; c'est également le cas de la région sous-corticale du cerveau. Les neurofibres *ascendantes* sont orientées vers les centres supérieurs de

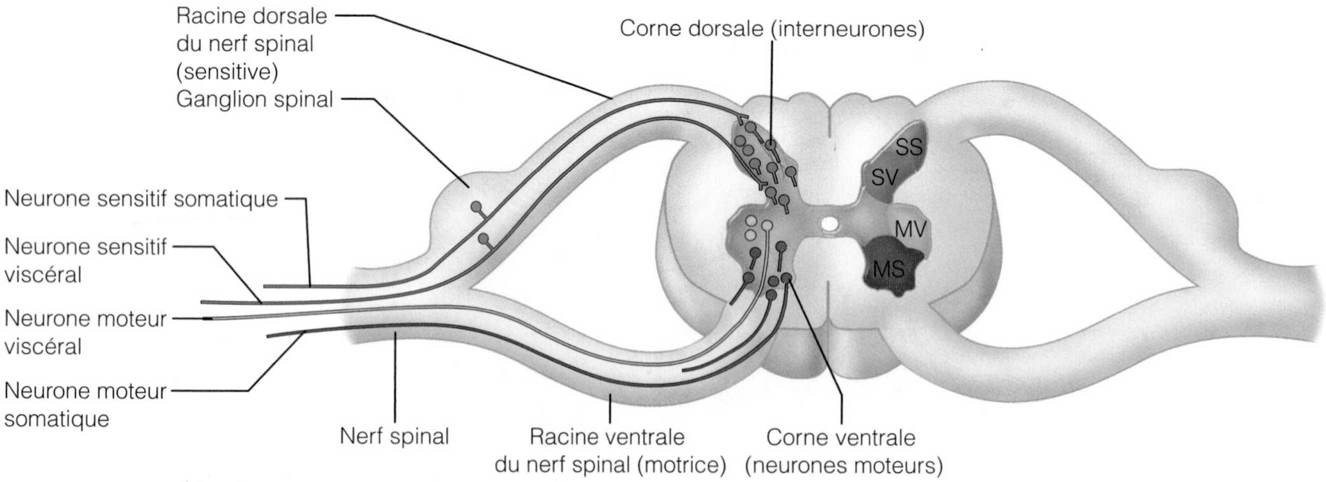
Racine dorsale du nerf spinal (sensitive)
Ganglion spinal
Corne dorsale (interneurones)
Neurone sensitif somatique
Neurone sensitif viscéral
Neurone moteur viscéral
Neurone moteur somatique
SS
SV
MV
MS
Nerf spinal
Racine ventrale du nerf spinal (motrice)
Corne ventrale (neurones moteurs)

Figure 7.34 **L'organisation de la substance grise de la moelle épinière**

On divise la substance grise de la moelle épinière en une partie sensitive (dorsale) et une partie motrice (ventrale). SS : interneurones recevant de l'information sensorielle des neurones sensitifs somatiques. SV : interneurones recevant de l'information sensorielle des neurones sensitifs viscéraux. MV : neurones moteurs viscéraux (autonomes). MS : neurones moteurs somatiques.
Notez que la racine dorsale et la racine ventrale du nerf spinal font partie du SNP et non de la moelle épinière.

l'encéphale (influx sensitifs) ; les neurofibres *descendantes* sont orientées vers le bas de la moelle épinière à partir de l'encéphale ou de la moelle (influx moteurs) ; les neurofibres *commissurales* (transversales) sont orientées d'un côté de la moelle épinière à l'autre. Les neurofibres ascendantes et descendantes prédominent.

De part et d'autre de la moelle épinière, la substance blanche se divise en trois **cordons** appelés, selon leur position, **cordon dorsal**, **cordon latéral** et **cordon ventral** (voir la figure 7.33). Chaque cordon contient quelques faisceaux et tractus*, et chacun de ceux-ci est composé d'axones aux destinations et aux fonctions semblables. À quelques exceptions près, les noms des faisceaux et des tractus de la moelle épinière indiquent à la fois leur origine et leur destination. Les principaux faisceaux et tractus ascendants et descendants sont représentés schématiquement à la figure 7.35.

Les principaux faisceaux et tractus de la moelle épinière font partie de *voies multineuronales* qui relient l'encéphale à la périphérie du corps (récepteurs et muscles). Ces voies ascendantes et descendantes contiennent non seulement les axones de neurones médullaires, mais également des portions d'axones de neurones périphériques et de neurones cérébraux. Avant d'aller plus loin dans l'étude des faisceaux et des tractus de la moelle épinière, nous allons présenter certaines de leurs caractéristiques générales.

1. Les neurofibres de la plupart des voies passent d'un côté du SNC à l'autre (croisent la ligne médiane) en un point précis de leur trajectoire (décussation).
2. La relation entre la périphérie et l'encéphale se fait généralement par deux ou trois neurones qui établissent des jonctions synaptiques. Les points où s'établissent ces jonctions ainsi que le cordon médullaire où chemine l'axone permettent de différencier les faisceaux et les tractus.
3. La plupart des faisceaux et des tractus sont *somatotopiques*, c'est-à-dire que leur situation dans l'espace (les cordons de la moelle épinière) reflète l'organisation du corps. Dans un faisceau ou un tractus sensitif ascendant, par exemple, les neurofibres qui transmettent les influx provenant des récepteurs sensoriels des parties supérieures du corps sont situées à côté de celles qui véhiculent l'information provenant des régions inférieures.

* Dans le présent manuel, nous employons le terme *tractus* lorsque toutes les parties des neurones impliqués se trouvent à l'intérieur des centres nerveux, et le terme *faisceau* quand certaines parties des neurones impliqués se trouvent à l'extérieur des centres nerveux.

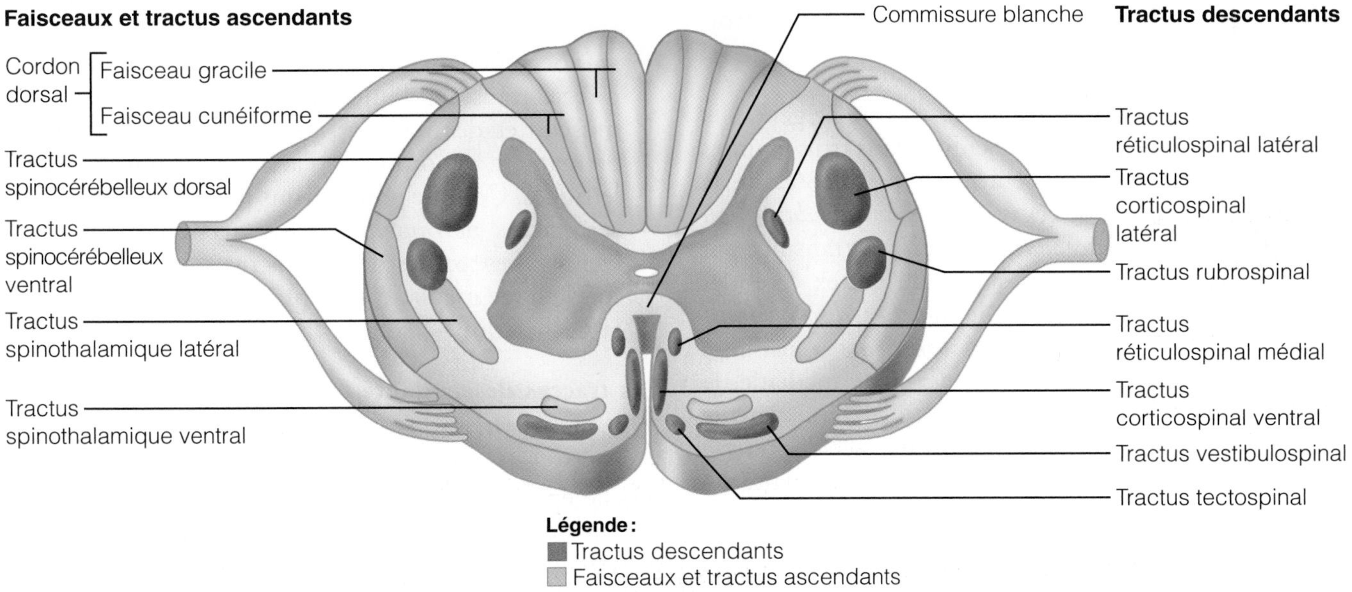

Faisceaux et tractus ascendants
Cordon dorsal
Faisceau gracile
Faisceau cunéiforme
Tractus spinocérébelleux dorsal
Tractus spinocérébelleux ventral
Tractus spinothalamique latéral
Tractus spinothalamique ventral
Commissure blanche
Tractus descendants
Tractus réticulospinal latéral
Tractus corticospinal latéral
Tractus rubrospinal
Tractus réticulospinal médial
Tractus corticospinal ventral
Tractus vestibulospinal
Tractus tectospinal
Légende :
Tractus descendants
Faisceaux et tractus ascendants

Figure 7.35 **Coupe transversale montrant les principaux faisceaux et tractus ascendants (sensitifs) et tractus descendants (moteurs) de la moelle épinière**

4. Tous les faisceaux et tractus vont par paires. Autrement dit, on rencontre un membre de la paire dans un cordon situé du côté gauche de la moelle épinière, et l'autre dans un cordon situé du côté droit de la moelle épinière ou du tronc cérébral.

Les faisceaux et les tractus ascendants

Les types de neurones Les faisceaux et les tractus ascendants transportent les influx sensitifs vers les diverses régions de l'encéphale au moyen de trois neurones consécutifs unis par des synapses (neurone de premier ordre, de deuxième ordre et de troisième ordre [figure 7.36]). (Notez que les neurones de deuxième et de troisième ordre sont des interneurones.)

- Les **neurones de premier ordre**, dont les corps cellulaires sont situés dans un ganglion (spinal ou crânien), transmettent les influx des récepteurs cutanés et des propriocepteurs jusqu'à la moelle épinière ou au tronc cérébral, où ils font synapse avec les neurones de deuxième ordre. Les influx en provenance du visage sont transmis par les nerfs crâniens ; les nerfs spinaux acheminent les influx sensitifs somatiques du reste du corps au SNC.
- Les **neurones de deuxième ordre**, dont les corps cellulaires se trouvent dans la corne dorsale de la moelle épinière ou dans les noyaux du bulbe rachidien, transmettent les influx au thalamus ou au cervelet, où ils font synapse.
- Les **neurones de troisième ordre** font partie du thalamus et acheminent les influx aux aires somesthésiques du cortex cérébral. (Il n'y a pas de neurones de troisième ordre dans le cervelet.)

Les principales voies ascendantes En règle générale, l'information somesthésique chemine dans trois grandes voies, chacune étant représentée des deux côtés de la moelle épinière. Deux de ces voies (la *voie ascendante non spécifique* et la *voie ascendante spécifique*) transmettent les influx aux aires somesthésiques du cortex cérébral, où ces derniers déterminent le *toucher discriminant* (épicritique) et la *proprioception consciente* (sensibilité profonde). Les deux voies croisent la ligne médiane, la première dans la moelle épinière et la deuxième dans le bulbe rachidien. La troisième voie, composée des *tractus spinocérébelleux,* mène au cervelet et, de ce fait, ne contribue pas à la perception sensorielle. Examinons ces voies de plus près.

1. **La voie ascendante non spécifique.** La **voie ascendante non spécifique**, qui est apparue la première au cours de l'évolution, reçoit les influx de nombreux types de récepteurs sensoriels et fait de multiples synapses dans le tronc cérébral. Aussi appelée **voie antérolatérale** (parce qu'elle est située dans les cordons ventraux et latéraux de la moelle épinière), elle est principalement formée du **tractus spinothalamique ventral** et du **tractus spinothalamique latéral** (voir la figure 7.36b). La décussation des neurofibres se fait dans la moelle épinière.

   La plupart des neurofibres de cette voie transmettent les influx associés à la douleur, à la température et au toucher grossier. Ce sont des sensations dont nous sommes conscients, mais qu'il n'est pas facile de localiser avec exactitude sur la surface du corps.
2. **La voie ascendante spécifique.** Aussi appelée **système du lemnisque médial** (*lemniscus*, « ruban »), la **voie ascendante spécifique** est celle de la transmission précise et directe des influx provenant d'un type unique (ou de quelques types apparentés) de récepteurs sensoriels qu'on *peut* localiser avec précision sur la surface du corps, tels que ceux du toucher discriminant et des vibrations. Cette voie est composée des faisceaux pairs du **cordon dorsal** de la moelle épinière, soit le **faisceau cunéiforme** et le **faisceau gracile**, ainsi que du **tractus du lemnisque médial**. Ce dernier prend naissance dans le bulbe rachidien et aboutit dans des noyaux particuliers du thalamus (voir la figure 7.36a). À partir du thalamus, les influx sont acheminés, par la capsule interne et la corana radiata, à des régions précises des aires somesthésiques primaires.
3. **Le tractus spinocérébelleux.** La dernière voie ascendante, composée du **tractus spinocérébelleux ventral**, ou faisceau spinocérébelleux croisé, et du **tractus spinocérébelleux dorsal**, ou faisceau spinocérébelleux direct, transmet l'information sur l'étirement des muscles et des tendons au cervelet qui l'interprète de manière à coordonner l'activité des muscles squelettiques. Comme nous l'avons mentionné plus haut, ces tractus *ne contribuent pas* aux sensations conscientes. Les axones de ces tractus soit croisent deux fois la ligne médiane – ce qui, en principe, « annule » la décussation –, soit ne la croisent pas du tout.

Les tractus descendants

Plusieurs tractus moteurs sont nécessaires pour acheminer les influx efférents des aires motrices du cerveau à la moelle épinière. Ils se divisent en deux groupes : 1) les tractus de la *voie motrice principale* et 2) les tractus de la *voie motrice secondaire*. Les voies motrices sont composées de deux neurones, soit le neurone moteur supérieur et le neurone moteur inférieur. Les neurones pyramidaux de l'aire motrice primaire, ainsi que les neurones des noyaux moteurs sous-corticaux qui donnent

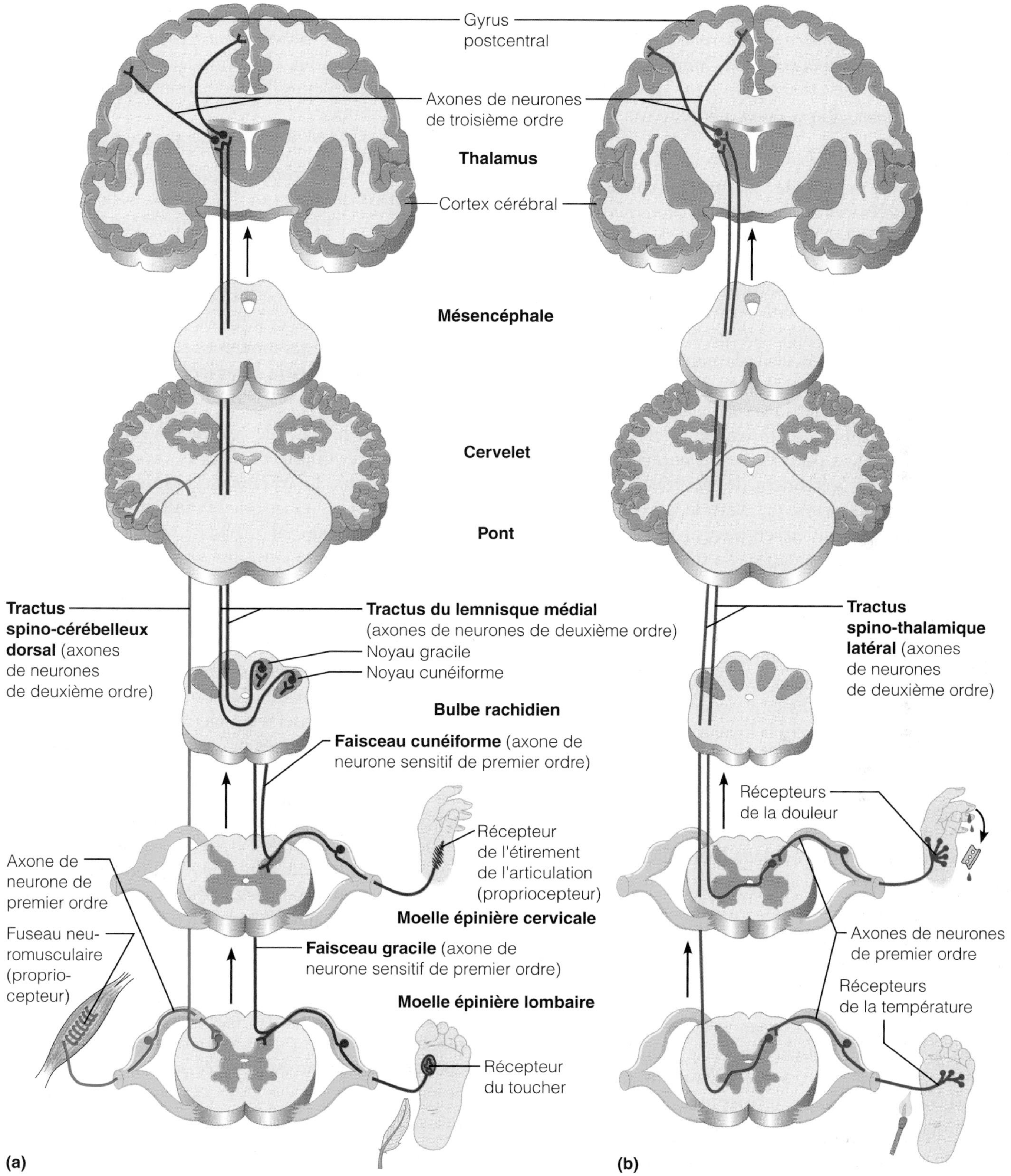
Gyrus
postcentral
Axones de neurones
de troisième ordre
Thalamus
Cortex cérébral
Mésencéphale
Cervelet
Pont
Tractus
spino-cérébelleux
dorsal (axones
de neurones
de deuxième ordre)
Tractus du lemnisque médial
(axones de neurones de deuxième ordre)
Noyau gracile
Noyau cunéiforme
Tractus
spino-thalamique
latéral (axones
de neurones
de deuxième ordre)
Bulbe rachidien
Faisceau cunéiforme (axone de
neurone sensitif de premier ordre)
Récepteurs
de la douleur
Récepteur
de l'étirement
de l'articulation
(propriocepteur)
Axone de
neurone de
premier ordre
Moelle épinière cervicale
Fuseau neu-
romusculaire
(proprio-
cepteur)
Faisceau gracile (axone de
neurone sensitif de premier ordre)
Axones de neurones
de premier ordre
Récepteurs
de la température
Moelle épinière lombaire
Récepteur
du toucher
(a)
(b)

Figure 7.36 **Les chaînes de neurones de quelques faisceaux et tractus ascendants**

(a) À droite : voie spécifique de transmission du toucher discriminant et de la proprioception consciente dans le faisceau gracile et le faisceau cunéiforme, et dans le tractus du lemnisque médial qui leur sert de relais. À gauche : tractus spinocérébelleux dorsal (qui s'étend jusqu'au cervelet seulement). **(b)** Transmission par la voie non spécifique des influx sensitifs de la douleur, de la température et du toucher grossier dans le tractus spinothalamique latéral. La voie ascendante est représentée en entier dans chaque cas.

naissance à d'autres voies motrices descendantes, sont appelés *neurones moteurs supérieurs.* Les neurones moteurs de la corne ventrale, qui innervent les muscles squelettiques (leurs effecteurs), sont appelés *neurones moteurs inférieurs.* Nous nous contenterons ici d'une description sommaire des tractus descendants.

La voie motrice principale Les **tractus corticospinaux** et **corticonucléaires** constituent les tractus de la voie motrice principale; ils acheminent les commandes motrices qui permettent la contraction des muscles squelettiques et la régulation des mouvements volontaires. Les premiers conduisent les influx nerveux vers les muscles squelettiques des membres supérieurs et inférieurs, alors que les seconds transportent les influx vers les noyaux des nerfs crâniens qui régissent la motricité des muscles squelettiques de la tête et du cou. Les tractus corticospinaux commandent les mouvements fins et précis requis pour écrire ou enfiler une aiguille (figure 7.37a). Ils s'étendent des neurones pyramidaux de l'aire motrice primaire, dans le gyrus précentral, jusqu'à la moelle épinière en passant par le tronc cérébral, mais sans faire synapse. Ils font synapse dans la moelle épinière, essentiellement avec des interneurones, mais également avec des neurones moteurs de la corne ventrale, en particulier avec ceux qui gouvernent les muscles squelettiques des membres. La stimulation des neurones moteurs de la corne ventrale active les muscles squelettiques auxquels ils sont associés. Les tractus corticospinaux latéraux croisent la ligne médiane dans le bulbe rachidien à la décussation des pyramides, et leurs neurofibres présentent une disposition somatotopique, c'est-à-dire selon l'homoncule moteur du gyrus précentral. Les tractus corticospinaux ventraux beaucoup plus petits croisent la ligne médiane dans la moelle épinière juste avant de faire synapse.

La voie motrice secondaire Les tractus descendants de la voie motrice secondaire possèdent une organisation beaucoup plus complexe que ceux de la voie motrice principale; leurs synapses sont plus nombreuses et ils acheminent les influx nerveux vers les muscles squelettiques à partir de plusieurs noyaux moteurs du tronc cérébral. Ce sont les **tractus rubrospinal**, **vestibulospinal**, **réticulospinal** et **tectospinal** qui assurent principalement la contraction musculaire semi-volontaire. Ces tractus servent à la régulation 1) des muscles de la tête et du tronc qui maintiennent l'équilibre et la posture, 2) des muscles qui dirigent les mouvements grossiers des membres et 3) des mouvements de la tête, du cou et des yeux qui suivent les objets placés dans le champ visuel. Plusieurs des activités régies par les noyaux moteurs sous-corticaux sont étroitement liées à l'activité réflexe. Par exemple, le tractus rubrospinal véhicule des influx nerveux moteurs semi-volontaires qui régissent le tonus des muscles squelettiques. La figure 7.37b représente l'organisation des neurones du tractus rubrospinal.

On désignait autrefois l'ensemble de ces tractus par les termes *faisceaux extrapyramidaux* ou *système extrapyramidal*, car on pensait que les noyaux sous-corticaux, où ils prennent leur origine, étaient indépendants des tractus corticospinaux du système pyramidal. On sait maintenant que les neurones de ces derniers émettent des collatérales qui rejoignent la plupart des noyaux du système extrapyramidal et influent sur leur activité. C'est pourquoi les anatomistes modernes préfèrent employer les termes **tractus de la voie motrice secondaire** ou, simplement, les noms de ces tractus moteurs.

D'une manière générale, les **tractus réticulospinaux** maintiennent l'équilibre en faisant varier le tonus des muscles posturaux. Le **tractus rubrospinal** gouverne les muscles fléchisseurs, alors que les **colliculus supérieurs** et le **tractus tectospinal** régissent les mouvements de la tête en réponse aux stimulus visuels.

Déséquilibre homéostatique

Un sectionnement transversal ou un écrasement de la moelle épinière causent la *paralysie spastique*. Les muscles squelettiques ne s'atrophient pas, car ils restent stimulés par l'activité réflexe spinale, mais leur mouvement échappe à la commande volontaire. Cet état peut se révéler aussi problématique que l'absence totale de mobilité. Il s'accompagne en outre d'une perte de la sensibilité dans les régions situées au-dessous de la lésion, car la moelle épinière transmet des influx autant moteurs que sensitifs. Les médecins utilisent souvent une aiguille pour déterminer si une personne peut encore ressentir la douleur après une lésion de la moelle épinière. Une sensation de douleur, en effet, indique qu'il y a régénération. Si la lésion survient dans la partie supérieure de la moelle épinière, les quatre membres sont touchés: c'est la *quadriplégie*. La paralysie des jambes seulement est appelée *paraplégie*. ▲

Le système nerveux périphérique

Le **système nerveux périphérique** (SNP) est formé des nerfs et de groupes dispersés de corps cellulaires de neurones (ganglions) situés à l'extérieur du SNC. Nous

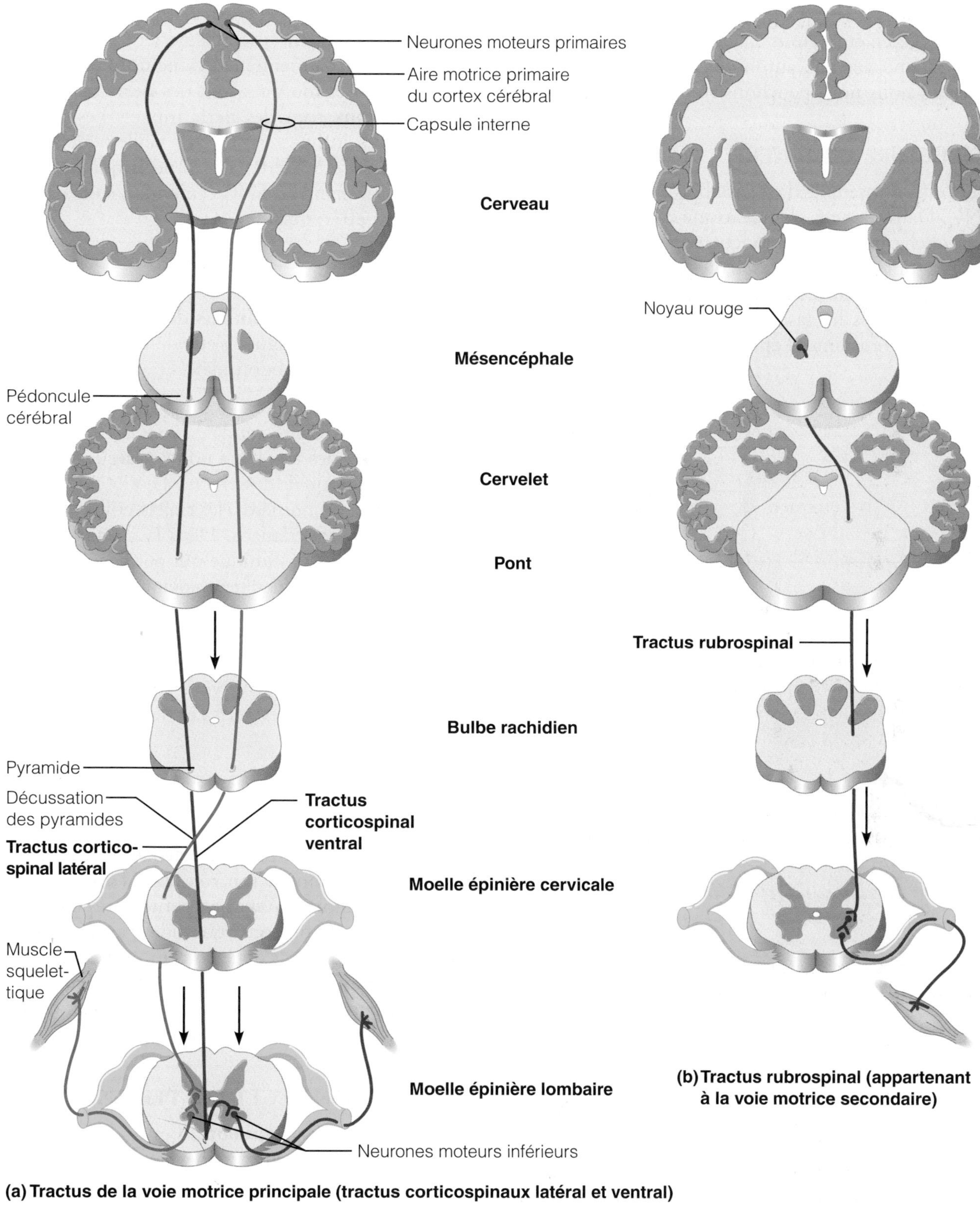
Neurones moteurs primaires
Aire motrice primaire du cortex cérébral
Capsule interne
Cerveau
Mésencéphale
Pédoncule cérébral
Cervelet
Pont
Bulbe rachidien
Pyramide
Décussation des pyramides
Tractus cortico-spinal latéral
Tractus corticospinal ventral
Moelle épinière cervicale
Muscle squelettique
Moelle épinière lombaire
Neurones moteurs inférieurs
(a) Tractus de la voie motrice principale (tractus corticospinaux latéral et ventral)
Noyau rouge
Tractus rubrospinal
(b) Tractus rubrospinal (appartenant à la voie motrice secondaire)

Figure 7.37 **Les chaînes de neurones de quelques tractus descendants de la voie motrice principale et de la voie motrice secondaire**

(a) Voie motrice principale (tractus corticospinaux latéral et ventral) transportant les influx moteurs aux muscles squelettiques.
(b) Trajet et jonctions synaptiques des neurones à l'intérieur du tractus rubrospinal, qui appartient à la voie motrice secondaire (extrapyramidale) et joue un rôle dans la régulation du tonus musculaire du côté opposé du corps.

avons déjà décrit un type de ganglions, les ganglions spinaux. Nous en étudierons d'autres lorsque nous décrirons le système nerveux autonome, mais dans un premier temps nous nous penchons sur les nerfs.

LA STRUCTURE D'UN NERF

Un **nerf** est un ensemble de neurofibres situé à l'extérieur du SNC. Dans un nerf, chaque axone est entouré d'une mince couche de tissu conjonctif appelée **endonèvre**. Les axones sont groupés en **fascicules** par une enveloppe de tissu conjonctif plus épaisse que la première, le **périnèvre**. Enfin, tous les fascicules sont recouverts d'une gaine fibreuse résistante, l'**épinèvre** (figure 7.38).

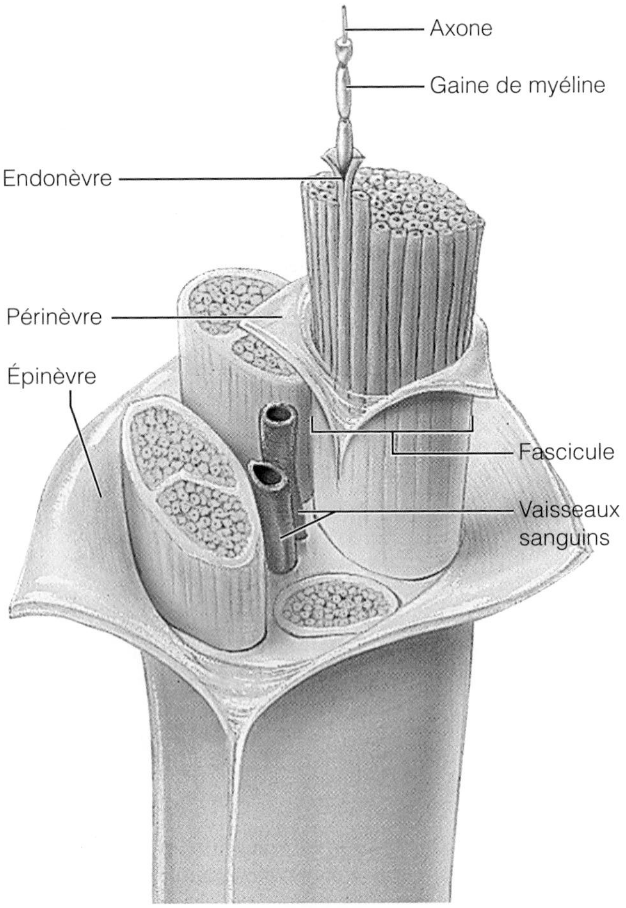
Axone
Gaine de myéline
Endonèvre
Périnèvre
Épinèvre
Fascicule
Vaisseaux sanguins

Figure 7.38 **La structure d'un nerf**

Vue en trois dimensions d'une portion de nerf montrant les enveloppes de tissu conjonctif.

Comme les neurones, les nerfs sont classés selon la direction dans laquelle ils transmettent les influx nerveux. Ceux qui contiennent des neurofibres sensitives et des neurofibres motrices sont des **nerfs mixtes**; tous les nerfs spinaux sont des nerfs mixtes. Les nerfs qui conduisent les influx vers le SNC seulement sont des **nerfs sensitifs**, ou **afférents**. Les nerfs qui conduisent les influx provenant du SNC seulement sont des **nerfs moteurs**, ou **efférents**.

LES NERFS CRÂNIENS

Les 12 paires de **nerfs crâniens** desservent la tête et le cou. Seuls les nerfs vagues s'étendent jusque dans les cavités thoracique et abdominale.

Les nerfs crâniens sont numérotés de l'extrémité rostrale vers l'extrémité caudale (voir la figure 7.20b). Dans la plupart des cas, leurs noms indiquent les principales structures qu'ils desservent. Le tableau 7.3 comporte les noms, les numéros, les trajets et les principales fonctions des nerfs crâniens. Dans la dernière colonne est indiquée l'épreuve clinique qui permet d'en évaluer l'état au cours d'un examen neurologique. Prenez connaissance de ces techniques même s'il n'est pas nécessaire que vous les mémorisiez: vous n'en comprendrez que plus facilement les fonctions des nerfs crâniens. Tout en étudiant le tableau, reportez-vous à la figure 7.39, qui précise la localisation des nerfs crâniens sur la face antérieure de l'encéphale.

La plupart des nerfs crâniens sont des nerfs mixtes; cependant, le nerf olfactif, le nerf optique et le nerf vestibulocochléaire sont strictement sensitifs. (Le nerf vestibulocochléaire était autrefois appelé *nerf acoustique*, une appellation qui dénotait son rôle dans l'audition, mais non dans l'équilibre.) Voici une petite comptine, inspirée d'une célèbre fable, qui vous aidera à mémoriser les noms des nerfs crâniens dans l'ordre: « **O**yez! **o**yez! **o**bstinée, **T**ortue **T**enace **a** **f**inalement **v**aincu; **G**rand **V**antard **a** **h**onte. » La première lettre de chacun des mots est aussi la première lettre du nom d'un nerf crânien.

LES NERFS SPINAUX ET LES PLEXUS

Les 31 paires de **nerfs spinaux** (figure 7.40) sont formées par l'union de leurs racines ventrales et de leurs racines dorsales. Alors que les nerfs crâniens sont nommés d'après les régions qu'ils desservent, les nerfs spinaux sont appelés d'après leur point d'émergence de la

Tableau 7.3 **Les nerfs crâniens**

Numéro et nom	Origine et trajet	Fonction	Épreuve clinique
I Nerf olfactif	Les neurofibres émergent des récepteurs olfactifs situés dans la muqueuse nasale ; elles font synapse dans le bulbe olfactif (dont les neurofibres s'étendent jusqu'au cortex olfactif) (voir la figure 8.17).	Strictement sensitif ; transmet les influx afférents de l'odorat.	On demande au sujet de renifler et de reconnaître des substances aromatiques telles que l'huile de clou de girofle et la vanille.
II Nerf optique	Les neurofibres émergent de la rétine et forment le nerf optique. Les nerfs optiques convergent et forment le chiasma optique, où ils croisent partiellement la ligne médiane ; de là, ils forment le tractus optique et rejoignent l'aire visuelle du cortex cérébral (voir la figure 8.11).	Strictement sensitif ; achemine les influx afférents de la vision.	On évalue la vision et le champ visuel à l'aide d'un tableau d'optotypes et en cherchant le point où un objet (le doigt de l'examinateur) entre dans le champ visuel du sujet ; on procède à l'examen du fond d'œil avec un ophtalmoscope.
III Nerf oculomoteur	Les neurofibres s'étendent du mésencéphale jusqu'à l'œil après avoir traversé une ouverture dans l'os sphénoïde.	Fournit des neurofibres motrices à quatre des six muscles du bulbe de l'œil (l'oblique inférieur, le droit supérieur, le droit inférieur et le droit médial [voir la figure 8.2a et b]), à la paupière supérieure et aux muscles gouvernant la forme du cristallin et le diamètre de la pupille.	On examine le diamètre, la forme et la symétrie des pupilles ; on recherche le réflexe pupillaire à l'aide d'un crayon lumineux (les pupilles devraient se contracter sous l'effet de la lumière) ; on vérifie la convergence des yeux de même que la capacité de suivre les mouvements des objets.
IV Nerf trochléaire	Les neurofibres s'étendent du mésencéphale jusqu'à l'œil.	Fournit des neurofibres motrices au muscle oblique supérieur, l'un des muscles du bulbe de l'œil.	Évalué en même temps que le nerf crânien III pour ce qui est de la capacité de suivre les mouvements des objets.
V Nerf trijumeau	Les neurofibres émergent du pont et se divisent en trois branches qui s'étendent jusqu'au visage.	Achemine les influx sensitifs provenant de la peau du visage et de la muqueuse de la bouche et du nez ; contient aussi des neurofibres motrices qui activent les muscles masticateurs.	On évalue les sensations douloureuses, tactiles et thermiques à l'aide d'une aiguille ainsi que d'objets chauds et froids ; on recherche le réflexe cornéen au moyen d'un brin de coton ; on évalue la branche motrice en demandant au sujet d'ouvrir la bouche contre une résistance et de remuer la mâchoire latéralement.
VI Nerf abducens	Les neurofibres émergent de la base du pont et s'étendent jusqu'à l'œil.	Fournit des neurofibres motrices au muscle droit latéral, qui déplace le bulbe de l'œil latéralement.	Évalué en même temps que le nerf crânien III pour ce qui est de la capacité de suivre les mouvements des objets latéralement.

Tableau 7.3 Les nerfs crâniens (*suite*)

Numéro et nom	Origine et trajet	Fonction	Épreuve clinique
VII Nerf facial	Les neurofibres émergent du pont et s'étendent jusqu'au visage.	Active les muscles de l'expression du visage ainsi que les glandes lacrymales et salivaires; transporte les influx sensitifs provenant des calicules gustatifs de la partie antérieure de la langue.	On évalue dans les deux tiers antérieurs de la langue la perception du sucré, du salé, de l'acide et de l'amer; on demande au sujet de fermer les yeux, de sourire, de siffler, etc.; on évalue le larmoiement à l'aide de vapeurs d'ammoniac.
VIII Nerf vestibulocochléaire	Les neurofibres s'étendent des récepteurs de l'équilibre et de l'audition, dans l'oreille interne, jusqu'au tronc cérébral.	Strictement sensitif; le nerf vestibulaire transmet les influx afférents pour le sens de l'équilibre, et le nerf cochléaire transmet les influx afférents pour le sens de l'ouïe.	On évalue l'audition par conduction aérienne et osseuse au moyen d'un diapason.
IX Nerf glossopharyngien	Les neurofibres émergent du bulbe rachidien et s'étendent jusqu'à la gorge.	Fournit au pharynx (gorge) des neurofibres motrices qui favorisent la déglutition et la salivation; transmet les influx sensitifs provenant des calicules gustatifs de la partie postérieure de la langue et des récepteurs de la pression situés dans l'artère carotide.	On recherche le réflexe nauséeux et le réflexe palatin (déglutition); on demande au sujet de parler et de tousser; on peut évaluer le goût dans la partie postérieure de la langue.
X Nerf vague	Les neurofibres émergent du bulbe rachidien et descendent jusque dans le thorax et l'abdomen.	Les neurofibres transportent les influx sensitifs provenant du pharynx, du larynx ainsi que des viscères du thorax et de l'abdomen; elles transportent aussi les influx moteurs destinés aux mêmes structures; la plupart des neurofibres motrices sont des neurofibres parasympathiques qui interviennent dans la digestion et la régulation de l'activité cardiaque.	Évalué en même temps que le nerf crânien IX, puisque ces deux nerfs innervent les muscles de la gorge.
XI Nerf accessoire	Les neurofibres émergent du bulbe rachidien et, fait exceptionnel pour un nerf crânien, de la partie supérieure de la moelle épinière, et s'étendent jusqu'aux muscles squelettiques du cou et du dos.	Formé principalement de neurofibres motrices d'origine spinale qui innervent les muscles trapèze et sternocléidomastoïdien.	On vérifie la force des muscles trapèze et sternocléidomastoïdien en demandant au sujet de tourner la tête et de hausser les épaules contre une résistance.
XII Nerf hypoglosse	Les neurofibres s'étendent du bulbe rachidien jusqu'à la langue.	Les neurofibres motrices régissent les mouvements de la langue; les neurofibres sensitives acheminent les influx provenant de la langue.	On demande au sujet de tirer lalangue, et on note toute déviation.

Q Quel nerf crânien est atteint quand vous ne pouvez plus hausser l'épaule ?

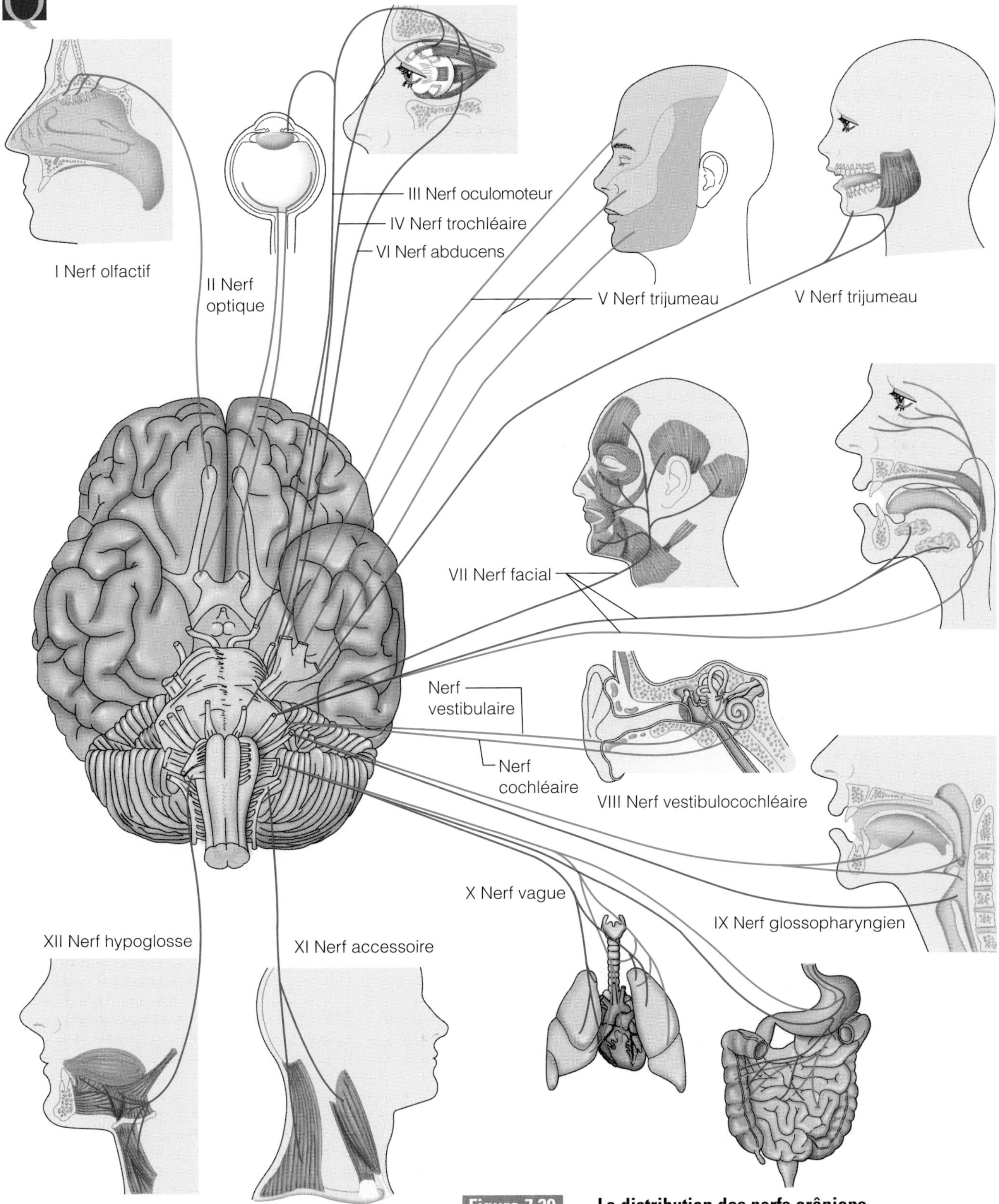
I Nerf olfactif
II Nerf optique
III Nerf oculomoteur
IV Nerf trochléaire
VI Nerf abducens
V Nerf trijumeau
V Nerf trijumeau
VII Nerf facial
Nerf vestibulaire
Nerf cochléaire
VIII Nerf vestibulocochléaire
X Nerf vague
IX Nerf glossopharyngien
XII Nerf hypoglosse
XI Nerf accessoire

Figure 7.39 La distribution des nerfs crâniens

Les nerfs sensitifs sont représentés en bleu et les nerfs moteurs en rouge. Les neurofibres sensitives contenues dans les nerfs crâniens III, IV et VI ne sont pas représentées, car elles ne constituent qu'une infime partie de ces nerfs.

R Le nerf crânien XI.

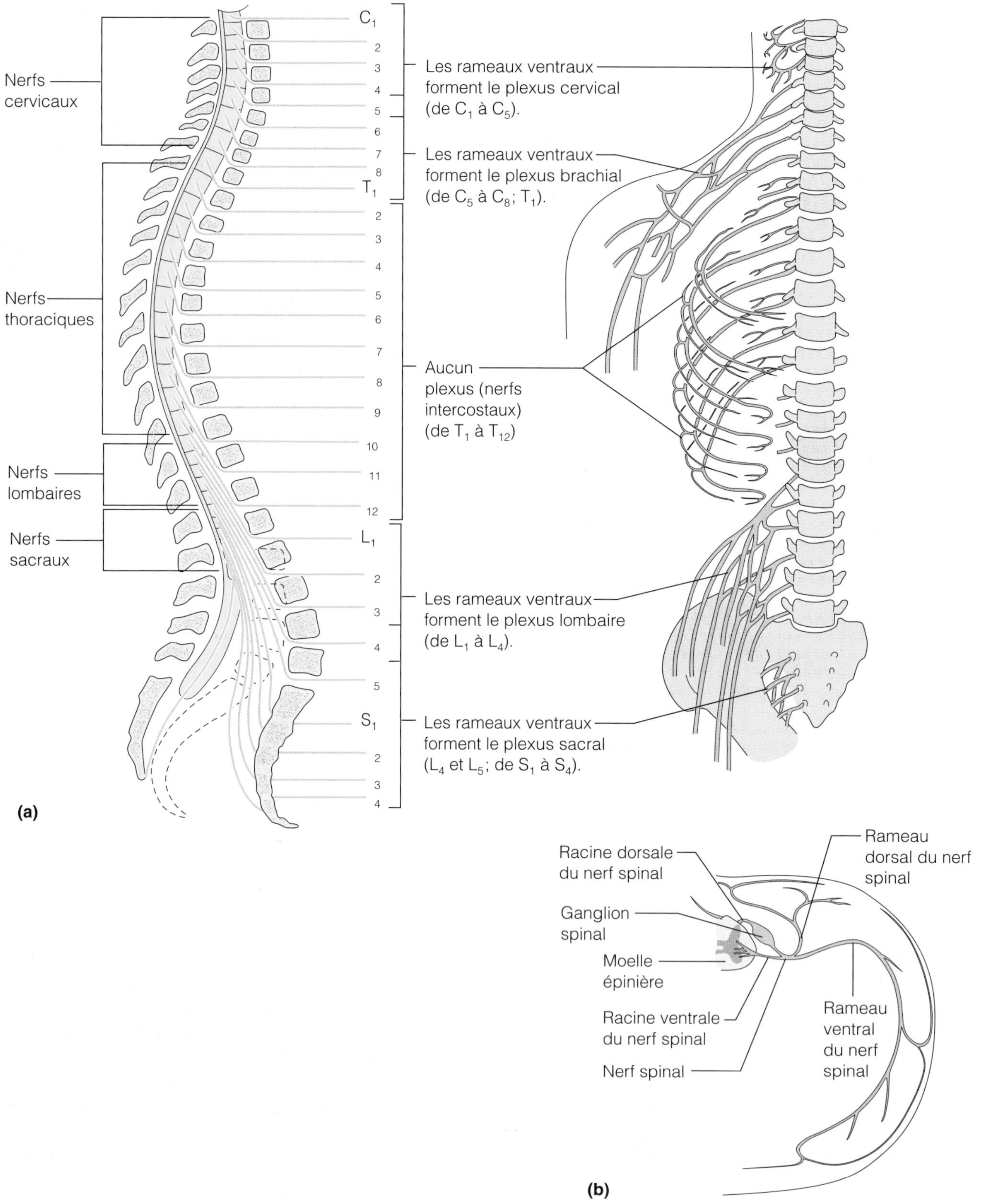
C1
2
3
4
5
6
7
8
T1
2
3
4
5
6
7
8
9
10
11
12
L1
2
3
4
5
S1
2
3
4
Nerfs cervicaux
Nerfs thoraciques
Nerfs lombaires
Nerfs sacraux
Les rameaux ventraux forment le plexus cervical (de C1 à C5).
Les rameaux ventraux forment le plexus brachial (de C5 à C8; T1).
Aucun plexus (nerfs intercostaux) (de T1 à T12)
Les rameaux ventraux forment le plexus lombaire (de L1 à L4).
Les rameaux ventraux forment le plexus sacral (L4 et L5; de S1 à S4).
(a)
Racine dorsale du nerf spinal
Ganglion spinal
Moelle épinière
Racine ventrale du nerf spinal
Nerf spinal
Rameau dorsal du nerf spinal
Rameau ventral du nerf spinal
(b)

Figure 7.40 **Les nerfs spinaux**

(a) Position des nerfs spinaux par rapport aux vertèbres. Les plexus formés par les rameaux ventraux sont indiqués.
(b) Distribution relative des rameaux ventral et dorsal d'un nerf spinal (coupe transversale du côté gauche du tronc).

moelle épinière. La figure 7.40a montre comment sont désignés les différents nerfs spinaux.

Le nerf spinal proprement dit est court (il ne mesure qu'un centimètre environ), car il se ramifie presque immédiatement après avoir émergé d'entre les vertèbres. Chaque nerf spinal se divise en un **rameau dorsal du nerf spinal** et un **rameau ventral du nerf spinal**. Les rameaux, comme les nerfs spinaux eux-mêmes, sont mixtes. Par conséquent, la lésion d'un nerf spinal ou d'un de ses rameaux entraîne à la fois une perte de sensation et une paralysie flasque de la région du corps qu'il dessert. Les rameaux dorsaux, de petites dimensions, innervent la peau et les muscles de la partie postérieure du tronc. Les rameaux ventraux des nerfs spinaux T_1 à T_{12} forment les *nerfs intercostaux*, qui desservent les muscles situés entre les côtes ainsi que la peau et les muscles des parties antérieure et latérale du tronc. Les rameaux ventraux de tous les autres nerfs spinaux forment des réseaux complexes appelés **plexus des nerfs spinaux** qui fournissent la sensibilité et la motricité aux membres. Les quatre plexus sont décrits dans le tableau 7.4 ; trois d'entre eux sont représentés à la figure 7.41.

LE SYSTÈME NERVEUX AUTONOME

Le **système nerveux autonome** (SNA) est la partie du système nerveux périphérique qui préside aux activités automatiques de l'organisme. Il est composé d'un groupe spécial de neurones qui régissent le muscle cardiaque, les muscles lisses (situés dans les parois des viscères et des vaisseaux sanguins) et les glandes. Tous les organes contribuent au maintien de l'homéostasie, mais la stabilité relative du milieu interne dépend pour l'essentiel du fonctionnement du SNA. À chaque instant, les viscères transmettent des signaux au SNC, et les nerfs du SNA acheminent les commandes permettant d'effectuer les ajustements requis par les conditions du moment. Par exemple, le SNA augmente l'irrigation dans les régions qui nécessitent un apport sanguin accru, accélère ou ralentit la fréquence cardiaque et la fréquence respiratoire, ajuste la pression artérielle et augmente ou diminue les sécrétions gastriques. La plupart de ces modulations ne franchissent pas le seuil de la conscience. Ainsi, rares sont les personnes qui se rendent compte de la dilatation de leurs pupilles ou de la constriction de leurs artères. C'est pourquoi le SNA est aussi appelé **système nerveux involontaire**.

Comparaison entre le système nerveux somatique et le système nerveux autonome

Jusqu'à présent, notre étude des nerfs moteurs a porté principalement sur l'activité du système nerveux somatique, la partie motrice qui régit les muscles squelettiques. Avant d'aborder l'anatomie du SNA, nous allons donc souligner ce qui le distingue du système nerveux somatique.

Le système nerveux somatique et le système nerveux autonome diffèrent sur trois points essentiels : leurs organes effecteurs, les neurotransmetteurs qu'ils libèrent et leurs voies motrices. Dans le système nerveux somatique, les corps cellulaires des neurones moteurs sont situés à l'intérieur du SNC, et leurs axones (dans les nerfs spinaux) s'étendent jusqu'aux muscles squelettiques qu'ils desservent. Dans le SNA, on trouve des chaînes de *deux* neurones moteurs. Le premier neurone de chaque chaîne est situé dans l'encéphale ou dans la moelle épinière. Son axone, appelé **axone préganglionnaire**, sort du SNC et fait synapse avec le second neurone moteur dans un ganglion à l'extérieur du SNC. L'axone de ce neurone, l'**axone postganglionnaire**, rejoint ensuite l'organe effecteur. Ces différences sont schématisées à la figure 7.42.

Le SNA comprend deux parties, la partie sympathique et la partie parasympathique (figure 7.43). Elles desservent les mêmes organes, mais leur action est antagoniste, si bien qu'elles se font contrepoids de manière à assurer le bon fonctionnement de l'organisme. La **partie sympathique** mobilise l'organisme dans les situations extrêmes (la peur, l'exercice ou la colère, par exemple), tandis que la **partie parasympathique** favorise la détente et l'économie d'énergie. Nous reviendrons plus loin sur ces différences. Pour l'instant, nous allons décrire les caractéristiques structurales des deux parties du SNA.

L'anatomie de la partie parasympathique du SNA

Les premiers neurones de la partie parasympathique du SNA sont situés dans les noyaux encéphaliques de quelques nerfs crâniens (les nerfs III, VII, IX et X) ainsi que dans les segments S_2 à S_4 de la moelle épinière (voir la figure 7.43). Les neurones de la région crânienne projettent leurs axones dans les nerfs crâniens qui desservent les structures de la tête et du cou. Ils font synapse avec le deuxième neurone moteur situé dans un **ganglion terminal**. De là, l'axone postganglionnaire s'étend jusqu'à l'organe qu'il dessert, situé à proximité. Dans la région sacrale, les axones préganglionnaires émergent de la moelle épinière et forment les *nerfs splanchniques pelviens*, qui se rendent jusqu'à la cavité pelvienne. Là, les axones préganglionnaires font synapse avec les deuxièmes neurones moteurs à l'intérieur de ganglions terminaux qui se trouvent près des organes cibles ou dans leur paroi.

L'anatomie de la partie sympathique du SNA

Les premiers neurones de la partie sympathique du SNA sont situés dans la substance grise de la moelle épinière, entre T_1 et L_2 (voir la figure 7.43). Les axones préganglionnaires émergent de la moelle épinière par la

Tableau 7.4 Les plexus des nerfs spinaux

Plexus	Origine (rameaux ventraux)	Nerfs importants	Structures innervées	Conséquences d'une lésion du plexus ou de ses nerfs
Cervical	De C_1 à C_5	Phrénique	Diaphragme et muscles de l'épaule et du cou	Paralysie respiratoire (et mort en l'absence d'un traitement immédiat)
Brachial	De C_5 à C_8 ; T_1	Axillaire	Muscle deltoïde de l'épaule	Paralysie et atrophie du muscle deltoïde
		Radial	Muscle triceps brachial et muscles extenseurs de l'avant-bras	Main tombante (flexion permanente de la main à la hauteur du poignet)
		Médian	Muscles fléchisseurs de l'avant-bras et quelques muscles de la main	Flexion et abduction difficiles de la main, du pouce et de l'index (d'où l'incapacité de saisir de petits objets)
		Musculocutané	Muscles fléchisseurs du bras	Flexion difficile de l'avant-bras sur le bras
		Ulnaire	Poignet et de nombreux muscles de la main	Main en griffe (incapacité d'écarter les doigts)
Lombaire	De L_1 à L_4	Fémoral (incluant les nerfs cutanés latéral et intermédiaire de la cuisse)	Partie inférieure de l'abdomen, fesses, partie antérieure des cuisses, peau de la partie antéromédiale de la jambe et de la cuisse	Incapacité de placer la jambe en extension et la hanche en flexion ; perte de la sensibilité cutanée
		Obturateur	Muscles adducteurs de la partie médiale de la cuisse et petits muscles de la hanche ; peau de la partie médiale de la cuisse et articulation de la hanche	Incapacité de placer la cuisse en adduction
Sacral	L_4 et L_5 ; de S_1 à S_4	Sciatique (le plus gros nerf du corps ; donne le nerf tibial et le nerf fibulaire commun)	Partie inférieure du tronc et face postérieure de la cuisse (et de la jambe)	Incapacité de placer la hanche en extension et le genou en flexion ; sciatique
		• Fibulaire commun (branches superficielle et profonde)	Partie latérale de la jambe et du pied	Pied tombant (incapacité de placer le pied en dorsiflexion)
		• Tibial (incluant le nerf sural et les nerfs plantaires)	Partie postérieure de la jambe et du pied	Incapacité de placer le pied en flexion plantaire ; démarche traînante
		Glutéal supérieur et glutéal inférieur	Muscles glutéaux de la hanche	Incapacité de faire l'extension de la hanche (muscle grand glutéal) ou de faire l'abduction et la rotation médiale de la cuisse (muscle moyen glutéal)

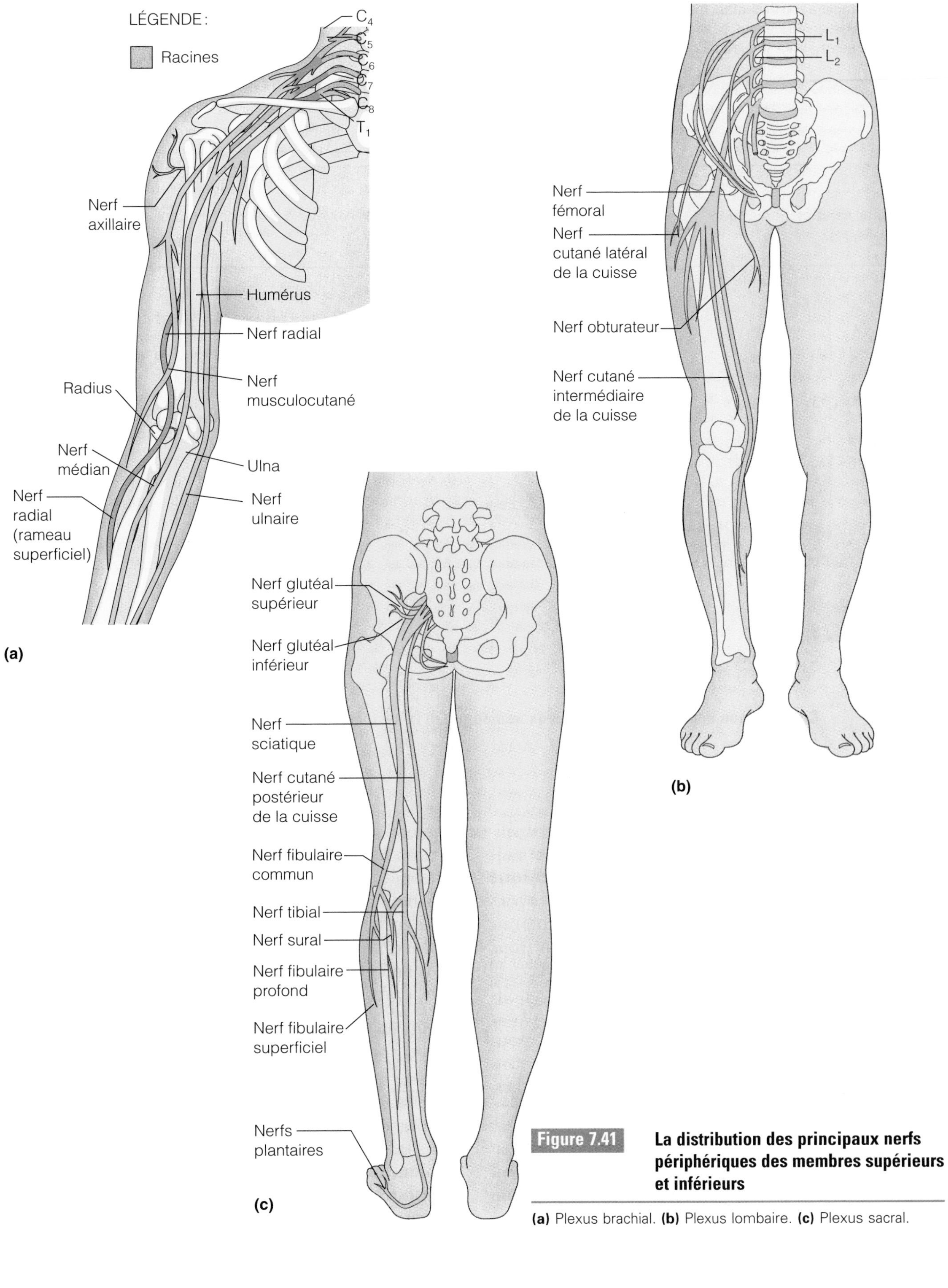
LÉGENDE :
Racines
C4
C5
C6
C7
C8
T1
Nerf axillaire
Humérus
Nerf radial
Radius
Nerf musculocutané
Nerf médian
Ulna
Nerf radial (rameau superficiel)
Nerf ulnaire
(a)
L1
L2
Nerf fémoral
Nerf cutané latéral de la cuisse
Nerf obturateur
Nerf cutané intermédiaire de la cuisse
(b)
Nerf glutéal supérieur
Nerf glutéal inférieur
Nerf sciatique
Nerf cutané postérieur de la cuisse
Nerf fibulaire commun
Nerf tibial
Nerf sural
Nerf fibulaire profond
Nerf fibulaire superficiel
Nerfs plantaires
(c)

Figure 7.41 **La distribution des principaux nerfs périphériques des membres supérieurs et inférieurs**

(a) Plexus brachial. **(b)** Plexus lombaire. **(c)** Plexus sacral.

Q **La propagation des influx nerveux le long des voies du SNA est généralement beaucoup plus lente que le long des neurofibres somatiques. Pourquoi ?**

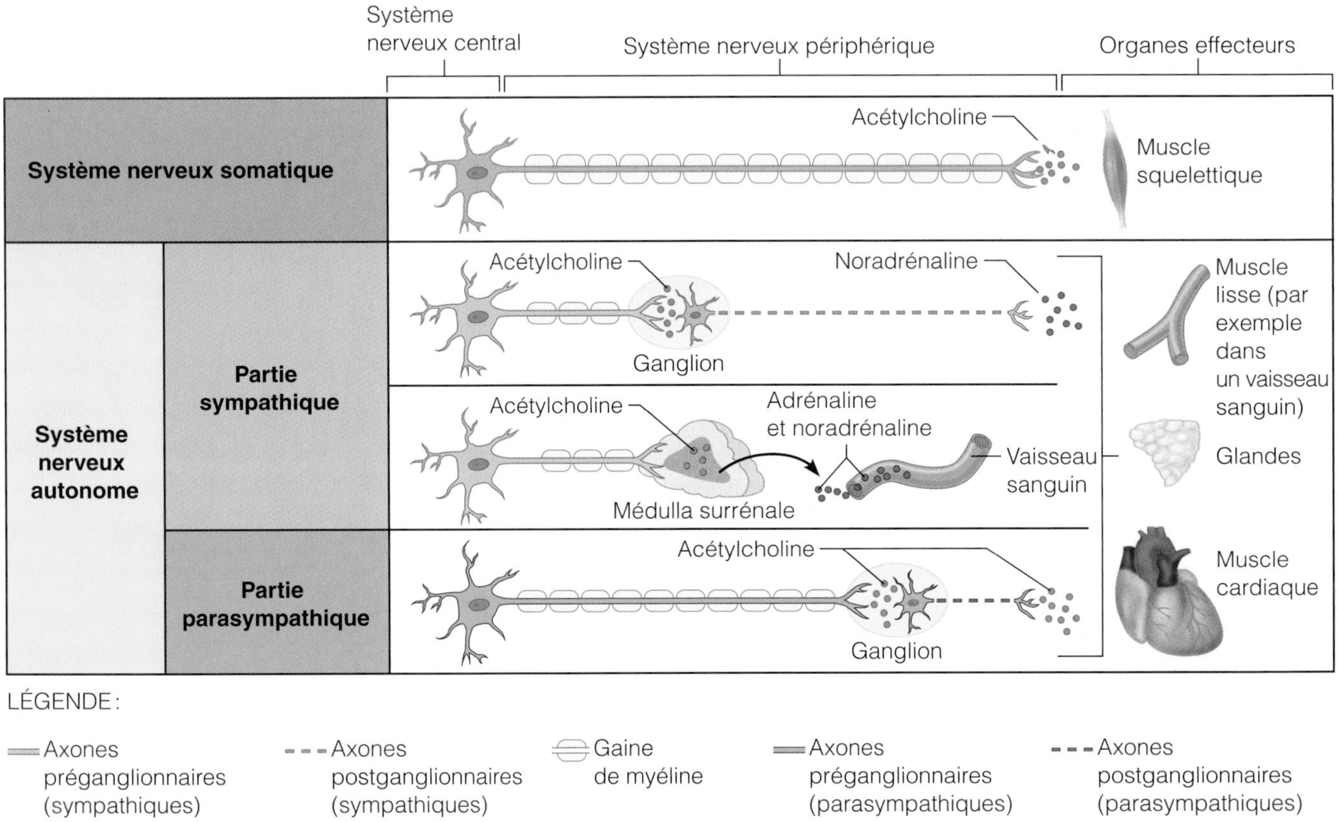
Système nerveux central
Système nerveux périphérique
Organes effecteurs
Système nerveux somatique
Acétylcholine
Muscle squelettique
Système nerveux autonome
Partie sympathique
Acétylcholine
Noradrénaline
Ganglion
Muscle lisse (par exemple dans un vaisseau sanguin)
Acétylcholine
Adrénaline et noradrénaline
Vaisseau sanguin
Médulla surrénale
Glandes
Partie parasympathique
Acétylcholine
Ganglion
Muscle cardiaque
LÉGENDE :
Axones préganglionnaires (sympathiques)
Axones postganglionnaires (sympathiques)
Gaine de myéline
Axones préganglionnaires (parasympathiques)
Axones postganglionnaires (parasympathiques)

Figure 7.42 **Comparaison entre le système nerveux somatique et le système nerveux autonome**

racine ventrale du nerf spinal, entrent dans le nerf spinal, passent par un **rameau communicant blanc**, puis entrent dans un **ganglion du tronc sympathique** (figure 7.44). Les **troncs sympathiques**, ou chaînes latérovertébrales, s'étendent de part et d'autre de la colonne vertébrale. Une fois qu'il a atteint un ganglion du tronc sympathique, l'axone peut faire synapse avec le deuxième neurone au même niveau ou à un niveau différent (l'axone postganglionnaire entre alors à nouveau dans le nerf spinal par un *rameau communicant gris* pour se rendre jusqu'à la peau), ou traverser le ganglion sans faire synapse et former en partie les nerfs splanchniques.

R **Parce que les neurofibres postganglionnaires du SNA ne sont pas myélinisées. En conséquence, elles conduisent les influx nerveux beaucoup plus lentement que les neurofibres myélinisées du système nerveux somatique.**

Ces derniers font synapse avec le deuxième neurone, situé dans un **ganglion prévertébral**, à l'avant de la colonne vertébrale. Les principaux ganglions prévertébraux, soit le ganglion cœliaque et les ganglions mésentériques supérieur et inférieur, desservent les organes de l'abdomen et du bassin. L'axone postganglionnaire sort ensuite du ganglion prévertébral et s'étend jusqu'à un viscère situé à proximité.

À présent que nous avons décrit l'anatomie du SNA, voyons comment il fonctionne.

Le fonctionnement du système nerveux autonome

Les organes innervés par le SNA reçoivent des neurofibres de la partie sympathique *et* de la partie parasympathique. On compte cependant quelques exceptions à cette règle : la plupart des vaisseaux sanguins et des structures de la peau, quelques glandes et la médulla

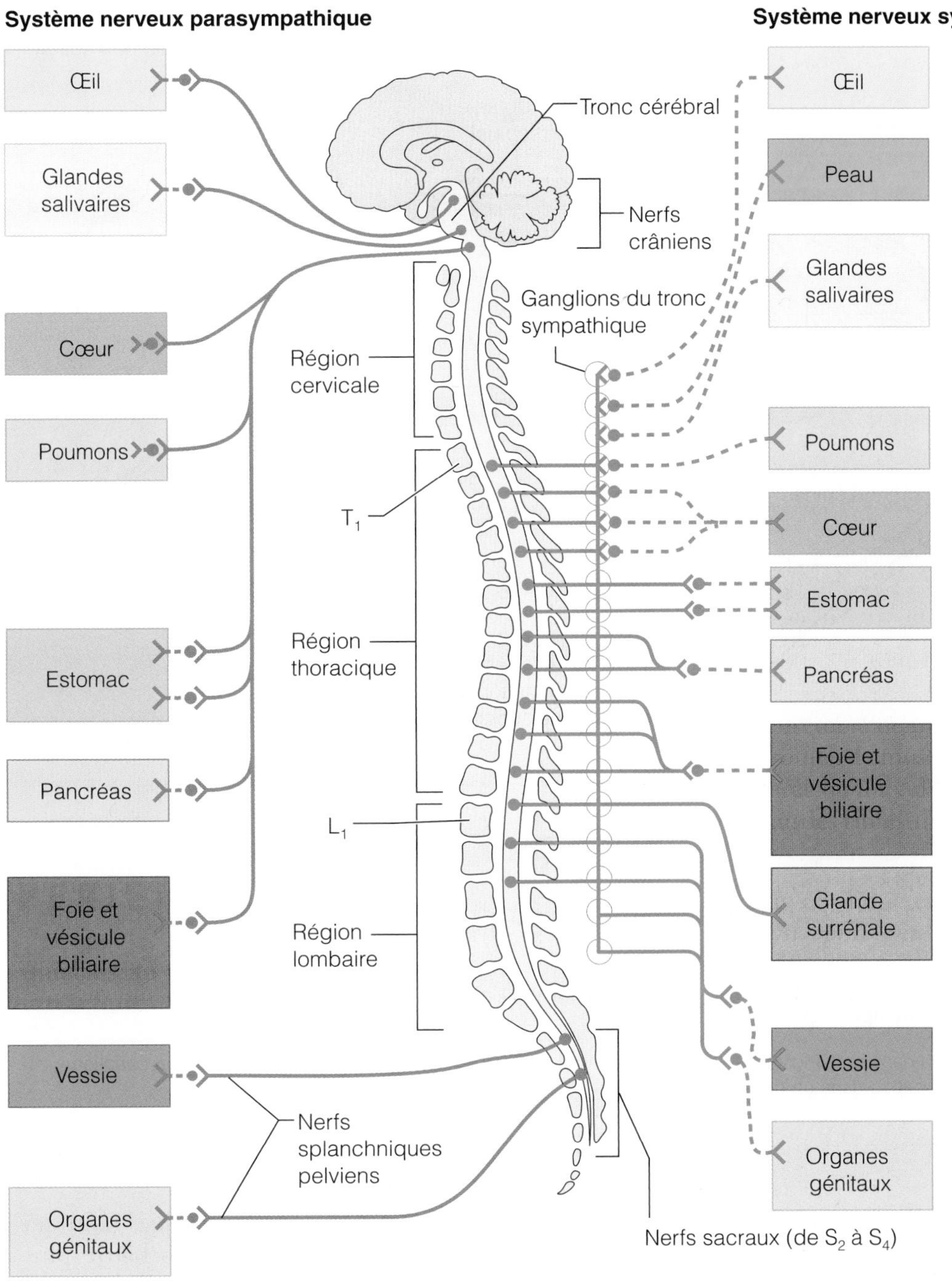
Système nerveux parasympathique
Œil
Glandes salivaires
Cœur
Poumons
Estomac
Pancréas
Foie et vésicule biliaire
Vessie
Organes génitaux
Système nerveux sympathique
Œil
Peau
Glandes salivaires
Poumons
Cœur
Estomac
Pancréas
Foie et vésicule biliaire
Glande surrénale
Vessie
Organes génitaux
Tronc cérébral
Nerfs crâniens
Ganglions du tronc sympathique
Région cervicale
T1
Région thoracique
L1
Région lombaire
Nerfs splanchniques pelviens
Nerfs sacraux (de S2 à S4)

Figure 7.43 **L'anatomie du système nerveux autonome**

Les lignes mauves représentent les neurofibres parasympathiques, et les lignes vertes les neurofibres sympathiques. Les lignes pleines illustrent les neurofibres préganglionnaires, et les lignes pointillées les neurofibres postganglionnaires.

surrénale reçoivent seulement des neurofibres sympathiques (tableau 7.5). Lorsqu'elles innervent le même organe, les parties sympathique et parasympathique ont des effets antagonistes, car leurs axones postganglionnaires libèrent des neurotransmetteurs différents (voir la figure 7.42). Les neurofibres postganglionnaires parasympathiques, appelées *neurofibres cholinergiques,* libèrent de l'acétylcholine (ACh) ; les neurofibres postganglionnaires sympathiques, appelées *neurofibres adrénergiques,* libèrent de la noradrénaline. Les axones

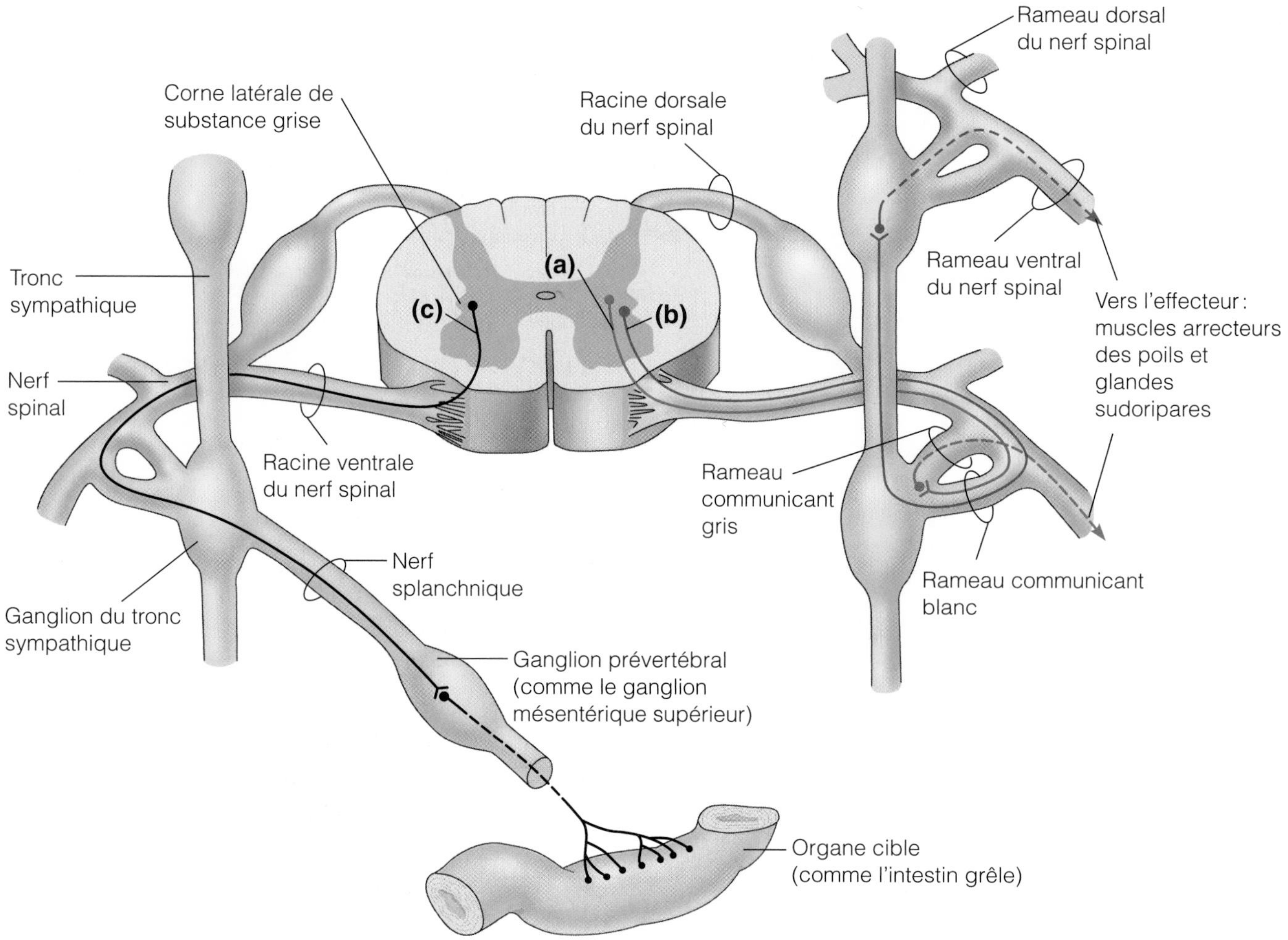

Rameau dorsal
du nerf spinal
Corne latérale de
substance grise
Racine dorsale
du nerf spinal
Tronc
sympathique
(a)
(c)
(b)
Rameau ventral
du nerf spinal
Vers l'effecteur:
muscles arrecteurs
des poils et
glandes
sudoripares
Nerf
spinal
Racine ventrale
du nerf spinal
Rameau
communicant
gris
Nerf
splanchnique
Rameau communicant
blanc
Ganglion du tronc
sympathique
Ganglion prévertébral
(comme le ganglion
mésentérique supérieur)
Organe cible
(comme l'intestin grêle)

Figure 7.44 **Les voies sympathiques**

(a) Synapse au même niveau dans un ganglion du tronc sympathique. **(b)** Synapse à un niveau différent dans un ganglion du tronc sympathique. **(c)** Synapse dans un ganglion prévertébral à l'avant de la colonne vertébrale.

préganglionnaires des *deux* parties libèrent de l'ACh. Pour bien marquer les rôles *relatifs* des deux parties du SNA, nous allons nous attarder aux situations au cours desquelles l'une ou l'autre prédomine.

La partie sympathique du SNA C'est la **partie sympathique du SNA** qui, dans les situations d'urgence, nous prépare à la fuite ou à la lutte. Son activité se manifeste lorsque nous sommes excités, effrayés ou menacés: le cœur s'emballe, la respiration est rapide et profonde, la peau est froide et moite, la chair de poule apparaît et les pupilles se dilatent. La partie sympathique déclenche diverses adaptations qui nous aident à affronter le stress. Ainsi, elle accélère la fréquence cardiaque, augmente la pression artérielle, élève le taux de glucose sanguin et dilate les bronchioles. En outre, elle dilate les vaisseaux sanguins des muscles squelettiques (afin que nous puissions courir plus vite ou nous battre plus énergiquement) et détourne le sang des organes digestifs (afin d'augmenter l'irrigation du cœur, du cerveau et des muscles squelettiques).

La partie sympathique se mobilise pour aider l'organisme à faire face non seulement à un stress émotionnel, mais aussi à un stress physique. Si, par exemple, vous venez de subir une intervention chirurgicale ou de courir un marathon, la partie sympathique de votre SNA active vos glandes surrénales afin qu'elles sécrètent de l'adrénaline et de la noradrénaline (voir la figure 7.42). Les effets de l'activation de la partie sympathique se font sentir durant quelques minutes, jusqu'à ce que le foie dégrade ces hormones. Par conséquent, bien qu'ils aient

Tableau 7.5 Les effets comparés des parties sympathique et parasympathique du système nerveux autonome

Cible (organe ou système)	Effets de la partie parasympathique	Effets de la partie sympathique
Système digestif	Accroissement de la motilité du muscle lisse (péristaltisme) et de la sécrétion des glandes du système digestif ; relâchement des sphincters	Diminution de l'activité du système digestif et contraction des sphincters (comme le sphincter anal)
Foie	Aucun	Libération de glucose dans le sang
Poumons	Constriction des bronchioles	Dilatation des bronchioles
Vessie, urètre	Relâchement du sphincter lisse de l'urètre (stimulation de la miction)	Contraction du sphincter lisse de l'urètre (inhibition de la miction)
Reins	Aucun	Diminution de la diurèse
Cœur	Ralentissement et stabilisation de la fréquence cardiaque	Augmentation de la fréquence cardiaque et de la force des contractions cardiaques
Vaisseaux sanguins	Aucun sur la plupart des vaisseaux sanguins	Constriction des vaisseaux des viscères et de la peau (et dilatation de ceux des muscles squelettiques et du cœur) ; augmentation de la pression artérielle
Glandes salivaires et lacrymales	Stimulation (augmentation) de la production de salive et de larmes	Inhibition (sécheresse de la bouche et des yeux)
Œil (iris)	Stimulation du muscle sphincter de la pupille ; constriction des pupilles	Stimulation du muscle dilatateur de la pupille ; dilatation des pupilles
Œil (muscle ciliaire)	Stimulation du muscle ciliaire, entraînant le bombement du cristallin pour la vision de près	Inhibition du muscle ciliaire, entraînant un aplatissement du cristallin pour la vision de loin
Médulla surrénale	Aucun	Déclenchement de la sécrétion d'adrénaline et de noradrénaline
Glandes sudoripares	Aucun	Déclenchement de la transpiration
Muscles arrecteurs des poils attachés aux follicules du poil	Aucun	Déclenchement de la contraction (redressement des poils et production de chair de poule)
Pénis	Érection par suite de la vasodilatation	Éjaculation (émission de sperme)
Métabolisme cellulaire	Aucun	Augmentation de la vitesse du métabolisme et de la glycémie ; stimulation de la dégradation des lipides

une durée d'action brève, les influx des neurofibres sympathiques produisent des effets hormonaux de longue durée. C'est en raison de l'effet prolongé et généralisé de l'activation sympathique que nous avons besoin de « souffler » après avoir vécu un stress extrême.

La partie sympathique du SNA amorce une série de réactions qui permettent à l'organisme de s'adapter rapidement et vigoureusement aux situations qui pourraient perturber l'homéostasie. Son rôle est d'instaurer les conditions les plus favorables au déclenchement de la réaction appropriée à toute menace, que cette réaction soit la fuite, une meilleure vision ou une pensée plus claire.

Déséquilibre homéostatique

La stimulation excessive de la partie sympathique du SNA cause ou, à tout le moins, aggrave certaines maladies. Certains individus, que l'on appelle *personnes du type A*, travaillent toujours à toute vitesse et cherchent continuellement à se dépasser. Ces personnes sont prédisposées à la maladie coronarienne, à l'hypertension artérielle et aux ulcères. Toutes ces affections peuvent découler d'une activité prolongée de la partie sympathique ou de l'effet de rebond qui suit son interruption. ▲

La partie parasympathique du SNA La **partie parasympathique du SNA** s'active surtout dans les situations neutres. Elle est notamment associée au repos et à la digestion. Son rôle principal consiste à favoriser la digestion et l'élimination des fèces et de l'urine, et à réduire la consommation d'énergie en ralentissant l'activité du système cardiovasculaire. (C'est d'ailleurs pour empêcher l'activité sympathique d'inhiber ou d'entraver la digestion qu'il est recommandé de se reposer après un repas copieux.) Ainsi, une personne qui se détend en lisant son journal après un repas permet l'activité de la partie parasympathique du SNA. La pression artérielle, la fréquence cardiaque et la fréquence respiratoire de cette personne sont basses, son tube digestif digère le repas, et sa peau est chaude (ce qui indique que les muscles squelettiques et les organes vitaux n'ont pas besoin d'un apport sanguin accru). Ses pupilles sont en constriction pour protéger ses rétines d'un excès de lumière nuisible, et ses cristallins sont accommodés à la vision de près. On peut considérer la partie parasympathique du SNA comme le système qui effectue l'entretien général de l'organisme.

Voici un bon moyen de mémoriser les principaux rôles des deux parties du SNA: associez la partie parasympathique à la lettre **D** (détente, digestion, défécation et diurèse [production d'urine]) et la partie sympathique à la lettre **E** (exercice, excitation, effarement et embarras). Rappelez-vous toutefois que, malgré les apparences, le fonctionnement de la partie sympathique et celui de la partie parasympathique ne sont pas mutuellement exclusifs. Leur antagonisme est plutôt d'ordre dynamique et les deux procèdent sans cesse à de subtils ajustements. Même si nous avons associé la partie parasympathique au repos, par exemple, la plupart des vaisseaux sanguins ne sont régis que par des neurofibres sympathiques, que l'organisme soit «sur le pied de guerre» ou détendu. Nous présentons un résumé des effets des parties sympathique et parasympathique du SNA au tableau 7.5.

FAITES-EN L'EXPÉRIENCE

Cultivez votre mémoire

Est-il possible d'améliorer sa capacité d'apprendre et de se rappeler ce qu'on a appris? Oui! Les techniques qui suivent exploitent les mécanismes utilisés par le cerveau pour enregistrer et retrouver l'information.

- **Se concentrer.** Il semblerait que cela va de soi, mais le fait d'être attentif augmente l'activité cérébrale et le taux d'adrénaline, ce qui favorise la consolidation de l'information dans la mémoire à long terme.
- **Diminuer les distractions.** Travaillez dans un endroit calme; le bruit nuit à la concentration.
- **Découper un gros bloc d'information en petits segments (ou sujets).** Prenez le temps de réviser chaque sujet et accordez-vous des pauses entre les segments.
- **Reformuler la matière dans ses propres mots.** Exprimez l'information de façon qu'elle soit compréhensible pour vous.
- **Mettre ses connaissances à l'épreuve.** Créez des résumés ou des schémas. Essayez de définir les mots clés avant de consulter les ouvrages de référence. Répondez aux questions de révision et faites les exercices, s'il y en a.

La mémoire à court terme s'établit par la production de potentiels d'action en rafales de courte durée. Plus vous manipulez un concept, par la lecture ou la réflexion, ou en faisant des exercices, plus vous sollicitez vos neurones. En étudiant une matière, attentivement et souvent, vous déclenchez de nouveaux potentiels d'action et vous améliorez votre mémoire à long terme parce que les synapses se renforcent à l'usage.

Le développement et le vieillissement du système nerveux

Comme le système nerveux se forme pendant le premier mois du développement embryonnaire, toute infection maternelle contractée au début de la grossesse peut avoir des effets catastrophiques sur le fœtus. Ainsi, la rubéole entraîne souvent la surdité et d'autres lésions du SNC chez le nouveau-né. Par ailleurs, une privation d'oxygène de courte durée peut détruire des neurones, car le tissu nerveux est le tissu de l'organisme dont la vitesse du métabolisme est la plus élevée. (Comme l'usage du tabac diminue la quantité d'oxygène présente dans la circulation sanguine, une femme enceinte qui fume expose son enfant à des risques de lésions cérébrales.) Les radiations ainsi que diverses substances (alcool, opiacés, cocaïne, etc.) peuvent aussi endommager le système nerveux du fœtus pendant les premiers stades de son développement.

GROS PLAN

Pour y voir clair dans le cerveau

Quiconque a déjà subi un examen médical de routine sait en quoi consiste la recherche des réflexes. Le médecin frappe doucement le tendon du quadriceps fémoral ou le tendon d'Achille au moyen d'un marteau à percussion, les muscles de la jambe se contractent et produisent une extension partielle de la jambe ou du pied. Ces réponses indiquent que la moelle épinière et les centres cérébraux fonctionnent normalement. Toutefois, lorsque les réflexes sont anormaux ou lorsqu'on soupçonne une tumeur cérébrale, une hémorragie intracrânienne, la sclérose en plaques ou l'hydrocéphalie, il faut procéder à des épreuves neurologiques plus poussées.

Pour diagnostiquer et localiser toutes sortes de lésions cérébrales (telles que les lésions épileptiques, les tumeurs et les abcès), on dispose d'une «bonne vieille» méthode, l'**électroencéphalographie**. Lorsque le cerveau fonctionne normalement, les neurones ont une activité électrique. On obtient un enregistrement de cette activité, c'est-à-dire un électroencéphalogramme (EEG), en appliquant sur le cuir chevelu intact des électrodes reliées à un dispositif d'enregistrement (figure a). Les tracés produits sont appelés *ondes cérébrales*. Comme le code génétique et l'expérience façonnent le cerveau, chaque individu présente un tracé électroencéphalographique aussi unique que ses empreintes digitales. La figure b fournit une représentation des quatre types d'ondes cérébrales les plus fréquents. Les **ondes alpha** (de 8 à 13 Hz) sont des ondes assez régulières et rythmiques, de faible amplitude et synchrones. Dans la plupart des cas, ces ondes indiquent un état de veille diffuse, de relaxation mentale. Rythmiques elles aussi, les **ondes bêta** (de 14 à 25 Hz) sont en revanche plus irrégulières que les ondes alpha, et leur fréquence est plus élevée. Elles se produisent lorsque nous sommes à l'état de veille active, par exemple lorsque nous nous concentrons sur un problème ou un stimulus visuel. Les **ondes thêta** (de 4 à 7 Hz) sont encore plus irrégulières. Courantes chez les enfants, ces ondes sont considérées comme anormales chez les adultes éveillés. Les **ondes delta** (4 Hz ou moins) ont une forte amplitude. Elles surviennent pendant le sommeil profond et lorsque le système réticulaire activateur ascendant est amorti, au cours d'une anesthésie, par exemple. Elles indiquent une lésion cérébrale chez l'adulte éveillé.

Bien entendu, les tracés électroencéphalographiques caractéristiques de l'état de veille active diffèrent de ceux qui apparaissent en période de détente ou pendant le sommeil profond. Des ondes cérébrales trop rapides ou trop lentes indiquent une perturbation des fonctions corticales; l'inconscience s'ensuit à un extrême comme à l'autre. Le sommeil et le coma engendrent des tracés anormalement lents, tandis que la peur, les crises épileptiques et certaines intoxications causées par des surdoses de médicaments ou de drogues sont associées à des ondes excessivement rapides. Puisque le cerveau émet des ondes même pendant le coma, l'absence d'ondes cérébrales (un électroencéphalogramme plat) est un signe clinique de la mort.

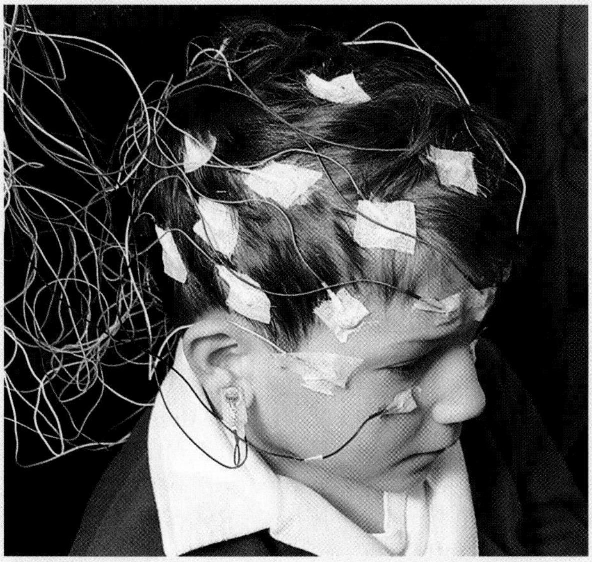

(a)

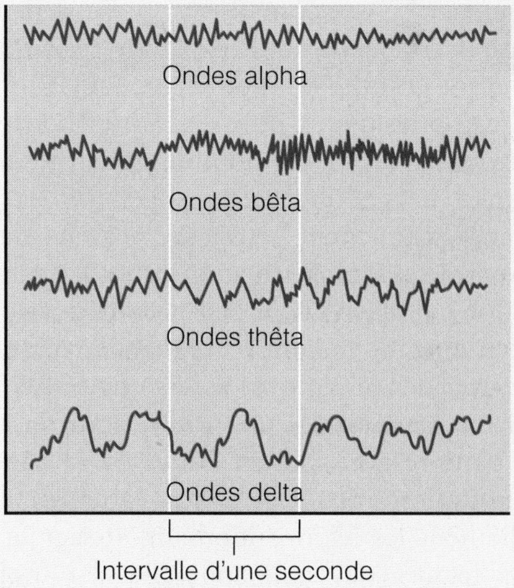
Ondes alpha
Ondes bêta
Ondes thêta
Ondes delta
Intervalle d'une seconde

(b)

Électroencéphalogramme et ondes cérébrales

(a) Pour obtenir un enregistrement de l'activité électrique cérébrale (un électroencéphalogramme, ou EEG), on place sur le cuir chevelu des électrodes que l'on relie à un appareil appelé *électroencéphalographe*.
(b) Ondes EEG typiques.

L'**encéphalographie gazeuse** fournit une radiographie relativement claire des ventricules; elle a longtemps constitué le procédé d'élection pour le diagnostic de l'hydrocéphalie. On procède à une ponction lombaire pour prélever une petite quantité de liquide cérébrospinal, puis on injecte de l'air dans la cavité subarachnoïdienne. On laisse monter l'air jusque dans les ventricules, ce qui permet de les visualiser. L'examen brille par sa simplicité, mais peut causer un terrible mal de tête.

L'**angiographie cérébrale** permet d'évaluer l'état des artères cérébrales qui desservent l'encéphale (ou celui des artères carotides du cou, qui alimentent la plupart de ces vaisseaux) chez les personnes qui ont subi un accident vasculaire cérébral ou un accident ischémique transitoire. On injecte un produit de contraste opaque aux rayons X dans une artère et on le laisse se disperser dans l'encéphale. On prend ensuite une radiographie des artères que l'on souhaite examiner. Le produit de contraste fait ressortir les artères rétrécies par l'artériosclérose.

Les nouvelles techniques d'imagerie décrites au chapitre 1 (p. 19-20) ont révolutionné le diagnostic des lésions cérébrales. La **tomographie** et la **remnographie** permettent de déceler rapidement la plupart des tumeurs, des lésions intracrâniennes, des plaques de sclérose et des infarctus. La tomographie est devenue un outil essentiel en neurochirurgie, car elle améliore la précision des interventions. La **tomographie par émission de positons** (TEP) consiste à évaluer l'activité biochimique de l'encéphale au moyen de rayons gamma à haute énergie. La technique permet de localiser les lésions qui produisent les crises épileptiques et de diagnostiquer la maladie d'Alzheimer.

Ces techniques constituent aussi une partie des outils qui permettent de mieux connaître le fonctionnement d'un cerveau sain. Quelle que soit la puissance de toutes ces techniques, on ne doit jamais oublier qu'elles ont leurs limites et qu'elles font appel à des instruments très complexes fournissant des données qui nécessitent un vaste champ de connaissances pour être interprétées adéquatement.

Déséquilibre homéostatique

L'*infirmité motrice cérébrale* (IMC) peut être causée par une privation temporaire d'oxygène au cours d'une naissance difficile, mais également par d'autres facteurs. Ce handicap neuromusculaire résulte d'une lésion cérébrale et se traduit par une mauvaise maîtrise des muscles squelettiques et par leur spasticité. Environ la moitié des personnes atteintes connaissent des crises convulsives, présentent une déficience intellectuelle ou souffrent d'un déficit auditif ou visuel, ou une combinaison des deux. L'IMC est la cause de handicap physique la plus répandue chez les enfants en Amérique du Nord. De nombreuses autres anomalies congénitales liées à des facteurs génétiques ou environnementaux touchent le système nerveux central. Les plus graves de ces malformations sont l'hydrocéphalie (voir p. 266), l'*anencéphalie* (absence de développement du cerveau rendant l'enfant incapable de voir, d'entendre et d'éprouver des sensations) et le spina bifida. Le *spina bifida* (1 ou 2 naissances sur 1000), dont on a isolé un premier gène responsable en 2007, est la conséquence d'une formation incomplète des vertèbres et touche habituellement les régions lombaire et sacrale. Il existe plusieurs formes de cette anomalie. La moins grave n'entraîne pas de troubles neurologiques et ne se traduit extérieurement que par une petite fossette ou une touffe de poils surmontant la malformation. Dans les cas graves, les méninges, les racines des nerfs spinaux et même des parties de la moelle épinière font saillie à l'extérieur de la colonne vertébrale; la partie inférieure de la moelle épinière ne fonctionne pas. L'enfant souffre alors d'incontinence des fèces et de l'urine ainsi que d'une paralysie des membres inférieurs. ▲

L'hypothalamus est l'une des dernières structures du SNC à atteindre la maturité. Comme cet organe contient les centres de régulation de la température corporelle, les nouveau-nés prématurés sont sujets à des pertes de chaleur et doivent faire l'objet d'une surveillance rigoureuse. En règle générale, la formation de neurones cesse après la naissance (car les neurones sont amitotiques), mais la croissance et la maturation du système nerveux se poursuivent pendant l'enfance, parallèlement à la progression de la myélinisation des axones. Le degré de coordination neuromusculaire d'une région constitue un indice fiable du degré de myélinisation des voies nerveuses qui la desservent. Comme nous l'avons vu au chapitre 6, la coordination neuromusculaire se développe du haut vers le bas (en direction céphalocaudale) et du centre du corps vers la périphérie (en direction proximodistale), et on sait que la myélinisation se déroule dans le même ordre.

L'encéphale atteint sa masse maximale au début de l'âge adulte. Pendant les quelque 60 ans qui suivent, les neurones se détériorent et meurent; comme ils ne se reproduisent pas, notre « stock » ne cesse de diminuer. C'est du moins ce qu'on croyait il y a encore quelques années. Mais les recherches actuelles montrent que, chez les mammifères (et l'humain en est un), des cellules souches neuronales peuvent encore apparaître chez l'adulte à deux endroits dans le cerveau : dans les parois des ventricules et dans l'hippocampe, structure profonde de l'encéphale liée à l'apprentissage et à la mémoire. Une partie de ces cellules souches deviennent des neurones ; celles qui proviennent des ventricules migrent vers le bulbe olfactif, et les autres demeurent dans l'hippocampe. Ces nouveaux neurones s'intègrent, par de nouvelles synapses, dans le réseau neuronal existant. Par ailleurs, nous conservons toujours une réserve illimitée de voies nerveuses prêtes à s'ouvrir. Nous ne sommes jamais à court de « bande magnétique » et nous pouvons continuer d'apprendre toute notre vie.

Avec le temps, la partie sympathique du SNA perd graduellement de son efficacité, surtout en ce qui a trait à la constriction des vaisseaux sanguins. Certaines personnes âgées s'évanouissent ou sont prises d'étourdissements quand elles passent de la position assise ou couchée à la position debout. La partie sympathique de leur SNA n'active plus assez promptement les centres vasoconstricteurs pour contrer l'attraction de la pesanteur. Le sang s'accumule alors dans les pieds. Cet état, appelé *hypotension orthostatique*, est une forme d'hypotension artérielle causée par les changements de position. On peut le prévenir en changeant lentement de position pour laisser à la partie sympathique du SNA le temps de s'adapter et de réagir.

La détérioration du système nerveux est habituellement attribuable à des troubles du système cardiovasculaire. Ainsi, l'*artériosclérose* et l'hypertension artérielle entraînent une diminution de l'apport d'oxygène aux neurones de l'encéphale. L'insuffisance de l'apport d'oxygène finit par causer la *sénilité*, qui se caractérise par les pertes de mémoire, l'irritabilité, la difficulté à se concentrer et à penser clairement, et la désorientation. Comme nous l'avons expliqué plus haut (voir p. 269-270), un arrêt soudain de l'apport de sang et d'oxygène à l'encéphale provoque un AVC. Cependant, nombre de gens s'acquittent de tâches intellectuellement astreignantes toute leur vie. De fait, moins de 5 % des personnes de 65 ans et plus présentent une véritable sénilité. Malheureusement, de nombreux cas de « sénilité réversible » attribuables à l'hypotension artérielle, à la constipation, à une mauvaise alimentation, aux effets des médicaments, à la dépression, à la déshydratation et à des déséquilibres hormonaux ne sont pas diagnostiqués. Le meilleur moyen de conserver ses facultés mentales pendant la vieillesse est vraisemblablement de subir des examens médicaux réguliers toute sa vie.

L'atrophie du cerveau survient normalement à mesure que l'on avance en âge, mais il semble que certaines personnes (notamment les alcooliques chroniques et les boxeurs professionnels) accélèrent le processus. Qu'un boxeur gagne ou non ses combats, la probabilité de lésions et d'atrophie cérébrales s'accroît à chaque round, car tous les coups qu'il reçoit projettent son encéphale contre son crâne. C'est ainsi qu'on rencontre de nombreux boxeurs à la retraite atteints d'encéphalopathie traumatique des boxeurs (désignée dans le milieu par le terme *punch drunk*), dont les symptômes sont des difficultés d'élocution, une démarche anormale et la démence.

Tout le monde convient que l'alcool a des effets marqués tant sur le corps que sur l'esprit. Or, ces effets ne sont peut-être pas temporaires. La tomographie démontre que la diminution de la taille de l'encéphale survient précocement chez les alcooliques chroniques. Comme les boxeurs, les alcooliques présentent des signes de *démence sénile* sans rapport avec le vieillissement.

La complexité des hémisphères cérébraux est stupéfiante. Le diencéphale et le tronc cérébral – les régions de l'encéphale qui gouvernent toutes les fonctions subconscientes du système nerveux autonome – ne sont pas moins complexes, surtout si l'on tient compte de leur taille. La moelle épinière, qui sert de centre réflexe, et les nerfs périphériques, qui jouent le rôle de voies de communication entre le SNC et le reste du corps, sont tout aussi importants pour l'homéostasie.

Vous avez appris beaucoup de termes dans ce chapitre, et vous retrouverez une bonne partie de cette terminologie dans les chapitres où il sera question des autres systèmes de l'organisme et de la régulation de leur activité par le système nerveux. Ces termes sont *essentiels*, alors tentez de les retenir au fur et à mesure. Consultez le glossaire qui apparaît à la fin de l'ouvrage aussi souvent que le besoin s'en fera sentir.

Tous pour un, un pour tous

Les relations entre le système nerveux et les autres systèmes de l'organisme

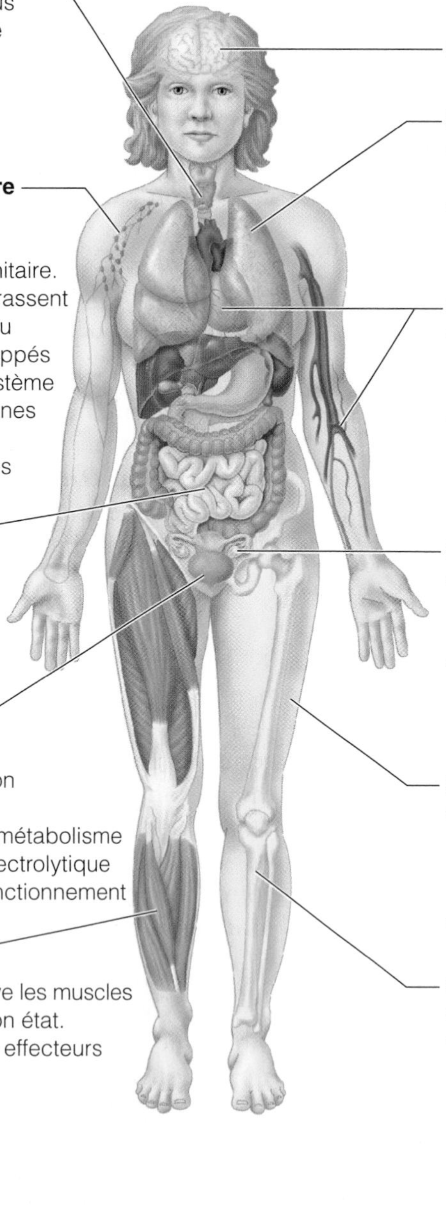

Système endocrinien
- La partie sympathique du SNA active la médulla surrénale ; l'hypothalamus concourt à la régulation de l'activité de l'adénohypophyse et synthétise deux hormones.
- Les hormones influent sur le métabolisme des neurones.

Système lymphatique et immunitaire
- Des nerfs innervent les organes lymphoïdes ; l'encéphale concourt à la régulation de la fonction immunitaire.
- Les vaisseaux lymphatiques débarrassent les tissus entourant les structures du système nerveux des liquides échappés des capillaires ; les éléments du système immunitaire protègent tous les organes des agents pathogènes (le SNC possède aussi d'autres mécanismes de défense).

Système digestif
- Le SNA (en particulier la partie parasympathique) régit l'activité du système digestif.
- Le système digestif fournit les nutriments nécessaires à la santé des neurones.

Système urinaire
- Le SNA régit la miction et la pression artérielle rénale.
- Les reins évacuent les déchets du métabolisme et maintiennent une composition électrolytique et un pH du sang appropriés au fonctionnement des neurones.

Système musculaire
- Le système nerveux somatique active les muscles squelettiques et les maintient en bon état.
- Les muscles squelettiques sont les effecteurs du système nerveux somatique.

Système nerveux

Système respiratoire
- Le système nerveux régit le rythme et l'amplitude des mouvements respiratoires.
- Le système respiratoire fournit l'oxygène essentiel à la vie des neurones et évacue le gaz carbonique.

Système cardiovasculaire
- Le SNA concourt à la régulation de la fréquence cardiaque et de la pression artérielle.
- Le système cardiovasculaire fournit du sang riche en oxygène et en nutriments au système nerveux, et évacue les déchets.

Système génital
- Le SNA régit l'érection du pénis et l'éjaculation chez l'homme ainsi que l'érection du clitoris chez la femme.
- La testostérone est à l'origine de la masculinisation du cerveau, et intervient dans la libido et l'agressivité.

Système tégumentaire
- La partie sympathique du SNA régit les glandes sudoripares et les vaisseaux sanguins de la peau (et, par conséquent, la déperdition ou la rétention de chaleur).
- La peau abrite de nombreux récepteurs nerveux.

Système osseux
- Les nerfs innervent les os.
- Les os emmagasinent du calcium qui servira à la transmission de l'influx nerveux par les neurones, et protègent les structures du SNC.

Résumé du chapitre 7

L'ORGANISATION DU SYSTÈME NERVEUX *(p. 222-223)*

1. Classification structurale: toutes les structures du système nerveux appartiennent soit au SNC (encéphale et moelle épinière), soit au SNP (nerfs et ganglions).

2. Classification fonctionnelle: on classe les nerfs moteurs du SNP selon qu'ils stimulent les muscles squelettiques (système nerveux somatique) ou les muscles lisses, le muscle cardiaque et les glandes (SNA).

LA STRUCTURE ET LA FONCTION DU TISSU NERVEUX *(p. 223-243)*

1. Les gliocytes
   a) Les gliocytes soutiennent et protègent les neurones du SNC. Certains sont des macrophagocytes; d'autres tapissent des cavités ou forment la gaine de myéline autour des prolongements neuronaux dans le SNC.
   b) Les neurolemmocytes forment la gaine de myéline autour des prolongements neuronaux dans le SNP.

2. Les neurones
   a) Anatomie: Tous les neurones possèdent un corps cellulaire contenant le noyau et des prolongements (neurofibres) de deux types: 1) l'axone (un par neurone) produit des influx nerveux et les propage hors du corps cellulaire, et libère un neurotransmetteur; 2) les dendrites (de une à des centaines par neurone) propagent les signaux électriques vers le corps cellulaire. La plupart des grosses neurofibres sont myélinisées; la myéline accroît la vitesse de propagation des influx nerveux.
   b) Classification
      1) Sur le plan de la fonction (sens de la transmission de l'influx nerveux), on distingue les neurones sensitifs (neurones afférents), les neurones moteurs (neurones efférents) et les neurones d'association (interneurones). Les terminaisons dendritiques des neurones sensitifs sont soit libres (récepteurs de la douleur), soit associées à des récepteurs sensoriels.
      2) Sur le plan de la structure, le nombre de prolongements qui émergent du corps cellulaire détermine trois types de neurones: les neurones unipolaires, les neurones bipolaires et les neurones multipolaires. Les neurones moteurs et les neurones d'association sont multipolaires. Les neurones sensitifs sont unipolaires, à l'exception de ceux qui se trouvent dans certains organes des sens (oreille, œil) et qui sont bipolaires.
   c) La neurophysiologie
      1) La mesure de l'énergie potentielle de charges électriques séparées est appelée *voltage* ou *potentiel*. Le courant est le flux de charges électriques d'un point à un autre.
      2) Dans l'organisme, les charges électriques sont fournies par les ions; les membranes plasmiques des cellules exercent une résistance à la circulation de ces derniers. Les membranes contiennent des canaux à fonction passive (toujours ouverts) et des canaux à fonction active (à ouverture intermittente).
      3) Un neurone au repos présente un voltage appelé potentiel de repos, dont la mesure est −70 mV (intérieur négatif), en raison des différences de concentration des ions Na^+ et des ions K^+ à l'intérieur et à l'extérieur de la cellule. Les concentrations ioniques sont différentes parce que la membrane est plus perméable au potassium qu'au sodium et parce que la pompe à sodium et à potassium éjecte trois Na^+ de la cellule chaque fois qu'elle y admet deux K^+.
      4) La dépolarisation est une diminution du potentiel de membrane (l'intérieur devient moins négatif); l'hyperpolarisation est une augmentation du potentiel de membrane (l'intérieur devient plus négatif). Un potentiel gradué est une modification locale, faible et brève du potentiel de membrane qui joue le rôle de signal de courte portée. Le courant produit se dissipe avec la distance. Un potentiel d'action, ou influx nerveux, est un signal de dépolarisation (et d'inversion de polarité) intense mais bref qui sous-tend la communication neuronale de longue portée.
      5) La production du potentiel d'action s'effectue en trois phases: 1) Une augmentation de la perméabilité au sodium et une inversion du potentiel de membrane jusqu'à environ +30 mV (intérieur positif). La dépolarisation locale ouvre les canaux à sodium voltage-dépendants. Au seuil d'excitation, la dépolarisation se poursuit d'elle-même (rétroactivation sous l'effet de l'afflux d'ions Na^+). 2) Une diminution de la perméabilité au sodium. 3) Une augmentation de la perméabilité au potassium. La repolarisation se poursuit tout au long des phases 2 et 3.
      6) Dans la propagation de l'influx nerveux, chaque potentiel d'action fournit le stimulus dépolarisant qui déclenche un potentiel d'action dans la région adjacente de la membrane. Les régions qui viennent de produire des potentiels d'action sont réfractaires; par conséquent, dans l'organisme, l'influx nerveux se propage dans une seule direction. Dans les neurofibres amyélinisées, les potentiels d'action sont produits en vagues le long de tout l'axone, c'est-à-dire par propagation continue. Dans les neurofibres myélinisées, les potentiels d'action ne sont produits qu'aux nœuds de la neurofibre et,

grâce à la conduction saltatoire, ils se propagent plus rapidement que dans les neurofibres amyélinisées.

7) Une synapse est une jonction fonctionnelle entre des neurones ou entre un neurone et une cellule des effecteurs musculaires ou glandulaires. Le neurone qui transmet l'information est le neurone présynaptique ; le neurone situé de l'autre côté de la synapse est le neurone postsynaptique. Les synapses chimiques sont les sites de libération et de liaison des neurotransmetteurs. Quand l'influx atteint les corpuscules nerveux terminaux de l'axone présynaptique, les canaux à calcium voltage-dépendants s'ouvrent et le Ca^{2+} entre dans la cellule, où il permet la libération du neurotransmetteur. Les neurotransmetteurs diffusent à travers la fente synaptique et s'attachent à des récepteurs membranaires postsynaptiques précis, ce qui provoque l'ouverture des canaux ioniques. Après la liaison, les neurotransmetteurs sont retirés de la fente synaptique par dégradation enzymatique, par recaptage ou par diffusion à l'extérieur de la fente synaptique. Du point de vue chimique, les principales classes de neurotransmetteurs sont l'acétylcholine, les amines biogènes, les acides aminés et les peptides.

8) Un réflexe est une réponse rapide et prévisible à un stimulus. Il existe deux types de réflexes : les réflexes autonomes et les réflexes somatiques. Un arc réflexe comprend au moins quatre éléments : un récepteur, un neurone sensitif, un neurone moteur et un effecteur. (La plupart des arcs réflexes comprennent en plus un ou plusieurs neurones d'association.) La présence de réflexes normaux témoigne d'un bon fonctionnement du système nerveux.

LE SYSTÈME NERVEUX CENTRAL *(p. 243-276)*

1. L'encéphale est situé à l'intérieur de la cavité crânienne. Il comprend les hémisphères cérébraux, le diencéphale, le tronc cérébral et le cervelet. Il croît à partir de la partie rostrale du tube neural embryonnaire. Les premières structures cérébrales à apparaître au cours du développement embryonnaire sont les trois vésicules encéphaliques primitives : le prosencéphale (les hémisphères cérébraux et le diencéphale), le mésencéphale et le rhombencéphale (le pont, le bulbe rachidien et le cervelet). La céphalisation provoque l'enveloppement du diencéphale et de la partie supérieure du tronc cérébral par les hémisphères cérébraux.

2. Les deux hémisphères cérébraux présentent des gyrus, des sillons et des fissures. La fissure longitudinale du cerveau sépare partiellement les hémisphères. D'autres fissures et sillons divisent les hémisphères en lobes.

a) Chaque hémisphère cérébral est formé du cortex cérébral en surface et, sous le cortex, de substance blanche et de noyaux basaux.

1) Le cortex de chaque hémisphère cérébral reçoit des influx sensitifs du côté opposé du corps et y envoie des commandes motrices. Le corps est représenté tête en bas (homoncule) dans les aires motrices et sensitives.

2) Les aires fonctionnelles du cortex cérébral sont : 1) les aires motrices, soit l'aire motrice primaire, l'aire prémotrice, l'aire oculomotrice frontale et l'aire motrice du langage, située dans le lobe frontal d'un hémisphère (généralement le gauche) ; 2) les aires sensitives, soit l'aire somesthésique primaire, l'aire pariétale postérieure et l'aire gustative dans le lobe pariétal, l'aire visuelle primaire dans le lobe occipital, les aires olfactives et l'aire auditive primaire dans le lobe temporal, et l'aire vestibulaire dans le lobe insulaire ; 3) les aires associatives, soit le cortex préfrontal dans le lobe frontal, l'aire gnosique à la jonction des lobes temporal, pariétal et occipital d'un hémisphère (généralement le gauche), et les aires du langage, y compris le cortex préfrontal latéral, une grande partie du lobe temporal, l'aire motrice du langage et l'aire de Wernicke dans le lobe temporal d'un hémisphère (généralement le gauche).

3) Les faisceaux de la substance blanche cérébrale sont formés des neurofibres commissurales, des neurofibres associatives et des neurofibres de projection.

4) Les noyaux basaux comprennent le noyau lenticulaire (le globus pallidus et le putamen) et le noyau caudé. Ce sont des noyaux sous-corticaux qui jouent un rôle dans la régulation du mouvement des muscles squelettiques.

b) Le diencéphale est situé au-dessus du tronc cérébral et est entouré des hémisphères cérébraux. Ses principales structures sont les suivantes :

1) Le thalamus, qui entoure le troisième ventricule et constitue un relais pour les influx sensitifs dirigés vers les aires sensitives du cortex cérébral.

2) L'hypothalamus, qui forme le plancher du troisième ventricule. C'est le principal centre de régulation du SNA (il régit l'équilibre hydrique, le métabolisme, la soif, la température corporelle, etc.).

3) L'épithalamus, qui comprend le corps pinéal (glande endocrine) et le plexus choroïde du troisième ventricule.

c) Le tronc cérébral est la courte structure qui, située sous l'hypothalamus, fusionne avec la moelle épinière.

1) Le mésencéphale constitue la partie supérieure du tronc cérébral. Il est composé principalement de tractus.

2) Le pont, situé sous le mésencéphale, contient des tractus et des noyaux qui interviennent dans la respiration.

3) Le bulbe rachidien constitue la partie inférieure du tronc cérébral. Il contient des tractus ainsi que des noyaux autonomes qui participent à la régulation

des fonctions vitales (respiration, fréquence cardiaque, pression artérielle, etc.).

d) Le cervelet, en forme de chou-fleur, est la partie de l'encéphale située à l'arrière du quatrième ventricule. Il coordonne l'activité musculaire et l'équilibre.

e) L'encéphale comprend des réseaux de neurones et de noyaux qui ne sont pas regroupés mais qui contribuent à la même tâche. Le système limbique est composé de nombreuses structures qui encerclent le diencéphale. Il correspond au « cerveau émotionnel et viscéral ». Il joue aussi un rôle dans la mémoire. La formation réticulaire comprend des noyaux qui s'étendent sur toute la longueur du tronc cérébral. Elle maintient la vigilance du cortex cérébral (système réticulaire activateur ascendant), et ses noyaux moteurs interviennent dans les activités motrices tant somatiques que viscérales.

3. Les fonctions mentales supérieures comprennent notamment le sommeil et la mémoire.

a) Le sommeil est une altération de la conscience à laquelle une stimulation peut mettre fin. Les deux principaux types de sommeil sont le sommeil lent (SL) et le sommeil paradoxal (SP). Pendant les stades 1 à 4 du sommeil lent, les ondes cérébrales perdent en régularité et gagnent en amplitude jusqu'à l'apparition des ondes delta (stade 4). Le sommeil paradoxal se manifeste par un retour au stade 1 du sommeil lent. Durant le sommeil paradoxal, les yeux se déplacent rapidement sous les paupières. Les périodes de sommeil lent et de sommeil paradoxal alternent au cours de la nuit. Le sommeil réparateur semble être celui du stade 4 du sommeil lent. Le sommeil paradoxal est important pour la stabilité émotionnelle. Il représente la moitié du temps de sommeil du nourrisson, et environ 25 % de celui de l'enfant de 10 ans. La durée du stade 4 du sommeil lent diminue constamment au cours de la vie. La narcolepsie consiste en accès involontaires et soudains de sommeil.

b) La mémoire est la capacité de se rappeler nos pensées. Elle est essentielle à l'apprentissage et s'incorpore à la conscience. La mémorisation s'effectue en deux stades : celui de la mémoire à court terme et celui de la mémoire à long terme. Le transfert de l'information de la mémoire à court terme à la mémoire à long terme dure de quelques minutes à quelques heures, mais il faut plus de temps pour que soient consolidés les souvenirs à long terme. La mémoire déclarative est la capacité d'apprendre et de mémoriser consciemment de l'information. La mémoire procédurale est l'apprentissage d'actes moteurs qui peuvent ensuite être accomplis sans réflexion consciente. La mémoire déclarative semble faire intervenir l'hippocampe, le corps amygdaloïde, le diencéphale, le télencéphale ventral et le cortex préfrontal. Les voies de la mémoire procédurale passent par le corps strié. On ne comprend pas encore tout à fait la nature des traces mnésiques, mais il semble que l'apprentissage soit lié à des modifications neuronales de type chimique (ARN, protéines, neurotransmetteurs) et structurale (développement de terminaisons présynaptiques et de nouveaux neurones).

4. La protection du système nerveux central

a) Les os du crâne et de la colonne vertébrale sont les structures protectrices externes du SNC.

b) Les méninges sont trois membranes de tissu conjonctif. De l'extérieur vers l'intérieur, on trouve la dure-mère (résistante), l'arachnoïde (en forme de toile d'araignée) et la pie-mère (délicate). Les méninges se prolongent au-delà de l'extrémité de la moelle épinière.

c) Le liquide cérébrospinal (LCS) constitue un coussin aqueux autour de l'encéphale et de la moelle épinière. Élaboré par les plexus choroïdes de l'encéphale, il est présent dans la cavité subarachnoïdienne, les ventricules et le canal central de la moelle épinière. Sa production et son drainage s'accomplissent à un rythme constant.

d) La barrière hématoencéphalique est composée de capillaires relativement imperméables.

5. Les dysfonctionnements de l'encéphale

a) Les traumatismes crâniens peuvent causer des commotions cérébrales (lésions réversibles) ou des contusions cérébrales (lésions irréversibles). Les atteintes du tronc cérébral entraînent l'inconscience (temporaire ou permanente). Les lésions cérébrales consécutives à un traumatisme peuvent être aggravées par une hémorragie intracrânienne ou un œdème cérébral qui compriment le tissu nerveux de l'encéphale.

b) Les accidents vasculaires cérébraux (AVC, ou attaques) sont causés par un arrêt de l'irrigation des neurones cérébraux. La destruction du tissu nerveux peut entraîner des troubles visuels, la paralysie et l'aphasie.

c) La maladie d'Alzheimer est une maladie dégénérative de l'encéphale caractérisée par des changements structuraux et notamment par l'apparition de dépôts protéiniques anormaux. Elle entraîne la démence ainsi qu'une perte lente et progressive de la mémoire et de la maîtrise des mouvements.

d) Parmi les techniques servant à diagnostiquer les dysfonctionnements de l'encéphale, on compte l'électroencéphalographie (EEG), la recherche des réflexes, l'encéphalographie gazeuse, l'angiographie cérébrale, la tomographie, la tomographie par émission de positons et la remnographie.

6. La moelle épinière est un centre réflexe et une voie de communication. Située dans le canal vertébral, elle s'étend du foramen magnum à L_1 ou L_2.

a) La substance grise située au centre de la moelle épinière a la forme d'un H. Les cornes ventrales contiennent des neurones moteurs somatiques ; les cornes latérales contiennent des neurones moteurs viscéraux; les cornes dorsales contiennent des interneurones. Les axones des neurones des cornes latérales et ventrales émergent de la moelle épinière par l'intermédiaire des racines ventrales des nerfs spinaux. Les axones des neurones sensitifs (dont les corps cellulaires sont situés dans les ganglions spinaux) entrent dans la partie postérieure de la moelle épinière et forment les racines dorsales des nerfs spinaux. Les racines ventrales et dorsales s'associent pour former les nerfs spinaux.

b) De chaque côté de la moelle épinière, la substance blanche se répartit en cordons dorsal, latéral et ventral. Chaque cordon contient des faisceaux et des tractus ascendants et descendants. Tous les faisceaux et tractus sont pairés et la plupart croisent la ligne médiane à un niveau ou à un autre de la moelle.

c) Les faisceaux et les tractus ascendants (sensitifs) sont le faisceau gracile et le faisceau cunéiforme, les tractus spinothalamiques et les tractus spinocérébelleux. La voie ascendante spécifique est composée du cordon dorsal (faisceau cunéiforme, faisceau gracile) et du tractus du lemnisque médial, qui assurent la transmission directe et précise des influx provenant d'une seule modalité sensorielle (ou de quelques modalités apparentées). La voie ascendante non spécifique (tractus spinothalamiques) est une voie multimodale qui permet le traitement des influx ascendants par le tronc cérébral. Les tractus spinocérébelleux, qui aboutissent dans le cervelet, transmettent de l'information inconsciente sur l'étirement des muscles et des tendons et ne participent pas à la perception sensorielle consciente.

d) Les tractus descendants (moteurs) sont les tractus corticospinaux ventral et latéral et certains autres tractus moteurs, qui prennent naissance dans les noyaux moteurs sous-corticaux. Ces neurofibres descendantes, issues des noyaux moteurs du tronc cérébral (voie motrice secondaire) et de l'aire motrice primaire (voie motrice principale), s'étendent jusqu'au niveau segmentaire qu'elles régissent.

LE SYSTÈME NERVEUX PÉRIPHÉRIQUE *(p. 276-290)*

1. Un nerf est un ensemble de prolongements neuronaux recouverts d'enveloppes de tissu conjonctif (l'endonèvre, le périnèvre et l'épinèvre).

2. Les nerfs crâniens: 12 paires de nerfs crâniens émergent de l'encéphale et innervent les structures de la tête et du cou. Le nerf vague est le seul des nerfs crâniens à s'étendre jusque dans le thorax et l'abdomen.

3. Les nerfs spinaux: De part et d'autre de la moelle épinière, on trouve 31 nerfs spinaux; ils sont formés par l'union de leurs racines dorsale et ventrale. Le nerf spinal proprement dit est très court et se divise en un rameau dorsal et un rameau ventral. Les rameaux dorsaux innervent la partie postérieure du tronc; les rameaux ventraux (à l'exception de T_1 à T_{12}) forment des plexus des nerfs spinaux (cervical, brachial, lombaire et sacral) qui innervent les membres.

4. Le système nerveux autonome: Le SNA fait partie du système nerveux périphérique. Il est composé de neurones qui régissent l'activité des muscles lisses, du muscle cardiaque et des glandes. Il se distingue du système nerveux somatique par les chaînes de deux neurones moteurs qui relient le SNC aux effecteurs. Il comprend deux parties qui ont des effets opposés sur les mêmes organes.

a) La partie parasympathique régit les fonctions courantes de l'organisme et prédomine la plupart du temps. Elle maintient l'homéostasie en facilitant la digestion et l'élimination, et en permettant la conservation de l'énergie. Les premiers neurones moteurs sont situés dans l'encéphale ou dans la région sacrale de la moelle épinière. Les deuxièmes neurones moteurs logent dans les ganglions terminaux, à proximité des organes qu'ils innervent. Les axones postganglionnaires sécrètent de l'acétylcholine (ACh).

b) La partie sympathique prépare l'organisme à la lutte ou à la fuite en situation de stress. L'activation de la partie sympathique entraîne une augmentation de la fréquence cardiaque et de la pression artérielle. Les neurones préganglionnaires sont situés dans la substance grise de la moelle épinière. Les neurones postganglionnaires sont situés dans les troncs sympathiques ou dans les ganglions prévertébraux. Les axones postganglionnaires sécrètent de la noradrénaline.

LE DÉVELOPPEMENT ET LE VIEILLISSEMENT DU SYSTÈME NERVEUX *(p. 290-293)*

1. Des facteurs maternels et environnementaux peuvent entraver le développement de l'encéphale chez l'embryon. La privation d'oxygène détruit des neurones de l'encéphale. Parmi les anomalies congénitales de l'encéphale, on compte l'infirmité motrice cérébrale, l'anencéphalie, l'hydrocéphalie et le spina bifida.

2. La régulation de la température corporelle est perturbée chez les bébés prématurés, car l'hypothalamus est l'une des dernières structures de l'encéphale à atteindre la maturité au cours du développement prénatal.

3. La progression de la coordination motrice chez l'enfant témoigne de la myélinisation et de la maturation du système nerveux. La croissance de l'encéphale se termine au début de l'âge adulte. Les neurones qui meurent ne sont pas remplacés, de sorte que la masse de l'encéphale diminue avec le temps.

4. Les personnes âgées en bonne santé conservent presque toutes leurs facultés intellectuelles. La maladie (cardiovasculaire surtout) est la principale cause du déclin des fonctions mentales associé au vieillissement.

Questions de révision

QUESTIONS À CHOIX MULTIPLE

Pour certaines questions, il peut y avoir plus d'une bonne réponse.

1. Le système nerveux procède à une intégration quand:
- **a)** vous sentez une brise fraîche.
- **b)** vous grelottez sous l'effet du froid.
- **c)** vous entendez le bruit de la pluie.
- **d)** vous décidez d'aller chercher un parapluie.

2. Quel type de gliocytes observerait-on en grand nombre dans une région de l'encéphale infectée par des bactéries?
- **a)** Les oligodendrocytes.
- **b)** Les astrocytes.
- **c)** Les épendymocytes.
- **d)** Les microglies.

3. Quel organite, parmi ceux qui suivent, est le plus souvent absent des neurones?
- **a)** Le noyau.
- **b)** Le centriole.
- **c)** Les filaments intermédiaires.
- **d)** Le réticulum endoplasmique.

4. Un noyau de substance grise peut être situé:
- **a)** à côté de la colonne vertébrale.
- **b)** à l'intérieur de l'encéphale.
- **c)** à l'intérieur de la moelle épinière.
- **d)** dans un récepteur sensoriel.

5. Déterminer l'énoncé qui est *faux* parmi ceux qui suivent:
- **a)** L'axone du neurone unipolaire est particulier en ce sens qu'il conduit l'influx nerveux en direction du corps cellulaire.
- **b)** Tous les neurones moteurs sont multipolaires.
- **c)** Les neurones bipolaires ne se trouvent que dans certains organes des sens.
- **d)** Les neurones unipolaires n'ont pas de dendrites.
- **e)** Les neurones multipolaires sont les plus répandus dans l'organisme.

6. Quelles descriptions, parmi celles qui suivent, correspondent au potentiel de repos d'une membrane?
- **a)** Il y a une plus forte concentration d'ions Na^+ à l'intérieur qu'à l'extérieur de la cellule.
- **b)** Il y a une diffusion nette de charges positives vers l'extérieur de la cellule.
- **c)** La membrane est beaucoup plus perméable aux ions K^+ qu'aux ions Na^+.
- **d)** La face interne de la membrane est relativement négative par rapport à sa face externe.
- **e)** La pompe à sodium rejette des ions K^+ à l'extérieur de la membrane en même temps qu'elle fait entrer des ions Na^+ à l'intérieur.

7. Laquelle, parmi les séquences qui suivent, présente dans le bon ordre certains des événements associés à la production de l'influx nerveux?
- **a)** Dépolarisation, sortie d'ions sodium, potentiel d'action, potentiel gradué.
- **b)** Sortie d'ions potassium, potentiel d'action, dépolarisation, potentiel gradué.
- **c)** Dépolarisation, potentiel gradué, entrée d'ions potassium dans la fibre, potentiel d'action.
- **d)** Entrée d'ions potassium dans la fibre, dépolarisation, potentiel gradué, potentiel d'action.
- **e)** Entrée d'ions sodium dans la fibre, dépolarisation, potentiel gradué, potentiel d'action.

8. La propagation d'un influx nerveux dans une neurofibre myélinisée:
- **a)** implique des courants d'électrons libres à l'intérieur et à l'extérieur de la membrane myélinisée.
- **b)** implique des entrées d'ions Na^+ et des sorties d'ions K^+ aux nœuds de la neurofibre.
- **c)** suppose la production de potentiels d'action à certains endroits seulement de la membrane myélinisée.
- **d)** se fait beaucoup plus lentement que dans une neurofibre amyélinisée.
- **e)** ne se fait pas par des déplacements locaux de charges ioniques, contrairement à ce qu'on observe dans une fibre amyélinisée.

9. Lequel, parmi les énoncés qui suivent, est *faux*? Au cours de la transmission d'un influx nerveux d'un neurone à l'autre, le neurotransmetteur:
- **a)** est libéré par le neurone présynaptique.
- **b)** diffuse dans la fente synaptique.
- **c)** est capté par les récepteurs du neurone postsynaptique.
- **d)** pénètre dans le neurone postsynaptique.
- **e)** peut être détruit ou repris par le neurone présynaptique.

10. Lesquelles, parmi les affirmations qui suivent concernant les neurotransmetteurs, sont *correctes*?
- **a)** Certains neurotransmetteurs sont des acides aminés, d'autres sont des dérivés d'acides aminés et d'autres encore sont des chaînes d'acides aminés.
- **b)** La noradrénaline est le seul neurotransmetteur à être libéré dans les terminaisons neuromusculaires des muscles squelettiques.
- **c)** Le monoxyde d'azote est un neurotransmetteur libéré par le neurone postsynaptique et agissant sur le neurone présynaptique.

d) En général, les petites molécules servent dans des activités rapides (activités réflexes), tandis que les grosses molécules interviennent dans des processus longs et lents.

e) Des substances psychotropes peuvent se lier aux mêmes récepteurs que certains neurotransmetteurs et, en prenant leur place, peuvent provoquer des hallucinations.

11. Lequel, parmi les éléments qui suivent, peut être absent dans un arc réflexe?

a) Un neurone sensitif.
b) Un effecteur.
c) Un centre d'intégration.
d) Un neurone d'association.
e) Un récepteur sensoriel.

12. Le contact des doigts avec un objet froid sera perçu et interprété:

a) dans une aire du lobe occipital.
b) dans une aire du lobe pariétal.
c) dans une aire du lobe temporal.
d) dans une aire du lobe frontal.

13. Un patient a subi une hémorragie cérébrale qui a entraîné un dysfonctionnement du gyrus précentral de l'hémisphère droit. Il ne peut donc plus:

a) remuer volontairement son bras ou sa jambe gauches.
b) remuer volontairement son bras ou sa jambe droits.
c) éprouver de sensation du côté gauche du corps.
d) éprouver de sensation du côté droit du corps.

14. Le corps calleux est constitué de:

a) neurofibres myélinisées.
b) neurofibres d'association.
c) neurofibres de projection.
d) neurofibres commissurales.
e) corps cellulaires de neurones.

15. Les noyaux basaux:

a) sont entièrement situés dans les hémisphères cérébraux.
b) sont constitués de substance grise.
c) comprennent le thalamus, le noyau caudé et le noyau lenticulaire.
d) régissent la motricité.

16. Le corps pinéal est situé dans:

a) l'hypophyse.
b) le mésencéphale.
c) l'épithalamus.
d) le corps calleux.

17. Le système limbique:

a) sert de filtre à la plupart des influx sensoriels.
b) joue un rôle dans la mémoire.
c) permet d'exprimer des émotions.
d) nous maintient en état de veille.
e) est associé à certaines maladies viscérales, comme l'hypertension.

18. Les rêves peuvent se produire pendant:

a) le stade 1 du sommeil lent.
b) le stade 2 du sommeil lent.
c) le stade 3 du sommeil lent.
d) le stade 4 du sommeil lent.
e) le sommeil paradoxal.

19. Quelles affirmations parmi celles qui suivent concernant la mémoire sont *exactes*?

a) Les deux grandes catégories de la mémoire sont la mémoire déclarative et la mémoire procédurale: la première demande un apprentissage beaucoup moins conscient que la seconde.

b) Une fois parvenue au cortex sensitif, la perception sensorielle serait acheminée soit vers l'hippocampe, soit vers le corps amygdaloïde, et enfin, par le télencéphale ventral, vers le cortex sensitif à nouveau.

c) Le sommeil paradoxal pourrait jouer un rôle dans la consolidation mnésique.

d) La capacité de la mémoire à court terme est limitée à sept ou huit unités d'information.

20. Le liquide cérébrospinal:

a) circule entre l'arachnoïde et la pie-mère.
b) est produit au niveau des villosités arachnoïdiennes.
c) se trouve à la fois dans le SNC et à l'extérieur de celui-ci.
d) provient du sang et retourne dans celui-ci.

21. Le coma prolongé peut être causé par:

a) une commotion cérébrale.
b) une contusion corticale.
c) une contusion du tronc cérébral.
d) une hémorragie sous-durale non jugulée.

22. La partie de la moelle épinière associée au réseau de nerfs desservant les membres supérieurs est:

a) le plexus brachial.
b) le renflement brachial.
c) le renflement cervical.
d) les cornes latérales.

23. Parmi les éléments du nerf spinal qui suivent, lequel contient seulement des neurofibres motrices?

a) La racine dorsale.
b) Le rameau dorsal.
c) La racine ventrale.
d) Le rameau ventral.

24. Parmi les énoncés qui suivent et qui portent sur la voie ascendante spécifique, indiquez celui qui est *faux*.
  a) Elle comprend le faisceau gracile et le faisceau cunéiforme.
  b) Elle est formée de chaînes de trois neurones.
  c) Elle passe d'un côté à l'autre du SNC au niveau de la moelle épinière.
  d) Elle assure la transmission précise d'une seule modalité sensorielle ou de quelques modalités apparentées.
  e) Elle passe par le thalamus et se termine dans les aires somesthésiques primaires.

25. Parmi les nerfs crâniens qui interviennent dans la vision se trouvent deux des nerfs qui suivent. Lesquels?
  a) Le nerf trochléaire.
  b) Le nerf trijumeau.
  c) Le nerf abducens.
  d) Le nerf facial.

26. La lésion de certains des nerfs qui suivent pourrait nuire à la motricité de l'avant-bras et de la main. Quels sont ces nerfs?
  a) Le nerf radial.
  b) Le nerf axillaire.
  c) Le nerf ulnaire.
  d) Le nerf médian.

27. Lequel, parmi les énoncés qui suivent, s'applique au système nerveux autonome mais non au système nerveux somatique?
  a) Les axones libèrent de l'acétylcholine.
  b) Les axones sont myélinisés.
  c) Les effecteurs sont des myocytes.
  d) Les neurones moteurs sont situés dans des ganglions.

28. Les parties sympathique et parasympathique du SNA ont des effets différents parce que:
  a) leurs neurones préganglionnaires ne sécrètent pas le même neurotransmetteur.
  b) leur ganglion n'est pas situé au même endroit.
  c) leurs neurones préganglionnaires et postganglionnaires n'ont pas la même longueur.
  d) le neurotransmetteur sécrété par le neurone postganglionnaire est différent.

QUESTIONS À COURT DÉVELOPPEMENT

1. Quels sont les deux grands systèmes de régulation de l'organisme?

2. Exposez la classification structurale et la classification fonctionnelle du système nerveux. Donnez les subdivisions de chacune.

3. Énumérez les structures du SNC et du SNP.

4. Deux grands types de cellules constituent le système nerveux: les neurones et les cellules du tissu conjonctif telles que les astrocytes et les neurolemmocytes. Lesquels sont les «véritables» cellules nerveuses? Pourquoi? Quelles sont les principales fonctions de l'autre type de cellules?

5. Quelles caractéristiques structurales ont en commun tous les types de neurones? Sur quel critère repose la classification fonctionnelle des neurones?

6. On a mesuré la vitesse de conduction de l'influx nerveux dans deux neurones. Dans le premier cas, l'influx se propage à 40 m/s; dans le second, il se déplace à 1 m/s. Lequel de ces neurones a un axone myélinisé?

7. Expliquez pourquoi la régénération des neurofibres est un phénomène considéré comme exceptionnel dans le SNC alors qu'elle est courante dans le SNP.

8. Décrivez les conditions ioniques et de perméabilité de la membrane responsables de l'établissement et du maintien du potentiel de repos d'une cellule nerveuse.

9. Décrivez brièvement la production du potentiel d'action ainsi que la propagation et la transmission de l'influx nerveux. Exposez les raisons pour lesquelles la transmission des influx nerveux est toujours unidirectionnelle dans les synapses.

10. Le lieu d'action privilégié des médicaments agissant sur le système nerveux est la synapse. Donnez trois exemples d'effets (modes d'action) que ces médicaments peuvent avoir à ce niveau.

11. Nommez quatre types de récepteurs sensoriels cutanés. Lesquels sont les plus abondants? Pourquoi?

12. Qu'est-ce qu'un arc réflexe? Nommez ses cinq éléments dans l'ordre où l'influx nerveux les traverse. Distinguez un réflexe somatique et un réflexe autonome.

13. Expliquez pourquoi un réflexe polysynaptique est plus lent qu'un réflexe monosynaptique.

14. À quel moment de la vie de l'embryon le tube neural est-il formé? Que deviendra ce tube neural chez le bébé? Combien de vésicules formera-t-il d'abord? Nommez chacune de ces vésicules, de l'extrémité rostrale à l'extrémité caudale. Le tissu nerveux constitue les parois de ce tube, mais que contiendra l'intérieur (le canal neural) et quel nom général prendront ses cavités?

15. Dessinez un schéma de l'hémisphère cérébral gauche. Indiquez six aires fonctionnelles (deux aires sensitives, deux aires motrices et deux aires associatives) et précisez leurs fonctions.

16. Qu'est-ce qu'une aphasie? Quelle aire est affectée dans le cas d'une aphasie motrice? dans le cas d'une aphasie sensorielle?

17. De quoi est constitué le corps calleux et quelle est sa fonction?

18. Que sont les noyaux basaux? Regroupez les termes qui suivent de façon à décrire leur organisation structurale: *corps strié*, *globus pallidus*, *noyau caudé*, *noyau lenticulaire*, *putamen*. Décrivez brièvement leur fonction générale.

19. Le pont sert de voie de communication, mais il a aussi d'autres fonctions. Nommez-en une. Pourquoi le bulbe rachidien est-il la partie la plus vitale de l'encéphale?

20. Quelle est la fonction du thalamus? de l'hypothalamus? du cervelet?

21. Quelle partie de l'encéphale nous permet d'associer le domaine affectif et le domaine cognitif? Nommez trois structures appartenant à cette partie de l'encéphale.

22. Situez la formation réticulaire; mentionnez deux fonctions de la branche sensitive de cette formation; donnez une fonction de sa branche motrice.

23. Distinguez les quatre types d'ondes enregistrées lors d'un EEG en indiquant les circonstances (ou l'état de l'organisme) caractéristiques de chaque type. Quel type d'ondes caractérise le sommeil profond? l'état d'un étudiant en train de se concentrer sur son examen de biologie?

24. De quel stade du sommeil le sommeil *lent* tire-t-il son nom? D'où lui vient ce nom? Donnez les principales caractéristiques du sommeil paradoxal. Dans quel ordre les différents types de sommeil se succèdent-ils au cours d'une nuit normale?

25. Quels sont les deux stades de la mémoire? Dans quel sens s'établit la relation entre les deux?

26. Quelles sont les deux catégories de la mémoire? Qu'est-ce qui les distingue sur le plan des données emmagasinées et sur celui du mécanisme qui permet de les emmagasiner? Nommez deux structures cérébrales impliquées dans le traitement mnésique (hypothétique) en ce qui concerne la mémoire déclarative. Quelle catégorie de la mémoire doit habituellement impliquer l'aire motrice primaire et le corps strié?

27. L'encéphale est protégé par des os, des membranes, un liquide et des capillaires. Expliquez.

28. Qu'est-ce qu'une ponction lombaire? Où (à quel niveau) est-elle pratiquée et pourquoi à cet endroit? Dans quels buts peut-elle être effectuée?

29. Qu'est-ce que la substance grise? la substance blanche? Comparez la disposition de la substance blanche et celle de la substance grise dans les hémisphères cérébraux et dans la moelle épinière.

30. Comparez la maladie de Parkinson et la chorée de Huntington (causes et symptômes).

31. Énumérez les différents éléments d'une coupe transversale de moelle épinière comprenant l'origine d'un nerf rachidien.

32. Nommez deux fonctions de la moelle épinière.

33. Vous vous infligez accidentellement une blessure à la main droite. Décrivez le trajet que suivra l'influx nerveux qui vous donnera une sensation consciente douloureuse: situez les différentes parties des neurones, situez les synapses, le lieu de décussation, l'origine et le terminus de la voie nerveuse impliquée, nommez le faisceau ou le tractus emprunté et localisez-le dans la moelle épinière.

34. Décrivez une des voies nerveuses qui vous permettra d'effectuer un mouvement volontaire fin avec les doigts de la main droite: situez les différentes parties des neurones, situez les synapses, le lieu de décussation, l'origine et le terminus de la voie nerveuse décrite, nommez le faisceau emprunté et localisez-le dans la moelle épinière.

35. Faites la distinction entre la paralysie flasque et la paralysie spastique (causes et conséquences).

36. Comparez la structure d'un muscle et celle d'un nerf à l'aide des figures 6.1 et 7.38. Quelles ressemblances remarquez-vous?

37. Combien y a-t-il de paires de nerfs crâniens? Quels nerfs crâniens sont strictement sensitifs? Lesquels activent les muscles masticateurs? Lesquels concourent à la régulation de la fréquence cardiaque et de l'activité du tube digestif?

38. Quelle région du corps les nerfs crâniens (sauf un) desservent-ils? Quel est le seul nerf crânien à faire exception? Quelle région dessert-il? Quel est le seul nerf crânien à prendre partiellement origine sur la moelle épinière?

39. Combien y a-t-il de paires de nerfs spinaux? D'où naissent-elles?

40. Quelle région du corps est innervée par les rameaux dorsaux des nerfs spinaux? par les rameaux ventraux?

41. Nommez les quatre principaux plexus formés par les rameaux ventraux des nerfs spinaux et indiquez la région du corps que chacun de ces plexus innerve.

42. Qu'est-ce qui distingue le système nerveux autonome du système nerveux somatique?

43. Quelle est la différence entre la partie sympathique et la partie parasympathique du SNA en ce qui a trait à la fonction globale? à l'activité des systèmes cardiovasculaire et digestif?

44. À quelle partie du système nerveux autonome les ganglions de la chaîne latérovertébrale, les ganglions prévertébraux et les ganglions terminaux appartiennent-ils? Où sont-ils situés?

45. Citez trois structures de l'organisme qui ne reçoivent des influx nerveux que de la partie sympathique du SNA.

46. Puisque, le plus souvent, les neurofibres sympathiques et parasympathiques innervent les mêmes organes, comment se fait-il qu'elles aient des effets opposés?

47. De quelle façon un médicament qui inhibe la partie parasympathique du SNA influerait-il sur le pouls d'une personne?

48. Quelle est la différence entre une commotion cérébrale et une contusion cérébrale ?

49. Comparez les causes, les symptômes et les conséquences des accidents vasculaires cérébraux et des accidents ischémiques transitoires.

50. Quelle technique d'exploration de l'encéphale permet de diagnostiquer la maladie d'Alzheimer ? l'épilepsie ? la sclérose en plaques ? l'hydrocéphalie ? l'artériosclérose des vaisseaux cérébraux ?

51. Quel phénomène concernant les axones est associé à la croissance et à la maturation du système nerveux chez l'enfant ?

52. Définissez la sénilité. Nommez les causes possibles de la sénilité permanente et de la sénilité réversible.

Réflexion et application

1. Mme Dubuc a présenté un déclin progressif de ses facultés mentales au cours des cinq ou six dernières années. Au début, les membres de sa famille attribuaient ses trous de mémoire occasionnels, sa désorientation et son agitation au chagrin causé par le décès de son mari, survenu six ans plus tôt. L'examen révèle que Mme Dubuc est consciente de ses troubles cognitifs et que son quotient intellectuel est inférieur d'environ 30 points à celui que laissent présager ses antécédents professionnels. Une tomographie indique une atrophie cérébrale diffuse. Le médecin prescrit un tranquillisant mineur à Mme Dubuc et dit à sa famille qu'il ne peut faire plus. De quel trouble Mme Dubuc souffre-t-elle ?

2. Joseph, septuagénaire, a de la difficulté à mastiquer ses aliments. Le médecin lui demande de tirer la langue. Celle-ci dévie vers la droite et le côté droit en est atrophié. Lequel des nerfs crâniens de Joseph a subi une lésion ?

3. Luc est un téléphage invétéré qui aime prendre un dîner très copieux. Après le repas, sa femme lui demande de l'aider à laver la vaisselle, mais Luc se dit « trop fatigué » et s'endort aussitôt. Quel est le problème ?

4. Une jeune femme qui est tombée d'un toit est conduite demi-consciente à l'hôpital. Elle n'a pas perdu connaissance sur le coup et est demeurée lucide un certain temps, puis elle est devenue désorientée et s'est évanouie. Quelle est la cause de son état ?

5. Jean s'est sectionné le nerf accessoire droit dans un accident. Au cours d'un examen, un an plus tard, le médecin note une atrophie musculaire prononcée. Quels sont les deux muscles atteints ?

6. Mme Tonegawa amène son bébé à la clinique parce qu'il présente de fréquentes crises convulsives. Le médecin l'interroge et apprend que l'accouchement a été exceptionnellement long et difficile. Quel trouble soupçonnez-vous chez le bébé ? Son état s'aggravera-t-il ?

7. La petite Sara, âgée de trois ans, se plaint qu'elle « n'a plus » de bras droit. L'examen révèle une diminution marquée de la force musculaire dans ce membre. En questionnant les parents, le médecin apprend que le père a l'habitude de balancer Sara par les bras. Quelle partie du SNP de la fillette a subi une lésion ?

8. Âgé de 82 ans, M. Larocque est confiné au lit, mais il s'occupe à étudier l'anatomie et la physiologie. Un jour, il fait remarquer à l'infirmière visiteuse que les gliocytes (comme les neurolemmocytes et les oligodendrocytes) jouent en quelque sorte le même rôle que la gaine de caoutchouc qui entoure les fils électriques. Qu'entend-il par cette analogie ?

9. Un homme âgé ayant des antécédents d'accident ischémique transitoire se plaint à sa fille d'un terrible mal de tête. Il tombe dans le coma peu de temps après. Au centre hospitalier, les médecins diagnostiquent une hémorragie cérébrale. Quelle partie de l'encéphale de cet homme a subi une lésion ?

10. Pourquoi l'exposition aux toxines est-elle plus néfaste pour le système nerveux au début de la grossesse qu'à la fin ?

11. Alexandre est le joueur vedette de l'équipe de hockey de sa ville natale. Au cours d'une partie, il reçoit un coup de bâton au dos d'une violence telle qu'il s'écroule sur la glace. En tentant de se relever, Alexandre découvre qu'il ne peut plus fléchir la hanche gauche ou faire l'extension du genou gauche, mais il ne ressent aucune douleur. Lequel de ses nerfs est atteint ?

12. Robert, brillant programmeur analyste, a reçu une pierre sur le devant du crâne au cours d'une escalade. Peu de temps après, ses collègues ont constaté d'importants changements dans son comportement. Contrairement à son habitude, Robert négligeait sa tenue vestimentaire. Un jour, quelqu'un l'a surpris alors qu'il déféquait dans une corbeille à papiers. Son supérieur a enjoint Robert de consulter sans tarder le médecin de l'entreprise. Quelle région de l'encéphale de Robert a été atteinte par le choc ?

Les sens

CHAPITRE 8

Lorsque vous aurez étudié le présent chapitre, vous aurez une connaissance pratique des fonctions des organes des sens ; vous devriez de plus avoir atteint les objectifs d'apprentissage énumérés ci-dessous.

Aperçu des fonctions

- ❑ Les organes des sens réagissent à diverses formes d'énergie ; ils sont à l'origine de l'équilibre ainsi que des sensations visuelles, auditives, gustatives et olfactives.

OBJECTIFS D'APPRENTISSAGE

L'œil et la vision *(p. 306-317)*

- ❑ **1.** Indiquer les structures accessoires de l'œil sur un modèle ou un schéma ; énumérer les fonctions de chacune.
- ❑ **2.** Nommer et situer les tuniques du bulbe de l'œil ; donner la principale fonction de chacune.
- ❑ **3.** Situer les structures et les substances qui suivent, et donner un aperçu des principales caractéristiques et fonctions de chacune : cornée, corps ciliaire, iris, cristallin, humeur aqueuse, corps vitré.
- ❑ **4.** Décrire la structure de la rétine ; indiquer la disposition des cellules photoréceptrices et des neurones ; définir *fossette centrale* et *disque du nerf optique.*
- ❑ **5.** Expliquer les différences entre les cônes et les bâtonnets en ce qui concerne leur distribution sur la rétine, leurs fonctions et les conditions dans lesquelles ils sont actifs.
- ❑ **6.** Expliquer sommairement comment s'effectue la perception des couleurs.
- ❑ **7.** Décrire la formation des images sur la rétine et montrer le rôle du cristallin dans ce mécanisme.
- ❑ **8.** Décrire le trajet que parcourt la lumière à travers le bulbe de l'œil.
- ❑ **9.** Expliquer l'importance des examens ophtalmoscopiques.
- ❑ **10.** Définir les termes suivants : *conjonctivite*, *astigmatisme*, *hespéranopie*, *cataracte*, *glaucome*, *hypermétropie*, *myopie*, *achromatopsie* et *hémianopsie* ; donner les causes possibles de l'hypermétropie et de la myopie ; montrer comment on corrige ces anomalies.
- ❑ **11.** Décrire le trajet des potentiels gradués puis des potentiels d'action permettant la vision, des photorécepteurs jusqu'à l'aire visuelle du cortex cérébral.
- ❑ **12.** Expliquer la vision stéréoscopique et les mécanismes qui y participent.
- ❑ **13.** Décrire le réflexe pupillaire, le réflexe de convergence et le réflexe d'accommodation ; montrer leur importance respective.

L'oreille : l'ouïe et l'équilibre *(p. 317-325)*

- ❑ **14.** Nommer et situer sur un schéma ou un modèle les principales structures de l'oreille externe, de l'oreille moyenne et de l'oreille interne ; indiquer les fonctions de chacune.
- ❑ **15.** Distinguer *équilibre statique* et *équilibre dynamique* ; situer les structures responsables du maintien de ces deux types d'équilibre et expliquer sommairement le fonctionnement de chacune.
- ❑ **16.** Détailler la structure de la cochlée et de l'organe spiral ; expliquer le fonctionnement de ce dernier.

- ❑ **17.** Décrire le trajet des ondes sonores du milieu extérieur jusqu'aux cellules sensorielles ciliées, puis des influx nerveux jusqu'à l'endroit où les sons sont interprétés.
- ❑ **18.** Définir *surdité de perception* et *surdité de transmission*; énumérer les causes possibles de chaque état.
- ❑ **19.** Expliquer comment s'effectue la localisation des sons.
- ❑ **20.** Définir les termes suivants: *otite moyenne, syndrome de Ménière, vertiges.*

Les sens chimiques: le goût et l'odorat *(p. 325-328)*

- ❑ **21.** Situer les chimiorécepteurs olfactifs et gustatifs; indiquer la structure et la fonction de chacun.
- ❑ **22.** Indiquer les cinq saveurs fondamentales et les principaux stimulus associés à chacune; énumérer les facteurs qui influent sur le goût.
- ❑ **23.** Expliquer les conséquences de l'association des voies olfactives avec le système limbique.

Le développement et le vieillissement des organes des sens *(p. 328-329)*

- ❑ **24.** Décrire brièvement la maturation visuelle.
- ❑ **25.** Décrire les principaux changements que les organes des sens subissent au cours du vieillissement.
- ❑ **26.** Définir la presbyacousie; expliquer pourquoi elle est de plus en plus fréquente chez les jeunes.

Les êtres humains sont très sensibles aux stimulus. Une miche de pain chaud nous met l'eau à la bouche; un coup de tonnerre nous fait sursauter. Le pain et les coups de tonnerre ne sont que deux des innombrables stimulus que notre système nerveux ne cesse de capter et d'interpréter.

On nous apprend généralement que nous avons cinq sens qui nous relient au monde extérieur: le toucher, le goût, l'odorat, la vue et l'ouïe. En réalité, le toucher repose sur divers récepteurs sensoriels dont nous avons traité au chapitre 7: ceux de la température, de la pression et de la douleur, dans la peau, ainsi que les propriocepteurs situés dans les muscles et les articulations. Par ailleurs, nous sommes aussi dotés du sens de l'*équilibre*, dont les récepteurs sont situés dans l'oreille, avec ceux de l'ouïe. Alors que les récepteurs sensoriels cutanés et les propriocepteurs sont petits et disséminés dans l'organisme, les ***récepteurs sensoriels spécifiques*** sont groupés soit dans des organes volumineux et complexes (yeux et oreilles), soit dans des amas localisés (calicules gustatifs et épithélium de la région olfactive de la muqueuse du nez).

Le présent chapitre porte sur l'anatomie fonctionnelle de chacun des organes de la vue, de l'ouïe, de l'équilibre, du goût et de l'odorat. Rappelez-vous toutefois que nos perceptions sensorielles se chevauchent et que nous appréhendons notre environnement par l'intermédiaire de stimulus agissant simultanément.

L'œil et la vision

Les mécanismes de la vision ont suscité la curiosité de nombreux chercheurs. La vision est le sens qui a fait l'objet du plus grand nombre de publications scientifiques. Des récepteurs sensoriels de l'organisme, 70 % sont situés dans les yeux. Les voies optiques, qui transmettent au cerveau l'information provenant des yeux, sont formées de plus d'un million de neurofibres. La vision est, de tous les sens, celle qui nécessite le plus d'« apprentissage ». L'œil, semble-t-il, ne demande pas mieux que d'être déjoué. « On voit ce que l'on veut bien voir »; ce dicton se vérifie fréquemment. D'innombrables proverbes et expressions contiennent des termes se rapportant à l'œil et à la vision. Alors, voyons cet organe de plus près!

L'ANATOMIE DE L'ŒIL

Les structures accessoires de l'œil

L'œil adulte est une sphère d'un diamètre d'environ 2,5 cm. Seul le sixième antérieur de sa surface est visible; le reste est entouré d'un coussin de graisse et des parois osseuses de l'orbite, qui le protègent. Les structures accessoires de l'œil comprennent les muscles du bulbe de l'œil, les paupières, la conjonctive et l'appareil lacrymal (figure 8.1).

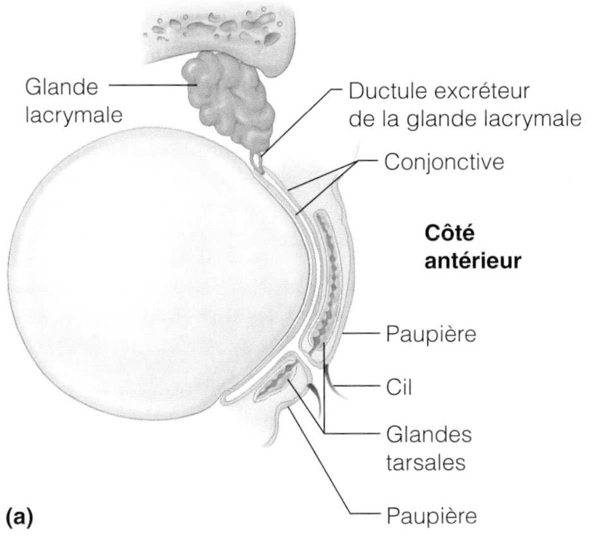
Glande
lacrymale
Ductule excréteur
de la glande lacrymale
Conjonctive
Côté
antérieur
Paupière
Cil
Glandes
tarsales
Paupière
(a)

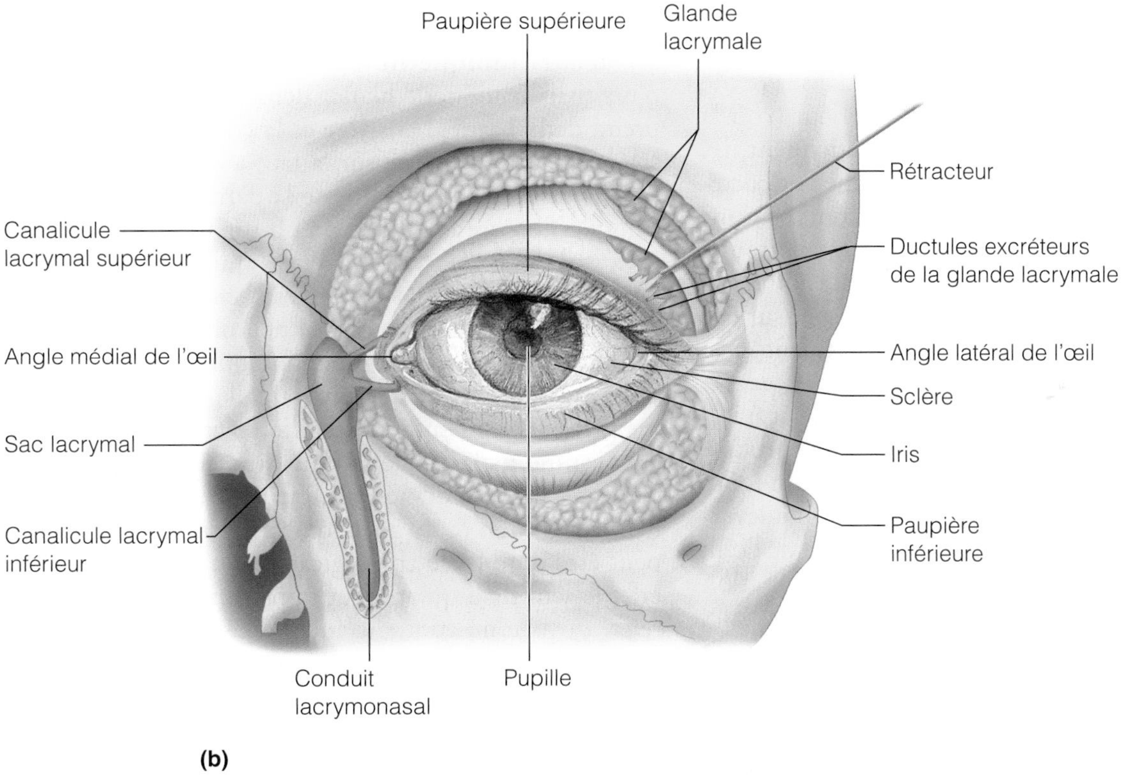
Paupière supérieure
Glande
lacrymale
Rétracteur
Canalicule
lacrymal supérieur
Ductules excréteurs
de la glande lacrymale
Angle médial de l'œil
Angle latéral de l'œil
Sclère
Sac lacrymal
Iris
Canalicule lacrymal
inférieur
Paupière
inférieure
Conduit
lacrymonasal
Pupille
(b)

Figure 8.1 **L'anatomie externe et les structures accessoires de l'œil**

(a) Coupe sagittale des structures accessoires de la partie antérieure de l'œil. **(b)** Vue antérieure de l'appareil lacrymal. La glande lacrymale est relevée afin qu'apparaissent ses ductules excréteurs.

À l'avant, l'œil est protégé par les **paupières**, qui s'unissent aux angles interne et externe de l'œil, respectivement appelés **angle médial de l'œil** et **angle latéral de l'œil** ou *canthus interne* et *canthus externe* (voir la figure 8.1b). Le bord libre de chaque paupière porte des **cils**. Des glandes sébacées modifiées, les **glandes tarsales**, sont associées au bord des paupières. Elles produisent une sécrétion huileuse qui lubrifie l'œil et ralentit l'évaporation des larmes (voir la figure 8.1a). Des glandes sudoripares modifiées appelées *glandes ciliaires* se trouvent entre les cils.

Une membrane délicate, la **conjonctive**, tapisse les paupières et se replie sur la face antérieure du bulbe de l'œil (voir les figures 8.1a et 8.2). Elle se termine au bord de la cornée en fusionnant avec l'épithélium cornéen. La conjonctive sécrète un mucus lubrifiant qui prévient la dessiccation de l'œil.

Déséquilibre homéostatique

L'inflammation de la conjonctive, appelée *conjonctivite*, provoque un rougissement et une irritation des yeux. La *conjonctivite aiguë contagieuse* est une forme infectieuse d'origine bactérienne ou virale de la conjonctivite; elle est très facilement transmise d'un individu à l'autre. ▲

L'**appareil lacrymal** est constitué de la glande lacrymale et des conduits qui drainent les sécrétions lacrymales dans la cavité nasale. La **glande lacrymale** est située au-dessus du bord latéral de l'œil. Elle libère continuellement une solution saline (*larmes*) sur la face antérieure du bulbe de l'œil par l'intermédiaire d'une dizaine de ductules excréteurs de petites dimensions (voir la figure 8.1). Les larmes se répandent en diagonale sur la surface du bulbe de l'œil pour atteindre les deux **canalicules lacrymaux** du côté médial; elles entrent ensuite dans le sac lacrymal puis se déversent dans le **conduit lacrymonasal**, qui s'ouvre dans la cavité nasale par un pore sous le cornet nasal inférieur (voir la figure 8.1b). Outre des sels, les larmes contiennent des anticorps et du **lysozyme**, qui est une enzyme antibactérienne. Et on n'a pas fini d'en explorer la composition: on y a encore récemment découvert un nouveau groupe de lipides, les acides gras amidés, dont il reste à préciser la fonction. En humidifiant et en lubrifiant la surface externe du bulbe de l'œil, les larmes le nettoient et le protègent. Lorsque la sécrétion lacrymale est excessive, elles débordent des paupières et remplissent les cavités nasales, provoquant une congestion. Cela se produit quand des corps étrangers ou des substances chimiques irritent les yeux et quand nous éprouvons un bouleversement émotionnel. Dans le cas d'une irritation de l'œil, l'accroissement de la sécrétion lacrymale a pour fonction d'éliminer ou de diluer la substance irritante. Quant aux larmes qui accompagnent les émotions, leur importance est mal comprise, mais certains experts pensent que les pleurs jouent un rôle important dans la réduction de la tension émotionnelle. Toute personne qui a déjà pleuré à chaudes larmes le croira aisément, mais cela est difficile à démontrer scientifiquement.

Déséquilibre homéostatique

Comme la muqueuse de la cavité nasale est abouchée aux conduits lacrymaux, un rhume ou une inflammation nasale causent souvent une inflammation et un œdème de la muqueuse lacrymale. Le drainage de la surface de l'œil s'en trouve réduit, et celui-ci devient larmoyant. ▲

Six muscles, les **muscles du bulbe de l'œil**, sont attachés à la surface du bulbe de l'œil. Ils permettent à l'œil de remuer et de suivre les mouvements d'un objet. La figure 8.2 montre leur nom, leur localisation, leur action et les nerfs crâniens qui les desservent. Notez que ces muscles fonctionnent par paires dont un membre est l'antagoniste (voir le chapitre 6, p. 196) de l'autre.

Le bulbe de l'œil

L'œil proprement dit, appelé **bulbe de l'œil**, est une sphère creuse (figure 8.3). Sa paroi est constituée de trois tuniques, ou enveloppes, et il est rempli de liquides qui concourent à lui donner sa forme. Le cristallin, la «lentille» de l'œil, est soutenu verticalement à l'intérieur de l'œil, et il le divise en deux segments. À présent que nous avons décrit l'anatomie générale du bulbe de l'œil, nous pouvons entrer dans les détails.

Les tuniques du bulbe de l'œil L'enveloppe externe de l'œil, la **tunique fibreuse du bulbe**, est composée d'un tissu conjonctif blanc, dense et épais. Elle comprend deux parties: la sclère et la cornée. La **sclère** (ou sclérotique) se présente sur la face antérieure comme le «blanc de l'œil». Le centre de la partie antérieure de la tunique fibreuse du bulbe prend un aspect transparent et forme la cornée, la «fenêtre» qui laisse la lumière pénétrer dans l'œil. La **cornée** est riche en terminaisons nerveuses, pour la plupart des neurofibres nociceptives (qui transmettent les influx douloureux). Le contact d'un objet avec la cornée provoque le réflexe du clignement et fait augmenter la sécrétion lacrymale. La cornée est néanmoins la partie la plus exposée de l'œil, et elle subit très souvent des lésions. Heureusement, sa capacité de régénération et de guérison est extraordinaire, et elle peut être remplacée chirurgicalement. La cornée est en effet le seul tissu qu'on peut transplanter sans risque de rejet, car elle ne contient aucun vaisseau sanguin et se trouve ainsi hors de portée du système immunitaire. (Ce sont l'absence de vaisseaux sanguins et la disposition très régulière des fibres collagènes qui sont responsables de la transparence de la cornée.)

La couche intermédiaire du bulbe de l'œil est la *tunique vasculaire*, qui comprend trois éléments distincts. À l'arrière se trouve la **choroïde**, une membrane nutritive fortement vascularisée. Elle contient un pigment brun foncé qui empêche la lumière de se diffuser à l'intérieur de l'œil. Dans sa partie antérieure, la choroïde se modifie pour former deux structures contenant des muscles lisses, le **corps ciliaire** et l'**iris**. Le corps ciliaire est relié au **cristallin** par un ligament suspenseur appelé **zone ciliaire**. Il contient un muscle ciliaire qui permet d'adapter la courbure du cristallin à la distance

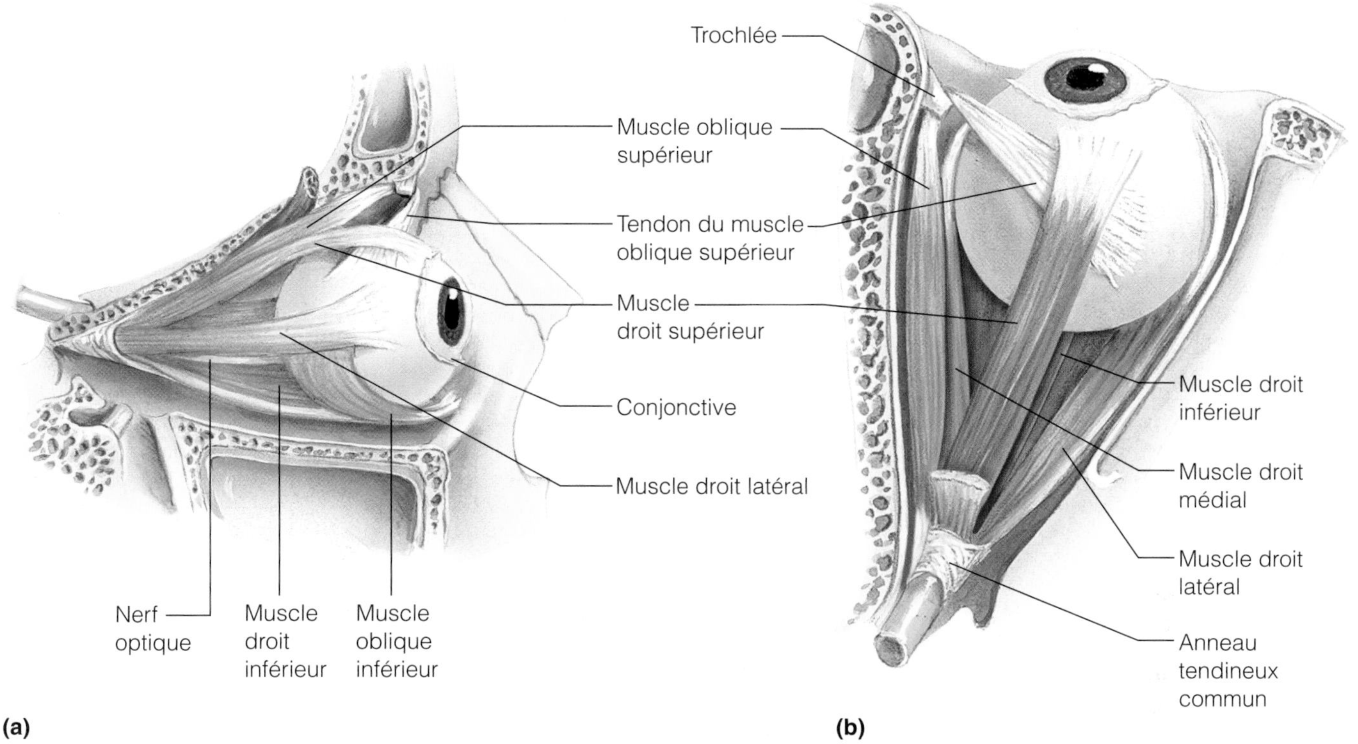
Trochlée
Muscle oblique supérieur
Tendon du muscle oblique supérieur
Muscle droit supérieur
Conjonctive
Muscle droit latéral
Nerf optique
Muscle droit inférieur
Muscle oblique inférieur
(a)
Muscle droit inférieur
Muscle droit médial
Muscle droit latéral
Anneau tendineux commun
(b)

Muscle	Action	Nerf crânien
Droit latéral	Déplace l'œil vers l'extérieur.	Nerf VI (abducens)
Droit médial	Déplace l'œil vers l'intérieur.	Nerf III (oculomoteur)
Droit supérieur	Élève l'œil.	Nerf III (oculomoteur)
Droit inférieur	Abaisse l'œil.	Nerf III (oculomoteur)
Oblique inférieur	Élève l'œil et le tourne vers l'extérieur.	Nerf III (oculomoteur)
Oblique supérieur	Abaisse l'œil et le tourne vers l'extérieur.	Nerf IV (trochléaire)

(c)

Figure 8.2 Les muscles du bulbe de l'œil

(a) Vue latérale de l'œil droit. **(b)** Vue supérieure de l'œil droit. Les quatre muscles droits s'insèrent sur l'anneau tendineux commun, tendon de forme annulaire situé à l'arrière du bulbe de l'œil. **(c)** Nerfs crâniens agissant sur les muscles du bulbe de l'œil et actions respectives de ces muscles.

des objets. L'iris possède des cellules pigmentaires responsables de la « couleur des yeux ». Il comprend en son centre une ouverture ronde, la **pupille**, qui laisse pénétrer la lumière dans l'œil. L'iris est composé de myocytes lisses, dont certains sont disposés en rayons et d'autres en cercles ; il est à l'œil ce que le diaphragme est à un appareil photo. Autrement dit, il régit la quantité de lumière qui entre dans l'œil pour nous permettre de voir le plus clairement possible, quel que soit l'éclairage. Lorsque l'œil fixe un objet rapproché ou lorsque la lumière est abondante, le muscle circulaire de l'iris (muscle sphincter de la pupille) se contracte et la pupille se resserre, phénomène appelé *myosis*. À l'inverse, lorsque l'œil fixe un objet éloigné ou quand la lumière est faible, le muscle radiaire de l'iris (muscle dilatateur de la pupille) se contracte et la pupille se dilate (phénomène appelé *mydriase*), ce qui laisse entrer un surcroît de lumière dans l'œil.

Q **Quelle couche de l'œil serait la première touchée par une production insuffisante de larmes ?**

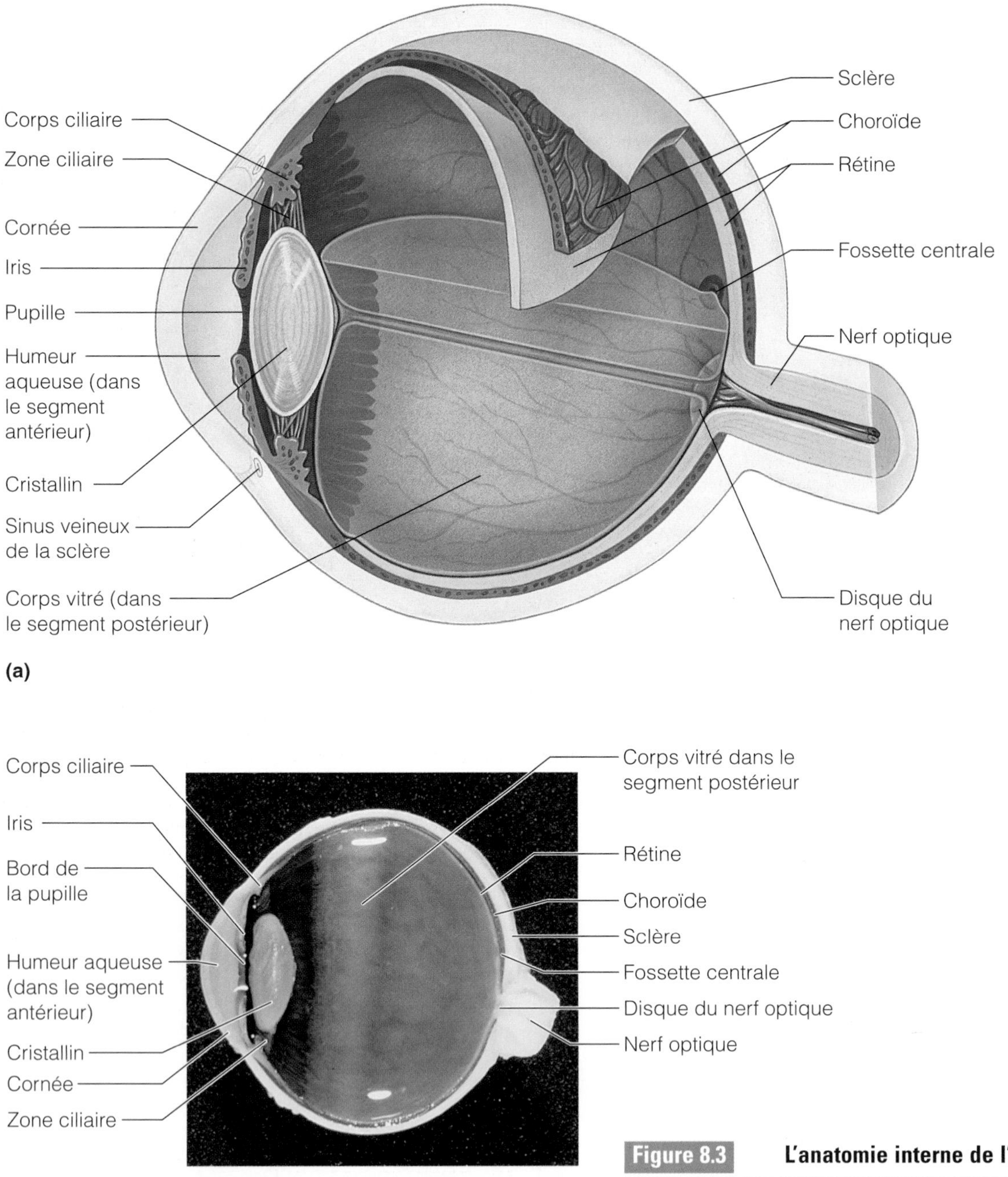
Corps ciliaire
Zone ciliaire
Cornée
Iris
Pupille
Humeur aqueuse (dans le segment antérieur)
Cristallin
Sinus veineux de la sclère
Corps vitré (dans le segment postérieur)
Sclère
Choroïde
Rétine
Fossette centrale
Nerf optique
Disque du nerf optique
(a)
Corps ciliaire
Iris
Bord de la pupille
Humeur aqueuse (dans le segment antérieur)
Cristallin
Cornée
Zone ciliaire
Corps vitré dans le segment postérieur
Rétine
Choroïde
Sclère
Fossette centrale
Disque du nerf optique
Nerf optique
(b)

Figure 8.3 **L'anatomie interne de l'œil (coupe sagittale)**

(a) Schéma. **(b)** Photographie.

La délicate tunique interne du bulbe, la **rétine**, s'étend vers l'avant jusqu'au corps ciliaire seulement. Cette tunique d'un demi-millimètre d'épaisseur est composée, du côté externe, d'un épithélium pigmentaire contenant des granules de mélanine (voir la figure de l'encadré « Gros plan » ci-contre), qui absorbent l'excès de lumière et, du côté interne, d'une couche de neurones. Cette couche contient des millions de cellules

R **La tunique fibreuse du bulbe, enveloppe externe de l'œil (et plus particulièrement la cornée, qui en fait partie), car cette tunique baigne continuellement dans les larmes.**

GROS PLAN

Les pigments visuels : les vrais photorécepteurs

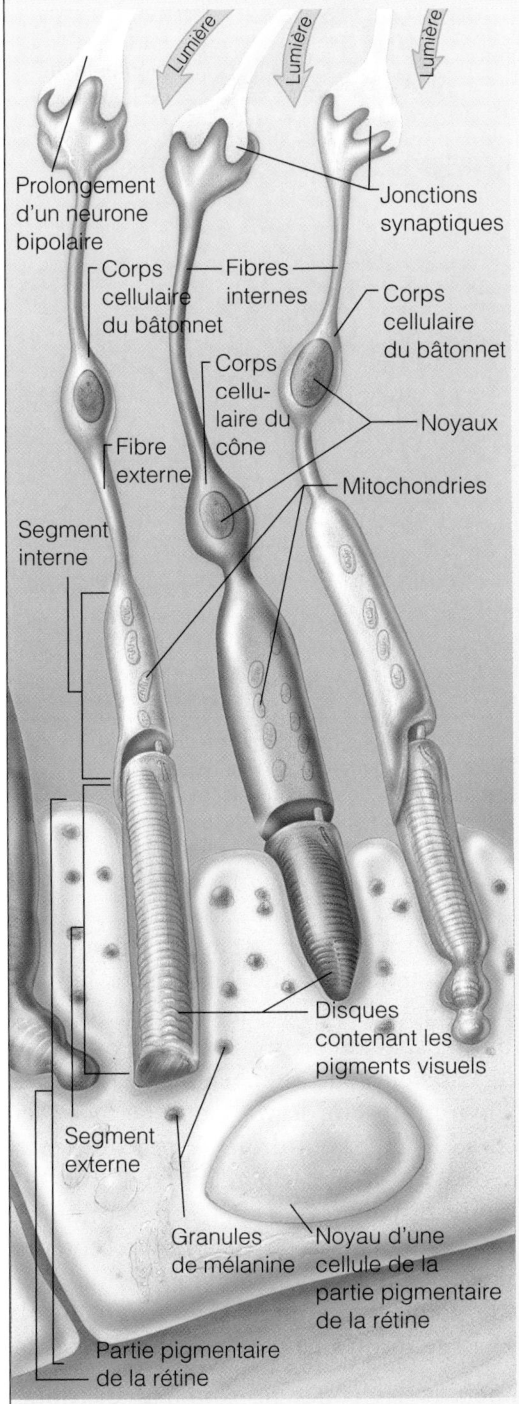

Lumière
Lumière
Lumière
Prolongement d'un neurone bipolaire
Jonctions synaptiques
Corps cellulaire du bâtonnet
Fibres internes
Corps cellulaire du bâtonnet
Corps cellulaire du cône
Noyaux
Fibre externe
Mitochondries
Segment interne
Disques contenant les pigments visuels
Segment externe
Granules de mélanine
Noyau d'une cellule de la partie pigmentaire de la rétine
Partie pigmentaire de la rétine

Les toutes petites cellules photoréceptrices de la rétine portent des noms qui dénotent la forme d'une de leurs extrémités. Cette région, appelée *segment externe*, est rattachée au corps cellulaire de la cellule photoréceptrice. Le segment externe est cylindrique et allongé dans les bâtonnets, et conique et plus court dans les cônes (voir la figure ci-contre). Il équivaut à une dendrite photosensible dans laquelle les disques contenant les pigments visuels sont superposés comme des pièces de monnaie dans une pile. Les disques, qui sont des replis de la membrane plasmique de la cellule photoréceptrice, sont sans cesse formés puis phagocytés par les cellules de l'épithélium pigmentaire de la rétine ; les bâtonnets, par exemple, contiennent environ 1000 disques dont entre 30 et 100 sont renouvelés quotidiennement.

Les pigments visuels agissent de façon spectaculaire : ils se décolorent lorsque la lumière les atteint et, peu de temps après, ils se régénèrent. L'absorption de la lumière et la décoloration des pigments entraînent dans les cellules photoréceptrices des changements électriques qui déclenchent la transmission d'influx nerveux au cerveau, où s'accomplit l'interprétation visuelle. La régénération des pigments prévient l'éblouissement sous un éclairage intense.

La structure et la fonction de la **rhodopsine** contenue dans les bâtonnets (voir la figure ci-dessous) sont bien connues. Ce pigment visuel violet est formé par l'union d'une protéine (l'**opsine**) et d'un dérivé de la vitamine A (le **rétinal**). Au cours de la formation de la rhodopsine, la molécule de rétinal subit une déformation qui lui permet de se lier à l'opsine. Mais, quand la lumière frappe la rhodopsine, la molécule de rétinal, sensible à la lumière, se redresse et libère la protéine. Elle poursuit ensuite sa conversion jusqu'à ce qu'elle redevienne de la vitamine A. À mesure que ces changements se produisent, le violet de la rhodopsine tourne au jaune du rétinal et devient incolore au moment de la transformation du rétinal en vitamine A. L'expression *décoloration du pigment* rend bien compte du changement de couleur provoqué par la lumière. La rhodopsine se régénère lorsque la vitamine A reprend la forme du rétinal et se combine de nouveau avec l'opsine par une réaction nécessitant de l'ATP. Les pigments des cônes, bien qu'ils soient semblables à la rhodopsine, contiennent des protéines (opsines) différentes.

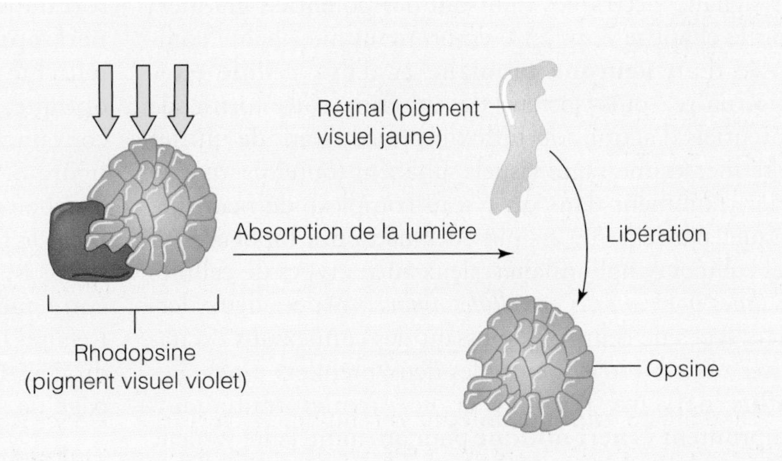

Rétinal (pigment visuel jaune)
Absorption de la lumière
Libération
Rhodopsine (pigment visuel violet)
Opsine

réceptrices : les **bâtonnets** (120 millions dans chaque rétine) et les **cônes** (6 millions). Les bâtonnets et les cônes sont appelés **photorécepteurs**, car ils réagissent à la lumière (figure 8.4). À partir des photorécepteurs,

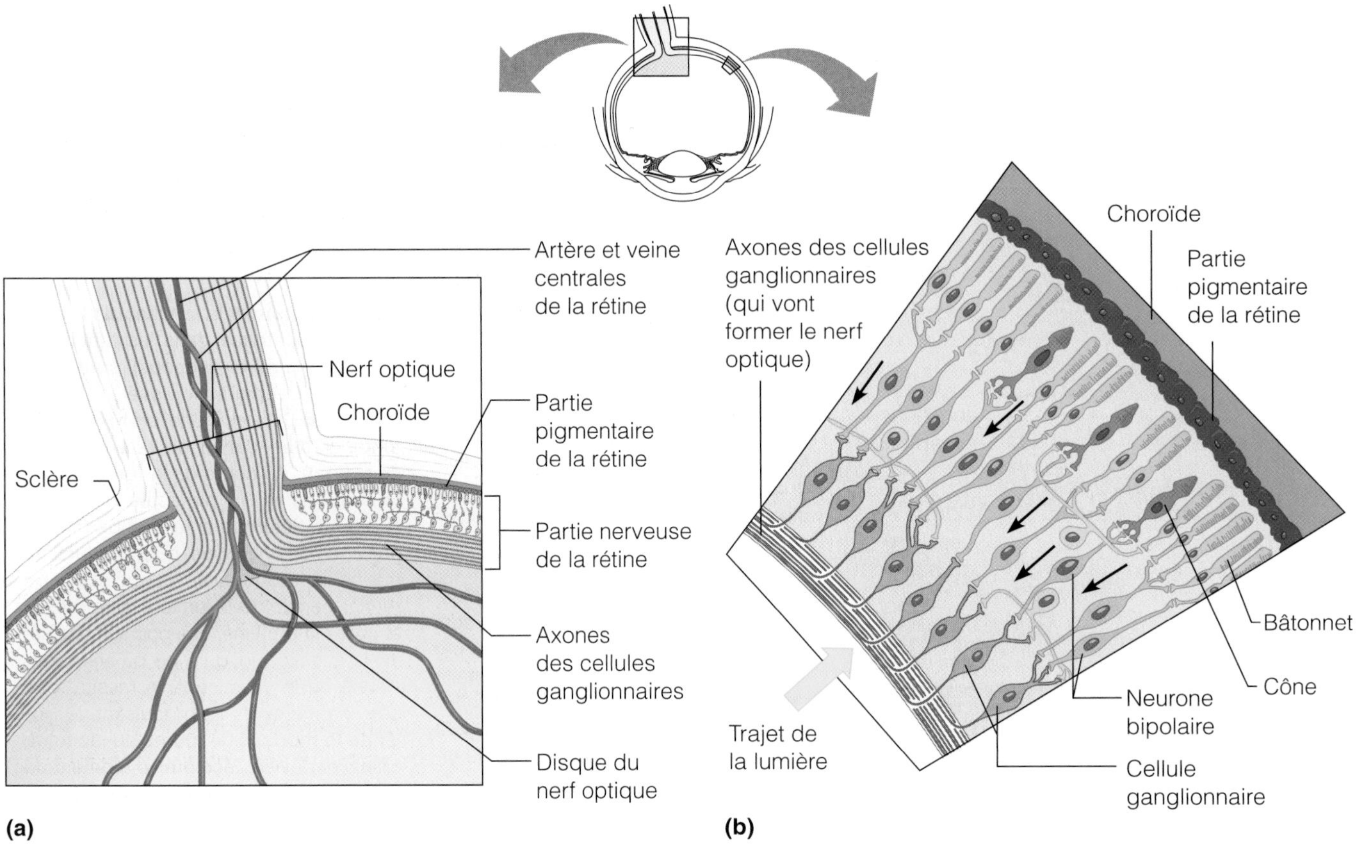

Artère et veine centrales de la rétine
Nerf optique
Choroïde
Sclère
Partie pigmentaire de la rétine
Partie nerveuse de la rétine
Axones des cellules ganglionnaires
Disque du nerf optique
(a)
Axones des cellules ganglionnaires (qui vont former le nerf optique)
Choroïde
Partie pigmentaire de la rétine
Bâtonnet
Cône
Neurone bipolaire
Cellule ganglionnaire
Trajet de la lumière
(b)

Figure 8.4 **Les trois principaux types de neurones de la rétine**

(a) Vue schématique de la partie postérieure du bulbe de l'œil, illustrant comment les axones des cellules ganglionnaires forment le nerf optique, lequel quitte l'œil en un point appelé *disque du nerf optique*. **(b)** Vue schématique de la partie nerveuse de la rétine. Notez que la lumière doit traverser la rétine pour aller stimuler les bâtonnets et les cônes. Les signaux électriques (représentés par des flèches noires) font le trajet inverse : ils passent des bâtonnets et des cônes aux neurones bipolaires, puis aux cellules ganglionnaires. Ces dernières engendrent des potentiels d'action (influx nerveux) qui sortent de l'œil par le nerf optique.

les signaux électriques (qui sont des potentiels gradués ; voir le chapitre 7, p. 233) empruntent une chaîne composée d'un **neurone bipolaire** et d'une **cellule ganglionnaire**, puis sortent de la rétine sous forme de potentiels d'action, ou influx nerveux. Avant de quitter la rétine, les messages visuels subissent toutefois un premier traitement dans un réseau complexe de neurones auquel participent, en plus des neurones bipolaires et des cellules ganglionnaires, deux autres types de cellules (*cellules horizontales* et *cellules amacrines*) ; ces deux derniers types de cellules établissant des connexions excitatrices ou inhibitrices entre les deux premiers types. Les influx nerveux, résultats de ce premier traitement, empruntent le **nerf optique** pour atteindre l'aire visuelle du cortex cérébral et produire des sensations visuelles.

Les cellules photoréceptrices sont réparties sur toute la surface de la rétine, sauf en un endroit où le **nerf optique** (composé d'axones de cellules ganglionnaires) sort du bulbe de l'œil. Cette aire est appelée **disque du nerf optique**, ou **tache aveugle**. Lorsque la lumière réfléchie par un objet se focalise sur le disque du nerf optique, l'objet disparaît de notre vue. Pour vous convaincre de l'existence de ce phénomène, tenez la figure 8.5 à environ 45 cm de vos yeux. Fermez l'œil gauche et fixez le X avec l'œil droit. Approchez lentement la figure de votre visage en gardant l'œil droit fixé sur le X. Le point disparaîtra lorsqu'il sera focalisé sur votre tache aveugle, dépourvue de photorécepteurs. Refaites le test avec l'œil gauche. Cette fois, fermez l'œil droit et fixez le point avec l'œil gauche. Approchez la page de votre visage jusqu'à ce que le X disparaisse.

Les bâtonnets et les cônes ne sont pas distribués uniformément sur la rétine. Les bâtonnets sont plus abondants en périphérie de la rétine et se raréfient au centre. Ils sont à l'origine de la vision périphérique et

X

Figure 8.5 **Le test de la tache aveugle**

nous permettent de distinguer les nuances de gris dans la pénombre.

Déséquilibre homéostatique

Tout ce qui entrave le fonctionnement des bâtonnets nuit à la vision nocturne et entraîne la *cécité nocturne*, ou *hespéranopie*. La cécité nocturne rend périlleuse la conduite automobile la nuit. Elle est le plus souvent causée par une carence prolongée en vitamine A, associée à une dégénérescence de la partie nerveuse de la rétine. La vitamine A est essentielle à la formation du pigment dont les cellules photoréceptrices ont besoin pour réagir à la lumière (voir l'encadré « Gros plan », p. 311). Les suppléments de vitamine A rétablissent le fonctionnement des bâtonnets s'ils sont administrés avant les changements dégénératifs. ▲

Les cônes sont des récepteurs spécifiques qui nous permettent de voir les détails et les couleurs en pleine lumière. Leur densité décroît du centre de la rétine vers la périphérie. Du côté latéral du disque du nerf optique de chaque œil, au centre d'une zone ovale de deux millimètres de diamètre appelée *macula*, se trouve la **fossette centrale** (ou *fovea centralis*), minuscule dépression contenant seulement des cônes (voir la figure 8.3). C'est en ce point que l'**acuité visuelle** atteint son maximum et que se forme l'image des objets que nous observons attentivement. Seule la petite partie de notre champ visuel qui correspond à cette zone nous apparaît avec précision, mais nous avons l'impression que toute l'image que nous percevons est nette grâce aux mouvements continuels et rapides des yeux.

Déséquilibre homéostatique

Dans la *dégénérescence maculaire liée à l'âge* (DMLA), qui frappe près de 80 000 Canadiens et plus de 30 millions de personnes dans le monde (surtout celles de 50 ans et plus), les cellules de la macula dégénèrent. Il semble que l'incapacité des cellules de l'épithélium pigmentaire de phagocyter les segments externes des photorécepteurs (voir l'encadré « Gros plan », p. 311) et d'en éliminer les déchets soit en cause. La conséquence pour les sujets atteints est la perte de la vision centrale (la vision périphérique n'étant pas touchée). Pour traiter la DMLA, il faudrait idéalement pouvoir pratiquer une greffe de rétine : l'exploit a été réussi en 2006, à partir de cellules rétiniennes immatures, chez des souris aveugles qui ont ainsi retrouvé la vue. ▲

Il existe trois types de cônes. Chacun est particulièrement sensible à certaines longueurs d'onde de la lumière visible (figure 8.6). Les cônes du premier type réagissent surtout à la lumière bleue et ceux du deuxième type, à la lumière verte. Les cônes du troisième type réagissent à une gamme de longueurs d'onde comprenant celles de la lumière verte et de la lumière rouge. Ce sont toutefois les seuls cônes à réagir à la lumière rouge ; ils sont

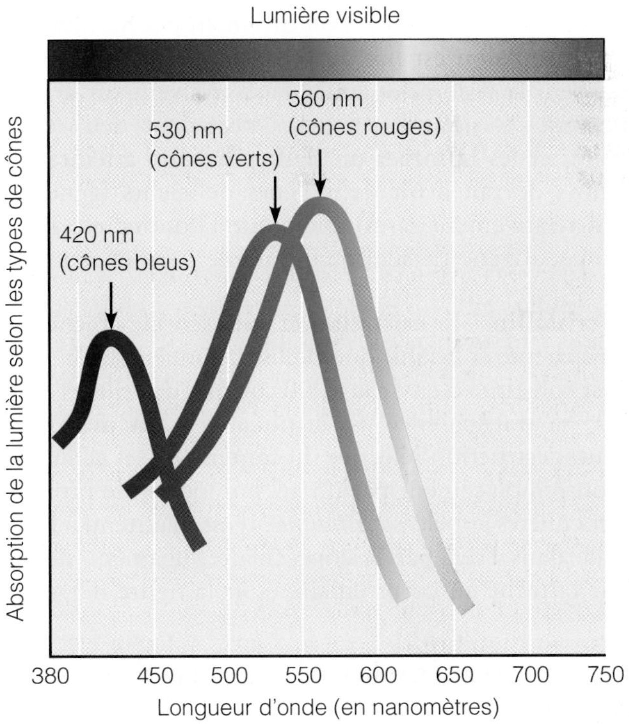
Lumière visible
Absorption de la lumière selon les types de cônes
560 nm
(cônes rouges)
530 nm
(cônes verts)
420 nm
(cônes bleus)
380
450
500
550
600
650
700
750
Longueur d'onde (en nanomètres)

Figure 8.6 **La sensibilité des trois types de cônes aux diverses longueurs d'onde de la lumière visible**

donc appelés *cônes rouges*. L'aire visuelle du cortex cérébral interprète comme des couleurs *intermédiaires* les influx envoyés simultanément par plus d'un type de cônes. Ainsi, elle traduit par du violet les influx envoyés simultanément par les récepteurs du bleu et les récepteurs du rouge. Lorsque les trois types de cônes sont stimulés, nous voyons du blanc. Si quelqu'un vous projetait une lumière rouge dans un œil et une lumière verte dans l'autre, vous verriez du jaune. Ce phénomène prouve que le « mélange » et l'interprétation des couleurs se produisent dans le cerveau et non dans la rétine.

Déséquilibre homéostatique

L'insuffisance des trois types de cônes entraîne l'*achromatopsie totale*, tandis que l'insuffisance d'un des types de cônes provoque l'achromatopsie partielle (ou daltonisme). La forme la plus fréquente de cette dernière anomalie résulte d'une déficience en cônes verts ou en cônes rouges. Les personnes atteintes perçoivent le rouge et le vert comme une seule et même couleur, soit le rouge soit le vert, suivant le type de cônes qu'elles *possèdent*. De nombreuses personnes atteintes d'achromatopsie partielle ignorent leur état, car elles ont appris à s'en remettre à des indices – comme les différences d'intensité – pour distinguer les objets rouges des objets verts (les feux de circulation, par exemple). La maladie touche presque exclusivement des hommes, car sa transmission est liée au sexe. En effet, les gènes qui régissent la vision des couleurs se trouvent sur le chromosome X, dont les femmes possèdent deux exemplaires et les hommes un seul : pour être atteinte, une femme devrait avoir deux gènes déficients (gènes qui sont relativement rares), alors que l'homme est atteint si un seul gène (le seul qu'il possède) est déficient. ▲

Le cristallin Le **cristallin** est une « lentille » biconvexe, transparente et flexible qui focalise la lumière sur la rétine. Il est constitué d'environ 1000 couches de cellules empilées ; sa transparence est attribuable à un mécanisme d'autodestruction sélective du contenu de ses cellules, et à son remplacement par un gel homogène de protéines particulières appelées *cristallines*. Il est maintenu à la verticale dans l'œil par la zone ciliaire, ligament suspenseur rattaché au corps ciliaire (voir la figure 8.3).

Déséquilibre homéostatique

Pendant la jeunesse, le cristallin est parfaitement transparent et il a la consistance d'un gel durci. Avec le temps, cependant, les protéines qui le constituent (les cristallines) subissent des dommages qui ne peuvent être réparés (les cellules du cristallin sans noyau ni organites ne font plus de synthèse des protéines). Ces protéines défectueuses s'accumulent ; le cristallin durcit de plus en plus et s'opacifie. Le processus aboutit à la **cataracte**, un état qui embrouille la vision de près de la moitié des personnes de 65 ans et plus et mène finalement, dans près de 10 % des cas, à la cécité (figure 8.7). Dans les premiers stades, on peut corriger les troubles de la vision engendrés par la cataracte au moyen de verres spéciaux ; dans les cas les plus avancés, on doit traiter la cataracte en excisant chirurgicalement le cristallin touché et en le remplaçant par un cristallin artificiel. ▲

Le cristallin divise l'œil en un segment antérieur et un segment postérieur. Le *segment antérieur*, situé à l'avant du cristallin, contient un liquide aqueux transparent appelé **humeur aqueuse**. Le *segment postérieur*, à l'arrière du cristallin, est rempli d'une substance gélatineuse appelée **corps vitré** (voir la figure 8.3), qui renforce l'intérieur du bulbe de l'œil et l'empêche de s'affaisser. Semblable au plasma sanguin, l'humeur aqueuse est continuellement sécrétée par l'épithélium du corps ciliaire. Comme le corps vitré, elle contribue à la *pression intraoculaire*. Elle fournit des nutriments au cristallin et à la cornée, qui sont dépourvus de vaisseaux sanguins. L'humeur aqueuse s'écoule vers le sang veineux par l'intermédiaire du **sinus veineux de la sclère**, situé à la jonction de la sclère et de la cornée.

Déséquilibre homéostatique

L'entrave du drainage de l'humeur aqueuse peut se traduire par une augmentation de la pression intraoculaire et une compression de la rétine et du nerf optique. Cette hypertension oculaire constitue

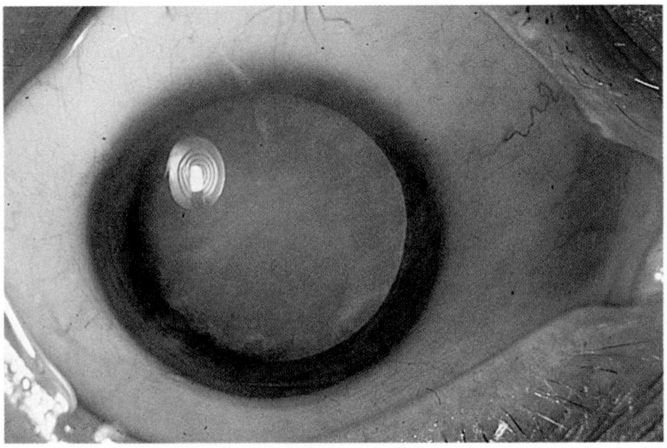

Figure 8.7 **Photographie d'une cataracte**

La cataracte se présente comme une structure laiteuse qui semble remplir la pupille.

la principale cause d'une affection appelée **glaucome**, qui finit par causer de la douleur et peut entraîner la dégénérescence du nerf optique. Le glaucome est un facteur fréquent de cécité chez les personnes âgées et constitue, de fait, la première cause de cécité dite *irréversible* dans le monde. Comme il évolue lentement et insidieusement, nombre de personnes atteintes se rendent compte trop tard de l'affection. Les signes tardifs comprennent la vision de halos autour des lumières, des maux de tête et une vision trouble. Les personnes de plus de 40 ans devraient subir annuellement un examen visant à détecter cette maladie. Au cours de l'examen, on se sert d'un instrument simple appelé *tonomètre* pour mesurer la pression intraoculaire. Le glaucome est traité au moyen de collyres myotiques (médicament provoquant la myosis) qui accroissent la vitesse de drainage de l'humeur aqueuse. Il existe aussi un traitement chirurgical consistant à dilater le canal qui draine l'humeur aqueuse. ▲

L'*ophtalmoscope* est un instrument qui sert à illuminer l'intérieur du bulbe de l'œil et à examiner la rétine, le disque du nerf optique et les vaisseaux sanguins. L'examen de l'intérieur du bulbe de l'œil permet de dépister des maladies comme le diabète, l'artériosclérose ainsi que la dégénérescence du nerf optique et de la rétine. Lorsque l'ophtalmoscope est correctement réglé, le **fond d'œil** (partie postérieure du bulbe de l'œil) devrait avoir l'aspect qu'il présente dans la figure 8.8. On est actuellement à mettre au point une technique d'imagerie rétinienne par *optique adaptative* qui multipliera par dix la qualité de résolution obtenue par l'ophtalmoscope classique et permettra de déceler plus tôt les problèmes oculaires mentionnés.

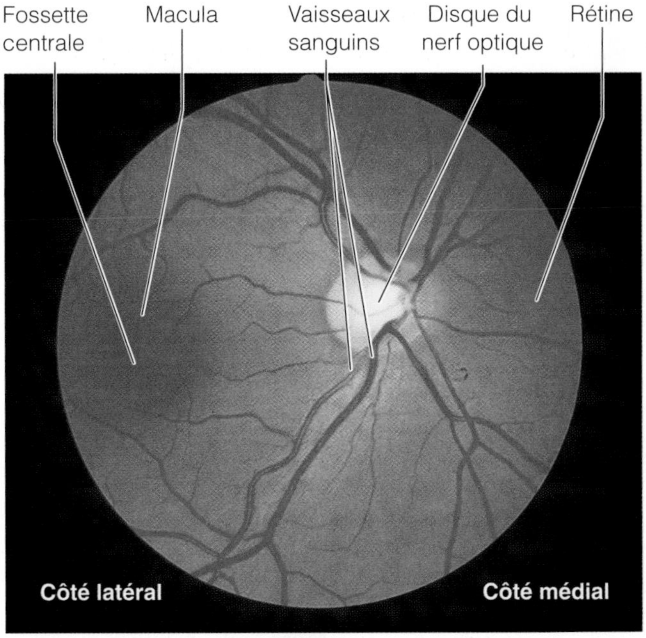
Fossette centrale
Macula
Vaisseaux sanguins
Disque du nerf optique
Rétine
Côté latéral
Côté médial

Figure 8.8 Vue à l'ophtalmoscope de la paroi postérieure (fond d'œil) de la rétine

Notez que les vaisseaux sanguins rayonnent à partir du disque du nerf optique.

LE TRAJET DE LA LUMIÈRE DANS L'ŒIL ET LA RÉFRACTION DE LA LUMIÈRE

Quand la lumière passe d'un milieu à un autre milieu de densité différente, sa vitesse change et ses rayons dévient. Ce phénomène est appelé **réfraction**. Les rayons lumineux dévient dans le bulbe de l'œil en traversant successivement la cornée, l'humeur aqueuse, le cristallin et le corps vitré.

La puissance de réfraction de la cornée, de l'humeur aqueuse et du corps vitré est constante. Celle du cristallin, cependant, varie selon le degré de convexité de cette structure. La courbure du cristallin, en effet, peut se modifier pour permettre une focalisation précise de la lumière sur la rétine. Plus le cristallin est convexe (bombé), plus il dévie la lumière; plus il est aplati, moins il la dévie.

Au repos, l'œil est «réglé» pour la vision éloignée. En règle générale, la lumière provenant d'une source éloignée (située à plus de 6 m) atteint l'œil sous forme de rayons parallèles (figure 8.9a) et se concentre sur la rétine sans que le cristallin ait à changer de forme. En revanche, la lumière provenant d'un objet rapproché tend à se disperser et à *diverger*, et le cristallin doit se bomber pour que les rayons se focalisent correctement (figure 8.9b). Dans ce cas, le muscle lisse du corps ciliaire se contracte et la convexité du cristallin augmente. Le processus par lequel l'œil fait la mise au point pour les objets rapprochés (situés à moins de 6 m) est appelé **accommodation**. L'image qui se forme sur la rétine après que le cristallin a fait dévier la lumière est une *image réelle*; elle est inversée de gauche à droite et de haut en bas, et plus petite que l'objet (figure 8.10). Alors que l'accommodation est adéquate dans un œil normal, la force ou la faiblesse excessives du cristallin entraînent respectivement un excès de convergence ou une insuffisance de convergence de la lumière. Les anomalies structurales du bulbe de l'œil engendrent également des troubles de la vision (voir l'encadré «Gros plan», p. 318).

Q Pendant que vous avez les yeux fixés sur la figure, vos cristallins sont-ils relativement épais ou relativement minces ?

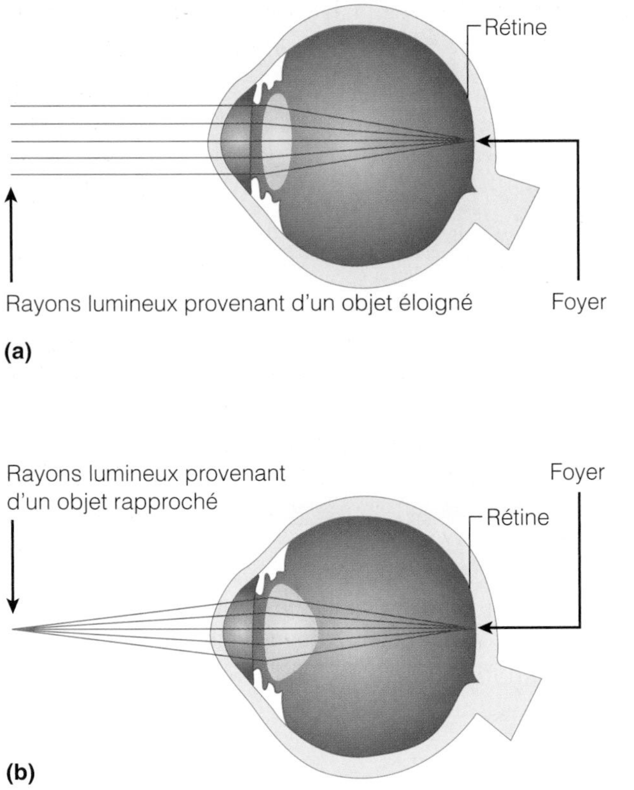
Rétine
Rayons lumineux provenant d'un objet éloigné
Foyer
(a)
Rayons lumineux provenant d'un objet rapproché
Foyer
Rétine
(b)

Figure 8.9 **La convexité relative du cristallin pour la vision éloignée et la vision rapprochée**

(a) La lumière provenant d'un objet éloigné atteint l'œil sous forme de rayons presque parallèles et se focalise sans que la convexité du cristallin se modifie. **(b)** Les rayons lumineux provenant d'un objet rapproché tendent à diverger ; la convexité du cristallin doit donc s'accroître pour que l'image se concentre précisément sur la rétine.

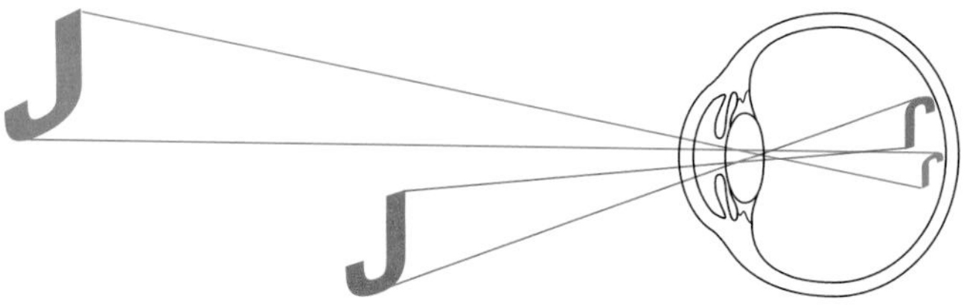

Figure 8.10 **Image réelle (inversée de gauche à droite et de haut en bas) formée sur la rétine**

Notez que, plus l'objet est éloigné, plus l'image formée sur la rétine est petite.

LES CHAMPS VISUELS ET LES VOIES VISUELLES

Les axones qui acheminent les influx nerveux provenant de la rétine se regroupent à l'arrière du bulbe de l'œil et le quittent en formant le nerf optique. Au niveau du **chiasma optique** (*khiasma*, « croisement »), les neurofibres issues de la partie médiale de chaque œil croisent la ligne médiane et forment les **tractus optiques**. Par conséquent, chaque tractus optique contient les neurofibres issues de la partie latérale de l'œil homolatéral et les neurofibres issues de la partie médiale de l'œil controlatéral. Les neurofibres des tractus optiques font synapse avec des neurones du thalamus. Les axones des neurones thalamiques forment la **radiation optique**, qui s'étend jusque dans le lobe occipital. Là, ils font synapse avec les neurones corticaux qui accomplissent l'interprétation visuelle. La voie visuelle menant de l'œil au cerveau est représentée à la figure 8.11. Comme vous pouvez le constater, chaque côté du cerveau reçoit de l'information visuelle des deux yeux : celle qui provient de la partie latérale du champ visuel de l'œil homolatéral et celle qui provient de la partie médiale du champ visuel de l'autre œil. En outre, les deux yeux captent des images légèrement différentes, mais leurs *champs visuels* se chevauchent considérablement. Tels sont les deux facteurs de la *vision binoculaire* chez l'être humain. Cette caractéristique permet la vision stéréoscopique, ou vision du relief, car les aires visuelles du cortex fusionnent les images légèrement différentes envoyées par les deux yeux.

Déséquilibre homéostatique

La perte du même côté du champ visuel des deux yeux est appelée *hémianopsie*. Elle est causée par une lésion d'une des deux aires visuelles (à la suite d'un AVC, par exemple). Une personne atteinte d'hémianopsie ne voit pas les objets situés au-delà de la ligne médiane de son champ visuel droit ou gauche, selon le siège de l'AVC. Il est important de surveiller étroitement une telle personne et de lui signaler la présence d'objets situés du côté atteint de son champ visuel. Il faut toujours placer ses aliments et ses effets personnels du côté intact. ▲

LES RÉFLEXES OCULAIRES

On peut grouper les muscles agissant sur l'œil selon deux types : les muscles internes et les muscles externes.

R Vous faites appel à votre vision rapprochée, si bien que vos cristallins sont bombés et donc relativement épais.

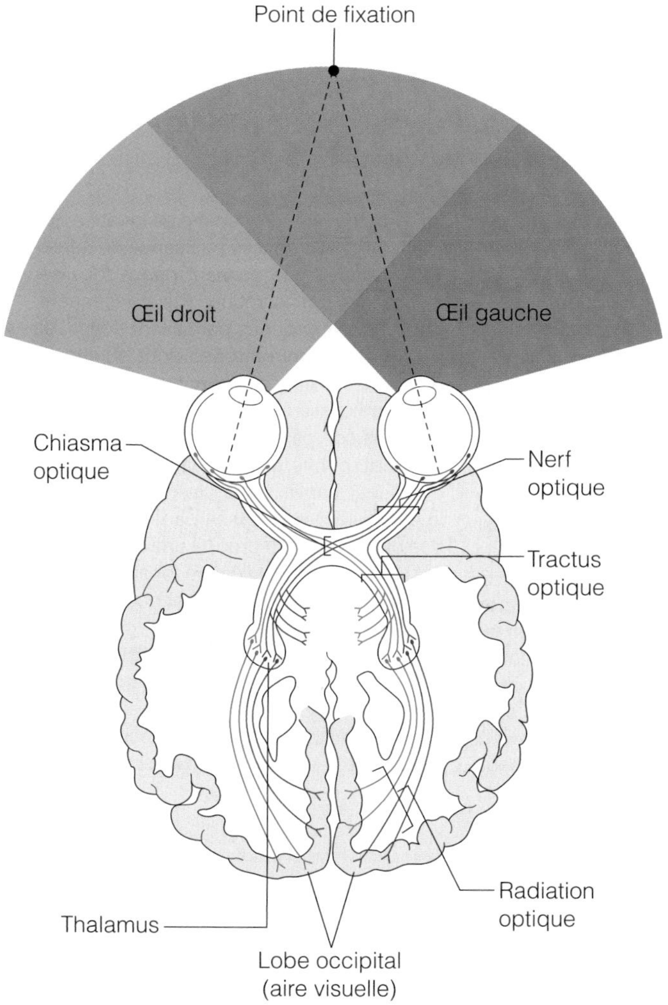
Point de fixation
Œil droit
Œil gauche
Chiasma optique
Nerf optique
Tractus optique
Radiation optique
Thalamus
Lobe occipital (aire visuelle)

Figure 8.11 **Les champs visuels des yeux et la voie visuelle**

Notez que les champs visuels se chevauchent considérablement, délimitant l'aire de vision binoculaire. Remarquez aussi les sites rétiniens sur lesquels une image réelle se forme quand les deux yeux sont fixés sur un point rapproché. (L'œil droit se trouve du côté gauche dans cette figure, car celle-ci présente une vue ventrale d'une coupe transversale de l'encéphale.)

Les deux types de muscles sont nécessaires au bon fonctionnement de l'œil. Les muscles internes sont les muscles du corps ciliaire, qui modifient la courbure du cristallin, ainsi que les muscles radiaires et circulaires de l'iris, qui régissent le diamètre de la pupille ; ces muscles sont gouvernés par le système nerveux autonome (SNA). Les muscles externes de l'œil sont les muscles du bulbe de l'œil (droits et obliques). Ils permettent aux yeux de bouger et de suivre les déplacements des objets. Ils sont aussi à l'origine de la **convergence**, c'est-à-dire la rotation médiale des yeux qui se produit de façon réflexe lorsque nous regardons un objet rapproché. Grâce à la convergence, les deux yeux sont dirigés vers l'objet observé. Les muscles du bulbe de l'œil sont innervés par des neurofibres somatiques des nerfs crâniens III, IV et VI, comme l'indique la figure 8.2.

Les pupilles se contractent aussitôt qu'une lumière intense atteint les yeux. Ce réflexe, appelé **réflexe pupillaire**, protège les fragiles photorécepteurs contre les excès de lumière vive. Les pupilles se contractent aussi lorsque nous regardons des objets rapprochés ; ce réflexe, appelé **réflexe d'accommodation**, accroît la clarté des images.

La lecture sollicite presque continuellement les deux ensembles de muscles des yeux. Ceux du corps ciliaire provoquent le bombement du cristallin, tandis que les muscles circulaires (ou *sphincter*) de l'iris produisent le réflexe d'accommodation. De plus, les muscles du bulbe de l'œil font converger les yeux et les déplacent le long des lignes du texte. C'est pourquoi les longues séances de lecture peuvent causer une *fatigue oculaire.* Si vous lisez durant un laps de temps prolongé, il est bon que vous leviez les yeux et regardiez au loin à l'occasion afin de décontracter temporairement tous les muscles de vos yeux.

L'oreille : l'ouïe et l'équilibre

De prime abord, les mécanismes de l'ouïe et de l'équilibre paraissent fort rudimentaires. En effet, les récepteurs de l'ouïe sont stimulés par des liquides eux-mêmes agités par les vibrations sonores. Par ailleurs, les mouvements amples de la tête remuent les liquides entourant les organes de l'équilibre. Les récepteurs sensibles à de tels facteurs mécaniques sont appelés **mécanorécepteurs**. Pourtant, l'ouïe humaine capte un extraordinaire éventail de sons, et les récepteurs de l'équilibre fournissent continuellement de l'information au système nerveux sur la position et les mouvements de la tête. Sans cette information, il nous serait difficile, voire impossible, de conserver notre équilibre. Bien que les organes de l'ouïe et de l'équilibre soient structuralement associés à l'intérieur de l'oreille, leurs récepteurs respectifs réagissent à des stimulus différents et sont activés indépendamment les uns des autres.

L'ANATOMIE DE L'OREILLE

Sur le plan anatomique, l'oreille est divisée en trois grandes régions : l'oreille externe, l'oreille moyenne et

GROS PLAN

Myope ou hypermétrope ?

Que se disent les porteurs de lunettes ou de lentilles cornéennes quand ils se rencontrent et parlent de leur vision ? « Moi, les objets rapprochés me paraissent embrouillés. Je suis hypermétrope. » Un autre ajoute : « Avec mes lunettes, je vois les objets éloignés plus distinctement. Je suis myope. » L'hypermétropie et la myopie sont des défauts de réfraction oculaire. Tâchons d'y voir plus clair.

L'œil capable de focaliser correctement les images sur la rétine est dans un état appelé **emmétropie** (signifiant littéralement « vision harmonieuse »). La partie a de la figure représente un œil emmétrope.

La **myopie** est une anomalie de la vision dans laquelle l'image des objets éloignés se forme *à l'avant* de la rétine (voir la partie b de la figure). Par conséquent, les personnes myopes distinguent mal les objets *éloignés*. Elles voient nettement les objets rapprochés, cependant, grâce à la capacité d'accommodation de leur cristallin. La myopie est causée par une élongation du bulbe de l'œil, un excès de force du cristallin ou une courbure excessive de la cornée. On la corrige avec un verre *concave* qui fait diverger la lumière avant son entrée dans l'œil.

L'**hypermétropie** est une anomalie dans laquelle les rayons lumineux parallèles des objets éloignés se focalisent *à l'arrière* de la rétine dans un œil au repos dont le cristallin est aplati et le muscle ciliaire relâché (voir la partie c de la figure). L'hypermétropie est attribuable à une diminution anormale de la longueur du bulbe de l'œil ou à la « paresse » du cristallin. Les personnes hypermétropes voient parfaitement bien les objets éloignés, car leurs muscles ciliaires se contractent continuellement pour augmenter la puissance de réfraction du cristallin et ainsi avancer le foyer jusque sur la rétine. Cependant, les rayons lumineux divergents provenant des objets *rapprochés* se focalisent si loin à l'arrière de la rétine que le cristallin, même à sa puissance de réfraction maximale, ne parvient pas à focaliser les images sur la rétine. Par conséquent, les objets rapprochés paraissent flous. Les personnes hypermétropes sont sujettes à la fatigue oculaire, car leurs muscles ciliaires sont continuellement contractés. L'hypermétropie se corrige à l'aide de verres *convexes* qui font converger les rayons lumineux avant leur entrée dans l'œil. L'inégalité de la courbure des diverses parties de la cornée ou du cristallin produit une vision floue, car les points de lumière se focalisent sur la rétine sous forme de lignes et non de points (*astigma*, « absence de point »). Ce défaut de réfraction est appelé **astigmatisme**, et on le corrige au moyen de verres ou de lentilles cornéennes cylindriques. Les personnes qui sont myopes ou hypermétropes *et* astigmates ont besoin de verres correcteurs plus perfectionnés.

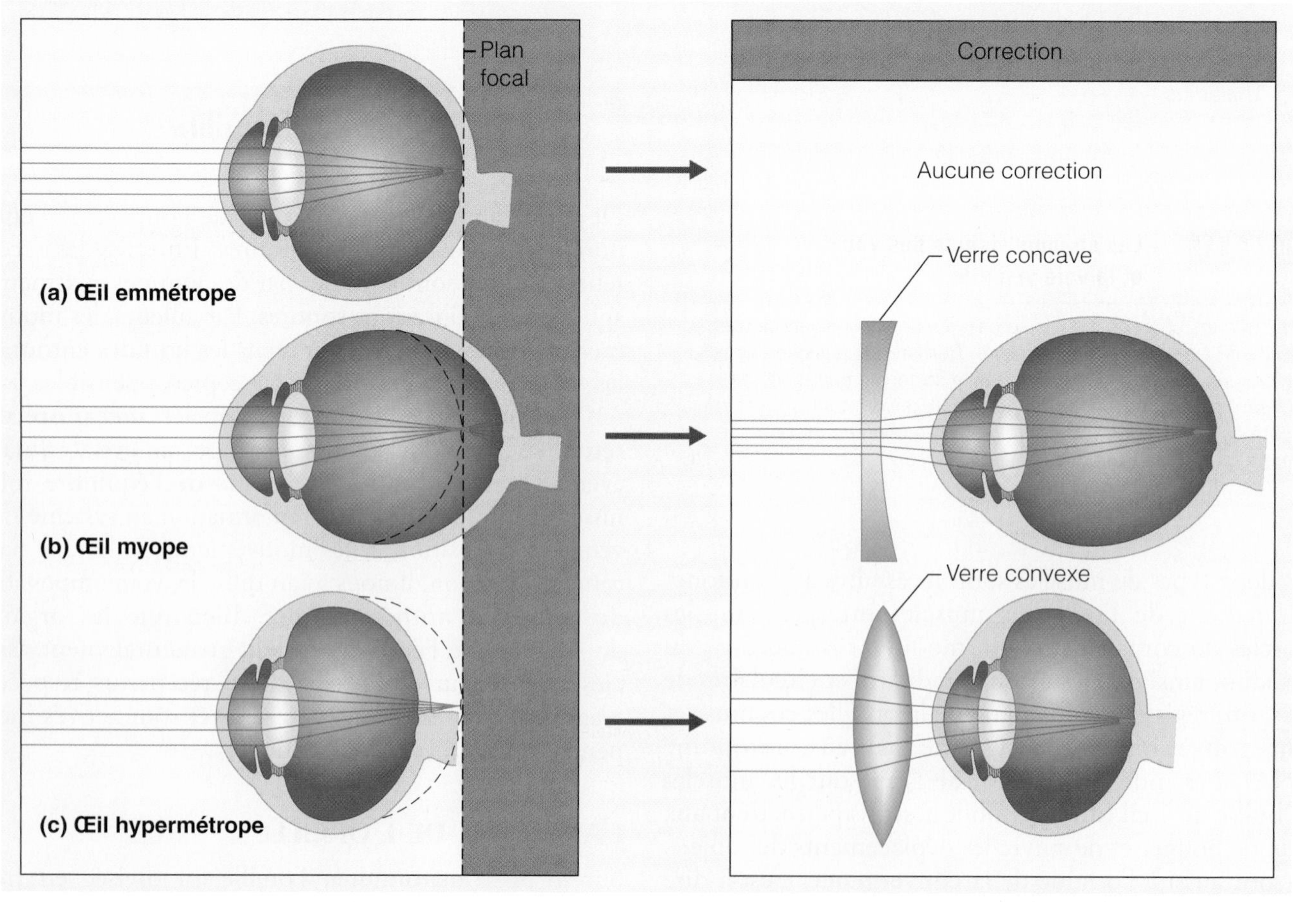
Plan focal
Correction
Aucune correction
Verre concave
Verre convexe
(a) Œil emmétrope
(b) Œil myope
(c) Œil hypermétrope

l'oreille interne (figure 8.12). L'oreille externe et l'oreille moyenne servent *uniquement* à l'audition ; l'oreille interne sert à l'audition et à l'équilibre.

L'oreille externe

L'**oreille externe** est constituée du pavillon de l'oreille et du méat acoustique externe. Le **pavillon de l'oreille**, ou auricule, est ce qu'on appelle *oreille* dans le langage courant ; c'est la partie en forme de coquille qui entoure l'orifice du méat acoustique externe. Le pavillon de l'être humain a perdu la fonction qu'il remplit chez certains animaux : capter les ondes sonores et les diriger dans le méat acoustique externe.

Le **méat acoustique externe** est un tube court et étroit (d'environ 2,5 cm de long sur 0,5 cm de large) creusé dans l'os temporal. La peau qui recouvre ses parois renferme les **glandes cérumineuses**, qui sécrètent une substance cireuse de couleur jaune brunâtre appelée **cérumen**. Les ondes sonores qui entrent dans le méat acoustique externe percutent une membrane d'environ 60 mm^2, la **membrane du tympan**, ou tympan (*tumpanon*, « tambourin »), et la font vibrer. Cette membrane marque la fin du méat acoustique externe et sépare l'oreille externe de l'oreille moyenne.

L'oreille moyenne

L'**oreille moyenne** est un ensemble de petites cavités remplies d'air creusées dans l'os temporal. Sa cavité centrale est la **caisse du tympan**. Sa limite latérale est le tympan et sa limite médiale est une paroi osseuse percée de deux orifices, la **fenêtre du vestibule** et la **fenêtre de la cochlée**, située plus bas et recouverte d'une membrane. La **trompe auditive** est un conduit oblique qui relie l'oreille moyenne à la gorge ; la muqueuse de l'oreille moyenne est donc unie à celle de la gorge. Normalement,

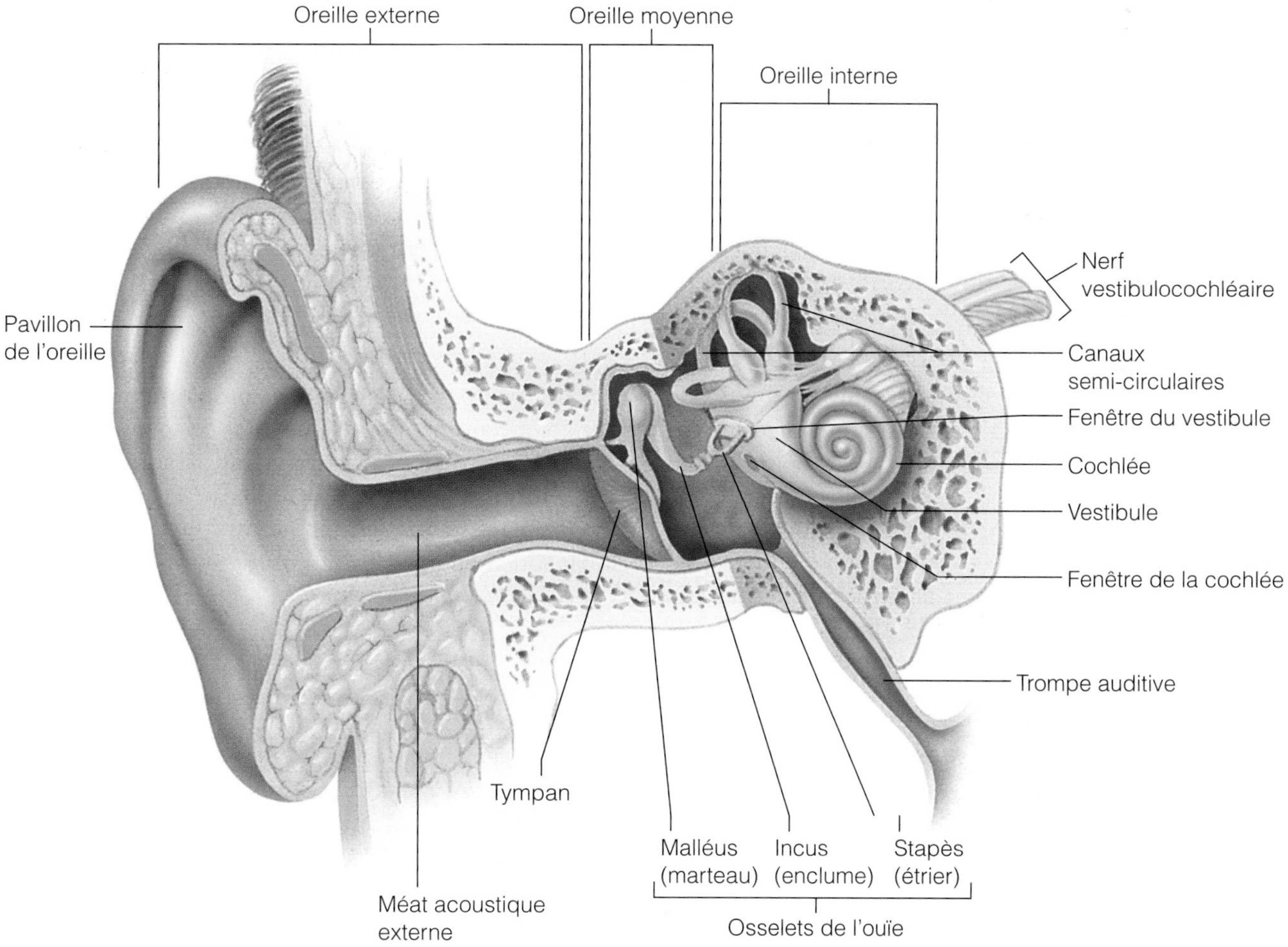

Oreille externe
Oreille moyenne
Oreille interne
Pavillon de l'oreille
Nerf vestibulocochléaire
Canaux semi-circulaires
Fenêtre du vestibule
Cochlée
Vestibule
Fenêtre de la cochlée
Trompe auditive
Tympan
Malléus (marteau)
Incus (enclume)
Stapès (étrier)
Osselets de l'ouïe
Méat acoustique externe

Figure 8.12 **L'anatomie de l'oreille**

la trompe auditive est aplatie et fermée, mais la déglutition et le bâillement l'ouvrent momentanément pour équilibrer la pression de l'air entre l'oreille moyenne et l'environnement. C'est là un mécanisme important, car le tympan ne peut vibrer librement que si la pression exercée sur ses deux surfaces est égale. Dans le cas contraire, le tympan fait saillie vers l'intérieur ou l'extérieur, ce qui entrave l'audition (les voix semblent lointaines) et peut causer une otalgie. L'équilibration de la pression « débouchant » les oreilles est une sensation que connaissent toutes les personnes qui ont déjà pris l'avion.

Déséquilibre homéostatique

L'inflammation de l'oreille moyenne, l'*otite moyenne*, est une conséquence fréquente des infections de la gorge, particulièrement chez les enfants, dont les trompes auditives sont plus horizontales que chez les adultes. L'otite moyenne cause la saillie et l'inflammation du tympan. Lorsque de grandes quantités de liquide ou de pus s'accumulent dans la cavité, il faut parfois pratiquer d'urgence une *myringotomie* (paracentèse ou ponction du tympan) pour réduire la pression. Pendant l'intervention, on implante un petit tube dans le tympan pour permettre au pus, formé dans l'oreille moyenne, de s'écouler dans l'oreille externe. Ce tube tombe de lui-même dans l'année qui suit. ▲

Il faut éviter de laisser les nourrissons couchés pendant la tétée, car cette position favorise l'entrée de lait dans leur trompe auditive qui, comme nous l'avons indiqué, est plus horizontale que chez les adultes.

La caisse du tympan renferme les trois plus petits os du corps, les **osselets de l'ouïe**, qui transmettent les vibrations du tympan aux liquides de l'oreille interne (voir la figure 8.12). Composés d'os compact, ces os sont reliés entre eux par des articulations synoviales; deux petits muscles s'y insèrent et atténuent les vibrations. Les noms des osselets évoquent leur forme: le **malléus** (marteau), l'**incus** (enclume) et le **stapès** (étrier). Les vibrations du tympan font vibrer le malléus, qui transmet ces vibrations à l'incus. L'incus, à son tour, transfère les vibrations au stapès, qui est appuyé sur la fenêtre du vestibule, dans l'oreille interne. Le mouvement de la fenêtre du vestibule se propage aux liquides de l'oreille interne et finit par stimuler les récepteurs de l'audition.

L'oreille interne

L'**oreille interne** est une enfilade de cavités osseuses qui porte le nom de **labyrinthe osseux**. Elle est située dans l'os temporal, à l'arrière de l'orbite. Le labyrinthe osseux comprend trois subdivisions: la **cochlée**, le **vestibule du labyrinthe osseux** et les **canaux semi-circulaires**. Le vestibule est logé entre la cochlée et les canaux semi-circulaires. Les schémas que l'on trouve dans la plupart des manuels, y compris le présent ouvrage, ont quelque chose de trompeur, car le labyrinthe osseux est en réalité une cavité. La représentation que fournit la figure 8.12 peut se comparer à un *moulage*; c'est comme si on avait rempli le labyrinthe de plâtre et qu'on avait retiré les parois osseuses une fois le plâtre sec. La forme du plâtre révélerait donc la forme de la *cavité* qui serpente dans l'os temporal.

Le labyrinthe osseux est rempli de **périlymphe**, liquide semblable au liquide cérébrospinal et communiquant avec ce dernier. Dans la périlymphe flotte le **labyrinthe membraneux**, un ensemble de sacs membraneux qui épousent plus ou moins fidèlement la forme du labyrinthe osseux. Le labyrinthe membraneux lui-même contient un liquide plus épais appelé **endolymphe**, dont la composition est semblable à celle du liquide intracellulaire.

LES MÉCANISMES DE L'ÉQUILIBRE

Si on laisse tomber un chat, il retombe sur ses pattes. Si on penche un bébé vers l'arrière, ses yeux se tournent vers le bas afin de conserver la fixation de son regard. Ces deux réactions, ainsi qu'une multitude d'autres, compensent des perturbations de l'équilibre; ce sont des réflexes qui reposent sur les récepteurs sensoriels du vestibule et des conduits semi-circulaires (situés dans les canaux semi-circulaires).

Il est malaisé de décrire le sens de l'équilibre: il ne nous fournit pas de sensations à proprement parler, mais *réagit* (souvent même sans que nous en soyons conscients) aux divers mouvements de la tête. Les récepteurs de l'équilibre situés dans l'oreille interne constituent l'**appareil vestibulaire**. Ils accomplissent deux fonctions, soit le maintien de l'*équilibre statique* et le maintien de l'*équilibre dynamique*.

L'équilibre statique

Les deux sacs membraneux du vestibule (appelés respectivement *saccule* et *utricule*) renferment des récepteurs essentiels à l'**équilibre statique**, les **macules** (figure 8.13). Les macules (à ne pas confondre avec la macula de la rétine) détectent la position de la tête par rapport à la force gravitationnelle quand le corps est immobile. En nous indiquant où sont le haut et le bas, elles nous aident à garder la tête droite. Ce sont elles qui permettent aux plongeurs de retrouver la surface après une expédition dans les profondeurs sombres de la mer, d'où les repères sont absents. Les macules sont des plaques

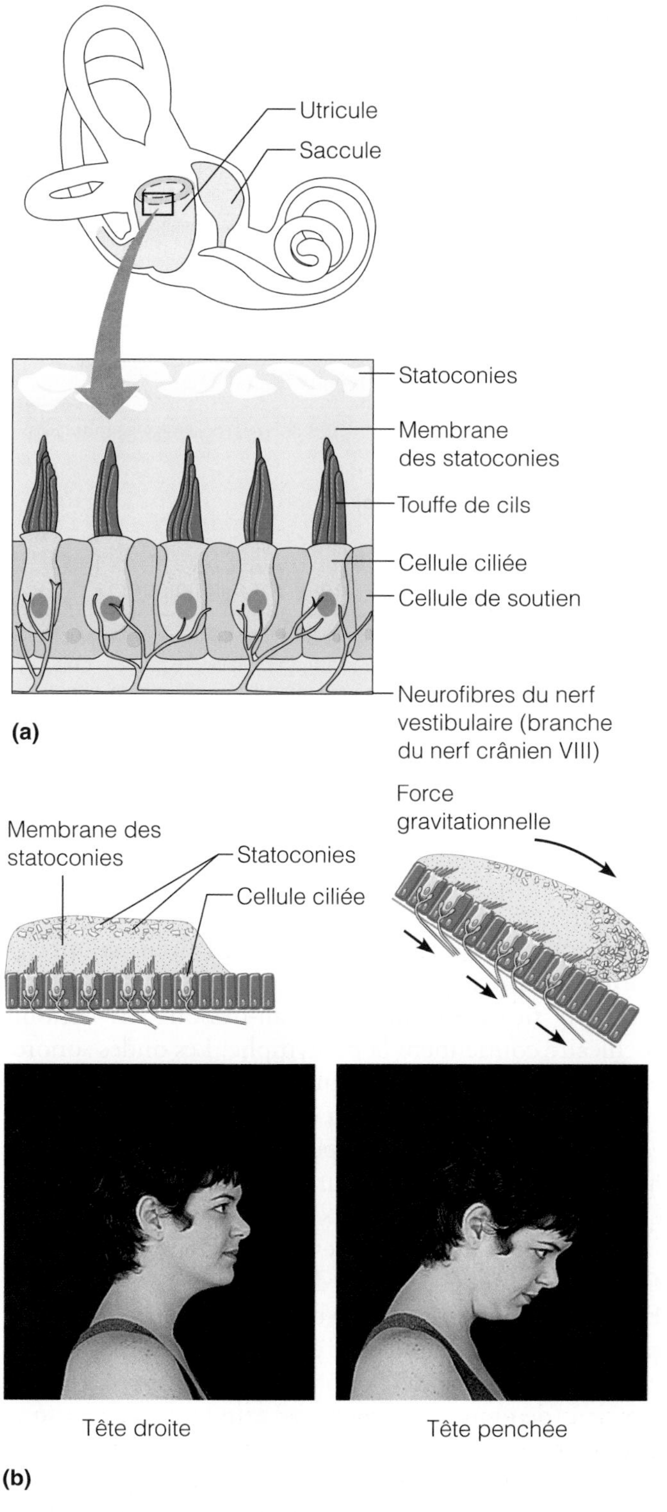
Utricule
Saccule
Statoconies
Membrane
des statoconies
Touffe de cils
Cellule ciliée
Cellule de soutien
Neurofibres du nerf
vestibulaire (branche
du nerf crânien VIII)
(a)
Membrane des
statoconies
Statoconies
Cellule ciliée
Force
gravitationnelle
Tête droite
Tête penchée
(b)

Figure 8.13 **La structure et la fonction des macules (récepteurs de l'équilibre statique)**

(a) Représentation schématique d'une partie de la macule.
(b) Quand on penche la tête, les macules sont stimulées par le mouvement des statoconies dans la substance gélatineuse de la membrane des statoconies. Ce mouvement, qui s'effectue dans la direction de la force gravitationnelle, entraîne et active les cellules ciliées.

de cellules de soutien parsemées de cellules réceptrices dont les cils pénètrent dans une membrane gélatineuse elle-même enfouie dans l'endolymphe. Cette membrane est appelée **membrane des statoconies**, car elle est parsemée de minuscules cristaux composés de protéines et de carbonate de calcium, les **statoconies**. Lorsque la tête remue, les statoconies glissent sous l'effet des variations de la force gravitationnelle. Ce mouvement entraîne la membrane des statoconies qui glisse à son tour, comme une plaque huilée, par-dessus les cellules réceptrices ciliées et fait plier les cils. Cet événement active les cellules réceptrices ciliées, qui envoient des influx nerveux au cervelet par l'intermédiaire du **nerf vestibulaire** (branche du nerf crânien VIII) pour l'informer sur la position de la tête dans l'espace.

L'équilibre dynamique

Les récepteurs de l'**équilibre dynamique**, situés dans les conduits semi-circulaires, réagissent aux mouvements angulaires ou rotatoires de la tête plutôt qu'à des mouvements en ligne droite. Lorsque vous virevoltez sur une piste de danse ou subissez le roulis d'un navire, ces récepteurs sont mis à rude épreuve. Comme les canaux semi-circulaires (dont le périmètre est d'environ 1 cm) sont orientés dans les trois plans de l'espace, il se trouve toujours des récepteurs pour détecter le mouvement, quel qu'en soit le plan.

Chaque conduit semi-circulaire membraneux, dont le diamètre est de l'ordre du millimètre, contient à sa base une région réceptrice, la **crête ampullaire**. Cette région est composée d'une touffe de cellules réceptrices ciliées recouverte d'un capuchon gélatineux appelé **cupule** (figure 8.14). Quand la tête décrit un mouvement elliptique ou angulaire, l'endolymphe des conduits semi-circulaires n'arrive pas à suivre, en raison de l'inertie. Entravée dans son déplacement par la résistance de l'endolymphe, la cupule fléchit – comme une porte battante – dans la direction opposée à celle du corps. Les cellules ciliées sont alors activées et transmettent des influx nerveux au cervelet par l'intermédiaire du **nerf vestibulaire**. Si le mouvement du corps est constant, les récepteurs cessent graduellement d'envoyer des influx nerveux, et la sensation de mouvement disparaît jusqu'au prochain changement de vitesse ou de direction.

Bien qu'ils soient à l'origine de l'équilibre dynamique et de l'équilibre statique respectivement, les récepteurs des conduits semi-circulaires et du vestibule agissent habituellement de concert. En plus de ces récepteurs, ceux de la vision ainsi que les propriocepteurs des muscles et des tendons fournissent au cervelet de l'information importante pour le maintien de l'équilibre.

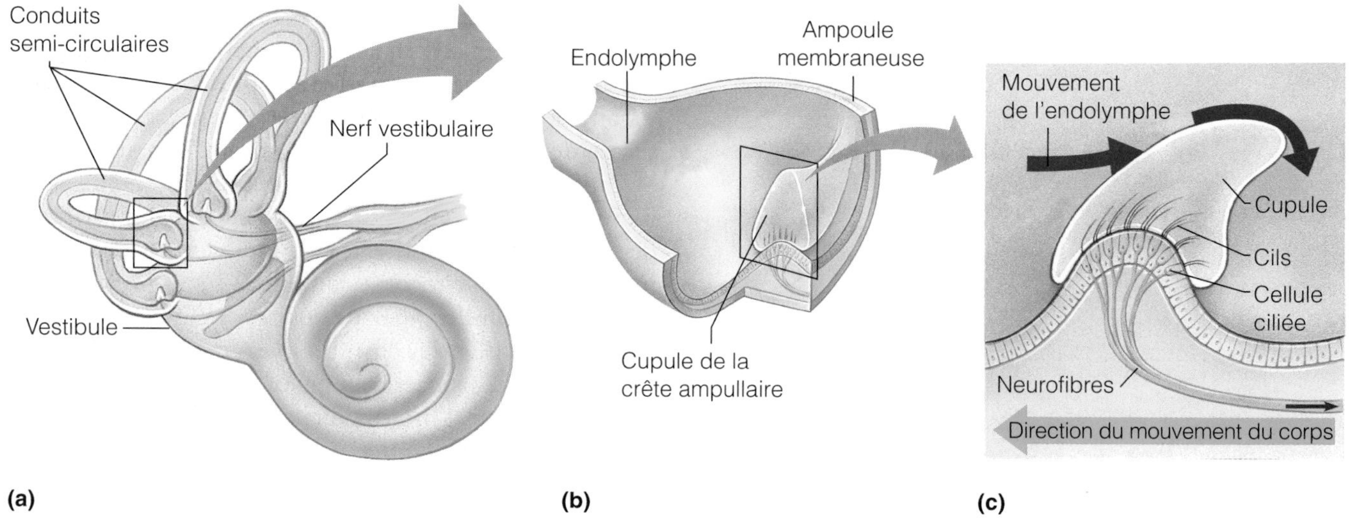

Conduits semi-circulaires
Nerf vestibulaire
Vestibule
Endolymphe
Ampoule membraneuse
Cupule de la crête ampullaire
Mouvement de l'endolymphe
Cupule
Cils
Cellule ciliée
Neurofibres
Direction du mouvement du corps
(a)
(b)
(c)

Figure 8.14 **La structure et la fonction d'une crête ampullaire** (région des récepteurs de l'équilibre dynamique)

(a) Les conduits semi-circulaires membraneux, dans les canaux semi-circulaires, sont orientés dans les trois plans de l'espace et ont chacun un renflement à leur base appelé *ampoule membraneuse*. **(b)** Chaque ampoule contient une crête ampullaire, récepteur qui consiste essentiellement en un amas de cellules réceptrices ciliées dont les cils se projettent dans un capuchon gélatineux appelé *cupule*. **(c)** Lorsque la position de la tête change dans une direction angulaire, la force d'inertie retarde légèrement le mouvement de l'endolymphe dans les conduits semi-circulaires. La cupule doit alors se frayer un chemin dans l'endolymphe moins rapide, ce qui courbe les cils des cellules ciliées dans la direction opposée. Cette inclinaison amène une augmentation de la transmission des influx nerveux dans les neurones sensitifs. Ce mécanisme s'adapte rapidement lorsque le mouvement angulaire (ou la rotation) se poursuit à vitesse constante.

LES MÉCANISMES DE L'AUDITION

Le **conduit cochléaire**, labyrinthe membraneux rempli d'endolymphe, parcourt l'intérieur de la cochlée, cette structure en forme de limaçon. Il renferme l'**organe spiral**, qui contient les récepteurs de l'audition appelés **cellules sensorielles ciliées** (figure 8.15a). Les cavités (rampes) situées au-dessus et au-dessous du conduit cochléaire contiennent la périlymphe. Les ondes sonores perçues par l'oreille humaine ont des fréquences qui vont de 20 à 20 000 Hz (ou ondes par seconde), ce qui est bien inférieur à ce que peuvent capter certains animaux, comme la chauve-souris, qui peut capter une fréquence de 100 000 Hz. Ces ondes sonores font vibrer successivement le tympan, les osselets, la fenêtre du vestibule et, enfin, les liquides de la cochlée (figure 8.16). Entre le tympan et la fenêtre du vestibule, l'effet de levier causé par la longueur inégale des osselets amplifie la force (amplitude) des ondes sonores. La force exercée sur le tympan (de grandes dimensions) parvient ainsi presque intégralement à la fenêtre du vestibule (de surface 17 fois plus petite que le tympan). Celle-ci déclenche à son tour des vibrations dans les liquides incompressibles de l'oreille interne qui se répercutent sur la **lame basilaire de la cochlée**. Les cellules réceptrices, situées sur la lame basilaire dans l'organe spiral, sont stimulées par l'inflexion des cils (quelques millièmes de degré), elle-même causée par le mouvement d'une membrane gélatineuse qui les surmonte, la **membrana tectoria du conduit cochléaire** (figure 8.15b). La longueur des fibres qui traversent la

FAITES-EN L'EXPÉRIENCE

Le liquide des canaux semi-circulaires se déplace en suivant les mouvements de la tête

Vous pouvez montrer facilement que le liquide des canaux semi-circulaires se déplace lorsque vous bougez la tête. Dans un verre à moitié rempli d'eau posé sur une table, placez quelques objets tels que des grains de poivre ou des pois. Tournez le verre d'environ un demi-tour sans le soulever. Notez que les objets (et l'eau) se déplacent plus lentement que le verre, surtout si le mouvement imprimé à ce dernier est rapide. L'eau, avec ses objets, semble même partir dans le sens contraire, mais en réalité c'est qu'elle démarre plus lentement que le verre.

Quand vous cessez de tourner le verre, c'est l'inverse qui se produit. L'eau et les objets continuent d'avancer pendant quelque temps.

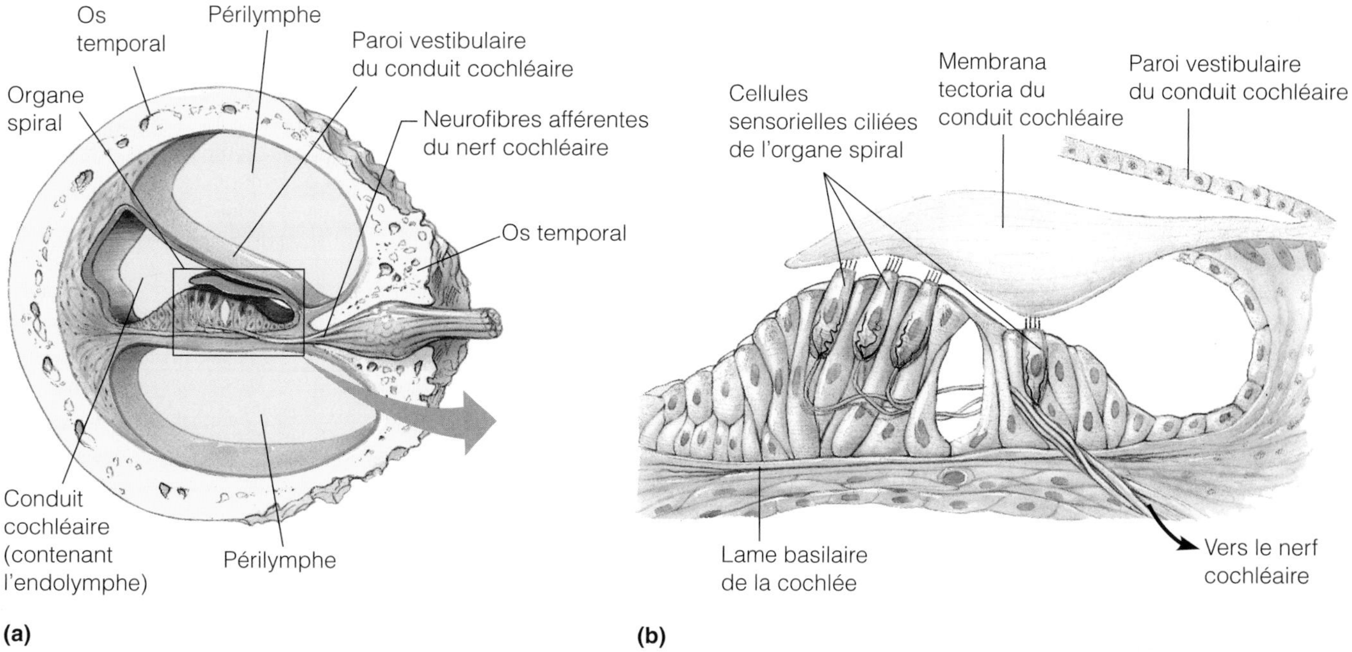
Os
temporal
Périlymphe
Paroi vestibulaire
du conduit cochléaire
Organe
spiral
Neurofibres afférentes
du nerf cochléaire
Os temporal
Conduit
cochléaire
(contenant
l'endolymphe)
Périlymphe
(a)
Cellules
sensorielles ciliées
de l'organe spiral
Membrana
tectoria du
conduit cochléaire
Paroi vestibulaire
du conduit cochléaire
Lame basilaire
de la cochlée
Vers le nerf
cochléaire
(b)

Figure 8.15 **L'anatomie de la cochlée**

(a) Coupe transversale d'une spire de la cochlée, montrant la localisation de l'organe spiral dans le conduit cochléaire. Les cavités du labyrinthe osseux contiennent la périlymphe. Le conduit cochléaire renferme l'endolymphe. **(b)** Détail de l'organe spiral. Les cellules sensorielles ciliées reposent sur la lame basilaire de la cochlée.

lame basilaire «accorde» les vibrations de régions précises de celle-ci à des fréquences particulières. En règle générale, les sons aigus (ayant des fréquences élevées) font vibrer les fibres les plus courtes et les plus rigides de la lame basilaire, et activent les cellules réceptrices situées près de la fenêtre du vestibule (à la base de la cochlée), tandis que les sons graves (fréquences faibles) agissent sur les fibres plus longues et moins épaisses, et stimulent des cellules réceptrices précises situées plus loin, près du sommet de la cochlée. Pour vous en convaincre, soulevez le dessus d'un piano et regardez quelles cordes (les longues ou les courtes) sont frappées par les marteaux lorsque vous appuyez sur des notes hautes (à la droite du clavier) ou des notes basses (à la gauche du clavier). Une fois stimulées, les cellules réceptrices libèrent des neurotransmetteurs qui engendrent des influx nerveux dans le **nerf cochléaire** (branche du nerf crânien VIII, le nerf vestibulocochléaire) ; ce dernier les achemine au *ganglion spiral* (où sont situés les corps cellulaires des neurones dont les fibres constituent le nerf cochléaire). De là, après des synapses dans des noyaux du bulbe rachidien, les influx parviennent jusqu'à l'aire auditive du lobe temporal. C'est là que s'effectue l'interprétation des sons, c'est-à-dire l'audition. Le son n'atteint pas les deux oreilles en même temps, si bien que nous entendons en quelque sorte «en stéréo» et que nous pouvons localiser les sons.

Lorsque les oreilles captent sans cesse les mêmes sons, les récepteurs auditifs *s'adaptent* et cessent d'y réagir, de sorte que nous cessons de les percevoir. Telle est la raison pour laquelle le ronronnement d'un moteur ne nous dérange plus au bout de quelques secondes. L'ouïe est cependant le dernier des sens à nous abandonner au cours de l'endormissement et de l'anesthésie (ainsi qu'à la mort). C'est aussi le premier à nous revenir au réveil.

LES TROUBLES DE L'OUÏE ET DE L'ÉQUILIBRE

Déséquilibre homéostatique

Les enfants qui souffrent de maux d'oreille ou d'une perte auditive ont tendance à se tirer les oreilles ou à ne pas répondre quand on leur parle. On doit alors procéder à des examens audiométriques pour diagnostiquer l'affection dont ils sont atteints. *Toute perte auditive, quel qu'en soit le degré, constitue une forme de surdité.* On distingue deux types de surdité : la surdité de transmission et la surdité de perception. La

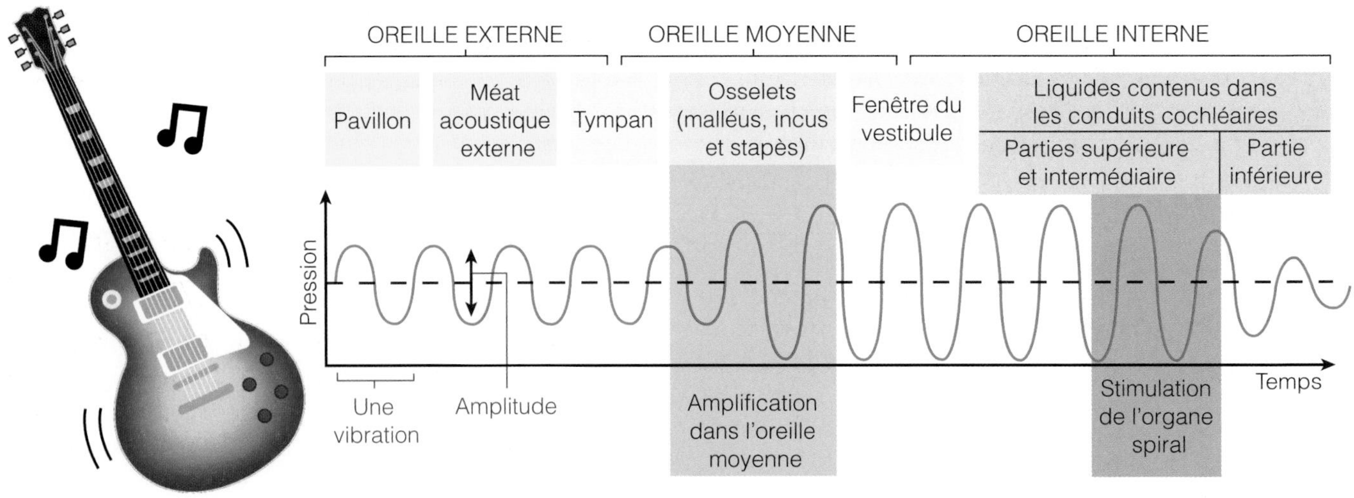

OREILLE EXTERNE
OREILLE MOYENNE
OREILLE INTERNE
Pavillon
Méat acoustique externe
Tympan
Osselets (malléus, incus et stapès)
Fenêtre du vestibule
Liquides contenus dans les conduits cochléaires
Parties supérieure et intermédiaire
Partie inférieure
Pression
Temps
Une vibration
Amplitude
Amplification dans l'oreille moyenne
Stimulation de l'organe spiral

(a)

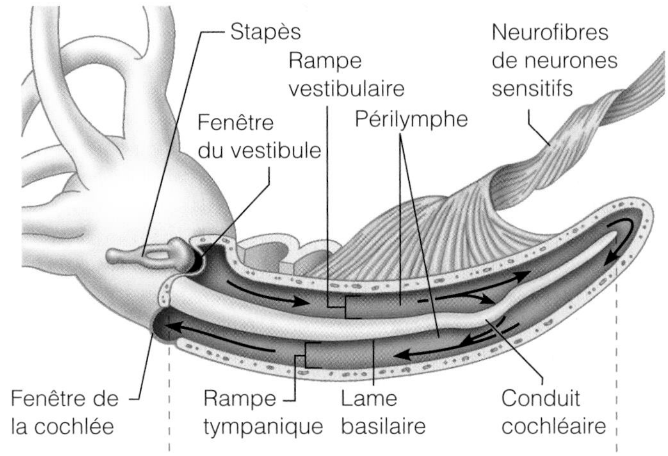

Stapès
Rampe vestibulaire
Neurofibres de neurones sensitifs
Fenêtre du vestibule
Périlymphe
Fenêtre de la cochlée
Rampe tympanique
Lame basilaire
Conduit cochléaire

(b)

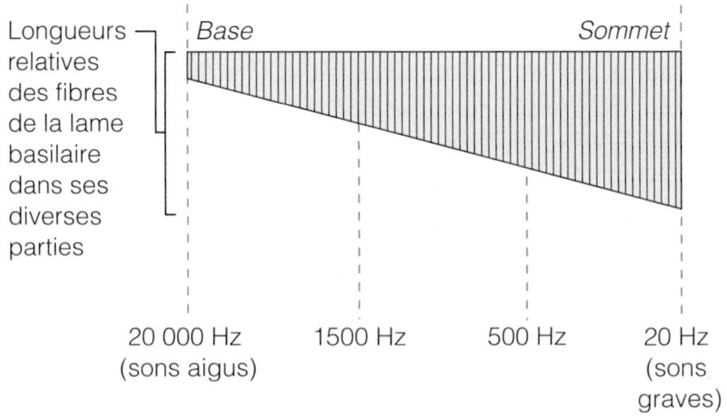

Longueurs relatives des fibres de la lame basilaire dans ses diverses parties
Base
Sommet
20 000 Hz (sons aigus)
1500 Hz
500 Hz
20 Hz (sons graves)

(c)

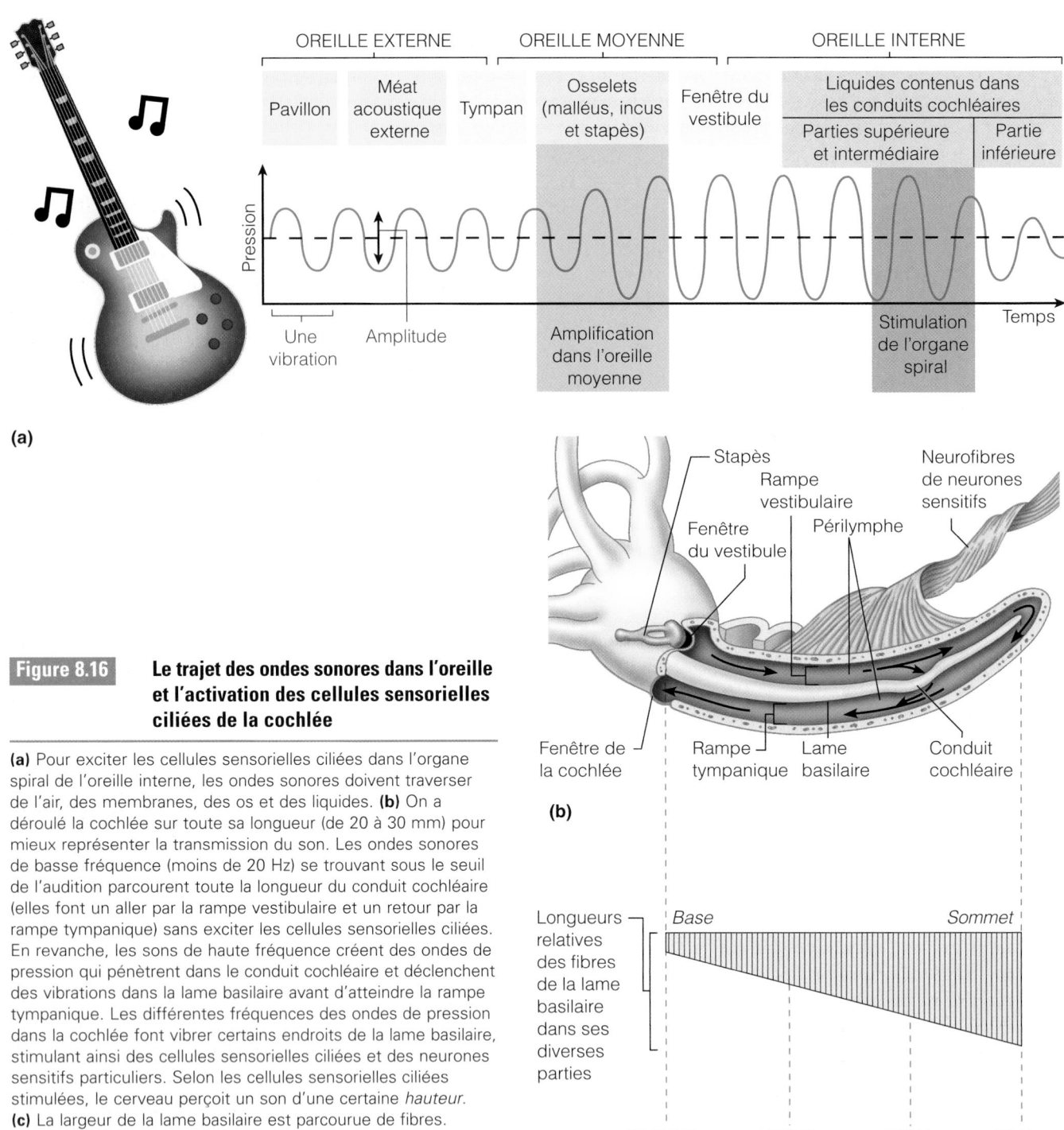

Figure 8.16 **Le trajet des ondes sonores dans l'oreille et l'activation des cellules sensorielles ciliées de la cochlée**

(a) Pour exciter les cellules sensorielles ciliées dans l'organe spiral de l'oreille interne, les ondes sonores doivent traverser de l'air, des membranes, des os et des liquides. **(b)** On a déroulé la cochlée sur toute sa longueur (de 20 à 30 mm) pour mieux représenter la transmission du son. Les ondes sonores de basse fréquence (moins de 20 Hz) se trouvant sous le seuil de l'audition parcourent toute la longueur du conduit cochléaire (elles font un aller par la rampe vestibulaire et un retour par la rampe tympanique) sans exciter les cellules sensorielles ciliées. En revanche, les sons de haute fréquence créent des ondes de pression qui pénètrent dans le conduit cochléaire et déclenchent des vibrations dans la lame basilaire avant d'atteindre la rampe tympanique. Les différentes fréquences des ondes de pression dans la cochlée font vibrer certains endroits de la lame basilaire, stimulant ainsi des cellules sensorielles ciliées et des neurones sensitifs particuliers. Selon les cellules sensorielles ciliées stimulées, le cerveau perçoit un son d'une certaine *hauteur*. **(c)** La largeur de la lame basilaire est parcourue de fibres. La longueur de ces fibres « accorde » les vibrations de régions précises de la lame basilaire à des fréquences particulières. Les sons aigus – 20 000 Hz – sont perçus par les cellules sensorielles ciliées des fibres les plus courtes, lesquelles sont situées à la base de la lame basilaire.

surdité de transmission temporaire ou permanente résulte d'entraves à la propagation des vibrations jusqu'aux liquides de l'oreille interne. Elle peut ainsi être causée par une simple accumulation de cérumen, par l'*otospongiose* (fusion des osselets, cause présumée de la surdité qui a atteint Beethoven alors qu'il n'avait pas atteint la trentaine), par une perforation du tympan et par l'*otite moyenne*.

La **surdité de perception** résulte d'une lésion ou d'une dégénérescence des cellules sensorielles ciliées de l'organe spiral, du nerf cochléaire ou des neurones de l'aire auditive du cortex cérébral. Elle est souvent causée par une exposition prolongée à des sons excessivement forts. Alors que la surdité de transmission est liée à des facteurs mécaniques, la surdité de perception est associée à une atteinte des structures nerveuses.

Une personne souffrant de surdité de transmission perd en tout ou en partie la capacité d'entendre les sons qui se propagent dans l'air, mais demeure capable d'entendre ceux qui traversent les os de son crâne (conduction osseuse). Elle a donc tout intérêt à porter un appareil auditif, qui achemine les vibrations à l'oreille interne en les faisant passer à travers les os du crâne. Une personne atteinte de surdité de perception, par contre, ne peut entendre ni les sons qui se propagent dans l'air ni ceux qui traversent les os de son crâne. Les appareils auditifs ne lui sont pas d'un grand secours; elle aura plutôt besoin d'un implant cochléaire, c'est-à-dire un appareil qui capte les sons et les transforme en signaux électriques qui stimulent le nerf auditif à l'aide d'électrodes implantées dans la cochlée.

Les troubles de l'équilibre ont habituellement des manifestations évidentes, tels les étourdissements, les nausées et les pertes d'équilibre. Ces signes sont particulièrement prononcés lorsque les influx nerveux provenant de l'appareil vestibulaire « contredisent » l'information visuelle. Ils s'accompagnent parfois de mouvements oculaires anormaux.

Le *syndrome de Ménière* est un trouble grave de l'oreille interne. Sa cause est obscure, mais ce pourrait être l'artériosclérose, la dégénérescence du nerf crânien VIII et une augmentation de la pression des liquides de l'oreille interne. Le syndrome de Ménière entraîne progressivement la surdité. Les personnes atteintes souffrent de nausées et de *vertiges* si prononcés que la station debout s'accompagne de malaises extrêmement pénibles. On prescrit souvent des médicaments contre le mal des transports pour soulager les symptômes. ▲

Les sens chimiques : le goût et l'odorat

Les récepteurs du goût et de l'odorat appartiennent à la catégorie des **chimiorécepteurs**, car ils réagissent aux substances chimiques en solution. Les récepteurs gustatifs se répartissent en cinq types selon les substances auxquelles ils sont sensibles; il semble par ailleurs que les récepteurs olfactifs puissent percevoir une gamme très étendue de substances. Les récepteurs du goût et de l'odorat se complètent et réagissent à plusieurs des mêmes stimulus.

LES RÉCEPTEURS OLFACTIFS ET L'ODORAT

Bien que l'odorat humain soit beaucoup moins développé que celui de nombreux autres animaux, le nez humain n'en est pas moins apte à capter de subtiles différences entre les odeurs. Dans les domaines de l'œnologie, de la parfumerie (400 nouveaux parfums sont lancés chaque année en France!) et de la production de thé et de café, certaines personnes font de cette faculté leur gagne-pain.

Les milliers de **récepteurs olfactifs** occupent l'épithélium de la région olfactive de la muqueuse du nez, région pas plus grande qu'un timbre-poste dans le toit de chacune des cavités nasales (figure 8.17). L'air qui entre dans les cavités nasales doit décrire un virage en tête d'épingle avant de pénétrer dans les voies respiratoires situées plus bas. C'est pourquoi le reniflement, qui attire un surcroît d'air vers les récepteurs olfactifs, augmente les capacités de percevoir les odeurs. Les molécules odorantes peuvent toutefois aussi atteindre les récepteurs olfactifs en passant par l'arrière de la bouche lorsque nous mâchons un aliment.

L'épithélium de la région olfactive est du type pseudostratifié prismatique. Il est constitué de cellules de soutien et de cellules olfactives. Les **cellules olfactives** sont des neurones bipolaires munis de **cils olfactifs**. Ces longs cils émergent de l'épithélium et baignent dans une couche de mucus sécrétée par les glandes sous-jacentes. Les substances chimiques odorantes se lient à des protéines particulières appelées OBP (pour *odorant-binding proteins*), puis se dissolvent dans cette couche de mucus, ce qui stimule les récepteurs olfactifs. Ceux-ci transmettent alors des influx nerveux aux **filets olfactifs**, qui ensemble constituent le **nerf olfactif** (nerf crânien I), lequel achemine les influx aux aires olfactives du cortex cérébral (dans la partie interne du lobe temporal). C'est là que s'accomplit l'interprétation des odeurs. Les voies olfactives sont liées de près au système limbique (la partie émotionnelle et viscérale de l'encéphale) et à l'hypothalamus, qui en fait partie. Telle est la raison pour laquelle les impressions olfactives durent si longtemps et colorent autant nos souvenirs et nos émotions. Ainsi, l'odeur des biscuits aux brisures de chocolat vous rappelle votre grand-mère et celle du tabac à pipe, votre grand-père. Il existe des odeurs d'hôpital, des odeurs d'école, des odeurs de bébé et des odeurs de voyage. La liste des exemples pourrait s'allonger à l'infini. Nos réactions aux

Q En quoi renifler nous aide-t-il à reconnaître les odeurs ?

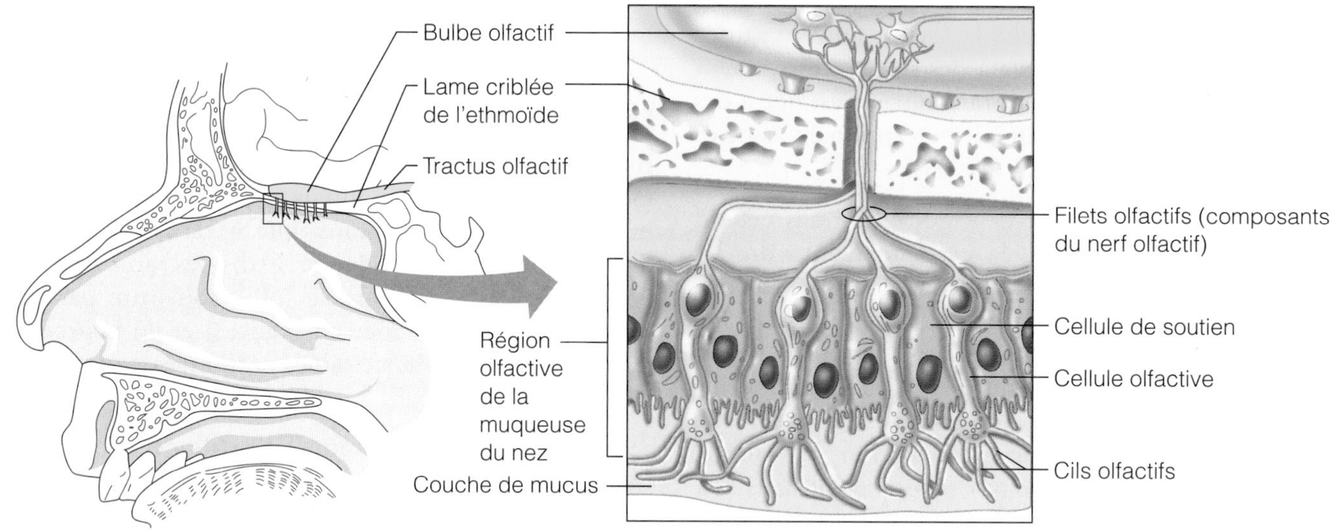

Bulbe olfactif
Lame criblée de l'ethmoïde
Tractus olfactif
Filets olfactifs (composants du nerf olfactif)
Région olfactive de la muqueuse du nez
Cellule de soutien
Cellule olfactive
Couche de mucus
Cils olfactifs

Figure 8.17 **La localisation et la composition cellulaire de l'épithélium de la région olfactive de la muqueuse du nez**

odeurs sont rarement neutres. Nous les aimons ou les détestons, et les recherchons ou les évitons, au gré de nos préférences.

Les récepteurs olfactifs sont extrêmement sensibles, au point que quelques molécules seulement suffisent à les activer. Comme les récepteurs auditifs, les cellules olfactives s'adaptent rapidement lorsqu'elles sont exposées à un stimulus constant. C'est ainsi qu'une femme cesse de sentir son propre parfum au bout d'un certain temps, mais qu'elle capte rapidement les autres fragrances.

Déséquilibre homéostatique

Parmi les troubles des sens chimiques, ce sont ceux de l'odorat, les *anosmies*, qui amènent la majorité des personnes atteintes en consultation. La plupart des anosmies résultent de traumatismes crâniens, d'inflammations des cavités nasales (causées par un rhume, une allergie ou l'usage du tabac) et du vieillissement. Certaines affections cérébrales peuvent perturber le sens de l'odorat. Des personnes épileptiques, par exemple, connaissent des *auras olfactives* (hallucinations olfactives) juste avant leurs crises convulsives. ▲

R L'action de renifler fait pénétrer l'air chargé d'odeurs dans la partie supérieure des cavités nasales et le rapproche ainsi des récepteurs olfactifs.

LES CALICULES GUSTATIFS ET LA GUSTATION

L'étymologie nous enseigne que le mot *goût* vient d'un mot indœuropéen, *geus*, qui signifie « éprouver », « estimer », « apprécier ». Effectivement, le goût nous permet d'éprouver ou de juger directement notre environnement. Beaucoup de personnes estiment que le goût est le sens qui nous procure le plus de plaisir. Nous rechignons certainement à avaler les substances qui ont un goût désagréable.

Les quelque 10 000 récepteurs du goût, appelés **calicules gustatifs**, sont disséminés dans la cavité orale. La plupart sont situés sur la langue, mais on en trouve quelques-uns sur le palais mou et la face interne des joues.

La face dorsale de la langue est couverte de petites éminences, les **papilles**, dont il existe trois types : les *papilles filiformes*, les *papilles fungiformes* et les *papilles circumvallées*. Les calicules gustatifs siègent sur les côtés de la dizaine de papilles circumvallées et sur les papilles fungiformes, plus nombreuses (figure 8.18). (Les papilles fungiformes sont bien visibles sur la langue après qu'on a bu du lait.) Les papilles filiformes, qui constituent le type de papilles le plus abondant, ne sont pas pourvues

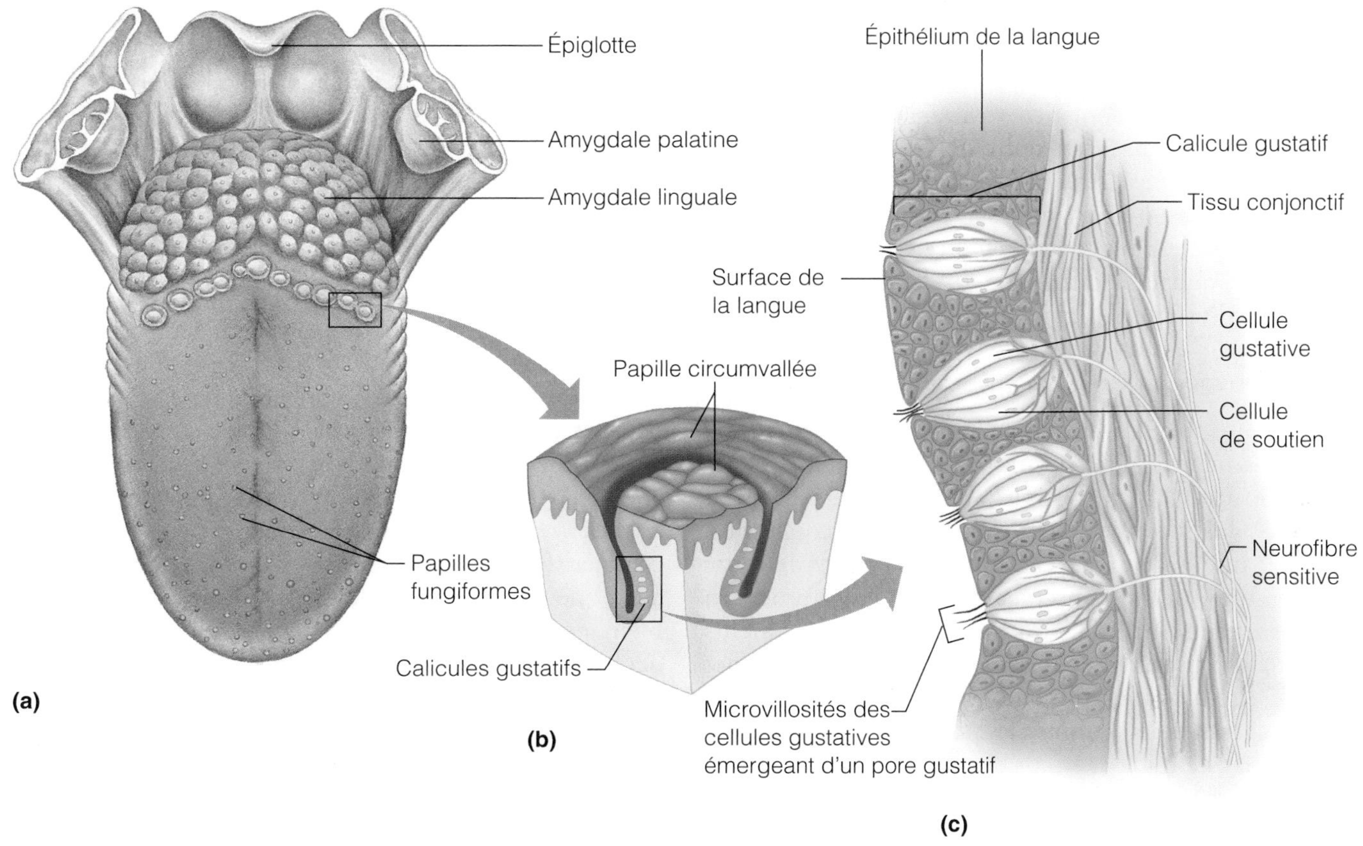
Épiglotte
Amygdale palatine
Amygdale linguale
Papilles fungiformes
(a)
Papille circumvallée
Calicules gustatifs
(b)
Épithélium de la langue
Calicule gustatif
Tissu conjonctif
Surface de la langue
Cellule gustative
Cellule de soutien
Neurofibre sensitive
Microvillosités des cellules gustatives émergeant d'un pore gustatif
(c)

Figure 8.18 La localisation et la structure des calicules gustatifs

(a) Les calicules gustatifs sont associés aux papilles (éminences de la muqueuse linguale). **(b)** Coupe longitudinale d'une papille circumvallée montrant la localisation des calicules gustatifs dans ses parois latérales. **(c)** Agrandissement de quatre calicules gustatifs.

de calicules gustatifs; leur rôle serait plutôt de nature mécanique. Les récepteurs qui, dans les calicules gustatifs, réagissent aux substances chimiques dissoutes dans la salive sont des cellules épithéliales appelées **cellules gustatives**. Elles sont entourées de cellules de soutien et dotées de longues microvillosités qui émergent du **pore gustatif**; ces microvillosités portent des protéines qui interagissent avec les substances sapides. La stimulation des cellules gustatives entraîne leur dépolarisation, la libération de neurotransmetteurs et la production d'influx nerveux. Trois nerfs crâniens acheminent ces influx jusqu'au cerveau. Le **nerf facial** (VII) transmet les influx provenant de la partie antérieure de la langue. Le **nerf glossopharyngien** (IX) et le **nerf vague** (X) desservent les autres régions contenant des calicules gustatifs.

Il existe cinq saveurs fondamentales, et chacune correspond à une catégorie de stimulus et à un mécanisme de stimulation différents. Les *récepteurs du sucré* réagissent aux sucres, à la saccharine et à certains acides aminés, des substances dont le facteur commun est, selon certains experts, le groupement hydroxyle (OH^-). Les *récepteurs de l'acide* réagissent aux ions hydrogène (H^+), c'est-à-dire à l'acidité des solutions. Les *récepteurs de l'amer* sont sensibles aux alcaloïdes et les *récepteurs du salé*, aux ions métalliques en solution. L'umami (signifiant «délicieux»), saveur découverte par les Japonais, est produit par diverses molécules dont le glutamate. Il semble que cet acide aminé donne le «goût de bœuf» au steak et qu'il soit à l'origine de la saveur du monoglutamate de sodium, additif alimentaire.

On a longtemps prétendu que le bout de la langue est plus sensible au sucré et au salé, les côtés à l'acide, l'arrière à l'amer et le pharynx à l'umami. En réalité, il y a très peu de différence entre les parties de la langue quant aux types de récepteurs qu'elles contiennent, et la plupart des calicules gustatifs réagissent à deux, trois, quatre, voire aux cinq saveurs.

En matière de goût, les préférences et les aversions ont une valeur homéostatique. Une prédilection pour le sucré et le salé pousse à satisfaire les besoins en glucides et en minéraux (ainsi qu'en certains acides aminés). Beaucoup d'aliments naturellement acides (comme l'orange, le citron et la tomate) sont riches en vitamine C, vitamine essentielle. L'umami serait notre guide pour la consommation des protéines. Nombre de poisons naturels et d'aliments gâtés ont un goût amer, si bien que notre aversion pour l'amertume a une fonction protectrice. (Il faut cependant noter que la localisation d'un grand nombre de récepteurs de l'amer à l'arrière de la langue n'est pas des plus stratégiques, car nous avons déjà avalé une partie d'une substance amère au moment où nous la goûtons).

Le goût subit l'influence de nombreux facteurs, et il est intimement lié à la stimulation des récepteurs olfactifs. Rappelez-vous combien les aliments vous paraissent insipides quand un rhume vous cause une congestion nasale. Sans l'odorat, le café du matin perdrait toute sa richesse pour ne conserver que son amertume. En plus des odeurs, la température et la texture des aliments ajoutent ou nuisent à leur saveur. Certaines personnes ne supportent pas les aliments pâteux (comme les avocats) ou grumeleux (comme les poires) ; presque tout le monde déteste manger froids des aliments gras (comme un hamburger). Les aliments forts, tels les piments, excitent les nocicepteurs (récepteurs de la douleur) de la bouche. Même les dents, comme de récentes études le démontrent, participent au sens du goût.

Le développement et le vieillissement des organes des sens

Les organes des sens, qui appartiennent pour l'essentiel au système nerveux, se forment très tôt au cours du développement embryonnaire. Les yeux, par exemple, sont littéralement des excroissances de l'encéphale, et ils s'élaborent dès la quatrième semaine. Tous les sens fonctionnent, à un degré ou à un autre, à la naissance.

Déséquilibre homéostatique

Le *strabisme* est au nombre des rares affections congénitales de l'œil. Il est causé par une faiblesse des muscles du bulbe de l'œil, dont la traction inégale empêche la personne de coordonner les mouvements de ses deux yeux. On traite d'abord le strabisme par des exercices pour renforcer les muscles les plus faibles ; on peut aussi couvrir l'œil le plus fort afin d'augmenter la force des muscles les plus faibles en les obligeant à travailler. Si ces mesures ne sont pas efficaces, on a recours à l'intervention chirurgicale pour corriger la situation. Faute de traitement, le cerveau cesse de reconnaître les influx provenant de l'œil déviant, qui devient fonctionnellement aveugle.

Les infections maternelles, particulièrement la *rubéole* contractée au début de la grossesse, peuvent entraîner la cécité ou les cataractes congénitales. Par ailleurs, la bactérie de la *gonorrhée* (infection transmissible sexuellement) peut infecter les yeux du bébé pendant l'accouchement et causer une forme de conjonctivite appelée *conjonctivite purulente du nouveau-né*. Cette affection se caractérise par le rougissement et l'œdème des paupières ainsi que la production de pus. D'autres agents microbiens peuvent aussi causer un ensemble de problèmes oculaires réunis sous le nom d'*ophtalmie du nouveau-né*. L'utilisation d'une solution de nitrate d'argent ou d'antibiotiques pour traiter les yeux des nouveau-nés et prévenir ces infections est aujourd'hui généralisée. ▲

En règle générale, la vue est le seul sens qui ne soit pas complètement fonctionnel à la naissance. Les yeux n'atteignent leur pleine maturité qu'après plusieurs années d'« apprentissage ». Les bulbes de l'œil grossissent jusqu'à l'âge de huit ou neuf ans, tandis que le cristallin croît toute la vie. Tous les bébés sont hypermétropes, car les bulbes de l'œil sont courts à la naissance. Ce défaut se corrige spontanément à mesure que les yeux se développent. Le nouveau-né ne voit que des nuances de gris, ne coordonne pas ses mouvements oculaires et n'utilise souvent qu'un œil à la fois. Comme les glandes lacrymales n'atteignent leur plein développement qu'environ deux semaines après la naissance, les nouveau-nés ne versent pas de larmes, même s'ils pleurent à fendre l'âme.

À cinq mois, les nourrissons peuvent faire converger leurs yeux sur les objets rapprochés et suivre du regard les mouvements des objets, mais leur acuité visuelle est encore faible (6/60, c'est-à-dire qu'ils peuvent voir clairement à 6 m de distance des objets qu'un sujet normal adulte peut voir à 60 m). À l'âge de cinq ans, l'enfant a une vision stéréoscopique, sa vision des couleurs est bien développée et son acuité visuelle atteint environ 6/10, ce qui le rend apte à l'apprentissage de la lecture. L'hypermétropie des premières années de vie a fait place à l'emmétropie, qui subsiste jusqu'à ce que, vers l'âge de 40 ans, le durcissement du cristallin cause la **presbytie**. La presbytie (signifiant littéralement « vision de la personne âgée ») est attribuable à une perte d'élasticité du cristallin liée au vieillissement. Comme la personne hypermétrope, la personne presbyte a de la difficulté à distinguer les objets rapprochés et, de façon caractéristique, lit son journal en le tenant à bout de bras.

L'activité des glandes lacrymales diminuant au cours des années, les yeux sont prédisposés à l'assèchement, à l'infection bactérienne et à l'irritation pendant la vieillesse. Le cristallin s'opacifie tandis que le muscle dilatateur de la pupille se relâche, ce qui porte la pupille à demeurer partiellement contractée. Ces deux changements diminuent de moitié la quantité de lumière qui atteint la rétine, et l'acuité visuelle des personnes de plus de 70 ans est grandement affaiblie. De plus, les personnes âgées sont sujettes à des troubles qui entraînent la cécité, notamment le glaucome et les cataractes. D'autres troubles fréquents chez la personne âgée, tels l'artériosclérose des vaisseaux sanguins de l'œil et le diabète, peuvent priver les fragiles photorécepteurs d'oxygène et de nutriments, et causer leur destruction.

Déséquilibre homéostatique

Les anomalies congénitales des oreilles sont relativement fréquentes. Parmi celles-ci, mentionnons une malformation ou l'absence des pavillons de l'oreille, ou encore l'obstruction ou l'absence des méats acoustiques externes. Les infections maternelles peuvent avoir des effets catastrophiques sur le développement de l'oreille. La rubéole contractée pendant les premières semaines de la grossesse, par exemple, entraîne la surdité de perception chez l'enfant. ▲

Les nouveau-nés entendent dès qu'ils lancent leur premier cri, mais leurs réponses aux sons sont surtout réflexes. Par exemple, ils pleurent et plissent les paupières en réaction à un bruit fort. À trois ou quatre mois, les nourrissons localisent les sons et tournent la tête en direction de voix familières. L'écoute attentive commence chez le tout-petit, au moment où il se met à imiter les sons. L'habileté à s'exprimer verbalement est liée de très près à une bonne audition.

Exception faite des inflammations (*otites*) causées par les infections bactériennes ou les allergies, peu de troubles atteignent les oreilles pendant l'enfance et à l'âge adulte. Dans la soixantaine, toutefois, on assiste à la détérioration et à l'atrophie de l'organe spiral et, par conséquent, à une perte de la capacité d'entendre les sons aigus et les paroles : de 20 000 Hz qu'elle était au début de la vie, l'acuité auditive n'est plus qu'à 12 000 Hz à partir de 50 ans. Cette affection, appelée **presbyacousie**, est une forme de surdité de perception. Il arrive qu'elle s'accompagne d'une fusion des osselets de l'oreille (*otospongiose*), un état qui aggrave la surdité en nuisant à la propagation du son à l'oreille interne. Nombre de personnes âgées nient leur surdité et refusent de porter des appareils auditifs. Elles sont donc contraintes de se fier à leur vue pour comprendre ce qui se passe autour d'elles et passent parfois pour indifférentes aux autres. La presbyacousie était autrefois considérée comme un trouble de la vieillesse, mais elle est désormais fréquente chez les jeunes, qui vivent dans un monde de plus en plus bruyant. La pollution par le bruit est devenue un important problème de santé ; les dommages que causent les bruits excessivement intenses sont à la fois progressifs et cumulatifs. La musique amplifiée à des degrés assourdissants constitue indubitablement un facteur de la détérioration des récepteurs de l'audition.

Les sens chimiques, l'odorat et le goût, sont aiguisés dès la naissance, de sorte que les nourrissons raffolent d'aliments que les adultes trouvent insipides ; des recherches laissent même soupçonner que le fœtus peut déjà reconnaître certaines odeurs, dont celle des aliments consommés par sa mère. Certains chercheurs affirment que l'odorat, autant que le toucher, guide le nourrisson vers le sein de sa mère. Toutefois, les très jeunes enfants semblent indifférents aux odeurs et peuvent manipuler leurs excréments avec beaucoup de plaisir. À mesure qu'ils vieillissent, leurs réactions émotionnelles aux odeurs s'intensifient.

Il semble que les troubles des sens chimiques soient rares au cours de l'enfance et au début de l'âge adulte. Au début de la quarantaine, l'odorat et le goût déclinent, car le nombre de récepteurs diminue graduellement. Environ 50 % des personnes de plus de 80 ans ne peuvent percevoir aucune odeur et ont perdu une grande partie de leur sens du goût. C'est ce qui explique leur indifférence à des odeurs qu'elles trouvaient autrefois désagréables, leur prédilection pour les aliments fortement assaisonnés (mais pas nécessairement épicés) ou leur manque d'appétit.

Résumé du chapitre 8

L'ŒIL ET LA VISION *(p. 306-317)*

1. Les structures accessoires de l'œil
   a) Les muscles du bulbe de l'œil permettent aux yeux de suivre le mouvement des objets et de converger.
   b) L'appareil lacrymal est constitué d'une série de conduits et des glandes lacrymales. Celles-ci produisent une solution salée qui nettoie et lubrifie le bulbe de l'œil.
   c) Les paupières protègent les yeux. Les cils sont associés aux glandes ciliaires (glandes sudoripares modifiées) et aux glandes tarsales (dont la sécrétion huileuse lubrifie l'œil).
   d) La conjonctive est une muqueuse qui recouvre la partie antérieure du bulbe de l'œil et tapisse l'intérieur des paupières. Elle produit un mucus lubrifiant.
2. Les tuniques du bulbe de l'œil
   a) L'enveloppe externe, la tunique fibreuse du bulbe, est constituée de la sclère, qui est résistante et protège l'œil, et, à sa partie antérieure, de la cornée qui, grâce à sa transparence, laisse entrer la lumière dans l'œil.
   b) La choroïde est la tunique intermédiaire qui fournit des nutriments aux structures internes de l'œil et empêche la lumière de se diffuser dans l'œil. Elle se modifie dans sa partie antérieure pour former deux structures contenant des muscles lisses, le corps ciliaire (qui régit la courbure du cristallin) et l'iris (qui détermine le diamètre de la pupille).
   c) La rétine est la tunique interne (sensorielle) de l'œil qui contient les photorécepteurs. Les bâtonnets s'activent dans la pénombre. Les cônes, actifs en pleine lumière, sont à l'origine de la vision des couleurs et de l'acuité visuelle. La fossette centrale, sur laquelle les rayons se focalisent le plus nettement, contient seulement des cônes.
3. La tache aveugle (disque du nerf optique) est le point où le nerf optique sort de la partie postérieure du bulbe de l'œil.
4. Le cristallin est la structure qui focalise la lumière sur la rétine. Le corps ciliaire en augmente la convexité pour la vision rapprochée. On trouve l'humeur aqueuse à l'avant du cristallin et le corps vitré à l'arrière ; ensemble, ils renforcent l'intérieur du bulbe de l'œil. L'humeur aqueuse fournit en outre des nutriments au cristallin et à la cornée, qui sont avasculaires.
5. La myopie, l'hypermétropie et l'astigmatisme sont des défauts de réfraction. On peut les corriger au moyen de verres spéciaux.
6. Dans l'œil, la lumière traverse successivement la cornée, l'humeur aqueuse, la pupille, le cristallin, le corps vitré et la rétine.
7. Nous avons une vision stéréoscopique parce que les champs visuels se chevauchent et que les yeux envoient des images légèrement différentes à l'aire visuelle du cortex.
8. Entre la rétine et l'aire visuelle située dans le lobe occipital du cerveau, les influx nerveux passent successivement par le nerf optique, le chiasma optique, le tractus optique, le thalamus et la radiation optique.
9. Les réflexes oculaires sont notamment le réflexe pupillaire, le réflexe d'accommodation et le réflexe de convergence.

L'OREILLE : L'OUÏE ET L'ÉQUILIBRE *(p. 317-325)*

1. L'oreille se divise en trois grandes régions :
   a) Les structures de l'oreille externe sont le pavillon de l'oreille, le méat acoustique externe et le tympan. Ces structures participent uniquement à la transmission du son. Les sons qui entrent dans le méat acoustique externe font vibrer le tympan.
   b) L'oreille moyenne comprend entre autres structures les osselets de l'ouïe et la trompe auditive. Les osselets transmettent les vibrations du tympan à la fenêtre du vestibule ; ils participent uniquement à la transmission du son. La trompe auditive permet un équilibrage de la pression de part et d'autre du tympan.
   c) L'oreille interne, ou labyrinthe osseux, est constituée de cavités osseuses (la cochlée, le vestibule et les canaux semi-circulaires) creusées dans l'os temporal. Le labyrinthe osseux contient la périlymphe et des sacs membraneux remplis d'endolymphe. Les récepteurs de l'équilibre sont situés dans les sacs membraneux du vestibule (utricule et saccule) et des conduits semi-circulaires. Les récepteurs de l'audition se trouvent dans l'organe spiral du conduit cochléaire.
2. Les crêtes ampullaires situées dans les conduits semi-circulaires sont des récepteurs de l'équilibre dynamique qui réagissent aux mouvements angulaires ou rotatoires de la tête. Les macules situées dans le vestibule sont des récepteurs de l'équilibre statique qui réagissent à la force gravitationnelle et détectent la position de la tête. L'équilibre repose aussi sur les influx nerveux provenant des yeux et des propriocepteurs.
3. Les troubles de l'appareil de l'équilibre se manifestent notamment par des mouvements involontaires des yeux, des nausées, des vertiges et une incapacité de conserver la station debout.
4. Les vibrations sonores transmises par l'air, les membranes, les os et les liquides stimulent les cellules sensorielles ciliées de l'organe spiral (récepteur de l'audition situé dans la cochlée).

5. Toute perte auditive, quel qu'en soit le degré, constitue une forme de surdité. La surdité de transmission résulte d'entraves à la propagation des vibrations sonores dans l'oreille externe et l'oreille moyenne. La surdité de perception résulte de lésions des structures nerveuses qui interviennent dans l'audition.

LES SENS CHIMIQUES : LE GOÛT ET L'ODORAT *(p. 325-328)*

1. Les substances chimiques doivent être dissoutes dans l'eau (mucus et salive) pour stimuler les récepteurs de l'odorat et du goût.

2. Les récepteurs olfactifs sont situés dans la partie supérieure des cavités nasales. Le reniflement fait passer un surcroît d'air (contenant les molécules odorantes) vers la région olfactive de la muqueuse du nez.

3. Les voies olfactives sont étroitement liées au système limbique ; les odeurs évoquent des souvenirs et suscitent des émotions.

4. Les cellules gustatives sont situées dans les calicules gustatifs, ceux de la langue principalement. Les cinq saveurs fondamentales sont le sucré, le salé, l'acide, l'amer et l'umami.

5. Les sensations gustatives sont influencées par les sensations olfactives ainsi que par la température et la texture des aliments.

LE DÉVELOPPEMENT ET LE VIEILLISSEMENT DES ORGANES DES SENS *(p. 328-329)*

1. Les organes des sens se forment au début du développement embryonnaire. Les infections maternelles contractées pendant les cinq ou six premières semaines de la grossesse peuvent causer des anomalies des yeux et la surdité de perception chez l'enfant à naître. Le strabisme est une importante maladie congénitale des yeux. L'absence de méat acoustique externe constitue le principal trouble congénital de l'oreille.

2. La vision est le sens qui demande le plus d'apprentissage. Le nouveau-né a une faible acuité visuelle (il est hypermétrope) et ne distingue ni les couleurs ni le relief. La croissance et la maturation de l'œil se poursuivent jusqu'à la huitième ou la neuvième année de la vie.

3. La presbytie, le glaucome, les cataractes et l'artériosclérose des vaisseaux sanguins de l'œil sont au nombre des troubles de la vue associés au vieillissement.

4. Le nouveau-né peut entendre, mais ses premières réactions aux sons ont un caractère réflexe. Le trottineur est capable d'une écoute attentive et commence à imiter les sons, apprenant ainsi à parler.

5. La surdité de perception (presbyacousie) est un effet normal du vieillissement.

6. Le goût et l'odorat sont les sens les plus aiguisés à la naissance ; leur sensibilité diminue cependant à compter de l'âge de 40 ans, à mesure que diminue le nombre de récepteurs olfactifs et gustatifs.

Questions de révision

QUESTIONS À CHOIX MULTIPLE

Pour certaines questions, il peut y avoir plus d'une bonne réponse.

1. Lorsque la lumière est abondante :
   a) le muscle circulaire de l'iris se contracte.
   b) le muscle circulaire de l'iris se relâche.
   c) le muscle radiaire de l'iris se contracte.
   d) le muscle radiaire de l'iris se relâche.

2. Le nerf crânien qui régit la contraction du muscle circulaire de l'iris est :
   a) le nerf trijumeau.
   b) le nerf facial.
   c) le nerf oculomoteur.
   d) le nerf abducens.

3. La cornée est nourrie par :
   a) les vaisseaux sanguins de la cornée.
   b) l'humeur aqueuse.
   c) le corps vitré.
   d) les vaisseaux sanguins de la sclère.

4. L'œil d'un myope :
   a) peut être trop court.
   b) peut posséder un cristallin trop paresseux ou trop faible.
   c) peut posséder une cornée dont la courbure est trop prononcée.
   d) peut voir distinctement les objets rapprochés.

5. L'accommodation pour la vision éloignée suppose que :
   a) le cristallin soit aplati.
   b) les muscles ciliaires se contractent.
   c) les rayons lumineux soient presque parallèles.
   d) les fibres de la zone ciliaire soient relâchées.

6. La convergence :
   a) nécessite une contraction des muscles droits médiaux des deux bulbes de l'œil.
   b) est nécessaire à la vision rapprochée.
   c) suppose la propagation d'influx nerveux dans le nerf abducens.
   d) peut provoquer la fatigue oculaire.

7. Laquelle des séquences qui suivent ne présente pas d'erreur quant à la direction du trajet des signaux électriques et des influx nerveux engendrés dans la vision (même si des étapes peuvent manquer)?
   a) Photorécepteurs – neurones bipolaires – cellules ganglionnaires – nerf optique – thalamus – chiasma optique – radiation optique – cortex cérébral.
   b) Rétine – nerf optique – chiasma optique – radiation optique – tractus optique.
   c) Bâtonnets – cellules ganglionnaires – thalamus – radiation optique – lobe occipital du cerveau.
   d) Cellules photoréceptrices – neurones bipolaires – axones des cellules ganglionnaires – aire visuelle – thalamus.

8. Lesquelles des associations qui suivent sont *incorrectes*?
   a) Conduit cochléaire et cupule.
   b) Vestibule et macule.
   c) Ampoule membraneuse et statoconies.
   d) Conduit semi-circulaire et ampoule membraneuse.

9. Compléter l'énoncé. Les mouvements ______ font fléchir les cils des cellules sensorielles ciliées dans l'organe spiral.
   a) du tympan
   b) de la membrana tectoria
   c) de la lame basilaire de la cochlée
   d) de la paroi vestibulaire du conduit cochléaire

10. Les sons qui pénètrent dans le méat acoustique externe sont convertis en influx nerveux au cours d'un processus qui comprend:
    a) les vibrations du tympan.
    b) les vibrations des osselets contre la fenêtre du vestibule.
    c) la stimulation des cellules sensorielles ciliées dans l'organe spiral.
    d) la résonance de la cupule.

11. Les cellules réceptrices dans les organes des sens sont presque toutes pourvues de cils ou de longues projections (microvillosités); quel est le seul type de récepteurs à ne posséder ni cils ni microvillosités?
    a) Les récepteurs de l'ouie.
    b) Les récepteurs de l'odorat.
    c) Les récepteurs de la vision.
    d) Les récepteurs gustatifs.
    e) Les récepteurs de l'équilibre.

12. Les cellules olfactives sont:
    a) des neurones bipolaires.
    b) des neurones multipolaires.
    c) des neurones unipolaires.
    d) des cellules épithéliales.

13. Les alcaloïdes stimulent les cellules gustatives situées:
    a) au bout de la langue.
    b) à l'arrière de la langue.
    c) dans les papilles circumvallées.
    d) dans les papilles fungiformes.

14. Les nerfs crâniens qui font partie de la voie gustative sont:
    a) le nerf trijumeau.
    b) le nerf facial.
    c) le nerf hypoglosse.
    d) le nerf glossopharyngien.

QUESTIONS À COURT DÉVELOPPEMENT

1. Nommez trois structures accessoires de l'œil qui contribuent à la lubrification du bulbe de l'œil. Nommez le produit que chacune sécrète.
2. Pourquoi faut-il souvent se moucher après avoir pleuré?
3. Dessinez et nommez les structures internes de l'œil; indiquez la principale fonction de chacune.
4. Nommez les muscles du bulbe de l'œil qui permettent de fixer le regard sur les objets.
5. Localisez l'humeur aqueuse et le corps vitré; indiquez leurs fonctions.
6. Qu'est-ce qui explique la transparence de la cornée? Qu'est-ce qui explique qu'on peut la transplanter sans risques de rejet?
7. Qu'est-ce que la tache aveugle? Justifiez le nom de cette région.
8. Comparez les fonctions des cônes et des bâtonnets, et leur distribution sur la rétine.
9. Un dicton dit que les lapins ne portent pas de lunettes parce qu'ils mangent des carottes! Sachant que les carottes sont une bonne source de vitamine A, montrez les fondements sous-entendus de ce dicton.
10. Qu'est-ce que la fossette centrale et quelle est son importance?
11. Décrivez le trajet que parcourt la lumière entre l'instant où elle frappe la cornée et celui où elle stimule les bâtonnets et les cônes.
12. Décrivez le trajet que parcourent les signaux électriques, puis les influx nerveux entre les photorécepteurs de la rétine et l'aire visuelle du cortex cérébral.
13. Sur le plan anatomique, qu'est-ce qui distingue le *tractus* optique du *nerf* optique?
14. Définissez la *réfraction* et nommez les structures ou les substances réfractrices de l'œil.
15. Définissez *hypermétropie*, *myopie* et *emmétropie*.

16. Pourquoi la plupart des gens deviennent-ils presbytes en vieillissant? Auquel des trois états énumérés à la question 15 la presbytie est-elle analogue? Lequel de ces trois états caractérise le nouveau-né? Cet état a-t-il la même cause chez le nouveau-né que chez la personne âgée? Précisez.

17. Comment se fait-il que nous puissions distinguer un très grand nombre de couleurs, bien qu'il existe seulement trois types de cônes?

18. Pourquoi est-il important de subir des examens ophtalmoscopiques?

19. Les étudiants qui doivent lire beaucoup se font souvent dire qu'ils ont besoin de lunettes pour prévenir la fatigue oculaire. Pourquoi les muscles internes et externes de l'œil doivent-ils fournir plus d'effort pour la vision rapprochée que pour la vision éloignée?

20. Comparez les muscles externes et internes de l'œil quant au système nerveux qui les régit; laquelle de ces deux catégories de muscles est responsable des réflexes oculaires suivants: la convergence, le réflexe pupillaire, l'accommodation?

21. Les deux pupilles se resserrent simultanément quand on dirige une lumière dans un des yeux. Pourquoi est-ce un important réflexe de protection?

22. Quelles particularités des voies visuelles et des champs visuels nous permettent d'évaluer les distances et de voir le relief (vision stéréoscopique)?

23. Nommez les structures de l'oreille externe, de l'oreille moyenne et de l'oreille interne. Donnez la fonction générale de chaque structure et de chaque groupe de structures.

24. Dans la description des structures de l'oreille interne, on emploie parfois le terme *canal*, parfois *conduit*; dans le cas de l'oreille interne, ces deux termes sont-ils synonymes? Expliquez.

25. Pourquoi les otites moyennes sont-elles plus fréquentes chez les enfants que chez les adultes?

26. Les ondes sonores font vibrer le tympan. Décrivez le trajet que parcourent les vibrations entre le tympan et l'organe spiral, qui renferme les cellules sensorielles ciliées.

27. Quelle particularité de la lame basilaire de la cochlée permet de distinguer les sons aigus des sons graves?

28. Expliquez la différence entre la surdité de *transmission* et la surdité de *perception*. Nommez deux causes de chaque type de surdité. Pourquoi un appareil auditif sera-t-il inutile à une personne atteinte de surdité de perception?

29. Expliquez la différence entre l'équilibre *statique* et l'équilibre *dynamique*; quelles caractéristiques structurales ont en commun les récepteurs de ces deux types d'équilibre?

30. L'équilibre repose sur l'information transmise par divers récepteurs sensoriels. Nommez au moins trois de ces récepteurs.

31. Comment appelle-t-on les récepteurs du goût et où sont-ils situés?

32. Nommez les cinq saveurs fondamentales.

33. Le goût apporte d'agréables sensations, et peut jouer un rôle dans l'homéostasie de l'organisme. Donnez-en deux exemples.

34. Où les récepteurs olfactifs sont-ils situés? Pourquoi cette localisation est-elle mal adaptée à leur fonction?

35. Quel nom général donne-t-on communément aux récepteurs gustatifs et olfactifs? Pourquoi?

36. Dans ce chapitre, on dit que les récepteurs de l'odorat (et de l'ouïe) s'adaptent à leur stimulus. Qu'entend-on par *adaptation*?

37. Indiquez un effet du vieillissement sur chacune des structures ou substances suivantes participant au fonctionnement de l'œil: les glandes lacrymales, le cristallin, la pupille (ou l'iris) et l'humeur aqueuse. Décrivez les effets du vieillissement sur les autres organes des sens.

38. Quel sens nécessite le plus d'apprentissage?

Réflexion et application

1. Un étudiant en génie travaille dans une discothèque depuis environ huit mois pour payer ses études. Il remarque qu'il a de plus en plus de difficulté à entendre les sons aigus. Quelle est la relation de cause à effet dans son cas?

2. Neuf enfants qui fréquentent la même garderie présentent un rougissement et une inflammation des yeux et des paupières. De quoi souffrent-ils? Quelle est la cause de cette affection?

3. Le jour de son 60e anniversaire, Mme Dubreuil subit son examen médical annuel. Le Dr Nakvarati utilise un instrument pour exercer une pression sur les yeux de Mme Dubreuil. Les bulbes de l'œil se déforment très faiblement, ce qui indique que la pression intraoculaire est trop élevée. De quel trouble Mme Dubreuil semble-t-elle atteinte?

4. Une artère s'est rompue dans la fosse crânienne moyenne de Lionel. Un épanchement de sang a comprimé le tractus optique gauche et en a détruit les axones. Quelle partie de son champ visuel Lionel a-t-il perdue?

5. À 70 ans, Mme Marcoux vient de subir une intervention chirurgicale visant à traiter l'otospongiose. L'opération a échoué et l'état de Mme Marcoux ne s'est pas amélioré. En quoi consistait l'intervention et quel était exactement son objectif?

6. L'enseignante de Josiane soupçonne que son élève a besoin de lunettes et suggère à ses parents de lui faire subir un examen de la vue. L'examen révèle que Josiane est myope. Devra-t-elle porter des verres concaves ou convexes? Justifiez votre réponse.

7. Julie et son père adorent repérer les constellations dans le ciel nocturne. Un soir, Julie rentre tout excitée dans la maison et murmure à sa mère: « Maman! J'ai des pouvoirs magiques! J'ai fixé une étoile et elle a disparu! » Que s'est-il produit?

8. Pendant qu'elle est en visite dans les bureaux de son père, au 25e étage de la tour Dupont, la petite Catherine, 5 ans, s'aventure dans le corridor. Là, attirée par les boutons lumineux, elle entre dans l'ascenseur, appuie sur le « 1 », et se retrouve en un éclair au 1er étage. Plus tard, elle confie à son papa: « L'ascenseur s'est arrêté, mais je te dis, moi, j'ai continué... » Expliquez ce qu'elle a ressenti.

9. En raison du trouble immunitaire dont elle souffre, Mme Monty a toujours la bouche sèche. Elle dit à son médecin que les aliments n'ont plus de goût. Comment peut-on expliquer ce qui lui arrive?

Le système endocrinien

CHAPITRE 9

Lorsque vous aurez étudié le présent chapitre, vous aurez une connaissance pratique des fonctions du système endocrinien ; vous devriez de plus avoir atteint les objectifs d'apprentissage énumérés ci-dessous.

Aperçu des fonctions

- ❑ Le système endocrinien maintient l'homéostasie en libérant des substances chimiques appelées *hormones*. Il régit des processus physiologiques prolongés ou continus tels que la croissance et le développement, la reproduction et le métabolisme.

OBJECTIFS D'APPRENTISSAGE

Le système endocrinien et la fonction hormonale : caractéristiques générales *(p. 336-338)*

- ❑ **1.** Définir *hormone* et *organe cible*.
- ❑ **2.** Nommer les deux grands groupes d'hormones sur le plan de leur nature chimique et donner des exemples d'hormones appartenant à chacun ; expliquer leur mécanisme d'action hormonale respectif.
- ❑ **3.** Citer et décrire les trois grands types de stimulus agissant sur la libération des hormones ; donner un exemple de chacun.
- ❑ **4.** Décrire le rôle du mécanisme de rétro-inhibition dans la régulation des taux sanguins des diverses hormones.
- ❑ **5.** Décrire la principale différence structurale entre les glandes endocrines et les glandes exocrines ; définir les glandes mixtes et en indiquer une.

Les principaux organes endocriniens *(p. 338-357)*

- ❑ **6.** Localiser les principales glandes et les principaux tissus endocriniens sur un schéma ou un modèle.
- ❑ **7.** Indiquer les hormones élaborées par les diverses glandes endocrines et expliquer leurs fonctions générales.
- ❑ **8.** Expliquer les mécanismes par lesquels les hormones favorisent l'homéostasie en donnant des exemples d'action hormonale.
- ❑ **9.** Décrire la relation structurale et fonctionnelle entre l'hypothalamus et les deux lobes de l'hypophyse ; expliquer la fonction des hormones de libération, des hormones d'inhibition et des stimulines.
- ❑ **10.** Montrer comment la thyroïde et les parathyroïdes participent à la régulation de la calcémie.
- ❑ **11.** Présenter les principaux mécanismes de régulation de la sécrétion d'aldostérone.
- ❑ **12.** Montrer le rôle de l'hypothalamus, de la médulla surrénale et du cortex surrénal dans la réponse au stress.
- ❑ **13.** Expliquer comment la glycémie est maintenue constante par l'action des hormones pancréatiques.
- ❑ **14.** Décrire les principaux effets pathologiques de l'hypersécrétion et de l'hyposécrétion des hormones étudiées dans ce chapitre.

Les autres tissus et les organes hormonopoïétiques *(p. 358)*

- [ ] **15.** Décrire le rôle endocrinien des reins, de l'estomac, de l'intestin, du cœur et du placenta.

Le développement et le vieillissement du système endocrinien *(p. 358-359)*

- [ ] **16.** Résumer les principaux effets du vieillissement sur le système endocrinien et l'homéostasie de l'organisme.

Lorsque les molécules d'insuline, transportées passivement dans le sang, quittent la circulation et s'accrochent aux récepteurs protéiques des cellules cibles, la réaction est spectaculaire: les molécules de glucose sont absorbées par la membrane plasmique et l'activité cellulaire s'intensifie. Le **système endocrinien**, le deuxième système de régulation de l'organisme en importance, possède d'étonnantes capacités. Travaillant en synergie avec le système nerveux, il coordonne et dirige l'activité cellulaire dont dépend l'homéostasie. Toutefois, la vitesse d'action de ces deux systèmes diffère grandement. Le système nerveux est fait pour agir vite. Au moyen d'influx nerveux, il déclenche sur-le-champ l'activité des muscles et des glandes afin que l'organisme s'ajuste rapidement aux changements internes et externes. Le système endocrinien agit plus lentement que le système nerveux. Il déverse dans le sang des messagers chimiques appelés **hormones** qu'il transporte dans tout l'organisme.

Les hormones ont des effets étendus et diversifiés, mais les principaux processus qu'elles régissent sont la reproduction, la croissance et le développement, la mobilisation des moyens de défense de l'organisme contre les facteurs de stress, le maintien de l'équilibre des électrolytes, de l'eau et des nutriments dans le sang, ainsi que la régulation du métabolisme cellulaire et de l'équilibre énergétique. C'est dire que le système endocrinien coordonne des processus relativement longs, voire continus.

Le système endocrinien et la fonction hormonale: caractéristiques générales

Comparativement aux autres organes, les glandes qui forment le système endocrinien sont de petites dimensions et d'apparence modeste. Pour recueillir 1 kg de tissu hormonopoïétique (producteur d'hormones), il faudrait prélever *tous* les tissus endocriniens de huit ou neuf adultes! En outre, les organes du système endocrinien ne présentent pas la continuité structurale ou anatomique caractéristique de la plupart des autres systèmes. Le tissu endocrinien est plutôt disséminé en «pièces détachées» dans des régions du corps éloignées les unes des autres (voir la figure 9.3). Pourtant, sur le plan physiologique, les organes endocriniens sont très impressionnants; quand on examine le rôle qu'ils jouent dans le maintien de l'homéostasie, on se rend compte qu'ils exercent une fonction de premier plan.

LA CHIMIE DES HORMONES

L'énorme puissance des glandes endocrines réside dans les hormones qu'elles élaborent et sécrètent. On peut définir les *hormones* comme des substances chimiques que des cellules sécrètent, par exocytose, dans le liquide extracellulaire, et qui régissent l'activité métabolique d'autres cellules de l'organisme. Bien que l'organisme produise des hormones très diverses, on peut presque toutes les classer en deux grands groupes: les **hormones dérivées d'acides aminés** (dont les protéines, les peptides et les hormones dérivées de la tyrosine) et les **hormones stéroïdes**. Les hormones stéroïdes (synthétisées à partir du cholestérol) comprennent les hormones sexuelles élaborées par les gonades (ovaires et testicules) et les hormones produites par le cortex surrénal; ces hormones sont solubles dans les lipides. Toutes les autres hormones (qui ne sont pas des stéroïdes) sont formées par l'union ou la transformation d'acides aminés, et sont hydrosolubles. La plupart des hormones stéroïdes ainsi que les hormones thyroïdiennes doivent s'unir à un transporteur protéique spécifique pour être véhiculées par le sang, tandis que la plupart des hormones de l'autre groupe peuvent circuler dans le sang sous leur forme libre. Si l'on tient compte des hormones locales appelées **prostaglandines**, qui sont décrites plus loin dans ce chapitre (voir le tableau 9.2, p. 359), on doit ajouter un troisième groupe à la classification, car les prostaglandines sont synthétisées à partir de lipides hautement actifs qui se trouvent dans la membrane plasmique des cellules.

LES MÉCANISMES DE L'ACTION HORMONALE

Même si les hormones transportées par le sang desservent tous les organes du corps, une hormone donnée agit sur certains organes ou certaines cellules seulement ; on dit de ces organes ou cellules qu'ils sont les **organes cibles** ou les **cellules cibles** de l'hormone. Pour réagir à une hormone donnée, une cellule cible doit posséder soit sur sa membrane plasmique, soit dans son cytoplasme ou son noyau, des récepteurs protéiques spécifiques auxquels *cette* hormone peut se lier. L'hormone agit sur l'activité de la cellule seulement lorsque cette liaison a lieu.

Le terme *hormone* vient d'un mot grec qui signifie « exciter ». Et c'est exactement ce que les hormones font. Elles « excitent » les cellules de l'organisme, c'est-à-dire qu'elles agissent sur les cellules cibles, principalement en *modifiant* leur activité. Plus précisément, elles accélèrent ou ralentissent les processus normaux (ou habituels) des cellules plutôt que d'en induire de nouveaux. Les effets particuliers qui suivent la liaison de l'hormone dépendent du type d'hormone et du type de cellule cible. En général, toutefois, il se produit au moins un des effets suivants :

1. Modification de la perméabilité ou de l'état électrique de la membrane plasmique.
2. Synthèse de protéines ou de molécules régulatrices (comme des enzymes) dans la cellule.
3. Activation ou inactivation d'enzymes.
4. Stimulation de la mitose.

Il existe une très grande variété d'hormones, mais il n'y a que deux types de mécanismes qui permettent à celles-ci de déclencher des changements dans les cellules (figure 9.1). Les hormones stéroïdes (et, fait étonnant, l'hormone thyroïdienne) utilisent le mécanisme illustré à la figure 9.1a. Étant liposolubles, les hormones stéroïdes et les hormones thyroïdiennes peuvent (1) diffuser à travers la membrane plasmique de leurs cellules cibles. Une fois à l'intérieur, l'hormone stéroïde (2) pénètre dans le noyau et (3) se lie à un récepteur protéique qui s'y trouve. Le complexe hormone-récepteur (4) se lie alors à des sites précis sur l'ADN de la cellule. Cette interaction (5) déclenche la transcription de gènes de l'ADN en molécules d'ARN messager (ARNm). Ces molécules sont ensuite (6) traduites dans le cytoplasme, ce qui entraîne la synthèse de nouvelles protéines.

La majorité des hormones non stéroïdes sont incapables de pénétrer dans les cellules cibles. Elles doivent plutôt se lier à des récepteurs situés sur la membrane plasmique de ces cellules et déclencher un mécanisme qui fait intervenir un **second messager**. Dans ce mécanisme

Q **Qu'est-ce qui détermine si une hormone influera sur une cellule donnée ?**

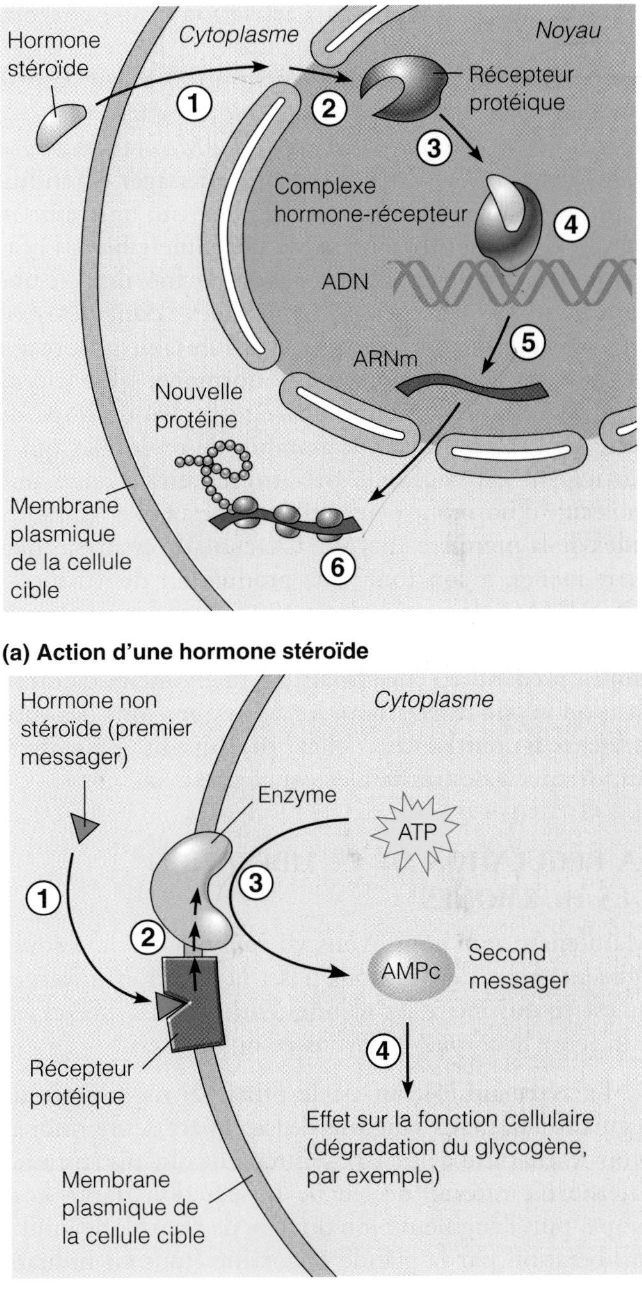
Hormone stéroïde
Cytoplasme
Noyau
Récepteur protéique
Complexe hormone-récepteur
ADN
ARNm
Nouvelle protéine
Membrane plasmique de la cellule cible
1
2
3
4
5
6
Hormone non stéroïde (premier messager)
Cytoplasme
Enzyme
ATP
AMPc
Second messager
Récepteur protéique
Effet sur la fonction cellulaire (dégradation du glycogène, par exemple)
Membrane plasmique de la cellule cible

(a) Action d'une hormone stéroïde

(b) Action d'une hormone non stéroïde

Figure 9.1 **Les mécanismes de l'action hormonale**

(a) Activation directe d'un gène : mécanisme des hormones stéroïdes. **(b)** Système des seconds messagers : mécanisme des hormones non stéroïdes (protéines et peptides).

R **Une hormone peut agir sur une cellule de l'organisme seulement si celle-ci possède des récepteurs pour l'hormone en question. Ces récepteurs sont situés soit sur la membrane plasmique, soit à l'intérieur de la cellule.**

(voir la figure 9.1b), (1) l'hormone se lie au récepteur de la membrane, ce qui (2) entraîne une série de réactions qui implique des substances situées dans la membrane et qui se traduit par l'activation d'une enzyme. L'enzyme (située, elle, à la face interne de la membrane), à son tour, (3) catalyse une réaction qui a lieu dans le cytoplasme et qui produit le second messager (dans ce cas-ci, l'*AMP cyclique*, aussi appelée *AMPc* ou *adénosine monophosphate cyclique*). Ce second messager (4) induit d'autres changements intracellulaires qui mettent en branle la réaction habituelle de la cellule cible à l'hormone. Comme vous l'avez peut-être deviné, il existe une variété de seconds messagers possibles (dont des *protéines G* et des *ions calcium*), et la cellule cible peut réagir de nombreuses façons à la même hormone, selon le type de tissu stimulé. À noter aussi que, à chaque étape de cette série de réactions, le nombre de molécules qui y participent est multiplié par un certain facteur: une molécule d'hormone peut activer, par exemple, 10 molécules de la première enzyme. Chacune de ces molécules peut mener, à son tour, à la production de 10 molécules d'*AMPc* (il y aura donc 100 molécules à la fin de cette deuxième étape), et ainsi de suite à chacune des étapes menant à l'effet final. Ce phénomène d'amplification explique pourquoi les hormones sont des substances si puissantes: elles produisent des effets importants à de très faibles concentrations.

LA RÉGULATION DE LA LIBÉRATION DES HORMONES

Maintenant que nous avons vu *comment* les hormones agissent, nous devons nous poser la question suivante: qu'est-ce qui incite les glandes endocrines à libérer ou non leurs hormones? Voyons ce qu'il en est.

La **rétro-inhibition** est le principal mécanisme de régulation des taux sanguins de la plupart des hormones (voir le chapitre 1, p. 10). Autrement dit, un stimulus interne ou externe déclenche la sécrétion d'une hormone, puis l'augmentation du taux de l'hormone inhibe sa libération par la glande endocrine (tout en influant sur les organes cibles). Par conséquent, les taux sanguins de nombreuses hormones ne varient que très peu. Toutefois, comme pour beaucoup d'autres fonctions dans l'organisme, la sécrétion hormonale présente une rythmicité: ainsi, certaines hormones sont libérées surtout le matin alors que d'autres le sont surtout au cours de la nuit.

Les stimulus qui activent les glandes endocrines sont de trois types: les stimulus hormonaux, les stimulus humoraux et les stimulus nerveux (figure 9.2). Le stimulus le plus courant est le *stimulus hormonal*, qui amène des organes endocriniens à agir en réaction à d'autres hormones. Ainsi, les hormones hypothalamiques amènent l'adénohypophyse à libérer ses hormones, et les hormones adénohypophysaires amènent d'autres organes endocriniens à libérer leurs hormones dans le sang (voir la figure 9.2a). À mesure qu'elles se concentrent dans le sang, les hormones élaborées par les dernières glandes cibles inhibent la libération d'hormones adénohypophysaires et, au bout du compte, leur propre libération. La libération d'hormones qui se fait suivant ce mécanisme de rétro-inhibition a tendance à être cyclique, les taux sanguins d'hormones s'élevant et s'abaissant en alternance.

Les variations des taux sanguins de certains ions et de certains nutriments peuvent aussi entraîner la libération d'hormones. On appelle ces variations *stimulus humoraux* pour les distinguer des stimulus hormonaux, les hormones étant aussi des substances chimiques qui diffusent du sang vers le liquide interstitiel. Le mot *humoral* fait référence à l'acception archaïque du terme *humeur*, qui désignait les liquides de l'organisme (le sang, la bile, etc.). Par exemple, la libération de la parathormone (PTH) par les cellules des glandes parathyroïdes est déclenchée par la diminution du taux des ions calcium (Ca^{2+}) dans le sang. Comme la PTH emprunte plusieurs voies pour stopper cette diminution, le taux de Ca^{2+} dans le sang a tôt fait de s'élever et de mettre fin à la libération de PTH (voir la figure 9.2b). Parmi les autres hormones libérées en réaction à des stimulus humoraux, on trouve la calcitonine, libérée par la glande thyroïde par suite d'une hausse du calcium sanguin, et l'insuline, libérée par le pancréas par suite d'une hausse du glucose sanguin.

Il arrive aussi que la libération d'hormones soit stimulée par des neurofibres. Dans ce cas, on dit que les cellules cibles répondent à un *stimulus nerveux*. L'exemple classique est celui du système nerveux sympathique qui amène la médulla surrénale à libérer de l'adrénaline et de la noradrénaline pendant les périodes de stress de courte durée (voir la figure 9.2c).

Bien qu'ils soient représentatifs, ces trois types de stimulus n'expliquent pas tous les systèmes de régulation de la libération hormonale. De plus, certaines glandes endocrines réagissent à de nombreux stimulus différents.

Les principaux organes endocriniens

Les principaux organes endocriniens de l'organisme sont l'**hypophyse**, la **glande thyroïde**, les **glandes**

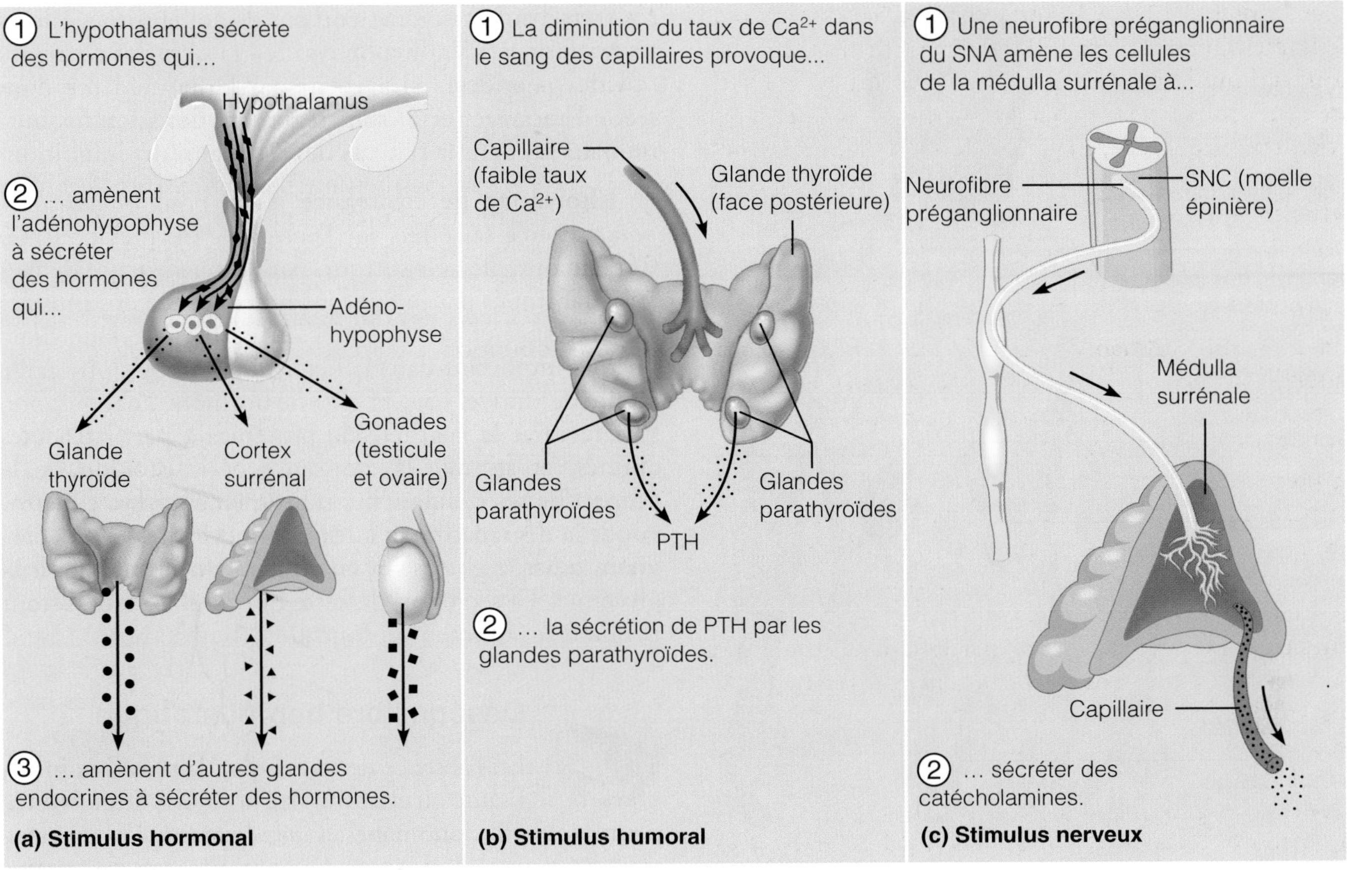
① L'hypothalamus sécrète des hormones qui...
Hypothalamus
② ... amènent l'adénohypophyse à sécréter des hormones qui...
Adéno-hypophyse
Glande thyroïde
Cortex surrénal
Gonades (testicule et ovaire)
③ ... amènent d'autres glandes endocrines à sécréter des hormones.
(a) Stimulus hormonal
① La diminution du taux de Ca2+ dans le sang des capillaires provoque...
Capillaire (faible taux de Ca2+)
Glande thyroïde (face postérieure)
Glandes parathyroïdes
Glandes parathyroïdes
PTH
② ... la sécrétion de PTH par les glandes parathyroïdes.
(b) Stimulus humoral
① Une neurofibre préganglionnaire du SNA amène les cellules de la médulla surrénale à...
Neurofibre préganglionnaire
SNC (moelle épinière)
Médulla surrénale
Capillaire
② ... sécréter des catécholamines.
(c) Stimulus nerveux

Figure 9.2 **La stimulation des glandes endocrines**

(a) Stimulus hormonal. Dans l'exemple montré, les hormones libérées par l'hypothalamus stimulent l'adénohypophyse ; celle-ci va libérer des hormones qui amènent d'autres glandes endocrines à sécréter des hormones. **(b)** Stimulus humoral. La diminution du taux de calcium dans le sang déclenche la sécrétion de parathormone (PTH) par les glandes parathyroïdes. La PTH élève le taux de calcium en stimulant, entre autres actions, la libération de Ca^{2+} des os, ce qui va mettre fin au stimulus provoquant la sécrétion de PTH. **(c)** Stimulus nerveux. La stimulation des cellules de la médulla surrénale par la partie sympathique du système nerveux autonome (SNA) déclenche la libération de catécholamines (adrénaline et noradrénaline) dans le sang.

parathyroïdes, les **glandes surrénales**, le **corps pinéal**, le **thymus**, le **pancréas** et les gonades (**ovaires** et **testicules**) (figure 9.3). L'**hypothalamus**, qui fait partie du système nerveux, est aussi considéré comme un important organe endocrinien parce qu'il produit plusieurs hormones. Si la fonction de quelques glandes hormonopoïétiques (hypophyse, glande thyroïde, glandes surrénales et parathyroïdes) est strictement endocrine, la fonction de certains autres organes endocriniens (pancréas et gonades) est mixte, c'est-à-dire à la fois endocrine et exocrine. Les deux types de glandes sont formés à partir de tissu épithélial, mais les glandes endocrines sont des **glandes à sécrétion interne**, car elles sont dépourvues de conduits et synthétisent des hormones qu'elles libèrent dans le sang ou la lymphe. (Comme vous l'avez peut-être deviné, les glandes endocrines sont abondamment vascularisées.) Les glandes exocrines, quant à elles, libèrent leurs produits à la surface du corps ou dans des cavités s'ouvrant sur l'extérieur en empruntant des conduits. Nous avons déjà décrit au chapitre 3 la formation de ces deux types de glandes ainsi que leurs différences et leurs ressemblances. La présente section portera uniquement sur les glandes endocrines.

En plus de la description détaillée qui suit, vous trouverez un résumé des actions des hormones et de leur régulation au tableau 9.1 (p. 341-342).

L'HYPOPHYSE

L'**hypophyse** est une petite glande de la taille d'un raisin. Suspendue par une tige à la partie inférieure de l'hypothalamus, où elle est nichée dans la selle turcique

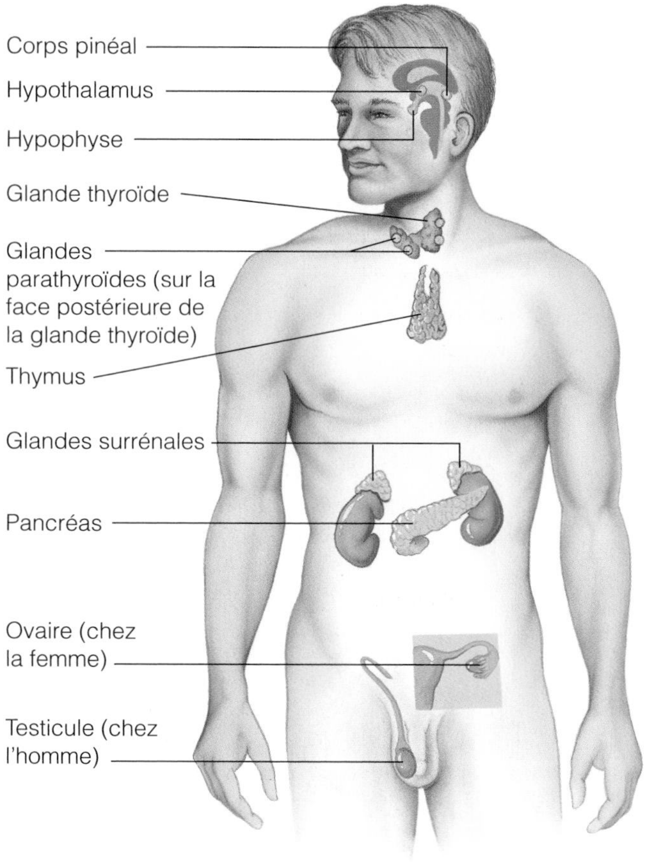
Corps pinéal
Hypothalamus
Hypophyse
Glande thyroïde
Glandes parathyroïdes (sur la face postérieure de la glande thyroïde)
Thymus
Glandes surrénales
Pancréas
Ovaire (chez la femme)
Testicule (chez l'homme)

Figure 9.3 **La localisation des principales glandes endocrines**

(Les glandes parathyroïdes, représentées ici sur la face antérieure de la glande thyroïde, sont en fait situées sur la face postérieure dans la plupart des cas.)

de l'os sphénoïde, elle est pourvue de deux lobes: un lobe antérieur formé de tissu glandulaire, l'**adénohypophyse**, et un lobe postérieur formé de tissu nerveux, la **neurohypophyse**.

Les hormones de l'adénohypophyse

Comme le montre la figure 9.4, l'adénohypophyse sécrète plusieurs hormones qui influent sur de nombreux organes. Deux des six hormones adénohypophysaires (l'hormone de croissance et la prolactine) exercent principalement leurs effets sur des cibles non endocrines. Les quatre autres hormones adénohypophysaires, soit la thyréotrophine (TSH), la corticotrophine (ACTH), l'hormone folliculostimulante (FSH) et l'hormone lutéinisante (LH), sont des **stimulines**. Les stimulines amènent leurs organes cibles, eux aussi des glandes endocrines, à sécréter leurs hormones, qui influent à leur tour sur d'autres organes et tissus de l'organisme. Toutes les hormones adénohypophysaires 1) sont des protéines (ou des peptides), 2) agissent par l'intermédiaire d'un second messager et 3) sont régies par des stimulus hormonaux et, dans la plupart des cas, par rétro-inhibition.

L'**hormone de croissance** (**GH**, pour *growth hormone*) exerce ses effets sur l'ensemble du métabolisme. Cependant, elle agit surtout, par l'intermédiaire de facteurs fabriqués par le foie, sur la croissance des muscles squelettiques et des os longs du corps; elle joue donc un rôle important dans la détermination de notre taille adulte définitive. La GH est une hormone anabolisante. Elle favorise la synthèse de protéines à partir d'acides aminés, et stimule la croissance et la division de la plupart de ses cellules cibles. En même temps, elle provoque la dégradation et l'utilisation des graisses en épargnant ainsi le glucose et en contribuant à maintenir la glycémie. La sécrétion de cette hormone se fait surtout pendant le sommeil profond de début de nuit.

Déséquilibre homéostatique

En l'absence de traitement, la sécrétion insuffisante ou excessive de l'hormone de croissance peut causer des anomalies. Chez l'enfant, l'hyposécrétion provoque le *nanisme hypophysaire*. Les personnes atteintes de ce trouble présentent habituellement des proportions corporelles relativement normales, mais en miniature: à l'âge adulte, elles ne dépassent pas 1,2 m. L'hypersécrétion de la GH pendant l'enfance peut entraîner le *gigantisme*. Les personnes atteintes deviennent exceptionnellement grandes (l'Américain Robert Wadlow, décédé en 1940, mesurait 2,72 m), mais leurs proportions corporelles sont relativement normales. Si l'hypersécrétion commence après la fin de la croissance des os longs, il en résulte l'**acromégalie**. Ce trouble, dont l'incidence n'est que de 50 individus sur 1 000 000, se caractérise par une hypertrophie marquée des os du visage, surtout la mandibule et les arcades sourcilières, ainsi que des os des pieds et des mains. L'épaississement des tissus mous peut aussi provoquer une déformation des traits du visage. L'hypersécrétion d'une hormone (hypophysaire ou autre) résulte généralement d'une tumeur de la glande qui sécrète cette hormone. Les cellules tumorales agissent de façon très semblable aux cellules glandulaires normales, c'est-à-dire qu'elles élaborent les hormones normalement sécrétées par la glande. Dans l'encadré « Gros plan » (p. 345), nous examinons le pour et le contre de l'utilisation de doses élevées de GH pour freiner et réparer les ravages du vieillissement. ▲

Tableau 9.1 **Les principales glandes endocrines et quelques-unes de leurs hormones**

Glande		Hormone	Groupe chimique	Actions représentati	
Corps pinéal		Mélatonine	Amine	Intervient dans activités rythmiques (quotidiennes et saisonnières).	
Hypothalamus	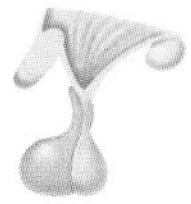	Hormones libérées par la neurohypophyse ; hormones d'inhibition et de libération qui régissent l'adénohypophyse (voir ci-dessous)			
Hypophyse	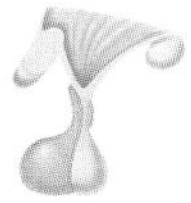				
• Neurohypophyse (libère des hormones élaborées par l'hypothalamus)		Ocytocine	Peptide	Stimule la contraction de l'utérus et le réflexe de déclenchement de la sécrétion lactée.	Système nerveux (hypothalamus) en réponse à l'étirement de l'utérus ou à la succion du mamelon par le bébé (ou les deux)
		Hormone antidiurétique (ADH)	Peptide	Favorise la réabsorption d'eau par les reins.	Hypothalamus en réponse à un déséquilibre hydrique
• Adénohypophyse	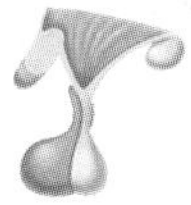	Hormone de croissance (GH)	Protéine	Stimule la croissance (surtout celle des os et des muscles) et le métabolisme.	Hormones de libération et d'inhibition de l'hypothalamus
		Prolactine (PRL)	Protéine	Stimule la production de lait.	Hormones hypothalamiques
		Hormone folliculo-stimulante (FSH)	Protéine	Stimule la production d'ovules et de spermatozoïdes.	Hormones hypothalamiques
		Hormone lutéinisante (LH)	Protéine	Stimule les ovaires et les testicules.	Hormones hypothalamiques
		Thyréotrophine (TSH) ↑ activité glande	Protéine	Stimule la glande thyroïde.	Thyroxine dans le sang ; hormones hypothalamiques
		Corticotrophine (ACTH)	Protéine	Stimule la sécrétion de glucocorticoïdes par le cortex surrénal.	Glucocorticoïdes ; hormones hypothalamiques
Glande thyroïde		Thyroxine (T_4) et triiodothyronine (T_3)	Amines	Stimulent le métabolisme.	TSH
		Calcitonine	Peptide	Réduit le taux de calcium dans le sang.	Taux de calcium dans le sang
Glandes parathyroïdes	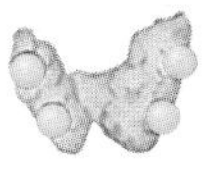	Parathormone (PTH)	Peptide	Élève le taux de calcium dans le sang.	Taux de calcium dans le sang

au 9.1 Les principales glandes endocrines et quelques-unes de leurs hormones (*suite*)

Glande		Hormone	Groupe chimique	Actions représentatives	Mécanisme de régulation
Thymus		Thymosine	Peptide	« Programme » les lymphocytes T.	Inconnu
Glandes surrénales					
• Médulla surrénale	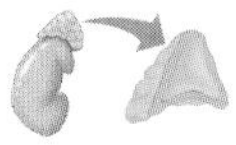	Adrénaline et noradrénaline	Amines	Élèvent la glycémie ; accroissent l'activité métabolique ; provoquent la contraction de certains vaisseaux sanguins.	Système nerveux (partie sympathique)
• Cortex surrénal	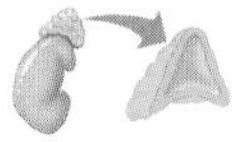	Glucocorticoïdes	Stéroïdes	Élèvent la glycémie.	ACTH
		Minéralocorticoïdes	Stéroïdes	Favorisent la réabsorption de Na^+ et l'excrétion de K^+ par les reins.	Taux de K^+ (potassium) ou de Na^+ (sodium) dans le sang ; variation dans le volume sanguin ou la pression artérielle
					ACTH
Pancréas	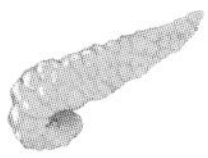	Insuline	Protéine	Diminue la glycémie.	Taux de glucose dans le sang
		Glucagon	Protéine	Élève la glycémie.	Taux de glucose dans le sang
Gonades					
• Testicules		Androgènes	Stéroïdes	Contribuent à la formation des spermatozoïdes ; assurent le développement et le maintien des caractères sexuels secondaires masculins.	FSH et LH
• Ovaires	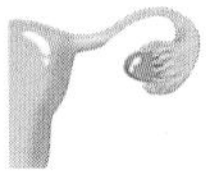	Œstrogènes	Stéroïdes	Stimulent la croissance de la muqueuse de l'utérus ; assurent le développement et le maintien des caractères secondaires féminins.	FSH et LH
		Progestérone	Stéroïde	Contribue à la croissance de la muqueuse de l'utérus.	FSH et LH

Q **Quel serait l'effet d'une concentration élevée de l'hormone thyroïdienne dans le sang sur la sécrétion de la TSH ?**

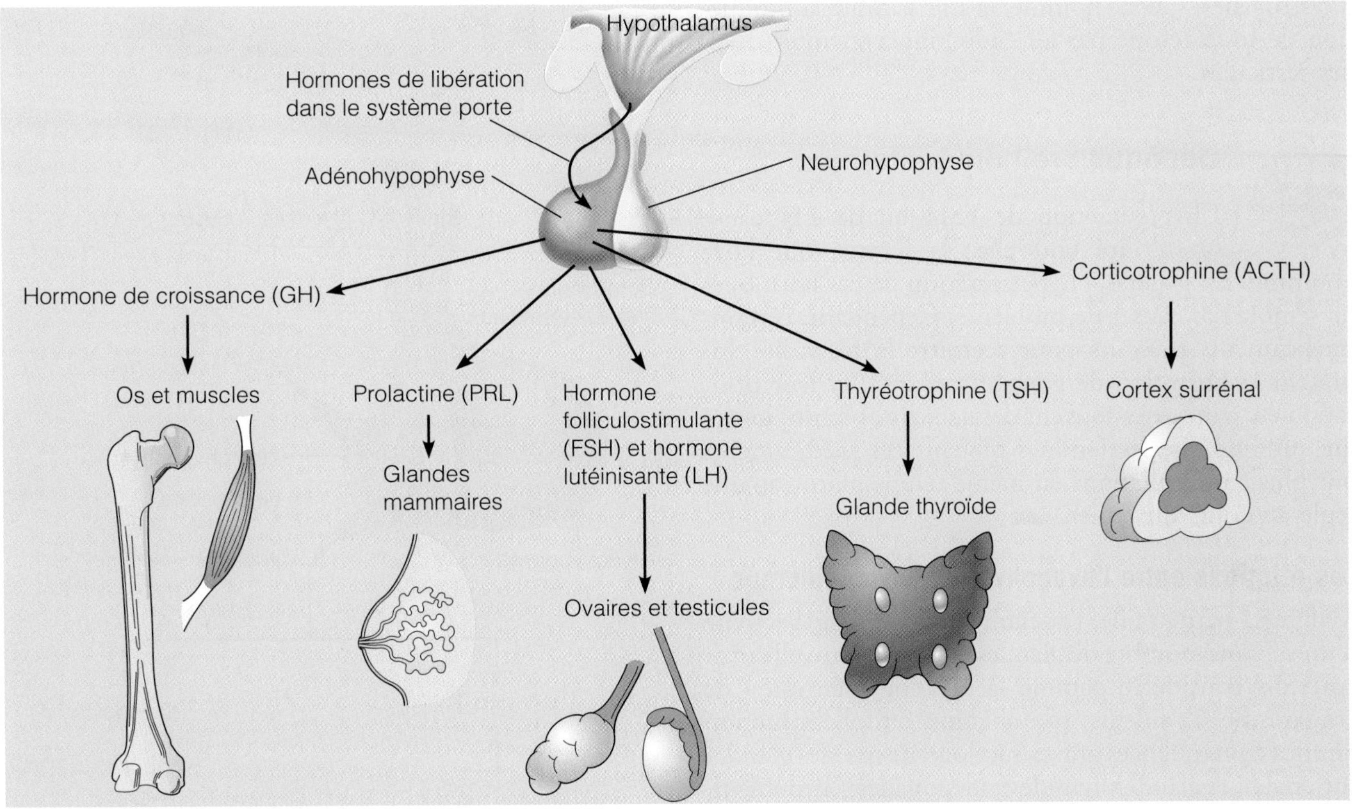
Hypothalamus
Hormones de libération dans le système porte
Adénohypophyse
Neurohypophyse
Hormone de croissance (GH)
Corticotrophine (ACTH)
Os et muscles
Prolactine (PRL)
Hormone folliculostimulante (FSH) et hormone lutéinisante (LH)
Thyréotrophine (TSH)
Cortex surrénal
Glandes mammaires
Glande thyroïde
Ovaires et testicules

Figure 9.4 **Les hormones adénohypophysaires et les principaux organes cibles**

La sécrétion des hormones adénohypophysaires est stimulée par des hormones de libération qui sont produites par les cellules neurosécrétoires hypothalamiques. Ces hormones de libération sont sécrétées dans un réseau capillaire qui est relié, par l'intermédiaire d'une veine porte, à un autre lit capillaire dans le lobe antérieur de l'hypophyse.

La **prolactine** (**PRL**) est une hormone protéique dont la structure ressemble à celle de l'hormone de croissance. Chez l'humain, sa seule cible connue est le sein (*pro*, « en faveur de » ; *lactus*, « lait »). Après l'accouchement, la prolactine stimule et maintient la production de lait par les seins de la mère. On ne connaît pas précisément la fonction de cette hormone chez l'homme, mais elle semble avoir un rôle à jouer dans la synthèse des hormones sexuelles mâles.

R **Un taux élevé d'hormone thyroïdienne aurait pour effet d'inhiber la sécrétion de la TSH par l'adénohypophyse.**

La **corticotrophine** (**ACTH**, pour *adrenocorticotropic hormone*) régit l'activité endocrine de la partie corticale de la glande surrénale. La **thyréotrophine** (**TSH**, pour *thyroid-stimulating hormone*), aussi appelée **hormone thyréotrope**, influe sur le développement et l'activité de la glande thyroïde.

Les **gonadotrophines** régissent l'activité hormonale des **gonades** (ovaires et testicules). Chez la femme, l'**hormone folliculostimulante** (**FSH**, pour *follicle-stimulating hormone*) stimule la maturation des follicules ovariques dans les ovaires. À mesure qu'ils se développent, les follicules libèrent des œstrogènes, et des ovules sont préparés pour l'ovulation. Chez l'homme, la FSH stimule la formation des spermatozoïdes par les testicules.

L'**hormone lutéinisante** (**LH**, pour *luteinizing hormone*) déclenche l'expulsion de l'ovule par l'ovaire et pousse le follicule rompu à produire de la progestérone et un peu d'œstrogènes. Chez l'homme, la LH stimule la production de testostérone par les endocrinocytes interstitiels des testicules.

Déséquilibre homéostatique

L'hyposécrétion de FSH ou de LH cause la stérilité tant chez la femme que chez l'homme. En général, l'hypersécrétion de ces hormones ne semble pas causer de problème. Cependant, certains médicaments prescrits pour accroître la fécondité stimulent la libération de gonadotrophines, et leur utilisation entraîne assez souvent des naissances multiples (ce qui indique que les femmes prenant ces médicaments ont plusieurs ovulations en même temps plutôt qu'une seule au cours du mois). ▲

Les relations entre l'hypophyse et l'hypothalamus

Malgré sa petite taille, l'adénohypophyse régit l'activité d'un si grand nombre de glandes endocrines qu'elle était autrefois considérée comme la «glande maîtresse» de l'organisme. D'ailleurs, son ablation ou sa destruction ont des conséquences graves sur l'organisme: les glandes surrénales, la glande thyroïde et les gonades s'atrophient, et les effets de l'hyposécrétion qui s'ensuit se font vite sentir. Cependant, on sait maintenant que l'adénohypophyse n'est pas la glande toute-puissante qu'on pensait, puisque la libération de chacune de ses hormones est commandée par des **hormones de libération** (**RH**, pour *releasing hormones*, ou **RF**, pour *releasing factors*) et des **hormones d'inhibition** (**IH**, pour *inhibiting hormones*) élaborées par l'hypothalamus. Par exemple, la corticolibérine (CRF, pour *corticotropin-releasing factor*) est l'hormone de stimulation qui amène la sécrétion d'ACTH, qui agit sur le cortex surrénal. L'hypothalamus libère ces hormones régulatrices dans le sang du système porte, qui relie le réseau capillaire de l'hypothalamus à celui de l'adénohypophyse. (Dans un *système porte*, deux lits capillaires sont reliés par une ou plusieurs veines; dans le cas présent, le sang des capillaires de l'hypothalamus se jette dans une veine qui s'ouvre sur les capillaires de l'adénohypophyse.)

L'hypothalamus élabore deux autres hormones, l'ocytocine et l'hormone antidiurétique, qui sont transportées le long des axones de ses **cellules neurosécrétoires** jusqu'à la neurohypophyse, où elles sont emmagasinées (figure 9.5). Ces hormones sont ensuite libérées dans le sang en réaction à des influx nerveux provenant de l'hypothalamus.

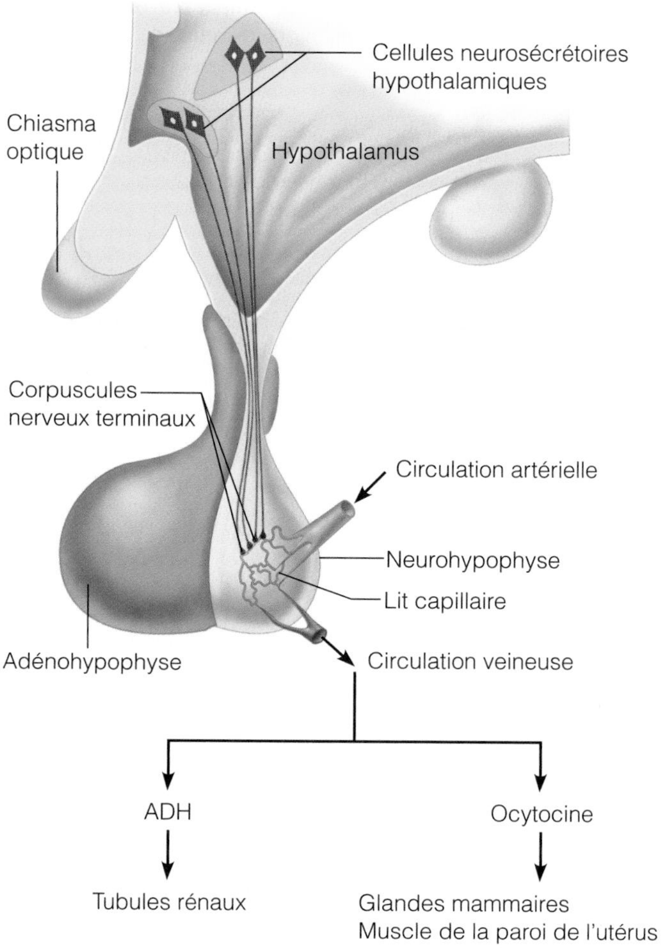

Cellules neurosécrétoires hypothalamiques
Chiasma optique
Hypothalamus
Corpuscules nerveux terminaux
Circulation artérielle
Neurohypophyse
Lit capillaire
Adénohypophyse
Circulation veineuse
ADH
Ocytocine
Tubules rénaux
Glandes mammaires
Muscle de la paroi de l'utérus

Figure 9.5 **Les hormones libérées par la neurohypophyse et les organes cibles de ces hormones**

Les cellules neurosécrétoires hypothalamiques synthétisent l'ocytocine et l'hormone antidiurétique (ADH). Elles transportent ces hormones le long de leurs axones jusqu'à la neurohypophyse, où ces dernières sont emmagasinées jusqu'à ce que des influx nerveux hypothalamiques déclenchent leur libération.

Les hormones de la neurohypophyse

La neurohypophyse, constituée de prolongements de neurones et de gliocytes, n'est pas une glande endocrine à proprement parler, car elle *ne fabrique pas* les hormones peptidiques qu'elle libère. Comme nous l'avons déjà mentionné, elle sert plutôt à emmagasiner les hormones élaborées par les cellules neurosécrétoires de l'hypothalamus.

L'**ocytocine** n'est sécrétée en grandes quantités qu'à l'accouchement et pendant la lactation. Elle stimule la contraction du muscle de la paroi utérine au cours de l'accouchement (un des rares exemples de rétroaction positive dans l'organisme), au cours des rapports sexuels et lorsqu'une femme allaite son bébé. L'ocytocine stimule

GROS PLAN Les bienfaits espérés de l'hormone de croissance

On se sert de l'hormone de croissance (GH) à des fins pharmaceutiques (c'est-à-dire comme médicament) depuis sa découverte, dans les années 1950, et – malgré la controverse que cela suscite – en Amérique, mais non en Europe, pour accélérer la croissance du bétail. Provenant à l'origine d'hypophyses prélevées sur des cadavres (ce qui avait notamment pour conséquence des risques de transmission d'agents infectieux, tels ceux qui sont soupçonnés d'avoir causé la mort de plus d'une centaine d'enfants en France depuis la fin des années 1980), elle est aujourd'hui produite par biosynthèse et administrée par injection. Bien qu'on l'ait utilisée dans un grand nombre d'essais cliniques, son emploi comme médicament d'ordonnance est limité, car on veut analyser en profondeur tous ses effets bénéfiques et nocifs – et bon nombre de ces effets sont prometteurs.

L'administration de la GH est autorisée pour les enfants qui ne la produisent pas naturellement ou qui souffrent d'insuffisance rénale chronique (maladie associée à des anomalies de sécrétion de l'hormone), dans la mesure où elle permet à ces enfants d'atteindre une taille à peu près normale. Malheureusement, il arrive que des médecins cèdent aux pressions exercées par certains parents qui ont des enfants plus petits que la moyenne et qui veulent « corriger » cet état de fait, bien que la production de l'hormone soit normale chez ces jeunes.

Quand on administre de la GH à des adultes qui n'en sécrètent pas assez eux-mêmes, on observe une diminution du tissu adipeux et une augmentation de la masse maigre, de la densité osseuse et de la masse musculaire. Il semble aussi y avoir un accroissement de la performance et de la masse musculaire du cœur, une diminution de la cholestérolémie, un renforcement du système immunitaire et peut-être même une amélioration du moral. Ces effets (plus particulièrement ceux qui donnent lieu à une plus grande masse musculaire et à une réduction du tissu adipeux) ont poussé des culturistes et des athlètes à abuser de la GH. C'est pourquoi, en partie, les autorités en limitent la commercialisation. Quant à l'Agence mondiale antidopage, elle en a interdit l'emploi et un test pour la dépister a été introduit aux Jeux olympiques d'Athènes en 2004.

La GH pourrait aussi faire disparaître certains effets indésirables du vieillissement, d'où l'éclosion de cliniques offrant des cures de rajeunissement à base d'injections de GH. Après l'âge de 60 ans, la production de cette hormone cesse naturellement chez beaucoup de gens, ce qui explique peut-être chez ces personnes la baisse du rapport masse maigre-masse grasse et l'amincissement de la peau. À Hollywood, la GH est d'ores et déjà le traitement de prédilection pour beaucoup de vedettes d'âge mûr qui redoutent la disparition de leur jeunesse et de leur vitalité. L'administration de la GH aux personnes âgées permet d'effacer certaines manifestations du vieillissement. Toutefois, les études cliniques révèlent qu'il n'y a pas d'augmentation de la force ou d'amélioration de la tolérance à l'effort, et un suivi rigoureux de patients très malades dans des unités de soins intensifs (où l'on donne fréquemment de la GH pour rétablir l'équilibre de l'azote) a montré qu'à doses élevées l'hormone est associée à une augmentation de la mortalité. Il faut aujourd'hui reconnaître que les affirmations parues à l'origine dans les médias sur cette « hormone de jouvence » se sont avérées trompeuses et dangereuses, et que l'administration de celle-ci aux personnes très âgées ou gravement malades est contre-indiquée.

L'hormone de croissance peut aider les personnes atteintes du sida. Grâce à de meilleurs antibiotiques, moins de patients succombent aux infections opportunistes. En revanche, il en meurt plus de la perte de poids entraînée par la cachexie. Or, on a montré que des injections de GH peuvent en fait combattre la cachexie liée au sida, ce qui se traduit par un gain pondéral – au profit de la masse musculaire maigre.

L'hormone de croissance n'est pas un remède miracle, même dans les cas où elle donne manifestement de bons résultats. Les traitements sont coûteux et produisent des effets indésirables. Ils peuvent occasionner une rétention d'eau et de l'œdème, des douleurs musculaires et articulaires, de l'hyperglycémie, l'intolérance au glucose et la gynécomastie (croissance des seins chez l'homme). L'hypertension, l'hypertrophie du cœur, le diabète et le cancer du côlon sont également possibles quand on administre des doses élevées. L'œdème et les maux de tête sont fréquents même aux doses les plus faibles. Toutefois, on peut prévenir la plupart de ces effets secondaires en adaptant judicieusement la posologie.

D'intenses recherches sur les bienfaits éventuels de la GH se poursuivent à l'heure actuelle et vont sans doute continuer à susciter l'intérêt de la population durant bien des années. Espérons que cette substance ne fasse pas l'objet d'un commerce illégal et d'une utilisation inconsidérée aboutissant à un problème de santé publique.

L'hormone de croissance peut-elle secourir les personnes âgées ?

également l'éjection du lait (réflexe de déclenchement de la sécrétion lactée) chez la femme qui allaite. On emploie des médicaments ocytociques naturels et synthétiques (Syntocinon et autres) pour provoquer le travail ou l'accélérer. Plus rarement, on administre des ocytociques pour combattre les hémorragies de la délivrance (ces médicaments entraînent la constriction des vaisseaux sanguins rompus au moment du décollement du placenta) et stimuler la sécrétion lactée.

La deuxième hormone sécrétée par la neurohypophyse est l'**hormone antidiurétique** (**ADH**, pour *antidiuretic hormone*). La *diurèse* étant la production d'urine, un antidiurétique est une substance chimique qui inhibe ou empêche la formation d'urine. La libération d'ADH provoque la réabsorption par les reins d'un surcroît d'eau de l'urine en formation. Ainsi, le volume d'urine diminue et le volume sanguin augmente. Lorsqu'elle est libérée en grandes quantités, l'ADH cause également une constriction des artérioles (petites artères), ce qui entraîne une élévation de la pression artérielle. C'est la raison pour laquelle l'ADH est aussi appelée **vasopressine**.

L'ingestion d'alcool inhibe la sécrétion d'ADH et provoque une abondante production d'urine. La sécheresse buccale et la soif intense du « lendemain » sont attribuables à cet effet déshydratant de l'alcool. Certains médicaments appelés *diurétiques* inhibent la sécrétion de l'ADH et accroissent la diurèse. Ils servent à traiter l'œdème (rétention d'eau dans les tissus) caractéristique de l'insuffisance cardiaque.

Déséquilibre homéostatique

L'hyposécrétion d'ADH cause un trouble appelé *diabète insipide*, caractérisé par l'excrétion de grandes quantités d'urine diluée; on qualifie ce diabète d'*insipide*, car l'urine ne contient pas de glucose (comme dans le cas du diabète sucré, que nous verrons plus loin); elle est donc « sans goût ». Les personnes atteintes de diabète insipide ont continuellement soif et boivent d'énormes quantités d'eau pour remplacer celles qu'elles perdent constamment dans l'urine (jusqu'à 15 ou 20 L par jour dans les cas très graves). ▲

LA GLANDE THYROÏDE

La **glande thyroïde** est bien connue, notamment parce qu'un grand nombre de personnes obèses attribuent leur excès de poids à leurs « glandes » (voulant dire par là leur glande thyroïde). En réalité, l'effet des hormones thyroïdiennes sur la masse corporelle est beaucoup moins important qu'on ne le croit souvent.

La glande thyroïde est située à la base de la gorge, juste sous la proéminence laryngée (ou pomme d'Adam). On peut facilement la palper au cours d'un examen physique. La thyroïde est une glande relativement grosse et abondamment vascularisée qui comporte deux lobes, souvent de taille inégale, reliés par une masse centrale appelée *isthme* (figure 9.6). Elle sécrète deux hormones: l'*hormone thyroïdienne* et la *calcitonine*. L'intérieur de la glande thyroïde est composé de milliers de structures creuses appelées **follicules thyroïdiens** qui emmagasinent une substance colloïdale collante contenant une protéine, la thyroglobuline (voir la figure 9.6b). L'hormone thyroïdienne est dérivée de cette protéine.

L'**hormone thyroïdienne**, souvent considérée comme la principale hormone métabolique, comprend en fait deux hormones qui contiennent de l'iode: la **thyroxine**, ou $\mathbf{T_4}$, et la **triiodothyronine**, ou $\mathbf{T_3}$. La thyroxine est sécrétée par les follicules thyroïdiens, tandis que la majeure partie de la triiodothyronine est formée dans les tissus cibles en général – mais surtout dans le foie et les reins – à partir de la thyroxine. Étant composées de deux tyrosines (des acides aminés), ces hormones sont fort semblables; mais alors que la thyroxine possède quatre atomes d'iode, la triiodothyronine n'en a que trois (d'où les abréviations « T_4 » et « T_3 »).

Les hormones thyroïdiennes régissent la vitesse à laquelle le glucose est oxydé et converti en chaleur et en énergie chimique. Étant donné qu'elles dépendent d'un apport continu d'énergie chimique pour maintenir leur activité, les cellules de l'organisme sont presque toutes des cibles pour les hormones thyroïdiennes. Les hormones thyroïdiennes sont également essentielles au développement et à la croissance des tissus, en particulier ceux du système génital et du système nerveux.

Examinons de plus près le fonctionnement des cellules formant la paroi des follicules thyroïdiens; c'est un excellent exemple de l'activité des cellules de l'ensemble de la « machinerie » cellulaire et des mécanismes d'échange membranaires étudiés au chapitre 3. La partie peptidique de la thyroglobuline est synthétisée par le réticulum endoplasmique (RE) rugueux des cellules thyroïdiennes, puis transportée dans le complexe golgien pour y recevoir l'ajout d'un sucre. La glycoprotéine ainsi produite est enfermée dans une vésicule et libérée, par exocytose, à l'intérieur du follicule thyroïdien. Puis de l'iode est pompé, par transport actif, des capillaires vers l'intérieur des cellules de la paroi du follicule. Cet iode passe ensuite dans la lumière du follicule, où il se lie à la glycoprotéine. La thyroglobuline iodée qui en résulte passe ensuite, par endocytose, du follicule aux cellules thyroïdiennes. Là, les lysosomes interviennent pour libérer la

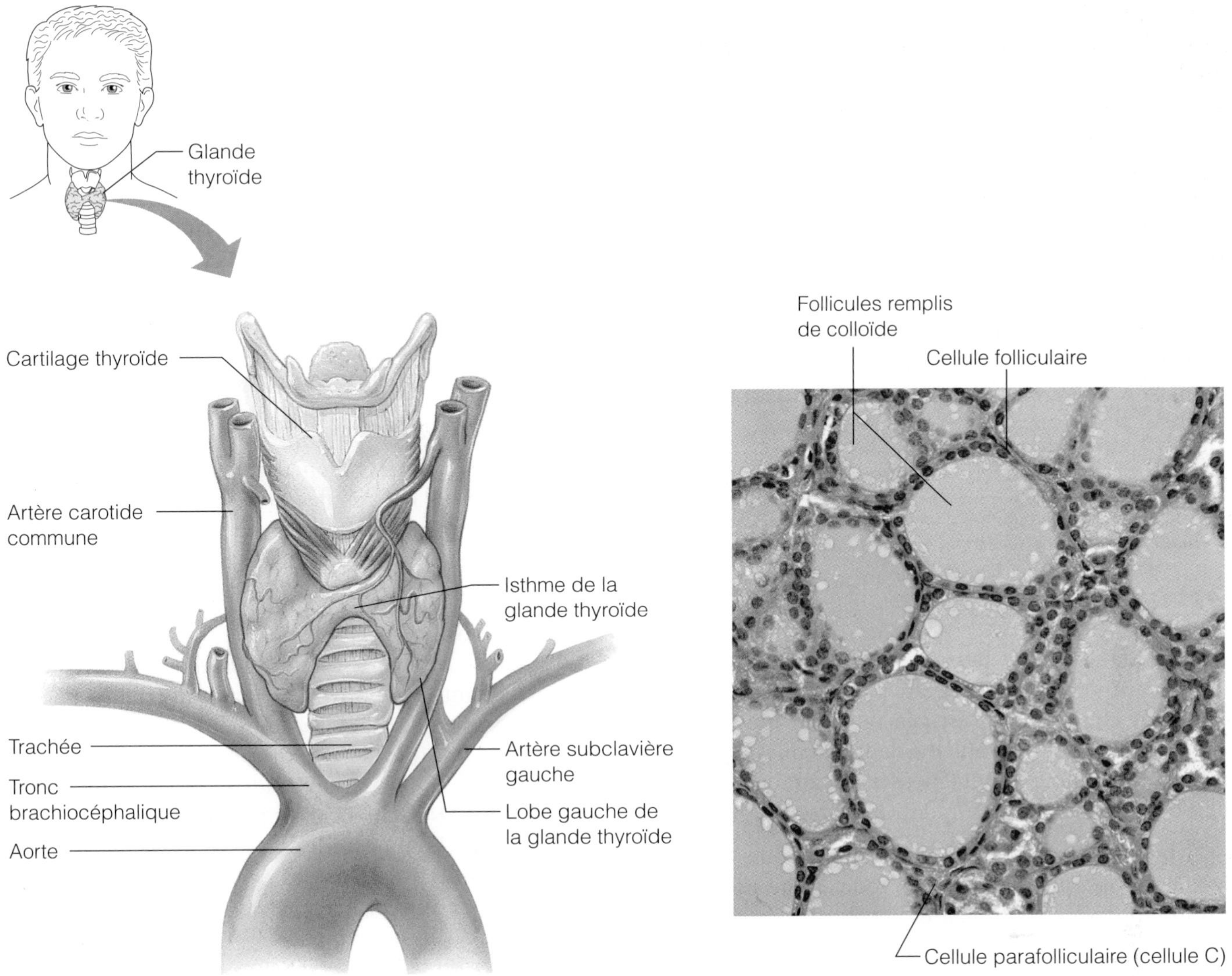
Glande thyroïde
Cartilage thyroïde
Artère carotide commune
Isthme de la glande thyroïde
Trachée
Tronc brachiocéphalique
Aorte
Artère subclavière gauche
Lobe gauche de la glande thyroïde
Follicules remplis de colloïde
Cellule folliculaire
Cellule parafolliculaire (cellule C)

(a) **(b)**

Figure 9.6 **L'anatomie de la glande thyroïde**

(a) Vue antérieure. **(b)** Photomicrographie (250×).

T_4 et la T_3 de la thyroglobuline. Les hormones thyroïdiennes passent finalement dans le sang des capillaires.

Déséquilibre homéostatique

Sans iode, la thyroïde ne peut pas fabriquer d'hormones fonctionnelles. L'iode dont notre organisme a besoin se trouve dans l'alimentation, surtout dans les aliments riches en iode comme les fruits de mer. Le **goitre** constitue un problème de santé important dans les pays en développement et dans certaines régions où le sol, pauvre en iode, ne peut procurer aux habitants des aliments qui en contiennent en quantités suffisantes. Ce qu'on appelle *goitre* se traduit par une hypertrophie de la glande thyroïde (figure 9.7). Chez les personnes atteintes de goitre, la THS « demande » continuellement de la thyroxine, et la glande thyroïde continue de grossir afin de pouvoir en élaborer davantage. Toutefois, comme il n'y a pas d'iode disponible, seule la partie peptidique de la molécule est produite. Cette molécule étant incomplète, le mécanisme de rétro-inhibition qui permet normalement d'inhiber la libération de THS ne peut avoir lieu. De nos jours, le goitre simple (c'est-à-dire le goitre non associé à une

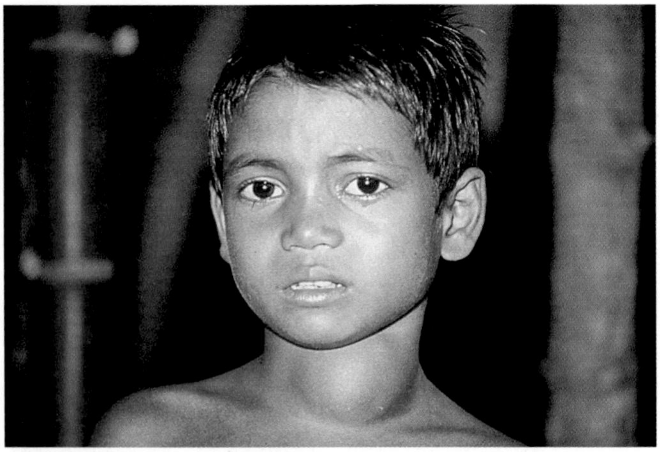

Figure 9.7 **Goitre**

Thyroïde hypertrophiée (goitre) d'un jeune Bangladais.

maladie de la glande thyroïde, soit le type le plus fréquent parmi les goitres) est rare parce que le sel de table que nous consommons est généralement iodé, mais ce trouble demeure un problème dans certaines régions du monde (les régions montagneuses, notamment) où près de 800 millions de personnes sont affectées.

L'hyposécrétion de thyroxine peut être due à des problèmes autres que la carence en iode, à une stimulation insuffisante par la TSH, par exemple. Si ce trouble apparaît tôt dans l'enfance, il entraîne le *crétinisme*, se manifestant par une petite taille et des proportions corporelles qui, chez l'adulte, ressemblent à celles de l'enfant. La longueur de la moitié supérieure du corps (tête et tronc) représente environ une fois et demie celle de la moitié inférieure (jambes), alors que ces deux moitiés sont approximativement de la même longueur chez les adultes normaux (voir la figure 5.32b). Le crétinisme se caractérise également par des cheveux clairsemés et une peau sèche. Laissé sans traitement, il entraîne une arriération mentale. Si le trouble d'hyposécrétion est diagnostiqué à temps, une hormonothérapie thyroïdienne de substitution peut prévenir l'arriération mentale ainsi que les autres signes et symptômes de la carence. Chez l'adulte, l'apparition de l'hypothyroïdie cause le *myxœdème*, qui se traduit par un ralentissement du métabolisme et une diminution des aptitudes mentales (mais sans arriération) ainsi que par d'autres signes: bouffissure du visage, fatigue, perte de tonus musculaire, température corporelle basse (la personne a toujours froid), surplus de poids et assèchement de la peau. Pour traiter ce trouble, on prescrit de la thyroxine par voie orale.

L'hyperthyroïdie est généralement attribuable à une tumeur de la thyroïde. La production excessive de thyroxine cause une accélération du métabolisme basal, une intolérance à la chaleur, des pulsations cardiaques rapides, une perte de masse corporelle, un comportement nerveux et agité, et une incapacité générale de se détendre. La *maladie de Basedow*, ou maladie de Graves, est une des formes de l'hyperthyroïdie. En plus des symptômes décrits ci-dessus, la maladie de Basedow cause une hypertrophie de la thyroïde et, parfois, une saillie anormale des bulbes de l'œil, trouble appelé *exophtalmie* (figure 9.8). Le traitement consiste à faire l'ablation chirurgicale d'une partie de la glande thyroïde (et de la tumeur, le cas échéant) ou à administrer des médicaments antithyroïdiens, qui inhibent la synthèse des hormones thyroïdiennes, ou encore de l'iode radioactif, qui détruit certaines des cellules thyroïdiennes. Au Canada, 1 personne sur 20 (surtout des femmes) est affectée par un problème d'hyposécrétion ou d'hypersécrétion thyroïdienne. ▲

L'autre hormone élaborée par la thyroïde, la **calcitonine**, abaisse le taux de calcium (calcémie) dans le sang en provoquant le dépôt de calcium dans les os. Elle est un antagoniste de la PTH produite par les glandes parathyroïdes. Alors que la thyroxine est fabriquée et emmagasinée dans les follicules thyroïdiens avant d'être libérée dans le sang, la calcitonine est produite par les **cellules parafolliculaires**, ou **cellules C**, se trouvant *entre* les follicules thyroïdiens ou dans leur paroi (voir la figure 9.6b). Elle est libérée directement dans le sang lorsque le taux sanguin de calcium augmente. On connaît peu d'effets liés à l'hyposécrétion ou à l'hypersécrétion de calcitonine,

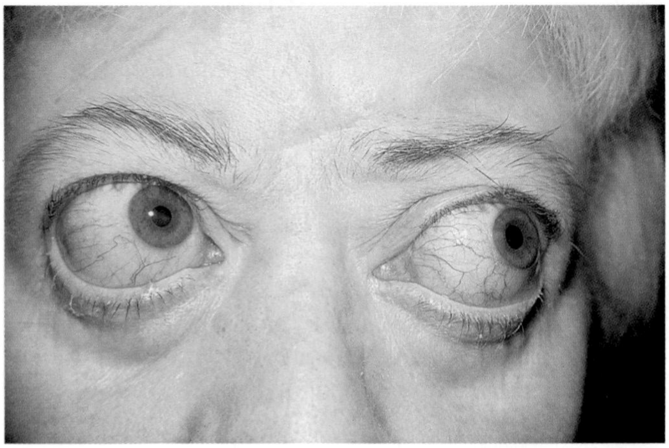

Figure 9.8 **Exophtalmie causée par la maladie de Graves**

mais il semble que la production de celle-ci diminue ou cesse chez les personnes âgées. Cela pourrait expliquer (en partie du moins) la décalcification progressive des os qui accompagne le vieillissement.

LES GLANDES PARATHYROÏDES

Les **glandes parathyroïdes** sont de très petites masses de tissu glandulaire situées sur la face postérieure de la glande thyroïde (voir la figure 9.3). Habituellement, chaque lobe thyroïdien porte deux glandes, soit un total de quatre, mais ce nombre peut s'élever à huit chez certains individus ; il arrive même qu'on en trouve dans d'autres régions du cou ou dans le thorax. Les glandes parathyroïdes sécrètent la **parathormone** (**PTH**, pour *parathyroid hormone*), ou hormone parathyroïdienne. Cette hormone préside au maintien de l'équilibre calcique dans le sang. Lorsque le taux sanguin de calcium (Ca^{2+}) baisse au-dessous d'un certain niveau, les glandes parathyroïdes libèrent la PTH, qui amène les cellules chargées de la résorption osseuse (les ostéoclastes) à dégrader la matrice osseuse pour libérer du calcium dans le sang. La PTH est donc une hormone *hypercalcique* (c'est-à-dire qu'elle fait augmenter le taux sanguin de calcium), alors que la calcitonine est une hormone *hypocalcique*. Le mécanisme de rétro-inhibition qui régit l'interaction de ces deux hormones est décrit à la figure 9.9. Bien que le squelette soit la principale cible de la PTH, les reins et les intestins sont également stimulés par cette dernière : les reins réabsorbent le calcium du filtrat rénal et transforment la vitamine D en cholécalciférol ; cette dernière substance permet aux intestins, stimulés par la PTH, d'absorber le calcium des aliments.

Q **Quel serait l'effet de l'ablation des glandes parathyroïdes sur la teneur du sang en calcium ?**

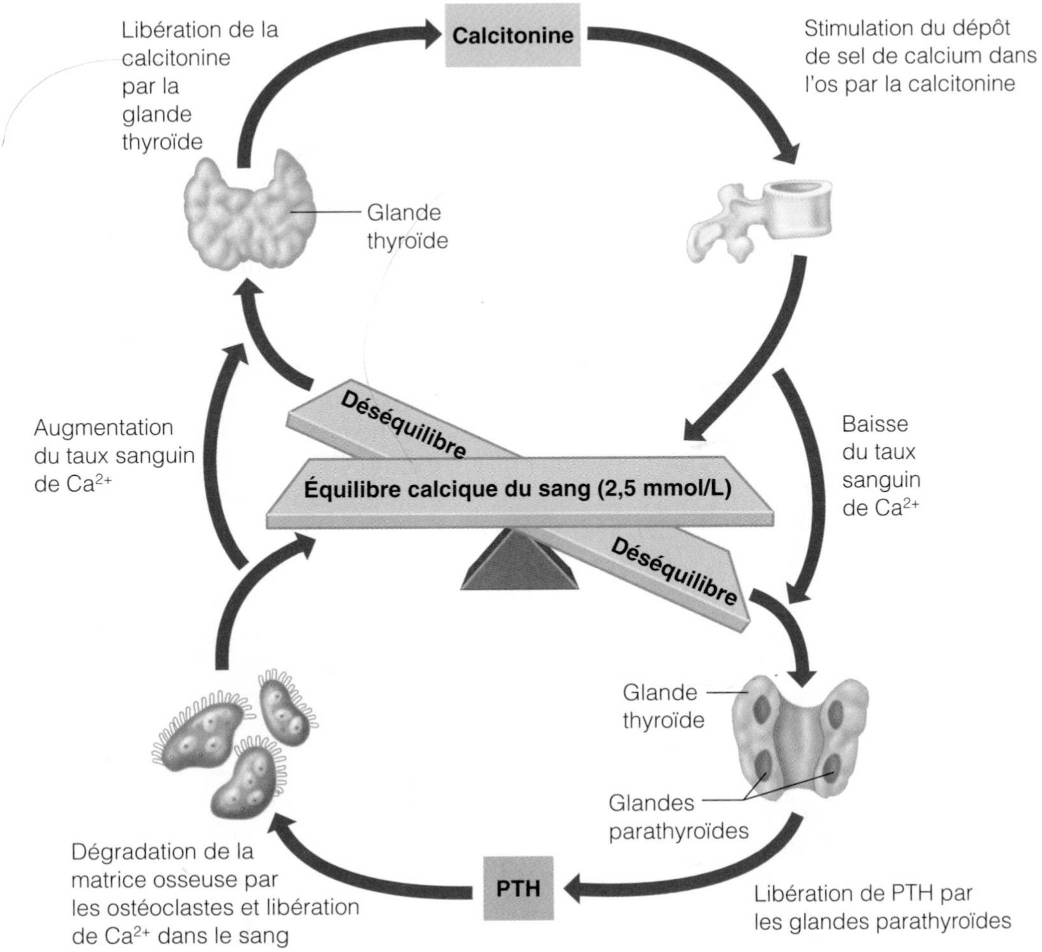

Libération de la calcitonine par la glande thyroïde
Calcitonine
Stimulation du dépôt de sel de calcium dans l'os par la calcitonine
Glande thyroïde
Augmentation du taux sanguin de Ca^{2+}
Déséquilibre
Équilibre calcique du sang (2,5 mmol/L)
Déséquilibre
Baisse du taux sanguin de Ca^{2+}
Glande thyroïde
Glandes parathyroïdes
Dégradation de la matrice osseuse par les ostéoclastes et libération de Ca^{2+} dans le sang
PTH
Libération de PTH par les glandes parathyroïdes

Figure 9.9 **La régulation hormonale du taux sanguin de calcium ionique**

Mécanisme de rétro-inhibition qui régit l'interaction de la PTH et de la calcitonine.

R **Le taux de calcium dans le sang baisserait parce que les os ne seraient plus exposés aux stimulus de la PTH, qui provoquent la dégradation du tissu osseux.**

Déséquilibre homéostatique

Lorsque le taux sanguin de calcium diminue de façon excessive, l'excitabilité des neurones augmente et ceux-ci deviennent hyperactifs. Les influx nerveux qu'ils font alors parvenir aux muscles sont si rapprochés qu'ils causent des spasmes musculaires (*tétanie*) susceptibles d'entraîner la mort. Avant qu'on découvre le rôle majeur des glandes parathyroïdes, si petites et si bien «cachées» sur la face postérieure de la glande thyroïde, voire à l'intérieur, les chirurgiens procédaient à l'ablation complète de la glande. L'opération se soldait souvent par la mort du patient. Depuis qu'il est apparu que la fonction des glandes parathyroïdes est très différente de celle de la glande thyroïde, les chirurgiens veillent à laisser au patient une partie du tissu contenant les parathyroïdes (dans la mesure du possible), afin que ces glandes puissent continuer d'équilibrer le calcium sanguin.

L'hyperparathyroïdie grave entraîne une destruction massive du tissu osseux (de grands trous dans la matrice osseuse apparaissent à la radiographie). Les os deviennent très fragiles et les fractures spontanées sont fréquentes. Le calcium en excès peut se déposer dans les tissus mous, former des calculs rénaux et entraîner une réduction de l'activité nerveuse. ▲

LES GLANDES SURRÉNALES

Comme le montre la figure 9.3, les deux **glandes surrénales** sont des organes en forme de pyramides perchés au-dessus des reins. Chacune ressemble à un organe unique, mais elle comprend en fait deux parties qui diffèrent tant du point de vue structural que du point de vue fonctionnel. Comme l'hypophyse, la glande surrénale contient du tissu glandulaire (cortex) et du tissu nerveux (médulla). La partie centrale que forme la médulla est enveloppée dans le cortex surrénal, constitué de trois couches cellulaires distinctes.

Les hormones du cortex surrénal

Le **cortex surrénal** synthétise trois grandes classes d'hormones stéroïdes appelées **corticostéroïdes**, qui comprennent les minéralocorticoïdes, les glucocorticoïdes et les hormones sexuelles.

Les **minéralocorticoïdes**, dont l'**aldostérone** est l'hormone principale, sont produits par la couche cellulaire la plus externe du cortex surrénal (appelée *zone glomérulée*, car les cellules y forment de petits amas ou glomérules). Comme leur nom l'indique, les minéralocorticoïdes jouent un rôle important dans la régulation des taux de sels minéraux dans le sang, celle des ions sodium (Na^+) et potassium (K^+) en particulier. Leurs cibles sont les tubules rénaux qui, de façon sélective, réabsorbent les sels minéraux ou les évacuent dans l'urine. Lorsque le taux sanguin d'aldostérone augmente, les cellules des tubules rénaux réabsorbent plus d'ions Na^+ et sécrètent plus d'ions K^+ dans l'urine. La réabsorption de l'eau suit celle du sodium. Les minéralocorticoïdes contribuent donc à assurer tant l'équilibre hydrique que l'équilibre électrolytique des liquides de l'organisme. Comme le montre la figure 9.10, la sécrétion d'aldostérone est stimulée par des facteurs humoraux tels que la baisse des ions Na^+ ou l'augmentation des ions K^+ dans le sang (elle est aussi stimulée dans une certaine mesure par l'ACTH). La **rénine**, enzyme sécrétée par les reins lorsque la pression artérielle chute, entraîne également la libération d'aldostérone. Elle déclenche une série de réactions qui aboutissent à la formation d'**angiotensine II**, puissant facteur provoquant la libération de l'aldostérone. La sécrétion d'aldostérone est inhibée par le **facteur natriurétique auriculaire** (FNA), une hormone qui est libérée par le cœur et dont la fonction consiste à réduire le volume sanguin et la pression artérielle.

Les cellules (disposées en cordons) de la couche du milieu (*zone fasciculée*) du cortex surrénal forment sa plus grande partie ; elles produisent les **glucocorticoïdes**, qui comprennent notamment la **cortisone** et le **cortisol**. Les glucocorticoïdes assurent le bon fonctionnement du métabolisme cellulaire et aident l'organisme à résister aux *facteurs de stress prolongés*, principalement en augmentant la glycémie. Lorsque les taux sanguins de glucocorticoïdes sont élevés (par suite d'une sécrétion accrue d'ACTH), les cellules de l'organisme dégradent des graisses et même des protéines pour les convertir en glucose, qui est alors déversé dans le sang. C'est la raison pour laquelle les glucocorticoïdes sont appelés *hormones hyperglycémiantes*. Comme ils contribuent à réduire l'œdème, les glucocorticoïdes semblent également diminuer les effets désagréables de l'inflammation. Ils réduisent aussi la douleur en inhibant certaines molécules responsables de la douleur, les *prostaglandines* (voir le tableau 9.2, p. 359). En raison de leurs propriétés anti-inflammatoires, des médicaments à base de glucocorticoïdes sont souvent prescrits aux patients souffrant de polyarthrite rhumatoïde, afin de supprimer l'inflammation. De récentes recherches ont aussi montré que la cortisone, par suite de ses effets liés au stress, pouvait être employée avec succès pour atténuer les phobies.

Qu'on soit de sexe masculin ou de sexe féminin, les **hormones sexuelles** sont produites en quantités relativement petites par le cortex surrénal toute la vie. Bien que la majeure partie des hormones sexuelles sécrétées par les cellules de la couche la plus interne du cortex surrénal (*zone réticulée*: les cellules y sont disposées en

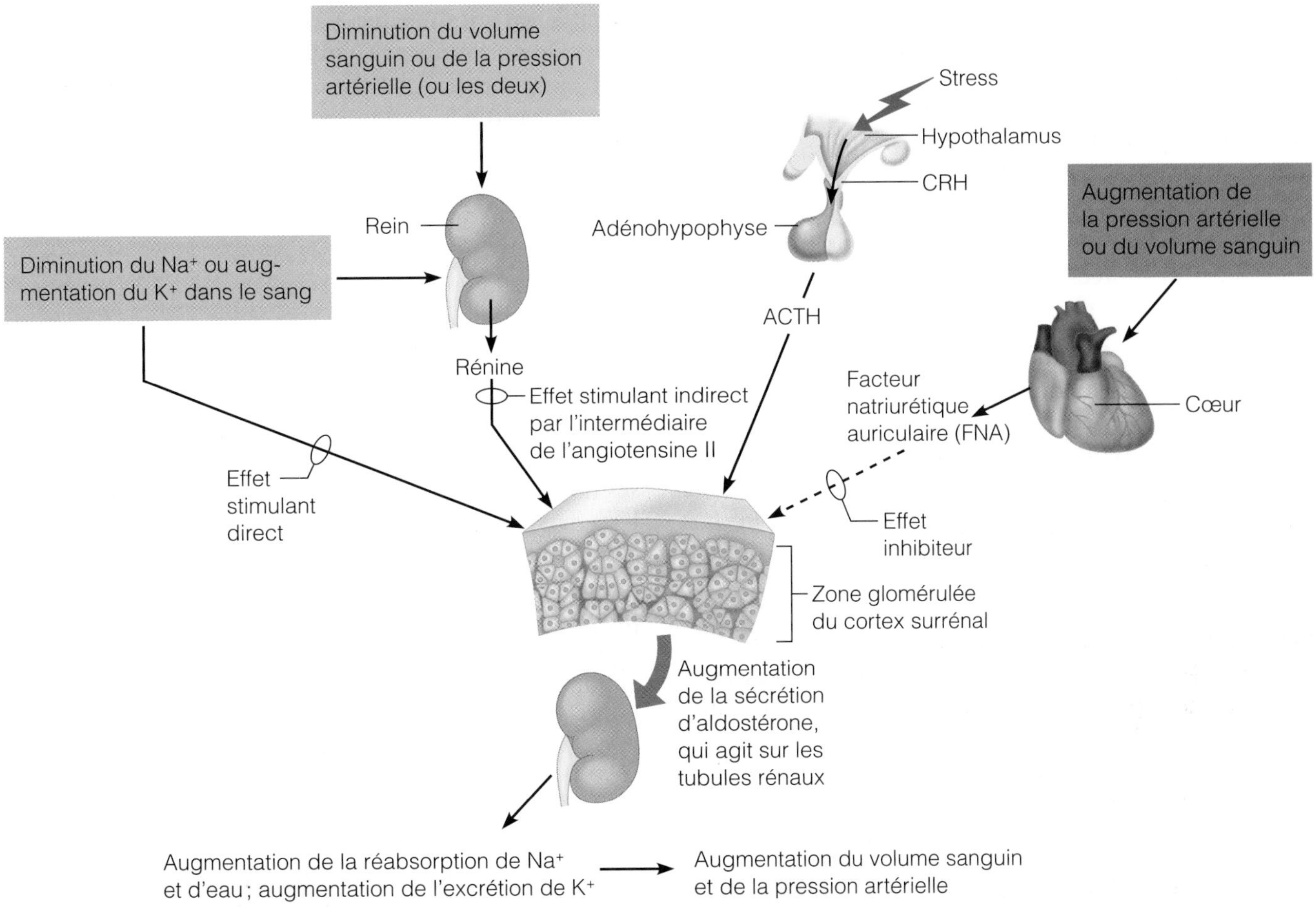
Diminution du volume sanguin ou de la pression artérielle (ou les deux)
Stress
Hypothalamus
CRH
Augmentation de la pression artérielle ou du volume sanguin
Rein
Adénohypophyse
Diminution du Na+ ou augmentation du K+ dans le sang
ACTH
Rénine
Effet stimulant indirect par l'intermédiaire de l'angiotensine II
Facteur natriurétique auriculaire (FNA)
Cœur
Effet stimulant direct
Effet inhibiteur
Zone glomérulée du cortex surrénal
Augmentation de la sécrétion d'aldostérone, qui agit sur les tubules rénaux
Augmentation de la réabsorption de Na+ et d'eau ; augmentation de l'excrétion de K+
Augmentation du volume sanguin et de la pression artérielle

Figure 9.10 **Les principaux mécanismes de régulation de la libération de l'aldostérone**

Les flèches pleines indiquent les facteurs qui stimulent la libération de l'aldostérone ; la flèche pointillée indique le facteur qui l'inhibe.

réseaux) soient des **androgènes** (hormones sexuelles mâles), une certaine quantité d'**œstrogènes** (hormones sexuelles femelles) est également élaborée.

Déséquilibre homéostatique

L'hyposécrétion généralisée de toutes les hormones du cortex surrénal entraîne la *maladie d'Addison.* Un des principaux signes de cette maladie est une hyperpigmentation de la peau (caractérisée par un teint bronzé) et de la muqueuse buccale : l'hormone responsable de la pigmentation est un peptide dont la synthèse est liée à celle de l'ACTH. Étant donné que la sécrétion d'aldostérone est insuffisante, la quantité d'eau et de sodium éliminée par les reins augmente, ce qui cause un déséquilibre hydrique et électrolytique. Ce déséquilibre provoque à son tour un affaiblissement des muscles, et un collapsus circulatoire peut survenir. Parmi les autres signes et symptômes de la maladie d'Addison, mentionnons ceux qui résultent du déficit en glucocorticoïdes, l'hypoglycémie par exemple, la diminution de la résistance au stress (épuisement général) et l'affaiblissement du système immunitaire (d'où une plus grande susceptibilité aux infections). L'absence totale de glucocorticoïdes est incompatible avec la vie.

L'hypersécrétion des corticostéroïdes est habituellement attribuable à une tumeur du cortex surrénal. L'affection qui en résulte dépend de la région touchée. L'hyperfonctionnement des cellules de la zone glomérulée du cortex surrénal entraîne l'*hyperaldostéronisme*, ou syndrome de Conn. Cette maladie est caractérisée par une rétention d'eau et de sodium qui provoque une augmentation de la pression artérielle et un œdème ; les taux de potassium diminuent à un niveau tel que l'activité du cœur et du système nerveux peut être perturbée. Lorsque la tumeur touche les cellules de la zone fasciculée du cortex surrénal, il en résulte le *syndrome de Cushing*. Dans ce syndrome, la production excessive de glucocorticoïdes cause un arrondissement lunaire du visage et l'apparition, à l'arrière du cou, d'un amas graisseux appelé « bosse de bison » (figure 9.11). Parmi les autres signes et symptômes courants du syndrome de Cushing, notons l'hypertension, l'hyperglycémie et parfois le diabète, l'affaiblissement des os (les protéines qui s'y trouvent sont retirées et transformées en glucose) et un affaiblissement du système immunitaire.

Enfin, lorsque la tumeur touche les cellules de la zone réticulée, l'hypersécrétion d'hormones sexuelles qui en résulte entraîne la *virilisation*, ou *masculinisation*, quel que soit le sexe de la personne atteinte. Chez l'homme adulte, l'effet de virilisation peut être dissimulé. Chez la femme, cependant, les conséquences peuvent être bien visibles (notamment l'apparition d'une barbe et la répartition masculine des poils). ▲

Les hormones de la médulla surrénale

Comme la neurohypophyse, la **médulla surrénale** est formée à partir d'un amas de tissu nerveux. Lorsque la médulla est stimulée par les neurones de la partie sympathique du SNA, ses cellules sécrètent dans la circulation sanguine deux hormones semblables : l'**adrénaline** et la **noradrénaline**, qui ensemble sont appelées **catécholamines**. Étant donné que certains neurones sympathiques libèrent également de la noradrénaline comme neurotransmetteur, on qualifie souvent la médulla surrénale de *ganglion égaré de la partie sympathique du système nerveux autonome.*

Lorsqu'un facteur de stress menace votre intégrité physique ou émotionnelle, la partie sympathique de votre SNA déclenche la réaction de lutte ou de fuite qui vous aide à faire face au stress. L'un des organes stimulés est la médulla surrénale, qui se met alors à « pomper » ses hormones dans le sang pour intensifier et prolonger les effets des neurotransmetteurs libérés par la partie sympathique du SNA. Les catécholamines sécrétées par la médulla augmentent la fréquence cardiaque, la pression artérielle et la glycémie, et dilatent les petits conduits aériens des poumons. Ces changements font augmenter la quantité d'oxygène et de glucose dans le sang et accélèrent l'arrivée du sang dans les organes

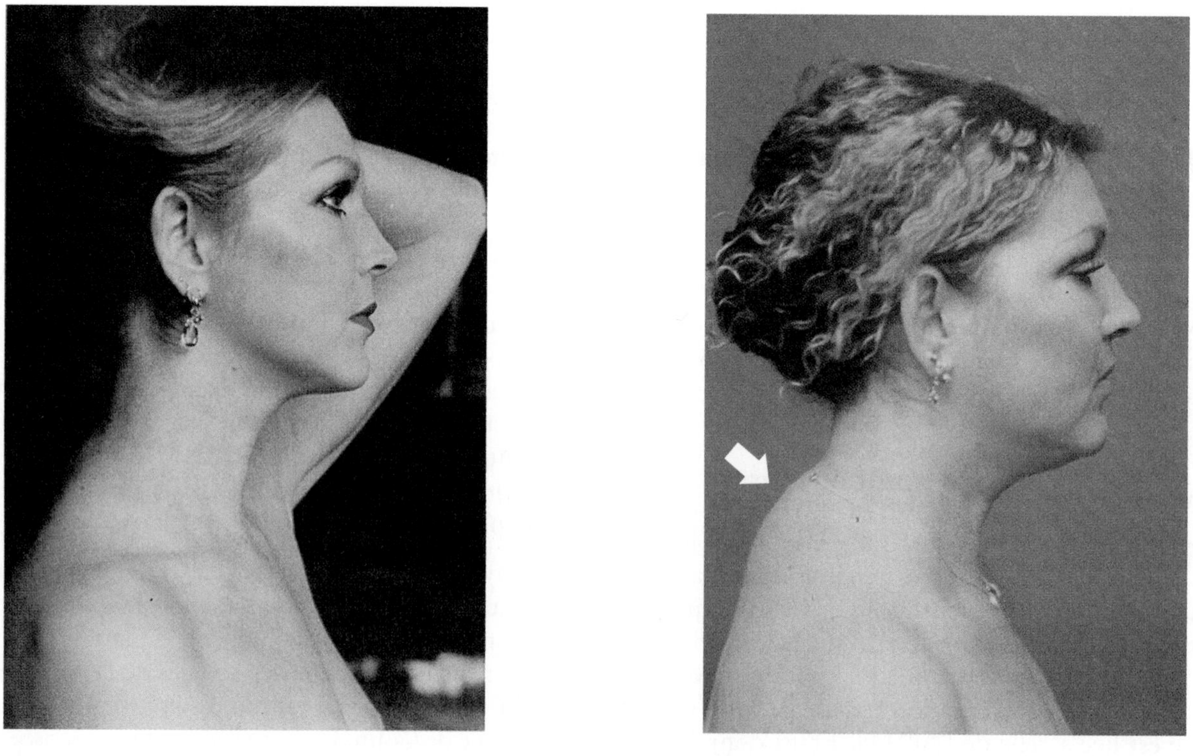

(a) (b)

Figure 9.11 **L'apparence d'une femme (a) en santé et (b) atteinte du syndrome de Cushing**

La « bosse de bison », amas graisseux caractéristique de la maladie, est indiquée par la flèche blanche.

(notamment l'encéphale, les muscles et le cœur). Les catécholamines permettent donc à l'organisme de s'outiller pour mieux faire face aux facteurs de stress temporaires, que ceux-ci commandent de fuir, d'amorcer une réaction inflammatoire ou de faire preuve d'une meilleure vigilance.

En préparant ainsi l'organisme à faire face à des facteurs de stress temporaires ou de courte durée, les catécholamines de la médulla surrénale déclenchent ce qu'on appelle le *stade d'alarme* de la réponse au stress. Les glucocorticoïdes, quant à eux, sont élaborés par le cortex surrénal et aident l'organisme à faire face aux facteurs de stress prolongés ou continus (par exemple un deuil ou une intervention chirurgicale). Les glucocorticoïdes interviennent surtout au *stade de résistance* de la réponse au stress. S'ils réussissent à protéger l'organisme, le trouble finira par disparaître sans laisser de séquelles. Par contre, si le facteur de stress se prolonge indéfiniment, le cortex surrénal peut finir par s'épuiser, ce qui est habituellement fatal. La figure 9.12 illustre l'interaction des catécholamines et des glucocorticoïdes en présence d'un facteur de stress.

Déséquilibre homéostatique

L'altération ou la destruction de la médulla surrénale n'a pas de conséquences importantes si les neurones du système nerveux sympathique continuent de fonctionner normalement. Cependant, l'hypersécrétion de catécholamines entraîne les symptômes

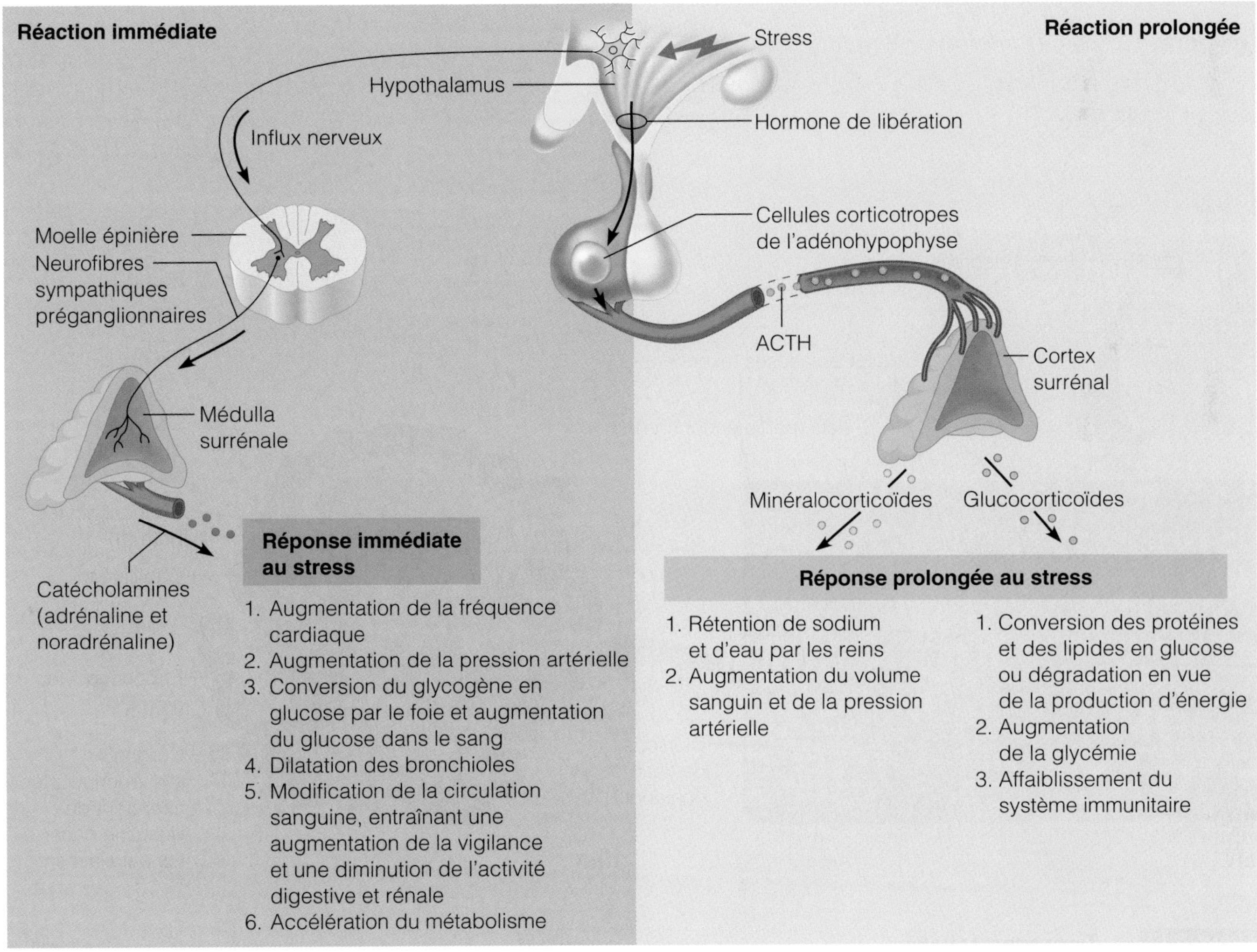

Réaction immédiate
Réaction prolongée
Stress
Hypothalamus
Influx nerveux
Hormone de libération
Moelle épinière
Neurofibres sympathiques préganglionnaires
Cellules corticotropes de l'adénohypophyse
ACTH
Cortex surrénal
Médulla surrénale
Minéralocorticoïdes
Glucocorticoïdes
Catécholamines (adrénaline et noradrénaline)
Réponse immédiate au stress
1. Augmentation de la fréquence cardiaque
2. Augmentation de la pression artérielle
3. Conversion du glycogène en glucose par le foie et augmentation du glucose dans le sang
4. Dilatation des bronchioles
5. Modification de la circulation sanguine, entraînant une augmentation de la vigilance et une diminution de l'activité digestive et rénale
6. Accélération du métabolisme
Réponse prolongée au stress
1. Rétention de sodium et d'eau par les reins
2. Augmentation du volume sanguin et de la pression artérielle
1. Conversion des protéines et des lipides en glucose ou dégradation en vue de la production d'énergie
2. Augmentation de la glycémie
3. Affaiblissement du système immunitaire

Figure 9.12 **Les rôles de l'hypothalamus, de la médulla surrénale et du cortex surrénal dans la réponse au stress**

(Remarque : L'ACTH est seulement un stimulateur faible de la sécrétion de minéralocorticoïdes dans des conditions normales.)

caractéristiques d'une hyperactivité sympathique: fréquence cardiaque rapide, hypertension, nervosité et transpiration abondante. L'ablation des cellules sécrétrices de catécholamines permet de corriger ce problème. ▲

LES ÎLOTS PANCRÉATIQUES

Situé près de l'estomac dans la cavité abdominale (voir la figure 9.3), le pancréas est une glande mixte. Les **îlots pancréatiques**, ou îlots de Langerhans, sont probablement les glandes endocrines les mieux dissimulées de l'organisme. Ces minuscules amas de tissu producteur d'hormones sont disséminés dans les cellules acineuses, qui produisent les enzymes du pancréas. Nous traiterons plus loin de la partie **exocrine** (productrice d'enzymes) du pancréas, qui participe à la digestion. Ici, nous décrirons uniquement les îlots pancréatiques.

Même s'il y a plus d'un million d'îlots, séparés par des cellules sécrétrices de la partie exocrine, chacun de ces minuscules amas de cellules est occupé à produire ses hormones et à travailler comme un organe dans un organe. Certaines cellules des îlots sécrètent l'**insuline**; certaines autres sécrètent le **glucagon**. D'autres cellules des îlots élaborent également de petites quantités d'autres hormones dont nous ne traiterons pas ici.

L'augmentation de la glycémie stimule la sécrétion d'insuline par les **endocrinocytes bêta** des îlots pancréatiques (figure 9.13). L'insuline agit sur presque toutes les cellules de l'organisme et accroît (sauf pour les cellules du foie, des reins et de l'encéphale) leur capacité de transporter le glucose à travers leur membrane plasmique. Une fois à l'intérieur des cellules, le glucose est oxydé pour fournir de l'énergie, ou alors il est converti en

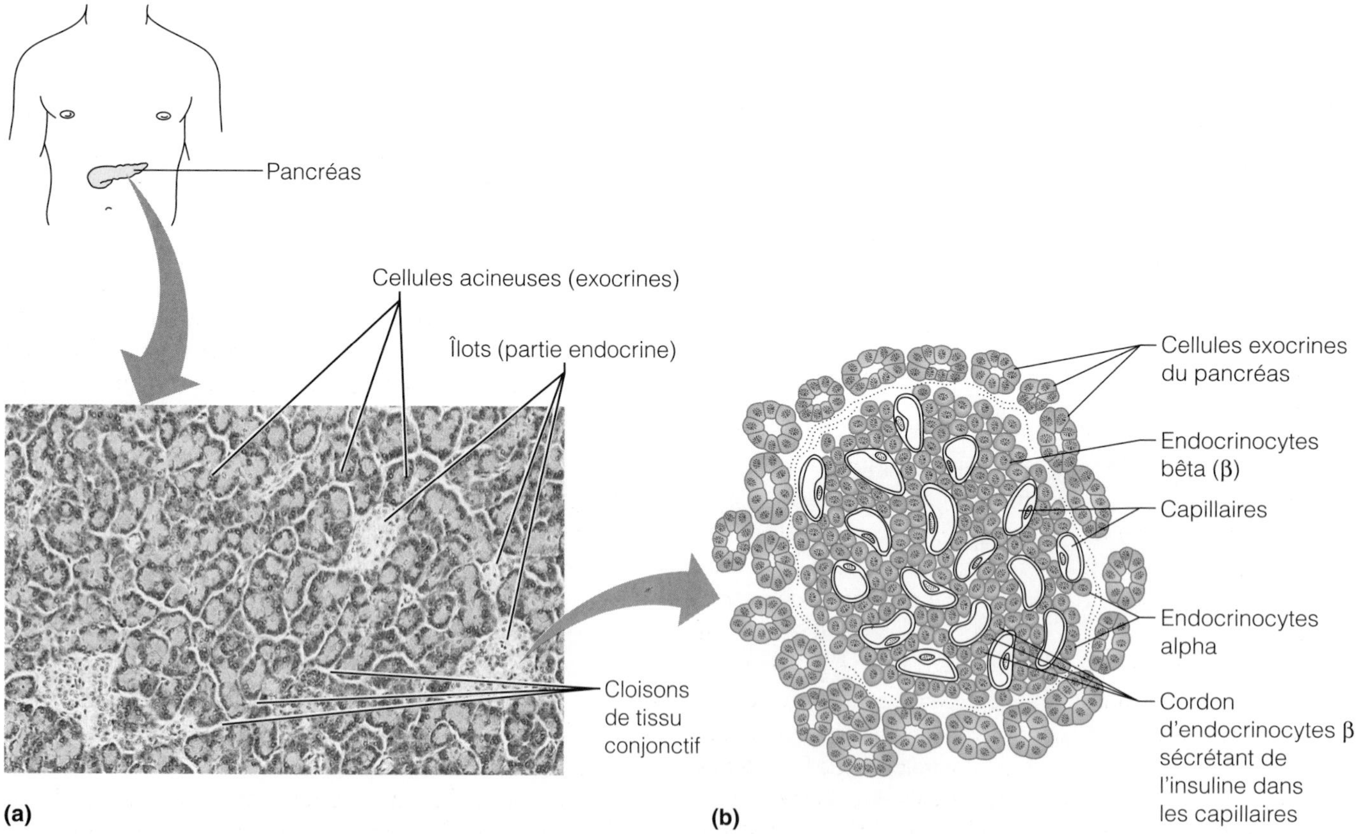
Pancréas
Cellules acineuses (exocrines)
Îlots (partie endocrine)
Cloisons de tissu conjonctif
(a)
Cellules exocrines du pancréas
Endocrinocytes bêta (β)
Capillaires
Endocrinocytes alpha
Cordon d'endocrinocytes β sécrétant de l'insuline dans les capillaires
(b)

Figure 9.13 **Tissu pancréatique**

(a) Photomicrographie du pancréas (110×). On distingue clairement les régions exocrines et endocrines (îlots pancréatiques).
(b) Schéma d'un îlot pancréatique. Les endocrinocytes bêta produisent l'insuline, qui favorise l'absorption par les cellules du glucose transporté par le sang. Les endocrinocytes alpha produisent le glucagon, qui stimule la libération de glucose dans le sang par les cellules du foie.

glycogène ou en graisses qui sont ensuite emmagasinés. Ces activités sont également accélérées par l'insuline. Étant donné que l'insuline retire le glucose du sang, son effet est *hypoglycémiant*. Lorsque la glycémie diminue, le stimulus qui déclenche la libération d'insuline cesse; ce mécanisme est un autre exemple classique de rétro-inhibition. Un grand nombre d'hormones sont hyperglycémiantes (le glucagon, les glucocorticoïdes et l'adrénaline, pour n'en nommer que quelques-unes), mais l'insuline est la seule qui abaisse la glycémie. Celle-ci est absolument essentielle à l'utilisation du glucose par les cellules de l'organisme. Sans insuline, il est à peu près impossible au glucose de pénétrer dans les cellules pour fournir de l'énergie.

Déséquilibre homéostatique

Sans insuline, le taux sanguin de glucose (qui normalement varie entre 3,9 et 6,1 mmol/L de sang) augmente de façon excessive (jusqu'à 30 mmol/L de sang, par exemple). Lorsque cela arrive, le glucose commence à être excrété dans l'urine, car les cellules des tubules rénaux ne peuvent plus le réabsorber assez rapidement. Comme l'excrétion de l'eau suit celle du glucose, la déshydratation apparaît. Ce trouble est appelé **diabète sucré**. Plus d'un million de Canadiens, et deux millions de Français, sont affectés par cette maladie dont la prévalence est en progression (on prévoit que le nombre de diabétiques dans le monde, qui dépasse 180 millions actuellement, doublera d'ici une vingtaine d'années) ; en Europe et en Amérique du Nord, près de 8 % de la population est diabétique. Étant donné que le glucose ne peut pas servir de combustible cellulaire, des graisses et même des protéines sont dégradées et utilisées pour fournir l'énergie dont l'organisme a besoin. Cela se traduit par une perte de masse corporelle. La déperdition des protéines entraîne par ailleurs une diminution de la résistance à l'infection; les personnes diabétiques doivent donc observer une excellente hygiène corporelle et soigner sans tarder les moindres coupures et ecchymoses. Lorsque de grandes quantités de graisses (plutôt que de sucres) sont utilisées pour produire de l'énergie, le sang s'acidifie considérablement (**acidose**) à mesure que des corps cétoniques (produits intermédiaires de la dégradation des graisses) s'accumulent dans le sang. En raison de la nature des substances qui la causent, cette forme d'acidose est à proprement parler une **cétose**. S'il est laissé sans traitement, ce problème entraîne le coma et la mort. Les trois signes majeurs du diabète sucré sont 1) la *polyurie*, émission d'une quantité excessive d'urine pour évacuer le glucose et les corps cétoniques, 2) la *polydipsie*, soif excessive causée par la perte d'eau, et 3) la *polyphagie*, faim exagérée causée par l'incapacité d'utiliser les sucres ainsi que par la déperdition des graisses et des protéines de l'organisme.

Dans le type le moins grave de diabète sucré (diabète de type II, ou diabète non insulinodépendant, soit près de 90 % des cas de diabète), les patients produisent de l'insuline, mais, pour une raison quelconque, leurs récepteurs d'insuline sont incapables de réagir à l'hormone, état appelé **insulinorésistance**. Ce type de diabète est surtout lié à l'âge, à la sédentarité et à l'alimentation, mais aussi, semble-t-il, à quatre gènes récemment découverts qui seraient associés à une prédisposition à en être affecté. Le traitement consiste à suivre une diète particulière ou à prendre des hypoglycémiants oraux qui, pour certains, agissent en stimulant les îlots devenus paresseux, pour d'autres en augmentant la sensibilité des tissus cibles à l'insuline et celle des endocrinocytes bêta à la stimulation par le glucose, et pour d'autres, enfin, en limitant la digestion ou l'absorption du glucose au niveau intestinal. Au Canada, on enregistre 60 000 nouveaux cas de diabète de type II chaque année. Dans les cas plus graves (diabète de type I, ou diabète insulinodépendant), la personne atteinte doit porter sur elle une pompe externe qui lui fournit de l'insuline par perfusion continue, ou elle doit suivre un traitement quotidien et rigoureux d'injections d'insuline. Avant les années 1980, l'insuline utilisée était extraite de pancréas d'animaux; elle est maintenant produite par génie génétique. En outre, le mode d'administration est en voie de changer avec la mise en marché récente de l'insuline inhalée. Le diabète de type I est une maladie héréditaire et est causé par la destruction des cellules bêta des îlots pancréatiques par le système immunitaire du sujet. Un traitement avec des anticorps qui empêcheraient la destruction des cellules bêta par les globules blancs est actuellement à l'étude. ▲

Le glucagon a des effets opposés à ceux de l'insuline; c'est-à-dire qu'il participe à la régulation de la glycémie, mais le résultat de son action est le contraire de celui de l'insuline (figure 9.14). Sa libération par les **endocrinocytes alpha** (voir la figure 9.13b) des îlots pancréatiques est stimulée par un faible taux de glucose sanguin. Le glucagon est une hormone essentiellement hyperglycémiante. Son organe cible principal est le foie, qui réagit à sa stimulation en dégradant le glycogène en glucose et en libérant ce dernier dans le sang. Il ne semble pas que l'hypersécrétion ou l'hyposécrétion de glucagon soit suivie de troubles graves.

LE CORPS PINÉAL

Le **corps pinéal** est une petite glande de forme conique qui s'accroche, du côté postérieur, au toit du troisième

Q Comment une augmentation du taux de glucagon dans le sang influe-t-elle sur la capacité du foie de synthétiser et d'emmagasiner le glycogène?

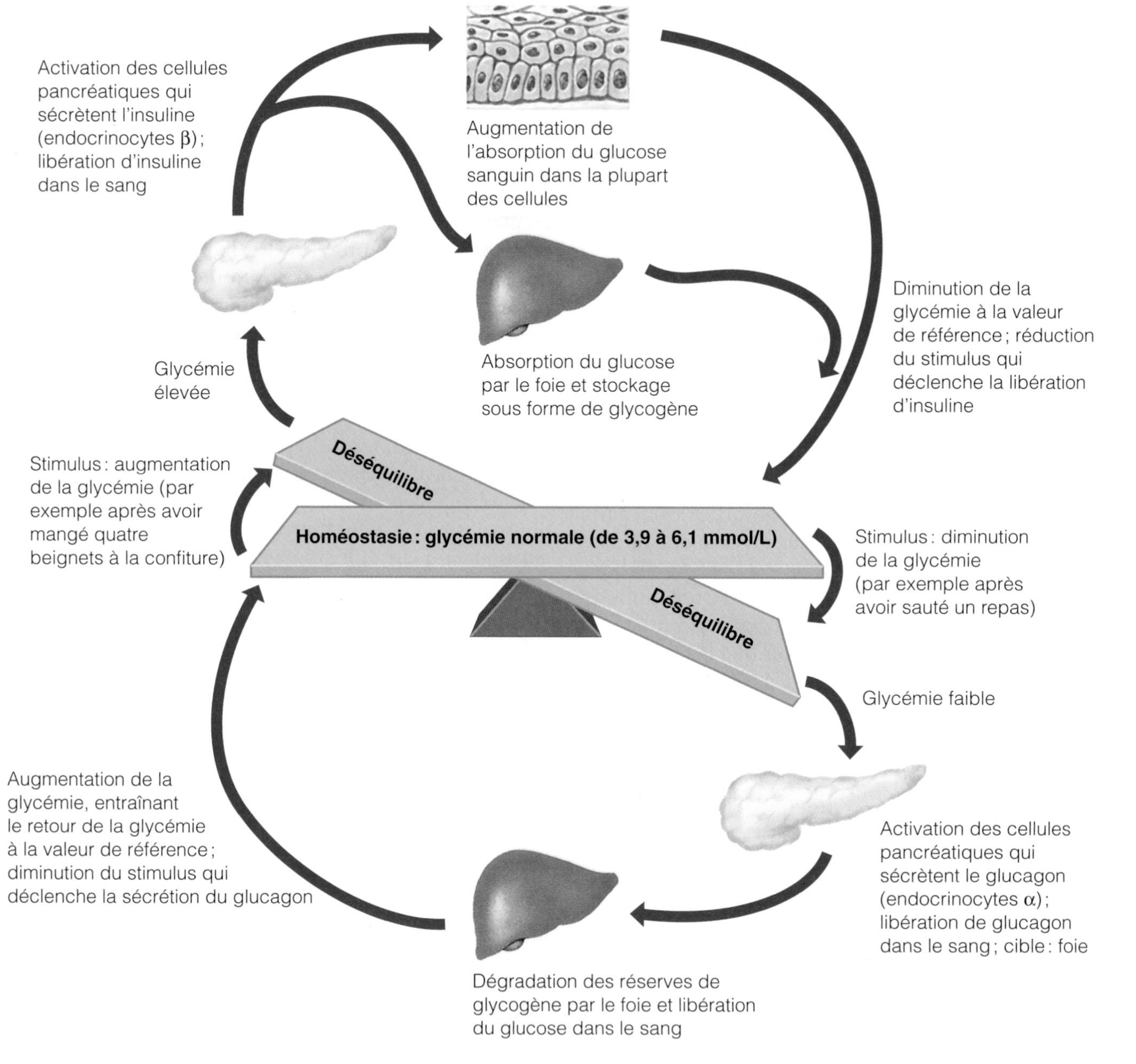

Activation des cellules pancréatiques qui sécrètent l'insuline (endocrinocytes β); libération d'insuline dans le sang
Augmentation de l'absorption du glucose sanguin dans la plupart des cellules
Absorption du glucose par le foie et stockage sous forme de glycogène
Diminution de la glycémie à la valeur de référence; réduction du stimulus qui déclenche la libération d'insuline
Glycémie élevée
Déséquilibre
Stimulus: augmentation de la glycémie (par exemple après avoir mangé quatre beignets à la confiture)
Homéostasie: glycémie normale (de 3,9 à 6,1 mmol/L)
Stimulus: diminution de la glycémie (par exemple après avoir sauté un repas)
Déséquilibre
Glycémie faible
Augmentation de la glycémie, entraînant le retour de la glycémie à la valeur de référence; diminution du stimulus qui déclenche la sécrétion du glucagon
Activation des cellules pancréatiques qui sécrètent le glucagon (endocrinocytes α); libération de glucagon dans le sang; cible: foie
Dégradation des réserves de glycogène par le foie et libération du glucose dans le sang

Figure 9.14 **La régulation de la glycémie par un mécanisme de rétro-inhibition faisant intervenir les hormones pancréatiques**

ventricule de l'encéphale (voir la figure 9.3). Il est constitué de cellules ressemblant à des neurones, de neurofibres amyélinisées et de gliocytes. La fonction endocrine du corps pinéal est encore obscure. Bien qu'on ait isolé de nombreuses substances chimiques de cette glande minuscule, sa seule sécrétion importante semble être la **mélatonine**. La quantité de mélatonine dans le sang augmente et diminue au fil du jour et de la nuit;

R Le glucagon inhibe la capacité du foie de synthétiser et d'emmagasiner le glycogène. Une augmentation de sa concentration dans le sang aura pour effet de freiner cette fonction du foie.

les taux les plus élevés apparaissent le soir et nous rendent somnolents, tandis que les taux les plus bas sont atteints le jour, vers midi. On croit que cette hormone est une des substances qui déclenchent le sommeil et qu'à ce titre elle joue un rôle important dans l'établissement du cycle jour-nuit de l'organisme. Chez certains animaux, la mélatonine contribue également à la régulation des comportements et des rythmes sexuels. Chez les humains, il semble qu'elle coordonne les hormones de fécondité et inhibe le système génital (surtout les ovaires de la femme) afin d'empêcher que la maturation sexuelle se produise avant que l'organisme ait atteint ses proportions adultes. De plus, de récentes recherches établissent un lien entre le temps passé devant la source de radiations qu'est le téléviseur et une baisse de sécrétion de mélatonine ; cet effet sur la mélatonine pourrait à son tour être lié à la diminution de l'âge de la puberté.

LE THYMUS

Le **thymus** est situé dans la partie supérieure du thorax, à l'arrière du sternum. De grandes dimensions chez l'enfant, cette glande diminue de volume au cours de l'âge adulte. À la fin de la vie, il n'en reste à peu près plus que du tissu adipeux. Le thymus élabore une hormone appelée **thymosine**. Pendant l'enfance, le thymus sert d'incubateur pour la maturation d'un groupe particulier de leucocytes (*lymphocytes T*) qui jouent un rôle important dans la réaction immunitaire. Le rôle du thymus (et de ses hormones) dans l'immunité est décrit au chapitre 12.

LES GONADES

Chez l'homme comme chez la femme, les hormones sexuelles produites par les gonades (voir la figure 9.3) sont identiques à celles qu'élabore le cortex surrénal, sauf qu'elles sont plus abondantes.

Les hormones des ovaires

Chez la femme, les *gonades*, ou **ovaires**, sont deux petits organes de forme ovale logés dans la cavité pelvienne. Outre qu'ils produisent les gamètes femelles (ovules), les ovaires synthétisent deux groupes d'hormones stéroïdes : les *œstrogènes* et la *progestérone*. Ils ne commencent à fonctionner véritablement qu'à la puberté, lorsque les gonadotrophines de l'adénohypophyse les activent. Cette stimulation déclenche le cycle ovarien, caractérisé par le développement d'ovules et la fluctuation rythmique des taux sanguins d'hormones ovariennes.

Les **œstrogènes** synthétisés par les **follicules ovariques** mûrs des ovaires, surtout l'**œstrone** et l'**œstradiol**, provoquent l'apparition des caractères sexuels secondaires chez la femme (en particulier la croissance et la maturation des organes génitaux ainsi que l'apparition de poils dans les régions pubienne et axillaire). En outre, les œstrogènes, en conjonction avec la progestérone, préparent l'utérus à recevoir l'ovule fécondé. Cette préparation entraîne des modifications cycliques de la muqueuse de l'utérus, c'est-à-dire le **cycle menstruel**. Les œstrogènes contribuent aussi à maintenir la grossesse et à préparer les seins à produire du lait (lactation). C'est toutefois le placenta, et non les ovaires, qui est la source d'œstrogènes à cette période.

Comme nous l'avons déjà mentionné, la **progestérone**, conjointement avec les œstrogènes, établit le cycle menstruel. Pendant la grossesse, elle inhibe les contractions utérines afin d'empêcher l'avortement de l'embryon implanté et contribue à préparer les tissus mammaires pour la lactation. La progestérone est sécrétée par une autre structure glandulaire des ovaires, le **corps jaune**, qui synthétise aussi des œstrogènes, mais en moins grandes quantités.

Les ovaires libèrent les œstrogènes et la progestérone de façon cyclique en réaction à leur stimulation par les gonadotrophines de l'adénohypophyse. Ce cycle de rétroaction ainsi que la structure et la fonction des ovaires sont décrits plus en détail au chapitre 16, mais vous aurez probablement deviné que l'hyposécrétion des hormones ovariennes diminue grandement la capacité d'une femme de concevoir et de mener une grossesse à terme.

Les hormones des testicules

De forme ovale, les **testicules** sont suspendus dans une enveloppe cutanée externe attachée à la partie inférieure de l'abdomen, le *scrotum*. Outre qu'ils produisent les gamètes mâles, ou *spermatozoïdes*, les testicules synthétisent les hormones sexuelles mâles, ou **androgènes**, dont la **testostérone** est la plus importante. Fabriquée par les **endocrinocytes interstitiels** des testicules, la testostérone suscite le développement des caractères sexuels masculins adultes. Elle entraîne le développement et la maturation des organes génitaux pour préparer le jeune homme à la reproduction. La testostérone est également nécessaire à l'apparition des caractères sexuels secondaires (barbe, développement des os et des muscles, abaissement de la voix) et à la stimulation de la libido.

Chez l'homme adulte, la testostérone est essentielle à la production continue de spermatozoïdes. L'hyposécrétion de cette hormone entraîne la stérilité, qu'on peut généralement traiter par injections de testostérone. Les fonctions endocrine et exocrine des testicules commencent à la puberté sous l'influence des gonadotrophines de l'adénohypophyse. La production de testostérone est spécifiquement stimulée par la LH. Le chapitre 16, qui porte sur le système génital, décrit plus en détail la structure et la fonction exocrine des testicules.

Les autres tissus et les organes hormonopoïétiques

En plus des principaux organes endocriniens, on trouve des amas de cellules productrices d'hormones dans le tissu adipeux, dans les os, dans les parois de l'intestin grêle, de l'estomac et du cœur ainsi que dans les reins, qui sont tous des organes dont la fonction première n'a pas grand-chose à voir avec la production hormonale. Le placenta, organe temporaire qui se constitue au cours de la grossesse, synthétise des hormones qu'on associe habituellement aux ovaires (œstrogènes et progestérone). Par ailleurs, certaines cellules tumorales, par exemple celles qu'on trouve dans certains cancers du poumon et du pancréas, sécrètent des hormones identiques à celles qui sont produites par les glandes endocrines normales, mais en quantités excessives et anarchiques.

Étant donné que la plupart de ces hormones sont étudiées dans des chapitres ultérieurs, nous nous contentons ici d'en résumer les principales caractéristiques dans le tableau 9.2. Seul le placenta est décrit ci-après.

LE PLACENTA

Le **placenta** est un organe remarquable qui se forme temporairement dans l'utérus de la femme enceinte. Il remplit ses fonctions de nutrition, de respiration et d'excrétion pour le fœtus, et produit des hormones qui contribuent à maintenir la grossesse et à préparer l'accouchement.

Au tout début de la grossesse (une semaine après la fécondation), la **gonadotrophine chorionique humaine** (**hCG**, pour *human chorionic gonadotropin*) est élaborée par la membrane entourant l'embryon, puis par la partie fœtale du placenta. Semblable à la LH (hormone lutéinisante), la hCG incite le corps jaune de l'ovaire à *continuer* de produire des œstrogènes et de la progestérone afin que la muqueuse de l'utérus ne se détache pas comme pendant la menstruation. (Les tests de grossesse en vente libre dans les pharmacies permettent de déceler la gonadotrophine chorionique dans l'urine quelques jours après un retard dans les règles.) Au cours du troisième mois, c'est le placenta qui commence à produire des *œstrogènes* et de la *progestérone*; les ovaires deviennent inactifs jusqu'à l'accouchement. Les taux sanguins élevés d'œstrogènes et de progestérone préservent la muqueuse de l'utérus (et, par le fait même, la grossesse) et préparent la sécrétion lactée des seins. En conjonction avec les œstrogènes et la progestérone, l'*hormone placentaire lactogène humaine* (hPL, pour *human placental lactogen*) prépare les seins à la lactation, alors que la *relaxine*, autre hormone placentaire, provoque le relâchement et l'assouplissement des ligaments pelviens et de la symphyse pubienne, ce qui facilitera l'expulsion du fœtus à l'accouchement.

Le développement et le vieillissement du système endocrinien

Le développement embryonnaire des glandes endocrines varie d'une glande à l'autre. L'hypophyse s'élabore à partir d'un épithélium de la cavité orale et d'un prolongement de tissu nerveux de l'hypothalamus. Le corps pinéal est entièrement composé de tissu nerveux. La plupart des glandes strictement épithéliales (thyroïde, thymus et pancréas) se développent à partir d'évaginations de la muqueuse du tube digestif. La formation des gonades, des glandes surrénales et des glandes parathyroïdes est beaucoup plus complexe et ne sera pas expliquée ici.

Exception faite des dysfonctionnements dont nous avons déjà parlé, la plupart des glandes endocrines s'acquittent de leur tâche sans heurt jusqu'à la fin de la vie. Vers la fin de l'âge mûr, l'efficacité des ovaires commence à décroître. Ce déclin déclenche la **ménopause**. Durant cette période, les organes génitaux de la femme commencent à s'atrophier, et sa capacité de se reproduire disparaît. Apparaissent alors les troubles associés à la déficience en œstrogènes, notamment l'artériosclérose (liée à l'augmentation de cholestérol et de LDL [*low-density lipoprotein*]), l'ostéoporose, la perte d'élasticité de la peau et les « bouffées de chaleur » (ces bouffées sont attribuables aux modifications du fonctionnement de la partie sympathique du SNA). La femme ménopausée peut également souffrir de fatigue, de nervosité et de troubles de l'humeur tels que la dépression. Il ne semble pas se produire de changements aussi importants chez l'homme. En fait, beaucoup d'hommes demeurent fertiles durant toute leur vie, signe que la testostérone continue d'être sécrétée en quantités adéquates.

L'efficacité du système endocrinien dans son ensemble diminue graduellement au cours du vieillissement. Chez la femme, on observe des changements radicaux, en raison de la production décroissante des œstrogènes. Chez tous, la sécrétion de la GH par l'adénohypophyse diminue, ce qui explique en partie l'atrophie musculaire des personnes âgées. Ces dernières sont aussi moins résistantes au stress et à l'infection. Cette baisse de la résistance peut provenir aussi bien d'une production excessive que d'une production insuffisante des hormones qui interviennent dans l'immunité, car l'une comme l'autre déséquilibrent les mécanismes de défense et altèrent le métabolisme général. De plus, les personnes âgées présentent souvent une légère hypothyroïdie, et la sécrétion d'insuline diminue dans tous les cas ; c'est d'ailleurs chez ces personnes que le diabète de type II est le plus fréquent.

Tableau 9.2 **Quelques hormones produites par des organes autres que les principales glandes endocrines**

Hormones	Composition chimique	Sources	Stimulus	Organes cibles et effets
Prostaglandines (PG) ; quelques groupes sont désignés par une lettre de A à I (de PGA à PGI)	Dérivées de molécules d'acides gras	Membrane plasmique de presque toutes les cellules de l'organisme	Variés (irritation locale, hormones, etc.)	Ont plusieurs organes cibles, mais agissent localement dans la région où elles sont libérées. Exemples d'effets : vasoconstriction qui entraîne une augmentation de la pression artérielle ; constriction des voies respiratoires ; stimulation utérine favorisant le travail de l'accouchement ; accroissement de la coagulation du sang ; augmentation de l'inflammation et de la douleur ; augmentation de la sécrétion de sucs digestifs par l'estomac ; déclenchement de la fièvre.
Gastrine	Peptide	Estomac	Aliments	Estomac : déclenche la libération d'acide chlorhydrique (HCl).
Peptide inhibiteur gastrique (GIP)	Peptide	Intestin grêle	Aliments, surtout les graisses	Estomac : inhibe la sécrétion de HCl et la motilité gastro-intestinale.
Sécrétine	Peptide	Duodénum	Aliments	Pancréas : stimule la libération de suc riche en bicarbonate. Foie : augmente la sécrétion de bile. Estomac : inhibe l'activité sécrétrice.
Cholécystokinine (CCK)	Peptide	Duodénum	Aliments	Pancréas : stimule la libération de suc riche en enzymes. Vésicule biliaire : stimule l'expulsion de la bile emmagasinée. Sphincter de l'ampoule hépatopancréatique : cause un relâchement qui permet à la bile et au suc pancréatique de se déverser dans le duodénum.
Érythropoïétine	Glycoprotéine	Reins	Hypoxie	Moelle osseuse : stimule la production d'érythrocytes.
1,25-dihydrocholécalciférol (calcitriol)	Stéroïde	Reins (activent la vitamine D_3 produite par les cellules de l'épiderme)	PTH	Intestin : stimule le transport actif du calcium alimentaire à travers la membrane plasmique des cellules de l'intestin.
Facteur natriurétique auriculaire (FNA)	Peptide	Cœur	Dilatation des oreillettes	Reins : inhibe la réabsorption des ions sodium et la libération de rénine. Cortex surrénal : inhibe la sécrétion d'aldostérone.
Leptine	Peptide	Tissu adipeux	Aliments gras	Encéphale : inhibe l'appétit et augmente la dépense énergétique.

Tous pour un, un pour tous

Les relations entre le système endocrinien et les autres systèmes de l'organisme

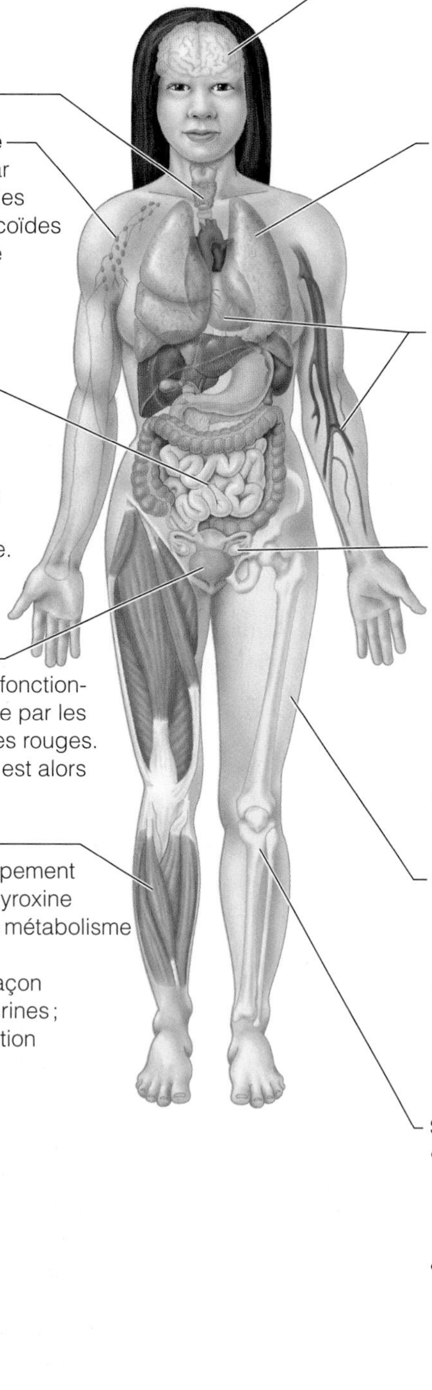

Système endocrinien

Système lymphatique et immunitaire
- Des lymphocytes « programmés » par les hormones thymiques parsèment les nœuds lymphatiques ; les glucocorticoïdes affaiblissent la réaction inflammatoire et la réponse immunitaire.
- La lymphe transporte les hormones vers le sang.

Système digestif
- Des hormones gastro-intestinales locales influent sur la digestion ; le 1,25-dihydrocholécalciférol est nécessaire à l'absorption du calcium alimentaire ; les catécholamines influent sur l'activité gastro-intestinale.
- Le système digestif fournit des nutriments aux glandes endocrines.

Système urinaire
- L'aldostérone et l'ADH influent sur le fonctionnement rénal ; l'érythropoïétine libérée par les reins stimule la formation des globules rouges.
- Les reins activent la vitamine D_3 (qui est alors considérée comme une hormone).

Système musculaire
- La GH est indispensable au développement musculaire ; d'autres hormones (la thyroxine et les catécholamines) influent sur le métabolisme des muscles.
- Le système musculaire protège de façon mécanique certaines glandes endocrines ; l'activité musculaire favorise la libération des catécholamines.

Système nerveux
- De nombreuses hormones (la GH, les hormones thyroïdiennes et les hormones sexuelles) influent sur le développement et le fonctionnement du système nerveux.
- L'hypothalamus régit l'adénohypophyse et élabore lui-même deux hormones : l'ADH et l'ocytocine.

Système respiratoire
- L'adrénaline influe sur la ventilation (en dilatant les bronchioles).
- Le système respiratoire fournit de l'oxygène et élimine le gaz carbonique ; une enzyme pulmonaire convertit l'angiotensine I en angiotensine II.

Système cardiovasculaire
- Plusieurs hormones influent sur le volume sanguin, la pression artérielle et la contractilité cardiaque ; l'érythropoïétine stimule la production d'érythrocytes.
- Le sang transporte les hormones ; le cœur sécrète le facteur natriurétique auriculaire.

Système génital
- Les hormones hypothalamiques, adénohypophysaires et gonadiques régissent le développement et le fonctionnement du système génital ; l'ocytocine et la prolactine jouent un rôle pendant l'accouchement et l'allaitement ; la thyroxine est essentielle au développement du système génital ; la mélatonine influe sur les comportements sexuels.
- Les hormones gonadiques influent par rétroaction sur le fonctionnement du système endocrinien.

Système tégumentaire
- Les androgènes stimulent les glandes sébacées ; les œstrogènes favorisent l'hydratation de la peau.
- La peau synthétise un précurseur de la vitamine D (cholécalciférol ou vitamine D_3), laquelle permet à la PTH de produire son effet sur l'intestin.

Système osseux
- La PTH et la calcitonine régissent le taux sanguin de calcium ; la GH, la T_3, la T_4 et les hormones sexuelles sont nécessaires au développement du squelette.
- Le squelette protège les glandes endocrines, particulièrement celles qui sont situées dans l'encéphale, le thorax et le bassin.

Résumé du chapitre 9

LE SYSTÈME ENDOCRINIEN ET LA FONCTION HORMONALE : CARACTÉRISTIQUES GÉNÉRALES *(p. 336-338)*

1. Le système endocrinien est un des principaux systèmes de régulation de l'organisme. Par l'intermédiaire des hormones, il régit des processus de longue durée comme la croissance et le développement, le métabolisme, la reproduction et le fonctionnement du système immunitaire.

2. Les organes endocriniens sont petits et disséminés dans des régions de l'organisme éloignées les unes des autres. Certains font partie de glandes mixtes (à la fois endocrines et exocrines). D'autres sont strictement hormonopoïétiques.

3. Toutes les hormones sont des hormones stéroïdes ou des hormones dérivées d'acides aminés.

4. Les organes endocriniens libèrent leurs hormones dans le sang en réponse à des stimulus hormonaux, humoraux ou nerveux. La rétro-inhibition est un important mécanisme de régulation des concentrations d'hormones dans le sang.

5. Les hormones transportées par le sang modifient l'activité métabolique de leurs tissus ou organes cibles. La capacité d'un tissu ou d'un organe cible de réagir à une hormone dépend de la présence de récepteurs dans ses cellules ou à leur surface, récepteurs auxquels l'hormone se lie.

6. Les hormones dérivées d'acides aminés agissent par l'intermédiaire de seconds messagers. Les hormones stéroïdes influent directement sur l'ADN de la cellule cible.

LES PRINCIPAUX ORGANES ENDOCRINIENS *(p. 338-357)*

1. L'hypophyse
   - **a)** L'hypophyse s'attache à la base de l'encéphale par une tige, et elle est entourée d'os. Elle comprend un lobe antérieur de tissu glandulaire (adénohypophyse) et un lobe postérieur de tissu nerveux (neurohypophyse).
   - **b)** Exception faite de l'hormone de croissance et de la prolactine, toutes les hormones de l'adénohypophyse sont des stimulines.
     1) Hormone de croissance (GH). Cette hormone est une hormone anabolisante qui stimule la synthèse des protéines et la croissance de l'organisme en général. Elle agit surtout sur les muscles squelettiques et les os. Si elle n'est pas traitée, l'hyposécrétion de GH chez l'enfant provoque le nanisme hypophysaire ; l'hypersécrétion entraîne le gigantisme chez l'enfant et l'acromégalie chez l'adulte.
     2) Prolactine (PRL). Cette hormone stimule la sécrétion lactée.
     3) Corticotrophine (ACTH). Cette hormone stimule la libération des corticostéroïdes par le cortex surrénal et dans une moindre mesure des minéralocorticoïdes.
     4) Thyréotrophine (TSH). Cette hormone stimule la libération des hormones thyroïdiennes par la glande thyroïde.
     5) Gonadotrophines
        - a) Hormone folliculostimulante (FSH). À partir de la puberté, cette hormone stimule le développement des follicules ovariques et la production d'œstrogènes par les ovaires chez la femme ; elle stimule la production de spermatozoïdes chez l'homme.
        - b) Hormone lutéinisante (LH). À partir de la puberté, cette hormone stimule l'ovulation, transforme le follicule ovarique mûr en corps jaune et stimule la production de progestérone par le corps jaune ; elle stimule la production de testostérone par les testicules chez l'homme.
   - **c)** Les hormones de libération et d'inhibition produites par l'hypothalamus régissent la sécrétion des hormones synthétisées par l'adénohypophyse. L'hypothalamus élabore également deux hormones qui sont emmagasinées puis libérées par la neurohypophyse.
   - **d)** La neurohypophyse emmagasine puis libère les hormones hypothalamiques sur demande.
     1) Ocytocine. Cette hormone provoque de fortes contractions utérines et l'éjection du lait chez la femme qui allaite.
     2) Hormone antidiurétique (ADH). Cette hormone stimule la réabsorption et la conservation de l'eau par les cellules des tubules rénaux ; elle entraîne une constriction des vaisseaux sanguins qui fait augmenter la pression artérielle. L'hyposécrétion d'ADH cause le diabète insipide.

2. La glande thyroïde
   - **a)** La glande thyroïde est située dans la partie antérieure de la gorge.
   - **b)** Les hormones thyroïdiennes sont la thyroxine (T_4) et la triiodothyronine (T_3). Elles sont sécrétées par les follicules thyroïdiens lorsque les taux sanguins de TSH augmentent. Les hormones thyroïdiennes régissent le métabolisme de l'organisme. Elles accélèrent l'oxydation du glucose par les cellules, et elles sont essentielles à la croissance et au développement. Le déficit en iode entraîne le goitre. L'hyposécrétion de thyroxine cause le crétinisme chez l'enfant et le myxœdème chez l'adulte ; l'hypersécrétion cause la maladie de Basedow ou d'autres formes d'hyperthyroïdie.
   - **c)** La calcitonine est sécrétée par les cellules C entourant les follicules thyroïdiens. Elle est stimulée par l'élévation des taux sanguins de calcium et favorise le dépôt du calcium dans les os.

3. Les glandes parathyroïdes

a) Les quatre petites glandes parathyroïdes sont situées sur la face postérieure de la glande thyroïde.

b) La diminution du taux sanguin de calcium stimule la libération de la parathormone (PTH) par les glandes parathyroïdes. Cette hormone provoque la libération du calcium osseux dans le sang. L'hyposécrétion de PTH cause la tétanie; l'hypersécrétion provoque une perte osseuse très importante et augmente le risque de fractures.

4. Les glandes surrénales

a) Les deux glandes surrénales sont situées au-dessus des reins. Chacune comprend deux structures endocrines fonctionnelles: le cortex surrénal et la médulla surrénale.

b) Le cortex surrénal produit plusieurs types d'hormones.

1) Les minéralocorticoïdes (principalement l'aldostérone) régissent la réabsorption des ions sodium (Na^+) et l'excrétion des ions potassium (K^+) par les reins. La sécrétion de ces hormones est stimulée principalement par la diminution du taux sanguin de sodium ou par l'augmentation du taux sanguin de potassium (ou les deux).

2) Les glucocorticoïdes aident l'organisme à résister aux facteurs de stress prolongés en augmentant les taux sanguins de glucose et en affaiblissant la réaction inflammatoire.

3) Les hormones sexuelles (principalement les androgènes) sont produites en petites quantités toute la vie.

c) L'hyposécrétion des hormones du cortex surrénal cause la maladie d'Addison; l'hypersécrétion peut entraîner l'hyperaldostéronisme, le syndrome de Cushing ou la virilisation (ou les deux).

d) La libération des catécholamines (adrénaline et noradrénaline) par la médulla surrénale est stimulée par la partie sympathique du SNA. Les catécholamines intensifient ou prolongent la réaction de lutte ou de fuite (partie sympathique du SNA) en présence de facteurs de stress passagers. L'hypersécrétion cause les symptômes caractéristiques de l'hyperactivité sympathique.

5. Les îlots pancréatiques

a) Situé près de l'estomac dans l'abdomen, le pancréas est une glande à la fois exocrine et endocrine. La partie endocrine (îlots) libère l'insuline et le glucagon dans le sang.

b) L'insuline est libérée lorsque les taux sanguins de glucose sont élevés. Elle accélère l'absorption du glucose et son métabolisme par les cellules. L'hyposécrétion d'insuline cause le diabète sucré, trouble qui perturbe gravement le métabolisme. Les signes majeurs du diabète sucré sont la polyurie, la polydipsie et la polyphagie.

c) Le glucagon est libéré lorsque les taux sanguins de glucose sont faibles. Il stimule la libération de glucose dans le sang par le foie.

6. Le corps pinéal est situé dans le troisième ventricule de l'encéphale. Il libère la mélatonine, qui influe sur les processus physiologiques rythmiques et sur les comportements sexuels.

7. Le thymus, situé dans la partie supérieure du thorax, fonctionne au début de la vie et s'atrophie graduellement au cours du vieillissement. L'hormone qu'il sécrète, la thymosine, semble concourir à la maturation des lymphocytes T, leucocytes importants dans la réponse immunitaire.

8. Les gonades

a) Les ovaires de la femme libèrent deux hormones.

1) Œstrogènes. La sécrétion des œstrogènes par les follicules ovariques commence à la puberté sous l'influence de la FSH. Les œstrogènes stimulent la maturation des organes génitaux et l'apparition des caractères sexuels secondaires. En conjonction avec la progestérone, ils établissent le cycle menstruel.

2) Progestérone. La sécrétion de progestérone par le corps jaune de l'ovaire est stimulée par l'augmentation des taux sanguins de LH. En conjonction avec les œstrogènes, elle participe à l'établissement du cycle menstruel.

b) Les testicules de l'homme commencent à élaborer de la testostérone à la puberté sous l'influence de la LH. La testostérone provoque la maturation des organes génitaux, l'apparition des caractères sexuels secondaires et la production de spermatozoïdes par les testicules.

c) L'hyposécrétion des gonadotrophines entraîne la stérilité tant chez l'homme que chez la femme.

LES AUTRES TISSUS ET LES ORGANES HORMONOPOÏÉTIQUES *(p. 358)*

1. Le placenta est un organe temporaire qui se forme dans l'utérus de la femme enceinte. Sa principale fonction endocrine est de produire des œstrogènes et de la progestérone pour maintenir la grossesse et préparer les seins à la lactation.

2. Plusieurs organes dont la fonction première n'est pas endocrine (par exemple l'estomac, l'intestin grêle, les reins, le cœur et les os) possèdent des cellules qui sécrètent des hormones.

3. Certaines cellules cancéreuses sécrètent des hormones.

LE DÉVELOPPEMENT ET LE VIEILLISSEMENT DU SYSTÈME ENDOCRINIEN *(p. 358-359)*

1. Exception faite des états pathologiques, l'efficacité du système endocrinien demeure élevée jusqu'à un âge avancé.

2. Le déclin de l'activité ovarienne chez la femme ménopausée peut entraîner l'ostéoporose, augmenter le risque de maladie cardiaque et causer des troubles de l'humeur.

3. L'efficacité de toutes les glandes endocrines diminue graduellement au cours des années, ce qui peut causer le diabète sucré, l'affaiblissement du système immunitaire et le ralentissement du métabolisme.

Questions de révision

QUESTIONS À CHOIX MULTIPLE

Pour certaines questions, il peut y avoir plus d'une bonne réponse.

1. Les principales glandes endocrines de l'organisme:
   a) sont en général de très gros organes.
   b) sont intimement reliées les unes aux autres.
   c) contribuent toutes à la même fonction (digestion).
   d) se trouvent en général près de l'axe du corps.

2. Lequel, parmi les énoncés qui suivent, peut s'appliquer aux hormones?
   a) Elles sont produites par les glandes exocrines.
   b) Elles sont transportées par le sang dans tout l'organisme.
   c) Elles agissent uniquement sur des organes non endocriniens.
   d) Tous les stéroïdes ont des effets physiologiques très semblables sur l'organisme.

3. Le cortisol et la testostérone sont des hormones:
   a) qui se lient à un récepteur situé sur la membrane des cellules cibles.
   b) qui agissent directement sur les gènes.
   c) qui ne pénètrent pas dans leurs cellules cibles, mais agissent par l'intermédiaire d'un second messager.
   d) liposolubles.

4. Parmi les hormones qui suivent, quelles sont celles dont le stimulus principal est de nature humorale?
   a) L'insuline. **c)** La parathormone.
   b) L'œstradiol. **d)** La thyroxine.

5. Parmi les hormones qui suivent, lesquelles sont produites par des neurones?
   a) L'ocytocine. **c)** L'ADH.
   b) L'insuline. **d)** Le cortisol.

6. Les stimulines:
   a) sont des hormones sécrétées par l'hypothalamus.
   b) sont, par exemple, des hormones comme l'ACTH, la GH, la FSH et la LH.
   c) sont des hormones qui stimulent d'autres glandes endocrines.
   d) sont elles-mêmes sécrétées grâce à des stimulus de nature hormonale.

7. Quelle hormone, sécrétée par la zone glomérulée du cortex surrénal, a exactement la fonction opposée à celle du facteur natriurétique auriculaire sécrété par le cœur?
   a) L'adrénaline. **c)** L'aldostérone.
   b) Le cortisol. **d)** La testostérone.

8. Parmi les hormones qui suivent, lesquelles ont pour effet direct ou indirect d'augmenter la glycémie?
   a) La GH. **c)** L'insuline.
   b) Le cortisol. **d)** L'ACTH.

9. L'hypertension peut être la conséquence d'une hypersécrétion:
   a) de thyroxine. **c)** d'aldostérone.
   b) de cortisol. **d)** d'ADH.

10. Parmi les hormones qui suivent, lesquelles participent à la régulation de l'équilibre électrolytique?
    a) La calcitonine.
    b) L'aldostérone.
    c) Le facteur natriurétique auriculaire.
    d) Le glucagon.

11. Le contrôle de la calcémie:
    a) est un exemple de contrôle par rétro-inhibition.
    b) implique les hormones suivantes: calcitonine, PTH et FSH.
    c) ne requiert pas la participation directe de l'hypophyse et de l'hypothalamus.
    d) se réalise grâce au fonctionnement coordonné de deux glandes endocrines.

12. Laquelle des hormones qui suivent est administrée comme médicament pour réduire l'inflammation?
    a) L'adrénaline. **c)** L'aldostérone.
    b) Le cortisol. **d)** L'ADH.

13. Quel est l'élément nécessaire au fonctionnement de la glande thyroïde?
    a) Le potassium. **c)** Le calcium.
    b) L'iode. **d)** Le manganèse.

QUESTIONS À COURT DÉVELOPPEMENT

1. Expliquez les différences entre le système nerveux et le système endocrinien quant à a) leur vitesse d'action, b) la façon dont ils communiquent avec les cellules de l'organisme et c) les types de processus physiologiques qu'ils régissent.

2. En quoi, sur les plans structural et anatomique, le système endocrinien se distingue-t-il de la plupart des autres systèmes ?

3. Quels organes endocriniens sont en fait des glandes mixtes (à la fois endocrines et exocrines) ? Lesquels sont strictement endocriniens ?

4. Définissez le terme *hormone*; montrez comment on peut regrouper les hormones sur le plan chimique.

5. Décrivez les deux grands types de mécanismes d'action par lesquels les hormones agissent au niveau cellulaire.

6. Nommez les trois types de stimulus qui amènent les glandes endocrines à libérer leurs hormones, puis donnez un exemple de chacun.

7. Définissez le terme *rétro-inhibition* et expliquez, à l'aide d'un exemple, comment ce mécanisme régit les taux sanguins d'une hormone.

8. Définissez le terme *organe cible* et expliquez pourquoi tous les organes ne sont pas des cibles pour toutes les hormones.

9. Localisez chacun des organes endocriniens qui suivent dans l'organisme : adénohypophyse, glande thyroïde, glandes parathyroïdes, glandes surrénales, corps pinéal, thymus, pancréas, ovaires, testicules.

10. Nommez les hormones produites par les organes endocriniens de la question précédente et indiquez celles dont la sécrétion dépend de l'hypothalamus.

11. Quelle ressemblance y a-t-il entre la structure de l'hypophyse et celle d'une glande surrénale ?

12. Précisez la nature du lien qui unit l'hypothalamus à l'adénohypophyse d'une part et de celui qui unit l'hypothalamus à la neurohypophyse d'autre part.

13. Pourquoi la neurohypophyse n'est-elle pas considérée comme une véritable glande endocrine ?

14. Que sont les stimulines ?

15. Quelle est la seule glande endocrine capable d'emmagasiner, dans des follicules, l'hormone qu'elle synthétise ? (Indice : Cette glande produit la principale hormone agissant sur le métabolisme.)

16. Quelle est la cause du goitre simple ? Dans quelles régions du monde cette maladie est-elle plus répandue ?

17. À quelle fin peut-on administrer la GH à des enfants ? Nommez deux effets réellement produits par la GH administrée à un adulte. Quel effet supposé a rendu cette hormone si populaire ?

18. Quelles sont les deux hormones qui régissent le taux de calcium dans le sang ? Quels sont leurs tissus ou organes cibles respectifs et quel est l'effet de chacune sur eux ?

19. Nommez deux glandes (ou régions) endocrines qui sont importantes dans la réponse au stress (de courte durée et de longue durée) et expliquez pourquoi elles le sont en décrivant leurs effets respectifs.

20. Deux hormones interviennent de près dans la régulation de l'équilibre hydrique et électrolytique de l'organisme. Nommez-les et expliquez leurs effets sur l'organe cible qu'elles ont en commun.

21. Lesquels, parmi les événements qui suivent, seraient susceptibles de causer une hausse de la pression artérielle (vous pouvez vous aider de la figure 9.10) : augmentation de la sécrétion d'aldostérone, de rénine, de FNA, d'ACTH ?

22. Les minéralocorticoïdes, produits par les glandes surrénales (situées juste au-dessus des reins), agissent sur les tubules rénaux. Y a-t-il un rapport entre la situation de la glande endocrine et celle de son organe cible ? Expliquez.

23. Nommez trois hormones antagonistes de l'insuline. Quel nom général peut-on donner à ces trois hormones ?

24. Expliquez pourquoi une personne souffrant de diabète sucré qui ne serait pas contrôlé aurait tendance à produire beaucoup d'urine ; à avoir une soif constante ; à avoir une faim exagérée.

25. L'insuline a été découverte par deux Canadiens, Frederick Banting et Charles Best, en 1921. D'abord baptisée *islétine*, on l'a renommée *insuline*. Pourquoi a-t-on donné ce nom à cette hormone ?

26. D'où proviennent les œstrogènes et la progestérone durant les trois premiers mois de la grossesse ? à partir du troisième mois jusqu'à la fin de la gestation ?

27. Quelle est la principale cause de l'hypersécrétion endocrine ?

28. Pour chacune des anomalies qui suivent, déterminez quelle hormone peut être en cause et précisez si elle résulte d'une hyposécrétion ou d'une hypersécrétion de cette hormone : acromégalie, crétinisme, diabète insipide, gigantisme, maladie d'Addison, maladie de Basedow, myxœdème, tétanie.

29. En général, le système endocrinien perd de son efficacité au fil des ans. Nommez quelques-uns des problèmes que le déclin de la fonction hormonale cause chez les personnes âgées.

Réflexion et application

1. Si elle a une pilosité excessive et une voix très basse, une femme présente les symptômes de quel dysfonctionnement hormonal ?

2. Les parents de Martine, 14 ans, s'inquiètent de la taille de leur fille. Celle-ci ne mesure que 1,20 m, alors que ses parents mesurent chacun presque 1,80 m. Après avoir fait passer des tests à Martine, le médecin prescrit un traitement hormonal. Quel est le diagnostic probable ? Quelles hormones le médecin a-t-il prescrites ? Pourquoi Martine peut-elle s'attendre à parvenir à une taille normale ?

3. Paule, âgée de 28 ans, est en travail actif depuis 15 heures. Ses contractions utérines sont faibles et le travail ne progresse pas normalement. Étant donné que Paule désire avoir un accouchement vaginal et qu'il n'y a pas de contre-indication, son médecin prescrit une perfusion de Syntocinon (ocytocine synthétique). Quel sera l'effet de cette hormone ?

4. M. Hamel conduit son épouse à l'hôpital parce qu'il s'inquiète des signes et des symptômes qu'elle présente : nervosité, palpitations et transpiration abondante. Les tests révèlent une hyperglycémie et une hypertension. Quelles hormones sont probablement sécrétées en trop grandes quantités chez Mme Hamel ? Pourquoi ? Quels facteurs physiques vous permettent d'éliminer la possibilité de troubles thyroïdiens ?

5. Quels peuvent être les effets néfastes de l'usage de stéroïdes dans le but d'augmenter la masse et la force musculaires ? (Indice : Revoir l'encadré « Gros plan » du chapitre 6, p. 195.)

6. Mme Lesage, 40 ans, va consulter le médecin, car elle présente les symptômes suivants : œdème du visage et dépôt anormal de tissu adipeux dans le dos et l'abdomen. Elle dit qu'elle « se fait facilement des bleus ». Les analyses sanguines révèlent une hyperglycémie. Quel serait votre diagnostic ? Quelles glandes endocrines pourraient être responsables des problèmes de Mme Lesage ?

7. Marianne, personne sans abri, est enceinte. Elle n'a reçu aucun soin prénatal et mange ce qu'elle trouve dans les poubelles. À quoi peut-on s'attendre quant à la teneur de son sang en parathormone ?

CHAPITRE 10

Le sang

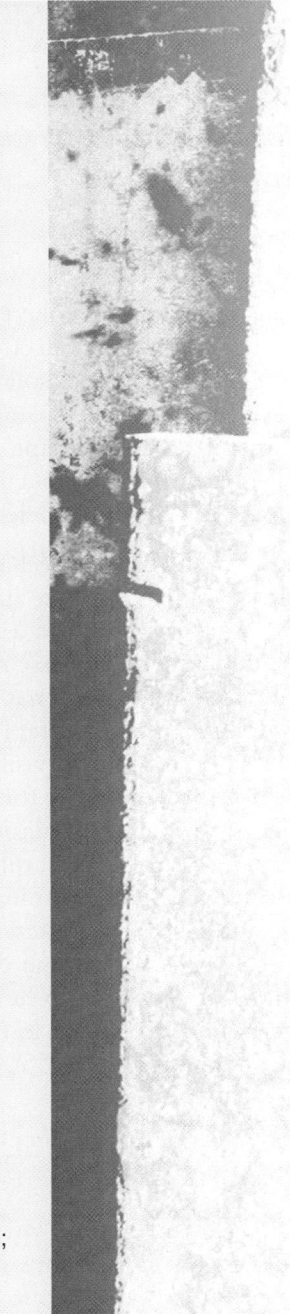

Lorsque vous aurez étudié le présent chapitre, vous aurez une connaissance pratique des fonctions du sang ; vous devriez de plus avoir atteint les objectifs d'apprentissage énumérés ci-dessous.

Aperçu des fonctions

- ❑ Le sang distribue la chaleur corporelle et transporte les nutriments, les gaz respiratoires et d'autres substances dans l'organisme.

OBJECTIFS D'APPRENTISSAGE

La composition et les fonctions du sang *(p. 368-375)*

- ❑ **1.** Décrire la composition du sang total et donner ses principales caractéristiques physiques ; définir le terme *hématocrite*.
- ❑ **2.** Énumérer les composants du plasma et donner un aperçu des fonctions de chacun ; expliquer l'importance du plasma pour l'organisme.
- ❑ **3.** Énumérer les divers éléments figurés du sang et les classer par ordre d'abondance ; décrire les caractéristiques structurales et les principales fonctions de chacun (en distinguant les cinq grands types de globules blancs).
- ❑ **4.** Définir les termes suivants : *anémie*, *anémie à hématies falciformes*, *polycythémie*, *leucopénie*, *leucémie* et *hyperleucocytose* ; donner une cause et une conséquence possibles de chaque état.
- ❑ **5.** Expliquer le rôle de l'hémocytoblaste ; donner les principales caractéristiques de la formation des érythrocytes : siège de la production, étapes de la formation, rôle de l'érythropoïétine, durée de vie, site de destruction.
- ❑ **6.** Donner un aperçu des facteurs qui régissent la production des leucocytes et des plaquettes.

L'hémostase *(p. 375-378)*

- ❑ **7.** Décrire les trois phases du processus de la coagulation du sang.
- ❑ **8.** Indiquer quelques facteurs qui peuvent inhiber ou favoriser la coagulation du sang.
- ❑ **9.** Définir les termes suivants : *thrombus*, *embole*, *thrombopénie* et *hémophilie* ; donner les principales causes et conséquences possibles de chacune de ces anomalies.

Les groupes sanguins et les transfusions *(p. 378-382)*

- ❑ **10.** Décrire les systèmes ABO et Rh, et leur fondement en ce qui regarde les agglutinogènes et les agglutinines présents dans le sang dans chacun des groupes ; expliquer comment on procède pour déterminer le groupe sanguin d'un individu.
- ❑ **11.** Expliquer comment peuvent survenir la maladie hémolytique du nouveau-né et la réaction hémolytique ; décrire les problèmes qu'elles entraînent.

Le développement et le vieillissement du sang *(p. 382-383)*

- ❑ **12.** Expliquer les causes de l'ictère physiologique chez le nouveau-né.
- ❑ **13.** Citer quelques-uns des troubles sanguins fréquents chez les personnes âgées.

Comme un fleuve impétueux, le **sang** transporte dans l'organisme tout ce qui doit y circuler: les nutriments, les déchets (destinés à être éliminés), les substances régulatrices et la chaleur. Bien avant la naissance de la médecine moderne, nos ancêtres savaient que le sang est essentiel à la vie (certains lui attribuaient même des propriétés magiques) et qu'une hémorragie peut causer la mort. Dans le présent chapitre, nous décrivons la composition et les fonctions de ce liquide vital. Nous traiterons au chapitre 11 des mécanismes qui le propulsent dans les vaisseaux sanguins.

La composition et les fonctions du sang

LES COMPOSANTS

Le sang est unique, car il est le seul tissu *liquide* de l'organisme. Bien qu'il semble être homogène, ce liquide épais contient des éléments solides et des éléments liquides visibles au microscope. Le sang est pour l'essentiel un tissu conjonctif complexe dans lequel des cellules vivantes, les **éléments figurés**, sont en suspension dans une matrice liquide non vivante appelée **plasma**.

Si on centrifuge un échantillon de sang, les éléments figurés les plus lourds se déposent au fond de l'éprouvette et le plasma flotte à la surface (figure 10.1). La majeure partie de la masse rougeâtre accumulée au fond est composée d'*érythrocytes*, ou globules rouges, dont la fonction est de transporter l'oxygène. Une mince couche blanchâtre (tout juste visible dans la figure 10.1), la **couche leucocytaire**, se forme à la surface de séparation des érythrocytes et du plasma. Elle comprend les *leucocytes*, ou globules blancs, qui constituent un des moyens de défense de l'organisme, et les *plaquettes*, des fragments de cellules qui interviennent dans la coagulation. Normalement, le volume d'un échantillon de sang est composé d'environ 45 % d'érythrocytes (proportion appelée **hématocrite**), de moins de 1 % de leucocytes et de plaquettes, et de 55 % de plasma.

LES CARACTÉRISTIQUES PHYSIQUES ET LE VOLUME

Le sang est un liquide visqueux et opaque. Dès notre plus tendre enfance, nous découvrons une autre de ses caractéristiques, son goût salé et métallique, lorsque nous portons à notre bouche un doigt coupé. Le sang riche en oxygène a une couleur écarlate, tandis que le sang pauvre en oxygène est d'un rouge sombre. Le sang est plus lourd que l'eau et environ cinq fois plus visqueux, surtout en raison de ses éléments figurés. Il est légèrement alcalin: son pH varie entre 7,35 et 7,45. Sa température est toujours un peu plus élevée que celle du corps (38 °C).

Le sang constitue environ 8 % de la masse corporelle. Chez l'homme sain, son volume est de 5 à 6 L.

LE PLASMA

De couleur jaunâtre et composé d'eau à environ 90 %, le plasma constitue la partie liquide du sang. Il contient plus de 100 solutés, dont des nutriments, des sels (électrolytes), des gaz respiratoires, des hormones, des protéines, des déchets et des produits du métabolisme cellulaire.

Les *protéines plasmatiques* sont les plus abondants des solutés du plasma. Exception faite des anticorps et des hormones de nature protéique, la plupart sont élaborées par le foie. Elles accomplissent diverses fonctions. Ainsi, les **albumines**, le groupe de protéines qu'on trouve en plus grande quantité dans le plasma, contribuent à la pression osmotique du sang, laquelle maintient l'eau dans la circulation sanguine, et servent de transporteurs pour diverses substances. Les **globulines** constituent un deuxième groupe de protéines plasmatiques comprenant des molécules de transport (dont celles qui forment les lipoprotéines; voir le tableau 2.4, p. 44) et les anticorps (ou immunoglobulines) qui protègent l'organisme contre les substances et les agents pathogènes. Un troisième groupe de protéines, les **facteurs de coagulation** (dont certains font partie des globulines), concourt à arrêter l'épanchement de sang à la suite de la rupture d'un vaisseau sanguin. Les cellules n'utilisent *pas* les protéines plasmatiques à des fins énergétiques ou métaboliques comme elles le font avec d'autres solutés plasmatiques tels que le glucose, les acides gras et l'oxygène.

La composition du plasma varie continuellement, selon que les cellules captent ou libèrent des substances dans le sang. Toutefois, si le régime alimentaire est sain, divers mécanismes homéostatiques conservent au plasma une composition relativement constante. Par exemple, lorsque le taux sanguin de protéines s'abaisse trop, le foie élabore plus de protéines; lorsque le sang devient trop acide (*acidose*) ou trop alcalin (*alcalose*), le système respiratoire et les reins entrent en action pour rétablir le pH normal du plasma. À tout moment, divers organes procèdent à des dizaines de réajustements afin de maintenir les nombreux solutés plasmatiques à des niveaux compatibles avec la vie. Non seulement le plasma transporte des solutés dans l'organisme, mais il contribue aussi à y répartir la chaleur uniformément.

Q **Quel serait l'effet d'une diminution de la quantité de protéines plasmatiques sur le volume du plasma ?**

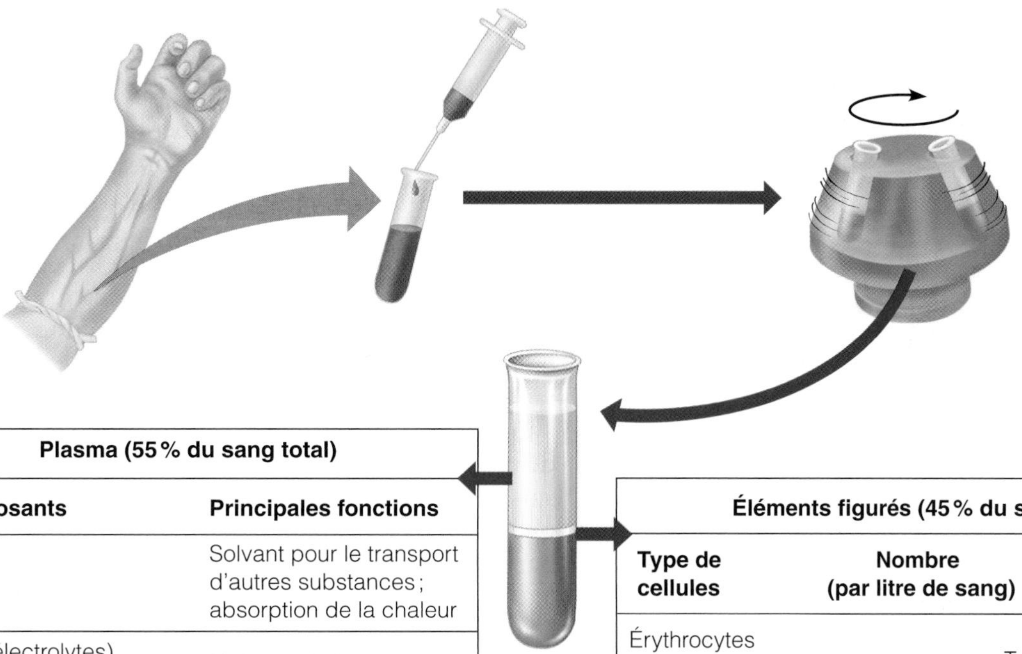

Plasma (55 % du sang total)	
Composants	**Principales fonctions**
Eau	Solvant pour le transport d'autres substances ; absorption de la chaleur
Sels (électrolytes) Sodium Potassium Calcium Magnésium Chlorure Bicarbonate	Maintien de la pression osmotique et du pH sanguin, régulation de la perméabilité des membranes cellulaires
Protéines plasmatiques Albumine Fibrinogène Globulines	Maintien de la pression osmotique et du pH sanguin Coagulation du sang Défense de l'organisme (anticorps) et transport des lipides
Substances transportées par le sang Nutriments (glucose, acides gras, acides aminés, vitamines) Déchets du métabolisme (urée, acide urique) Gaz respiratoires (O_2 et CO_2) Hormones	

Éléments figurés (45 % du sang total)		
Type de cellules	**Nombre (par litre de sang)**	**Fonctions**
Érythrocytes (globules rouges)	De 4 à 6×10^{12}	Transport de l'oxygène et, dans une moindre mesure, du gaz carbonique
Leucocytes (globules blancs) Granulocyte basophile Granulocyte éosinophile Granulocyte neutrophile Lymphocyte Monocyte	De 4 à 11×10^9	Défense et immunité
Plaquettes	De 250 à 500×10^9	Coagulation du sang

Figure 10.1 **La composition du sang**

R **Les protéines plasmatiques créent la pression osmotique grâce à laquelle le liquide qui s'est échappé de la circulation est contraint d'y retourner. Cette pression contribue au maintien du volume du plasma. Ainsi, une diminution de la quantité de protéines plasmatiques a pour effet de réduire le volume du plasma.**

LES ÉLÉMENTS FIGURÉS

Si vous examinez un frottis coloré de sang humain au microscope optique, vous y verrez des érythrocytes en forme de disque, des leucocytes très fortement colorés et, çà et là, quelques plaquettes à l'allure de débris (figure 10.2). Les érythrocytes sont beaucoup plus nombreux que les autres éléments figurés. Le tableau 10.2, p. 373, présente les principales caractéristiques des éléments figurés, qui constituent environ 45 % du volume du sang total.

Les érythrocytes

Les **érythrocytes**, ou **globules rouges**, ont pour fonction essentielle d'apporter l'oxygène à toutes les cellules de l'organisme. Ce sont de merveilleux exemples d'adaptation de la structure à la fonction. Contrairement aux autres cellules, ils sont *anucléés* (dépourvus de noyau) et ne renferment que de rares organites. Les érythrocytes matures ne sont à toutes fins utiles que des « sacs » de molécules d'**hémoglobine (Hb)**, protéine contenant du fer qui transporte l'essentiel de l'oxygène contenu dans le sang (elle se lie aussi à une petite quantité de gaz carbonique). Comme ils sont dépourvus de mitochondries et produisent de l'ATP par des mécanismes anaérobies, les érythrocytes n'utilisent pas l'oxygène qu'ils transportent et constituent de ce fait des transporteurs hautement efficaces.

Les érythrocytes sont de petites cellules ayant la forme d'un disque biconcave (voir la figure 10.2 et la figure 10.3a) ; ils mesurent 7 µm de diamètre et 2 µm d'épaisseur (retenez ces dimensions ; elles vous serviront éventuellement de point de référence). Leur centre est deux fois plus mince que la périphérie, si bien qu'ils ressemblent à de minuscules beignets au microscope. Et comme leurs dimensions sont d'une remarquable constance, ils peuvent s'empiler parfaitement les uns sur les autres et voyager ainsi dans les vaisseaux sanguins. Ils se déforment facilement pour se faufiler au besoin dans des vaisseaux ayant un diamètre plus de deux fois plus petit que le leur. Étant donné leur petite taille et leur forme particulière, leur surface est étendue par rapport à leur volume ; ils sont donc parfaitement adaptés aux échanges gazeux.

Les érythrocytes sont environ 1000 fois plus nombreux que les leucocytes et constituent les principaux facteurs de la viscosité du sang. Leur nombre varie, mais il s'établit normalement à environ 5×10^{12} par litre de sang. La viscosité du sang est directement proportionnelle au nombre d'érythrocytes par litre. Par conséquent, tandis qu'une augmentation du nombre d'érythrocytes augmente la viscosité du sang et provoque un ralentissement de la circulation, une diminution de leur nombre entraîne un éclaircissement du sang et une accélération de la circulation. Il ne faut toutefois pas exagérer l'importance du *nombre* d'érythrocytes. C'est en effet la quantité d'hémoglobine présente dans la circulation sanguine, à chaque instant, qui détermine véritablement l'efficacité du transport de l'oxygène par les érythrocytes.

Plus les érythrocytes contiennent de molécules d'hémoglobine, plus ils transportent d'oxygène. La mesure de la teneur en hémoglobine constitue probablement le meilleur indicateur de la capacité du sang à transporter l'oxygène. Un érythrocyte contient environ 250 millions de molécules d'hémoglobine, dont chacune peut se lier à 4 molécules d'oxygène. Par conséquent, chaque érythrocyte est capable de transporter un milliard de molécules d'oxygène ! Voilà un chiffre stupéfiant mais pas très utile. Sur le plan clinique, il est préférable de savoir que le sang normal contient de 120 à 180 g d'hémoglobine par litre. La teneur en hémoglobine est légèrement plus élevée chez les hommes que chez les femmes (de 130 à 180 g/L et de 120 à 160 g/L respectivement).

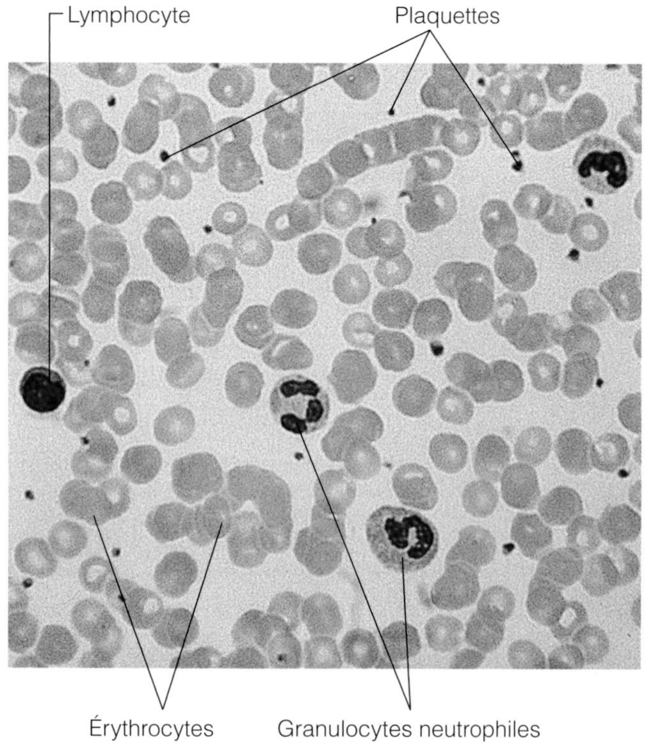
Lymphocyte
Plaquettes
Érythrocytes
Granulocytes neutrophiles

Figure 10.2 Photomicrographie d'un frottis de sang

La plupart des cellules qui apparaissent dans cette photomicrographie sont des érythrocytes (globules rouges). On aperçoit aussi deux types de leucocytes (globules blancs) : un lymphocyte et des granulocytes neutrophiles. Quelques plaquettes sont visibles également (700×).

Déséquilibre homéostatique

L'**anémie** est une réduction de la capacité du sang à transporter l'oxygène. Elle peut être causée par un *nombre* insuffisant d'érythrocytes, une diminution de la *teneur en hémoglobine* des érythrocytes ou une anomalie de l'hémoglobine. Parmi les types d'anémie décrits dans le tableau 10.1, l'*anémie à hématies falciformes* mérite qu'on s'y attarde, car elle constitue l'anomalie de l'hémoglobine la plus répandue dans le monde (50 millions de personnes touchées).

L'anémie à hématies falciformes, ou drépanocytose, est causée par une anomalie des molécules d'hémoglobine. Celles-ci se polymérisent et forment des structures fibreuses pointues et acérées (figure 10.3b) lorsque les érythrocytes se délestent de l'oxygène ou que le taux sanguin d'oxygène descend sous la normale, sous l'effet d'une activité physique vigoureuse, de l'anxiété ou d'autres facteurs de stress (déshydratation, excès de température, altitude...). Les érythrocytes déformés (en forme de faucille) se rompent facilement et s'entassent dans les petits vaisseaux sanguins. Ces phénomènes entravent la distribution de l'oxygène et causent de violentes douleurs (dans les muscles en particulier). Fait étonnant, tous ces ravages résultent de la substitution d'*un seul* acide aminé dans chacune des chaînes bêta de la molécule de globine!

L'anémie à hématies falciformes atteint principalement les Noirs vivant dans la ceinture du paludisme située notamment en Afrique subsaharienne, et leurs descendants; en France, un peu plus de 200 personnes naissent avec la maladie chaque année. Sous l'effet du gène qui provoque la falciformation des globules rouges, les érythrocytes infectés par le parasite du paludisme adhèrent aux parois des capillaires et perdent leur potassium. Sans ce nutriment essentiel à sa survie, le parasite ne peut pas se multiplier dans les globules rouges, si bien que les porteurs du gène ont de meilleures chances de survie dans les régions où le paludisme est répandu. Seuls les individus porteurs de deux exemplaires du gène défectueux sont affectés. Ceux qui n'en possèdent qu'un exemplaire présentent le *trait drépanocytaire*: ils n'ont pas les symptômes de la maladie, mais peuvent en transmettre le gène à leurs descendants.

La **polycythémie** est une augmentation anormale du nombre d'érythrocytes. Elle peut résulter du cancer de la moelle osseuse (*polycythémie primitive*); cette forme de polycythémie a une prévalence de 5 individus sur 1 000 000. Elle peut aussi constituer une réaction physiologique normale (homéostatique) à un séjour en haute altitude, où la pression atmosphérique et la teneur en oxygène de l'air sont faibles (*polycythémie secondaire*), ou être une conséquence de divers états pathologiques

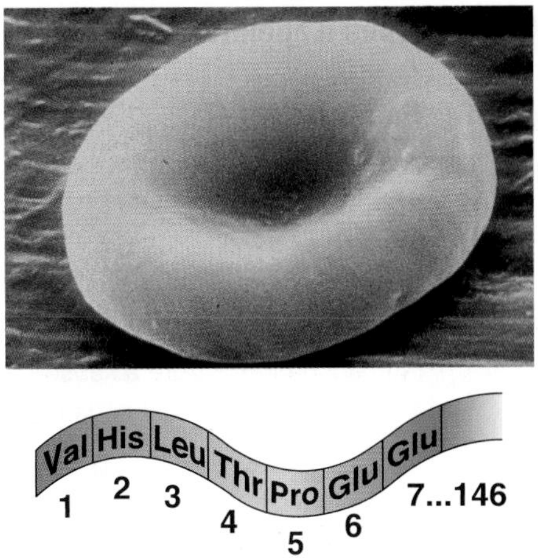
Val
His
Leu
Thr
Pro
Glu
Glu
1
2
3
4
5
6
7...146

(a) Hémoglobine normale

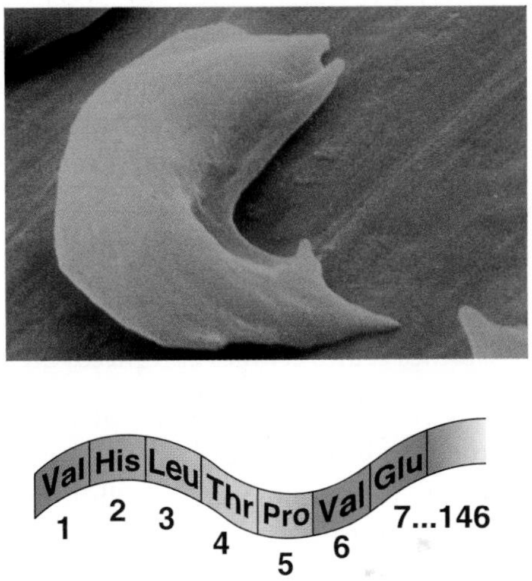
Val
His
Leu
Thr
Pro
Val
Glu
1
2
3
4
5
6
7...146

(b) Hémoglobine de l'anémie à hématies falciformes

Figure 10.3 **Comparaison entre (a) un érythrocyte normal et (b) un érythrocyte falciforme (31 500×)**

tels que des maladies pulmonaires et cardiaques. Le principal inconvénient d'une numération (dénombrement) érythrocytaire excessive est une augmentation de la viscosité du sang, qui entraîne un ralentissement de la circulation. ▲

Les leucocytes

Les **leucocytes**, ou **globules blancs**, sont plusieurs centaines de fois moins abondants que les globules rouges, mais ils jouent un rôle crucial dans la lutte de l'organisme contre les maladies. En moyenne, ils sont au nombre de 4 à 11 × 10^9 par litre de sang et constituent moins de 1 % du volume sanguin. Ils contiennent un noyau et les

Tableau 10.1 Les types d'anémie

Cause immédiate	Facteurs	Conséquences
Diminution du nombre d'érythrocytes	Hémorragie soudaine	Anémie hémorragique
	Lyse des érythrocytes consécutive à une infection bactérienne	Anémie hémolytique
	Carence en vitamine B_{12} (généralement attribuable à une insuffisance du facteur intrinsèque nécessaire à l'absorption de la vitamine ; le facteur intrinsèque est élaboré par les cellules de la muqueuse gastrique)	Anémie pernicieuse
	Inhibition ou destruction de la moelle osseuse par le cancer, les radiations ou certains médicaments	Anémie aplasique
Teneur insuffisante en hémoglobine dans les érythrocytes	Carence en fer ou saignement lent et prolongé (règles abondantes ou ulcère hémorragique), entraînant un épuisement des réserves de fer nécessaires à la production d'hémoglobine ; privés d'hémoglobine, les érythrocytes sont petits et pâles	Anémie ferriprive
Anomalies de l'hémoglobine	Anomalie génétique entraînant une déformation de la molécule d'hémoglobine ; celle-ci devient pointue et acérée quand la consommation d'oxygène augmente ; atteint principalement les personnes d'ascendance africaine	Anémie à hématies falciformes

organites habituellement présents dans une cellule ; ils constituent de ce fait les seules cellules complètes du sang.

On peut comparer les leucocytes à une armée sur le pied de guerre ; en effet, ils défendent l'organisme contre les bactéries, les virus, les parasites et les cellules tumorales. Pour ce faire, ils sont dotés de caractéristiques très particulières. Contrairement aux globules rouges qui accomplissent leurs fonctions en demeurant à l'intérieur des vaisseaux sanguins, les globules blancs peuvent s'en échapper selon un processus appelé *diapédèse* (*dia*, « à travers » ; *pêdân*, « jaillir »). Ils n'empruntent les vaisseaux sanguins que pour cheminer jusqu'aux régions où ils instaureront les réactions inflammatoire et immunitaire (nous reviendrons sur ce sujet au chapitre 12).

Les globules blancs repèrent le siège d'une lésion ou d'une infection en réagissant à des substances chimiques qui diffusent hors des cellules endommagées. Cette propriété est appelée *chimiotactisme positif.* Une fois qu'ils ont « flairé la piste », les globules blancs se déplacent dans le liquide interstitiel par des *mouvements amiboïdes*, c'est-à-dire en émettant des prolongements cytoplasmiques. Ils localisent la lésion en suivant le gradient de diffusion et se rassemblent en grand nombre pour éliminer les microorganismes ou les cellules mortes ou anormales.

Chaque fois que les globules blancs se mobilisent, l'organisme accélère leur production et peut en doubler le nombre en quelques heures. Une numération leucocytaire supérieure à 11×10^9 par litre de sang correspond à une **hyperleucocytose** ; cet état indique généralement qu'une infection bactérienne ou virale fait rage dans l'organisme. À l'opposé, une numération leucocytaire anormalement faible (moins de 5×10^9 par litre de sang) correspond à une **leucopénie** ; elle est le plus souvent causée par certains médicaments, tels les corticostéroïdes (voir le chapitre 9, p. 18) et les agents anticancéreux.

Déséquilibre homéostatique

L'hyperleucocytose constitue une réaction normale et souhaitable de l'organisme à l'infection. Par contre, la production excessive de globules blancs anormaux qui accompagne la mononucléose infectieuse et la leucémie est incontestablement pathologique. La **leucémie** (signifiant littéralement « sang blanc ») est une anomalie de la moelle osseuse qui entraîne la production d'un nombre extrêmement élevé de globules blancs immatures et incapables de remplir leur fonction de défense. L'organisme devient donc une proie facile pour les différents agents pathogènes. En 2007, une équipe américaine a annoncé avoir guéri une jeune leucémique de trois ans en lui injectant du sang de son propre cordon ombilical, prélevé à sa naissance et conservé ; les cellules souches contenues dans ce sang, ayant colonisé la moelle osseuse rouge de la fillette, ont permis de reprendre la production de cellules saines. ▲

Les leucocytes se divisent en deux grandes catégories, selon que leur cytoplasme contient ou non des granulations visibles. Le tableau 10.2 présente leurs caractéristiques et la figure 10.1 les montre tels qu'ils apparaissent au microscope.

Les **granulocytes** sont des globules blancs qui contiennent des granulations. Leur noyau présente plusieurs lobes reliés par de minces brins de matériau

Tableau 10.2 **Les caractéristiques des éléments figurés du sang**

Élément	Nombre par litre de sang	Description*	Fonction
Érythrocytes (globules rouges) 	De 4 à 6 × 10^{12}	Disques biconcaves de couleur saumon ; anucléés ; constituent littéralement des sacs à hémoglobine ; la plupart des organites ont été éjectés.	Transportent l'oxygène lié aux molécules d'hémoglobine ; transportent aussi une petite quantité de gaz carbonique.
Leucocytes (globules blancs)	De 4 à 11 × 10^9		
Granulocytes			
• Granulocytes neutrophiles 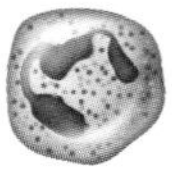	De 3 à 7 × 10^9 (de 40 à 70 % des globules blancs)	Le cytoplasme se colore en rose pâle et contient de fines granulations difficilement visibles ; le noyau violet est composé de trois à sept lobes reliés par de minces brins de nucléoplasme.	Phagocytes actifs dont le nombre augmente rapidement pendant les infections aiguës.
• Granulocytes éosinophiles 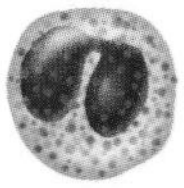	De 0,1 à 0,4 × 10^9 (de 1 à 4 % des globules blancs)	Grosses granulations cytoplasmiques de couleur rouge ; noyau bilobé ou en forme de huit se colorant en violet.	Détruisent les vers parasites ; leur nombre augmente pendant les crises d'allergie ; peuvent phagocyter les complexes antigène-anticorps et inactiver certaines substances inflammatoires.
• Granulocytes basophiles 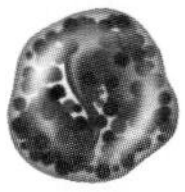	De 0,02 à 0,05 × 10^9 (de 0 à 1 % des globules blancs)	Quelques grosses granulations cytoplasmiques bleu-violet ; noyau en forme de U ou de S se colorant en bleu foncé.	Les granulations contiennent de l'histamine (vasodilatateur) libéré aux sièges d'inflammation.
Agranulocytes			
• Lymphocytes 	De 1,5 à 3 × 10^9 (de 20 à 45 % des globules blancs)	Cytoplasme bleu pâle formant un mince anneau autour du noyau ; noyau sphérique (ou légèrement échancré) violet.	Font partie du système immunitaire ; un groupe (les lymphocytes B) produit les anticorps ; l'autre groupe (les lymphocytes T) intervient dans le rejet des greffons, la lutte contre les tumeurs et les virus, et l'activation des lymphocytes B.
• Monocytes 	De 0,1 à 0,7 × 10^9 (de 4 à 8 % des globules blancs)	Cytoplasme gris-bleu abondant ; noyau violet souvent en forme de haricot.	Phagocytes actifs qui deviennent des macrophagocytes dans les tissus ; « nettoient » l'organisme ; leur nombre augmente pendant les infections chroniques comme la tuberculose.
Plaquettes	De 250 à 500 × 10^9	Fragments irréguliers de cellules se colorant en violet.	Nécessaires à la coagulation normale ; déclenchent la coagulation en s'attachant à la lésion ; limitent l'écoulement de sang des vaisseaux sanguins brisés.

* Apparence à la coloration de Wright.

nucléaire (nucléoplasme). La coloration de Wright donne aux granulations cytoplasmiques des granulocytes une teinte caractéristique. On distingue ainsi les granulocytes neutrophiles, les granulocytes éosinophiles et les granulocytes basophiles.

1. Les **granulocytes neutrophiles** possèdent un noyau composé de plusieurs lobes. Leurs granulations très fines absorbent le colorant acide et le colorant basique, de sorte que le cytoplasme dans son ensemble prend une couleur lilas. Les granulocytes neutrophiles sont d'avides phagocytes et les premiers rendus dans les sièges d'infection aiguë.
2. Les **granulocytes éosinophiles** sont dotés d'un noyau violacé dont la forme rappelle celle des anciens combinés de téléphone ; ils renferment de grosses granulations cytoplasmiques rouge brique. Leur nombre augmente rapidement en présence d'allergies ou d'infections par des vers parasites (plathelmintes, ténias, etc.).
3. Les **granulocytes basophiles**, les moins nombreux des globules blancs, contiennent dans leur cytoplasme de grosses granulations chargées d'histamine qui se teintent en bleu foncé. L'**histamine** est la substance inflammatoire qui dilate les vaisseaux sanguins et les rend très perméables ; elle attire aussi les autres globules blancs vers le siège de l'inflammation.

La deuxième catégorie de leucocytes, les **agranulocytes**, sont dépourvus de granulations cytoplasmiques visibles. Leur noyau est en forme de sphère, d'ovale ou de haricot. Les agranulocytes comprennent les lymphocytes et les monocytes.

1. Les **lymphocytes** possèdent un gros noyau violet qui occupe l'essentiel du volume de la cellule. À peine plus gros que les globules rouges, ils ont tendance à se loger dans les tissus lymphoïdes (nœuds lymphatiques entre autres), où ils jouent un rôle important dans la réaction immunitaire.
2. Les **monocytes** sont les plus gros des leucocytes (leur diamètre peut atteindre jusqu'à près de trois fois celui d'un globule rouge). Sauf pour ce qui est de leur cytoplasme abondant et de leur noyau échancré, ils ressemblent à de gros lymphocytes. Une fois parvenus dans les tissus, ils se transforment en macrophagocytes voraces. Les macrophagocytes jouent un rôle capital dans la lutte contre les infections chroniques comme la tuberculose.

Les plaquettes

Les **plaquettes** (ou thrombocytes) ne sont pas des cellules à proprement parler. Ce sont des fragments de singulières cellules multinucléées appelées **mégacaryocytes**. Ceux-ci se brisent en des milliers de « morceaux » anucléés qu'une membrane plasmique isole des liquides environnants. Les plaquettes se présentent comme des corpuscules de forme irrégulière et de teinte sombre à la coloration, disséminés parmi les autres éléments figurés du sang. La numération plaquettaire se situe normalement entre 250 et 500×10^9 par litre de sang. Comme l'indique le tableau 10.2, les plaquettes sont nécessaires au processus de coagulation qui se déroule dans le plasma à la suite de la rupture d'un vaisseau sanguin. (Ce mécanisme est décrit plus loin, p. 375-377.)

L'HÉMATOPOÏÈSE

La formation des cellules sanguines, ou **hématopoïèse**, se déroule dans la moelle osseuse rouge, ou *tissu myéloïde*. Chez l'adulte, ce tissu est situé principalement dans les os plats de la tête et du bassin ainsi que dans les côtes, le sternum et les épiphyses proximales de l'humérus et du fémur. Les divers types de cellules sont produits en nombre variable suivant les besoins de l'organisme et les différents stimulus. Après leur maturation, les cellules sont déversées dans les vaisseaux sanguins entourant la région où elles ont été produites.

Tous les éléments figurés sont issus d'une même *cellule souche*, l'**hémocytoblaste**, qui réside dans la moelle osseuse rouge. Par la suite, cependant, ils se développent différemment et ne peuvent changer de lignée en cours de formation. Comme l'indique le diagramme de la figure 10.4, l'hémocytoblaste engendre deux catégories de descendants : les *cellules souches lymphoïdes* (qui produisent les lymphocytes) et les *cellules souches myéloïdes* (qui peuvent produire toutes les autres classes d'éléments figurés).

Puisqu'ils sont anucléés, les érythrocytes ne peuvent ni synthétiser de protéines, ni croître, ni se diviser, et leur durée de vie se limite à une période de 100 à 120 jours (soit après avoir parcouru, pour certains, une distance de plus de 100 km dans les vaisseaux sanguins de l'organisme, au rythme de 1500 circuits complets chaque jour). Au bout de ce laps de temps, ils se fragmentent et sont éliminés par les macrophagocytes de la rate, du foie et d'autres tissus. Les cellules détruites sont remplacées de manière plus ou moins continue par la division des hémocytoblastes dans la moelle osseuse rouge. Les érythrocytes en formation se divisent à plusieurs reprises, puis commencent à synthétiser d'énormes quantités d'hémoglobine. Lorsque l'hémoglobine s'est accumulée en quantité suffisante, le noyau et la plupart des organites sont subitement éjectés, et la cellule s'effondre sur elle-même. Le jeune érythrocyte est appelé *réticulocyte*, car il contient encore un peu de réticulum

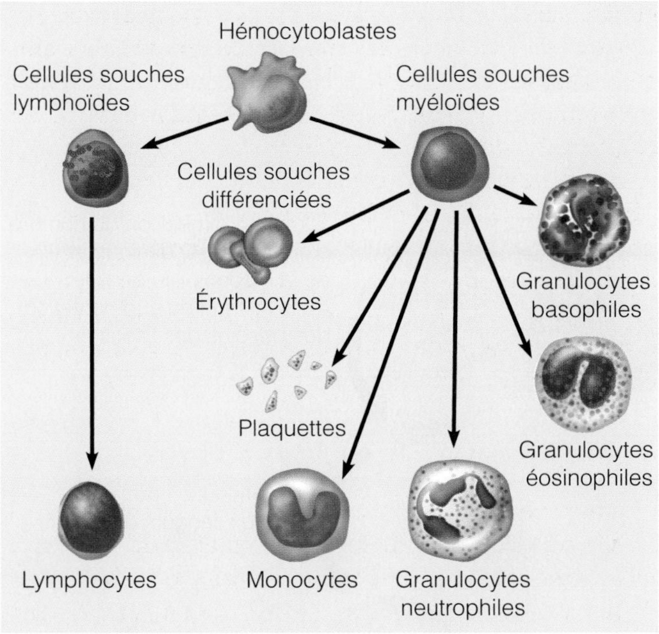
Hémocytoblastes
Cellules souches lymphoïdes
Cellules souches myéloïdes
Cellules souches différenciées
Érythrocytes
Granulocytes basophiles
Plaquettes
Granulocytes éosinophiles
Lymphocytes
Monocytes
Granulocytes neutrophiles

Figure 10.4 **La formation des globules sanguins**

Tous les globules sanguins sont issus de cellules souches situées dans la moelle osseuse rouge, les hémocytoblastes. La population de cellules souches se renouvelle par mitose. Certaines de ces cellules deviennent des cellules souches lymphoïdes; celles-ci se différencient à leur tour en lymphocytes B et en lymphocytes T, deux classes de lymphocytes qui interviennent dans la réponse immunitaire. Tous les autres globules sanguins proviennent des cellules souches myéloïdes, elles-mêmes issues des hémocytoblastes.

endoplasmique (RE) rugueux. Les réticulocytes entrent dans la circulation sanguine et commencent à transporter de l'oxygène. Ils éjectent le RE qui leur reste et deviennent des érythrocytes matures dans un délai de deux jours suivant leur libération. Le processus qui mène de l'hémocytoblaste à l'érythrocyte mature dure de trois à cinq jours en tout.

Le rythme de la production des érythrocytes (plus de deux millions à la seconde) est régi par une hormone appelée **érythropoïétine** (connue aussi sous le nom de **EPO**). Normalement, une petite quantité d'érythropoïétine circule dans le sang en tout temps, et les globules rouges se forment à un rythme constant. L'érythropoïétine est élaborée par les reins et, dans une moindre mesure, par le foie. Lorsque le taux sanguin d'oxygène diminue pour quelque raison que ce soit, les reins libèrent une quantité accrue d'érythropoïétine (figure 10.5). Celle-ci stimule alors la production de globules rouges dans la moelle osseuse; elle peut multiplier cette production jusqu'à 10 fois. (Et c'est bien à cause de cet effet recherché par certains sportifs que le Comité international olympique en a interdit l'usage dès 1991.) Inversement, une surabondance d'érythrocytes ou d'oxygène dans la circulation ralentit la libération d'érythropoïétine et la production de globules rouges. Il est important de noter que ce n'est *pas* le nombre relatif de globules rouges dans le sang qui en détermine la production, mais bien leur capacité de transporter la quantité d'oxygène nécessaire aux besoins de l'organisme.

Comme la production des érythrocytes, celle des leucocytes (dont certains ont une durée de vie très courte: quelques heures ou quelques jours) et des plaquettes (durée de vie inférieure à 10 jours) est stimulée par des hormones, soit les *facteurs de croissance des colonies* (*CSF*, pour *colony-stimulating factors*) et les *interleukines*. Non seulement ces hormones stimulent la production de leucocytes par la moelle osseuse rouge, mais elles rassemblent aussi des bataillons de leucocytes matures et accroissent leur capacité de repousser les attaques. Elles sont apparemment libérées en réponse à des signaux chimiques spécifiques du milieu, telles les substances inflammatoires et certaines bactéries ou leurs toxines. L'hormone appelée *thrombopoïétine* accélère la production des plaquettes, mais la régulation de ce processus est encore obscure.

Lorsqu'on soupçonne un trouble de la moelle osseuse ou encore une maladie comme l'anémie aplasique ou la leucémie, on procède à un examen appelé *biopsie de la moelle osseuse*. À l'aide d'une aiguille spéciale, on prélève un petit échantillon de moelle osseuse rouge dans un os plat (l'ilium ou le sternum), près de la surface du corps. On examine ensuite au microscope les cellules ainsi obtenues.

L'hémostase

Normalement, le sang circule librement contre l'endothélium intact des vaisseaux sanguins. Mais, en cas de rupture d'un vaisseau sanguin, une série de réactions s'amorce pour arrêter le saignement: c'est l'**hémostase** (*haima*, «sang»; *stasis*, «arrêt»). Cette réponse rapide et localisée fait intervenir de nombreuses substances généralement présentes dans le plasma, de même que des substances libérées par les plaquettes et les cellules endommagées.

L'hémostase s'effectue en trois phases qui se succèdent rapidement: la **formation du clou plaquettaire**, les **spasmes vasculaires** et la **coagulation**, ou formation du caillot. Le tissu fibreux qui se forme dans le caillot colmate l'ouverture créée dans le vaisseau sanguin et empêche le saignement à cet endroit.

Q Pourquoi les personnes qui ont une maladie rénale avancée sont-elles souvent anémiques ?

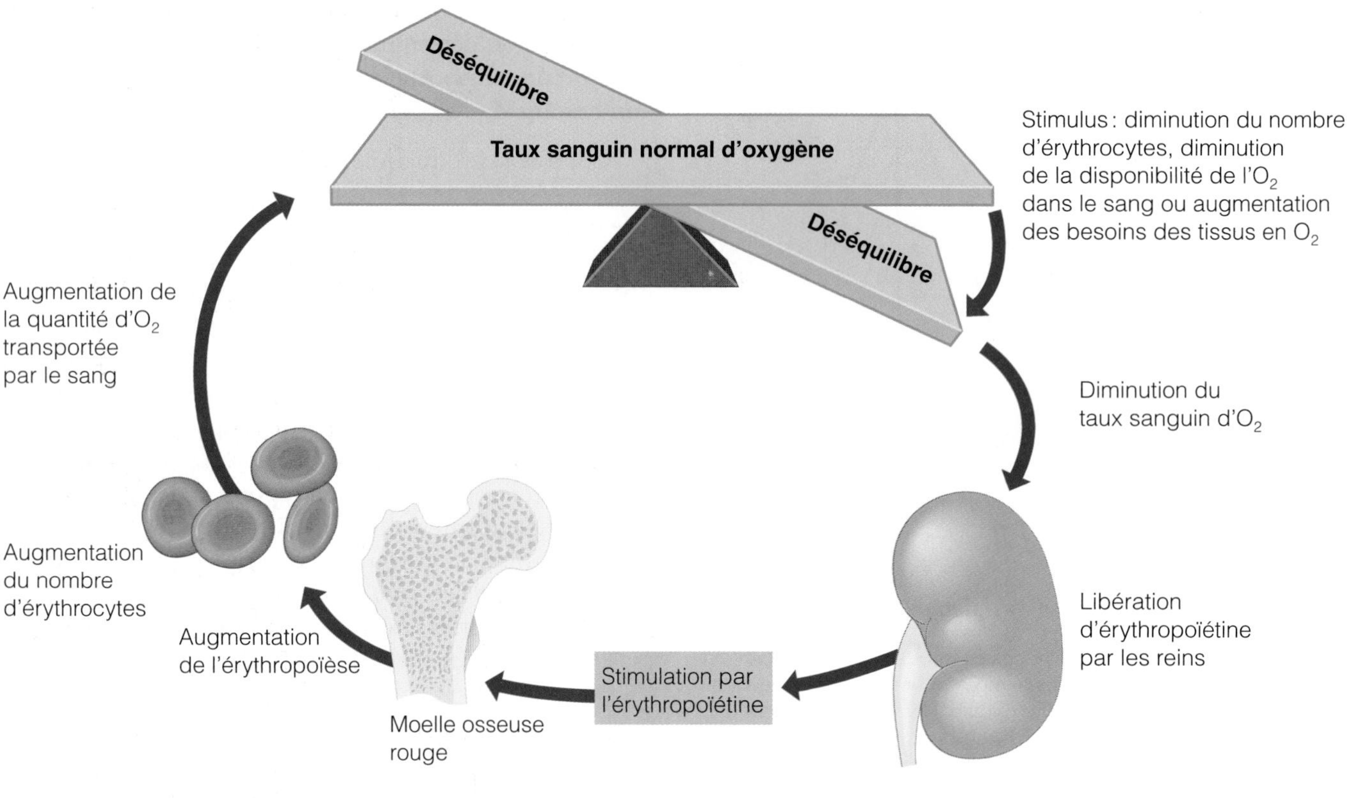
Déséquilibre
Taux sanguin normal d'oxygène
Déséquilibre
Stimulus : diminution du nombre d'érythrocytes, diminution de la disponibilité de l'O_2 dans le sang ou augmentation des besoins des tissus en O_2
Diminution du taux sanguin d'O_2
Libération d'érythropoïétine par les reins
Stimulation par l'érythropoïétine
Moelle osseuse rouge
Augmentation de l'érythropoïèse
Augmentation du nombre d'érythrocytes
Augmentation de la quantité d'O_2 transportée par le sang

Figure 10.5 **La régulation de la vitesse de production des érythrocytes**

La sécrétion d'érythropoïétine, qui stimule la production d'érythrocytes dans la moelle osseuse, augmente lorsque, pour une raison quelconque, le taux sanguin d'oxygène ne suffit plus à maintenir l'activité cellulaire normale.

Le déroulement de l'hémostase se résume comme suit (figure 10.6) :

1. **Formation du clou plaquettaire.** Les plaquettes sont repoussées par l'endothélium intact mais deviennent collantes, se gonflent, développent des prolongements cytoplasmiques et se fixent à la lésion quand une rupture de l'endothélium met à nu les fibres collagènes sous-jacentes. Les plaquettes agrégées libèrent des substances chimiques qui attirent d'autres plaquettes, ce qui engendre un mécanisme de rétroaction positive. Une petite masse appelée *clou plaquettaire*, ou *thrombus blanc*, se forme à mesure que les plaquettes s'accumulent.

R Parce que les reins sécrètent la majeure partie de l'érythropoïétine, laquelle stimule la production des érythrocytes par la moelle osseuse.

2. **Spasmes vasculaires.** Les plaquettes amarrées libèrent de la **sérotonine** et de la **thromboxane A_2** qui provoque des spasmes vasculaires pouvant durer une trentaine de minutes. Le rétrécissement local du vaisseau, si le diamètre de celui-ci n'est pas trop gros, endigue l'écoulement de sang jusqu'au moment de la coagulation. (Les lésions directes des myocytes lisses et la stimulation des nocicepteurs locaux causent aussi les spasmes vasculaires.)
3. **Coagulation.**
   a) Pendant ce temps, les tissus endommagés libèrent de la **thromboplastine tissulaire**, qui joue un rôle important dans la coagulation.
   b) Le **PF_3**, phospholipide qui recouvre les surfaces des plaquettes, interagit avec la thromboplastine tissulaire, la vitamine K et d'autres facteurs de coagulation (une douzaine de facteurs au total agissant en cascade, le produit d'une réaction activant, à son

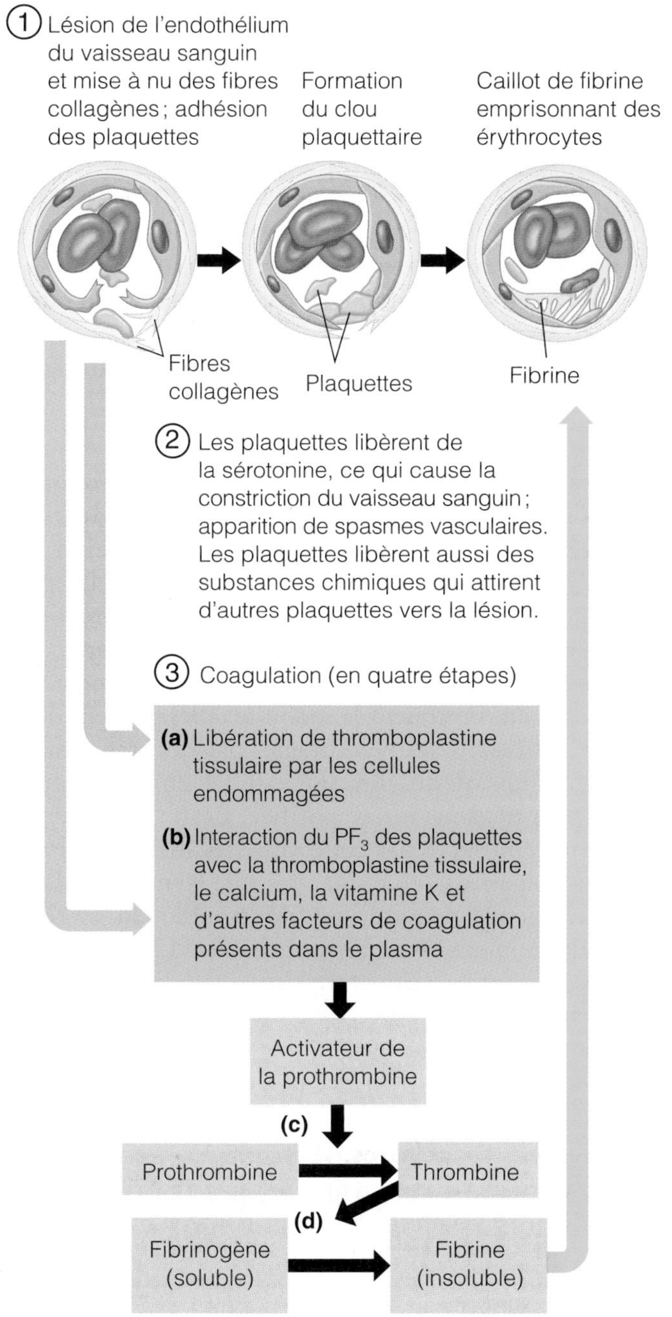

① Lésion de l'endothélium du vaisseau sanguin et mise à nu des fibres collagènes ; adhésion des plaquettes
Formation du clou plaquettaire
Caillot de fibrine emprisonnant des érythrocytes
Fibres collagènes
Plaquettes
Fibrine
② Les plaquettes libèrent de la sérotonine, ce qui cause la constriction du vaisseau sanguin ; apparition de spasmes vasculaires. Les plaquettes libèrent aussi des substances chimiques qui attirent d'autres plaquettes vers la lésion.
③ Coagulation (en quatre étapes)
(a) Libération de thromboplastine tissulaire par les cellules endommagées
(b) Interaction du PF_3 des plaquettes avec la thromboplastine tissulaire, le calcium, la vitamine K et d'autres facteurs de coagulation présents dans le plasma
Activateur de la prothrombine
(c)
Prothrombine
Thrombine
(d)
Fibrinogène (soluble)
Fibrine (insoluble)

Figure 10.6 **L'hémostase**

L'hémostase, décrite en détail dans le texte, s'amorce lorsqu'un vaisseau sanguin est endommagé et que le tissu conjonctif de sa paroi entre en contact avec le sang.

tour, la réaction suivante), ainsi qu'avec des ions calcium (Ca^{2+}) pour former l'activateur de la prothrombine qui déclenche le *processus de la coagulation.*

c) L'**activateur de la prothrombine** convertit la **prothrombine** présente dans le plasma en une enzyme appelée **thrombine**.

d) La thrombine unit les protéines solubles du **fibrinogène** en de longues molécules de **fibrine** insoluble. La fibrine forme un filet qui emprisonne les érythrocytes et les plaquettes, et crée la base du caillot (figure 10.7). En moins d'une heure, le caillot commence à se rétracter grâce à une protéine contractile contenue dans les plaquettes, ce qui expulse le **sérum** (c'est-à-dire le plasma sans les protéines de coagulation) de la masse et rapproche les lèvres de la lésion.

Le sang se coagule normalement en trois à six minutes. En règle générale, les facteurs déclenchants sont inactivés dès que le processus de coagulation s'amorce afin de prévenir une généralisation de la coagulation. L'endothélium finit par se régénérer et le caillot par se dégrader grâce à une enzyme, la *plasmine*, présente sous sa forme inactive dans le plasma et qui dégrade la fibrine. Lorsqu'ils ont découvert la série de réactions qui aboutit à la coagulation, les scientifiques ont compris que l'application de pression ou d'un morceau de gaze stérile sur une blessure accélérait la coagulation. En effet, la pression brise des cellules, ce qui augmente localement la libération de thromboplastine tissulaire, et la gaze fournit aux plaquettes une surface rugueuse à laquelle elles peuvent adhérer.

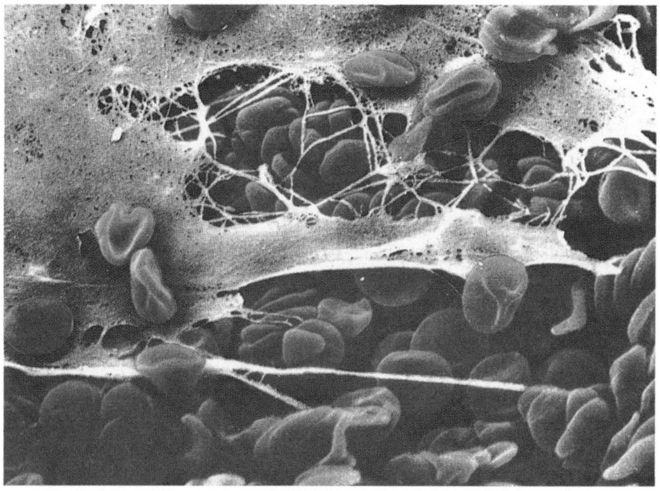

Figure 10.7 **Caillot de fibrine**

Micrographie au microscope électronique à balayage (artificiellement colorée) d'érythrocytes emprisonnés dans un réseau de fibrine (1200×).

LES ANOMALIES DE L'HÉMOSTASE

Déséquilibre homéostatique

Les deux principales anomalies de l'hémostase, soit la formation inopportune d'un caillot et les affections hémorragiques, sont diamétralement opposées.

La coagulation inopportune

En dépit des mécanismes qui s'opposent à la coagulation anormale, il arrive que des caillots se forment à l'intérieur des vaisseaux sanguins intacts, ceux des jambes en particulier. Un caillot qui se développe dans un vaisseau sanguin intact et qui y demeure est un **thrombus**. Un thrombus de grandes dimensions peut faire obstacle à l'irrigation des cellules situées en aval. Par exemple, la formation d'un caillot dans les vaisseaux sanguins qui irriguent le cœur (*thrombose coronaire*) peut provoquer la mort des fibres musculaires cardiaques et un infarctus fatal. Par ailleurs, un caillot qui se détache de la paroi du vaisseau et flotte librement dans la circulation est appelé **embole**. Habituellement, un embole ne cause de dégâts que s'il se loge dans un vaisseau dont le calibre est trop petit pour le laisser passer. L'*embolie cérébrale*, par exemple, peut causer un accident vasculaire cérébral (AVC).

La coagulation peut être inopinément provoquée par tous les facteurs qui abrasent l'endothélium d'un vaisseau sanguin et favorisent l'agrégation des plaquettes, tels les blessures graves, les coups et les accumulations de matières lipidiques. La lenteur de la circulation, ou stase sanguine, accroît aussi les risques d'embolie, surtout chez les patients immobilisés. Dans un tel cas, les facteurs de coagulation ne se dissipent pas normalement et s'accumulent au point de permettre la formation d'un caillot. En clinique, on prescrit des anticoagulants comme l'aspirine, l'héparine et le dicoumarol aux patients sujets à la thrombose.

Les affections hémorragiques

Les causes les plus fréquentes des troubles hémorragiques sont le déficit en plaquettes (thrombopénie) et les déficits en certains facteurs de coagulation provoqués notamment par une perturbation de la fonction hépatique ou certaines maladies héréditaires.

La **thrombopénie** (ou thrombocytopénie), c'est-à-dire l'insuffisance du nombre de plaquettes circulantes, se traduit par des saignements spontanés des petits vaisseaux sanguins. Les mouvements les plus banals causent des hémorragies révélées par l'apparition sur la peau de marques violacées appelées *pétéchies.* La thrombopénie est causée par les facteurs qui s'attaquent au tissu myéloïde, par exemple le cancer de la moelle osseuse, les radiations et certains médicaments.

Quand le foie est incapable de synthétiser une quantité suffisante de facteurs de coagulation, des saignements anormaux et souvent graves surviennent. Si le trouble est attribuable à une carence en vitamine K (nécessaire à la production des facteurs de coagulation dans les cellules du foie), on peut y remédier facilement au moyen de suppléments de vitamine K. Mais si la fonction hépatique est gravement perturbée (par l'hépatite et la cirrhose notamment), seules des transfusions de sang total peuvent venir à bout du problème.

Le terme **hémophilie** désigne des affections hémorragiques héréditaires, qui touchent surtout les hommes, causées par un déficit en un des facteurs de coagulation. Les diverses formes de la maladie ont des signes et des symptômes semblables qui apparaissent dans les premières années de la vie. La moindre blessure provoque un saignement prolongé et potentiellement fatal. Les articulations et les muscles sont le siège de saignements répétés qui en diminuent la mobilité et les rendent douloureux. On traite les hémorragies par des transfusions de plasma frais ou des injections du facteur de coagulation approprié, sous forme purifiée. Beaucoup d'hémophiles ont contracté par cette voie des maladies virales comme l'hépatite C et le sida. (Le sida [syndrome d'immunodéficience acquise] est un trouble du système immunitaire; nous en traitons au chapitre 12.) Les hémophiles sont protégés contre ce risque depuis la mise sur le marché de facteurs de coagulation produits par génie génétique. ▲

Les groupes sanguins et les transfusions

Comme nous venons de le voir, le sang est essentiel au transport des substances dans l'organisme. Au cours d'un saignement, les vaisseaux sanguins se resserrent et la moelle osseuse accélère la formation de globules afin de maintenir une circulation adéquate. Ces mécanismes de compensation ont cependant leurs limites. Les pertes de 15 à 30 % du volume sanguin causent la pâleur et la faiblesse. Les pertes supérieures à 30 % entraînent un état de choc grave, voire fatal. On procède habituellement à des transfusions de sang total pour compenser les pertes de sang importantes ainsi que pour traiter l'anémie grave et la thrombopénie. Généralement, la banque de sang prélève le sang d'un donneur puis le mélange à un anticoagulant. Le sang traité peut se conserver (à 4 °C) durant environ 35 jours.

GROS PLAN

Pour du sang neuf : à la recherche de substituts artificiels

Aucun substitut ne peut véritablement remplacer le sang, car ses multiples composants jouent une grande variété de rôles, de la lutte contre les infections au transport de l'oxygène. Il existe cependant des liquides de remplacement qui peuvent assurer le transport de l'oxygène des poumons vers le reste de l'organisme et servir ainsi de solution temporaire tout en permettant d'éviter une réaction hémolytique. Les substituts du sang présentent un énorme avantage pour le receveur, car le risque de transmission de facteurs de maladies à diffusion hématogène est nul. Nous décrivons brièvement ici quatre de ces substances de transport de l'oxygène : le Fluosol, l'hémoglobine modifiée chimiquement, les globules rouges artificiels (néohémocytes) et l'Hemopure.

Le Fluosol

Le principal ingrédient du Fluosol, substitut de sang artificiel à l'aspect laiteux (c'est une émulsion), est une substance appartenant à la famille des perfluorocarbones (PFC), qui sont des composés contenant du fluor et apparentés au téflon, revêtement antiadhésif courant sur les batteries de cuisine. Conçu au Japon, ce produit a été mis à l'essai aux États-Unis en 1982. Les premiers receveurs étaient pour la plupart des patients qui avaient besoin d'une intervention chirurgicale mais qui refusaient les transfusions de sang pour des motifs religieux.

Le Fluosol joue le rôle d'un milieu où l'oxygène (et le gaz carbonique) se dissolvent. Pour lui permettre d'emmagasiner suffisamment d'oxygène, les patients inhalent de l'oxygène pur au moyen d'un masque ou prennent place dans un caisson hyperbare (à haute pression). Les créateurs du produit affirment que les tissus utilisent plus facilement l'oxygène transporté par le Fluosol, car ses particules fluides sont de 30 à 70 fois plus petites que les érythrocytes et elles peuvent plus facilement passer dans des petits vaisseaux partiellement bouchés. Les PFC, biologiquement inertes, ne sont pas métabolisés mais retirés du sang par la rate et le foie, et s'y accumulent jusqu'à leur élimination sous forme de gaz par les poumons (et dans une moindre mesure par la peau), soit de 4 à 12 heures après qu'ils ont été injectés. Le Fluosol a surtout été utilisé au départ pour traiter les crises cardiaques, l'intoxication par l'oxyde de carbone et la drépanocytose, ainsi qu'à titre de substitut sanguin au cours de certaines interventions chirurgicales ; cependant, il a fallu renoncer à ces utilisations, car des recherches ont montré que le médicament pouvait inhiber le système immunitaire. De plus, le Fluosol présentait des problèmes de conservation.

À l'heure actuelle, on s'emploie à mettre au point des agents (Oxyfluor et Oxygent) qui appartiennent à une nouvelle génération de composés à base de PFC et qui ont été conçus pour pallier les inconvénients du Fluosol. Leur durée de conservation est longue (deux ans au froid) et ils transportent jusqu'à quatre fois plus d'oxygène que les substances de la première génération. Toutefois, l'accroissement de l'oxygénation du sang n'a pas que des avantages, puisque l'oxygène qui s'accumule dans les tissus peut occasionner des lésions. Cela devrait inciter à la prudence les sportifs tentés d'utiliser les PFC pour améliorer leurs performances.

L'hémoglobine modifiée chimiquement

À la recherche d'un substitut qui stimulerait l'apport d'oxygène, les scientifiques ont commencé par isoler l'hémoglobine des érythrocytes humains, puis l'ont modifiée en créant un pont chimique entre deux de ses quatre chaînes polypeptidiques, les deux chaînes α (pour créer HemAssist), et en réunissant plusieurs molécules d'hémoglobine (pour donner le polymère PolyHeme). L'hémoglobine ainsi modifiée fournit plus d'oxygène aux tissus que l'hémoglobine normale, même à basse température (10 °C). Ainsi, lorsque la température corporelle est abaissée pendant une chirurgie cardiaque, l'usage de l'hémoglobine modifiée permettrait de stimuler l'apport d'oxygène aux tissus. Qui plus est, la structure réticulée de cette substance l'empêche de se fragmenter dans le sang (comme le fait l'hémoglobine normale). Il n'est donc plus nécessaire de la mettre à l'abri dans un érythrocyte.

Même si certains essais semblent prometteurs, d'importants problèmes subsistent. Par exemple, les études de phase III avec HemAssist ont été interrompues, en 1998, à la suite de résultats défavorables ; celles qui concernent PolyHeme donnent lieu à un débat d'ordre éthique, les grands blessés chez qui le nouveau substitut sanguin est testé n'étant pas toujours en mesure de donner leur consentement à son utilisation. De plus, certaines substances toxiques puissantes (endotoxines) d'origine bactérienne ont tendance à adhérer à l'hémoglobine modifiée, et il semble que l'hémoglobine circulant librement provoque une constriction généralisée des vaisseaux sanguins, ce qui entrave le transport de l'oxygène.

Les néohémocytes

Des chercheurs de l'Université de Californie à San Francisco ont fabriqué des érythrocytes artificiels, appelés *néohémocytes*, en emprisonnant des molécules d'hémoglobine naturelle dans des bulles faites de phospholipides et de cholestérol. Les « globules rouges » ainsi créés sont environ 12 fois plus petits que les érythrocytes humains. Bien que les néohémocytes soient détruits et éliminés plus rapidement de la circulation sanguine que les érythrocytes, leur durée de conservation est de 6 mois (comparativement à 35 jours environ pour le sang total). Par conséquent, la transfusion de néohémocytes pourrait représenter un choix possible pour les blessés qui ont besoin de sang immédiatement. Cependant, les essais cliniques sur des êtres humains ne sont pas près de débuter.

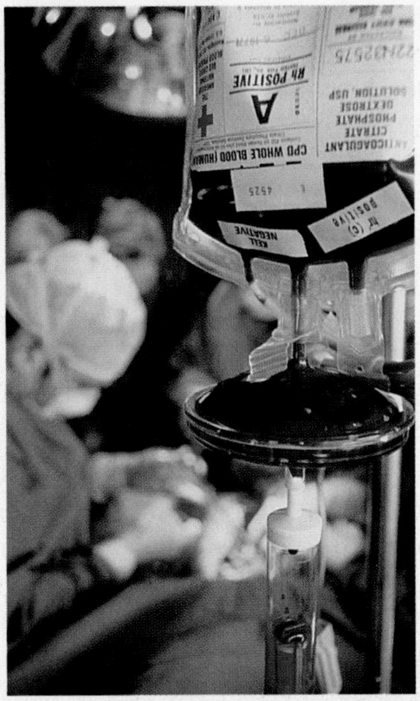

L'Hemopure

L'Hemopure est un substitut du sang naturel, mais non humain, approuvé récemment par la Food and Drug Administration (FDA) des États-Unis. Il contient de l'hémoglobine purifiée extraite de sang de bœuf. L'absence de membrane plasmique élimine le risque de réaction croisée. En revanche, comme c'est un substitut d'origine bovine, il faut écarter tout danger de transmettre la maladie de la vache folle (encéphalopathie spongiforme bovine), ainsi que d'autres maladies encore inconnues. De plus, l'utilisation d'Hemopure pourrait entraîner certains risques au niveau du système cardiovasculaire (hypertension, problèmes cardiaques, etc.).

Bien que la FDA encourage depuis plus de 20 ans la recherche sur le sang artificiel, aucun produit commercialisable, y compris ceux que nous venons de présenter, n'a été approuvé pour un usage autre qu'expérimental sur des êtres humains. Mais cela pourrait changer. En 2007, une équipe de chercheurs, dont certains appartiennent au Centre national de la recherche scientifique (CNRS), ont isolé deux familles d'enzymes qui pourraient permettre de modifier les molécules présentes sur la membrane des érythrocytes qui sont responsables des groupes sanguins A, B et AB. Cela ouvre la voie à une transformation des différents groupes sanguins afin de les rendre tous compatibles avec tous les receveurs; autrement dit, à modifier les groupes A, B et AB en groupe O. D'autres chercheurs poursuivent d'autres pistes. On a par exemple réussi, en 1997, à faire produire de l'hémoglobine humaine par des plants de tabac transgéniques: on a injecté à ces plants des bactéries chez lesquelles on avait préalablement inséré les gènes de l'hémoglobine. Également, en 2001, une méthode pour la transformation des cellules souches en érythrocytes a été publiée. Quoi qu'il en soit, le sang demeure sans prix encore aujourd'hui et la technologie moderne a encore beaucoup à faire pour imiter son admirable complexité.

LES GROUPES SANGUINS HUMAINS

Les transfusions sanguines peuvent sauver des vies. Or, il existe différents groupes sanguins, et les transfusions de sang incompatible peuvent être fatales. Pourquoi? Parce que la membrane plasmique des globules rouges, comme celle de toutes les autres cellules, porte des protéines génétiquement déterminées appelées **antigènes**, qui font de chaque individu un être unique. Si des antigènes étrangers entrent en contact avec les tissus d'un individu, l'organisme de celui-ci ne les reconnaît pas comme siens; ces antigènes mobilisent le système immunitaire de l'individu qui les reçoit, et celui-ci se met à libérer des **anticorps** ou à organiser, par d'autres moyens, la défense de l'organisme. La plupart des antigènes sont des protéines étrangères; ce sont par exemple les protéines constituant la structure de virus ou de bactéries qui ont envahi l'organisme. Celui-ci tolère ses propres antigènes cellulaires (le « soi »), mais il considère comme étrangères les protéines des globules rouges d'une autre personne qui sont différentes des siennes.

Les « veilleurs » qui effectuent la reconnaissance sont des anticorps présents dans le plasma qui s'attachent aux érythrocytes dont les antigènes sont différents de ceux du receveur. La liaison des anticorps aux antigènes provoque l'**agglutination** des érythrocytes et, par conséquent, l'obstruction des petits vaisseaux sanguins. (Les antigènes des globules rouges qui provoquent l'agglutination sont parfois appelés **agglutinogènes** et les anticorps qui les lient, **agglutinines**.) Les globules rouges se lysent (éclatent) dans les heures qui suivent, et leur hémoglobine se répand dans la circulation sanguine. Le sang incompatible n'a pas la capacité de transporter l'oxygène adéquatement, de sorte que certains tissus peuvent être privés d'irrigation. Pis encore, les molécules d'hémoglobine libérées peuvent obstruer les tubules rénaux et entraîner l'insuffisance rénale. Les réactions hémolytiques peuvent aussi causer de la fièvre, des frissons, des nausées et des vomissements, malaises rarement fatals en l'absence d'insuffisance rénale. Le traitement vise à prévenir l'atteinte rénale et consiste à injecter des liquides alcalins qui diluent et dissolvent l'hémoglobine ainsi que des diurétiques qui en facilitent l'excrétion dans l'urine.

On compte plus de 30 agglutinogènes dans la population humaine. La présence ou l'absence de chacun permet de classer les globules sanguins de tout individu. Mais ce sont les agglutinogènes déterminant les systèmes ABO et Rh qui causent les pires réactions hémolytiques s'ils sont transfusés à un receveur incompatible. C'est pourquoi nous décrirons ces deux systèmes ici.

Comme le montre le tableau 10.3, le **système ABO** est fondé sur la présence ou l'absence de l'agglutinogène A et de l'agglutinogène B. L'absence des deux agglutinogènes détermine le groupe O; la présence détermine le groupe AB; la présence de l'agglutinogène A détermine le groupe A; la présence de l'agglutinogène B détermine le groupe B. Il se forme pendant la petite enfance des agglutinines qui s'attaquent aux agglutinogènes A ou B *absents* des érythrocytes de l'individu. Comme l'indique le tableau, un bébé qui ne possède ni l'agglutinogène A ni l'agglutinogène B (groupe O) forme des agglutinines anti-A et anti-B. Un bébé qui possède les agglutinogènes A (groupe A) forme des agglutinines anti-B, et ainsi de suite.

Tableau 10.3 **Le système ABO**

Groupe sanguin	Fréquence des érythrocytes (% de la population) Canada	France	Antigènes du plasma (agglutinogènes)	Illustration	Anticorps du plasma (agglutinines)	Sang compatible
AB	3	3	A B	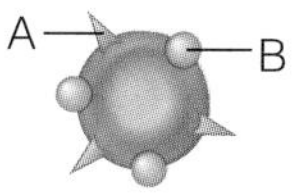A B	Aucun	A, B, AB, O Receveur universel
B	9	8	B	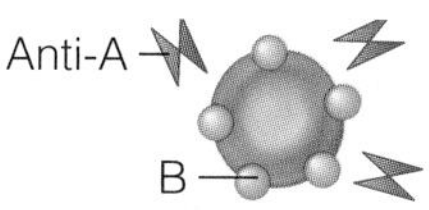Anti-A B	Anti-A	B, O
A	42	45	A	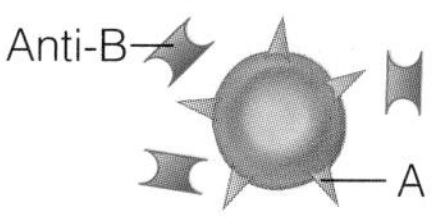Anti-B A	Anti-B	A, O
O	46	44	Aucun	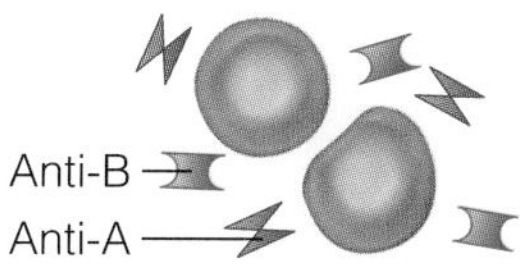Anti-B Anti-A	Anti-A Anti-B	O Donneur universel

La répartition des groupes sanguins varie d'une population à l'autre. Si, comme le montre le tableau 10.3, elle diffère peu à l'intérieur d'une population donnée (la distribution des différents groupes au Canada et en France est sensiblement la même), elle peut montrer des variations importantes si on compare les populations noires d'Afrique (où le groupe O domine) et les populations d'Asie (où le groupe B est souvent prépondérant). Dans certaines populations, des groupes peuvent être inexistants ou presque: c'est le cas des groupes B et AB chez les aborigènes d'Australie.

Le **système Rh** est ainsi nommé parce qu'on a identifié l'un des huit antigènes Rh (l'agglutinogène D) chez le singe **Rh**ésus avant de le découvrir chez l'être humain. Dans la population blanche, 85 % des individus ont un Rh positif (Rh^+), c'est-à-dire que leurs érythrocytes portent l'agglutinogène Rh. Contrairement aux agglutinines du système ABO, les agglutinines anti-Rh ne se forment *pas* spontanément dans le sang des individus à Rh négatif (Rh^-). Toutefois, si une personne Rh^- reçoit du sang incompatible (c'est-à-dire du sang Rh^+), son système immunitaire se sensibilise peu après la transfusion et commence à produire des agglutinines anti-Rh. La première transfusion de sang incompatible ne provoque pas l'hémolyse, car le système immunitaire met un certain temps à réagir et à produire des agglutinines. Mais toutes les transfusions subséquentes occasionnent une *réaction hémolytique* caractérisée au cours de laquelle les agglutinines du receveur attaquent et détruisent les érythrocytes Rh^+ du donneur.

Un grave problème associé au facteur Rh se pose à la femme enceinte Rh^- qui porte un fœtus Rh^+ (cela est possible si le père est Rh^+; nous verrons pourquoi au chapitre 17). La femme enceinte pour la *première* fois donne habituellement naissance à un bébé bien-portant. Elle est cependant sensibilisée par des antigènes Rh du fœtus qui sont passés par le placenta dans sa propre circulation sanguine. Elle forme donc des anticorps anti-Rh, à moins qu'elle n'ait reçu du sérum RhoGAM dans un délai de trois jours après l'accouchement. Ce sérum contient des anticorps anti-Rh qui se fixent aux antigènes Rh du fœtus qui auraient pu passer dans le sang de la mère, prévenant ainsi la sensibilisation et la réponse immunitaire subséquente. Si la femme n'est pas traitée et conçoit un deuxième bébé Rh^+, ses anticorps traverseront le placenta et détruiront les érythrocytes du fœtus. Celui-ci sera atteint de la *maladie hémolytique du nouveau-né*: il souffrira d'anémie et d'hypoxémie, et sera cyanosé (sa peau aura une coloration bleue). Ces états peuvent entraîner des lésions cérébrales et même la mort, mais peuvent être prévenus par des transfusions intra-utérines (avant la naissance). Ce traitement fournit des érythrocytes au fœtus et permet d'assurer le transport de l'oxygène.

LA DÉTERMINATION DU GROUPE SANGUIN

Il va de soi que la détermination du groupe sanguin du donneur et du receveur *avant* la transfusion est d'une importance capitale. La marche à suivre pour le système ABO (présentée succinctement à la figure 10.8) consiste à mélanger le sang avec du sérum anti-A et du sérum anti-B. Les érythrocytes d'une personne du groupe A s'agglutinent en présence de sérum anti-A mais non en présence de sérum anti-B. De même, les érythrocytes d'une personne du groupe B s'agglutinent en présence de sérum anti-B mais non en présence de sérum anti-A. Pour plus de sûreté, on procède également à une épreuve de *compatibilité croisée.* On vérifie alors si le sérum du receveur provoque l'agglutination des érythrocytes du donneur, et si le sérum du donneur provoque l'agglutination des érythrocytes du receveur. Les groupes du système Rh sont déterminés de la même façon que les groupes du système ABO.

Q **Une personne du groupe B doit recevoir une transfusion de sang. Quels sont les groupes sanguins qui sont théoriquement compatibles avec le sien?**

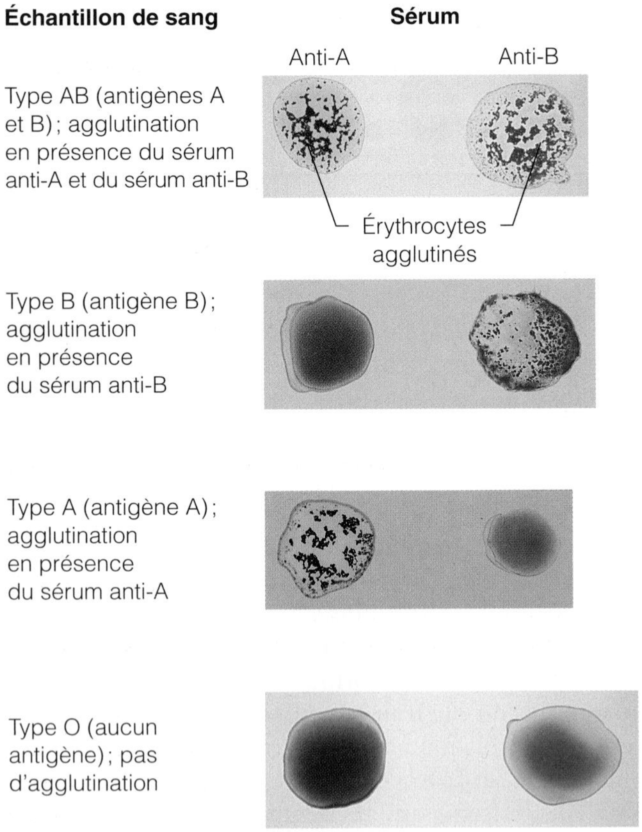
Échantillon de sang
Sérum
Anti-A
Anti-B
Type AB (antigènes A et B); agglutination en présence du sérum anti-A et du sérum anti-B
Érythrocytes agglutinés
Type B (antigène B); agglutination en présence du sérum anti-B
Type A (antigène A); agglutination en présence du sérum anti-A
Type O (aucun antigène); pas d'agglutination

Figure 10.8 **La détermination des groupes sanguins du système ABO**

On ajoute du sérum contenant soit des anticorps anti-A, soit des anticorps anti-B à un échantillon de sang dilué avec une solution saline. L'agglutination se produit si l'échantillon contient les antigènes (agglutinogènes) correspondants.

R **Les groupes B et O.**

Le développement et le vieillissement du sang

Le système cardiovasculaire dans son ensemble se forme au début du développement embryonnaire. Il existe avant la naissance de nombreux tissus hématopoïétiques (dont le foie et la rate). Au septième mois du développement prénatal, la moelle rouge devient le siège principal de l'hématopoïèse, et elle le demeure jusqu'à la mort. En règle générale, les globules sanguins de l'embryon circulent dans les vaisseaux sanguins nouvellement formés dès le 28e jour du développement. L'hémoglobine fœtale (HbF) diffère de l'hémoglobine qui se forme après la naissance. Elle a plus d'affinité pour l'oxygène, caractéristique fort opportune dans la mesure où le sang fœtal est moins riche en oxygène que celui de la mère. Après la naissance, les globules sanguins du fœtus sont graduellement remplacés par des érythrocytes qui contiennent de l'hémoglobine A (HbA). Il arrive que les érythrocytes fœtaux soient détruits à un rythme si élevé que le foie du bébé, encore immature, ne parvienne pas à évacuer assez rapidement dans la bile les produits de dégradation de l'hémoglobine. Le bébé est alors atteint d'un *ictère* (ou jaunisse) sans conséquences graves; on appelle ce trouble *ictère physiologique* pour le démarquer des troubles plus graves qui causent le jaunissement des tissus.

Déséquilibre homéostatique

Diverses maladies congénitales sont causées par des facteurs génétiques et les interactions entre les facteurs du sang fœtal et ceux du sang maternel. Les premiers sont à l'origine de troubles comme l'hémophilie et l'anémie à hématies falciformes, tandis que les secondes entraînent par exemple la maladie hémolytique du nouveau-né. Certains facteurs nutritionnels peuvent entraîner des anomalies de l'hématopoïèse et de la production d'hémoglobine. L'anémie ferriprive atteint surtout des femmes en raison de la menstruation. Les jeunes et les personnes âgées sont particulièrement sujets à la leucémie. Les risques de leucémie chronique, d'anémie et de thrombose augmentent avec l'âge. Cependant, ces troubles sont habituellement déclenchés par des affections cardiaques, vasculaires ou immunitaires. Les personnes âgées sont particulièrement prédisposées à l'anémie pernicieuse, car la muqueuse gastrique (qui produit le facteur intrinsèque) s'atrophie au cours des années. ▲

Résumé du chapitre 10

LA COMPOSITION ET LES FONCTIONS DU SANG *(p. 368-375)*

1. Le sang est composé d'une matrice liquide non vivante (le plasma) et d'éléments figurés. Sa couleur varie de l'écarlate au rouge sombre selon la quantité d'oxygène qu'il transporte. Le volume sanguin est normalement de 5 à 6 L chez l'adulte.

2. Le plasma (composé principalement d'eau) contient de nombreux solutés: des nutriments, des gaz, des hormones, des déchets, des protéines, des sels, etc. Sa composition varie selon que les cellules captent ou libèrent des substances dans le sang. Divers mécanismes homéostatiques lui conservent cependant une composition relativement constante. Le plasma constitue jusqu'à 55 % du volume du sang total.

3. Les éléments figurés sont les globules sanguins vivants et les fragments cellulaires qui constituent environ 45 % du volume du sang total. Ils comprennent:
   a) les érythrocytes, ou globules rouges, des cellules anucléées en forme de disque qui transportent l'oxygène lié à leurs molécules d'hémoglobine; leur durée de vie est de 100 à 120 jours;
   b) les leucocytes, ou globules blancs, qui sont des cellules amiboïdes qui participent à la défense de l'organisme;
   c) les plaquettes, fragments de cellules qui interviennent dans la coagulation.

4. L'anémie est une diminution de la capacité du sang à transporter l'oxygène. Elle peut être causée par une baisse du nombre d'érythrocytes ou de la quantité d'hémoglobine qu'ils contiennent. La polycythémie se traduit par un nombre excessif de globules rouges; elle peut être causée par un cancer de la moelle osseuse ou par un séjour dans un endroit où la teneur en oxygène de l'air est faible (en altitude, par exemple).

5. Les leucocytes sont des cellules nucléées dont il existe deux groupes:
   a) les granulocytes (granulocytes neutrophiles, granulocytes éosinophiles et granulocytes basophiles);
   b) les agranulocytes (monocytes et lymphocytes).

6. Lorsque des bactéries, des virus ou des substances étrangères envahissent l'organisme, les globules blancs deviennent plus nombreux (hyperleucocytose) et les combattent.

7. La leucopénie est une diminution anormale du nombre de globules blancs. La mononucléose infectieuse et la leucémie entraînent une augmentation anormale du nombre de globules blancs.

8. Tous les éléments figurés proviennent d'une même cellule souche, l'hémocytoblaste, située dans la moelle osseuse rouge. Leur développement emprunte cependant des voies différentes. Le stimulus de l'hématopoïèse est hormonal (l'érythropoïétine dans le cas des globules rouges).

L'HÉMOSTASE *(p. 375-378)*

1. L'hémostase, ou arrêt du saignement d'un vaisseau sanguin endommagé, se déroule en trois étapes: la formation du clou plaquettaire, les spasmes vasculaires et la formation du caillot.

2. L'hémostase est déclenchée par une déchirure ou une interruption dans l'épithélium d'un vaisseau sanguin. Les plaquettes adhèrent à la lésion et libèrent de la sérotonine, laquelle provoque la vasoconstriction. Le PF_3 et la thromboplastine tissulaire amorcent le processus de coagulation et provoquent la formation de filaments de fibrine. La fibrine emprisonne les globules rouges et forme ainsi le caillot.

3. Normalement, le caillot se dégrade lorsque le vaisseau sanguin est définitivement réparé. Un caillot qui se forme dans un vaisseau sanguin intact et y demeure est un *thrombus*; un caillot qui flotte dans la circulation sanguine est un *embole*.

4. Un saignement anormal peut être attribuable à un déficit en plaquettes (thrombopénie), à des facteurs génétiques (hémophilie) ou à l'incapacité du foie de produire les facteurs de coagulation.

LES GROUPES SANGUINS ET LES TRANSFUSIONS *(p. 378-382)*

1. Les groupes sanguins sont déterminés par les protéines (antigènes) présentes sur la membrane plasmique des globules rouges ainsi que par la présence ou l'absence des

anticorps correspondants dans le sang. Les anticorps provoquent l'agglutination et la lyse des érythrocytes étrangers.

2. Les groupes sanguins que l'on détermine le plus souvent appartiennent au système ABO. Dans la population blanche, le groupe O est le plus répandu et le groupe AB le plus rare. Les antigènes ABO sont accompagnés par des anticorps préformés dans le plasma, qui s'attaquent aux érythrocytes portant des antigènes « étrangers ».

3. Dans la population blanche, 85 % des individus possèdent le facteur Rh. Les individus Rh^- ne possèdent pas d'anticorps anti-Rh à la naissance, mais leur organisme en forme après avoir été exposé à du sang Rh^+.

LE DÉVELOPPEMENT ET LE VIEILLISSEMENT DU SANG *(p. 382-383)*

1. Les troubles hématologiques congénitaux comprennent divers types d'anémies hémolytiques ainsi que l'hémophilie. L'incompatibilité entre le sang maternel et le sang fœtal peut entraîner la maladie hémolytique du nouveau-né.

2. L'hémoglobine fœtale (HbF) a une plus grande affinité pour l'oxygène que l'hémoglobine de l'adulte (HbA).

3. L'ictère physiologique qui atteint le nouveau-né est causé par l'immaturité du foie.

4. L'hyperleucocytose peut être le signe de la leucémie ou d'un cancer des organes hématopoïétiques. La leucémie atteint surtout les enfants et les personnes âgées.

5. Les personnes âgées sont prédisposées à l'anémie et aux troubles de la coagulation.

Questions de révision

QUESTIONS À CHOIX MULTIPLE

Pour certaines questions, il peut y avoir plus d'une bonne réponse.

1. Lesquelles, parmi les substances qui suivent, ne sont pas des protéines plasmatiques fabriquées par le foie?
   a) Les agglutinines.
   b) L'albumine.
   c) Le fibrinogène.
   d) L'hémoglobine.

2. L'érythropoïèse peut augmenter sous l'effet:
   a) d'un ulcère hémorragique.
   b) d'une réduction de la ventilation pulmonaire.
   c) d'une diminution de l'activité physique.
   d) d'une réduction de l'irrigation des reins.

3. Quel est le meilleur indicateur de la capacité du sang à transporter l'oxygène?
   a) Le nombre de globules blancs qu'il contient.
   b) Le nombre de globules rouges qu'il contient.
   c) La teneur en hémoglobine du sang.
   d) Le volume de sang total d'un individu.

4. Chez les personnes atteintes d'anémie à hématies falciformes, la falciformation des érythrocytes peut être provoquée par:
   a) une hémorragie.
   b) l'exercice physique vigoureux.
   c) le stress.
   d) la fièvre.

5. Dans la leucémie:
   a) les leucocytes ne sont plus produits.
   b) les leucocytes deviennent matures trop rapidement.
   c) les leucocytes élaborés sont immatures et ne peuvent remplir leur fonction.
   d) les leucocytes sont produits en très grand nombre par suite de la présence d'agents infectieux dans le sang.

6. La polycythémie primitive entraîne:
   a) une production excessive de globules blancs.
   b) une augmentation marquée du volume sanguin.
   c) une augmentation anormale de la viscosité du sang.
   d) une baisse anormale de l'hématocrite.

7. Laquelle des caractéristiques qui suivent ne s'applique *pas* aux leucocytes?
   a) Mouvements amiboïdes.
   b) Phagocytes (pour certains).
   c) Nucléés.
   d) Cellules les plus nombreuses dans la circulation sanguine.

8. Le leucocyte qui libère de l'histamine et d'autres substances inflammatoires est le:
   a) granulocyte basophile.
   b) granulocyte éosinophile.
   c) monocyte.
   d) granulocyte neutrophile.

9. Lesquels des éléments figurés qui suivent effectuent la phagocytose?
   a) Les érythrocytes.
   b) Les granulocytes neutrophiles.
   c) Les monocytes.
   d) Les lymphocytes.

10. La thrombopénie peut entraîner:
   a) la formation d'un thrombus.
   b) la formation d'un embole.
   c) l'apparition de pétéchies.
   d) l'hémophilie.

11. Parmi les énoncés qui suivent ayant trait au thrombus et à l'embole, déterminez ceux qui sont corrects.
    a) Le thrombus peut bloquer la circulation dans un vaisseau, mais ce n'est pas le cas de l'embole.
    b) Un embole est un thrombus qui s'est détaché de la paroi d'un vaisseau.
    c) La formation du thrombus et de l'embole pourrait être prévenue avec des anticoagulants.
    d) Une production insuffisante de facteurs de coagulation peut être la cause d'un thrombus aussi bien que d'un embole.

12. Au cours d'une transfusion sanguine, lesquels des événements qui suivent peuvent être la cause de problèmes?
    a) La liaison des anticorps du donneur aux érythrocytes du receveur.
    b) Le blocage des petits vaisseaux par les érythrocytes agglutinés.
    c) La lyse des érythrocytes du donneur.
    d) Le blocage des tubules rénaux.

13. Un nouveau-né qui possède un sang AB négatif:
    a) possède des agglutinines anti-A, anti-B et anti-Rh.
    b) ne possède aucune agglutinine dans son plasma.
    c) possède des agglutinines anti-O seulement.
    d) possède des agglutinines anti-Rh seulement.

14. Comment appelle-t-on le plasma sans les protéines de coagulation?
    a) Sérum.
    b) Sang entier.
    c) Fibrine.
    d) Thromboplastine tissulaire.

QUESTIONS À COURT DÉVELOPPEMENT

1. Quel est le volume sanguin d'un adulte de taille moyenne?

2. Pourquoi la couleur du sang varie-t-elle du rouge clair au rouge sombre?

3. Nommez le plus grand nombre possible de substances contenues dans le plasma.

4. Définissez le terme *éléments figurés*. Nommez les trois grands types d'éléments figurés. Lequel est le plus important en quantité? Lequel forme la couche leucocytaire? Lequel est le seul à être constitué de cellules complètes?

5. Quelle est la durée de vie moyenne des érythrocytes? Quelle est la conséquence de l'absence de noyau pour la durée de vie de l'érythrocyte?

6. En quoi l'érythrocyte est-il un bel exemple de la relation qui existe entre la forme et la fonction en biologie?

7. Définissez le terme *anémie*. Donnez trois causes possibles de l'anémie. Quel type d'anémie est le plus répandu dans le monde et lequel des trois grands types de causes énumérées en est responsable?

8. Qu'est-ce qui distingue les granulocytes des agranulocytes? Nommez les types de granulocytes et d'agranulocytes. Indiquez la principale fonction de chacun.

9. Un élève examine un frottis sanguin préparé avec la coloration de Wright. Quel type de globules blancs est-il le plus susceptible de trouver? Pourquoi?

10. Vous souffrez d'une infection grave. Votre numération leucocytaire s'établit-elle autour de 5×10^9/L, de 10×10^9/L ou de 15×10^9/L? Pourquoi? Quel nom donne-t-on à cet état?

11. Nommez la cellule souche qui produit tous les éléments figurés. Indiquez les éléments figurés qui naissent ensuite de la cellule souche myéloïde, puis ceux qui proviennent de la cellule souche lymphoïde.

12. Où s'effectue d'abord l'hématopoïèse chez le fœtus? chez l'adulte?

13. Décrivez le processus de l'hémostase. Indiquez ce qui déclenche ce processus. Nommez trois endroits d'où proviennent les substances qui y prennent part.

14. Quels sont les deux grands types d'anomalies liées à l'hémostase? Pourquoi une maladie du foie peut-elle provoquer des troubles hématologiques?

15. Expliquez pourquoi il est utile d'appliquer une pression ou de la gaze pour favoriser la coagulation du sang.

16. Énumérez au moins cinq fonctions qu'exerce le sang. (Indice: Revoyez les fonctions de ses différents composants.)

17. Mentionnez deux avantages que pourrait présenter la mise au point de substituts sanguins efficaces.

18. Sur quoi le système ABO est-il fondé? Qu'est-ce qu'une agglutinine?

19. Nommez les quatre groupes du système ABO. Déterminez, pour chacun, les agglutinogènes et les agglutinines présents.

20. Quelle différence importante y a-t-il entre le système ABO et le système Rh en ce qui concerne l'apparition des agglutinines dans le plasma?

21. Qu'est-ce qu'une réaction hémolytique? Quelle en est la cause?

22. Pour quelle raison une personne Rh^- ne présente-t-elle aucune réaction hémolytique la première fois qu'elle est exposée à du sang Rh^+? Pourquoi a-t-elle une réaction hémolytique la deuxième fois qu'elle en reçoit? Quel nom donne-t-on à cette réaction quand elle survient chez un bébé Rh^+ né d'une mère Rh^-?

23. Si votre hématocrite est élevé, est-ce que la teneur en hémoglobine de votre sang est forte ou faible ? Justifiez votre réponse.

24. Les substituts sanguins (Fluosol, HemAssist, PolyHeme, néohémocytes, Hemopure) devraient-ils faire augmenter l'hématocrite de l'individu qui les reçoit ? Expliquez votre réponse.

25. Quels sont les troubles hématologiques les plus répandus chez les personnes âgées ?

Réflexion et application

1. Un patient sous dialyse rénale présente une faible numération érythrocytaire. Quelle hormone sécrétée par les reins est vraisemblablement insuffisante ?

2. M. Bernier suit un traitement médicamenteux prolongé. Une biopsie de la moelle osseuse révèle un pourcentage anormalement élevé de tissu conjonctif non hématopoïétique. Quel trouble ce résultat indique-t-il ? Si les symptômes sont critiques, à quels traitements à court et à long terme faut-il recourir ? Est-il plus indiqué d'injecter du sang total ou des globules rouges concentrés ?

3. Une femme se présente à l'hôpital en se plaignant de fatigue, d'essoufflement et de frissons. On diagnostique un ulcère hémorragique ; les analyses sanguines indiquent en outre qu'elle souffre d'anémie. De quel type d'anémie s'agit-il ?

4. Un patient atteint d'un cancer de la moelle osseuse a un hématocrite de 70 %. Comment s'appelle le trouble dont il est atteint, en plus du cancer ?

5. Un homme d'âge mûr, professeur d'université à Paris, compte passer son année sabbatique dans les Alpes suisses à étudier l'astronomie. Deux jours après son arrivée, il remarque qu'il s'essouffle facilement et que toute activité physique le fatigue indûment. Mais ses symptômes disparaissent graduellement et, au bout de deux mois, il retrouve une bonne forme physique. À son retour à Paris, il subit un examen physique complet et son médecin lui indique que sa numération érythrocytaire est supérieure à la normale. Expliquez ce résultat. Est-ce que la numération érythrocytaire de cet homme restera supérieure à la normale ? Justifiez votre réponse.

6. Pourquoi le sectionnement net d'une artère est-il plus susceptible qu'une déchirure irrégulière de causer une hémorragie fatale ?

7. Entre le 25 juillet et le 23 septembre 2001, à plus de 120 reprises, des pluies rouges se sont abattues sur le Kerala, au sud-ouest de l'Inde. On a cru que ce pouvait être du sang ! L'analyse microscopique d'échantillons a révélé que cette pluie contenait des particules ressemblant à des cellules. Quelles substances (nommez-en deux) aurait-on dû rechercher, par des analyses biochimiques, et qui auraient pu constituer, par leur présence ou leur absence, de sérieux indices permettant de déterminer si les particules contenues dans ces pluies étaient des globules rouges ?

CHAPITRE 11

Le système cardiovasculaire

Lorsque vous aurez étudié le présent chapitre, vous aurez une connaissance pratique des fonctions du système cardiovasculaire ; vous devriez de plus avoir atteint les objectifs d'apprentissage énumérés ci-dessous.

Aperçu des fonctions

- ❑ Le cœur pompe le sang.
- ❑ Les vaisseaux sanguins sont les conduits qu'emprunte le sang pour atteindre tous les tissus de l'organisme.

OBJECTIFS D'APPRENTISSAGE

Le cœur *(p. 388-400)*

- ❑ **1.** Situer la base et l'apex du cœur par rapport à des repères anatomiques ; nommer et localiser sur un modèle ou un schéma les principales parties du cœur (enveloppes, parois, valves) ainsi que les gros vaisseaux reliés à ses cavités.
- ❑ **2.** Décrire le trajet du sang dans le cœur.
- ❑ **3.** Comparer la circulation pulmonaire et la circulation systémique.
- ❑ **4.** Expliquer le fonctionnement des valves du cœur.
- ❑ **5.** Nommer et situer les principaux vaisseaux de la circulation coronarienne ; préciser la fonction de cette circulation.
- ❑ **6.** Nommer et situer les éléments du système de conduction du cœur et décrire le trajet des ondes dans ce système ; expliquer le rôle et le fonctionnement du système de conduction du cœur.
- ❑ **7.** Définir *systole, diastole*, *volume systolique* et *révolution cardiaque* ; expliquer comment se calcule le débit cardiaque.
- ❑ **8.** Décrire, dans l'ordre, les principaux événements qui caractérisent les trois périodes de la révolution cardiaque.
- ❑ **9.** Définir le terme *bruits du cœur* et relier ces bruits aux événements de la révolution cardiaque ; expliquer à quoi correspond un souffle cardiaque.
- ❑ **10.** Expliquer l'information que fournit un électrocardiogramme.
- ❑ **11.** Décrire l'effet des facteurs suivants sur la fréquence cardiaque : stimulation par le nerf vague, exercice, variations de température, certaines hormones et certains ions.
- ❑ **12.** Définir les problèmes cardiaques suivants : péricardite, infarctus du myocarde, fibrillation, bloc cardiaque, tachycardie, bradycardie, congestion pulmonaire et congestion périphérique.

Les vaisseaux sanguins *(p. 400-420)*

- ❑ **13.** Comparer la structure et la fonction des artères, des veines et des capillaires.
- ❑ **14.** Expliquer le fonctionnement de la pompe musculaire et de la pompe respiratoire dans le retour veineux.
- ❑ **15.** Décrire la structure d'un lit capillaire et expliquer son fonctionnement.
- ❑ **16.** Nommer les principales artères et veines de l'organisme, et indiquer la région que chacune irrigue.

- ❑ **17.** Donner les caractéristiques singulières des circulations spéciales suivantes : circulation artérielle de l'encéphale et système porte hépatique.
- ❑ **18.** Nommer et situer les modifications vasculaires fœtales, ou « dérivations fœtales », et décrire leur fonction avant la naissance.
- ❑ **19.** Définir *pression sanguine* et *pouls*, et situer les principaux points de compression ; expliquer ce qui permet au sang de continuer à circuler même pendant la diastole cardiaque.
- ❑ **20.** Expliquer le mode d'action et l'effet du SNA et des reins sur la pression sanguine ; citer les autres principaux facteurs agissant sur la pression sanguine et préciser leur effet.
- ❑ **21.** Expliquer les bruits de Korotkoff en fonction de la pression systolique et de la pression diastolique.
- ❑ **22.** Définir l'hypotension et distinguer *hypotension orthostatique* et *hypotension chronique* ; définir le terme *hypertension*, et distinguer *athérosclérose* et *artériosclérose* ; décrire les conséquences possibles de ces deux maladies.
- ❑ **23.** Décrire les échanges qui se produisent à travers les parois des capillaires : substances impliquées, direction des échanges, voies de transport et forces en présence.

Le développement et le vieillissement du système cardiovasculaire *(p. 420-422)*

- ❑ **24.** Décrire brièvement le développement du système cardiovasculaire.
- ❑ **25.** Citer et définir les principaux troubles susceptibles d'accompagner le vieillissement du système cardiovasculaire.

Lorsqu'ils entendent l'expression *système cardiovasculaire*, la plupart des gens pensent immédiatement au cœur. Chaque fois que notre cœur s'emballe, nous prenons conscience que notre vie dépend de ses battements. L'importance cruciale du cœur est reconnue depuis longtemps. Mais le **système cardiovasculaire** ne se limite pas à cet organe. D'un point de vue scientifique et médical, il importe de comprendre *pourquoi* ce système est si vital pour nous.

Le trafic incessant que l'on observe à l'heure de pointe à la porte d'une grande usine nous paraîtra bien lent si on le compare à l'activité continue qui se déroule à l'intérieur de notre corps. Jour et nuit, minute après minute, des billions de cellules absorbent des nutriments et excrètent des déchets. Bien qu'ils ralentissent pendant notre sommeil, ces échanges ne cessent jamais complètement, car notre vie en dépend. Or, les cellules ne peuvent effectuer ces échanges qu'avec les liquides des tissus situés dans leur voisinage immédiat. L'organisme a donc besoin d'un moyen de changer et de « rafraîchir » ces liquides pour échapper à la disette et prévenir la pollution que causerait une accumulation de déchets.

Le corps est comparable à une ville en pleine activité, qui doit disposer d'un réseau routier bien développé pour assurer la circulation des véhicules dont les déplacements continus permettent de répondre aux divers besoins de ses habitants. Les vaisseaux sanguins assurent ce rôle dans notre organisme.

Plus prosaïquement, on peut dire que la principale fonction du système cardiovasculaire est le transport. Utilisant le sang comme véhicule, ce système achemine l'oxygène, les nutriments, les hormones et bien d'autres substances essentielles à l'homéostasie de l'organisme vers les cellules, et débarrasse ces dernières de leurs déchets. La force qui propulse le sang à l'intérieur du corps est fournie par l'action de pompage du cœur.

Le système cardiovasculaire est comparable à une pompe musculaire munie de valves unidirectionnelles et d'un réseau de conduits de diverses tailles servant au transport du sang. Le sang (la substance transportée) fait l'objet du chapitre 10. Le présent chapitre s'intéresse au cœur (la pompe) et aux vaisseaux sanguins (le réseau de conduits).

Le cœur

L'ANATOMIE DU CŒUR

La localisation et les dimensions

La taille et le poids relatifs du cœur ne laissent pas deviner sa force incroyable. En effet, cet organe de forme conique n'est pas plus gros qu'un poing fermé et son poids varie entre 250 et 350 g (soit environ 5 fois moins que l'encéphale, pour un organe dont le fonctionnement incessant est essentiel). Le cœur est logé à l'intérieur du **médiastin** inférieur, cavité centrale du thorax osseux, et est bordé latéralement par les poumons (figure 11.1). L'**apex du cœur** pointe vers le bas en direction de la hanche gauche et repose sur le diaphragme, à la hauteur du cinquième espace intercostal. (C'est exactement à cet endroit que l'on place le stéthoscope pour mesurer le choc de la pointe du cœur.) La **base du cœur**, sa face postérosupérieure, plus large, est le point d'émergence de tous les gros vaisseaux du corps; située au-dessous de la deuxième côte, elle fait face à l'épaule droite.

Les enveloppes et la paroi

Le cœur est enveloppé dans une séreuse à double paroi appelée **péricarde**. Le mince **épicarde**, ou **lame viscérale du péricarde séreux**, est accolé à la face externe du cœur et fait partie intégrante de sa paroi (voir la figure 11.2b). Il est rattaché, à la hauteur de la base du cœur, à la **lame pariétale du péricarde séreux**, qui est lâche mais renforcée sur sa face superficielle de tissu conjonctif dense, lequel forme le **péricarde fibreux**. Cette couche fibreuse protège le cœur et l'amarre aux structures avoisinantes comme le diaphragme et le sternum. Les membranes du péricarde séreux sécrètent un

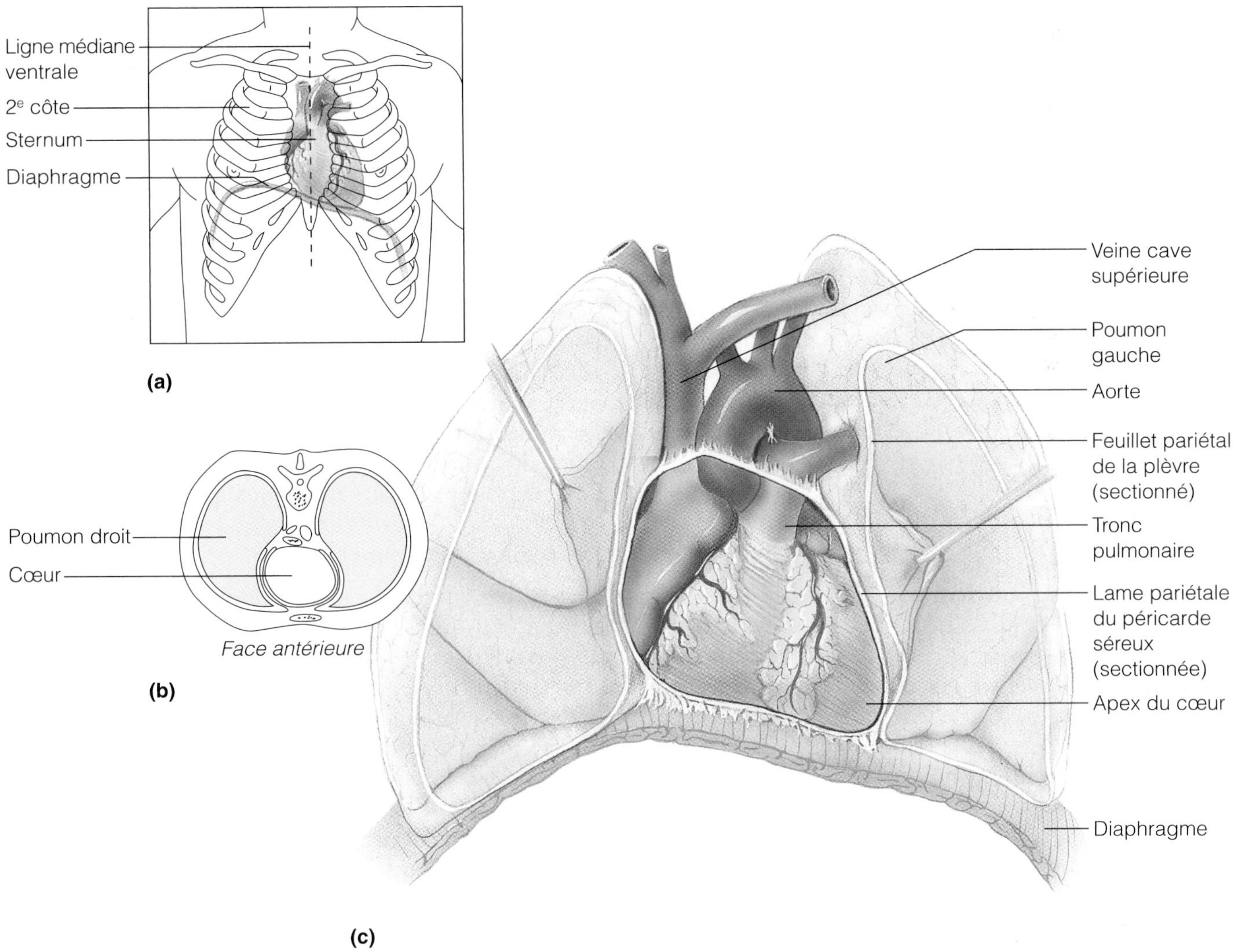

Ligne médiane ventrale
2e côte
Sternum
Diaphragme
(a)
Poumon droit
Cœur
Face antérieure
(b)
Veine cave supérieure
Poumon gauche
Aorte
Feuillet pariétal de la plèvre (sectionné)
Tronc pulmonaire
Lame pariétale du péricarde séreux (sectionnée)
Apex du cœur
Diaphragme
(c)

Figure 11.1 **La localisation du cœur dans le thorax**

(a) Localisation du cœur par rapport au sternum et aux côtes. **(b)** Coupe transversale du thorax montrant la localisation du cœur. **(c)** Localisation du cœur et des gros vaisseaux par rapport aux poumons.

liquide lubrifiant, la sérosité. Ce liquide lubrifie les lames du péricarde séreux et élimine une bonne part de la friction créée entre elles par les battements du cœur.

Déséquilibre homéostatique

L'inflammation du péricarde, la *péricardite*, entrave souvent la formation de la sérosité. Les lames du péricarde séreux adhèrent l'une à l'autre, ce qui produit des *adhérences* douloureuses qui gênent l'activité du cœur. La péricardite peut aussi entraîner un excès de sérosité qui comprime le cœur et diminue l'efficacité de son action de pompage. ▲

La paroi du cœur est formée de trois couches : l'*épicarde*, à l'extérieur (voir plus haut), le *myocarde* et, à l'intérieur, l'*endocarde* (voir la figure 11.2b). Le **myocarde** est composé de faisceaux épais et sinueux de fibres musculaires cardiaques unies par des disques intercalaires (voir la figure 3.20b, p. 92) ; ces faisceaux y décrivent des spirales et des cercles (voir la figure 6.2b, p. 180). Le myocarde est une tunique dotée de la capacité de contraction. À l'intérieur de celui-ci, un réseau de fibres de tissu conjonctif dense forme la « charpente du cœur ». L'**endocarde** est un endothélium mince d'un blanc brillant qui tapisse les cavités du cœur. Il est en continuité avec l'endothélium des vaisseaux sanguins qui aboutissent au cœur ou qui en émergent. La figure 11.2 présente deux vues du cœur : une vue antérieure externe et une coupe frontale. Cette figure vous sera utile pour localiser chaque structure ou région du cœur que nous étudierons dans ce chapitre.

Les cavités et les gros vaisseaux du cœur

Le cœur renferme quatre cavités : deux **oreillettes**, ou **atriums**, et deux **ventricules**. Chacune de ces cavités est tapissée d'un endocarde qui permet au sang de circuler aisément à travers le cœur. Les oreillettes sont les cavités supérieures et servent surtout de *cavités d'entrée*. Elles contribuent peu à l'action de pompage du cœur. Le sang arrivant des veines entre à faible pression dans les oreillettes et continue son chemin vers les ventricules. Ces derniers, dont la paroi est épaisse, sont les cavités inférieures ; ils servent de *cavités de sortie* et constituent les pompes proprement dites du cœur. En se contractant, les ventricules projettent le sang hors du cœur, dans les vaisseaux. Comme le montre la figure 11.2a, le ventricule droit forme la majeure partie de sa face antérieure, tandis que le ventricule gauche forme l'apex. La cloison qui sépare longitudinalement l'intérieur du cœur est appelée **septum interventriculaire** ou **septum interauriculaire** (ou interatrial), selon les cavités qu'elle sépare.

Même s'il est un seul organe, le cœur fonctionne comme une double pompe. Le côté droit est la pompe de la circulation pulmonaire. Il reçoit le sang relativement pauvre en oxygène des veines du corps par l'intermédiaire des **veines caves supérieure** et **inférieure**, et l'éjecte dans le **tronc pulmonaire**. Ce dernier est divisé en deux parties, les **artères pulmonaires** droite et gauche, qui transportent le sang vers les poumons, où il se débarrasse de son gaz carbonique et absorbe de l'oxygène. Le sang riche en oxygène quitte les poumons et retourne vers le côté gauche du cœur en empruntant les quatre **veines pulmonaires**. Cette circulation, qui part du côté droit du cœur, entre dans les poumons et retourne au côté gauche du cœur, est appelée **circulation pulmonaire** (figure 11.3). Son unique fonction est de convoyer le sang vers les poumons, qui assurent l'échange gazeux, puis de le ramener vers le cœur.

Le sang qui a regagné le côté gauche du cœur est ensuite expulsé vers l'**aorte**. De là, les artères systémiques le transportent jusqu'aux tissus de l'ensemble de l'organisme. Le sang pauvre en oxygène se rend des tissus à l'oreillette droite en passant par les veines systémiques, qui se déversent soit dans la veine cave supérieure, soit dans la veine cave inférieure. Cet autre circuit, qui part du côté gauche du cœur, irrigue les tissus et revient vers le côté droit du cœur, est appelé **circulation systémique** (voir la figure 11.3). Il fournit à tous les organes du corps un sang riche en oxygène et en nutriments. Puisque le ventricule gauche est une pompe systémique qui propulse le sang sur une distance beaucoup plus grande, ses parois sont entre deux et trois fois plus épaisses que celles du ventricule droit (voir la figure 11.2c), et sa force de pompage est nettement supérieure.

Les valves cardiaques

Dans le cœur, quatre valves permettent au sang de circuler à sens unique d'une cavité à l'autre ; le sang passe des oreillettes aux ventricules, puis s'engage dans les grosses artères qui émergent du cœur (voir la figure 11.2a). Les **valves auriculoventriculaires** (ou atrioventriculaires) sont situées à la jonction des oreillettes et des ventricules. Elles empêchent le sang de refluer dans les oreillettes lorsque les ventricules se contractent. La **valve auriculoventriculaire gauche** (ou atrioventriculaire gauche), appelée aussi *valve mitrale*, est formée de deux lames (ou cuspides) d'endocarde. La **valve auriculoventriculaire droite** (ou atrioventriculaire droite), appelée aussi *valve tricuspide*, est composée de trois lames. De fins cordons blancs, nommés **cordages tendineux** (en raison de leur structure semblable à celle des tendons), ancrent leurs lames aux **muscles papillaires** des parois des ventricules. Lorsque le cœur est relâché et que le sang

Q **Quelle cavité du cœur a les parois les plus épaisses? Que signifie cette différence structurale?**

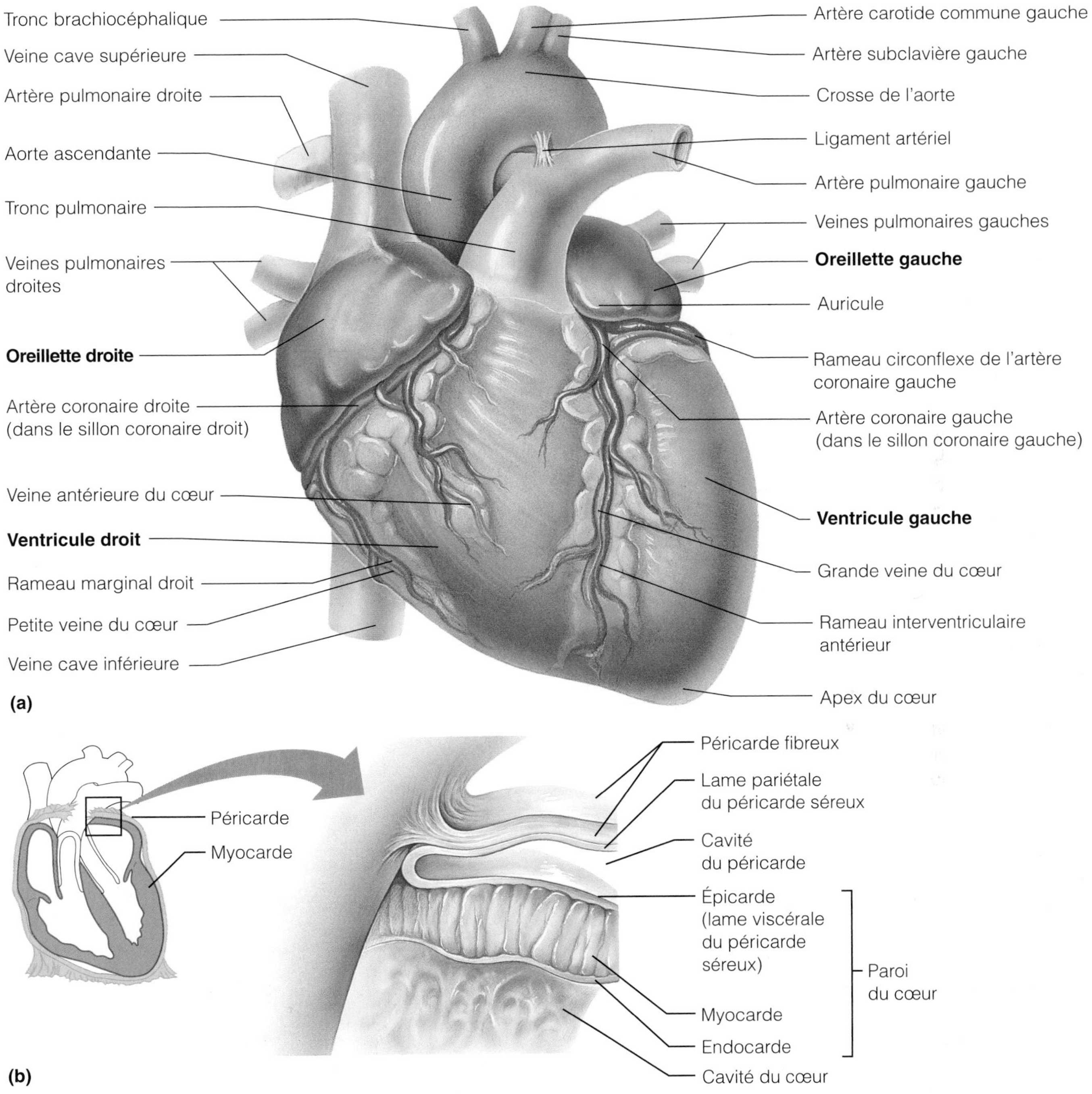
Tronc brachiocéphalique
Veine cave supérieure
Artère pulmonaire droite
Aorte ascendante
Tronc pulmonaire
Veines pulmonaires droites
Oreillette droite
Artère coronaire droite (dans le sillon coronaire droit)
Veine antérieure du cœur
Ventricule droit
Rameau marginal droit
Petite veine du cœur
Veine cave inférieure
(a)
Artère carotide commune gauche
Artère subclavière gauche
Crosse de l'aorte
Ligament artériel
Artère pulmonaire gauche
Veines pulmonaires gauches
Oreillette gauche
Auricule
Rameau circonflexe de l'artère coronaire gauche
Artère coronaire gauche (dans le sillon coronaire gauche)
Ventricule gauche
Grande veine du cœur
Rameau interventriculaire antérieur
Apex du cœur
Péricarde
Myocarde
Péricarde fibreux
Lame pariétale du péricarde séreux
Cavité du péricarde
Épicarde (lame viscérale du péricarde séreux)
Myocarde
Endocarde
Paroi du cœur
Cavité du cœur
(b)

Figure 11.2 **L'anatomie macroscopique du cœur**

(a) Face antérieure. **(b)** Paroi et enveloppes du cœur.

R **Le ventricule gauche a les parois les plus épaisses. Il doit expédier le sang jusqu'aux extrémités du corps et le ramener au cœur. Le ventricule droit dessert un circuit court qui traverse les poumons et revient vers le cœur, si bien qu'il peut accomplir sa tâche avec une musculature moins importante.**

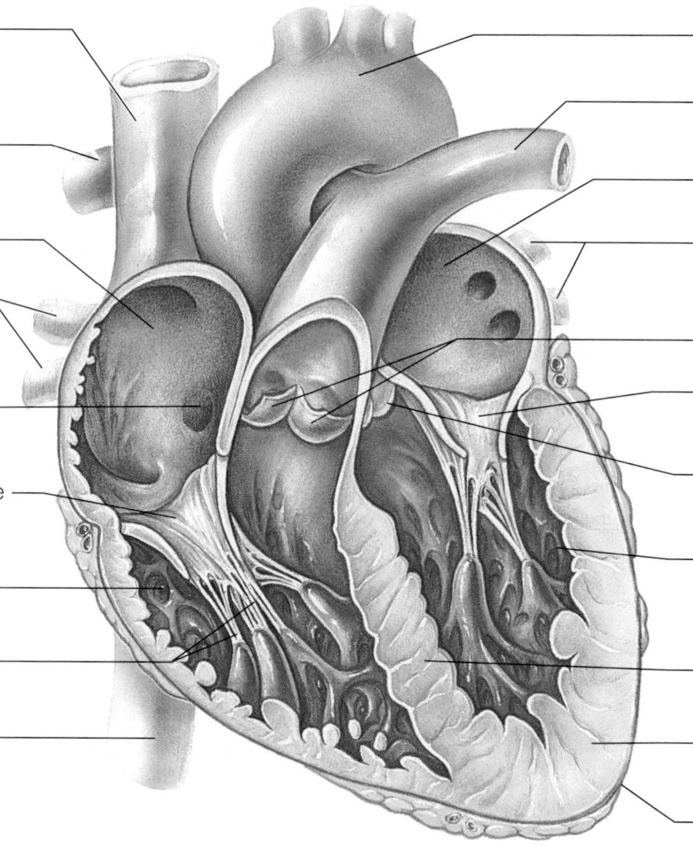

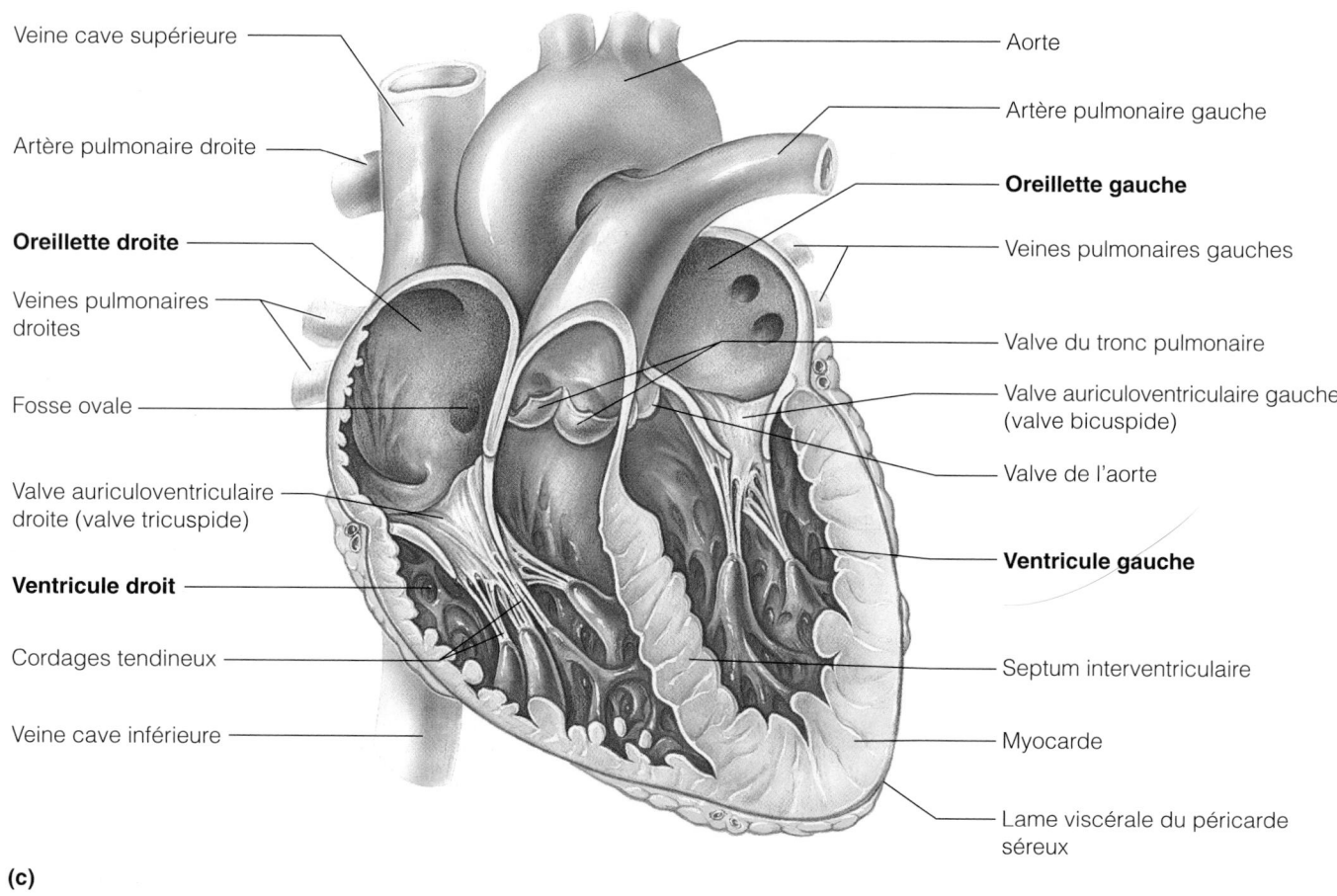

Veine cave supérieure
Artère pulmonaire droite
Oreillette droite
Veines pulmonaires droites
Fosse ovale
Valve auriculoventriculaire droite (valve tricuspide)
Ventricule droit
Cordages tendineux
Veine cave inférieure
Aorte
Artère pulmonaire gauche
Oreillette gauche
Veines pulmonaires gauches
Valve du tronc pulmonaire
Valve auriculoventriculaire gauche (valve bicuspide)
Valve de l'aorte
Ventricule gauche
Septum interventriculaire
Myocarde
Lame viscérale du péricarde séreux
(c)

Figure 11.2 (*suite*) **L'anatomie macroscopique du cœur**

(c) Coupe frontale montrant les cavités et les valves.

traverse passivement ses cavités, les cuspides des valves auriculoventriculaires pendent, inertes, dans les ventricules (figure 11.4a). Lorsqu'ils se contractent, les ventricules exercent une pression sur le sang présent dans leurs cavités, et la pression intraventriculaire s'élève. Les cuspides sont poussées vers le haut et les valves auriculoventriculaires se ferment. Les cordages tendineux maintiennent les cuspides des valves en position fermée. Sans cet ancrage, les cuspides seraient repoussées vers le haut dans l'oreillette, comme un parapluie qu'une rafale tourne à l'envers. Les valves auriculoventriculaires empêchent donc le sang de refluer dans les oreillettes lorsque les ventricules se contractent.

Les deux autres valves, les **valves de l'aorte** et **du tronc pulmonaire** (voir la figure 11.2b), sont postées à la base de ces deux grosses artères issues des cavités ventriculaires. Chacune est formée de trois valvules semi-lunaires qui s'emboîtent parfaitement lorsque les valves sont fermées. Lorsque les ventricules se contractent et forcent le sang à sortir du cœur, les valvules s'ouvrent et s'aplatissent contre les parois des artères sous l'immense pression exercée par le sang (figure 11.4b). Au moment où ils se relâchent, le sang commence à se retirer en direction du cœur et les valvules semi-lunaires se remplissent de sang, ce qui ferme les valves ; le sang artériel ne peut plus revenir dans le cœur.

Chaque paire de valves entre en action à des moments différents. Les valves auriculoventriculaires sont ouvertes lorsque le cœur est relâché et fermées lorsque les ventricules se contractent. Les valves de l'aorte et du tronc pulmonaire sont fermées lorsque le cœur est relâché et ouvertes de force lorsque les ventricules se contractent. Chaque fois qu'elles s'ouvrent ou se ferment en fonction des changements de pression dans le cœur, les valves forcent le sang à poursuivre sa route dans les différentes régions du cœur.

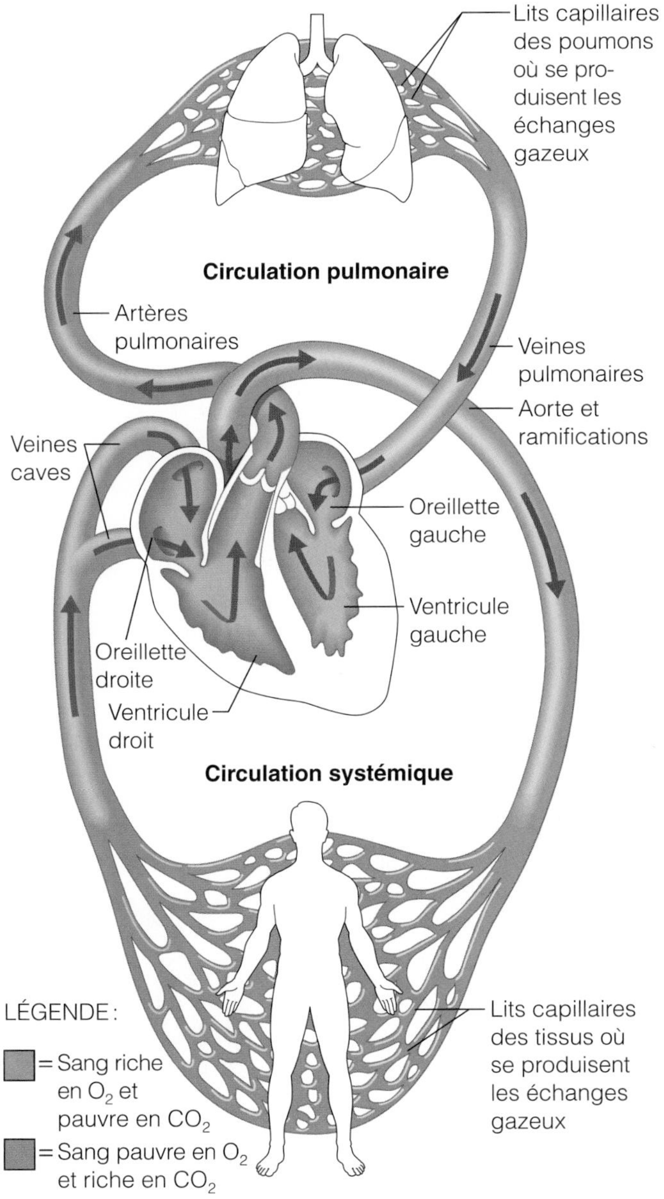
Lits capillaires des poumons où se produisent les échanges gazeux
Circulation pulmonaire
Artères pulmonaires
Veines pulmonaires
Aorte et ramifications
Veines caves
Oreillette gauche
Ventricule gauche
Oreillette droite
Ventricule droit
Circulation systémique
LÉGENDE :
= Sang riche en O_2 et pauvre en CO_2
= Sang pauvre en O_2 et riche en CO_2
Lits capillaires des tissus où se produisent les échanges gazeux

Figure 11.3 **La circulation pulmonaire et la circulation systémique**

Le côté gauche du cœur est la pompe de la circulation systémique ; le côté droit est la pompe de la circulation pulmonaire. (Bien qu'il y ait deux artères pulmonaires, une pour chaque poumon, le schéma ne montre qu'une seule artère pour plus de simplicité.)

Déséquilibre homéostatique

Les valves cardiaques sont des dispositifs assez simples. Comme n'importe quelle pompe mécanique, le cœur peut fonctionner en dépit des « fuites » mineures de ses valves. Toutefois, certaines malformations graves des valves peuvent gêner considérablement le fonctionnement du cœur. Ainsi, l'*insuffisance valvulaire*, qui correspond à un défaut de fermeture d'une valve et au reflux du sang, oblige le cœur à pomper sans cesse le même sang. Dans le *rétrécissement valvulaire*, qui est souvent causé par une infection bactérienne récurrente de l'endocarde (**endocardite**), les valves durcissent. Cette rigidité force le cœur à se contracter plus fortement qu'il ne le devrait. Dans les deux cas, le cœur fournit un surcroît de travail et, avec le temps, s'affaiblit. Ces troubles dictent un remplacement de la valve défectueuse par une valve artificielle, une valve provenant d'un cœur de porc ou bientôt, peut-être, par un tissu fabriqué à partir de cellules souches issues de la moelle osseuse et actuellement à l'essai sur des animaux. ▲

La circulation coronarienne

Le sang qui circule presque continuellement dans les cavités du cœur nourrit très peu le myocarde, alors que les besoins de celui-ci en oxygène sont très grands. L'apport sanguin qui oxygène et nourrit le cœur est assuré par les **artères coronaires** droite et gauche, logées dans l'épicarde. Les artères coronaires naissent de la base de l'aorte et encerclent le cœur, comme une couronne (d'où leur nom) dans le **sillon coronaire**, à la jonction des oreillettes et des ventricules (voir la figure 11.2a). Les artères coronaires et leurs principales ramifications (les **rameaux interventriculaire antérieur** et **circonflexe** à gauche, et les **rameaux interventriculaire postérieur** et **marginal droit** à droite) sont comprimées lorsque les ventricules se contractent, et se remplissent de sang lorsque le cœur se relâche. Le myocarde est drainé par plusieurs **veines cardiaques**, qui se jettent dans un grand vaisseau situé sur la face dorsale du cœur, le **sinus coronaire**. Ce dernier déverse à son tour le sang dans l'oreillette droite.

Déséquilibre homéostatique

Lorsque le cœur bat très rapidement, le myocarde reçoit parfois un apport sanguin inadéquat, car les périodes de relâchement (qui permettent au sang d'atteindre le myocarde) sont plus courtes. Lorsque le myocarde est ainsi privé d'oxygène, une douleur appelée **angine de poitrine** (ou *angor*) apparaît. Cette douleur est un avertissement qui ne devrait *jamais* être pris à la légère, car si l'angine se prolonge, les cellules ischémiques du cœur peuvent mourir, ce qui provoquera un **infarctus du myocarde**, communément désigné par le terme *crise cardiaque*. ▲

LA PHYSIOLOGIE DU CŒUR

Au gré des battements (contractions) du cœur, le sang poursuit ses allées et venues : il entre dans le cœur, puis

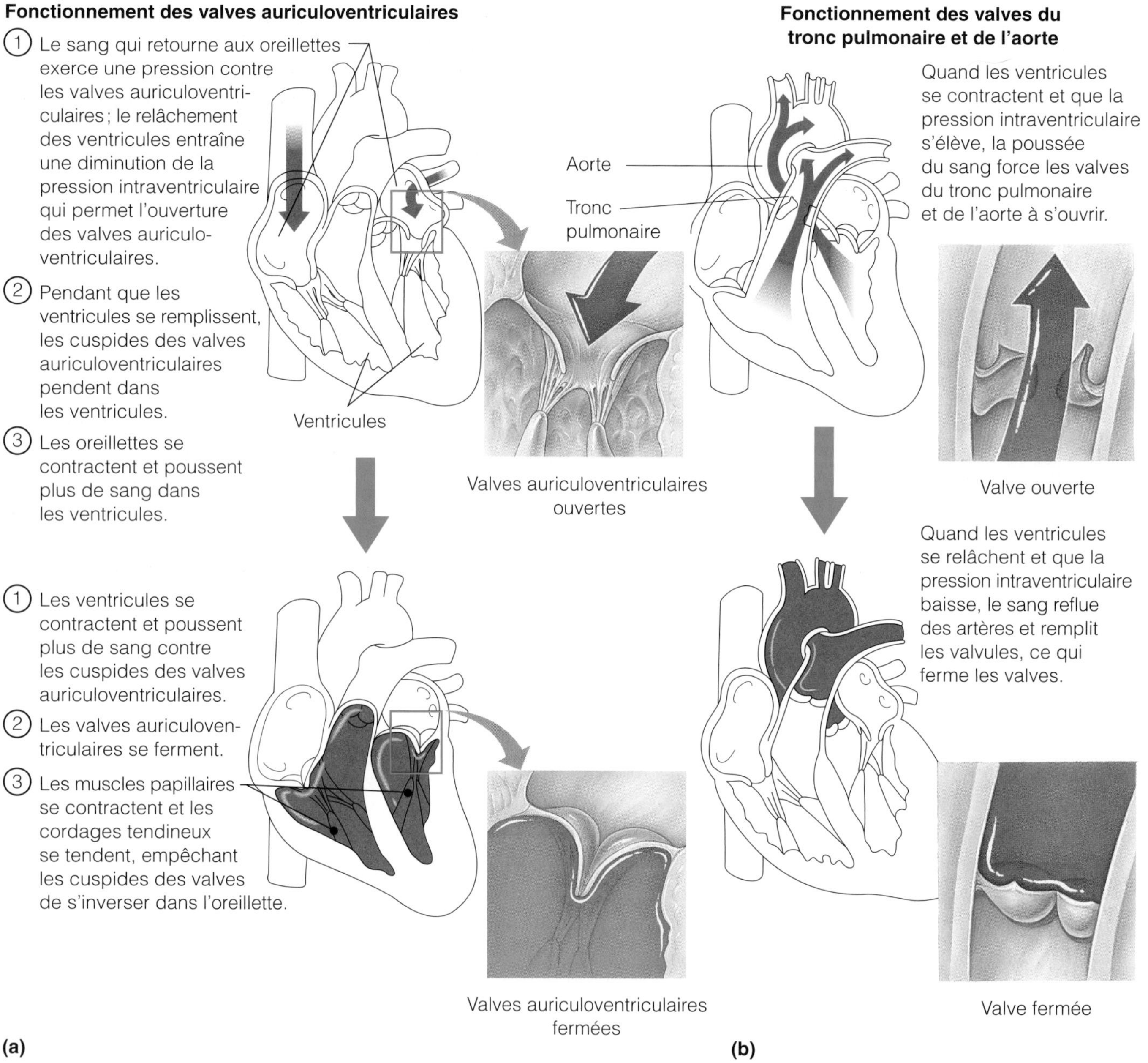
Fonctionnement des valves auriculoventriculaires
① Le sang qui retourne aux oreillettes exerce une pression contre les valves auriculoventriculaires ; le relâchement des ventricules entraîne une diminution de la pression intraventriculaire qui permet l'ouverture des valves auriculoventriculaires.
② Pendant que les ventricules se remplissent, les cuspides des valves auriculoventriculaires pendent dans les ventricules.
③ Les oreillettes se contractent et poussent plus de sang dans les ventricules.
Ventricules
Valves auriculoventriculaires ouvertes
① Les ventricules se contractent et poussent plus de sang contre les cuspides des valves auriculoventriculaires.
② Les valves auriculoventriculaires se ferment.
③ Les muscles papillaires se contractent et les cordages tendineux se tendent, empêchant les cuspides des valves de s'inverser dans l'oreillette.
Valves auriculoventriculaires fermées
(a)
Fonctionnement des valves du tronc pulmonaire et de l'aorte
Quand les ventricules se contractent et que la pression intraventriculaire s'élève, la poussée du sang force les valves du tronc pulmonaire et de l'aorte à s'ouvrir.
Aorte
Tronc pulmonaire
Valve ouverte
Quand les ventricules se relâchent et que la pression intraventriculaire baisse, le sang reflue des artères et remplit les valvules, ce qui ferme les valves.
Valve fermée
(b)

Figure 11.4 **Le fonctionnement des valves cardiaques**

(a) Valves auriculoventriculaires. **(b)** Valves du tronc pulmonaire et de l'aorte.

en ressort pour circuler dans l'ensemble de l'organisme avant de revenir vers le cœur, et de refaire un autre tour. La charge de travail du cœur est si grande qu'on a peine à y croire. Ce fabuleux organe transporte près de 1500 fois par jour l'équivalent de 5,5 L de sang dans les vaisseaux sanguins, ce qui signifie qu'il pompe plus de 8000 L de sang en une seule journée!

Le système de conduction du cœur : l'établissement du rythme de base

Contrairement aux muscles squelettiques, qui ont besoin de la stimulation d'influx nerveux pour se contracter, le muscle cardiaque a la propriété de se contracter de façon spontanée et indépendante, même détaché de toutes ses connexions nerveuses. Un cœur isolé et placé dans une solution nutritive continue à battre durant un certain temps et, qui plus est, les contractions sont régulières et continues. Bien que le muscle cardiaque soit *capable* de contractions autonomes, les myocytes des diverses régions du cœur ont un rythme qui leur est propre. Ainsi, les cellules des oreillettes se contractent environ 60 fois par minute, tandis que les cellules des ventricules sont plus lentes (de 20 à 40 batt./min). Cela prouve que, sans un système de régulation unifié, le cœur serait une pompe peu coordonnée et inefficace.

L'activité du cœur est régie par deux systèmes de régulation. L'un d'eux fait appel aux nerfs du SNA, qui servent de freins et d'accélérateurs pour diminuer ou augmenter le rythme cardiaque en fonction de la partie du SNA qui est activée. Nous y reviendrons plus loin (voir p. 399-400). L'autre système, le **système de conduction du cœur**, ou **système cardionecteur**, fait partie intégrante du tissu cardiaque (figure 11.5) et détermine le rythme cardiaque de base. Le système de conduction du cœur est composé d'un tissu spécialisé que l'on ne trouve nulle part ailleurs dans l'organisme. Ce tissu est l'équivalent d'un croisement entre le tissu musculaire et le tissu nerveux. Le système de conduction du cœur provoque la dépolarisation du muscle cardiaque dans une seule direction, soit des oreillettes aux ventricules. De plus, il force le cœur à se contracter à une cadence d'environ 75 batt./min. Les jonctions ouvertes (voir la figure 3.3, p. 64) des disques intercalaires unissant les fibres du myocarde permettent le passage rapide des potentiels d'action d'un myocyte à l'autre. Le cœur bat donc comme un tout bien coordonné.

L'une des parties les plus importantes du système de conduction du cœur est le **nœud sinusal** (ou sinuatrial), amas de tissu en forme de croissant situé dans l'oreillette droite, près de l'entrée de la veine cave supérieure. Ses autres parties sont le **nœud auriculoventriculaire** (ou atrioventriculaire), situé à la jonction des oreillettes et des ventricules, le **faisceau auriculoventriculaire** (ou atrioventriculaire ou faisceau de His), les **branches droite** et **gauche** du faisceau auriculoventriculaire, qui parcourent le septum interventriculaire, et les **myofibres de conduction cardiaque** (ou fibres de Purkinje), qui pénètrent dans le muscle des parois des ventricules.

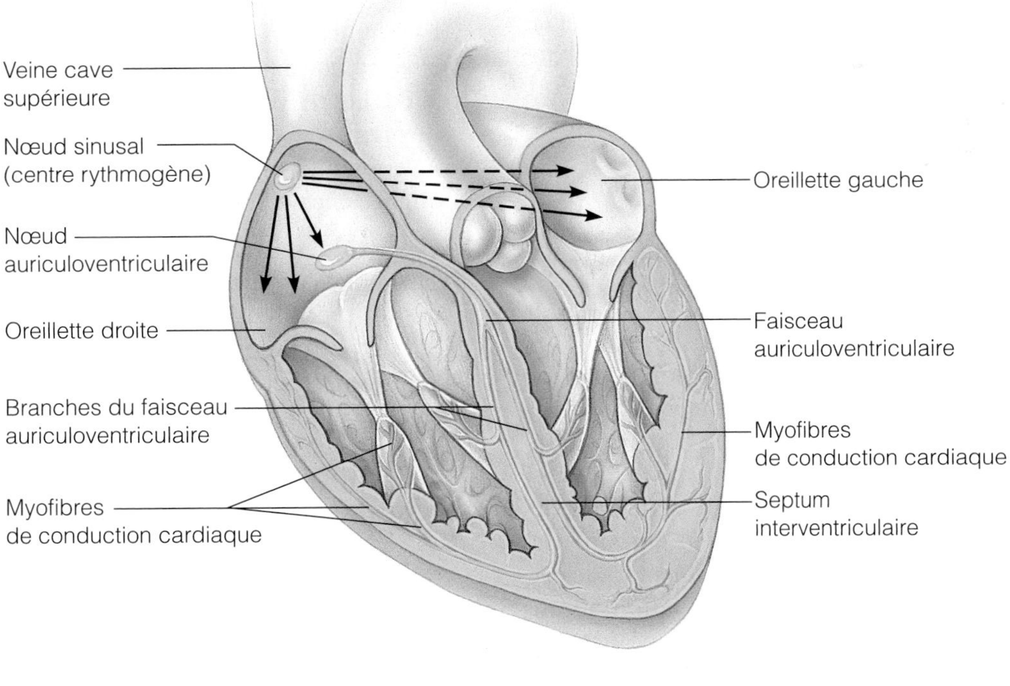

Veine cave supérieure
Nœud sinusal (centre rythmogène)
Nœud auriculoventriculaire
Oreillette droite
Branches du faisceau auriculoventriculaire
Myofibres de conduction cardiaque
Oreillette gauche
Faisceau auriculoventriculaire
Myofibres de conduction cardiaque
Septum interventriculaire

Figure 11.5 **Le système de conduction du cœur**

L'onde de dépolarisation trouve son origine dans les cellules du nœud sinusal, après quoi elle traverse le myocarde atrial pour atteindre le nœud auriculoventriculaire, le faisceau auriculoventriculaire, les branches gauche et droite du faisceau auriculoventriculaire et les myofibres de conduction cardiaque, dans les parois ventriculaires.

Le nœud sinusal est un minuscule amas de cellules dont la tâche est titanesque. Comme sa fréquence de dépolarisation dépasse celle des autres éléments du système de conduction du cœur, il marque la cadence de toutes les cellules contractiles cardiaques, ce qui lui a valu le nom de **centre rythmogène**. Du nœud sinusal, l'onde de dépolarisation se propage dans les oreillettes vers le nœud auriculoventriculaire, ce qui permet aux oreillettes de se contracter. Au nœud auriculoventriculaire, l'influx est retardé brièvement pour permettre aux oreillettes d'achever leur contraction. Il passe ensuite dans le faisceau auriculoventriculaire, les branches du faisceau auriculoventriculaire et les myofibres de conduction cardiaque. La contraction des ventricules ne commence que lorsque le signal atteint le début des myofibres de conduction cardiaque, et cette contraction se déplace donc de l'apex du cœur vers sa base. Cette contraction expulse avec force le sang vers les grosses artères qui vident le cœur. L'encadré «Gros plan», p. 398, décrit l'*électrocardiographie*, qui est une méthode clinique permettant de suivre l'activité électrique du cœur.

Déséquilibre homéostatique

Étant donné que les oreillettes sont séparées des ventricules par un tissu conjonctif «isolant» qui fait partie de la charpente fibreuse du cœur, les ondes de dépolarisation ne peuvent se propager jusqu'aux ventricules qu'en passant par le nœud auriculoventriculaire. Par conséquent, toute lésion du nœud auriculoventriculaire peut empêcher partiellement ou totalement les ventricules de recevoir l'onde de dépolarisation sinusale. Lorsque ce phénomène survient, les ventricules (et donc le cœur) battent à leur rythme intrinsèque, qui est trop lent, de façon intermittente ou continue. On appelle cette anomalie *bloc cardiaque.*

D'autres anomalies peuvent perturber la conduction des ondes dans le cœur. Par exemple, une lésion du nœud sinusal provoque un ralentissement du rythme cardiaque. L'implantation, sous la peau de la poitrine, d'un stimulateur cardiaque à rythme fixe (ou *pacemaker*) pallie habituellement ce trouble. L'**ischémie**, déficience de l'apport sanguin au muscle cardiaque, peut entraîner la **fibrillation**, caractérisée par des contractions rapides et irrégulières du muscle cardiaque. La fibrillation abolit l'action de pompage du cœur et constitue une cause fréquente d'arrêt cardiaque chez les adultes. ▲

La **tachycardie** est une fréquence cardiaque anormalement élevée (supérieure à 100 batt./min). La **bradycardie** est une fréquence cardiaque anormalement lente (inférieure à 60 batt./min). Ces deux anomalies ne sont pas pathologiques, mais une tachycardie prolongée peut mener à une fibrillation.

La révolution cardiaque et les bruits du cœur

Dans un cœur en santé, les oreillettes se contractent simultanément. Puis, lorsqu'elles se relâchent, la contraction des ventricules commence. La **systole** et la **diastole** sont respectivement les phases successives de *contraction* et de *relâchement* du cœur. Puisque ce sont les ventricules qui produisent principalement l'action de pompage, nous emploierons ces deux termes pour désigner la contraction et le relâchement des *ventricules*, sauf indication contraire.

La **révolution cardiaque** est la succession d'étapes produisant un battement cardiaque complet, pendant lequel les oreillettes et les ventricules se contractent puis se relâchent. En supposant que le cœur bat environ 75 fois par minute, la durée de la révolution cardiaque est d'environ 0,8 s, soit 0,1 s pour la systole auriculaire, 0,3 s pour la systole ventriculaire et 0,4 s pour la diastole. Nous considérerons ici la révolution cardiaque en fonction des événements se déroulant en trois périodes: de la *mésodiastole à la télédiastole*, la *systole ventriculaire* et la *protodiastole* (figure 11.6).

1. **De la mésodiastole à la télédiastole.** Le cœur est complètement décontracté. La pression est basse à l'intérieur des cavités cardiaques, et le sang provenant des circulations pulmonaire et systémique s'écoule passivement dans les oreillettes, puis dans les ventricules. Les valves de l'aorte et du tronc pulmonaire sont fermées, et les valves auriculoventriculaires sont ouvertes. Les oreillettes se contractent et éjectent le sang qu'elles contiennent dans les ventricules.
2. **La systole ventriculaire.** Peu de temps après, les ventricules commencent à se contracter (systole) et la pression ventriculaire s'élève abruptement, fermant les valves auriculoventriculaires; pendant ce temps, le volume ventriculaire ne varie pas (phase de contraction isovolumétrique). Lorsque la pression intraventriculaire dépasse la pression qui règne dans les grosses artères quittant le cœur, les valves de l'aorte et du tronc pulmonaire s'ouvrent: le sang est alors expulsé dans l'aorte et le tronc pulmonaire (phase d'éjection ventriculaire). Pendant la systole ventriculaire, les oreillettes sont relâchées et se remplissent de nouveau de sang.
3. **La protodiastole** (début de la diastole). À la fin de la systole, les ventricules se relâchent, les valves de l'aorte et du tronc pulmonaire se ferment (ce qui empêche un reflux de sang dans les ventricules) et, durant un court instant, les ventricules sont complètement

Q **Les contractions des myocytes des ventricules sont-elles isotoniques ou isométriques durant la première partie de la phase 2 (voir en p. 189 une définition d'*isotonique* et d'*isométrique*) ?**

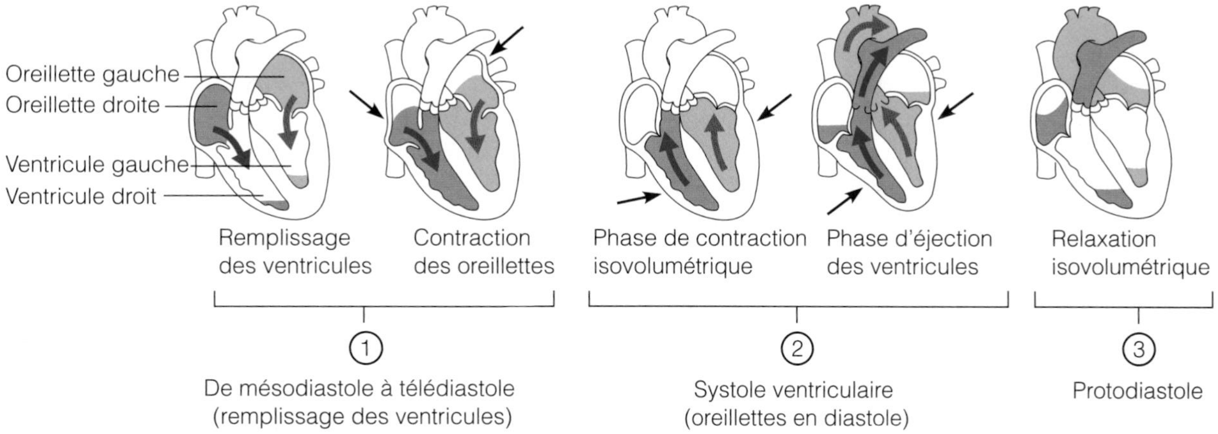

Oreillette gauche
Oreillette droite
Ventricule gauche
Ventricule droit
Remplissage des ventricules
Contraction des oreillettes
Phase de contraction isovolumétrique
Phase d'éjection des ventricules
Relaxation isovolumétrique
1
De mésodiastole à télédiastole (remplissage des ventricules)
2
Systole ventriculaire (oreillettes en diastole)
3
Protodiastole

Figure 11.6 **La révolution cardiaque**

Résumé des événements qui surviennent pendant la révolution cardiaque. (Les flèches noires indiquent les régions du cœur qui se contractent ; les flèches rouges et bleues, la direction de la circulation sanguine. Aux phases *isovolumétriques* [signifiant littéralement « mesure du volume identique »] des périodes 2 et 3, les ventricules sont des vases clos, et le volume de sang qu'ils contiennent ne varie pas.)

fermés. Pendant la protodiastole, la pression intraventriculaire chute, mais le volume ne varie pas (relaxation isovolumétrique). Lorsque la pression dans les ventricules devient inférieure à la pression dans les oreillettes (qui a augmenté à mesure que le sang a afflué dans ces cavités), les valves auriculoventriculaires s'ouvrent et les ventricules se remplissent une fois de plus de sang, ce qui complète la révolution cardiaque.

L'auscultation du thorax au stéthoscope révèle deux bruits émis dans chaque révolution cardiaque. Ces **bruits du cœur** sont souvent évoqués par l'onomatopée « toc-tac » ; leur rythme fondamental est « toc-tac », pause, « toc-tac », pause, et ainsi de suite. Le premier bruit est un « toc » produit par la fermeture des valves auriculoventriculaires. Le second bruit (« tac ») traduit la fermeture des valves de l'aorte et du tronc pulmonaire à la fin de la systole. Le premier bruit est plus long et plus fort que le second, qui est plutôt bref et sec.

R **Les contractions sont isométriques jusqu'à ce qu'elles soient assez fortes pour vaincre la pression en retour exercée par le sang contre les valves de l'aorte et du tronc pulmonaire, après quoi elles deviennent isotoniques.**

Déséquilibre homéostatique

Les bruits anormaux ou inusités du cœur sont appelés *souffles*. Le sang circule silencieusement tant que son écoulement est continu. Mais s'il rencontre des obstacles, son écoulement devient turbulent et émet des bruits audibles au stéthoscope. Beaucoup de jeunes enfants (et de personnes âgées) au cœur parfaitement sain présentent des souffles cardiaques ; on pense que ceux-ci sont attribuables aux vibrations que le passage du sang imprime aux parois plus minces de leur cœur. La plupart du temps, néanmoins, les souffles signalent des troubles des valves cardiaques. Dans l'*insuffisance valvulaire*, par exemple, le reflux, ou régurgitation, du sang produit un sifflement *après* la fermeture (incomplète) de la valve atteinte. Un son distinct est également audible lorsque le sang circule bruyamment dans une valve *sténosée* (rétrécie). ▲

Le débit cardiaque

Le **débit cardiaque** (**DC**) est la quantité de sang éjectée par *chaque* ventricule en une minute. On le calcule en multipliant la **fréquence cardiaque** (**FC**) par le **volume systolique** (**VS**). Le **volume systolique** est le volume de sang éjecté par un ventricule à chaque battement. En général, il est directement proportionnel à la force

GROS PLAN — L'électrocardiographie : pour en avoir le cœur net

Lorsqu'il est traversé par des potentiels d'action, le cœur produit des courants électriques qui se propagent dans tout l'organisme. Ces courants peuvent être détectés sur la surface corporelle et enregistrés au moyen d'un électrocardiographe. Le tracé obtenu est appelé **électrocardiogramme (ECG)**. L'illustration ci-contre montre un électrocardiogramme normal.

Un électrocardiogramme typique est composé de trois ondes. La première, l'**onde P**, est de faible amplitude et résulte de la dépolarisation des oreillettes qui précède leur contraction. Le grand **complexe QRS**, qui est lié à la dépolarisation des ventricules, a une forme compliquée. Il précède la contraction des ventricules. L'**onde T** est produite par les courants en action pendant la repolarisation des ventricules. (La repolarisation des oreillettes est généralement masquée par l'enregistrement simultané du grand complexe QRS.)

Les irrégularités dans la forme des ondes et les changements touchant leur rythme révèlent une anomalie du système de conduction du cœur ou parfois un infarctus du myocarde (présent ou passé). L'infarctus du myocarde est une région du tissu cardiaque dont les cellules sont mortes, généralement à la suite d'une ischémie. Durant la fibrillation, l'électrocardiogramme présente des ondes irrégulières et le cœur cesse son action de pompage.

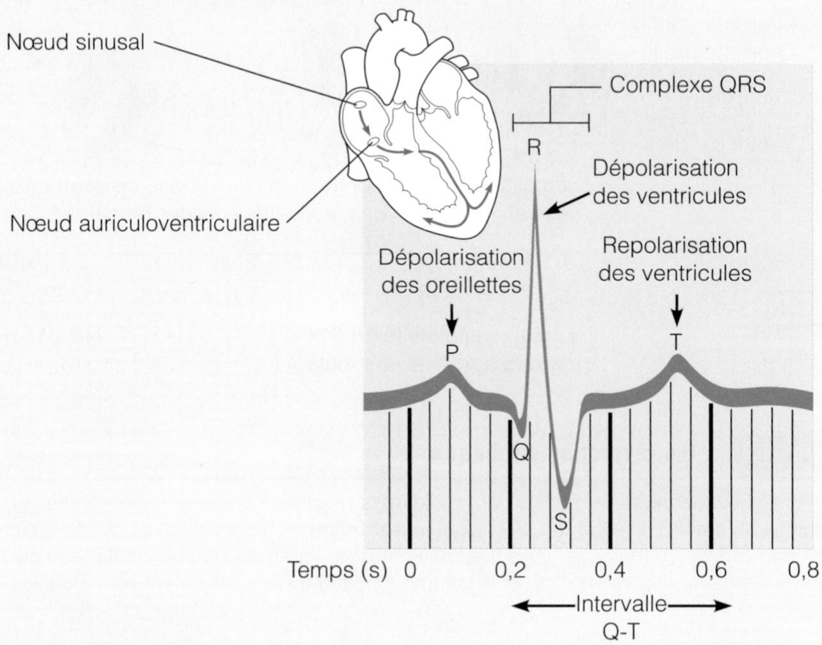
Nœud sinusal
Nœud auriculoventriculaire
Complexe QRS
R
Dépolarisation des ventricules
Dépolarisation des oreillettes
Repolarisation des ventricules
P
T
Q
S
Temps (s) 0 0,2 0,4 0,6 0,8
Intervalle Q-T

Électrocardiogramme montrant les trois ondes normalement visibles : P, QRS et T

de contraction des ventricules. Étant donné les valeurs normales au repos de la fréquence cardiaque (75 batt./min) et du volume systolique (70 mL/batt.), il est facile de calculer le débit cardiaque moyen de l'adulte :

$$DC = FC\ (75\ \text{batt./min}) \times VS\ (70\ \text{mL/batt.})$$
$$DC = 5250\ \text{mL/min}$$

Le volume sanguin normal de l'adulte est d'environ 5 L. Par conséquent, la totalité du sang passe à travers l'organisme en une minute. Le débit cardiaque varie en fonction des demandes de l'organisme. Il s'élève lorsque le volume systolique ou la fréquence cardiaque (ou les deux) augmentent, et baisse lorsque ces paramètres diminuent : il peut par exemple atteindre 25 L/min au besoin. Pour comprendre cette corrélation, voyons ce qui régit le volume systolique et la fréquence cardiaque.

La régulation du volume systolique Un cœur sain éjecte environ 60 % du sang contenu dans ses ventricules à chaque battement. Comme nous l'avons vu plus haut, cela correspond à environ 70 mL de sang par battement cardiaque. Selon la *loi de Starling*, le facteur déterminant du volume systolique est le degré d'étirement que présentent les myocytes cardiaques juste avant leur contraction. Plus ceux-ci sont étirés, plus la contraction sera forte. Le principal facteur de l'étirement du muscle cardiaque est le *retour veineux*, soit la quantité de sang qui retourne au cœur et distend ses ventricules. Si un côté du cœur se met soudainement à pomper plus de sang que l'autre, l'augmentation du retour veineux dans le ventricule opposé force celui-ci à pomper un volume égal, prévenant ainsi l'accumulation du sang dans la circulation.

Tout ce qui accroît le volume ou la vitesse du retour veineux augmente aussi le volume systolique et la force de contraction (figure 11.7). Par exemple, une fréquence cardiaque basse laisse plus de temps pour le remplissage ventriculaire. L'exercice accélère le retour veineux, car il élève la fréquence et la force cardiaques. La plus grande compression que les muscles squelettiques exercent sur les veines (ce qu'on appelle la *pompe musculaire*) joue également un rôle important dans l'augmentation du retour veineux. Inversement, un faible retour veineux, résultant par exemple d'une hémorragie grave ou d'une tachycardie, réduit le volume systolique et diminue la force de contraction du cœur.

Les facteurs modifiant la fréquence cardiaque de base Chez une personne en santé, le volume systolique est relativement constant. Mais si le volume sanguin diminue abruptement ou que le cœur est gravement affaibli, le volume systolique diminue et la fréquence cardiaque doit s'accélérer pour maintenir le débit cardiaque. Bien que la contractilité du cœur ne dépende pas du système nerveux, la fréquence cardiaque *peut* être influencée temporairement par le système nerveux autonome. En effet, le SNA est, de loin, le plus important mécanisme extrinsèque de régulation de la fréquence cardiaque. Des substances chimiques, des hormones et certains ions peuvent également influer sur la fréquence cardiaque. Quelques-uns de ces facteurs sont décrits à la figure 11.7.

Les mécanismes de régulation nerveuse (SNA) Lorsque des facteurs de stress émotionnel ou physique activent la partie sympathique du système nerveux autonome, les *neurofibres sympathiques* stimulent avec plus de force les nœuds sinusal et auriculoventriculaire ainsi que le muscle cardiaque lui-même. Par conséquent, le cœur bat plus vite. Quiconque a déjà eu peur ou a dû courir pour attraper l'autobus connaît ce phénomène. Même s'ils sont rapides dans des conditions normales, les battements du cœur s'accélèrent en réponse aux besoins plus grands de l'organisme. Lorsque le sang circule plus vite, la vitesse à laquelle il atteint les cellules de l'organisme augmente aussi ; celles-ci reçoivent donc un meilleur

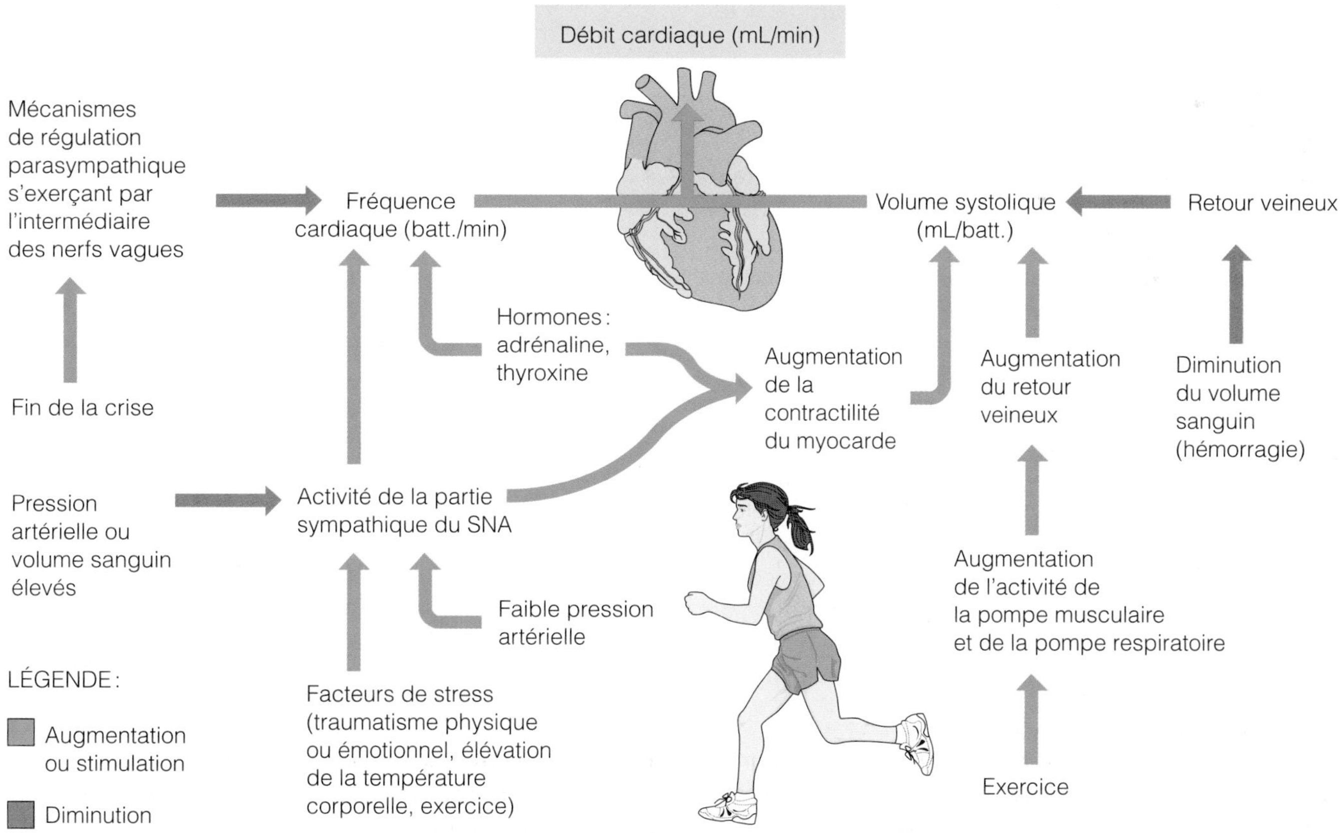
Débit cardiaque (mL/min)
Mécanismes de régulation parasympathique s'exerçant par l'intermédiaire des nerfs vagues
Fréquence cardiaque (batt./min)
Volume systolique (mL/batt.)
Retour veineux
Hormones : adrénaline, thyroxine
Augmentation de la contractilité du myocarde
Augmentation du retour veineux
Diminution du volume sanguin (hémorragie)
Fin de la crise
Pression artérielle ou volume sanguin élevés
Activité de la partie sympathique du SNA
Faible pression artérielle
Augmentation de l'activité de la pompe musculaire et de la pompe respiratoire
LÉGENDE :
Augmentation ou stimulation
Diminution
Facteurs de stress (traumatisme physique ou émotionnel, élévation de la température corporelle, exercice)
Exercice

Figure 11.7 **L'influence de certains facteurs sur le débit cardiaque**

(Le schéma se lit de bas en haut.)

apport d'oxygène et de glucose au moment où elles en ont besoin. Lorsque le stress diminue, le cœur s'ajuste. Les *neurofibres parasympathiques*, en particulier les nerfs vagues, ralentissent et stabilisent la fréquence du cœur, qui a plus de temps pour se reposer quand il ne subit pas de stress. Chez les personnes atteintes d'*insuffisance cardiaque*, anomalie dans laquelle le cœur est épuisé en raison de l'âge, de l'hypertension artérielle ou d'un autre état pathologique, l'action de pompage du cœur est affaiblie. Ces patients prennent habituellement de la digitaline, un médicament qui augmente la force contractile du cœur et son volume systolique, et qui par conséquent améliore le débit cardiaque.

Des hormones et certains ions peuvent influer considérablement sur l'activité cardiaque. L'*adrénaline*, qui imite l'effet des neurofibres sympathiques, et la *thyroxine* augmentent toutes deux la fréquence cardiaque. Les déséquilibres électrolytiques posent un réel danger pour le cœur. Par exemple, un faible taux sanguin de calcium ionique diminue la force avec laquelle le cœur se contracte, tandis qu'une teneur excessive prolonge les contractions au point que le cœur peut arrêter complètement de battre. Des taux anormalement élevés ou bas d'ions comme le sodium (Na^+) et le potassium (K^+) ont également un effet sur l'activité cardiaque. Ainsi, une baisse du potassium ionique dans le sang affaiblit les battements du cœur et provoque l'apparition d'arythmies.

Les facteurs physiques Un certain nombre de facteurs physiques tels que l'âge, le sexe, l'exercice et la température corporelle influent aussi sur la fréquence cardiaque. De 140 à 160 batt./min chez le fœtus, la fréquence cardiaque diminue graduellement au cours de la vie. La fréquence cardiaque moyenne est plus grande chez les femmes (de 72 à 80 batt./min) que chez les hommes (de 64 à 72 batt./min). La chaleur augmente la fréquence cardiaque en accélérant le métabolisme des cellules cardiaques. C'est pourquoi une forte fièvre et l'exercice (pendant lequel les muscles produisent de la chaleur) augmentent la fréquence cardiaque. Le froid a l'effet opposé. Comme nous venons de le dire, l'exercice agit sur le système nerveux (partie sympathique) pour augmenter la fréquence cardiaque (ainsi que le volume systolique par l'intermédiaire de la pompe musculaire).

Déséquilibre homéostatique

L'action de pompage du cœur maintient l'équilibre entre le débit cardiaque et le retour veineux. Lorsque l'efficacité de la pompe cardiaque est affaiblie au point que la circulation n'arrive plus à répondre aux besoins des tissus, une **insuffisance cardiaque** survient. L'évolution de l'insuffisance cardiaque traduit un affaiblissement du cœur causé par l'*athérosclérose des artères coronaires* (dans lesquelles du tissu adipeux se dépose), l'hypertension artérielle ou les infarctus du myocarde répétés (où un tissu cicatriciel non contractile se substitue aux cellules cardiaques mortes).

Le cœur étant une double pompe, l'insuffisance cardiaque peut toucher un de ses côtés avant l'autre. Si elle atteint le côté gauche, elle cause la *congestion pulmonaire*. Le ventricule droit continue de propulser le même volume de sang vers les poumons, mais le ventricule gauche n'est plus en mesure d'éjecter le volume de sang qui en revient dans la circulation systémique. Les vaisseaux sanguins des poumons s'engorgent, la pression s'y élève et le plasma sanguin diffuse dans le tissu pulmonaire, causant l'**œdème pulmonaire**. Laissé sans traitement, l'œdème pulmonaire entraîne la suffocation.

L'insuffisance cardiaque du côté droit provoque la *congestion périphérique*, où le sang stagne dans la circulation systémique. L'œdème se remarque surtout dans les extrémités (pieds, chevilles et doigts), qui gonflent et se tuméfient. L'insuffisance d'un côté du cœur impose un surcroît de travail au côté opposé, de sorte que l'insuffisance finit par s'installer dans le cœur en entier. ▲

Les vaisseaux sanguins

Le sang circule à l'intérieur des vaisseaux sanguins, qui forment un réseau de transport fermé; c'est la **partie vasculaire** du *système cardiovasculaire*. La découverte de la circulation sanguine ne remonte qu'à moins de 400 ans environ. Les Grecs de l'Antiquité croyaient que le sang allait et venait dans l'organisme comme une marée, partant du cœur et y retournant par les mêmes vaisseaux en passant par les poumons pour se débarrasser de ses impuretés. Ce n'est qu'au XVIIe siècle que William Harvey, médecin anglais, a prouvé que le sang se déplaçait en décrivant des cercles.

Tel un réseau routier, le système cardiovasculaire comporte des autoroutes, des routes secondaires et des ruelles. Les contractions du cœur chassent le sang dans les grosses **artères** issues des ventricules. Ensuite, le sang parcourt les ramifications des artères jusqu'aux plus petites, les **artérioles** (quelques dixièmes de millimètre de diamètre seulement), qui aboutissent dans les **capillaires** des tissus (dont le diamètre est à peine plus gros que celui d'un globule rouge). À sa sortie des capillaires, le sang emprunte les **veinules**, les **veines** et, enfin, les grosses veines (veines caves) qui convergent au cœur. Les artères, qui transportent le sang en provenance du cœur, et les veines, qui le convoient vers le cœur, servent simplement de conduits pour le sang: ce sont les autoroutes et les routes secondaires de l'organisme. Seuls les minuscules et filiformes capillaires, qui se ramifient dans les tissus et relient les plus petites artères (artérioles) aux plus petites veines (veinules), comblent directement les besoins des cellules. Constituant les ruelles du réseau routier, ils sont en contact étroit avec les cellules et se rendent jusqu'à leur « porte ». Ce n'est qu'à travers leurs parois que peuvent avoir lieu les échanges entre le sang et les cellules.

Notez que nous montrons les artères en rouge et les veines en bleu dans le présent ouvrage. La convention veut que le sang riche en oxygène soit représenté en rouge, et que le sang pauvre en oxygène et riche en gaz carbonique soit en bleu. En général, le premier circule dans les artères et le second dans les veines. Il y a toutefois des exceptions à la règle, que nous signalerons aux moments opportuns.

L'ANATOMIE MICROSCOPIQUE DES VAISSEAUX SANGUINS

Les tuniques

Les parois des vaisseaux sanguins, sauf celles des microscopiques capillaires, sont formées de trois couches, ou tuniques (figure 11.8). La **tunique intime** (ou intima), qui tapisse la lumière de tous les vaisseaux, est une mince couche d'**endothélium** (épithélium squameux) reposant sur une membrane basale. Ses cellules s'imbriquent les unes dans les autres et constituent une surface lisse qui réduit la friction entre le sang et la paroi des vaisseaux, et s'oppose à la coagulation inopportune du sang. L'endothélium sécrète aussi une série de facteurs qui favorisent ou inhibent la coagulation du sang, selon les circonstances, de même que des facteurs régissant la pression sanguine.

La **tunique moyenne**, ou média, constitue l'épaisse couche du milieu. Elle comprend principalement des myocytes lisses et du tissu élastique. La tunique moyenne des grosses artères (situées près du cœur) contient une grande quantité de tissu élastique disposé en plusieurs dizaines de lames circulaires (*limitantes élastiques*), tandis que celle des artères moyennes (en aval des grosses artères) contient surtout des fibres musculaires disposées, elles aussi, en plusieurs dizaines de couches concentriques. L'activité du muscle lisse, qui est régie par la partie sympathique du système nerveux autonome, est responsable des variations du diamètre des vaisseaux sanguins. La pression artérielle augmente ou diminue en fonction de la constriction ou de la dilatation des vaisseaux sanguins, respectivement.

La **tunique externe**, ou adventice, est la couche la plus superficielle des vaisseaux; elle est composée surtout de tissu conjonctif dense dont la principale fonction est de soutenir et de protéger les vaisseaux sanguins. Elle comprend aussi des neurofibres du SNA et, dans les gros vaisseaux, de petits vaisseaux sanguins appelés *vasa vasorum* qui irriguent les cellules de la paroi du vaisseau.

Les différences structurales entre les artères, les veines et les capillaires

Les parois des artères sont habituellement plus épaisses que celles des veines. Leur tunique moyenne, en particulier, est beaucoup plus volumineuse. Cette différence structurale traduit une différence fonctionnelle entre ces deux types de vaisseaux. Les artères, qui se trouvent plus près du cœur et de son action de pompage, doivent être en mesure de se dilater pour recevoir le sang qui y afflue, puis de se relâcher passivement lorsque le sang passe dans la circulation pendant la diastole. Leurs parois doivent donc être assez robustes et élastiques pour supporter ces changements continuels de pression (voir la figure 11.8).

Par ailleurs, les veines sont situées plus loin du cœur dans le trajet circulatoire, et la pression à l'intérieur y est relativement faible. Les veines ont donc des parois plus minces. Cependant, puisque la pression sanguine y est habituellement trop basse pour retourner le sang vers le cœur et que le sang qui circule en direction du cœur coule souvent dans le sens contraire de la force gravitationnelle, les veines sont adaptées pour que la quantité de sang qui retourne au cœur (*retour veineux*) soit en tout temps égale à la quantité de sang qui quitte le cœur (*débit cardiaque*). La lumière des veines est généralement plus grande que celle des artères correspondantes, ce qui leur permet de jouer un rôle de réservoir qui peut contenir les deux tiers de tout le sang de l'organisme. Les plus grosses veines comportent dans leur tunique externe des fibres musculaires lisses longitudinales qui, en se contractant, favorisent la circulation, et elles sont munies de **valvules** qui empêchent le reflux du sang (voir la figure 11.8). L'activité des muscles squelettiques augmente également le retour veineux. Au rythme de leurs contractions, les muscles squelettiques compriment les veines et poussent le sang en direction du cœur (figure 11.9). De plus, lorsque nous inhalons, la chute de pression dans le thorax provoque l'expansion et le remplissage des grosses veines situées près du cœur. La « pompe respiratoire » contribue donc elle aussi au retour du sang vers le cœur (voir la figure 11.7).

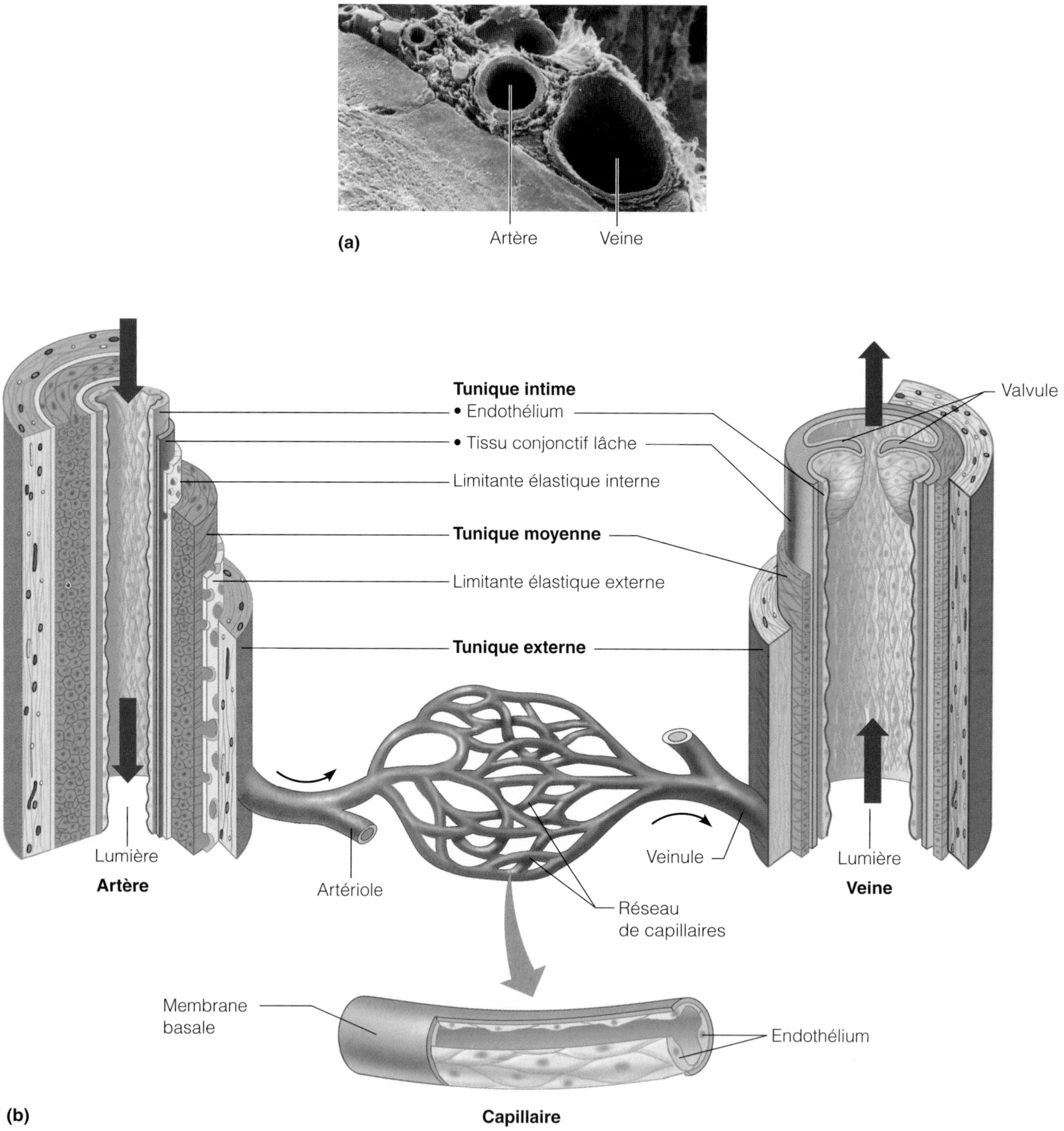
(a)
Artère
Veine
Tunique intime
• Endothélium
• Tissu conjonctif lâche
Limitante élastique interne
Tunique moyenne
Limitante élastique externe
Tunique externe
Valvule
Lumière
Artère
Artériole
Veinule
Lumière
Veine
Réseau de capillaires
Membrane basale
Endothélium
(b)
Capillaire

Figure 11.8 **La structure des vaisseaux sanguins**

(a) Micrographie au microscope électronique à balayage montrant une artère et la veine correspondante en coupe transversale (120×). **(b)** Les parois des artères et des veines sont formées de trois tuniques : la tunique intime (un endothélium reposant sur une membrane basale), la tunique moyenne (composée de myocytes lisses ainsi que de fibres élastiques et collagènes) et la tunique externe (formée principalement de fibres collagènes). Les capillaires, intermédiaires entre les artères et les veines dans la circulation, ne sont constitués que d'une tunique intime. Notez que la tunique moyenne est épaisse dans les artères et relativement mince dans les veines. SOURCE : (a) Copyright R.G. Kessel et R.H. Kardon, *Tissues and Organs : A Text-Atlas of Scanning Electron Microscopy*, W.H. Freeman and Company, 1979 ; tous droits réservés.

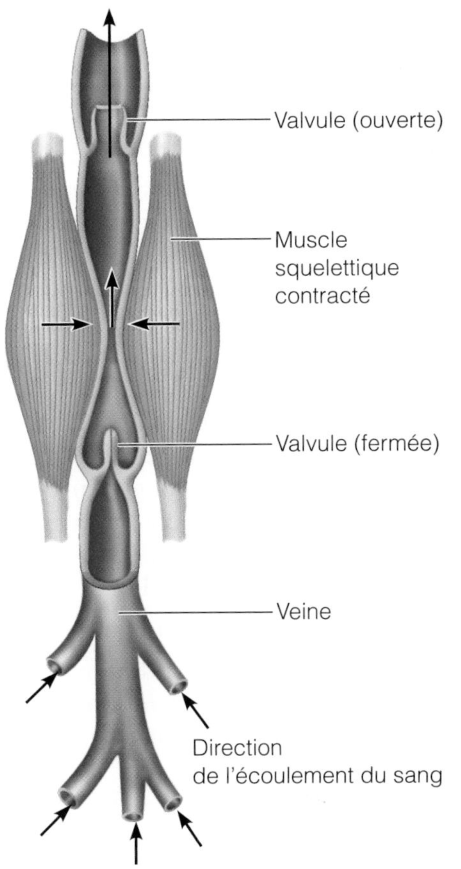
Valvule (ouverte)
Muscle squelettique contracté
Valvule (fermée)
Veine
Direction de l'écoulement du sang

Figure 11.9 **Le fonctionnement de la pompe musculaire**

En se contractant, les muscles squelettiques compriment les veines flexibles. Les valvules situées en aval du point de compression s'ouvrent et le sang est propulsé vers le cœur. Le reflux du sang ferme les valvules situées en amont du point.

Q **Supposons que le lit capillaire représenté dans la figure est situé dans le muscle biceps brachial. Les sphincters précapillaires seront-ils ouverts ou fermés lorsque vous faites des tractions au centre sportif ?**

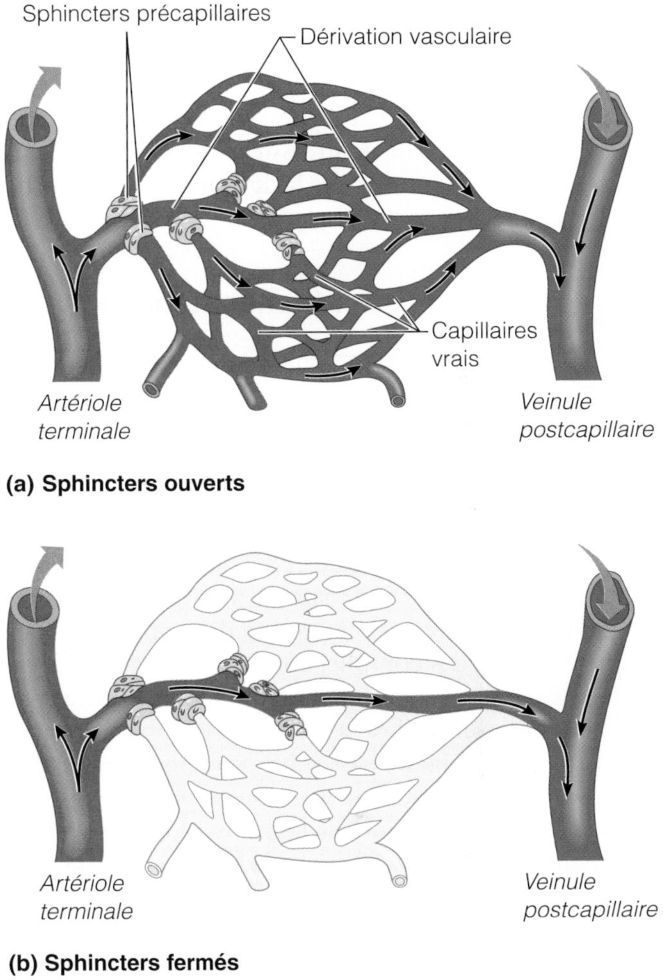
Sphincters précapillaires
Dérivation vasculaire
Capillaires vrais
Artériole terminale
Veinule postcapillaire
(a) Sphincters ouverts
Artériole terminale
Veinule postcapillaire
(b) Sphincters fermés

Figure 11.10 **L'anatomie d'un lit capillaire**

La dérivation vasculaire permet au sang de contourner les capillaires vrais lorsque les sphincters précapillaires, qui régissent l'irrigation de ces vaisseaux, sont fermés.

Les parois translucides des minuscules capillaires ne sont formées que d'une tunique intime ; cette dernière est composée d'une couche de cellules endothéliales reposant sur une membrane basale. Cette minceur exceptionnelle facilite grandement l'échange de substances entre le sang et les cellules. Les capillaires ont tendance à se grouper en réseaux appelés **lits capillaires**. La circulation du sang d'une artériole à une veinule, qui se fait par l'entremise d'un lit capillaire, est appelée **microcirculation**. Dans la plupart des régions de l'organisme, les lits capillaires sont composés de deux types de vaisseaux : 1) une **dérivation vasculaire**, un vaisseau qui relie directement l'artériole et la veinule situées de part et d'autre du lit, et 2) des **capillaires vrais**, où s'effectuent les échanges entre le sang et le liquide interstitiel (figure 11.10).

On compte généralement de 10 à 100 *capillaires vrais* dans un lit capillaire, selon l'organe ou le tissu irrigués. Ils se ramifient habituellement à partir de l'extrémité proximale de la dérivation, et leurs branches convergent et fusionnent à l'extrémité distale de celle-ci. À l'occasion,

R **Les sphincters seront ouverts. Les capillaires vrais se rempliront de sang pour desservir les myocytes en pleine activité.**

ils naissent de l'**artériole terminale** et se jettent directement dans la **veinule postcapillaire**. Un manchon de muscle lisse appelé **sphincter précapillaire** entoure la racine de chaque capillaire vrai et régit, comme une valvule, l'écoulement du sang dans le capillaire. À partir d'une artériole terminale, le sang peut prendre deux voies: celle des capillaires vrais ou celle de la dérivation. Si les sphincters précapillaires sont dilatés (ouverts), le sang s'écoule dans les capillaires vrais et participe aux échanges avec les cellules du tissu. S'ils sont contractés (fermés), le sang s'écoule dans la dérivation et contourne les tissus.

Déséquilibre homéostatique

Les *varices* sont courantes chez les personnes qui passent beaucoup de temps debout (les serveurs, les vendeurs et le personnel des salons de coiffure, par exemple) et qui sont obèses (ou enceintes). Elles sont principalement causées par une accumulation de sang dans les pieds et les jambes ainsi que par une insuffisance du retour veineux consécutive à l'inactivité ou à une pression exercée sur les veines. Les valvules trop sollicitées cèdent et les veines deviennent tordues et dilatées. Une des complications graves des varices est la *thrombophlébite*, inflammation d'une veine causée par la formation d'un caillot dans un vaisseau mal irrigué. Puisque le sang veineux passe obligatoirement par la circulation pulmonaire avant de retourner dans les tissus, une conséquence courante de la thrombophlébite est un détachement du caillot et une *embolie pulmonaire* potentiellement mortelle. ▲

FAITES-EN L'EXPÉRIENCE

Les valvules des veines interdisent le reflux du sang

L'expérience qui suit vous démontrera que les valvules veineuses empêchent le sang de refluer dans les vaisseaux sanguins.

Laissez pendre une de vos mains le long de votre corps durant une minute ou deux, jusqu'à ce que les vaisseaux de sa face dorsale se gorgent de sang. Ensuite, placez le bout de deux doigts sur l'une des veines distendues, déplacez le doigt supérieur vers votre poignet, puis relevez ce doigt. La veine demeurera aplatie, en dépit de la force gravitationnelle. Enfin, relevez le doigt inférieur. La veine aura tôt fait de se remplir à nouveau.

L'ANATOMIE MACROSCOPIQUE DES VAISSEAUX SANGUINS

Les principales artères de la circulation systémique

L'**aorte** est la plus grosse artère de la circulation, et une véritable splendeur. Chez l'adulte, elle a, à sa sortie du ventricule gauche, approximativement le diamètre d'un tuyau d'arrosage (et un diamètre interne comparable à celui du pouce). Ses dimensions ne diminuent que légèrement en allant vers son extrémité terminale, qui se situe au niveau de la quatrième vertèbre lombaire. Ses parties sont nommées conformément à leur forme ou à leur localisation. À la sortie du ventricule gauche, on trouve l'**aorte ascendante**, qui se courbe vers la gauche pour former la **crosse de l'aorte**, plonge dans le thorax en suivant la colonne vertébrale (**aorte thoracique**) puis traverse le diaphragme jusqu'à la cavité abdominopelvienne, où elle devient l'**aorte abdominale** (figure 11.11).

Les principales ramifications de l'aorte et des organes qu'elle dessert sont énumérées ci-dessous en partant du cœur vers le bas. La figure 11.11 montre la distribution de l'aorte et de ses principales ramifications. Dans votre étude des artères sur la figure, soyez à l'affût d'indices propres à faciliter la mémorisation. Dans bien des cas, le nom d'une artère indique la région ou les organes qu'elle dessert (*artère rénale*, *artère brachiale* et *artère coronaire*) ou l'os qu'elle suit (*artère fémorale* et *artère ulnaire*). Notez aussi que nous ne traitons ici que d'artères de la circulation systémique: ces artères transportent toutes du sang riche en oxygène. Dans la circulation pulmonaire, les artères (artères pulmonaires) transportent du sang pauvre en oxygène mais contenant beaucoup de gaz carbonique.

Les ramifications de l'aorte ascendante Les seules ramifications de l'aorte ascendante sont les artères coronaires droite et gauche, qui irriguent le cœur.

Les ramifications de la crosse de l'aorte

- Le **tronc brachiocéphalique** (la première branche de la crosse de l'aorte) donne l'**artère carotide commune droite** et l'**artère subclavière droite**. (Voir les vaisseaux du même nom situés sur la gauche du corps pour savoir quels organes ils desservent.)
- L'**artère carotide commune gauche** est la deuxième branche de la crosse de l'aorte. Elle se divise en deux: l'**artère carotide interne gauche**, qui dessert l'encéphale, et l'**artère carotide externe gauche**, qui irrigue la peau ainsi que les muscles de la tête et du cou.
- La troisième ramification de la crosse de l'aorte est l'**artère subclavière gauche**. Elle débouche sur une branche importante, l'**artère vertébrale**, qui dessert une partie de l'encéphale. Dans les aisselles, l'artère

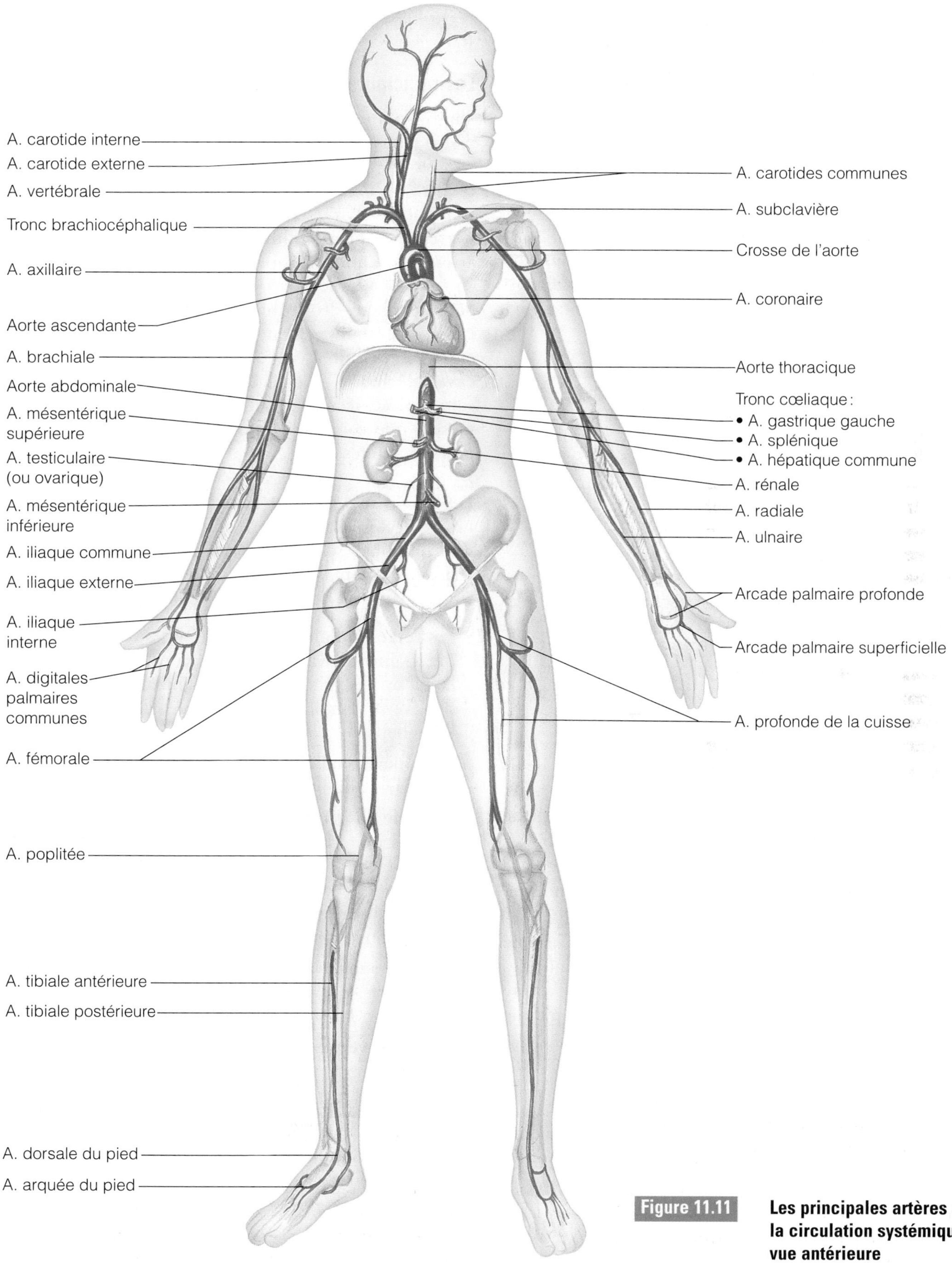
A. carotide interne
A. carotide externe
A. vertébrale
Tronc brachiocéphalique
A. axillaire
Aorte ascendante
A. brachiale
Aorte abdominale
A. mésentérique supérieure
A. testiculaire (ou ovarique)
A. mésentérique inférieure
A. iliaque commune
A. iliaque externe
A. iliaque interne
A. digitales palmaires communes
A. fémorale
A. poplitée
A. tibiale antérieure
A. tibiale postérieure
A. dorsale du pied
A. arquée du pied
A. carotides communes
A. subclavière
Crosse de l'aorte
A. coronaire
Aorte thoracique
Tronc cœliaque:
• A. gastrique gauche
• A. splénique
• A. hépatique commune
A. rénale
A. radiale
A. ulnaire
Arcade palmaire profonde
Arcade palmaire superficielle
A. profonde de la cuisse

Figure 11.11 **Les principales artères de la circulation systémique, vue antérieure**

subclavière devient l'**artère axillaire**, puis elle poursuit sa route dans le bras sous le nom d'**artère brachiale**, qui irrigue le bras. À l'approche du coude, l'artère brachiale émet les **artères radiale** et **ulnaire**, qui irriguent l'avant-bras.

Les ramifications de l'aorte thoracique Les *artères intercostales* (10 paires) desservent les muscles de la paroi thoracique. Les autres ramifications de l'aorte thoracique irriguent les poumons (*rameaux bronchiques*), l'œsophage (*rameaux œsophagiens*) et le diaphragme (*artères phréniques supérieures*). Ces artères ne sont pas représentées dans la figure 11.11.

Les ramifications de l'aorte abdominale

- Le **tronc cœliaque** est la première branche de l'aorte abdominale. Ce vaisseau unique se divise en trois branches: 1) l'**artère gastrique gauche**, qui dessert l'estomac, 2) l'**artère splénique**, qui irrigue la rate, et 3) l'**artère hépatique commune**, qui dessert le foie.
- L'unique **artère mésentérique supérieure** dessert presque tout l'intestin grêle et la première moitié du gros intestin, ou côlon.
- Les **artères rénales** (droite et gauche) desservent les reins.
- Les **artères ovariques** ou **testiculaires** (droite et gauche) desservent les organes génitaux. Chez la femme, les *artères ovariques* desservent les ovaires, et chez l'homme, les *artères testiculaires* desservent les testicules.
- Les *artères lombaires* (non représentées dans la figure 11.11) comprennent plusieurs paires d'artères desservant les muscles volumineux des parois de l'abdomen et du tronc.
- La petite **artère mésentérique inférieure** est une artère unique qui dessert la seconde moitié du gros intestin.
- Les **artères iliaques communes** (droite et gauche) sont les dernières branches de l'aorte abdominale. Chacune donne une **artère iliaque interne**, qui irrigue les organes du bassin (vessie, rectum, etc.), et une **artère iliaque externe**, qui pénètre dans la cuisse, où elle devient l'**artère fémorale**. L'artère fémorale et sa branche, l'**artère profonde de la cuisse**, assurent l'irrigation de la cuisse. À la hauteur du genou, l'artère fémorale devient l'**artère poplitée**, qui se divise pour former les **artères tibiales antérieure** et **postérieure** desservant la jambe et le pied. L'artère tibiale antérieure se termine par l'**artère dorsale du pied**, qui irrigue le dos du pied. (L'artère dorsale du pied est le siège du pouls pédieux, dont la palpation sert à déterminer si l'irrigation de la partie distale de la jambe est adéquate chez les personnes atteintes de troubles de la circulation.)

Les principales veines de la circulation systémique

Tandis que les artères sont profondes et protégées par divers tissus, les veines sont plutôt superficielles, et certaines sont visibles et palpables à la surface du corps. La plupart des veines profondes sont parallèles aux artères systémiques et, à quelques exceptions près, ces vaisseaux portent les mêmes noms. Alors que les principales artères systémiques sont issues de l'aorte, les veines convergent vers les deux veines caves, qui se déversent dans l'oreillette droite du cœur. Les veines qui irriguent la tête et les bras se jettent dans la **veine cave supérieure**, et les veines du bas du corps se déversent dans la **veine cave inférieure**. Nous décrivons ci-après les veines, qui sont représentées à la figure 11.12. Étudiez la figure à mesure que vous lirez le texte, comme vous l'avez fait pour les artères.

Les veines se déversant dans la veine cave supérieure Les veines qui se jettent dans la veine cave supérieure sont nommées selon leur localisation, de la plus distale à la plus proximale, c'est-à-dire dans le sens où le sang circule dans la veine cave supérieure.

- Les **veines radiale** et **ulnaire** sont des veines profondes qui drainent l'avant-bras. Elles s'unissent pour former la profonde **veine brachiale**, qui draine le bras et se déverse dans la **veine axillaire**, dans la région de l'aisselle.
- La **veine céphalique** assure le drainage superficiel de la face externe du bras avant de rejoindre la veine axillaire.
- La **veine basilique** est une veine superficielle qui chemine le long de la face interne du bras et s'unit à la veine brachiale à son extrémité proximale. Les veines basilique et céphalique sont unies sur la face interne du coude par la **veine médiane du coude** (que l'on choisit souvent pour prélever un échantillon de sang).
- La **veine subclavière** reçoit le sang veineux du bras issu de la veine axillaire, et le sang veineux de la peau et des muscles de la tête issu de la **veine jugulaire externe**.
- La **veine vertébrale** draine la partie postérieure de la tête.
- La **veine jugulaire interne** draine les sinus de la dure-mère dans l'encéphale.
- Les **veines brachiocéphaliques** (droite et gauche) sont de gros vaisseaux dans chacun desquels se déversent les veines subclavière, vertébrale et jugulaire interne. Elles s'unissent pour former la veine cave supérieure, qui pénètre dans le cœur.

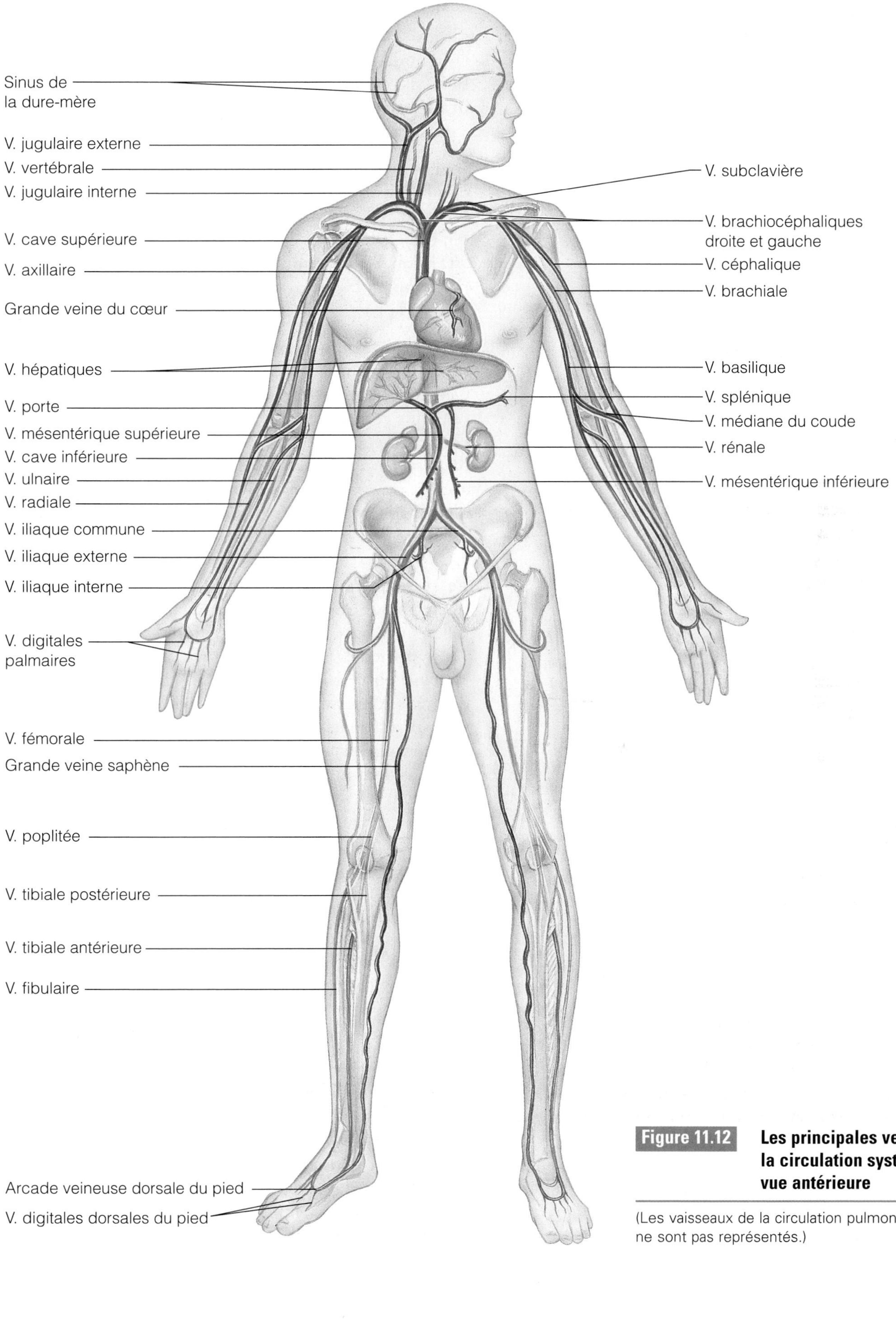
Sinus de la dure-mère
V. jugulaire externe
V. vertébrale
V. jugulaire interne
V. cave supérieure
V. axillaire
Grande veine du cœur
V. hépatiques
V. porte
V. mésentérique supérieure
V. cave inférieure
V. ulnaire
V. radiale
V. iliaque commune
V. iliaque externe
V. iliaque interne
V. digitales palmaires
V. fémorale
Grande veine saphène
V. poplitée
V. tibiale postérieure
V. tibiale antérieure
V. fibulaire
Arcade veineuse dorsale du pied
V. digitales dorsales du pied
V. subclavière
V. brachiocéphaliques droite et gauche
V. céphalique
V. brachiale
V. basilique
V. splénique
V. médiane du coude
V. rénale
V. mésentérique inférieure

Figure 11.12 Les principales veines de la circulation systémique, vue antérieure

(Les vaisseaux de la circulation pulmonaire ne sont pas représentés.)

- La *veine azygos* est une veine unique (elle ne se trouve que du côté droit) qui draine le thorax et rejoint la veine cave supérieure juste avant que celle-ci pénètre dans le cœur. (Cette veine n'est pas représentée dans la figure 11.12.)

Les veines se déversant dans la veine cave inférieure Beaucoup plus longue que la veine cave supérieure, la veine cave inférieure rapporte au cœur le sang provenant de toutes les régions situées sous le diaphragme. Nous décrirons encore une fois les veines qui s'y déversent en allant de la plus distale à la plus proximale.

- Les **veines tibiales antérieure** et **postérieure** et la **veine fibulaire** drainent la jambe (mollet et pied). La veine tibiale postérieure devient la **veine poplitée** à la hauteur du genou, puis la veine fémorale dans la cuisse. La **veine fémorale** prend le nom de **veine iliaque externe** en entrant dans le bassin.
- Les **grandes veines saphènes** sont les plus longues veines de l'organisme. Elles reçoivent le drainage superficiel de la jambe. Elles naissent de l'**arcade veineuse dorsale du pied** et parcourent la face interne de la jambe avant de se jeter dans la veine fémorale de la cuisse.
- Chaque **veine iliaque commune** (droite et gauche) est formée par l'union de la **veine iliaque externe** et de la **veine iliaque interne** (qui draine le bassin). Les veines iliaques communes s'unissent pour former la veine cave inférieure, qui monte ensuite dans la cavité abdominale.
- La *veine ovarique* ou *testiculaire droite* draine l'ovaire droit chez la femme et le testicule droit chez l'homme. (La *veine ovarique* ou *testiculaire gauche* se jette plus haut dans la veine rénale gauche.) (Les veines ovariques et testiculaires ne sont pas représentées dans la figure 11.12.)
- Les **veines rénales** (droite et gauche) drainent les reins.
- L'unique **veine porte** draine les organes du tube digestif et transporte ce sang vers le foie avant qu'il entre dans la circulation systémique. (Le système porte hépatique est abordé dans la section suivante.)
- Les **veines hépatiques** (droite et gauche) drainent le foie.

Les circulations spéciales

Les artères de l'encéphale et cercle artériel du cerveau L'encéphale a besoin d'un apport sanguin continu, car, s'il manque de sang durant quelques minutes seulement, ses délicates cellules meurent. Il est irrigué par deux paires d'artères, les artères carotides internes et les artères vertébrales (figure 11.13).

Les **artères carotides internes** sont issues des artères carotides communes. Elles cheminent dans le cou et entrent dans le crâne par l'os temporal. Une fois à l'intérieur du crâne, chacune se divise en une **artère cérébrale antérieure** et une **artère cérébrale moyenne** qui irrigue la majeure partie du cerveau.

Les deux **artères vertébrales** naissent des artères subclavières à la racine du cou, puis montent. À l'intérieur du crâne, elles s'unissent pour former l'**artère basilaire**, qui dessert le tronc cérébral et le cervelet au cours de son ascension. À la base du cerveau, l'artère basilaire se divise pour donner les **artères cérébrales postérieures**, qui desservent la partie postérieure des hémisphères cérébraux.

Les vaisseaux antérieurs et postérieurs qui irriguent le cerveau sont unis par de petites *artères communicantes.* Cette anastomose forme un cercle complet de vaisseaux sanguins communicants, appelé **cercle artériel du cerveau**, qui entoure la base du cerveau. Le cercle artériel du cerveau protège le cerveau, car il donne au sang un accès supplémentaire au tissu cérébral en cas d'occlusion d'une artère ou de mauvaise circulation dans n'importe quelle région de l'organisme.

Le système porte hépatique Les veines du **système porte hépatique** drainent les organes digestifs, la rate et le pancréas. Ce sang est acheminé vers le foie par la **veine porte** (figure 11.14). Après un repas, le sang que la veine porte contient est riche en nutriments. Étant donné le rôle essentiel que joue le foie dans le maintien de taux adéquats de glucose, de lipides et de protéines dans le sang, le système porte hépatique effectue un détour pour s'assurer que le foie traite ces substances avant qu'elles atteignent la circulation systémique. Le sang circulant à faible vitesse dans le foie, certains de ces nutriments sont stockés ou traités de diverses manières avant d'être retournés dans le sang. Le foie est drainé par les veines hépatiques qui rejoignent la veine cave inférieure. Tout comme le système porte qui relie l'hypothalamus de l'encéphale à l'adénohypophyse (voir le chapitre 9), le système porte hépatique est une circulation singulière et inusitée. Normalement, les artères irriguent les capillaires, qui à leur tour se déversent dans les veines. Dans ce système, ce sont les *veines* qui alimentent la circulation hépatique.

La **veine mésentérique inférieure** draine les segments distaux du gros intestin, puis se jette dans la **veine splénique**, qui recueille le sang de la rate, du pancréas et du côté gauche de l'estomac. La veine splénique et la **veine mésentérique supérieure** (qui draine l'intestin grêle et la première partie du côlon) s'unissent pour former la veine porte. La **veine gastrique gauche**, qui draine le côté droit de l'estomac, débouche directement dans la veine porte.

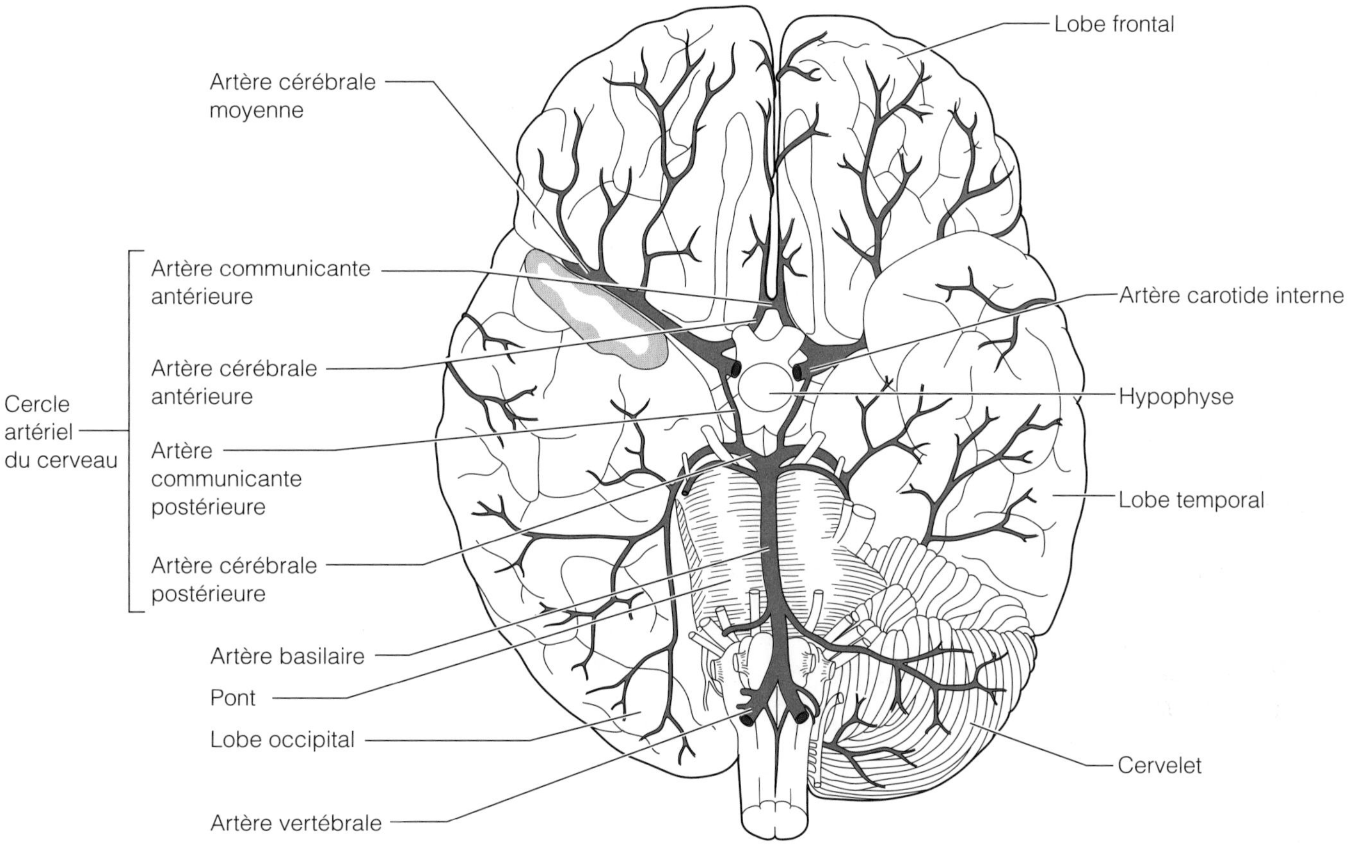
Artère cérébrale moyenne
Lobe frontal
Artère communicante antérieure
Artère cérébrale antérieure
Artère communicante postérieure
Artère cérébrale postérieure
Cercle artériel du cerveau
Artère carotide interne
Hypophyse
Lobe temporal
Artère basilaire
Pont
Lobe occipital
Artère vertébrale
Cervelet

Figure 11.13 **Les artères de l'encéphale**

(Le cervelet est représenté sur le côté gauche de l'encéphale seulement.)

La circulation fœtale Puisque les poumons et le système digestif du fœtus ne sont pas encore fonctionnels, les échanges de nutriments et de gaz ainsi que de substances à excréter se produisent dans le placenta. Les nutriments et l'oxygène sont acheminés du sang de la mère jusqu'à celui du fœtus, et les déchets du fœtus circulent en sens inverse. Comme le montre la figure 11.15, le *cordon ombilical* contient trois vaisseaux sanguins : une grande **veine ombilicale** et deux petites **artères ombilicales**. La veine ombilicale transporte le sang riche en nutriments et en oxygène vers le fœtus. Les artères ombilicales acheminent le sang rempli de gaz carbonique et de déchets du fœtus jusqu'au placenta. Lorsqu'il circule vers le cœur du fœtus, le sang contourne en grande partie le foie immature en empruntant le **conduit veineux**, puis entre dans la veine cave inférieure, qui le transporte vers l'oreillette droite du cœur.

Les poumons du fœtus étant inactifs et affaissés, deux dérivations font en sorte que le sang n'y passe presque jamais. Une partie du sang pénétrant dans l'oreillette droite passe directement dans le côté gauche du cœur par le **foramen ovale** (orifice dans le septum interauriculaire). Le sang qui entre quand même dans le ventricule droit est ensuite pompé dans le tronc pulmonaire, où il rencontre une deuxième dérivation, le **conduit artériel**. Ce court vaisseau relie le tronc pulmonaire à l'aorte. Parce que la pression est élevée dans les poumons affaissés, le sang est poussé à emprunter le conduit artériel pour rejoindre la circulation systémique. L'aorte transporte le sang vers les tissus du fœtus, qui le renvoient au placenta par les artères ombilicales.

À la naissance, ou peu après, le foramen ovale se ferme et le conduit artériel s'affaisse pour devenir le **ligament artériel** fibreux (voir la figure 11.2a). Lorsque le sang

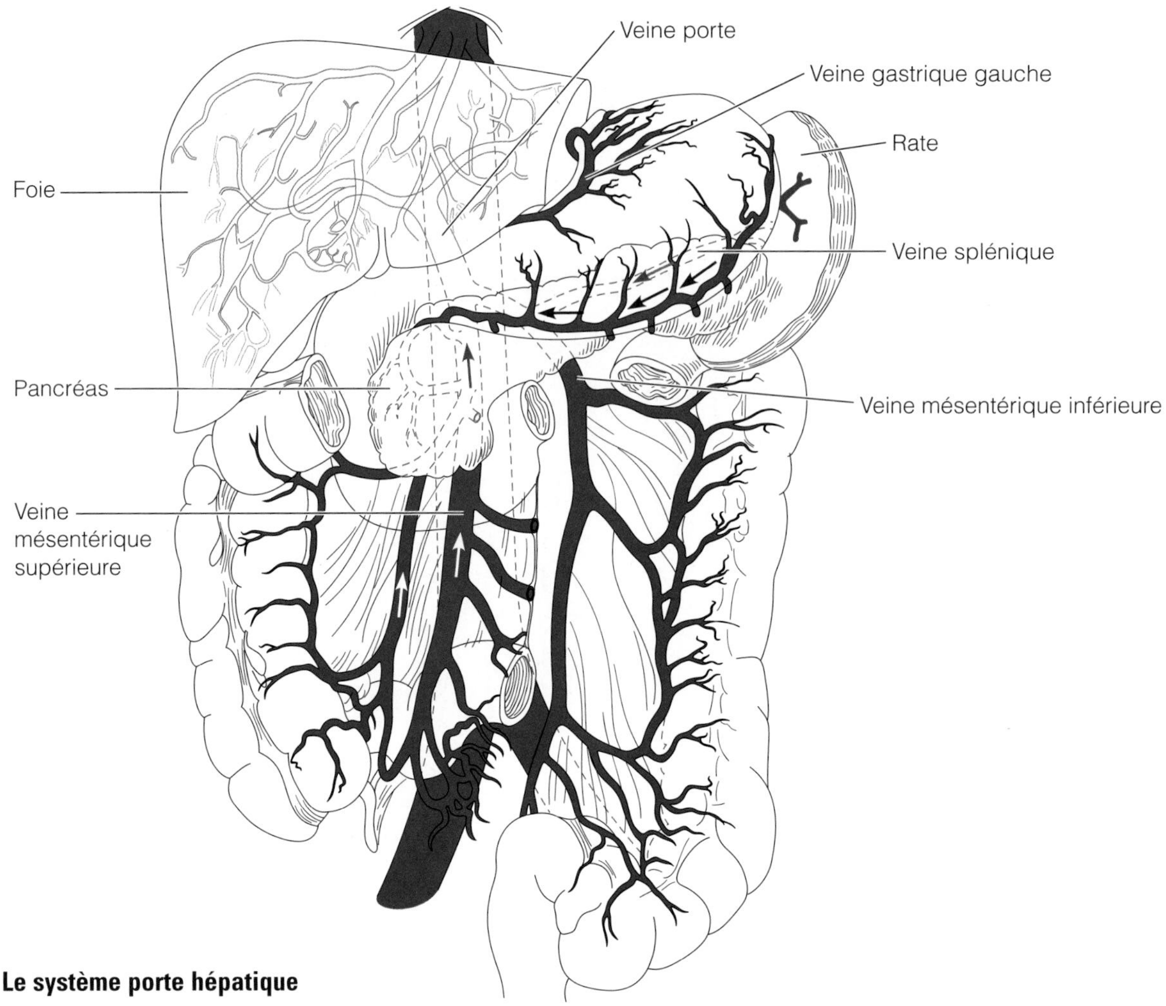
Veine porte
Veine gastrique gauche
Rate
Foie
Veine splénique
Pancréas
Veine mésentérique inférieure
Veine mésentérique supérieure

Figure 11.14 **Le système porte hépatique**

cesse de circuler dans les vaisseaux ombilicaux, ceux-ci se ferment. La circulation adulte est désormais établie.

LA PHYSIOLOGIE DE LA CIRCULATION

Le pouls artériel et la pression sanguine sont des indicateurs de l'efficacité de la circulation. En milieu clinique, ces mesures constituent, avec la fréquence respiratoire et la température corporelle, les **signes vitaux**.

Le pouls artériel

L'expansion et la rétractation successives des artères à chaque battement du ventricule gauche créent une onde de pression, le **pouls**, qui est transmise à toutes les artères. Normalement, le pouls (poussées de pression par minute) équivaut à la fréquence cardiaque (battements par minute). Le pouls moyen est de 70 à 76 batt./min chez une personne normale en position couchée. Il reflète les effets de l'activité physique, des changements de position et des émotions sur la fréquence cardiaque. Le pouls n'existerait pas si le sang circulait en continu, comme c'est le cas pour ce Québécois de 65 ans à qui on a implanté, fin 2006, le premier cœur mécanique artificiel de longue durée ; cette personne est la seule au Canada à vivre sans pouls.

On peut sentir le pouls de toutes les artères situées près de la surface de la peau en pressant l'artère contre une surface ferme (l'os) ; c'est un moyen facile de calculer la fréquence cardiaque. Le point où l'artère radiale se trouve juste sous la surface de la peau du poignet (le pouls radial) est le plus accessible et donc celui qui sert le plus souvent à la mesure du pouls, bien que d'autres points du pouls artériel aient également de l'importance d'un point de vue clinique (figure 11.16). Ce sont ces mêmes points que l'on comprime pour arrêter l'afflux de sang vers les tissus situés en aval de la lésion au cours d'une hémorragie ; c'est pourquoi on les appelle également **points de compression**. Par exemple, en cas de lacération profonde de la main, il est possible de ralentir ou

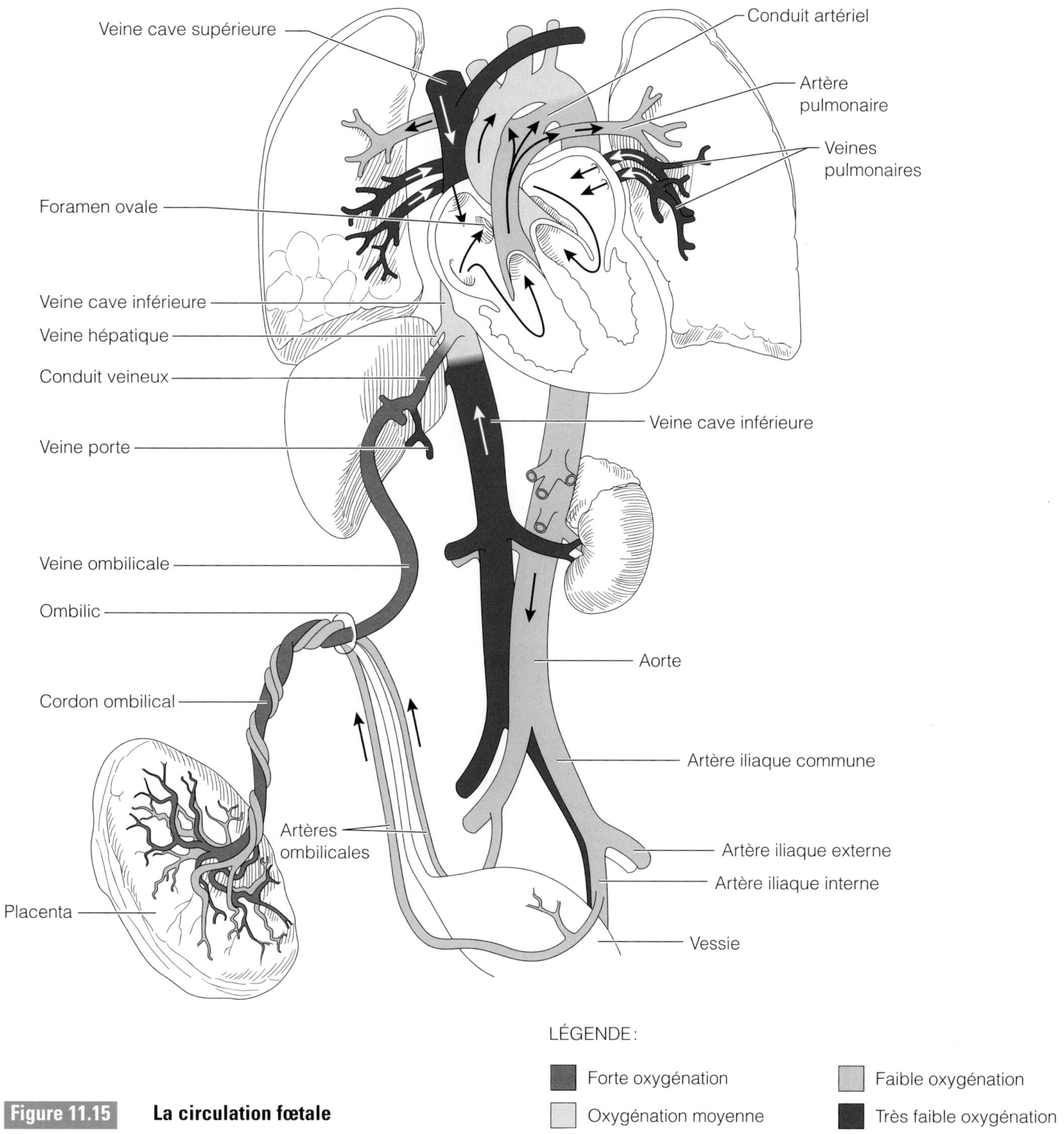
Veine cave supérieure
Conduit artériel
Artère pulmonaire
Veines pulmonaires
Foramen ovale
Veine cave inférieure
Veine hépatique
Conduit veineux
Veine porte
Veine cave inférieure
Veine ombilicale
Ombilic
Aorte
Cordon ombilical
Artère iliaque commune
Artères ombilicales
Artère iliaque externe
Artère iliaque interne
Placenta
Vessie
LÉGENDE :
Forte oxygénation
Faible oxygénation
Oxygénation moyenne
Très faible oxygénation

Figure 11.15 **La circulation fœtale**

d'arrêter l'écoulement du sang en comprimant l'artère radiale ou brachiale.

Essayez de palper chacun des points de compression représentés dans la figure 11.16 en plaçant le bout de deux ou trois doigts sur l'artère indiquée. Pressez d'abord fermement sur l'artère, puis relâchez légèrement la pression. Prêtez attention à la régularité et à la force relative du pouls.

La pression sanguine

Tout liquide propulsé par une pompe dans un circuit de conduits fermés circule sous pression. Plus le liquide est près de la pompe, plus la pression est grande. La **pression sanguine** est la pression que le sang exerce sur la paroi interne d'un vaisseau ; elle est la force propulsive nécessaire à la circulation continuelle du sang dans l'organisme,

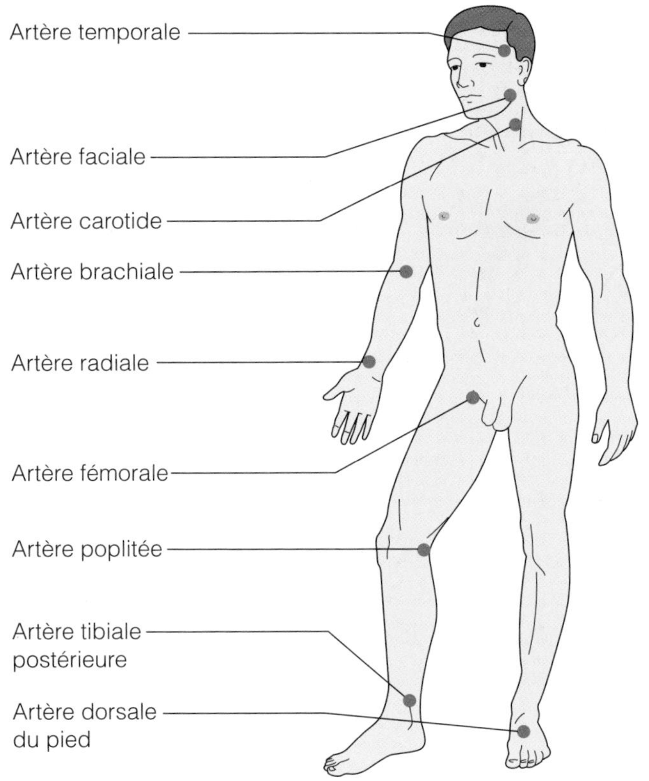
Artère temporale
Artère faciale
Artère carotide
Artère brachiale
Artère radiale
Artère fémorale
Artère poplitée
Artère tibiale postérieure
Artère dorsale du pied

Figure 11.16 **Les points du corps où le pouls est le plus aisément palpable**

(Les artères nommées sont décrites aux pages 404 et 406.)

Q **Quel est le rapport entre les variations de pression en dents de scie, représentées du côté gauche du graphique, et la structure des grosses artères ?**

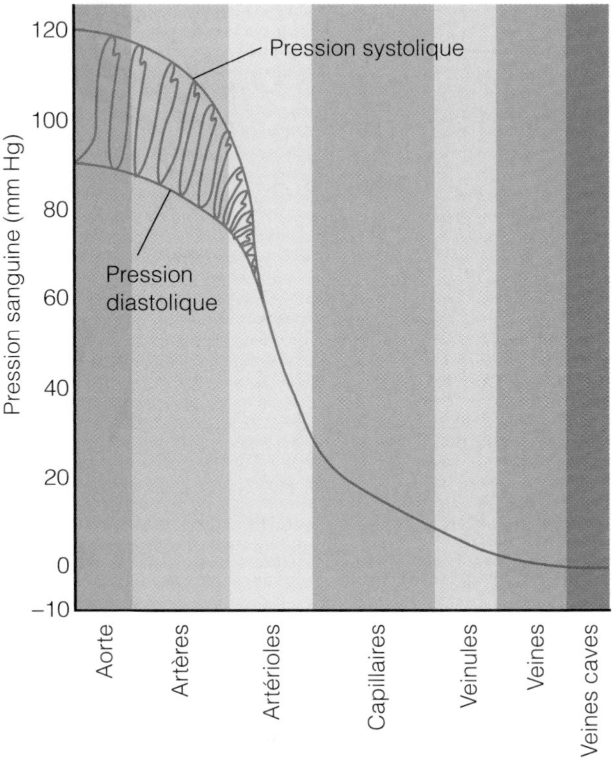
120
100
80
60
40
20
0
−10
Pression sanguine (mm Hg)
Pression systolique
Pression diastolique
Aorte
Artères
Artérioles
Capillaires
Veinules
Veines
Veines caves

Figure 11.17 **La pression sanguine dans diverses régions du système cardiovasculaire**

même entre les battements du cœur. Dans le langage clinique, l'expression *pression artérielle* désigne la pression sanguine dans les grosses artères systémiques situées près du cœur.

Le gradient de pression Lorsqu'ils se contractent, les ventricules poussent le sang vers de grosses artères élastiques aux parois épaisses qui s'étirent au gré de cet écoulement. La pression élevée dans ces artères pousse continuellement le sang vers des régions où la pression est plus faible. La pression atteint son maximum dans les grosses artères, puis diminue progressivement à mesure que le sang circule; elle est nulle ou négative dans les veines caves (figure 11.17). Rappelez-vous que le sang circule des grosses aux petites artères, puis dans les artérioles, les capillaires, les veinules et les veines, avant de revenir par les grandes veines caves à l'oreillette droite du cœur. Il circule toujours en suivant un gradient de pression (des zones de haute pression aux zones de basse pression). Notez que si le retour veineux dépendait entièrement d'une pression sanguine élevée dans la circulation systémique, le sang ne serait probablement jamais en mesure d'effectuer son cycle complet pour retourner au cœur. C'est pourquoi les valvules des plus grosses veines, l'activité des muscles squelettiques et les variations de pression dans le thorax ont une si grande importance.

Cette différence entre la pression artérielle et la pression veineuse est particulièrement évidente quand on observe des vaisseaux endommagés. En effet, le sang s'écoule uniformément d'une veine déchirée; en revanche, il jaillit par à-coups d'une artère lacérée.

R **Les variations témoignent de l'élasticité des grosses artères. Quand le cœur se contracte et pousse le sang dans les gros vaisseaux à sa sortie, ceux-ci s'étirent pour s'adapter à l'augmentation de volume (pression artérielle systolique). Puis, en raison de l'élasticité de leurs parois, ils reprennent leur forme de départ et compriment le sang (pression artérielle diastolique), ce qui oblige ce dernier à avancer dans le circuit.**

Le maintien de la circulation sanguine dépend de l'élasticité des grandes artères et de leur capacité à se rétracter pour continuer d'exercer une pression sur le sang, qui poursuit son trajet dans la circulation. Comparons ce phénomène à un tuyau d'arrosage aux parois relativement rigides. Lorsqu'on ouvre le robinet, la pression chasse l'eau à l'extérieur du tuyau, car ses parois ne sont pas élastiques. Mais, lorsqu'on ferme le robinet, le flux diminue, puis s'arrête; en effet, les parois du tuyau ne pouvant se resserrer pour maintenir la pression, celle-ci chute et l'eau ne peut plus s'écouler. On ne comprend véritablement l'importance de l'élasticité des artères que lorsqu'on la perd; c'est ce qui se produit dans le cas de l'*artériosclérose*, aussi appelé *durcissement des artères*. Nous décrivons l'artériosclérose plus en détail dans l'encadré «Gros plan», p. 414-415.

La mesure de la pression artérielle Au rythme des contractions et des relâchements successifs du cœur, le sang circulant dans les artères cause des hausses et des baisses de pression. C'est pourquoi on prend habituellement deux mesures de la pression artérielle. La **pression artérielle systolique** est la pression dans les artères au point maximal de la contraction ventriculaire. La **pression artérielle diastolique** est la pression mesurée lors du relâchement des ventricules. Ces pressions s'expriment en millimètres de mercure (mm Hg), en commençant par la pression systolique. Ainsi, une pression artérielle de 120/80 indique que la pression systolique est de 120 mm Hg et que la pression diastolique est de 80 mm Hg. Généralement, on mesure la pression artérielle systémique indirectement, soit par la **méthode auscultatoire**. Le procédé décrit et illustré dans la figure 11.18 sert à mesurer la pression artérielle dans l'artère brachiale.

Les effets de quelques facteurs sur la pression artérielle La pression artérielle (PA) est directement proportionnelle au débit cardiaque (DC; quantité de sang expulsée du ventricule gauche en une minute) et à la résistance

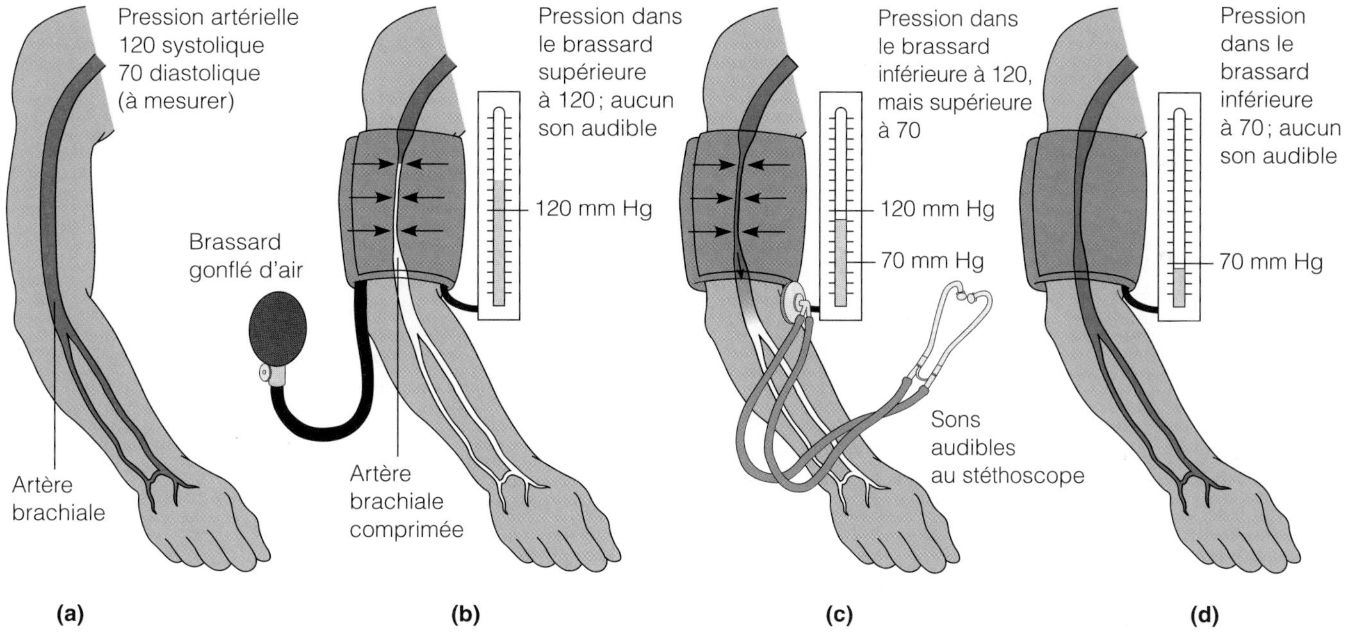
Pression artérielle
120 systolique
70 diastolique
(à mesurer)
Artère brachiale
(a)
Brassard gonflé d'air
Pression dans le brassard supérieure à 120; aucun son audible
120 mm Hg
Artère brachiale comprimée
(b)
Pression dans le brassard inférieure à 120, mais supérieure à 70
120 mm Hg
70 mm Hg
Sons audibles au stéthoscope
(c)
Pression dans le brassard inférieure à 70; aucun son audible
70 mm Hg
(d)

Figure 11.18 La mesure de la pression artérielle

(a) Parcours de l'artère brachiale dans le bras. Supposez une pression artérielle de 120/70 chez une jeune personne en bonne santé. **(b)** Le brassard est fermement enroulé autour du bras juste au-dessus du coude, puis gonflé jusqu'à ce que le sang cesse de circuler dans l'avant-bras et que le pouls brachial ne soit plus palpable ou audible. **(c)** La pression dans le brassard est graduellement réduite pendant que l'examinateur écoute (ausculte) les bruits dans l'artère brachiale (bruits de Korotkoff) au moyen d'un stéthoscope. La pression systolique est enregistrée lorsqu'on entend les premiers tapotements doux (qui indiquent qu'une petite quantité de sang est expulsée de l'artère comprimée). **(d)** À mesure que la pression diminue dans le brassard, les sons deviennent plus audibles et plus distincts, mais lorsque l'artère n'est plus comprimée et que le sang coule librement, les sons ne sont plus audibles. La pression diastolique est enregistrée au moment où ces sons disparaissent.

GROS PLAN

Problèmes d'artériosclérose ? Sortez vos débouchoirs !

Lorsque l'eau s'écoule trop lentement d'un évier de cuisine, on utilise un débouchoir pour éliminer les débris d'aliments qui obstruent le tuyau, et le tour est joué. Malheureusement, l'entretien de la plomberie vasculaire n'est pas si simple. Lorsque les parois des artères épaississent, il suffit d'un caillot vagabond ou de spasmes artériels pour obstruer complètement la lumière déjà rétrécie d'une artère.

Si tous les vaisseaux sanguins peuvent être touchés par l'**athérosclérose**, l'aorte et les artères coronaires sont les plus vulnérables, phénomène qui reste inexpliqué mais bien réel : environ 60 % des décès liés à des maladies cardiovasculaires sont d'origine coronarienne. Bien des stades précèdent celui de la rigidité vasculaire et comportent aussi, sinon plus, de risques mortels.

L'apparition et l'évolution de l'athérosclérose

Quel est le facteur à l'origine de ce fléau, car il s'agit bien d'un fléau, puisque les maladies cardiovasculaires font 17 millions de victimes annuellement ? Certains chercheurs pensent que c'est une lésion de la tunique intime des vaisseaux causée par des substances qui circulent dans le sang (comme l'oxyde de carbone présent dans la fumée de cigarette ou les gaz d'échappement des automobiles), des bactéries, des virus ou des facteurs physiques tels un coup ou l'hypertension permanente. Des plaquettes adhèrent à la région lésée et amorcent la coagulation pour prévenir l'hémorragie. L'irritation de l'endothélium donne l'alerte qui mobilise le système immunitaire et déclenche le processus inflammatoire (processus traité plus en détail au chapitre 12) destiné à réparer les dégâts. Si la lésion est isolée, tout se termine bien. Mais la plupart des plaques croissent lentement, probablement à la faveur d'une suite de petites lésions qui guérissent, mais se reforment continuellement. Au fur et à mesure que la plaque prend de l'ampleur, les cellules endothéliales endommagées libèrent des agents chimiotactiques et des substances chimiques accroissant la perméabilité de l'endothélium aux lipides (LDL, pour *low-density lipoprotein*, ou lipoprotéines de basse densité) et au cholestérol, qui s'installent sous la tunique intime. Les monocytes attirés vers cette région migrent sous l'endothélium, où ils se transforment en macrophagocytes se gorgeant de lipides. Ils sont bientôt rejoints par des myocytes lisses qui migrent de la tunique moyenne de la paroi vasculaire. On en est alors au *stade des stries lipidiques*, qui se caractérise par des lésions graisseuses verdâtres appelées *plaques athéroscléreuses*, ou *athéromes artériels*. Lorsque ces dépôts lipidiques de cellules musculaires commencent à faire saillie dans la lumière du vaisseau, l'*athérosclérose* est pleinement installée (voir la photographie a). Comme on peut le voir, contrairement à ce que l'on croit souvent, il n'y pas accumulation de graisses sur la surface interne des parois artérielles, mais un processus qui s'effectue à l'intérieur même de la paroi.

L'**artériosclérose** est le dernier stade de la maladie. Les plaques gênent la diffusion des nutriments dans les tissus profonds de la paroi artérielle. Les myocytes lisses de la tunique moyenne meurent et les fibres élastiques se détériorent. Ces éléments sont graduellement remplacés par du tissu cicatriciel non élastique. Des sels de calcium se déposent dans les lésions. Les parois artérielles s'usent et s'ulcèrent, ce qui favorise la formation de caillots. La rigidité des parois vasculaires cause l'hypertension. L'ensemble de ces phénomènes accroît les risques d'infarctus du myocarde, d'accident vasculaire cérébral et d'insuffisance rénale.

Cependant, on remet aujourd'hui en question l'opinion courante selon laquelle la plupart des crises cardiaques sont attribuables à un rétrécissement et à un durcissement avancés des vaisseaux sanguins, en particulier parce que quelque 70 % de ces crises sont provoquées par des obstructions trop petites pour être repérées sur un artériogramme ou pour causer des symptômes. On croit à l'heure actuelle que le corps est tout simplement trahi par son propre système de défense. Le processus inflammatoire en cours dans les plaques, lorsque celles-ci sont encore tendres, instables et riches en cholestérol, modifie les propriétés biologiques de la paroi vasculaire et rend ces plaques susceptibles de se rompre. Les débris libérés déclenchent la formation en masse de caillots qui peuvent entraîner une crise cardiaque mortelle. La personne atteinte semble en parfaite santé ; elle succombe subitement à une crise foudroyante.

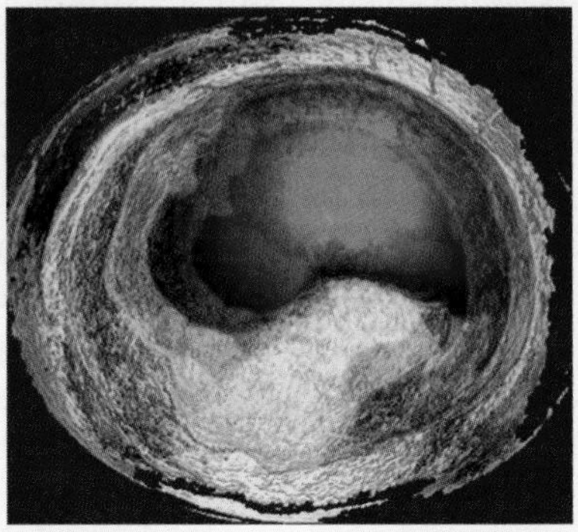

(a) Coupe transversale d'une artère partiellement bloquée par une plaque athéroscléreuse.

Le traitement et la prévention

Bien que ce concept de *plaque vulnérable* soit bien reçu dans le monde médical, on s'interroge toujours sur les mesures à prendre à son égard. Dans certains centres médicaux, on fait subir aux patients en cardiologie des tests pour déterminer le taux de cholestérol et déceler la présence de la protéine C-réactive, libérée par les cellules lésées de la paroi artérielle constituant un signe d'inflammation. La tomographie par faisceau d'électrons pourrait aider à reconnaître les personnes prédisposées en détectant les dépôts de calcium dans leurs artères coronaires. On met actuellement à l'essai des antibiotiques et des anti-inflammatoires qu'on veut utiliser à titre préventif. Même l'humble aspirine suscite un regain d'intérêt et de plus en plus de cardiologues recommandent aux personnes présentant un risque élevé de prendre tous les jours un comprimé d'aspirine pour bébés (81 mg).

Quelles mesures peut-on prendre lorsque l'athérosclérose coronarienne représente un danger pour le cœur ? Autrefois, la seule possibilité était d'effectuer un pontage coronarien, c'est-à-dire que l'on greffait dans le cœur des veines prélevées dans les jambes ou de petites artères prises dans la cavité thoracique. Depuis peu, les chirurgiens emploient des instruments intravasculaires pour désobstruer les vaisseaux. Ainsi, l'*angioplastie transluminale percutanée* se pratique au moyen d'une sonde munie d'un ballonnet (voir les deux photographies en b) insérée

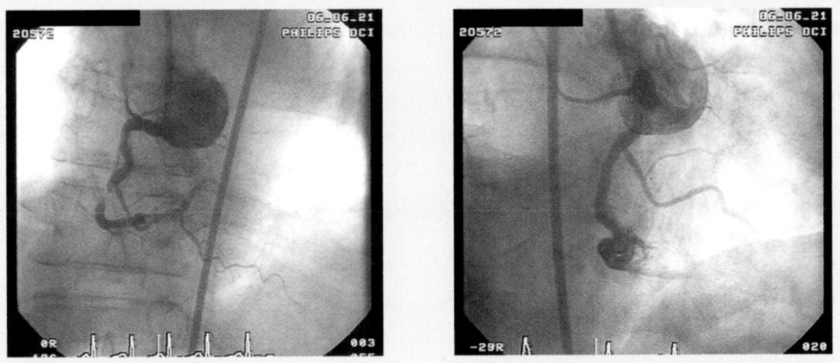

(b) Angiographies d'une artère bloquée (à gauche) et la même artère débouchée par la technique de l'angioplastie transluminale percutanée (à droite). Ces photographies ont été obtenues au moyen d'un traitement de l'image par ordinateur (angiographie numérique avec soustraction).

dans le vaisseau coronaire à partir d'une artère d'un bras ou d'une jambe. Lorsque la sonde atteint le siège de l'obstruction, le chirurgien gonfle le ballonnet et la masse lipidique est comprimée contre la paroi du vaisseau. Ce procédé, dont bénéficient plus d'un million de patients dans le monde chaque année, a toutefois l'inconvénient de n'éliminer que quelques obstructions très localisées. Un tout nouveau dispositif intravasculaire muni d'un rayon laser vaporise les occlusions artérielles. Bien qu'ils soient plus rapides, moins coûteux et beaucoup moins risqués que le pontage, ces dispositifs ont la même limite: ils n'éliminent pas la maladie sous-jacente, et avec le temps, il se produit de nouvelles obstructions dans 30 à 50 % des cas, même si l'insertion d'un stent (treillis métallique qui ressemble à un ressort), dans l'artère dilatée, prévient un certain nombre de ces resténoses.

Trois pistes sont actuellement à l'étude. Elles s'attaquent directement à la racine du mal et pourraient empêcher la dégradation des artères en faisant appel à des vaccins. Dans le premier cas, le vaccin vise à faire détruire par le système immunitaire la protéine responsable de la production de LDL à partir des HDL (pour *high-density lipoprotein*, ou lipoprotéines de haute densité); dans le deuxième cas, on cherche à stimuler la production d'anticorps qui détruiraient les plaques d'athérome. Avec le troisième type de vaccin, on tente de stimuler les lymphocytes régulateurs qui ont pour rôle précis de limiter le processus inflammatoire responsable de la formation des plaques. Par ailleurs, une nouvelle technique d'angioplastie est récemment apparue: la photoangioplastie. Elle consiste à détruire les plaques d'athérome par la lumière. Il faut d'abord injecter au sujet traité des porphyrines (substances capables d'absorber la lumière et d'en capter l'énergie, qui peut alors être utilisée à des fins thérapeutiques), qui vont s'accumuler dans les plaques des parois artérielles. Une source de lumière est ensuite introduite dans l'artère; cette lumière active les porphyrines qui détruisent les plaques athéroscléreuses.

Lorsque l'obstruction est causée par un caillot, les médecins prescrivent des *agents thrombolytiques* (qui dissolvent les caillots). Par exemple, l'*activateur tissulaire du plasminogène* est une substance naturelle produite grâce au génie génétique. L'injection directe d'activateur tissulaire du plasminogène dans le cœur rétablit rapidement le débit sanguin et interrompt le cours de nombreux infarctus.

On sait maintenant que des facteurs liés au mode de vie comme le stress émotionnel, le tabagisme, l'obésité, la surconsommation de matières grasses et de cholestérol, ainsi que le manque d'exercice, contribuent à l'athérosclérose et à l'hypertension. Connaissant ces facteurs de risque, pourquoi ne pas encourager les personnes à risque à changer leur mode de vie? Cela est plus facile à dire qu'à faire. En effet, même si nombre de personnes améliorent leur état de santé en prenant des antioxydants (vitamines E et C et bêtacarotène), en faisant plus d'exercice et, pour une certaine catégorie (selon l'âge et les risques de maladies cardiovasculaires notamment), en consommant leur verre quotidien de vin rouge, il est extrêmement difficile de modifier certaines habitudes, comme de renoncer au beurre et aux produits de la restauration rapide. Pourtant, si l'on parvient un jour à prévenir la cardiopathie en guérissant l'artériosclérose, bien des gens accepteront de troquer leurs mauvaises habitudes contre une vieillesse heureuse!

périphérique (R). On exprime cette relation par l'équation qui suit: $PA = DC \times R$. Puisque nous avons déjà décrit la régulation du débit cardiaque, nous traiterons ici de la résistance périphérique.

La **résistance périphérique** est la force résultant de la friction du sang contre la paroi des vaisseaux. De nombreux facteurs peuvent influer sur cette résistance, dont le plus important est probablement la constriction (ou rétrécissement) des vaisseaux, en particulier les artérioles, consécutive à l'activité de la partie sympathique du SNA ou à l'athérosclérose. Par ailleurs, l'augmentation du volume ou de la viscosité (épaisseur) du sang augmente aussi la résistance périphérique. Tout facteur provoquant une élévation du débit cardiaque ou de la résistance périphérique a pour conséquence une augmentation presque immédiate de la pression artérielle. D'autres facteurs peuvent faire varier la pression artérielle, par exemple l'âge, la masse corporelle, la période de la journée, l'exercice, la position du corps, l'état émotionnel et certaines substances chimiques. Voyons maintenant l'effet de quelques-uns de ces facteurs.

1. **Les mécanismes nerveux: le système nerveux autonome.** La partie parasympathique du système nerveux autonome a un effet faible, voire nul, sur la pression artérielle: cette partie du SNA ne peut en effet avoir d'action sur la résistance périphérique,

puisque la plupart des vaisseaux ne sont pas innervés par des fibres parasympathiques. La partie sympathique, elle, joue un rôle important et réagit à différents facteurs. Le principal effet des neurofibres sympathiques sur les vaisseaux sanguins est de causer une **vasoconstriction** (rétrécissement des vaisseaux) qui accroît la pression artérielle. Le centre sympathique situé dans le bulbe rachidien déclenche cette vasoconstriction en réponse à divers stimulus (figure 11.19). Par exemple, lorsque nous passons rapidement de la position couchée à la position debout, la force gravitationnelle provoque une accumulation de sang dans les vaisseaux des membres inférieurs, et la pression artérielle chute. Ce phénomène stimule l'activité des *barorécepteurs* dans les grosses artères du cou et du thorax. Les barorécepteurs émettent des influx qui suscitent une vasoconstriction réflexe ramenant la pression artérielle à des valeurs homéostatiques.

Lorsque le volume sanguin baisse subitement, en cas d'hémorragie, par exemple, la pression artérielle diminue et le cœur commence à battre plus rapidement (pour compenser). Cependant, le retour veineux étant réduit par la perte de sang, les battements sont faibles (loi de Starling) et inefficaces. Dans de telles circonstances, la vasoconstriction provoquée par la partie sympathique du SNA augmente la pression artérielle, le retour veineux s'élève à son tour et la circulation reprend son cours normal.

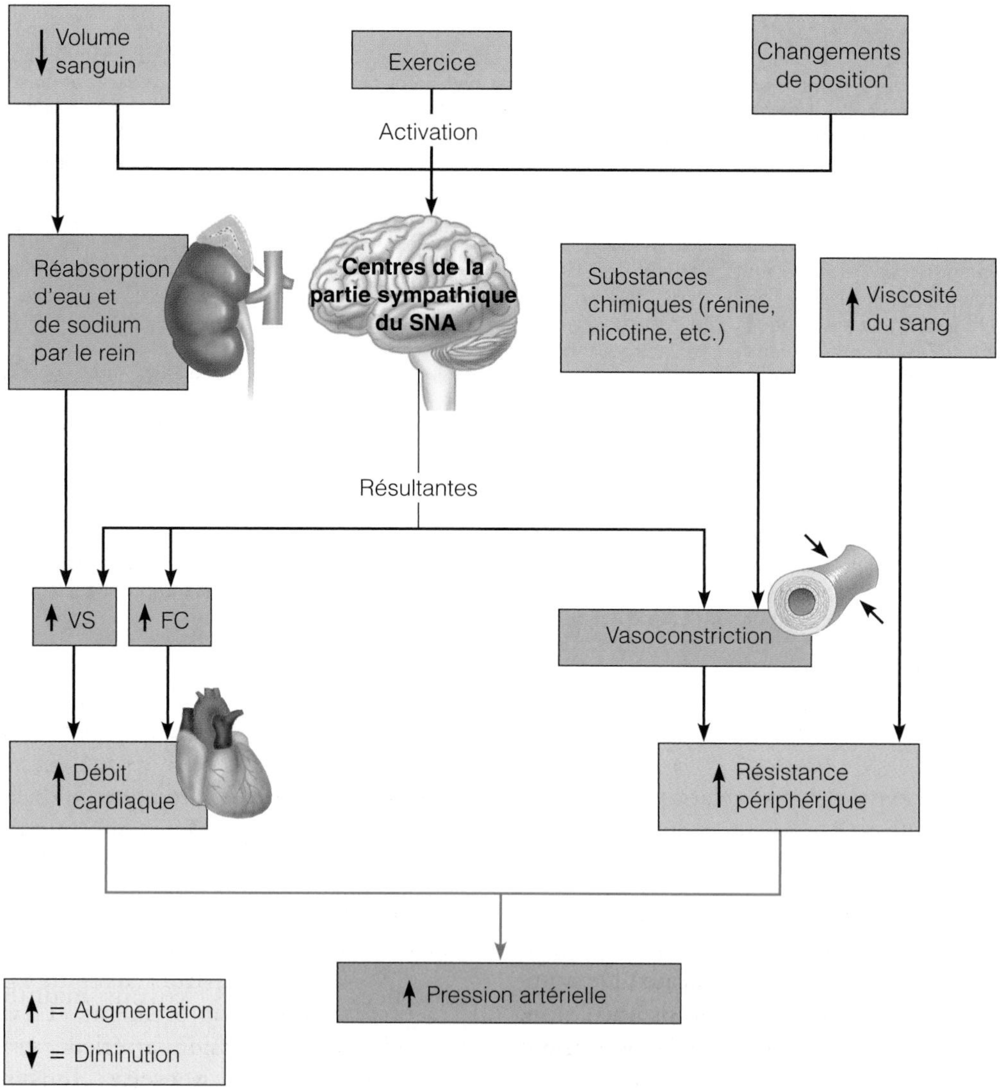

↓ Volume sanguin
Exercice
Changements de position
Activation
Réabsorption d'eau et de sodium par le rein
Centres de la partie sympathique du SNA
Substances chimiques (rénine, nicotine, etc.)
↑ Viscosité du sang
Résultantes
↑ VS
↑ FC
Vasoconstriction
↑ Débit cardiaque
↑ Résistance périphérique
↑ Pression artérielle
↑ = Augmentation
↓ = Diminution

Figure 11.19 **Résumé des facteurs augmentant la pression artérielle**

(VS : volume systolique ; FC : fréquence cardiaque.)

Notre dernier exemple touche l'activité de la partie sympathique du SNA pendant un exercice vigoureux ou lorsqu'une frayeur nous pousse à fuir rapidement. Il se produit alors une vasoconstriction généralisée, *sauf* dans les muscles squelettiques. En effet, les vaisseaux de ces muscles se dilatent pour augmenter l'apport sanguin dans les muscles qui fournissent un effort. (Remarquez que les neurofibres sympathiques ne causent *jamais* la vasoconstriction des vaisseaux du cœur ou de l'encéphale.)

2. **Les facteurs rénaux : les reins.** Les reins jouent un rôle essentiel dans la régulation de la pression artérielle, car ils modifient le volume sanguin. Lorsque la pression artérielle (ou le volume sanguin) dépasse les valeurs normales, ils laissent passer une plus grande quantité d'eau dans l'urine. Puisque cette eau provient de la circulation sanguine, le volume sanguin diminue, ce qui réduit la pression artérielle. Cependant, lorsque la pression artérielle baisse, les reins retiennent l'eau, ce qui augmente le volume sanguin et, par conséquent, la pression artérielle (voir la figure 11.19).

   De plus, lorsque la pression artérielle est faible, certaines cellules rénales libèrent dans le sang une enzyme appelée *rénine*. La rénine déclenche une série de réactions chimiques qui se soldent par la formation d'*angiotensine II* (voir la figure 9.10), puissant vasoconstricteur. L'angiotensine stimule aussi la libération d'aldostérone, une hormone élaborée par le cortex surrénal qui favorise la réabsorption rénale du sodium. La présence de sodium dans le sang stimule la réabsorption d'eau. Le volume sanguin augmente et la pression artérielle s'élève.

3. **La température.** Généralement, le froid a un effet vasoconstricteur. C'est pourquoi la peau exposée aux faibles températures hivernales est froide au toucher et qu'on recommande l'application de compresses froides sur une ecchymose pour prévenir l'œdème. La chaleur a pour sa part un effet *vasodilatateur*. Les compresses chaudes appliquées sur une région enflammée ont pour effet d'accélérer la circulation.

4. **Les substances chimiques.** De manière générale, les effets des substances chimiques, en particulier les drogues, sur la pression artérielle sont bien connus. En voici quelques exemples. L'**adrénaline** augmente à la fois la fréquence cardiaque et la pression artérielle. La *nicotine* augmente la pression artérielle en causant une vasoconstriction. L'*alcool* et l'*histamine* provoquent une vasodilatation qui réduit la pression artérielle. C'est la dilatation des vaisseaux cutanés qui explique les rougeurs que présentent certaines personnes après l'ingestion d'une grande quantité d'alcool.

5. **Le régime alimentaire.** Bien qu'ils ne s'entendent pas toujours à ce sujet, les médecins conviennent généralement qu'un régime alimentaire faible en sel, en graisses saturées et en cholestérol aide à prévenir l'*hypertension* (pression artérielle élevée).

Les variations de la pression artérielle Chez l'adulte normal au repos, la pression systolique varie entre 110 et 140 mm Hg, et la pression diastolique entre 75 et 80 mm Hg. Cependant, la pression artérielle varie considérablement d'une personne à une autre. Votre pression « normale » n'est peut-être pas celle de votre grand-père ou de votre voisine. La pression artérielle est aussi liée à l'âge, à la masse corporelle, à la race, à l'humeur, à l'activité physique et à la position du corps. Presque toutes les variations sont attribuables à des facteurs dont nous avons déjà parlé.

L'**hypotension artérielle** correspond à une pression systolique inférieure à 100 mm Hg. Dans bien des cas, elle résulte simplement de variations individuelles et ne porte pas à conséquence. En fait, l'hypotension est une conséquence prévisible de la mise en condition physique et est souvent associée à la longévité et à la bonne santé.

Déséquilibre homéostatique

Les personnes âgées sont sujettes à l'*hypotension orthostatique*, état temporaire qui se caractérise par des étourdissements au moment du passage de la position couchée à la position debout ou assise. Comme la partie sympathique du SNA des personnes âgées réagit lentement aux changements de position, le sang stagne dans les membres inférieurs. La pression artérielle baisse et l'irrigation de l'encéphale diminue. Pour empêcher ce désagrément, on conseille généralement aux gens de changer lentement de position pour laisser à leur système nerveux le temps de procéder aux ajustements nécessaires. ▲

L'hypotension artérielle chronique (non associée à la mise en condition physique) peut être liée au fonctionnement des glandes surrénales, plus précisément à une hyposécrétion des hormones minéralocorticoïdes (voir le chapitre 9) ; elle est parfois aussi un signe de mauvaise alimentation et d'hypoprotéinémie. La viscosité du sang étant réduite, la pression artérielle est inférieure aux valeurs normales. L'hypotension artérielle aiguë est l'un des signes majeurs de l'*état de choc*, caractérisé par un remplissage inadéquat des vaisseaux sanguins et une circulation anormale du sang. L'état de choc est souvent causé par une hémorragie.

Les élévations transitoires de la pression artérielle sont des adaptations normales à la fièvre, à l'effort physique et aux bouleversements émotionnels comme la colère et la peur. L'**hypertension artérielle** permanente est pathologique et se définit comme la persistance d'une pression artérielle de 140/90 ou plus. C'est un problème qui touche actuellement 600 millions de personnes dans le monde, dont 3 millions de Canadiens.

Déséquilibre homéostatique

L'hypertension chronique est une maladie grave et répandue qui traduit un accroissement de la résistance périphérique. Elle est généralement asymptomatique durant les 10 à 20 premières années de son évolution, de sorte qu'on estime que, au Canada par exemple, 1 personne atteinte sur 3 ignore qu'elle en souffre. Mais cela n'empêche pas la maladie de fatiguer le cœur et d'endommager les artères. Comme il doit surmonter une résistance accrue, le cœur travaille plus fort qu'il ne le devrait et, au fil des années, le myocarde s'hypertrophie. Lorsqu'il finit par outrepasser ses capacités, le cœur s'affaiblit et ses parois deviennent flasques. L'hypertension cause aussi dans l'endothélium des vaisseaux sanguins de petites déchirures qui accélèrent les ravages de l'**athérosclérose**.

Bien qu'hypertension et athérosclérose soient souvent liées, il est difficile d'attribuer l'hypertension à une quelconque anomalie. Dans environ 90 % des cas, l'hypertension est *essentielle*, c'est-à-dire qu'elle n'a pas de cause organique précise. Toutefois, des facteurs comme le régime alimentaire, l'obésité, l'hérédité, la race et le stress peuvent y contribuer. Par exemple, on trouve plus d'hypertendus chez les femmes que chez les hommes, et chez les individus de race noire que chez ceux de race blanche. L'hypertension est héréditaire : l'enfant d'un parent hypertendu court deux fois plus de risques d'être atteint de la maladie que l'enfant né de parents normotendus. Le cholestérol, les graisses saturées et le sodium font partie des facteurs alimentaires de l'hypertension. L'hypertension est courante chez les personnes obèses, car la longueur totale de leurs vaisseaux sanguins est relativement supérieure à celle des personnes minces. Pour irriguer un kilogramme de tissu adipeux, il faut des kilomètres de petits vaisseaux ; le cœur doit donc travailler plus fort pour permettre au sang de couvrir cette distance. En 2007, des chercheurs ont découvert que l'hypertension pourrait aussi être attribuable à une inflammation des vaisseaux cérébraux. ▲

Les échanges capillaires de gaz et de nutriments

Les billions de capillaires que possède l'organisme forment un réseau complexe de plus de 8000 km de long, si bien intégré aux cellules de l'organisme qu'aucune substance n'est forcée de parcourir une grande distance pour entrer dans une cellule ou en sortir (moins de 0,2 mm pour la plupart des cellules). Outre qu'ils possèdent une paroi très mince, les capillaires sont des vaisseaux très bien adaptés à leur fonction : la section totale de tous les capillaires de l'organisme étant très grande, le sang y circule très lentement. Les substances à échanger diffusent d'abord dans un espace intermédiaire (figure 11.20a) rempli de **liquide interstitiel**.

Les substances tendent à se déplacer selon un gradient de concentration. Ainsi, l'oxygène et les nutriments sortent du sang et atteignent les cellules des tissus, tandis que le gaz carbonique et les déchets métaboliques sortent des cellules et entrent dans le sang. Pour entrer dans la circulation sanguine ou en sortir, ces substances empruntent l'une des quatre voies qui traversent les membranes plasmiques de la couche de cellules endothéliales formant la paroi capillaire (figure 11.20b).

1. Comme pour toutes les cellules, les substances liposolubles (tels les gaz respiratoires) diffusent directement à travers les membranes plasmiques.
2. Des vésicules assurent le transport de certaines substances non liposolubles entre le sang et le liquide interstitiel (par transcytose, mécanisme d'échange dans lequel les vésicules circulent d'un pôle à l'autre de la cellule endothéliale).

   La diffusion de substances par les deux autres voies dépend des caractéristiques structurales précises (et de la perméabilité) des capillaires.
3. Les **fentes intercellulaires** (espaces entre les membranes plasmiques non unies par des jonctions serrées) sont juste assez larges pour laisser passer des quantités limitées de liquides et de petites molécules de solutés. On peut affirmer que, à l'exception des capillaires de l'encéphale qui sont maintenus par des jonctions serrées (le fondement de la barrière hématoencéphalique décrite au chapitre 7), la plupart des capillaires ont des fentes intercellulaires.
4. Les liquides et les petites molécules de solutés circulent très librement à travers les parois des *capillaires fenestrés*. On trouve ces capillaires singuliers aux endroits où se produit une absorption importante (capillaires de l'intestin grêle ou des glandes endocrines) ou la formation de filtrats (capillaires des reins). Une fenestration est un pore ovale ou une ouverture généralement recouverte d'une délicate membrane (voir la figure 11.20b). Malgré la présence de cette membrane, la perméabilité des fenestrations est nettement supérieure à celle des autres régions de la membrane plasmique des cellules endothéliales.

Q **Supposons qu'il y a une infection bactérienne dans le liquide interstitiel en c. Comment cela influe-t-il sur l'écoulement des liquides à travers les parois des capillaires dans cette région de l'organisme ?**

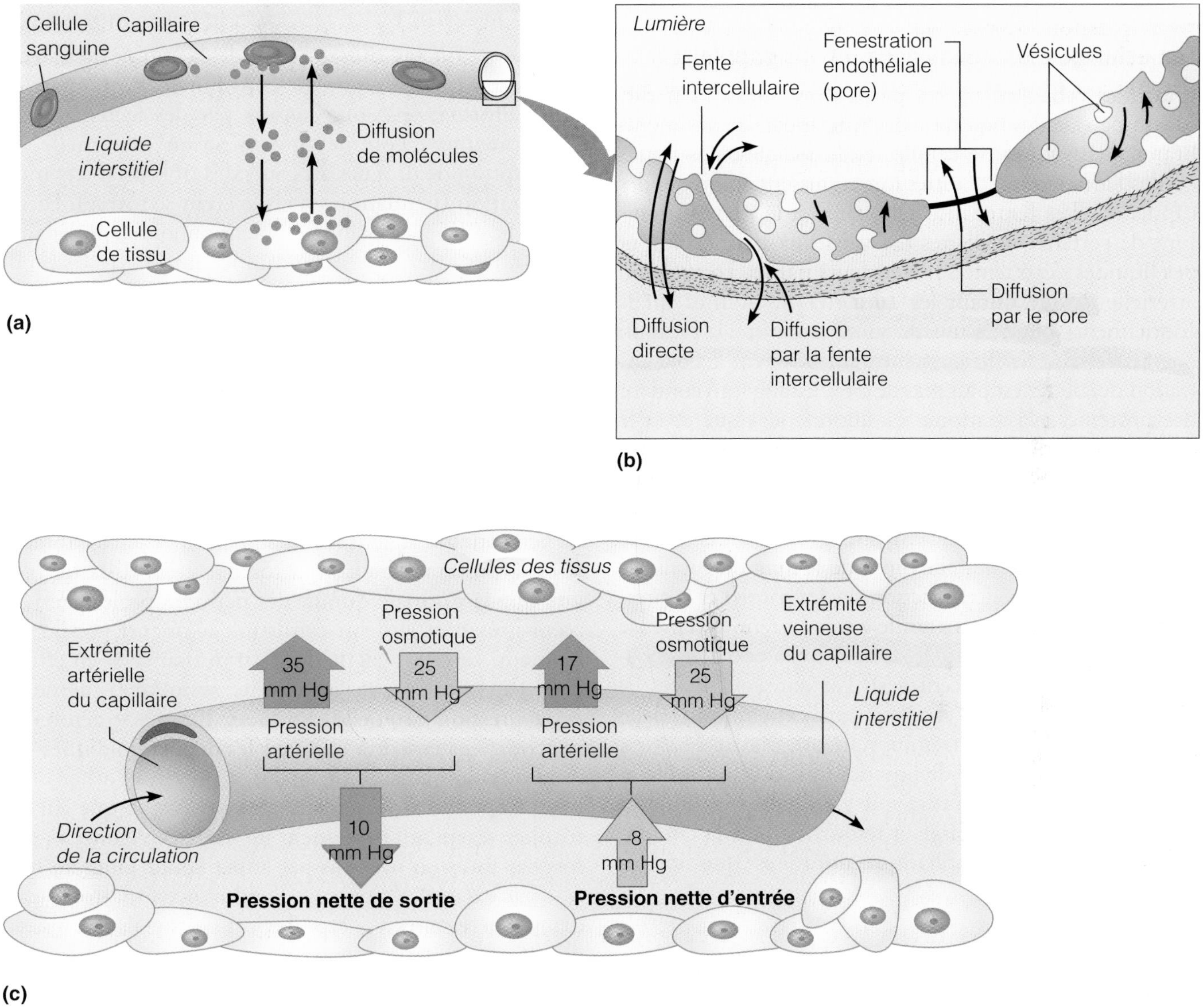

Cellule sanguine
Capillaire
Liquide interstitiel
Diffusion de molécules
Cellule de tissu
(a)
Lumière
Fente intercellulaire
Fenestration endothéliale (pore)
Vésicules
Diffusion directe
Diffusion par la fente intercellulaire
Diffusion par le pore
(b)
Cellules des tissus
Extrémité artérielle du capillaire
Pression osmotique
25 mm Hg
35 mm Hg
Pression artérielle
17 mm Hg
Pression osmotique
25 mm Hg
Pression artérielle
Extrémité veineuse du capillaire
Liquide interstitiel
Direction de la circulation
10 mm Hg
Pression nette de sortie
−8 mm Hg
Pression nette d'entrée
(c)

Figure 11.20 **Les mécanismes de transport des capillaires**

(a) Les substances passant du sang aux cellules des tissus (ou inversement) diffusent par le liquide interstitiel.
(b) Les quatre voies de transport possibles à travers la paroi d'une cellule endothéliale (montrée en coupe transversale).
(c) Le passage des liquides à travers les parois capillaires dépend en grande partie de la différence entre la pression hydrostatique (artérielle) et la pression osmotique dans les diverses régions du capillaire. La pression artérielle, qui domine à l'extrémité artérielle du capillaire (35 mm Hg), pousse les liquides vers l'extérieur. La pression osmotique (25 mm Hg), qui domine à l'extrémité veineuse du capillaire où la pression sanguine est plus basse (17 mm Hg), engendre une pression négative (–8 mm Hg) qui ramène les liquides vers l'intérieur. Les liquides sont donc poussés hors du capillaire par les fentes situées à son extrémité artérielle et reviennent dans la circulation sanguine par les fentes situées à son extrémité veineuse.

R **L'écoulement augmenterait sous l'action de la pression osmotique du liquide interstitiel qui s'élèverait par suite de l'accumulation de molécules inflammatoires et de débris dans la région.**

Seules les substances incapables de passer par l'une de ces quatre voies sont empêchées d'entrer dans les capillaires (ou d'en sortir). Les molécules de protéines (dans le plasma ou le liquide interstitiel) et les cellules sanguines en sont des exemples.

Les échanges liquidiens dans les lits capillaires

Outre les échanges assurés par les vésicules et par diffusion passive des liquides par l'intermédiaire des membranes plasmiques de cellules endothéliales, des fentes ou des fenestrations, d'autres forces agissent au niveau des capillaires. Les fentes intercellulaires et les fenestrations font de certains capillaires des vaisseaux perméables, et des liquides s'écoulent à travers leurs parois. La pression artérielle force donc les liquides (et les solutés qu'ils contiennent) à sortir des capillaires, tandis que la pression osmotique les ramène dans la circulation, car la concentration de solutés est plus grande dans le sang (qui contient des protéines plasmatiques en abondance) que dans le liquide interstitiel. Pour déterminer si un liquide se déplace vers l'intérieur ou l'extérieur d'un capillaire, il faut trouver la différence entre ces deux pressions. En règle générale, la pression artérielle est plus grande à l'extrémité artérielle du capillaire (elle diminue le long du capillaire en raison des effets de la friction sur les parois) et la pression osmotique est plus grande à son extrémité veineuse (l'eau ayant quitté le capillaire dans le parcours, les protéines y sont plus concentrées). Par conséquent, les liquides sont expulsés du capillaire par l'extrémité artérielle et y retournent par l'extrémité veineuse (figure 11.20c). Cependant, la quantité de liquides qui sort du capillaire est supérieure à la quantité qui y revient. Les liquides perdus sont pris en charge et retournés dans la circulation par le système lymphatique, dont il est question au chapitre 12.

Le développement et le vieillissement du système cardiovasculaire

Le cœur embryonnaire n'est d'abord qu'un simple tube. Dès la quatrième semaine de vie, il bat et pompe énergiquement du sang. Dans les trois semaines qui suivent, le cœur continue de changer et de se développer pour finalement devenir une structure à quatre cavités capable de fonctionner comme une double pompe sans jamais rater un seul battement. Le sang contourne les poumons affaissés et le foie immature du fœtus en empruntant des dérivations vasculaires spéciales. À partir de la septième semaine, le cœur du fœtus change peu; à la naissance, les dérivations de la circulation fœtale et les vaisseaux ombilicaux spéciaux se ferment.

Déséquilibre homéostatique

Chez les nourrissons, les cardiopathies congénitales causent près de la moitié des décès attribuables à une anomalie congénitale. La plupart de ces malformations sont causées par des facteurs environnementaux, comme une infection maternelle ou l'absorption de drogues au cours des trois premiers mois de gestation (pendant lesquels le cœur se forme). Parmi les cardiopathies congénitales, mentionnons la persistance du conduit artériel, les communications entre les oreillettes ou entre les ventricules, et diverses anomalies structurales. Ces troubles peuvent habituellement être corrigés par une intervention chirurgicale. ▲

En revanche, un cœur bien constitué est admirablement résistant et peut fonctionner durant de très nombreuses années. Normalement, les mécanismes homéostatiques sont si efficaces que le cœur, même quand il travaille plus fort, se fait peu remarquer. Chez les gens qui pratiquent régulièrement un exercice intense (c'est-à-dire un exercice qui force le cœur à battre plus vite que la normale durant des périodes prolongées), le cœur grossit et le débit cardiaque augmente considérablement. Le cœur gagne donc en puissance et en efficacité. Par conséquent, le volume systolique augmente et la pression artérielle diminue. L'exercice aérobique concourt également à éliminer les dépôts lipidiques des vaisseaux sanguins et, de ce fait, à prévenir l'athérosclérose. Cependant, l'exercice n'est bénéfique que s'il est régulier. Ceux qui pratiquent un exercice vigoureux une fois par mois ou une fois par année (pour jouer au tennis, par exemple) n'ont pas l'endurance et la force cardiaques nécessaires à ce type d'effort. Lorsqu'ils fournissent un effort supérieur à leurs capacités, le cœur peut être incapable de suivre. C'est pourquoi tant d'« athlètes du dimanche » sont victimes d'infarctus du myocarde.

Le vieillissement apporte son lot de troubles cardiovasculaires. Les valvules veineuses s'affaiblissent et dessinent à fleur de peau des varices violacées et tortueuses. Bien que nous n'ayons pas tous des varices, nous souffrons tous d'athérosclérose à des degrés divers. Certains croient que cette maladie dégénérative s'installe dès la naissance. « On a l'âge de ses artères », dit le dicton. La perte graduelle d'élasticité des vaisseaux sanguins provoque l'hypertension et les cardiopathies qui en découlent. Les dépôts lipidiques et calcifiés qui envahissent insidieusement les vaisseaux sanguins provoquent le plus souvent l'**insuffisance coronarienne**. Comme il est expliqué au chapitre 10, le durcissement des parois vasculaires

Tous pour un, un pour tous

Les relations entre le système cardiovasculaire et les autres systèmes de l'organisme

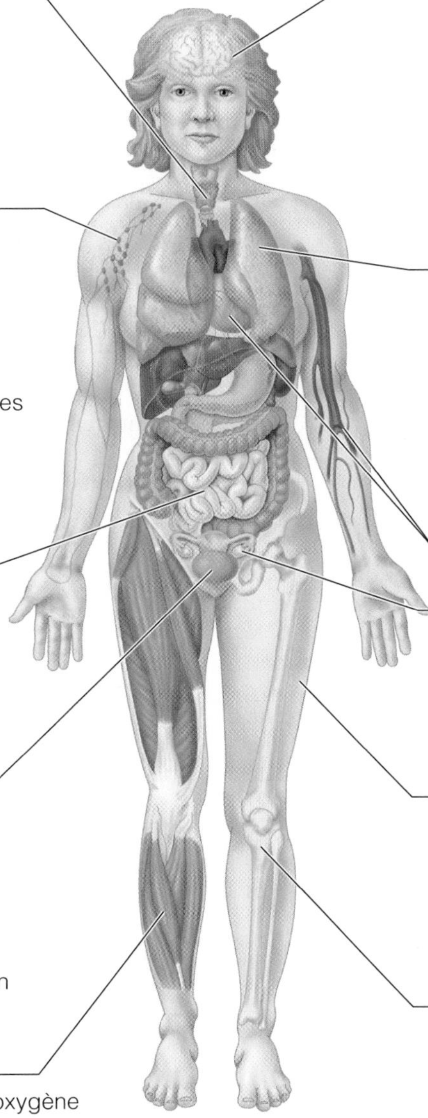

Système endocrinien

- Le système cardiovasculaire apporte de l'oxygène et des nutriments ; il débarrasse des déchets ; le sang est le véhicule des hormones.
- Diverses hormones (adrénaline, FNA, T_4, ADH) influent sur la pression artérielle ; les œstrogènes favorisent l'intégrité des structures vasculaires chez la femme.

Système lymphatique et immunitaire

- Le système cardiovasculaire apporte de l'oxygène et des nutriments aux organes lymphatiques, qui abritent les cellules immunitaires ; il fournit un véhicule aux lymphocytes et aux anticorps ; il débarrasse des déchets.
- Le système lymphatique recueille les liquides et les protéines plasmatiques échappés des capillaires, et les renvoie dans le système cardiovasculaire ; ses cellules immunitaires protègent les organes cardiovasculaires des agents pathogènes.

Système digestif

- Le système cardiovasculaire apporte de l'oxygène et des nutriments ; il débarrasse des déchets.
- Le système digestif fournit au sang des nutriments, y compris le fer et les vitamines du groupe B, essentiels à la formation des érythrocytes (et de l'hémoglobine).

Système urinaire

- Le système cardiovasculaire apporte l'oxygène et des nutriments ; il débarrasse des déchets ; la pression artérielle maintient la fonction rénale.
- Le système urinaire concourt à la régulation de la pression artérielle en modifiant la diurèse et en libérant de la rénine.

Système musculaire

- Le système cardiovasculaire apporte de l'oxygène et des nutriments ; il débarrasse des déchets.
- L'exercice aérobique améliore l'efficacité cardiovasculaire et prévient l'athérosclérose ; la pompe musculaire favorise le retour veineux.

Système nerveux

- Le système cardiovasculaire apporte de l'oxygène et des nutriments ; il débarrasse des déchets.
- Le SNA régit la force et la fréquence des battements cardiaques ; par son action sur les vaisseaux sanguins, la partie sympathique du SNA régit la pression artérielle et adapte la distribution du sang aux besoins de l'organisme.

Système respiratoire

- Le système cardiovasculaire apporte de l'oxygène et des nutriments ; il débarrasse des déchets.
- Le système respiratoire effectue les échanges gazeux ; il charge le sang en oxygène et le débarrasse du gaz carbonique ; la pompe respiratoire favorise le retour veineux.

Système cardiovasculaire

Système génital

- Le système cardiovasculaire apporte de l'oxygène et des nutriments ; il débarrasse des déchets.
- Les œstrogènes favorisent l'intégrité des structures vasculaires chez la femme.

Système tégumentaire

- Le système cardiovasculaire apporte de l'oxygène et des nutriments ; il débarrasse des déchets.
- Les vaisseaux cutanés sont d'importants réservoirs de sang et concourent à la thermorégulation.

Système osseux

- Le système cardiovasculaire apporte de l'oxygène et des nutriments ; il débarrasse des déchets.
- Les os sont le siège de l'hématopoïèse ; ils protègent le système cardiovasculaire et sont des réservoirs de calcium.

favorise la formation de caillots. En Amérique du Nord, 30 % des individus souffrent d'hypertension lorsqu'ils atteignent l'âge de 50 ans, et ce pourcentage peut atteindre près de 50 % à partir de 70 ans ; les maladies cardiovasculaires sont la cause de plus de la moitié des décès chez les personnes âgées de plus de 65 ans. Bien que le processus du vieillissement contribue en soi à modifier les parois vasculaires au point de causer des troubles comme l'accident vasculaire cérébral (AVC) et l'infarctus du myocarde, la plupart des chercheurs conviennent que le régime alimentaire est le facteur qui contribue le plus à l'apparition de maladies cardiovasculaires. Ils s'entendent également sur le fait que ce risque diminue chez les personnes qui réduisent leur consommation de graisses animales, de cholestérol et de sel, de même que chez celles qui évitent le stress, cessent de fumer et suivent un programme régulier d'exercices physiques modérés.

Résumé du chapitre 11

LE CŒUR *(p. 388-400)*

1. Situé dans le thorax, le cœur est flanqué des poumons de chaque côté et enveloppé dans le péricarde.

2. Le cœur se compose principalement de muscle cardiaque (myocarde). Il comporte quatre cavités : deux oreillettes (cavités d'entrée) et deux ventricules (cavités de sortie). Chaque cavité est tapissée d'endocarde. Le cœur est divisé longitudinalement par un septum.

3. Le cœur fonctionne comme une double pompe. Le côté droit est la pompe pulmonaire (du côté droit au côté gauche du cœur, en passant par les poumons). Le côté gauche est la pompe systémique (du côté gauche au côté droit du cœur, en passant par les tissus de l'organisme).

4. Quatre valves empêchent le sang de refluer dans le cœur. Les valves auriculoventriculaires (mitrale et tricuspide) empêchent le reflux du sang dans les oreillettes lorsque les ventricules se contractent. Les valves de l'aorte et du tronc pulmonaire empêchent le reflux du sang dans les ventricules au moment du relâchement du muscle cardiaque. Les valves s'ouvrent et se ferment au gré des changements de pression dans le cœur.

5. Le myocarde est irrigué par la circulation coronarienne, formée des artères coronaires droite et gauche et de leurs ramifications, et drainé par les veines cardiaques et le sinus coronaire.

6. Le muscle cardiaque est capable d'amorcer lui-même sa contraction à un rythme régulier, mais sa fréquence est régie par des facteurs autant intrinsèques qu'extrinsèques. Le système de conduction du cœur augmente la fréquence des contractions cardiaques et permet à celui-ci de battre comme un tout. Le nœud sinusal est le centre rythmogène du cœur.

7. La révolution cardiaque est l'ensemble des événements qui se produisent pendant un battement du cœur.

8. Les bruits du cœur (« toc-tac ») proviennent de la fermeture des valves. Les bruits anormaux (souffles) traduisent une diminution de l'efficacité de la pompe cardiaque causée par des troubles valvulaires.

9. Le débit cardiaque, défini comme la quantité de sang expulsée de chaque ventricule en une minute, est le produit de la fréquence cardiaque (FC) et du volume systolique (VS). Le VS correspond à la quantité de sang expulsée d'un ventricule à chaque battement du cœur.

10. Le volume systolique augmente ou diminue en fonction du volume du retour veineux. La fréquence cardiaque est régie par les neurofibres du système nerveux autonome, certains médicaments (ou des substances chimiques) et les taux d'ions dans le sang.

LES VAISSEAUX SANGUINS *(p. 400-420)*

1. Les artères, qui transportent le sang à partir du cœur, et les veines, qui ramènent le sang au cœur, sont essentiellement des conduits. Seuls les capillaires participent aux échanges entre le sang et les cellules des tissus.

2. Exception faite des capillaires, les vaisseaux sanguins sont formés de trois tuniques. La tunique intime tapisse l'intérieur du vaisseau et réduit la friction. La tunique moyenne est une épaisse couche intermédiaire de muscle lisse et de tissu élastique. La tunique externe est une couche protectrice de tissu conjonctif. Les parois des capillaires sont composées d'une tunique intime seulement.

3. Les parois des artères sont épaisses et résistent bien aux variations de pression. Elles se dilatent et se relâchent en fonction des battements cardiaques. Les parois des veines sont plus minces, leur lumière est plus large et elles sont munies de valvules. Ces adaptations traduisent la faible pression à l'intérieur des veines.

4. Les lits capillaires sont formés de deux types de vaisseaux : une dérivation vasculaire et des capillaires vrais dont l'accès est régi par les sphincters précapillaires. Les échanges avec les cellules des tissus ont lieu à travers les parois de capillaires vrais. Quand les sphincters précapillaires sont fermés, le sang emprunte la dérivation vasculaire et contourne la région normalement desservie par le lit capillaire.

5. Les varices, anomalie structurale découlant d'une insuffisance valvulaire des veines, sont fréquentes, surtout chez les obèses et les personnes qui restent debout longtemps. Elles prédisposent à la thrombophlébite.

6. Les principales artères de la circulation systémique sont des ramifications de l'aorte, qui émerge du ventricule gauche. Les artères se divisent en artères plus petites, puis en artérioles, qui irriguent les capillaires des tissus de l'organisme. Le nom et la localisation des artères systémiques sont donnés aux p. 404-406.

7. Les principales veines de la circulation systémique convergent toutes vers l'une des deux veines caves. Toutes les veines situées au-dessus du diaphragme se jettent dans la veine cave supérieure, et toutes celles qui sont au-dessous du diaphragme se déversent dans la veine cave inférieure. Les deux veines caves entrent dans l'oreillette droite du cœur. Le nom et la localisation des veines systémiques sont donnés aux p. 406-408.

8. La circulation artérielle de l'encéphale est formée de ramifications des artères vertébrales et des artères carotides internes. Le cercle artériel du cerveau donne au sang un accès supplémentaire au tissu cérébral en cas d'occlusion d'une artère.

9. Le système porte hépatique se compose de veines drainant les organes digestifs qui se jettent dans la veine porte. La veine porte transporte le sang riche en nutriments vers le foie, où il est traité avant de retourner dans la circulation systémique.

10. La circulation fœtale est un ensemble de vaisseaux et de dérivations temporaires que l'on ne trouve que chez le fœtus. Cet ensemble comprend trois vaisseaux ombilicaux : l'unique veine ombilicale transporte le sang riche en nutriments et en oxygène à partir du placenta jusqu'au fœtus, et les deux artères ombilicales acheminent le sang chargé de gaz carbonique et de déchets à partir du fœtus jusqu'au placenta. Des dérivations contournent également les poumons et le foie.

11. L'expansion et la rétractation successives des parois d'un vaisseau sanguin créent une onde de pression, le pouls, produite à chaque battement du cœur. On peut sentir le pouls de toutes les artères situées près de la surface de la peau, à des endroits appelés *points de compression*.

12. La pression sanguine est la pression que le sang exerce sur la paroi interne d'un vaisseau. Elle est la force propulsive nécessaire à la circulation du sang dans l'organisme. Elle est élevée dans les artères, plus faible dans les capillaires et plus faible encore dans les veines. Le sang suit un gradient de pression descendant. On mesure toujours la pression systolique *et* la pression diastolique.

13. La pression artérielle est directement régie par l'activité cardiaque (elle augmente lorsque la fréquence cardiaque s'élève) et la résistance périphérique. Les facteurs qui contribuent le plus à l'augmentation de la résistance périphérique sont une diminution du diamètre ou de l'élasticité des artères et des artérioles, et une augmentation de la viscosité du sang.

14. De nombreux facteurs influent sur la pression artérielle. Parmi ceux-ci, mentionnons l'activité des neurofibres sympathiques et des reins, les substances chimiques et l'alimentation.

15. L'hypertension, qui traduit une augmentation de la résistance périphérique, fatigue le cœur et endommage les vaisseaux sanguins. Dans la plupart des cas, la cause exacte demeure inconnue.

16. Des substances sont échangées entre le sang et les cellules des tissus à travers les capillaires. Certaines sont transportées dans des vésicules, mais la plupart se déplacent par diffusion, c'est-à-dire qu'elles traversent directement les membranes plasmiques des cellules endothéliales, les fentes intercellulaires ou les fenestrations des capillaires. Les liquides sont expulsés de la circulation sanguine par la pression artérielle et reviennent dans le sang sous l'effet de la pression osmotique.

LE DÉVELOPPEMENT ET LE VIEILLISSEMENT DU SYSTÈME CARDIOVASCULAIRE *(p. 420-422)*

1. Le cœur embryonnaire n'est d'abord qu'un simple tube. Dès la quatrième semaine de vie, il bat et pompe énergiquement du sang.

2. Chez les nourrissons, les cardiopathies congénitales causent près de la moitié des décès attribuables à une anomalie congénitale.

3. L'artériosclérose est une conséquence prévisible du vieillissement. La perte graduelle d'élasticité des artères provoque l'hypertension, puis les cardiopathies qui en découlent. L'obstruction des vaisseaux par des dépôts lipidiques cause l'insuffisance coronarienne et l'AVC. Les maladies cardiovasculaires sont une cause majeure de décès chez les personnes âgées de plus de 65 ans.

4. Les changements d'habitudes alimentaires (consommation réduite de matières grasses, de cholestérol et de sel), l'abandon du tabagisme et un programme régulier d'exercices aérobiques peuvent freiner la progression de l'athérosclérose et prolonger la vie.

Questions de révision

QUESTIONS À CHOIX MULTIPLE

Pour certaines questions, il peut y avoir plus d'une bonne réponse.

1. La base du cœur correspond à sa face :
   a) diaphragmatique.
   b) postérieure.
   c) antérieure.
   d) supérieure.

2. Le sang riche en oxygène entre d'abord dans:
   a) le ventricule droit. c) l'oreillette droite.
   b) le ventricule gauche. d) l'oreillette gauche.

3. Si le volume télédiastolique est de 150 mL, le volume télésystolique de 50 mL et la fréquence cardiaque de 60 batt./min, le débit cardiaque sera de:
   a) 600 mL/min. c) 1200 mL/min.
   b) 6 L/min. d) 3 L/min.

4. Lequel des éléments qui suivent se dépolarise immédiatement après le nœud auriculoventriculaire?
   a) Le myocarde auriculaire.
   b) Le myocarde ventriculaire.
   c) Le faisceau auriculoventriculaire.
   d) Les myofibres de conduction cardiaque.

5. Durant la systole des oreillettes:
   a) la pression dans les oreillettes dépasse la pression dans les ventricules.
   b) 70 % du remplissage ventriculaire se produit.
   c) les valves auriculoventriculaires sont ouvertes.
   d) les valves empêchent le reflux de sang dans les grandes veines.

6. La repolarisation des oreillettes coïncide avec:
   a) l'onde P. c) le complexe QRS.
   b) l'onde T. d) l'intervalle P-Q.

7. Peu après le début de la systole ventriculaire:
   a) les valves auriculoventriculaires se ferment.
   b) les valvules semi-lunaires s'ouvrent.
   c) le premier bruit du cœur est audible.
   d) la pression aortique augmente.

8. Un exercice comme la marche rapide:
   a) diminue le retour veineux.
   b) active la pompe musculaire.
   c) augmente l'étirement des myocytes cardiaques.
   d) augmente le volume systolique.
   e) diminue le débit cardiaque.

9. Parmi les facteurs qui suivent, lesquels sont susceptibles de causer une baisse de la fréquence cardiaque?
   a) Un fort taux d'ions calcium dans le sang.
   b) La thyroxine.
   c) L'activité du système nerveux parasympathique.
   d) Une hausse de la température corporelle.

10. Lorsqu'on compare une artère et une veine parallèles, on remarque que:
   a) la paroi de l'artère est plus épaisse.
   b) le diamètre de l'artère est plus grand.
   c) la lumière de l'artère est plus petite.
   d) l'endothélium de l'artère est plus épais.

11. Quelle tunique de quels vaisseaux est surtout constituée de fibres musculaires lisses?
   a) La tunique externe des veines.
   b) La tunique moyenne des artères situées près du cœur.
   c) La tunique moyenne des veines des membres inférieurs.
   d) La tunique intime de tous les vaisseaux.
   e) La tunique moyenne des artères moyennes.

12. Parmi les énoncés qui suivent concernant la microcirculation, déterminez ceux qui sont corrects.
   a) Le sang venant d'une artériole peut éviter les capillaires d'un organe ou d'un tissu et se jeter directement dans une veinule.
   b) Le sang venant d'une artériole doit toujours passer par des capillaires avant de retourner dans le circuit veineux.
   c) À l'entrée des capillaires se trouvent des anneaux musculaires qui s'ouvrent ou se ferment pour permettre ou bloquer l'écoulement du sang dans les capillaires.
   d) Une artériole peut se ramifier en une centaine de capillaires qui eux convergent vers une veinule.

13. Dans les vaisseaux appelés *tronc pulmonaire* et *tronc cœliaque*, le mot *tronc* signifie:
   a) un vaisseau de la paroi du cœur.
   b) une veine.
   c) un capillaire.
   d) une grande artère d'où émergent d'autres artères.

14. Lequel des vaisseaux qui suivent est symétrique (chacun des vaisseaux de la paire étant présent de chaque côté du corps)?
   a) L'artère carotide interne.
   b) Le tronc brachiocéphalique.
   c) La veine azygos.
   d) La veine mésentérique supérieure.

15. Les vaisseaux qui irriguent et drainent l'encéphale comprennent:
   a) le tronc brachiocéphalique.
   b) l'artère subclavière.
   c) la veine jugulaire interne.
   d) l'artère carotide interne.

16. Quelle tunique de la paroi artérielle épaissit le plus dans l'athérosclérose?
   a) La tunique moyenne. c) La tunique externe.
   b) La tunique intime. d) L'adventice.

17. Lesquels des éléments qui suivent associe-t-on au vieillissement ?
    a) L'augmentation de la pression artérielle.
    b) L'affaiblissement des valvules veineuses.
    c) L'artériosclérose.
    d) La sténose du conduit artériel.

18. On pourrait attribuer l'élévation de la pression artérielle à toutes les causes qui suivent, sauf à :
    a) une augmentation du volume systolique.
    b) une augmentation de la fréquence cardiaque.
    c) une augmentation de la durée de la diastole ventriculaire.
    d) la constriction des artérioles.

19. Quels facteurs, parmi ceux qui suivent, influent sur la pression artérielle en affectant directement la résistance périphérique ?
    a) L'élasticité des artères.
    b) La viscosité du sang.
    c) Le débit cardiaque.
    d) La vasoconstriction.

20. Voici les valeurs à l'extrémité veineuse des capillaires d'un sujet :
    Pression osmotique : 24 mm Hg
    Pression sanguine : 14 mm Hg
    Déterminez dans quel sens iront les liquides échangés à l'extrémité veineuse des capillaires et calculez la valeur de la force impliquée.
    a) Les liquides seront poussés hors des capillaires avec une force de +10 mm Hg.
    b) Les liquides seront repris par les capillaires avec une force de −10 mm Hg.
    c) Les liquides seront poussés hors des capillaires avec une force de + 38 mm Hg.
    d) Les liquides seront repris par les capillaires avec une force de −38 mm Hg.

QUESTIONS À COURT DÉVELOPPEMENT

1. Décrivez la localisation et la position du cœur dans le thorax.
2. Dessinez un schéma du cœur montrant les trois couches de sa paroi et ses quatre cavités. Nommez chacun de ces éléments. Situez les valves auriculoventriculaires, les valves de l'aorte et celles du tronc pulmonaire. Situez et nommez tous les vaisseaux sanguins qui entrent dans les cavités cardiaques et en ressortent.
3. Expliquez le cheminement d'une goutte de sang de son entrée dans l'oreillette droite à son entrée dans l'oreillette gauche. Comment appelle-t-on ce trajet ?
4. Expliquez la différence fonctionnelle entre la circulation systémique et la circulation pulmonaire.
5. Pourquoi les valves du cœur sont-elles si importantes ? Le cœur peut-il fonctionner si ses valves ne sont pas étanches ?
6. Pourquoi un caillot dans une artère coronaire peut-il causer une mort subite ?
7. Quelle est la fonction du liquide que contient le péricarde ?
8. Définissez *systole*, *diastole*, *volume systolique* et *révolution cardiaque*.
9. À quelle cavité (ou quelles cavités) du cœur les termes *systole* et *diastole* sont-ils le plus souvent associés ?
10. Expliquez en quoi la capacité de contraction du cœur diffère de celle des autres muscles de l'organisme.
11. Quelle est la fonction du système de conduction du cœur ? Nommez et situez les différents éléments de ce système, *dans l'ordre*, en commençant par le centre rythmogène. Quelle intervention peut permettre de pallier une lésion du centre rythmogène ?
12. Qu'est-ce qui cause les bruits du cœur (« toc-tac ») qu'on entend au stéthoscope ?
13. Tracez les trois ondes d'un ECG typique et précisez à quel événement correspond chacune de ces ondes.
14. Nommez deux facteurs qui augmentent le volume systolique et trois facteurs qui augmentent la fréquence cardiaque.
15. Nommez et décrivez, de l'intérieur vers l'extérieur, les trois tuniques constituant les parois des artères et des veines, et donnez la fonction la plus importante de chacune.
16. Décrivez la structure des parois capillaires. En quoi cette structure contribue-t-elle à la fonction précise des capillaires dans l'organisme ?
17. Les parois artérielles sont très épaisses ; pourquoi n'est-il pas nécessaire que les parois des veines le soient aussi ?
18. Nommez trois facteurs qui contribuent au retour veineux.
19. Les artères sont souvent décrites comme les vaisseaux qui transportent le sang riche en oxygène, et les veines comme les vaisseaux qui transportent le sang pauvre en oxygène et riche en gaz carbonique. Donnez les deux exceptions à cette règle que nous avons abordées dans ce chapitre.
20. Expliquez le cheminement d'une goutte de sang du ventricule gauche du cœur au poignet de la main droite, puis son retour vers le cœur. Tracez ensuite le trajet de cette goutte du cœur jusqu'au dos du pied, puis son retour vers le cœur.
21. Nommez, dans l'ordre où le sang les rencontre, les trois branches qui prennent naissance sur la crosse de l'aorte.
22. Nommez les deux veines qui s'unissent pour donner la veine cave supérieure et les deux veines qui s'unissent pour donner la veine cave inférieure.

23. Qu'est-ce que le cercle artériel du cerveau et pourquoi est-il important?

24. Quelle est la fonction du système porte hépatique? Pourquoi dit-on d'un système porte qu'il est *étrange*?

25. Le sang d'un fœtus contourne presque totalement le foie et les poumons. Pourquoi? Nommez le vaisseau qui contourne le foie et les deux dérivations qui contournent les poumons. Trois vaisseaux cheminent dans le cordon ombilical; lequel transporte le sang riche en oxygène et en nutriments?

26. Définissez le *pouls.*

27. Quelle artère peut-on palper à chacun des points de compression suivants: poignet, bord antérieur de l'oreille, côté du cou, aine, dos du genou?

28. Définissez *pression artérielle*, *pression systolique* et *pression diastolique.*

29. Quel est le rôle vital de la pression sanguine?

30. Deux facteurs déterminent la pression artérielle: le débit cardiaque et la résistance périphérique (friction) dans les vaisseaux sanguins. Nommez deux facteurs qui augmentent le débit cardiaque et deux facteurs qui augmentent la résistance périphérique.

31. Quel est l'effet d'une hémorragie sur la pression artérielle? Expliquez votre réponse. Dans quelle position (assise, couchée ou debout) la pression artérielle est-elle normalement à son plus haut? à son plus bas?

32. Pourquoi la pression artérielle ne devient-elle pas nulle entre les battements cardiaques?

33. Quel est le dernier stade de l'athérosclérose? Quelle propriété perdent les artères à ce dernier stade? Quelle conséquence a la perte de cette propriété?

34. Expliquez la différence entre les échanges qui se produisent dans un capillaire possédant des fenestrations et des fentes intercellulaires et ceux qui surviennent dans un capillaire dépourvu de telles adaptations.

35. Quelle force tend à pousser les liquides hors des capillaires à leur extrémité artérielle? Quelle force tend à les amener dans les capillaires à leur extrémité veineuse?

36. Que sont les varices? Quels sont les facteurs qui favorisent leur apparition?

Réflexion et application

1. Définissez *hypertension* et *artériosclérose.* Quel est le lien entre ces deux anomalies? Nommez trois changements de mode de vie qui peuvent contribuer à prévenir les maladies cardiovasculaires chez les personnes âgées.

2. Une femme d'âge mûr est admise à l'unité de soins coronariens pour une insuffisance du ventricule gauche résultant d'un infarctus du myocarde. L'anamnèse révèle que des douleurs thoraciques aiguës l'ont réveillée au milieu de la nuit. Sa peau est pâle et froide, et on entend des râles bulleux dans la partie inférieure de ses poumons. Expliquez comment l'insuffisance du ventricule gauche peut causer ces symptômes.

3. Lise, 14 ans, doit passer un examen médical pour pouvoir participer à un camp d'été. L'examen révèle un souffle cardiaque prononcé dans le deuxième espace intercostal du côté gauche du sternum. Ce souffle est un sifflement sans pointes aiguës. Quelle en est la cause exacte?

4. Mme Dumouchel est admise au service des urgences après un accident de la route. Elle perd beaucoup de sang et son pouls est rapide et filant; cependant, sa pression artérielle est normale. Décrivez les mécanismes de compensation grâce auxquels la pression artérielle de la patiente reste stable en dépit de l'hémorragie.

5. Pendant un infarctus du myocarde fatal, un caillot de sang se loge dans la première moitié du rameau circonflexe de l'artère coronaire gauche et bloque la circulation sanguine à travers ce vaisseau. Quelles parties du cœur deviendront ischémiques et mourront?

6. M. Gérard est atteint d'une tumeur de la neurohypophyse causant une hypersécrétion d'hormone antidiurétique. Il se rend régulièrement à la pharmacie pour faire vérifier sa pression artérielle. Selon vous, celle-ci sera-t-elle chroniquement élevée ou basse? Justifiez votre réponse.

7. Expliquez pourquoi le fait de nager vigoureusement après avoir mangé risque davantage de provoquer une indigestion que des crampes musculaires.

8. Les gardes du palais royal de Londres (Buckingham Palace) doivent rester au garde-à-vous, sans bouger, parfois durant de longues heures. Les jours de grande chaleur, il n'est pas rare que l'un d'eux s'évanouisse. Expliquez ce phénomène.

Le système lymphatique et les défenses de l'organisme

CHAPITRE 12

Lorsque vous aurez étudié le présent chapitre, vous aurez une connaissance pratique des fonctions du système lymphatique et immunitaire; vous devriez de plus avoir atteint les objectifs d'apprentissage énumérés ci-dessous.

Aperçu des fonctions

- ❑ Le système lymphatique renvoie dans le sang les liquides et les protéines plasmatiques qui s'en sont échappés, et élimine les bactéries et les substances étrangères de la lymphe. Les cellules immunitaires assurent la protection de l'organisme.
- ❑ Les défenses non spécifiques de l'organisme protègent celui-ci contre les agents pathogènes, préviennent la propagation des microorganismes nocifs et accentuent la réaction immunitaire.
- ❑ Le système immunitaire protège l'organisme contre la maladie en détruisant les cellules «étrangères» et en produisant des anticorps qui inactivent les toxines et les autres substances chimiques étrangères.

OBJECTIFS D'APPRENTISSAGE

Première partie: le système lymphatique *(p. 428-433)*

- ❑ **1.** Nommer les deux principaux types de structures qui constituent le système lymphatique; expliquer la relation fonctionnelle qui existe entre le système lymphatique et les systèmes cardiovasculaire et immunitaire.
- ❑ **2.** Décrire la composition de la lymphe et expliquer sa formation.
- ❑ **3.** Indiquer le cheminement de la lymphe dans l'organisme et préciser les mécanismes qui permettent son déplacement.
- ❑ **4.** Montrer que la structure particulière des capillaires lymphatiques est liée à leurs fonctions.
- ❑ **5.** Décrire la structure et les fonctions des nœuds lymphatiques; situer les amygdales, le thymus, les follicules lymphatiques agrégés et la rate, et donner leurs fonctions respectives.

Deuxième partie: les défenses de l'organisme *(p. 433-460)*

- ❑ **6.** Nommer les deux systèmes de défense de l'organisme et montrer en quoi ils diffèrent; citer les trois lignes de défense de l'organisme.
- ❑ **7.** Décrire les fonctions de protection de la peau et des muqueuses.
- ❑ **8.** Expliquer l'importance de la phagocytose et des cellules tueuses naturelles.
- ❑ **9.** Décrire les étapes de la réaction inflammatoire, et donner des exemples de facteurs qui la déclenchent; expliquer l'origine des quatre signes majeurs de l'inflammation et indiquer les effets bénéfiques de la réaction inflammatoire pour l'organisme.
- ❑ **10.** Nommer quelques-unes des substances antimicrobiennes produites par l'organisme et décrire leur mode d'intervention dans les défenses non spécifiques de l'organisme.
- ❑ **11.** Expliquer comment la fièvre aide l'organisme à se protéger contre les bactéries qui l'envahissent.
- ❑ **12.** Nommer et distinguer les deux branches de la réaction immunitaire et associer chacune à un type de lymphocyte (cellule B ou cellule T).

- ☐ **13.** Définir *antigène, haptène* et *autoantigène*; nommer des substances qui agissent comme antigènes complets et d'autres comme haptènes.
- ☐ **14.** Comparer le développement des lymphocytes B et des lymphocytes T; définir les termes *immunocompétence* et *autotolérance*.
- ☐ **15.** Expliquer l'importance des macrophagocytes dans l'immunité.
- ☐ **16.** Décrire les rôles des lymphocytes B et des plasmocytes; donner un aperçu du mécanisme de sélection clonale.
- ☐ **17.** Distinguer la réaction immunitaire primaire et la réaction immunitaire secondaire; donner le rôle des cellules mémoire.
- ☐ **18.** Comparer l'immunité active et l'immunité passive; expliquer ce qu'est un vaccin et indiquer le type d'immunité qu'il confère.
- ☐ **19.** Décrire la structure de base d'un anticorps; nommer les cinq classes d'anticorps et décrire le rôle de chacune dans l'immunité.
- ☐ **20.** Décrire quelques-uns des mécanismes d'action des anticorps contre les antigènes.
- ☐ **21.** Nommer les différents types de lymphocytes T et donner leurs fonctions respectives.
- ☐ **22.** Distinguer les quatre principales variétés de greffes; mentionner et justifier les mesures qui doivent être prises avant et après avoir pratiqué une allogreffe.
- ☐ **23.** Définir le terme *allergie*; décrire les hypersensibilités de type I et IV et en donner des exemples; expliquer en quoi consiste le choc anaphylactique.
- ☐ **24.** Décrire les causes du sida, ses effets sur le système immunitaire et les traitements dont on dispose actuellement.
- ☐ **25.** Présenter les causes possibles des maladies auto-immunes et donner quelques exemples de ces maladies.

Troisième partie: le développement et le vieillissement du système lymphatique et immunitaire *(p. 461)*

- ☐ **26.** Décrire l'origine des vaisseaux lymphatiques.
- ☐ **27.** Décrire les effets du vieillissement sur l'immunité.

PREMIÈRE **PARTIE**

LE SYSTÈME LYMPHATIQUE

Lorsqu'on nous demande de nommer les systèmes de l'organisme, nous constatons qu'il y a quelques laissés-pour-compte. Ainsi, il est rare que le système lymphatique nous vienne à l'esprit en premier. Sans lui, pourtant, notre système cardiovasculaire cesserait de fonctionner et notre système immunitaire perdrait toute efficacité. Le **système lymphatique** comprend deux parties plus ou moins indépendantes: 1) un réseau sinueux de *vaisseaux lymphatiques* et 2) divers *organes lymphatiques* et amas de *tissu lymphatique* dans des endroits stratégiques de l'organisme. Les vaisseaux lymphatiques rapportent dans la circulation sanguine le surplus de liquide interstitiel résultant de la filtration des capillaires. Les organes lymphatiques quant à eux abritent les phagocytes et les lymphocytes, agents essentiels de la défense de l'organisme et de la résistance aux maladies (principalement aux infections bactériennes et virales).

Les vaisseaux lymphatiques

Les échanges de nutriments, de déchets et de gaz se déroulent entre le liquide interstitiel et le sang qui circule dans l'organisme. Comme nous l'avons expliqué au chapitre 11, les pressions hydrostatique et osmotique qui s'exercent dans les lits capillaires chassent les liquides hors du sang aux extrémités artérielles des capillaires («en amont») et provoquent le retour de leur plus grande partie à leurs extrémités veineuses («en aval»). Les liquides non retournés au sang (3 L par jour) s'intègrent au liquide interstitiel. Celui-ci et les protéines plasmatiques qui s'échappent de la circulation sanguine doivent retourner dans le sang pour que le volume sanguin (volémie) reste normal et maintienne la pression artérielle nécessaire au bon fonctionnement du système cardiovasculaire. Sinon, il se produit une accumulation de liquides dans les tissus qui entraîne l'**œdème**. Si l'œdème est excessif, il peut entraver la capacité des cellules d'échanger des substances avec le liquide interstitiel et, au bout du compte, avec le sang. La fonction des **vaisseaux lymphatiques** consiste justement à recueillir ce surplus de liquide, qu'on appelle alors **lymphe** (*lympha*, « eau »), et à le renvoyer dans la circulation sanguine.

Dans les vaisseaux lymphatiques, la lymphe circule à sens unique vers le cœur. Les **capillaires lymphatiques**, microscopiques vaisseaux en culs-de-sac, s'insinuent entre les cellules et les capillaires sanguins des tissus conjonctifs lâches de l'organisme (figures 12.1 et 12.2a) et retournent au sang le surplus de liquide interstitiel (principalement de l'eau et une petite quantité de protéines dissoutes). Bien qu'ils soient assez semblables aux capillaires sanguins, les capillaires lymphatiques possèdent une lumière plus large et une paroi plus mince ; ils sont si perméables qu'on les croyait autrefois ouverts à une de leurs extrémités. On sait aujourd'hui qu'il n'en est rien ; les bords des cellules endothéliales qui constituent les parois des capillaires lymphatiques se chevauchent lâchement et forment des disjonctions en forme de rabat (figure 12.2b). Ces disjonctions sont reliées aux structures environnantes par de minces fibres collagènes. Lorsque la pression du liquide est plus élevée dans le compartiment interstitiel que dans le capillaire lymphatique, les disjonctions s'ouvrent facilement, mais dans un sens seulement, un peu comme des clapets. Inversement, elles se ferment lorsque la pression est plus grande dans le capillaire lymphatique qu'à l'extérieur ; la lymphe ne peut refluer dans le compartiment interstitiel et elle est poussée dans le vaisseau lymphatique. Normalement, les protéines, et même des particules plus grosses comme les débris cellulaires, les bactéries et les virus, ne peuvent pas entrer dans les capillaires sanguins, mais elles s'introduisent facilement dans les capillaires lymphatiques, surtout dans les tissus qui présentent une inflammation. Or, les bactéries et les virus (de même que les cellules cancéreuses) qui entrent dans les vaisseaux lymphatiques peuvent rejoindre la circulation sanguine et se répandre ensuite dans tout l'organisme. Heureusement, la lymphe fait des « détours » par les nœuds lymphatiques, dans lesquels elle est « inspectée » et épurée par les cellules du système immunitaire. Nous y reviendrons plus loin.

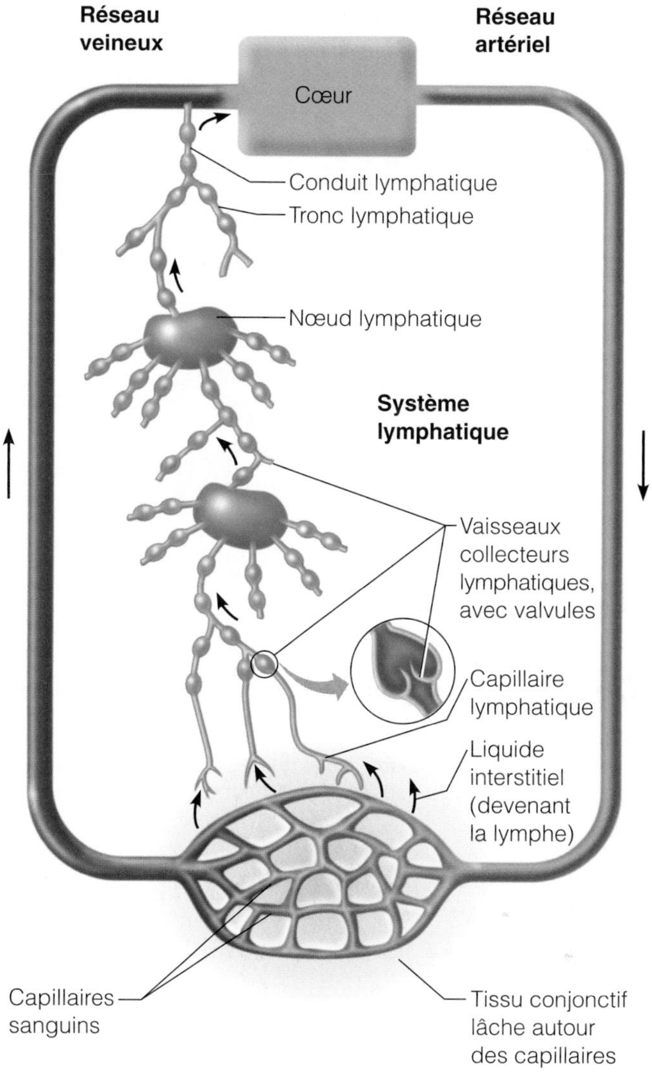
Réseau veineux
Réseau artériel
Cœur
Conduit lymphatique
Tronc lymphatique
Nœud lymphatique
Système lymphatique
Vaisseaux collecteurs lymphatiques, avec valvules
Capillaire lymphatique
Liquide interstitiel (devenant la lymphe)
Capillaires sanguins
Tissu conjonctif lâche autour des capillaires

Figure 12.1 **La relation entre les vaisseaux lymphatiques et les vaisseaux sanguins du système cardiovasculaire**

À partir du bas de la figure, on voit que la lymphe, qui se compose de liquide interstitiel issu à l'origine des capillaires sanguins, pénètre dans les capillaires lymphatiques, chemine dans les vaisseaux et les nœuds lymphatiques et se jette dans la circulation générale au niveau des grandes veines de la racine du cou.

La lymphe des capillaires lymphatiques est recueillie et transportée par des vaisseaux de plus en plus gros, appelés *vaisseaux collecteurs lymphatiques*, jusqu'à ce qu'elle atteigne les veines du système cardiovasculaire par deux gros conduits situés dans le thorax. Le **conduit lymphatique droit** reçoit la lymphe du bras droit et du côté droit de la tête et du thorax. Le **conduit thoracique**, beaucoup plus gros, reçoit la lymphe provenant

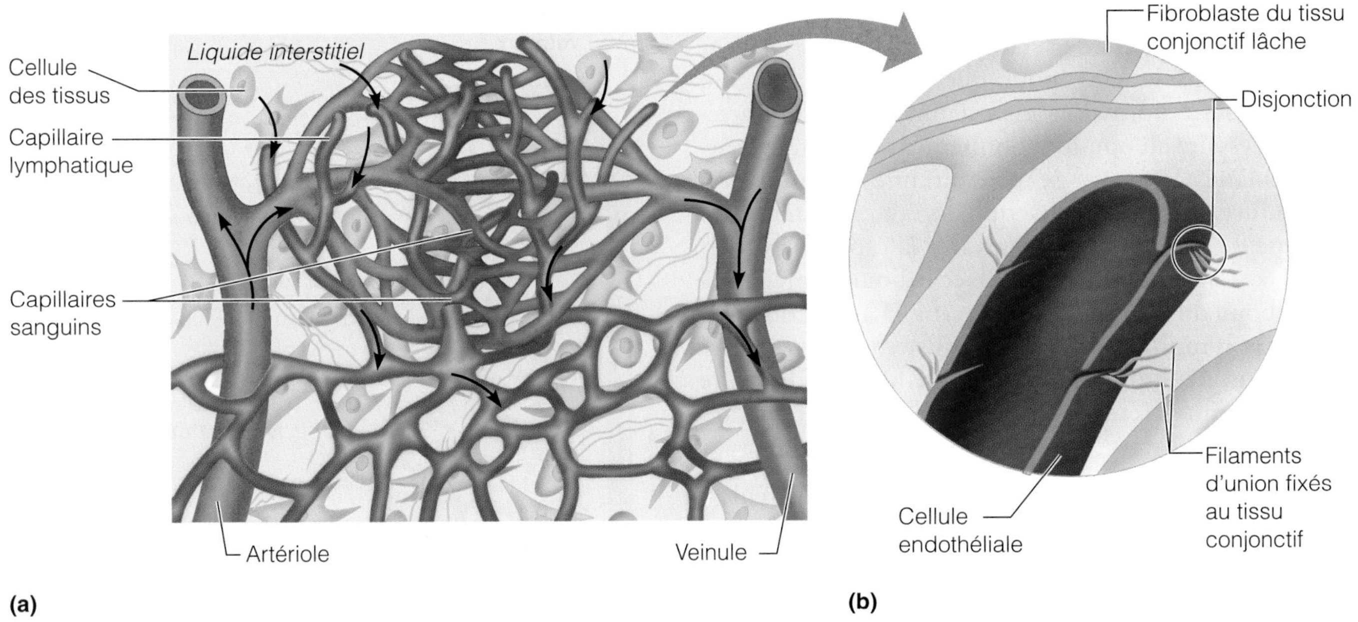
Liquide interstitiel
Cellule des tissus
Capillaire lymphatique
Capillaires sanguins
Artériole
Veinule
(a)
Fibroblaste du tissu conjonctif lâche
Disjonction
Filaments d'union fixés au tissu conjonctif
Cellule endothéliale
(b)

Figure 12.2 La distribution et les particularités structurales des capillaires lymphatiques

(a) Relation structurale entre les capillaires sanguins et les capillaires lymphatiques. Les flèches noires indiquent le sens dans lequel le liquide circule. **(b)** Les capillaires lymphatiques naissent sous forme de culs-de-sac. Les cellules endothéliales de leurs parois se chevauchent et forment des disjonctions.

du reste de l'organisme, comme le montre la figure 12.3. Les deux conduits déversent la lymphe dans la veine subclavière, chacun de leur côté.

Comme les veines du système cardiovasculaire, les vaisseaux lymphatiques ont des parois minces et les plus gros possèdent des valvules. Par contre, le système lymphatique fonctionne sans l'aide d'un organe jouant le rôle de pompe, et la pression est très faible dans ses vaisseaux. La lymphe y circule grâce à des mécanismes analogues à ceux du retour veineux, soit l'effet de propulsion causé par la contraction des muscles squelettiques et les variations de pression créées dans la cavité thoracique pendant l'inspiration (c'est-à-dire la pompe musculaire et la pompe respiratoire). En outre, les muscles lisses des parois des gros vaisseaux lymphatiques qui se contractent de façon rythmique, de même que les pulsations des parois des grosses artères du système cardiovasculaire enveloppées dans la même gaine que les vaisseaux lymphatiques, contribuent ainsi à la propulsion de la lymphe.

Les nœuds lymphatiques

Plus étroitement liés au système immunitaire, les **nœuds lymphatiques**, ou ganglions lymphatiques, contribuent à la protection de l'organisme en débarrassant la lymphe des agents étrangers et des cellules tumorales, et en produisant des lymphocytes qui interviennent dans la réaction immunitaire.

Avant de retourner vers le cœur, la lymphe est filtrée dans des centaines de nœuds lymphatiques qui sont massés le long des vaisseaux lymphatiques (voir la figure 12.1). On trouve des amas de nœuds lymphatiques particulièrement étendus dans les régions de l'aine, de l'aisselle et du cou (voir la figure 12.3). À l'intérieur des nœuds se trouvent des **macrophagocytes** qui éliminent et détruisent les bactéries, les virus et les autres particules étrangères de la lymphe, et ce avant que celle-ci rejoigne la circulation sanguine. Des groupes de **lymphocytes** occupent également une position stratégique

Q **Quel serait l'effet d'une obstruction du conduit thoracique ?**

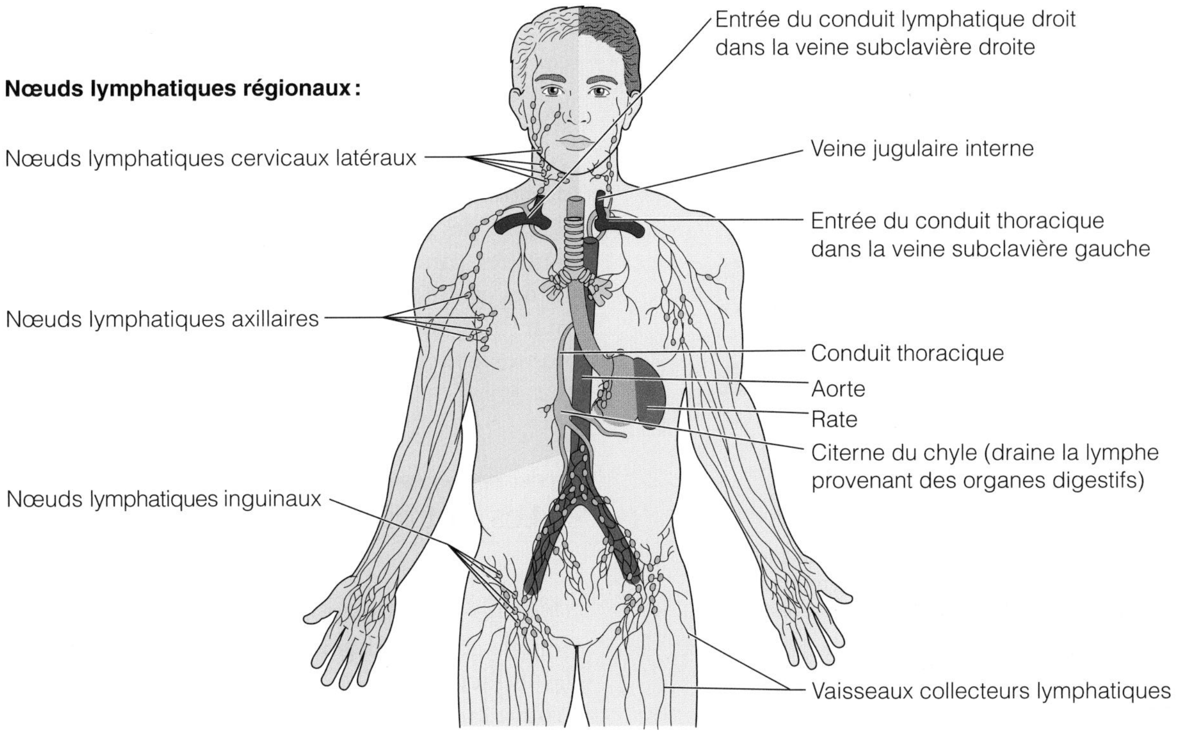
Nœuds lymphatiques régionaux :
Nœuds lymphatiques cervicaux latéraux
Nœuds lymphatiques axillaires
Nœuds lymphatiques inguinaux
Entrée du conduit lymphatique droit dans la veine subclavière droite
Veine jugulaire interne
Entrée du conduit thoracique dans la veine subclavière gauche
Conduit thoracique
Aorte
Rate
Citerne du chyle (draine la lymphe provenant des organes digestifs)
Vaisseaux collecteurs lymphatiques

Figure 12.3 **La distribution des vaisseaux et des nœuds lymphatiques**

La partie en vert montre la région de l'organisme drainée par le conduit lymphatique droit ; le reste de l'organisme (en beige) est drainé par le conduit thoracique.

dans les nœuds lymphatiques et réagissent aux particules étrangères qui se sont immiscées dans le système lymphatique. Nous ne sommes pas toujours conscients de la nature protectrice des nœuds lymphatiques ; pourtant, chez la plupart d'entre nous, les nœuds lymphatiques enflent pendant une infection. Cette enflure est attribuable à la fonction de piégeage des nœuds.

Les nœuds lymphatiques présentent des formes et des dimensions variées, mais la plupart sont réniformes (en forme de haricot), mesurent de quelques millimètres à 2,5 cm de longueur et sont enfouis dans le tissu conjonctif qui les entoure. Chaque nœud est enveloppé d'une *capsule* fibreuse ; les travées incomplètes de tissu conjonctif que projette la capsule, appelées *trabécules*, divisent le nœud en lobules (figure 12.4). La charpente interne du nœud est un réseau de fibres réticulaires qui soutient la population sans cesse fluctuante de lymphocytes. (Comme nous l'avons vu au chapitre 10, les lymphocytes sont produits dans la moelle osseuse rouge, puis ils migrent dans les organes lymphatiques, où ils prolifèrent.)

La partie externe du nœud lymphatique, le **cortex**, contient des groupes de lymphocytes appelés **follicules**. Un grand nombre de ces follicules possèdent un **centre germinatif** qui prend une teinte sombre à la coloration. Ce centre grossit lorsque des lymphocytes particuliers (les *lymphocytes B*) donnent naissance à des cellules filles appelées **plasmocytes**, qui libèrent des anticorps. Les autres cellules du cortex sont des lymphocytes « en transit », c'est-à-dire des *lymphocytes T* qui circulent continuellement entre le sang, les nœuds lymphatiques et la lymphe pour effectuer leur surveillance. La partie centrale du nœud lymphatique, la **médulla**, est occupée par des cellules formant des cordons (cordons médullaires) ; on y trouve notamment des macrophagocytes. (Le rôle précis de ces cellules dans l'immunité est expliqué un peu plus loin.)

R **Il y aurait formation d'œdème dans les régions drainées par le conduit thoracique.**

Q **Les nœuds lymphatiques possèdent un seul vaisseau efférent et plusieurs vaisseaux afférents. Quel avantage cela représente-t-il ?**

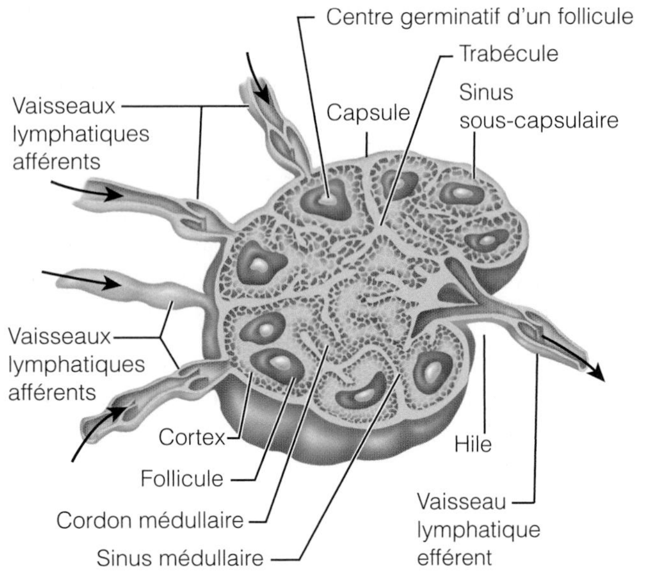
Centre germinatif d'un follicule
Trabécule
Capsule
Sinus sous-capsulaire
Vaisseaux lymphatiques afférents
Vaisseaux lymphatiques afférents
Cortex
Follicule
Cordon médullaire
Sinus médullaire
Hile
Vaisseau lymphatique efférent

Figure 12.4 **La structure d'un nœud lymphatique**

Coupe longitudinale d'un nœud lymphatique et des vaisseaux lymphatiques associés. Notez qu'il n'y a qu'un seul vaisseau lymphatique efférent qui sort du nœud au niveau du hile, alors que plusieurs vaisseaux lymphatiques afférents pénètrent dans le nœud du côté convexe. Les flèches indiquent le sens de l'écoulement de la lymphe.

La lymphe entre par des **vaisseaux lymphatiques afférents** dans le côté convexe du nœud lymphatique. Elle passe ensuite dans un certain nombre de **sinus** (sinus sous-capsulaires et sinus médullaires) creusés dans le nœud lymphatique, puis elle sort au **hile**, la partie concave du nœud, par un **vaisseau lymphatique efférent**. Comme il n'y a qu'un seul vaisseau efférent pour plusieurs vaisseaux afférents, la circulation de la lymphe est très lente dans le nœud lymphatique, ce qui laisse aux lymphocytes et aux macrophagocytes le temps d'agir. En général, la lymphe doit traverser plusieurs nœuds pour être complètement purifiée. Le nœud lymphatique est aussi irrigué par des vaisseaux sanguins, des artères, des capillaires et des veines ; c'est par la circulation sanguine que la majorité des lymphocytes pénètrent à l'intérieur des nœuds lymphatiques.

R **Comme il y a plus de voies d'accès que de portes de sortie, la lymphe stagne (cesse de circuler) brièvement dans le nœud lymphatique, ce qui permet aux macrophagocytes et aux lymphocytes d'en éliminer les agents pathogènes.**

Déséquilibre homéostatique

Les nœuds lymphatiques aident l'organisme à se débarrasser des agents infectieux et des cellules cancéreuses, mais il arrive qu'ils soient envahis par les particules qu'ils sont censés éliminer de la lymphe. Ainsi, la présence d'un grand nombre de bactéries ou de virus dans un nœud cause son inflammation et le rend douloureux. Par ailleurs, les nœuds lymphatiques peuvent devenir des foyers cancéreux secondaires, particulièrement dans les cancers qui empruntent les vaisseaux lymphatiques pour se propager dans l'organisme. Contrairement aux nœuds infectés par des microorganismes, les nœuds cancéreux ne sont pas douloureux. ▲

Les autres organes lymphatiques

Outre les nœuds lymphatiques, les **organes lymphatiques** sont la rate, le thymus, les amygdales (ou tonsilles) et les follicules lymphatiques agrégés (figure 12.5). On trouve aussi des amas de tissu lymphatique çà et là dans les tissus conjonctifs et épithéliaux. Toutes ces formations lymphatiques ont un point commun : elles sont constituées principalement de tissu conjonctif réticulaire et peuplées de lymphocytes. Bien que les formations lymphatiques dans leur ensemble concourent à la protection de l'organisme, les nœuds lymphatiques sont les seuls à filtrer la lymphe.

La **rate** est un organe richement irrigué par des vaisseaux sanguins mais ne recevant aucune irrigation lymphatique ; ses fonctions se rapportent donc uniquement au sang. Située du côté gauche de la cavité abdominale, elle s'incurve autour de la partie antérieure de l'estomac. Plutôt que de filtrer la lymphe, la rate filtre le sang et le débarrasse des bactéries, des virus et des autres débris. Sa principale fonction consiste à détruire les globules rouges détériorés et à renvoyer certains de leurs produits de dégradation au foie. Par exemple, le fer est réutilisé pour la production de l'hémoglobine, et le reste de la molécule d'hémoglobine est sécrété dans la bile. La rate emmagasine des plaquettes et sert aussi de réservoir sanguin (comme le foie). Au cours d'une hémorragie (chez plusieurs mammifères, mais non chez l'humain), la rate et le foie se contractent et déversent le sang qu'ils contiennent dans la circulation sanguine afin d'aider le volume sanguin à retourner à sa valeur normale. Chez le fœtus, la rate est le siège de l'érythropoïèse (production de globules sanguins). Chez l'adulte, elle fabrique uniquement des lymphocytes.

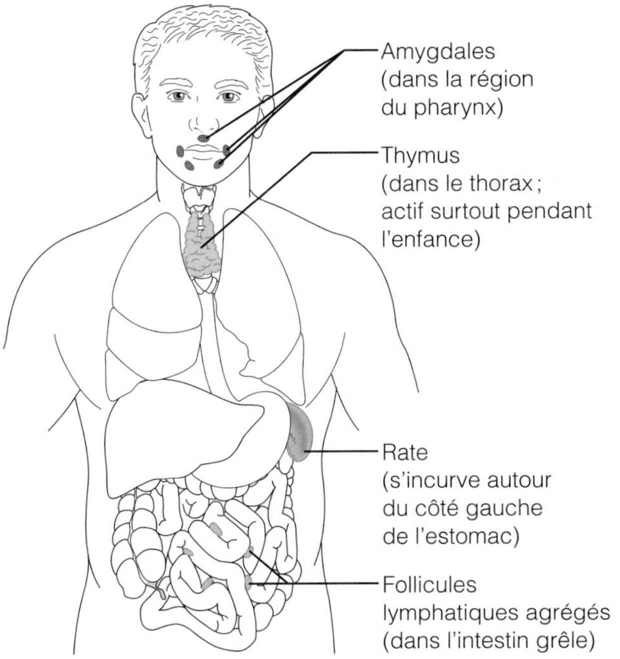
Amygdales
(dans la région
du pharynx)
Thymus
(dans le thorax ;
actif surtout pendant
l'enfance)
Rate
(s'incurve autour
du côté gauche
de l'estomac)
Follicules
lymphatiques agrégés
(dans l'intestin grêle)

Figure 12.5 **Les organes lymphatiques**

Localisation des amygdales, du thymus, de la rate et des follicules lymphatiques agrégés.

Déséquilibre homéostatique

Une intervention chirurgicale sur la rate étant très difficile à pratiquer, une rate ayant subi une lésion importante est plutôt enlevée complètement. Après une splénectomie (ablation de la rate), les frottis sanguins montrent une grande proportion d'érythrocytes anormaux. Les risques de contracter certaines infections sont plus élevés. ▲

Le **thymus**, qui ne joue un rôle important que durant les premières années de la vie, est une masse lymphatique située au bas du cou. Il s'étend jusque dans le médiastin, où il recouvre partiellement le cœur. Comme nous l'avons mentionné au chapitre 9, le thymus sécrète des hormones, dont la *thymosine*, qui rendent les lymphocytes T aptes à protéger l'organisme.

Les **amygdales**, ou tonsilles, forment un anneau de tissu lymphatique autour de l'entrée du pharynx, où elles sont logées dans la muqueuse. Leur rôle consiste à piéger et à éliminer les bactéries et autres agents pathogènes qui entrent dans la gorge. Les amygdales sont tellement efficaces qu'elles deviennent parfois congestionnées par les bactéries qu'elles emprisonnent ; elles sont alors rouges, enflées et douloureuses. Cet état est appelé *amygdalite* ou *tonsillite*.

Les **follicules lymphatiques agrégés**, ou plaques de Peyer, ressemblent aux amygdales. Ils sont situés dans la paroi de l'intestin grêle. Les macrophagocytes des follicules lymphatiques agrégés occupent une position idéale pour piéger et détruire les bactéries (toujours présentes en très grandes quantités dans l'intestin). Ce faisant, ils les empêchent de franchir la paroi intestinale. Les follicules lymphatiques agrégés et les amygdales font partie d'un ensemble de petites masses tissulaires (non encapsulées comme les nœuds lymphatiques) appelées **formations lymphatiques associées aux muqueuses** (ou **MALT**, pour *mucosa-associated lymphatic tissue*), dont le rôle est de protéger les voies respiratoires et digestives contre les assauts répétés des corps étrangers qui y pénètrent.

Maintenant que nous avons décrit les régions où se déroulent de nombreux mécanismes de défense de l'organisme, nous sommes prêts à étudier l'immunité plus en détail.

DEUXIÈME **PARTIE**

LES DÉFENSES DE L'ORGANISME

Il est étonnant de constater à quel point nous sommes presque toujours bien-portants malgré les microorganismes qui pullulent sur notre peau et malgré les bactéries et les virus ravageurs qui grouillent dans l'air que nous respirons. L'organisme semble réagir de manière plutôt catégorique aux corps étrangers : si vous n'êtes pas avec moi, vous êtes contre moi.

Les deux systèmes de défense de l'organisme contre ces ennemis minuscules mais puissants sont le *système de défense non spécifique* (aussi appelé *immunité innée*) et le *système de défense spécifique* (qui porte aussi le nom de *système immunitaire* ou d'*immunité adaptative*) (figure 12.6). Le **système de défense non spécifique** réagit promptement pour protéger l'organisme contre toute substance ou tout microorganisme étrangers, quels qu'ils soient. Les défenses non spécifiques comprennent la peau et les muqueuses intactes, la réaction inflammatoire et un certain nombre de protéines élaborées par les cellules de l'organisme. En empêchant l'entrée et la propagation des microorganismes à l'intérieur du corps, le système de défense non spécifique réduit la charge de travail du second système de protection de l'organisme, c'est-à-dire le système de défense spécifique. En outre, les cellules composant le système de défense non spécifique interviennent dans l'activité du système de défense spécifique par l'intermédiaire de substances qu'elles libèrent.

Défenses non spécifiques		Défenses spécifiques (système immunitaire)
Première ligne de défense	Deuxième ligne de défense	Troisième ligne de défense
• Peau • Muqueuses • Sécrétions de la peau et des muqueuses	• Phagocytes • Substances antimicrobiennes • Réaction inflammatoire	• Lymphocytes • Anticorps • Macrophagocytes

Figure 12.6 **Vue d'ensemble des défenses de l'organisme**

Le **système de défense spécifique**, communément appelé **système immunitaire** ou **immunité adaptative**, attaque des substances ou des microorganismes étrangers *spécifiques*. Même si certaines structures (en particulier les organes lymphatiques et les vaisseaux sanguins) participent de près à la réaction immunitaire, le système immunitaire est un *système fonctionnel* plutôt qu'un *système* au sens anatomique du terme. Ses « structures » comprennent un ensemble impressionnant de molécules ainsi que les billions de cellules immunitaires individuelles logées dans le tissu lymphatique et circulant dans les liquides de l'organisme. Les cellules immunitaires les plus importantes sont les *lymphocytes* et les *macrophagocytes.*

Lorsqu'il fonctionne de manière efficace, notre système immunitaire assure parfaitement sa fonction de protection de l'organisme contre la plupart des bactéries et des virus, contre les organes et les tissus transplantés, et même contre nos propres cellules qui se sont retournées contre nous. Il y parvient de façon directe, en lançant une attaque menée par les cellules immunitaires, et de façon indirecte, en libérant des substances chimiques mobilisatrices et des molécules d'anticorps protecteurs. La résistance extrêmement spécifique à la maladie qui en résulte est appelée **immunité**.

Contrairement aux défenses non spécifiques, qui sont toujours prêtes à protéger l'organisme, le système immunitaire doit d'abord « rencontrer » une substance étrangère (antigène) ou y être sensibilisé par une exposition initiale avant de pouvoir protéger l'organisme contre cette substance. À défaut de réagir promptement comme les défenses non spécifiques, le système immunitaire est extraordinairement précis dans ses attaques. Nous allons étudier séparément les défenses non spécifiques et les défenses spécifiques, mais il ne faut pas oublier qu'elles travaillent toujours en étroite collaboration dans un but commun : la protection de l'organisme.

Les défenses non spécifiques de l'organisme

La résistance non spécifique à la maladie est en partie conférée par les gènes que nous possédons. Par exemple, il existe certaines maladies qui n'attaquent jamais l'être humain, telles certaines formes de tuberculose qui touchent les oiseaux. Le plus souvent, toutefois, le terme *défenses non spécifiques* fait référence aux barrières mécaniques qui recouvrent la surface du corps ainsi qu'aux cellules et aux substances chimiques qui combattent à l'avant-garde pour protéger l'organisme contre les **agents pathogènes** (microorganismes nocifs ou responsables de maladies). Le tableau 12.1 présente un résumé des défenses non spécifiques les plus importantes.

LES BARRIÈRES SUPERFICIELLES : LA PEAU ET LES MUQUEUSES

La *première ligne de défense* de l'organisme contre l'invasion des microorganismes responsables de maladies est constituée de la *peau* et des *muqueuses.* Tant qu'il est intact, l'épiderme kératinisé de la peau (voir le chapitre 4) forme une barrière physique redoutable bloquant l'entrée à la plupart des microorganismes qui fourmillent sur sa surface. Les muqueuses en bon état fournissent une protection semblable à l'intérieur du corps. Il faut se rappeler que les muqueuses tapissent toutes les cavités corporelles qui s'ouvrent sur l'extérieur : le tube digestif, les voies respiratoires et urinaires ainsi que le système génital. Elles assurent une fonction de barrières physiques et élaborent diverses substances chimiques protectrices énumérées ci-après.

1. Le pH acide des sécrétions cutanées inhibe la croissance bactérienne, et les substances chimiques

Tableau 12.1 **Résumé des défenses non spécifiques de l'organisme**

Catégorie et éléments associés	Mécanisme de protection
Barrières superficielles, première ligne de défense	
Peau intacte (épiderme)	Forme une barrière mécanique qui empêche l'infiltration d'agents pathogènes et de substances nocives dans l'organisme.
• Acidité de la peau	Les sécrétions de la peau rendent la surface de l'épiderme acide, ce qui inhibe la croissance des bactéries ; le sébum contient aussi des agents chimiques qui tuent les bactéries.
• Kératine	Assure la résistance contre les acides, les alcalis et les enzymes bactériennes.
Muqueuses intactes	Forment une barrière mécanique qui empêche l'infiltration d'agents pathogènes.
• Mucus	Emprisonne les microorganismes dans les voies respiratoires et digestives.
• Poils des cavités nasales	Filtrent et emprisonnent les microorganismes dans les cavités nasales.
• Cils	Font remonter le mucus chargé de débris vers la partie supérieure des voies respiratoires.
• Suc gastrique	Contient de l'acide chlorhydrique concentré et des enzymes qui hydrolysent les protéines et détruisent les agents pathogènes dans l'estomac.
• Acidité de la muqueuse vaginale (pH de 3 à 5)	Inhibe la croissance des bactéries et des levures dans les voies génitales de la femme.
• Sécrétion lacrymale (larmes) ; salive	Lubrifient et nettoient constamment les yeux (larmes) et la cavité orale (salive) ; contiennent du lysozyme, enzyme détruisant les microorganismes.
Défenses cellulaires et chimiques, deuxième ligne de défense	
Phagocytes	Ingèrent et détruisent les agents pathogènes qui franchissent les barrières superficielles ; les macrophagocytes contribuent aussi à la réaction immunitaire.
Cellules tueuses naturelles (NK)	Attaquent directement les cellules infectées par des virus ou les cellules cancéreuses, et provoquent leur lyse ; leur action ne repose pas sur la reconnaissance d'un antigène spécifique.
Réaction inflammatoire	Empêche les agents nocifs de se propager aux tissus adjacents, élimine les agents pathogènes et les cellules mortes, et permet la réparation des tissus ; les médiateurs chimiques libérés attirent les phagocytes (et les cellules immunocompétentes) vers le siège de la lésion.
Substances antimicrobiennes	
• Complément	Groupe de protéines plasmatiques qui provoque la lyse des microorganismes, favorise la phagocytose par opsonisation et intensifie la réaction inflammatoire.
• Interféron	Groupe de protéines que libèrent les cellules infectées par des virus et qui protège les cellules des tissus non infectés contre l'envahissement par des virus ; stimule le système immunitaire.
• Urine	Le pH normalement acide inhibe la croissance bactérienne ; nettoie les voies urinaires inférieures lorsqu'elle est éliminée de l'organisme.
Fièvre	Réaction systémique déclenchée par des substances pyrogènes ; la température corporelle élevée inhibe la multiplication microbienne et favorise le processus de réparation de l'organisme.

contenues dans le sébum sont toxiques pour les bactéries. Les sécrétions vaginales chez la femme adulte sont aussi très acides.

2. La muqueuse gastrique sécrète de l'acide chlorhydrique et des enzymes qui hydrolysent les protéines. Ces deux types de substances tuent les agents pathogènes.

3. La salive et les larmes contiennent du *lysozyme*, enzyme détruisant les bactéries.
4. Le mucus, sécrétion collante, emprisonne un grand nombre de microorganismes qui pénètrent dans les voies digestives et respiratoires.

Certaines muqueuses présentent également des modifications structurales qui neutralisent les « intrus » potentiels. Les petits poils recouverts de mucus à l'intérieur du nez retiennent les particules inhalées ; les cils qui tapissent la muqueuse des voies respiratoires supérieures font remonter vers la bouche le mucus chargé de poussières et de bactéries, empêchant ainsi ces dernières de pénétrer dans la partie inférieure des voies respiratoires où le milieu chaud et humide constitue un endroit idéal pour la croissance bactérienne. Outre ces éléments structuraux, le fonctionnement des différents systèmes de l'organisme implique également certaines activités réflexes qui font partie des mécanismes de défense innée, tels que la toux, l'éternuement, le vomissement, la miction…

Même si elles sont tout à fait efficaces, les barrières superficielles portent parfois de petites entailles et des coupures causées, par exemple, par le brossage des dents ou le rasage de la barbe. Lorsque cela se produit, des microorganismes peuvent envahir les tissus ; d'autres mécanismes de défense non spécifique entrent alors en jeu.

LES CELLULES ET LES MÉDIATEURS CHIMIQUES

L'organisme a recours à un grand nombre de cellules et de substances chimiques pour se défendre. Cet arsenal constitue sa *deuxième ligne de défense*. Il repose sur le pouvoir destructeur des *phagocytes* et des *cellules tueuses naturelles*, sur la réaction inflammatoire ainsi que sur divers médiateurs chimiques qui tuent les agents pathogènes et participent à la réparation des tissus. La fièvre peut aussi être considérée comme une réaction de protection non spécifique.

Les phagocytes

Les agents pathogènes qui réussissent à franchir les barrières mécaniques font face aux **phagocytes** (*phagein*, « manger »), dans presque tous les organes. Les phagocytes, tels les *macrophagocytes* et les *granulocytes neutrophiles*, englobent les particules étrangères à la manière d'une amibe qui ingère une particule de nourriture (figure 12.7). Des prolongements cytoplasmiques se déploient et se fixent à la particule, l'attirent à l'intérieur de la cellule et l'englobent dans un sac membraneux. La vacuole ainsi constituée fusionne ensuite avec un *lysosome*, et son contenu est dégradé (digéré) par les enzymes lysosomiales.

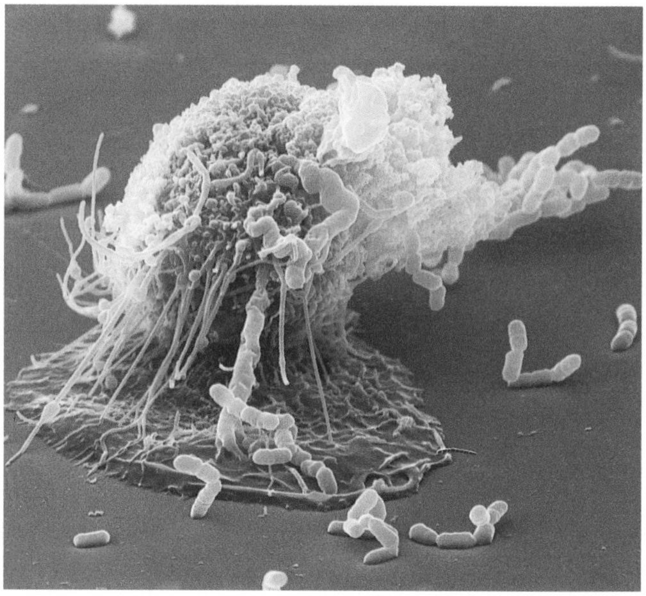

(a)

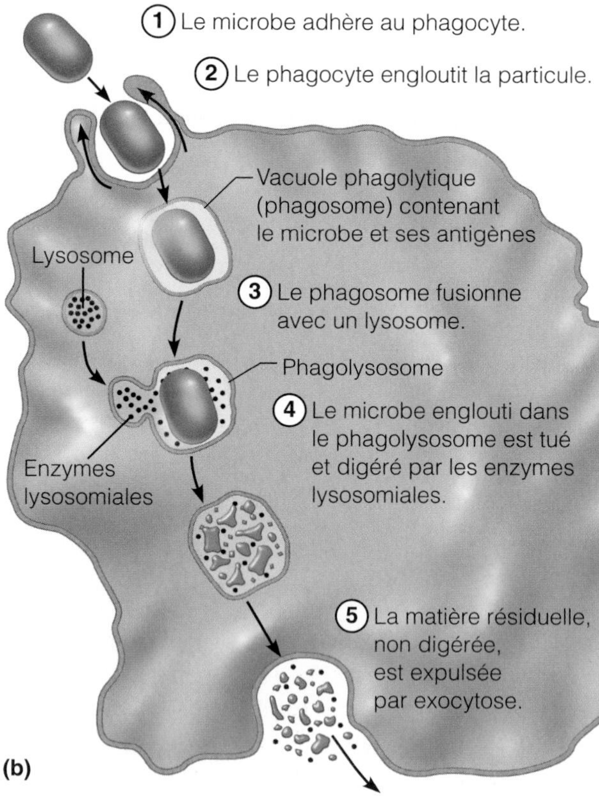

1 Le microbe adhère au phagocyte.
2 Le phagocyte engloutit la particule.
Vacuole phagolytique (phagosome) contenant le microbe et ses antigènes
Lysosome
3 Le phagosome fusionne avec un lysosome.
Phagolysosome
4 Le microbe englouti dans le phagolysosome est tué et digéré par les enzymes lysosomiales.
Enzymes lysosomiales
5 La matière résiduelle, non digérée, est expulsée par exocytose.

(b)

Figure 12.7 La phagocytose par un macrophagocyte

(a) Sur cette micrographie au microscope électronique à balayage (4300×), colorée par ordinateur, on voit un macrophagocyte attirant vers lui des bactéries *Escherichia coli* en forme de saucisse, à l'aide de ses longs prolongements cytoplasmiques. Plusieurs bactéries à la surface du macrophagocyte sont sur le point d'être englobées. **(b)** Étapes de la phagocytose.

Les cellules tueuses naturelles

Les **cellules tueuses naturelles**, ou **cellules NK** (pour *natural killer*), nettoient le sang et la lymphe de l'organisme; ce sont des lymphocytes d'un type particulier (elles peuvent représenter jusqu'à 15 % des lymphocytes) qui peuvent provoquer la lyse de la membrane plasmique de la cellule indésirable. Elles sont capables de tuer des bactéries, des cellules cancéreuses et des cellules infectées par des virus avant que le système immunitaire entre en action. Contrairement aux lymphocytes du système immunitaire, qui ne peuvent reconnaître que des cellules infectées par des virus ou des cellules tumorales *spécifiques* et qui ne réagissent qu'avec elles, les cellules tueuses naturelles sont moins sélectives. Elles sont capables d'agir spontanément contre *n'importe laquelle* de ces cibles, grâce à la reconnaissance de certains glucides situés sur la membrane plasmique des « intrus ». Les cellules tueuses naturelles ne sont pas phagocytaires. Leur façon de tuer consiste à attaquer la membrane de la cellule cible et à libérer des substances cytolytiques comme les *perforines* ou les *granzymes*. Peu après, la membrane de la cellule cible et son noyau se désintègrent. On sait maintenant que les cellules NK participent aussi à la défense spécifique, dont nous parlerons plus loin, en sécrétant des lymphokines et des chimiokines.

La réaction inflammatoire

La **réaction inflammatoire** est une réaction non spécifique qui se met en branle dès que les tissus sont touchés (figure 12.8). Par exemple, elle peut être déclenchée par un traumatisme physique (un coup), une chaleur intense ou une irritation causée par des substances chimiques, de même que par une infection attribuable à un virus ou à une bactérie. Les quatre *signes majeurs* de l'inflammation aiguë sont la *rougeur*, la *chaleur*, la *tuméfaction* et la *douleur*. L'origine de ces symptômes devient évidente lorsqu'on examine les étapes de la réaction inflammatoire.

La réaction inflammatoire débute par une « alerte » chimique. Quand des tissus sont lésés, leurs cellules libèrent des substances chimiques, dont l'**histamine** et les **kinines**. Ces substances 1) provoquent la dilatation des vaisseaux sanguins des tissus lésés et la fuite de liquides hors des capillaires, 2) activent les récepteurs de la douleur et 3) attirent les phagocytes et d'autres globules blancs dans la région touchée (ce phénomène est appelé **chimiotactisme**, car les cellules suivent un gradient chimique). La dilatation des vaisseaux sanguins augmente le débit sanguin vers cette région, d'où la rougeur et la chaleur des tissus enflammés. Quant à la perméabilité accrue des capillaires, elle permet au plasma de s'échapper de la circulation sanguine vers l'espace interstitiel. Cette fuite de liquides est la cause d'un œdème localisé (tuméfaction), qui à son tour active les récepteurs de la douleur de la région touchée. Si la région enflée et douloureuse est une articulation, sa fonction (sa mobilité) peut être temporairement gênée. La partie lésée se trouve donc au repos forcé, ce qui contribue à la guérison. Certains spécialistes considèrent la perte de fonction au niveau articulaire comme le cinquième signe majeur de l'inflammation.

L'inflammation 1) empêche la propagation des agents toxiques dans les tissus environnants, 2) élimine les débris cellulaires et les agents pathogènes et 3) amorce les premières étapes du processus de réparation. Voyons comment ces effets se produisent. Moins d'une heure après le début de la réaction inflammatoire, les granulocytes neutrophiles franchissent les parois des capillaires par un mécanisme appelé **diapédèse** (figure 12.9). Attirés sur les lieux de la lésion par les substances chimiques qui y sont libérées, ils se mettent à englober les cellules lésées ou mortes ou les agents pathogènes, ou les deux. La contre-attaque ne s'arrête pas là : des monocytes commencent également à quitter la circulation sanguine pour rejoindre les granulocytes neutrophiles dans la région de l'inflammation. La capacité phagocytaire des monocytes est assez faible, mais de 8 à 12 heures après être entrés dans les tissus, ceux-ci se transforment en macrophagocytes dotés d'un appétit gargantuesque. Ces macrophagocytes remplacent les granulocytes neutrophiles sur le champ de bataille et continuent le combat. Ils sont les principaux agents de l'élimination finale des débris cellulaires au cours d'une inflammation.

En plus de la phagocytose, d'autres mécanismes de protection sont déclenchés dans la région enflammée. Des protéines de coagulation provenant de la circulation sanguine entrent dans l'espace interstitiel et commencent à élaborer un réseau de fibrine. Ce réseau de fibrine isole le siège de la lésion et empêche ainsi la propagation des agents nocifs ou pathogènes dans les tissus environnants. Il forme aussi la structure qui permettra la réparation de la lésion. La chaleur locale augmente la vitesse du métabolisme des cellules touchées, qui accélèrent alors le processus de protection et de réparation.

Si le siège de la lésion contient des agents pathogènes que l'organisme a déjà « rencontrés », la *troisième ligne de défense* se mobilise, c'est-à-dire la réaction immunitaire faisant intervenir les lymphocytes. Des anticorps protecteurs et des cellules T (lymphocytes) envahissent alors le siège de la lésion pour agir spécifiquement et directement contre les intrus. (Nous reviendrons sur ce phénomène un peu plus loin.)

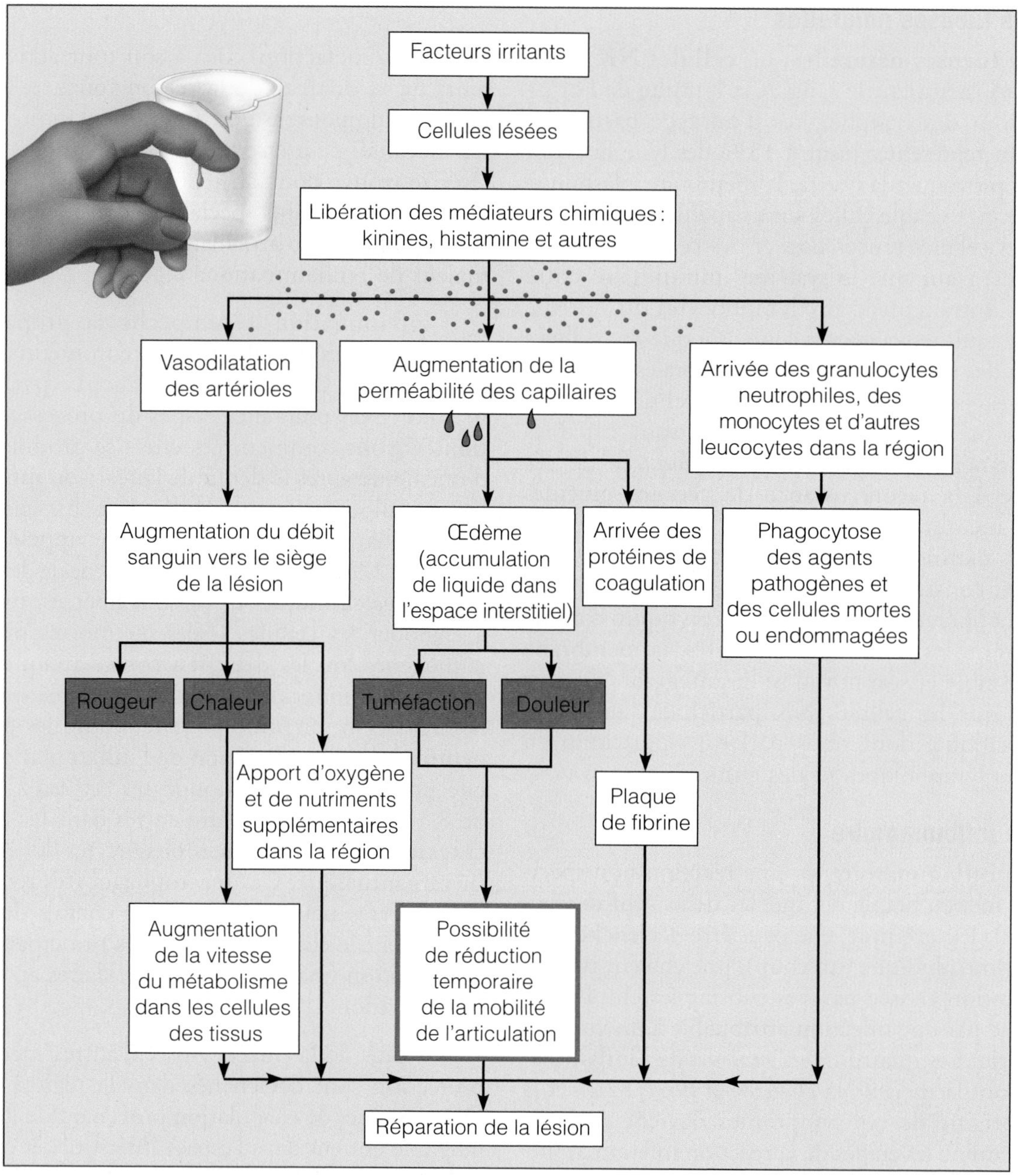

Facteurs irritants
Cellules lésées
Libération des médiateurs chimiques : kinines, histamine et autres
Vasodilatation des artérioles
Augmentation de la perméabilité des capillaires
Arrivée des granulocytes neutrophiles, des monocytes et d'autres leucocytes dans la région
Augmentation du débit sanguin vers le siège de la lésion
Œdème (accumulation de liquide dans l'espace interstitiel)
Arrivée des protéines de coagulation
Phagocytose des agents pathogènes et des cellules mortes ou endommagées
Rougeur
Chaleur
Tuméfaction
Douleur
Apport d'oxygène et de nutriments supplémentaires dans la région
Plaque de fibrine
Augmentation de la vitesse du métabolisme dans les cellules des tissus
Possibilité de réduction temporaire de la mobilité de l'articulation
Réparation de la lésion

Figure 12.8 **Les étapes de la réaction inflammatoire**

Les quatre signes majeurs de l'inflammation aiguë apparaissent dans les rectangles rouges. La perte de fonction au niveau articulaire (case entourée d'un cadre rouge) survient dans certains cas et est considérée comme le cinquième signe majeur.

Déséquilibre homéostatique

Dans les régions du corps gravement infectées, le combat fait de nombreuses victimes dans chaque camp et un pus jaunâtre de consistance crémeuse peut s'accumuler dans la plaie. Le **pus** est un mélange de granulocytes neutrophiles morts ou affaiblis, de cellules nécrosées ainsi que d'agents pathogènes morts ou vivants. Si le mécanisme de l'inflammation ne réussit pas à éliminer complètement les débris de la région lésée, le sac de pus peut se tapisser de fibres collagènes et former un *abcès.* Un drainage chirurgical est souvent nécessaire pour permettre la guérison. ▲

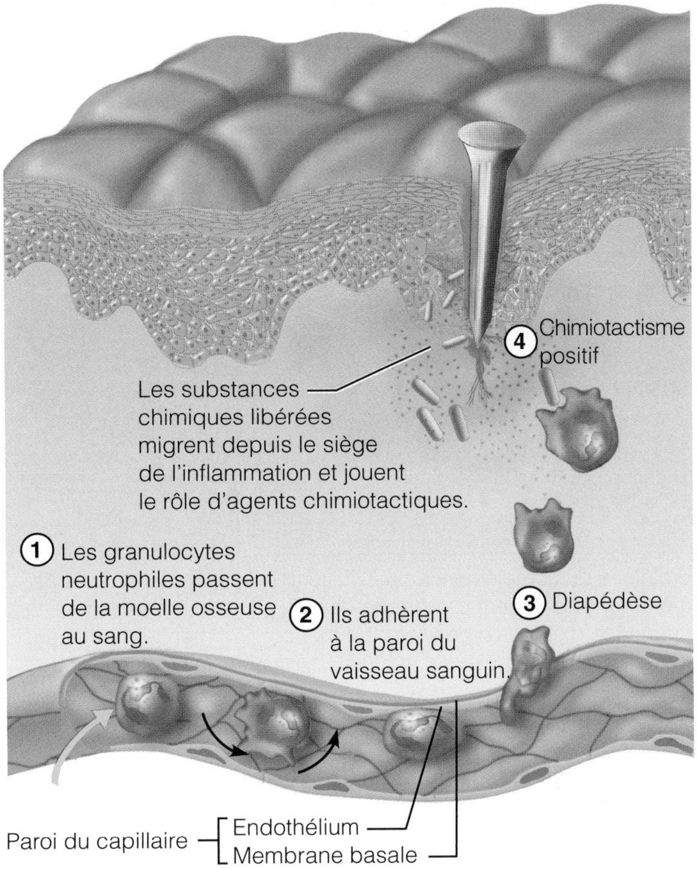

4 Chimiotactisme positif
Les substances chimiques libérées migrent depuis le siège de l'inflammation et jouent le rôle d'agents chimiotactiques.
1 Les granulocytes neutrophiles passent de la moelle osseuse au sang.
2 Ils adhèrent à la paroi du vaisseau sanguin.
3 Diapédèse
Paroi du capillaire
Endothélium
Membrane basale

Figure 12.9 **La mobilisation des phagocytes dans une réaction inflammatoire**

Les substances antimicrobiennes

Outre celles qui sont élaborées pendant la réaction inflammatoire, les **substances antimicrobiennes** les plus importantes de l'organisme sont les *protéines du complément* et l'*interféron.*

Le complément Le **complément** est un groupe d'au moins 20 protéines plasmatiques normalement présentes dans le sang sous forme inactive. Cependant, lorsqu'il se lie, ou *se fixe*, à des cellules étrangères telles que des bactéries, des champignons microscopiques ou des globules rouges incompatibles, son activation fait de lui un des principaux mécanismes de destruction des substances étrangères. La **fixation du complément** a lieu lorsque des protéines du complément se fixent à certains glucides ou à certaines protéines (par exemple des anticorps) eux-mêmes liés à la surface de la cellule étrangère. Il en résulte que des lésions (trous) se forment dans la membrane de cette cellule par incorporation d'un groupe de protéines constituant le *complexe d'attaque membranaire* (MAC, pour *membrane attack complex*) (figure 12.10). Ces lésions permettent à l'eau de pénétrer dans la cellule et de la faire éclater. L'activation du complément intensifie également la réaction inflammatoire. En effet, certaines des molécules libérées au cours de cette activation sont des *vasodilatateurs* et d'autres sont des *substances chimiotactiques* qui attirent les granulocytes neutrophiles et les macrophagocytes vers le siège de l'infection. D'autres molécules encore recouvrent la membrane des cellules étrangères d'une substance collante qui les rend plus faciles à phagocyter; ce processus est appelé *opsonisation.* Bien que l'attaque du complément soit souvent dirigée contre des microorganismes spécifiques qui ont déjà été « marqués » par la liaison des anticorps, le complément lui-même est un mécanisme de défense non spécifique qui « complète » les *deux* systèmes de défense, spécifique et non spécifique, c'est-à-dire qu'il accroît leur efficacité.

L'interféron Les virus ne possèdent pas la machinerie cellulaire requise pour la production d'ATP ou la synthèse de protéines. Ils accomplissent leur « sale boulot »,

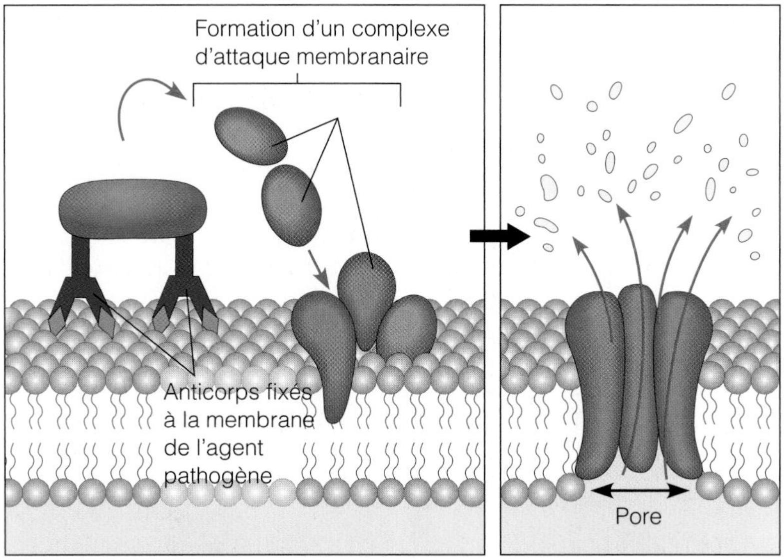
Formation d'un complexe
d'attaque membranaire
Anticorps fixés
à la membrane
de l'agent
pathogène
Pore

Les protéines du complément activé se lient à la membrane de l'agent pathogène dans une séquence d'étapes ordonnées qui mène à la formation d'un complexe d'attaque membranaire.

Un pore formé par le complexe d'attaque membranaire cause la lyse cellulaire.

Figure 12.10 **L'activation du complément et le résultat final : la lyse de la cellule cible**

soit les dommages à l'organisme, en envahissant les cellules et en détournant à leur profit la machinerie cellulaire nécessaire à leur reproduction ; ce sont des *parasites* au vrai sens du terme. Bien qu'elles soient impuissantes à se protéger, les cellules infectées par les virus peuvent contribuer à la défense des cellules qui n'ont pas encore été touchées en élaborant de petites protéines appelées **interférons**, dont les molécules diffusent vers les cellules voisines et se lient aux récepteurs de leur membrane. Cette liaison empêche les virus de se multiplier à l'intérieur de ces cellules. Cette protection ne s'applique pas qu'au type de virus qui a déclenché la sécrétion d'interférons, mais également à d'autres types de virus. Les interférons activent aussi les cellules NK.

La fièvre

La **fièvre**, soit une température corporelle anormalement élevée, est une réaction systémique aux microorganismes envahisseurs. Décrite plus en détail au chapitre 14, la température de l'organisme est régie par une partie de l'hypothalamus, communément considérée comme le thermostat de l'organisme. Normalement, le thermostat est réglé à des températures situées entre 35,6 et 37,8 °C. Cependant, il passe à une température supérieure sous l'effet de substances chimiques appelées **pyrogènes** (*puro*, « feu »), qui sont sécrétées par les globules blancs et les macrophagocytes exposés à des bactéries ou à d'autres substances étrangères dans l'organisme.

Une forte fièvre constitue un danger, car la chaleur excessive peut dénaturer les enzymes et d'autres protéines de l'organisme. En revanche, une fièvre légère ou modérée semble bénéfique. Les bactéries ont besoin de grandes quantités de fer et de zinc pour se multiplier ; or, pendant un accès de fièvre, le foie et la rate séquestrent ces nutriments et diminuent leur disponibilité. La fièvre augmente aussi, globalement, la vitesse du métabolisme cellulaire et favorise la migration des leucocytes des vaisseaux sanguins aux sites d'infection ; les réactions de défense et le processus de réparation s'en trouvent ainsi accélérés.

Les défenses spécifiques de l'organisme : le système immunitaire

La plupart d'entre nous seraient ravis de pouvoir entrer dans une seule boutique de vêtements et d'y trouver tout ce qu'il nous faut pour repartir habillés de pied en cap malgré les particularités de notre morphologie. Nous savons qu'il est à peu près impossible d'avoir accès à un tel service. Et pourtant, il nous paraît naturel de posséder un *système immunitaire*, c'est-à-dire un *système de défense spécifique intégré*, capable de traquer et d'éliminer, toujours avec la même précision, à peu près n'importe quel type d'agents pathogènes qui s'introduit dans notre organisme.

La réaction du système immunitaire à une menace, appelée **réaction immunitaire**, accentue considérablement la réaction inflammatoire et fournit une protection qui est très précisément dirigée contre des antigènes *spécifiques*. De plus, l'exposition initiale à un antigène «sensibilise» l'organisme, lequel devient ainsi prêt à réagir vigoureusement en cas d'expositions ultérieures au même antigène.

Parfois considéré comme la *troisième ligne de défense* de l'organisme, le système immunitaire est un système fonctionnel dont les cellules reconnaissent des molécules étrangères spécifiques (antigènes) et se mobilisent pour les neutraliser ou les détruire. Normalement, le système immunitaire nous protège contre une grande variété d'agents infectieux et de cellules anormales de l'organisme. Lorsqu'il échoue, se dérègle ou cesse de fonctionner, certaines maladies très graves, comme le cancer, la polyarthrite rhumatoïde et le sida, peuvent survenir.

L'*immunologie* est une science relativement jeune, mais les Grecs de l'Antiquité savaient que, si une personne avait souffert d'une maladie infectieuse quelconque, il était peu probable qu'elle fût de nouveau frappée par cette maladie. Les fondements de l'immunité ont été découverts vers la fin du XIXe siècle; à cette époque, on a pu démontrer que des animaux ayant survécu à une grave infection bactérienne possèdent dans leur sang des «facteurs» qui les défendent en cas de nouvelles attaques par le même agent pathogène. (On sait maintenant que ces facteurs sont des protéines singulières appelées *anticorps*.) Par ailleurs, il fut montré que, dans le cas d'une infection particulière, on pouvait transférer l'immunité à un animal non immunisé en procédant à une injection de sérum (immunosérum) contenant les anticorps d'un animal qui avait survécu à cette maladie infectieuse. Ces expériences présentent un grand intérêt, car elles ont fait connaître trois aspects importants de la réaction immunitaire:

1. **Elle est spécifique à un antigène:** le système immunitaire reconnaît des agents pathogènes ou étrangers *particuliers* et dirige son attaque contre eux.
2. **Elle est systémique:** l'immunité n'est pas restreinte au siège initial de l'infection.
3. **Elle possède une «mémoire»:** le système immunitaire reconnaît les agents pathogènes déjà rencontrés et élabore contre eux des attaques encore plus énergiques.

Ces découvertes étaient très stimulantes. Toutefois, au milieu du XXe siècle, les chercheurs découvrirent que l'inoculation de sérum contenant des anticorps ne protégeait pas toujours le receveur contre les maladies auxquelles le donneur avait survécu; dans de tels cas, cependant, l'injection de lymphocytes du donneur *assurait* l'immunité.

À mesure que les morceaux du casse-tête s'assemblaient, il apparut que l'immunité se divise en deux branches différentes mais qui possèdent des points communs. L'**immunité humorale**, ou **immunité à médiation humorale**, est assurée par les anticorps présents dans les «humeurs», soit les liquides de l'organisme. Lorsque les lymphocytes eux-mêmes défendent l'organisme, l'immunité est appelée **immunité cellulaire**, ou **immunité à médiation cellulaire**, parce que les facteurs de protection sont des cellules vivantes. L'immunité cellulaire a aussi des cibles cellulaires: les cellules des tissus infectés par des virus, les cellules cancéreuses et les cellules de greffons étrangers. Les lymphocytes agissent contre de telles cibles soit *directement*, en effectuant la lyse des cellules étrangères, soit *indirectement*, en libérant les médiateurs chimiques qui accentuent la réaction inflammatoire ou activent d'autres cellules immunitaires. Toutefois, avant de décrire séparément les réactions humorales et à médiation cellulaire, nous allons examiner les antigènes, qui déclenchent l'activité des cellules très particulières intervenant dans les réactions immunitaires.

LES ANTIGÈNES

Un **antigène (Ag)** est une substance capable de mobiliser le système immunitaire et de provoquer une réaction immunitaire. La plupart des antigènes sont de grosses molécules complexes que l'on ne trouve pas normalement dans notre organisme. En conséquence, notre système immunitaire les considère comme des intrus, ou molécules du **non-soi**. Une variété presque infinie de molécules étrangères peuvent jouer le rôle d'antigènes; elles comprennent à peu près toutes les protéines étrangères, les acides nucléiques, certains lipides et de nombreux polysaccharides de grande taille. Parmi toutes ces substances, ce sont les protéines qui constituent les antigènes les plus puissants. Les grains de pollen et les microorganismes sont *antigéniques* parce que leur membrane porte ce type de molécules étrangères.

Il faut aussi se rappeler que la surface de toutes nos cellules est parsemée d'une immense variété de molécules protéiques (autoantigènes). Au cours de son développement, le système immunitaire fait, semble-t-il, un inventaire de toutes ces protéines, de sorte qu'il peut par la suite les reconnaître comme faisant partie du soi. Ces **autoantigènes**, ou **marqueurs du soi**, ne déclenchent donc pas une réaction immunitaire dans notre propre organisme, mais ils sont *fortement* antigéniques pour l'organisme d'une autre personne. C'est ce phénomène qui explique pourquoi notre organisme rejette les cellules d'un organe transplanté ou d'un greffon étranger, sauf si on prend des mesures particulières (médicaments ou autres) pour affaiblir ou inhiber la réaction immunitaire.

En général, les petites molécules ne sont pas antigéniques, mais si elles se lient aux propres protéines de l'organisme, le système immunitaire peut reconnaître l'association comme étrangère et déclencher une attaque dont les effets sont plus dommageables que protecteurs. (Ces réactions, appelées *allergies*, sont décrites plus loin dans ce chapitre.) Dans de tels cas, la petite molécule trouble-fête est appelée *haptène* (*haptein*, « saisir »), ou *antigène incomplet*. Outre certains médicaments, quelques substances chimiques peuvent se comporter comme des haptènes ; on en trouve dans le sumac vénéneux (« herbe à puce »), les phanères des animaux et même dans certains détergents, teintures pour cheveux, cosmétiques et autres produits domestiques et industriels courants.

Déséquilibre homéostatique

La liaison de la pénicilline aux protéines du sang est un des exemples les plus impressionnants et les plus connus de réaction immunitaire provoquée par un haptène de source médicamenteuse. Cette liaison entraîne une *réaction à la pénicilline* chez certaines personnes. Dans de tels cas, le système immunitaire réagit si fortement que la vie de la personne est menacée. ▲

LES CELLULES DU SYSTÈME IMMUNITAIRE : CARACTÉRISTIQUES GÉNÉRALES

Les principaux types de cellules du système immunitaire sont les lymphocytes et les macrophagocytes. Les lymphocytes existent sous deux formes : les **lymphocytes B**, ou **cellules B**, élaborent des anticorps et sont responsables de l'immunité humorale, tandis que les **lymphocytes T**, ou **cellules T**, n'élaborent pas d'anticorps et sont chargés des réactions immunitaires à médiation cellulaire. Contrairement à ces deux types de lymphocytes, les macrophagocytes ne réagissent pas à des antigènes spécifiques, mais jouent un rôle capital en secondant les lymphocytes.

Les lymphocytes

Comme tous les globules sanguins, les lymphocytes sont issus des hémocytoblastes présents dans la moelle osseuse rouge (figure 12.11). Lorsqu'ils sont libérés par la moelle osseuse, les lymphocytes immatures sont essentiellement identiques. La maturation d'un lymphocyte en lymphocyte B ou en lymphocyte T dépend de la région de l'organisme où il acquiert son **immunocompétence**, c'est-à-dire sa capacité de reconnaître un antigène spécifique en se liant à lui. Les lymphocytes T (**T** pour ***thymus***) sont issus des lymphocytes immatures qui migrent de la moelle osseuse rouge vers le thymus (voir la figure 12.11), où ils subissent un processus de maturation qui dure deux ou trois jours et qui est stimulé par les hormones thymiques, dont la *thymosine*. Dans le thymus, les lymphocytes immatures se divisent rapidement et leur nombre s'accroît de manière considérable, mais seuls survivent ceux qui acquièrent la meilleure capacité de distinguer les antigènes *étrangers*. Les lymphocytes qui ont la capacité de se lier fortement aux *autoantigènes* (et, donc, d'attaquer les cellules du soi) sont détruits. Le développement de l'autotolérance à l'égard des autoantigènes constitue un élément essentiel de l'« éducation » de tous les lymphocytes, qu'ils soient de type B ou T. Les lymphocytes B acquièrent leur immunocompétence dans la moelle osseuse, mais les facteurs qui régissent leur maturation chez les êtres humains sont encore mal connus.

Lorsqu'il acquiert son immunocompétence, un lymphocyte B ou T devient capable de réagir à un seul antigène en particulier, car *tous* les récepteurs d'antigènes sur sa membrane sont identiques. Par exemple, les récepteurs d'un lymphocyte en particulier pourront reconnaître seulement une partie du virus de l'hépatite A, ceux d'un autre lymphocyte se lieront seulement à la paroi d'une espèce de bactérie en particulier, et ainsi de suite.

De nombreux aspects de la transformation des lymphocytes restent à élucider, mais on sait que *ce sont nos gènes, et non les antigènes, qui déterminent quelles substances étrangères précises notre système immunitaire sera capable de reconnaître et celles auxquelles il pourra résister.* Le système immunitaire élaborerait au hasard, selon la nature des gènes présents chez un individu, une très grande variété de lymphocytes permettant de protéger l'organisme contre un nombre élevé d'antigènes potentiels. Les lymphocytes acquerraient donc l'immunocompétence *avant* la rencontre avec des antigènes qu'ils attaqueront *peut-être* plus tard. Parmi tous les antigènes possibles contre lesquels la résistance de nos lymphocytes a été programmée, seuls quelques-uns pénétreront dans notre organisme. En conséquence, une partie seulement de notre armée de cellules immunocompétentes sera mobilisée au cours de notre vie. L'autre demeurera inactive. Comme toujours, notre organisme aura fait de son mieux pour nous protéger.

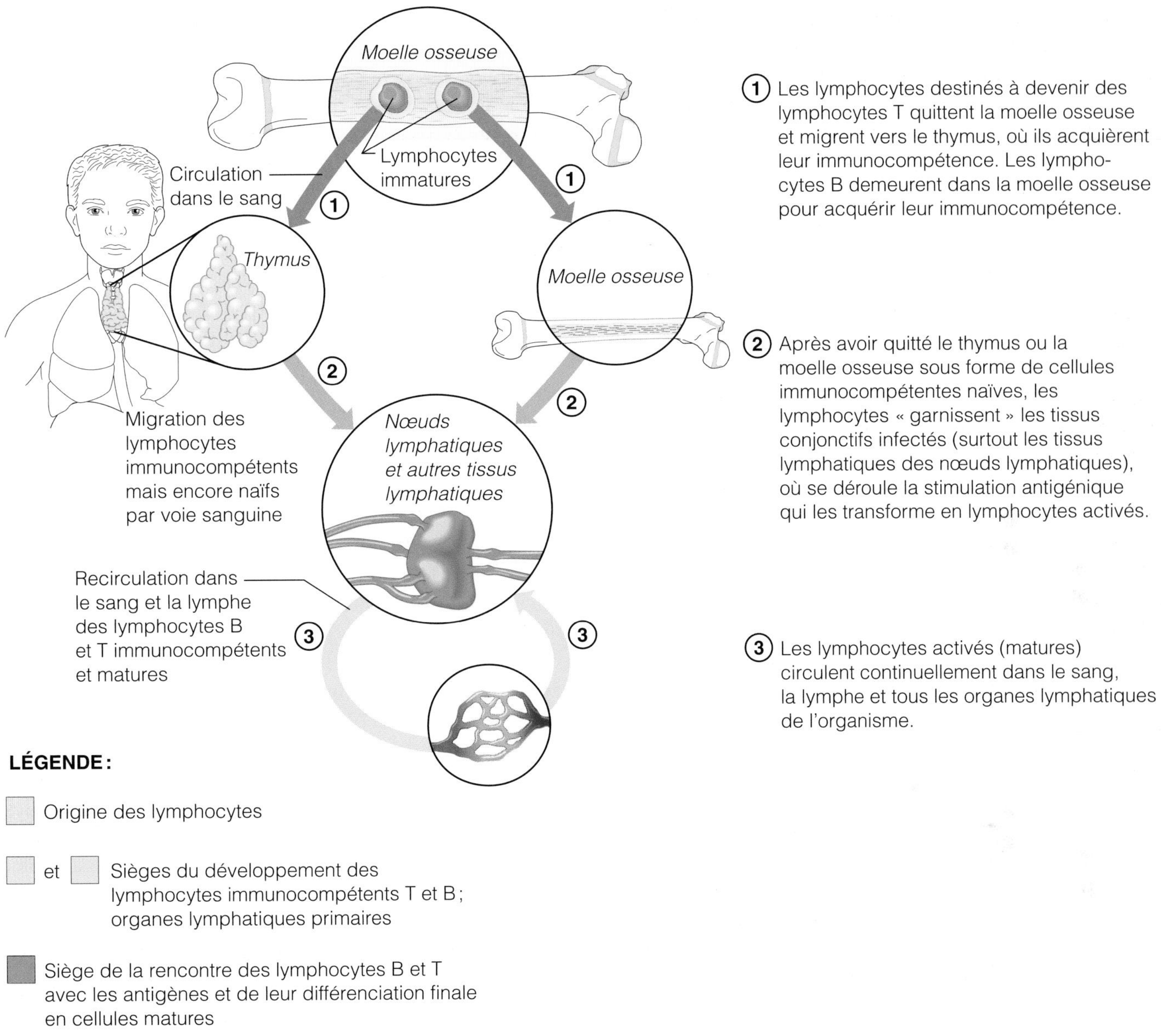

Moelle osseuse
Lymphocytes immatures
Circulation dans le sang
1
1
Thymus
Moelle osseuse
2
2
Migration des lymphocytes immunocompétents mais encore naïfs par voie sanguine
Nœuds lymphatiques et autres tissus lymphatiques
Recirculation dans le sang et la lymphe des lymphocytes B et T immunocompétents et matures
3
3
1 Les lymphocytes destinés à devenir des lymphocytes T quittent la moelle osseuse et migrent vers le thymus, où ils acquièrent leur immunocompétence. Les lymphocytes B demeurent dans la moelle osseuse pour acquérir leur immunocompétence.
2 Après avoir quitté le thymus ou la moelle osseuse sous forme de cellules immunocompétentes naïves, les lymphocytes « garnissent » les tissus conjonctifs infectés (surtout les tissus lymphatiques des nœuds lymphatiques), où se déroule la stimulation antigénique qui les transforme en lymphocytes activés.
3 Les lymphocytes activés (matures) circulent continuellement dans le sang, la lymphe et tous les organes lymphatiques de l'organisme.
LÉGENDE :
Origine des lymphocytes
et Sièges du développement des lymphocytes immunocompétents T et B ; organes lymphatiques primaires
Siège de la rencontre des lymphocytes B et T avec les antigènes et de leur différenciation finale en cellules matures

Figure 12.11 **La différenciation et l'activation des lymphocytes**

Après être devenus immunocompétents, les lymphocytes T et B encore naïfs migrent dans les nœuds lymphatiques et la rate (ainsi que dans le tissu conjonctif lâche), où auront lieu leurs rencontres avec les antigènes (voir la figure 12.11). Puis, lorsqu'ils se lient aux antigènes reconnus, les lymphocytes achèvent leur différenciation en lymphocytes T et B complètement fonctionnels.

Les macrophagocytes

Les **macrophagocytes**, très nombreux dans les organes lymphatiques et le tissu conjonctif, sont issus des monocytes élaborés dans la moelle osseuse rouge. Nous avons indiqué plus haut que les macrophagocytes (signifiant littéralement «gros mangeurs») font partie du système de défense non spécifique et qu'une de leurs principales fonctions est d'englober des antigènes étrangers et de les détruire. Toutefois, leur tâche ne s'arrête pas là. Ils s'emploient également à présenter à leur propre surface des fragments de ces antigènes, tels des panneaux de signalisation, afin que les lymphocytes T puissent les reconnaître. En d'autres termes, ils font aussi partie du système de défense spécifique, où ils servent à *présenter* *les antigènes.* Les macrophagocytes sécrètent aussi des cytokines, appelées *monokines*, qui jouent un rôle important dans la réaction immunitaire (voir le tableau 12.4, p. 452-453). Les lymphocytes T activés libèrent à leur tour des substances chimiques qui poussent les macrophagocytes à se transformer en *macrophagocytes activés* dotés d'un appétit insatiable. Comme vous le verrez ultérieurement, une coopération entre les différents types de lymphocytes, ainsi qu'entre les lymphocytes et les macrophagocytes, est à l'œuvre dans presque toutes les phases de la réaction immunitaire.

Les macrophagocytes tendent à demeurer immobiles dans les organes lymphatiques, comme s'ils attendaient que les antigènes viennent à eux; par contre, les lymphocytes (surtout les lymphocytes T) patrouillent sans cesse dans l'organisme (voir la figure 12.11). Cette particularité augmente considérablement la possibilité qu'un lymphocyte rencontre des antigènes recueillis dans l'espace interstitiel par les capillaires lymphatiques, de même qu'un très grand nombre de macrophagocytes et d'autres lymphocytes.

En résumé, on peut dire que le système immunitaire est un système défensif à deux branches qui utilise des lymphocytes, des macrophagocytes et des molécules spécifiques en vue de l'identification et de la destruction de toute particule dans l'organisme, vivante ou non vivante, qui est reconnue comme non-soi, en d'autres termes comme ne faisant pas partie de l'organisme. La capacité du système immunitaire de réagir à de telles menaces dépend de la capacité de ses cellules 1) de reconnaître les substances étrangères (antigènes) en se liant à celles-ci et 2) de communiquer entre elles de telle sorte que le système immunitaire dans son ensemble organise une réponse spécifique à ces antigènes.

LA RÉACTION IMMUNITAIRE HUMORALE

Un lymphocyte B immunocompétent mais encore immature est stimulé pour devenir complètement fonctionnel lorsqu'un antigène se lie aux récepteurs de sa membrane. La liaison de l'antigène *sensibilise*, ou *active*, le lymphocyte, qui « s'excite » alors et amorce le processus de **sélection clonale**. Le lymphocyte se met à croître et à se multiplier rapidement afin de former une armée de cellules identiques dotées des mêmes récepteurs spécifiques pour l'antigène qui a déclenché le processus (figure 12.12). Il en résulte un **clone**, soit une famille de cellules identiques qui sont toutes issues de la *même* cellule souche. La formation d'un clone constitue la **réaction immunitaire primaire** à cet antigène. (Comme nous l'expliquerons plus loin, les lymphocytes T influent aussi sur l'activation des lymphocytes B.)

La plupart des lymphocytes B du clone, c'est-à-dire les descendants, deviennent des **plasmocytes**. Après une période de latence, ces « usines » d'anticorps se mettent à produire un même type d'anticorps hautement spécifiques au rythme extraordinaire d'environ 2000 molécules par seconde. (Les lymphocytes B eux-mêmes n'élaborent que de très petites quantités d'anticorps.) Cependant, chacun des plasmocytes fonctionne à cette allure durant quatre ou cinq jours seulement, puis meurt. Le taux sanguin d'anticorps pendant cette phase initiale atteint son maximum vers le dixième jour, moment où il commence à diminuer (figure 12.13).

Certains lymphocytes B du clone ne se transforment pas en plasmocytes et deviennent des **cellules mémoire** à durée de vie prolongée qui peuvent provoquer une réaction humorale presque immédiate si elles rencontrent de nouveau le même antigène. Les cellules mémoire sont responsables de la « mémoire » immunitaire que nous avons mentionnée plus haut. Ce type de réaction immunitaire, appelé **réaction immunitaire secondaire**, est plus rapide, plus efficace et plus prolongé que la réponse initiale, car le système immunitaire est fin prêt pour le combat. Moins de quelques heures après la reconnaissance de l'antigène comme un « ancien ennemi », une nouvelle armée de plasmocytes se constitue. En deux ou trois jours, le taux d'anticorps dans le sang grimpe et atteint un niveau beaucoup plus élevé qu'au cours de la réponse primaire. Leur taux demeure élevé durant des semaines, voire des mois. Voici une brève description de la façon dont les anticorps protègent l'organisme.

L'immunité humorale active et l'immunité humorale passive

Lorsque nos lymphocytes B rencontrent des antigènes et élaborent des anticorps contre eux, nous présentons une **immunité humorale active** (figure 12.14). L'immunité active peut être 1) *acquise naturellement* par suite d'infections bactériennes et virales pendant lesquelles nous pouvons présenter les symptômes de la maladie et souffrir un peu (ou beaucoup) et 2) *acquise artificiellement* lorsque nous recevons des **vaccins**. Quel que soit le mode d'introduction de l'antigène (que l'antigène pénètre dans l'organisme par ses propres moyens ou qu'il y soit introduit délibérément sous la forme d'un vaccin), la réaction du système immunitaire ne varie guère. De fait, après que les chercheurs eurent constaté que les réactions immunitaires secondaires sont nettement plus vigoureuses, on a assisté à une véritable course à la mise au point de vaccins de façon à « amorcer » une réaction immunitaire en permettant une première rencontre avec l'antigène. La plupart des vaccins contiennent des agents pathogènes morts ou *atténués* (vivants, mais extrêmement affaiblis).

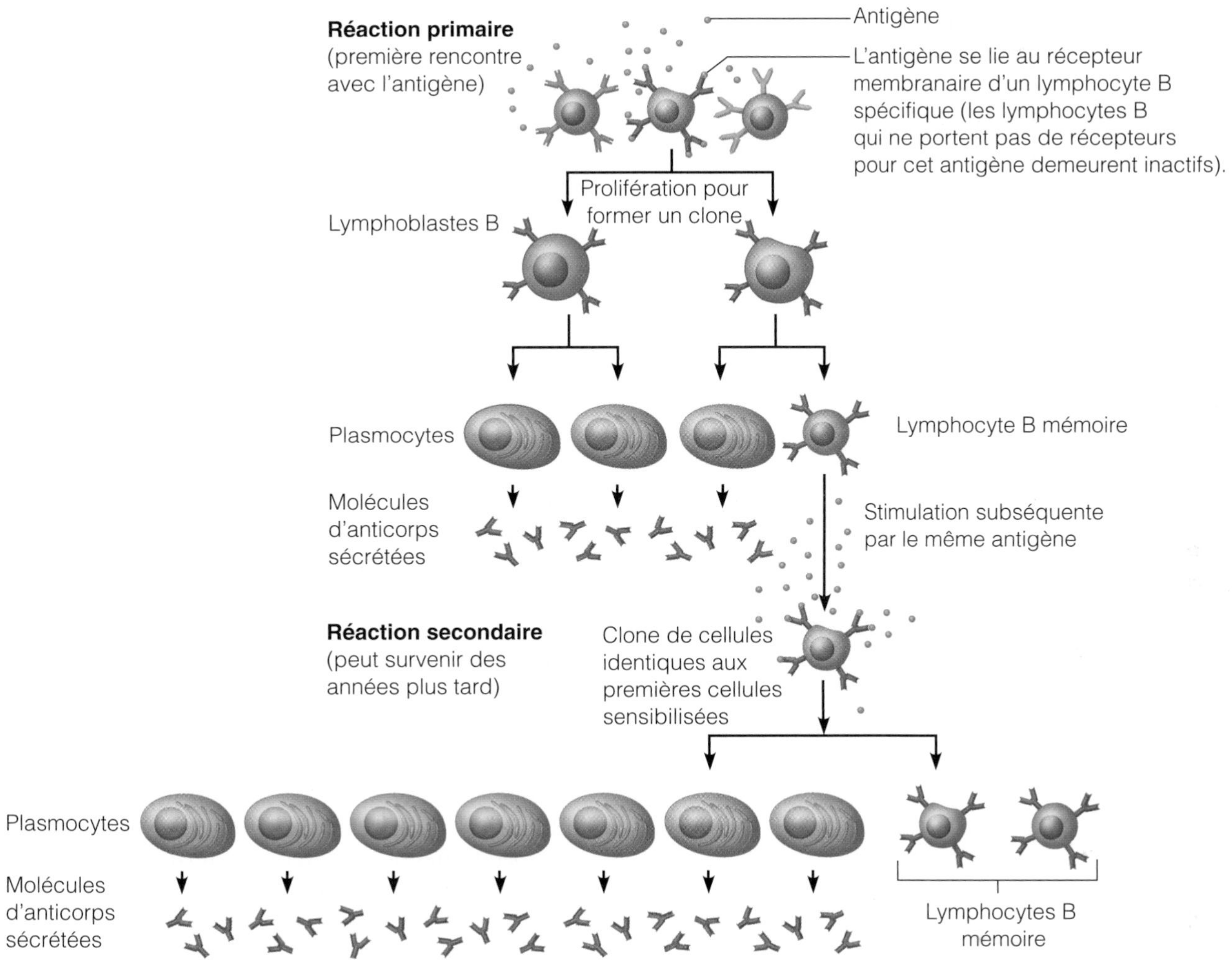
Réaction primaire
(première rencontre avec l'antigène)
Antigène
L'antigène se lie au récepteur membranaire d'un lymphocyte B spécifique (les lymphocytes B qui ne portent pas de récepteurs pour cet antigène demeurent inactifs).
Prolifération pour former un clone
Lymphoblastes B
Plasmocytes
Lymphocyte B mémoire
Molécules d'anticorps sécrétées
Stimulation subséquente par le même antigène
Réaction secondaire
(peut survenir des années plus tard)
Clone de cellules identiques aux premières cellules sensibilisées
Plasmocytes
Molécules d'anticorps sécrétées
Lymphocytes B mémoire

Figure 12.12 **La sélection clonale d'un lymphocyte B stimulé par la liaison à un antigène**

La rencontre initiale stimule la réaction immunitaire primaire au cours de laquelle la division rapide des lymphocytes B entraîne la formation d'un clone de cellules identiques (amplification clonale); la plupart de ces cellules se transforment en plasmocytes producteurs d'anticorps. Les cellules qui ne se différencient pas en plasmocytes deviennent des cellules mémoire, qui répondent à des expositions subséquentes au même antigène. Si une telle rencontre survient, les cellules mémoire produisent rapidement d'autres cellules mémoire et un grand nombre de plasmocytes effecteurs ayant la même spécificité antigénique. Les réactions induites par les cellules mémoire sont appelées *réactions immunitaires secondaires*.

Les vaccins nous procurent deux avantages: 1) ils nous épargnent la plupart des signes et des symptômes de la maladie (autrement dit, la plupart des malaises) qui nous affecteraient au cours de la réaction primaire et 2) leurs antigènes affaiblis sont encore capables de stimuler la production d'anticorps et établissent ainsi la mémoire immunitaire. Des chercheurs ont également mis au point ce qu'il est convenu d'appeler des *injections de rappel* capables d'intensifier la réaction immunitaire au moment de rencontres ultérieures avec le même antigène. Il existe actuellement des vaccins contre les microorganismes qui causent la pneumonie, la variole, la poliomyélite, le tétanos, la diphtérie, la rougeole, les oreillons et beaucoup d'autres maladies. En Amérique du Nord et en Europe, les programmes d'immunisation active ont éradiqué ou presque de nombreuses maladies infantiles potentiellement graves (tableau 12.2).

L'**immunité humorale passive** se distingue de l'immunité active par le degré de protection qu'elle procure et par la source de ses anticorps (voir la figure 12.14). Au lieu d'être élaborés par les plasmocytes, les anticorps sont obtenus à partir du sérum d'un donneur humain ou animal immunisé. En conséquence, les lymphocytes B ne sont *pas* stimulés par l'antigène, la mémoire immunitaire ne s'établit *pas* et la protection temporaire fournie par les anticorps «empruntés» cesse dès que ces derniers se sont naturellement dégradés dans l'organisme.

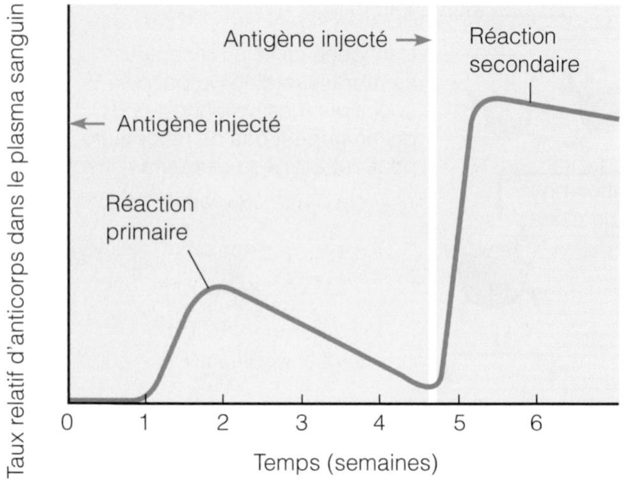
Taux relatif d'anticorps dans le plasma sanguin
Antigène injecté
Réaction secondaire
Antigène injecté
Réaction primaire
0
1
2
3
4
5
6
Temps (semaines)

Figure 12.13 **Les réactions immunitaires humorales à un antigène**

Dans la réaction immunitaire primaire, il se produit une augmentation graduelle suivie d'une diminution assez rapide du taux des anticorps dans le sang. La réaction immunitaire secondaire est à la fois plus rapide et plus intense. Par ailleurs, le taux d'anticorps demeure élevé durant une plus longue période.

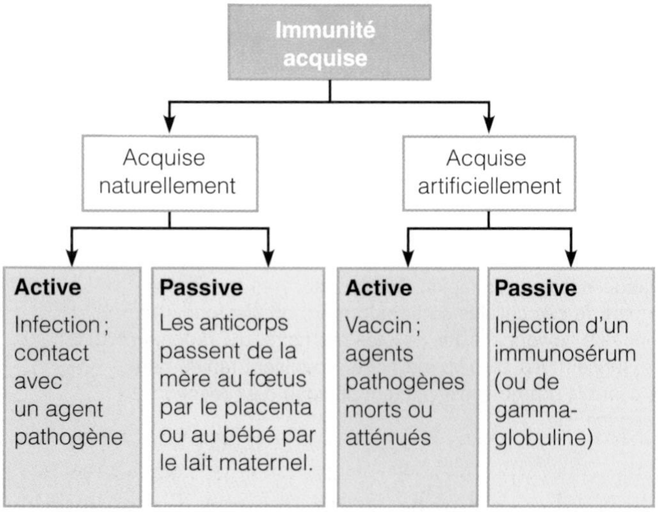
Immunité acquise
Acquise naturellement
Acquise artificiellement
Active
Infection ; contact avec un agent pathogène
Passive
Les anticorps passent de la mère au fœtus par le placenta ou au bébé par le lait maternel.
Active
Vaccin ; agents pathogènes morts ou atténués
Passive
Injection d'un immunosérum (ou de gamma-globuline)

Figure 12.14 **Les types d'immunité acquise**

Les rectangles orangés représentent les types actifs d'immunité dans lesquels s'établit la mémoire immunitaire. Les rectangles dorés représentent les types passifs d'immunité de courte durée ; aucune mémoire immunitaire ne se constitue.

L'immunité passive est transmise *naturellement* au fœtus lorsque les anticorps de la mère traversent le placenta pour entrer dans la circulation fœtale. Après la naissance, la mère continue d'entretenir l'immunité passive du nouveau-né grâce au lait maternel. Durant plusieurs mois, le bébé est ainsi protégé contre tous les antigènes auxquels la mère a été exposée.

L'immunité passive est *artificiellement* conférée par injection d'un immunosérum ou de gammaglobuline concentrée. On procède couramment à des injections de gammaglobuline après une exposition au virus de l'hépatite. On fabrique aussi certains immunosérums spécifiques en laboratoire pour traiter les intoxications provoquées par les morsures de serpents venimeux (sérum antivenimeux), les infections causées par le botulisme et le tétanos (antitoxines) ainsi que par la rage, car ces intoxications et ces maladies potentiellement foudroyantes pourraient tuer une personne avant que l'immunité active ait eu le temps de se constituer. Les anticorps administrés assurent une protection immédiate, mais leur effet est de courte durée (de deux à trois semaines). Dans l'intervalle, les défenses de l'organisme se préparent à prendre la relève.

Par ailleurs, des anticorps préparés à des fins commerciales sont utilisés dans la recherche fondamentale, la recherche clinique et le traitement de certains cancers. Les **anticorps monoclonaux** auxquels on a recours dans ces cas sont synthétisés par les descendants d'une seule cellule ; ce sont des préparations d'anticorps purs qui sont spécifiques à un déterminant antigénique unique. Ils sont utilisés pour acheminer des médicaments anticancéreux vers des tissus cancéreux et servent à confirmer un diagnostic de grossesse, d'hépatite et de rage. On les utilise aussi dans le dépistage précoce et le suivi de cancers situés dans des régions profondes de l'organisme.

Les anticorps

Les **anticorps** constituent la fraction *gammaglobuline* des protéines plasmatiques ; du fait de leur fonction et de leur nature chimique, ils sont aussi appelés **immunoglobulines** (**Ig**). Les anticorps sont des protéines solubles sécrétées par les lymphocytes B activés et surtout par leurs descendants, les plasmocytes, en réponse à un antigène, et ils sont capables de se combiner de façon spécifique à cet antigène.

Les anticorps sont élaborés en réaction à un nombre impressionnant d'antigènes différents. Malgré leur grande variété, ils possèdent tous une structure de base semblable qui permet de les grouper dans cinq classes d'Ig établies selon leur structure et leur fonction.

La structure de base des anticorps Indépendamment de sa classe, chaque anticorps possède une structure de base formée de quatre chaînes d'acides aminés (polypeptides) reliées par des *ponts disulfure* (liaisons soufre-soufre)

Tableau 12.2 Les vaccinations obligatoires ou fortement recommandées au Québec et en France, pour le nourrisson et l'enfant

Vaccinations	Québec	France
Coqueluche	DCaT-Polio-Hib à 2, 4, 6 et 18 mois, puis entre 4 et 6 ans	DCTPH à 2, 3 et 4 mois, puis entre 16 et 18 mois
Diphtérie	DCaT-Polio-Hib à 2, 4, 6 et 18 mois, puis entre 4 et 6 ans	DCTPH à 2, 3 et 4 mois, entre 16 et 18 mois, puis à 6 ans
Infections à *Hæmophilus influenzæ* de type b (otites, méningites…)	DCaT-Polio-Hib à 2, 4, 6 et 18 mois	DCTPH à 2, 3 et 4 mois, puis entre 16 et 18 mois
Hépatite B	À la 4e année du primaire	À 2 et 4 mois, puis entre 12 et 15 mois
Influenza	Entre 6 et 23 mois	–
Infection à méningocoque de sérogroupe C	À 12 mois	–
Oreillons	RRO à 12 et 18 mois	ROR à 12 mois et 2 ans
Infections à pneumocoque	À 2, 4 et 12 mois	À 2, 3 et 4 mois
Poliomyélite	DCaT-Polio-Hib à 2, 4, 6 et 18 mois, puis entre 4 et 6 ans	DCTPH à 2, 3 et 4 mois, entre 16 et 18 mois, puis à 6 ans
Rougeole	RRO à 12 et 18 mois	ROR à 12 mois et 2 ans
Rubéole	RRO à 12 et 18 mois	ROR à 12 mois et 2 ans
Tétanos	DCaT-Polio-Hib à 2, 4, 6 et 18 mois, puis entre 4 et 6 ans	DCTPH à 2, 3 et 4 mois, entre 16 et 18 mois, puis à 6 ans
Tuberculose	–	BCG à 1 mois
Varicelle	À 12 mois	–

(figure 12.15). Deux de ces quatre chaînes sont identiques l'une à l'autre et comportent chacune approximativement 400 acides aminés. Ce sont les *chaînes lourdes.* Les deux autres chaînes, appelées *chaînes légères,* sont aussi identiques l'une à l'autre, mais elles sont environ deux fois plus courtes que les chaînes lourdes. Lorsqu'elles sont combinées, les quatre chaînes forment une molécule d'anticorps qui comprend deux moitiés identiques composées chacune d'une chaîne lourde et d'une chaîne légère. La molécule entière est en forme de T ou de Y.

Lorsqu'ils commencèrent à étudier la structure des anticorps, les scientifiques découvrirent une chose très particulière. Chacune des quatre chaînes d'un anticorps possède une **région variable (V)** à une extrémité et une **région constante (C)** à l'autre extrémité. Les régions variables présentent des différences importantes dans les anticorps qui réagissent à des antigènes différents, mais les régions constantes sont identiques (ou presque) dans tous les anticorps d'une classe donnée. On s'explique mieux cette caractéristique depuis qu'on a découvert que les régions variables des chaînes lourdes et légères de chaque moitié s'associent pour constituer un **site de fixation à l'antigène** (voir la figure 12.15) dont la forme particulière lui permet de « s'ajuster » à un antigène spécifique. Par conséquent, chaque anticorps possède deux sites de fixation à l'antigène.

Les régions constantes qui forment la « tige » de l'anticorps peuvent se comparer à une partie précise d'une clé, celle qu'on tient entre ses doigts. Cette partie a la même fonction pour toutes les clés : elle permet de tenir l'instrument et d'introduire le panneton dans la serrure. De façon similaire, les régions constantes des chaînes d'un anticorps ont la même fonction pour tous les anticorps : elles déterminent le type d'anticorps élaboré (la classe d'anticorps), la manière dont cette classe d'anticorps accomplira ses fonctions immunitaires dans l'organisme et les types de cellules ou de substances chimiques auxquels l'anticorps pourra se lier.

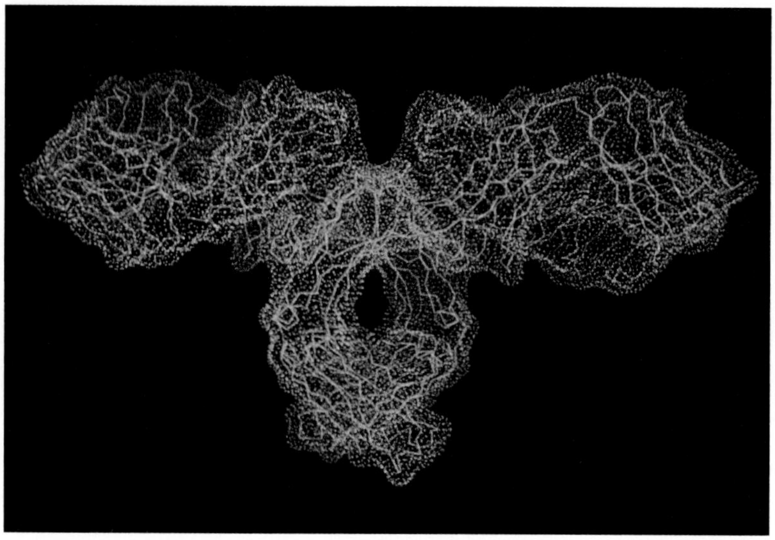

(a)

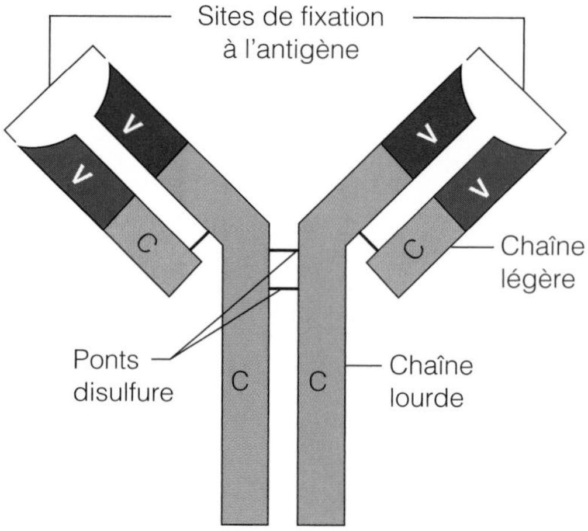
Sites de fixation
à l'antigène
V
V
V
V
C
C
C
C
Chaîne
légère
Ponts
disulfure
Chaîne
lourde

(b)

Figure 12.15 **La structure de base des anticorps**

(a) Image créée par ordinateur. **(b)** Représentation schématique de la structure d'un anticorps. La structure de base (monomère) de chaque type d'anticorps comprend quatre chaînes polypeptidiques reliées par des ponts disulfure. Deux des chaînes sont des chaînes légères courtes ; les deux autres sont des chaînes lourdes longues. Chaque chaîne possède une région variable (V) (qui diffère d'un anticorps à l'autre) et une région constante (C) (essentiellement identique dans différents anticorps de la même classe). Les régions variables constituent les sites de fixation à l'antigène ; chaque monomère d'anticorps possède donc deux sites de fixation à l'antigène.

Les classes d'anticorps Les cinq principales classes d'immunoglobulines sont désignées par les abréviations « IgM », « IgA », « IgD », « IgG » et « IgE ». Comme vous pouvez le constater dans le tableau 12.3, les anticorps IgD, IgG et IgE ont la même structure de base en Y et sont appelés *monomères*. Les anticorps IgA existent à la fois sous forme de monomères et sous forme de *dimères* (deux monomères réunis par une chaîne protéinique appelée *chaîne J* [pour *junction*]). (Seule la forme dimère est illustrée dans le tableau.) Les anticorps IgM sont des *pentamères* (*penta*, « cinq »), c'est-à-dire qu'ils sont constitués de cinq monomères (eux aussi réunis par des chaînes J).

Les anticorps de chaque classe assurent des rôles biologiques légèrement différents dans la réaction immunitaire et ne se trouvent pas tous au même endroit dans l'organisme. Par exemple, l'IgG est l'anticorps le plus abondant dans le plasma sanguin et le seul à traverser la barrière placentaire ; c'est ainsi que l'immunité passive est transmise par la mère au fœtus. Seules l'IgM et l'IgG ont la capacité de fixer le complément. L'IgA sous forme de dimère, parfois appelée *IgA sécrétoire*, se trouve surtout dans le mucus et les autres sécrétions qui humectent les surfaces corporelles. Cet anticorps joue un rôle de premier plan en empêchant les agents pathogènes de pénétrer dans l'organisme. Les IgE sont les trouble-fête responsables des allergies. Toutes ces caractéristiques, spécifiques à chacune des classes d'immunoglobulines, sont résumées dans le tableau 12.3. Mémorisez le mot *MADGE* pour vous souvenir des cinq types d'Ig : **M** pour ***macro*** (gros pentamère) ou ***matinal*** (les premiers arrivés), **A** pour ***avant-poste*** (ils sont au premier plan en étant sécrétés sur les surfaces corporelles), **D** pour ***dessus*** (ils sont liés à la membrane des lymphocytes B), **G** pour ***général*** (ils sont les plus abondants) ou ***grossesse*** (ils passent à travers le placenta) et enfin **E** pour ***ennuis***, ***éternuements*** (ils sont responsables de certaines allergies).

Les mécanismes d'action des anticorps Les anticorps inactivent les antigènes au moyen de divers mécanismes : la fixation du complément, la neutralisation, l'agglutination et la précipitation (figure 12.16). Parmi ces quatre mécanismes, la fixation du complément et la neutralisation sont les plus importants.

Le complément constitue l'arme principale des anticorps contre les antigènes de certaines cellules telles que les bactéries ou les globules rouges incompatibles. Comme nous l'avons déjà expliqué, le complément se fixe (s'active) lors de réactions de défense non spécifiques.

Tableau 12.3 **Les classes d'immunoglobulines**

Classe	Structure générale	Région où cette classe se trouve	Fonction biologique
IgM	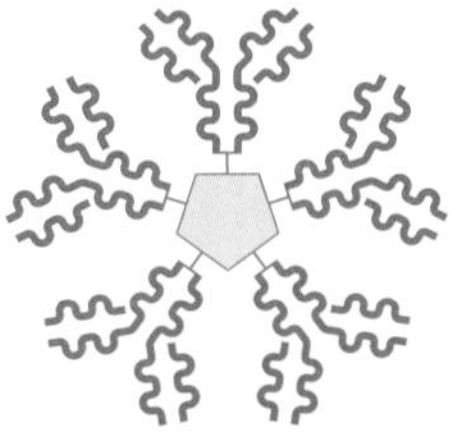	Liée à un lymphocyte B; libre dans le plasma.	Lorsque liée à la membrane d'un lymphocyte B, sert de récepteur d'antigènes; première classe d'Ig libérée dans le plasma par les plasmocytes au cours de la réaction immunitaire primaire; puissant agent agglutinant; fixe le complément.
IgA	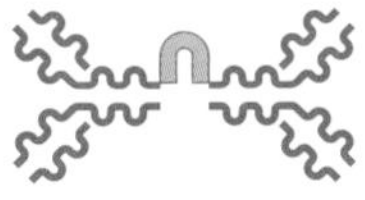	La forme monomère est présente dans le plasma en quantité limitée; la forme dimère se trouve dans les sécrétions comme la salive, les larmes, le suc intestinal et le lait maternel.	Recouvre la surface des muqueuses et empêche les agents pathogènes de s'y attacher.
IgD		Presque toujours attachée à un lymphocyte B.	On croit que l'IgD est le récepteur d'antigènes situé sur la surface des lymphocytes B immunocompétents; joue un rôle important dans l'activation des lymphocytes B.
IgG		Anticorps majoritaire dans le plasma; constitue de 75 à 85 % des anticorps circulants.	Principal anticorps des réactions immunitaires primaire et secondaire; traverse le placenta et confère une immunité passive au fœtus; fixe le complément.
IgE		Sécrétée par les plasmocytes dans la peau, les muqueuses des voies gastro-intestinales et respiratoires, et les amygdales.	Se lie aux mastocytes et aux granulocytes basophiles, et déclenche la libération d'histamine et d'autres substances chimiques qui participent à la réaction inflammatoire et à certaines réactions allergiques.

Il s'active aussi très efficacement lorsqu'il se lie à des anticorps attachés à des cellules cibles. Cette activation déclenche des phénomènes (décrits plus haut) qui provoquent la lyse de la cellule étrangère et la libération de molécules qui amplifient de beaucoup la réaction inflammatoire.

La **neutralisation** est mise en œuvre lorsqu'un anticorps se lie à des sites précis sur les *exotoxines* bactériennes (substances chimiques toxiques sécrétées par les bactéries) ou sur les virus qui peuvent provoquer des lésions cellulaires. De cette façon, les anticorps bloquent les effets nocifs de l'exotoxine ou du virus.

Les anticorps possèdent au moins deux sites de fixation à l'antigène; en conséquence, un anticorps peut s'attacher à plus d'un antigène à la fois et former ainsi des assemblages en treillis, appelés *complexes antigène-anticorps*. Quand les antigènes de plusieurs cellules sont réunis par des anticorps, les liens établis entre les antigènes provoquent l'apparition d'amas de cellules étrangères, ou **agglutination**. Il faut se rappeler que c'est ce type de réaction antigène-anticorps qui se produit lorsque du sang incompatible est transfusé (les globules rouges étrangers s'agglutinent) et qui est utilisé dans les épreuves de détermination des groupes sanguins. Quand cette réaction fait intervenir des molécules antigéniques solubles, les complexes antigène-anticorps qui en résultent sont tellement gros qu'ils deviennent insolubles, se déposent et ne font plus partie de la solution. Cette réaction est appelée **précipitation**. Il ne fait aucun doute que les bactéries agglutinées et les molécules d'antigène précipitées (immobilisées) sont beaucoup plus facilement capturées et englobées par les phagocytes que ne le sont les antigènes libres.

Q **La fixation du complément et l'agglutination contribuent toutes deux à la phagocytose, mais leurs mécanismes d'action ne sont pas les mêmes. En quoi ceux-ci diffèrent-ils ?**

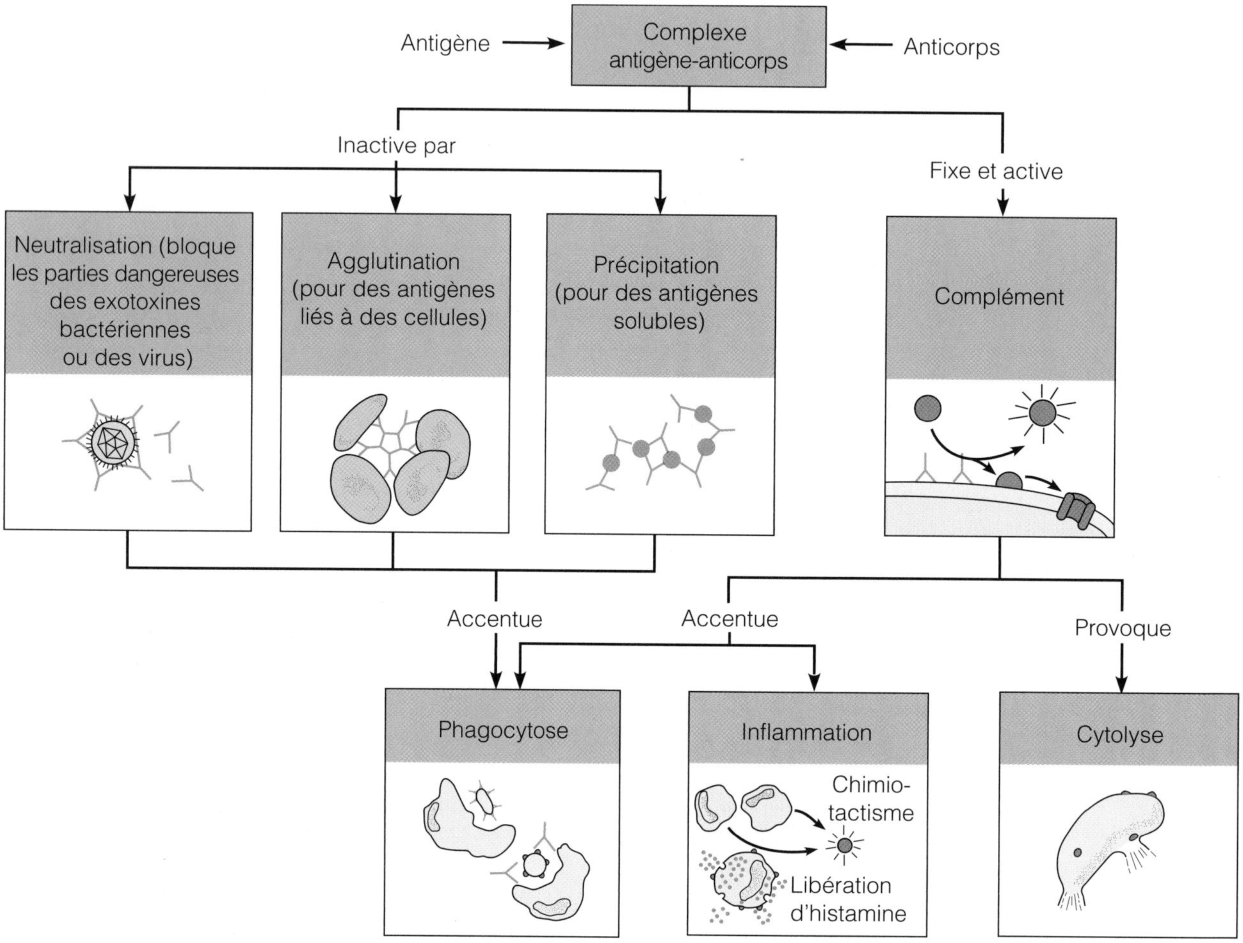

Antigène
Complexe antigène-anticorps
Anticorps
Inactive par
Fixe et active
Neutralisation (bloque les parties dangereuses des exotoxines bactériennes ou des virus)
Agglutination (pour des antigènes liés à des cellules)
Précipitation (pour des antigènes solubles)
Complément
Accentue
Accentue
Provoque
Phagocytose
Inflammation
Chimio-tactisme
Libération d'histamine
Cytolyse

Figure 12.16 **Les mécanismes d'action des anticorps**

LA RÉACTION IMMUNITAIRE À MÉDIATION CELLULAIRE

Comme les lymphocytes B, les lymphocytes T immunocompétents sont activés pour former un clone lorsqu'ils se lient à un antigène « reconnu » (voir la figure 12.19, p. 454). Contrairement aux lymphocytes B, toutefois, les lymphocytes T ne sont pas capables de se lier à des antigènes *libres*. Les macrophagocytes doivent d'abord leur « présenter » les antigènes, et les lymphocytes T doivent accomplir une *double reconnaissance*. Les macrophagocytes englobent les antigènes et les transforment intérieurement, puis ils présentent à leur propre surface des fragments des antigènes transformés, associés à une de leurs propres protéines (protéines du soi) (figure 12.17).

Apparemment, un lymphocyte T doit reconnaître simultanément le non-soi, en se liant au fragment d'antigène présenté par le macrophagocyte, et le soi, en se liant à une glycoprotéine spécifique qui se trouve à la surface du macrophagocyte. À elle seule, la liaison à l'antigène ne suffit pas à sensibiliser les lymphocytes T. Ces derniers ont en effet besoin que les macrophagocytes leur

R **La fixation du complément crée des « poignées » auxquelles le phagocyte peut s'agripper, alors que l'agglutination forme des amas d'antigènes (de microorganismes, très souvent), qui deviennent plus faciles à détruire, car leurs déplacements sont entravés.**

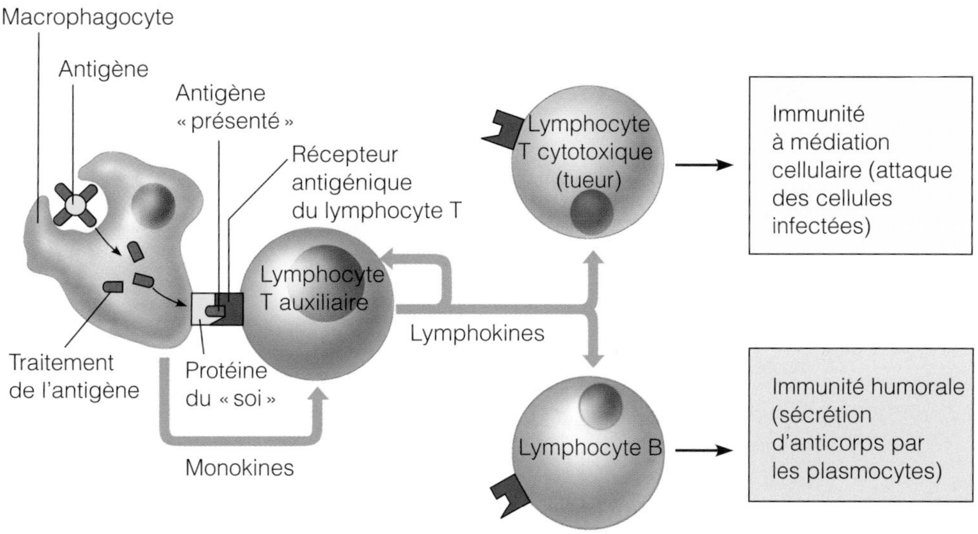
Macrophagocyte
Antigène
Antigène « présenté »
Récepteur antigénique du lymphocyte T
Lymphocyte T cytotoxique (tueur)
Immunité à médiation cellulaire (attaque des cellules infectées)
Lymphocyte T auxiliaire
Lymphokines
Traitement de l'antigène
Protéine du « soi »
Immunité humorale (sécrétion d'anticorps par les plasmocytes)
Lymphocyte B
Monokines

Figure 12.17 L'activation des lymphocytes T et les interactions avec les autres cellules de la réponse immunitaire

Les macrophagocytes jouent un rôle important à la fois comme phagocytes et comme cellules présentatrices d'antigènes. Après avoir ingéré un antigène, ils présentent des fragments de celui-ci sur leur membrane plasmique, et ces fragments peuvent alors être reconnus par un lymphocyte T auxiliaire qui porte des récepteurs pour le même antigène. Durant le processus de fixation, le lymphocyte T se lie simultanément à l'antigène et au récepteur (du soi) du macrophagocyte, ce qui entraîne l'activation du lymphocyte T et la formation d'un clone (non illustré). Par ailleurs, le macrophagocyte libère des monokines qui stimulent l'activation des lymphocytes T. Les lymphocytes T auxiliaires activés libèrent des lymphokines qui stimulent la prolifération et l'activité d'autres lymphocytes T auxiliaires. Les lymphokines contribuent aussi à l'activation des lymphocytes T cytotoxiques (lymphocytes T tueurs) et des lymphocytes B.

servent l'antigène « à la petite cuiller », et il doit ensuite se produire une chose qui peut se comparer à une « double poignée de main ». Bien que cette théorie ait semblé ridicule lorsqu'elle fut énoncée, il ne fait plus de doute que la **présentation de l'antigène** constitue un des principaux rôles des macrophagocytes et qu'elle est essentielle à l'activation et à la sélection clonale des lymphocytes T. Sans les macrophagocytes « présentateurs », la réaction immunitaire est nettement insuffisante. Les cytokines (monokines, et plus particulièrement l'interleukine 1) libérées par les macrophagocytes jouent également un rôle important dans la réaction immunitaire, comme le montre le tableau 12.4.

Les différentes classes de clones de lymphocytes T, qui interviennent dans l'immunité à médiation cellulaire, produisent leurs effets mortels de plusieurs façons (voir le tableau 12.4). Certains sont des **lymphocytes T cytotoxiques** (**tueurs**), c'est-à-dire des cellules capables d'attaquer des cellules infectées par des virus, des cellules cancéreuses et des cellules étrangères introduites dans l'organisme par transfusion sanguine ou greffe d'organe (figure 12.18). Un des mécanismes d'action des lymphocytes T cytotoxiques consiste à se lier à la cellule cible et à libérer une substance chimique, telle que la *perforine*, qui s'insère dans la membrane plasmique de la cellule cible et l'empoisonne. Peu après, la cellule cible se rompt. Le lymphocyte T tueur, quant à lui, est reparti depuis longtemps à la recherche d'autres proies.

Les **lymphocytes T auxiliaires** jouent le rôle de « chef d'orchestre » du système immunitaire. Une fois activés, ils circulent dans tout l'organisme et recrutent d'autres cellules immunitaires pour combattre les envahisseurs. Par exemple, ils interagissent directement avec les lymphocytes B (qui sont déjà liés à des antigènes) pour les inciter à se diviser plus rapidement (production de clones), puis, tel le contremaître d'une chaîne de montage, ils signalent que la formation d'anticorps doit commencer. Les lymphocytes T auxiliaires libèrent également diverses cytokines appelées **lymphokines** (voir le tableau 12.4), qui débarrassent l'organisme des antigènes par leur action indirecte, c'est-à-dire 1) en stimulant la croissance et la division des lymphocytes T cytotoxiques et des lymphocytes B, 2) en attirant d'autres types de globules blancs (comme les granulocytes neutrophiles) dans la région de l'invasion et 3) en augmentant la capacité des macrophagocytes d'englober et de détruire les microorganismes. (En fait, les macrophagocytes sont de bons phagocytes même en l'absence

Tableau 12.4 Résumé des fonctions des cellules et des molécules jouant un rôle dans la réaction immunitaire

Élément	Fonction dans la réaction immunitaire
Cellules	
Lymphocyte B	Lymphocyte présent dans les nœuds lymphatiques, la rate ou d'autres amas de tissu lymphatique, où il est amené à se répliquer grâce à la liaison à un antigène et aux interactions avec les lymphocytes T auxiliaires ; ses descendants (cellules du clone) forment des cellules mémoire et des plasmocytes.
Plasmocyte	« Usine » d'anticorps ; synthétise d'énormes quantités d'un même anticorps (immunoglobuline) ; représente une spécialisation plus poussée des descendants d'un clone du lymphocyte B.
Lymphocyte T auxiliaire	Lymphocyte T de *régulation* qui se lie à un antigène précis présenté par un macrophagocyte ; il stimule la production d'autres cellules (lymphocytes T cytotoxiques et lymphocytes B) pour aider à combattre l'envahisseur ; agit à la fois directement et indirectement en libérant des lymphokines et de l'interleukine 2.
Lymphocyte T cytotoxique	Aussi appelé *lymphocyte T tueur* ; les lymphocytes T auxiliaires le recrutent et accroissent son activité ; sa fonction spécifique consiste à tuer les cellules cancéreuses et les cellules envahies par un virus ; joue un rôle dans le rejet des greffons de tissus étrangers.
Lymphocyte T suppresseur	Atténue ou arrête l'activité des lymphocytes B et T une fois que l'infection (ou une attaque par des cellules étrangères) a été maîtrisée.
Cellule mémoire	Cellule de la lignée d'un lymphocyte B activé ou de n'importe quelle classe de lymphocytes T ; produite au cours de la réaction immunitaire primaire ; peut demeurer dans l'organisme durant des années, le rendant ainsi capable de réagir de façon rapide et efficace à une nouvelle stimulation par un antigène déjà rencontré.
Macrophagocyte	Englobe et digère les antigènes rencontrés ; présente des fragments de l'antigène rencontré sur sa membrane plasmique afin que les lymphocytes T porteurs de récepteurs de cet antigène reconnaissent l'antigène ; cette fonction, appelée *présentation de l'antigène*, est essentielle au fonctionnement normal des réactions à médiation cellulaire ; libère aussi des substances chimiques qui activent les lymphocytes T.
Molécules	
Anticorps (immunoglobuline)	Protéine élaborée par un lymphocyte B ou son descendant, un plasmocyte ; libéré dans les liquides de l'organisme (sang, lymphe, salive, mucus, etc.), où il se lie aux antigènes, provoquant la neutralisation, la précipitation ou l'agglutination, ce qui « marque » les antigènes pour qu'ils soient détruits par le complément ou les phagocytes.
Lymphokines	Substances chimiques (cytokines) libérées par les lymphocytes T sensibilisés : • Facteur d'inhibition de la migration des macrophagocytes (MIF, pour *migration inhibiting factor*) : « inhibe » la migration des macrophagocytes et provoque leur accumulation dans le foyer d'infection. • Interleukine 2 : stimule la prolifération des lymphocytes T et B. • Facteurs T auxiliaires : stimulent la formation des anticorps par les plasmocytes. • Facteurs T suppresseurs : suppriment la formation d'anticorps ou des réactions immunitaires faisant intervenir des lymphocytes T. • Facteurs chimiotactiques : attirent les leucocytes (granulocytes neutrophiles, éosinophiles et basophiles) vers le siège de l'inflammation. • Perforine : toxine cellulaire ; provoque la lyse de la cellule. • Interféron gamma : rend les cellules des tissus résistantes à l'infection virale ; active les macrophagocytes ; active les cellules tueuses naturelles ; stimule la maturation des lymphocytes T cytotoxiques.

Tableau 12.4 (*suite*)

Élément	Fonction dans la réaction immunitaire
Monokines	Substances chimiques (cytokines) libérées par les macrophagocytes activés : • Interleukine 1 : stimule la prolifération des lymphocytes T et cause la fièvre. • Facteur nécrosant des tumeurs (TNF, pour *tumor necrosis factor*) : comme la perforine, il provoque la mort de la cellule ; attire des granulocytes ; active les lymphocytes T et les macrophagocytes.
Complément	Ensemble de protéines plasmatiques activées après leur liaison aux complexes antigène-anticorps ; lorsqu'il est activé, provoque la lyse du microorganisme et stimule la réaction inflammatoire.
Antigène	Substance capable de provoquer une réaction immunitaire ; habituellement une grosse molécule complexe qui ne se trouve pas dans l'organisme en temps normal.

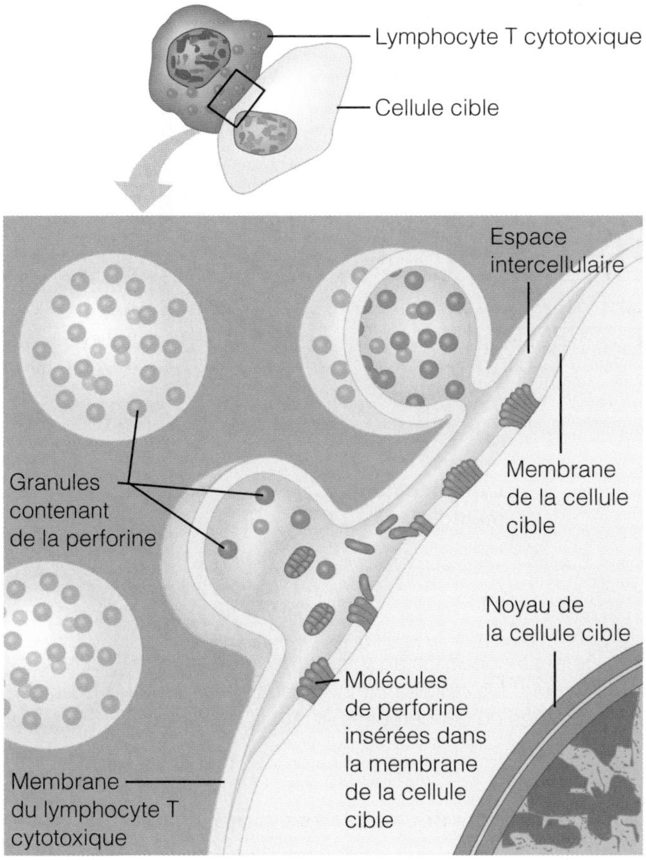
Lymphocyte T cytotoxique
Cellule cible
Espace intercellulaire
Granules contenant de la perforine
Membrane de la cellule cible
Noyau de la cellule cible
Molécules de perforine insérées dans la membrane de la cellule cible
Membrane du lymphocyte T cytotoxique

Figure 12.18 **Le mécanisme proposé pour la lyse des cellules cibles par les lymphocytes T cytotoxiques**

de lymphokines ; toutefois, la présence de ces substances chimiques leur donne un appétit insatiable.) Tandis que les lymphokines font venir de plus en plus de cellules dans la bataille, la réaction immunitaire s'accélère, et les antigènes sont submergés par le nombre même des éléments immunitaires qui luttent contre eux.

Les **lymphocytes T suppresseurs** libèrent des substances chimiques qui suppriment l'activité des lymphocytes T et B. Ils sont essentiels pour diminuer et finalement arrêter la réaction immunitaire à la suite de l'inactivation et de la destruction de l'antigène. Ils empêchent ainsi une activité excessive ou inutile du système immunitaire.

La plupart des lymphocytes T qui sont appelés au combat au cours d'une réaction immunitaire meurent au bout de quelques jours. Toutefois, quelques-uns des membres de chaque clone sont des **cellules mémoire** qui restent vivantes dans le but d'assurer la mémoire immunitaire pour chaque antigène rencontré. Autrement dit, ces cellules mémoire rendent l'organisme capable de réagir promptement à une nouvelle stimulation par chaque antigène déjà rencontré.

La figure 12.19 présente un résumé des principaux éléments qui interviennent dans la réaction immunitaire.

LES GREFFES D'ORGANES ET LA PRÉVENTION DU REJET

Les greffes d'organes sont un traitement souhaitable pour les personnes en phase terminale d'une maladie cardiaque ou rénale. Toutefois, elles ne donnent pas toujours les résultats escomptés, car la vigilance du système immunitaire pose le problème du rejet.

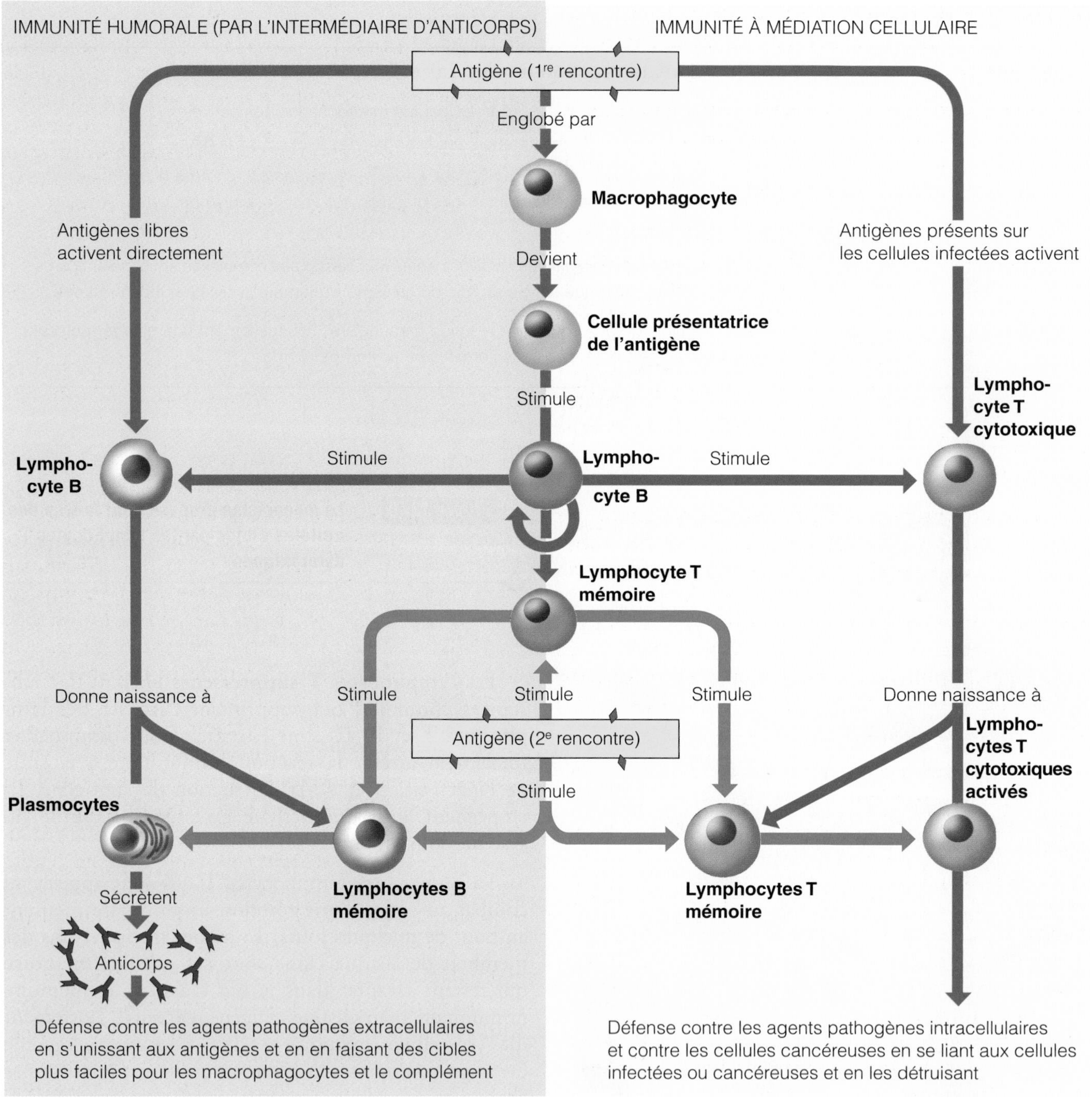

IMMUNITÉ HUMORALE (PAR L'INTERMÉDIAIRE D'ANTICORPS)
IMMUNITÉ À MÉDIATION CELLULAIRE
Antigène (1re rencontre)
Englobé par
Macrophagocyte
Antigènes libres activent directement
Devient
Antigènes présents sur les cellules infectées activent
Cellule présentatrice de l'antigène
Stimule
Lympho-cyte T cytotoxique
Lympho-cyte B
Stimule
Lympho-cyte B
Stimule
Lymphocyte T mémoire
Donne naissance à
Stimule
Stimule
Stimule
Donne naissance à
Antigène (2e rencontre)
Lympho-cytes T cytotoxiques activés
Stimule
Plasmocytes
Sécrètent
Lymphocytes B mémoire
Lymphocytes T mémoire
Anticorps
Défense contre les agents pathogènes extracellulaires en s'unissant aux antigènes et en en faisant des cibles plus faciles pour les macrophagocytes et le complément
Défense contre les agents pathogènes intracellulaires et contre les cellules cancéreuses en se liant aux cellules infectées ou cancéreuses et en les détruisant

Figure 12.19 **Résumé des réactions immunitaires**

Dans ce diagramme simplifié, les flèches vertes indiquent le déroulement de la réaction primaire, et les flèches bleues le déroulement de la réaction secondaire.

Il existe quatre variétés de greffes principales:

1. Les **autogreffes** sont des greffes de tissus prélevés dans une région de l'organisme puis transplantés dans une autre sur la même personne.
2. Les **isogreffes** sont des greffes dans lesquelles les donneurs sont des individus génétiquement identiques aux receveurs (vrais jumeaux).

3. Les **allogreffes** sont des greffes dans lesquelles les donneurs sont des personnes non apparentées aux receveurs.

4. Les **xénogreffes** sont des greffes dans lesquelles les donneurs et les receveurs n'appartiennent pas à la même espèce (transplantation d'un cœur de babouin à un être humain, par exemple).

Dans le cas des autogreffes et des isogreffes, les tissus proviennent d'un donneur idéal. Pourvu que l'apport sanguin soit suffisant et qu'il n'y ait pas d'infection, ces greffes sont toujours réussies. Quant aux xénogreffes, on a pu transplanter avec succès des valves cardiaques provenant de porcs, mais il n'a pas été possible jusqu'à présent de faire prendre un organe entier. Le type de greffe le plus fréquemment pratiqué est l'allogreffe, dans laquelle le greffon est prélevé sur un donneur humain qui vient de mourir.

Avant de tenter une allogreffe, il faut déterminer les antigènes des groupes sanguins (ceux du système ABO et ceux des autres systèmes du donneur et du receveur). Ces antigènes doivent être compatibles. Ensuite, il faut déterminer la compatibilité des antigènes de la membrane plasmique des cellules de leurs tissus. Comme vous le savez probablement, une bonne compatibilité entre les tissus d'individus sans lien de parenté est difficile à obtenir. La compatibilité doit cependant être d'au moins 75 %.

Après l'intervention chirurgicale, le patient doit suivre un **traitement immunosuppresseur** pour prévenir le rejet du greffon. Ce traitement fait intervenir un ou plusieurs des éléments suivants : les corticostéroïdes pour éliminer l'inflammation, les médicaments cytotoxiques, les rayonnements ionisants (rayons X) et les médicaments immunosuppresseurs. Nombre de ces médicaments détruisent les cellules qui se divisent rapidement (comme les lymphocytes activés), et tous provoquent des effets indésirables prononcés. Lorsque le système immunitaire du patient n'est plus en mesure de protéger l'organisme contre d'autres agents étrangers, on parle d'*immunosuppression* ; c'est là un problème majeur lié au traitement immunosuppresseur. L'infection bactérienne et virale fulminante demeure la cause de décès la plus fréquente chez ces patients.

LES TROUBLES IMMUNITAIRES

Déséquilibres homéostatiques

Les principaux troubles immunitaires sont les allergies, les déficits immunitaires et les maladies auto-immunes.

Les allergies

On a pensé pendant un certain temps que la réaction immunitaire était toujours bénéfique. Les dangers qu'elle sous-tend ont cependant été rapidement découverts. Les **allergies** (*allos*, « autre » ; *ergia*, « action »), ou **hypersensibilités**, sont des réactions immunitaires anormalement vigoureuses au cours desquelles le système immunitaire cause des lésions tissulaires en combattant ce qu'il perçoit comme une « menace », mais qui ne représenterait par ailleurs aucun danger pour l'organisme. Le terme *allergène* établit la distinction entre ce type d'antigènes et les antigènes qui déclenchent des réactions protectrices normales. On meurt rarement d'allergies, mais on peut avoir une vie bien misérable à cause d'elles. C'est le cas pour les 10 millions de Canadiens qui souffrent d'allergies saisonnières.

Il existe plusieurs sortes d'allergies, mais la plus répandue est l'**hypersensibilité de type I** (figure 12.20). Ce type d'allergie, aussi appelé **hypersensibilité anaphylactique**, est provoqué par la libération d'un flot d'histamine lorsque les anticorps IgE se lient à des *mastocytes* (granulocytes basophiles ayant quitté la circulation sanguine). Sous l'effet de l'histamine libérée localement, les petits vaisseaux sanguins se dilatent et deviennent perméables. L'histamine est largement responsable des symptômes les plus connus de l'allergie : écoulement nasal, larmoiement et démangeaisons et rougeurs de la peau (urticaire). Lorsque l'allergène est inhalé, les symptômes de l'asthme apparaissent parce que les muscles lisses des parois des bronchioles se contractent, ce qui réduit le diamètre de ces petits conduits et limite l'écoulement de l'air. Les médicaments antiallergiques vendus sans ordonnance et contenant des *antihistaminiques* neutralisent ces effets. La plupart des réactions apparaissent quelques secondes après le deuxième contact avec l'allergène et durent environ une demi-heure.

Fort heureusement, le **choc anaphylactique**, c'est-à-dire la réaction systémique, est assez rare. Il survient habituellement lorsque l'allergène est introduit directement dans le sang et circule rapidement dans tout l'organisme, comme cela peut arriver dans certains cas de piqûres d'insectes (abeilles, guêpes, etc.). Il peut se déclencher aussi chez des individus sensibles, à la suite de l'injection d'une substance étrangère (tels le sérum de cheval utilisé pour les anticorps préformés qu'il contient, la pénicilline ou d'autres médicaments qui agissent comme haptènes). Le mécanisme du choc anaphylactique est essentiellement le même que celui des réactions locales ; toutefois, lorsque l'organisme tout entier est affecté, le résultat peut être mortel. Par exemple, les muscles lisses des voies respiratoires se contractent, rendant la respiration difficile ; de plus, la vasodilatation

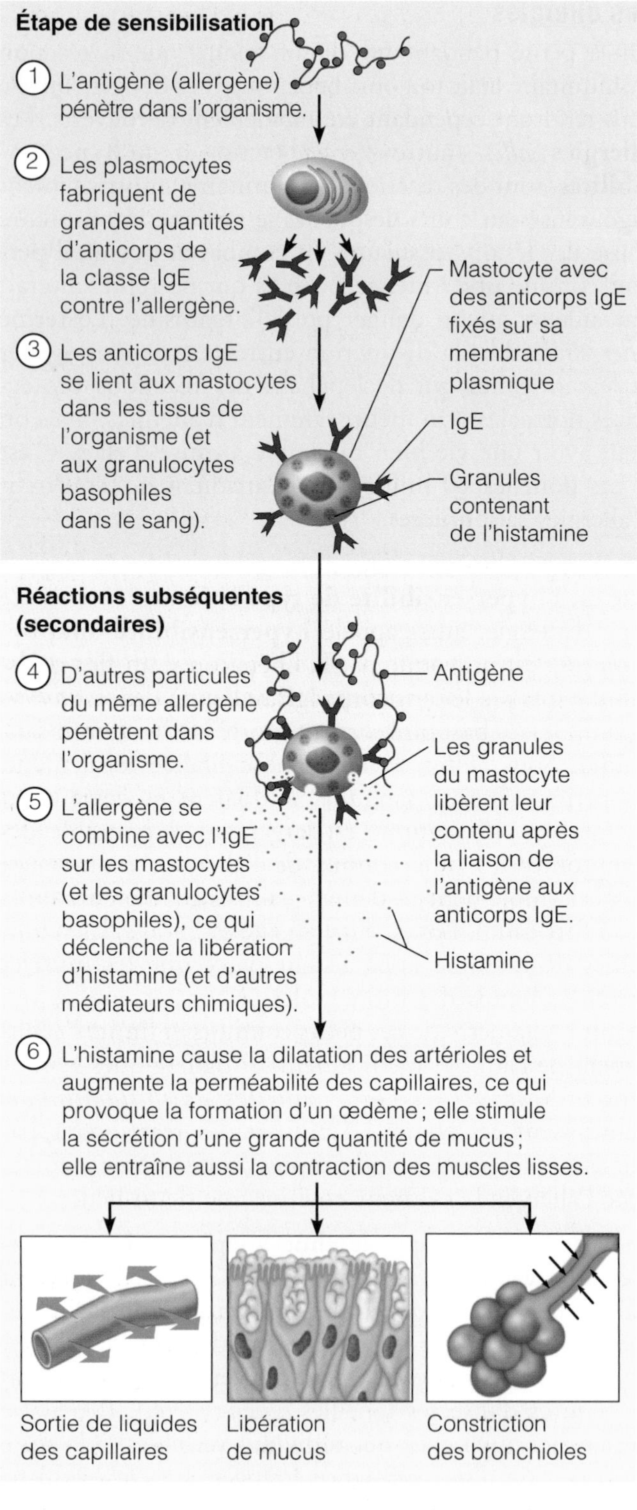

Étape de sensibilisation
① L'antigène (allergène) pénètre dans l'organisme.
② Les plasmocytes fabriquent de grandes quantités d'anticorps de la classe IgE contre l'allergène.
③ Les anticorps IgE se lient aux mastocytes dans les tissus de l'organisme (et aux granulocytes basophiles dans le sang).
Mastocyte avec des anticorps IgE fixés sur sa membrane plasmique
IgE
Granules contenant de l'histamine
Réactions subséquentes (secondaires)
④ D'autres particules du même allergène pénètrent dans l'organisme.
⑤ L'allergène se combine avec l'IgE sur les mastocytes (et les granulocytes basophiles), ce qui déclenche la libération d'histamine (et d'autres médiateurs chimiques).
Antigène
Les granules du mastocyte libèrent leur contenu après la liaison de l'antigène aux anticorps IgE.
Histamine
⑥ L'histamine cause la dilatation des artérioles et augmente la perméabilité des capillaires, ce qui provoque la formation d'un œdème ; elle stimule la sécrétion d'une grande quantité de mucus ; elle entraîne aussi la contraction des muscles lisses.
Sortie de liquides des capillaires
Libération de mucus
Constriction des bronchioles

Figure 12.20 **Le mécanisme d'une réaction d'hypersensibilité de type I**

soudaine (ainsi que la perte de liquides) peut causer un état de choc. Le choc anaphylactique peut entraîner la mort en quelques minutes. L'adrénaline est le médicament le plus efficace pour contrer les effets de l'histamine.

Les **hypersensibilités de type IV**, ou retardées, sont des réactions à médiation cellulaire. Elles sont liées à l'intervention d'un sous-groupe particulier de lymphocytes T auxiliaires, qui s'associent à des lymphocytes T cytotoxiques et à des macrophagocytes. Elles mettent plus de temps à apparaître (de un à trois jours) que toutes les réactions aiguës provoquées par des anticorps. Ces réactions ne sont pas causées par l'histamine, mais plutôt par les lymphokines libérées par les lymphocytes T activés. Les médicaments antihistaminiques ne sont donc *pas* efficaces contre les réactions d'hypersensibilité de type IV. Ce sont les corticostéroïdes qui peuvent apporter un soulagement.

Les exemples les plus connus de réactions d'hypersensibilité retardée sont les cas d'*eczémas de contact* qui apparaissent après un contact de la peau avec le sumac vénéneux, avec des métaux lourds (plomb, mercure et autres) et avec certains produits chimiques (cosmétiques et déodorants). Tous ces agents agissent comme haptènes et, après avoir diffusé à travers la peau et s'être liés aux protéines du soi, ils sont perçus comme étrangers et attaqués par les cellules immunitaires. Le *test de Mantoux* et le *test à la tuberculine*, épreuves cutanées destinées à détecter la tuberculose, reposent sur des réactions d'hypersensibilité retardée. Dans le test de Mantoux, la tuberculine (antigène) introduite juste sous la peau (par scarification) provoque la formation d'une petite lésion dure si la personne a été sensibilisée à cet antigène, ce qui semblerait indiquer que ses lymphocytes T ont déjà été en contact avec l'agent de la tuberculose et ont amorcé une défense immunitaire.

Les déficits immunitaires

Les **déficits immunitaires** comprennent les affections congénitales et acquises dans lesquelles la production et la fonction des cellules immunitaires ou du complément sont anormales. Parmi les quelque 80 affections congénitales connues, la plus néfaste est le *déficit immunitaire combiné sévère* (SCID, pour *severe combined immunodeficiency disease*), qui se caractérise par un déficit marqué en lymphocytes B et T. Étant donné que les lymphocytes T sont absolument nécessaires au fonctionnement normal des *deux* branches de la réaction immunitaire, les enfants atteints du SCID ne possèdent à peu près aucune protection contre les agents pathogènes en tout genre. Des infections mineures dont la plupart des enfants se débarrassent facilement peuvent causer la mort chez ceux qui sont atteints du SCID. Les greffes de moelle osseuse et de sang de cordon ombilical, qui fournissent des cellules souches normales pour les lymphocytes, ont donné de bons résultats chez certaines victimes du SCID. Sans ce traitement, le seul espoir de survie de ces enfants consiste à passer le restant de leurs jours dans une enceinte stérile (« bulle ») qui ne laisse pénétrer aucun agent infectieux.

À l'heure actuelle, le plus important et le plus néfaste des déficits immunitaires acquis est le **syndrome d'immunodéficience acquise** (**sida**). Cette maladie, qui affaiblit le système immunitaire en détruisant les lymphocytes T auxiliaires, est décrite dans l'encadré « Gros plan », p. 458-459.

Les maladies auto-immunes

Il arrive que le système immunitaire perde sa capacité de distinguer le soi du non-soi, c'est-à-dire sa capacité de tolérer les autoantigènes tout en reconnaissant et en attaquant les antigènes étrangers. Lorsque tel est le cas, l'organisme sécrète des anticorps (*autoanticorps*) et des lymphocytes T cytotoxiques sensibilisés qui détruisent ses propres tissus. Ce curieux phénomène est appelé **maladie auto-immune** parce que c'est le propre système immunitaire de la personne atteinte qui en est responsable.

Environ 5 % des adultes (dont deux tiers de femmes) souffrent d'une maladie auto-immune, et ces maladies représentent la troisième cause de décès dans les pays développés. Voici les plus courantes, parmi la quarantaine connue :

- la *sclérose en plaques*, qui détruit la substance blanche (gaines de myéline) de l'encéphale et de la moelle épinière (voir p. 227);
- la *myasthénie*, qui entrave la communication entre les nerfs et les muscles squelettiques (voir p. 213);
- la *maladie de Basedow*, ou maladie de Graves, dans laquelle la glande thyroïde élabore des quantités excessives de thyroxine (voir p. 348);
- le *diabète de type I* (ou *insulinodépendant*), qui détruit les endocrinocytes bêta du pancréas, ce qui entraîne un déficit d'insuline (voir p. 355);
- le *lupus érythémateux aigu disséminé*, maladie systémique qui affecte surtout les jeunes femmes et qui touche particulièrement les reins, le cœur, les poumons et la peau;
- la *glomérulonéphrite*, qui se traduit par un dysfonctionnement grave des reins;
- la *polyarthrite rhumatoïde*, qui détruit systématiquement les articulations (voir p. 164-165).
- la *maladie cœliaque*, intolérance à la protéine du gluten, présente dans le blé notamment, qui provoque des lésions à la muqueuse de l'intestin grêle.

Les traitements actuels consistent à administrer des médicaments qui inhibent certains aspects de la réaction immunitaire. On a découvert, dans le cas de plusieurs maladies auto-immunes (diabète de type I, polyarthrite rhumatoïde, maladie cœliaque, maladie d'Addison, sclérose en plaques, etc.), que les autoanticorps peuvent être produits plusieurs années (jusqu'à 10 ans) avant l'apparition des premiers symptômes; des tests de dépistage de ces autoanticorps pourraient peut-être, dans l'avenir, permettre d'intervenir de manière à prévenir l'apparition de la maladie.

Comment l'autotolérance normale de l'organisme peut-elle en arriver à faire défaut ? Il semble qu'un ou plusieurs des événements qui suivent puissent être des facteurs de déclenchement.

1. **La programmation inefficace des lymphocytes.** Au lieu d'être désactivés ou éliminés, les lymphocytes T ou B qui se lient aux autoantigènes s'échappent dans le reste de l'organisme. On croit que c'est ce phénomène qui cause la sclérose en plaques.
2. **L'apparition, dans la circulation, de protéines du soi qui n'ont pas déjà été exposées au système immunitaire.** De tels antigènes « cachés » se trouvent dans les spermatozoïdes, le cristallin de l'œil et certaines protéines de la glande thyroïde. De plus, de « nouveaux antigènes du soi » peuvent être produits par des mutations ou des changements dans la structure des antigènes du soi, provoqués par la liaison d'haptènes ou les dommages causés par une infection virale ou bactérienne.

FAITES-EN L'EXPÉRIENCE

La tuméfaction des nœuds lymphatiques est habituellement signe d'infection

La prochaine fois que vous aurez le rhume ou la grippe, vous vous apercevrez peut-être que vos nœuds lymphatiques sont enflés et sensibles (essayez de palper ceux qui se trouvent dans votre cou et sous la mâchoire inférieure). C'est une réaction saine à l'infection et le signe que votre système lymphatique prend les mesures nécessaires pour combattre l'agent pathogène. L'arrivée de ce dernier dans l'organisme a provoqué une explosion de la population des lymphocytes. Vos nœuds lymphatiques sont gonflés de lymphocytes qui se divisent, d'amas de particules virales et d'agents pathogènes aux prises avec les cellules de vos systèmes de défense.

Lorsque l'infection aura été jugulée, vérifiez à nouveau vos nœuds lymphatiques. À moins de complications, ceux-ci auront repris leur taille normale.

GROS PLAN

Le sida : la peste des temps modernes

En octobre 1347, plusieurs navires accostèrent en Sicile. Quelques jours plus tard, tous les marins qui étaient à leur bord étaient morts de la peste bubonique, ou peste noire. À la fin du XIVe siècle, environ 25 % de la population européenne avait été décimée par cette maladie. En janvier 1987, le secrétaire de la Santé et des Services sociaux des États-Unis annonçait que le syndrome d'immunodéficience acquise (sida) pourrait être la « peste » de notre temps. Ces mots étaient lourds de sens. Représentent-ils la vérité ?

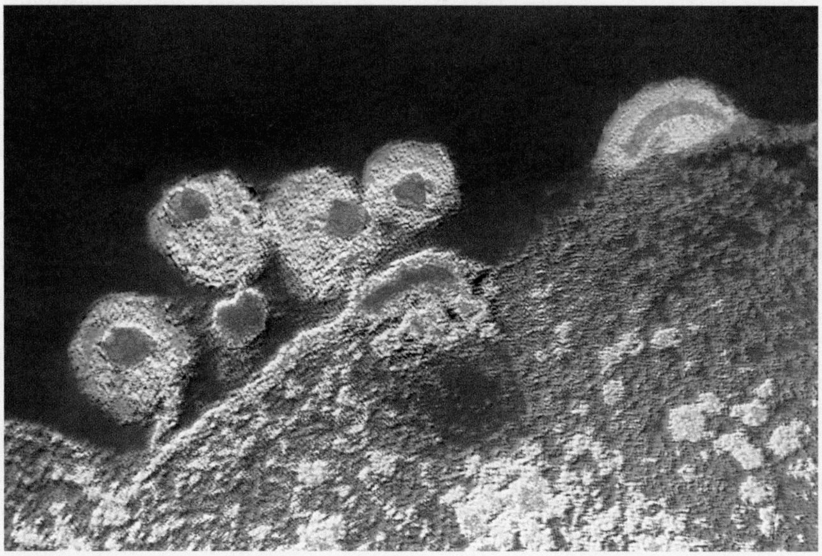

De nouveaux VIH (taches jaune et rouge) s'échappent d'une cellule humaine infectée.

Bien que le sida, en Amérique du Nord, ait été diagnostiqué pour la première fois en 1981 chez des hommes homosexuels et des toxicomanes des deux sexes utilisant des seringues contaminées, il avait déjà commencé à affliger la population hétérosexuelle d'Afrique depuis plusieurs années. Le sida se caractérise par une importante perte pondérale, des sueurs nocturnes, des nœuds lymphatiques gonflés et des infections dont la fréquence va en augmentant. Ces infections comprennent une forme rare de pneumonie, appelée *pneumocystose*, ainsi qu'une affection maligne bizarre, le *sarcome de Kaposi*, maladie vasculaire de type cancéreux qui se manifeste par des lésions violacées de la peau. Certaines victimes du sida finissent par présenter des troubles de l'élocution et une démence profonde. La progression de la maladie est inexorable ; celle-ci évolue vers un affaiblissement extrême et la mort provoquée par le cancer ou par une infection contre laquelle le système immunitaire est impuissant.

Le sida est attribuable à un virus transmis par le sang et certaines sécrétions de l'organisme (sperme et sécrétions vaginales, lait maternel). Le plus souvent, le virus pénètre dans l'organisme par l'intermédiaire de transfusions sanguines ou d'aiguilles contaminées par le sang, ainsi qu'au cours de contacts sexuels dans lesquels la muqueuse est déchirée ou offre une porte d'entrée au virus vers le sang à la suite de lésions actives causées par des infections transmissibles sexuellement.

Le virus, appelé *virus de l'immunodéficience humaine* ou *VIH*, détruit les lymphocytes T auxiliaires et, par le fait même, provoque un déficit de l'immunité à médiation cellulaire. Bien que, dans un premier temps, le taux d'anticorps et de lymphocytes T cytotoxiques augmente considérablement en réponse à l'exposition virale, un important déficit d'anticorps normaux s'installe peu à peu. Les lymphocytes T cytotoxiques finissent par ne plus réagir aux signaux du virus, et les lymphocytes T auxiliaires deviennent la proie de ce dernier. Tout le système immunitaire est complètement bouleversé. On sait aujourd'hui que le VIH se multiplie de façon régulière dans les nœuds lymphatiques pendant la majeure partie de la période asymptomatique. L'apparition des symptômes du sida coïncide avec l'incapacité des nœuds lymphatiques de contenir l'infection et l'effondrement du système immunitaire. Le VIH envahit aussi le cerveau, ce qui explique la démence de certains patients. Malgré quelques exceptions, la plupart des victimes meurent en l'espace de quelques mois à huit ans après le diagnostic.

Depuis 1981, une épidémie de sida fait rage dans de nombreux pays. Le virus infecte 16 000 personnes par jour dans le monde et tue environ 2,5 millions de personnes chaque année. Depuis l'origine de la pandémie, le VIH a fait 30 millions de victimes. Selon l'OMS, 33,2 millions de personnes étaient porteuses du virus en 2007, dont plus de 90 % dans les pays en voie de développement d'Asie et d'Afrique. L'Afrique du Sud est, après l'Inde, le pays le plus touché avec 5 500 000 personnes infectées, soit 12 % de la population. Une minorité des personnes infectées bénéficient des traitements nécessaires, l'annonce, par les pays du G8, de l'accès universel, ne s'étant pas encore concrétisée. (Faible lueur d'espoir pour le continent africain : selon un rapport de la Banque mondiale, publié en 2007, la propagation du virus a commencé à régresser dans certains pays, tels l'Ouganda, le Kenya et le Zimbabwe.) En ce qui concerne l'Europe et l'Amérique, en 2007, il y avait 150 000 personnes séropositives en France et 61 000 au Canada, dont 20 000 au Québec. Étant donné que, après la contamination, des anticorps peuvent se développer durant une période de 6 mois, il y a probablement 100 porteurs asymptomatiques pour chaque nouveau cas diagnostiqué. De surcroît, il existe une longue période d'incubation (de quelques mois à plus de 10 ans) entre l'exposition au virus et l'apparition de symptômes cliniques.

Mais tout aussi préoccupant que les chiffres, il y a l'évolution du « profil » du sida. On dénombre maintenant des victimes qui ne font pas partie des groupes auparavant considérés comme à risque élevé. Avant que des épreuves diagnostiques fiables soient mises au point pour dépister le VIH dans les dons de sang, un grand nombre de personnes ont contracté le virus par l'intermédiaire de transfusions sanguines. Les hémophiles ont été particulièrement frappés, car les facteurs de coagulation sanguine dont ils ont besoin provenaient de groupes de donneurs. En 1984, les fabricants ont commencé à prendre des mesures pour éliminer le virus, mais un fort pourcentage d'hémophiles avaient déjà été infectés. Le VIH peut également être transmis au fœtus lorsque la mère est infectée. Même si ce sont encore les hommes homosexuels qui forment le contingent le plus important de cas transmis sexuellement, de plus en plus d'hétérosexuels sont victimes de la maladie. L'augmentation presque épidémique des cas diagnostiqués chez les adolescents et les jeunes adultes est particulièrement inquiétante.

Les hôpitaux des grandes villes reçoivent de plus en plus de patients atteints du sida. Les statistiques concernant le nombre de cas dans les ghettos urbains, où l'utilisation de drogues injectées avec des seringues contaminées est la principale responsable de la transmission du sida, sont alarmantes. Actuellement, les toxicomanes constituent 25 % de tous les cas de sida, et 75 % des bébés atteints de la maladie sont nés de mères vivant dans des endroits que fréquentent beaucoup de toxicomanes.

Les épreuves de détection des porteurs du VIH sont de plus en plus perfectionnées. Par exemple, outre l'épreuve dans laquelle on prélève par grattage du tissu de la muqueuse orale, on dispose maintenant d'une analyse d'urine qui s'avère encore plus simple et qui représente une solution de rechange indolore aux analyses sanguines habituelles. En 2007, on a testé, avec succès, à l'Université McGill (Montréal) un test basé sur un prélèvement de salive dont les résultats peuvent être disponibles au bout de 40 minutes seulement.

Aucun remède n'a encore été trouvé pour combattre le sida. Une centaine de médicaments sont actuellement en cours d'évaluation. On fait aussi des essais cliniques sur plus de 20 vaccins, mais il est peu probable qu'un de ceux-ci soit approuvé dans un proche avenir. Toutefois, on espère contribuer à la recherche vaccinale en tentant de comprendre comment il se fait qu'un faible pourcentage (moins de 1 %) des séropositifs ne manifestent aucun symptôme du sida et ne présentent aucune quantité détectable du VIH dans leur sang après une dizaine d'années et ce, sans avoir reçu de traitement. Ces personnes, appelées *contrôleurs du VIH*, possèdent des lymphocytes T cytotoxiques très puissants capables de détruire les cellules infectées et présentant sur leurs membranes des marqueurs particuliers. On va donc chercher à stimuler le développement de ces lymphocytes spécifiques pour le bénéfice de l'ensemble de la population des sidatiques *non contrôleurs*.

Plusieurs médicaments antiviraux qui inhibent les enzymes dont le VIH a besoin pour se multiplier sont actuellement en vente. Les *inhibiteurs de la transcriptase inverse*, qui empêchent le virus de transformer son ARN en ADN pour pouvoir s'intégrer à l'ADN de la cellule qu'il infecte, comme l'AZT, sont utilisés depuis plusieurs années déjà et ont été suivis par d'autres, dont la ddI, la ddC, le d4T, le 3TC et la névirafine. En 1995 et en 1996, des *inhibiteurs de la protéase* qui bloquent une enzyme permettant la synthèse des protéines virales (saquinavir, ritonavir, nelfinavir et autres) ont été approuvés. À l'heure actuelle, il semble qu'une association médicamenteuse comprenant des médicaments de chaque classe affaiblit le virus du VIH. Plus précisément, le traitement par association médicamenteuse retarde la résistance aux médicaments (c'est le problème que pose l'utilisation exclusive d'AZT) et réduit considérablement la quantité de VIH dans le sang tout en augmentant le nombre de lymphocytes T auxiliaires. Grâce à ces associations de médicaments, le pourcentage de patients ayant une quantité indétectable de virus dans le sang a largement augmenté. Et on fonde beaucoup d'espoir sur de nouveaux médicaments, les anti-intégrases, qui bloquent l'intégration du VIH dans l'ADN des lymphocytes T auxiliaires. On prétend que les anti-intégrases représenteront éventuellement une classe de médicaments aussi importante que l'ont été les inhibiteurs de la transcriptase inverse et les antiprotéases; cette nouvelle catégorie de médicaments pourra aussi constituer un moyen de pallier la résistance que manifeste progressivement le VIH aux deux autres catégories.

Mais la partie étant loin d'être gagnée, il faut s'efforcer de prévenir l'infection. Comme les contacts sexuels constituent la principale voie de transmission du virus, l'abstinence sexuelle demeure évidemment le seul moyen de prévention absolument infaillible. Mais sur un plan plus réaliste, comme on l'a très souvent conseillé dans les médias, la meilleure protection contre la maladie consiste à avoir des rapports sexuels « protégés » (au moyen de préservatifs) et à bien connaître les antécédents sexuels de son partenaire. Des recherches ont aussi montré que la pratique de la circoncision pourrait réduire considérablement les risques de transmission du VIH (jusqu'à 60 %).

3. **La réaction croisée des anticorps produits contre les antigènes étrangers avec les autoantigènes.** Par exemple, on sait que les anticorps produits au cours d'une infection causée par un streptocoque opèrent une réaction croisée avec les antigènes du cœur, d'où des lésions permanentes au muscle et aux valves cardiaques ainsi qu'aux articulations et aux reins. Cette maladie est connue sous le nom de *rhumatisme articulaire aigu*. ▲

Certains chercheurs en immunologie croient que l'« hypothèse hygiéniste » pourrait aussi justifier l'augmentation des cas de maladies auto-immunes. Cette hypothèse explique la croissance des cas d'allergies dans le monde occidental par la propreté peut-être excessive dans laquelle on maintient l'environnement des tout jeunes enfants qu'on voudrait à l'abri des agressions microbiennes.

Tous pour un, un pour tous

Les relations entre le système lymphatique et immunitaire et les autres systèmes de l'organisme

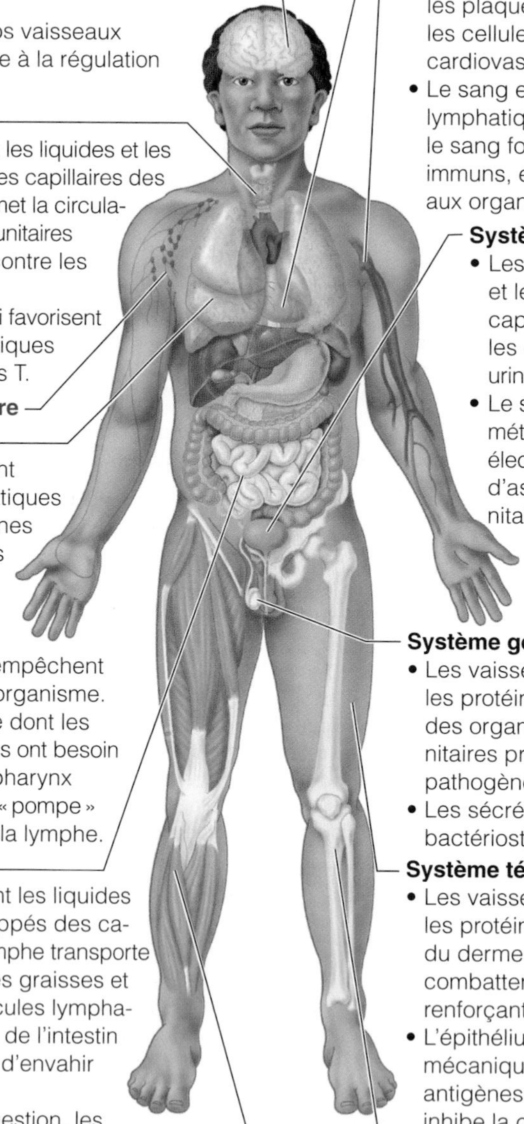

Système nerveux
- Les vaisseaux lymphatiques captent les liquides et les protéines plasmatiques échappés des capillaires des structures du système nerveux périphérique ; les cellules immunitaires protègent le système nerveux périphérique contre les agents pathogènes.
- Le système nerveux innerve les gros vaisseaux lymphatiques ; l'encéphale participe à la régulation de la réponse immunitaire.

Système endocrinien
- Les vaisseaux lymphatiques captent les liquides et les protéines plasmatiques échappés des capillaires des tissus endocriniens ; la lymphe permet la circulation des hormones ; les cellules immunitaires protègent les organes endocriniens contre les agents pathogènes.
- Le thymus élabore des hormones qui favorisent la croissance des organes lymphatiques et « programment » les lymphocytes T.

Système lymphatique et immunitaire

Système respiratoire
- Les vaisseaux lymphatiques captent les liquides et les protéines plasmatiques échappés des capillaires des organes respiratoires ; les cellules immunitaires protègent les organes respiratoires contre les agents pathogènes ; les lymphocytes de la muqueuse respiratoire sécrètent des IgA qui empêchent les agents pathogènes d'envahir l'organisme.
- Les poumons fournissent l'oxygène dont les cellules lymphatiques et immunitaires ont besoin et éliminent le gaz carbonique ; le pharynx abrite les amygdales ; l'action de la « pompe » respiratoire facilite l'écoulement de la lymphe.

Système digestif
- Les vaisseaux lymphatiques captent les liquides et les protéines plasmatiques échappés des capillaires des organes digestifs ; la lymphe transporte certains produits de la digestion des graisses et les achemine vers le sang ; les follicules lymphatiques agrégés situés dans la paroi de l'intestin empêchent les agents pathogènes d'envahir l'organisme.
- Le système digestif produit, par digestion, les nutriments nécessaires aux cellules des organes lymphatiques et les absorbe ; l'acidité de l'estomac empêche les agents pathogènes de pénétrer dans le sang.

Système musculaire
- Les vaisseaux lymphatiques captent les liquides et les protéines plasmatiques échappés des capillaires du tissu musculaire squelettique ; les cellules immunitaires protègent les muscles contre les agents pathogènes.
- La « pompe » musculaire favorise l'écoulement de la lymphe ; les muscles protègent les nœuds lymphatiques superficiels.

Système cardiovasculaire
- Les vaisseaux lymphatiques captent les liquides et les protéines plasmatiques échappés des capillaires du cœur et des vaisseaux sanguins ; la rate détruit les vieux globules rouges, emmagasine le fer et les plaquettes, et débarrasse le sang de ses débris ; les cellules immunitaires protègent les organes cardiovasculaires contre les agents pathogènes.
- Le sang est la source de la lymphe ; les vaisseaux lymphatiques se développent à partir de veines ; le sang fournit un trajet à la circulation d'éléments immuns, et apporte de l'oxygène et des nutriments aux organes lymphatiques.

Système urinaire
- Les vaisseaux lymphatiques captent les liquides et les protéines plasmatiques échappés des capillaires des organes du système urinaire ; les cellules immunitaires protègent le système urinaire contre les agents pathogènes.
- Le système urinaire excrète les déchets métaboliques et maintient l'équilibre hydro-électrolytique et acidobasique du sang afin d'assurer le fonctionnement des cellules immunitaires ; l'urine débarrasse l'organisme de certains agents pathogènes.

Système génital
- Les vaisseaux lymphatiques captent les liquides et les protéines plasmatiques échappés des capillaires des organes du système génital ; les cellules immunitaires protègent le système génital contre les agents pathogènes.
- Les sécrétions vaginales ont un pH acide au pouvoir bactériostatique.

Système tégumentaire
- Les vaisseaux lymphatiques captent les liquides et les protéines plasmatiques échappés des capillaires du derme ; les lymphocytes présents dans la lymphe combattent des agents pathogènes spécifiques, renforçant ainsi le rôle de protection de la peau.
- L'épithélium kératinisé de la peau est une barrière mécanique qui constitue une protection contre les antigènes ; le pH acide des sécrétions de la peau inhibe la croissance des bactéries sur la peau.

Système osseux
- Les vaisseaux lymphatiques captent les liquides et les protéines plasmatiques échappés des capillaires du périoste ; les cellules immunitaires protègent les os contre les agents pathogènes.
- Les os renferment le tissu hématopoïétique (moelle rouge) ; ce tissu produit les lymphocytes (et les macrophagocytes) qui « patrouillent » les organes lymphatiques et contribuent à l'immunité de l'organisme.

TROISIÈME PARTIE

LE DÉVELOPPEMENT ET LE VIEILLISSEMENT DU SYSTÈME LYMPHATIQUE ET IMMUNITAIRE

Dès la cinquième semaine du développement embryonnaire, les ébauches des vaisseaux lymphatiques et les principaux groupes de nœuds lymphatiques apparaissent. Ils naissent à partir des veines en voie de formation. À l'exception du thymus et de la rate, tous les organes lymphatiques sont imparfaitement formés chez le fœtus. Peu de temps après la naissance, cependant, ils se peuplent d'un très grand nombre de lymphocytes au fur et à mesure que le système immunitaire se développe.

Les troubles liés au système lymphatique sont relativement peu fréquents, mais lorsqu'ils apparaissent, ils sont malheureusement très évidents. Par exemple, un œdème grave peut apparaître lorsque les vaisseaux lymphatiques sont bloqués, comme cela se produit dans l'*éléphantiasis* (maladie d'origine tropicale dans laquelle des vers parasites bloquent les vaisseaux lymphatiques), ou lorsque les vaisseaux lymphatiques sont enlevés (comme dans une mastectomie radicale). Toutefois, les vaisseaux lymphatiques enlevés par intervention chirurgicale se reconstituent avec le temps.

Les cellules souches du système immunitaire prennent naissance dans le foie et la rate au cours du premier mois de développement embryonnaire. Plus tard, la moelle osseuse rouge devient la source principale des cellules souches (hémocytoblastes), et elle continue à jouer ce rôle durant toute la vie adulte. Vers la fin de la vie fœtale et peu après la naissance, les jeunes lymphocytes deviennent autotolérants et immunocompétents au sein des organes qui les « programment » (thymus et moelle osseuse), puis ils migrent vers les autres sites de tissu lymphatique. Après avoir rencontré « leurs » antigènes, les populations de lymphocytes T et B arrivent au terme de leur développement et deviennent des cellules immunitaires matures.

Bien que la capacité du système immunitaire de reconnaître les substances étrangères soit déterminée génétiquement, le système nerveux intervient également dans la régulation de l'activité immunitaire. Ainsi, on sait maintenant que la réaction immunitaire est effectivement affaiblie chez les personnes déprimées ou très stressées, par exemple chez celles qui vivent le deuil d'une personne proche.

En temps normal, notre système immunitaire nous sert très bien jusqu'à un âge avancé. À partir d'un certain âge, toutefois, son efficacité commence à décroître, comme celle de nos défenses non spécifiques d'ailleurs. L'organisme devient alors de moins en moins capable de lutter contre l'infection et de détruire les cellules devenues cancéreuses. Le vieillissement s'accompagne aussi d'une plus grande sensibilité aux maladies auto-immunes et aux déficits immunitaires.

Résumé du chapitre 12

Première partie : le système lymphatique
(p. 428-433)

1. Le système lymphatique est constitué des vaisseaux lymphatiques, des nœuds lymphatiques et de certains autres organes lymphatiques.

2. Extrêmement poreux, les capillaires lymphatiques sont des vaisseaux en culs-de-sac qui recueillent le liquide interstitiel échappé des capillaires sanguins. Ce liquide (lymphe) se jette dans des vaisseaux lymphatiques plus gros et, finalement, dans la circulation sanguine par le conduit lymphatique droit et le conduit thoracique.

3. Le transport de la lymphe est assuré par la pompe musculaire et la pompe respiratoire, et par la contraction des muscles lisses des parois des vaisseaux lymphatiques.

4. Les nœuds lymphatiques sont groupés le long des vaisseaux lymphatiques et reçoivent la lymphe. Ils produisent des globules blancs (lymphocytes) agranulaires, et les cellules phagocytaires qu'ils abritent éliminent les bactéries, les virus et les substances étrangères de la lymphe avant que celle-ci retourne au cœur.

5. Les autres organes lymphatiques comprennent les amygdales (dans la gorge), qui éliminent les bactéries essayant de pénétrer dans les voies respiratoires ou digestives ; le thymus, région où se fait la programmation de certains lymphocytes de l'organisme ; les follicules lymphatiques agrégés, qui empêchent les bactéries de l'intestin de pénétrer plus profondément dans l'organisme ; et la rate, qui sert de « cimetière » aux vieux globules rouges et de réservoir sanguin.

Deuxième partie : les défenses de l'organisme *(p. 433-460)*

LES DÉFENSES NON SPÉCIFIQUES DE L'ORGANISME *(p. 434-440)*

1. Les épithéliums (peau et muqueuses) constituent des barrières mécaniques contre les agents pathogènes. Certains épithéliums subissent des modifications structurales ou produisent des sécrétions qui stimulent leurs actions défensives, ou les deux : l'acidité de la peau, le lysozyme, le mucus, la kératine et les cils en sont des exemples.

2. Les phagocytes (macrophagocytes et granulocytes neutrophiles) englobent et détruisent les agents pathogènes qui franchissent les barrières épithéliales. Ce processus est facilité lorsque la surface de l'agent pathogène est modifiée par la fixation d'anticorps ou du complément (ou les deux).

3. Les cellules tueuses naturelles sont des cellules non immunitaires dont l'action non spécifique consiste à tuer les cellules cancéreuses et les cellules infectées par des virus.

4. La réaction inflammatoire empêche la propagation des substances nocives, élimine les agents pathogènes et les cellules mortes, et favorise la réparation de la lésion. Les leucocytes protecteurs pénètrent dans la région ; le foyer de l'infection est isolé par un réseau de fibrine ; et la réparation du tissu s'effectue.

5. Lorsque le complément (ensemble de protéines plasmatiques) est fixé à la membrane d'une cellule étrangère, la lyse de la cellule cible s'effectue. Le complément stimule aussi la phagocytose ainsi que les réactions inflammatoire et immunitaire.

6. L'interféron est un ensemble de protéines que synthétisent les cellules infectées par des virus ; il empêche la prolifération de ceux-ci dans d'autres cellules de l'organisme.

7. La fièvre intensifie la lutte de l'organisme contre les agents pathogènes de deux façons : en stimulant le métabolisme (ce qui accélère les processus de réparation) et en forçant le foie et la rate à séquestrer le fer et le zinc (nécessaires à la multiplication bactérienne).

LES DÉFENSES SPÉCIFIQUES DE L'ORGANISME : LE SYSTÈME IMMUNITAIRE *(p. 440-460)*

1. Le système immunitaire reconnaît un élément étranger, et son action consiste à le neutraliser ou à l'éliminer. La réaction immunitaire est spécifique à un antigène ; elle est également systémique et possède une mémoire. Les deux branches de la réaction immunitaire sont la réaction immunitaire humorale (par les anticorps) et la réaction immunitaire à médiation cellulaire (par des cellules vivantes, les lymphocytes T).

2. Les antigènes
   - **a)** Les antigènes sont de grosses molécules complexes (ou des parties de celles-ci) qui sont perçues comme étrangères par l'organisme. Les protéines étrangères sont les antigènes qui déclenchent les réactions les plus fortes.
   - **b)** Les antigènes complets provoquent une réaction immunitaire et se lient aux produits de cette réaction (anticorps ou lymphocytes sensibilisés).
   - **c)** Les antigènes incomplets, ou haptènes, sont de petites molécules qui peuvent provoquer une réaction immunitaire seulement lorsqu'elles se lient à des protéines de l'organisme ; l'association ainsi formée est perçue comme étrangère.

3. Les cellules du système immunitaire : caractéristiques générales
   - **a)** Les lymphocytes et les macrophagocytes sont les deux principales populations de cellules qui interviennent dans l'immunité.
   - **b)** Les lymphocytes sont issus des hémocytoblastes de la moelle osseuse. Les lymphocytes T acquièrent leur immunocompétence dans le thymus et confèrent l'immunité à médiation cellulaire. Les lymphocytes B acquièrent leur immunocompétence dans la moelle osseuse et assurent l'immunité humorale. Les lymphocytes immunocompétents « garnissent » les organes lymphatiques où se produit la stimulation antigénique, et ils circulent dans le sang, la lymphe et les organes lymphatiques.
   - **c)** L'immunocompétence se manifeste par l'apparition de récepteurs spécifiques d'antigènes sur la membrane plasmique des lymphocytes.
   - **d)** Les macrophagocytes se développent à partir des monocytes élaborés dans la moelle osseuse. Ils phagocytent les agents pathogènes et présentent des fragments des antigènes à leur surface pour la reconnaissance par les lymphocytes T.

4. La réaction immunitaire humorale
   - **a)** La sélection clonale des lymphocytes B a lieu lorsque les antigènes se fixent aux récepteurs de leur membrane plasmique, causant leur prolifération. La plupart des cellules du clone deviennent des plasmocytes qui sécrètent les anticorps. C'est la *réaction immunitaire primaire.*
   - **b)** D'autres cellules du clone deviennent des lymphocytes B mémoire dotés de la capacité de déclencher une attaque rapide contre le même antigène au moment de rencontres subséquentes (*réactions immunitaires secondaires*). Les lymphocytes B mémoire assurent la « mémoire » immunitaire humorale.
   - **c)** L'immunité humorale active est acquise par l'intermédiaire d'une infection ou par l'inoculation d'un vaccin, et elle établit une mémoire immunitaire. L'immunité humorale passive est conférée lorsque les anticorps d'un donneur sont injectés dans

la circulation sanguine, ou lorsque les anticorps de la mère traversent le placenta et lorsqu'ils sont transmis au bébé par le lait maternel. Elle n'établit aucune mémoire immunitaire.

d) La structure de base des anticorps

1) Les anticorps sont des protéines élaborées par des lymphocytes B sensibilisés ou par des plasmocytes en réaction à un antigène, et ils sont capables de se lier à cet antigène.

2) Un anticorps est constitué de quatre chaînes polypeptidiques (deux lourdes et deux légères) qui forment une molécule en forme de T ou de Y.

3) Chaque chaîne polypeptidique a une région variable et une région constante. Les régions variables constituent les sites de fixation à l'antigène (un site sur chaque branche du T ou du Y). Les régions constantes déterminent la fonction et la classe de l'anticorps.

4) Il existe cinq classes d'anticorps : IgM, IgA, IgD, IgG et IgE. Elles diffèrent par leur structure et par leur fonction.

5) Les mécanismes d'action des anticorps comprennent la fixation du complément, la neutralisation, la précipitation et l'agglutination.

6) Les anticorps monoclonaux sont des préparations pures d'un seul type d'anticorps, qui se révèlent particulièrement utiles dans le diagnostic de certaines maladies infectieuses et du cancer, ainsi que dans le traitement de certains cancers.

5. La réaction immunitaire à médiation cellulaire

a) Les lymphocytes T sont sensibilisés en se liant simultanément à un antigène et à une protéine du soi présents à la surface d'un macrophagocyte. La sélection clonale se produit et les cellules du clone se différencient en lymphocytes T effecteurs et en lymphocytes T mémoire.

b) Il existe différentes classes de lymphocytes T. Les lymphocytes T cytotoxiques (tueurs) attaquent directement les cellules infectées et les cellules cancéreuses. Les lymphocytes T auxiliaires interagissent directement avec les lymphocytes B liés à l'antigène. Ils libèrent également des lymphokines, c'est-à-dire des substances chimiques qui intensifient l'action des macrophagocytes, attirent d'autres leucocytes ou contribuent à stimuler l'activité des lymphocytes B et des lymphocytes T cytotoxiques. Un sous-groupe particulier de lymphocytes T auxiliaires, qui s'associent à des lymphocytes T cytotoxiques et à des macrophagocytes, sont à l'origine d'une réaction allergique de type IV (retardée). Les lymphocytes T suppresseurs mettent fin à la réaction immunitaire normale en libérant des substances chimiques inhibitrices.

6. Il y a quatre types de greffes d'organes : les autogreffes, les isogreffes, les allogreffes et les xénogreffes. La forme la plus commune est l'allogreffe. Avant la transplantation, on s'assure que le groupe sanguin et les antigènes des tissus du donneur et du receveur sont le plus compatibles possible. Après l'opération, on administre un traitement immunosuppresseur.

7. Les déséquilibres homéostatiques de l'immunité

a) L'allergie, ou hypersensibilité, est une réaction immunitaire anormalement intense à un antigène qui par ailleurs ne représente aucun danger pour l'organisme ; une destruction des tissus se produit. L'hypersensibilité de type I (rhume des foins, urticaire, anaphylaxie) est causée par les anticorps IgE. L'hypersensibilité de type IV (dermatite de contact, par exemple) est causée par l'activité de lymphocytes T, de macrophagocytes et de lymphokines.

b) Les déficits immunitaires proviennent d'une anomalie d'un élément immunitaire. Les deux troubles les plus graves sont le déficit immunitaire combiné sévère (SCID) et le sida, syndrome d'immunodéficience acquise causé par un virus qui attaque et affaiblit les lymphocytes T auxiliaires.

c) Les maladies auto-immunes surviennent lorsque l'autotolérance de l'organisme se dérègle, avec pour résultat que des anticorps ou des lymphocytes T (ou les deux) attaquent les propres tissus de l'organisme. La plupart des maladies auto-immunes sont le résultat d'une programmation déficiente des lymphocytes au cours du développement fœtal, de modifications de la structure des autoantigènes, de l'apparition dans la circulation sanguine d'autoantigènes jusqu'alors cachés, ou d'une réaction croisée des anticorps produits contre les antigènes étrangers avec les autoantigènes.

Troisième partie : le développement et le vieillissement du système lymphatique et immunitaire *(p. 461)*

1. Les vaisseaux lymphatiques se développent à partir des veines en formation. Le thymus est l'organe lymphatique qui apparaît en premier au cours du développement embryonnaire. Les autres organes lymphatiques se développent peu après la naissance.

2. Le développement de la réaction immunitaire se fait après la naissance.

3. La capacité des cellules immunocompétentes de reconnaître les antigènes étrangers est déterminée génétiquement. Le stress semble interférer avec la réaction immunitaire.

4. L'efficacité de la réaction immunitaire décroît au cours du vieillissement. Les infections, le cancer, les déficits immunitaires et les maladies auto-immunes deviennent alors plus fréquents.

Questions de révision

QUESTIONS À CHOIX MULTIPLE

Pour certaines questions, il peut y avoir plus d'une bonne réponse.

1. Les capillaires lymphatiques:
- **a)** possèdent des extrémités ouvertes (comme une paille).
- **b)** ont des jonctions serrées continues comme les capillaires de l'encéphale.
- **c)** contiennent des cellules endothéliales séparées par des jonctions en forme de rabat qui s'ouvrent largement.
- **d)** possèdent des barrières particulières qui empêchent les cellules cancéreuses d'entrer.

2. Quelles parties du nœud lymphatique deviennent plus actives lorsque la production d'anticorps est élevée?
- **a)** Les centres germinatifs.
- **b)** Les follicules de la couche externe.
- **c)** Les cordons médullaires.
- **d)** Les sinus médullaires.

3. Lesquels des éléments qui suivent sont reliés aux nœuds lymphatiques au niveau de leur hile (une seule réponse)?
- **a)** Les vaisseaux lymphatiques afférents.
- **b)** Les vaisseaux lymphatiques efférents.
- **c)** Les trabécules.
- **d)** Les centres germinatifs.

4. Lesquels des éléments qui suivent font partie des formations lymphatiques associées aux muqueuses (MALT)?
- **a)** Les amygdales.
- **b)** Le thymus.
- **c)** Les follicules lymphatiques agrégés.
- **d)** Tous les amas de tissu lymphatique situés le long du tube digestif.

5. Laquelle, parmi les caractéristiques qui suivent, n'est *pas* associée aux cellules tueuses naturelles?
- **a)** Elles font partie de la deuxième ligne de défense.
- **b)** Elles peuvent attaquer n'importe quelle cellule anormale ou étrangère.
- **c)** Elles font de la phagocytose.
- **d)** Elles secrètent des substances qui détruisent les cellules attaquées.
- **e)** Elles sont un type de lymphocytes.

6. Au cours du développement embryonnaire, la formation des vaisseaux lymphatiques est surtout associée:
- **a)** aux veines.
- **b)** aux artères.
- **c)** aux nerfs.
- **d)** au thymus.

7. Lesquels des signes qui suivent font partie des signes majeurs de l'inflammation?
- **a)** La phagocytose.
- **b)** L'œdème.
- **c)** La fièvre.
- **d)** La douleur.

8. Les médiateurs chimiques de l'inflammation comprennent:
- **a)** l'interféron.
- **b)** le complément.
- **c)** l'histamine.
- **d)** les anticorps.

9. Lequel des problèmes qui suivent l'interféron peut-il contribuer à résoudre?
- **a)** L'infection des cellules de l'organisme par un virus.
- **b)** Les virus libres en circulation.
- **c)** Certains types de cancer.
- **d)** L'infection bactérienne.

10. Déterminez l'énoncé qui est *faux*.
- **a)** Les petites molécules ne sont généralement pas des antigènes par elles-mêmes.
- **b)** Les autoantigènes sont des antigènes incomplets.
- **c)** Les protéines qui marquent les cellules d'un individu peuvent être antigéniques pour un autre individu.
- **d)** Les protéines constituent les antigènes les plus puissants.
- **e)** Certains médicaments peuvent devenir des antigènes en s'unissant aux protéines d'un organisme.

11. Un vaccin constitue un exemple d'immunité:
- **a)** humorale acquise.
- **b)** à médiation cellulaire.
- **c)** humorale passive transmise naturellement.
- **d)** humorale passive transmise artificiellement.

12. Lesquels des anticorps qui suivent sont disposés habituellement en pentamère?
- **a)** IgG.
- **b)** IgM.
- **c)** IgA.
- **d)** IgD.

13. Pour qu'un anticorps IgG et un anticorps IgM puissent attaquer le même antigène, quelles parties de leurs chaînes doivent être identiques?
- **a)** La région constante d'une chaîne lourde.
- **b)** La région variable d'une chaîne lourde.
- **c)** La région constante d'une chaîne légère.
- **d)** La région variable d'une chaîne légère.

14. Laquelle des propriétés des anticorps qui suivent provoque une réaction hémolytique avec des antigènes A ou B?
- **a)** La neutralisation.
- **b)** La précipitation.
- **c)** La fixation du complément.
- **d)** L'agglutination.

15. Les lymphocytes T ont besoin qu'on leur présente l'antigène avant de se mobiliser contre les cellules qui le portent. Quel type de cellules présente l'antigène aux lymphocytes T?
    a) Les macrophagocytes.
    b) Les lymphocytes B.
    c) Les granulocytes neutrophiles.
    d) D'autres lymphocytes T.
    e) Les cellules tueuses naturelles.

16. Les réactions d'hypersensibilité de type I ne se déclenchent généralement qu'au deuxième contact avec l'allergène parce:
    a) qu'il n'y a pas de fabrication d'anticorps par l'organisme contre l'allergène au premier contact.
    b) qu'il n'y a pas suffisamment d'anticorps qui sont fabriqués au premier contact.
    c) qu'il n'y a pas suffisamment de molécules d'allergènes qui entrent dans l'organisme au premier contact.
    d) que les anticorps fabriqués au premier contact sont déjà présents sur les mastocytes au deuxième contact.
    e) que, au premier contact, il y a libération d'histamine qui empêche les réactions de se manifester.

17. Laquelle ou lesquelles des affections qui suivent sont des maladies auto-immunes?
    a) Le diabète de type I.
    b) La sclérose en plaques.
    c) La maladie de Basedow.
    d) La polyarthrite rhumatoïde.

18. Les principales cibles du VIH qui cause le sida sont:
    a) les lymphocytes T auxiliaires.
    b) les lymphocytes T cytotoxiques.
    c) les macrophagocytes.
    d) les lymphocytes B.

QUESTIONS À COURT DÉVELOPPEMENT

1. Quelle est la fonction la plus importante des vaisseaux lymphatiques? des nœuds lymphatiques?

2. Quelle particularité structurale des capillaires lymphatiques leur permet de jouer leur rôle?

3. À quel endroit les nœuds lymphatiques sont-ils les plus denses? Nommez deux types de cellules présents dans les nœuds lymphatiques.

4. Que peut-on soupçonner lorsque des nœuds lymphatiques deviennent douloureux?

5. Quel est le rôle particulier des amygdales? de la rate?

6. L'épiderme de la peau et les muqueuses de l'organisme agissent comme barrières mécaniques; ils contribuent à la protection de l'organisme d'autres façons. Citez les régions de l'organisme où se trouvent normalement le mucus, le lysozyme, la kératine, un pH acide et les cils, et expliquez la fonction de chacun.

7. En quoi le mode d'attaque des cellules anormales ou étrangères par les macrophagocytes et les cellules tueuses naturelles diffère-t-il?

8. Quels sont les quatre signes majeurs de la réaction inflammatoire? Quelle est la cause de chacun de ces signes?

9. Qu'est-ce qu'un abcès? De quoi est constitué le pus?

10. Qu'est-ce que le complément? Comment provoque-t-il la lyse bactérienne? Citez quelques-uns des autres rôles du complément.

11. Les interférons sont aussi appelés *protéines antimicrobiennes.* Qu'est-ce qui stimule leur production et comment protègent-ils les cellules non infectées?

12. Présentez les avantages et les dangers de la fièvre pour l'organisme.

13. Définissez la *réaction immunitaire.*

14. Définissez l'*antigène.* Quelle est la différence entre un antigène complet et un antigène incomplet (haptène)? Qu'est-ce qu'un autoantigène?

15. Faites la distinction entre l'immunité humorale et l'immunité à médiation cellulaire, puis entre le rôle des lymphocytes B et celui des lymphocytes T.

16. La réaction immunitaire est un système à deux branches: expliquez alors l'affirmation selon laquelle « il n'y a pas d'immunité sans lymphocytes T ».

17. Définissez l'*immunocompétence.* Qu'est-ce qui indique qu'un lymphocyte B ou T est devenu immunocompétent? Dans quelle région de l'organisme la « phase de programmation » se déroule-t-elle pour les lymphocytes T? pour les lymphocytes B?

18. La liaison des antigènes aux récepteurs des lymphocytes immunocompétents entraîne la sélection clonale. Décrivez le processus de sélection clonale. Quelle cellule non lymphocytaire joue un rôle de premier plan dans ce processus, et quelle est sa fonction?

19. Nommez les types de cellules qui sont présents dans un clone de lymphocytes B, puis décrivez la fonction de chaque type.

20. Décrivez les rôles caractéristiques des lymphocytes T auxiliaires, cytotoxiques et suppresseurs dans l'immunité à médiation cellulaire. On croit qu'un de ces rôles est perturbé dans le sida. Lequel?

21. Faites la distinction entre *réaction immunitaire primaire* et *réaction immunitaire secondaire.* Laquelle est la plus rapide, et pourquoi?

22. Expliquez la différence entre *immunité active* et *immunité passive*, d'une part, et entre *immunité naturelle* et *immunité artificielle*, d'autre part. Donnez un exemple d'immunité active naturelle, d'immunité active artificielle, d'immunité passive naturelle et d'immunité passive artificielle.

23. Décrivez la structure d'un anticorps, puis expliquez l'importance de ses régions variables et constantes.

24. Nommez les cinq classes d'immunoglobulines. Laquelle est le plus susceptible de se trouver liée à la membrane d'un lymphocyte B ? Laquelle est la plus abondante dans le plasma ? Laquelle joue un rôle important dans les réactions allergiques ? Laquelle est la première immunoglobuline libérée au cours de la réaction immunitaire primaire ? Laquelle peut traverser la barrière placentaire ?

25. Comment les anticorps contribuent-ils à défendre l'organisme ?

26. Expliquez pourquoi les patients ayant subi une allogreffe sont susceptibles d'être victimes d'une infection bactérienne ou virale.

27. Définissez l'*allergie*. Comparez les réactions allergiques de type I et les réactions allergiques de type IV sur les plans de la cause et des conséquences.

28. Quels événements peuvent conduire à la perte de l'autotolérance et à la maladie auto-immune ?

29. L'absence de lymphocytes B mémoire spécifiques d'un antigène donné influera-t-elle sur la réaction immunitaire primaire ou secondaire ?

30. Suggérez une explication au fait que les risques de cancers, de maladies auto-immunes et de déficits immunitaires augmentent avec l'âge.

Réflexion et application

1. Avant de donner à un nourrisson son premier vaccin contre la poliomyélite, une infirmière explique aux parents que ce vaccin est une préparation de virus affaibli. Quel type d'immunité sera conféré au nourrisson ?

2. Certaines personnes ayant un déficit en IgA présentent des infections récurrentes des voies respiratoires et des sinus paranasaux. Expliquez ces symptômes.

3. M. Tremblay, âgé de 80 ans, se plaint de devoir recevoir chaque année le vaccin antigrippal. Les virus de la grippe présentent un taux de mutation élevé (c'est-à-dire des changements génétiques rapides), ce qui entraîne l'apparition de nouvelles protéines sur l'enveloppe du virus. En quoi cela explique-t-il la nécessité de recevoir le vaccin antigrippal *chaque année*?

4. Une femme de 59 ans a subi une mastectomie radicale gauche (c'est-à-dire l'ablation chirurgicale du sein gauche ainsi que des nœuds et des vaisseaux lymphatiques de la région axillaire gauche). Son bras gauche est très enflé et douloureux, et elle est incapable de le soulever plus haut que la ceinture scapulaire. Expliquez-lui ces signes et ces symptômes. Peut-elle espérer une atténuation des symptômes avec le temps ? Pourquoi ?

5. Les lymphocytes circulent continuellement dans le sang et la lymphe de l'organisme. Quelle est l'importance de cette patrouille incessante ?

CHAPITRE 13

Le système respiratoire

Lorsque vous aurez étudié le présent chapitre, vous aurez une connaissance pratique des fonctions du système respiratoire ; vous devriez de plus avoir atteint les objectifs d'apprentissage énumérés ci-dessous.

Aperçu des fonctions

- ☐ Le système respiratoire fournit de l'oxygène au sang et le débarrasse du gaz carbonique.

OBJECTIFS D'APPRENTISSAGE

L'anatomie fonctionnelle du système respiratoire *(p. 468-476)*

☐ **1.** Nommer les parties du système respiratoire, du nez aux alvéoles pulmonaires (ou les montrer sur un schéma ou un modèle), et décrire brièvement la structure et la fonction de chacune.

☐ **2.** Définir la *zone respiratoire* et la *zone de conduction* (préciser les structures de chaque zone et comparer leur fonction générale respective).

☐ **3.** Décrire les divers mécanismes de protection du système respiratoire.

☐ **4.** Décrire la structure et la fonction des poumons et des feuillets de la plèvre.

☐ **5.** Décrire la structure et la fonction de la membrane alvéolocapillaire.

La physiologie de la respiration *(p. 476-484)*

☐ **6.** Définir les termes suivants : *respiration cellulaire*, *respiration externe*, *respiration interne*, *ventilation pulmonaire*, *expiration* et *inspiration.*

☐ **7.** Expliquer les rôles des muscles respiratoires dans les variations de volume entraînant l'écoulement de l'air dans les poumons pendant l'inspiration normale ; distinguer *expiration normale* et *expiration forcée* en ce qui a trait à la participation du tissu pulmonaire et des muscles respiratoires.

☐ **8.** Définir les termes *atélectasie* et *pneumothorax* ; montrer l'importance de la pression négative de la cavité pleurale.

☐ **9.** Nommer les principaux mouvements non respiratoires de l'air et expliquer leur influence sur les mouvements respiratoires normaux ou ce qui les en distingue.

☐ **10.** Définir les termes relatifs aux volumes pulmonaires qui suivent : *volume courant, capacité vitale, volume de réserve expiratoire, volume de réserve inspiratoire et volume résiduel* ; définir l'*espace mort anatomique.*

☐ **11.** Décrire le processus des échanges gazeux dans les poumons et les tissus.

☐ **12.** Décrire le transport de l'oxygène et du gaz carbonique dans le sang ; préciser où se forment les ions bicarbonate et montrer de quelle façon ils le font.

☐ **13.** Définir *oxyhémoglobine*, *hypoxie*, *oxycarbonisme*, *cyanose.*

☐ **14.** Situer les centres nerveux intervenant dans la régulation de la respiration ; donner un aperçu de la fonction de chacun.

☐ **15.** Expliquer comment la température, la volition, les émotions et les gaz respiratoires (oxygène et gaz carbonique) peuvent influer sur la fréquence et l'amplitude respiratoires.

- ☐ **16.** Définir les termes suivants : *eupnée, apnée, dyspnée, hyperpnée, hyperventilation* et *hypoventilation* ; montrer comment l'hyperventilation et l'alcalose sont liées.

Les troubles respiratoires *(p. 484-485)*

- ☐ **17.** Énumérer sommairement les causes et les symptômes de l'emphysème pulmonaire et de la bronchite chronique ; donner la cause première, les caractéristiques, les principales formes et le traitement du cancer du poumon ; présenter sommairement les causes et les symptômes de l'asthme.

Le développement et le vieillissement du système respiratoire *(p. 485-488)*

- ☐ **18.** Expliquer le rôle du surfactant et relier ce rôle au syndrome de détresse respiratoire du nouveau-né.
- ☐ **19.** Décrire les changements que subit le système respiratoire au cours de la vie.
- ☐ **20.** Présenter la cause, les symptômes et les mécanismes cellulaires qui interviennent dans la mucoviscidose.

Les milliers de milliards de cellules de l'organisme ont besoin d'un apport continuel d'oxygène pour accomplir leurs fonctions vitales. Nous pouvons survivre quelque temps sans nourriture et sans eau, mais nous ne pouvons absolument pas nous passer d'oxygène. Par ailleurs, à mesure qu'elles consomment de l'oxygène, les cellules doivent libérer le gaz carbonique qu'elles produisent.

Les *systèmes cardiovasculaire* et *respiratoire* se partagent la responsabilité de fournir de l'oxygène à l'organisme et de le débarrasser du gaz carbonique. Les organes du système respiratoire régissent les échanges gazeux ayant lieu entre le sang et le milieu externe. Les organes du système cardiovasculaire assurent le transport des gaz respiratoires entre les poumons et les cellules des tissus, et inversement, en utilisant le sang comme véhicule. Lorsque l'un de ces systèmes fait défaut, les cellules de l'organisme meurent par manque d'oxygène et accumulation de gaz carbonique.

L'anatomie fonctionnelle du système respiratoire

Les organes du **système respiratoire** comprennent les voies respiratoires et les poumons. Les voies respiratoires sont constituées par le nez et le pharynx, qui forment les voies respiratoires supérieures, et par le larynx, la trachée, les bronches et leurs ramifications, qui forment les voies respiratoires inférieures. Les poumons, quant à eux, contiennent les saccules alvéolaires où s'ouvrent les *alvéoles pulmonaires.* Puisque les échanges gazeux avec le sang ont lieu uniquement dans les alvéoles, les autres structures du système respiratoire ne sont en fait que des voies de conduction qui permettent à l'air d'entrer dans les poumons. Ces voies assurent toutefois d'autres fonctions très importantes. Elles purifient, humidifient et réchauffent l'air inspiré. Parvenu dans les poumons, celui-ci contient beaucoup moins d'agents irritants (poussières, bactéries, etc.) qu'à son entrée dans le système, et il est chaud et humide. De plus, diverses structures du système respiratoire contribuent plus ou moins directement à la phonation. La figure 13.1 montre les organes du système respiratoire que nous décrirons maintenant.

LE NEZ

Qu'il soit plat ou particulièrement arqué, le **nez** est la seule partie du système respiratoire qui soit visible extérieurement. Pendant la respiration, l'air y pénètre par les **narines**. L'intérieur du nez abrite les **cavités nasales**, séparées par le *septum nasal.* Les *récepteurs olfactifs* de l'odorat sont situés dans la muqueuse de la région supérieure des cavités nasales, juste au-dessous de l'os ethmoïde. Le reste de la muqueuse nasale, appelé *région respiratoire de la muqueuse nasale*, repose sur un riche plexus de veines aux parois minces qui réchauffent l'air à son passage. (La localisation superficielle de ces vaisseaux explique la fréquence et l'abondance des saignements de nez.) Par ailleurs, le mucus collant sécrété par les glandes de la muqueuse humidifie l'air et emprisonne les bactéries et les débris étrangers. Les cellules ciliées de la muqueuse nasale créent un léger courant qui achemine le mucus contaminé vers la gorge (oropharynx), où il est avalé et digéré par les sucs gastriques. Cet

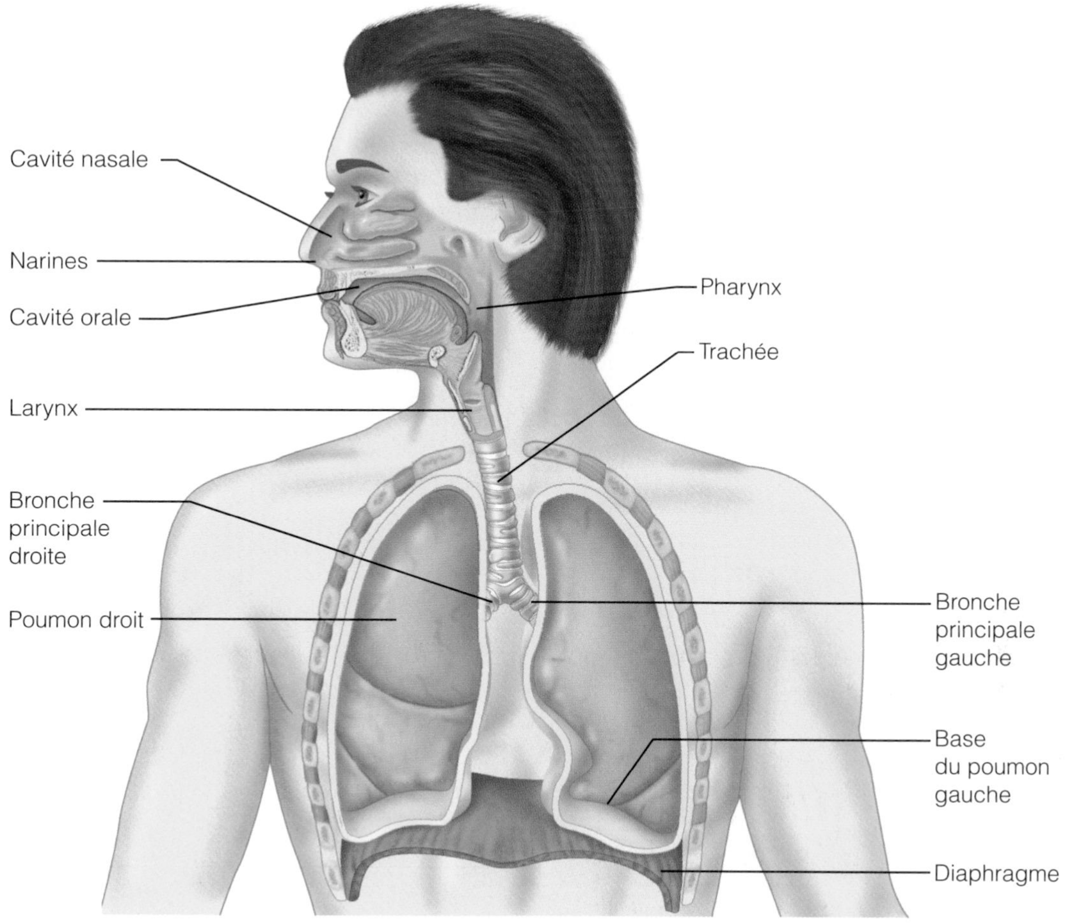
Cavité nasale
Narines
Cavité orale
Larynx
Bronche principale droite
Poumon droit
Pharynx
Trachée
Bronche principale gauche
Base du poumon gauche
Diaphragme

Figure 13.1 **Les principaux organes du système respiratoire et les structures environnantes**

important mécanisme passe habituellement inaperçu. Lorsqu'il fait froid, cependant, l'action des cils ralentit; le mucus s'accumule dans les cavités nasales et il dégoutte des narines.

Comme le montrent la figure 13.1 et la figure 13.2, les parois latérales des cavités nasales sont accidentées, puisqu'elles portent trois projections osseuses recouvertes de la muqueuse nasale, les **cornets**, qui accroissent notablement la surface de la muqueuse exposée à l'air. L'air inspiré tourbillonne dans les anfractuosités des cavités nasales, tandis que les particules inhalées sont déviées vers les surfaces recouvertes de mucus qui les captent et les empêchent de s'infiltrer dans les poumons.

Le nez permet non seulement de purifier, de réchauffer et d'humidifier l'air entrant dans les voies respiratoires, mais aussi de récupérer la chaleur et l'humidité de l'air sortant. Respirer par le nez a donc son importance, car la bouche ne peut remplir toutes ces fonctions.

Les cavités nasales sont séparées de la cavité orale par le **palais**. Dans sa partie antérieure, le palais est supporté par des os et est appelé **palais osseux**. La partie postérieure, sans soutien, porte le nom de **palais mou**.

Déséquilibre homéostatique

La *fente palatine*, anomalie génétique caractérisée par l'absence de fusion médiane des os formant le palais, provoque des troubles respiratoires et entrave certaines fonctions de la cavité orale comme la mastication et la phonation. ▲

Les cavités nasales sont entourées d'un anneau de cavités, les **sinus paranasaux**, creusées dans les os frontal, sphénoïde, ethmoïde et maxillaire (voir la figure 5.10, p. 141). Les sinus allègent les os de la tête et servent de caisse de résonance pour l'émission des sons. Le mucus qu'ils sécrètent se draine dans les cavités nasales, et l'effet

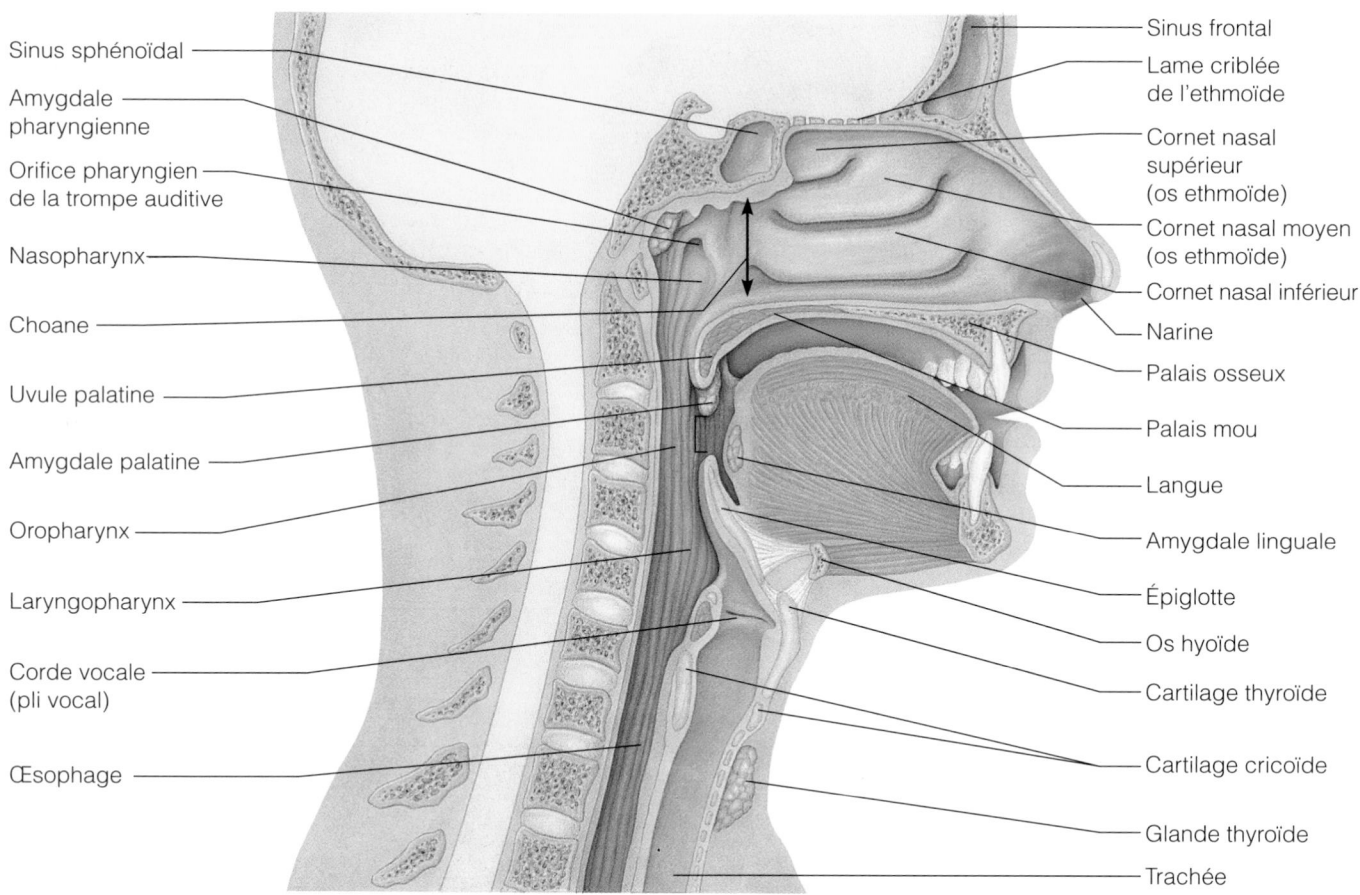

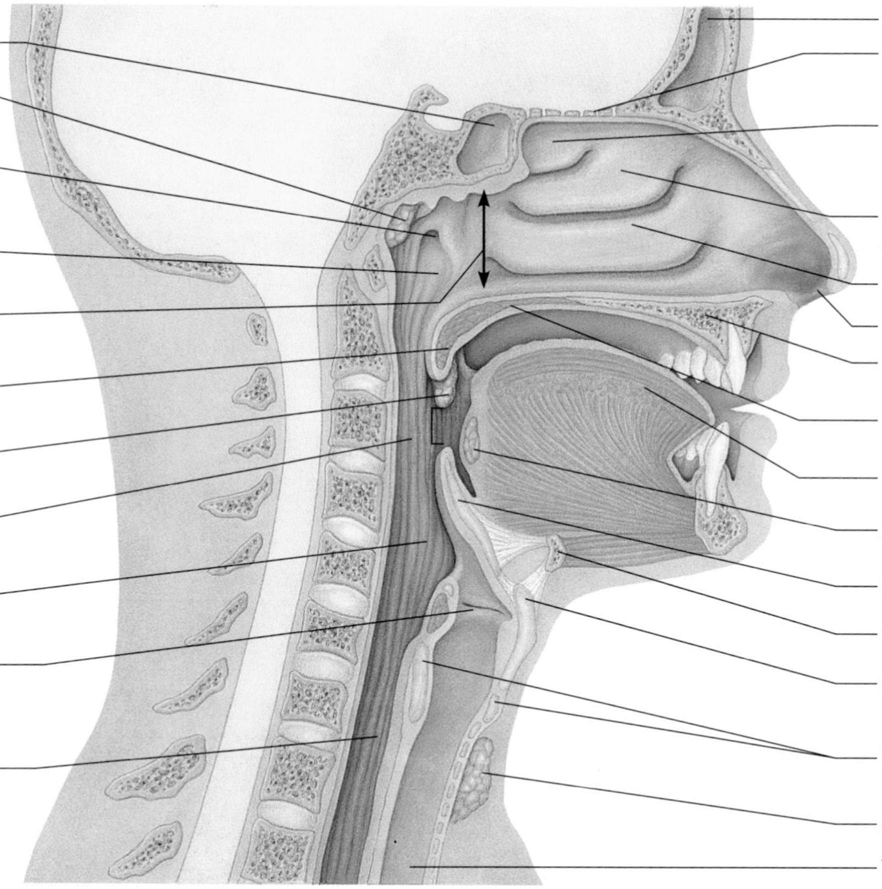
Sinus sphénoïdal
Amygdale pharyngienne
Orifice pharyngien de la trompe auditive
Nasopharynx
Choane
Uvule palatine
Amygdale palatine
Oropharynx
Laryngopharynx
Corde vocale (pli vocal)
Œsophage
Sinus frontal
Lame criblée de l'ethmoïde
Cornet nasal supérieur (os ethmoïde)
Cornet nasal moyen (os ethmoïde)
Cornet nasal inférieur
Narine
Palais osseux
Palais mou
Langue
Amygdale linguale
Épiglotte
Os hyoïde
Cartilage thyroïde
Cartilage cricoïde
Glande thyroïde
Trachée

Figure 13.2 **L'anatomie des voies respiratoires supérieures, coupe sagittale**

de succion créé par le mouchage contribue à vider les sinus. Les larmes s'écoulent des yeux dans les *conduits lacrymonasaux*, qui s'ouvrent dans les cavités nasales.

Déséquilibre homéostatique

Les virus du rhume et divers allergènes causent la *rhinite*, inflammation de la muqueuse nasale accompagnée d'une sécrétion excessive de mucus provoquant la congestion et l'écoulement nasal. Comme la muqueuse nasale communique avec le reste des voies respiratoires et s'étend jusque dans les conduits lacrymonasaux et les sinus paranasaux, les infections des cavités nasales peuvent se propager à ces structures. La *sinusite*, ou inflammation des sinus, est difficile à traiter et peut altérer considérablement la qualité de la voix. Lorsque du mucus ou des matières infectieuses obstruent les voies qui relient les cavités nasales aux sinus, l'air que ceux-ci contiennent est absorbé. Le vide partiel qui en résulte cause la céphalée typique de la sinusite aiguë. ▲

LE PHARYNX

Le **pharynx** est une structure musculaire en forme d'entonnoir d'une longueur d'environ 13 cm. Communément appelé *gorge*, il est le passage que l'air et les aliments empruntent (voir les figures 13.1 et 13.2). Il communique par les **choanes** avec les cavités nasales situées à l'avant.

L'air qui entre par les cavités nasales passe dans la portion supérieure du pharynx, appelée **nasopharynx**, puis descend par l'**oropharynx** et le **laryngopharynx** avant d'atteindre le larynx. Les aliments entrent par la bouche, puis pénètrent avec l'air dans l'oropharynx et le laryngopharynx. Ensuite, au lieu de passer dans le larynx, ils bifurquent vers l'*œsophage*, situé à l'arrière.

La trompe auditive, qui draine l'oreille moyenne, s'ouvre dans le nasopharynx. Comme les muqueuses de ces deux régions sont en continuité, des infections comme l'*otite moyenne* peuvent se déclarer à la suite d'un mal de gorge ou d'une autre infection pharyngée.

Des amas de tissu lymphatique appelés *amygdales* (ou *tonsilles*) sont présents dans le pharynx. L'**amygdale pharyngienne**, ou végétations adénoïdes, est située dans la partie supérieure du nasopharynx. Les **amygdales palatines** sont logées dans l'oropharynx à la limite du palais mou, et l'**amygdale linguale** couvre la base de la langue. La fonction protectrice des amygdales est décrite au chapitre 12 (p. 433).

Déséquilibre homéostatique

L'infection et l'œdème de l'amygdale pharyngienne (causés par une infection bactérienne, par exemple) obstruent le passage de l'air dans le nasopharynx. Cet état nécessite le passage à la respiration buccale, si bien que l'air atteint les poumons sans avoir été adéquatement humidifié, réchauffé ou filtré. De nombreux enfants semblent souffrir presque continuellement d'amygdalite. Auparavant, on croyait que les amygdales présentaient souvent plus d'inconvénients que d'avantages, et on en faisait alors l'ablation. De nos jours, de nombreux antibiotiques peuvent enrayer l'amygdalite, et l'ablation des amygdales n'est plus nécessaire (ni même souhaitable). ▲

LE LARYNX

Le **larynx** aiguille le passage de l'air et des aliments dans les conduits appropriés et joue un rôle dans la phonation. Situé au-dessous du pharynx (voir les figures 13.1 et 13.2), il est constitué de huit cartilages hyalins rigides et d'un cartilage élastique en forme de cuiller, l'épiglotte. Le grand **cartilage thyroïde**, en forme de bouclier, présente une saillie à l'avant appelée couramment *pomme d'Adam*. L'**épiglotte** protège l'ouverture supérieure du larynx. Lorsque nous n'avalons pas, elle permet le passage de l'air dans les voies respiratoires inférieures. Pendant la déglutition, en revanche, le larynx se soulève et l'épiglotte s'incline : elle ferme le larynx et dirige les aliments et les liquides vers l'arrière, dans l'œsophage. Si une substance autre que l'air pénètre dans le larynx, le *réflexe de la toux* se déclenche afin de l'expulser. Puisque ce réflexe est *aboli* en état d'inconscience, il faut éviter de faire boire une personne que l'on tente de ranimer.

- Palpez votre larynx en plaçant une main au centre de la face antérieure du cou. Avalez ensuite pour sentir votre larynx se soulever.

Une partie de la muqueuse du larynx est formée d'une paire de plis, les **cordes vocales**, ou **plis vocaux**, qui vibrent et émettent des sons sous l'impulsion de l'air expiré. L'ouverture entre les cordes vocales est appelée **glotte**.

LA TRACHÉE

L'air qui sort du larynx entre dans la **trachée**, qui mesure de 10 à 12 cm de long, et descend jusqu'à la cinquième vertèbre thoracique, au milieu du thorax environ (voir la figure 13.1).

Les parois de la trachée sont entourées de 15 à 20 anneaux de **cartilage hyalin** en forme de fer à cheval qui lui donnent une certaine rigidité. Ces anneaux assurent deux fonctions : les bords libres sont attachés à l'**œsophage** et permettent à ce dernier de se dilater vers l'avant pendant la déglutition ; les parties solides soutiennent les parois de la trachée et l'empêchent de s'affaisser au gré des variations de pression provoquées par la respiration. Des faisceaux de muscles lisses (muscle trachéal) situés dans les bords postérieurs libres des anneaux permettent de réduire le diamètre de la trachée pour augmenter la vitesse d'expulsion de l'air au besoin (pendant la toux, par exemple).

Déséquilibre homéostatique

L'obstruction de la trachée (ou de la glotte) par un morceau d'aliment est une situation extrêmement grave qui cause chaque année de nombreux décès, car la trachée est la seule voie naturelle par laquelle l'air peut entrer dans les poumons. La manœuvre de Heimlich, par laquelle on expulse le morceau d'aliment au moyen de l'air contenu dans les propres poumons de la personne, permet de sauver bien des vies. Le procédé est simple, mais il vaut mieux l'apprendre *de visu*, car une application malhabile peut causer des fractures des côtes. Dans certains cas d'obstruction, on doit procéder d'urgence à une *trachéotomie* afin d'offrir à l'air une nouvelle voie d'accès vers les poumons. Les premiers jours suivant l'intervention, la trachée est irritée par les tubes de trachéotomie et produit de grandes quantités de mucus. On doit alors aspirer régulièrement ce mucus pour l'empêcher de s'accumuler dans les poumons. ▲

La trachée est tapissée d'une muqueuse ciliée (**figure 13.3**). Ses cils propulsent continuellement le mucus chargé de poussières et de débris en direction opposée de l'air inspiré, vers le pharynx, où il est avalé ou craché.

Déséquilibre homéostatique

L'usage du tabac inhibe le mouvement des cils de la trachée et finit par les détruire. La toux devient alors le seul moyen d'empêcher l'accumulation de mucus dans les poumons. C'est la raison pour

Q **Dans quel sens les cils déplacent-ils, par leurs battements, le mucus à leur surface : vers le pharynx ou vers les poumons ?**

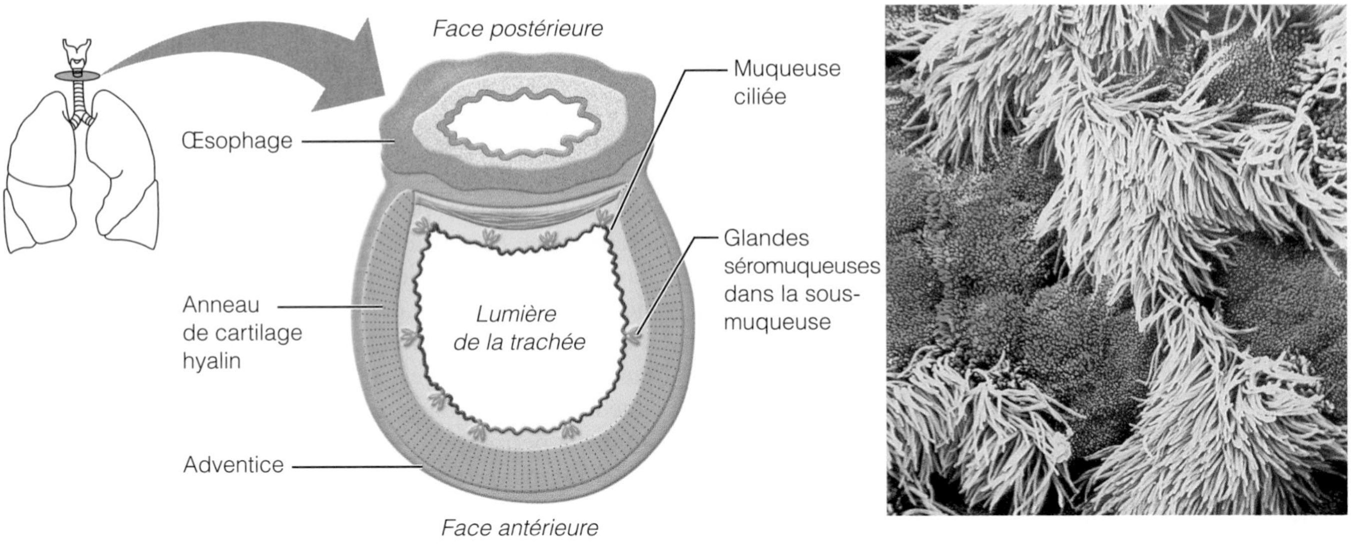
Face postérieure
Œsophage
Muqueuse ciliée
Glandes séromuqueuses dans la sous-muqueuse
Anneau de cartilage hyalin
Lumière de la trachée
Adventice
Face antérieure

(a) (b)

Figure 13.3 **La trachée et l'œsophage**

(a) Coupe transversale. **(b)** Cils de la trachée. Les cils sont les filaments (de couleur jaune) ressemblant à de l'herbe. Des cellules caliciformes sécrétant du mucus et dotées de courtes microvillosités (en orange) sont disséminées entre les cellules ciliées. (Micrographie au microscope électronique à balayage, 221 000×.)

laquelle il faut éviter d'administrer à des fumeurs atteints de congestion pulmonaire des médicaments qui inhibent le réflexe de la toux. ▲

LES BRONCHES PRINCIPALES

Les **bronches principales** droite et gauche sont formées par la division de la trachée. Chacune chemine obliquement avant de s'enfoncer dans le *hile* d'un poumon (voir les figures 13.1 et 13.4). La bronche principale droite est plus large (16 mm de diamètre), plus courte (25 mm) et plus verticale que celle de gauche (11 mm de diamètre et de 40 à 50 mm de longueur). Par conséquent, c'est là que se logent généralement les corps étrangers inspirés. Quand il atteint les bronches, l'air est réchauffé, débarrassé de la plupart des impuretés et saturé de vapeur d'eau. Une fois entrées dans les poumons, les bronches principales se subdivisent en ramifications plus petites qui mènent directement aux saccules alvéolaires.

R **Les cils propulsent le mucus vers le pharynx pour interdire à toute substance indésirable l'accès aux poumons.**

LES POUMONS

Les deux **poumons** sont des organes relativement volumineux. Ils occupent la totalité de la cavité thoracique, sauf sa partie centrale, le **médiastin**, qui abrite le cœur (en bas du médiastin, dans la cavité du péricarde), les gros vaisseaux sanguins, les bronches, l'œsophage et d'autres organes (figure 13.4). L'étroite extrémité supérieure du poumon est appelée **apex du poumon**, et elle est située à l'arrière de la clavicule. Sa large face inférieure est appelée **base du poumon**, et elle repose sur le diaphragme. Chaque poumon est divisé en lobes par des scissures ; le poumon gauche est divisé en deux lobes et le poumon droit, en trois lobes. Ces différents lobes étant relativement indépendants les uns des autres, l'ablation chirurgicale d'un lobe est possible. Chaque lobe est divisé en segments, eux-mêmes divisés en lobules qui constituent les unités fonctionnelles des poumons.

La surface de chaque poumon (et de chaque lobe pulmonaire) est recouverte d'une séreuse viscérale appelée **plèvre viscérale** qui pénètre dans les scissures entre les lobes, et la paroi thoracique est tapissée de la **plèvre pariétale**. Les feuillets de la plèvre produisent le *liquide pleural*, une sécrétion séreuse lubrifiante qui

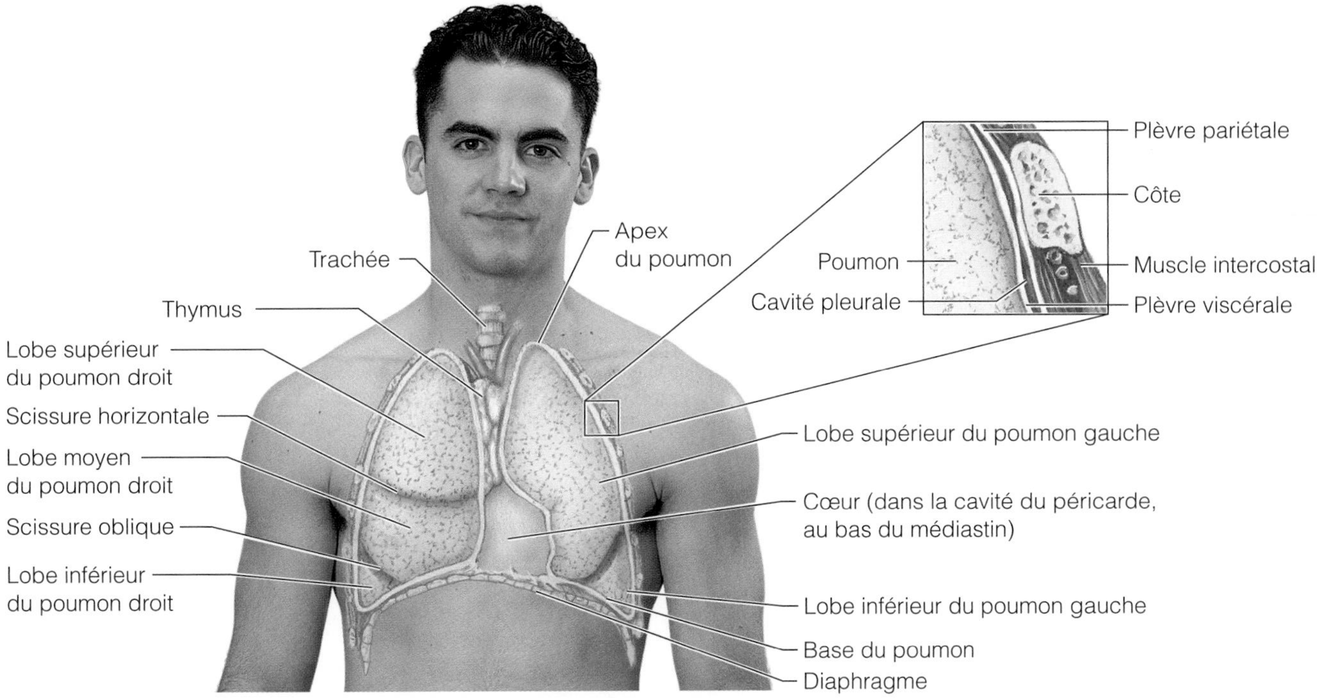

Plèvre pariétale
Côte
Muscle intercostal
Plèvre viscérale
Poumon
Cavité pleurale
Apex
du poumon
Trachée
Thymus
Lobe supérieur
du poumon droit
Scissure horizontale
Lobe moyen
du poumon droit
Scissure oblique
Lobe inférieur
du poumon droit
Lobe supérieur du poumon gauche
Cœur (dans la cavité du péricarde,
au bas du médiastin)
Lobe inférieur du poumon gauche
Base du poumon
Diaphragme

(a)

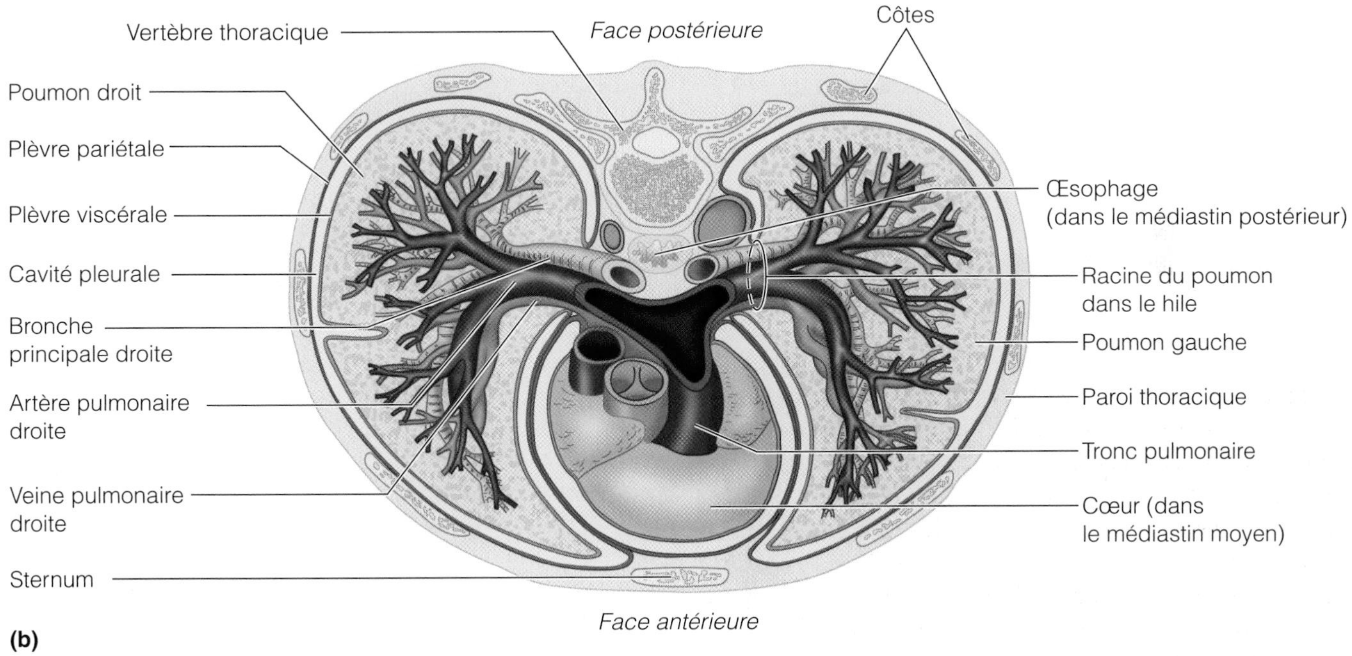

Vertèbre thoracique
Face postérieure
Côtes
Poumon droit
Plèvre pariétale
Plèvre viscérale
Cavité pleurale
Bronche
principale droite
Artère pulmonaire
droite
Veine pulmonaire
droite
Sternum
Œsophage
(dans le médiastin postérieur)
Racine du poumon
dans le hile
Poumon gauche
Paroi thoracique
Tronc pulmonaire
Cœur (dans
le médiastin moyen)
Face antérieure

(b)

Figure 13.4 **Les organes de la cavité thoracique**

(a) Vue antérieure des organes de la cavité thoracique montrant la position latérale des poumons par rapport au cœur.
(b) Coupe transversale du thorax illustrant les poumons, les feuillets de la plèvre, les principaux organes du médiastin et le thorax.

réduit la friction des poumons contre la paroi thoracique pendant la respiration et permet un contact étroit entre les deux feuillets. Les feuillets de la plèvre peuvent glisser l'un contre l'autre, mais ils résistent fortement à leur séparation. Par conséquent, chaque poumon adhère fermement à la paroi thoracique, ce qui fait de la **cavité**

pleurale un espace bien plus virtuel que réel. Comme nous le verrons, le contact étroit des feuillets de la plèvre est une condition essentielle à une respiration normale. La figure 13.4 montre la position de la plèvre dans les poumons et la paroi thoracique.

Déséquilibre homéostatique

La *pleurésie*, inflammation de la plèvre, est souvent causée par une diminution de la sécrétion de liquide pleural. Les feuillets s'assèchent et s'abrasent, causant une friction douloureuse à chaque respiration. Inversement, la pleurésie peut résulter d'un excès de liquide pleural. Bien que le liquide gêne la respiration en exerçant une pression sur les poumons, cette forme de pleurésie est beaucoup moins douloureuse que la forme sèche. ▲

Lorsqu'elles entrent dans les poumons, les bronches principales se ramifient en bronches de plus en plus petites (bronches secondaires, tertiaires et ainsi de suite) et deviennent finalement, après une vingtaine de subdivisions, les plus petits conduits aériens, les **bronchioles** (figure 13.5). On désigne souvent ce réseau de conduits aériens aux multiples ramifications par l'expression *arbre*

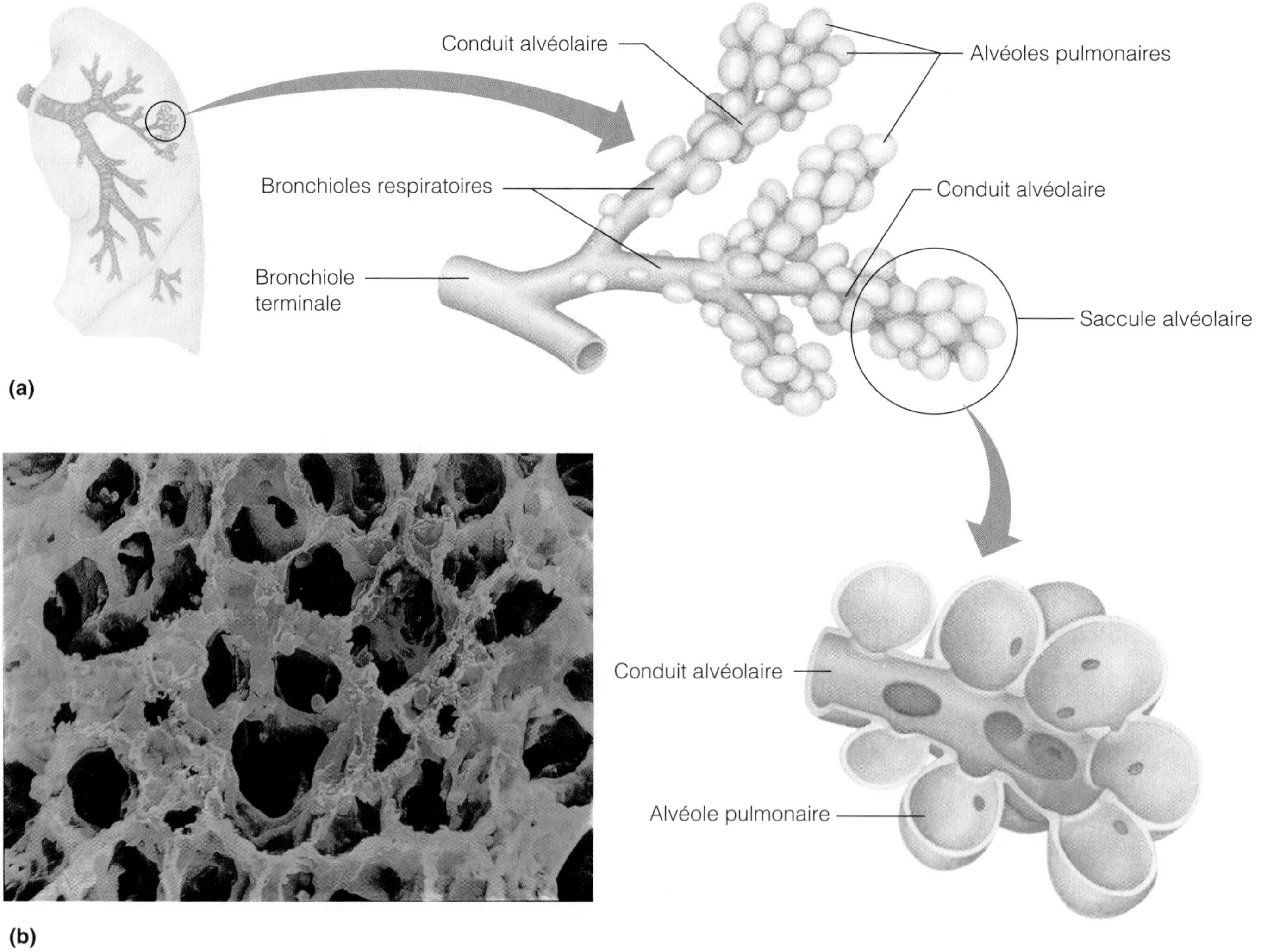
Conduit alvéolaire
Alvéoles pulmonaires
Bronchioles respiratoires
Conduit alvéolaire
Bronchiole terminale
Saccule alvéolaire
(a)
Conduit alvéolaire
Alvéole pulmonaire
(b)

Figure 13.5 **Les structures de la zone respiratoire**

(a) Représentation schématique des structures de la zone respiratoire (bronchioles respiratoires, conduits alvéolaires, saccules alvéolaires et alvéoles pulmonaires). **(b)** Micrographie de tissu pulmonaire humain montrant les structures respiratoires qui forment l'aboutissement de l'arbre bronchique (475×).

bronchique. Tous ces conduits, sauf les plus petits, ont un cartilage de soutien dans leur paroi. La paroi des plus petits conduits contient des muscles lisses qui leur permettent de varier leur diamètre.

Les *bronchioles terminales* se jettent dans les *structures de la zone respiratoire*, des conduits encore plus petits qui se terminent quant à eux dans les **alvéoles pulmonaires** (*alveolus*, « petite cavité »). La **zone respiratoire**, qui comprend les *bronchioles respiratoires*, les *conduits alvéolaires*, les *saccules alvéolaires* et les alvéoles pulmonaires, est le seul siège des échanges gazeux. Tous les autres conduits aériens sont des **structures de la zone de conduction** qui font circuler l'air allant vers (et venant de) la zone respiratoire. Les 150 millions d'alvéoles pulmonaires, qui ressemblent à des grappes de raisins, constituent la majeure partie du volume d'un poumon. Les poumons sont donc principalement formés d'espaces remplis d'air. Le reste du tissu pulmonaire est constitué du *stroma*, tissu conjonctif élastique. Les poumons sont par conséquent des organes mous, spongieux et élastiques dont la masse dépasse à peine 1 kg.

La membrane alvéolocapillaire

Les parois des alvéoles pulmonaires sont principalement composées d'une seule couche de cellules épithéliales squameuses, appelées *épithéliocytes respiratoires*. Elles sont si minces qu'un mouchoir de papier semble épais en comparaison. Les *pores du septum interalvéolaire* relient les alvéoles pulmonaires d'une même région et fournissent des voies de rechange aux alvéoles dont les bronchioles sont obstruées, par du mucus par exemple. Une trame dense de capillaires pulmonaires recouvre les alvéoles. La paroi des alvéoles et des capillaires, leurs membranes basales fusionnées et des fibres élastiques éparses constituent la **membrane alvéolocapillaire**, ou **barrière air-sang** (figure 13.6). Les échanges gazeux se produisent par diffusion simple à travers la membrane alvéolocapillaire, l'oxygène passant des alvéoles au sang, et le gaz carbonique du sang aux alvéoles. Chez un homme en bonne santé, la surface totale des parois alvéolaires où ont lieu les échanges gazeux est de 50 à 70 m^2, soit de 35 à 40 fois la superficie de sa peau.

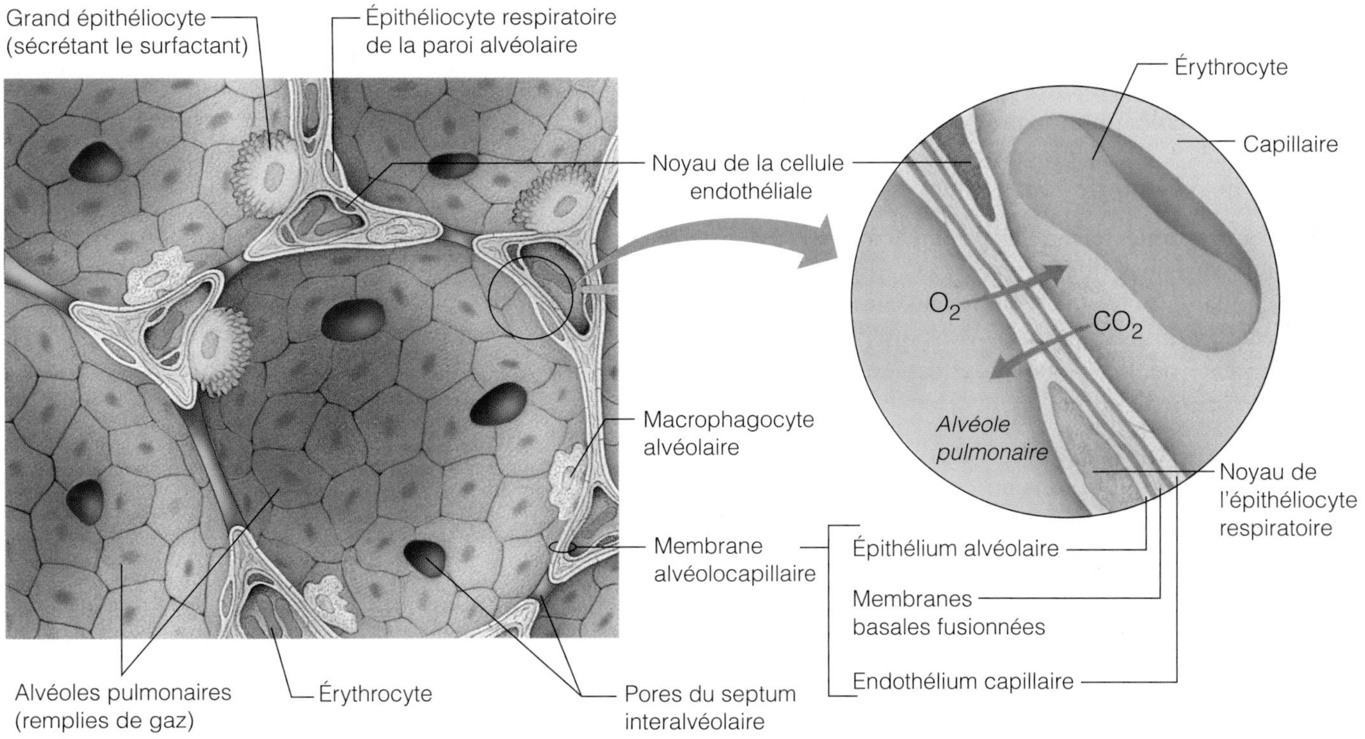

Grand épithéliocyte (sécrétant le surfactant)
Épithéliocyte respiratoire de la paroi alvéolaire
Noyau de la cellule endothéliale
Érythrocyte
Capillaire
O_2
CO_2
Alvéole pulmonaire
Macrophagocyte alvéolaire
Noyau de l'épithéliocyte respiratoire
Membrane alvéolocapillaire
Épithélium alvéolaire
Membranes basales fusionnées
Endothélium capillaire
Alvéoles pulmonaires (remplies de gaz)
Érythrocyte
Pores du septum interalvéolaire

Figure 13.6 **L'anatomie de la membrane alvéolocapillaire**

La membrane alvéolocapillaire comprend les épithéliocytes respiratoires, l'endothélium capillaire et les membranes basales situées entre les deux couches de cellules. Les grands épithéliocytes sécrétant le surfactant sont aussi représentés. L'oxygène diffuse de l'air alvéolaire au sang des capillaires pulmonaires ; le gaz carbonique diffuse du sang pulmonaire aux alvéoles pulmonaires. Les alvéoles d'une même région sont reliées par de petits pores.

Les alvéoles pulmonaires forment la dernière ligne de défense du système respiratoire. Les *macrophagocytes alvéolaires*, communément appelés *cellules à poussières*, circulent librement à la surface des alvéoles, passant de l'une à l'autre par les pores du septum interalvéolaire, et captent des bactéries, des particules de carbone et d'autres débris. Parmi les épithéliocytes respiratoires qui composent la majeure partie des parois alvéolaires, se trouvent de grandes cellules cuboïdes d'apparence très différente, appelées *grands épithéliocytes*. Ces cellules élaborent une substance lipidique, le *surfactant*, qui tapisse la face interne de l'alvéole exposée à l'air alvéolaire et joue un rôle important dans la fonction pulmonaire (voir p. 485).

La physiologie de la respiration

La principale fonction du système respiratoire est de fournir de l'oxygène à l'organisme et de le débarrasser du gaz carbonique. Quatre phénomènes distincts, qui forment la **respiration**, doivent avoir lieu pour que cette fonction soit accomplie :

1. **La ventilation pulmonaire.** L'air doit entrer dans les poumons et en sortir pour que les gaz présents dans les alvéoles pulmonaires soient continuellement renouvelés. C'est ce processus de ventilation pulmonaire qu'on appelle communément « respiration ».
2. **La respiration externe.** Des échanges gazeux (absorption d'oxygène et libération de gaz carbonique) entre les capillaires pulmonaires et les alvéoles pulmonaires doivent avoir lieu. Rappelez-vous que, dans la respiration **ex**terne, les échanges s'effectuent entre le sang et l'*extérieur* du corps.
3. **Le transport des gaz respiratoires.** L'oxygène doit entrer dans les poumons et les cellules des tissus, et le gaz carbonique doit en sortir en empruntant la circulation sanguine.
4. **La respiration interne.** Des échanges gazeux entre le sang et les cellules des tissus doivent se produire dans les capillaires systémiques*. Dans la respiration **in**terne, les échanges s'effectuent entre le sang et les cellules à l'*intérieur* du corps.

Bien que seuls les deux premiers phénomènes soient des fonctions exclusives du système respiratoire, tous les quatre sont nécessaires à la réalisation des échanges gazeux. Nous décrirons maintenant chacun de ces processus.

LA MÉCANIQUE DE LA RESPIRATION

La respiration, ou ventilation pulmonaire, est un processus entièrement mécanique qui repose sur des variations de volume survenant dans la cavité thoracique. Au fil de votre étude, gardez toujours à l'esprit la règle qui suit : *Les variations de volume engendrent des variations de pression, les variations de pression provoquent l'écoulement des gaz, et les gaz s'écoulent de manière à égaliser la pression.*

Les gaz, comme les liquides, prennent la forme du récipient qui les contient. Contrairement aux liquides, toutefois, ils *remplissent* toujours entièrement le récipient qui les contient. Par conséquent, plus le volume est grand, plus les molécules de gaz seront éloignées les unes des autres et plus la pression (créée par la collision des molécules de gaz entre elles et avec les parois de leur récipient) sera faible. Inversement, plus le volume est faible, plus les molécules de gaz seront comprimées et plus la pression sera forte. Voyons maintenant comment tout cela s'applique à l'**inspiration**, pendant laquelle l'air entre dans les poumons, et à l'**expiration**, pendant laquelle l'air sort des poumons.

L'inspiration

Lorsque les muscles inspiratoires, soit le **diaphragme** et les **muscles intercostaux externes**, se contractent, la cavité thoracique prend du volume. En se contractant, le diaphragme convexe s'abaisse et s'aplatit. Par le fait même, la hauteur de la cavité thoracique augmente. La contraction des muscles intercostaux externes élève la cage thoracique et pousse le sternum vers l'avant, ce qui augmente le diamètre du thorax tant en largeur qu'en profondeur (figure 13.7a). Comme ils adhèrent fermement aux parois du thorax (conséquence de la tension superficielle du liquide pleural situé entre les deux feuillets de la plèvre), les poumons s'étirent pour s'adapter aux nouvelles dimensions du thorax. Le *volume intrapulmonaire* augmente, et les gaz à l'intérieur des poumons prennent de l'expansion pour combler l'espace agrandi. La diminution subséquente de la pression intraalvéolaire crée un vide partiel (pression inférieure à la pression atmosphérique) qui aspire de l'air dans les poumons (figure 13.8). L'air continue de s'écouler dans les poumons jusqu'à ce que la pression intraalvéolaire soit égale à la pression atmosphérique. Cette séquence de phénomènes est appelée *inspiration* (inhalation).

---

* Dans les cellules des tissus, l'*utilisation* de l'oxygène et la production de gaz carbonique sont les étapes de la **respiration cellulaire**, activité essentielle à toutes les réactions chimiques fournissant de l'énergie à l'organisme. La respiration cellulaire, qui touche toutes les cellules de l'organisme, est traitée au chapitre 14.

L'expiration

L'*expiration* (exhalation) chez l'individu sain est un processus passif qui repose plus sur l'élasticité des poumons que sur la contraction musculaire. À mesure que les muscles inspiratoires se relâchent et retrouvent leur longueur initiale, la cage thoracique s'abaisse et les poumons se rétractent. Par conséquent, le volume thoracique et le volume intrapulmonaire diminuent (figure 13.7b). Lorsque le volume intrapulmonaire diminue, les gaz à l'intérieur des poumons sont comprimés et la pression intraalvéolaire s'élève au-dessus de la pression atmosphérique (voir la figure 13.8). Ce phénomène force les gaz

Q **Sachant qu'ils sont dépourvus de muscles squelettiques, expliquez comment les poumons se remplissent d'air.**

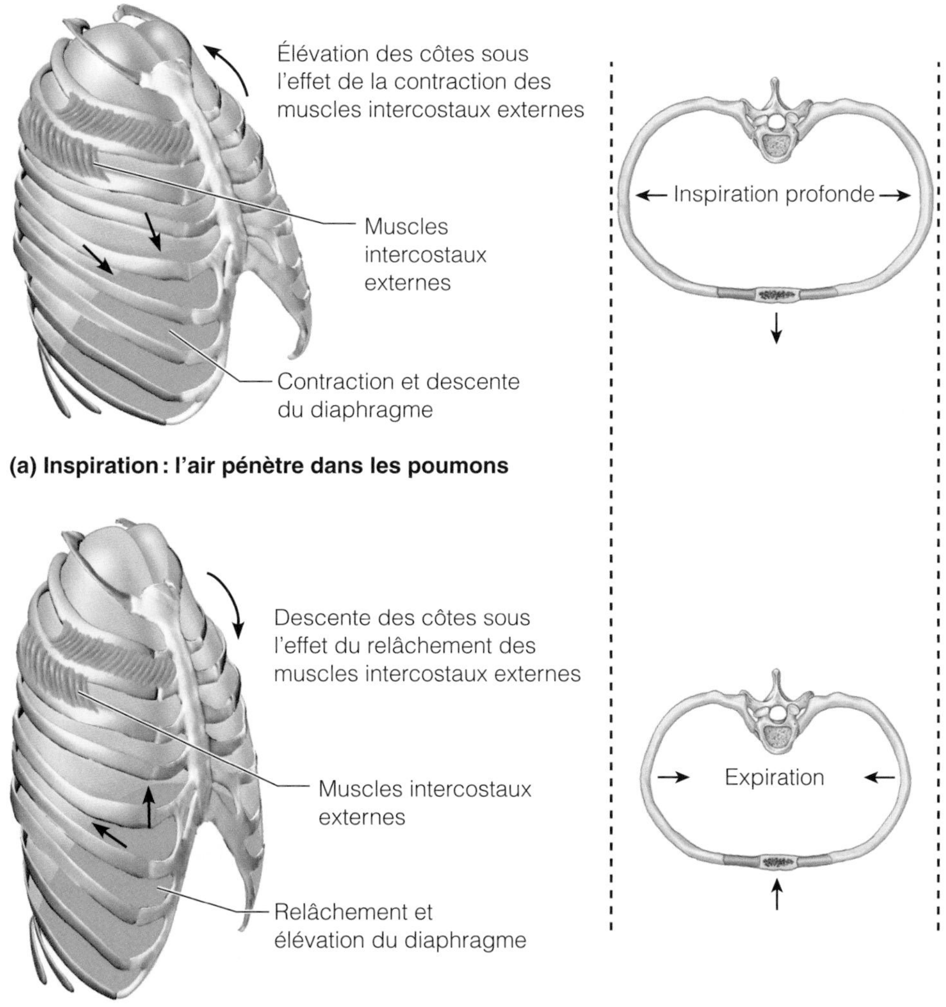
Variations de la profondeur et de la hauteur
Variations de la largeur
Élévation des côtes sous l'effet de la contraction des muscles intercostaux externes
Muscles intercostaux externes
Contraction et descente du diaphragme
Inspiration profonde
Descente des côtes sous l'effet du relâchement des muscles intercostaux externes
Muscles intercostaux externes
Relâchement et élévation du diaphragme
Expiration

(a) Inspiration : l'air pénètre dans les poumons

(b) Expiration : l'air s'échappe des poumons

Figure 13.7 Les positions de la cage thoracique et du diaphragme pendant la respiration

(a) Fin de l'inspiration normale : la poitrine est distendue latéralement, la cage thoracique s'est élevée et le diaphragme s'est affaissé puis aplati. Les poumons sont étirés par l'augmentation du volume thoracique, ce qui fait baisser la pression intraalvéolaire et aspire l'air dans les poumons. **(b)** Fin de l'expiration normale : la poitrine s'est affaissée et s'est contractée dans le sens de la largeur, la cage thoracique s'est abaissée, et le diaphragme s'est élevé et a pris la forme d'un dôme. Les poumons sont comprimés par la taille diminuée de la cage thoracique, la pression intraalvéolaire augmente et l'air est expulsé.

R **La distension de la cavité thoracique provoquée par la contraction du diaphragme et des muscles intercostaux externes fait baisser la pression dans les poumons à un niveau inférieur à celui à l'extérieur du corps. Cette différence de pression produit un appel d'air, et c'est l'afflux de ce dernier qui entraîne l'expansion des poumons.**

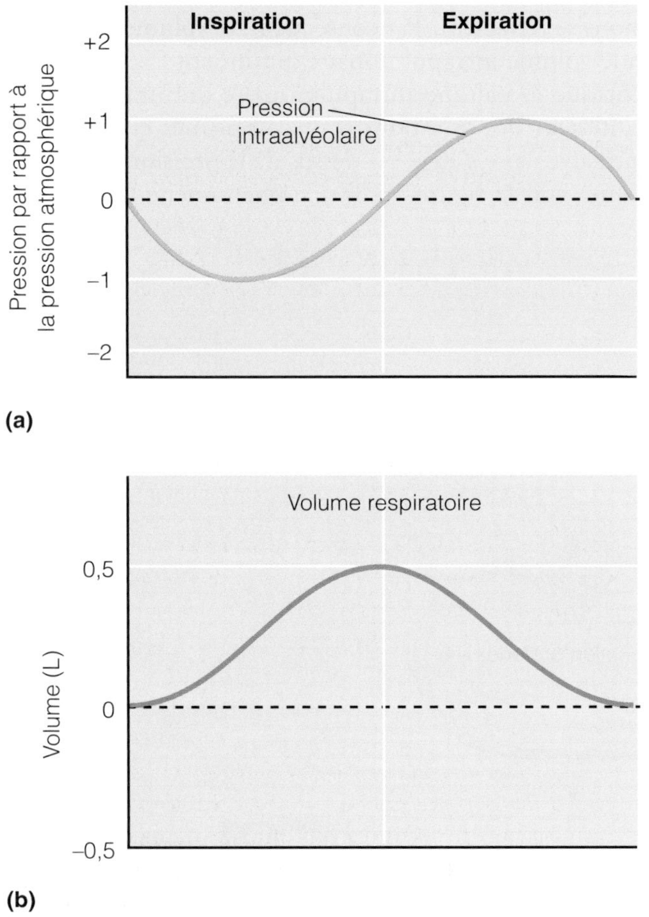
Inspiration
Expiration
Pression par rapport à la pression atmosphérique
+2
+1
0
−1
−2
Pression intraalvéolaire
(a)
Volume respiratoire
Volume (L)
0,5
0
−0,5
(b)

Figure 13.8 **Les modifications de la pression intraalvéolaire et du volume respiratoire pendant l'inspiration et l'expiration**

à s'écouler hors des poumons pour que la pression à l'intérieur et à l'extérieur de ceux-ci soit la même. Dans des conditions normales, l'expiration n'exige aucun effort, mais lorsque les conduits aériens sont rétrécis par les spasmes des bronchioles (en cas d'*asthme*, par exemple) ou bloqués par du mucus ou du liquide (en cas de *bronchite chronique* ou de *pneumonie*, par exemple), l'expiration devient un processus actif, appelé *expiration forcée*. Les muscles intercostaux internes entrent alors en action pour abaisser la cage thoracique, et les muscles abdominaux se contractent et compriment les organes abdominaux contre le diaphragme pour forcer l'air à sortir des poumons.

La pression normale qui règne à l'intérieur de la cavité pleurale (*pression intrapleurale*) est *toujours* négative, ce qui contribue fortement à prévenir l'affaissement des poumons. En effet, lorsque la pression intrapleurale égale la pression atmosphérique, les poumons se rétractent complètement et s'affaissent.

Déséquilibre homéostatique

L'*atélectasie*, ou affaissement des alvéoles pulmonaires, rend les poumons inaptes à la ventilation. Ce phénomène est fréquemment provoqué par l'entrée d'air dans la cavité pleurale à la suite d'une blessure au thorax, mais il peut aussi résulter d'une rupture de la plèvre viscérale, auquel cas l'air des voies respiratoires pénètre dans la cavité pleurale. La présence d'air dans la cavité pleurale est appelée *pneumothorax*. Pour remédier au pneumothorax, on aspire l'air de la cavité pleurale, ce qui permet aux poumons de se gonfler à nouveau et de retrouver leur fonctionnement normal. ▲

Les mouvements non respiratoires de l'air

De nombreux processus autres que la respiration font circuler l'air dans les poumons et peuvent ainsi modifier le rythme respiratoire normal. Tel est le cas de la toux et de l'éternuement, qui libèrent les conduits aériens des débris et du mucus, ainsi que du rire et des pleurs, qui sont liés aux émotions. La plupart de ces **mouvements non respiratoires de l'air** relèvent de l'activité réflexe, mais certains sont volontairement reproductibles. Le tableau 13.1 donne des exemples très courants de ces mouvements.

LES VOLUMES ET LES CAPACITÉS RESPIRATOIRES

De nombreux facteurs influent sur la capacité respiratoire; la taille, le sexe, l'âge et la condition physique en sont des exemples. Normalement, à peu près 500 mL d'air entrent dans les poumons et en sortent à chaque respiration (voir la figure 13.8b). Ce volume respiratoire est appelé **volume courant** (**V_T**, *tidal volume*).

Une personne *peut* inhaler beaucoup plus d'air que ce qu'elle inspire pendant une respiration normale. La quantité d'air qui peut être inspirée en plus avec un effort constitue le **volume de réserve inspiratoire** (**VRI**). Normalement, elle se situe entre 2100 et 3200 mL.

De même, après une expiration normale, il est possible d'exhaler plus d'air. La quantité d'air qui peut être évacuée après une expiration courante, soit le **volume de réserve expiratoire** (**VRE**), est d'environ 1200 mL.

Même après l'expiration la plus vigoureuse, il reste encore quelque 1200 mL d'air dans les poumons qui ne peuvent être évacués volontairement. Cette quantité est appelée **volume résiduel** (**VR**). Le VR permet aux échanges gazeux de continuer entre chaque respiration et contribue à maintenir les alvéoles pulmonaires libres (ouvertes).

Tableau 13.1 Les mouvements non respiratoires de l'air

Mouvement	Mécanisme et résultat
Toux	Inspiration profonde, fermeture de la glotte et poussée de l'air des poumons contre celle-ci ; ouverture subite de la glotte et expulsion rapide de l'air ; dégagement des voies respiratoires *inférieures*
Éternuement	Semblable à la toux, sauf que l'air est expulsé par les cavités nasales plutôt que par la cavité orale ; abaissement de l'uvule palatine (lambeau de tissu pendant du palais mou), ce qui sépare la cavité orale du pharynx et dirige l'air vers les cavités nasales ; libération des voies respiratoires *supérieures*
Pleurs	Inspiration suivie de l'expulsion d'air en de courtes expirations ; réaction émotionnelle
Rire	Essentiellement les mêmes que ceux des pleurs au point de vue des mouvements de l'air ; réaction émotionnelle
Hoquet	Inspirations soudaines causées par des spasmes du diaphragme ; probablement déclenché par l'irritation du diaphragme ou des nerfs phréniques ; son émis par le heurt de l'air inspiré contre les cordes vocales de la glotte fermée
Bâillement	Inspiration très profonde prise la bouche grande ouverte ; autrefois attribué au besoin d'augmenter le taux sanguin d'oxygène, mais cette hypothèse est aujourd'hui remise en question ; ventilation de *toutes* les alvéoles pulmonaires (ce qui n'est pas le cas de la respiration calme normale)

La quantité totale d'air échangeable est d'environ 4800 mL chez un jeune homme en bonne santé et de 3400 mL chez la femme ; cette **capacité vitale (CV)** est la somme du V_T, du VRI et du VRE. La quantité d'air totale que les poumons peuvent contenir, appelée **capacité pulmonaire totale**, est, quant à elle, la somme de la capacité vitale et du volume résiduel : elle est de l'ordre de 6000 mL chez l'homme et de 4500 mL chez la femme. La figure 13.9 présente un résumé des volumes respiratoires.

Une bonne partie de l'air inspiré remplit les conduits de la zone de conduction et n'atteint jamais les alvéoles pulmonaires. Le volume de ces conduits, qui constitue l'**espace mort anatomique**, se situe généralement à environ 150 mL pendant une respiration courante normale (voir la figure 13.9). Le volume fonctionnel, c'est-à-dire la quantité d'air qui reste dans la zone respiratoire et contribue aux échanges gazeux, est d'environ 350 mL.

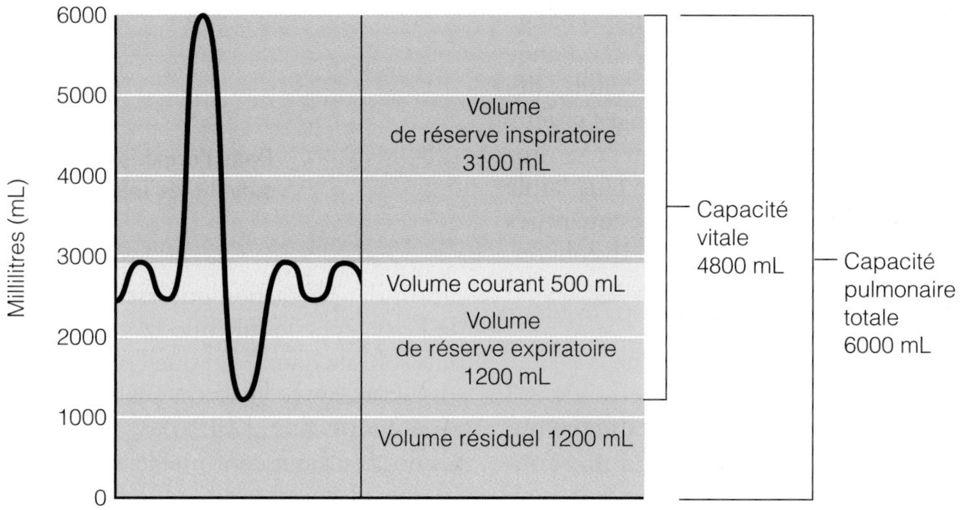
6000
5000
4000
3000
2000
1000
0
Millilitres (mL)
Volume de réserve inspiratoire 3100 mL
Volume courant 500 mL
Volume de réserve expiratoire 1200 mL
Volume résiduel 1200 mL
Capacité vitale 4800 mL
Capacité pulmonaire totale 6000 mL

Figure 13.9 Spirogramme idéalisé des volumes respiratoires d'un jeune homme adulte en bonne santé

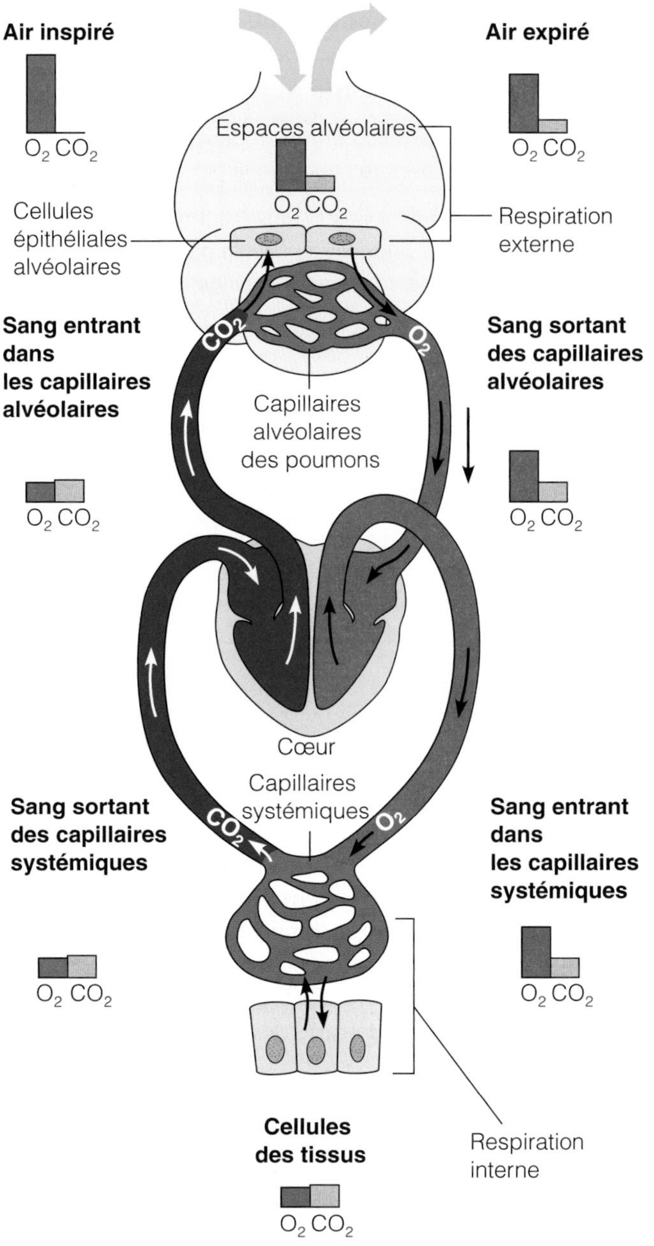

Air inspiré
O_2 CO_2
Air expiré
O_2 CO_2
Espaces alvéolaires
O_2 CO_2
Cellules épithéliales alvéolaires
Respiration externe
Sang entrant dans les capillaires alvéolaires
Sang sortant des capillaires alvéolaires
CO_2
O_2
Capillaires alvéolaires des poumons
O_2 CO_2
O_2 CO_2
Cœur
Capillaires systémiques
Sang sortant des capillaires systémiques
Sang entrant dans les capillaires systémiques
CO_2
O_2
O_2 CO_2
O_2 CO_2
Cellules des tissus
O_2 CO_2
Respiration interne

Figure 13.10 **Dans l'organisme, les échanges gazeux suivent les lois de la diffusion.**

On mesure les capacités respiratoires au moyen d'un *spiromètre*. Pendant que le sujet respire, les volumes d'air expulsé sont enregistrés sur un indicateur qui montre les variations de volume d'air. La spirométrie permet d'évaluer les pertes fonctionnelles respiratoires et de suivre l'évolution de certaines maladies respiratoires. Par exemple, dans une pneumonie, l'inspiration est obstruée, et le VRI et le V_T diminuent. Dans l'emphysème pulmonaire, c'est l'expiration qui est difficile ; le VRE est nettement inférieur à la normale et le VR est plus élevé que la normale (la destruction des parois alvéolaires crée de grandes cavités qui se remplissent d'air).

LES BRUITS RESPIRATOIRES

L'air qui entre dans l'arbre bronchique et en sort émet des bruits caractéristiques audibles au moyen d'un stéthoscope. Les **bruits bronchovésiculaires** sont produits par l'expulsion de l'air dans les grands conduits respiratoires. Les **murmures vésiculaires** témoignent du passage de l'air dans les alvéoles pulmonaires ; ils sont plutôt doux et rappellent le son d'une brise assourdie.

Déséquilibre homéostatique

Une lésion du tissu respiratoire ou une accumulation de mucus ou de pus peuvent occasionner des bruits anormaux tels des *râles* (crépitants) et des *sifflements* (*wheezing*). ▲

LA RESPIRATION EXTERNE, LE TRANSPORT DES GAZ ET LA RESPIRATION INTERNE

Comme nous l'avons vu, la *respiration externe* permet l'échange de gaz entre les alvéoles et le sang (échange gazeux pulmonaire), et la *respiration interne*, l'échange de gaz entre les capillaires systémiques et les cellules des tissus. Il faut se rappeler que tous les échanges gazeux suivent les lois de la diffusion, c'est-à-dire qu'ils se produisent toujours *en direction* de la région de plus faible concentration de la substance qui diffuse. Les quantités relatives d'O_2 et de CO_2 dans les espaces alvéolaires, dans les cellules des tissus ainsi que dans le sang artériel et veineux sont illustrées à la figure 13.10.

La respiration externe

Pendant la respiration externe, le sang rouge sombre qui s'écoule dans la circulation pulmonaire prend une couleur écarlate, puis retourne au côté gauche du cœur, d'où il est distribué dans la circulation systémique. Bien que le changement de couleur soit attribuable à la captation d'oxygène par l'hémoglobine dans les poumons, la libération de gaz carbonique est tout aussi rapide que celle de l'oxygène : le fait que le gaz carbonique soit 20 fois plus soluble dans l'eau que l'oxygène compense, en effet, son gradient de pression plus faible que celui de l'oxygène (voir la figure 13.10). Comme les cellules de l'organisme absorbent continuellement l'oxygène présent dans le sang, il y a toujours plus d'oxygène dans les alvéoles pulmonaires que dans le sang. L'oxygène circule donc de l'air des alvéoles jusqu'à la membrane alvéolocapillaire avant de passer dans le sang moins oxygéné des capillaires pulmonaires. Par ailleurs, les cellules des tissus qui captent l'oxygène du sang dans la circulation systémique y libèrent par la même occasion du gaz carbonique. Puisque la concentration de gaz carbonique est nettement plus élevée dans les capillaires pulmonaires que dans l'air des alvéoles, le gaz quitte le sang pour passer dans les alvéoles, d'où il sera expulsé par les poumons pendant l'expiration. Autrement dit, le sang qui s'écoule des poumons dans les veines pulmonaires est riche en oxygène et pauvre en gaz carbonique, et il est prêt à être dirigé vers la circulation systémique.

Le transport des gaz dans le sang

L'oxygène est transporté dans le sang de deux façons. La plus grande partie (98 %) se lie aux molécules d'hémoglobine à l'intérieur des érythrocytes pour former l'**oxyhémoglobine**, représentée par le symbole HbO_2 dans la figure 13.11a. Une très petite quantité d'oxygène (2 %) est véhiculée sous forme dissoute dans le plasma.

La plus grande partie du gaz carbonique (70 %) est transportée, elle, non pas dans les érythrocytes, mais dans le plasma, sous forme d'**ions bicarbonate** (HCO_3^-). Ces derniers font partie d'un système tampon très important dans le sang (voir le chapitre 15, p. 561). (Les ions se forment par une conversion enzymatique du gaz carbonique qui a lieu dans les érythrocytes. Ils gagnent ensuite le plasma par diffusion.) C'est une quantité plus faible (entre 20 et 30 % du CO_2 véhiculé) qui est transportée dans les érythrocytes, fixée à l'hémoglobine et formant de la *carbaminohémoglobine*. Le gaz carbonique véhiculé dans les érythrocytes se lie à l'hémoglobine en un site différent de celui de l'oxygène, et son transport n'entre donc pas en concurrence avec ce dernier. Avant de diffuser du sang jusqu'aux alvéoles pulmonaires, le gaz carbonique doit cesser d'exister sous forme d'ions bicarbonate. Pour ce faire, les ions bicarbonate doivent pénétrer dans les érythrocytes où ils ont été formés et se combiner à des ions hydrogène (H^+) pour constituer l'acide carbonique (H_2CO_3). L'acide carbonique se dissocie rapidement en eau et en gaz carbonique, et celui-ci diffuse alors du sang pour entrer dans les alvéoles.

Déséquilibre homéostatique

Altérations du transport de l'oxygène: Quelle qu'en soit la cause, toute diminution de l'apport d'oxygène aux tissus est appelée *hypoxie*. Cet état est facilement détectable chez les personnes au teint pâle, car leur peau et leurs muqueuses prennent une teinte bleuâtre (deviennent *cyanosées*). Chez les personnes à la peau foncée, le changement de couleur ne s'observe que sur les muqueuses et le lit des ongles. L'hypoxie peut être causée par l'anémie, un trouble respiratoire ou une anomalie de la circulation.

L'*oxycarbonisme*, ou *intoxication par l'oxyde de carbone*, est une forme particulière d'hypoxie. L'oxyde de carbone (CO) est un gaz incolore et inodore qui se lie à l'hémoglobine aux mêmes sites que l'oxygène et qui lui dispute âprement ces sites de liaison. En outre, comme l'hémoglobine a beaucoup plus d'affinité pour l'oxyde de carbone que pour l'oxygène, la concurrence est déloyale, à tel point que l'oxyde de carbone parvient à déloger l'oxygène.

L'oxycarbonisme est la principale cause de décès en cas d'incendie. Il a ceci d'insidieux qu'il ne produit pas les signes caractéristiques de l'hypoxie, soit la cyanose et la détresse respiratoire. Il se traduit plutôt par la désorientation et par une céphalée lancinante. Dans de rares cas, la peau prend une couleur écarlate (celle du complexe hémoglobine-oxyde de carbone), qui peut facilement passer pour le signe d'une bonne santé. Le traitement consiste à administrer de l'oxygène à 100 % pour déloger complètement l'oxyde de carbone de l'organisme. ▲

La respiration interne

Le mécanisme de la respiration interne, qui permet l'échange de gaz entre le sang et les cellules des tissus, est l'opposé du phénomène ayant lieu dans les poumons. Pendant la respiration interne, le sang libère de l'oxygène et absorbe du gaz carbonique, comme le montre la figure 13.11b. Le gaz carbonique diffusant des cellules des tissus entre dans le sang. Là, il se combine à l'eau pour former l'acide carbonique, qui libère rapidement des ions bicarbonate. Il importe de rappeler que la conversion du gaz carbonique en acide carbonique se produit principalement *à l'intérieur* des érythrocytes, où elle est accélérée par une enzyme spéciale (anhydrase carbonique). Les ions bicarbonate, produits par dissociation de l'acide carbonique, diffusent ensuite vers le plasma, qui les transporte. Entre-temps, l'hémoglobine libère de l'oxygène, qui diffuse rapidement du sang jusqu'aux cellules des tissus: la présence du gaz carbonique diffusant des cellules et son effet sur le pH du sang favorisent d'ailleurs la libération de l'oxygène. Au terme de ces échanges, le sang veineux dans la circulation systémique est beaucoup plus pauvre en oxygène et riche en gaz carbonique que le sang qui sort des poumons.

LA RÉGULATION DE LA RESPIRATION

Les mécanismes nerveux: l'établissement du rythme respiratoire

La respiration n'est pas un acte aussi simple qu'il y paraît. Nous nous limiterons ici aux aspects les plus

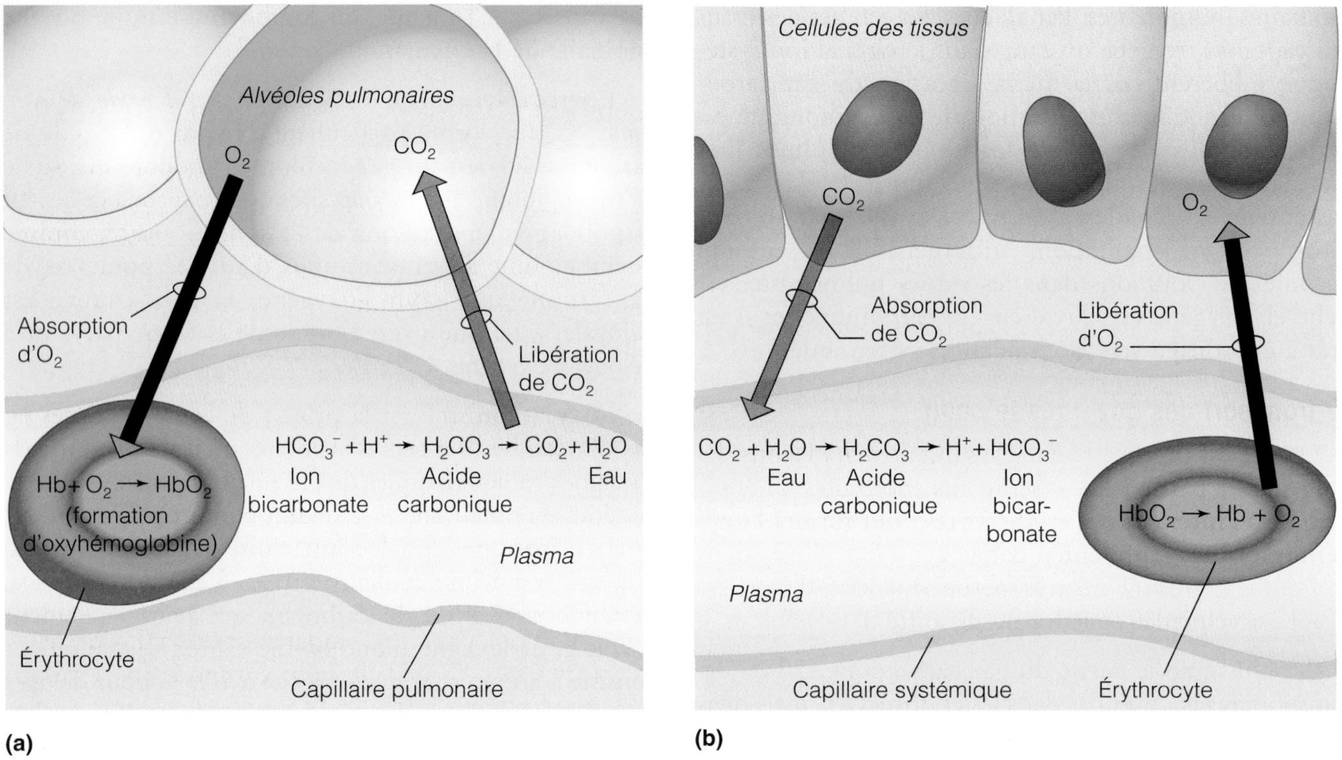

Alvéoles pulmonaires
O_2
CO_2
Absorption d'O_2
Libération de CO_2
$HCO_3^- + H^+ \rightarrow H_2CO_3 \rightarrow CO_2 + H_2O$
Ion bicarbonate
Acide carbonique
Eau
$Hb + O_2 \rightarrow HbO_2$ (formation d'oxyhémoglobine)
Plasma
Érythrocyte
Capillaire pulmonaire
(a)
Cellules des tissus
CO_2
O_2
Absorption de CO_2
Libération d'O_2
$CO_2 + H_2O \rightarrow H_2CO_3 \rightarrow H^+ + HCO_3^-$
Eau
Acide carbonique
Ion bicarbonate
$HbO_2 \rightarrow Hb + O_2$
Plasma
Capillaire systémique
Érythrocyte
(b)

Figure 13.11 **Représentation schématique des principaux mécanismes d'absorption et de libération d'oxygène (O_2) et de gaz carbonique (CO_2) dans l'organisme**

(a) Respiration externe dans les poumons (échanges gazeux pulmonaires) : l'O_2 est absorbé et le CO_2 est libéré.
(b) Respiration interne dans les tissus de l'organisme (échanges gazeux dans les capillaires systémiques) : l'O_2 est libéré et le CO_2 est absorbé dans le sang. (Note : Même si on montre que la conversion du CO_2 en ions bicarbonate ainsi que la réaction inverse se produisent dans le plasma, la plupart des conversions de ce type ont lieu dans les érythrocytes.) De plus, une partie du CO_2 (non illustrée) est transportée dans les érythrocytes, fixée à l'hémoglobine.

fondamentaux de la mécanique respiratoire. L'activité des muscles respiratoires, du diaphragme et des muscles intercostaux externes est régie par les influx nerveux émis à partir de l'encéphale par les **nerfs phréniques** et les **nerfs intercostaux**.

Les centres nerveux qui régissent la fréquence et l'amplitude respiratoires sont situés dans le *bulbe rachidien* et le *pont* (figure 13.12). Le bulbe rachidien, qui établit le rythme respiratoire de base, contient un **centre inspiratoire autostimulé** ainsi que d'autres centres respiratoires. Les centres du pont semblent adoucir les transitions de l'inspiration à l'expiration régies par le bulbe rachidien. Les influx circulant entre les centres du pont et ceux du bulbe rachidien produisent de 12 à 15 respirations par minute. Cette *fréquence respiratoire* normale est appelée **eupnée**.

De plus, les bronchioles et les alvéoles pulmonaires contiennent des mécanorécepteurs qui s'activent et déclenchent un réflexe protecteur s'il y a distension excessive et dangereuse des poumons. Lorsque les poumons sont trop distendus, les mécanorécepteurs émettent des influx vers le bulbe rachidien par l'intermédiaire des nerfs vagues ; peu de temps après, l'inspiration prend fin et l'expiration a lieu.

Pendant l'exercice physique, la respiration est plus profonde et plus vigoureuse, car les centres nerveux de l'encéphale émettent plus d'influx vers les muscles respiratoires. Dans cette forme de respiration, appelée

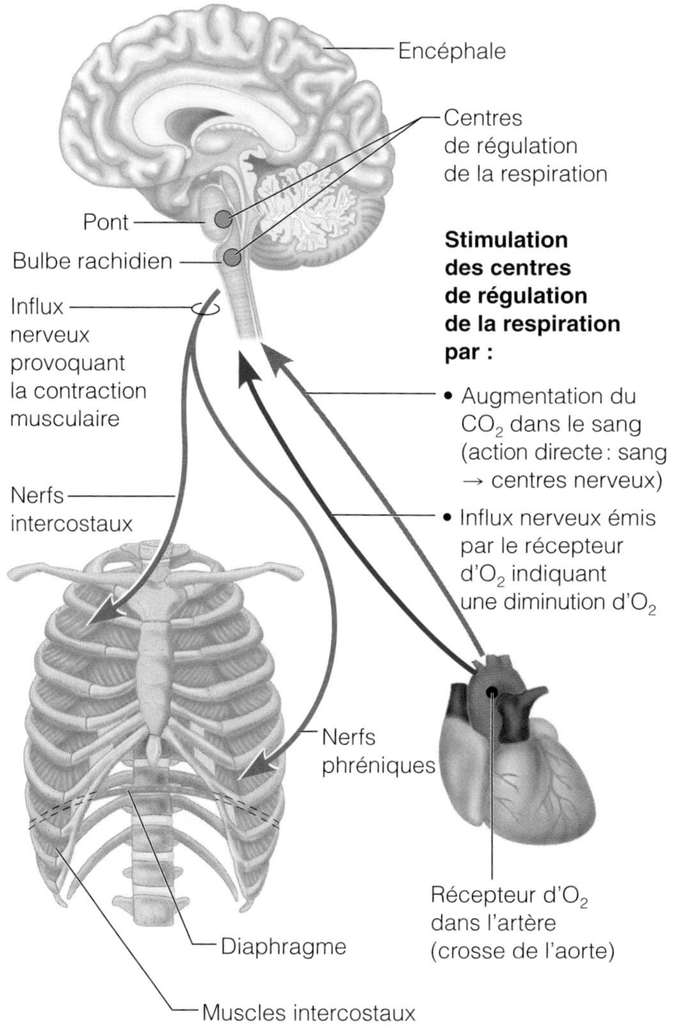
Encéphale
Centres de régulation de la respiration
Pont
Bulbe rachidien
Influx nerveux provoquant la contraction musculaire
Nerfs intercostaux
Stimulation des centres de régulation de la respiration par :
• Augmentation du CO_2 dans le sang (action directe : sang → centres nerveux)
• Influx nerveux émis par le récepteur d'O_2 indiquant une diminution d'O_2
Nerfs phréniques
Récepteur d'O_2 dans l'artère (crosse de l'aorte)
Diaphragme
Muscles intercostaux

Figure 13.12 **Les centres de régulation de la respiration, les influx sensoriels et les nerfs moteurs impliqués**

hyperpnée, la fréquence respiratoire n'augmente pas de façon marquée. Après un exercice vigoureux, l'expiration devient active; les muscles abdominaux et tous les muscles aptes à abaisser la cage thoracique sont mis à contribution pour la faciliter.

Déséquilibre homéostatique

Si les centres respiratoires du bulbe rachidien sont complètement inactivés (en cas de surdose de somnifères, de morphine ou d'alcool, par exemple), la respiration cesse complètement et la mort survient. ▲

Les facteurs influant sur la fréquence et l'amplitude respiratoires

Les facteurs physiques Bien que les centres encéphaliques établissent le rythme fondamental de la respiration, il ne fait aucun doute que des facteurs physiques comme la phonation, la toux et l'exercice peuvent modifier à la fois la fréquence et l'amplitude respiratoires. Nous avons déjà décrit certains de ces facteurs, qui sont des mouvements non respiratoires de l'air. Il en existe d'autres, comme l'élévation de la température corporelle, qui provoque une augmentation de la fréquence respiratoire.

La volition (régulation volontaire) Nous avons tous déjà essayé de régir notre respiration. Lorsque nous chantons ou avalons, la régulation de la respiration est très importante, et nous pouvons retenir notre respiration pendant de courtes périodes pour nager sous l'eau. Bien que les records en apnée statique atteignent les neuf minutes, la capacité de la plupart des individus de retenir volontairement leur respiration est toutefois limitée, et les centres respiratoires ne tiennent aucun compte des messages que leur transmet le cortex (nos désirs) lorsque la concentration d'oxygène dans le sang diminue ou que le pH du sang chute. Pour démontrer ce phénomène, il suffit d'essayer de parler normalement ou de retenir sa respiration après avoir couru très vite durant quelques minutes. Cela est tout simplement impossible. Souvent, les tout-petits essaient de manipuler leurs parents en retenant leur respiration. Il ne faut pas s'inquiéter outre mesure, car les mécanismes de régulation involontaires prennent vite le dessus pour rétablir une respiration normale.

Les facteurs émotionnels Certains facteurs émotionnels modifient également la fréquence et l'amplitude respiratoires. Nous avons tous déjà regardé un film d'épouvante en retenant notre respiration, été pris d'une frayeur telle que notre souffle en était coupé ou cessé de respirer durant un court instant en touchant une substance froide et gluante. Toutes ces réactions sont le résultat de réflexes déclenchés par des stimulus émotionnels qui agissent sur les centres de l'hypothalamus.

Les facteurs chimiques Parmi les nombreux facteurs qui peuvent modifier la fréquence et l'amplitude respiratoires, les plus importants sont chimiques et touchent les concentrations de gaz carbonique et d'oxygène dans le sang. L'accroissement de la concentration sanguine de gaz carbonique et la diminution du pH sanguin sont les principaux facteurs provoquant une augmentation de la fréquence et de l'amplitude respiratoires. (Notez que ces deux variations forment un seul et même phénomène, car la rétention du gaz carbonique produit une augmentation de la concentration d'acide carbonique qui, à son tour, diminue le pH sanguin.) Les variations de concentration sanguine de gaz carbonique, par l'intermédiaire de l'acide carbonique formé et des ions H^+ libérés, diminuent le pH du liquide cérébrospinal entourant les centres du bulbe rachidien ; comme ce liquide ne possède pas de système tampon, la diminution du pH les stimulent (voir la figure 13.12).

Inversement, les variations de la concentration sanguine d'oxygène sont détectées par les chimiorécepteurs de la crosse de l'aorte et ceux qui sont situés dans les sinus carotidiens (dilatations des artères carotides internes). Ces chimiorécepteurs transmettent des influx au bulbe rachidien lorsque les concentrations sanguines d'oxygène diminuent. Bien que chaque cellule de l'organisme ait besoin d'oxygène pour survivre, pour une personne en bonne santé, les variations de concentration du gaz carbonique sont, pour la respiration, des stimulus plus importants que les variations de concentration d'oxygène. Les diminutions de concentration d'oxygène ne prennent de l'importance que lorsqu'elles sont très marquées, comme dans certaines maladies ou au cours d'un séjour en haute altitude.

Déséquilibre homéostatique

Chez les personnes qui retiennent le gaz carbonique, par exemple celles qui sont atteintes d'une maladie pulmonaire chronique comme l'emphysème pulmonaire ou la bronchite chronique, l'encéphale ne considère plus l'augmentation de la concentration sanguine de gaz carbonique comme un stimulus important de la respiration, et c'est la diminution de la concentration sanguine d'oxygène qui prend le relais. Cela explique pourquoi on administre toujours de faibles quantités d'oxygène à ces personnes ; si on leur en donnait trop, elles cesseraient de respirer, car elles seraient privées de leur stimulus respiratoire (faible concentration sanguine d'oxygène). ▲

Chez les personnes en bonne santé, les mécanismes homéostatiques du système respiratoire sont manifestes. À mesure que le gaz carbonique ou d'autres sources d'acides s'accumulent dans le sang et que le pH sanguin diminue, la respiration devient plus profonde et plus rapide. Notez que cette forme de respiration, appelée **hyperventilation**, est différente de l'hyperpnée provoquée par l'exercice. Elle a pour conséquence de chasser le gaz carbonique et d'abaisser la concentration d'acide carbonique dans le sang ; le pH sanguin revient alors à des valeurs normales. Par ailleurs, lorsque le sang devient légèrement alcalin (pour une raison ou pour une autre), la respiration devient plus lente et plus superficielle ; cela cause une accumulation de gaz carbonique dans le sang et le retour à la normale du pH sanguin. En effet, la régulation de la respiration chez une personne au repos vise principalement à régir les concentrations d'ions hydrogène dans l'encéphale. L'*hypoventilation* (respiration extrêmement lente ou superficielle) et l'*hyperventilation* peuvent changer considérablement la concentration d'acide carbonique dans le sang. L'acide carbonique s'accumule fortement pendant l'hypoventilation et diminue à l'avenant pendant l'hyperventilation. Dans les deux cas, les systèmes tampon du sang risquent d'être débordés et de ne plus pouvoir réduire les variations de pH, ce qui provoque une *acidose* ou une *alcalose*.

Déséquilibre homéostatique

L'hyperventilation accompagne souvent les crises d'anxiété et cause alors de courtes périodes d'apnée (arrêt de la respiration), jusqu'à ce que le gaz carbonique s'accumule de nouveau dans le sang. Si la respiration cesse durant une longue période, une cyanose peut survenir en raison de l'apport insuffisant d'oxygène au sang. De plus, l'hyperventilation peut causer des étourdissements et des évanouissements, car l'alcalose qui en découle provoque une constriction des vaisseaux sanguins cérébraux. On peut éviter de telles crises en faisant respirer la personne hyperventilée dans un sac en papier. Comme l'air exhalé contient plus de gaz carbonique que l'air atmosphérique, il perturbe le gradient de diffusion normal qui amène la libération de gaz carbonique du sang hors de l'organisme. Par conséquent, la concentration sanguine de gaz carbonique (et d'acide carbonique) augmente, et l'alcalose prend fin. ▲

Les troubles respiratoires

Déséquilibre homéostatique

Étant exposé aux agents pathogènes de l'air, le système respiratoire est particulièrement vulnérable aux maladies infectieuses. Au Canada, avec 3,2 millions de personnes qui en souffrent et 37 000 victimes en 2007, les maladies respiratoires représentent la deuxième principale cause de décès. Nous avons déjà traité d'affections inflammatoires telles que la rhinite et l'amygdalite, et nous nous pencherons ici sur les troubles respiratoires les plus invalidants: la *bronchopneumopathie chronique obstructive* (BPCO) et le *cancer du poumon.* Ces maladies sont au nombre des conséquences les plus dévastatrices de l'usage du tabac. Reconnu de longue date comme un facteur de risque des maladies cardiovasculaires, le tabac cause encore plus de dégâts dans les poumons que dans le cœur et les vaisseaux sanguins. Les photographies de l'encadré «Gros plan» sur le cancer, pages 486-487, mettent en parallèle des poumons sains et les poumons noircis et cancéreux d'un fumeur.

La bronchopneumopathie chronique obstructive

Les diverses maladies groupées sous le terme **bronchopneumopathie chronique obstructive** (BPCO), notamment la *bronchite chronique* et l'*emphysème pulmonaire,* arrivent au cinquième rang, dans les pays riches, parmi les principales causes de décès et d'invalidité et font plus de 2,5 millions de victimes dans le monde chaque année. Ces maladies ont certaines caractéristiques en commun: 1) elles touchent presque invariablement des fumeurs, d'anciens fumeurs ou des personnes de leur entourage respirant la fumée secondaire; 2) elles provoquent la *dyspnée,* respiration dont la difficulté va croissant; 3) elles s'accompagnent de toux et de fréquentes infections pulmonaires; 4) elles dégénèrent la plupart du temps en insuffisance respiratoire, accompagnée d'hypoxie, de rétention du gaz carbonique et d'acidose respiratoire (figure 13.13).

Dans la **bronchite chronique**, une grave inflammation de la muqueuse des voies respiratoires inférieures provoque une accumulation excessive de mucus. Cette accumulation entrave la ventilation et les échanges gazeux, et augmente considérablement les risques d'infection pulmonaire, de pneumonie en particulier. Les personnes atteintes de bronchite chronique sont souvent cyanosées, car l'hypoxie et la rétention du gaz carbonique surviennent tôt au cours de la maladie.

L'**emphysème pulmonaire** se caractérise par une distension permanente des alvéoles pulmonaires associée à une détérioration des parois alvéolaires (conduits, saccules et alvéoles). L'inflammation chronique conduit à la fibrose pulmonaire et, immanquablement, à la perte de l'élasticité pulmonaire. Les conduits aériens s'affaissent pendant l'expiration et entravent l'expulsion de l'air. Les personnes atteintes doivent utiliser des muscles de l'expiration forcée pour expirer, ce qui leur vaut d'être constamment épuisées. Comme l'air reste dans les poumons, la cyanose ne s'établit que dans les derniers stades de la maladie, car les échanges gazeux demeurent jusqu'alors étonnamment adéquats. La distension alvéolaire et l'augmentation du volume résiduel causent une dilatation permanente du thorax, qui prend un aspect en tonneau. ▲

Le développement et le vieillissement du système respiratoire

Les poumons du fœtus sont remplis de liquide, et tous les échanges respiratoires s'effectuent dans le placenta. À la naissance, les voies respiratoires se vident de leur liquide et se remplissent d'air. Les alvéoles pulmonaires se gonflent et les échanges gazeux s'y amorcent, mais les poumons ne se dilatent pleinement que deux semaines plus tard. Ces changements, qui rendent la respiration fonctionnelle, ne sont toutefois possibles qu'en présence de **surfactant**, substance lipidique élaborée par les grands épithéliocytes (voir la figure 13.6). Le surfactant réduit de trois fois la cohésion de la pellicule d'eau recouvrant les parois internes des alvéoles; sans son action, les alvéoles s'affaisseraient entre les respirations. Il n'est toutefois présent en quantités suffisantes pour accomplir sa fonction qu'à la fin du développement fœtal (entre la 28e et la 30e semaine de grossesse).

Déséquilibre homéostatique

Les bébés prématurés (nés avant la 28e semaine) ou ceux chez qui la production de surfactant est inadéquate (comme cela peut être le cas des bébés nés de mères diabétiques) sont sujets au *syndrome*

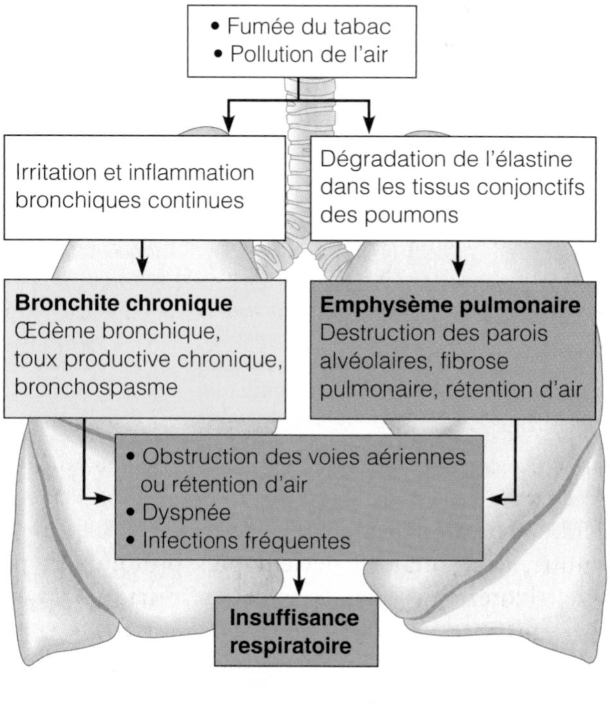

• Fumée du tabac
• Pollution de l'air
Irritation et inflammation bronchiques continues
Dégradation de l'élastine dans les tissus conjonctifs des poumons
Bronchite chronique
Œdème bronchique, toux productive chronique, bronchospasme
Emphysème pulmonaire
Destruction des parois alvéolaires, fibrose pulmonaire, rétention d'air
• Obstruction des voies aériennes ou rétention d'air
• Dyspnée
• Infections fréquentes
Insuffisance respiratoire

Figure 13.13 **La pathogenèse de la BPCO**

GROS PLAN

Le cancer du poumon : au-delà de l'écran de fumée !

Le cancer du poumon fait 3000 victimes par jour dans le monde. Au Québec, on estimait, en 2006, que 7100 nouveaux cas seraient diagnostiqués et que 6000 personnes en mourraient. En France, ce type de cancer emporte plus de 25 000 personnes par année. Sa fréquence augmente de jour en jour. C'est le cancer le plus répandu, autant chez les hommes que chez les femmes. Ses taux de guérison sont notoirement faibles. La plupart des personnes atteintes meurent au cours de l'année qui suit le diagnostic ; le taux de survie après cinq ans, d'après l'étude EUROCARE-4, est de l'ordre de 10 %. Comme le cancer du poumon est prodigieusement agressif et qu'il produit rapidement des métastases étendues, la plupart des cas ne sont diagnostiqués qu'à un stade très avancé. (Ce n'est que récemment qu'une nouvelle technique de tomographie des poumons entiers a permis de détecter les tumeurs précoces avec suffisamment de précision pour qu'on envisage d'y avoir recours comme moyen de dépistage de ce type de cancer ; la mise au point récente d'un testeur colorimétrique détectant les composés chimiques volatiles émis par les cellules cancéreuses semble aussi prometteuse.)

Le radon, gaz inodore provenant de la désintégration de l'uranium dans le sol et qui peut s'infiltrer dans les maisons mal aérées, serait responsable d'une faible part des cancers du poumon. Toutefois, comme plus de 90 % des individus atteints de ce cancer sont des fumeurs, il est remarquable qu'on ne se soit pas aperçu plus tôt du lien entre le cancer du poumon et l'usage du tabac. Encore dans les années 1950, on voyait des professionnels du sport faire la promotion de la cigarette dans les publicités, ou encore on vantait les mérites du tabac comme moyen inoffensif de combattre l'embonpoint (« Offrez-vous une cigarette plutôt qu'un bonbon »). Jusque dans les années 1960, la société approuvait, voire idéalisait, le fumeur, même en dépit de la mauvaise haleine, des dents jaunies, des rides prématurées et des relents de tabac sur les vêtements et les cheveux de toutes les personnes exposées à la fumée. La consommation de seulement une cigarette suffit à provoquer l'augmentation de la fréquence cardiaque, la constriction des vaisseaux sanguins périphériques dans tout l'organisme et la perturbation de la circulation de l'air dans les poumons. Le cerveau et l'humeur sont aussi affectés. À long terme, le tabagisme peut être à l'origine d'athérosclérose et de cardiopathies, d'accidents vasculaires cérébraux et de cataractes. Il peut aussi accélérer l'apparition de l'ostéoporose. De plus, chaque année des milliers de non-fumeurs sont emportés par le cancer du poumon pour avoir respiré la « fumée des autres ». Celle-ci serait aussi à l'origine de cardiopathies. Les personnes qui travaillent dans les bars et les restaurants sont particulièrement vulnérables à cet égard. Heureusement, il est désormais interdit de fumer dans les endroits publics, au Québec notamment.

Normalement, le mucus et les cils des voies respiratoires protègent bien les poumons des agents irritants chimiques et biologiques, mais la fumée de cigarette paralyse ces moyens de défense et finit par les rendre inefficaces. L'irritation continuelle intensifie la production de mucus, mais la fumée ralentit les cils qui l'évacuent et elle inhibe les macrophagocytes alvéolaires. Il en résulte une accumulation de sécrétions dans les voies respiratoires inférieures et une augmentation de la fréquence des infections pulmonaires, dont la pneumonie et la bronchopneumopathie chronique obstructive. Cependant, ce sont les effets irritants des radicaux libres et des quelque 15 agents cancérogènes présents dans la fumée du tabac qui, à la longue, causent le cancer du poumon. Le plus nocif de ces agents est la nitrosamine ; le goudron contient aussi des cancérogènes qui provoquent la prolifération des cellules épithéliales de l'arbre bronchique et altèrent leur structure histologique caractéristique.

Le type de cancer du poumon le plus répandu (environ 80 % des cas) est celui qu'on appelle *non à petites cellules* (CBNPC, pour *cancer bronchitique non à petites cellules*). Deux des principales formes de ce type de cancer du poumon sont 1) l'*épithélioma épidermoïde bronchique* (de 20 à 40 % des cas), qui apparaît dans l'épithélium des grosses bronches et tend à former des masses térébrantes (qui ont tendance à creuser) et hémorragiques, et 2) l'*épithélioma glandulaire*, ou adénocarcinome (de 25 à 35 % des cas), qui débute en périphérie des poumons sous forme de nodules solitaires émergeant des glandes bronchiques et des cellules alvéolaires. L'autre type de cancer du poumon, moins répandu (de 20 à 25 % des cas ; toutefois, son incidence croît rapidement), l'*épithélioma à petites cellules*, ou épithélioma à cellules en grains d'avoine, se compose de cellules semblables à des lymphocytes prenant naissance dans les bronches principales et s'étendant agressivement dans le médiastin sous forme de chapelets ou de grappes.

La résection complète du tissu atteint, dans l'espoir de prévenir les métastases, est le traitement du cancer du poumon qui comporte le plus de chances de guérison ; dans le cas des tumeurs de petit diamètre, une nouvelle technique mise au point au Québec, la lobectomie thoracoscopique, permet d'opérer sans ouvrir la cage thoracique. Toutefois, ce choix ne s'offre qu'à de très rares patients, car, très souvent, le cancer a déjà produit des métastases au moment où on le découvre, si bien que le pronostic est trop sombre pour justifier une intervention chirurgicale. En général, la radiothérapie et la chimiothérapie sont les seuls recours possibles, mais la plupart des cancers du poumon résistent à ces traitements. Seul l'épithélioma à petites cellules répond à la chimiothérapie, mais, dans bien des cas, il revient rapidement et donne naissance à des tumeurs cérébrales. Toutefois, ce tableau pourrait changer bientôt. La plupart des cancers du poumon, exception faite de l'épithélioma à petites cellules, résultent d'une mutation ou de l'absence du gène suppresseur de tumeur *p53*, ou de l'activité d'un oncogène précis. En injectant dans les cellules tumorales des virus porteurs de gènes *p53* fonctionnels ou d'inhibiteurs de l'oncogène concerné, on obtient un taux de guérison de 80 % chez la souris. On a aussi découvert, en 2007, chez la souris, un gène (*LKB1*) qui agirait comme suppresseur de tumeur pulmonaire : cette découverte, si elle peut se transposer chez l'humain, pourrait avoir des répercussions sur la façon de traiter le cancer du poumon. Par ailleurs, dans le cas des métastases pulmonaires, les chercheurs sont en voie d'élucider le mécanisme de formation des vaisseaux qui permettent la propagation des cellules pulmonaires cancéreuses à d'autres régions de l'organisme. On attend enfin beaucoup du développement des médicaments radioactifs qui détruiront les

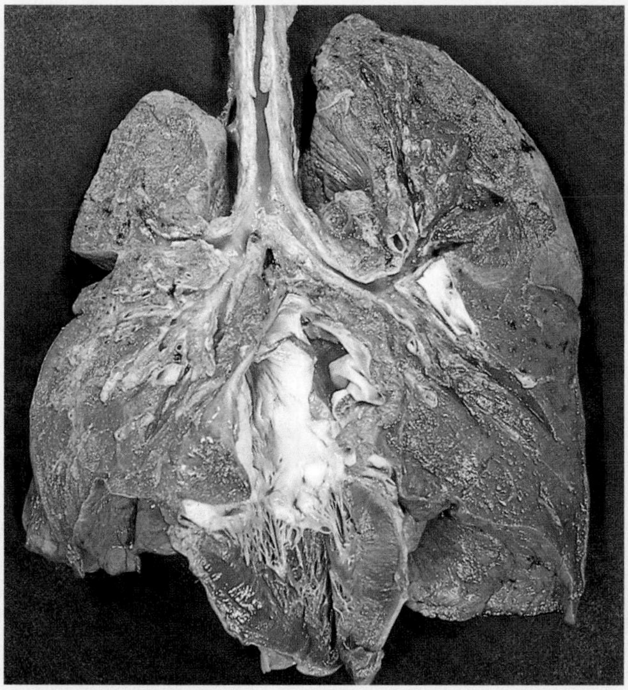
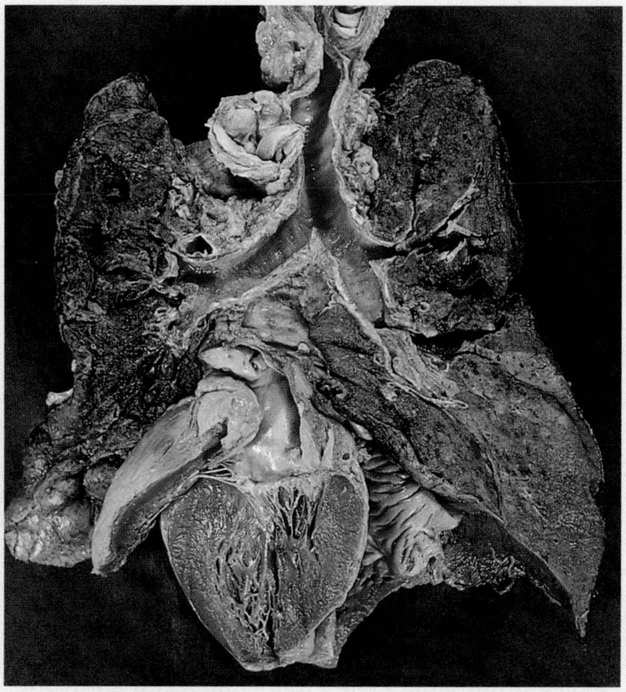

Les poumons sains d'un non-fumeur et les poumons cancéreux d'un fumeur

cellules cancéreuses avec une très grande précision sans toucher le tissu sain.

La nicotine dans le tabac crée une dépendance extrêmement tenace, ce qui explique sans doute pourquoi 1,1 million de personnes fumaient encore la cigarette au Québec, début 2007, et ce, même si on estime à 1 sur 5 le nombre de décès attribuables, en tout ou en partie, au tabagisme. Fait étonnant, un sondage récent a révélé que la plupart des fumeurs ne se considèrent pas plus à risque que les autres d'être atteints de cancer du poumon ou de maladies du cœur. Pourtant, une étude sur le cancer du poumon qui s'est étendue sur 40 ans auprès d'hommes britanniques indique que le taux de mortalité est trois fois plus élevé chez les fumeurs invétérés que chez les non-fumeurs entre l'âge de 35 et de 69 ans. La moitié de ceux qui fument régulièrement meurent de maladies causées par leur habitude. Seulement 43 % des individus qui fument plus de 25 cigarettes par jour vivent jusqu'à 70 ans, comparativement à 79 % de ceux qui ne fument pas. Ces statistiques sont très inquiétantes compte tenu du nombre croissant de jeunes qui se mettent à fumer.

Bien que, d'après les recherches, une partie des changements provoqués par le tabac dans l'expression de certains gènes soient irréversibles, d'autres seraient réversibles, de sorte qu'il n'est jamais trop tard pour cesser de fumer. L'incidence du cancer du poumon chez les fumeurs par rapport à celui chez les non-fumeurs est de 20:1, mais ce rapport passe à 2:1 chez ceux qui ont renoncé à la cigarette et s'en sont abstenus durant 15 ans. Des études ont montré que les traitements de remplacement de la nicotine par des timbres transdermiques, des nébuliseurs ou des inhalateurs doublent les chances de triompher de l'habitude (de 10 à 20 %). Certains, parmi ceux qui n'arrivent pas à écraser une fois pour toutes, se tournent vers le snus (tabac moulu qu'on garde dans sa bouche un certain temps, mais qui est interdit dans l'Union européenne), dont les effets seraient moins néfastes que ceux qui sont causés par le tabac fumé.

Il semble que de plus en plus de gens prennent conscience des dangers que la cigarette représente : au Canada, par exemple, on estime que le pourcentage de fumeurs est passé de 24 à 18 % entre 2000 et 2006. Cesser de fumer est un objectif qui rapporte, l'idéal demeurant de ne jamais commencer ; pour nous en convaincre, pensons à ce qui nous attend autrement !

de détresse respiratoire du nouveau-né. Le bébé présente une dyspnée quelques heures après la naissance et doit consacrer beaucoup d'énergie à gonfler ses alvéoles pulmonaires, qui s'affaissent après chaque inspiration. Bien que ce syndrome soit la cause de plus de 20 000 décès de nouveau-nés chaque année, de nombreux bébés survivent grâce à un respirateur à pression positive qui pousse de l'air dans les alvéoles et les maintient ouvertes pour participer aux échanges gazeux jusqu'à ce qu'il y ait suffisamment de surfactant dans les poumons en voie de maturation.

Les anomalies congénitales les plus graves du système respiratoire sont la fente palatine (dont nous avons déjà parlé) et la mucoviscidose. La **mucoviscidose**, ou fibrose kystique du pancréas, est une des maladies héréditaires potentiellement mortelles les plus courantes ; en France, 200 enfants naissent avec cette maladie chaque année (1 naissance sur 4500) et, au Canada, on estime qu'il y aurait actuellement 3000 personnes atteintes. La mucoviscidose cause l'hypersécrétion d'un mucus très visqueux qui bloque les voies respiratoires et prédispose l'enfant aux infections respiratoires mortelles. Elle affecte également les processus sécrétoires d'autres systèmes de l'organisme. Elle altère surtout la digestion des aliments en bloquant les conduits qui transportent les enzymes pancréatiques et la bile à l'intestin grêle, et provoque la sécrétion d'une sueur extrêmement salée par les glandes sudorifères. La mucoviscidose est causée par un gène défectueux qui code pour une protéine, la CFTR. Cette protéine sert de canal à chlorure (Cl^-) qui régularise le flux d'ions Cl^- entrant dans les cellules et en sortant. Chez les personnes qui possèdent les gènes mutants en deux exemplaires, la CFTR reste emprisonnée dans le réticulum endoplasmique, incapable d'atteindre la membrane plasmique pour jouer son rôle normal. Conséquemment, la sécrétion d'ions Cl^- diminue de même que la quantité d'eau qui devrait suivre les ions, d'où la production du mucus épais qui caractérise la mucoviscidose. Le traitement classique comprend des médicaments pour dissoudre le mucus, des percussions thoraciques en vue de dégager le mucus épais et des antibiotiques afin de prévenir l'infection. ▲

La fréquence respiratoire est de 40 à 80 respirations par minute chez le nouveau-né, d'environ 30 respirations par minute chez le nourrisson, d'environ 25 respirations par minute chez l'enfant de 5 ans et de 12 à 18 respirations par minute chez l'adulte. Chez la personne âgée, la fréquence respiratoire a souvent tendance à augmenter. De la naissance à l'âge adulte, les poumons continuent de se développer et d'autres alvéoles pulmonaires se forment. Cependant, l'usage du tabac au début de l'adolescence empêche le développement complet des poumons, et les alvéoles qui restaient à apparaître sont à tout jamais perdues.

Déséquilibre homéostatique

La **mort subite inexpliquée du nourrisson** emporte beaucoup de nouveau-nés. Des bébés apparemment en bonne santé cessent soudainement de respirer et meurent pendant leur sommeil. Même si certains cas semblent relever d'un dérèglement de la régulation nerveuse de la respiration ou d'une infection virale, plus du tiers des cas de mort subite inexpliquée du nourrisson semblent résulter d'un trouble du rythme cardiaque. ▲

Le système respiratoire fonctionne de manière si efficace et si discrète que nous ne sommes même pas conscients de son activité, sauf lorsque nous éternuons ou toussons (pour réagir à des agents irritants), ou que nous souffrons d'un rhume banal qui bloque les voies respiratoires supérieures avec du mucus. La plupart des troubles du système respiratoire sont causés par des facteurs externes, notamment l'obstruction de la trachée par un morceau d'aliment ou l'aspiration de particules d'aliment ou de vomissures, ce qui peut causer la pneumonie de déglutition. La maladie chronique maintenant la plus répandue chez les enfants est l'**asthme** : 300 000 enfants en souffrent au Québec ; cette affection, pour laquelle on a découvert un certain nombre de gènes qui lui seraient plus ou moins fortement associés, est causée par une inflammation et une hypersensibilité chroniques des bronches qui réagissent à de nombreux agents irritants (acariens de la poussière, squames d'animaux, spores de moisissures, etc.) par une dyspnée, de la toux et un sifflement.

Durant de nombreuses années, la tuberculose et la pneumonie ont été les principales causes de décès au Canada. Avec l'avènement des antibiotiques, ces maladies ont battu en retraite, mais demeurent dangereuses : on a récemment découvert que le bacille responsable de la tuberculose peut se mettre à l'abri des antibiotiques à l'intérieur des cellules adipeuses, où il peut demeurer en dormance durant des années. On observe, partout dans le monde, une augmentation alarmante de cas de tuberculose (souvent résistante à la plupart des médicaments) chez les personnes infectées par le VIH, mais *pour le moment* les troubles respiratoires les plus dommageables et les plus invalidants demeurent ceux que nous avons décrits, soit la BPCO et le cancer du poumon.

Au fil des ans, la paroi thoracique devient de plus en plus rigide, et les poumons perdent leur élasticité. La ventilation diminue. À l'âge de 70 ans, la capacité vitale est réduite d'environ un tiers. En outre, la concentration sanguine d'oxygène diminue, et la sensibilité au gaz carbonique s'émousse, particulièrement en décubitus dorsal. Beaucoup de personnes âgées sont sujettes à l'hypoxie pendant leur sommeil et présentent des *apnées du sommeil.*

De nombreux mécanismes de protection du système respiratoire perdent de leur efficacité avec le temps. L'activité des cils de la muqueuse ralentit, et les macrophagocytes pulmonaires s'affaiblissent. C'est ce qui explique pourquoi les personnes âgées sont sujettes aux infections des voies respiratoires, particulièrement à la pneumonie et à la grippe.

Tous pour un, un pour tous

Les relations entre le système respiratoire et les autres systèmes de l'organisme

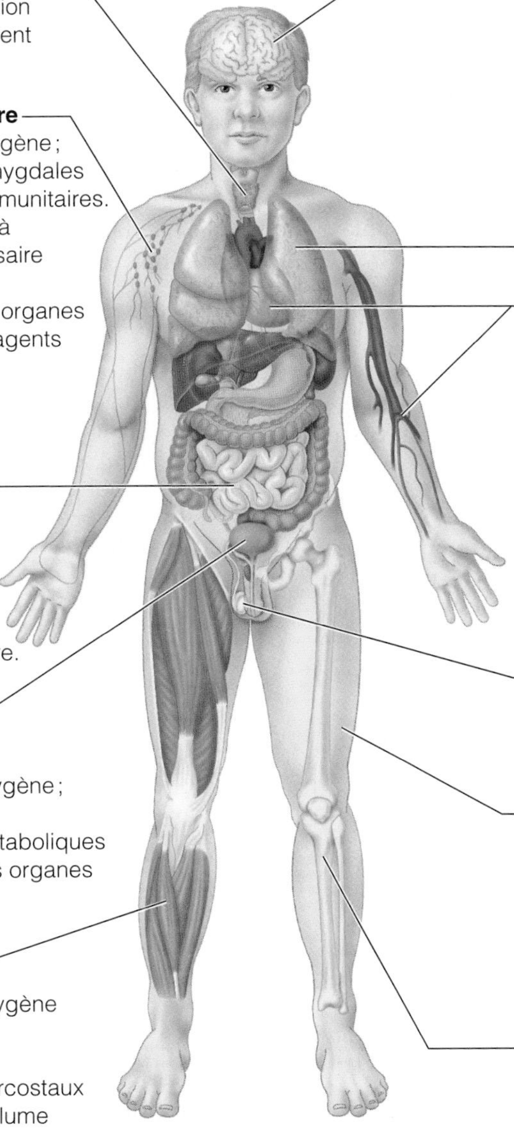

Système endocrinien
- Le système respiratoire fournit l'oxygène ; il élimine le gaz carbonique.
- L'adrénaline dilate les bronchioles ; la testostérone favorise l'augmentation de volume du larynx chez l'adolescent de sexe masculin.

Système lymphatique et immunitaire
- Le système respiratoire fournit l'oxygène ; il élimine le gaz carbonique ; les amygdales du pharynx abritent des cellules immunitaires.
- Le système lymphatique contribue à maintenir le volume sanguin nécessaire au transport des gaz respiratoires ; le système immunitaire protège les organes du système respiratoire contre les agents pathogènes et le cancer.

Système digestif
- Le système respiratoire fournit l'oxygène ; il élimine le gaz carbonique.
- Le système digestif fournit les nutriments nécessaires aux organes du système respiratoire.

Système urinaire
- Le système respiratoire fournit l'oxygène ; il élimine le gaz carbonique.
- Les reins excrètent les déchets métaboliques (autres que le gaz carbonique) des organes du système respiratoire.

Système musculaire
- Le système respiratoire fournit l'oxygène nécessaire à l'activité musculaire ; il élimine le gaz carbonique.
- Le diaphragme et les muscles intercostaux produisent les changements de volume nécessaires à la ventilation ; l'exercice régulier accroît l'efficacité de la respiration.

Système nerveux
- Le système respiratoire fournit l'oxygène nécessaire à l'activité des neurones ; il élimine le gaz carbonique.
- Les centres du bulbe rachidien et du pont règlent la fréquence et l'amplitude respiratoires ; les mécanorécepteurs pulmonaires et les chimiorécepteurs des grosses artères fournissent l'information nécessaire à une rétroaction.

Système respiratoire

Système cardiovasculaire
- Le système respiratoire fournit l'oxygène nécessaire au travail cardiaque notamment ; il élimine le gaz carbonique ; le gaz carbonique présent dans le sang sous forme de HCO_3^- et de H_2CO_3 contribue à l'équilibre acidobasique du sang.
- Le sang est le véhicule des gaz respiratoires.

Système génital
- Le système respiratoire fournit l'oxygène ; il élimine le gaz carbonique.

Système tégumentaire
- Le système respiratoire fournit l'oxygène ; il élimine le gaz carbonique.
- La peau protège les organes du système respiratoire en formant des barrières superficielles.

Système osseux
- Le système respiratoire fournit l'oxygène ; il élimine le gaz carbonique.
- Les os de la cage thoracique protègent les poumons et les bronches ; les côtes servent de point d'attache aux muscles intercostaux.

Résumé du chapitre 13

L'ANATOMIE FONCTIONNELLE DU SYSTÈME RESPIRATOIRE *(p. 468-476)*

1. L'intérieur du nez abrite les cavités nasales, séparées entre elles par le septum nasal et de la cavité orale par le palais. Chaque cavité nasale est tapissée d'une muqueuse qui réchauffe, filtre et humidifie l'air inspiré. Les récepteurs olfactifs sont situés dans cette muqueuse. Les sinus paranasaux et les conduits lacrymonasaux débouchent dans les cavités nasales.

2. Le pharynx (gorge) est une structure musculaire tapissée d'une muqueuse divisée en trois régions : le nasopharynx, l'oropharynx et le laryngopharynx. Le nasopharynx ne sert qu'à la respiration, tandis que les deux autres assurent de plus des fonctions digestives. Le pharynx contient les amygdales, qui font partie du système de défense de l'organisme.

3. Le larynx est une structure composée de cartilages dont le plus proéminent est le cartilage thyroïde (pomme d'Adam). Le larynx relie le pharynx à la trachée située au-dessous. L'ouverture du larynx (glotte) est recouverte par l'épiglotte, qui empêche la nourriture ou les liquides de pénétrer dans les voies respiratoires pendant la déglutition. Le larynx contient les cordes vocales (plis vocaux), qui permettent l'émission de sons pendant la phonation.

4. La trachée s'étend du larynx jusqu'aux bronches principales. Elle est constituée d'une structure musculaire lisse tapissée d'une muqueuse ciliée et renforcée par des anneaux de cartilage en forme de fer à cheval qui lui donnent une certaine rigidité.

5. Les bronches principales droite et gauche sont formées par la division de la trachée. Chacune chemine obliquement (la droite étant plus près de la verticale que la gauche) avant de s'enfoncer dans le hile d'un poumon.

6. Les deux poumons occupent la totalité de la cavité thoracique, sauf sa partie centrale, le médiastin. La surface de chaque poumon est recouverte de la plèvre viscérale, et la paroi thoracique est tapissée de la plèvre pariétale. Les sécrétions pleurales réduisent la friction des poumons pendant la respiration. Les poumons sont principalement constitués de tissu élastique et contiennent des conduits issus de l'arbre bronchique, dont les plus petits se terminent par des grappes d'alvéoles pulmonaires.

7. La zone de conduction comprend tous les conduits aériens, de la cavité nasale jusqu'aux bronchioles terminales, qui font circuler l'air dans les poumons. Les bronchioles respiratoires, les conduits et saccules alvéolaires, et les alvéoles pulmonaires (qui possèdent de minces parois permettant les échanges gazeux avec le sang capillaire pulmonaire) forment les structures de la zone respiratoire.

LA PHYSIOLOGIE DE LA RESPIRATION *(p. 476-484)*

1. La mécanique de la respiration : les gaz se déplacent des zones de haute pression aux zones de basse pression. La pression à l'extérieur de l'organisme est appelée *pression atmosphérique*, la pression à l'intérieur des poumons porte le nom de *pression intraalvéolaire* et la pression dans l'espace intrapleural (qui est toujours négative) est désignée par le terme *pression intrapleurale*. Le mouvement de l'air qui entre dans les poumons et en sort est appelé *ventilation pulmonaire*, ou *respiration*. Lorsque les muscles inspiratoires se contractent, le volume intrapulmonaire augmente, la pression intraalvéolaire baisse et l'air pénètre dans les poumons (inspiration). Lorsque les muscles inspiratoires se relâchent, les poumons se rétractent et l'air en est expulsé (expiration). L'expansion des poumons est favorisée par l'adhérence des feuillets de la plèvre et par la présence de surfactant dans les alvéoles.

2. Les mouvements non respiratoires de l'air : les mouvements non respiratoires de l'air sont des activités volontaires ou réflexes qui permettent à l'air d'entrer dans les poumons et d'en sortir. Ces mouvements comprennent la toux, l'éternuement, le rire, les pleurs, le hoquet et le bâillement.

3. Les volumes et les capacités respiratoires : les volumes d'air échangés pendant la respiration sont le volume courant (V_T), le volume de réserve inspiratoire (VRI), le volume de réserve expiratoire (VRE) et la capacité vitale (CV). Le volume résiduel (VR) est le volume respiratoire qui ne peut pas être évacué volontairement et qui permet aux échanges gazeux de continuer entre chaque respiration.

4. Les bruits respiratoires : les bruits bronchovésiculaires traduisent le passage de l'air dans les grands conduits aériens. Les murmures vésiculaires témoignent du passage de l'air dans les alvéoles pulmonaires.

5. La respiration externe, le transport des gaz et la respiration interne : les gaz se déplacent suivant les lois de la diffusion. Dans les poumons, l'oxygène quitte l'air des alvéoles pour aller dans les capillaires pulmonaires. La majeure partie de l'oxygène se fixe à l'hémoglobine des érythrocytes pour le transport. Le gaz carbonique se déplace du sang jusqu'à l'air alvéolaire. La majeure partie du gaz carbonique est transportée sous forme d'ions bicarbonate dans le plasma. Dans les tissus de l'organisme, l'oxygène passe du sang aux tissus, tandis que le gaz carbonique passe des tissus au sang.

6. La régulation de la respiration
   a) La régulation nerveuse : les centres nerveux de régulation du rythme respiratoire se trouvent dans le bulbe rachidien et le pont. Les arcs réflexes déclenchés par les mécanorécepteurs pulmonaires interviennent aussi dans la respiration, puisqu'ils signalent aux centres nerveux toute distension excessive.

b) Les facteurs physiques : l'élévation de la température corporelle, l'exercice, la phonation et les mouvements non respiratoires de l'air modifient à la fois la fréquence respiratoire et l'amplitude respiratoire.

c) La volition : la respiration peut être régie volontairement jusqu'à un certain point, à condition que ce mécanisme ne perturbe pas l'homéostasie.

d) Les facteurs émotionnels : certains stimulus émotionnels peuvent altérer la respiration, par exemple la peur, la colère ou l'excitation.

e) Les facteurs chimiques : les variations du taux sanguin de gaz carbonique sont les stimulus qui influent le plus sur le rythme et la fréquence respiratoires. Le gaz carbonique agit directement sur le bulbe rachidien lorsqu'il réduit le pH sanguin. L'élévation du taux sanguin de gaz carbonique produit une respiration rapide et profonde, tandis que sa diminution engendre une respiration superficielle et lente. L'hyperventilation peut provoquer une apnée et des étourdissements causés par l'alcalose. L'oxygène n'est pas un stimulus respiratoire de grande importance chez une personne normale en bonne santé, mais il le devient lorsque le système respiratoire s'est adapté à des taux élevés de gaz carbonique par suite d'une maladie.

LES TROUBLES RESPIRATOIRES *(p. 484-485)*

1. Les principaux troubles respiratoires sont la bronchopneumopathie chronique obstructive (emphysème pulmonaire et bronchite chronique, notamment) et le cancer du poumon. L'usage du tabac est un facteur de risque important de ces maladies.

2. L'emphysème pulmonaire se caractérise par une dilatation permanente et une destruction des alvéoles pulmonaires. Les poumons perdent de leur élasticité et l'expiration devient un processus actif.

3. Dans la bronchite chronique, la surproduction de mucus et l'accumulation subséquente de cette substance dans les voies respiratoires inférieures perturbent gravement la ventilation et les échanges gazeux. Les personnes atteintes peuvent présenter une cyanose attribuable à une hypoxie chronique.

4. Le cancer du poumon est une maladie très agressive qui produit rapidement des métastases. Ses trois formes les plus courantes sont l'épithélioma épidermoïde bronchique, l'épithélioma glandulaire et l'épithélioma à petites cellules.

LE DÉVELOPPEMENT ET LE VIEILLISSEMENT DU SYSTÈME RESPIRATOIRE *(p. 485-488)*

1. Les bébés prématurés ont du mal à gonfler leurs poumons, car leurs alvéoles pulmonaires sont dépourvues de surfactant. (Le surfactant n'est produit qu'à la fin du développement fœtal.)

2. Les plus graves anomalies congénitales du système respiratoire sont la fente palatine et la mucoviscidose.

3. Les poumons continuent de se développer jusqu'au début de l'âge adulte.

4. Pendant l'adolescence et l'âge adulte moyen, la plupart des troubles respiratoires sont causés par des facteurs externes tels que des infections et des substances qui bloquent les voies respiratoires.

5. Avec l'âge, le thorax devient plus rigide et les poumons perdent de leur élasticité, ce qui provoque une diminution de la capacité vitale. Les mécanismes de protection du système respiratoire sont moins efficaces chez les personnes âgées, ce qui les rend plus sujettes aux infections des voies respiratoires.

Questions de révision

QUESTIONS À CHOIX MULTIPLE

Pour certaines questions, il peut y avoir plus d'une bonne réponse.

1. Pendant l'expiration, dans quel ordre l'air s'écoule-t-il dans les structures respiratoires ?
   a) Alvéole, bronchiole, bronche, larynx, trachée, pharynx, cavité nasale.
   b) Alvéole, trachée, bronche, bronchiole, larynx, pharynx, cavité nasale.
   c) Alvéole, bronche, bronchiole, trachée, larynx, pharynx, cavité nasale.
   d) Alvéole, bronchiole, bronche, trachée, larynx, pharynx, cavité nasale.

2. Laquelle des structures qui suivent *ne fait pas* partie de la zone de conduction du système respiratoire ?
   a) Le pharynx.
   b) Le saccule alvéolaire.
   c) La trachée.
   d) Les bronches secondaires.
   e) Le larynx.

3. Déterminer l'énoncé qui est *faux* :
   a) La surface totale de l'ensemble des alvéoles pulmonaires est plus grande que la surface de la peau.
   b) Les gaz traversent la membrane alvéolocapillaire par transport actif.
   c) La barrière qui sépare l'air du sang au niveau des alvéoles pulmonaires n'est constituée que de deux couches de cellules.
   d) Des cellules spécialisées se déplacent constamment sur la surface interne des alvéoles pulmonaires pour éliminer les bactéries et les corps étrangers qui se trouvent dans l'air inspiré.

4. Pendant l'inspiration, le diaphragme :
a) se relâche et s'abaisse.
b) se relâche et se soulève.
c) se contracte et se soulève.
d) se contracte et s'abaisse.

5. Pendant l'inspiration, la pression intraalvéolaire est :
a) supérieure à la pression atmosphérique.
b) inférieure à la pression atmosphérique.
c) supérieure à la pression intrapleurale.
d) inférieure à la pression intrapleurale.

6. Les poumons évitent l'affaissement grâce :
a) à la tension superficielle élevée du liquide alvéolaire.
b) au contact étroit des feuillets de la plèvre.
c) à la pression élevée dans les cavités pleurales.
d) à la grande élasticité du tissu pulmonaire.

7. Lesquels, parmi les volumes respiratoires qui suivent, seront plus bas que la normale, chez une personne souffrant d'un trouble respiratoire affectant l'inspiration ?
a) Le volume de réserve expiratoire.
b) Le volume de réserve inspiratoire.
c) Le volume résiduel.
d) Le volume courant.
e) La capacité vitale.

8. La plus grande partie du gaz carbonique est transportée dans le sang vers les poumons de la façon suivante :
a) Lié à l'hémoglobine dans les globules rouges.
b) Sous forme d'ions bicarbonate dans les globules rouges.
c) Sous forme d'ions bicarbonate dans le plasma.
d) Sous forme dissoute dans l'eau du plasma.

9. Lesquels, parmi ces énoncés ayant trait au contrôle de la respiration, sont exacts ?
a) Les messages nerveux établissant le rythme respiratoire proviennent du bulbe rachidien.
b) Les nerfs intercostaux et les nerfs phréniques véhiculent respectivement les influx nerveux qui commandent la contraction des muscles intercostaux externes et le diaphragme pendant l'inspiration.
c) Les poumons, comme le cœur, n'ont pas besoin de messages nerveux extérieurs pour fonctionner : l'origine des commandes est dans les poumons mêmes.
d) Des stimulus émotionnels peuvent modifier la fréquence et l'amplitude respiratoires par l'intermédiaire d'influx nerveux provenant de l'hypothalamus.
e) La concentration en oxygène du sang est un facteur plus important que la concentration en gaz carbonique dans le contrôle du rythme respiratoire.

10. La bronchopneumopathie chronique obstructive comprend :
a) la pneumonie.
b) l'emphysème pulmonaire.
c) la bronchite.
d) les apnées du sommeil.

11. Lequel, parmi les changements qui suivent, accompagne la perte d'élasticité des poumons associée au vieillissement ?
a) L'augmentation du volume courant.
b) L'augmentation du volume de réserve inspiratoire.
c) L'augmentation du volume résiduel.
d) L'augmentation de la capacité vitale.

QUESTIONS À COURT DÉVELOPPEMENT

1. Quelle est la fonction fondamentale de la respiration ?

2. Établissez clairement la distinction entre *respiration externe* et *respiration interne.*

3. Indiquez le trajet de l'air des narines à une alvéole pulmonaire.

4. Expliquez pourquoi le nez a tendance à « couler » quand il fait froid.

5. Pourquoi est-il important que la trachée soit renforcée par des anneaux cartilagineux ? Pourquoi la partie postérieure des anneaux est-elle ouverte ?

6. Expliquez pourquoi il ne faut pas tenter de faire boire de liquides à une personne inconsciente.

7. Dans quelle partie des voies respiratoires l'air est-il filtré, réchauffé et humidifié ? Indiquez une structure lui conférant chacune de ces propriétés.

8. La trachée comporte des cils et des cellules caliciformes qui élaborent du mucus. Quelle est la fonction protectrice précise de chacune de ces composantes ? Pourquoi est-il contre-indiqué, pour un fumeur atteint de congestion pulmonaire, de prendre des médicaments qui inhibent la toux ? Citez deux autres moyens de défense (mécanisme et structure impliquée) que possède le système respiratoire.

9. Dans quelle bronche principale un objet inspiré a-t-il le plus de chances de se loger ? Pourquoi ?

10. Situez les sinus paranasaux. Expliquez en quoi consiste une sinusite et montrez l'origine de la céphalée qui la caractérise.

11. Sur le plan de la santé en général, quelle est l'importance du fait que les trompes auditives et les sinus débouchent dans les cavités nasales et le nasopharynx ?

12. Les poumons sont essentiellement constitués de conduits aériens et de tissu élastique. Quel est le rôle des conduits aériens ? du tissu élastique ?

13. Quelle caractéristique de la structure des alvéoles pulmonaires en fait un site idéal pour les échanges gazeux ?

14. Que signifient « V_T », « VRE » et « CV » ? Laquelle de ces valeurs est la plus élevée ? Pourquoi ?

15. Donnez deux fonctions de l'air du volume résiduel.

16. Comparez l'asthme et la bronchite sur le plan du facteur qui rend l'écoulement de l'air difficile dans les voies respiratoires.

17. Nommez quelques mouvements non respiratoires de l'air et expliquez ce qui distingue chacun de la respiration normale.

18. La contraction du diaphragme et des muscles intercostaux externes amorce l'inspiration. Expliquez précisément les variations de volume et de pression qui surviennent dans les poumons lorsque ces muscles se contractent.

19. Qu'est-ce qui fait sortir l'air des poumons pendant l'expiration ?

20. Quel est le principal moyen de transport de l'oxygène dans le sang ? du gaz carbonique ?

21. Qu'est-ce qui détermine la direction que suivent le gaz carbonique et l'oxygène lorsqu'ils diffusent dans les poumons et les tissus ?

22. Nommez les deux principales régions de l'encéphale responsables de la régulation nerveuse de la respiration.

23. Nommez trois facteurs physiques pouvant modifier la fréquence ou l'amplitude respiratoires.

24. Nommez deux facteurs chimiques qui modifient la fréquence et l'amplitude respiratoires. Lequel est habituellement le plus important ?

25. Qu'est-ce que l'hyperventilation ? Si vous êtes en état d'hyperventilation, est-ce que vous retenez ou expulsez une plus grande quantité de gaz carbonique ? Quel est l'effet de l'hyperventilation sur la concentration d'acide carbonique dans le sang ? sur le pH sanguin ? L'hyperventilation aura-t-elle tendance à produire un état d'acidose ou d'alcalose ?

26. Distinguez clairement les signes et les symptômes de l'emphysème pulmonaire et de la bronchite chronique.

27. Que se passerait-il dans les alvéoles s'il n'y avait pas de surfactant ?

28. Citez quelques effets immédiats et quelques effets à long terme de la cigarette sur l'organisme.

Réflexion et application

1. Après avoir mis au lit son fils de un an (qui porte presque tout à sa bouche), une mère ne retrouve plus l'une des grosses perles avec lesquelles elle fabrique des bijoux pour son commerce. Deux jours plus tard, le petit garçon se met à tousser et présente une fièvre. Qu'est-il probablement arrivé à la perle et où devrait-on s'attendre à la retrouver ? (Précisez la partie anatomique.)

2. Pourquoi la mère de Julien, garçonnet de trois ans, ne devrait-elle pas s'inquiéter lorsqu'il menace de « ne plus respirer » pour obtenir ce qu'il veut ?

3. Alain, fumeur, raconte à son médecin qu'il a une toux persistante et qu'il s'essouffle au moindre effort. Son thorax a l'aspect d'un tonneau, son visage est rouge et il se plaint d'avoir de la difficulté à expirer, mais non à inspirer. Quel diagnostic le médecin posera-t-il ?

4. M. Carpentier s'affaire à réparer le toit de sa maison lorsque, soudain, il heurte un nid d'abeilles. Les insectes le piquent à plusieurs endroits. Sachant qu'il est allergique aux piqûres d'abeilles, il se précipite à l'hôpital. Dans la salle d'attente, il tombe en état de choc et éprouve de graves difficultés respiratoires. Un examen révèle un œdème du larynx. On pratique une trachéotomie. Pourquoi l'œdème du larynx menace-t-il d'obstruer les voies respiratoires ? Qu'est-ce qu'une trachéotomie et à quoi sert-elle ?

5. Mme Ménard a été victime d'un accident vasculaire cérébral. Depuis, sa déglutition n'est pas coordonnée. Quelle conséquence cela aura-t-il sur sa respiration ?

6. L'aspirine est une substance acide. Décrivez comment une surdose de cette substance peut mener à une augmentation de la fréquence respiratoire, et expliquez en quoi cette augmentation sera bénéfique à la personne qui a absorbé cette surdose.

7. Jérémie, 9 ans, entre dans la pharmacie en titubant. Il a beaucoup de mal à respirer et a une petite plaie sur la poitrine par où on voit suinter du sang. Les ambulanciers qui sont arrivés et ont examiné Jérémie affirment qu'il a un pneumothorax et qu'il souffre d'atélectasie. Quelle est au juste la signification de ces deux termes et comment expliquez-vous la détresse respiratoire de Jérémie ? Quel sera le traitement administré ?

Le système digestif et le métabolisme

CHAPITRE 14

Lorsque vous aurez étudié le présent chapitre, vous aurez une connaissance pratique des fonctions du système digestif et du métabolisme ; vous devriez de plus avoir atteint les objectifs d'apprentissage énumérés ci-dessous.

Aperçu des fonctions

- ❑ Le système digestif dégrade les aliments ingérés en particules suffisamment petites pour être absorbées dans le sang et la lymphe.
- ❑ Le métabolisme produit l'énergie (ATP) dans les cellules ; il constitue l'ensemble des activités d'élaboration et de dégradation dans les cellules.

OBJECTIFS D'APPRENTISSAGE

Première partie : l'anatomie et la physiologie du système digestif

L'anatomie du système digestif *(p. 496-508)*

❑ **1.** Nommer les organes du tube digestif et les organes digestifs annexes ; situer chacun de ces organes sur un schéma ou un modèle approprié.

❑ **2.** Décrire la structure fondamentale de la paroi du tube digestif.

❑ **3.** Décrire sommairement la structure des principales parties du tube digestif et celle des organes digestifs annexes.

❑ **4.** Nommer les dents déciduales et les dents permanentes, et décrire l'anatomie générale d'une dent.

❑ **5.** Expliquer en quoi les villosités intestinales favorisent les processus digestifs dans l'intestin grêle ; citer les deux autres adaptations de l'intestin grêle qui le rendent apte à s'acquitter de ses fonctions d'absorption.

Les fonctions du système digestif *(p. 508-519)*

❑ **6.** Citer les six activités essentielles du tube digestif et associer chacune à ses différentes parties.

❑ **7.** Décrire les mécanismes de la déglutition, du vomissement et de la défécation.

❑ **8.** Décrire la composition et les fonctions de la salive.

❑ **9.** Décrire les processus mécaniques qui se déroulent dans l'estomac.

❑ **10.** Décrire en quoi consiste un ulcère gastroduodénal ; en présenter les causes et les conséquences possibles.

❑ **11.** Donner la fonction, l'origine et le stimulus des hormones locales et des substances semblables jouant un rôle dans la digestion.

❑ **12.** Expliquer le mélange et la propulsion des aliments dans le tube digestif ; définir et distinguer *péristaltisme*, *segmentation* et *mouvements de masse*.

❑ **13.** Énumérer les principales enzymes ou les principaux groupes d'enzymes digestives ; préciser leur source ; nommer les aliments sur lesquels ces enzymes exercent leurs effets, et préciser ces effets.

❑ **14.** Nommer les produits de la digestion complète des protéines, des lipides et des glucides.

❑ **15.** Définir le terme *absorption* ; montrer la différence entre la voie d'absorption des produits de la digestion des lipides et celle des autres nutriments.

❑ **16.** Donner les fonctions de la bile dans la digestion et l'absorption.

Deuxième partie : la nutrition et le métabolisme

La nutrition *(p. 519-521)*

- ❑ **17.** Définir *nutriment* et *kilojoule.*
- ❑ **18.** Énumérer les six grandes catégories de nutriments ; indiquer leurs plus importantes sources alimentaires et leurs principaux rôles dans les cellules.

Le métabolisme *(p. 521-531)*

- ❑ **19.** Définir les termes suivants : *coenzyme, métabolisme, anabolisme* et *catabolisme.*
- ❑ **20.** Présenter sommairement les trois principales étapes de la respiration cellulaire.
- ❑ **21.** Expliquer comment le métabolisme des glucides, des lipides et des protéines participe à la production de l'ATP.
- ❑ **22.** Décrire le rôle du foie dans le métabolisme ; définir *glycogenèse*, *glycogénolyse* et *néoglucogenèse.*
- ❑ **23.** Comparer les HDL et les LDL sur le plan de la fonction ; indiquer leurs effets respectifs sur la santé.
- ❑ **24.** Expliquer l'importance de l'équilibre énergétique dans l'organisme et indiquer les conséquences d'un déséquilibre énergétique.
- ❑ **25.** Définir *métabolisme basal* et *métabolisme total*; indiquer quelques facteurs qui influent sur la vitesse du métabolisme basal et indiquer les effets de chacun.
- ❑ **26.** Expliquer comment on peut déterminer un état d'obésité ; donner un aperçu des principaux risques qu'un tel état entraîne sur le plan de la santé et des plus récentes hypothèses sur ses causes.
- ❑ **27.** Expliquer les mécanismes de thermogenèse et de thermolyse, et montrer comment ils contribuent à la régulation de la température corporelle.
- ❑ **28.** Donner les causes et les symptômes de l'hypothermie, du coup de chaleur et de l'épuisement par la chaleur.

Troisième partie : la digestion et le métabolisme au cours du développement et du vieillissement *(p. 531-535)*

- ❑ **29.** Nommer et définir brièvement deux graves maladies congénitales du système digestif et deux importantes erreurs innées du métabolisme.
- ❑ **30.** Décrire les effets du vieillissement sur le système digestif.

Le fonctionnement du système digestif exerce une fascination particulière sur les enfants : ceux-ci adorent croquer des croustilles, s'amusent à se dessiner des moustaches avec du lait et éclatent de rire lorsque leur estomac gargouille. Les adultes, pour leur part, savent qu'un système digestif en bon état est essentiel au maintien de la santé parce que c'est lui qui extrait des aliments les matières premières qui composent les cellules et les ravitaillent en énergie. Plus précisément, le système digestif reçoit la nourriture (*ingestion*), la dégrade par des moyens physiques et chimiques en molécules de nutriments (*digestion*), en assure l'*absorption* dans la circulation sanguine et lymphatique, et élimine les résidus non digestibles ou non absorbés (*défécation*).

PREMIÈRE **PARTIE**

L'ANATOMIE ET LA PHYSIOLOGIE DU SYSTÈME DIGESTIF

L'anatomie du système digestif

On divise les organes du système digestif en deux grands groupes : les organes du *tube digestif* et les *organes digestifs annexes* (figure 14.1). Le tube digestif est le lieu où s'accomplissent toutes les fonctions du système

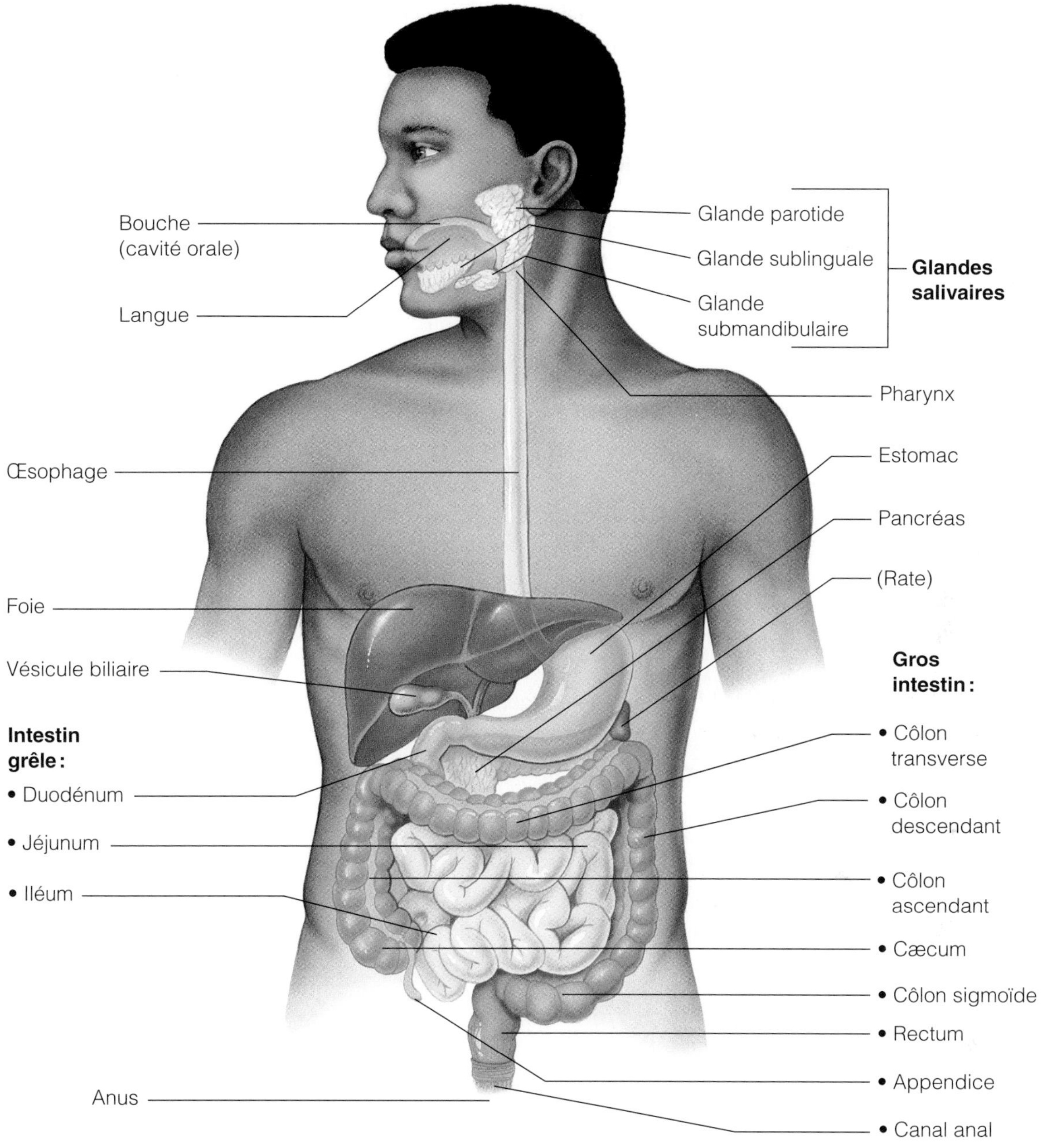

Bouche
(cavité orale)
Langue
Glande parotide
Glande sublinguale
Glande
submandibulaire
Glandes
salivaires
Pharynx
Œsophage
Estomac
Pancréas
(Rate)
Foie
Vésicule biliaire
Gros
intestin :
Intestin
grêle :
• Duodénum
• Jéjunum
• Iléum
• Côlon
transverse
• Côlon
descendant
• Côlon
ascendant
• Cæcum
• Côlon sigmoïde
• Rectum
Anus
• Appendice
• Canal anal

Figure 14.1 **Les système digestif de l'être humain : les organes du tube digestif et les organes digestifs annexes**

(Le foie et la vésicule biliaire sont relevés et tournés vers le côté droit du corps. Notez que la rate ne fait pas partie du système digestif.)

(ingestion, digestion, absorption et défécation). Les organes digestifs annexes (les dents, la langue et un certain nombre de grosses glandes digestives) concourent chacun à leur manière à la dégradation des aliments.

LES ORGANES DU TUBE DIGESTIF

Le **tube digestif**, aussi appelé **canal alimentaire**, est un tube musculeux continu qui serpente dans la cavité abdominale. Il a pour organes la *bouche,* le *pharynx*, l'*œsophage*, l'*estomac*, l'*intestin grêle* et le *gros intestin*, qui se termine par un orifice, l'*anus.* Dans un cadavre, le tube digestif a une longueur d'environ 9 m, mais, chez une personne vivante, il est rendu beaucoup plus court par un tonus musculaire relativement constant. Techniquement, on considère que la nourriture présente dans le tube digestif se trouve à l'extérieur de l'organisme, car le tube digestif s'ouvre sur l'environnement à ses deux extrémités. Repérez les organes du système digestif dans la figure 14.1 à mesure que vous en lirez les descriptions.

La bouche

La nourriture entre dans le tube digestif par la **bouche**, ou **cavité orale**, tapissée d'une muqueuse (figure 14.2). Les **lèvres** protègent son ouverture antérieure et les **joues** forment ses parois latérales ; le **palais osseux** et le **palais mou** constituent respectivement le toit de sa partie antérieure et le toit de sa partie postérieure. Un prolongement charnu en forme de doigt et appelé **uvule palatine**, ou *luette*, est suspendu au bord postérieur du palais mou. L'espace limité à l'extérieur par les lèvres et les joues, et à l'intérieur par les dents et les gencives, est appelé **vestibule de la bouche**. La région limitée en avant et latéralement par les dents est nommée **cavité propre de la bouche**. La **langue**, musculeuse, occupe

Q **Pourquoi le fait de posséder des amygdales à différents endroits à l'entrée du pharynx constitue-t-il une mesure de protection avantageuse ?**

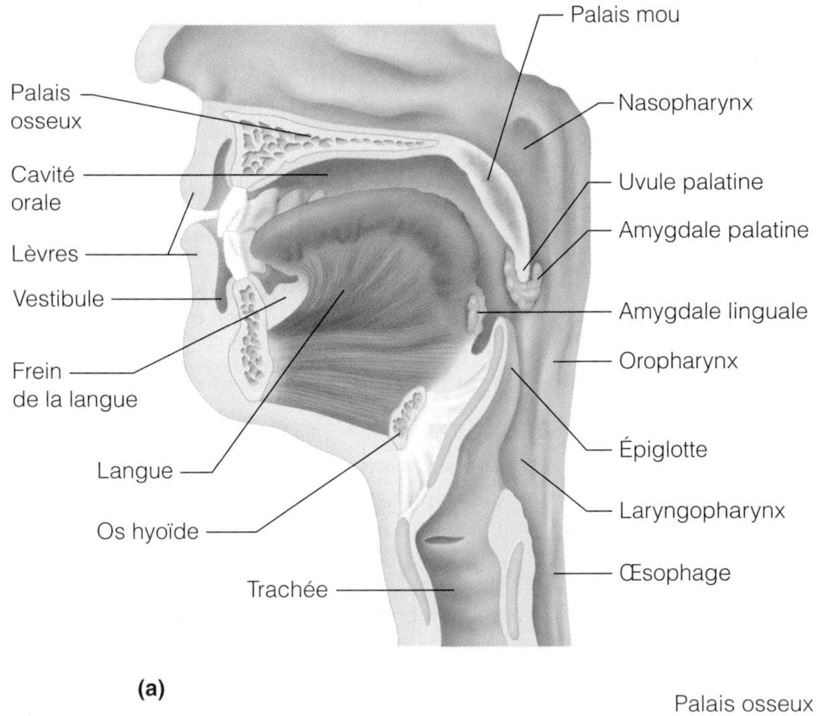

Palais mou
Palais osseux
Nasopharynx
Cavité orale
Uvule palatine
Amygdale palatine
Lèvres
Vestibule
Amygdale linguale
Oropharynx
Frein de la langue
Épiglotte
Langue
Laryngopharynx
Os hyoïde
Œsophage
Trachée
(a)

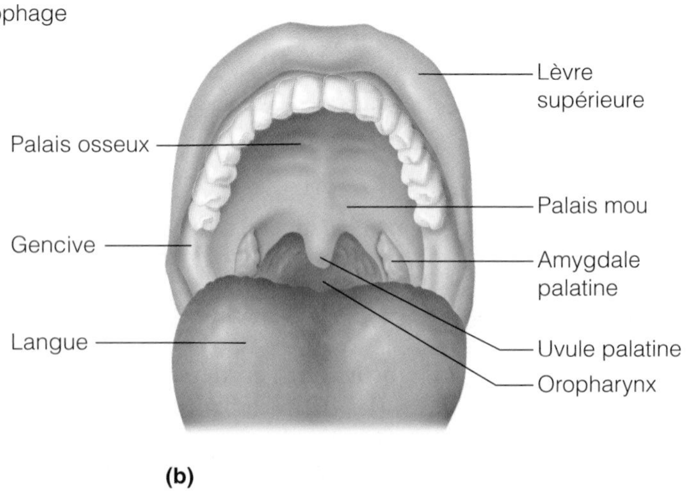

Lèvre supérieure
Palais osseux
Palais mou
Gencive
Amygdale palatine
Langue
Uvule palatine
Oropharynx
(b)

Figure 14.2 **L'anatomie de la bouche (cavité orale)**

(a) Coupe sagittale de la cavité orale et du pharynx.
(b) Vue antérieure de la cavité orale.

R **La bouche est un point d'entrée dans l'organisme privilégié par les bactéries. Les amygdales (organes peuplés de lymphocytes et de macrophagocytes) constituent des gardiens très efficaces qui empêchent beaucoup d'agents pathogènes de se rendre plus loin dans le tube digestif.**

le plancher de la bouche. Ses muscles sont pourvus de plusieurs attaches osseuses, dont celles la reliant à l'os hyoïde et au processus styloïde de l'os temporal. Un repli de muqueuse appelé **frein de la langue** relie la langue au plancher de la bouche et limite son mouvement vers l'arrière (voir la figure 14.2a).

Déséquilibre homéostatique

On dit souvent que les enfants nés avec un frein de la langue extrêmement court ont la « langue liée », car les mouvements de la langue sont limités, ce qui perturbe l'élocution. On peut traiter cette anomalie congénitale chirurgicalement en sectionnant le frein. ▲

Deux amas symétriques de tissu lymphatique, les **amygdales palatines**, sont situés dans la partie postérieure de la cavité orale. Un peu plus bas, l'**amygdale linguale** recouvre la base de la langue. Les amygdales et les autres tissus lymphatiques font partie du système de défense de l'organisme. L'inflammation et l'œdème des amygdales obstruent partiellement l'entrée de la gorge (pharynx) et rendent la déglutition difficile et douloureuse.

Les aliments qui entrent dans la bouche sont mélangés avec de la salive et mastiqués. Les joues et les lèvres fermées maintiennent les aliments entre les dents pendant la **mastication**. La langue souple mêle continuellement les aliments à de la salive pendant la mastication et amorce la déglutition. La dégradation des aliments commence donc dans la bouche même. Comme nous l'avons indiqué au chapitre 8, on trouve sur la surface de la langue les *papilles* contenant les calicules gustatifs (récepteurs du goût). Par conséquent, la langue fait plus que malaxer les aliments : elle nous permet de les goûter et de les apprécier.

Le pharynx

À partir de la bouche, la nourriture passe à l'arrière dans l'*oropharynx*, puis dans le *laryngopharynx*, deux passages communs pour les aliments, les liquides et l'air. Comme nous l'avons mentionné au chapitre 13, le pharynx se divise en trois parties : le *nasopharynx*, qui fait partie des voies respiratoires ; l'**oropharynx**, à l'arrière de la cavité orale ; le **laryngopharynx**, réuni à l'œsophage dans sa partie inférieure.

Les parois du pharynx comportent deux couches de muscle squelettique. Les fibres de la couche interne sont orientées longitudinalement ; celles de la couche externe (muscles constricteurs du pharynx) sont disposées en cercle autour de la paroi. L'alternance des contractions de ces deux couches de muscles propulse la nourriture vers le bas du pharynx, puis dans l'œsophage. Nous reviendrons plus loin sur ce mécanisme appelé *péristaltisme.*

L'œsophage

L'**œsophage** s'étend du pharynx à l'estomac en traversant le diaphragme. D'une longueur d'environ 25 cm, il constitue essentiellement un conduit qui achemine la nourriture (au moyen du péristaltisme) dans l'estomac. Les muscles squelettiques de la partie supérieure de sa paroi sont graduellement remplacés par des muscles lisses dans sa partie inférieure.

De l'œsophage au gros intestin, les parois des organes du tube digestif comprennent les quatre mêmes couches fondamentales de tissu, ou tuniques (figure 14.3) :

1. La **muqueuse**, la couche la plus profonde, est une membrane humide qui tapisse la cavité, ou **lumière**, de l'organe. Elle est formée d'un *épithélium de revêtement* ainsi que d'une petite quantité de tissu conjonctif (*lamina propria*) et d'une mince couche de muscle lisse (*muscularis mucosæ*). L'œsophage est tapissé d'un épithélium stratifié squameux résistant à la friction ; en aval de l'œsophage, l'épithélium est en grande partie de type simple prismatique.
2. La **sous-muqueuse** est située juste à l'extérieur de la muqueuse. C'est une couche de tissu conjonctif lâche contenant des vaisseaux sanguins, des neurofibres, des follicules lymphatiques et des vaisseaux lymphatiques.
3. La **musculeuse** est constituée d'une *couche circulaire* interne et d'une *couche longitudinale* externe composées de myocytes lisses. Les sphincters involontaires du tube digestif sont formés de la couche circulaire de la musculeuse.
4. La **séreuse** est la tunique externe de la paroi. Elle est formée de tissu conjonctif lâche recouvert d'une seule couche de cellules aplaties composant le **péritoine viscéral**. Celui-ci est réuni au **péritoine pariétal**, lisse et luisant. Une extension du péritoine, le **mésentère**, s'étend de la paroi abdominale aux organes digestifs. Ces relations sont représentées à la figure 14.5.

Le tube digestif contient deux importants *plexus nerveux intrinsèques*, le **plexus sous-muqueux entérique** et le **plexus myentérique** (signifiant littéralement « muscle intestinal »). On trouve aussi, associé à la séreuse, un troisième plexus : le *plexus sous-séreux entérique.* Ces plexus permettent, au moyen d'arcs réflexes locaux, une régulation automatique (et relativement indépendante du système nerveux central) de la motilité et de l'activité sécrétrice des organes du tube digestif. Ils agissent aussi comme des relais du système nerveux autonome.

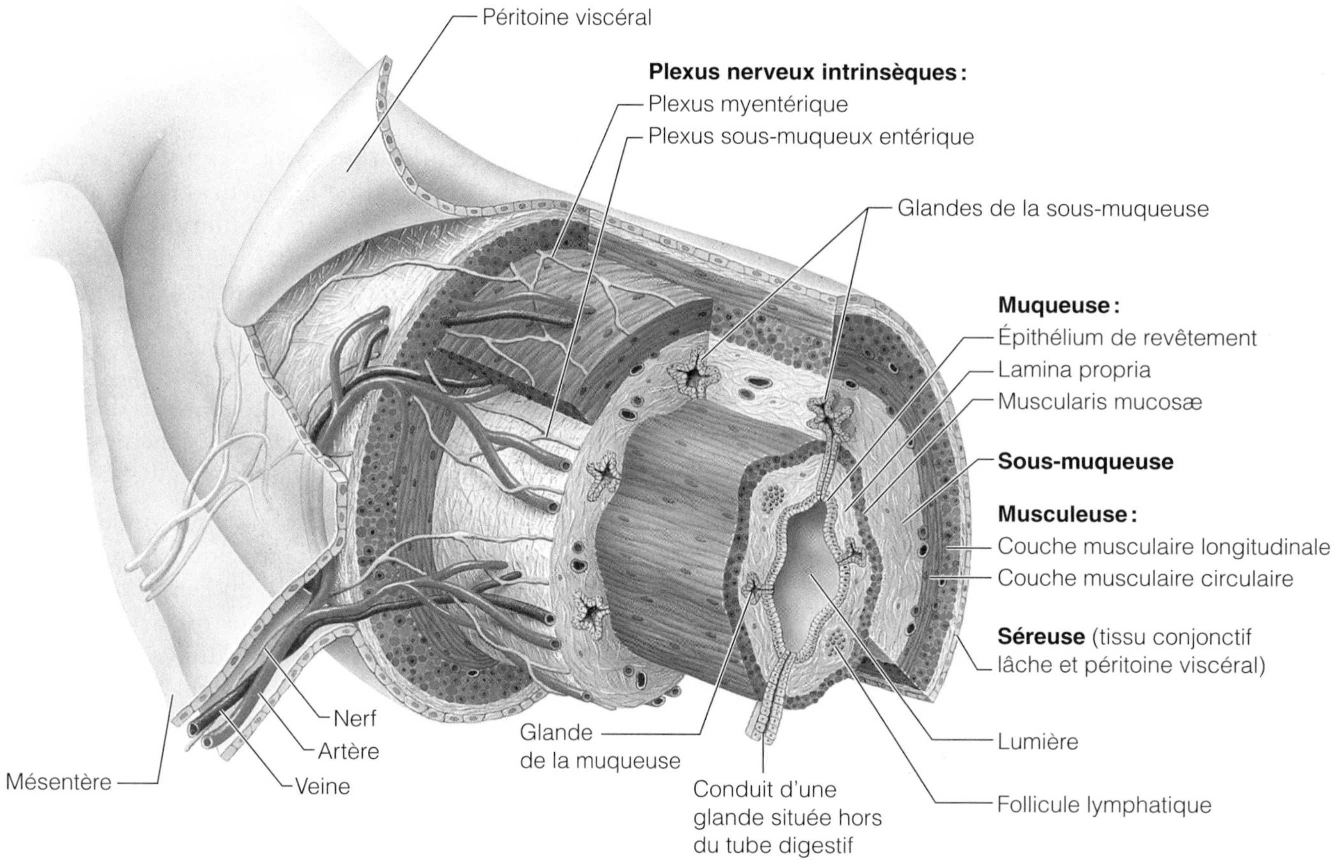
Péritoine viscéral
Plexus nerveux intrinsèques :
Plexus myentérique
Plexus sous-muqueux entérique
Glandes de la sous-muqueuse
Muqueuse :
Épithélium de revêtement
Lamina propria
Muscularis mucosæ
Sous-muqueuse
Musculeuse :
Couche musculaire longitudinale
Couche musculaire circulaire
Séreuse (tissu conjonctif lâche et péritoine viscéral)
Lumière
Follicule lymphatique
Conduit d'une glande située hors du tube digestif
Glande de la muqueuse
Nerf
Artère
Veine
Mésentère

Figure 14.3 **La structure fondamentale de la paroi du tube digestif**

L'estomac

L'**estomac**, en forme de J majuscule quand il est rempli, est situé du côté gauche de la cavité abdominale ; il est en grande partie caché par le foie et le diaphragme. Ses diverses régions portent des noms précis (figure 14.4). Le **cardia** (ainsi nommé en raison de sa proximité avec le cœur) est la région qui entoure l'*orifice du cardia*, par lequel la nourriture provenant de l'œsophage pénètre dans l'estomac. Le *fundus de l'estomac* est la région en forme de dôme située du côté latéral du cardia. Le *corps de l'estomac* est la partie moyenne qui va en rétrécissant vers le bas et se prolonge par l'*antre pylorique*, lui-même débouchant sur le *pylore* en forme d'entonnoir. Le pylore communique avec l'intestin grêle par l'*orifice pylorique*, qui est fermé par le **muscle sphincter pylorique**. L'estomac a une longueur d'environ 25 cm, mais son diamètre varie selon le volume de nourriture qu'il contient ; celui-ci peut atteindre 4 L. Vide, l'estomac s'affaisse sur lui-même et sa muqueuse forme de grands **plis gastriques**. La face latérale convexe de l'estomac est appelée **grande courbure de l'estomac** et sa face médiale concave, **petite courbure de l'estomac**.

Le **petit omentum**, double couche de péritoine, s'étend du foie jusqu'à la petite courbure de l'estomac. Le **grand omentum**, autre prolongement du péritoine, part de la grande courbure de l'estomac et recouvre les organes abdominaux à la manière d'un tablier de dentelle avant de s'attacher, par l'intermédiaire d'un mésentère dorsal, à la paroi abdominale postérieure (figure 14.5). Le grand omentum est parsemé de dépôts graisseux qui contribuent à isoler, à capitonner et à protéger les organes de l'abdomen. Il comprend un grand nombre de nœuds lymphatiques contenant des macrophagocytes et des cellules immunitaires.

Déséquilibre homéostatique

Dans une infection du péritoine, ou *péritonite*, les membranes du péritoine ont tendance à adhérer ensemble au voisinage du site de l'infection. Ce phénomène a pour effet de confiner l'infection (initialement au moins) et de laisser aux macrophagocytes du tissu lymphatique le temps d'entrer en action et d'amorcer une réponse immunitaire. ▲

Q **Grâce à quelle modification de sa musculeuse l'estomac est-il capable de faire la digestion mécanique des aliments ?**

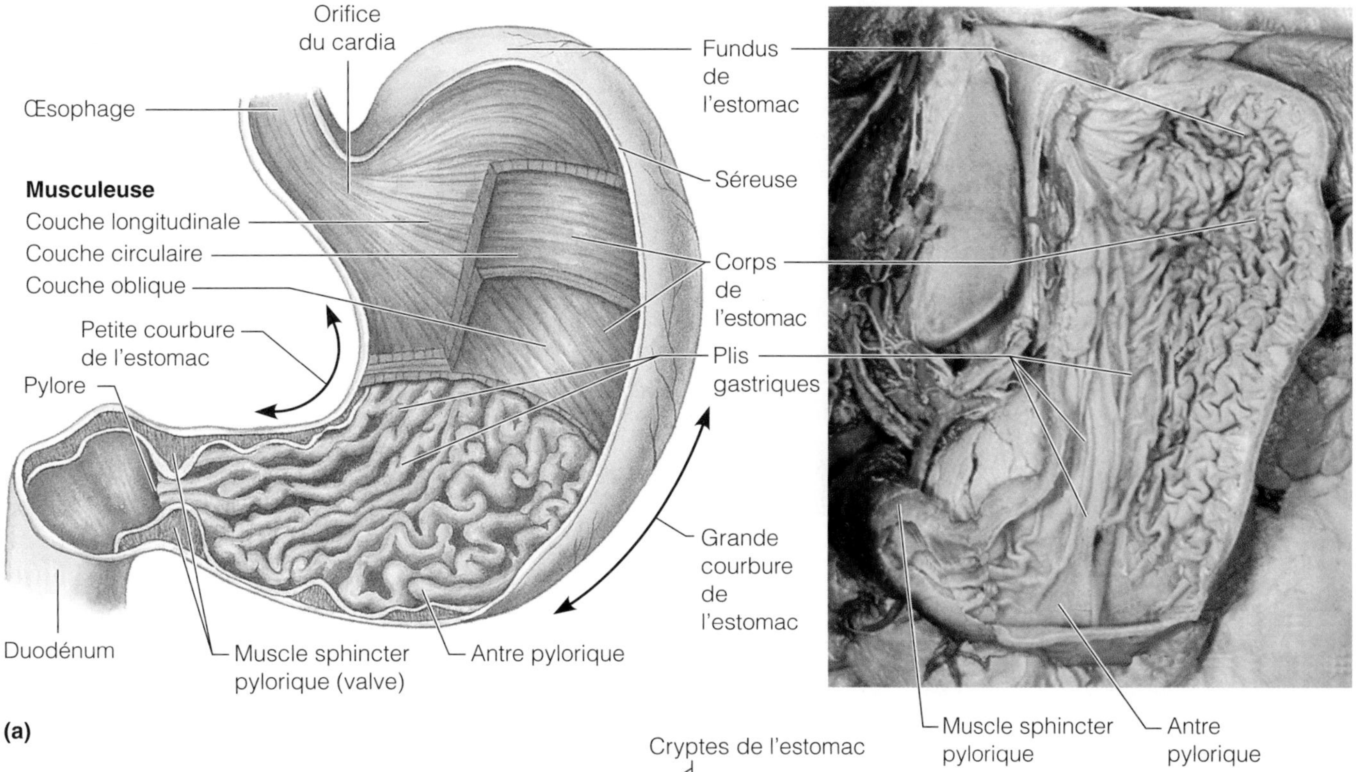

Orifice du cardia
Œsophage
Musculeuse
Couche longitudinale
Couche circulaire
Couche oblique
Petite courbure de l'estomac
Pylore
Duodénum
Muscle sphincter pylorique (valve)
Antre pylorique
Fundus de l'estomac
Séreuse
Corps de l'estomac
Plis gastriques
Grande courbure de l'estomac
Muscle sphincter pylorique
Antre pylorique
(a)

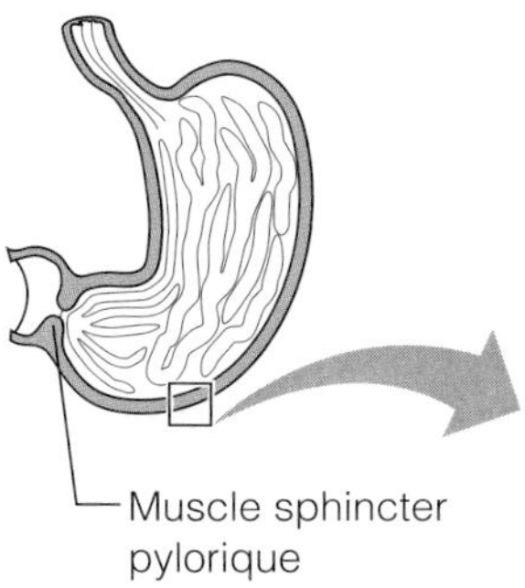

Muscle sphincter pylorique

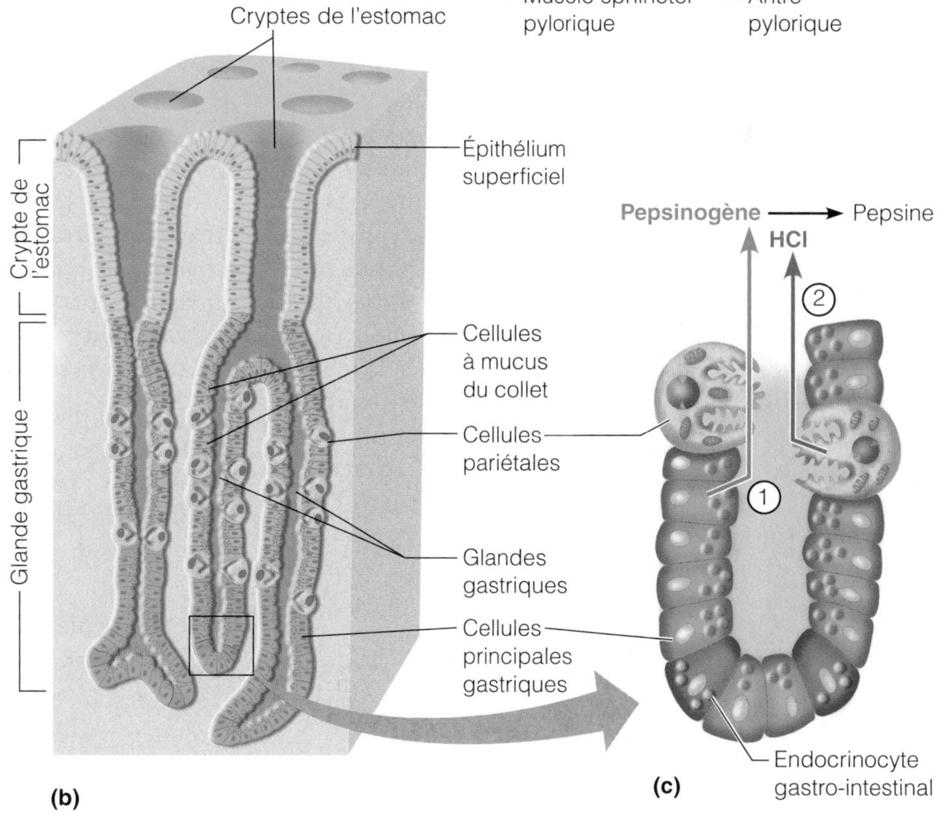

Cryptes de l'estomac
Crypte de l'estomac
Glande gastrique
Épithélium superficiel
Cellules à mucus du collet
Cellules pariétales
Glandes gastriques
Cellules principales gastriques
(b)
Pepsinogène → Pepsine
HCl
1
2
Endocrinocyte gastro-intestinal
(c)

Figure 14.4 **L'anatomie de l'estomac**

(a) Anatomie macroscopique interne (coupe frontale). **(b)** Agrandissement de glandes gastriques et de cryptes de l'estomac (coupe longitudinale). **(c)** Diagramme représentant l'enchaînement des événements à partir du moment où (1) les cellules principales gastriques produisent le pepsinogène, jusqu'au moment où (2) le HCl sécrété par les cellules pariétales l'active et le transforme en pepsine.

R **La troisième couche de muscle lisse, aux fibres obliques, permet à l'estomac de malaxer et de pétrir la nourriture.**

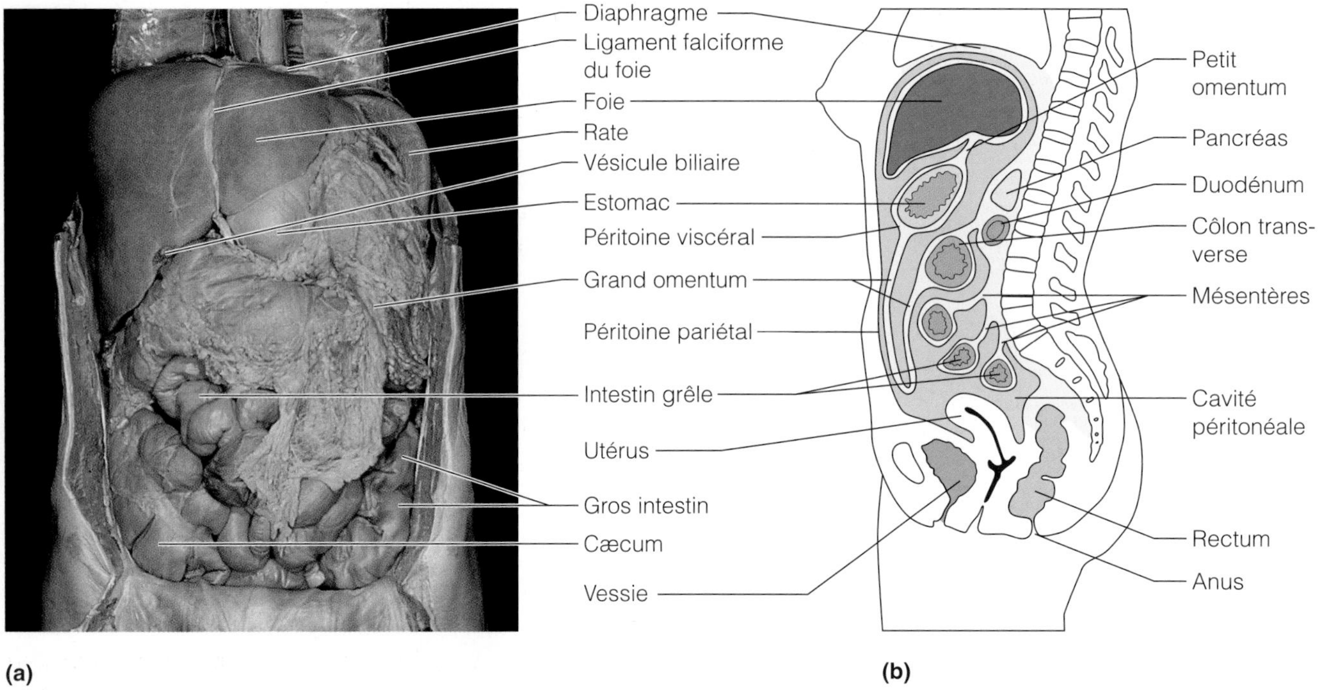
Diaphragme
Ligament falciforme du foie
Foie
Rate
Vésicule biliaire
Estomac
Péritoine viscéral
Grand omentum
Péritoine pariétal
Intestin grêle
Utérus
Gros intestin
Cæcum
Vessie
Petit omentum
Pancréas
Duodénum
Côlon transverse
Mésentères
Cavité péritonéale
Rectum
Anus
(a)
(b)

Figure 14.5 **Les attaches péritonéales des organes de l'abdomen**

(a) Vue antérieure (le grand omentum est représenté dans sa position normale, par-dessus les viscères abdominaux).
(b) Coupe sagittale de la cavité abdominopelvienne chez la femme.

L'estomac est le siège de la dégradation de la nourriture, mais il joue aussi le rôle de zone de « stockage » pour les aliments ingérés. En plus des couches longitudinale et circulaire communes à tous les organes du tube digestif, la *musculeuse* de la paroi de l'estomac comprend une couche de muscle dont les fibres sont disposées obliquement (voir la figure 14.4a). Grâce à cette disposition, l'estomac peut non seulement propulser la nourriture dans le tube digestif, mais également la malaxer, la mélanger et la pétrir afin de la réduire physiquement en fragments. En outre, la dégradation chimique des protéines s'amorce dans l'estomac. La muqueuse de l'estomac est un épithélium simple prismatique qui élabore une grande quantité de mucus. Ce revêtement lisse est parsemé de millions de profondes invaginations appelées *cryptes de l'estomac*; celles-ci se prolongent jusqu'aux *glandes gastriques* (voir la figure 14.4b), qui sécrètent une solution appelée **suc gastrique**. Certaines cellules de l'estomac élaborent le *facteur intrinsèque*, substance nécessaire à l'absorption de la vitamine B_{12} dans l'intestin grêle. Les **cellules principales gastriques** produisent des enzymes protéolytiques, le **pepsinogène** principalement. Les **cellules pariétales** élaborent l'acide chlorhydrique, un acide fort qui acidifie le contenu de l'estomac et active les enzymes (voir la figure 14.4c). Les *cellules à mucus du collet* fabriquent un mucus alcalin collant qui adhère à la muqueuse gastrique et protège la paroi de l'estomac contre les effets corrosifs de l'acide chlorhydrique et l'action des enzymes digestives. D'autres cellules, les **endocrinocytes gastro-intestinaux**, élaborent des hormones *locales* (ainsi appelées car certaines agissent localement, sans passer par la circulation sanguine) qui, comme la *gastrine*, jouent un rôle important dans les processus digestifs de l'estomac (voir le tableau 14.1, p. 516.)

La majeure partie des processus digestifs se déroulent dans la région pylorique de l'estomac. Au cours de son séjour dans l'estomac, la nourriture est transformée en une bouillie crémeuse appelée **chyme**, qui entre ensuite dans l'intestin grêle en passant par l'orifice pylorique.

L'intestin grêle

L'**intestin grêle** est le principal organe de la digestion. C'est dans ses méandres que la nourriture ingérée est rendue utilisable pour les cellules. L'intestin grêle est un tube qui serpente entre le muscle sphincter pylorique et la **valve iléocæcale** (voir la figure 14.8, p. 505). Avec une longueur moyenne de 2,5 à 7 m dans un cadavre (de 2 à 4 m en moyenne chez une personne vivante), c'est la partie la plus longue du tube digestif. Son premier segment (le duodénum) est en majeure partie rétropéritonéal, c'est-à-dire qu'il se trouve à l'arrière du péritoine pariétal. Le reste est accroché comme un chapelet de saucisses dans la cavité abdominale, suspendu à sa paroi postérieure par un mésentère en forme d'éventail dans lequel se trouvent les nerfs ainsi que les vaisseaux sanguins et lymphatiques destinés à l'intestin (voir la figure 14.5). L'intestin grêle est encadré par le gros intestin dans la cavité abdominale.

L'intestin grêle comprend trois segments: le **duodénum** (signifiant littéralement « d'une longueur de douze doigts »), le **jéjunum** (« vide ») et l'**iléum** (« intestin tortueux »), qui représentent respectivement 5 %, environ 40 % et presque 60 % de la longueur de l'organe (voir la figure 14.1). L'iléum est relié au gros intestin par la valve iléocæcale.

La digestion chimique prend véritablement son essor dans l'intestin grêle. Le *muscle sphincter pylorique* (littéralement « sentinelle ») limite la quantité de nourriture qui arrive de l'estomac, car l'intestin ne peut en traiter beaucoup à la fois. Le duodénum, qui a la forme d'un C, est le segment le plus court de l'intestin grêle, mais c'est celui qui a les caractéristiques les plus intéressantes. Certaines enzymes sont produites par les cellules intestinales; toutefois, les plus importantes sont élaborées par le pancréas, puis acheminées par les **conduits pancréatiques** dans le duodénum où elles se mêlent aux aliments et commencent à en effectuer la dégradation chimique. La *bile* (libérée par les cellules hépatiques) pénètre dans le duodénum par le **conduit cholédoque**, situé dans la même région (figure 14.6). Le conduit pancréatique et le conduit cholédoque s'unissent à la hauteur du duodénum pour constituer l'*ampoule hépatopancréatique* (littéralement « renflement du foie et du pancréas »). De là, la bile et le suc pancréatique traversent la *papille duodénale* et pénètrent ensemble dans le duodénum.

C'est l'intestin grêle qui accomplit presque toute l'absorption des aliments, et il est bien adapté à sa fonction. Sa paroi comprend trois structures qui accroissent énormément la surface d'absorption, soit les microvillosités, les villosités intestinales et les plis circulaires (figure 14.7). Les **microvillosités** sont de minuscules saillies formées par la membrane plasmique des cellules de la muqueuse; au nombre de 2000 à 3000 par cellule, elles donnent à la surface de la muqueuse une apparence duveteuse et on les désigne collectivement par le terme **limbe strié**, ou *bordure en brosse*. Les **villosités intestinales** sont des saillies, d'une hauteur de l'ordre du millimètre et en forme de doigt, qui confèrent à la muqueuse son aspect pelucheux rappelant celui d'une serviette-éponge. Au cœur de chaque villosité se trouvent

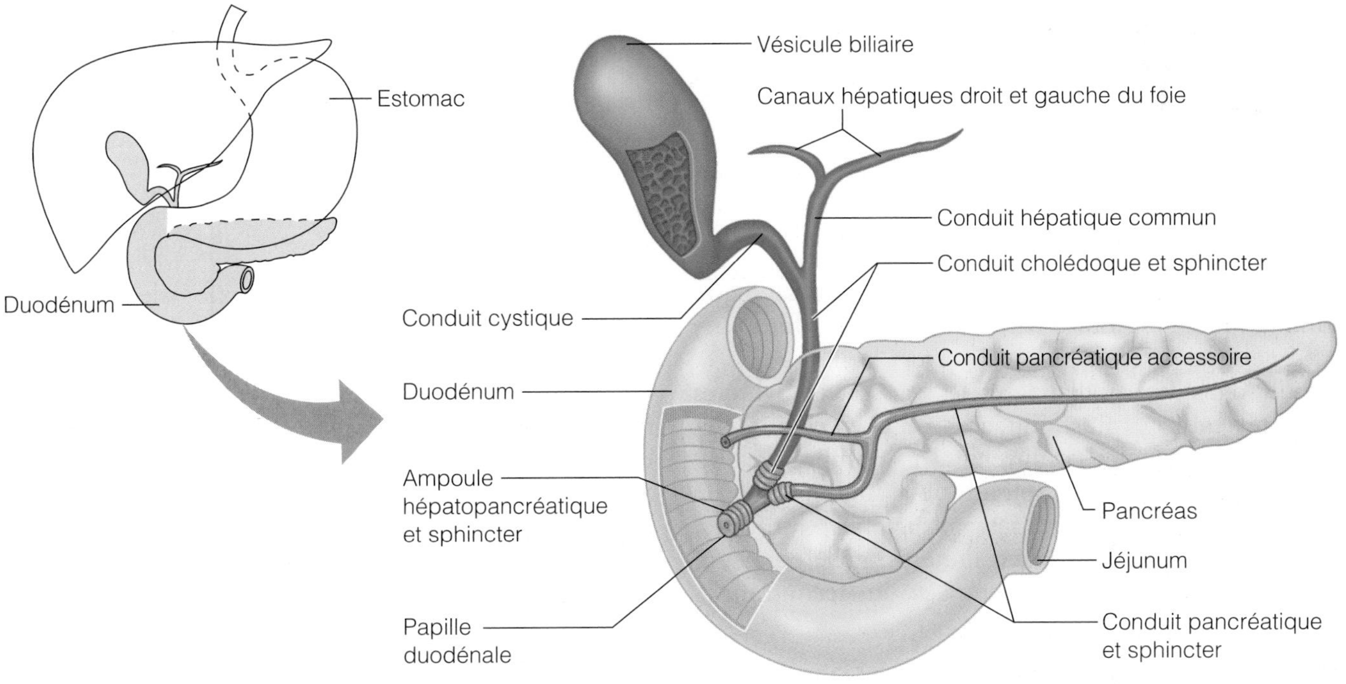

Estomac
Duodénum
Vésicule biliaire
Canaux hépatiques droit et gauche du foie
Conduit hépatique commun
Conduit cholédoque et sphincter
Conduit cystique
Conduit pancréatique accessoire
Duodénum
Ampoule hépatopancréatique et sphincter
Pancréas
Jéjunum
Papille duodénale
Conduit pancréatique et sphincter

Figure 14.6 **Le duodénum de l'intestin grêle et les organes connexes**

Q **Pourquoi les microvillosités permettent-elles aux cellules absorbantes de l'intestin grêle de mieux remplir leur fonction ?**

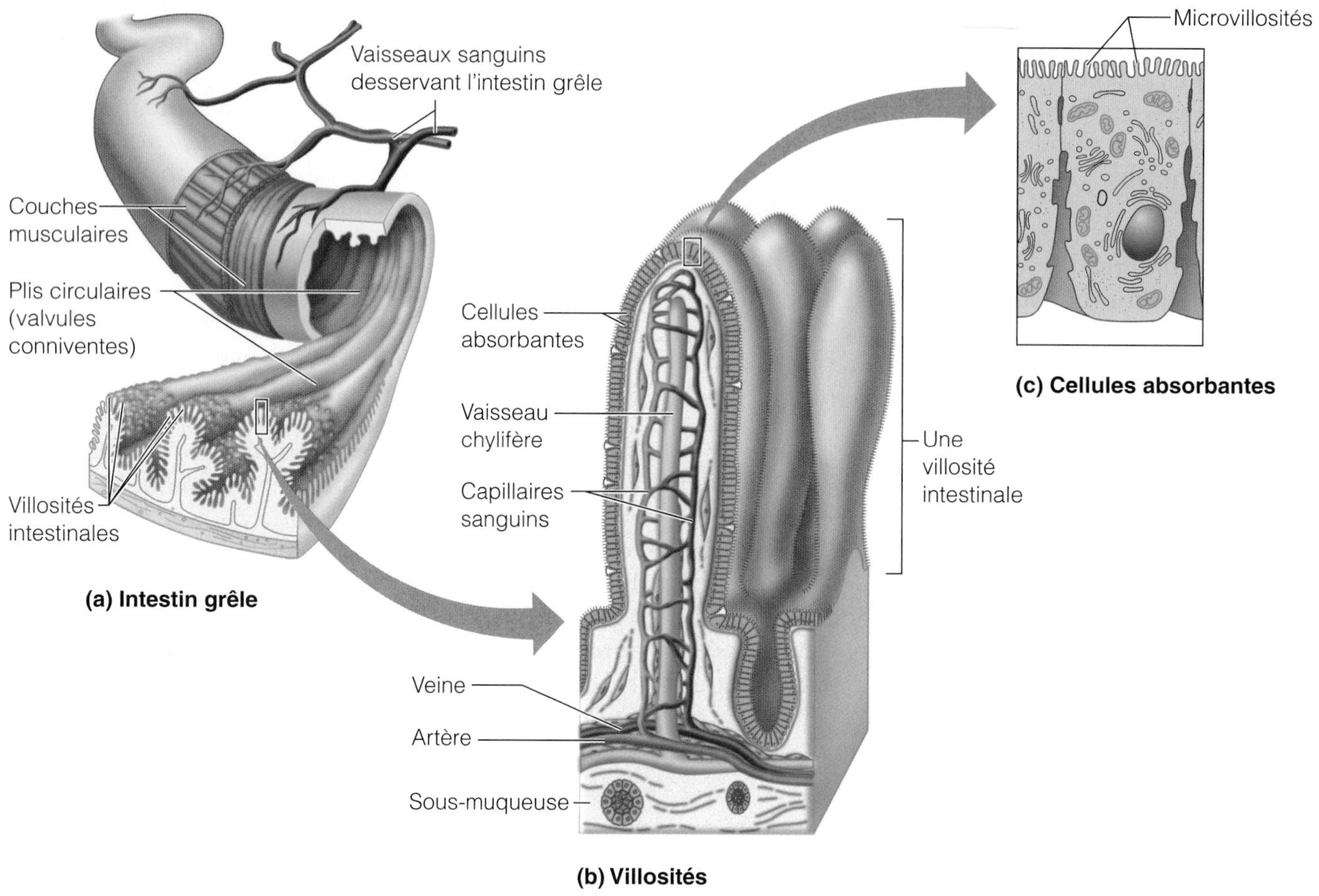

Vaisseaux sanguins desservant l'intestin grêle
Couches musculaires
Plis circulaires (valvules conniventes)
Villosités intestinales
(a) Intestin grêle
Cellules absorbantes
Vaisseau chylifère
Capillaires sanguins
Veine
Artère
Sous-muqueuse
Une villosité intestinale
(b) Villosités
Microvillosités
(c) Cellules absorbantes

Figure 14.7 **Les modifications structurales de la paroi de l'intestin grêle**

(a) Quelques plis circulaires de la paroi interne de l'intestin grêle. **(b)** Agrandissement d'une villosité intestinale associée à un pli circulaire. **(c)** Agrandissement d'une cellule absorbante présentant des microvillosités (limbe strié).

un réseau dense de capillaires sanguins et un capillaire lymphatique modifié appelé **vaisseau chylifère**. Les nutriments digérés diffusent à travers la muqueuse et passent dans les capillaires et les vaisseaux chylifères (nous reviendrons plus loin sur ce sujet). Les **plis circulaires**, ou valvules conniventes, au nombre de 800 environ, sont des replis profonds de la muqueuse et de la sous-muqueuse. Contrairement aux plis gastriques, ils ne disparaissent pas quand l'intestin grêle est plein. Toutes ces modifications structurales, qui accroissent la surface de l'intestin grêle jusqu'à une valeur totale de 400 m^2, se raréfient à mesure qu'on approche du gros intestin. Inversement, la sous-muqueuse contient des amas locaux de tissu lymphatique (appelés **follicules lymphatiques agrégés**, ou *plaques de Peyer*) dont le nombre augmente vers l'extrémité de l'intestin grêle. Les aliments non digérés contiennent en effet une multitude de bactéries qui, dans la mesure du possible, ne doivent pas entrer dans la circulation sanguine.

R **Les microvillosités augmentent énormément la superficie des cellules, ce qui multiplie leur pouvoir d'absorption des aliments digérés.**

Le gros intestin

Le **gros intestin** s'étend de la valve iléocæcale à l'anus (figure 14.8). Son diamètre est de beaucoup supérieur à celui de l'intestin grêle (d'où le terme de *gros* intestin), mais sa longueur est moindre (1,5 m contre 2 m). Il a

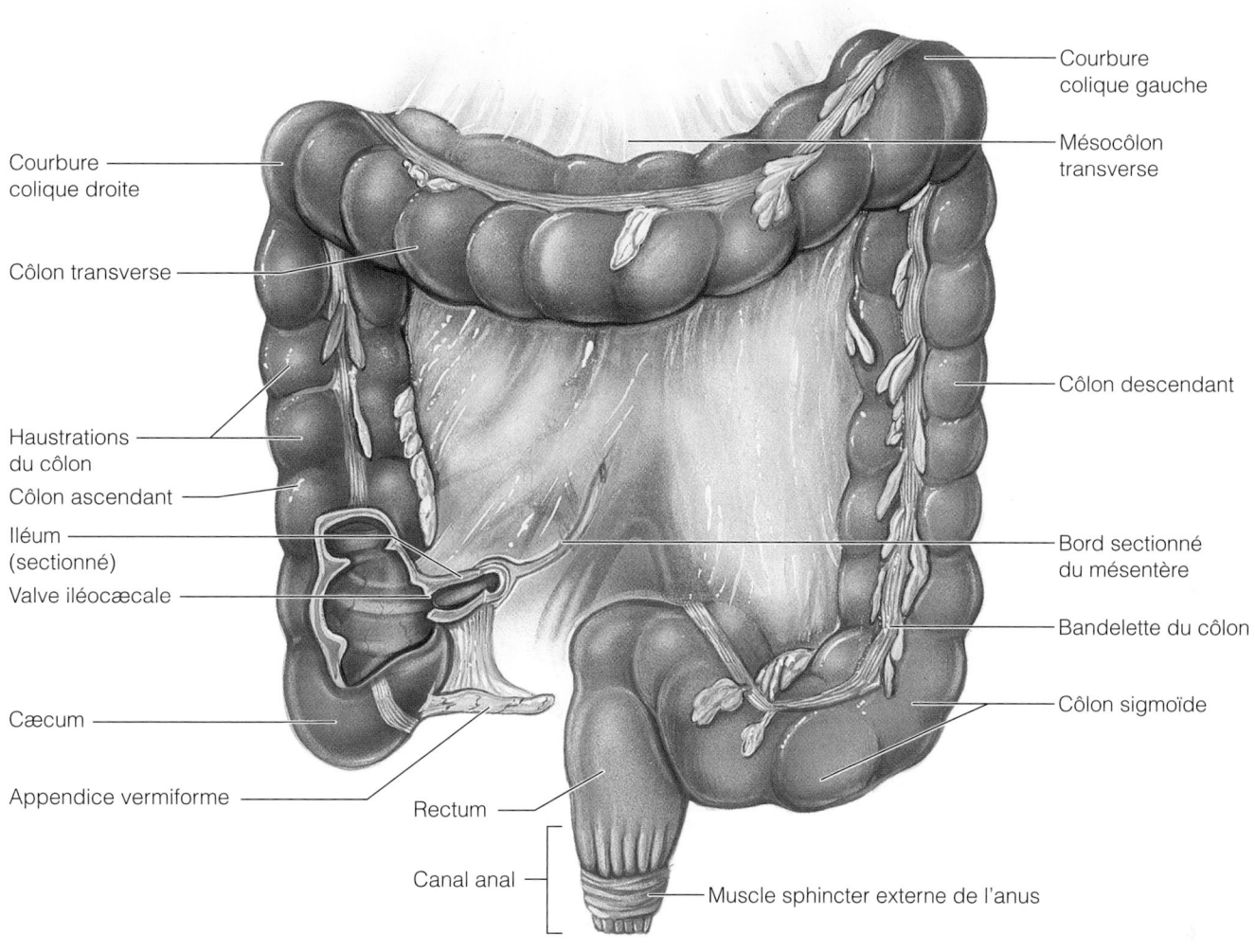

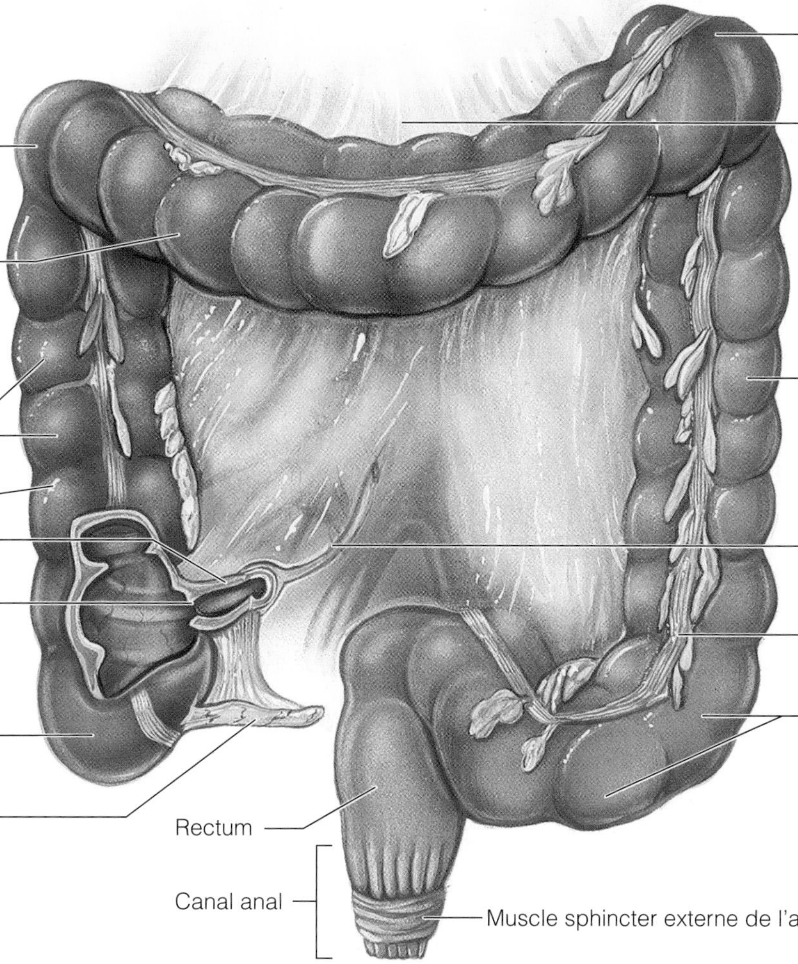
Courbure colique gauche
Mésocôlon transverse
Courbure colique droite
Côlon transverse
Côlon descendant
Haustrations du côlon
Côlon ascendant
Iléum (sectionné)
Valve iléocæcale
Bord sectionné du mésentère
Bandelette du côlon
Cæcum
Côlon sigmoïde
Appendice vermiforme
Rectum
Canal anal
Muscle sphincter externe de l'anus

Figure 14.8 **Le gros intestin**

L'illustration montre la valve iléocæcale à travers une ouverture de la paroi du cæcum.

pour principales fonctions d'absorber l'eau provenant des résidus alimentaires indigestibles ou non digérés, et d'évacuer ceux-ci de l'organisme sous forme de fèces. Il entoure l'intestin grêle sur trois côtés et comprend les segments suivants : le **cæcum**, l'**appendice vermiforme**, le **côlon**, le **rectum** et le **canal anal**. Le cæcum en forme de sac est le premier segment du gros intestin. Son prolongement, l'appendice vermiforme (d'une longueur de 5 à 10 cm), est un endroit propice à l'infection bactérienne. En effet, sa forme entortillée se prête à l'accumulation et à la prolifération des bactéries, dont la conséquence est l'inflammation de l'appendice, ou *appendicite*. Le côlon comprend plusieurs portions distinctes. Le **côlon ascendant** monte du côté droit de la cavité abdominale puis décrit un angle droit, la *courbure colique droite*, ou angle colique droit, pour constituer le **côlon transverse**, qui traverse la cavité abdominale horizontalement. Ensuite, le côlon tourne de nouveau à la *courbure colique gauche*, ou angle colique gauche, pour constituer le **côlon descendant**, qui descend le long du côté gauche. Il devient le **côlon sigmoïde** (en forme de S) en arrivant dans le bassin, où se trouvent également le rectum et le canal anal. Le côlon transverse et le côlon sigmoïde sont fixés à la paroi abdominale par des mésentères qui forment le *mésocôlon*. Le canal anal se termine à l'**anus**, qui s'ouvre sur l'extérieur. Il comprend un sphincter *volontaire* composé de muscle squelettique, le **muscle sphincter externe de l'anus**, et un sphincter *involontaire* composé de muscle lisse, le **muscle sphincter interne de l'anus**. Ces sphincters, qui sont à l'anus ce que les cordons sont à une bourse, restent fermés sauf pendant la défécation (élimination des fèces de l'organisme).

Comme la plus grande partie de la nourriture est absorbée avant d'atteindre le gros intestin, celui-ci n'est pas pourvu de villosités. On trouve cependant dans sa muqueuse une multitude de *cellules caliciformes.* Le mucus alcalin (riche en HCO_3^-) que celles-ci élaborent sert de lubrifiant pour faciliter le passage des fèces.

Dans le gros intestin, la couche longitudinale de la musculeuse est réduite à trois bandes de muscle lisse appelées *bandelettes du côlon.* Ces bandes présentent généralement un certain tonus (c'est-à-dire qu'elles sont partiellement contractées). Elles forment par conséquent dans la paroi de petits renflements appelés **haustrations du côlon**.

LES ORGANES DIGESTIFS ANNEXES

Les glandes salivaires

Trois paires de **glandes salivaires** déversent leurs sécrétions dans la bouche. Les grosses **glandes parotides** sont situées à l'avant des oreilles. Les *oreillons,* maladie fréquente chez l'enfant, sont une inflammation de ces glandes. Si vous vérifiez la localisation des glandes parotides à la figure 14.1, vous comprendrez facilement que les personnes atteintes des oreillons se plaignent de douleurs lorsqu'elles mâchent ou ouvrent la bouche.

Les minuscules conduits des **glandes submandibulaires** et des petites **glandes sublinguales** s'ouvrent sur le plancher de la bouche. Le produit des glandes salivaires, la **salive**, est un mélange de mucus et de liquides séreux. Le mucus humecte les aliments et contribue à les agglomérer en une masse appelée **bol alimentaire**, ce qui facilite la mastication et la déglutition. La portion séreuse claire de la salive contient une enzyme, l'**amylase salivaire**, dans un suc riche en bicarbonate (alcalin), qui amorce dans la bouche la digestion de l'amidon. La salive renferme aussi des substances telles que le lysozyme, des anticorps (IgA), qui inhibent la croissance bactérienne – elle assure donc une fonction protectrice – et même une substance antidouleur récemment découverte qui retarde la dégradation des enképhalines. La salive joue enfin un rôle non négligeable: elle dissout les substances chimiques contenues dans les aliments afin que nous puissions les goûter.

Les dents

Le rôle des dents dans la transformation des aliments est évident. Pour *mastiquer,* ou *mâcher,* nous ouvrons et fermons les mâchoires tout en les déplaçant latéralement; nous replaçons continuellement les aliments entre nos dents à l'aide de notre langue. Au cours de ce processus, les dents déchirent, broient et fragmentent la nourriture.

Ordinairement, vers l'âge de 21 ans, deux séries de dents se sont formées: la denture primaire et la denture permanente (figure 14.9). La denture primaire est composée de dents temporaires appelées **dents déciduales**, ou **dents de lait**. Ces dents commencent à apparaître vers

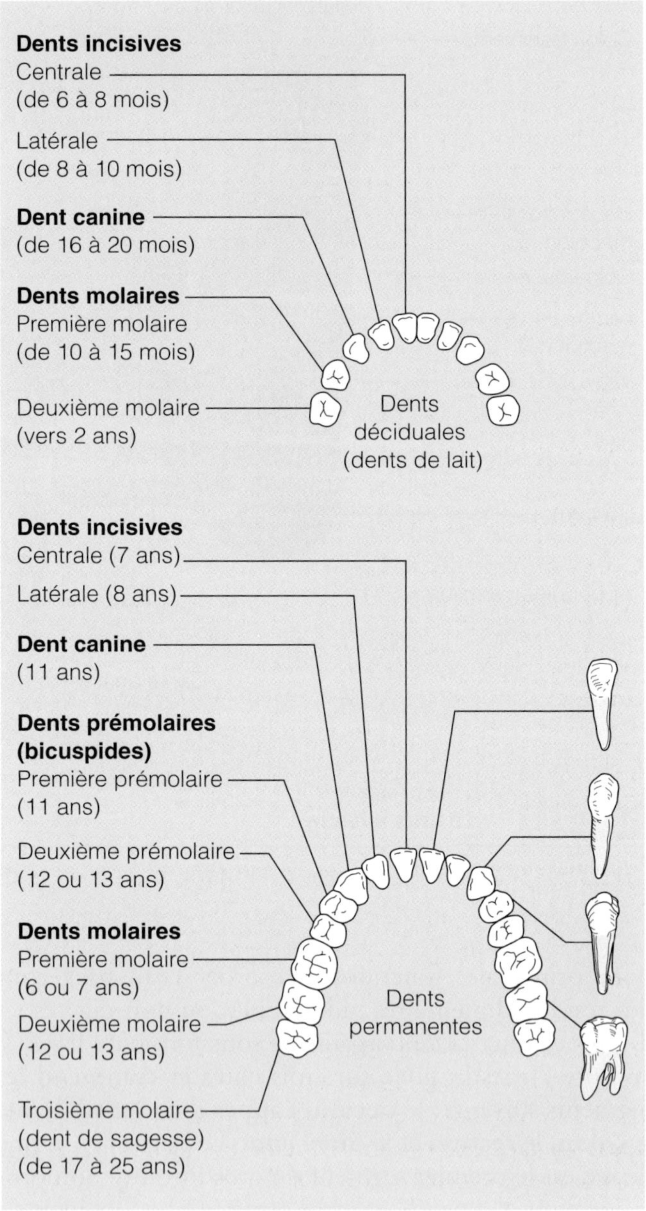

Dents incisives
Centrale
(de 6 à 8 mois)
Latérale
(de 8 à 10 mois)
Dent canine
(de 16 à 20 mois)
Dents molaires
Première molaire
(de 10 à 15 mois)
Deuxième molaire
(vers 2 ans)
Dents déciduales (dents de lait)
Dents incisives
Centrale (7 ans)
Latérale (8 ans)
Dent canine
(11 ans)
Dents prémolaires (bicuspides)
Première prémolaire
(11 ans)
Deuxième prémolaire
(12 ou 13 ans)
Dents molaires
Première molaire
(6 ou 7 ans)
Deuxième molaire
(12 ou 13 ans)
Troisième molaire
(dent de sagesse)
(de 17 à 25 ans)
Dents permanentes

Figure 14.9 **Les dents déciduales et les dents permanentes chez l'humain**

L'âge approximatif de l'éruption des dents est indiqué entre parenthèses. Comme les mâchoires supérieure et inférieure portent le même nombre de dents disposées de la même façon, seule la mâchoire inférieure est représentée dans chaque cas. La forme de chaque type de dents apparaît à droite.

l'âge de six mois. À l'âge de 24 mois environ, l'enfant possède ses 20 dents déciduales. Les premières à sortir sont les deux dents incisives centrales inférieures, et l'événement fait habituellement la joie des parents.

À mesure que les **dents permanentes**, plus profondes que les dents déciduales, poussent et se développent, les racines des dents de lait se résorbent, si bien qu'elles se détachent et tombent entre l'âge de 6 et 12 ans. Toutes les dents permanentes sauf les troisièmes dents molaires sont en place à la fin de l'adolescence. Les troisièmes dents molaires, aussi appelées *dents de sagesse*, apparaissent plus tard, entre l'âge de 17 et de 25 ans. On compte habituellement 32 dents permanentes dans une série complète, mais il arrive que les dents de sagesse ne sortent jamais ou soient absentes.

Déséquilibre homéostatique

Lorsqu'une dent reste enchâssée dans le maxillaire, on dit qu'elle est *incluse*. Les dents incluses peuvent causer beaucoup de pression et de douleur, et on doit les extraire chirurgicalement. Les dents de sagesse sont les dents les plus fréquemment incluses. ▲

On classe les dents selon leur forme et leur fonction. On distingue ainsi les dents incisives, canines, prémolaires et molaires (voir la figure 14.9). Les **dents incisives**, en forme de ciseau, servent à couper. Les **dents canines**, semblables à des crocs, déchirent et transpercent. Les **dents prémolaires** (bicuspides) et les **dents molaires** ont des couronnes larges munies de tubercules arrondis et sont bien adaptées pour broyer.

Une dent comporte deux parties principales : la **couronne de la dent** et la **racine de la dent** (figure 14.10). Recouverte d'émail, la couronne est la partie de la dent visible au-dessus de la **gencive**. L'**émail** est la substance la plus dure de l'organisme (il est constitué à 97 % de minéraux). Il n'en est pas moins cassant en raison des sels de calcium qui le minéralisent fortement. La racine est la partie de la dent qui est enchâssée dans le maxillaire. Elle est reliée à la couronne par le **collet de la dent**. La face externe de la racine est recouverte d'une substance appelée **cément**, qui fixe la dent au **ligament périodontal**. Ce ligament ancre lui-même la dent dans l'os de la mâchoire. La **dentine**, tissu semblable au tissu osseux, est située sous l'émail et forme la plus grande partie de la dent (couronne et racine). Elle entoure le **cavum de la dent**, ou chambre pulpaire, qui contient un certain nombre de structures (tissu conjonctif, vaisseaux sanguins et neurofibres) dont l'ensemble est appelé **pulpe de la dent**. C'est cette dernière qui fournit des nutriments aux tissus dentaires et est à l'origine de la sensibilité de la dent. La partie du cavum de la dent qui s'étend dans la racine devient le **canal de la racine de la dent**. Celui-ci permet le passage des vaisseaux sanguins, des neurofibres et des autres structures qui pénètrent dans le cavum de la dent.

Q **Quelle substance forme la plus grande partie de la dent ?**

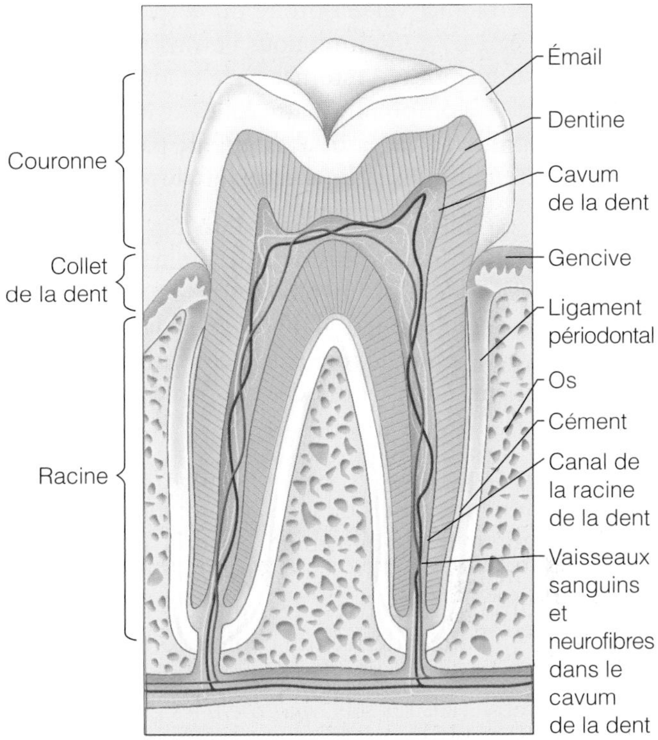
Couronne
Collet de la dent
Racine
Émail
Dentine
Cavum de la dent
Gencive
Ligament périodontal
Os
Cément
Canal de la racine de la dent
Vaisseaux sanguins et neurofibres dans le cavum de la dent

Figure 14.10 **Coupe longitudinale d'une dent molaire**

R **La dentine.**

Le pancréas

Le **pancréas** est une glande molle, rose et de forme triangulaire qui s'étend dans l'abdomen de la rate jusqu'au duodénum (voir les figures 14.1 et 14.6). La majeure partie du pancréas est en position rétropéritonéale, comme le duodénum.

Le pancréas synthétise des enzymes (dont nous traiterons plus loin) qui dégradent tous les types de substances présentes dans les aliments. Les enzymes pancréatiques sont sécrétées dans le duodénum, mélangées à un liquide alcalin qui neutralise le chyme acide provenant de l'estomac. Le pancréas assure aussi une fonction endocrine : il produit l'insuline et le glucagon (voir le chapitre 9).

Le foie et la vésicule biliaire

Le **foie** est la plus grosse glande de l'organisme. Il est situé sous le diaphragme, vers la droite du corps (voir les figures 14.1 et 14.5). Comme nous l'avons indiqué plus haut, le foie surmonte l'estomac et le recouvre presque entièrement. Il comprend quatre lobes et est suspendu au diaphragme et à la paroi abdominale par un délicat cordon mésentérique, le **ligament falciforme du foie**.

Le foie est incontestablement l'un des organes les plus importants de l'organisme. Il remplit en effet des centaines de fonctions métaboliques et régulatrices. Cependant, sa seule fonction digestive est la production de **bile**. La bile quitte le foie par le **conduit hépatique commun** et entre dans le duodénum par le *conduit cholédoque* (voir la figure 14.6).

La bile est une solution aqueuse jaune verdâtre, alcaline, qui contient des sels biliaires, des pigments biliaires (principalement de la bilirubine, produit de la dégradation de l'hémoglobine), du cholestérol, des phospholipides et divers électrolytes. De tous ces composants, seuls les sels biliaires (dérivés du cholestérol) et les phospholipides contribuent à la digestion. La bile ne contient pas d'enzymes, mais ses sels *émulsifient* les graisses, c'est-à-dire qu'ils réduisent physiquement les gros globules de graisse en petits globules. Ils exposent ainsi une surface importante à l'action des enzymes digestives qui s'attaquent aux lipides.

La **vésicule biliaire** est une petite poche de couleur verte à la paroi mince. Elle est logée dans une fossette peu profonde sur la face inférieure du foie (voir les figures 14.1 et 14.6). Lorsque le duodénum est vide, la bile reflue dans le **conduit cystique** et la vésicule biliaire, où elle est emmagasinée. La vésicule biliaire la concentre en absorbant une partie de son eau. Puis, lorsque des aliments gras pénètrent dans le duodénum, un stimulus hormonal provoque la contraction de la vésicule biliaire et l'éjection de la bile dans le duodénum.

Déséquilibre homéostatique

Si la bile demeure trop longtemps dans la vésicule biliaire ou y perd une trop grande partie de son eau, le cholestérol qu'elle contient peut se cristalliser et former des *calculs biliaires*. Comme ils ont des arêtes acérées, ces cristaux peuvent causer une douleur intense lorsque la vésicule biliaire se contracte (c'est la *colique hépatique*).

L'obstruction du conduit hépatique commun ou du conduit cholédoque (par des calculs biliaires, notamment) empêche l'écoulement de la bile dans l'intestin grêle. La bile s'accumule et finit par refluer dans le foie, exerçant une pression sur les cellules de ce dernier. Les sels et les pigments biliaires entrent alors dans la circulation sanguine et donnent à la peau une coloration jaunâtre; cet état est appelé *ictère*. Outre l'obstruction des conduits, la cause d'un ictère est le plus souvent une maladie du foie comme l'*hépatite* (inflammation du foie) et la *cirrhose* (maladie inflammatoire chronique qui entraîne une fibrose et un durcissement du foie). L'hépatite est le plus souvent d'origine virale. Le virus se transmet par l'intermédiaire d'eau contaminée (hépatites A et E), de transfusions sanguines et de seringues contaminées (hépatites B et C) ou par contact sexuel (hépatite B). La cirrhose, conséquence fréquente d'une hépatite grave, atteint presque immanquablement les personnes qui font une consommation excessive et prolongée de boissons alcoolisées. ▲

Les fonctions du système digestif

LES PROCESSUS DIGESTIFS ET LES MÉCANISMES DE RÉGULATION : CARACTÉRISTIQUES GÉNÉRALES

Les principales fonctions du système digestif se résument habituellement en deux mots : *digestion* et *absorption*. Ces termes, cependant, ne rendent pas compte d'un certain nombre d'activités spécifiques au système digestif, telles que l'activité des myocytes lisses et certains mécanismes de régulation. Pour décrire avec précision les processus digestifs, nous devons pousser un peu plus loin notre étude. Les six activités essentielles du tube digestif sont énumérées ci-dessous et schématisées à la figure 14.11.

1. **L'ingestion.** La nourriture doit être introduite dans la bouche avant d'être transformée. Ce processus actif et volontaire constitue l'ingestion.
2. **La propulsion.** Puisqu'elle doit être transformée par plus d'un organe digestif, la nourriture doit avancer dans le tube digestif. La déglutition est un exemple de mouvement qui repose en grande partie sur le **péristaltisme**. Ce mécanisme de propulsion involontaire consiste en une succession d'ondes de contraction et d'ondes de relâchement des muscles des parois des organes du tube digestif (figure 14.12a). Il a pour effet de pousser la nourriture d'un organe à l'autre. La **segmentation** (figure 14.12b) peut contribuer à propulser la nourriture dans l'intestin grêle, mais, normalement, elle ne fait que la déplacer de l'avant vers l'arrière dans l'organe, la mélangeant

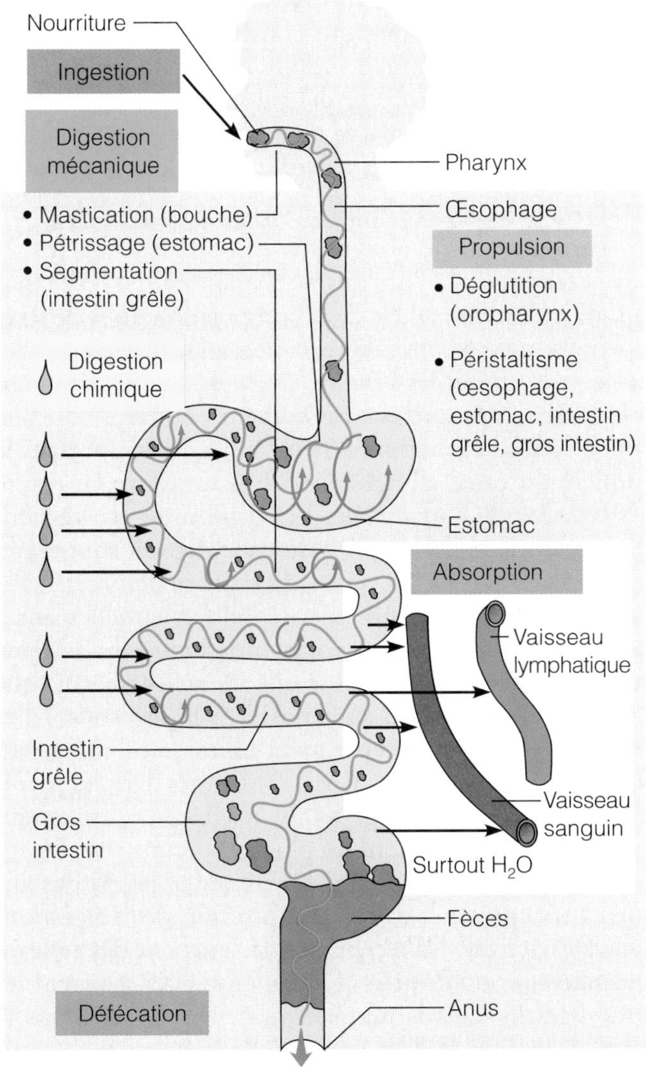

Nourriture
Ingestion
Digestion mécanique
• Mastication (bouche)
• Pétrissage (estomac)
• Segmentation (intestin grêle)
Digestion chimique
Pharynx
Œsophage
Propulsion
• Déglutition (oropharynx)
• Péristaltisme (œsophage, estomac, intestin grêle, gros intestin)
Estomac
Absorption
Vaisseau lymphatique
Intestin grêle
Gros intestin
Vaisseau sanguin
Surtout H_2O
Fèces
Défécation
Anus

Figure 14.11 **Représentation schématique des activités du système digestif**

Les activités du tube digestif sont l'ingestion, la digestion mécanique, la digestion chimique (enzymatique), la propulsion, l'absorption et la défécation. Les sites de la digestion chimique sont également les sites qui produisent des enzymes ou qui reçoivent des enzymes et d'autres sécrétions élaborées par les organes digestifs annexes (extérieurs au tube digestif). La muqueuse du tube digestif sécrète un mucus lubrifiant et protecteur.

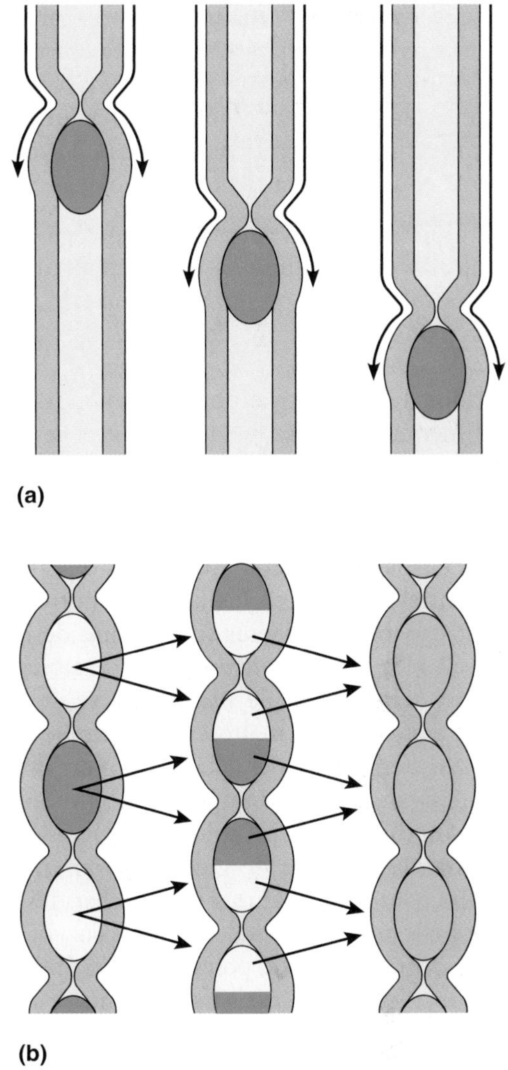

(a)
(b)

Figure 14.12 **Le péristaltisme et la segmentation**

(a) Dans le péristaltisme, les régions adjacentes de l'intestin (ou d'autres organes du tube digestif) se contractent et se relâchent tour à tour, ce qui pousse la nourriture vers l'extrémité distale du tube. **(b)** Dans la segmentation, des segments non adjacents de l'intestin se contractent et se relâchent tour à tour. Comme les segments actifs (en vert foncé) sont séparés par des segments inactifs (en vert pâle), la nourriture se déplace vers l'avant puis vers l'arrière, ce qui produit un brassage (segments en vert moyen du schéma de droite) plutôt qu'une propulsion.

ainsi aux sucs digestifs. Par conséquent, la segmentation est liée à la digestion mécanique plutôt qu'à la propulsion.

3. **La dégradation de la nourriture: la digestion mécanique.** La digestion mécanique prépare la nourriture à la dégradation par les enzymes en la pulvérisant par des moyens physiques. Elle comprend un certain nombre de processus, dont le mélange de la nourriture par la langue, le pétrissage de la nourriture dans l'estomac et la segmentation dans l'intestin grêle.

4. **La dégradation de la nourriture: la digestion chimique.** La digestion chimique est une série de processus par lesquels les grosses molécules sont dégradées en leurs unités de base. La digestion chimique relève

d'enzymes (protéines jouant le rôle de catalyseurs). Nous avons vu au chapitre 2 que les processus en cause sont des réactions d'*hydrolyse*, c'est-à-dire qu'une molécule d'eau s'ajoute à chacun des liens qui doivent être brisés. L'eau sert aussi à ramollir les aliments et à en dissoudre les composants en vue de la digestion.

Puisque les divers aliments contiennent des unités de base très différentes, prenons le temps de réviser ce que nous avons présenté au chapitre 2. Les unités de base des *glucides* sont les *monosaccharides*, ou sucres simples, dont trois se trouvent ordinairement dans notre régime alimentaire: le *glucose*, le *fructose* et le *galactose*. Le glucose est de loin le plus important, et c'est sa concentration dans le sang qui est désignée par le terme *glycémie*. Le fructose est le sucre le plus abondant dans les fruits. Le galactose quant à lui se trouve dans le lait. Pour l'essentiel, les seuls glucides que notre système digestif est capable de digérer (c'est-à-dire de dissocier en sucres simples) sont le *sucrose* (sucre de table), le *lactose* (présent dans le lait), le *maltose* (sucre de malt) et l'*amidon*. Le sucrose, le maltose et le lactose sont des *disaccharides*, c'est-à-dire des sucres doubles; ils sont en effet formés de deux sucres simples liés. L'amidon est un *polysaccharide* (littéralement « plusieurs sucres ») constitué de centaines d'unités de glucose. Nous mangeons des aliments contenant d'autres polysaccharides comme la *cellulose*, mais nous ne possédons pas les enzymes nécessaires à leur dégradation. Les polysaccharides indigestibles ne nous nourrissent pas, mais ils forment les *fibres* qui facilitent le mouvement des aliments dans le tube digestif.

Les unités de base des protéines sont les acides aminés. Les produits intermédiaires de la digestion des protéines sont les polypeptides et les peptides. La dégradation des lipides (matières grasses) produit deux types d'unités de base: les acides gras et un alcool appelé *glycérol*. La digestion chimique des glucides, des protéines et des lipides est résumée à la figure 14.13 et décrite en détail plus loin.

5. **L'absorption.** L'absorption est le passage des produits de la digestion de la lumière du tube digestif au sang ou à la lymphe. Avant d'être absorbés, les aliments digérés doivent pénétrer dans les cellules de la muqueuse digestive par des mécanismes de transport actif ou passif. Le principal site d'absorption est l'intestin grêle.
6. **La défécation.** La défécation est l'évacuation par l'anus des substances non digestibles ou non digérées, sous forme de fèces.

Certains de ces processus sont assurés par un seul organe. L'ingestion, par exemple, n'est effectuée que par la bouche, et la défécation par le gros intestin. Mais la plupart des mécanismes qui constituent la digestion se déroulent petit à petit, à mesure que la nourriture parcourt le tube digestif. On peut donc considérer le tube digestif comme une chaîne de « démontage »; à chacune de ses étapes, la nourriture perd un peu de sa complexité et les nutriments sont rendus de plus en plus assimilables.

Partout, dans le présent ouvrage, nous avons insisté sur la tendance de l'organisme à maintenir la constance du milieu interne. Celle de la composition du sang revêt une importance particulière, car le sang entre en contact étroit avec toutes les cellules. Le système digestif quant à lui crée son propre environnement pour répondre aux besoins de son fonctionnement, mais il l'établit dans la lumière du canal alimentaire, où il se trouve en réalité à l'*extérieur* de l'organisme. Les conditions qui règnent dans la lumière des organes du tube digestif sont régies de manière que les processus digestifs se déroulent efficacement. L'activité digestive répond essentiellement à des réflexes de la partie parasympathique du système nerveux autonome. (Nous avons vu au chapitre 7 que c'est la partie associée au repos et à la digestion.) Les récepteurs (mécanorécepteurs et chimiorécepteurs) qui interviennent dans ces réflexes sont situés dans les parois des organes du tube digestif. Ils réagissent à un certain nombre de stimulus dont les plus importants sont l'étirement des organes causé par les aliments, le pH des aliments et la présence de certains produits de la digestion. Une fois activés, les récepteurs déclenchent des réflexes qui activent ou inhibent: 1) les glandes qui sécrètent les sucs digestifs dans la lumière ou des hormones dans le sang; 2) les muscles lisses de la musculeuse qui mélangent la nourriture et la propulsent dans le tube digestif.

Maintenant que nous avons présenté globalement les fonctions du tube digestif, nous sommes prêts à étudier les activités des divers organes qui le constituent.

LES ACTIVITÉS SE DÉROULANT DANS LA BOUCHE, LE PHARYNX ET L'ŒSOPHAGE

L'ingestion et la dégradation de la nourriture

La digestion mécanique et la digestion chimique commencent dès que la nourriture pénètre dans la bouche. D'abord, la mastication fragmente *physiquement* les aliments. Puis, pendant que la nourriture se mélange à la salive, l'amylase salivaire amorce la digestion *chimique* de l'amidon et le dégrade en oligosaccharides (formés de deux à huit molécules de glucose); ceux-ci seront hydrolysés en maltose dans l'intestin grêle (voir la figure 14.13). La prochaine fois que vous prendrez une bouchée de pain, mastiquez-la durant une minute avant de l'avaler. Les sucres se libéreront et vous détecterez une saveur sucrée.

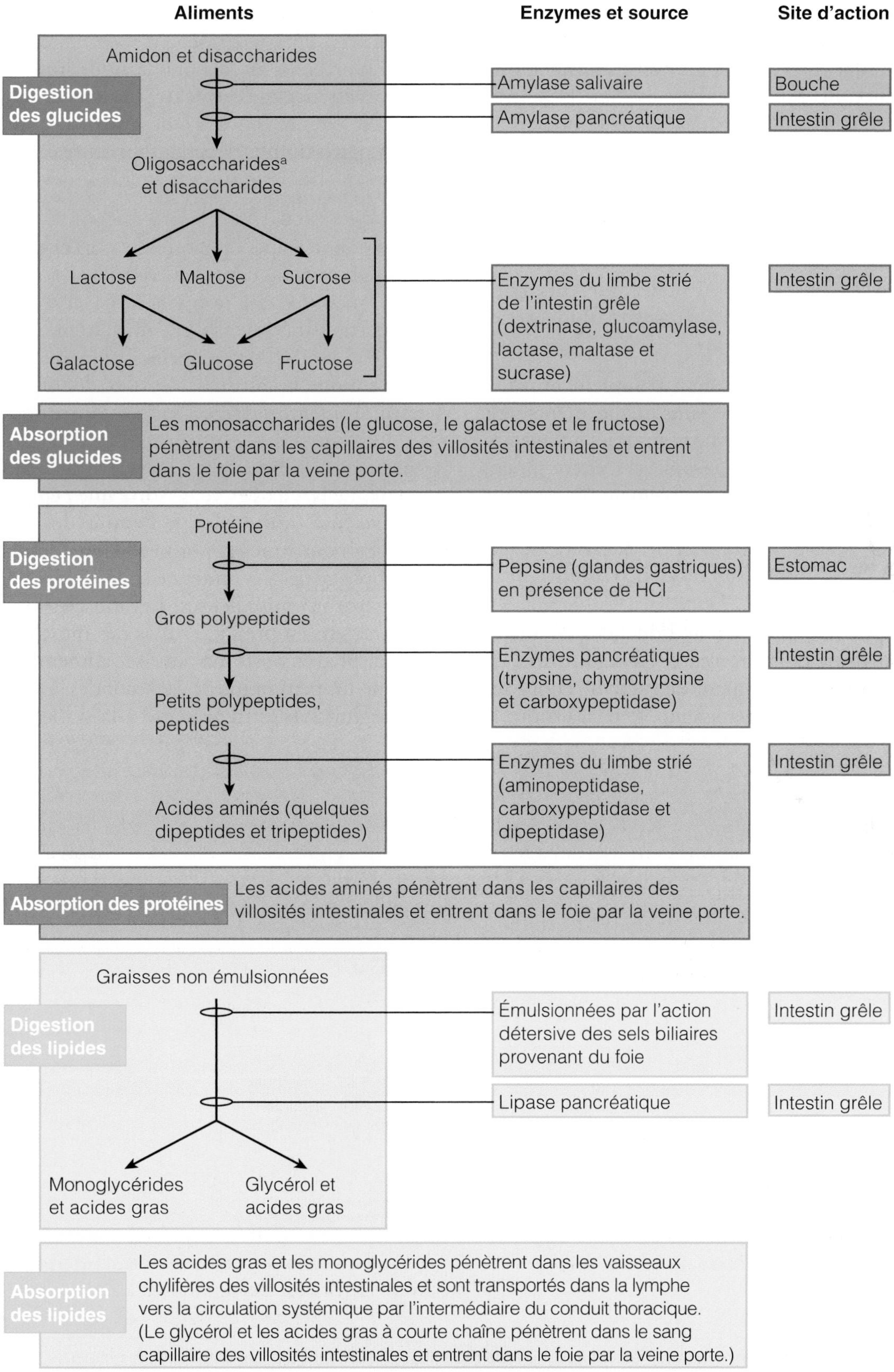
Aliments
Enzymes et source
Site d'action
Digestion des glucides
Amidon et disaccharides
Amylase salivaire
Bouche
Amylase pancréatique
Intestin grêle
Oligosaccharides[a] et disaccharides
Lactose
Maltose
Sucrose
Galactose
Glucose
Fructose
Enzymes du limbe strié de l'intestin grêle (dextrinase, glucoamylase, lactase, maltase et sucrase)
Intestin grêle
Absorption des glucides
Les monosaccharides (le glucose, le galactose et le fructose) pénètrent dans les capillaires des villosités intestinales et entrent dans le foie par la veine porte.
Digestion des protéines
Protéine
Pepsine (glandes gastriques) en présence de HCl
Estomac
Gros polypeptides
Enzymes pancréatiques (trypsine, chymotrypsine et carboxypeptidase)
Intestin grêle
Petits polypeptides, peptides
Enzymes du limbe strié (aminopeptidase, carboxypeptidase et dipeptidase)
Intestin grêle
Acides aminés (quelques dipeptides et tripeptides)
Absorption des protéines
Les acides aminés pénètrent dans les capillaires des villosités intestinales et entrent dans le foie par la veine porte.
Digestion des lipides
Graisses non émulsionnées
Émulsionnées par l'action détersive des sels biliaires provenant du foie
Intestin grêle
Lipase pancréatique
Intestin grêle
Monoglycérides et acides gras
Glycérol et acides gras
Absorption des lipides
Les acides gras et les monoglycérides pénètrent dans les vaisseaux chylifères des villosités intestinales et sont transportés dans la lymphe vers la circulation systémique par l'intermédiaire du conduit thoracique. (Le glycérol et les acides gras à courte chaîne pénètrent dans le sang capillaire des villosités intestinales et entrent dans le foie par la veine porte.)

a. Les oligosaccharides sont composés d'un petit nombre de monosaccharides unis par des liaisons chimiques.

Figure 14.13 **La digestion chimique et l'absorption des aliments**

Les glandes salivaires sécrètent continuellement de la salive pour maintenir l'humidité de la bouche, mais l'arrivée d'aliments dans celle-ci intensifie considérablement la production de salive. Par ailleurs, la simple pression exercée par tout objet placé dans la bouche et mastiqué, qu'il s'agisse d'un élastique ou d'un morceau de gomme à mâcher sans sucre, provoque aussi la sécrétion de salive. Certains stimulus émotionnels, de même, provoquent la salivation. Ainsi, la seule pensée d'une glace nappée de chocolat fait saliver plus d'une personne! Ces réflexes sont déclenchés par des stimulus différents, mais dépendent tous de neurofibres parasympathiques des nerfs crâniens V et IX.

Il ne se produit aucune absorption à proprement parler dans la bouche. (Cependant, certains médicaments, tels que la nitroglycérine, sont facilement absorbés à travers la muqueuse orale.) Le pharynx et l'œsophage n'interviennent pas dans la digestion ; ils servent simplement de conduits pour acheminer la nourriture de la bouche à l'estomac.

La propulsion de la nourriture : la déglutition et le péristaltisme

Pour qu'elle puisse passer de la bouche aux autres organes, la nourriture doit être avalée. La **déglutition** est un mécanisme complexe résultant de l'activité coordonnée de plusieurs structures (la langue, le palais mou, le pharynx et l'œsophage). Elle se produit en deux étapes. La première, l'**étape orale**, est volontaire et se déroule dans la bouche. Une fois que la nourriture a été mastiquée et bien mélangée avec de la salive, la langue pousse le bol alimentaire (la masse de nourriture) dans le pharynx. À partir du pharynx, la nourriture échappe à notre maîtrise volontaire et son mouvement devient tributaire de l'activité réflexe involontaire.

La seconde étape, involontaire, est l'**étape pharyngo-œsophagienne**, au cours de laquelle la nourriture passe dans le pharynx et l'œsophage. Cette étape est régie par la partie parasympathique du système nerveux autonome (par les nerfs vagues principalement) qui, à compter de ce moment, assure la motilité des organes du tube digestif. Tous les passages que la nourriture pourrait – mais ne doit pas – emprunter sont alors fermés. La langue ferme la bouche et le palais mou clôt le nasopharynx. Le larynx s'élève de sorte que l'épiglotte couvre son ouverture (qui constitue l'entrée des voies respiratoires). La nourriture est poussée le long du pharynx puis de l'œsophage par des ondes de contractions péristaltiques de leurs parois musculeuses. Les muscles longitudinaux se contractent en premier, suivis des muscles circulaires. Le trajet pharynx-estomac du bol alimentaire prend en moyenne un peu moins de 10 secondes. Le déroulement de la déglutition est représenté à la figure 14.14.

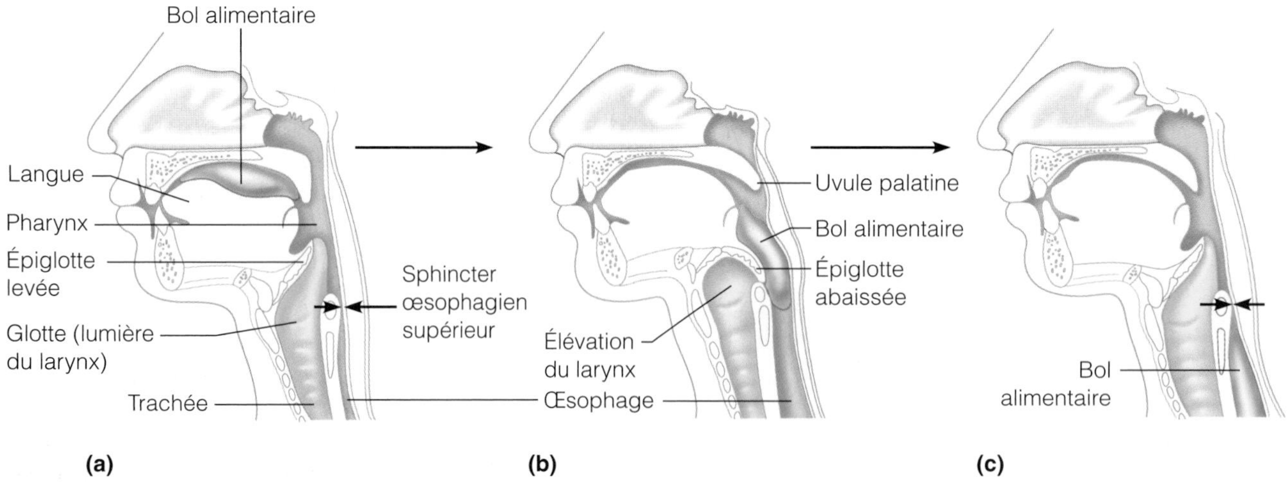
Bol alimentaire
Langue
Pharynx
Épiglotte levée
Glotte (lumière du larynx)
Trachée
Sphincter œsophagien supérieur
Uvule palatine
Bol alimentaire
Épiglotte abaissée
Élévation du larynx
Œsophage
Bol alimentaire
(a)
(b)
(c)

Figure 14.14 La déglutition

(a) La langue pousse le bol alimentaire vers l'arrière, contre le palais mou. **(b)** Au moment où le bol entre dans le pharynx, le palais mou s'élève pour fermer le nasopharynx. Le larynx s'élève à son tour afin que l'épiglotte ferme son ouverture pendant que le péristaltisme transporte la nourriture par le pharynx jusque dans l'œsophage. Le sphincter œsophagien supérieur se relâche pour permettre le passage de la nourriture. **(c)** Le sphincter œsophagien supérieur se contracte à nouveau pendant que le larynx et l'épiglotte reprennent leur position initiale, et que le bol alimentaire poursuit son chemin jusqu'à l'estomac.

Si nous essayons de parler tout en avalant, il peut arriver que les mécanismes de protection soient « court-circuités » et que de la nourriture pénètre dans les voies respiratoires. Cet événement déclenche le réflexe de la toux, autre réflexe protecteur visant à expulser la nourriture au moyen de l'air projeté hors des poumons.

Une fois qu'elle atteint l'extrémité distale de l'œsophage, la nourriture exerce une pression contre le sphincter œsophagien inférieur ; celui-ci se relâche et la nourriture entre dans l'estomac. La nourriture se déplace de manière si automatique dans le pharynx et l'œsophage que, même si une personne se tenait sur la tête, la déglutition serait possible et les aliments atteindraient son estomac. La gravité ne joue aucun rôle dans ce transport une fois que la nourriture a quitté la bouche. Telle est la raison pour laquelle les astronautes dans l'espace peuvent avaler et se nourrir même en apesanteur.

LES ACTIVITÉS DE L'ESTOMAC

La dégradation de la nourriture

La sécrétion de **suc gastrique** est régie par des facteurs nerveux et hormonaux. La vue, l'odeur et le goût des aliments déclenchent des réflexes de la partie parasympathique du système nerveux autonome qui accroissent la sécrétion de suc gastrique par les glandes de l'estomac. De plus, la présence de nourriture et la baisse du pH dans l'estomac stimulent la sécrétion de **gastrine**, hormone élaborée par les cellules de l'estomac. La gastrine stimule encore davantage les glandes gastriques et celles-ci sécrètent une quantité accrue d'une enzyme protéolytique (le pepsinogène), de mucus et d'acide chlorhydrique. Dans des conditions normales, l'estomac produit de 2 à 3 L de suc gastrique par jour.

L'acide chlorhydrique acidifie considérablement le contenu de l'estomac. Le phénomène a quelque chose de dangereux puisque l'acide chlorhydrique et les protéases sont aptes à digérer l'estomac lui-même et à causer des *ulcères* (voir l'encadré « Gros plan », p. 514-515). Cependant, l'estomac reste intact tant que les glandes sécrètent une quantité suffisante de mucus.

Déséquilibre homéostatique

Il arrive que le sphincter œsophagien inférieur ne se ferme pas complètement et que le suc gastrique reflue dans l'œsophage. Comme celui-ci n'est pas aussi bien protégé que l'estomac par du mucus, le phénomène provoque une douleur caractéristique appelée *brûlure d'estomac*. Laissées sans traitement, les brûlures d'estomac peuvent entraîner une inflammation (*œsophagite*) et même une ulcération de l'œsophage. La brûlure d'estomac est souvent causée par une *hernie hiatale*, c'est-à-dire une anomalie structurale caractérisée par une légère saillie de l'estomac au-dessus du diaphragme. Ce dernier ne renforce plus le sphincter œsophagien inférieur, qui est faible au départ, et le suc gastrique reflue dans l'œsophage fragile. Le traitement conservateur consiste à éviter de manger dans la soirée, à prendre des antiacides et à élever la tête du lit. ▲

L'environnement extrêmement acide créé par l'acide chlorhydrique est nécessaire à la transformation du *pepsinogène* en *pepsine*, la protéase active. La *rennine*, l'autre protéase élaborée par l'estomac, s'attaque principalement aux protéines du lait et les convertit en une substance semblable à du lait sur. La substance grumeleuse que les nourrissons régurgitent parfois après les tétées n'est pas, contrairement à ce que peuvent penser les mères, du lait qui a suri dans l'estomac. L'estomac du nourrisson sécrète une grande quantité de rennine, mais il semble que celui de l'adulte n'en sécrète pas.

L'amorce de la digestion des protéines est le seul des processus de la digestion chimique à se dérouler dans l'estomac. Les seules substances absorbées à travers la paroi de l'estomac sont l'alcool et l'aspirine, qui semblent posséder une sorte de laissez-passer.

À mesure que l'estomac se remplit, sa paroi s'étire (en même temps que les cellules sécrètent du suc gastrique, comme nous venons de l'indiquer). Les trois couches musculaires de celle-ci entrent alors en action. Elles compriment et pétrissent la nourriture pour la fragmenter physiquement, et la mélangent avec le suc gastrique riche en enzymes, ce qui produit le chyme semi-liquide. Le processus rappelle un peu celui de la préparation d'un gâteau. Vous repliez sans cesse le mélange d'ingrédients sur lui-même, et vous y incorporez du liquide jusqu'à ce que la pâte ait une texture homogène.

La propulsion de la nourriture

Une fois que la nourriture est bien mélangée, une onde de péristaltisme s'amorce dans la moitié inférieure de l'estomac toutes les 20 secondes environ. Les contractions s'intensifient à mesure qu'elles s'approchent de l'orifice pylorique. Le pylore, qui peut contenir environ 30 mL de chyme, agit comme un filtre et ne laisse passer que les liquides et les petites particules par l'orifice pylorique (figure 14.15). Comme celui-ci ne fait que s'entrouvrir, chaque contraction du muscle de l'estomac projette 3 mL de chyme au maximum dans l'intestin grêle. Or, la contraction *ferme* aussi l'orifice pylorique, de sorte que le reste du chyme (environ 27 mL) reflue dans l'estomac, où il est encore mélangé. Lorsque le duodénum

GROS PLAN

Quand un ulcère vous dévore de l'intérieur

Roger, 53 ans, travaille dans une usine. Depuis quelque temps, il éprouve une douleur tenaillante dans la partie supérieure de l'abdomen une heure ou deux après les repas. Au début, il attribuait ce malaise à la piètre qualité de sa cuisine, mais le fait de manger à la cantine de l'usine ou au restaurant n'y changeait rien. Roger a toujours combattu le stress en faisant une forte consommation d'alcool et de tabac, et ses douleurs abdominales s'intensifient considérablement les semaines où il fait des heures supplémentaires. Au bout de deux mois, les douleurs augmentent et Roger se décide à consulter un médecin, qui diagnostique chez lui un ulcère gastroduodénal.

Une personne sur 10 environ est atteinte du même problème que Roger. Un ulcère gastroduodénal est une érosion en forme de cratère de la muqueuse d'un organe digestif exposé aux sécrétions de l'estomac. Il est causé par l'acide chlorhydrique et la pepsine; les personnes dont l'estomac ne sécrète pas ces substances ne souffrent jamais d'ulcère gastroduodénal. Dans de rares cas, un ulcère se forme dans la partie inférieure de l'œsophage à la suite du reflux du contenu de l'estomac. Dans 98 % des cas, cependant, les ulcères apparaissent dans la partie pylorique de l'estomac (ulcères gastriques) ou dans la première partie du duodénum (ulcères duodénaux). Les ulcères duodénaux sont trois fois ou quatre fois plus fréquents que les ulcères gastriques. Les lésions peuvent survenir à tout âge, mais on les trouve surtout chez les personnes de 50 à 70 ans. Laissés sans traitement, les ulcères gastroduodénaux ont tendance à guérir puis à réapparaître périodiquement toute la vie.

Les ulcères gastriques et duodénaux peuvent causer une douleur rongeante ou semblable à une brûlure dans la région épigastrique (voir la figure 1.8b). La douleur se manifeste souvent de une à trois heures après les repas (ou pendant la nuit, ce qui réveille la personne) et disparaît après l'ingestion de nourriture. Les autres symptômes de l'ulcère comprennent le manque d'appétit, les éructations, les nausées et les vomissements. Cependant, l'ulcère ne se manifeste pas toujours par ces symptômes et peut même demeurer asymptomatique.

Même après des années de recherches assidues, les causes des ulcères gastroduodénaux ne sont pas encore complètement et parfaitement connues. On a cru durant plus d'un siècle que c'était le stress. C'est ainsi que s'est perpétué le stéréotype du gestionnaire surmené tourmenté par un «ulcère d'estomac». Or, les études récentes n'ont pas permis d'établir un lien direct entre le stress et les ulcères, si bien que de nombreux chercheurs doutent à présent de son existence. Il semble néanmoins que le stress *aggrave* les ulcères existants. Les études révèlent en outre que de nombreux ulcères sont causés par une souche de bactéries résistantes à l'acidité (*Helicobacter pylori*) qui colonisent le revêtement muqueux de l'estomac d'un humain sur trois: 40 % des sujets sains et de 70 à 90 % des sujets atteints d'un ulcère. (Depuis la découverte de cette bactérie, en 1982, on s'est rendu compte que, dans les pays développés, *H. pylori* est de moins en moins présent dans l'estomac humain; parallèlement à cette disparition, les ulcères gastroduodénaux et les cancers gastriques ont diminué alors que les reflux gastro-œsophagiens ont augmenté.) La photographie ci-dessous montre la structure d'un ulcère gastrique. On peut voir la dépression ronde et nettement définie dans la muqueuse. L'ulcère typique a de 1 à 4 cm de diamètre. Sa base contient des cellules mortes, du tissu de granulation, du tissu cicatriciel et, dans certains cas, des vaisseaux sanguins érodés.

Les ulcères gastroduodénaux peuvent entraîner de graves complications. Dans environ 20 % des cas, le sang s'écoule des vaisseaux sanguins endommagés et se répand dans le tube digestif, causant une hématémèse (vomissement de sang) et un méléna (évacuation de sang noir par l'anus), ce qui provoque une anémie si la perte est importante. Dans 5 à 10 % des cas, en outre, le tissu cicatriciel obstrue le pylore et entrave la digestion. Environ 5 % des ulcères gastroduodénaux *perforent* la paroi de l'organe atteint, de sorte que son contenu se répand dans la cavité péritonéale. Cette complication peut entraîner une péritonite ou encore la digestion et la destruction du pancréas (situé dans cette région), événements potentiellement fatals.

En dépit de ces complications potentielles, la plupart des ulcères gastroduodénaux répondent bien au traitement et guérissent facilement. La première étape du traitement consiste à éviter les substances irritantes comme le tabac, l'alcool, l'ibuprofène et l'aspirine (et tous les anti-inflammatoires non stéroïdiens). Les médecins prescrivent souvent des médicaments antiacides pour neutraliser les acides de l'estomac. Dans le cas des ulcères colonisés par *H. pylori*, l'objectif du traitement est d'éliminer les bactéries qui y sont enchâssées. L'association d'antibiotiques

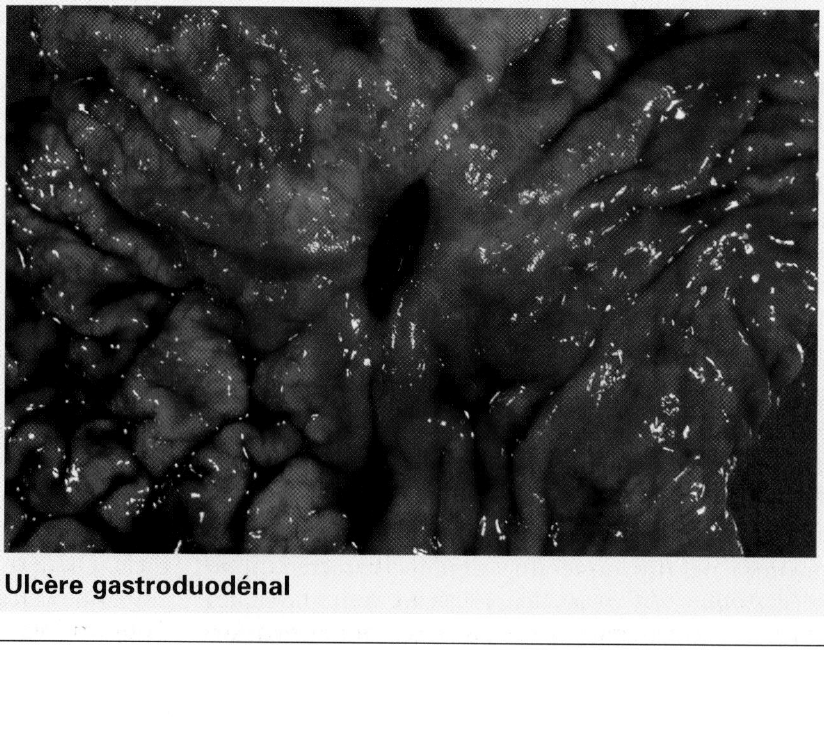

Ulcère gastroduodénal

(tétracycline et métronidazole) et de sous-salicylate de bismuth favorise la guérison et prévient les rechutes, même lorsqu'il s'agit de souches bactériennes résistantes; certains aliments, comme le chou, contiennent également des substances agissant comme des antibiotiques. Il arrive toutefois que *H. pylori* ne soit pas en cause. C'est le cas des ulcères œsophagiens, qui sont provoqués par le reflux gastrique. Les médicaments de choix sont alors les substances qui inhibent la sécrétion de HCl (inhibiteurs des récepteurs H_2 de l'histamine), telles que la ranitidine ou la cimétidine. Ce traitement guérit l'ulcère en diminuant la production d'acide et de pepsine.

Récemment, un nouveau vaccin contre *H. pylori* a été utilisé avec succès sur des animaux. On espère que la vaccination préventive, jointe aux traitements curatifs par les antibiotiques, parviendra à éradiquer les ulcères gastroduodénaux d'ici à 25 ans.

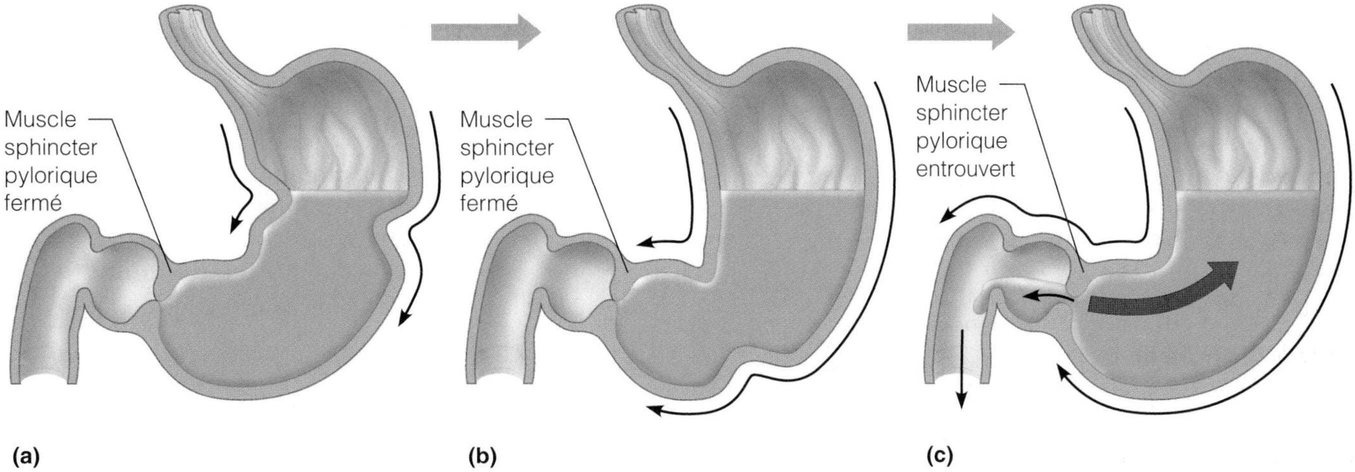
Muscle sphincter pylorique fermé
Muscle sphincter pylorique fermé
Muscle sphincter pylorique entrouvert
(a)
(b)
(c)

Figure 14.15 Ondes péristaltiques (agissant surtout sur la partie inférieure de l'estomac, où elles brassent le chyme et le font passer dans l'orifice pylorique)

(a) Les ondes péristaltiques se déplacent vers le pylore. **(b)** Les mouvements de péristaltisme les plus forts et le brassage le plus vigoureux ont lieu près du pylore. **(c)** L'extrémité pylorique de l'estomac agit comme une pompe qui déverse de petites quantités de chyme dans le duodénum tout en faisant refluer la plus grande partie de son contenu dans l'estomac, où le brassage se poursuit.

est rempli de chyme et que sa paroi est étirée, le *réflexe entérogastrique* se déclenche. Celui-ci inhibe les nerfs vagues et resserre le muscle sphincter pylorique, ce qui ralentit l'activité gastrique et l'évacuation de l'estomac et, par le fait même, évite une surcharge de l'intestin. En règle générale, l'estomac met environ quatre heures à se vider après un repas équilibré et six heures ou plus après un repas riche en matières grasses.

Déséquilibre homéostatique

L'irritation locale de l'estomac, attribuable par exemple à une intoxication alimentaire d'origine bactérienne, peut activer le *centre du vomissement* situé dans le bulbe rachidien. Le centre du vomissement déclenche alors le vomissement. Il s'agit en quelque sorte d'une inversion du péristaltisme qui a lieu dans l'estomac (et vraisemblablement dans l'intestin grêle). Le vomissement s'accompagne de contractions des muscles abdominaux et du diaphragme qui augmentent la pression sur les organes abdominaux. Le centre du vomissement peut être activé par des facteurs autres que digestifs, et notamment par une perturbation des organes de l'équilibre dans l'oreille interne, par exemple pendant un voyage en bateau sur des eaux agitées. ▲

LES ACTIVITÉS DE L'INTESTIN GRÊLE

La dégradation de la nourriture et l'absorption

La nourriture n'est que partiellement digérée à son entrée dans l'intestin grêle. Les glucides et les protéines sont en partie dégradés, mais les lipides n'ont encore subi aucune transformation ou presque. Le processus de digestion chimique des aliments s'intensifie durant les trois à six heures que dure le cheminement tortueux du chyme dans l'intestin grêle. Lorsque les aliments atteignent l'extrémité de ce dernier, la digestion est terminée et l'absorption est à toutes fins utiles achevée.

Les microvillosités de l'intestin grêle portent quelques enzymes importantes, appelées **enzymes du limbe strié**, qui dégradent les disaccharides en sucres simples et terminent la digestion des protéines (voir la figure 14.13). Le *suc intestinal* lui-même est relativement pauvre en enzymes, de sorte que le mucus protecteur constitue probablement la principale sécrétion des glandes de l'intestin grêle. Cependant, les conduits pancréatiques et cholédoque submergent littéralement les aliments qui pénètrent dans l'intestin grêle avec du **suc pancréatique** riche en enzymes et de la bile.

Le suc pancréatique contient des enzymes qui : 1) avec les enzymes du limbe strié, terminent la digestion de l'amidon (*amylase pancréatique*) ; 2) accomplissent environ la moitié de la digestion des protéines (rôle de la *trypsine*, de la *chymotrypsine*, de la *carboxypeptidase*, etc.) ; 3) assurent toute la digestion des lipides, puisque le pancréas est la seule source de *lipases*; 4) digèrent les acides nucléiques (*nucléases*).

En plus d'enzymes, le suc pancréatique contient une grande quantité de bicarbonate qui le rend très basique (son pH est de 8 environ). En entrant dans l'intestin grêle, il neutralise le chyme acide provenant de l'estomac et crée un environnement propice à l'activation et à l'action des enzymes digestives intestinales et pancréatiques.

Déséquilibre homéostatique

La *pancréatite* est une inflammation rare mais extrêmement grave du pancréas dont les causes sont le plus souvent l'alcoolisme et des troubles affectant les voies biliaires. Elle se traduit par l'activation des enzymes pancréatiques dans le conduit pancréatique. Puisqu'elles dégradent toutes les catégories de molécules biologiques, les enzymes pancréatiques digèrent le conduit et le tissu pancréatique lui-même. Cette maladie douloureuse peut entraîner des carences alimentaires, car les enzymes pancréatiques sont essentielles à la digestion dans l'intestin grêle. ▲

La libération de suc pancréatique dans le duodénum est déclenchée par les nerfs vagues et des hormones locales. Lorsqu'il entre dans l'intestin grêle, le chyme stimule la production de plusieurs hormones par les cellules de la muqueuse intestinale (tableau 14.1). Deux de ces hormones, la **sécrétine** et la **cholécystokinine** (**CCK**), influent sur la libération du suc pancréatique et de la bile.

Les deux hormones atteignent leurs organes cibles, le pancréas, le foie et la vésicule biliaire, en passant par la circulation sanguine. Elles interagissent alors pour stimuler la libération de suc pancréatique riche en enzymes et en bicarbonate (figure 14.16). De plus, la sécrétine

Tableau 14.1 Les hormones et les substances semblables aux hormones qui jouent un rôle dans la digestion

Hormone	Source	Stimulus de la sécrétion	Action
Gastrine	Estomac	Aliments dans l'estomac (stimulus chimique)	Stimule la sécrétion de suc gastrique ; stimule la motilité de l'intestin grêle ; relâche la valve iléocæcale.
Histamine	Estomac	Aliments dans l'estomac	Stimule la sécrétion d'acide chlorhydrique par les cellules pariétales.
Somatostatine	Estomac	Aliments dans l'estomac	Inhibe la sécrétion de suc gastrique et de suc pancréatique ; inhibe l'évacuation de l'estomac et de la vésicule biliaire.
Sécrétine	Duodénum	Chyme acide et aliments partiellement digérés dans le duodénum	Accroît la sécrétion de suc pancréatique riche en ions bicarbonate ; accroît la production de bile par le foie ; inhibe la motilité gastrique et la sécrétion des glandes gastriques.
Cholécystokinine (CCK)	Duodénum	Chyme gras et protéines partiellement digérées dans le duodénum	Accroît la production de suc pancréatique riche en enzymes ; stimule la contraction de la vésicule biliaire et l'expulsion de la bile qui y est emmagasinée ; relâche le sphincter de la papille duodénale pour permettre l'entrée de la bile et du suc pancréatique dans le duodénum.
Peptide inhibiteur gastrique (GIP)	Duodénum	Chyme gras dans le duodénum	Inhibe la motilité gastrique et la sécrétion de suc gastrique.

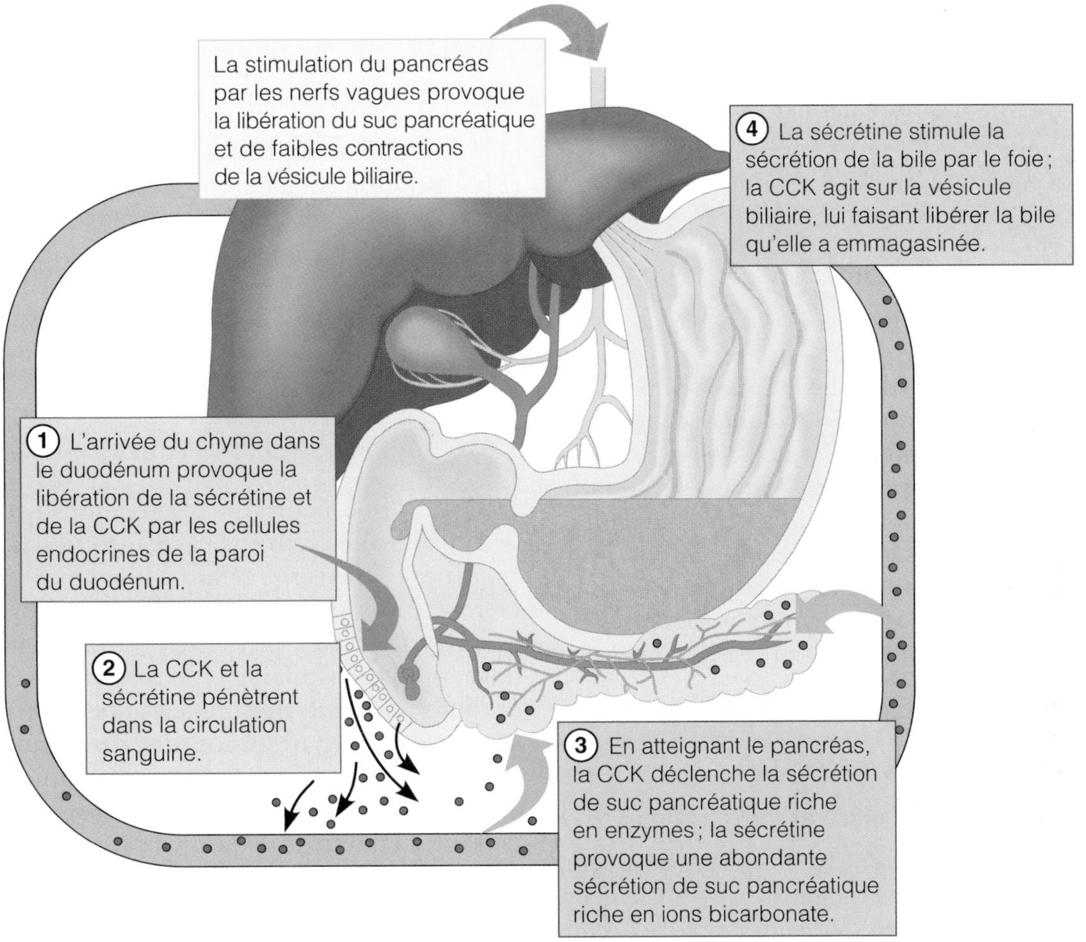
La stimulation du pancréas par les nerfs vagues provoque la libération du suc pancréatique et de faibles contractions de la vésicule biliaire.
④ La sécrétine stimule la sécrétion de la bile par le foie; la CCK agit sur la vésicule biliaire, lui faisant libérer la bile qu'elle a emmagasinée.
① L'arrivée du chyme dans le duodénum provoque la libération de la sécrétine et de la CCK par les cellules endocrines de la paroi du duodénum.
② La CCK et la sécrétine pénètrent dans la circulation sanguine.
③ En atteignant le pancréas, la CCK déclenche la sécrétion de suc pancréatique riche en enzymes; la sécrétine provoque une abondante sécrétion de suc pancréatique riche en ions bicarbonate.

Figure 14.16 **La régulation de la sécrétion du suc pancréatique**

La régulation hormonale exercée par la sécrétine et la CCK (étapes 1 à 3) constitue le facteur le plus important. La régulation nerveuse est assurée par les neurofibres parasympathiques des nerfs vagues.

accroît la sécrétion de bile par le foie. La CCK provoque une contraction de la vésicule biliaire, qui libère alors dans le conduit cholédoque la bile qu'elle a emmagasinée; la bile et le suc pancréatique pénètrent donc ensemble dans l'intestin grêle. Nous avons indiqué plus haut que la bile n'est pas une enzyme. Elle agit plutôt comme un détergent, c'est-à-dire qu'elle émulsifie, ou dégrade mécaniquement, les gros globules de lipides. Les milliers de petits globules ainsi produits offrent une surface accrue à l'action des lipases pancréatiques. La bile, par ailleurs, est nécessaire à l'absorption des lipides et des vitamines liposolubles (K, D et A) dans l'intestin.

Déséquilibre homéostatique

L'absence de bile *ou* de suc pancréatique empêche pour l'essentiel la digestion et l'absorption des lipides, et se manifeste par la production de selles grasses et volumineuses. Cet état s'accompagne de troubles de la coagulation du sang, car le foie a besoin de vitamine K (dont l'absorption exige la participation de la bile) pour élaborer la prothrombine, l'un des facteurs de la coagulation. ▲

L'absorption de l'eau et des produits de la digestion a lieu dans tout l'intestin grêle. La plupart des substances traversent la membrane plasmique des cellules intestinales par *transport actif.* Elles entrent ensuite dans les lits capillaires des villosités, et le sang les achemine jusqu'au foie par la veine porte. Il semble que les lipides fassent exception et soient absorbés passivement par *diffusion.* Les produits de la dégradation des lipides entrent à la fois dans les lits capillaires et dans les vaisseaux chylifères des villosités, puis sont transportés jusqu'au foie par le sang seulement ou par la lymphe et le sang.

À l'extrémité de l'iléum, à part une certaine quantité de substances non digérées, il ne reste que de l'eau, des substances non digestibles (des fibres végétales comme la cellulose) et une grande quantité de bactéries. Les résidus pénètrent dans le gros intestin par la valve iléocæcale. La figure 14.13, p. 511, résume la totalité des processus de digestion et d'absorption.

La propulsion de la nourriture

Comme nous l'avons déjà indiqué, le *péristaltisme* est le principal mécanisme de propulsion des aliments dans le tube digestif. Il consiste en des ondes de contraction qui avancent le long de l'intestin, suivies d'ondes de relâchement. Le péristaltisme a pour effet de pousser la nourriture dans l'intestin grêle, un peu comme la pression sur un tube de dentifrice pousse la pâte vers l'ouverture. Les mouvements rythmiques de segmentation provoquent des constrictions locales de l'intestin (voir la figure 14.12b) qui mélangent le chyme aux sucs digestifs et peuvent contribuer à la propulsion de la nourriture dans l'intestin.

LES ACTIVITÉS DU GROS INTESTIN

La dégradation de la nourriture et l'absorption

Les matières qui parviennent au gros intestin contiennent peu de nutriments, mais elles y séjournent normalement de 12 à 24 heures (parfois aussi plusieurs jours). Le côlon lui-même n'élabore pas d'enzymes digestives. Cependant, les bactéries (une cinquantaine d'espèces) qui colonisent sa lumière (dont le célèbre *Escherichia coli*) métabolisent quelques-uns des nutriments résiduels et libèrent des gaz (méthane et hydrogène sulfuré) qui donnent aux fèces une partie de leur odeur. La quantité de gaz (flatuosités) produite chaque jour s'établit à environ 500 mL, et beaucoup plus encore lorsque les aliments ingérés (comme les légumineuses ou les choux) sont riches en glucides fermentescibles.

Les bactéries présentes dans le gros intestin synthétisent quelques vitamines (vitamine K et des vitamines du groupe B). L'absorption dans le gros intestin se limite à ces vitamines, à certains ions et à la majeure partie de l'eau qui reste. Les **fèces** (ou selles), les matières plus ou moins solides qui parviennent au rectum, contiennent des résidus alimentaires non digérés, du mucus, des millions de bactéries et juste assez d'eau pour permettre une évacuation facile.

La propulsion des résidus et la défécation

Les deux principaux mécanismes de propulsion qui se déroulent dans le gros intestin sont le péristaltisme et les mouvements de masse. Le péristaltisme est lent dans le côlon et, en comparaison des mouvements de masse, contribue vraisemblablement très peu à la propulsion. Les **mouvements de masse** sont des ondes de contraction longues et lentes, mais puissantes ; ils parcourent de grandes sections du côlon trois ou quatre fois par jour et poussent son contenu vers le rectum. Ces mouvements se produisent le plus souvent au cours d'un repas ou juste après, lorsque l'estomac et l'intestin grêle commencent à se remplir. La présence de fibres dans l'alimentation amollit les selles et augmente la force des contractions du côlon, ce qui favorise son fonctionnement.

Déséquilibre homéostatique

Si la nourriture ingérée est pauvre en fibres, le côlon rétrécit et la contraction de ses muscles circulaires s'intensifie, ce qui fait augmenter la pression exercée sur ses parois. Ce phénomène favorise la formation de *diverticules*, petites hernies de la muqueuse qui traversent la musculeuse et se projettent vers l'extérieur de l'intestin. Cette affection est appelée *diverticulose*. La *diverticulite*, l'inflammation des diverticules, peut être mortelle en cas de rupture de ces derniers. Il ne faut pas confondre diverticules et *polypes*, excroissances apparaissant à l'intérieur de la cavité intestinale et qui sont des tumeurs bénignes. ▲

Le rectum est vide la plupart du temps. Lorsque les fèces y sont conduites par les mouvements de masse, l'étirement de la paroi rectale déclenche le **réflexe d'évacuation**. C'est un réflexe spinal (région sacrale) qui provoque la contraction des parois du côlon sigmoïde et du rectum ainsi que le relâchement des sphincters de l'anus. À l'entrée des fèces dans le canal anal, des influx nerveux atteignent l'encéphale ; nous pouvons alors décider de relâcher le muscle sphincter externe de l'anus (volontaire) ou bien de le resserrer pour retarder l'évacuation des fèces. Si la défécation est retardée, les contractions réflexes s'arrêtent en quelques secondes et les parois du rectum se relâchent. Le réflexe d'évacuation se déclenche de nouveau au prochain mouvement de masse.

Déséquilibre homéostatique

Les selles liquides, ou *diarrhée*, sont provoquées par tout facteur (comme une irritation du côlon par des bactéries) qui accélère le passage des résidus de nourriture dans le gros intestin, si bien que cet organe n'a pas suffisamment de temps pour absorber l'eau. Une diarrhée prolongée entraîne une perte d'eau et d'ions, et peut causer la déshydratation et un déséquilibre électrolytique, dont l'issue est parfois fatale.

Lorsque, à l'inverse, les résidus demeurent trop longtemps dans le côlon, celui-ci absorbe une quantité excessive d'eau et les selles durcissent, ce qui rend leur évacuation difficile. Cet état, appelé *constipation*, peut être attribuable à un régime alimentaire pauvre en fibres, à de mauvaises habitudes de défécation (répression du « besoin ») ou à l'abus de laxatifs. ▲

DEUXIÈME **PARTIE**

LA NUTRITION ET LE MÉTABOLISME

Il semble quelquefois que l'humanité se divise en deux camps : il y a ceux qui vivent pour manger et ceux qui mangent pour vivre. Quoi qu'il en soit, nul n'ignore que la nourriture est essentielle à la vie. On dit parfois que l'on est ce que l'on mange, ce qui est juste dans la mesure où une partie des aliments que nous consommons se transforme en chair vivante. Autrement dit, une fraction des nutriments absorbés sert à produire des molécules et des structures cellulaires, et à remplacer les éléments usés. La plus grande partie des aliments, cependant, devient une source d'énergie métabolique, c'est-à-dire qu'elle est oxydée et transformée en adénosine triphosphate (**ATP**), la forme d'énergie chimique qui alimente les nombreuses activités de la cellule. La valeur énergétique des aliments se mesure en **kilojoules (kJ)**, soit les unités que comptent scrupuleusement les personnes au régime.

Nous venons d'étudier les processus de digestion et d'absorption des aliments. Mais qu'arrive-t-il aux nutriments une fois qu'ils sont entrés dans le sang ? Pourquoi avons-nous besoin de pain, de viande et de légumes frais ? Pourquoi tout ce que nous mangeons semble-t-il se transformer en graisse ? Nous tentons de répondre à ces questions dans la présente partie.

La nutrition

Un **nutriment** est une substance qui nous est procurée par nos aliments et qui est utilisée par l'organisme pour la croissance, l'entretien et la réparation des tissus. Les nutriments sont divisés en six catégories bien définies. Les *nutriments majeurs* – glucides, lipides, protéines et eau – constituent la plus grande partie de ce que nous consommons. Les vitamines et les minéraux sont tout aussi essentiels à une bonne santé, mais ils ne sont nécessaires qu'en très petites quantités. L'eau constitue environ 60 % du volume de nos aliments. Nous avons traité au chapitre 2 de l'importance qu'elle revêt dans de nombreux aspects du fonctionnement de l'organisme, comme solvant en particulier. C'est pourquoi nous nous limiterons ici à l'étude des cinq autres classes de nutriments.

La plupart des aliments apportent une variété de nutriments à l'organisme. Par exemple, un bol de crème de champignons contient tous les nutriments majeurs ainsi que quelques vitamines et minéraux. Une alimentation comprenant des éléments de chacun des cinq groupes d'aliments, c'est-à-dire des céréales, des fruits, des légumes, de la viande et du poisson ainsi que des produits laitiers (tableau 14.2), fournit en principe tous les nutriments en quantités suffisantes.

LES SOURCES ALIMENTAIRES DES NUTRIMENTS MAJEURS

Les glucides

À l'exception du sucre du lait (lactose) et des petites quantités de glycogène présentes dans les viandes, tous les **glucides** (sucres et amidons) que nous ingérons sont d'origine végétale. Les sucres (disaccharides) proviennent principalement des fruits, de la canne à sucre et du lait. L'amidon, qui est un polysaccharide, se trouve dans les céréales, les légumineuses et les racines comestibles. La cellulose, autre polysaccharide très abondant dans la plupart des légumes, n'est pas digérée par les humains, mais fournit les fibres alimentaires qui font augmenter le volume des selles et facilitent la défécation.

Les lipides

Les **lipides** les plus abondants dans notre alimentation sont les triglycérides, mais nous consommons aussi du cholestérol et des phospholipides. Nous trouvons des lipides saturés dans les produits animaux comme la viande et les produits laitiers ainsi que dans quelques produits végétaux comme la noix de coco. Les lipides insaturés proviennent des graines, des noix et de la plupart des huiles végétales. Le jaune d'œuf, la viande et les produits laitiers sont les principales sources de cholestérol.

Les protéines

Les **protéines** sont des polymères d'acides aminés ; les meilleures proviennent des produits d'origine animale. Les protéines des œufs, du lait et de la plupart des viandes sont des *protéines complètes* qui apportent à l'organisme tous les acides aminés dont il a besoin pour l'entretien et la croissance de ses tissus. Les légumineuses (haricots, pois et lentilles), les noix et les céréales sont

Tableau 14.2 **Les cinq groupes d'aliments fondamentaux et les principaux nutriments qu'ils contiennent**

		Principaux nutriments fournis en quantités appréciables:	
Groupe d'aliments	**Exemples d'aliments**	**par tous les aliments du groupe**	**par certains aliments du groupe seulement**
Fruits 	Pommes, bananes, dattes, oranges, tomates	Glucides Eau	Vitamines: A, C et acide folique Minéraux: fer et potassium Fibres
Légumes 	Brocoli, chou, haricots verts (gousses et graines), laitue, pommes de terre	Glucides Eau	Vitamines: A, C, E, K et vitamines du groupe B, sauf la vitamine B_{12} Minéraux: calcium, magnésium, iode, manganèse et phosphore Fibres
Céréales (de grains entiers de préférence, sinon enrichies) 	Pains et bagels; céréales sèches et cuites; pâtes alimentaires; riz et autres céréales; galettes de maïs, crêpes et gaufres; craquelins; maïs soufflé	Glucides Protéines Vitamines: thiamine (B_1) et niacine	Eau Fibres Minéraux: fer, magnésium et sélénium
Produits laitiers 	Lait et yogourt; fromage; crème glacée, lait glacé et yogourt glacé	Protéines Lipides Vitamines: riboflavine et B_{12} Minéraux: calcium et phosphore Eau	Glucides Vitamines: A et D
Viande et substituts 	Viande, poisson et volaille; œufs; graines; noix, beurres de noix; fèves de soja et tofu; autres légumineuses (pois et haricots)	Protéines Vitamines: niacine et B_6 Minéraux: fer et zinc	Glucides Lipides Vitamines: B_{12} et thiamine (B_1) Eau Fibres

Source: Christian, Janet, et Janet Greger, *Nutrition for living,* 3e éd., San Francisco (Californie), Benjamin Cummings, 1991.

riches en protéines, mais celles-ci sont incomplètes du point de vue nutritionnel. En effet, elles sont pauvres en un ou plusieurs acides aminés. Les végétariens stricts doivent donc planifier leur régime alimentaire avec soin afin d'obtenir tous les acides aminés essentiels et d'éviter les carences en protéines. Les céréales et les légumineuses, lorsqu'on les consomme ensemble, fournissent tous les acides aminés essentiels, et toutes les cultures combinent ces aliments d'une façon ou d'une autre dans la cuisine (on trouve par exemple du riz et des haricots dans presque tous les plats que servent les restaurants mexicains).

Les vitamines

Les **vitamines** sont des nutriments organiques qui prennent diverses formes et dont l'organisme a besoin en petites quantités. On en trouve dans tous les principaux groupes d'aliments, mais aucun aliment ne les contient toutes. La meilleure façon de s'assurer d'un apport suffisant en vitamines est donc d'avoir une alimentation équilibrée, d'autant que certaines vitamines (A, C et E) auraient des effets anticancéreux. Il semble qu'une alimentation riche en brocoli, en chou et en choux de Bruxelles (tous de bonnes sources de vitamines A et C) diminue les risques de cancer. Cependant, les vertus merveilleuses qu'on attribue aux vitamines sont loin de faire l'unanimité dans la communauté scientifique.

La plupart des vitamines jouent le rôle de **coenzymes** (ou de parties de coenzymes), c'est-à-dire qu'elles agissent conjointement avec une enzyme pour accomplir un certain type de catalyse.

Les minéraux

L'organisme a besoin d'un apport suffisant de sept *minéraux* (qui sont les substances inorganiques suivantes : calcium, phosphore, potassium, soufre, sodium, chlore et magnésium) et d'une quantité infime d'une douzaine d'autres.

Les céréales contiennent peu de minéraux. Les aliments les plus riches en minéraux sont les légumes, les légumineuses, le lait et certaines viandes.

Nous traitons des principaux rôles des nutriments majeurs dans la section qui suit (« Le métabolisme »). Par ailleurs, nous indiquons à l'appendice C quelques rôles importants des vitamines et des minéraux dans l'organisme.

Le métabolisme

Le mot **métabolisme** (*metabolê*, « changement ») est un terme général qui désigne l'ensemble des réactions chimiques nécessaires au maintien de la vie. Le métabolisme comprend le **catabolisme**, c'est-à-dire la dégradation des substances complexes en substances simples, et l'**anabolisme**, c'est-à-dire la synthèse de grosses molécules à partir de petites. Au cours du catabolisme, l'énergie est libérée et captée en vue de la production d'ATP, la molécule riche en énergie qui alimente toutes les activités cellulaires, y compris les réactions cataboliques (figure 14.17).

Les nutriments ne subissent pas tous le même traitement dans les cellules de l'organisme. Par exemple, les glucides, le glucose en particulier, sont habituellement dégradés pour la production d'ATP. Les lipides servent à élaborer des membranes, des gaines de myéline et des coussins de graisse isolants. Ils constituent en outre la principale source d'énergie pour la production d'ATP lorsque les glucides sont insuffisants dans l'alimentation. Les cellules ont tendance à ménager les protéines, un phénomène facile à comprendre quand on se rappelle que les protéines sont les principaux matériaux des structures cellulaires.

LE MÉTABOLISME DES GLUCIDES, DES LIPIDES ET DES PROTÉINES DANS LES CELLULES DE L'ORGANISME

Le métabolisme des glucides

Comme un brûleur consomme du mazout pour produire de la chaleur, les cellules de l'organisme utilisent les glucides comme combustible pour produire l'énergie cellulaire (ATP). Le **glucose**, aussi appelé **sucre sanguin**, est le principal produit de la digestion des glucides. Il constitue aussi le principal combustible servant à la production d'ATP dans la plupart des cellules. Celles du foie font exception à la règle : elles utilisent régulièrement les lipides plutôt que le glucose, laissant celui-ci à la disposition des autres cellules. Le glucose est décomposé morceau par morceau ; une partie de l'énergie chimique qui se libère pendant la rupture des liaisons est captée et sert à lier un groupement phosphate aux molécules d'adénosine diphosphate (ADP), qui deviennent ainsi de l'ATP.

La réaction globale est schématiquement représentée à la figure 14.17. Les atomes de carbone libérés quittent les cellules sous forme de gaz carbonique ; les atomes d'hydrogène retirés (qui contiennent des électrons riches en énergie) se combinent à l'oxygène pour former de l'eau. Ces réactions utilisant de l'oxygène constituent la **respiration cellulaire**. Les trois principales étapes métaboliques de la respiration cellulaire – la *glycolyse*, le *cycle de Krebs* et la *chaîne de transport des électrons* – sont représentées schématiquement à la figure 14.18.

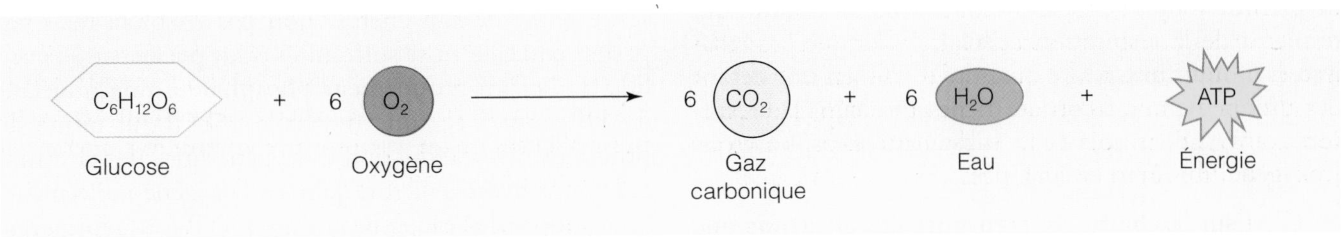
$C_6H_{12}O_6$
+ 6 O_2
6 CO_2
+ 6 H_2O
+ ATP
Glucose
Oxygène
Gaz carbonique
Eau
Énergie

Figure 14.17 **L'équation générale de la respiration cellulaire**

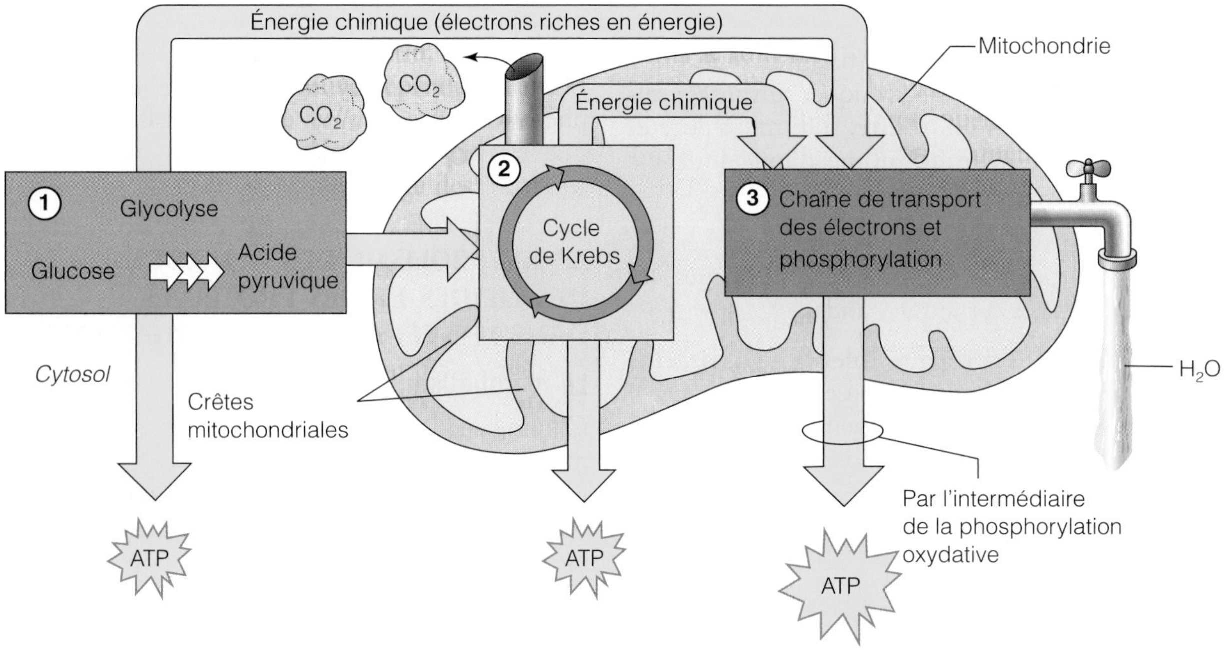
Énergie chimique (électrons riches en énergie)
Mitochondrie
CO_2
CO_2
Énergie chimique
① Glycolyse
Glucose
Acide pyruvique
② Cycle de Krebs
③ Chaîne de transport des électrons et phosphorylation
Cytosol
Crêtes mitochondriales
H_2O
ATP
ATP
ATP
Par l'intermédiaire de la phosphorylation oxydative

Figure 14.18 Vue d'ensemble des sites de formation de l'ATP au cours de la respiration cellulaire

La glycolyse a lieu à l'extérieur des mitochondries, dans le cytosol. Le cycle de Krebs et les réactions de la chaîne de transport des électrons se déroulent à l'intérieur des mitochondries. ① Au cours de la glycolyse, des atomes d'hydrogène contenant des électrons riches en énergie sont retirés chaque fois qu'une molécule de glucose est dégradée en deux molécules d'acide pyruvique. ② L'acide pyruvique pénètre dans la matrice mitochondriale, où les enzymes du cycle de Krebs retranchent d'autres atomes d'hydrogène et décomposent l'acide pyruvique en gaz carbonique. De petites quantités d'ATP sont formées pendant la glycolyse et le cycle de Krebs. ③ L'énergie chimique provenant de la glycolyse et du cycle de Krebs, sous forme d'atomes d'hydrogène contenant des électrons riches en énergie, est alors transférée à la chaîne de transport des électrons, qui est intégrée à la membrane des crêtes. La chaîne de transport des électrons effectue la phosphorylation oxydative, qui produit la plus grande partie de l'ATP résultant de la respiration cellulaire ; elle unit finalement les atomes d'hydrogène retirés du glucose à des atomes d'oxygène pour former des molécules d'eau.

L'oxydation est un des principaux rôles de la glycolyse et du cycle de Krebs. Elle a lieu lorsque des atomes d'hydrogène sont arrachés à certaines molécules (et confiés temporairement à des coenzymes contenant des vitamines). La **glycolyse** a aussi pour fonction d'activer chaque molécule de glucose afin qu'elle puisse être transformée en deux molécules d'acide pyruvique et qu'elle produise par la même occasion une petite quantité d'ATP (voir la figure 14.18). Le **cycle de Krebs** est à l'origine de presque tout le gaz carbonique et de toute l'eau qui résultent de la respiration cellulaire. Comme la glycolyse, il produit une petite quantité d'ATP en transférant des groupements phosphate riches en énergie directement à l'ADP à partir de substances phosphorylées. L'oxygène libre n'intervient pas.

C'est sur la **chaîne de transport des électrons** que la production d'ATP atteint son plein rendement. Les atomes d'hydrogène retirés du glucose et de ses sous-produits durant les deux premières phases du métabolisme des glucides regorgent d'énergie. Ces atomes sont livrés par les coenzymes aux transporteurs protéiques de la chaîne, lesquels sont intégrés aux membranes des crêtes mitochondriales (figure 14.19). Là, les atomes d'hydrogène cèdent leur électron (e^-) et sont transformés en ions hydrogène (H^+). Les électrons « déboulent un escalier énergétique » dont les paliers sont formés de transporteurs correspondant chacun à un niveau d'énergie légèrement inférieur au précédent. Chaque électron se décharge de son énergie non pas en bloc, mais par petites parcelles juste suffisantes pour permettre à la cellule de lier un groupement phosphate à une molécule d'ADP pour créer une molécule d'ATP. Au terme du processus, il y a réduction d'oxygène libre (les électrons et les ions hydrogène sont joints à l'oxygène moléculaire) pour former de l'eau et beaucoup d'ATP (cette formation d'ATP où l'oxygène intervient se nomme *phosphorylation oxydative*). La beauté de ce système, c'est que, contrairement à la déflagration qu'on obtient habituellement

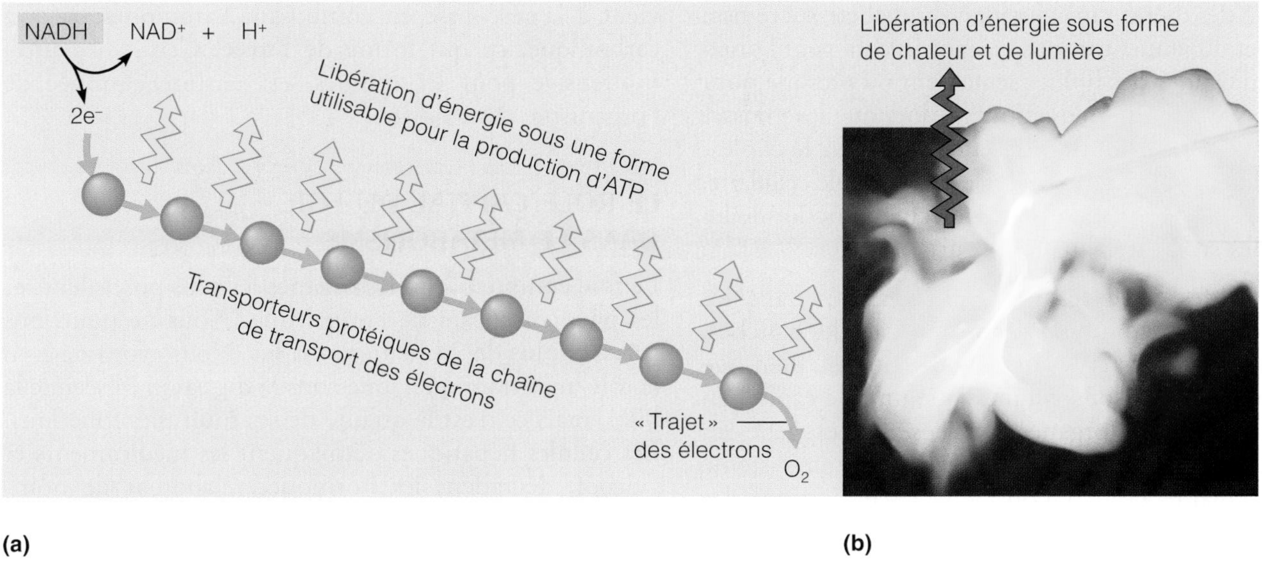
NADH
NAD+ + H+
2e−
Libération d'énergie sous une forme utilisable pour la production d'ATP
Transporteurs protéiques de la chaîne de transport des électrons
« Trajet » des électrons
O2
Libération d'énergie sous forme de chaleur et de lumière
(a)
(b)

Figure 14.19 Comparaison entre la chaîne de transport des électrons et la réduction de l'oxygène par combustion libre

(a) Dans la respiration cellulaire, l'énergie des électrons est libérée petit à petit, par paliers, et ce qui reste à la fin est utilisé pour réduire l'oxygène moléculaire (O_2). La quantité d'énergie libérée à chaque palier convient parfaitement à la formation d'ATP. (NADH est une coenzyme liée à la niacine qui transporte les ions H^+ jusqu'à la chaîne de transport des électrons.) **(b)** Lorsque l'oxygène est réduit (combiné à l'hydrogène) par une réaction qui suit son cours librement, le résultat est une explosion.

quand on combine de l'oxygène et de l'hydrogène, il n'y a ici qu'une perte relativement faible d'énergie sous forme de chaleur (ou de lumière).

Le glucose étant la principale source d'énergie pour la production d'ATP, l'équilibre de la glycémie revêt une importance primordiale. Si la glycémie est excessivement élevée (*hyperglycémie*), une partie de l'excès de glucose est emmagasinée dans les cellules (celles du foie et des muscles en particulier) sous forme de glycogène. Si, malgré ce mécanisme, la glycémie reste trop élevée, l'excès est converti en graisse. Il est incontestable que la consommation de grandes quantités d'aliments sans valeur nutritive et de friandises sucrées entraîne l'accumulation rapide de graisse dans le tissu adipeux. Lorsque la glycémie est trop faible (*hypoglycémie*), le foie dégrade le glycogène emmagasiné et libère du glucose dans le sang afin de ravitailler les cellules. La figure 14.20a présente les différentes destinées des glucides.

Le métabolisme des lipides

Comme nous le verrons bientôt, c'est le foie qui régit la majeure partie du métabolisme des lipides. Ses cellules utilisent une certaine quantité de lipides pour fabriquer l'ATP dont elles ont besoin et une certaine quantité pour synthétiser les lipoprotéines, la thromboplastine (protéine de coagulation) et le cholestérol ; elles libèrent le reste dans le sang sous forme de produits de dégradation dont les molécules sont relativement petites. Les cellules captent ces produits et le cholestérol dans le sang, et les intègrent à leurs membranes ou à leurs hormones stéroïdes selon les besoins. Les lipides servent aussi à former les gaines de myéline des neurones (voir le chapitre 7) et les coussins de graisse autour des organes. Les lipides emmagasinés constituent en outre la source d'énergie la plus concentrée de l'organisme. (Le catabolisme de 1 g de lipides produit deux fois plus d'énergie que la dégradation de 1 g de glucides ou de protéines.)

Pour servir à la synthèse de l'ATP, les produits de la digestion des lipides doivent d'abord être dégradés en acide acétique (figure 14.20d). Dans les mitochondries, l'acide acétique (comme l'acide pyruvique dans le cas des glucides) est ensuite complètement oxydé, et il se forme du gaz carbonique, de l'eau et de l'ATP. Lorsque la quantité de glucose ne suffit pas à combler les besoins énergétiques des cellules, l'organisme utilise plus de lipides pour fabriquer de l'ATP. Dans ces conditions, l'oxydation des lipides est rapide mais incomplète ; certains des produits intermédiaires, tels que l'acide acétoacétique et l'acétone, commencent à s'accumuler dans le sang et à le rendre acide (état appelé *acidose*, ou *cétose*). L'acétone diffuse alors hors des poumons et l'haleine prend une odeur fruitée. La cétose est une conséquence fréquente des diètes sans glucides, du diabète sucré non stabilisé et du jeûne, car tous ces facteurs obligent l'organisme à dégrader des lipides seulement ou presque pour satisfaire ses besoins énergétiques. Alors que les graisses neutres sont une importante source d'énergie, le cholestérol, quant à lui, ne sert *jamais* de combustible cellulaire. Son importance réside dans les molécules fonctionnelles et dans les structures qu'il concourt à former.

Les lipides en excès sont emmagasinés dans les dépôts de graisse comme il s'en trouve dans les hanches, l'abdomen, les seins et les tissus sous-cutanés. Bien que la graisse des tissus sous-cutanés joue un rôle capital en tant qu'isolant des organes internes, l'excès gêne les mouvements et demande un travail accru au système cardiovasculaire. Le métabolisme et les utilisations des lipides sont représentés à la figure 14.20b.

Le métabolisme des protéines

Les protéines forment l'essentiel des structures cellulaires, et les cellules les épargnent scrupuleusement. Les protéines ingérées sont dégradées en acides aminés. Les acides aminés qui restent après que le foie a traité le sang provenant du tube digestif et s'est « servi » lui-même sont acheminés vers les cellules. Les cellules captent les acides aminés dans le sang et en font des protéines qu'elles utiliseront pour elles-mêmes (enzymes, membranes, protéines du fuseau mitotique et des muscles) ou exporteront (mucus, hormones, etc.). Les cellules consomment les acides aminés avec circonspection. Elles se servent de l'ATP pour les transporter activement à travers la membrane plasmique même si, dans bien des cas, elles en contiennent plus que le sang. Leur apparente « cupidité » est justifiée. Les cellules ne peuvent synthétiser les protéines qu'à condition de disposer de *tous* les acides aminés nécessaires, qui sont au nombre de 20 environ. Or, les cellules ne peuvent élaborer neuf des acides aminés (appelés *acides aminés essentiels*) et doivent donc les puiser dans la nourriture ingérée. En accumulant avidement les acides aminés, les cellules stockent les matières premières dont elles ont besoin pour élaborer des protéines dans l'immédiat et, dans une moindre mesure, dans l'avenir (figure 14.20c).

Les acides aminés ne servent à la production d'ATP qu'en cas de surabondance de protéines ou de pénurie de glucides et de lipides, ou d'une combinaison des deux. Lorsqu'elles doivent oxyder des acides aminés pour obtenir de l'énergie (voir la figure 14.20d), les cellules en retirent le groupement amine (NH_2) sous forme d'*ammoniac* (NH_3), et le reste de la molécule entre dans le cycle de Krebs, qui se déroule dans les mitochondries. L'ammoniac libéré au cours du processus est toxique pour les cellules, les neurones en particulier. Le foie vient à la rescousse en combinant l'ammoniac au gaz carbonique, ce qui forme de l'**urée**. Cette substance, inoffensive pour les cellules, est ensuite éliminée de l'organisme dans l'urine.

LE RÔLE CAPITAL DU FOIE DANS LE MÉTABOLISME

Le foie compte parmi les organes les plus polyvalents et les plus complexes de l'organisme. Nous ne pourrions survivre plus de 24 heures sans lui. Nous avons déjà vu le rôle important qu'il joue dans la digestion (il sécrète la bile), mais ce n'est là qu'une de ses multiples fonctions. Les cellules hépatiques détoxiquent les médicaments et l'alcool, dégradent les hormones, élaborent de nombreuses substances essentielles pour l'organisme dans son ensemble (cholestérol, protéines plasmatiques, telles que l'albumine et les protéines de coagulation, et lipoprotéines) et accomplissent une activité cruciale pour le métabolisme, c'est-à-dire qu'elles transforment presque toutes les catégories de nutriments. Étant donné l'importance du foie, la nature nous a dotés d'un surplus de tissu hépatique ; nous en possédons beaucoup plus qu'il ne nous en faut. Le foie est même l'un des rares organes à se régénérer rapidement et facilement après une lésion ou l'ablation d'une de ses parties.

Comme nous l'avons indiqué au chapitre 11, une circulation spéciale, le *système porte hépatique*, apporte directement au foie le sang riche en nutriments provenant des organes du tube digestif. Le foie est le principal agent du métabolisme, et le détour que font les nutriments pour l'atteindre permet de satisfaire ses besoins en premier. Les cellules hépatiques retirent les acides aminés, les acides gras et le glucose du sang qui circule lentement à travers le foie. Elles emmagasinent ces nutriments en vue d'un usage ultérieur ou leur font subir diverses transformations. Pendant ce temps, les macrophagocytes du foie détruisent les bactéries qui ont réussi à traverser les parois des organes du tube digestif et à pénétrer dans le sang.

Les fonctions métaboliques générales

Le foie est absolument essentiel au maintien d'une glycémie normale (soit entre 3,9 et 6,1 mmol/L de sang). Après un repas riche en glucides, des milliers de molécules de glucose sont retirées du sang et assemblées en de grosses molécules. Le polysaccharide ainsi formé, le **glycogène**, est ensuite emmagasiné dans le foie. Ce processus est appelé **glycogenèse** (signifiant littéralement « formation de glycogène » ; *genesis*, « commencement »). Puis, à mesure que les cellules retirent du glucose du sang pour combler leurs besoins, la glycémie diminue.

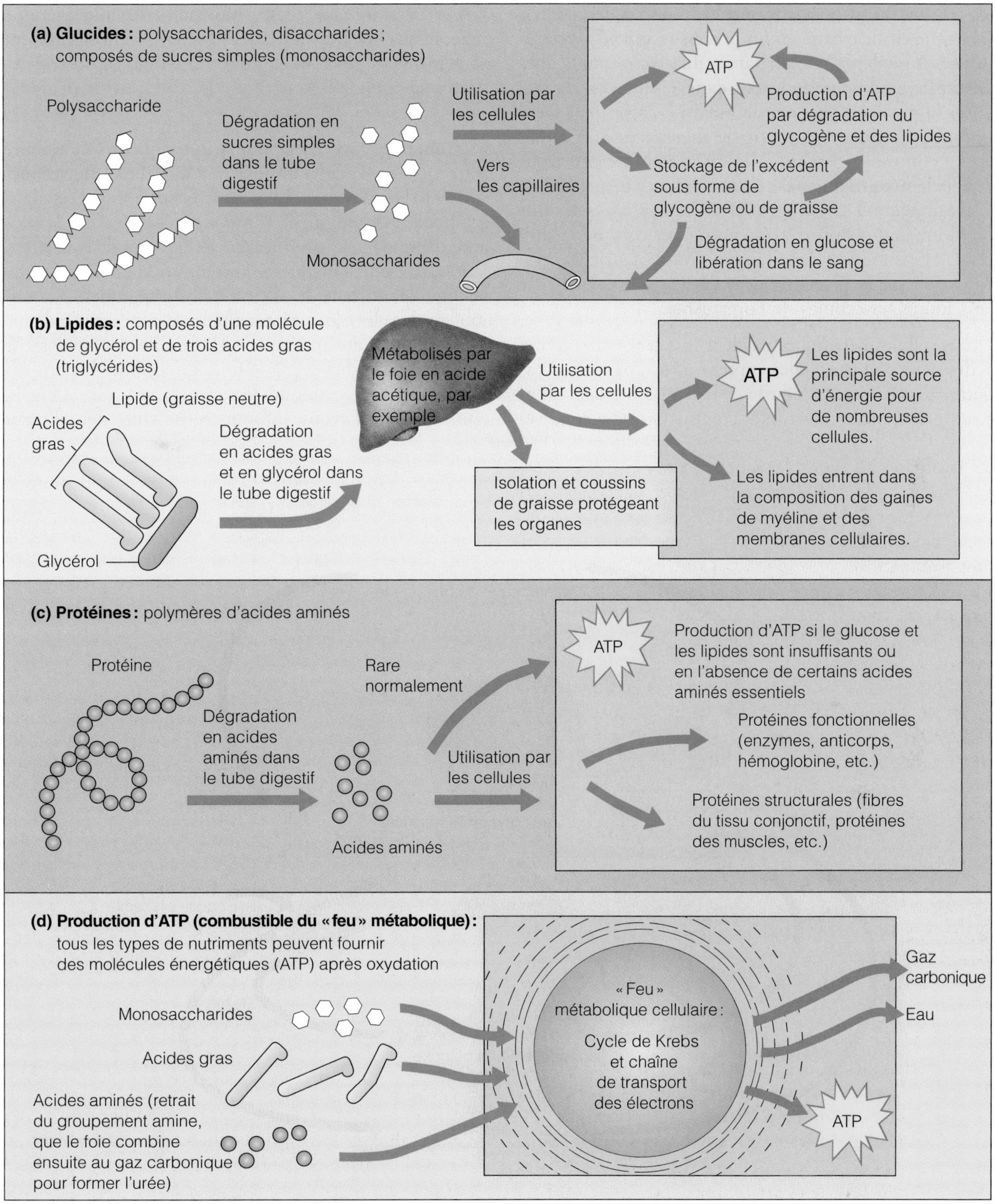
(a) Glucides : polysaccharides, disaccharides ; composés de sucres simples (monosaccharides)
Polysaccharide
Dégradation en sucres simples dans le tube digestif
Monosaccharides
Utilisation par les cellules
Vers les capillaires
ATP
Production d'ATP par dégradation du glycogène et des lipides
Stockage de l'excédent sous forme de glycogène ou de graisse
Dégradation en glucose et libération dans le sang
(b) Lipides : composés d'une molécule de glycérol et de trois acides gras (triglycérides)
Lipide (graisse neutre)
Acides gras
Glycérol
Dégradation en acides gras et en glycérol dans le tube digestif
Métabolisés par le foie en acide acétique, par exemple
Utilisation par les cellules
Isolation et coussins de graisse protégeant les organes
ATP
Les lipides sont la principale source d'énergie pour de nombreuses cellules.
Les lipides entrent dans la composition des gaines de myéline et des membranes cellulaires.
(c) Protéines : polymères d'acides aminés
Protéine
Dégradation en acides aminés dans le tube digestif
Acides aminés
Rare normalement
Utilisation par les cellules
ATP
Production d'ATP si le glucose et les lipides sont insuffisants ou en l'absence de certains acides aminés essentiels
Protéines fonctionnelles (enzymes, anticorps, hémoglobine, etc.)
Protéines structurales (fibres du tissu conjonctif, protéines des muscles, etc.)
(d) Production d'ATP (combustible du « feu » métabolique) : tous les types de nutriments peuvent fournir des molécules énergétiques (ATP) après oxydation
Monosaccharides
Acides gras
Acides aminés (retrait du groupement amine, que le foie combine ensuite au gaz carbonique pour former l'urée)
« Feu » métabolique cellulaire :
Cycle de Krebs et chaîne de transport des électrons
Gaz carbonique
Eau
ATP

Figure 14.20 **Le métabolisme effectué par les cellules de l'organisme**

(a) Métabolisme des glucides. **(b)** Métabolisme des lipides. **(c)** Métabolisme des protéines. **(d)** Production d'ATP.

Les cellules hépatiques commencent alors à dégrader le glycogène emmagasiné en un processus appelé **glycogénolyse** (littéralement « séparation du glycogène »). Elles libèrent le glucose petit à petit dans le sang afin de stabiliser la glycémie. En cas de besoin, le foie peut aussi produire du glucose à partir de substances non glucidiques comme les lipides et les protéines. Ce processus est appelé **néoglucogenèse** (littéralement « formation de nouveau sucre ») (figure 14.21). Comme nous l'avons mentionné au chapitre 9, les hormones comme la thyroxine, l'insuline et le glucagon sont essentielles à la régulation de la glycémie et à l'utilisation du glucose dans toutes les cellules de l'organisme.

Les cellules hépatiques oxydent une partie des lipides et des acides gras qu'elles captent afin d'obtenir elles-mêmes de l'énergie (produire de l'ATP). Elles dégradent le reste en substances simples comme l'*acide acétique* et l'*acide acétoacétique* (deux molécules d'acide acétique reliées) qu'elles libèrent dans le sang ou emmagasinent sous forme de réserves de graisse. Le foie, en outre, synthétise le cholestérol et sécrète les produits de dégradation de celui-ci dans la bile.

Toutes les protéines plasmatiques que le foie élabore sont formées d'acides aminés que les cellules hépatiques captent dans le sang. Elles sont ensuite envoyées dans la circulation sanguine. L'*albumine*, la protéine la plus abondante dans le sang, retient les liquides dans la circulation sanguine. Lorsque sa concentration est insuffisante, les liquides sortent de la circulation sanguine et s'accumulent dans les espaces interstitiels, ce qui cause l'œdème. Nous avons traité au chapitre 10 du rôle des *protéines de coagulation* produites par le foie. Les cellules hépatiques synthétisent aussi des acides aminés non essentiels et, comme nous l'avons indiqué plus haut, détoxiquent

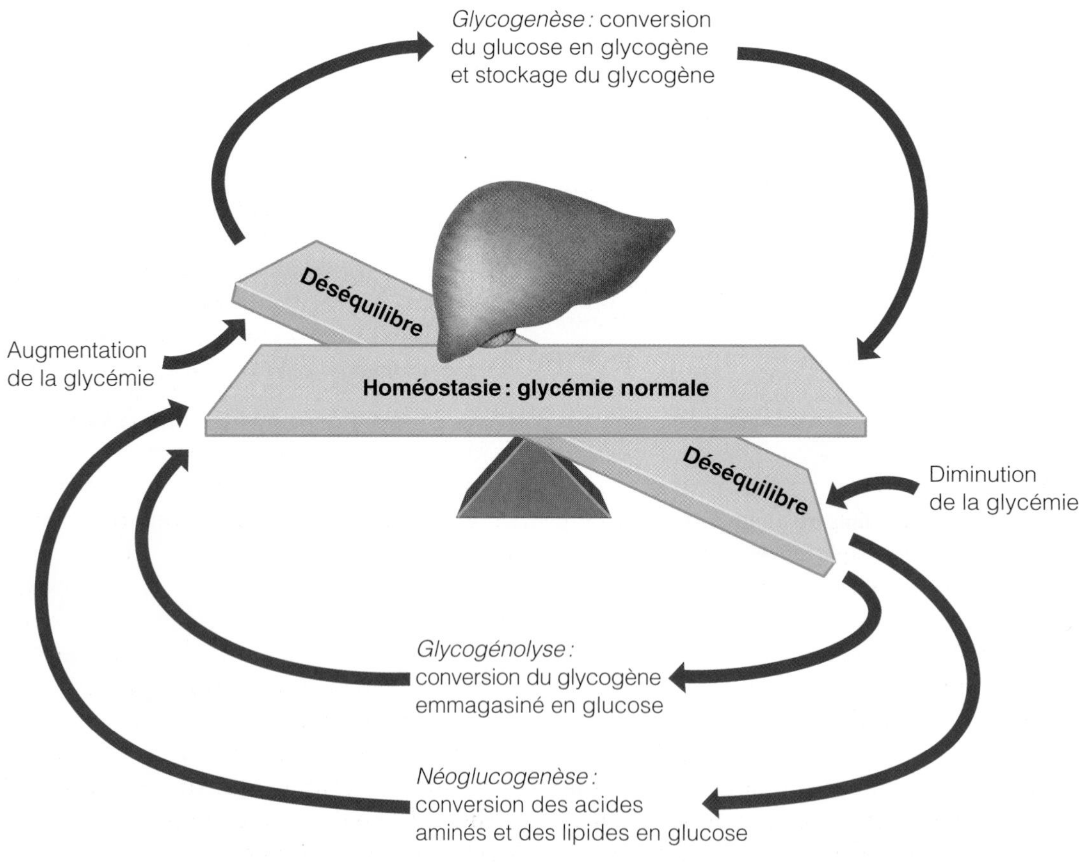
Glycogenèse : conversion du glucose en glycogène et stockage du glycogène
Déséquilibre
Augmentation de la glycémie
Homéostasie : glycémie normale
Déséquilibre
Diminution de la glycémie
Glycogénolyse : conversion du glycogène emmagasiné en glucose
Néoglucogenèse : conversion des acides aminés et des lipides en glucose

Figure 14.21 **Les phénomènes métaboliques ayant lieu dans le foie au cours des fluctuations de la glycémie**

Lorsque la glycémie augmente, le foie retire du glucose du sang et l'emmagasine sous forme de glycogène (glycogenèse). Lorsque la glycémie diminue, le foie dégrade le glycogène emmagasiné (glycogénolyse) et produit du glucose à partir des acides aminés et des lipides (néoglucogenèse). Il libère ensuite le glucose dans le sang afin de rétablir l'équilibre.

l'ammoniac (produit au cours de l'oxydation des acides aminés à des fins énergétiques) en le convertissant en urée.

Les nutriments dont les cellules hépatiques n'ont pas besoin, de même que les produits du métabolisme du foie, empruntent les veines hépatiques et entrent dans la circulation systémique, d'où les autres cellules pourront les extraire.

Le métabolisme et le transport du cholestérol

Le **cholestérol** joue un rôle très important comme lipide alimentaire, mais il ne fait pas office de combustible. Il sert de composant structural des hormones stéroïdes et de la vitamine D, et constitue un élément fondamental des membranes plasmiques. Seulement 15 % du cholestérol sanguin provient de la nourriture; les 85 % restants sont élaborés par le foie. Ces proportions ont de quoi surprendre, compte tenu que les médias nous enjoignent constamment de diminuer notre consommation de cette substance. Le cholestérol est dégradé et sécrété dans les sels biliaires, puis éliminé de l'organisme dans les fèces.

Les lipoprotéines méritent qu'on s'y attarde davantage. Ces protéines élaborées par le foie sont désignées par les sigles HDL et LDL; elles jouent un rôle important dans le transport des lipides et du cholestérol.

Les acides gras, les lipides et le cholestérol sont insolubles dans l'eau et ne peuvent circuler librement dans le sang. Pour le transport, ils se lient à de petits complexes lipides-protéines appelés *lipoprotéines.* Le processus est complexe, mais retenez que les **lipoprotéines de basse densité** (**LDL**, pour *low-density lipoproteins*) transportent le cholestérol et les autres lipides *vers* les cellules de l'organisme, qui en font divers usages. Si les LDL se trouvent en grande quantité dans le sang, il y a de fortes chances pour que les substances lipidiques se déposent sur les parois des artères et forment des plaques d'athérosclérose. Voilà pourquoi les LDL sont taxées de « mauvais cholestérol ». Les **lipoprotéines de haute densité** (**HDL**, pour *high-density lipoproteins*), en revanche, transportent le cholestérol *hors* des cellules (ou des artères) vers le foie, qui l'élimine dans la bile. Une forte concentration de HDL est donc considérée comme bénéfique, puisque le cholestérol est destiné à être dégradé et éliminé. En elles-mêmes, les LDL comme les HDL sont « bonnes » et nécessaires; c'est leur rapport dans le sang qui détermine les probabilités de formation de plaques d'athérosclérose dans la paroi des artères. En règle générale, il semble que l'on puisse conserver un rapport HDL-LDL favorable en faisant de l'exercice aérobique, en mangeant des aliments pauvres en lipides saturés et en cholestérol, et en évitant la consommation de tabac et de café.

L'ÉQUILIBRE ÉNERGÉTIQUE

Tout combustible qui brûle consomme de l'oxygène et dégage de la chaleur. La « combustion » des sources d'énergie alimentaire dans les cellules ne fait pas exception. Comme nous l'avons expliqué au chapitre 2, l'énergie ne peut être ni créée ni détruite; elle ne peut être que convertie d'une forme en une autre. Si nous appliquons ce principe au métabolisme cellulaire, nous constatons qu'il existe un équilibre dynamique entre l'apport et la dépense d'énergie :

Apport énergétique = dépense énergétique totale
(chaleur + travail
+ réserve d'énergie)

L'**apport énergétique** est l'énergie dégagée par l'oxydation des nutriments, c'est-à-dire par la glycolyse, le cycle de Krebs et la chaîne de transport des électrons. La **dépense énergétique** équivaut à l'énergie immédiatement perdue sous forme de chaleur (environ 60 % du total), plus l'énergie utilisée pour effectuer un travail (sous forme d'ATP), plus l'énergie emmagasinée sous forme de lipides ou de glycogène. La mise en réserve de l'énergie ne devient un terme important de l'équation qu'au cours des périodes de croissance et de dépôt net de lipides.

La régulation de l'apport alimentaire

Lorsque l'apport énergétique et la dépense énergétique sont en équilibre, la masse corporelle demeure stable. Dans le cas contraire, il y a gain ou perte pondéraux. Or, le poids de la plupart des gens est remarquablement stable. Il doit donc exister des mécanismes qui régissent l'apport alimentaire, la production de chaleur ou les deux.

Mais comment l'apport alimentaire est-il régi ? Les chercheurs n'ont pas encore trouvé toutes les réponses à cette épineuse question. Ils pensent que plusieurs facteurs – dont les fluctuations des taux sanguins de nutriments (glucose et acides aminés) et d'hormones (insuline, glucagon et leptine), les fluctuations de la température corporelle (l'élévation étant inhibitrice) ainsi que des facteurs psychologiques – influent sur le comportement nutritionnel par leur rétroaction sur l'encéphale. De fait, il semble que les facteurs psychologiques constituent une cause majeure de l'obésité. Pourtant, les gens ne continuent *pas* indéfiniment à prendre du poids, même quand l'obésité est attribuable à des facteurs psychologiques. Chez les obèses, semble-t-il, les mécanismes de régulation fonctionnent toujours, mais ils maintiennent le contenu énergétique total de l'organisme à des niveaux supérieurs à la normale. (Nous traitons de l'obésité dans l'encadré « Gros plan », p. 533-535.)

La vitesse du métabolisme et la production de chaleur corporelle

Le métabolisme basal Les nutriments ne fournissent pas tous la même quantité d'énergie lorsqu'ils sont dégradés en vue de la production d'énergie cellulaire (ATP). Bien que nous soyons habitués à voir les valeurs indiquées en calories sur les produits que nous achetons en épicerie, la valeur énergétique des aliments se mesure, dans le Système international, en unités appelées *kilojoules.* En règle générale, les glucides et les protéines fournissent 16 kJ/g, et les lipides 38 kJ/g. La plupart des repas, et même de nombreux aliments pris isolément, sont composés d'un mélange de glucides, de lipides et de protéines. Pour déterminer la valeur énergétique d'un repas, il faut donc connaître le nombre de grammes de chaque type de nutriments qui le compose. La tâche n'est pas facile pour le commun des mortels, mais on peut procéder facilement à des estimations à l'aide de guides simples vendus dans la plupart des pharmacies.

La quantité d'énergie qu'utilise l'organisme se mesure également en kilojoules. Le **métabolisme basal** est la quantité de chaleur produite (ou la quantité d'oxygène consommée) par unité de temps au repos. Il équivaut à l'apport énergétique dont l'organisme a besoin pour accomplir ses activités vitales, telles que la respiration, le maintien des battements cardiaques et la fonction rénale (mais non la digestion, car on devrait théoriquement prendre les mesures sur un sujet à jeun depuis au moins 12 heures). Le métabolisme basal d'un adulte moyen de 70 kg s'établit entre 250 et 300 kJ/h.

De nombreux facteurs, dont la surface corporelle et le sexe, influent sur le métabolisme basal. Comme le montre le tableau 14.3, les hommes petits et minces ont un métabolisme basal supérieur à celui des femmes grandes et corpulentes. L'âge, de même, joue un rôle important. Les enfants et les adolescents ont besoin de beaucoup d'énergie pour assurer leur croissance, et ils présentent un métabolisme basal relativement élevé. Le métabolisme basal diminue de façon très marquée au cours de la vieillesse, à mesure que les muscles s'atrophient.

La quantité de **thyroxine** sécrétée par la glande thyroïde constitue probablement le facteur le plus déterminant du métabolisme basal. C'est pour cette raison qu'on a surnommé cette hormone l'*hormone métabolique.* Plus la thyroïde sécrète de thyroxine, plus la consommation d'oxygène et d'ATP augmente, et plus le métabolisme basal s'élève. Autrefois, les évaluations du métabolisme basal servaient pour la plupart à déterminer si la production de thyroxine était suffisante. De nos jours, il est plus facile d'évaluer l'activité thyroïdienne au moyen d'analyses de sang.

Déséquilibre homéostatique

L'*hyperthyroïdie* provoque une augmentation du métabolisme et entraîne par conséquent une foule de problèmes. L'organisme catabolise les lipides emmagasinés et les protéines tissulaires et, dans bien des cas, la personne atteinte continue de perdre du poids même si son appétit et son apport alimentaire augmentent. Les

Tableau 14.3 Les facteurs déterminant le métabolisme basal

Facteur	Variation	Effets sur le métabolisme basal
Surface corporelle	Grande surface par rapport au volume, comme chez les personnes minces et petites	Augmentation
	Petite surface par rapport au volume, comme chez les personnes corpulentes	Diminution
Sexe	Masculin Féminin	Augmentation Diminution
Production de thyroxine	Augmentation Diminution	Augmentation Diminution
Âge	Jeune âge, croissance rapide Âge avancé	Augmentation Diminution
Émotions fortes (colère ou peur) et infections		Augmentation

os s'affaiblissent et les muscles, y compris le cœur, commencent à s'atrophier. À l'opposé, l'*hypothyroïdie* provoque une diminution du métabolisme, l'obésité et un ralentissement des fonctions intellectuelles. ▲

Le métabolisme total En période d'activité, l'organisme doit oxyder une quantité accrue de glucose pour obtenir l'énergie qui lui est nécessaire. La digestion et même l'activité physique modérée accroissent de façon marquée les besoins énergétiques, les élevant bien au-dessus de leur niveau basal. Le terme **métabolisme total** désigne la quantité totale de kilojoules nécessaire à l'ensemble des activités de l'organisme. Le travail musculaire est le principal facteur d'augmentation du métabolisme total. Même de légères augmentations de l'activité des muscles squelettiques peuvent provoquer des bonds spectaculaires du métabolisme total. Chez un athlète bien entraîné, le métabolisme peut atteindre une valeur de 15 à 20 fois supérieure à la normale à la faveur d'une activité physique intense maintenue durant quelques minutes, et rester élevé durant plusieurs heures par la suite.

Lorsque la quantité totale de kilojoules ingérés est égale au métabolisme total, l'homéostasie est maintenue et la masse corporelle reste constante. Mais si l'apport alimentaire est supérieur aux besoins, les kilojoules en excès sont emmagasinés sous forme de graisse. À l'inverse, un apport alimentaire insuffisant provoque la dégradation des réserves de graisse, voire des protéines. Tel est le principe à la base de tout bon régime amaigrissant. (On calcule le nombre total de kilojoules nécessaires en fonction de la taille et de l'âge. On soustrait ensuite 20 % ou plus de l'apport quotidien nécessaire.) L'exercice physique régulier accélère la perte pondérale, car il élève le métabolisme total.

La thermorégulation

Nous avons plusieurs fois mentionné que les cellules « brûlent » les nutriments pour produire de l'ATP. Rappelez-vous toutefois que l'ATP n'est pas le seul produit du catabolisme cellulaire. La majeure partie de l'énergie libérée au cours de l'oxydation des nutriments s'échappe sous forme de chaleur. En effet, moins de 40 % de l'énergie alimentaire disponible sert à produire de l'ATP. La chaleur dégagée réchauffe les tissus et, surtout, le sang. Celui-ci atteint tous les tissus et leur conserve une température propice à l'efficacité du métabolisme.

La température corporelle traduit l'état d'équilibre entre la production de chaleur (thermogenèse) et la déperdition de chaleur (thermolyse). Le thermostat de l'organisme est situé dans l'*hypothalamus.* Par l'intermédiaire de voies du système nerveux autonome, l'hypothalamus déclenche des mécanismes de thermogenèse ou de thermolyse et maintient ainsi la température corporelle autour d'une valeur de référence située entre 35,6 et 37,8 °C (figure 14.22).

Les mécanismes de thermogenèse Lorsque la température du milieu ambiant est basse (ou que celle de la circulation sanguine s'abaisse), l'organisme doit accroître sa production de chaleur. Il peut alors déclencher deux mécanismes à court terme : la **constriction** des vaisseaux sanguins cutanés et le **frisson.**

La constriction des vaisseaux cutanés détourne temporairement le sang de la peau vers les organes vitaux profonds. La peau dénudée prend alors la température du milieu ambiant.

Déséquilibre homéostatique

La restriction de la circulation sanguine dans la peau ne pose pas de problème tant qu'elle est d'une durée limitée. Si elle se prolonge, cependant, les cellules de la peau manquent d'oxygène et de nutriments, et meurent. Ce phénomène extrêmement grave est appelé *gelure.* ▲

Si la température *centrale* (celle des organes profonds) diminue au point que la simple constriction des vaisseaux cutanés ne suffit pas à la tâche, le frisson commence. Ces contractions involontaires des muscles squelettiques accroissent la température corporelle de façon très efficace, car l'activité musculaire dégage une grande quantité de chaleur.

Déséquilibre homéostatique

L'*hypothermie* est une diminution extrême de la température corporelle causée par une exposition prolongée au froid. Elle se manifeste par un affaiblissement des signes vitaux (fréquence respiratoire, pression artérielle, fréquence cardiaque). La personne éprouve une sensation de somnolence et, étrangement, de bien-être, même si elle a terriblement souffert du froid auparavant. Laissée sans traitement, l'hypothermie cause un ralentissement puis un arrêt du métabolisme ; elle peut entraîner le coma et la mort. ▲

Les mécanismes de thermolyse L'organisme doit se protéger des extrêmes de chaleur autant que des extrêmes de froid. La majeure partie de la déperdition de chaleur se fait par la peau, par l'intermédiaire du **rayonnement** et de l'**évaporation.** Lorsque la température corporelle dépasse la limite acceptable, les vaisseaux sanguins cutanés se dilatent et les lits capillaires de la

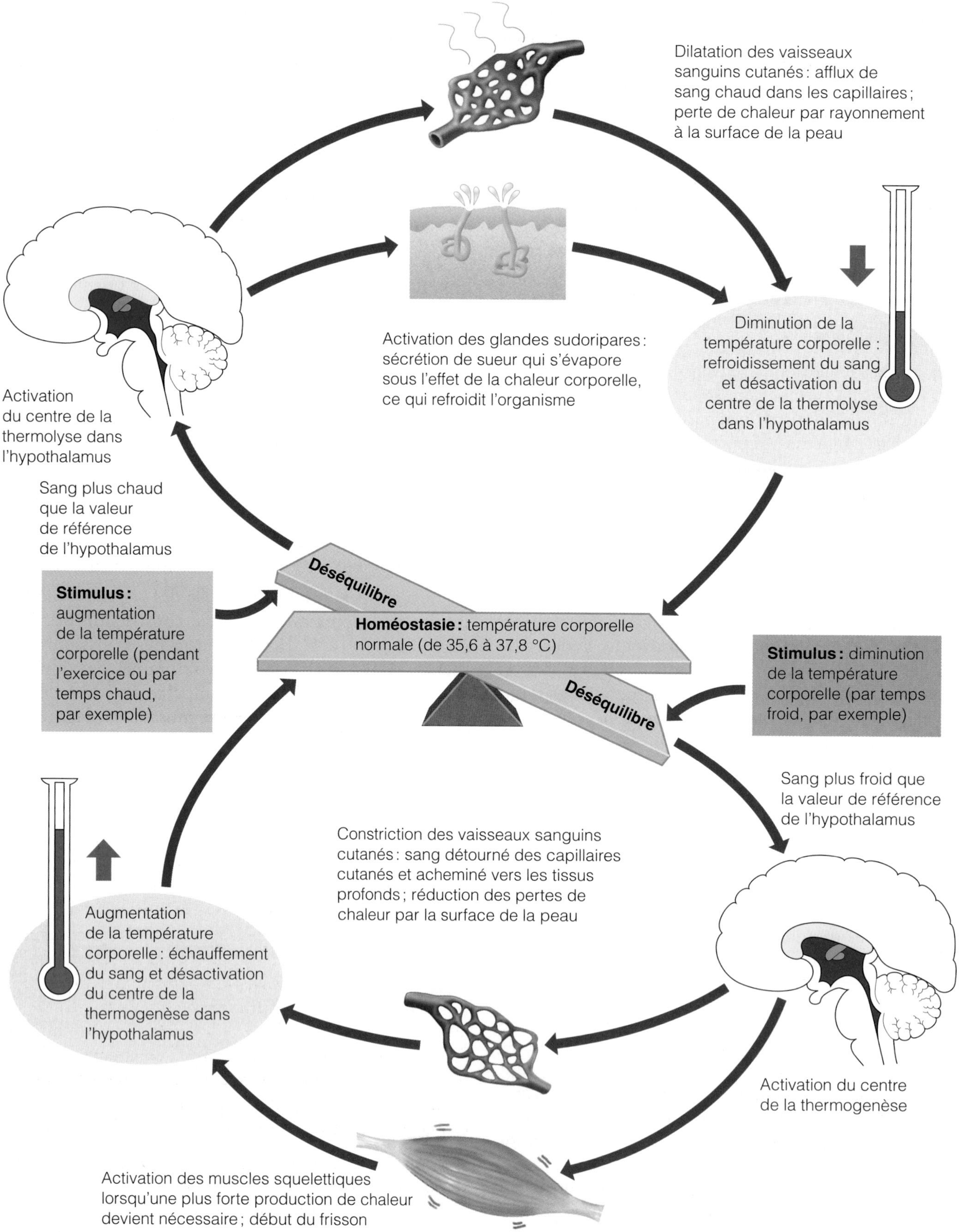
Dilatation des vaisseaux sanguins cutanés : afflux de sang chaud dans les capillaires ; perte de chaleur par rayonnement à la surface de la peau
Activation des glandes sudoripares : sécrétion de sueur qui s'évapore sous l'effet de la chaleur corporelle, ce qui refroidit l'organisme
Diminution de la température corporelle : refroidissement du sang et désactivation du centre de la thermolyse dans l'hypothalamus
Activation du centre de la thermolyse dans l'hypothalamus
Sang plus chaud que la valeur de référence de l'hypothalamus
Stimulus : augmentation de la température corporelle (pendant l'exercice ou par temps chaud, par exemple)
Déséquilibre
Homéostasie : température corporelle normale (de 35,6 à 37,8 °C)
Déséquilibre
Stimulus : diminution de la température corporelle (par temps froid, par exemple)
Sang plus froid que la valeur de référence de l'hypothalamus
Constriction des vaisseaux sanguins cutanés : sang détourné des capillaires cutanés et acheminé vers les tissus profonds ; réduction des pertes de chaleur par la surface de la peau
Augmentation de la température corporelle : échauffement du sang et désactivation du centre de la thermogenèse dans l'hypothalamus
Activation du centre de la thermogenèse
Activation des muscles squelettiques lorsqu'une plus forte production de chaleur devient nécessaire ; début du frisson

Figure 14.22 **Les mécanismes de thermorégulation**

peau se remplissent de sang chaud. Par conséquent, la chaleur s'échappe du corps en rayonnant de la surface de la peau. Si le milieu ambiant est aussi chaud ou plus chaud que le corps, la chaleur ne peut se dissiper par rayonnement ; le seul mécanisme de thermolyse possible est alors l'évaporation de la sueur présente sur la peau. L'évaporation demeure efficace tant que l'air est sec. Si ce dernier est humide, les mécanismes de thermolyse sont entravés ; l'évaporation ralentit considérablement, et nous nous sentons mal à l'aise et irritables.

Déséquilibre homéostatique

Lorsque les processus normaux de refroidissement deviennent inefficaces, il s'ensuit une *hyperthermie*, ou élévation de la chaleur corporelle, qui inhibe l'hypothalamus. Une boucle de rétroactivation néfaste s'établit : l'échauffement rapide de l'organisme accroît la vitesse du métabolisme, ce qui augmente la production de chaleur. La peau devient chaude et sèche et, à mesure que la température grimpe, les risques de lésion cérébrale augmentent. Ce phénomène, appelé **coup de chaleur**, peut être fatal si on ne prend pas immédiatement des mesures correctives (immersion dans de l'eau fraîche et ingestion de liquides).

On emploie souvent le terme *épuisement par la chaleur* pour désigner l'effondrement d'une personne sous l'effet de la chaleur pendant ou après une activité physique intense. Ce phénomène est attribuable à la déshydratation et se manifeste par une chute de la pression artérielle, une fréquence cardiaque rapide ainsi qu'une peau froide et humide. Contrairement à ce qui se passe dans un coup de chaleur, les mécanismes de thermolyse restent actifs. ▲

La *fièvre* est une *hyperthermie contrôlée*. Elle est généralement causée par une infection dans une région de l'organisme, mais elle peut aussi être provoquée par d'autres troubles (cancer, réaction allergique, traumatismes du système nerveux central). Les macrophagocytes, les globules blancs et les cellules des tissus atteints libèrent des substances chimiques appelées *pyrogènes* (*pyro*, « feu »), qui agissent directement sur l'hypothalamus et en règlent le thermostat à la hausse. Les mécanismes de thermogenèse se déclenchent alors. La peau se rafraîchit grâce à la vasoconstriction, et le frisson commence à produire de la chaleur. Le frisson est un signe certain d'échauffement de l'organisme. La température corporelle s'élève jusqu'à la nouvelle valeur de référence, et elle s'y maintient jusqu'à ce que des antibiotiques ou les défenses naturelles de l'organisme inversent le processus morbide en cause. Le thermostat revient alors à une valeur inférieure (ou normale), ce qui met en marche les mécanismes de thermolyse. Le malade transpire, et sa peau rougit et s'échauffe. Les médecins savent depuis longtemps que ces signes sont favorables et indiquent que « le pire est passé » pour le patient.

Comme nous l'avons vu au chapitre 12, la fièvre accélère les divers processus de guérison en augmentant la vitesse du métabolisme. Il semble aussi qu'elle inhibe la prolifération bactérienne. La fièvre présente un danger lorsque le thermostat de l'organisme est réglé trop haut ; dans ce cas, les protéines peuvent se dénaturer et le patient peut subir des lésions cérébrales permanentes.

TROISIÈME **PARTIE**

LA DIGESTION ET LE MÉTABOLISME AU COURS DU DÉVELOPPEMENT ET DU VIEILLISSEMENT

Le très jeune embryon a la forme d'une crêpe. Bientôt, cependant, il se replie pour constituer un corps cylindrique dont l'intérieur devient la cavité du tube digestif. À la cinquième semaine du développement, le tube digestif est une structure cylindrique ininterrompue qui s'étend de la bouche jusqu'à l'anus. Peu de temps après, les glandes digestives (glandes salivaires, foie et pancréas) bourgeonnent à partir de la muqueuse du tube digestif. Ces glandes conservent leurs conduits et déversent ainsi leurs sécrétions dans le tube digestif afin de favoriser les fonctions digestives.

Déséquilibre homéostatique

Le système digestif peut présenter de nombreuses anomalies congénitales qui entravent l'alimentation. Les plus répandues sont la *fente palatine* et le *bec-de-lièvre*, qui sont souvent associés. La fente palatine est de loin la plus grave des deux anomalies parce que l'enfant atteint ne peut pas téter correctement. La *fistule trachéo-œsophagienne* est une autre malformation commune. Elle se caractérise par la présence d'une ouverture entre l'œsophage et la trachée et, souvent, par l'absence de communication entre l'œsophage et l'estomac. Le bébé suffoque, bave et devient cyanosé pendant les tétées, car le lait pénètre dans les voies respiratoires. On corrige ces trois anomalies par voie chirurgicale.

Il existe de nombreuses erreurs innées du métabolisme (affections héréditaires qui entravent le métabolisme). Les plus fréquentes sont probablement la *mucoviscidose* ou fibrose kystique du pancréas (voir le chapitre 13, p. 488) et la *phénylcétonurie*. La mucoviscidose se caractérise par la production d'énormes quantités de mucus qui nuisent au fonctionnement des poumons et obstruent les conduits d'autres organes. L'occlusion du conduit pancréatique empêche l'écoulement du suc pancréatique dans l'intestin grêle. La digestion et l'absorption des lipides et des vitamines liposolubles sont impossibles, et les selles sont volumineuses et grasses. On traite généralement cette maladie en administrant des enzymes pancréatiques avec les repas.

La phénylcétonurie est une maladie héréditaire (1 naissance sur 12 000 en Amérique du Nord) qui se traduit par une incapacité des cellules d'utiliser la phénylalanine, acide aminé présent dans toutes les protéines alimentaires. Faute d'un régime spécial pauvre en phénylalanine, la maladie entraîne des lésions cérébrales et un retard mental. ▲

Le fœtus en cours de développement reçoit tous ses nutriments par l'intermédiaire du placenta ; l'obtention et la transformation de ceux-ci ne posent aucun problème si la mère se nourrit correctement. L'alimentation constitue la principale activité du nouveau-né, et plusieurs réflexes la facilitent. Ainsi, le *réflexe des points cardinaux* aide le nourrisson à trouver le mamelon, et le *réflexe de succion* lui permet de bien le tenir et d'avaler. L'estomac d'un nourrisson est très petit, et les tétées doivent être fréquentes (toutes les deux à trois heures). Le péristaltisme est inefficace, ce qui entraîne de fréquents vomissements.

Les dents apparaissent entre l'âge de six mois et deux ans. Dans l'intervalle, le nourrisson passe à des aliments solides et, dès deux ans, son régime alimentaire est le même que celui d'un adulte. L'appétit diminue chez l'enfant du primaire, puis augmente pendant la poussée de croissance de l'adolescent.

Le système digestif fonctionne relativement bien au cours de l'enfance et de l'âge adulte. Cependant, les aliments contaminés, très épicés ou irritants peuvent causer une inflammation du tube digestif appelée *gastroentérite.* L'inflammation de l'appendice vermiforme, l'*appendicite*, est particulièrement fréquente chez les adolescents, pour des raisons encore inconnues. Entre l'âge mûr et le début de la vieillesse, la vitesse du métabolisme diminue de 5 à 8 % par période de 10 ans. C'est à cette époque de la vie que le poids augmente insidieusement et que, souvent, l'obésité apparaît. Pour conserver le poids désiré, nous devons être informés de ce changement graduel et nous préparer à réduire notre apport énergétique. Les personnes d'âge mûr sont sujettes à deux troubles du système digestif : les *ulcères* (voir l'encadré « Gros plan », p. 514-515) et les *troubles de la vésicule biliaire* (inflammation et calculs biliaires).

L'activité du tube digestif s'affaiblit au cours de la vieillesse. La production des sucs digestifs diminue et le péristaltisme ralentit. Le goût et l'odorat s'émoussent et la parodontite (le parodonte comprend la gencive, le cément, le ligament périodontal et l'os où est logée la dent) est fréquente. Nombre de personnes âgées vivent seules ou ne disposent que d'un revenu modeste. Ces facteurs, ajoutés au déclin des capacités physiques, font diminuer l'appétit ; par conséquent, de nombreuses personnes âgées s'alimentent de façon inadéquate. La diverticulose et le cancer du tube digestif sont répandus chez les personnes âgées. En général, les cancers de l'estomac et du côlon ne se manifestent qu'à un stade avancé, de sorte qu'ils sont généralisés (et inopérables) avant même que la personne consulte un médecin. Détectés à un stade précoce, cependant, ils peuvent être traités. Certains experts pensent qu'un régime alimentaire riche en fibres d'origine végétale et pauvre en matières grasses peut diminuer les risques de cancer du côlon. En outre, la plupart des cancers du côlon et du rectum dérivent de tumeurs bénignes de la muqueuse appelées *polypes.* Or, la fréquence des polypes augmente avec l'âge. C'est pourquoi on recommande à toutes les personnes de plus de 50 ans de subir tous les ans un examen du côlon.

FAITES-EN L'EXPÉRIENCE

Calculez votre métabolisme basal

Quelle est la quantité minimale d'énergie dont votre corps a besoin pour accomplir les fonctions essentielles à la vie ? Vous pouvez calculer votre métabolisme basal de la façon suivante :

1. Inscrivez votre poids en kilogrammes : ____________
2. Pour un homme : multipliez ce poids par 4 : ________
3. Pour une femme : multipliez ce poids par 3 : ________
4. La valeur obtenue représente le nombre approximatif de kilojoules consommés par le corps en une heure. Vous pouvez estimer le nombre de kilojoules nécessaires chaque jour pour entretenir le métabolisme basal en multipliant la valeur obtenue par 24 : ________

Par exemple, le métabolisme basal d'un homme de 90 kg est de 360 kJ/h ; ses fonctions métaboliques nécessitent environ 8640 kilojoules par jour. Une femme de 60 kg a un métabolisme basal de 180 kJ/h, et elle consomme 4320 kilojoules par jour pour entretenir son métabolisme. Bien sûr, d'autres facteurs que le sexe et la masse corporelle influent sur le métabolisme basal ; voir à ce sujet le tableau 14.3.

GROS PLAN

L'obésité : à la recherche de solutions magiques

À partir de quel moment est-on trop gras? Le pèse-personne est un guide bien imprécis, car il ne dit rien de la composition corporelle. Un danseur professionnel dont l'ossature est dense et la musculature bien développée peut peser plusieurs kilogrammes de plus qu'une personne sédentaire de même taille.

On considère habituellement que l'obésité résulte du stockage de triglycérides en quantité excessive. Personne ne veut détenir le record de l'homme le plus gros au monde (un Mexicain pesant 560 kg); nous nous plaignons toujours, au contraire, de ne pas pouvoir nous débarrasser de notre graisse, mais nous continuons d'approvisionner ces réserves par un apport énergétique trop élevé. La proportion de graisse ne devrait pas dépasser 18 ou 22 % de la masse corporelle (pour les hommes et les femmes adultes respectivement). Au-dessus de ces valeurs, c'est l'obésité.

La mesure de l'obésité et de la graisse corporelle, reconnue en médecine, est l'*indice de masse corporelle* (*IMC*), qui rend compte du rapport existant entre le poids d'une personne et sa taille. On estime cet index en divisant la masse corporelle (en kilogrammes) par le carré de la taille (en mètres):

$$\text{IMC} = \frac{\text{masse (kg)}}{[\text{taille (m)}]^2}$$

Une valeur située entre 18,5 et 24,9 est considérée comme le *poids santé*, tandis que le *surpoids* (ou embonpoint) correspond à un indice situé entre 25 et 30, et l'*obésité* à un indice supérieur à 30 (on parle d'*obésité morbide* pour des valeurs situées au-dessus de 40).

Quelle que soit la définition qu'on en donne, l'obésité est une maladie déroutante que les scientifiques ont de la difficulté à comprendre. C'est à dessein que nous employons ici le mot *maladie*, car toutes les formes d'obésité supposent un déséquilibre des mécanismes de régulation de l'apport alimentaire. Les effets néfastes de l'obésité chez l'adulte sont bien connus (l'artériosclérose, l'hypertension [le tissu adipeux stimule la production d'aldostérone], les maladies coronariennes, les risques de développer certains cancers et le diabète sucré de type II sont plus fréquents chez les obèses); chez les enfants, cet état peut entraîner, en plus du diabète de type II, des troubles du système nerveux et des problèmes au niveau de l'articulation de la hanche notamment. Pourtant, c'est un trouble si répandu que, depuis 1997, l'Organisation mondiale de la santé (OMS) le qualifie d'*épidémie*. Difficile à croire, mais il y a actuellement dans le monde davantage d'individus affichant un surpoids que de personnes souffrant de malnutrition. Quelques statistiques: il y a plus de 400 millions d'obèses et 1,6 milliard de personnes en surpoids dans le monde; au Québec, près de 22 % de la population est obèse; en France, 12 % des individus de plus de 15 ans sont obèses. Le mal est encore plus inquiétant si on ne considère que les enfants: au Québec, 27 % sont en surpoids et 10 % sont obèses; en France, ces valeurs sont de 18 % et de 4 %. Or, non seulement les enfants deviennent de plus en plus gros, mais ils préfèrent les jeux vidéo et les croustilles au vélo et aux pommes, de sorte que leur état de santé cardiovasculaire se dégrade.

De plus, les personnes obèses risquent d'emmagasiner des quantités excessives de toxines liposolubles, telles que le dichlorodiphényltrichloréthane (DDT) (insecticide) et les biphényles polychlorés (BPC) (produits chimiques cancérogènes). Le DDT nuit à la capacité du foie de détoxiquer d'autres substances, si bien que les répercussions de ses effets nocifs se font sentir sur plusieurs plans. Comme si cela ne suffisait pas, le discrédit social et les désavantages économiques rattachés à l'obésité sont notoires. Les personnes obèses paient plus cher pour s'assurer, sont victimes de discrimination sur le marché de l'emploi, ont un choix de vêtements limité et font souvent l'objet d'humiliations pendant leur enfance et leur vie adulte. Compte tenu de tous ces problèmes, il y a fort à parier qu'elles n'ont pas choisi leur état. Quelles sont donc les causes de l'obésité? Examinons quelques hypothèses parmi les plus récentes.

L'hypothèse de la valeur de référence

Certains experts pensent que la consommation excessive d'aliments est une habitude qui apparaît tôt au cours de la vie (le syndrome du « vide ton assiette »); elle provoquerait une augmentation du nombre de cellules adipeuses pendant l'enfance et préparerait ainsi le terrain à l'obésité. À l'âge adulte, l'accroissement de la masse du tissu adipeux résulte de l'accumulation de matières grasses dans les cellules existantes. Par conséquent, plus ces cellules sont nombreuses, plus l'organisme peut stocker de matières grasses.

Les signaux envoyés par les nutriments présents dans la circulation sanguine et par les molécules de la satiété (hormones et autres) devraient empêcher la consommation excessive d'aliments, mais il semble que les mécanismes de régulation de la faim et de la satiété répondent trop lentement pour mettre fin à un repas trop riche en lipides avant que l'apport soit excessif. Il est possible que les cellules adipeuses elles-mêmes amènent le sujet à trop manger. À preuve, l'amaigrissement entraîne un ralentissement marqué du métabolisme, mais le gain pondéral qui le suit souvent accélère le métabolisme comme une bûche jetée dans un foyer ravive le feu. La perte de poids est plus lente à chaque régime successif, tandis que la reprise est trois fois plus rapide. Chez les humains comme chez les animaux de laboratoire soumis à des alternances de gavages et de jeûnes, il semble donc que la transformation des aliments devienne de plus en plus efficace et que le métabolisme s'ajuste pour contrecarrer toute déviation de la masse corporelle par rapport à une valeur de référence. L'instrument employé pour remédier à l'obésité, le régime amaigrissant (à répétition), finit par l'entretenir.

L'hypothèse de la combustion efficace

Les obèses utilisent les combustibles alimentaires et emmagasinent les lipides avec plus d'efficacité que les autres personnes. On pense souvent qu'ils mangent plus que les autres, mais ce n'est pas toujours vrai; beaucoup mangent même moins que les personnes de poids normal.

Les lipides alimentaires sont les pires ennemis des obèses. Pour une même valeur énergétique, ils font grossir davantage que les protéines et les glucides, car l'organisme consomme très peu d'énergie pour les transformer. Par exemple, lorsqu'une personne ingère un excès de 1000 kJ de *lipides*, son organisme en « brûle » seulement 30 et emmagasine les 970 qui restent.

Ces constatations s'appliquent à tout le monde, mais le tableau est encore plus sombre pour les obèses. Ainsi, leurs cellules adipeuses possèdent plus de récepteurs alpha (favorisant l'accumulation des graisses), et la lipase qu'elles élaborent (enzyme retirant les lipides du sang pour les acheminer vers les cellules, les cellules adipeuses habituellement) est extrêmement efficace.

L'hypothèse de la prédisposition génétique

L'obésité pathologique est le sort réservé aux personnes qui ont hérité de deux gènes de l'obésité. Il semble cependant qu'aux États-Unis seulement 5 % environ des personnes obèses présentent une véritable prédisposition génétique à l'obésité. L'organisme de ces personnes transforme toujours en graisse l'apport d'énergie excédentaire, tandis que celui des gens normaux en transforme une partie en tissu musculaire. On découvre de plus en plus de gènes associés à l'obésité. En 2007, des chercheurs ont isolé chez les vers autant que chez les souris un gène qui semble omniprésent (le gène *adipose*), qui prévient l'accumulation de graisses et qui semble jouer un rôle important dans le métabolisme des lipides.

Les autres hypothèses

Outre les trois principales hypothèses mentionnées, on soupçonne que divers autres facteurs pourraient jouer un rôle dans l'obésité. On sait, par exemple, que le stress fait produire par le cerveau une molécule qui stimule l'accumulation des graisses. On soulève aussi la possibilité que l'obésité soit une maladie transmissible : d'une part, un virus courant, du même groupe que celui qui est responsable du rhume, est maintenant mis en cause dans certains cas et d'autre part, des études ont montré que, par un phénomène de « mimétisme social », le risque de devenir obèse augmente si on a un ami ou un proche parent qui est obèse. Par ailleurs, des polluants alimentaires ou présents dans l'environnement, qui pourraient agir comme perturbateurs endocriniens, sont aussi montrés du doigt. Enfin, d'autres recherches ont mis en relief une différence entre la flore intestinale des personnes obèses et celle des personnes ayant un poids santé.

Les traitements non indiqués et dangereux

En matière d'obésité, les rumeurs et les choix malheureux sont monnaie courante. Voici quelques-unes des pires stratégies à adopter pour lutter contre l'obésité.

- ***Les diurétiques.*** Les diurétiques sont des médicaments qui intensifient l'excrétion d'eau. Au mieux, ils peuvent faire perdre quelques kilogrammes durant quelques heures ; au pire, ils peuvent causer un déséquilibre électrolytique et une déshydratation graves.
- ***Les médicaments.*** Certaines personnes obèses prennent des amphétamines pour réduire leur appétit et accélérer leur métabolisme. Ces médicaments sont efficaces, mais à brève échéance seulement (c'est-à-dire jusqu'à ce que la tolérance s'installe) ; ils peuvent aussi provoquer une accoutumance dangereuse. Par ailleurs, les produits amaigrissants à base de fibres visant à empêcher l'absorption des nutriments peuvent entraîner une malnutrition grave. Au début des années 1990, en Amérique du Nord, on a lancé une thérapie fondée sur une association de médicaments coupe-faim. Baptisé *programme fen-phen* (pour *fenfluramine* et *phentermine*), ce régime a connu un succès mitigé. La fenfluramine élève le taux de sérotonine, ce qui cause la satiété, et la phentermine accélère le métabolisme. On a montré que le programme favorisait une perte de poids d'environ 10 %, mais les médicaments ont été retirés du marché par le fabricant en 1997 après l'apparition de troubles des valves cardiaques chez certains utilisateurs. Plus récemment, ce fut au tour de la sibutramine (Meridia), autre coupe-faim, d'être critiquée parce qu'on s'est mis à soupçonner des effets secondaires néfastes pour le système cardiovasculaire, et le rimonabant (Acomplia), approuvé dans l'Union européenne en 2006, est en réévaluation en raison de ses effets psychiatriques. Reste l'orlistat (Xenical), qui prévient l'absorption des lipides, mais malheureusement aussi celle de vitamines liposolubles, et qui s'accompagne d'un certain nombre d'effets secondaires désagréables.
- ***Les régimes à la mode.*** De nombreux magazines publient au moins un nouveau régime amaigrissant par année, et les produits de régime se vendent bien. Or, beaucoup de ces diètes sont nuisibles pour la santé. Certains régimes liquides riches en protéines fournissent un apport protéique tellement mauvais (incomplet) qu'ils sont même dangereux. (Les pires sont ceux qui contiennent du collagène au lieu d'une source protéique tirée du lait ou du soja.) Quant aux aliments à faible valeur énergétique, des études ont montré qu'ils pourraient avoir, chez les enfants, un effet opposé à celui qui est recherché, en les habituant à manger davantage.
- ***La chirurgie.*** Parfois, en désespoir de cause, les personnes obèses (surtout celles qui souffrent d'obésité morbide) se tournent vers la chirurgie : immobilisation des mâchoires, gastroplastie (qui comprend la pose d'un anneau ajustable autour de l'estomac et l'agrafage de l'estomac), courts-circuits intestinaux et dérivation biliopancréatique. Cette dernière intervention consiste en un « réaménagement » du tube digestif :

les deux tiers de l'estomac sont enlevés, l'intestin grêle est coupé de moitié et une portion de 2,5 m est abouchée à l'ouverture de l'estomac. Comme ce «nouvel intestin» ne reçoit ni suc pancréatique ni bile, il digère et absorbe moins de nutriments (et aucun lipide). Le patient peut ensuite manger tout ce qu'il veut sans prendre de poids. La dérivation biliopancréatique comporte tout de même tous les risques d'une opération majeure. La liposuccion, c'est-à-dire l'ablation de tissu adipeux par succion, élimine la graisse sous-cutanée mais pas la graisse viscérale, et le patient doit modifier ses habitudes alimentaires afin d'empêcher les dépôts adipeux ailleurs dans l'organisme de devenir engorgés à leur tour.

Malheureusement, il n'existe pas de solution magique à l'obésité. De plus, les hypothèses actuelles sur la régulation de la masse corporelle laissent très peu de place à l'intervention de la volonté. Ou bien vous avez les bons gènes et vos régulateurs peptidiques sont capables d'interagir avec leurs récepteurs, qui eux répondent comme il faut, ou bien, vous faites partie de ceux qui n'ont pas de chance! Quoi qu'il en soit, sans l'aide de médicaments, la seule façon de perdre du poids consiste pour la plupart des gens à diminuer leur consommation de lipides et à faire plus d'exercice physique. Bouger ou faire des exercices contre résistance (voir le chapitre 6, p. 190) font augmenter la masse musculaire (au repos, le muscle consomme plus d'énergie que la graisse). Précisons également que l'inactivité porte à manger tandis que l'exercice physique a pour effet de diminuer l'apport de nourriture et d'accroître la vitesse du métabolisme, non seulement pendant l'activité elle-même, mais aussi pendant un certain temps par la suite. La seule façon d'éviter de prendre du poids est de modifier le régime alimentaire, de faire de l'exercice et de garder ces habitudes toute la vie.

Résumé du chapitre 14

Première partie : l'anatomie et la physiologie du système digestif *(p. 496-519)*

L'ANATOMIE DU SYSTÈME DIGESTIF *(p. 496-508)*

1. Le système digestif est constitué du tube digestif (tube creux qui s'étend de la bouche jusqu'à l'anus) et de plusieurs organes digestifs annexes. La paroi du tube digestif comprend quatre couches de tissu : la muqueuse, la sous-muqueuse, la musculeuse et la séreuse. La séreuse (péritoine viscéral) est unie au péritoine pariétal, qui tapisse la paroi de la cavité abdominale.

2. Les organes du tube digestif :
   a) La bouche, ou cavité orale, contient les dents et la langue ; elle est délimitée par les lèvres, les joues et le palais. Les amygdales bordent sa partie postérieure et jouent un rôle de défense.
   b) Le pharynx est un tube musculeux qui fournit un passage à la nourriture et à l'air.
   c) L'œsophage est un tube musculeux qui relie le pharynx à l'estomac.
   d) L'estomac est un organe en forme de J majuscule quand il est rempli ; il est situé du côté gauche de l'abdomen, sous le diaphragme. La nourriture y pénètre par l'orifice du cardia et en sort en traversant l'orifice pylorique pour pénétrer dans l'intestin grêle. La paroi de l'estomac comprend une troisième couche oblique de muscle qui permet le mélange et le brassage des aliments. Les glandes gastriques élaborent l'acide chlorhydrique, la pepsine, la rennine, du mucus, la gastrine et le facteur intrinsèque. Le mucus empêche l'estomac de se digérer lui-même.
   e) L'intestin grêle, en forme de tube, est suspendu par le mésentère à la paroi abdominale postérieure du corps. Ses subdivisions sont le duodénum, le jéjunum et l'iléum. C'est là qu'ont lieu la digestion et l'absorption des aliments. L'écoulement du suc pancréatique et de la bile dans le duodénum est réglé par le muscle sphincter de l'ampoule hépatopancréatique. Les microvillosités, les villosités intestinales et les plis circulaires accroissent la surface de l'intestin grêle et favorisent ainsi l'absorption.
   f) Le gros intestin encadre l'intestin grêle. Ses subdivisions sont le cæcum, l'appendice vermiforme, le côlon ascendant, le côlon transverse, le côlon descendant, le côlon sigmoïde, le rectum et le canal anal. Le gros intestin évacue à l'extérieur de l'organisme les aliments non digérés (sous forme de fèces).

3. Les trois paires de glandes salivaires (parotides, submandibulaires et sublinguales) sécrètent la salive dans la cavité orale. La salive est composée de mucus et de liquides séreux. Ces liquides contiennent l'amylase salivaire.

4. Deux séries de dents se forment au cours de la vie. La première est composée de 20 dents déciduales qui commencent à émerger à l'âge de 6 mois et tombent avant l'âge de 12 ans. Les 32 dents permanentes commencent à remplacer les dents temporaires vers l'âge de 7 ans. Une dent comprend une couronne recouverte d'émail et une racine recouverte de cément. La plus grande partie de la dent est formée de dentine, tissu semblable au tissu osseux. Le cavum de la dent renferme des vaisseaux sanguins et des neurofibres.

Tous pour un, un pour tous

Les relations entre le système digestif et les autres systèmes de l'organisme

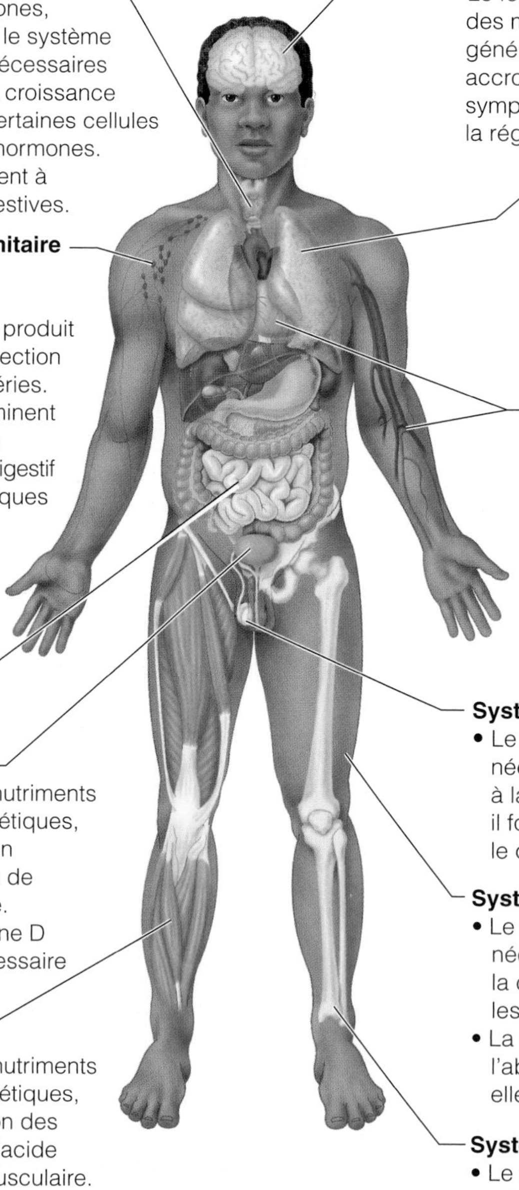

Système endocrinien
- Le foie retire du sang les hormones, mettant ainsi fin à leur activité ; le système digestif fournit les nutriments nécessaires aux besoins énergétiques, à la croissance et à la réparation des tissus ; certaines cellules du pancréas synthétisent des hormones.
- Les hormones locales contribuent à la régulation des fonctions digestives.

Système lymphatique et immunitaire
- Le système digestif fournit les nutriments nécessaires au fonctionnement normal ; le HCl produit par l'estomac apporte une protection non spécifique contre les bactéries.
- Les vaisseaux chylifères acheminent la lymphe contenant les lipides absorbés des organes du tube digestif au sang ; les follicules lymphatiques agrégés et le tissu lymphoïde du mésentère abritent les macrophagocytes et les cellules immunitaires qui protègent les organes digestifs contre l'infection.

Système digestif

Système urinaire
- Le système digestif fournit les nutriments nécessaires aux besoins énergétiques, à la croissance et à la réparation des tissus ; il excrète une partie de la bilirubine élaborée par le foie.
- Les reins transforment la vitamine D en sa forme active, qui est nécessaire à l'absorption du calcium.

Système musculaire
- Le système digestif fournit les nutriments nécessaires aux besoins énergétiques, à la croissance et à la réparation des tissus ; le foie élimine du sang l'acide lactique produit par l'activité musculaire.
- L'activité des muscles squelettiques augmente la motilité du tube digestif.

Système nerveux
- Le système digestif fournit les nutriments nécessaires au fonctionnement normal des neurones.
- Le fonctionnement du système digestif répond à des mécanismes de régulation nerveuse ; de façon générale, les neurofibres parasympathiques accroissent l'activité digestive, et les neurofibres sympathiques l'inhibent ; le système nerveux assure la régulation volontaire et le réflexe de la défécation.

Système respiratoire
- Le système digestif fournit des nutriments nécessaires aux besoins énergétiques, à la croissance et à la réparation des tissus.
- Le système respiratoire fournit l'oxygène et élimine le gaz carbonique produit par les organes du système digestif.

Système cardiovasculaire
- Le système digestif fournit des nutriments au cœur et aux vaisseaux sanguins ; il absorbe le fer nécessaire à la synthèse de l'hémoglobine ; il absorbe l'eau nécessaire au maintien d'un volume sanguin normal.
- Le système cardiovasculaire apporte à tous les tissus les nutriments absorbés par le tube digestif ; il distribue les hormones du tube digestif.

Système génital
- Le système digestif fournit les nutriments nécessaires aux besoins énergétiques, à la croissance et à la réparation des tissus ; il fournit le supplément nutritionnel qui permet le développement du fœtus.

Système tégumentaire
- Le système digestif fournit les nutriments nécessaires aux besoins énergétiques, à la croissance et à la réparation des tissus ; il fournit les graisses qui isolent le derme et l'hypoderme.
- La peau synthétise la vitamine D nécessaire à l'absorption du calcium à partir de l'intestin ; elle forme une enveloppe protectrice.

Système osseux
- Le système digestif fournit les nutriments nécessaires aux besoins énergétiques, à la croissance et à la réparation des tissus ; il absorbe le calcium qui constitue les sels des os.
- Le système osseux protège certains organes digestifs ; il emmagasine certains nutriments (tels que le calcium et les lipides) dans ses cavités.

5. Plusieurs organes annexes déversent des substances dans le tube digestif.
   a) Le pancréas est une glande molle située dans le mésentère, entre l'estomac et l'intestin grêle. Le suc pancréatique est un liquide alcalin contenant des enzymes (qui dégradent toutes les catégories d'aliments).
   b) Le foie est un organe à quatre lobes qui surmonte l'estomac. Sa fonction dans la digestion consiste à élaborer la bile et à la sécréter dans l'intestin grêle.
   c) La vésicule biliaire est un sac musculeux qui emmagasine et concentre la bile. Lorsque le tube digestif ne contient pas de lipides, la bile, dont la production est continue, reflue dans le conduit cystique et entre dans la vésicule biliaire.

LES FONCTIONS DU SYSTÈME DIGESTIF *(p. 508-519)*

1. Pour être absorbés, les aliments doivent être dégradés en leurs unités de base. Les unités de base des glucides sont les sucres simples, ou monosaccharides; celles des protéines sont les acides aminés; celles des matières grasses, ou lipides, sont les acides gras et le glycérol.

2. La digestion mécanique (mastication) et la digestion chimique des aliments commencent dans la bouche. La salive contient du mucus, qui contribue à former un bol alimentaire avec la nourriture, et de l'amylase salivaire, qui amorce la dégradation chimique de l'amidon. Elle est sécrétée en réponse à la présence de nourriture dans la bouche, à la pression mécanique et à des stimulus émotionnels. Il ne se produit pas d'absorption à proprement parler dans la bouche.

3. La déglutition se déroule en deux phases. La première, l'étape orale, est volontaire; la langue pousse le bol alimentaire dans le pharynx. La seconde, l'étape pharyngo-œsophagienne, est involontaire; elle correspond à la fermeture des voies nasales et respiratoires, et au transport des aliments jusqu'à l'estomac par péristaltisme.

4. Lorsque la nourriture entre dans l'estomac, les nerfs vagues et la gastrine (hormone locale) stimulent la sécrétion gastrique. L'acide chlorhydrique active la pepsine, une enzyme qui digère les protéines, et la digestion chimique s'amorce. Les contractions des muscles de l'estomac produisent en plus un mouvement de brassage qui dégrade mécaniquement la nourriture. L'évacuation du chyme dans l'intestin grêle est régie par le réflexe entérogastrique.

5. La digestion chimique des lipides, des protéines et des glucides se termine dans l'intestin grêle, sous l'effet des enzymes intestinales et, surtout, des enzymes pancréatiques. Le suc pancréatique alcalin neutralise le chyme acide et crée un environnement propice à l'activité des enzymes. Le suc pancréatique (seule source de lipases) et la bile (sécrétée par le foie) sont tous deux nécessaires à la dégradation normale des lipides et à leur absorption. La bile émulsifie les graisses. La sécrétine et la cholécystokinine, hormones sécrétées par l'intestin grêle, stimulent la sécrétion de bile et de suc pancréatique. Les mouvements de segmentation mélangent les aliments; le péristaltisme les pousse dans l'intestin grêle. L'absorption repose en majeure partie sur le transport actif des nutriments dans le sang capillaire des villosités intestinales. Les lipides sont absorbés par diffusion dans le sang capillaire et dans les vaisseaux chylifères des villosités intestinales.

6. Le gros intestin reçoit les aliments non digestibles ou non digérés imprégnés de bactéries. Sa fonction est d'absorber l'eau, les sels et les vitamines élaborées par les bactéries qu'il abrite. Le réflexe d'évacuation se déclenche lorsque les fèces parviennent au rectum sous l'effet du péristaltisme et des mouvements de masse.

Deuxième partie: la nutrition et le métabolisme *(p. 519-531)*

LA NUTRITION *(p. 519-521)*

1. À l'exception des protéines, les aliments servent de combustibles en vue de la formation d'ATP.

2. Un nutriment est une substance tirée de la nourriture qui contribue à la croissance, à l'entretien et à la réparation des tissus de l'organisme.

3. Les nutriments majeurs sont les glucides, les lipides, les protéines et l'eau. Les vitamines et les minéraux sont nécessaires en très petites quantités.

4. Les glucides alimentaires (sucres et amidon) se trouvent dans les fruits et les légumes (végétaux).

5. Les lipides alimentaires se trouvent dans la viande, les produits laitiers et les huiles végétales.

6. Les œufs, le lait, la viande rouge, la volaille et le poisson sont d'importantes sources de protéines.

7. Les vitamines proviennent surtout des fruits et des légumes, et du lait. Elles servent principalement de coenzymes.

8. Les minéraux, qu'on trouve surtout dans les légumes, les légumineuses, le lait et certaines viandes, jouent un rôle important dans le fonctionnement des enzymes. Le calcium sert à la formation des os, à la coagulation du sang et aux activités de sécrétion.

LE MÉTABOLISME *(p. 521-531)*

1. Le métabolisme est l'ensemble des réactions chimiques de dégradation (catabolisme) et d'élaboration (anabolisme) nécessaires au maintien de la vie.

2. Les glucides, le glucose surtout, sont les principales sources d'énergie de l'organisme. L'oxydation du glucose s'accompagne de la formation de gaz carbonique, d'eau et d'ATP.

Les étapes du catabolisme du glucose sont, dans l'ordre, la glycolyse (qui se déroule dans le cytosol), le cycle de Krebs et la chaîne de transport des électrons (qui se déroulent dans les mitochondries). L'hyperglycémie entraîne le stockage du glucose sous forme de glycogène ou sa conversion en graisse. L'hypoglycémie entraîne la glycogénolyse, la néoglucogenèse et la dégradation des lipides, mécanismes rétablissant une glycémie normale.

3. Les lipides isolent l'organisme, protègent les organes, entrent dans la composition de certaines structures cellulaires (membranes et gaines de myéline) et constituent des réserves d'énergie. En l'absence de glucides, l'organisme oxyde un surcroît de lipides pour produire de l'ATP. Une dégradation excessive des lipides acidifie le sang. L'excès de lipides ingérés est emmagasiné dans le tissu sous-cutané et en quelques autres endroits sous forme de graisse.

4. Les protéines forment l'essentiel de la structure cellulaire et la plupart des molécules fonctionnelles. Les cellules les conservent soigneusement. Les cellules captent par transport actif les acides aminés contenus dans le sang. Les acides aminés qu'elles ne peuvent élaborer sont appelés *acides aminés essentiels.* L'oxydation des acides aminés en vue de la production d'ATP se produit le plus souvent en l'absence d'autres combustibles. L'ammoniac libéré au cours du catabolisme des acides aminés est détoxiqué par les cellules du foie, qui le combinent au gaz carbonique pour former de l'urée.

5. Le foie est le principal organe métabolique. Ses cellules retirent les nutriments du sang du système porte hépatique. Le foie accomplit la glycogenèse, la glycogénolyse et la néoglucogenèse afin de maintenir la glycémie à un niveau homéostatique. Les cellules hépatiques élaborent de nombreuses substances, dont les protéines plasmatiques, et les libèrent dans le sang. Elles dégradent les lipides pour obtenir une partie de l'énergie (ATP) qui leur est nécessaire; elles emmagasinent les quantités excédentaires ou les libèrent dans le sang sous des formes plus simples afin de les mettre à la disposition des autres cellules. Les macrophagocytes éliminent les bactéries du sang du système porte hépatique. Le foie synthétise la majeure partie du cholestérol; les produits de la dégradation du cholestérol sont sécrétés dans la bile. Les lipides et le cholestérol sont transportés dans le sang par des lipoprotéines. Les LDL apportent le cholestérol aux cellules de l'organisme; les HDL l'acheminent au foie en vue de sa dégradation. Le cholestérol entre dans la composition de molécules fonctionnelles et de certaines structures; il ne sert pas à la production d'énergie.

6. Il existe un équilibre dynamique entre l'apport énergétique et la dépense énergétique (chaleur + travail + réserve d'énergie). La perturbation de cet équilibre entraîne l'obésité ou la malnutrition et l'amaigrissement.

7. Les trois principaux types de nutriments n'ont pas le même rendement énergétique. Les glucides et les protéines fournissent 16 kJ/g et les lipides, 38 kJ/g. Le métabolisme basal est la quantité totale d'énergie que l'organisme consomme au repos et à jeun. L'âge, le sexe, la surface corporelle et la quantité de thyroxine sécrétée influent sur le métabolisme basal.

8. Le métabolisme total est le nombre de kilojoules que l'organisme consomme pour accomplir toutes ses activités. Il augmente de façon marquée pendant une activité musculaire intense. Lorsque le métabolisme total est égal à l'apport énergétique total, la masse corporelle reste constante.

9. Plus de 60 % de l'énergie libérée au cours du catabolisme des nutriments en vue de la production d'ATP s'échappe sous forme de chaleur, laquelle réchauffe l'organisme. Au besoin, l'hypothalamus déclenche les mécanismes de thermolyse (rayonnement de la chaleur à la surface de la peau et évaporation de la sueur) ou les mécanismes de thermogenèse (constriction des vaisseaux sanguins de la peau et frisson) afin de maintenir la température corporelle à l'intérieur des limites normales. La fièvre (hyperthermie) correspond à un réglage de la température corporelle à un niveau supérieur à la normale.

Troisième partie: la digestion et le métabolisme au cours du développement et du vieillissement *(p. 531-535)*

1. Le canal alimentaire a la forme d'un tube creux au début du développement embryonnaire. Les glandes annexes naissent d'évaginations de ce tube.

2. La fente palatine, le bec-de-lièvre et la fistule trachéo-œsophagienne sont des anomalies congénitales fréquentes qui entravent l'alimentation. Répandues également, la phénylcétonurie et la mucoviscidose sont des erreurs innées du métabolisme.

3. Diverses affections inflammatoires peuvent atteindre le système digestif au cours de la vie. L'appendicite est fréquente chez les adolescents; la gastroentérite et l'intoxication alimentaire peuvent se déclencher à tout âge (en présence de facteurs irritants); les risques d'ulcères gastroduodénaux et de troubles de la vésicule biliaire augmentent à l'âge mûr. L'obésité et le diabète sucré apparaissent surtout à la fin de l'âge mûr.

4. Le système digestif s'affaiblit pendant la vieillesse. Les cancers de l'estomac et du côlon sont plus fréquents chez les personnes âgées que dans le reste de la population.

Questions de révision

QUESTIONS À CHOIX MULTIPLE

Pour certaines questions, il peut y avoir plus d'une bonne réponse.

1. Lesquels des termes qui suivent sont synonymes?
   a) Cavité abdominale.
   b) Système digestif.
   c) Tube digestif.
   d) Canal alimentaire.

2. Lequel des organes qui suivent *ne fait pas* partie du tube digestif?
   a) L'estomac.
   b) Le foie.
   c) L'intestin grêle.
   d) Le gros intestin.
   e) Le pharynx.

3. La couche de tissu de la paroi du tube digestif à l'origine de la segmentation et du péristaltisme est:
   a) la séreuse.
   b) la muqueuse.
   c) la musculeuse.
   d) la sous-muqueuse.

4. Le diaphragme facilite la fermeture du sphincter:
   a) iléocæcal.
   b) pylorique.
   c) œsophagien inférieur.
   d) œsophagien supérieur.

5. Dans l'estomac, les ondes péristaltiques les plus intenses se produisent à la hauteur:
   a) du corps de l'estomac.
   b) du cardia.
   c) du fundus de l'estomac.
   d) du pylore.

6. Quelle substance forme la plus grande partie de la dent?
   a) Le cément.
   b) La dentine.
   c) L'émail.
   d) La pulpe.

7. Lequel des organes qui suivent est situé dans la région hypochondriaque droite de l'abdomen (voir la figure 1.8b)?
   a) L'estomac.
   b) La rate.
   c) Le cæcum.
   d) Le foie.

8. Laquelle, parmi les fonctions qui suivent, *n'est pas* une fonction de la salive?
   a) La défense contre les agents pathogènes.
   b) La contribution à la perception du goût des aliments.
   c) Le début de la digestion des protéines.
   d) La facilitation de la déglutition.

9. La libération de cholécystokinine entraîne:
   a) la contraction du muscle lisse de la papille duodénale.
   b) une augmentation de l'activité des cellules du foie.
   c) la contraction de la paroi de la vésicule biliaire.
   d) la libération d'enzymes par les cellules du pancréas.

10. Le pH du chyme qui entre dans le duodénum est ajusté par:
    a) la bile.
    b) le suc intestinal.
    c) les enzymes pancréatiques.
    d) les sécrétions riches en bicarbonate libérées par les cellules du pancréas.

11. Une petite fille de trois ans est félicitée par ses parents parce qu'elle vient de terminer l'apprentissage de la propreté. Quel muscle a-t-elle appris à maîtriser?
    a) Le muscle releveur de l'anus.
    b) Le muscle sphincter interne de l'anus.
    c) Les muscles obliques interne et externe.
    d) Le muscle sphincter externe de l'anus.

12. Lesquels des événements qui suivent se produisent peu de temps après l'ingestion de nourriture?
    a) La dégradation des acides aminés comme principale source d'énergie.
    b) La lipogenèse (et la formation de graisse).
    c) La dégradation de la graisse emmagasinée.
    d) L'augmentation du captage du glucose par les muscles squelettiques et d'autres tissus.

13. Parmi les énoncés qui suivent concernant la digestion, lequel est *faux*?
    a) La déglutition pourrait s'accomplir même lorsqu'on se tient debout sur la tête.
    b) Une certaine absorption peut se produire au niveau de la bouche et de l'estomac.
    c) Il est maintenant reconnu que le stress est la cause la plus importante de l'apparition des ulcères gastroduodénaux.
    d) Le suc intestinal contient surtout du mucus.
    e) Le pancréas est le seul organe du système digestif à libérer des enzymes qui digèrent les lipides.

14. Quelles molécules, parmi les suivantes, sont couramment utilisées par les cellules pour fabriquer de l'ATP?
    a) Le cholestérol.
    b) Les acides aminés.
    c) Les acides gras.
    d) Le glucose.

15. Complétez la phrase qui suit. Lors de la glycolyse, il y a oxydation de __________ et réduction de __________.
    a) coenzyme contenant une vitamine; glucose.
    b) ATP; ADP.
    c) glucose; oxygène.
    d) glucose; coenzyme contenant une vitamine.

16. Quel facteur, parmi ceux qui suivent, *n'a pas* d'effet sur le métabolisme basal?
    a) La quantité de thyroxine dans le sang.
    b) Le sexe d'un individu.
    c) L'âge.
    d) Le type d'activité.
    e) La surface corporelle.

17. Comment qualifierait-on le poids d'un homme pesant 80 kg et mesurant 170 cm?
    a) Il faudrait connaître le métabolisme basal de cet homme avant de pouvoir se prononcer.
    b) Poids sous la normale.
    c) Poids santé.
    d) Surpoids.
    e) Obésité.

18. Quels mécanismes, parmi ceux qui suivent, sont des mécanismes de thermolyse?
   a) La dilatation des vaisseaux cutanés.
   b) La constriction des vaisseaux cutanés.
   c) Le frisson. **d)** La transpiration.

QUESTIONS À COURT DÉVELOPPEMENT

1. Dessinez schématiquement les organes du tube digestif et indiquez leurs noms.

2. Ajoutez les trois annotations suivantes à votre schéma: glandes salivaires, foie et pancréas. Au moyen de flèches, indiquez la partie du tube digestif où ces organes déversent leurs sécrétions.

3. Les aliments présents dans le tube digestif doivent-ils être considérés comme étant à l'intérieur ou à l'extérieur de l'organisme? Discutez.

4. Nommez les couches de la paroi du tube digestif, en commençant par la plus profonde.

5. Qu'est-ce que le mésentère? le péritoine? Nommez deux organes qui ne sont pas enveloppés par le péritoine, étant situés derrière lui.

6. Nommez les subdivisions de l'intestin grêle dans l'ordre fonctionnel. Faites de même pour les subdivisions du gros intestin.

7. Le système digestif comprend de nombreuses modifications structurales. Décrivez la structure et la fonction des villosités intestinales. Citez deux modifications que présente la couche musculeuse et précisez dans quelle partie du tube digestif se trouve chacune.

8. Quel est le nombre normal de dents permanentes? de dents déciduales? Quelle substance recouvre la couronne de la dent? Quelle substance compose la plus grande partie de la dent? Qu'est-ce que la pulpe et où est-elle située?

9. Nommez les trois paires de glandes salivaires. Indiquez deux fonctions de la salive.

10. Supposez que vous puissiez mastiquer un morceau de pain durant cinq ou six minutes. En quoi son goût se modifierait-t-il pendant ce laps de temps? Pourquoi?

11. Nommez deux parties du tube digestif où a lieu la dégradation mécanique de la nourriture. Expliquez son déroulement dans ces régions.

12. Dans quel organe la digestion des protéines commence-t-elle?

13. Pourquoi faut-il que le contenu de l'estomac soit très acide? Comment l'estomac évite-t-il de se digérer lui-même? Citez deux autres sécrétions dans le tube digestif qui, elles, sont basiques.

14. Qu'est-ce que le facteur intrinsèque (origine et fonction)?

15. Un seul organe produit les enzymes capables de digérer toutes les catégories d'aliments. Quel est cet organe?

16. Pourquoi l'absence de bile ou de suc pancréatique entraîne-t-elle la formation de selles grasses?

17. Définissez le terme *émulsifier.*

18. Quelle est la fonction de la gastrine? de la sécrétine?

19. Décrivez les deux étapes de la déglutition.

20. Quelles sont les différences entre les mouvements de la segmentation et ceux du péristaltisme?

21. Qu'est-ce que le réflexe entérogastrique? Quelle est son utilité?

22. Quelle substance, jouant un rôle de lubrifiant, est produite dans tout le tube digestif? Quelle partie du tube digestif est la moins bien protégée par cette substance?

23. Un sandwich au fromage et à la confiture contient des protéines, des glucides et des lipides. Indiquez ce qui sera advenu du sandwich dans votre tube digestif, une fois qu'il aura subi toutes les étapes de son traitement.

24. Où l'absorption des nutriments a-t-elle lieu pour l'essentiel?

25. Indiquez trois types de substances qui sont absorbées dans le gros intestin.

26. Quelle est la composition des fèces?

27. Définissez les termes *réflexe d'évacuation*, *constipation* et *diarrhée.*

28. Qu'entend-on par *protéines complètes* et *acides aminés essentiels*? Dans quels types d'aliments trouve-t-on ces derniers?

29. Définissez les termes *métabolisme*, *anabolisme* et *catabolisme.*

30. Définissez les termes *néoglucogenèse*, *glycogénolyse* et *glycogenèse.*

31. Nommez les trois étapes de la respiration cellulaire, précisez l'endroit où chacune a lieu, dites si elle produit peu ou beaucoup d'ATP et si elle nécessite ou non la présence d'oxygène.

32. Quel groupe d'aliments est la principale source d'énergie (c'est-à-dire le plus important pour la production d'ATP)? Lequel est le plus important pour l'élaboration des structures cellulaires?

33. Quelle est la conséquence néfaste de la dégradation d'une quantité excessive de lipides en vue de la production d'ATP? Nommez deux troubles qui peuvent entraîner ce résultat.

34. Qu'est-ce que le métabolisme basal? Nommez deux facteurs qui influent sur lui.

35. Que se produit-il si l'apport énergétique total dépasse le métabolisme total?

36. Combien de kilojoules sont produits par l'oxydation de 1 g de glucides? de 1 g de protéines? de 1 g de lipides? Combien de kilojoules avez-vous ingérés si vous venez de consommer 100 g d'un aliment qui contient 20 % de protéines, 30 % de glucides et 10 % de lipides?

37. Une partie de l'énergie libérée au cours de l'oxydation des nutriments sert à produire de l'ATP. Qu'arrive-t-il au reste?

38. Où le thermostat de l'organisme est-il situé?

39. Nommez deux mécanismes de thermolyse. Nommez deux mécanismes de conservation ou de production de chaleur.

40. Qu'est-ce que la fièvre? Qu'indique-t-elle?

41. Nommez trois troubles du tube digestif répandus chez les personnes d'âge mûr. Nommez-en un qui est fréquent chez les adolescents. Enfin, nommez-en trois qui touchent surtout les personnes âgées.

Réflexion et application

1. Après avoir débité du bois pendant environ deux heures par un après-midi chaud mais venteux, Jean entre chez lui, trébuche puis s'évanouit. Sa chemise est détrempée de sueur, et son pouls faible et rapide. Jean souffre-t-il d'un coup de chaleur ou d'épuisement par la chaleur? Justifiez votre réponse. Indiquez aussi ce que vous feriez pour aider Jean à se remettre.

2. Maurice est hospitalisé pour une pneumonie bactérienne. À votre arrivée dans sa chambre, il claque des dents, il a la peau froide et humide, et se plaint d'avoir froid bien qu'il fasse chaud. Expliquez ces symptômes.

3. On fait subir une série d'examens à une jeune femme afin de déterminer la cause de ses maux d'estomac. On diagnostique un ulcère gastrique. On lui prescrit un agent antihistaminique et on la renvoie chez elle. Quel est le mode d'action de ce médicament? Quelles sont les graves complications possibles d'un ulcère mal traité? Pourquoi le médecin a-t-il fortement recommandé à la patiente de ne jamais prendre d'aspirine?

4. L'état de la jeune femme mentionnée dans la question précédente s'aggrave. Elle se plaint maintenant de maux de dos. Le médecin découvre que ces douleurs sont causées par une lésion du pancréas. Faites appel à votre logique pour expliquer comment la perforation d'un ulcère gastrique peut causer des lésions du pancréas.

5. Benoît, âgé de cinq ans, est allergique au lait. Ses jambes sont extrêmement arquées. Quelle affection soupçonnez-vous? Quel est le rapport entre cette maladie et le fait de ne pas boire de lait?

6. Une mère s'inquiète parce que son bébé âgé d'une semaine seulement devient bleu et suffoque chaque fois qu'il tète. Quelle anomalie congénitale soupçonnez-vous? Comment peut-on la corriger?

7. On mesure une forte concentration d'acétone dans le sang d'une jeune fille anorexique. Comment s'appelle cet état et quelle en est la cause?

8. Chaque année, des dizaines de personnes âgées sont trouvées mortes d'hypothermie dans leur appartement sans chauffage. Qu'est-ce que l'hypothermie et comment provoque-t-elle la mort?

9. M. Leblanc a eu la diarrhée toute la journée. Il est gravement affaibli. Pourquoi l'infirmière qui le soigne est-elle inquiète à son sujet?

Le système urinaire

CHAPITRE 15

Lorsque vous aurez étudié le présent chapitre, vous aurez une connaissance pratique des fonctions du système urinaire ; vous devriez de plus avoir atteint les objectifs d'apprentissage énumérés ci-dessous.

Aperçu des fonctions

- ❑ Le système urinaire débarrasse l'organisme des déchets azotés et maintient l'équilibre hydrique, électrolytique et acidobasique du sang.

OBJECTIFS D'APPRENTISSAGE

Les reins *(p. 544-552)*

- ❑ **1.** Décrire la localisation des reins dans l'organisme.
- ❑ **2.** Au moyen d'un schéma, situer et nommer les régions suivantes d'un rein (coupe frontale) : hile rénal, capsule fibreuse du rein, capsule adipeuse du rein, cortex rénal, médulla rénale, pyramides médullaires, calices rénaux, pelvis rénal et colonnes rénales.
- ❑ **3.** Décrire la vascularisation du rein ; comparer le lit capillaire des glomérules et le lit capillaire péritubulaire au point de vue de leurs propriétés structurales et fonctionnelles.
- ❑ **4.** Démontrer que le néphron est l'unité structurale et fonctionnelle du rein, et décrire son anatomie.
- ❑ **5.** Décrire le processus de formation de l'urine et préciser les régions du néphron qui assurent la filtration, la réabsorption et la sécrétion.
- ❑ **6.** Décrire le rôle des reins dans l'excrétion des déchets azotés ; énumérer les trois autres grandes fonctions des reins.
- ❑ **7.** Définir les termes suivants : *polyurie*, *anurie*, *oligurie* et *diurèse*.
- ❑ **8.** Énumérer les caractéristiques physiques de l'urine et décrire sa composition chimique normale.
- ❑ **9.** Énumérer les constituants anormaux de l'urine et donner les causes possibles de leur présence dans l'urine.
- ❑ **10.** Définir l'insuffisance rénale, citer ses causes et ses conséquences, et expliquer en quoi consistent l'hémodialyse et la dialyse péritonéale.

Les uretères, la vessie et l'urètre *(p. 552-555)*

- ❑ **11.** Décrire la structure et la fonction générale des uretères, de la vessie et de l'urètre.
- ❑ **12.** Comparer le trajet, la longueur et les fonctions de l'urètre masculin à ceux de l'urètre féminin.
- ❑ **13.** Citer deux caractéristiques de la vessie qui la rendent bien adaptée à sa fonction ; expliquer le réflexe de la *miction* et faire la distinction entre la régulation du sphincter lisse de l'urètre et celle du muscle sphincter de l'urètre.
- ❑ **14.** Indiquer quelques-unes des causes de l'incontinence et de la rétention urinaire.
- ❑ **15.** Nommer trois troubles courants des voies urinaires.

L'équilibre hydrique, électrolytique et acidobasique *(p. 555-562)*

- ❑ **16.** Énumérer les trois grands compartiments hydriques de l'organisme et indiquer ce que chacun comprend.
- ❑ **17.** Montrer comment l'équilibre hydrique et l'équilibre électrolytique sont liés.
- ❑ **18.** Expliquer le rôle de l'hormone antidiurétique (ADH) dans la régulation rénale de l'équilibre hydrique.
- ❑ **19.** Expliquer le rôle de l'aldostérone dans l'équilibre sodique et potassique du sang.
- ❑ **20.** Comparer les systèmes tampons, le système respiratoire et les reins quant aux délais dans lesquels ils peuvent rétablir l'équilibre acidobasique du sang.
- ❑ **21.** Décrire les étapes du mécanisme de régulation de la pression artérielle par le système rénine-angiotensine.
- ❑ **22.** Énumérer les sources de l'apport hydrique et les voies de la déperdition hydrique.
- ❑ **23.** Définir les termes qui suivent: *système tampon, acide fort, acide faible, base forte, base faible, acidose* et *alcalose.*
- ❑ **24.** Expliquer comment le système tampon acide carbonique-bicarbonate prévient les variations de pH sanguin.
- ❑ **25.** Expliquer comment le système respiratoire et les reins participent au maintien du pH sanguin.

Le développement et le vieillissement du système urinaire *(p. 562-563)*

- ❑ **26.** Décrire deux affections congénitales courantes du système urinaire.
- ❑ **27.** Décrire l'effet du vieillissement sur le fonctionnement du système urinaire.

Les reins maintiennent la composition des liquides du milieu interne, fonction essentielle pour l'homéostasie. Ils jouent dans l'organisme le même rôle qu'une usine d'épuration qui, dans une ville, filtre les eaux usées. Nous pensons rarement à nos reins, sauf si une défaillance entraîne une accumulation de déchets dans les liquides de notre organisme. Sans relâche, les reins filtrent le plasma. Ils traitent ensuite le filtrat obtenu, c'est-à-dire qu'ils excrètent dans l'urine les déchets métaboliques et les ions en excès, et renvoient dans le sang les substances nécessaires, dans les bonnes proportions. Bien que les poumons et la peau concourent aussi à l'excrétion, l'élimination des déchets azotés (contenant de l'azote), des toxines et des médicaments relève principalement des reins.

L'élimination des déchets et des substances en excès constitue une partie seulement du travail des reins, qui règlent aussi le volume et la composition chimique du sang en conservant le juste équilibre entre l'eau et les électrolytes d'une part, et entre les acides et les bases d'autre part. La tâche confondrait un ingénieur chimiste, mais les reins s'en acquittent efficacement la plupart du temps.

Les fonctions régulatrices des reins ne s'arrêtent pas là. En sécrétant une enzyme appelée *rénine*, les reins participent également à la régulation de la pression artérielle. Ils sécrètent aussi une hormone, l'*érythropoïétine* (*EPO*), qui stimule la formation des globules rouges dans la moelle osseuse rouge (voir le chapitre 10). (L'EPO est cette substance dopante qui a entaché un certain nombre d'exploits sportifs, dans le monde du cyclisme notamment.) Enfin, les cellules rénales transforment la vitamine D en sa forme active.

Parmi les organes du **système urinaire**, seuls les reins accomplissent les fonctions que nous venons de mentionner, élaborant l'urine en cours de route. Les autres organes, c'est-à-dire les deux uretères, la vessie et l'urètre (figure 15.1), servent de réservoirs qui emmagasinent temporairement l'urine ou de conduits qui la transportent.

Les reins

LA LOCALISATION ET LA STRUCTURE DES REINS

On croit souvent que les **reins** sont situés dans la région lombaire *inférieure*, mais il n'en est rien. Ces petits organes rouge foncé en forme de haricot sont logés contre la paroi abdominale postérieure, en position *rétropéritonéale* (sous le péritoine pariétal), dans la région

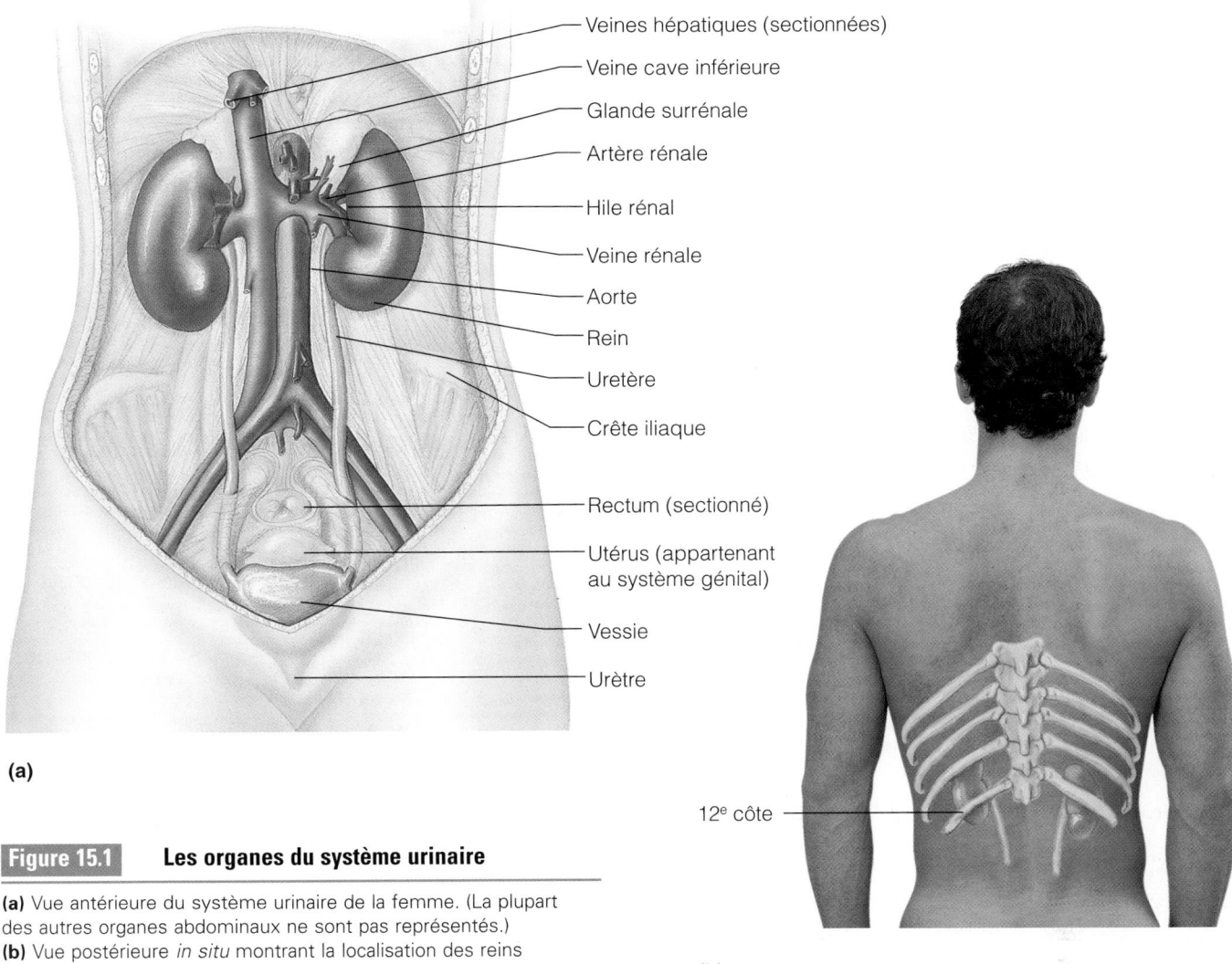

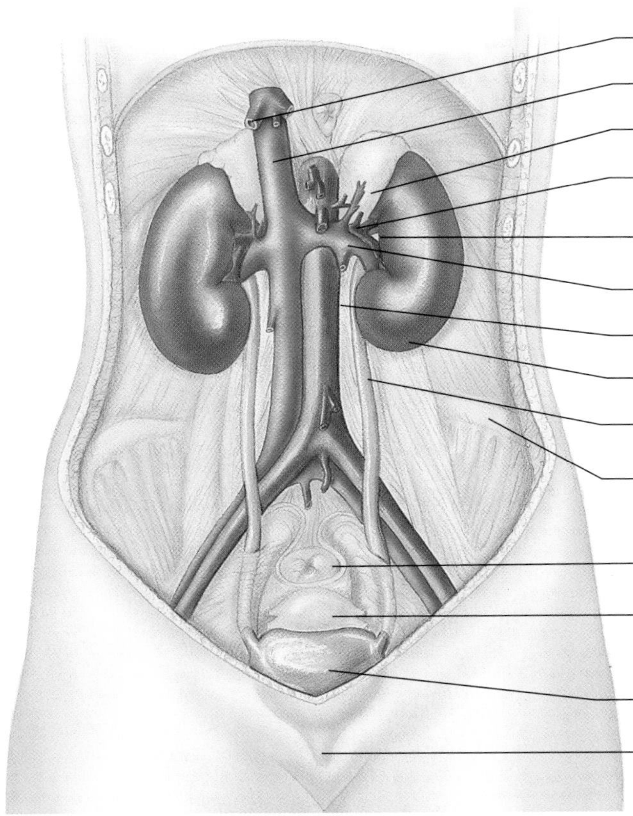
Veines hépatiques (sectionnées)
Veine cave inférieure
Glande surrénale
Artère rénale
Hile rénal
Veine rénale
Aorte
Rein
Uretère
Crête iliaque
Rectum (sectionné)
Utérus (appartenant au système génital)
Vessie
Urètre

(a)

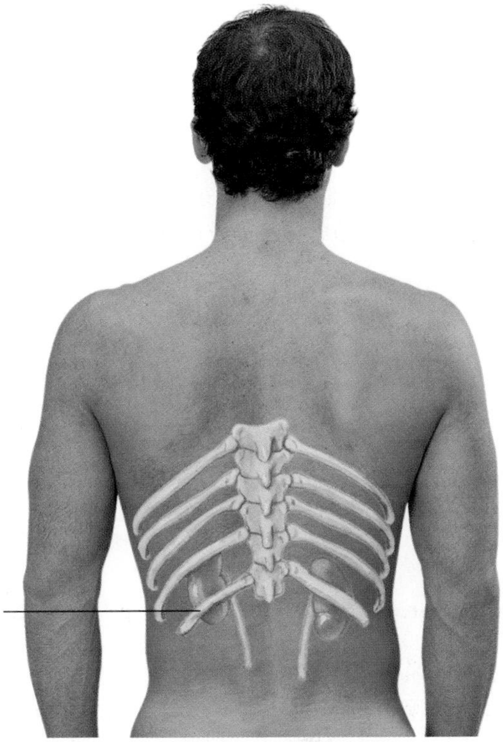
12e côte

(b)

Figure 15.1 **Les organes du système urinaire**

(a) Vue antérieure du système urinaire de la femme. (La plupart des autres organes abdominaux ne sont pas représentés.) **(b)** Vue postérieure *in situ* montrant la localisation des reins en regard de la douzième paire de côtes.

lombaire *supérieure*. Comme ils s'étendent à peu près de la douzième vertèbre thoracique à la troisième vertèbre lombaire, ils sont protégés dans une certaine mesure par la partie inférieure de la cage thoracique. Comprimé par le foie, le rein droit est un peu plus bas que le gauche. Un rein adulte mesure en moyenne 12 cm de longueur, 6 cm de largeur et 3 cm d'épaisseur, soit à peu de chose près les dimensions d'un gros pain de savon. La face latérale est convexe, tandis que la face médiale est concave et porte une échancrure appelée *hile rénal*. Diverses structures, dont les uretères, les vaisseaux sanguins rénaux et des nerfs, entrent dans les reins ou en sortent au niveau du hile rénal (voir les figures 15.1 et 15.2). Chaque rein est surmonté d'une *glande surrénale*, organe totalement distinct du point de vue fonctionnel et appartenant au système endocrinien.

Une couche transparente et fibreuse appelée **capsule fibreuse du rein** entoure chaque rein et lui donne un aspect brillant. Par ailleurs, le rein est enveloppé d'une masse adipeuse, appelée *capsule adipeuse du rein*, qui le fixe aux muscles de la paroi abdominale postérieure.

Déséquilibre homéostatique

L'enveloppe adipeuse des reins joue un rôle extrêmement important, car elle maintient ces organes dans leur position normale. La perte de tissu adipeux (attribuable normalement à une perte pondérale rapide) peut entraîner une *néphroptose*, ou descente des reins. Si la néphroptose cause la torsion des uretères, l'urine, ne pouvant pas se drainer, refoule parfois dans le rein et exerce une pression sur les tissus de ce dernier. Ce trouble, appelé *hydronéphrose*, peut provoquer de graves lésions rénales. ▲

Sur une coupe frontale d'un rein, on distingue trois parties, comme le montre la figure 15.2. La partie la plus externe, le **cortex rénal**, est de couleur pâle. (Le mot *cortex* vient d'un mot latin signifiant « écorce ».) Le cortex rénal, d'une épaisseur de un centimètre environ, recouvre la médulla rénale, de couleur rouge brun. La **médulla rénale** présente de 8 à 18 régions à peu près triangulaires et d'aspect strié qui portent le nom de **pyramides rénales**, ou *pyramides de Malpighi*. La *base de la pyramide rénale* est orientée vers le cortex rénal, tandis que son sommet, appelé *papille rénale*, est tourné vers l'intérieur du rein. Les pyramides sont séparées par des prolongements du tissu cortical appelés **colonnes rénales**.

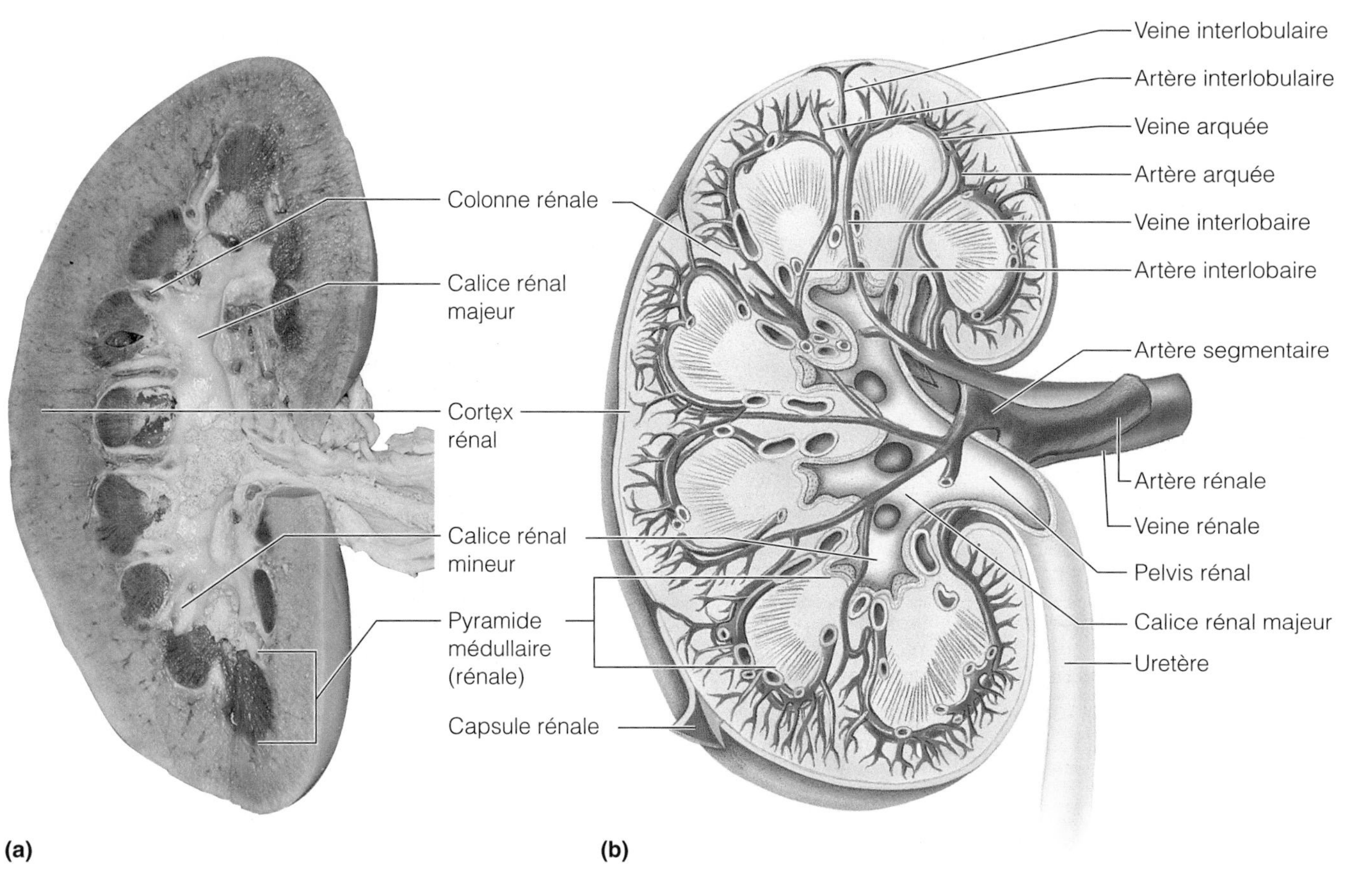
Colonne rénale
Calice rénal majeur
Cortex rénal
Calice rénal mineur
Pyramide médullaire (rénale)
Capsule rénale
Veine interlobulaire
Artère interlobulaire
Veine arquée
Artère arquée
Veine interlobaire
Artère interlobaire
Artère segmentaire
Artère rénale
Veine rénale
Pelvis rénal
Calice rénal majeur
Uretère
(a)
(b)

Aorte → Artère rénale → Artère segmentaire → Artère interlobaire → Artère arquée → Artère interlobulaire → Artériole afférente → Glomérule du rein (capillaires) → Artériole efférente → Capillaires péritubulaires → Veine interlobulaire → Veine arquée → Veine interlobaire → Veine rénale → Veine cave inférieure

(c)

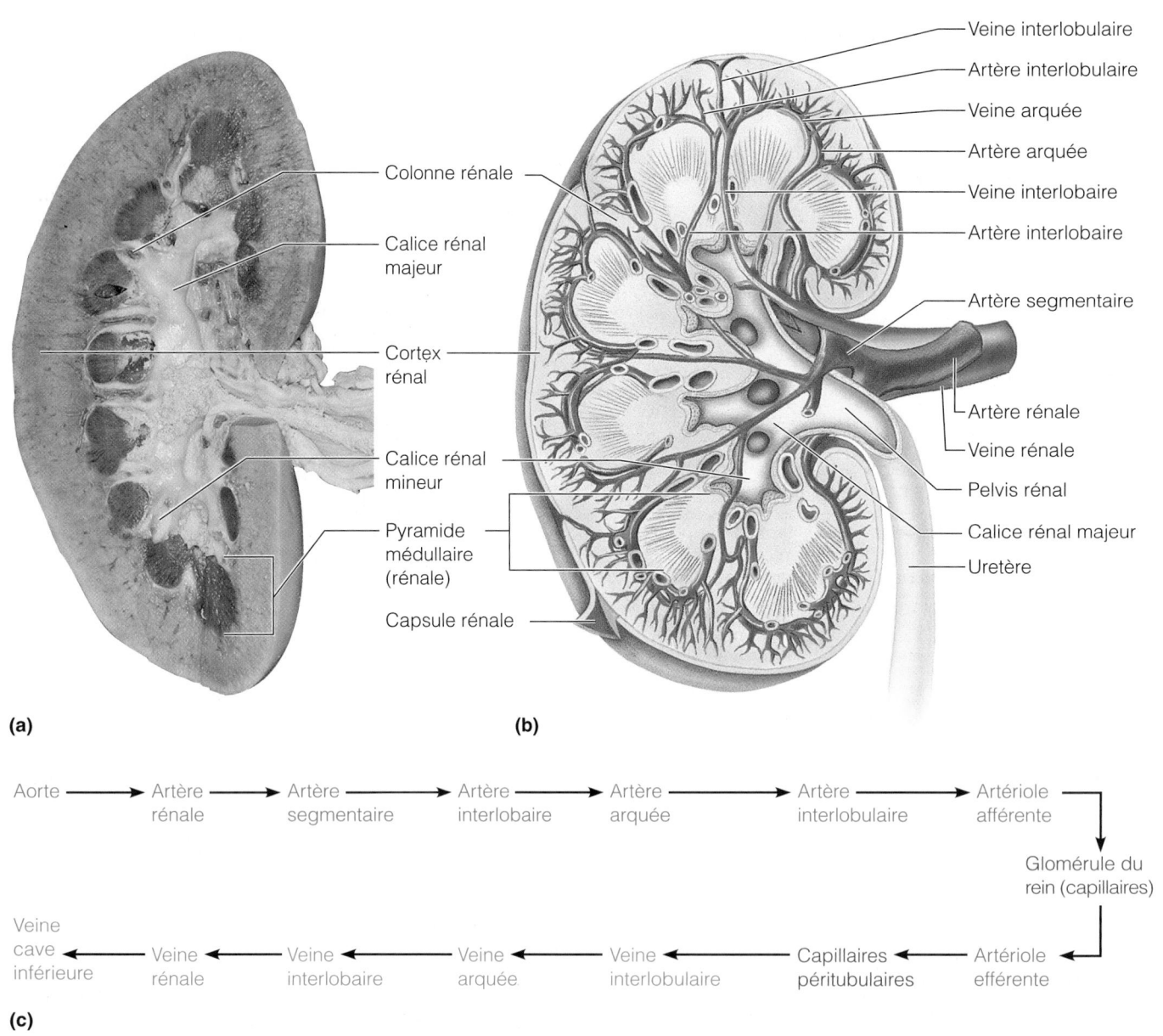

Figure 15.2 **L'anatomie interne du rein**

(a) Photographie d'une coupe frontale d'un rein. **(b)** Représentation schématique d'un rein en coupe frontale montrant les principaux vaisseaux sanguins. **(c)** Résumé de la vascularisation rénale.

En position latérale par rapport au hile rénal se trouve une cavité aplatie en forme d'entonnoir, le **pelvis rénal**, ou bassinet. Comme le montre la figure 15.2b, le pelvis rénal communique avec l'uretère au hile rénal. Il se prolonge vers l'intérieur du rein par deux ou trois **calices rénaux majeurs**, eux-mêmes subdivisés en **calices rénaux mineurs**. Ces derniers sont des cavités où débouchent les sommets des pyramides. (Imaginez un papier-filtre de forme conique – une pyramide – posé dans un entonnoir – un calice rénal.) Les calices rénaux reçoivent l'urine qui se draine continuellement par les orifices papillaires, et ils se déversent dans le pelvis rénal. L'uretère transporte ensuite l'urine jusqu'à la vessie, où elle est emmagasinée temporairement.

La vascularisation

Comme ils purifient le sang et équilibrent continuellement sa composition, les reins sont dotés de très nombreux vaisseaux sanguins (voir la figure 15.2b et c). Le quart environ du volume sanguin total de l'organisme (1,2 L) passe à travers les reins par minute. L'irrigation artérielle de chaque rein provient de l'**artère rénale** (ramification de l'aorte abdominale). À l'approche du hile rénal, chaque artère rénale donne naissance à des **artères segmentaires du rein**. Une fois dans le pelvis rénal, les artères segmentaires du rein se ramifient en **artères interlobaires du rein**, qui rejoignent le cortex rénal en cheminant dans les colonnes rénales. À la jonction du cortex rénal et de la médulla rénale, les artères interlobaires se divisent en **artères arquées** (ou arciformes) **du rein**, qui s'incurvent au-dessus des bases des pyramides rénales. Les petites **artères interlobulaires du rein** rayonnent des artères arquées du rein et sont orientées vers l'extérieur pour alimenter le tissu cortical. Le sang veineux qui sort du rein passe par des veines qui suivent le même trajet que les artères, mais en direction opposée : le sang s'écoule dans les **veines interlobulaires du rein**, puis dans les **veines arquées** (ou arciformes), puis dans les **veines interlobaires du rein** et, enfin, dans la **veine rénale** qui sort du hile rénal et se jette dans la veine cave inférieure.

LES NÉPHRONS ET LA FORMATION DE L'URINE

Les néphrons

Chaque rein contient plus d'un million de minuscules **néphrons**, les unités structurales et fonctionnelles des reins qui assurent la formation de l'urine. La figure 15.3 montre leur anatomie et leur localisation relative dans chaque rein.

Chaque néphron comprend deux structures principales : un **glomérule du rein**, qui est un bouquet de capillaires, et un **tubule rénal** dont l'extrémité fermée est évasée et en forme de coupe ; elle enveloppe complètement le glomérule. Cette partie du tubule rénal est appelée **capsule glomérulaire rénale**, ou *capsule de Bowman*. La couche interne (feuillet viscéral) de la capsule est composée de cellules très modifiées en forme de pieuvre appelées **podocytes**. Les podocytes possèdent de longs prolongements ramifiés et enchevêtrés, appelés *pédicelles* (« petits pieds »), qui s'attachent au glomérule. Comme il y a des ouvertures, ou *fentes de filtration*, entre leurs prolongements, les podocytes forment une membrane poreuse (perforée) autour du glomérule (figure 15.3c et d). Entre la couche externe (feuillet pariétal) de la capsule et la couche interne se trouve un espace, la *chambre glomérulaire*.

Le reste du tubule rénal mesure environ 3 cm de longueur. À sa sortie de la capsule glomérulaire rénale, il devient sinueux, puis décrit un virage en épingle à cheveux. Puis il redevient sinueux avant de se jeter dans un tubule collecteur appelé **tubule rénal collecteur**. Ces différentes portions du tubule rénal ont des noms précis (voir la figure 15.3). Ce sont, à partir de la capsule glomérulaire rénale, le **tubule contourné proximal** (**TCP**), l'**anse du néphron** (ou anse de Henlé) et le **tubule contourné distal** (**TCD**). Dans le tubule contourné proximal, qui est le plus long et qui a le diamètre le plus grand parmi les trois segments, la partie apicale des cellules porte des microvillosités denses (bordure en brosse), ce qui augmente considérablement la surface de contact des cellules avec le filtrat. Des microvillosités sont également présentes sur les cellules d'autres portions du tubule, mais elles sont beaucoup moins nombreuses.

La plupart des néphrons (80 % environ) sont appelés **néphrons corticaux** parce qu'ils sont situés presque entièrement dans le cortex rénal. Certains néphrons sont appelés **néphrons juxtamédullaires** parce qu'ils sont situés très près de la jonction du cortex rénal et de la médulla rénale, et que leurs anses s'enfoncent profondément dans la médulla rénale (voir la figure 15.3a). Chacun des **tubules rénaux collecteurs** reçoit le filtrat provenant de nombreux néphrons des deux types, parcourt la pyramide vers la papille rénale et déverse l'urine alors formée dans le calice et le pelvis rénal. L'ensemble des tubules rénaux collecteurs donne aux pyramides rénales leurs stries longitudinales.

Chaque néphron est associé à deux lits capillaires : le glomérule du rein (mentionné plus haut) et le *lit capillaire péritubulaire*. Le glomérule est à la fois alimenté et drainé par des *artérioles*. L'**artériole glomérulaire afférente**, qui naît d'une *artère interlobulaire du rein*, est le « vaisseau nourricier », alors que l'**artériole glomérulaire efférente** reçoit le sang qui est passé dans le glomérule.

Q **Par quel chemin une molécule de créatinine contenue dans le sang du glomérule passe-t-elle pour atteindre le pelvis rénal ?**

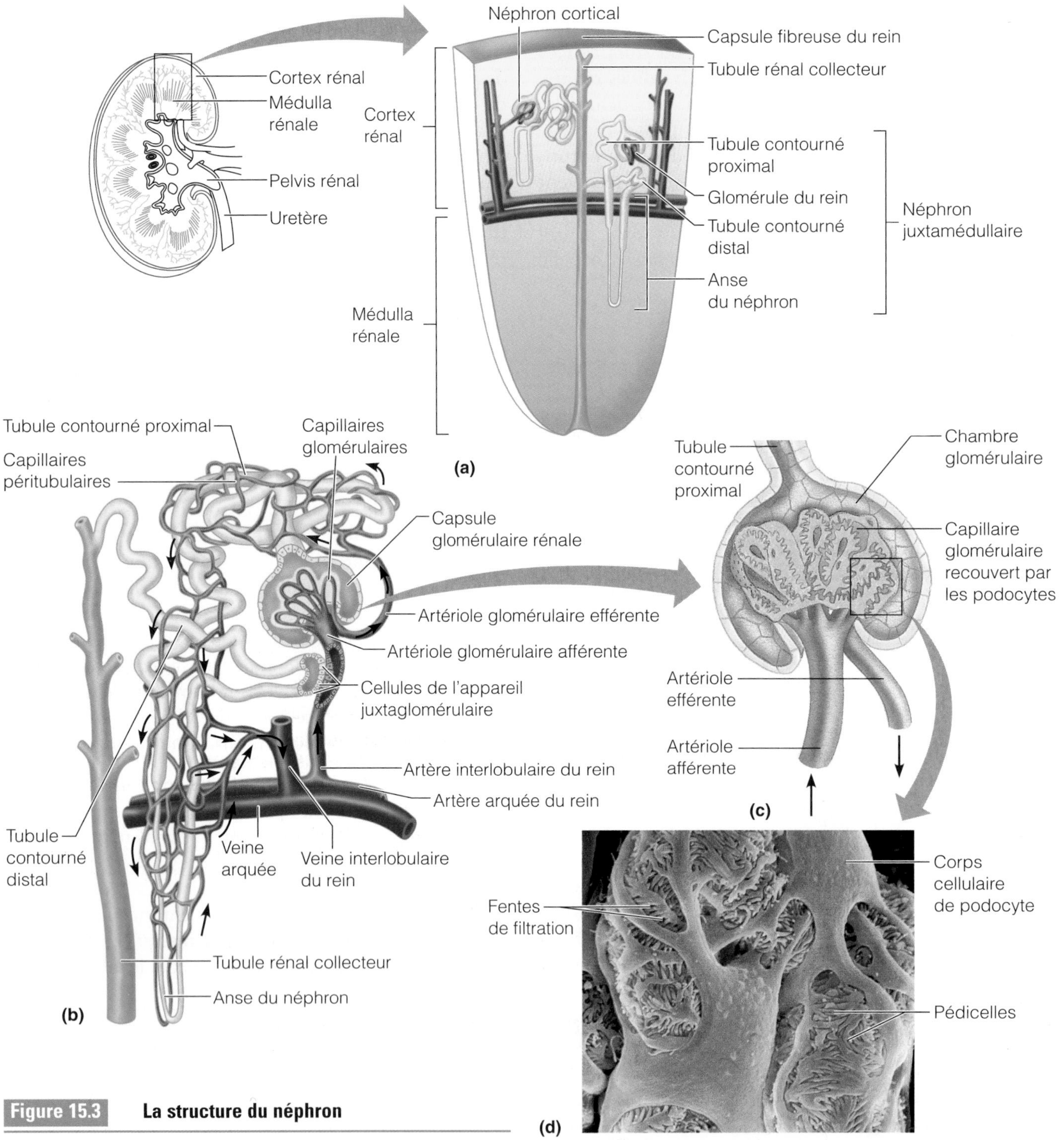
Cortex rénal
Médulla rénale
Pelvis rénal
Uretère
Néphron cortical
Capsule fibreuse du rein
Tubule rénal collecteur
Cortex rénal
Tubule contourné proximal
Glomérule du rein
Tubule contourné distal
Anse du néphron
Néphron juxtamédullaire
Médulla rénale
(a)
Tubule contourné proximal
Capillaires glomérulaires
Capillaires péritubulaires
Capsule glomérulaire rénale
Artériole glomérulaire efférente
Artériole glomérulaire afférente
Cellules de l'appareil juxtaglomérulaire
Artère interlobulaire du rein
Artère arquée du rein
Tubule contourné distal
Veine arquée
Veine interlobulaire du rein
Tubule rénal collecteur
Anse du néphron
(b)
Tubule contourné proximal
Chambre glomérulaire
Capillaire glomérulaire recouvert par les podocytes
Artériole efférente
Artériole afférente
(c)
Corps cellulaire de podocyte
Fentes de filtration
Pédicelles
(d)

Figure 15.3 **La structure du néphron**

(a) Représentation schématique de la localisation des néphrons dans le rein. **(b)** Anatomie détaillée d'un néphron et de ses vaisseaux sanguins. Une partie du tubule contourné distal et de l'artériole glomérulaire afférente a été sectionnée pour montrer la localisation de l'appareil juxtaglomérulaire. **(c)** Vue schématique de la relation entre le feuillet viscéral de la capsule glomérulaire rénale et les capillaires glomérulaires. **(d)** Micrographie au microscope électronique à balayage des podocytes adhérant aux capillaires glomérulaires (6000×).

R **La molécule de créatinine quitte le sang glomérulaire et pénètre dans la chambre glomérulaire. Elle passe ensuite dans le tubule contourné proximal, l'anse du néphron et le tubule contourné distal. Puis, après avoir traversé la médulla par le tubule collecteur, elle pénètre dans un calice et aboutit enfin dans le pelvis rénal.**

Le glomérule, spécialisé dans la filtration, diffère de tous les autres lits capillaires. L'endothélium des capillaires est percé de pores (endothélium fenestré), ce qui les rend une centaine de fois plus perméables aux petites molécules que les autres capillaires. De plus, comme il est à la fois alimenté *et* drainé par des artérioles, qui sont des vaisseaux à forte résistance, et que l'artériole glomérulaire afférente a un plus grand diamètre que l'artériole glomérulaire efférente, la pression sanguine y est environ deux fois plus élevée que dans les lits capillaires situés ailleurs dans l'organisme. Cette pression force les liquides et les solutés (plus petits que les protéines) à sortir du sang et à entrer dans la capsule glomérulaire rénale. La majeure partie du filtrat glomérulaire (99 %) est ultérieurement réabsorbée par les cellules du tubule rénal et renvoyée dans le sang par l'intermédiaire des lits capillaires péritubulaires.

Le second lit capillaire, constitué par les **capillaires péritubulaires**, est issu de l'artériole glomérulaire efférente qui draine le glomérule. Contrairement au glomérule, dont la pression est très élevée, les capillaires péritubulaires sont des vaisseaux poreux à faible pression qui sont adaptés à l'absorption plutôt qu'à la filtration. Ils sont intimement liés au tubule rénal, ce qui leur permet de capter les solutés et l'eau à mesure que les cellules de la paroi tubulaire réabsorbent ces substances du filtrat circulant dans le tubule. Les capillaires péritubulaires se drainent dans les veines interlobulaires qui sortent du cortex rénal.

La formation de l'urine

La formation de l'urine est le résultat de trois processus: la *filtration*, la *réabsorption tubulaire* et la *sécrétion tubulaire*. Chacun de ces processus est illustré dans la figure 15.4 et décrit plus en détail dans la section qui suit.

La filtration Ainsi que nous l'avons indiqué plus haut, le glomérule fonctionne comme un filtre. La **filtration** est un processus passif et non sélectif. Le filtrat formé est essentiellement du plasma sanguin dépourvu de protéines plasmatiques. Les protéines et les globules sanguins sont normalement trop gros pour passer à travers la membrane de filtration constituée de l'endothélium du capillaire glomérulaire, de la membrane basale et du feuillet viscéral de la capsule glomérulaire; la présence de protéines ou de globules sanguins dans l'urine traduit généralement une atteinte de la membrane de filtration. Tant que la pression sanguine systémique est normale, la formation du filtrat se poursuit. Si la pression sanguine artérielle s'abaisse trop, la pression glomérulaire devient insuffisante pour pousser les substances hors du sang vers les tubules, et la formation du filtrat cesse.

Q **Quel serait l'effet, sur le processus représenté en a, d'une affection qui ferait cesser la production d'un grand nombre de protéines plasmatiques par le foie? (Consultez le chapitre 10, au besoin.)**

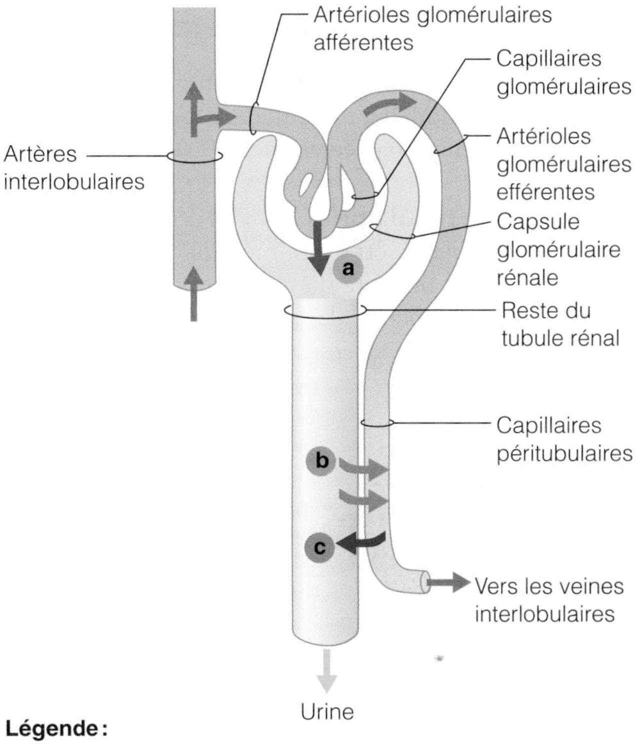
Artérioles glomérulaires afférentes
Capillaires glomérulaires
Artères interlobulaires
Artérioles glomérulaires efférentes
Capsule glomérulaire rénale
a
Reste du tubule rénal
Capillaires péritubulaires
b
c
Vers les veines interlobulaires
Urine

Légende:

a — **Filtration:** L'eau et les solutés plus petits que les protéines sont poussés à travers les parois des capillaires fenestrés et les fentes de filtration du feuillet viscéral de la capsule glomérulaire rénale jusque dans le tubule rénal.

b — **Réabsorption tubulaire:** L'eau, le glucose, les acides aminés et les ions nécessaires sont retirés du filtrat; ils traversent les cellules tubulaires puis entrent dans le sang capillaire.

c — **Sécrétion tubulaire:** Les ions H^+ et K^+, la créatinine et les médicaments sont retirés du sang péritubulaire et sécrétés par les cellules tubulaires dans le filtrat.

Figure 15.4 Rein représenté schématiquement comme un grand néphron déroulé

Un rein contient en réalité plus d'un million de néphrons agissant en parallèle. Les trois processus par lesquels les reins ajustent la composition du plasma sont **(a)** la filtration, **(b)** la réabsorption tubulaire et **(c)** la sécrétion tubulaire.

R **La quantité de filtrat produite par le rein est déterminée par la pression (artérielle) de filtration et la pression osmotique sanguine (laquelle dépend en majeure partie des protéines plasmatiques). La pression osmotique est normalement constante, mais dans la situation présente, elle est plus faible que la normale. En conséquence, elle s'oppose moins à la pression artérielle, ce qui entraîne une augmentation de la production de filtrat.**

Déséquilibre homéostatique

Un débit urinaire anormalement faible est appelé *oligurie* s'il se situe entre 100 et 400 mL par jour, et *anurie* s'il est inférieur à 100 mL par jour. Cet état indique habituellement que la pression artérielle glomérulaire est trop basse pour assurer la filtration. Cependant, l'anurie peut aussi être causée par une réaction transfusionnelle, une inflammation rénale aiguë ou une lésion rénale par écrasement. ▲

La réabsorption tubulaire Outre les déchets et les ions en excès qui doivent être éliminés du sang, le filtrat contient un grand nombre de substances utiles (notamment de l'eau, du glucose, des acides aminés et des ions) qui doivent être réabsorbées et renvoyées dans le sang. La **réabsorption tubulaire** débute aussitôt que le filtrat pénètre dans les tubules contournés proximaux (figure 15.5). Les cellules tubulaires sont des « transporteurs » : elles retirent du filtrat les substances nécessaires et les font passer de l'autre côté, dans l'espace extracellulaire, où le sang des capillaires péritubulaires les absorbe. Il se produit une certaine réabsorption passive (par exemple, l'eau passe par osmose), mais la réabsorption de la plupart des substances se fait par des mécanismes de transport actif, lesquels sont très sélectifs et utilisent des transporteurs membranaires. Les transporteurs sont nombreux pour les substances qui doivent être réabsorbées, mais rares ou inexistants pour les substances inutiles à l'organisme. C'est pourquoi certaines substances essentielles (comme le glucose et les acides aminés) sont en général entièrement réabsorbées du filtrat. À l'opposé, certains **déchets**

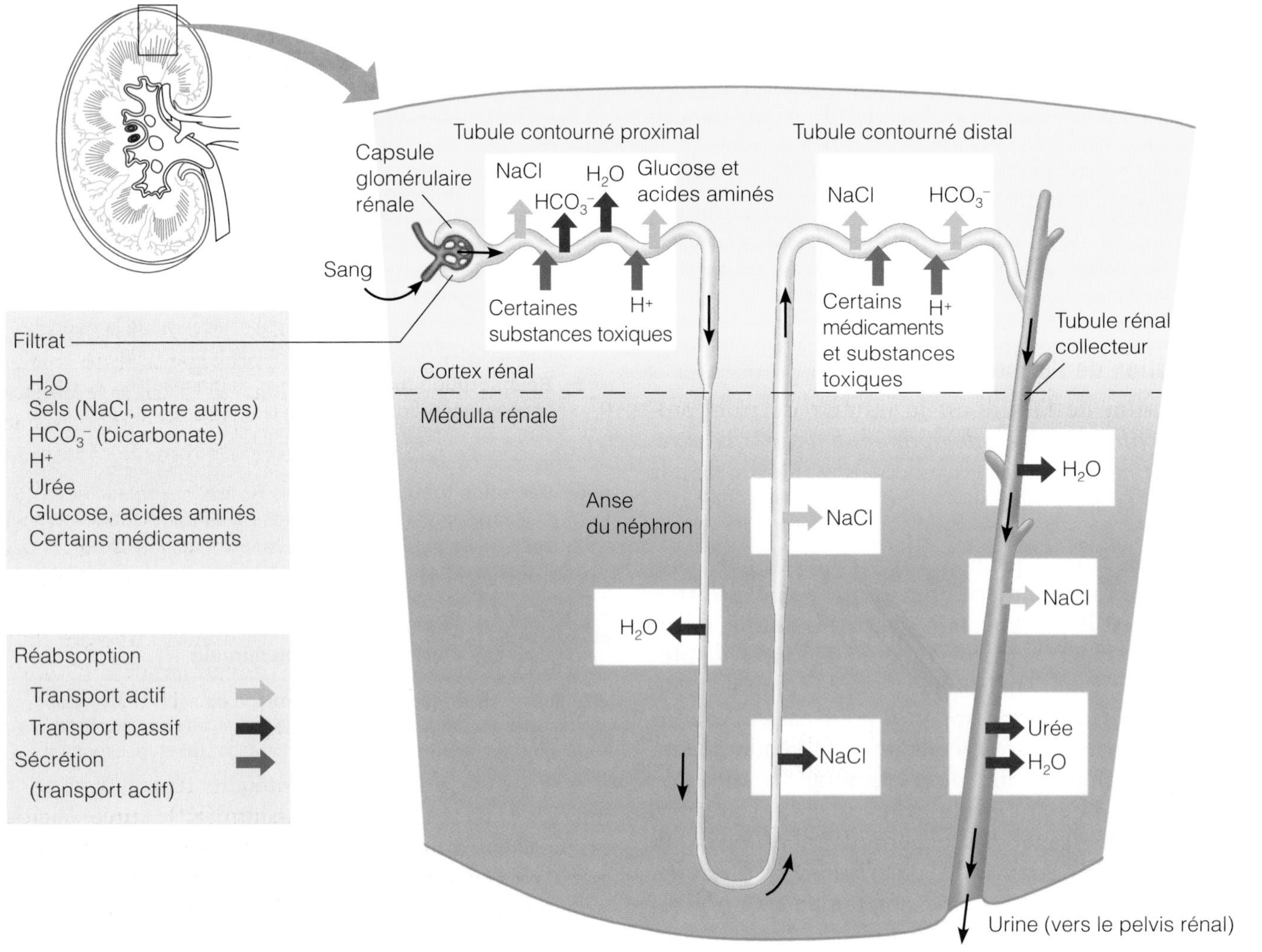
Tubule contourné proximal
Tubule contourné distal
Capsule glomérulaire rénale
NaCl
H_2O
Glucose et acides aminés
HCO_3^-
NaCl
HCO_3^-
Sang
Certaines substances toxiques
H^+
Certains médicaments et substances toxiques
H^+
Tubule rénal collecteur
Filtrat
H_2O
Sels (NaCl, entre autres)
HCO_3^- (bicarbonate)
H^+
Urée
Glucose, acides aminés
Certains médicaments
Cortex rénal
Médulla rénale
H_2O
Anse du néphron
NaCl
NaCl
H_2O
Réabsorption
Transport actif
Transport passif
Sécrétion (transport actif)
NaCl
Urée
H_2O
Urine (vers le pelvis rénal)

Figure 15.5 **Les sites de la filtration, de la réabsorption et de la sécrétion dans un néphron**

azotés sont faiblement réabsorbés ou ne le sont pas du tout. Ce sont l'**urée** (réabsorbée à 50 %), produit final de la dégradation des protéines, que le foie élabore lorsque des acides aminés sont utilisés pour produire de l'énergie ; l'**acide urique** (réabsorbé en partie), produit du métabolisme des acides nucléiques alimentaires et tissulaires ; et la **créatinine** (non réabsorbée), associée au métabolisme de la créatine dans le tissu musculaire. Étant donné que les cellules tubulaires disposent de peu de transporteurs membranaires pour réabsorber ces substances, celles-ci ont tendance à demeurer dans le filtrat et se trouvent en concentrations élevées dans l'urine. Divers ions sont réabsorbés ou éliminés dans l'urine, selon les besoins du sang pour maintenir un pH adéquat et son équilibre électrolytique. La majeure partie de la réabsorption a lieu dans les tubules contournés proximaux ; toutefois, le tubule contourné distal et le tubule rénal collecteur sont eux aussi actifs.

La sécrétion tubulaire La **sécrétion tubulaire** est en quelque sorte l'inverse de la réabsorption. Des substances telles que les ions H^+, les ions K^+ et la créatinine passent des capillaires péritubulaires au filtrat en traversant les cellules tubulaires ou passent directement des cellules tubulaires au filtrat pour être éliminées dans l'urine. Ce processus semble important dans l'élimination des substances qui ne se trouvent pas déjà dans le filtrat (comme certains médicaments et certaines toxines) ou dans la régulation du pH sanguin (voir la figure 15.5).

Les caractéristiques de l'urine

Au cours d'une période de 24 heures, la machinerie merveilleusement complexe des reins filtre de 150 à 180 L environ de plasma sanguin à travers les glomérules du rein ; les tubules rénaux traitent alors le filtrat en captant des substances (réabsorption) et en en ajoutant (sécrétion). Au cours de la même période, les reins n'excrètent qu'environ 1,0 à 1,8 L d'urine. De toute évidence, le filtrat glomérulaire et l'urine sont bien différents. Le filtrat glomérulaire contient les mêmes éléments que le plasma sanguin (sauf les protéines). Or, une fois parvenu dans les tubules rénaux collecteurs, il a perdu la plus grande partie de l'eau, des nutriments et des ions essentiels qu'il contenait à l'origine. Ce qui reste, l'**urine**, est composé principalement de déchets azotés et de substances inutiles pour l'organisme. Si nous sommes en bonne santé, nos reins sont capables de garder à peu près constante la composition de notre sang malgré les variations considérables qui se produisent dans notre alimentation et dans l'activité de nos cellules.

L'urine fraîchement émise est généralement claire, et sa couleur jaune va du pâle à l'intense. La couleur jaune de l'urine est attribuable à la présence d'*urobiline*, un pigment qui résulte de la destruction de l'hémoglobine par l'organisme. Plus il y a de solutés dans l'urine, plus la couleur jaune est intense. Inversement, plus l'urine est diluée, plus sa couleur est pâle. L'apparition d'une couleur autre que le jaune peut être causée par l'ingestion de certains aliments (des betteraves, par exemple) ou la présence de pigments biliaires (couleur brun acajou) ou de sang.

L'urine qui sort de la vessie est normalement stérile et son odeur, légèrement aromatique. L'urine qu'on laisse reposer dégage une odeur d'ammoniac attribuable à l'action des bactéries sur ses solutés. Certains médicaments, certains légumes (telles les asperges) et quelques maladies (tel le diabète sucré) modifient aussi son odeur.

Ordinairement, le pH de l'urine est légèrement acide (6 environ), mais il peut devenir beaucoup plus acide ou beaucoup plus alcalin selon le métabolisme et le régime alimentaire. Par exemple, un régime alimentaire qui comprend beaucoup de protéines (œufs et fromage) et de produits à grains entiers donne une urine acide ; ce type de régime est dit *acidifiant*. Un régime alimentaire végétarien donne une urine alcaline, car les reins excrètent les bases en excès ; ce type de régime est dit *alcalinisant*. Les infections bactériennes des voies urinaires peuvent aussi rendre l'urine alcaline.

Comme l'urine est composée d'eau et de solutés, sa densité est plus grande que celle de l'eau distillée. La densité de l'eau distillée est de 1,0 tandis que celle de l'urine varie habituellement de 1,001 à 1,035 (plus le chiffre est bas, plus l'urine est diluée). L'urine est généralement diluée (densité faible) quand une personne boit trop de liquides, prend des diurétiques (médicaments qui augmentent le débit urinaire) ou souffre d'insuffisance rénale chronique (affection dont l'une des conséquences peut être la perte de la capacité de concentrer l'urine). Inversement, l'urine est concentrée (densité élevée) quand une personne ne boit pas assez de liquides, fait de la fièvre ou souffre d'une inflammation des reins appelée *pyélonéphrite*. (Nous traitons de l'insuffisance rénale dans l'encadré « Gros plan », p. 553.)

Les solutés normalement présents dans l'urine sont les ions sodium (Na^+) et potassium (K^+), l'urée, l'acide urique, la créatinine, l'ammoniac, les ions bicarbonate et d'autres ions, selon la composition du sang. Certaines maladies modifient considérablement la composition de l'urine ; la présence de substances anormales dans celle-ci peut donc faciliter la formulation d'un diagnostic. C'est pourquoi tout examen physique complet devrait toujours comporter une analyse de l'urine.

Les constituants qui ne devraient *pas* être présents dans l'urine sont le glucose, les protéines plasmatiques, les globules rouges, l'hémoglobine, les globules blancs (pus) et la bile. Le tableau 15.1 présente les noms et les causes possibles des affections dans lesquelles on observe la présence dans l'urine de constituants anormaux ou de concentrations inhabituelles de constituants normaux.

Les uretères, la vessie et l'urètre

LES URETÈRES

Les **uretères** sont de minces conduits qui mesurent chacun de 25 à 30 cm de longueur et 6 mm de diamètre. Chaque uretère descend derrière le péritoine, du hile rénal jusqu'à la paroi postérieure de la vessie, où il entre obliquement (voir les figures 15.1 et 15.6). L'extrémité supérieure de chaque uretère est un prolongement du pelvis rénal, et sa muqueuse est en continuité avec celles du pelvis rénal et de la vessie.

Les uretères sont essentiellement des conduits qui transportent l'urine des reins à la vessie. Bien qu'il puisse sembler que l'urine descend dans la vessie par la seule force de la gravité, les uretères jouent un rôle *actif* dans le transport de l'urine. Les couches de muscles lisses de leurs parois se contractent pour propulser l'urine dans la vessie par péristaltisme: l'urine est donc «poussée» par des vagues de contraction successives naissant toutes les 20 à 30 secondes. Une fois arrivée dans la vessie, l'urine ne peut pas refouler dans les uretères, car les petits plis de la muqueuse de la vessie, qui se referment sur les extrémités des uretères, l'en empêchent. De plus, étant donné que les uretères s'implantent obliquement dans la paroi de la vessie, la pression de l'urine comprime leur paroi et bouche leur orifice.

Déséquilibre homéostatique

Lorsque l'urine devient extrêmement concentrée, des solutés tels que les sels d'acide urique se cristallisent et précipitent dans le pelvis rénal. Les cristaux ainsi formés sont appelés *calculs rénaux* (*calculus*, «caillou»), ou communément *pierres*. Les calculs rénaux causent une douleur extrême qui se projette jusque dans la paroi abdominale postérieure du même côté. Cette douleur est attribuable à la contraction des parois de l'uretère autour des calculs acérés mus par le péristaltisme, ou à l'emprisonnement d'un calcul dans certaines régions de l'uretère. Les infections fréquentes des voies urinaires, la rétention urinaire et l'alcalinité de l'urine prédisposent à la formation de calculs rénaux. Jusqu'à récemment, la chirurgie constituait le traitement d'élection des calculs rénaux. On tend aujourd'hui à lui préférer un nouveau procédé non invasif (la *lithotritie extracorporelle*) qui consiste à pulvériser les calculs au moyen d'ultrasons. Les fragments des calculs sont ensuite éliminés, sans douleur, dans l'urine. ▲

LA VESSIE

La **vessie** est un sac musculaire lisse et rétractile qui emmagasine temporairement l'urine. Elle occupe une position rétropéritonéale dans le pelvis, immédiatement derrière la symphyse pubienne. L'intérieur est percé de trois orifices: deux pour les uretères (*ostiums des uretères*)

Tableau 15.1 Les constituants anormaux de l'urine

Constituants	État	Causes possibles
Glucose	Glycosurie	Non pathologiques: apport excessif d'aliments sucrés Pathologiques: diabète sucré
Protéines (albumine)	Protéinurie	Non pathologiques: exercice physique excessif; grossesse Pathologiques: hypertension, glomérulonéphrite
Pus (globules blancs et bactéries)	Pyurie	Infection des voies urinaires
Érythrocytes	Hématurie	Saignement des voies urinaires (dû à un traumatisme, à des calculs rénaux, à une infection)
Hémoglobine	Hémoglobinurie	Diverses: réaction transfusionnelle, anémie hémolytique
Pigments biliaires	Bilirubinurie	Maladie du foie (hépatite)

GROS PLAN

L'insuffisance rénale et le rein artificiel

Les reins nettoient sans relâche notre milieu interne. Sans leur travail continuel, les liquides de notre organisme deviendraient rapidement contaminés par des déchets azotés, le pH de notre sang passerait à une valeur trop acide et l'*urémie* s'installerait, ce qui perturberait complètement nos processus physiologiques vitaux. Les signes et les symptômes de l'urémie non contrôlée sont la diarrhée, les vomissements, la difficulté à respirer, l'irrégularité des pulsations cardiaques, les convulsions, le coma et, ultimement, la mort.

En 2004, au Canada, plus de 30 000 personnes souffraient d'insuffisance rénale à un stade avancé (stade terminal). Cet état survient lorsque le nombre d'unités fonctionnelles (néphrons) saines diminue au point que le rein ne peut plus maintenir l'homéostasie de l'organisme. La cause la plus importante de l'insuffisance rénale est le diabète sucré (le tiers des cas); l'hypertension suit de près comme deuxième cause. Les autres causes possibles sont les suivantes:

- des infections rénales répétées;
- des traumatismes aux reins (écrasement ou autres);
- une intoxication chimique des cellules tubulaires par des métaux lourds (mercure ou plomb) ou par des solvants organiques (produits de nettoyage à sec, diluants à peinture, etc.);
- une insuffisance de l'irrigation des cellules tubulaires (causée notamment par l'artériosclérose);
- une pression prolongée sur les muscles squelettiques (ce qui entraîne la libération de myoglobine, un pigment musculaire qui peut obstruer les tubules rénaux);
- certains troubles immunitaires, tels que ceux qui sont engendrés par la glomérulonéphrite (voir p. 563).

L'insuffisance rénale est associée à une diminution ou à un arrêt de la formation du filtrat glomérulaire. Comme les déchets azotés ont tôt fait de s'accumuler dans le sang lorsque les cellules tubulaires du rein ne fonctionnent pas, la personne atteinte doit recourir à la *dialyse* (*dialusis*, «séparation») pour nettoyer son sang (c'était le cas de près de 19 000 personnes au Canada en 2004). L'*hémodialyse*, qui s'effectue à l'aide d'un «rein artificiel» (voir la photo), consiste à faire passer le sang du patient à travers une tubulure dont la membrane n'est perméable qu'à certaines substances. La tubulure est immergée dans une solution dont la composition diffère légèrement de celle du plasma «purifié» normal. À mesure que le sang circule dans la tubulure, les déchets azotés et les ions potassium (K^+) qu'il contient diffusent à travers la membrane dans la solution (qui n'en contient pas). Les substances à ajouter au sang (principalement des molécules tampons pour éliminer les ions hydrogène $[H^+]$ et du glucose si le patient souffre de malnutrition) passent de la solution au sang. Les substances nécessaires sont ainsi conservées ou ajoutées dans le sang, tandis que les déchets et les ions en excès sont éliminés. Il faut généralement procéder à trois séances d'hémodialyse par semaine, à raison de quatre à huit heures par séance. Les complications graves qui surviennent à l'occasion sont la thrombose, l'infection et l'ischémie au niveau du pontage. L'hémorragie est aussi possible parce qu'on doit traiter le sang à l'*héparine* (anticoagulant) pour prévenir la coagulation pendant l'hémodialyse.

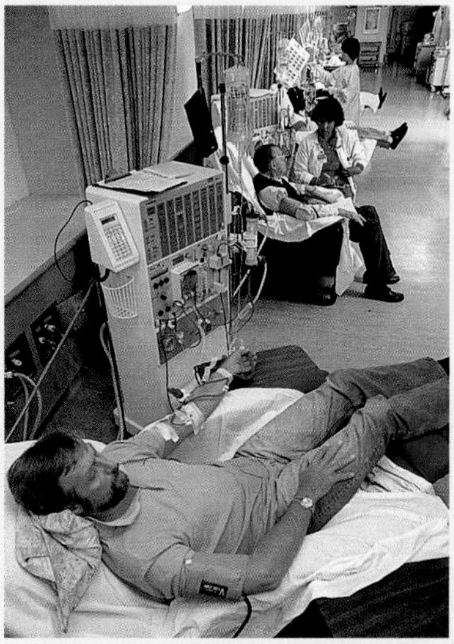

Patient sous hémodialyse

Certains patients peuvent bénéficier d'un traitement moins efficace mais plus commode, la *dialyse péritonéale continue ambulatoire* (*DPCA*). Dans ce procédé, c'est la membrane péritonéale du patient qui sert de membrane de dialyse. La DPCA consiste à introduire dans la cavité péritonéale, au moyen d'un cathéter, un liquide dont la composition chimique est la même que celle du plasma et du liquide interstitiel normaux. Après une période de 15 à 60 minutes, durant laquelle les échanges s'effectuent entre le sang et la solution, on retire le dialysat de la cavité péritonéale et on répète l'opération (trois ou quatre fois par jour) avec du liquide frais jusqu'à ce que la chimie sanguine du patient revienne à la normale. Étant donné que certains patients négligent de consulter leur médecin lorsque le dialysat est trouble ou sanguinolent, les infections sont plus fréquentes avec la DPCA qu'avec l'hémodialyse. Il existe aussi une version de la dialyse péritonéale (DPA, pour *dialyse péritonéale automatisée*) qui permet l'opération la nuit, pendant le sommeil du patient: un appareil contrôle les échanges en fonction de l'analyse automatisée du dialysat.

Quand ils sont irréparablement endommagés, comme chez les patients atteints d'insuffisance rénale chronique d'évolution lente, les reins deviennent complètement inaptes à filtrer le plasma et à concentrer l'urine. Malheureusement, les signes et les symptômes de ce trouble n'apparaissent que lorsque la fonction rénale a diminué de 75 %. Le dernier stade de l'insuffisance rénale, l'*urémie*, est atteint lorsque 90 % des néphrons ont cessé de fonctionner. La transplantation constitue alors la seule solution permanente (près de 900 personnes étaient en attente d'un rein au Québec en 2004). Heureusement, la greffe de reins prélevés chez des sujets vivants est possible et sans conséquence pour les donneurs, car un seul rein est suffisant pour accomplir adéquatement la fonction urinaire.

et un pour l'urètre (*ostium interne de l'urètre*), qui draine la vessie (figure 15.6). La base lisse et triangulaire de la vessie, délimitée par ces trois orifices, est appelée **trigone vésical**; elle est importante du point de vue clinique,

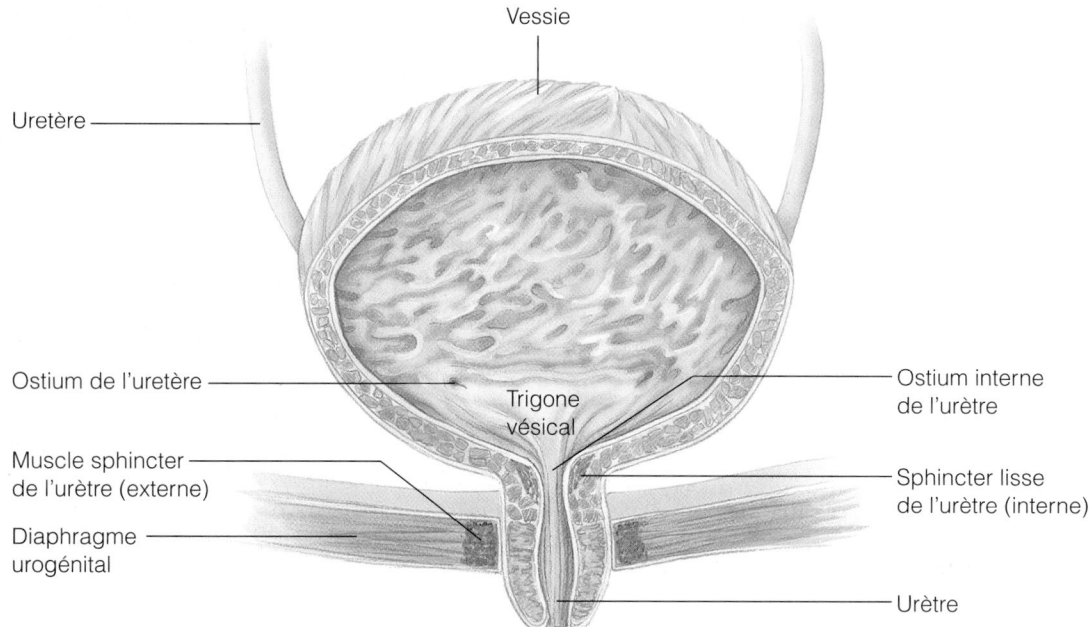

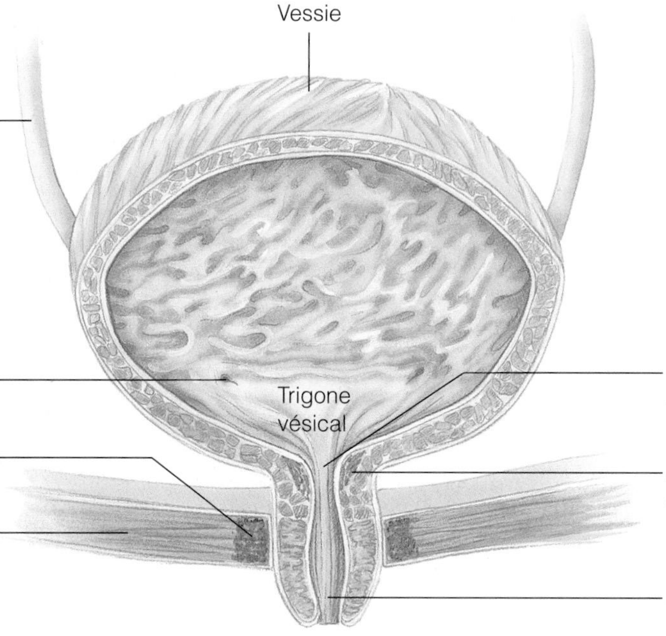
Vessie
Uretère
Ostium de l'uretère
Trigone vésical
Muscle sphincter de l'urètre (externe)
Diaphragme urogénital
Ostium interne de l'urètre
Sphincter lisse de l'urètre (interne)
Urètre

Figure 15.6 **L'architecture de la vessie et de l'urètre chez la femme**

L'urètre de l'homme, qui parcourt toute la longueur du pénis, est considérablement plus long que celui de la femme.

car les infections tendent à y persister. Chez l'homme, la *prostate* (appartenant au système génital) entoure le col de la vessie au point de jonction avec l'urètre.

La paroi de la vessie comprend trois couches de muscles lisses collectivement appelées *musculeuse de la vessie* (ou *muscle detrusor*) et sa muqueuse est formée d'un épithélium particulier nommé *épithélium transitionnel* (voir p. 84). Ces deux caractéristiques structurales font de la vessie un organe remarquablement bien adapté à sa fonction de réservoir. Lorsqu'elle est vide, la vessie est contractée ; elle mesure tout au plus de 5 à 7,5 cm de longueur, et ses parois sont épaisses et parcourues de plis. Quand l'urine s'accumule, toutefois, elle se dilate et s'élève dans la cavité abdominale (figure 15.7). Sa paroi musculaire s'étire et son épithélium transitionnel s'amincit, ce qui lui permet d'emmagasiner de grandes quantités d'urine sans que sa pression interne s'élève de façon marquée. Une vessie partiellement remplie mesure approximativement 12,5 cm de longueur et sa capacité est d'environ 500 mL. Cette quantité peut cependant doubler si besoin est. Chez la femme, la capacité vésicale est un peu moindre, la vessie étant compressée par l'utérus. On peut palper une vessie distendue par l'urine bien au-dessus de la symphyse pubienne : elle est alors ferme et en forme de poire. Bien que sa formation par les reins soit continue, l'urine s'accumule dans la vessie jusqu'au moment approprié pour son excrétion.

L'URÈTRE

L'**urètre** est un conduit musculaire aux parois minces qui s'abouche au plancher de la vessie et transporte l'urine par péristaltisme hors de l'organisme. À la jonction de l'urètre et de la vessie, un épaississement de la musculeuse de cette dernière forme le **sphincter lisse de l'urètre** (interne) (voir la figure 15.6). Ce sphincter ferme l'urètre et empêche l'écoulement d'urine entre les mictions. Son relâchement est indépendant de la volonté. Un second sphincter, le **muscle sphincter de l'urètre** (externe), est formé de muscle squelettique dans la région où l'urètre traverse le plancher pelvien. Sa maîtrise est volontaire.

La longueur et les fonctions de l'urètre ne sont pas les mêmes chez l'homme et chez la femme. L'urètre féminin mesure de 3 à 4 cm de longueur. Son orifice (ou ostium) externe est situé entre l'ouverture du vagin et le clitoris (voir aussi la figure 16.8a, p. 579). Son unique fonction est d'acheminer l'urine hors de l'organisme.

Déséquilibre homéostatique

Étant donné que l'urètre féminin est très court et que son orifice est proche de l'anus, les bactéries fécales y ont aisément accès. (C'est pourquoi les femmes doivent éviter de s'essuyer de l'arrière vers l'avant après la défécation.) De plus, comme la muqueuse

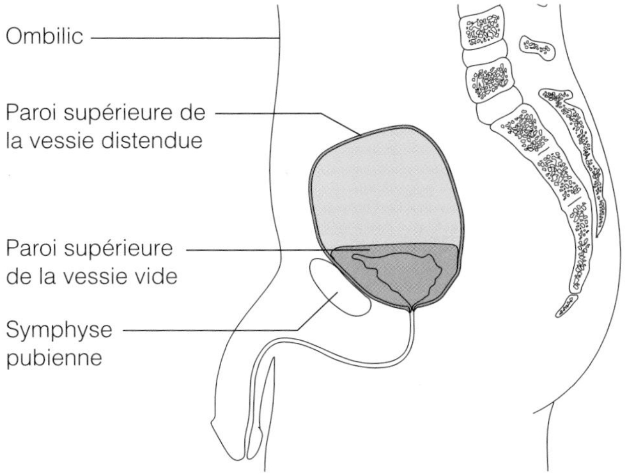
Ombilic
Paroi supérieure de la vessie distendue
Paroi supérieure de la vessie vide
Symphyse pubienne

Figure 15.7 **La position et la forme de la vessie distendue et de la vessie vide chez l'homme adulte**

est en continuité avec celle du reste des voies urinaires, une inflammation de l'urètre (*urétrite*) peut facilement se propager à la vessie (*cystite*), voire aux reins (*pyélonéphrite* ou *pyélite*). Les symptômes de l'infection des voies urinaires sont les mictions douloureuses (*dysurie*), impérieuses et fréquentes, la fièvre et, parfois, l'émission d'urine trouble ou sanguinolente. Lorsque les reins sont atteints, des douleurs lombaires et des céphalées intenses peuvent également apparaître. ▲

L'urètre masculin mesure environ 20 cm de long et se divise en trois parties (voir la figure 16.2, p. 572) : la *partie prostatique de l'urètre*, la *partie membranacée de l'urètre* et la *partie spongieuse de l'urètre.* L'urètre de l'homme a une double fonction : transporter l'urine ou le sperme hors de l'organisme. Chez l'homme, donc, l'urètre fait partie à la fois du système urinaire et du système génital.

LA MICTION

La **miction** (*mingere*, « uriner ») est l'émission d'urine. Deux sphincters, ou valves, c'est-à-dire le sphincter lisse de l'urètre (partie supérieure de l'urètre) et le muscle sphincter de l'urètre (inférieur par rapport au sphincter lisse de l'urètre), règlent l'écoulement de l'urine de la vessie (voir la figure 15.6). Ordinairement, celle-ci continue d'accumuler l'urine jusqu'à ce qu'elle en contienne environ 200 mL. Lorsqu'elle contient approximativement cette quantité, l'étirement de sa paroi active les mécanorécepteurs qui y sont situés. Des influx sont alors transmis à la région sacrale de la moelle épinière, puis retournent à la vessie par l'intermédiaire des *nerfs splanchniques pelviens* (neurofibres parasympathiques). Ces influx provoquent des contractions réflexes de la vessie. À mesure qu'elles s'intensifient, les contractions poussent l'urine à travers l'ostium interne de l'urètre, entouré du sphincter lisse de l'urètre (involontaire) dans la partie supérieure de l'urètre. C'est à ce moment que la personne ressent le besoin d'uriner. Comme le muscle sphincter de l'urètre est volontaire, la personne peut choisir soit de le relâcher et d'uriner, soit de le garder contracté et de retarder la miction. Si le moment est opportun, elle relâchera le muscle sphincter de l'urètre, ce qui permettra à l'urine de s'écouler de la vessie. Si la miction est retardée, les contractions réflexes de la vessie cesseront au bout d'une minute environ, et l'urine continuera de s'accumuler. Après l'accumulation de 200 à 300 mL supplémentaires, le réflexe de miction surviendra à nouveau ; il sera amorti encore une fois si la miction est retardée. Le besoin d'uriner finira cependant par devenir irrépressible, et la miction aura lieu forcément.

Déséquilibre homéostatique

L'*incontinence* est l'incapacité de maîtriser volontairement le muscle sphincter de l'urètre. Elle est normale chez les enfants de moins de deux ans, car la maîtrise de ce muscle est un apprentissage. L'incontinence peut persister chez les enfants plus âgés qui dorment trop profondément pour être réveillés par le stimulus de la miction. Toutefois, après l'âge de deux ou trois ans, l'incontinence résulte généralement de troubles émotionnels, d'une pression sur la vessie (pendant une grossesse, par exemple) ou de troubles du système nerveux (AVC ou lésion de la moelle épinière).

La *rétention urinaire* est essentiellement le contraire de l'incontinence : c'est l'incapacité d'expulser l'urine. Elle peut avoir diverses causes. Elle est fréquente après une anesthésie générale, car les myocytes lisses (dont ceux de la musculeuse) mettent un certain temps à redevenir actifs. L'*hyperplasie* de la prostate, qui survient surtout chez les hommes âgés, peut également causer la rétention urinaire. En grossissant, la prostate comprime la partie prostatique de l'urètre et rend la miction difficile. En cas de rétention urinaire prolongée, il faut insérer dans l'urètre un mince tube de plastique souple appelé *cathéter* afin de drainer l'urine et d'éviter des lésions de la vessie. ▲

L'équilibre hydrique, électrolytique et acidobasique

La composition du sang dépend principalement de trois facteurs : l'alimentation, le métabolisme cellulaire et le débit urinaire. De façon générale, les reins assurent quatre grandes fonctions, qui contribuent à maintenir relativement constante la composition du sang. Ces fonctions sont 1) l'excrétion des déchets azotés, 2) le maintien de l'équilibre hydrique du sang, 3) le maintien de l'équilibre électrolytique du sang et 4) la régulation du pH sanguin. Nous avons traité jusqu'ici de l'excrétion des déchets azotés. Examinons brièvement les trois autres fonctions des reins.

LE MAINTIEN DE L'ÉQUILIBRE HYDRIQUE ET ÉLECTROLYTIQUE DU SANG

Les liquides organiques et les compartiments hydriques

Si vous êtes jeune et en bonne santé, l'eau constitue probablement un peu plus de la moitié de votre masse corporelle, plus précisément 50 % chez les femmes et environ 60 % chez les hommes. Cette différence est attribuable au fait que les femmes ont relativement moins de tissu musculaire et plus de tissu adipeux que les hommes (et le tissu adipeux est le moins hydraté des tissus). Les bébés ont peu de tissu adipeux et leur masse osseuse est faible; leur organisme est constitué d'environ 75 % d'eau. Le poids hydrique diminue au cours de la vie et l'eau ne constitue plus que 45 % environ de la masse corporelle d'une personne âgée. L'importance de l'eau dans le fonctionnement de l'organisme et de ses cellules est décrite au chapitre 2. Nous n'y reviendrons pas ici, mais rappelons que l'eau est le solvant universel dans lequel tous les solutés (y compris les électrolytes, qui sont très importants) sont dissous.

Dans l'organisme, l'eau se trouve essentiellement dans trois compartiments appelés *compartiments hydriques* (figure 15.8). Le premier compartiment, le **liquide intracellulaire**, qui forme environ les deux tiers du volume total d'eau de l'organisme, est à l'intérieur des cellules vivantes. Le reste, c'est-à-dire le **liquide extracellulaire**, comprend tous les liquides de l'organisme situés à l'extérieur des cellules. Il comprend essentiellement le plasma sanguin et le liquide interstitiel des tissus, qui constituent respectivement les deuxième et troisième compartiments hydriques, mais aussi le liquide cérébrospinal, les sérosités, l'humeur aqueuse et le corps vitré de l'œil, la lymphe et d'autres liquides encore.

Le lien entre l'eau et le sel

L'eau constitue presque tout le volume des divers liquides de l'organisme et, à quelques différences près, la composition de ceux-ci est fort semblable; mais l'*équilibre liquidien* ne dépend pas seulement de l'eau. Les types et les quantités de solutés dans les liquides de l'organisme, en

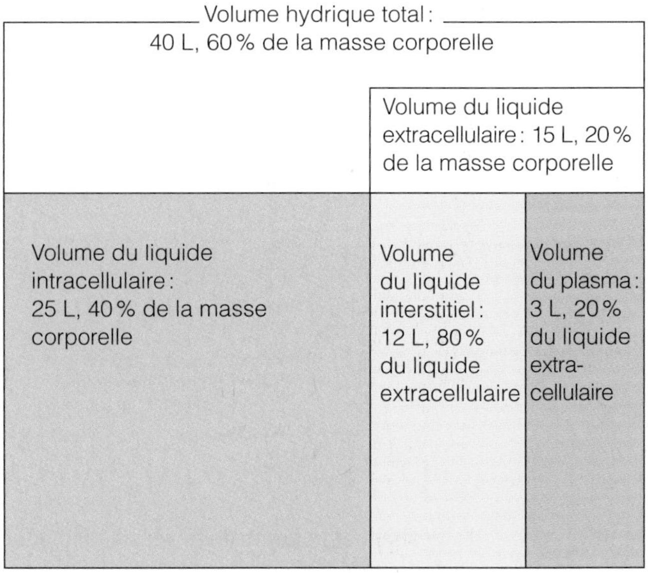
Volume hydrique total :
40 L, 60 % de la masse corporelle
Volume du liquide extracellulaire : 15 L, 20 % de la masse corporelle
Volume du liquide intracellulaire : 25 L, 40 % de la masse corporelle
Volume du liquide interstitiel : 12 L, 80 % du liquide extracellulaire
Volume du plasma : 3 L, 20 % du liquide extra-cellulaire

Figure 15.8 Les principaux compartiments hydriques de l'organisme

Les volumes et les pourcentages sont approximatifs et ont été mesurés chez un homme de 70 kg.

particulier les électrolytes comme les ions sodium, potassium et calcium, sont aussi essentiels à l'homéostasie. De plus, l'équilibre hydrique et l'**équilibre électrolytique** sont étroitement liés au cours du traitement du sang par les reins. (Dans le chapitre 2, nous avons expliqué que les électrolytes sont des particules chargées – des ions – qui peuvent conduire le courant électrique dans une solution aqueuse.) De très petits changements dans les concentrations de solutés qui se trouvent dans les différents compartiments provoquent le déplacement de l'eau d'un compartiment à un autre. Non seulement ce déplacement modifie le volume sanguin et la pression sanguine, mais il peut aussi entraver considérablement l'activité des cellules excitables telles que les cellules nerveuses et les cellules musculaires. Par exemple, un déficit en ions sodium (Na^+) dans le sang fait en sorte que l'eau sort de la circulation sanguine et pénètre dans l'espace interstitiel (ce qui entraîne l'œdème), et cause une faiblesse musculaire.

Pour conserver l'hydratation de notre organisme, nous devons recevoir autant d'eau que nous en perdons. La majeure partie de notre apport d'eau provient des liquides et des aliments que nous ingérons. Toutefois, comme nous l'avons expliqué au chapitre 14 et comme le montre la figure 15.9, un faible pourcentage d'eau (environ 10 %) est produit par le métabolisme cellulaire. L'eau sort de l'organisme par plusieurs voies. Une partie

Q **Quel effet sur les valeurs ci-dessous auraient la consommation de six bières et un jeûne pendant lequel de l'eau seulement serait ingérée ?**

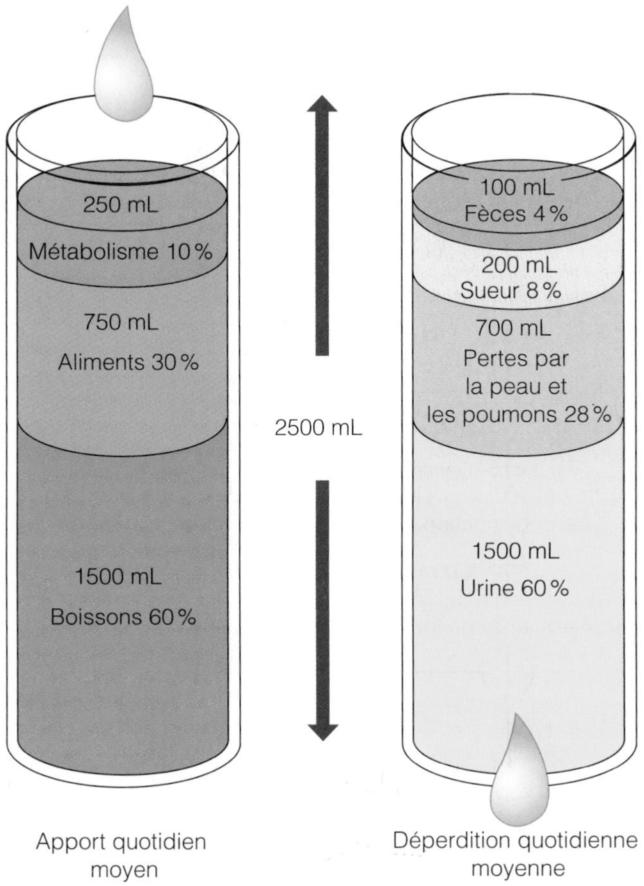
250 mL
Métabolisme 10 %
750 mL
Aliments 30 %
1500 mL
Boissons 60 %
2500 mL
100 mL
Fèces 4 %
200 mL
Sueur 8 %
700 mL
Pertes par la peau et les poumons 28 %
1500 mL
Urine 60 %
Apport quotidien moyen
Déperdition quotidienne moyenne

Figure 15.9 **L'apport et la déperdition hydrique**

Représentation des principales sources de l'apport hydrique et des grandes voies de la déperdition hydrique. Lorsque l'apport et la déperdition sont équilibrés, l'organisme est bien hydraté.

s'évapore des poumons, une autre partie se perd dans la transpiration et une autre partie encore est éliminée dans les fèces. La tâche des reins est complexe ; si de grandes quantités d'eau se perdent d'autres façons, ils doivent compenser en élaborant moins d'urine pour conserver l'eau. En revanche, lorsque l'apport d'eau est excessif, les reins excrètent une abondante quantité d'urine.

De la même façon, le liquide intracellulaire et le liquide extracellulaire doivent tous deux contenir des concentrations adéquates des divers électrolytes. La plupart des électrolytes pénètrent dans l'organisme par l'intermédiaire des aliments et de l'eau « dure » (riche en minéraux). Bien que de très petites quantités d'électrolytes se perdent par la transpiration et les fèces, les reins sont les principaux régulateurs de la composition électrolytique des liquides de l'organisme. Le mécanisme par lequel ils accomplissent cette tâche est expliqué plus en détail dans la section qui suit.

La réabsorption de l'eau et des électrolytes par les reins est régie principalement par des hormones. Lorsque le volume sanguin diminue pour quelque raison que ce soit (hémorragie, transpiration abondante ou diarrhée, par exemple), la pression artérielle diminue, ce qui entraîne une baisse dans la quantité de filtrat élaboré par les reins. De plus, certaines cellules très sensibles de l'hypothalamus, appelées **récepteurs osmotiques**, réagissent à ce changement de la composition sanguine (c'est-à-dire pas assez d'eau et trop de solutés) en devenant très excitables. Des influx nerveux sont alors envoyés à la neurohypophyse (figure 15.10) pour que celle-ci libère l'**hormone antidiurétique** (**ADH**). (Le terme *antidiurétique* est formé des mots *diurèse*, qui signifie « élimination d'urine », et *anti*, qui veut dire « contre ».) Comme vous l'avez peut-être deviné, cette hormone empêche une perte d'eau excessive dans l'urine. L'ADH circule dans le sang jusqu'à ses cellules cibles, soit les cellules de la paroi des tubules contournés distaux et des tubules rénaux collecteurs, et les incite à réabsorber plus d'eau. À mesure que de l'eau est renvoyée dans la circulation sanguine, le volume sanguin et la pression artérielle retournent à leurs valeurs normales, et une petite quantité seulement d'urine très concentrée est élaborée. L'ADH est libérée plus ou moins continuellement, sauf si la concentration sanguine de solutés devient trop basse. Lorsque cela se produit, les récepteurs osmotiques s'« inactivent » pour permettre à l'eau en excès d'être éliminée dans l'urine. Certaines substances qualifiées de *diurétiques*, comme l'alcool, favorisent la perte d'eau par les reins et la formation d'un grand volume d'urine en inhibant la sécrétion d'ADH.

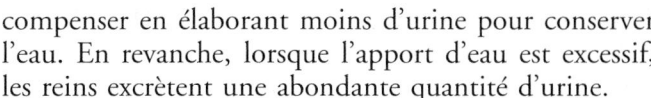

Déséquilibre homéostatique

Lorsque l'ADH n'est *pas* libérée (en raison d'une lésion ou de la destruction de l'hypothalamus ou de la neurohypophyse, par exemple) ou lorsque les cellules des tubules collecteurs sont insensibles

R **Dans le premier cas, l'apport liquidien ainsi que l'excrétion d'urine augmentent considérablement. Dans le second cas, l'apport hydrique des aliments est nul et la contribution du métabolisme diminue. La déperdition hydrique est réduite au minimum – elle est nulle dans les fèces et faible dans l'urine – pour maintenir l'hydratation de l'organisme. Les pertes par la peau et les poumons ne changent pas. Les pertes causées par la sueur dépendent de la température du corps et de celle du milieu.**

Q **Laquelle des voies représentées ci-dessous provoquera la soif ?**

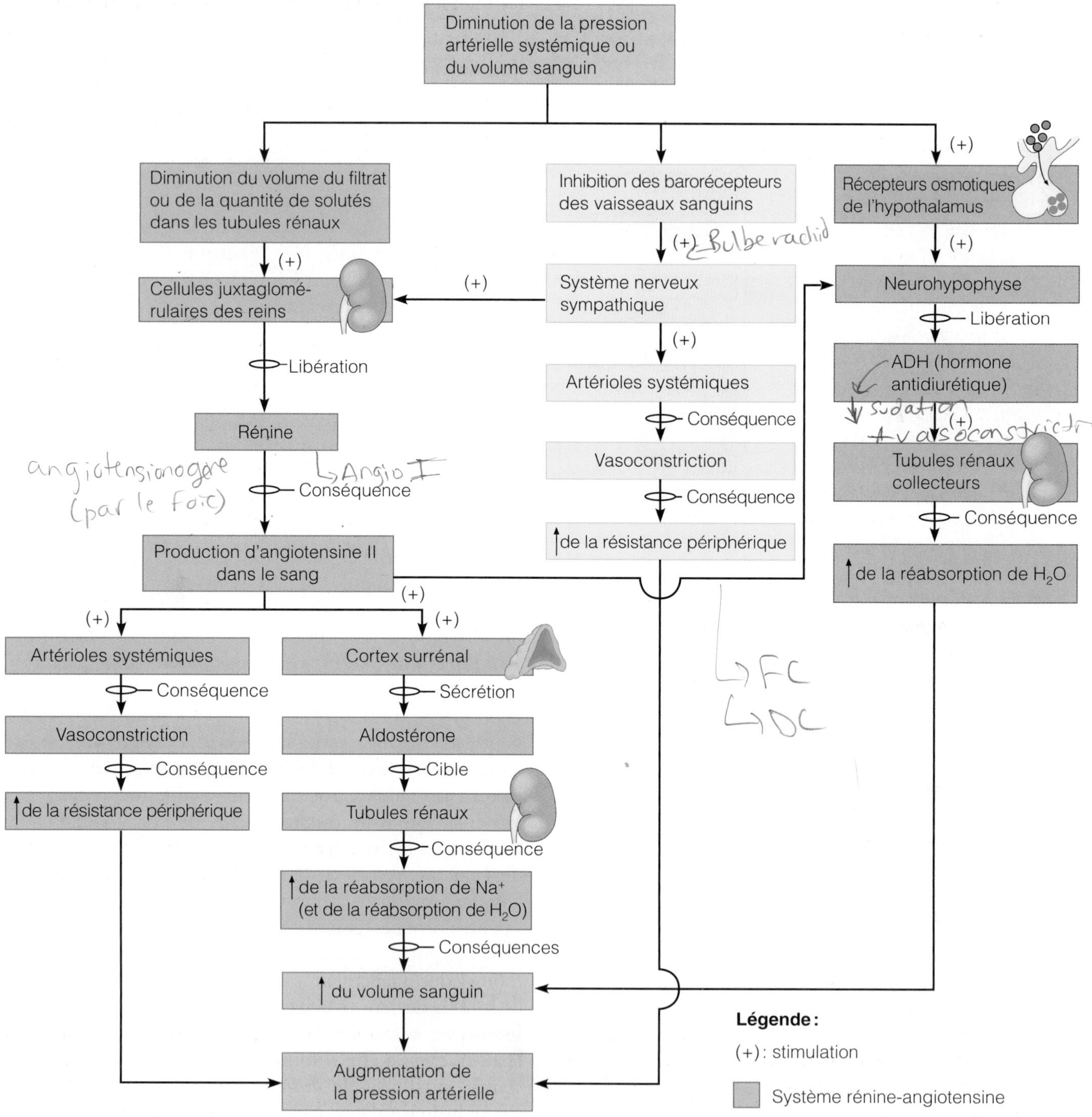

Diminution de la pression artérielle systémique ou du volume sanguin
Diminution du volume du filtrat ou de la quantité de solutés dans les tubules rénaux
Inhibition des barorécepteurs des vaisseaux sanguins
Récepteurs osmotiques de l'hypothalamus
(+)
Cellules juxtaglomérulaires des reins
Système nerveux sympathique
Neurohypophyse
Libération
Rénine
Artérioles systémiques
ADH (hormone antidiurétique)
Conséquence
Vasoconstriction
Tubules rénaux collecteurs
Production d'angiotensine II dans le sang
↑ de la résistance périphérique
↑ de la réabsorption de H_2O
Artérioles systémiques
Cortex surrénal
Sécrétion
Vasoconstriction
Aldostérone
Cible
↑ de la résistance périphérique
Tubules rénaux
↑ de la réabsorption de Na^+ (et de la réabsorption de H_2O)
Conséquences
↑ du volume sanguin
Augmentation de la pression artérielle

Légende :

(+) : stimulation

Système rénine-angiotensine

Régulation nerveuse (effets du système nerveux sympathique)

Effets de la libération d'ADH

Figure 15.10 **Les mécanismes qui régissent l'équilibre du sodium et de l'eau aident à maintenir la pression sanguine.**

R **La voie qui passe par l'hypothalamus cause non seulement la rétention d'eau, par l'action de l'ADH sur les reins, mais elle provoque aussi la soif qui fait augmenter l'ingestion d'eau.**

à cette hormone, d'énormes quantités d'urine très diluée sont éliminées de l'organisme chaque jour (jusqu'à 20 L). Ce trouble, appelé *diabète insipide*, peut entraîner une déshydratation et un déséquilibre électrolytique graves. Les personnes atteintes ont toujours soif et doivent boire des liquides presque continuellement pour maintenir un équilibre hydrique normal. ▲

La seconde hormone qui agit sur les reins et qui contribue à la régulation de la composition sanguine et du volume sanguin est l'**aldostérone**. Elle est le principal facteur de la régulation rénale de la concentration d'ions sodium dans le liquide extracellulaire. Ce faisant, elle concourt à la régulation de la concentration d'autres ions (Cl^-, K^+ et Mg^{2+} [magnésium]). L'ion sodium (Na^+) est l'électrolyte dont dépend le plus le déplacement osmotique de l'eau. Lorsqu'il n'y a pas assez de sodium dans le sang, celui-ci devient trop dilué. Par conséquent, l'eau quitte la circulation sanguine et pénètre dans l'espace interstitiel, ce qui cause l'œdème et parfois une insuffisance circulatoire grave. Toutefois, que l'aldostérone soit présente ou non, environ 80 % du sodium du filtrat est réabsorbé dans les tubules contournés proximaux des reins. Lorsque la concentration d'aldostérone est élevée, presque tous les ions sodium restants sont activement réabsorbés dans les tubules contournés distaux et les tubules rénaux collecteurs. De façon générale, pour chaque ion sodium réabsorbé, un ion chlorure est aussi réabsorbé et un ion potassium est sécrété dans le filtrat. Par conséquent, lorsque la concentration sanguine du sodium augmente, celle du potassium diminue, ce qui ramène ces deux ions à leur équilibre normal dans le sang. L'aldostérone a un autre effet : elle augmente la réabsorption de l'eau par les cellules tubulaires, car la réabsorption du sodium entraîne le retour passif de l'eau dans le sang. Gardez à l'esprit la règle suivante : *L'eau suit le sodium.* C'est la raison pour laquelle la caféine, qui diminue la réabsorption du sodium (et donc de l'eau), a des effets diurétiques.

Rappelez-vous que l'aldostérone est élaborée par le cortex surrénal. Bien que l'augmentation du taux de potassium ou la diminution du taux de sodium dans le liquide extracellulaire incitent directement les cellules surrénales à libérer de l'aldostérone, le principal déclencheur de la libération d'aldostérone est le **système rénine-angiotensine** (voir la figure 15.10) mis en branle par l'*appareil juxtaglomérulaire* des tubules rénaux. L'appareil juxtaglomérulaire (voir la figure 15.3b) comprend un complexe de myocytes lisses particuliers dans la paroi de l'artériole glomérulaire afférente ainsi que quelques cellules épithéliales modifiées qui se trouvent dans la paroi d'une partie du tubule contourné distal. Le nom qui désigne cet amas de cellules indique qu'il est situé près (*juxta*) du glomérule. Lorsqu'elles sont stimulées par une pression sanguine faible dans l'artériole afférente ou par une modification de la concentration de solutés dans le filtrat, les cellules de l'appareil juxtaglomérulaire réagissent en libérant dans le sang une enzyme appelée **rénine**. (Remarquez la graphie de ce terme, qui diffère de celle de la *rennine*, enzyme sécrétée par l'estomac.) La rénine catalyse la série de réactions dans lesquelles interviennent le foie et les poumons et qui produisent l'angiotensine II. L'angiotensine II agit alors directement sur les vaisseaux sanguins (artérioles), qui se contractent (et produisent ainsi une augmentation de la résistance périphérique), et sur les cellules du cortex surrénal, qui libèrent de l'aldostérone. Il en résulte une augmentation du volume sanguin et de la pression artérielle (voir la figure 15.10). Le système rénine-angiotensine joue un rôle extrêmement important dans la régulation de la pression artérielle.

La chute de la pression artérielle excite aussi les barorécepteurs des gros vaisseaux sanguins. Ces récepteurs communiquent avec les centres cérébraux du système nerveux sympathique qui commandent alors la vasoconstriction (par la libération d'adrénaline et de noradrénaline), ce qui augmente la résistance périphérique (voir la figure 15.10). Toutefois, la principale fonction de ce mécanisme nerveux est la régulation de la pression artérielle et non le maintien de l'équilibre hydrique et électrolytique.

Déséquilibre homéostatique

Les personnes atteintes de la maladie d'Addison (hypoaldostéronisme) présentent une *polyurie* (excrétion d'abondantes quantités d'urine) et perdent d'énormes quantités de sel et d'eau dans leur urine. Tant qu'elles ingèrent suffisamment de sel et de liquides, ces personnes ne manifestent aucun symptôme, mais elles sont perpétuellement au bord de la déshydratation. ▲

LE MAINTIEN DE L'ÉQUILIBRE ACIDOBASIQUE DU SANG

Pour que les cellules de l'organisme fonctionnent bien, le pH du sang doit se maintenir entre 7,35 et 7,45, ce qui constitue une plage très étroite. Un pH du sang artériel supérieur à 7,45 détermine l'**alcalose**, tandis qu'un pH du sang artériel inférieur à 7,35 détermine l'**acidose**. Comme la neutralité se situe à 7,0, un pH de 7,35 n'est pas, chimiquement parlant, acide. Toutefois, il indique une concentration d'ions hydrogène un peu trop élevée pour le fonctionnement normal de la majorité des cellules. Par conséquent, un pH du sang artériel se chiffrant entre 7,35 et 7,0 correspond à une **acidose physiologique**.

Bien que de petites quantités de substances acides pénètrent dans l'organisme par l'intermédiaire des aliments, la plupart des ions hydrogène sont des sous-produits du métabolisme cellulaire, lequel ajoute sans cesse dans le sang des substances qui ont tendance à perturber l'**équilibre acidobasique** de ce dernier. Plusieurs acides différents sont produits par le métabolisme (l'acide phosphorique, l'acide sulfurique, l'acide lactique et de nombreux types d'acides gras, par exemple). De plus, le gaz carbonique, qui est libéré pendant la production d'énergie, forme de l'acide carbonique. L'ammoniac et d'autres substances basiques sont également libérés dans le sang pendant que les cellules accomplissent leur travail habituel. Bien qu'il y ait dans le sang des systèmes tampons qui peuvent « neutraliser » temporairement les acides ou les bases en excès, et que les poumons assurent l'élimination du gaz carbonique, ce sont surtout les reins qui régissent le maintien de l'équilibre acidobasique du sang. Avant de décrire ce rôle des reins, voyons le fonctionnement de chacun des deux autres moyens que possède l'organisme pour réguler le pH sanguin, soit les tampons chimiques du sang et le système respiratoire.

Les tampons chimiques du sang

Les tampons chimiques sont des systèmes formés d'une ou de deux molécules qui préviennent les variations marquées de la concentration des ions H^+ au moment de l'addition d'un acide ou d'une base. Pour ce faire, ils se lient aux ions H^+ chaque fois que le pH des liquides de l'organisme diminue, et s'en dissocient quand le pH s'élève. Comme ils agissent en une fraction de seconde, les tampons chimiques constituent la première ligne de défense contre les variations du pH.

Pour mieux comprendre comment les systèmes tampons fonctionnent, révisons les définitions des acides et des bases faibles ainsi que des acides et des bases forts. Rappelez-vous que les acides sont des donneurs de protons (H^+) et que l'acidité d'une solution découle des ions H^+ *libres*, et non de ceux qui sont encore liés à des anions. Les *acides forts* se dissocient complètement et libèrent tous les ions H^+ dans l'eau. Ils peuvent donc modifier du tout au tout le pH d'une solution. À l'opposé, les *acides faibles* comme l'acide carbonique ne se dissocient que partiellement; ils ont donc un effet minime sur le pH d'une solution (figure 15.11). Toutefois, les

FAITES-EN L'EXPÉRIENCE

Montrez comment le sel peut retenir l'eau

La quantité d'eau retenue par votre corps dépend davantage du sel que vous consommez que de l'eau que vous buvez. Voici comment le démontrer.

Choisissez un moment entre deux repas, un jour ordinaire. Commencez par vider votre vessie. Attendez 30 minutes, puis urinez de nouveau. Mesurez la quantité d'urine que vous avez produite cette seconde fois. Ce sera votre production urinaire de base. Buvez rapidement un litre d'eau et mesurez vos mictions sur quatre périodes consécutives de 30 minutes. Soustrayez la quantité d'urine de base de chaque mesure de 30 minutes pour établir combien d'eau vous avez excrétée en deux heures.

Répétez l'expérience un autre jour. Cette fois, ajoutez au préalable 5 g (environ ¾ de cuiller à thé) de sel à l'eau. Vous devriez excréter beaucoup moins d'eau au cours des deux heures de l'expérience que la première fois.

Parfois, chez les personnes atteintes de certaines affections, telles que l'hypertension ou l'insuffisance cardiaque congestive, il vaut mieux qu'elles retiennent moins d'eau. En règle générale, on leur recommande de limiter leur consommation de sel, mais non de boire moins d'eau. Vous savez maintenant pourquoi.

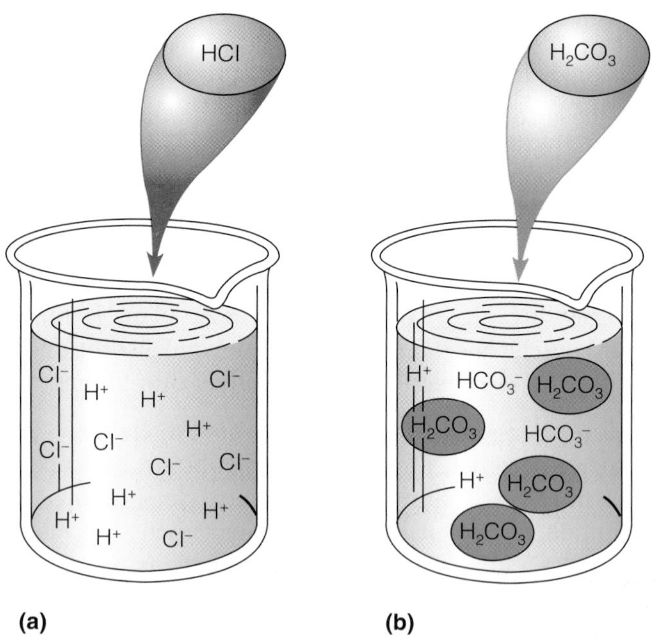
HCl
H_2CO_3
Cl^-
H^+
HCO_3^-
(a)
(b)

Figure 15.11 **La dissociation d'un acide fort et d'un acide faible**

(a) Quand il est ajouté à de l'eau, l'acide chlorhydrique (HCl), acide fort, se dissocie complètement en ions (H^+ et Cl^-).
(b) La dissociation de l'acide carbonique (H_2CO_3), acide faible, est au contraire incomplète, et une grande proportion de ses molécules restent non dissociées (en vert) dans la solution.

acides faibles préviennent efficacement les variations du pH puisqu'ils sont forcés de se dissocier et de libérer plus d'ions H^+ quand le pH s'élève excessivement. Cette propriété leur fait jouer un rôle primordial dans les systèmes tampons chimiques de l'organisme.

Rappelez-vous également que les bases sont des accepteurs de protons (H^+). Les *bases fortes* comme les hydroxydes se dissocient facilement dans l'eau et captent rapidement les ions H^+, alors que les *bases faibles* comme les ions bicarbonate (HCO_3^-) et l'ammoniac (NH_3) sont plus lentes à accepter des ions H^+. Toutefois, quand le pH s'abaisse, les bases faibles deviennent plus « fortes » et commencent à capter plus d'ions H^+. Par conséquent, les bases faibles, à l'instar des acides faibles, jouent un rôle important dans les systèmes tampons.

Les trois principaux systèmes tampons chimiques de l'organisme sont le *système tampon acide carbonique-bicarbonate* (important dans le liquide extracellulaire surtout), le *système tampon phosphate disodique-phosphate monosodique* (liquide intracellulaire et urine) et le *système tampon protéinate-protéines* (liquide intracellulaire et extracellulaire). Chacun contribue à maintenir le pH dans au moins un compartiment hydrique. Les trois systèmes sont en interaction : tout ce qui modifie la concentration d'ions H^+ dans un compartiment modifie simultanément celle des autres. Il en résulte que toute variation du pH est contrée par l'ensemble des systèmes tampons. Étant donné que les trois systèmes tampons fonctionnent de façon semblable, nous nous contenterons d'en examiner un seul, en l'occurrence le système tampon acide carbonique-bicarbonate, qui joue un rôle vital dans la prévention des variations du pH sanguin.

Le **système tampon acide carbonique-bicarbonate** est composé de l'*acide carbonique* (H_2CO_3) et de son sel, le *bicarbonate de sodium* ($NaHCO_3$). Comme il est un acide faible, l'acide carbonique ne se dissocie que très peu dans les solutions neutres ou acides. Par conséquent, quand un acide fort comme l'acide chlorhydrique (HCl) est ajouté, la très grande majorité des molécules d'acide carbonique ne se dissocient pas. Toutefois, les *ions bicarbonate* (HCO_3^-) du sel agissent comme des bases et captent les ions H^+ libérés par l'acide fort, formant ainsi plus d'acide carbonique :

$$\underset{\text{acide fort}}{HCl} + \underset{\text{base faible}}{NaHCO_3} \longrightarrow \underset{\text{acide faible}}{H_2CO_3} + \underset{\text{sel}}{NaCl}$$

Comme l'ion H^+ libéré par l'acide fort est capté par l'ion HCO_3^- pour former l'acide faible, l'ajout de l'acide fort n'abaisse que très légèrement le pH de la solution.

De même, si une base forte comme l'hydroxyde de sodium (NaOH) est ajoutée à une solution contenant le système tampon acide carbonique-bicarbonate, le $NaHCO_3$ ne se dissociera pas davantage dans une solution aussi alcaline. Toutefois, la présence de la base forte oblige l'acide carbonique à se dissocier davantage et à libérer des ions H^+ qui vont se lier aux ions hydroxyle (OH^-) libérés par le NaOH.

$$\underset{\text{base forte}}{NaOH} + \underset{\text{acide faible}}{H_2CO_3} \longrightarrow \underset{\text{base faible}}{NaHCO_3} + \underset{\text{eau}}{H_2O}$$

Le résultat est le remplacement d'une base forte, qui se dissocie beaucoup, par une base faible, qui se dissocie très peu, de telle façon que le pH de la solution s'élève très peu.

La régulation respiratoire

Comme nous l'avons indiqué au chapitre 13, le système respiratoire débarrasse le sang du gaz carbonique tout en le ravitaillant en oxygène. Rappelez-vous que, lorsqu'il passe dans le sang, le gaz carbonique (CO_2) libéré des tissus pénètre en majeure partie dans les érythrocytes, où il est converti en ions bicarbonate (HCO_3^-) pour son transport dans le plasma :

$$\underset{\text{gaz carbonique}}{CO_2} + \underset{\text{eau}}{H_2O} \xrightleftharpoons{\text{anhydrase carbonique}} \underset{\text{acide carbonique}}{H_2CO_3} \rightleftharpoons \underset{\text{ion hydrogène}}{H^+} + \underset{\text{ion bicarbonate}}{HCO_3^-}$$

Les flèches à double tête montrent qu'une augmentation de gaz carbonique pousse la réaction vers la droite, et il en résulte plus d'acide carbonique. De même, une augmentation d'ions H^+ pousse la réaction vers la gauche, et il en résulte plus d'acide carbonique. Chez les personnes en bonne santé, le gaz carbonique est expulsé des poumons à mesure qu'il se forme dans les tissus. Par conséquent, les ions H^+ qui sont libérés quand le gaz carbonique est absorbé dans le sang n'ont pas l'occasion de s'accumuler, car ils sont incorporés dans des molécules d'eau lorsque le CO_2 est libéré dans les poumons. Donc, dans des conditions normales, les ions H^+ produits par le transport du gaz carbonique n'ont essentiellement aucun effet sur le pH sanguin. Toutefois, si le CO_2 s'accumule dans le sang (par une respiration réduite, par exemple) ou si un excès d'ions H^+ est libéré dans le sang par des processus métaboliques, les chimiorécepteurs des centres respiratoires de l'encéphale (ou ceux des vaisseaux sanguins périphériques) sont activés. Cela se traduit par une augmentation de la fréquence et de l'amplitude respiratoires, ce qui entraîne l'« expulsion » des ions H^+ en excès en même temps que l'élimination d'une quantité accrue de gaz carbonique (CO_2) du sang.

Par ailleurs, l'augmentation du pH sanguin (alcalose) ralentit l'activité des centres respiratoires. La diminution de la fréquence et de l'amplitude respiratoires qui s'ensuit provoque une accumulation de gaz carbonique (et, par le fait même, d'ions H^+) dans le sang. De nouveau, le pH sanguin revient à la normale. En général, ces corrections du pH sanguin par le système respiratoire (s'effectuant par l'intermédiaire de la régulation de la concentration sanguine du gaz carbonique) s'accomplissent en une minute environ.

Les mécanismes rénaux

Les tampons chimiques se lient temporairement aux acides et aux bases en excès, mais ils ne peuvent pas les éliminer de l'organisme. Et bien que les poumons évacuent l'acide carbonique en éliminant le gaz carbonique et l'eau, seuls les reins peuvent débarrasser l'organisme des autres acides engendrés par le métabolisme cellulaire. En outre, seuls les reins ont la capacité de réguler les concentrations sanguines des substances alcalines. En dernière analyse, bien qu'ils fonctionnent lentement (il leur faut des heures ou des jours pour modifier le pH), les reins sont les principaux organes de la régulation acidobasique du sang.

Les plus importants des mécanismes rénaux de régulation acidobasique sont 1) l'excrétion des ions bicarbonate et 2) la conservation (réabsorption) ou la production d'ions bicarbonate. Revenons à l'équation qui montre le fonctionnement du système tampon acide carbonique-bicarbonate du sang. Remarquez que la perte d'un ion HCO_3^- produit le même effet que l'ajout d'un ion H^+, car les deux déplacent la réaction vers la droite (c'est-à-dire que cela laisse un ion H^+ libre). De même, la production ou la réabsorption d'un ion HCO_3^- donne le même résultat que la perte d'un ion H^+ : la réaction se déplace vers la gauche (l'ion HCO_3^- a tendance à se lier à un ion H^+). Les mécanismes rénaux effectuent ces ajustements : quand le pH sanguin s'élève, les cellules tubulaires excrètent des ions bicarbonate et retiennent les ions hydrogène. Inversement, quand le pH sanguin baisse, elles réabsorbent des ions bicarbonate et sécrètent des ions hydrogène. Le pH de l'urine varie entre 4,5 et 8,0, ce qui traduit la capacité des tubules rénaux d'excréter des ions alcalins ou des ions acides pour maintenir le pH sanguin.

Le développement et le vieillissement du système urinaire

Le développement embryonnaire des reins est quelque peu déroutant. Au début, un premier ensemble de tubules se forme, puis il dégénère pour laisser place à un deuxième, plus bas. Ce deuxième ensemble rénal dégénère à son tour lorsqu'un troisième fait son apparition. Le troisième ensemble donne naissance à des reins fonctionnels, qui excrètent de l'urine dès le troisième mois de gestation. Néanmoins, les reins du fœtus sont loin de travailler à pleine capacité, car le système urinaire de la mère, par l'intermédiaire du placenta, débarrasse le sang de la plupart des substances indésirables.

Déséquilibre homéostatique

Les anomalies congénitales du système urinaire sont nombreuses, mais deux des plus fréquentes sont la polykystose rénale et l'hypospadias.

La *polykystose rénale* est une maladie dégénérative apparemment héréditaire. Dans cette maladie, les reins (ou un des deux reins) grossissent et présentent de nombreux kystes qui ressemblent à des ampoules et qui sont remplis d'urine. Ces kystes entravent le drainage de l'urine. À l'heure actuelle, on ne peut pas faire grand-chose contre cette maladie, si ce n'est de prévenir l'infection afin de limiter l'atteinte rénale. La polykystose rénale cause presque invariablement l'insuffisance rénale, mais les greffes de rein ont augmenté les chances de survie.

Anomalie touchant seulement les bébés de sexe masculin, l'*hypospadias* est l'ouverture de l'urètre sur la face ventrale du pénis. On la corrige chirurgicalement lorsque l'enfant atteint l'âge de 12 mois environ. ▲

Comme sa vessie est très petite et que ses reins sont inaptes à la formation d'urine concentrée jusqu'au troisième mois de la vie, un nouveau-né urine de 5 à 40 fois par jour, suivant le volume des liquides ingérés. À l'âge de 2 mois, le nourrisson excrète environ 400 mL d'urine par jour, et cette quantité augmente régulièrement jusqu'à l'adolescence, moment où le débit urinaire adulte (environ 1500 mL par jour) est atteint.

La maîtrise du muscle sphincter de l'urètre va de pair avec le développement du système nerveux. À 15 mois, la plupart des enfants sont conscients de leurs mictions. Vers l'âge de 18 mois, ils peuvent se retenir durant environ deux heures, ce qui indique qu'ils sont prêts à l'apprentissage de la propreté. La continence diurne précède le plus souvent la continence nocturne. En règle générale, il est irréaliste de demander à un enfant de moins de quatre ans une continence nocturne totale.

De l'enfance jusqu'à la fin de l'âge mûr, la plupart des troubles du système urinaire sont de nature infectieuse ou inflammatoire. De nombreux types de bactéries peuvent envahir les voies urinaires et causer une urétrite, une cystite ou une pyélonéphrite. *Escherichia coli,* une bactérie qui prolifère dans les voies digestives sans y causer de troubles, devient pathogène dans le milieu stérile que constituent les voies urinaires. Les bactéries et les virus responsables d'*infections transmissibles sexuellement* (*ITS*), qui sont en majorité des infections du système génital, peuvent aussi envahir les voies urinaires et y causer des inflammations ainsi que des obstructions.

Déséquilibre homéostatique

Les infections streptococciques comme celles de la gorge et la scarlatine peuvent causer, faute de traitement immédiat, des lésions inflammatoires chroniques des reins. Une des séquelles fréquentes des infections streptococciques est la *glomérulonéphrite*. Dans cette maladie, les complexes antigènes-anticorps formés au cours de l'infection streptococcique obstruent les filtres glomérulaires. ▲

Avec l'âge, la fonction rénale décline peu à peu. Le débit de la filtration glomérulaire d'une personne de 70 ans est deux fois moins élevé que celui d'une personne d'âge moyen. On pense que ce ralentissement est attribuable au rétrécissement des artères rénales consécutif à l'artériosclérose, qui touche l'ensemble du système circulatoire de la personne âgée. Le nombre de néphrons fonctionnels diminue au fil des années et les cellules tubulaires perdent leur capacité de concentrer l'urine ; de plus, les cellules rénales deviennent moins sensibles à l'effet de l'ADH et de l'aldostérone. Toutes ces modifications rendent l'équilibre hydrique et électrolytique plus difficile à maintenir.

Le vieillissement entraîne aussi le rétrécissement de la vessie et la perte du tonus vésical, qui sont à l'origine des mictions impérieuses (perception d'une envie d'uriner très pressante) et fréquentes (élimination fréquente de petites quantités d'urine). La *nycturie*, soit la nécessité de se lever la nuit pour uriner, atteint presque les deux tiers des personnes âgées. L'incontinence finit par se manifester chez bon nombre d'entre elles, non sans porter un coup terrible à l'estime de soi. La rétention urinaire est un autre trouble courant qui est associé au vieillissement. Le plus souvent, elle est causée par l'hypertrophie de la prostate chez l'homme. On peut éviter certains problèmes d'incontinence et de rétention en ayant un mode de vie actif qui favorise le fonctionnement optimal de l'organisme et la perception des signaux liés à l'élimination.

Résumé du chapitre 15

LES REINS *(p. 544-552)*

1. Les reins occupent une position rétropéritonéale dans la région lombaire supérieure. Chaque rein porte une échancrure médiale (hile rénal) où l'on peut voir l'artère rénale, la veine rénale et l'uretère. Chaque rein est contenu dans une capsule fibreuse résistante. Une capsule de tissu adipeux fixe les reins à la paroi abdominale postérieure.

2. Sur une coupe frontale d'un rein, on distingue trois parties qui sont, de l'extérieur vers l'intérieur : le cortex rénal, la médulla rénale et le pelvis rénal. Des prolongements du pelvis rénal (calices rénaux) entourent les sommets des pyramides rénales et recueillent l'urine qui s'en écoule.

3. L'artère rénale, qui entre dans le rein, se divise en artères segmentaires puis en artères interlobaires qui parcourent la médulla rénale et sont orientées vers l'extérieur. Les artères interlobaires donnent ensuite naissance aux artères arquées qui se divisent en artères interlobulaires, lesquelles alimentent le cortex rénal. Les veines qui transportent le sang hors du rein suivent le trajet des artères en direction opposée et ont des noms semblables à ceux de ces artères.

4. Les néphrons sont les unités structurales et fonctionnelles des reins. Chaque néphron comprend un glomérule du rein et un tubule rénal. Les subdivisions du tubule rénal sont (à partir du glomérule) la capsule glomérulaire rénale, le tubule contourné proximal, l'anse du néphron et le tubule contourné distal. Un second lit capillaire (les capillaires péritubulaires) est aussi associé à chaque néphron.

5. Les fonctions des néphrons sont la filtration, la réabsorption tubulaire et la sécrétion tubulaire. Les glomérules, dans lesquels la pression sanguine est élevée, sont responsables de la formation du filtrat. Le filtrat est essentiellement du plasma dépourvu de protéines plasmatiques. Au cours de la réabsorption tubulaire, les cellules tubulaires retirent du filtrat les substances utiles (acides aminés, glucose, eau, certains ions) et les renvoient dans le sang ; elles sécrètent aussi d'autres substances dans le filtrat. La sécrétion tubulaire joue un rôle important dans l'élimination des médicaments et des ions en excès ainsi que dans le maintien de l'équilibre acidobasique du sang.

6. L'urine est claire, jaune et légèrement acide, mais son pH varie considérablement. Ses constituants habituels sont les suivants : déchets azotés, eau, divers ions (toujours du sodium et du potassium). Les constituants qui ne devraient pas se trouver dans l'urine sont le glucose, les protéines plasmatiques, le sang, le pus (globules blancs) et la bile.

Tous pour un, un pour tous

Les relations entre le système urinaire et les autres systèmes de l'organisme

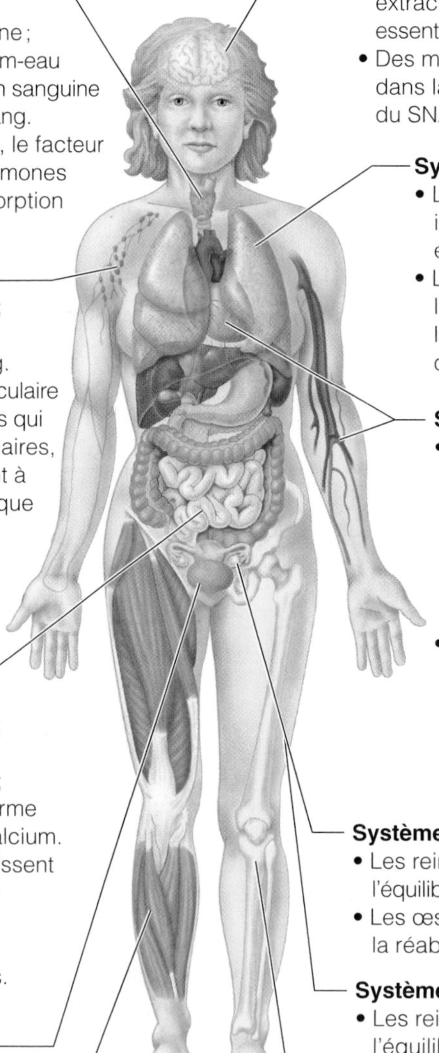

Système endocrinien
- Les reins éliminent les déchets azotés ; ils maintiennent l'équilibre hydrique, électrolytique et acidobasique du sang ; ils sécrètent l'érythropoïétine, une hormone ; la régulation rénale de l'équilibre sodium-eau est essentielle au maintien de la pression sanguine et au transport des hormones dans le sang.
- L'hormone antidiurétique, l'aldostérone, le facteur natriurétique auriculaire et d'autres hormones contribuent à la régulation de la réabsorption rénale de l'eau et des électrolytes.

Système lymphatique et immunitaire
- Les reins éliminent les déchets azotés ; ils maintiennent l'équilibre hydrique, électrolytique et acidobasique du sang.
- En renvoyant dans le système cardiovasculaire les protéines et les liquides plasmatiques qui se sont échappés des capillaires tissulaires, les vaisseaux lymphatiques contribuent à maintenir la pression artérielle systémique dont les reins ont besoin pour bien fonctionner ; les cellules immunitaires protègent les organes du système urinaire contre l'infection, le cancer et d'autres substances étrangères.

Système digestif
- Les reins éliminent les déchets azotés ; ils maintiennent l'équilibre hydrique, électrolytique et acidobasique du sang ; ils métabolisent la vitamine D sous sa forme active pour favoriser l'absorption du calcium.
- Les organes du système digestif fournissent les nutriments nécessaires au maintien des cellules rénales ; le foie synthétise la majeure partie de l'urée, un déchet azoté qui doit être excrété par les reins.

Système urinaire

Système musculaire
- Les reins éliminent les déchets azotés (dont la créatinine provenant du métabolisme musculaire) ; ils maintiennent l'équilibre hydrique, électrolytique et acidobasique du sang ; la régulation rénale des concentrations extracellulaires des ions Na^+, K^+ et Ca^{2+} est essentielle à l'excitabilité et à la contraction des muscles.
- Le muscle élévateur de l'anus et le muscle sphincter de l'urètre interviennent dans la maîtrise volontaire de la miction.

Système nerveux
- Les reins éliminent les déchets azotés ; ils maintiennent l'équilibre hydrique, électrolytique et acidobasique du sang ; la régulation rénale des concentrations extracellulaires des ions Na^+, K^+ et Ca^{2+} est essentielle au bon fonctionnement du système nerveux.
- Des mécanismes de régulation nerveuse interviennent dans la miction ; l'activité de la partie sympathique du SNA déclenche le système rénine-angiotensine.

Système respiratoire
- Les reins éliminent les déchets azotés ; ils maintiennent l'équilibre hydrique, électrolytique et acidobasique du sang.
- Le système respiratoire fournit aux cellules des reins l'oxygène dont elles ont besoin ; il élimine le gaz carbonique ; les cellules des poumons convertissent l'angiotensine I en angiotensine II.

Système cardiovasculaire
- Les reins éliminent les déchets azotés ; ils maintiennent l'équilibre hydrique, électrolytique et acidobasique du sang ; la régulation rénale de l'équilibre sodium-eau est essentielle au maintien de la pression sanguine ; la régulation des ions Na^+, K^+ et Ca^{2+} participe au bon fonctionnement du cœur.
- La pression artérielle systémique est l'élément moteur de la filtration glomérulaire ; le cœur sécrète le facteur natriurétique auriculaire ; les vaisseaux sanguins transportent les nutriments, l'oxygène, etc., vers le système urinaire.

Système génital
- Les reins éliminent les déchets azotés ; ils maintiennent l'équilibre hydrique, électrolytique et acidobasique du sang.
- Les œstrogènes et la progestérone agissent sur la réabsorption du sodium et de l'eau dans les reins.

Système tégumentaire
- Les reins éliminent les déchets azotés ; ils maintiennent l'équilibre hydrique, électrolytique et acidobasique du sang.
- La peau est une barrière protectrice externe ; elle sert à l'élimination de l'eau (par la transpiration) ; elle est le siège de la synthèse de la vitamine D, transformée par la suite par les reins.

Système osseux
- Les reins éliminent les déchets azotés ; ils maintiennent l'équilibre hydrique, électrolytique et acidobasique du sang.
- Les os de la cage thoracique protègent en partie les reins.

LES URETÈRES, LA VESSIE ET L'URÈTRE *(p. 552-555)*

1. Les uretères sont de minces conduits qui s'étendent des reins à la vessie. Ils transportent l'urine par péristaltisme depuis les reins jusqu'à la vessie.

2. La vessie est un sac musculaire lisse contractile situé derrière la symphyse pubienne. Elle est percée de deux orifices d'entrée (uretères) et d'un orifice de sortie (urètre). Chez l'homme, la prostate entoure la partie supérieure de l'urètre. La vessie sert de réservoir pour l'urine.

3. L'urètre est un conduit qui transporte l'urine de la vessie hors de l'organisme. Chez la femme, il mesure de 3 à 4 cm de longueur et ne transporte que l'urine. Chez l'homme, il mesure 20 cm de longueur et transporte soit l'urine, soit le sperme. Le sphincter lisse de l'urètre (interne) est situé à la jonction de la vessie et de l'urètre. Le muscle sphincter de l'urètre (externe) est inférieur par rapport au sphincter lisse de l'urètre.

4. La miction est l'émission d'urine. Le réflexe de miction provoque l'ouverture du sphincter lisse de l'urètre, dont la maîtrise est involontaire, lorsque les mécanorécepteurs de la paroi de la vessie sont stimulés. Comme le muscle sphincter de l'urètre est volontaire, la miction peut généralement être retardée. L'incontinence est l'incapacité de maîtriser ce sphincter.

L'ÉQUILIBRE HYDRIQUE, ÉLECTROLYTIQUE ET ACIDOBASIQUE *(p. 555-562)*

La composition du sang dépend de l'alimentation, du métabolisme cellulaire et du débit urinaire. Pour maintenir la composition du sang, les reins doivent accomplir les tâches suivantes :

a) Éliminer les déchets azotés (urée, ammoniac, créatinine, acide urique) dans l'urine.

b) Maintenir l'équilibre hydrique et électrolytique en absorbant plus ou moins d'eau et en réabsorbant des ions en fonction des hormones sécrétées. L'ADH fait augmenter la réabsorption de l'eau et permet de la conserver dans l'organisme. L'aldostérone fait augmenter la réabsorption du sodium et de l'eau, et fait diminuer la réabsorption du potassium.

c) Maintenir l'équilibre acidobasique du sang en sécrétant activement des ions bicarbonate (et en conservant les ions H^+) ainsi qu'en absorbant des ions bicarbonate (et en sécrétant des ions H^+). Les tampons chimiques captent les ions H^+ ou les bases en excès de façon temporaire ; les centres respiratoires modifient le pH sanguin en retenant le gaz carbonique (ce qui abaisse le pH) ou en l'éliminant (ce qui élève le pH). Seuls les reins peuvent éliminer de l'organisme les acides métaboliques et les bases en excès.

LE DÉVELOPPEMENT ET LE VIEILLISSEMENT DU SYSTÈME URINAIRE *(p. 562-563)*

1. Les reins commencent à se former au cours des premières semaines du développement embryonnaire. Ils excrètent de l'urine dès le troisième mois de gestation.

2. La polykystose rénale et l'hypospadias sont des anomalies congénitales fréquentes.

3. Les troubles du système urinaire les plus fréquents de l'enfance à l'âge mûr sont les infections causées par des microorganismes fécaux, par les agents pathogènes responsables d'infections sexuellement transmissibles et par les streptocoques.

4. L'insuffisance rénale est rare mais très grave. Dans cette maladie, les reins deviennent graduellement incapables de filtrer le sang et de concentrer l'urine. Les personnes atteintes doivent suivre des traitements de dialyse pour maintenir l'homéostasie chimique du sang.

5. Avec l'âge, la filtration glomérulaire diminue et les cellules tubulaires concentrent l'urine de manière moins efficace. Il en résulte des mictions impérieuses, des mictions fréquentes et l'incontinence. La rétention urinaire est également un trouble courant chez la personne âgée.

Questions de révision

QUESTIONS À CHOIX MULTIPLE

Pour certaines questions, il peut y avoir plus d'une bonne réponse.

1. Dans les pyramides rénales, on pourrait observer les structures qui suivent au microscope :
   a) Les capsules glomérulaires.
   b) Les tubes contournés proximaux.
   c) Les anses du néphron.
   d) Les tubes contournés distaux.
   e) Les tubules rénaux collecteurs.

2. Le glomérule est :
   a) semblable au tubule rénal.
   b) semblable à la capsule glomérulaire rénale.
   c) semblable au néphron.
   d) un bouquet de capillaires.

3. L'urine descend dans les uretères par quel mécanisme ?
   a) L'action ciliaire.
   b) Le péristaltisme.
   c) La gravité seulement.
   d) L'aspiration.

4. Les effets de l'aldostérone sont :
   a) l'augmentation de l'excrétion des ions sodium.
   b) l'augmentation de la rétention d'eau.
   c) l'augmentation de la concentration d'ions potassium dans l'urine.
   d) l'élévation de la pression sanguine.

5. Une baisse du volume sanguin entraînera (voir la figure 15.10) :
   a) une baisse de la pression sanguine.
   b) une diminution de la sécrétion d'ADH.
   c) la libération de rénine par les reins.
   d) une augmentation de la réabsorption de l'eau.
   e) une stimulation de l'appareil juxtaglomérulaire.

6. Lesquels des phénomènes qui suivent dépendent de la sécrétion tubulaire ?
   a) L'élimination de la pénicilline du sang.
   b) L'élimination des déchets azotés qui ont été réabsorbés.
   c) L'élimination des ions potassium qui se trouvent en excès dans le sang.
   d) L'équilibre du pH sanguin.

7. Une molécule d'une substance qui n'est pas entrée dans le néphron à l'étape de la filtration peut-elle se retrouver dans l'urine ?
   a) Oui, si cette molécule a été réabsorbée.
   b) Oui, si cette molécule a été sécrétée.
   c) Oui, mais seulement en cas de problèmes rénaux comme une infection urinaire.
   d) Non, toute substance contenue dans l'urine a nécessairement subi l'étape de la filtration.

8. Quelles substances, parmi celles qui suivent, sont des constituants normaux de l'urine ?
   a) L'hémoglobine.
   b) La bile.
   c) Les ions bicarbonate.
   d) L'acide urique.
   e) Le glucose.

9. Quel énoncé, parmi ceux qui suivent, est *faux* ?
   a) Les calculs rénaux sont des cristaux de solutés qui se forment dans les uretères et qui peuvent causer de vives douleurs.
   b) La vessie peut emmagasiner jusqu'à un litre d'urine.
   c) Chez la femme, l'urètre ne transporte que l'urine, alors que chez l'homme il peut transporter l'urine ou le sperme.
   d) La miction est une activité réflexe dont le centre nerveux est situé dans la moelle épinière.
   e) Si le pH sanguin s'élève, l'urine sera acide ; si le pH sanguin diminue, elle sera basique.

10. Pour un homme d'âge moyen, laquelle des valeurs qui suivent correspond au pourcentage normal d'eau (par rapport à la masse corporelle) dans l'organisme ?
   a) 73 %. b) 50 %. c) 45 %. d) 60 %.

11. Le compartiment hydrique dont le volume est le plus petit est :
   a) le compartiment intracellulaire.
   b) le compartiment extracellulaire.
   c) le plasma.
   d) le compartiment interstitiel.

12. Dans le système tampon acide carbonique-bicarbonate, les acides forts sont neutralisés par :
   a) l'acide carbonique.
   b) l'eau.
   c) l'ion bicarbonate.
   d) le sel de l'acide fort.

13. Le mécanisme qui rétablit le plus rapidement le pH sanguin repose sur :
   a) l'action des systèmes tampons.
   b) l'action du tube digestif.
   c) la respiration.
   d) le travail des reins.

QUESTIONS À COURT DÉVELOPPEMENT

1. Nommez les organes du système urinaire et décrivez la fonction générale de chacun.
2. Décrivez la localisation des reins dans l'organisme. Quel est le rôle de la capsule adipeuse des reins ?
3. Faites un schéma d'une coupe frontale d'un rein. Indiquez le cortex rénal, la médulla rénale, les pyramides rénales, les colonnes rénales, le pelvis rénal et les calices rénaux.
4. Nommez l'unité structurale et fonctionnelle du rein ; indiquez ses deux structures principales et leurs subdivisions.
5. Décrivez le trajet d'un globule rouge entrant dans le rein par l'artère rénale jusqu'à sa sortie par la veine rénale.
6. Décrivez le trajet d'une molécule d'acide urique d'un glomérule jusqu'à l'urètre. Nommez toutes les structures macroscopiques ou microscopiques qu'elle traverse en chemin.
7. Quelle est la fonction du glomérule ? Quelles sont les deux fonctions du tubule rénal ?
8. Comparez les capillaires glomérulaires et les capillaires péritubulaires quant à la pression sanguine et à leurs fonctions respectives.
9. Les reins débarrassent l'organisme des déchets azotés provenant du métabolisme cellulaire ; ils équilibrent aussi la composition du sang de trois autres façons. Quelles sont-elles ?

10. Expliquez la différence entre le plasma sanguin, le filtrat et l'urine.

11. Dans certains manuels de biologie humaine, on compare le travail des reins à la façon qui suit de faire le ménage dans sa chambre : sortir tout (sauf les meubles) à l'extérieur de la pièce et y réintroduire par la suite ce qui doit être conservé. Expliquez et discutez cette comparaison en fonction des étapes de la formation de l'urine.

12. À quoi attribue-t-on la couleur jaune de l'urine ?

13. Comment l'aldostérone modifie-t-elle la composition chimique de l'urine ?

14. Quelle hormone porte un nom qui signifie « contre l'élimination d'urine » ? Quelle affection apparaît si cette hormone n'est pas sécrétée ?

15. Nommez trois constituants qui se trouvent normalement dans le sang mais non dans l'urine. Nommez l'affection liée à la *présence* de chacun de ces constituants dans l'urine.

16. Pourquoi l'analyse de l'urine doit-elle faire partie de tout examen physique complet ?

17. Par quel mécanisme l'urine descend-elle dans les uretères vers la vessie ? Qu'est-ce qui empêche l'urine, une fois dans la vessie, de refouler vers les uretères ?

18. Qu'est-ce qu'un calcul rénal et d'où provient la douleur qu'il entraîne ?

19. Qu'est-ce que l'insuffisance rénale ? Quelles en sont les principales causes ? À quel genre de traitement doivent se soumettre les personnes qui en sont atteintes ? Qu'adviendrait-il autrement ?

20. Citez deux caractéristiques structurales qui font de la vessie un organe bien adapté à sa fonction de réservoir d'urine.

21. Quelles sont les différences structurelles et fonctionnelles du muscle sphincter de l'urètre et du sphincter lisse de l'urètre ?

22. Définissez la *miction* et décrivez le réflexe de miction.

23. Que peut-il se passer lorsque l'urine devient trop concentrée ou stagne trop longtemps dans la vessie ?

24. Qu'est-ce que l'incontinence ?

25. En quoi la structure et la fonction de l'urètre féminin sont-elles différentes de celles de l'urètre masculin ?

26. Pourquoi la cystite touche-t-elle plus fréquemment les femmes que les hommes ?

27. Quels sont les trois compartiments hydriques de l'organisme ?

28. Quelles sont les voies par lesquelles l'eau peut quitter l'organisme ? Quelles sont les voies de sortie des électrolytes ?

29. Une respiration réduite aura-t-elle tendance à augmenter ou à diminuer le pH sanguin ? Expliquez.

30. Quelle substance les reins élimineront-ils en plus grande quantité si le pH sanguin s'élève ? s'il diminue ?

31. Quel type d'affection touche le plus souvent les organes du système urinaire ?

32. Décrivez les changements que le vieillissement fait subir au fonctionnement des reins et de la vessie.

Réflexion et application

1. Une femme de 55 ans est réveillée par une douleur atroce qui irradie du côté droit de son abdomen jusqu'à la région lombaire du même côté. La douleur est intermittente et revient toutes les 3 ou 4 minutes. Déterminez le trouble et énumérez quelques-uns des facteurs qui pourraient y avoir prédisposé cette femme. Expliquez aussi pourquoi la douleur est intermittente.

2. Les parents de Michel amènent leur fils à l'hôpital parce que son « pipi » est teinté de sang. Deux jours avant cette consultation, on a diagnostiqué une infection streptococcique de la gorge chez Michel. Son visage et ses mains sont enflés. Quelle est la cause probable du trouble rénal de l'enfant ?

3. Une jeune femme se rend à l'hôpital car elle présente une dysurie et souffre de mictions fréquentes. Quel est le diagnostic le plus probable ?

4. Un patient présente une soif excessive, une polyurie et un taux sanguin de sodium trop élevé. Devrait-on examiner son hypophyse ou ses glandes surrénales ? Quelle hormone est en cause et l'homme présente-t-il une hyposécrétion ou une hypersécrétion ? Quel est le nom de cette affection ?

5. Benjamin est atteint d'une tumeur de la glande parathyroïde qui cause une hypersécrétion de cette glande. Quel en sera l'effet sur le fonctionnement de ses tubules rénaux ?

6. Qu'arrive-t-il au taux de production des globules rouges chez un patient en dialyse qui souffre d'insuffisance rénale ? Que pourrait-on donner à ce patient pour pallier ce problème ? (Indice : le tableau 9.2, p. 359, contient des éléments de réponse.)

7. Un mois après avoir subi l'ablation d'une tumeur au cerveau, M. Landry, âgé de 55 ans, se plaint à son médecin d'une soif excessive. Il dit uriner presque continuellement. L'analyse d'un échantillon d'urine révèle une densité de 1,001. Quel est votre diagnostic ? Quel lien peut-il y avoir entre l'intervention et le problème actuel ?

Le système génital

CHAPITRE 16

Lorsque vous aurez étudié le présent chapitre, vous aurez une connaissance pratique des fonctions du système génital ; vous devriez de plus avoir atteint les objectifs d'apprentissage énumérés ci-dessous.

Aperçu des fonctions

- ❑ Le système génital assure la production d'une descendance et, par le fait même, la continuité de l'espèce.

OBJECTIFS D'APPRENTISSAGE

L'anatomie du système génital de l'homme *(p. 571-575)*

- ❑ **1.** Expliquer la fonction commune des organes génitaux de l'homme et de la femme.
- ❑ **2.** Nommer les organes du système génital de l'homme et les situer sur un schéma ou un mannequin.
- ❑ **3.** Décrire brièvement sur les plans structural et fonctionnel chacun des organes du système génital de l'homme.
- ❑ **4.** Donner les fonctions endocrine et exocrine du testicule ; préciser la partie responsable de chaque fonction.
- ❑ **5.** Préciser les rôles joués par les sécrétions de chacune des glandes annexes chez l'homme.
- ❑ **6.** Décrire le trajet emprunté par les diverses composantes du sperme depuis leur lieu d'origine jusqu'à l'extérieur de l'organisme.
- ❑ **7.** Définir les termes suivants : *érection*, *éjaculation*, *circoncision*, *vasectomie* et *infertilité*.

Les fonctions du système génital de l'homme *(p. 575-577)*

- ❑ **8.** Définir la *méiose* et la distinguer de la mitose ; décrire la spermatogenèse et préciser le site où se déroulent ses diverses étapes ; expliquer l'utilité de la spermiogenèse.
- ❑ **9.** Décrire la structure d'un spermatozoïde et donner la principale fonction de chacun de ses principaux organites ; expliquer la relation entre la structure et la fonction d'un spermatozoïde.
- ❑ **10.** Expliquer comment s'effectue la régulation hormonale du testicule ; indiquer les effets de la testostérone sur les caractères sexuels secondaires masculins.

L'anatomie du système génital de la femme *(p. 578-582)*

- ❑ **11.** Nommer les organes du système génital de la femme et les situer sur un schéma ou un mannequin.
- ❑ **12.** Décrire brièvement sur les plans structural et fonctionnel chacun des organes du système génital de la femme.
- ❑ **13.** Donner les fonctions du follicule ovarique mûr et du corps jaune de l'ovaire.
- ❑ **14.** Définir *endomètre*, *myomètre* et *ovulation.*

Les fonctions et les cycles du système génital de la femme *(p. 582-586)*

- ❑ **15.** Définir l'*ovogenèse* ; décrire les étapes de ce processus et préciser le moment de la vie où chacune a lieu ; montrer les principales différences entre l'ovogenèse et la spermatogenèse.

- ❑ **16.** Décrire les principales variations de l'hormone folliculostimulante (FSH) et de l'hormone lutéinisante (LH) au cours de la vie d'une femme et préciser les effets de ces hormones sur la fonction ovarienne.
- ❑ **17.** Décrire les phases du cycle menstruel et expliquer la régulation hormonale de ce dernier.
- ❑ **18.** Citer les effets des œstrogènes sur les caractères sexuels secondaires féminins; donner les fonctions de la progestérone.

Les glandes mammaires *(p. 586-587)*

- ❑ **19.** Décrire la structure et la fonction des glandes mammaires.

Un aperçu de la grossesse et du développement embryonnaire *(p. 587-598)*

- ❑ **20.** Définir *fécondation* et *zygote*; décrire les événements qui ont lieu entre l'entrée des spermatozoïdes dans l'utérus et la fusion des noyaux des gamètes.
- ❑ **21.** Expliquer en quoi consiste la segmentation et montrer son utilité.
- ❑ **22.** Décrire l'implantation; préciser le site et le moment où elle a lieu.
- ❑ **23.** Faire la distinction entre l'embryon et le fœtus.
- ❑ **24.** Définir *morula, blastocyste, embryoblaste* et *trophoblaste.*
- ❑ **25.** Expliquer brièvement quand et comment se forme le placenta; citer ses principales fonctions.
- ❑ **26.** Nommer les trois feuillets embryonnaires primitifs et préciser les tissus que chacun produira.
- ❑ **27.** Indiquer quelques-unes des répercussions anatomiques et physiologiques de la grossesse sur le fonctionnement de l'organisme maternel.
- ❑ **28.** Expliquer comment le travail se déclenche et expliquer le mécanisme de rétroactivation en cause; décrire brièvement les trois périodes du travail.
- ❑ **29.** Nommer quelques-uns des facteurs qui peuvent nuire au développement normal du fœtus.
- ❑ **30.** Citer les méthodes de contraception principalement utilisées et préciser l'étape où chacune interfère dans le processus de la reproduction.

Le développement et le vieillissement du système génital *(p. 598-600)*

- ❑ **31.** Expliquer l'importance de la présence ou de l'absence de testostérone au cours du développement embryonnaire des organes du système génital.
- ❑ **32.** Donner quelques exemples d'anomalies congénitales du système génital causées par une distribution anormale des chromosomes au moment de la méiose.
- ❑ **33.** Définir *puberté, ménarche* et *ménopause.*
- ❑ **34.** Nommer les troubles courants du système génital chez les adultes (hommes et femmes) et les personnes âgées.

La plupart des systèmes de l'organisme doivent fonctionner sans arrêt pour maintenir l'homéostasie. La seule exception est le système génital, qui semble «dormir» jusqu'à la puberté. Les **gonades** (*gonê,* signifiant «semence») sont les *testicules* chez l'homme et les *ovaires* chez la femme. Elles élaborent des cellules sexuelles, ou **gamètes** (*gametês,* «époux»), et sécrètent des hormones sexuelles. Les autres structures qui contribuent à la reproduction sont appelées **organes génitaux annexes.** Bien qu'ils soient très différents, les **organes génitaux** de l'homme et de la femme partagent la même fonction: la production d'une descendance.

La fonction génitale de l'homme est d'élaborer les gamètes mâles, appelés **spermatozoïdes**, et de les introduire dans les voies génitales de la femme. La fonction génitale de la femme est d'élaborer les gamètes femelles, appelés **ovules.** Lorsque ces événements ont lieu au moment approprié, l'ovule et un spermatozoïde peuvent s'unir pour former le zygote, c'est-à-dire la toute première cellule d'un nouvel individu. Quand la fécondation a eu lieu, l'utérus de la femme constitue l'environnement protecteur de l'*embryon* (puis du *fœtus*), qui s'y développe jusqu'à sa naissance.

Les hormones sexuelles jouent un rôle vital dans le développement et le fonctionnement des organes génitaux, de même que dans la libido et le comportement sexuel. Ces hormones gonadiques influent également sur la croissance et le développement de nombreux tissus et organes de l'organisme.

L'anatomie du système génital de l'homme

Comme nous venons de le mentionner, les gonades sont les **testicules** chez l'homme. Elles ont une fonction à la fois exocrine (production de spermatozoïdes) et endocrine (sécrétion de testostérone). Les organes génitaux annexes sont les conduits et les glandes qui concourent au transport des spermatozoïdes à l'extérieur de l'organisme ou dans les voies génitales de la femme.

LES TESTICULES

Les testicules ont la grosseur d'olives et mesurent environ 4 cm de longueur et 2,5 cm de diamètre. Ils sont recouverts d'une capsule fibreuse appelée *albuginée du testicule* (*albus*, « blanc »). Des projections de l'albuginée (*cloisons du testicule*) pénètrent dans le testicule et divisent celui-ci en un grand nombre de lobules (plus de 200). Chaque lobule renferme de un à quatre **tubules séminifères contournés**. Ce sont ces tubules qui fabriquent les spermatozoïdes (figure 16.1). Les tubules séminifères contournés de chaque lobule déversent les spermatozoïdes dans le *rété testis*, qui est un réseau de canaux creusé dans la partie postérieure du testicule. À partir du rété testis, les spermatozoïdes pénètrent dans le premier segment des voies génitales, l'*épididyme*, qui épouse la face externe du testicule.

Le tissu conjonctif lâche qui recouvre les tubules séminifères contournés renferme les *endocrinocytes interstitiels*. Ces cellules possèdent une fonction particulière : elles synthétisent les androgènes, principalement la *testostérone*. Ce sont donc deux populations cellulaires tout à fait distinctes qui élaborent les spermatozoïdes et qui sécrètent les hormones dans le testicule.

LES VOIES GÉNITALES DE L'HOMME

Les voies génitales de l'homme, ou voies spermatiques, qui transportent les spermatozoïdes depuis les testicules jusqu'à l'extérieur du corps sont l'*épididyme*, le *conduit déférent* et l'*urètre* (figure 16.2).

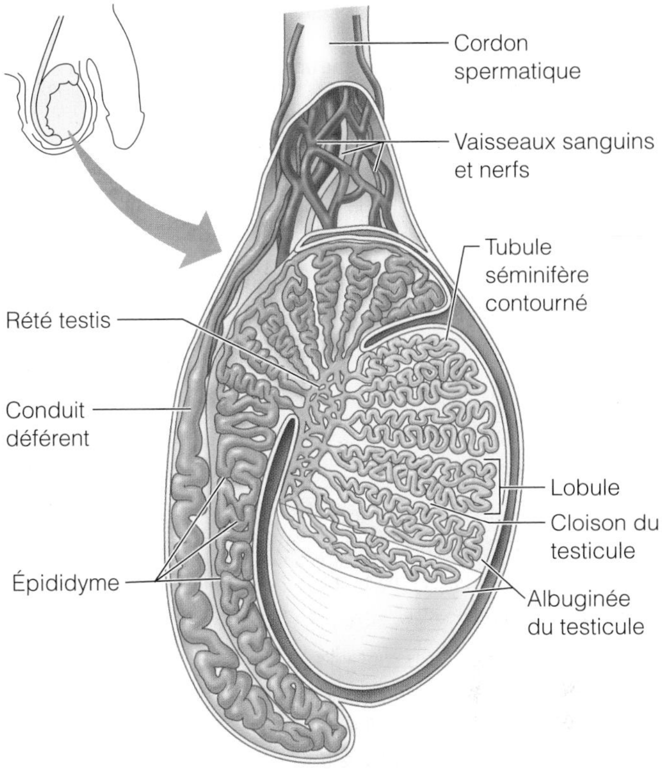
Cordon spermatique
Vaisseaux sanguins et nerfs
Tubule séminifère contourné
Rété testis
Conduit déférent
Lobule
Cloison du testicule
Épididyme
Albuginée du testicule

Figure 16.1 **Coupe sagittale du testicule et de l'épididyme**

L'épididyme

L'**épididyme**, structure en forme de virgule, est un conduit sinueux très pelotonné d'environ 6 m de longueur qui recouvre la partie supérieure du testicule, puis descend sur son bord postérolatéral (voir la figure 16.1). Premier segment des voies génitales de l'homme, il sert à emmagasiner temporairement les spermatozoïdes en provenance du testicule. Au cours de leur transport dans l'épididyme (le parcours prend 20 jours environ), les spermatozoïdes poursuivent leur maturation et acquièrent la capacité de nager. Quand la stimulation sexuelle conduit à l'éjaculation, les parois de l'épididyme constituées de fibres musculaires lisses se contractent vigoureusement, ce qui expulse les spermatozoïdes vers un autre segment des voies génitales de l'homme, le conduit déférent.

Le conduit déférent

À partir de l'épididyme, le **conduit déférent** (*deferre*, « porter »), qui mesure entre 25 et 30 cm de longueur, s'étend vers le haut et passe dans le canal inguinal pour

Q Un examen attentif du schéma ci-dessous nous fait voir comment l'hyperplasie de la prostate peut entraîner des problèmes dans le système urinaire. Pourquoi en est-il ainsi ?

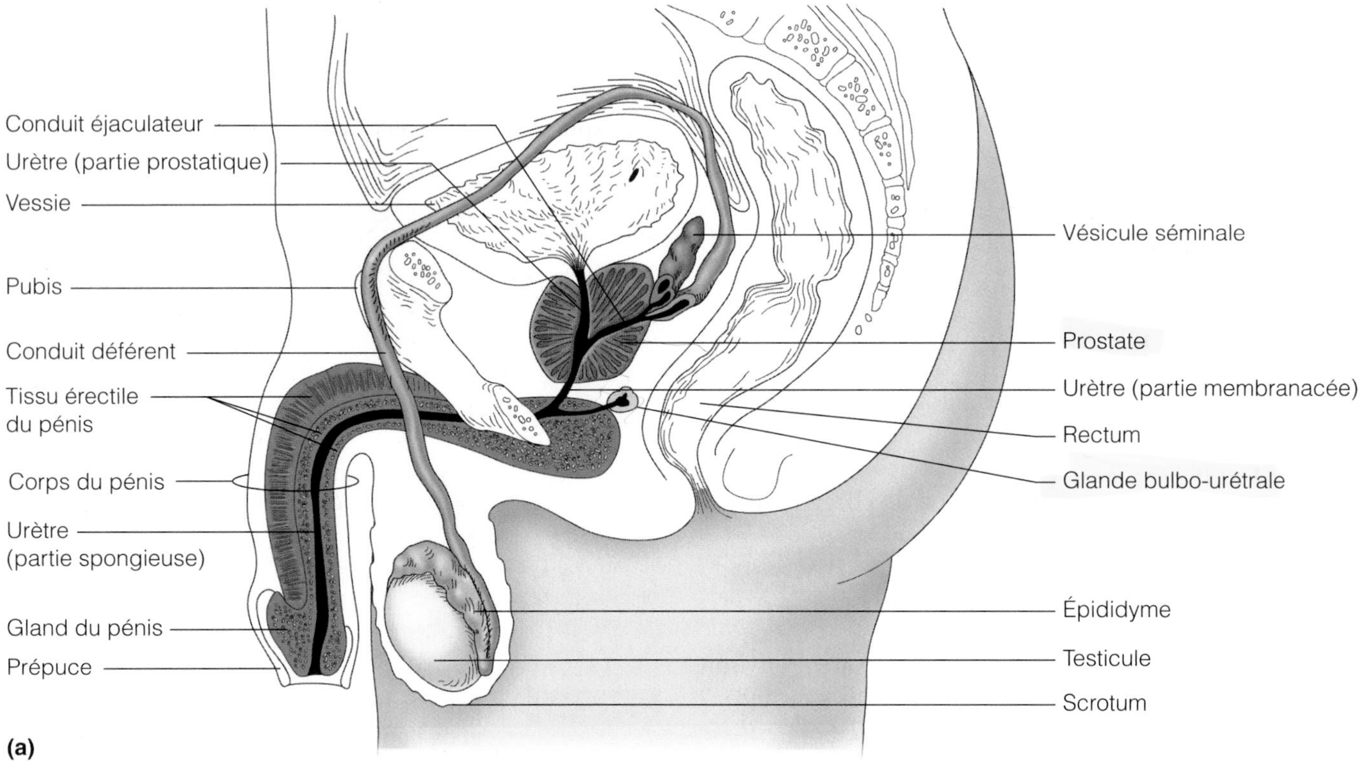
Conduit éjaculateur
Urètre (partie prostatique)
Vessie
Pubis
Conduit déférent
Tissu érectile du pénis
Corps du pénis
Urètre (partie spongieuse)
Gland du pénis
Prépuce
Vésicule séminale
Prostate
Urètre (partie membranacée)
Rectum
Glande bulbo-urétrale
Épididyme
Testicule
Scrotum
(a)

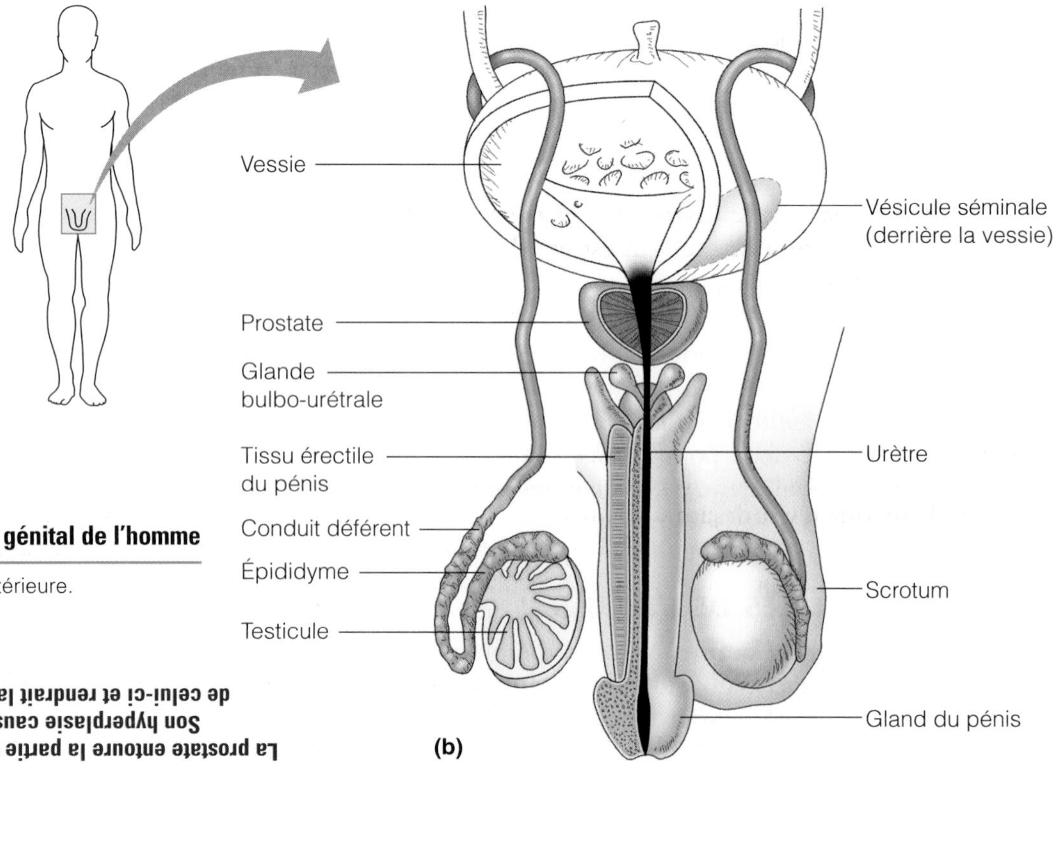
Vessie
Vésicule séminale (derrière la vessie)
Prostate
Glande bulbo-urétrale
Tissu érectile du pénis
Urètre
Conduit déférent
Épididyme
Scrotum
Testicule
Gland du pénis
(b)

Figure 16.2 **Le système génital de l'homme**

(a) Coupe sagittale. **(b)** Vue antérieure.

R La prostate entoure la partie supérieure de l'urètre. Son hyperplasie causerait une constriction de celui-ci et rendrait la miction plus difficile.

entrer dans la cavité pelvienne, puis il se courbe au-dessus de la face supérieure de la vessie. Une gaine de tissu conjonctif appelée **cordon spermatique** enveloppe le conduit déférent ainsi que les vaisseaux sanguins et les nerfs qui le desservent (voir la figure 16.1). L'extrémité terminale du conduit déférent est abouchée au **conduit éjaculateur**; les deux **conduits éjaculateurs** pénètrent dans la prostate et s'unissent à l'urètre. La principale fonction du conduit déférent consiste à acheminer les spermatozoïdes vivants depuis leurs sites de stockage, c'est-à-dire l'épididyme et la portion distale du conduit déférent, jusqu'à l'urètre. Au moment de l'éjaculation, les épaisses couches de muscle lisse de ses parois créent des ondes péristaltiques qui poussent rapidement les spermatozoïdes vers l'urètre.

Comme le montre la figure 16.2, la première partie du conduit déférent est située dans le scrotum, qui pend à l'extérieur du corps. Certains hommes qui désirent assumer l'entière responsabilité de la contraception subissent une *vasectomie*. Au cours de cette petite intervention chirurgicale, le chirurgien pratique une incision dans le scrotum, puis sectionne ou cautérise le conduit déférent. Après l'intervention, des spermatozoïdes continuent d'être élaborés, mais ils ne peuvent plus atteindre l'extérieur du corps et ils finissent par se détériorer et être réabsorbés. Les hommes qui subissent une vasectomie deviennent stériles; cependant, comme la sécrétion de testostérone ne cesse pas, la libido et les caractères sexuels secondaires sont préservés. (Nous traitons de la contraception plus en détail dans l'encadré « Gros plan », p. 596-598.)

L'urètre

L'**urètre**, qui s'étend de la base de la vessie jusqu'à l'extrémité du pénis, est la portion terminale des voies génitales de l'homme. Il se divise en trois parties: 1) la **partie prostatique de l'urètre**, qui est enveloppée par la prostate; 2) la **partie membranacée de l'urètre**, qui s'étend de la partie prostatique jusqu'au pénis; 3) la **partie spongieuse de l'urètre**, qui chemine sur toute la longueur du pénis. Comme nous l'avons expliqué au chapitre 15, l'urètre transporte l'urine et le sperme à l'extérieur de l'organisme; il fait donc partie à la fois du système urinaire et du système génital. Toutefois, l'urine et le sperme n'y sont jamais transportés en même temps. Lorsque l'éjaculation se produit et que le sperme quitte les conduits éjaculateurs pour entrer dans la partie prostatique de l'urètre, le sphincter lisse de la vessie (sphincter interne) se contracte. Cette contraction a une double fonction: elle empêche l'urine de pénétrer dans l'urètre au moment de l'éjaculation et empêche le sperme d'entrer dans la vessie.

LES GLANDES ANNEXES ET LE SPERME

Les glandes annexes sont les deux *vésicules séminales*, la *prostate* et les deux *glandes bulbo-urétrales* (voir la figure 16.2). Ces glandes produisent la majeure partie du plasma spermatique, le liquide qui sert de milieu de transport aux spermatozoïdes; ensemble, le plasma spermatique et les spermatozoïdes constituent le *sperme*, qui est expulsé des voies génitales de l'homme au cours de l'**éjaculation**.

Les vésicules séminales

Les **vésicules séminales**, mesurant de 5 à 7 cm de longueur et situées à la base de la vessie, produisent environ 60 % du volume du plasma spermatique. Le liquide épais, jaunâtre et légèrement alcalin qu'elles sécrètent renferme un sucre (fructose), de l'acide ascorbique (vitamine C), des prostaglandines et d'autres substances. Le contenu de ce liquide sert à nourrir et à activer les spermatozoïdes qui s'y mélangeront. Le conduit excréteur de chaque vésicule séminale rejoint le conduit déférent du même côté pour former le conduit éjaculateur (voir la figure 16.2). Les spermatozoïdes et le plasma spermatique pénètrent ensemble dans l'urètre au moment de l'éjaculation.

La prostate

La **prostate** est un organe impair de la grosseur et de la forme d'un marron constitué de quelques dizaines de petites glandes ramifiées (voir la figure 16.2). Elle entoure la partie supérieure (prostatique) de l'urètre qui est située directement sous la vessie. La prostate sécrète un liquide laiteux et légèrement alcalin constituant le tiers environ du volume du liquide spermatique et jouant un rôle dans l'activation des spermatozoïdes. Ce liquide entre dans l'urètre par plusieurs petits conduits, grâce aux contractions de la capsule fibreuse de la prostate et des ses ramifications, au moment de l'éjaculation. Comme la prostate est située directement devant le rectum, on peut, pour évaluer son volume et sa texture, la palper à travers la paroi antérieure du rectum au moyen d'un doigt introduit dans le rectum (toucher rectal).

Déséquilibre homéostatique

Beaucoup de gens considèrent la prostate comme une source de problèmes. L'hyperplasie de la prostate, qui touche presque tous les hommes âgés, entraîne la constriction de la partie prostatique de l'urètre. Cela rend la miction difficile et augmente le risque d'inflammation de la vessie (*cystite*), des reins (*pyélonéphrite*) ou de la prostate elle-même (*prostatite*). Il existe un traitement chirurgical classique pour ce dernier trouble (prostatectomie), mais d'autres moyens sont de plus en plus populaires :

- l'utilisation de médicaments : soit les antiandrogènes (comme le finastéride), qui font rétrécir la prostate ; soit les alphabloquants (comme l'alfuzosine), qui diminuent le tonus des fibres musculaires de la prostate ;
- le traitement au ballonnet, qui consiste à insérer un ballonnet dans la partie prostatique de l'urètre et à le gonfler pour repousser les tissus prostatiques qui exercent une pression sur l'urètre ;
- l'insertion par voie urétrale d'une fine aiguille qui émet un rayonnement de basse fréquence (ultrasons) ou un rayonnement laser qui brûle le tissu prostatique en excès.

L'inflammation de la prostate est le principal motif pour lequel les hommes consultent un urologue. Le cancer de la prostate est la deuxième cause de décès par cancer chez l'homme au Canada. On le décèle près d'une fois sur deux au cours d'autopsies d'hommes de 60 ans et plus. En général, ce cancer évolue lentement, mais il peut également progresser rapidement et être mortel. ▲

Les glandes bulbo-urétrales

Les **glandes bulbo-urétrales**, ou *glandes de Cowper*, sont des glandes de la grosseur d'un pois situées sous la prostate. Elles produisent une petite quantité (moins de 5 % du plasma spermatique) d'un épais mucus translucide qui s'écoule dans la partie spongieuse de l'urètre. Cette sécrétion est libérée avant l'éjaculation. On croit qu'elle sert à débarrasser l'urètre des traces d'urine encore présentes et à lubrifier le gland du pénis au cours des rapports sexuels.

Le sperme

Le **sperme**, ou liquide séminal, est le liquide blanchâtre légèrement collant qui renferme les spermatozoïdes et le plasma spermatique. Ce dernier contient des nutriments ainsi que des substances chimiques qui protègent les spermatozoïdes et facilitent leurs mouvements. Les spermatozoïdes matures sont de petits « missiles » profilés qui possèdent peu de cytoplasme et de nutriments en réserve. Le fructose présent dans la sécrétion des vésicules séminales constitue à peu près leur seul combustible. L'alcalinité relative du sperme (pH de 7,2 à 7,6) neutralise l'acidité du vagin de la femme (pH de 3,5 à 4), ce qui protège les spermatozoïdes et améliore leur mobilité, puisqu'ils sont très « paresseux » en milieu acide (pH inférieur à 6). Le sperme renferme en outre la *séminalplasmine* (substance antibiotique inhibant la prolifération bactérienne), la relaxine (hormone) et certaines enzymes qui augmentent la mobilité des spermatozoïdes.

Le plasma spermatique constitue le milieu de dilution des spermatozoïdes ; sans ce milieu, la mobilité des spermatozoïdes est grandement réduite. La quantité de sperme projetée à l'extérieur de l'urètre au cours d'une éjaculation est relativement petite (de 2 à 5 mL), mais chaque millilitre contient entre 50 et 130 millions de spermatozoïdes.

Déséquilibre homéostatique

L'infertilité masculine peut être causée par des obstructions anatomiques, des déséquilibres hormonaux, des œstrogènes provenant de l'environnement, des pesticides, l'excès d'alcool et beaucoup d'autres facteurs. Quand un couple est incapable de concevoir, l'un des premiers tests qu'on effectue est le *spermogramme,* qui consiste à déterminer le nombre, la mobilité et la morphologie (forme et maturité) des spermatozoïdes, ainsi que le volume, le pH et le contenu en fructose du sperme. Quand le nombre de spermatozoïdes tombe sous les 20 millions par millilitre, les chances de devenir père sont très réduites. ▲

LES ORGANES GÉNITAUX EXTERNES

Les **organes génitaux externes** de l'homme sont le *scrotum* et le *pénis* (voir la figure 16.2). Le **scrotum** est un sac de peau divisé en deux moitiés et suspendu à l'extérieur de la cavité abdominale, entre les jambes et au niveau de la racine du pénis. Dans des conditions normales, il pend librement de ses attaches, ce qui donne aux testicules une température inférieure à celle du corps (environ 3 °C). Le scrotum est un endroit plutôt exposé qui ne paraît pas idéal pour les testicules, étant donné leur rôle capital dans la reproduction humaine, mais les testicules ne peuvent pas produire de spermatozoïdes viables à la température normale du corps. Cette localisation superficielle du scrotum est donc essentielle à la production de spermatozoïdes viables. Par temps froid, le scrotum se rétrécit et se plisse pour réduire la perte de chaleur, et les testicules sont ainsi rapprochés de la chaleur du corps. Les modifications de la surface du scrotum contribuent donc à maintenir une température qui favorise la production de spermatozoïdes viables.

Le **pénis** est destiné à déposer les spermatozoïdes dans les voies génitales de la femme. Il comprend un **corps** mobile qui se termine par une extrémité renflée, le **gland du pénis**. La peau du pénis est lâche et glisse vers le bas pour former autour de l'extrémité proximale du gland un repli de peau appelé **prépuce**. L'ablation du prépuce, appelée *circoncision,* est parfois effectuée peu après la naissance.

À l'intérieur du pénis, la partie spongieuse de l'urètre (voir la figure 16.2) est entourée de trois longues régions de *tissu érectile*: le *corps spongieux* qui entoure l'urètre et les deux *corps caverneux*. Le tissu érectile est un tissu spongieux qui se gorge de sang au cours de l'excitation sexuelle; le pénis augmente alors de volume et devient rigide. Ce phénomène, appelé **érection**, permet au pénis de pénétrer dans le vagin pour y déposer le sperme. Le *dysfonctionnement érectile* est l'incapacité d'obtenir ou de maintenir une érection et constitue une des causes de l'*impuissance* qui, elle, est l'incapacité d'accomplir l'acte sexuel.

Les fonctions du système génital de l'homme

Les principales fonctions du système génital de l'homme sont la production de spermatozoïdes et la sécrétion de testostérone. La présente section décrit ces fonctions.

LA SPERMATOGENÈSE

La production de spermatozoïdes, ou **spermatogenèse**, débute à la puberté et se poursuit durant toute la vie. Chaque jour, l'organisme de l'homme fabrique des millions de spermatozoïdes. La fécondation d'un ovule nécessite un seul spermatozoïde, mais la nature semble s'être assurée que l'espèce humaine ne puisse s'éteindre par manque de ces gamètes.

La spermatogenèse se déroule dans les tubules séminifères contournés, comme nous l'avons mentionné. Ainsi que le montre la figure 16.3, le processus est déclenché par des cellules souches primitives appelées **spermatogonies**, qui se trouvent dans le bord extérieur, c'est-à-dire en périphérie, de chaque tubule. Les spermatogonies subissent des divisions mitotiques rapides pour produire une lignée de cellules souches. De la naissance jusqu'à la puberté, ces mitoses ne produisent toujours que d'autres cellules souches. Au moment de la puberté, cependant, l'adénohypophyse sécrète des quantités accrues d'*hormone folliculostimulante* (*FSH*, pour *follicle-stimulating hormone*); dès lors, chaque division d'une spermatogonie donne naissance à deux cellules filles: une *spermatogonie A* et une *spermatogonie B*. La spermatogonie A demeure en périphérie du tubule pour perpétuer la population de cellules souches. La spermatogonie B est poussée vers la lumière du tubule, où elle se transforme en un **spermatocyte primaire** destiné à subir une *méiose* et à former quatre spermatozoïdes. La **méiose** est un type de division nucléaire particulier qui, essentiellement, se déroule seulement dans les gonades (testicules

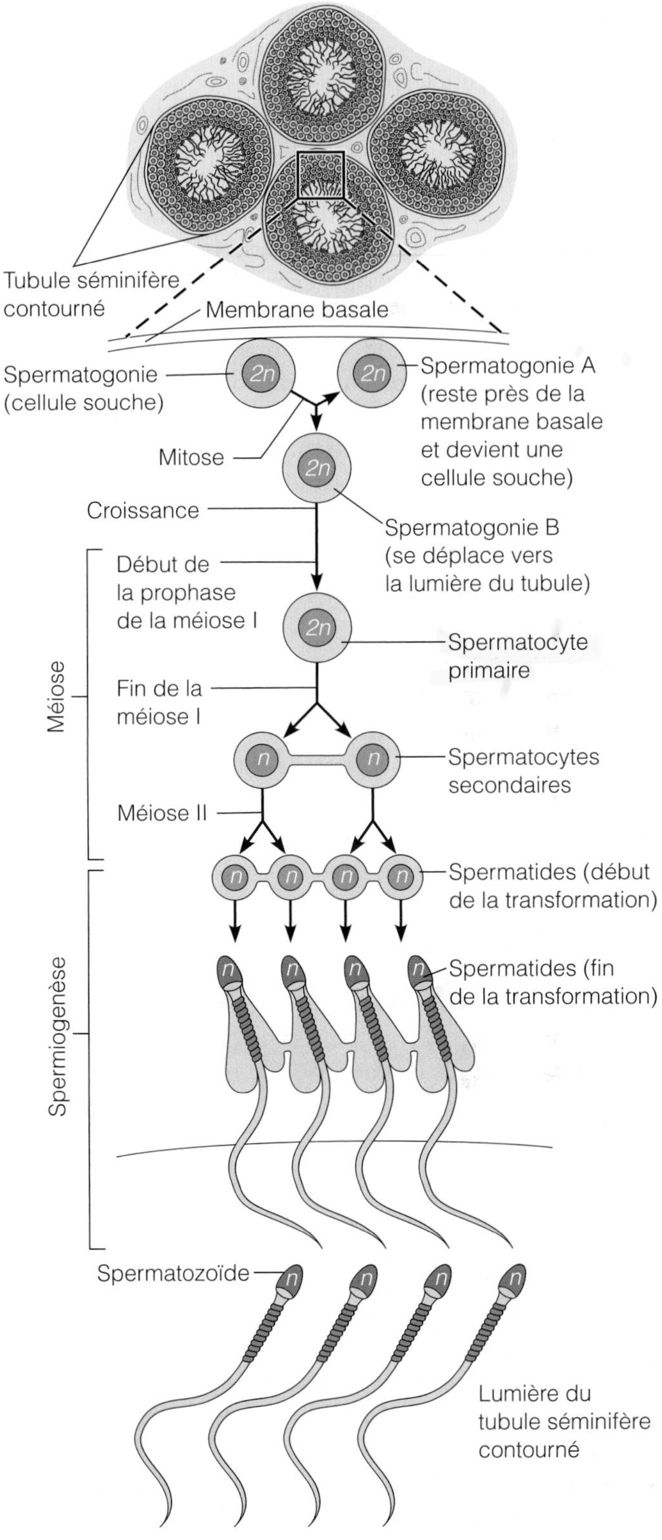

Tubule séminifère contourné
Membrane basale
Spermatogonie (cellule souche)
2n
Spermatogonie A (reste près de la membrane basale et devient une cellule souche)
Mitose
Croissance
Spermatogonie B (se déplace vers la lumière du tubule)
Début de la prophase de la méiose I
Spermatocyte primaire
Méiose
Fin de la méiose I
n
Spermatocytes secondaires
Méiose II
Spermatides (début de la transformation)
Spermiogenèse
Spermatides (fin de la transformation)
Spermatozoïde
Lumière du tubule séminifère contourné

Figure 16.3 **La spermatogenèse**

Schéma de la position relative des différentes cellules dans la paroi du tubule séminifère contourné au cours de la spermatogenèse. Bien que les cellules souches et les spermatocytes primaires aient le même nombre de chromosomes (46, nombre appelé $2n$) que les autres cellules de l'organisme, les produits de la méiose (spermatides et spermatozoïdes) en ont seulement la moitié (23, nombre appelé n).

et ovaires). Deux éléments importants la distinguent de la *mitose* (décrite au chapitre 3). La méiose comprend deux divisions nucléaires successives (appelées *méiose I* et *méiose II*) qui produisent quatre cellules filles (plutôt que deux) ou, plus précisément dans le cas de l'homme, quatre *gamètes*. Dans la spermatogenèse, et avant qu'ils se soient transformés en spermatozoïdes fonctionnels, les gamètes sont appelés **spermatides**. Ceux-ci possèdent la moitié moins de matériel génétique que les autres cellules de l'organisme. Chez l'être humain, cela veut dire que chaque spermatide comporte 23 chromosomes (on appelle ce nombre n chromosomes) au lieu de 46 ($2n$ chromosomes). Lorsqu'ils s'unissent, un spermatozoïde et un ovule (qui contient également 23 chromosomes) forment un ovule fécondé, ou zygote, qui rétablit le nombre normal de chromosomes (c'est-à-dire 46, ou $2n$). Ce nombre est ensuite maintenu dans les cellules subséquentes du nouvel individu par l'intermédiaire de la mitose (figure 16.4).

Au cours de la méiose, les cellules en division (spermatocytes primaires, puis secondaires) sont poussées vers la lumière du tubule. La méiose se déroule donc de la périphérie du tubule vers la lumière du tubule. Les spermatides, qui résultent de la méiose, ne sont *pas* des spermatozoïdes fonctionnels. Elles ne sont pas mobiles et possèdent trop de cytoplasme pour pouvoir servir à la reproduction. Elles doivent subir un autre processus qui les débarrassera du cytoplasme en excès et les dotera d'une queue (voir la figure 16.3). Au cours de ce processus qui s'appelle **spermiogenèse** et qui constitue la dernière phase du développement des spermatozoïdes, les spermatides perdent tout le cytoplasme en excès et deviennent des spermatozoïdes matures formés de trois régions : la *tête*, la *pièce intermédiaire* et la *queue* (figure 16.5). Les spermatozoïdes matures sont des cellules très profilées dotées d'un métabolisme rapide et de la capacité de se déplacer par elles-mêmes, ce qui leur permet de franchir de longues distances en peu de temps et de se rendre jusqu'à l'ovule. Voilà un bel exemple de correspondance entre la structure et la fonction.

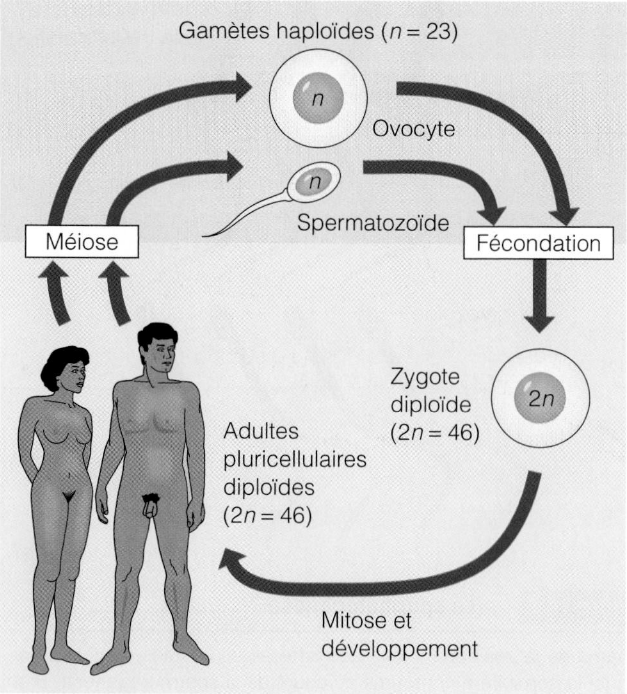

Gamètes haploïdes (n = 23)
n
Ovocyte
n
Spermatozoïde
Méiose
Fécondation
Zygote diploïde ($2n$ = 46)
$2n$
Adultes pluricellulaires diploïdes ($2n$ = 46)
Mitose et développement

Figure 16.4 **Le cycle de développement humain**

Le spermatozoïde contient de l'ADN, le matériel génétique. Essentiellement, il constitue le noyau de la spermatide. Le noyau est coiffé de l'**acrosome**, qui est similaire à un gros lysosome. Lorsqu'un spermatozoïde entre en contact avec un ovule (ou, plus précisément, avec un *ovocyte*), la membrane de l'acrosome se dégrade et libère des enzymes qui permettent au spermatozoïde de se frayer un chemin à travers les cellules folliculeuses qui entourent l'ovule. Les *filaments* qui constituent la queue sont issus des centrioles de la pièce intermédiaire. Formant de 11 à 13 tours autour de ces filaments se trouvent des *mitochondries* qui fournissent l'ATP nécessaire pour produire les mouvements en coup de fouet de la queue. Ce sont ces mouvements qui propulsent le spermatozoïde dans les voies génitales de la femme.

La spermatogenèse, depuis la formation d'un spermatocyte primaire jusqu'à la libération de spermatozoïdes immatures dans la lumière du tubule, prend de 64 à 72 jours. À ce stade, les spermatozoïdes sont encore incapables de « nager » et de féconder un ovule. Grâce au péristaltisme, ils sont poussés dans le réseau de conduits des testicules et se rendent dans l'épididyme, où leur maturation se poursuit : leur mobilité et leur pouvoir de fécondation augmentent.

Déséquilibre homéostatique

Certains facteurs externes peuvent altérer la spermatogenèse. Par exemple, il est possible que quelques antibiotiques courants, notamment la pénicilline et la tétracycline, inhibent la formation des spermatozoïdes. Les radiations, le plomb, certains pesticides, la marijuana et l'alcool consommé en quantité excessive peuvent quant à eux provoquer la formation de spermatozoïdes anormaux (à deux têtes, à plusieurs queues, etc.). On soupçonne des facteurs environnementaux d'être responsables de la diminution du nombre moyen de spermatozoïdes chez les Occidentaux depuis une cinquantaine d'années. ▲

LA PRODUCTION DE TESTOSTÉRONE

Comme nous l'avons expliqué, les endocrinocytes interstitiels sécrètent la **testostérone**, le produit hormonal le plus important des testicules. À la puberté, alors que la stimulation des tubules séminifères contournés par la FSH entraîne la production de spermatozoïdes, les endocrinocytes interstitiels sont activés par l'**hormone lutéinisante** (**LH**, pour *luteinizing hormone*), qui est, elle aussi, libérée par l'adénohypophyse (figure 16.6). Dès lors, la testostérone est produite de façon continue (ou presque) durant toute la vie. Chez le jeune homme, l'augmentation de la concentration sanguine de testostérone est à l'origine de la poussée de croissance qui caractérise l'adolescence; elle stimule le développement, jusqu'à leur taille adulte, des organes génitaux, détermine la pulsion sexuelle et entraîne l'apparition des **caractères sexuels secondaires** masculins, qui sont les suivants:

- abaissement de la voix, résultant de l'augmentation de volume du larynx;
- augmentation de la croissance des poils sur tout le corps, et plus particulièrement dans les régions axillaires et pubiennes, ainsi que sur le visage (barbe et moustache);
- croissance des muscles squelettiques, dont la masse sera caractéristique du corps masculin;
- augmentation de la densité des os, attribuable à leur épaississement.

Comme l'apparition de ces caractéristiques masculines est engendrée par la testostérone, on dit souvent de cette hormone qu'elle est *masculinisante*.

Déséquilibre homéostatique

Si la testostérone est absente, les caractères sexuels secondaires n'apparaissent pas chez le jeune homme, et ses organes génitaux demeurent ceux d'un enfant. Ce trouble est appelé *infantilisme génital*. Chez l'homme adulte, la castration ou l'incapacité des endocrinocytes interstitiels de synthétiser de la testostérone entraîne une réduction de la taille et de la fonction de ses organes génitaux ainsi qu'une diminution de sa libido. La *stérilité* en résulte également, puisque la testostérone est essentielle aux derniers stades de la spermatogenèse. ▲

endocrinocytes interstitiels -> sécrètent testosterone

FSH -> spermato. Adeno -> LH -> endocrin

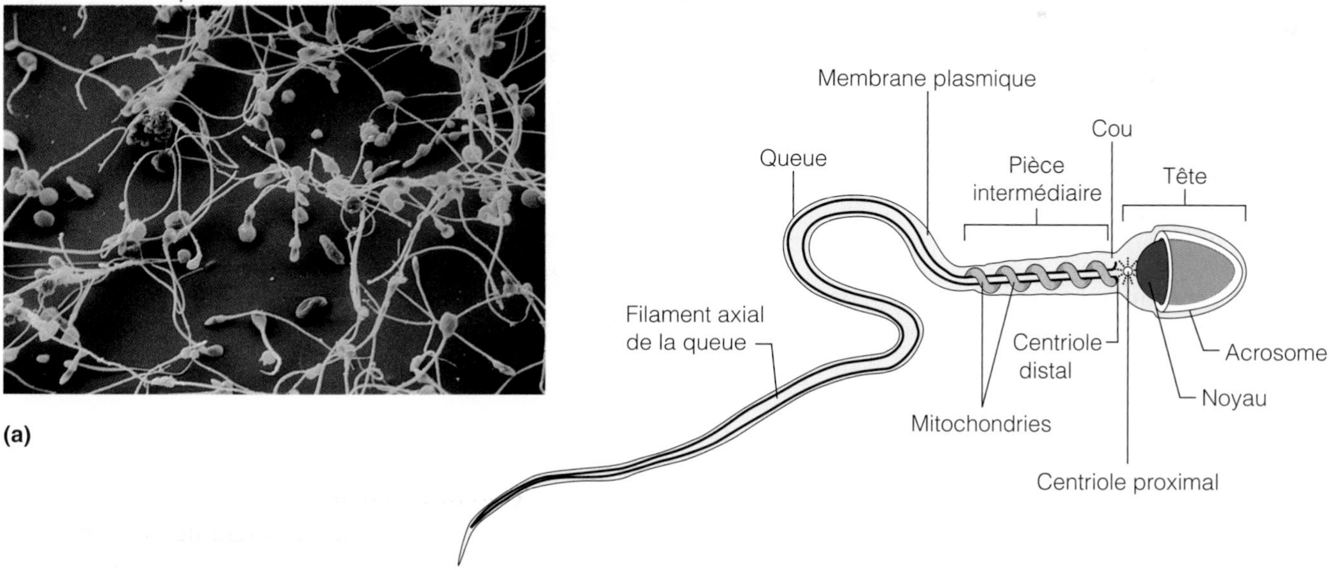

Membrane plasmique
Cou
Queue
Pièce intermédiaire
Tête
Filament axial de la queue
Centriole distal
Acrosome
Noyau
Mitochondries
Centriole proximal

(a) (b)

Figure 16.5 **La structure d'un spermatozoïde**

(a) Micrographie au microscope électronique à balayage de spermatozoïdes matures (430×).
(b) Représentation schématique d'un spermatozoïde.

Q **Quel est l'effet de la rétro-inhibition exercée par la testostérone sur les cellules de l'adénohypophyse et de l'hypothalamus ?**

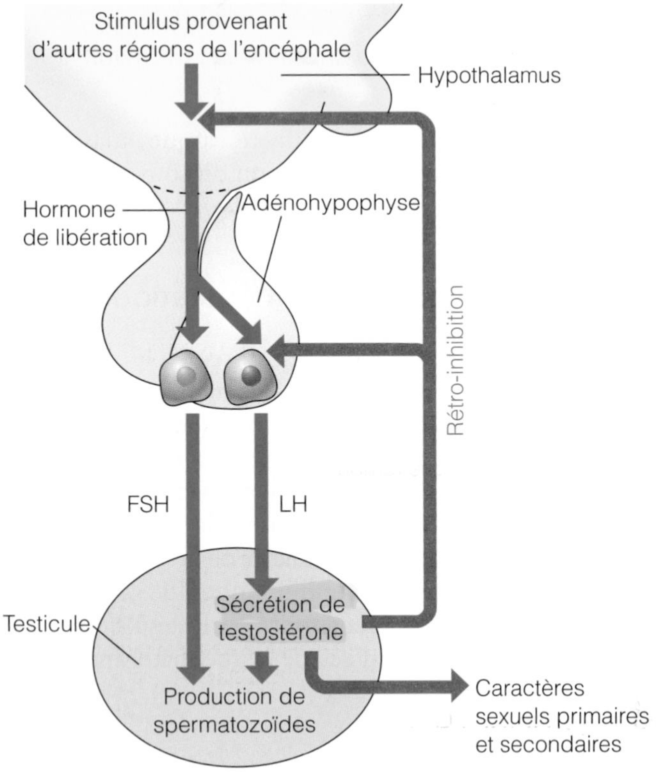
Stimulus provenant
d'autres régions de l'encéphale
Hypothalamus
Hormone
de libération
Adénohypophyse
Rétro-inhibition
FSH
LH
Testicule
Sécrétion de
testostérone
Production de
spermatozoïdes
Caractères
sexuels primaires
et secondaires

Figure 16.6 **La régulation hormonale du testicule**

L'anatomie du système génital de la femme

La femme joue un rôle beaucoup plus complexe que l'homme dans la reproduction. Non seulement son organisme doit produire des gamètes, mais il doit soutenir et protéger un fœtus en voie de développement durant neuf mois de grossesse. Les **ovaires** sont les principaux organes du système génital de la femme. Comme les testicules, ils ont une fonction exocrine (ils produisent les ovules) et une fonction endocrine (ils sécrètent des œstrogènes et de la progestérone). Les autres organes du système génital de la femme sont des structures annexes qui servent au transport des cellules germinales ou aux besoins de l'embryon (puis du fœtus) en développement, ou aux deux.

R **La testostérone inhibe l'hormone de libération qui provient de l'hypothalamus et qui stimule la sécrétion de l'hormone lutéinisante. Ainsi, la concentration de cette dernière diminue.**

LES OVAIRES

Les *ovaires* sont des organes pairs qui ont à peu près la forme et la taille de grosses amandes. À l'intérieur se trouvent un grand nombre de petites structures sacciformes appelées **follicules ovariques** (figure 16.7). Chaque follicule ovarique est formé d'un œuf immature, l'**ovocyte**, enveloppé dans une ou plusieurs couches de cellules bien différentes appelées **cellules folliculeuses**. Lorsqu'un œuf en voie de développement dans un follicule ovarique commence à mûrir, le follicule grossit et forme une cavité centrale remplie de liquide, l'*antrum folliculaire.* À ce stade, le follicule parvenu à maturité est appelé **follicule ovarique mûr**, et l'œuf en voie de développement est prêt à être éjecté de l'ovaire : c'est le phénomène de l'**ovulation**. Après l'ovulation, le follicule rompu se transforme en une structure d'aspect très différent, le **corps jaune**, qui finit par dégénérer. En général, l'ovulation survient tous les 28 jours, mais elle peut être plus ou moins fréquente chez certaines femmes. Chez la femme plus âgée, la surface des ovaires porte des cicatrices et des dépressions qui montrent que de nombreux ovocytes ont été libérés.

Suspendus à la paroi latérale du pelvis par les *ligaments suspenseurs de l'ovaire*, les ovaires sont situés de chaque côté de l'utérus et s'attachent chacun à ce dernier du côté médial par le *ligament propre de l'ovaire* (voir la figure 16.8). Entre l'ovaire et l'utérus, un repli du péritoine, le *ligament large de l'utérus*, enveloppe et fixe l'ovaire.

LES VOIES GÉNITALES DE LA FEMME

Les voies génitales de la femme comprennent les *trompes utérines*, l'*utérus* et le *vagin* (figure 16.8).

Les trompes utérines

Les **trompes utérines**, ou trompes de Fallope, forment la portion initiale des voies génitales de la femme. Une trompe utérine capte l'ovocyte après l'ovulation ; elle constituera le siège de la fécondation. Chaque trompe mesure environ 10 cm de longueur et s'étend vers le plan médian à partir de l'ovaire. Elle aboutit dans la région supérieure de l'utérus. Comme les ovaires, les trompes utérines sont enveloppées et soutenues par le ligament large. Contrairement aux voies génitales de l'homme, qui s'abouchent directement aux tubules

Figure 16.7 **Représentation d'un ovaire humain en coupe sagittale sur laquelle sont illustrées les étapes de la maturation d'un follicule ovarique**

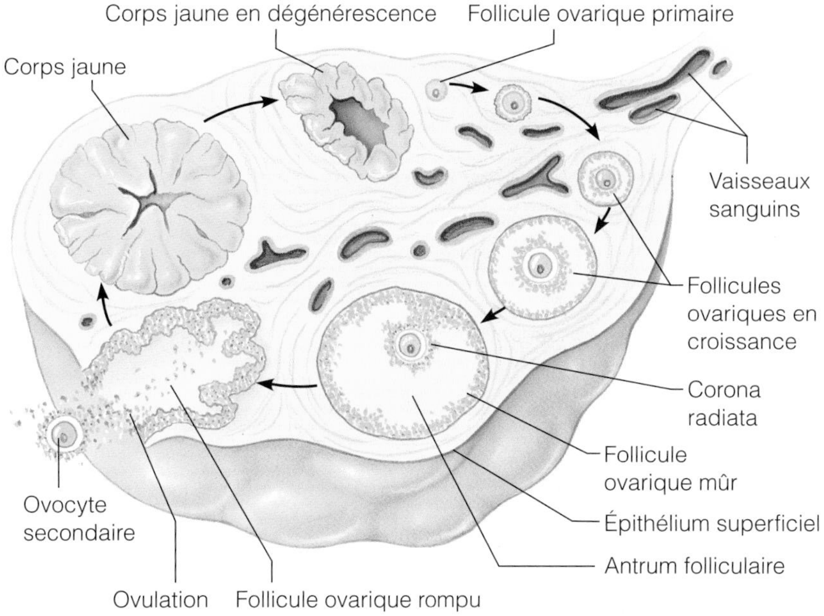

Corps jaune en dégénérescence
Follicule ovarique primaire
Corps jaune
Vaisseaux sanguins
Follicules ovariques en croissance
Corona radiata
Follicule ovarique mûr
Épithélium superficiel
Antrum folliculaire
Ovocyte secondaire
Ovulation
Follicule ovarique rompu

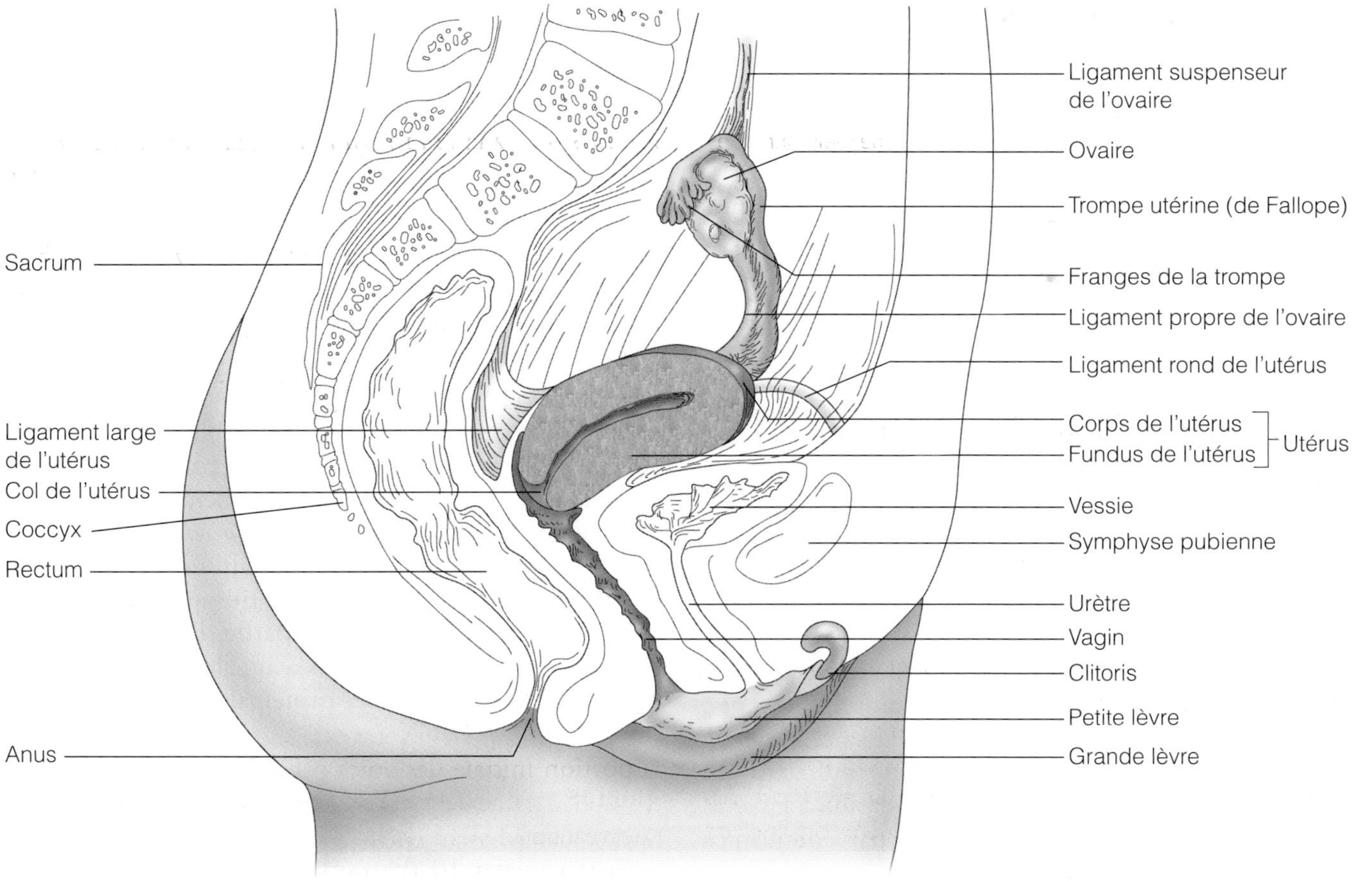

Ligament suspenseur de l'ovaire
Ovaire
Trompe utérine (de Fallope)
Franges de la trompe
Ligament propre de l'ovaire
Ligament rond de l'utérus
Corps de l'utérus
Fundus de l'utérus
Utérus
Vessie
Symphyse pubienne
Urètre
Vagin
Clitoris
Petite lèvre
Grande lèvre
Sacrum
Ligament large de l'utérus
Col de l'utérus
Coccyx
Rectum
Anus

(a)

Figure 16.8 **Les organes génitaux de la femme**

(a) Coupe sagittale.

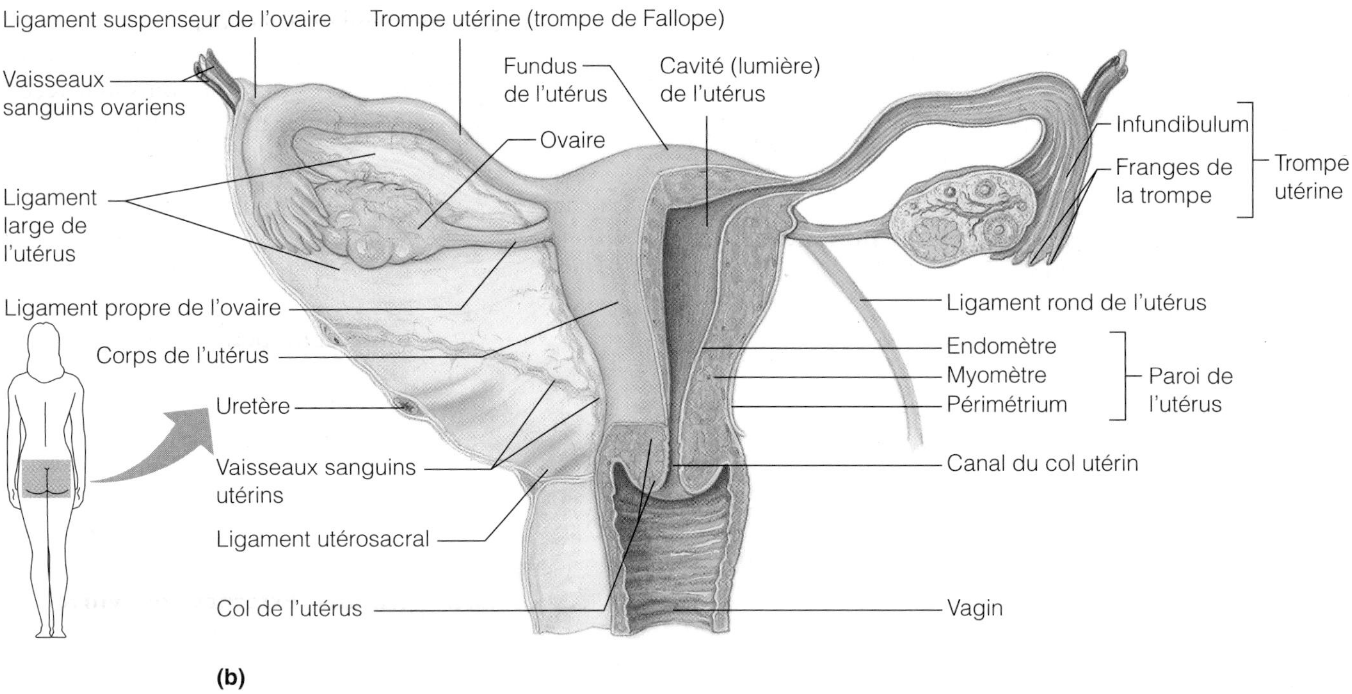
Ligament suspenseur de l'ovaire
Trompe utérine (trompe de Fallope)
Vaisseaux sanguins ovariens
Fundus de l'utérus
Cavité (lumière) de l'utérus
Ovaire
Infundibulum
Franges de la trompe
Trompe utérine
Ligament large de l'utérus
Ligament propre de l'ovaire
Ligament rond de l'utérus
Corps de l'utérus
Endomètre
Myomètre
Périmétrium
Paroi de l'utérus
Uretère
Vaisseaux sanguins utérins
Canal du col utérin
Ligament utérosacral
Col de l'utérus
Vagin
(b)

Figure 16.8 (*suite*) **Les organes génitaux internes de la femme**

(b) Vue postérieure. Les parois postérieures du vagin, de l'utérus et des trompes utérines ainsi que le ligament large ont été retirés du côté droit pour montrer la forme de la lumière de ces organes.

séminifères contournés des testicules, les trompes utérines entrent peu ou pas du tout en contact avec les ovaires. Leur partie distale, ou *infundibulum de la trompe utérine*, est évasée et dotée de projections en forme de doigt appelées **franges de la trompe**. Ces franges recouvrent partiellement l'ovaire. Lorsqu'un ovocyte est éjecté d'un ovaire au moment de l'ovulation, les franges de la trompe exécutent des mouvements de balayage. Ces mouvements créent des courants qui poussent l'ovocyte vers la trompe. Celui-ci peut à ce moment commencer son voyage vers l'utérus. (Cependant, un certain nombre d'ovocytes se perdent probablement dans la cavité péritonéale où, dans de rares cas, des spermatozoïdes peuvent aller les rejoindre et les féconder: on parle alors de grossesse *ectopique*.) L'ovocyte avance vers l'utérus par péristaltisme et grâce au battement rythmique des *cils* de la paroi des trompes. Étant donné que ce voyage jusqu'à l'utérus prend de 3 à 4 jours et que l'ovocyte est viable durant un maximum de 24 heures après l'ovulation, la fécondation a généralement lieu dans la trompe utérine. Pour parvenir jusqu'à l'ovocyte, les spermatozoïdes doivent quant à eux remonter le vagin et l'utérus en «nageant», jusqu'aux trompes utérines. Ce voyage est difficile. Comme ils doivent se déplacer contre le courant descendant créé par le battement des cils, on peut dire que les spermatozoïdes nagent contre la marée!

Déséquilibre homéostatique

Le fait que les trompes utérines ne sont pas reliées directement aux ovaires expose la femme à certains risques. Par exemple, les infections des voies génitales peuvent se propager dans la cavité péritonéale. La bactérie responsable de la *blennorragie*, tout comme d'autres bactéries transmissibles sexuellement, atteignent parfois la cavité péritonéale par cette voie. Elle cause alors une inflammation extrêmement grave, parfois même mortelle, appelée *pelvipéritonite*. On doit traiter cette maladie sans délai, notamment afin d'éviter la formation de cicatrices dans les trompes et le rétrécissement des trompes dont une partie, l'isthme, est déjà très étroite (3 mm). Ces deux séquelles de la pelvipéritonite représentent une des principales causes de l'infertilité féminine. ▲

L'utérus

Situé dans le bassin entre le rectum et la vessie, l'**utérus** est un organe creux destiné à accueillir, à héberger et à nourrir l'ovule fécondé. Chez la femme qui n'a jamais été enceinte, il a à peu près la forme et la grosseur d'une poire renversée. (Pendant la grossesse, l'utérus grossit beaucoup et, vers la fin de celle-ci, sa hauteur dépasse largement celle du nombril: il a alors atteint une taille

60 fois plus grande.) L'utérus est soutenu dans le bassin par le ligament large, et il est ancré antérieurement et postérieurement par les *ligaments ronds de l'utérus* et les *ligaments utérosacraux* respectivement (voir la figure 16.8b).

La partie la plus volumineuse de l'utérus est son **corps**. La partie arrondie située au-dessus du point d'insertion des trompes est le **fundus de l'utérus**. La partie plus étroite qui constitue l'orifice de l'utérus et qui fait saillie dans le vagin, localisé plus bas, est le **col de l'utérus**.

La paroi de l'utérus est épaisse et comprend trois couches de tissus. Sa couche la plus interne, c'est-à-dire sa muqueuse, est l'**endomètre**. Quand il y a fécondation, l'ovule fécondé (qui est devenu un embryon lorsqu'il parvient à l'utérus) s'enfouit dans l'endomètre (ce processus est appelé **implantation**) et y demeure jusqu'à la fin de son développement. Lorsqu'une femme n'est pas enceinte, l'endomètre se desquame périodiquement, habituellement tous les 28 jours environ, en réponse aux modifications des taux sanguins d'hormones ovariennes. C'est le phénomène de la *menstruation*, que nous décrivons aux pages 584-586.

Déséquilibre homéostatique

Le cancer du col de l'utérus touche surtout les femmes de 30 à 50 ans. Les facteurs de risque sont les inflammations du col à répétition, les infections transmissibles sexuellement (ITS), les grossesses répétées et les nombreux partenaires sexuels. La *cytologie cervicovaginale,* aussi appelée *frottis vaginal* (ou *test de Pap*), est le meilleur moyen de dépister ce cancer d'évolution lente. On conseille aux femmes de subir une cytologie cervicovaginale tous les ans. ▲

Le **myomètre** est l'épaisse couche centrale de la paroi utérine (voir la figure 16.8b). Il est composé de faisceaux enchevêtrés de tissu musculaire lisse. Le myomètre joue un rôle actif durant l'accouchement : il se contracte de façon rythmique pour expulser le bébé du corps de la mère. La couche externe de la paroi utérine, constituée de péritoine viscéral, est appelée *périmétrium*, ou *séreuse de l'utérus.*

Le vagin

Le **vagin** est un tube à paroi mince mesurant de 8 à 10 cm de longueur. Ses parois portent de nombreux replis qui lui permettent l'expansion nécessaire pour recevoir le pénis au moment d'une relation ou pendant l'accouchement. Il est localisé entre la vessie et le rectum, et s'étend du col de l'utérus jusqu'à l'extérieur du corps au niveau de la vulve (voir la figure 16.8a). Le vagin permet la sortie du bébé pendant l'accouchement ainsi que l'écoulement du flux menstruel. Il constitue également l'organe de copulation chez la femme, puisqu'il reçoit le pénis (et le sperme) au cours des rapports sexuels.

La portion distale du vagin est partiellement fermée par un mince repli de la muqueuse, l'**hymen**. L'hymen est très vascularisé et saigne souvent lorsqu'il est rompu au cours du tout premier rapport sexuel. Sa résistance varie : il se rompt parfois au cours de la pratique d'un sport, à l'insertion d'un tampon périodique ou pendant un examen des organes pelviens. En revanche, l'hymen est parfois si épais qu'il rend le rapport sexuel impossible ; on doit alors l'inciser chirurgicalement.

LES ORGANES GÉNITAUX EXTERNES

Les structures génitales situées à l'extérieur du vagin sont appelées **organes génitaux externes**, ou **vulve** (figure 16.9). Elles comprennent le *mont du pubis*, les *grandes lèvres* et les *petites lèvres*, le *clitoris*, l'*ostium externe de l'urètre*, l'*ostium du vagin* et les *glandes vestibulaires majeures.*

Le **mont du pubis**, ou mont de Vénus, est une région adipeuse arrondie qui recouvre la symphyse pubienne. Après la puberté, cette région est recouverte de poils. Deux replis allongés de peau adipeuse portant également des poils s'étendent vers l'arrière à partir du mont du pubis : ce sont les **grandes lèvres**, qui entourent

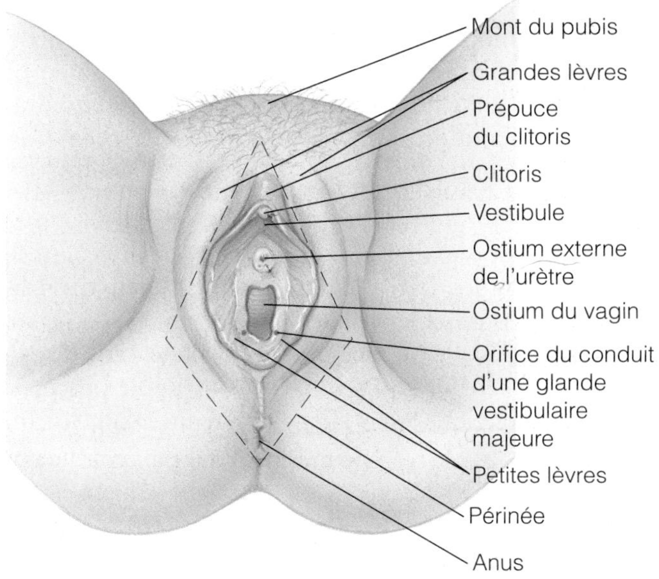
Mont du pubis
Grandes lèvres
Prépuce du clitoris
Clitoris
Vestibule
Ostium externe de l'urètre
Ostium du vagin
Orifice du conduit d'une glande vestibulaire majeure
Petites lèvres
Périnée
Anus

Figure 16.9 **Les organes génitaux externes de la femme**

les **petites lèvres**, deux replis de peau mince, délicate et dépourvue de poils. Les petites lèvres limitent une région appelée **vestibule**, qui contient l'ostium externe de l'urètre vers l'avant et l'ostium du vagin vers l'arrière*. De part et d'autre de l'ostium du vagin, on trouve une glande de la grosseur d'un pois et productrice de mucus, la **glande vestibulaire majeure** (*glande de Bartholin*). Le mucus que ces deux glandes sécrètent lubrifie la portion distale du vagin au cours des rapports sexuels.

Situé juste devant le vestibule, le **clitoris** est une petite structure saillante, homologue du pénis de l'homme. Comme celui-ci, il est recouvert d'un prépuce et composé de tissu érectile sensible qui se gonfle de sang au cours de l'excitation sexuelle. Contrairement au pénis, le clitoris ne fait pas partie des voies génitales. Le **périnée** de la femme est la région en forme de losange située entre la portion antérieure des lèvres, l'anus à l'arrière et les tubérosités ischiatiques de chaque côté.

Les fonctions et les cycles du système génital de la femme

L'OVOGENÈSE ET LE CYCLE OVARIEN

Comme nous l'avons déjà expliqué, la production de spermatozoïdes chez l'homme commence à la puberté et se poursuit normalement durant toute la vie. La situation est très différente pour la femme, chez qui tous les ovocytes sont déjà formés à la naissance. En outre, les capacités reproductives d'une femme, c'est-à-dire sa capacité de libérer des ovules, commencent habituellement à la puberté et cessent dans la cinquantaine ou avant. La période durant laquelle les capacités reproductives de la femme commencent à diminuer pour finalement disparaître est appelée *ménopause* (détaillée à la page 600).

La méiose, la division nucléaire spécialisée qui se déroule dans les testicules, a également lieu dans les ovaires. Elle produit les cellules sexuelles femelles au cours d'un processus appelé **ovogenèse** (littéralement « génération d'un œuf »). La figure 16.10 illustre le processus de l'ovogenèse, que nous allons dès maintenant décrire.

Tout d'abord, pendant la période fœtale, les **ovogonies**, cellules souches femelles, se multiplient rapidement pour augmenter leur nombre. Leurs cellules filles, les **ovocytes primaires**, s'introduisent dans le tissu conjonctif de l'ovaire où elles seront entourées d'une couche unique de cellules pour former les *follicules primaires*. À la naissance, il n'y a plus d'ovogonies dans les ovaires de la femme ; celle-ci possède déjà tous ses ovocytes primaires (environ 2 000 000), qui restent dans les follicules ovariques en attendant de redémarrer la méiose qui leur permettra de produire des œufs viables. Étant donné qu'ils demeurent dans cette sorte d'hibernation pendant toute l'enfance, leur attente est très longue : au moins de 10 à 14 ans.

À la puberté, l'adénohypophyse commence à sécréter l'*hormone folliculostimulante* (*FSH*), laquelle incite un petit nombre de follicules primaires à se développer et à mûrir chaque mois ; l'ovulation mensuelle commence. Ces modifications cycliques qui ont lieu chaque mois dans l'ovaire constituent le **cycle ovarien**. Au moment de la puberté, il reste quelque 400 000 ovocytes. Puisque la femme est en âge de procréer durant un maximum de 40 ans (de 11 ans à 51 ans environ) et qu'elle n'a normalement qu'une seule ovulation par mois, moins de 500 de ses 400 000 ovocytes seront libérés au cours de sa vie. La nature a encore une fois prévu une réserve plus que suffisante de cellules sexuelles.

Lorsqu'un follicule ovarique stimulé par la FSH grossit, du liquide s'accumule dans sa cavité centrale, appelée *antrum folliculaire* (voir la figure 16.7), et l'ovocyte primaire qu'il contient reprend le cours de la méiose. La poursuite de sa première division méiotique lui permettra de produire deux cellules de volume très différent (voir la figure 16.10). La plus grosse des deux est l'**ovocyte secondaire**, alors que l'autre est une cellule minuscule appelée **globule polaire**. Lorsqu'il a terminé sa maturation et qu'il est devenu un *follicule ovarique mûr*, le follicule contient un ovocyte secondaire et fait saillie comme un furoncle sur la face externe de l'ovaire. Il faut environ 14 jours au follicule pour parvenir à ce stade de maturation, et l'ovulation (d'un ovocyte secondaire) a lieu à peu près au jour 14 du cycle en réponse à la brusque libération d'une deuxième hormone adénohypophysaire, l'*hormone lutéinisante* (*LH*). Comme le montrent les figures 16.7 et 16.10, et la figure 16.11, l'ovocyte secondaire qui est libéré au cours de l'ovulation est encore entouré de sa capsule, maintenant appelée *corona radiata*. Certaines femmes souffrent d'un élancement au bas-ventre lorsque l'ovulation a lieu. Cette douleur est causée par l'étirement prononcé de la paroi ovarienne au moment de l'ovulation.

---

* Chez l'homme, l'urètre transporte l'urine ou le sperme. Chez la femme, il n'a aucune fonction dans la reproduction ; il sert strictement à expulser l'urine.

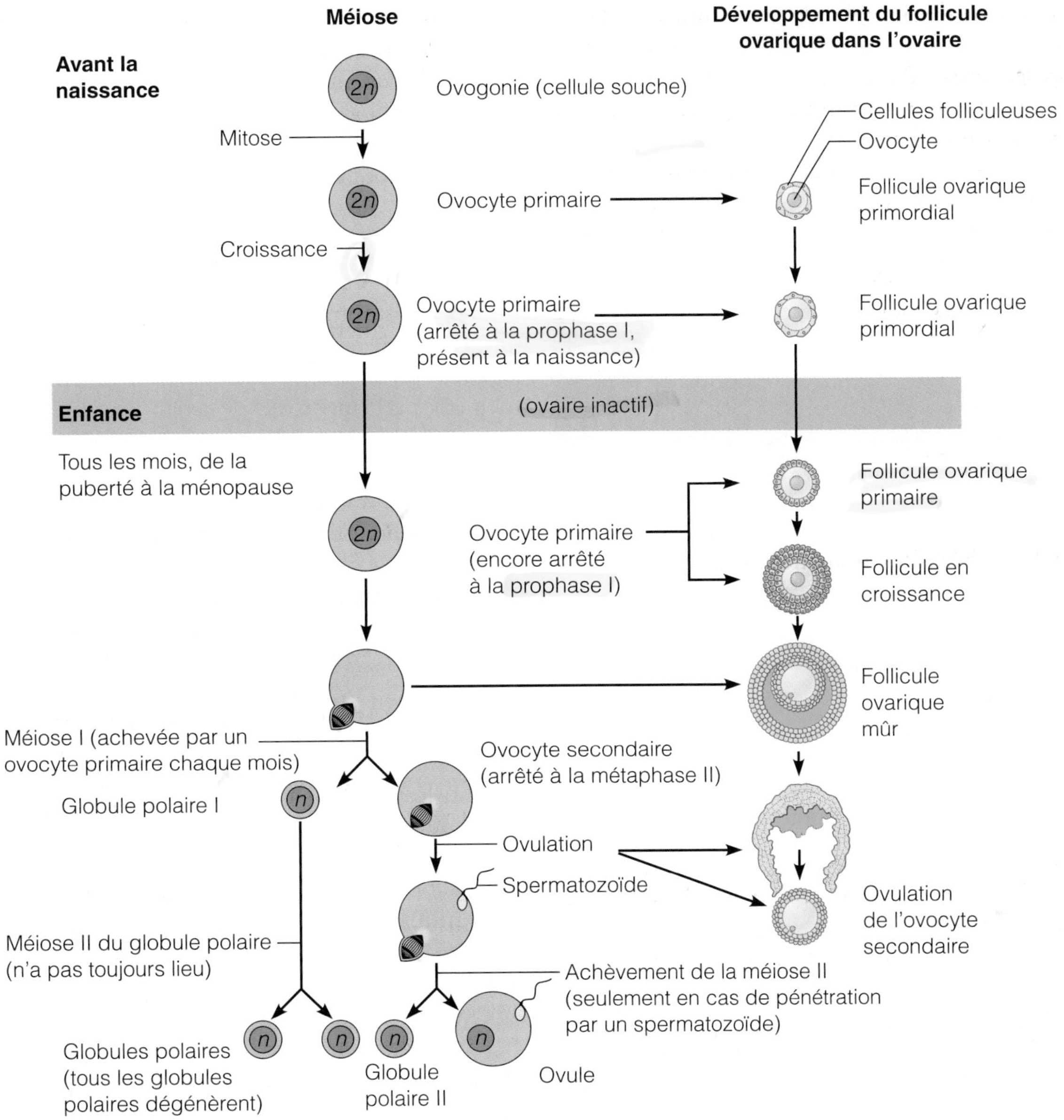
Méiose
Développement du follicule ovarique dans l'ovaire
Avant la naissance
2n
Ovogonie (cellule souche)
Mitose
Cellules folliculeuses
Ovocyte
2n
Ovocyte primaire
Follicule ovarique primordial
Croissance
2n
Ovocyte primaire (arrêté à la prophase I, présent à la naissance)
Follicule ovarique primordial
Enfance
(ovaire inactif)
Tous les mois, de la puberté à la ménopause
2n
Ovocyte primaire (encore arrêté à la prophase I)
Follicule ovarique primaire
Follicule en croissance
Follicule ovarique mûr
Méiose I (achevée par un ovocyte primaire chaque mois)
Ovocyte secondaire (arrêté à la métaphase II)
Globule polaire I
n
Ovulation
Spermatozoïde
Ovulation de l'ovocyte secondaire
Méiose II du globule polaire (n'a pas toujours lieu)
Achèvement de la méiose II (seulement en cas de pénétration par un spermatozoïde)
n
n
n
n
Globules polaires (tous les globules polaires dégénèrent)
Globule polaire II
Ovule

Figure 16.10 **L'ovogenèse**

À gauche, diagramme de la méiose. À droite, corrélation avec le développement du follicule ovarique dans l'ovaire et l'ovulation.

En général, un des follicules surpasse les autres et devient le follicule dominant. On ne sait pas comment ce follicule est choisi, ni comment il parvient à l'emporter sur les autres follicules, mais on sait en revanche que le follicule parvenu au bon stade de maturation lors de la libération de LH se rompra et libérera son ovocyte dans la cavité péritonéale. Les follicules matures qui ne sont pas libérés finissent par devenir trop mûrs et par se détériorer. La LH ne fait pas que déclencher l'ovulation. Elle entraîne aussi la transformation du follicule rompu en une structure glandulaire très différente appelée *corps jaune.* (Comme nous le verrons plus loin, les follicules en développement et le corps jaune sécrètent des hormones.)

Si un spermatozoïde pénètre dans l'ovocyte secondaire, le noyau de l'ovocyte complétera la deuxième division méiotique qui donnera naissance à un autre globule polaire et à l'**ovule**. Une fois l'ovule formé, ses 23 chromosomes s'uniront avec ceux du spermatozoïde pour former le noyau de l'ovule fécondé. L'ovule fécondé est

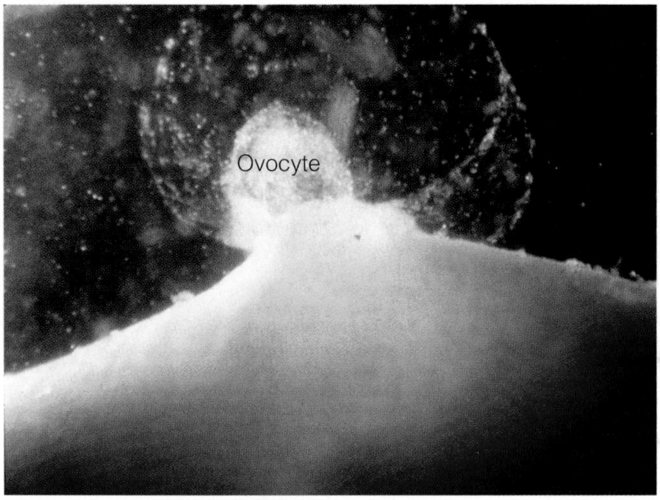
Ovocyte

Figure 16.11 **L'ovulation**

Un ovocyte secondaire est libéré par un follicule à la surface de l'ovaire. La masse orange qui se trouve sous l'ovocyte éjecté fait partie de l'ovaire. Le halo de cellules folliculaires autour de l'ovocyte secondaire est la *corona radiata*.

la toute première cellule du nouvel individu qui vient d'être conçu. Par contre, si aucun spermatozoïde ne pénètre dans l'ovocyte secondaire, celui-ci dégénère tout simplement, sans compléter la méiose qui l'aurait transformé en un ovule fonctionnel. Bien que la méiose chez l'homme donne naissance à quatre spermatozoïdes fonctionnels, la méiose chez la femme produit seulement un ovule fonctionnel et trois minuscules globules polaires non fonctionnels. Étant donné qu'ils ne possèdent presque pas de cytoplasme, les globules polaires se détériorent et meurent rapidement.

Le volume et la structure des cellules sexuelles sont également différents chez l'homme et chez la femme. Les spermatozoïdes sont minuscules et pourvus d'une queue qui leur permet de se déplacer. La petite quantité de cytoplasme qu'ils renferment contient peu de nutriments; les nutriments contenus dans le plasma spermatique sont donc essentiels à leur survie. Contrairement au spermatozoïde, l'ovule est une grosse cellule non mobile dont l'abondante réserve de nutriments servira à nourrir l'embryon en voie de développement jusqu'à ce que celui-ci s'implante dans l'utérus.

LE CYCLE MENSTRUEL

Même s'il est une cavité destinée à l'implantation et au développement de l'embryon, l'utérus n'est réceptif à celui-ci que pendant une très courte période chaque mois. Il n'est pas étonnant que ce bref intervalle soit exactement celui où l'embryon en voie de développement s'implante normalement dans l'utérus, soit environ sept jours après l'ovulation. Le **cycle menstruel** est la série de modifications cycliques subies par l'endomètre chaque mois en réponse aux variations des taux sanguins des hormones ovariennes.

Étant donné que la production cyclique d'œstrogènes et de progestérone par les ovaires est elle-même régie par les gonadotrophines hypophysaires (FSH et LH), il est important de comprendre comment ces hormones interagissent les unes avec les autres. En général, le cycle ovarien et le cycle menstruel de la femme durent tous les deux environ 28 jours (période souvent appelée *mois lunaire*), et l'ovulation a habituellement lieu au milieu de ces cycles, soit à peu près le jour 14. La figure 16.12 illustre les événements qui se produisent simultanément dans l'ovaire (cycle ovarien) et dans l'utérus (cycle menstruel). Les trois étapes du cycle menstruel sont celles qui suivent.

- **Jours 1 à 5, phase menstruelle.** Au cours de cette phase, la *couche fonctionnelle* qui tapisse la surface du revêtement épais de l'endomètre se desquame, ou se détache, de la paroi utérine. Ce processus provoque des saignements qui durent en moyenne de trois à cinq jours. Le sang et les tissus qui se sont détachés s'écoulent dans le vagin et constituent l'écoulement menstruel. La perte sanguine moyenne durant cette période est de 50 à 150 mL. Au jour 5, les follicules ovariques en développement commencent à nouveau à produire des œstrogènes.
- **Jours 6 à 14, phase proliférative.** Stimulée par les œstrogènes libérés en quantité accrue par les follicules en développement dans les ovaires, la couche basale de l'endomètre reconstitue une nouvelle couche fonctionnelle. Celle-ci se vascularise, et des glandes s'y forment. L'endomètre redevient épais, velouté et bien approvisionné en sang. (L'ovulation a lieu dans l'ovaire à la fin de cette phase, en réponse à la brusque augmentation de LH.)
- **Jours 15 à 28, phase sécrétoire.** L'augmentation du taux de progestérone, sécrétée par le corps jaune de l'ovaire, agit sur l'endomètre sensibilisé par les œstrogènes et augmente sa vascularisation. La progestérone agit également sur les glandes utérines, qui grossissent alors et commencent à sécréter des nutriments dans la cavité utérine. Ces nutriments soutiendront l'embryon (s'il y a eu fécondation) jusqu'à ce qu'il soit implanté. S'il y a eu fécondation, l'enveloppe de l'embryon produit une hormone (la hCG) très semblable à la LH, qui incite le corps jaune à continuer de sécréter ses hormones. S'il n'y a pas eu fécondation, le corps jaune commence à dégénérer vers la fin

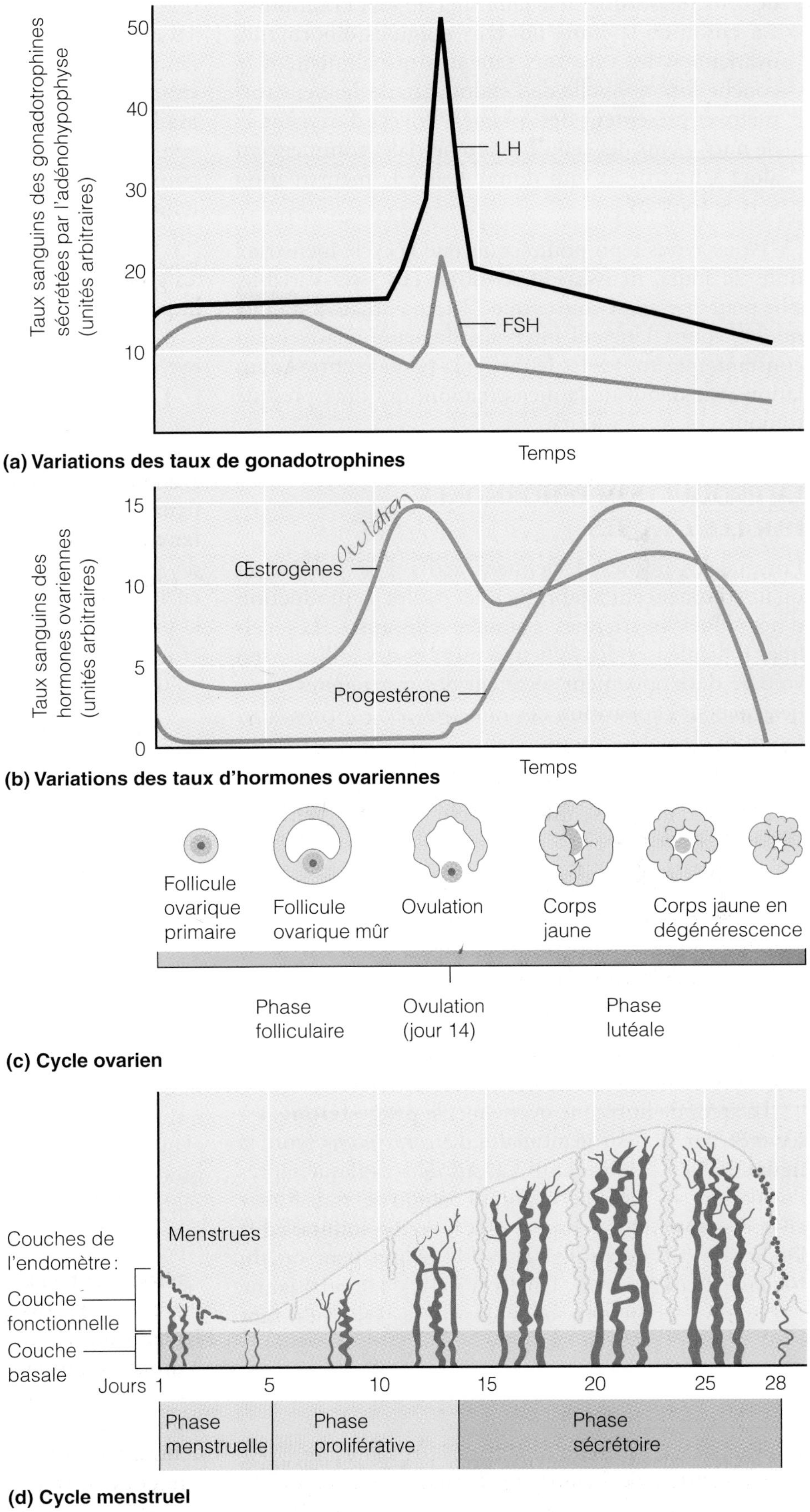
Taux sanguins des gonadotrophines sécrétées par l'adénohypophyse (unités arbitraires)
50
40
30
20
10
LH
FSH
Temps
(a) Variations des taux de gonadotrophines
Taux sanguins des hormones ovariennes (unités arbitraires)
15
10
5
0
Œstrogènes
Progestérone
Temps
(b) Variations des taux d'hormones ovariennes
Follicule ovarique primaire
Follicule ovarique mûr
Ovulation
Corps jaune
Corps jaune en dégénérescence
Phase folliculaire
Ovulation (jour 14)
Phase lutéale
(c) Cycle ovarien
Couches de l'endomètre :
Couche fonctionnelle
Couche basale
Menstrues
Jours 1
5
10
15
20
25
28
Phase menstruelle
Phase proliférative
Phase sécrétoire
(d) Cycle menstruel

Figure 16.12 **La régulation hormonale des cycles de la femme**

Taux relatifs des gonadotrophines hypophysaires (LH et FSH), en corrélation avec les changements hormonaux et folliculaires de l'ovaire et avec le cycle menstruel.

de cette phase, quand le taux sanguin de LH diminue. En raison de la chute des taux sanguins d'hormones ovariennes, les vaisseaux sanguins qui alimentent la couche fonctionnelle de l'endomètre deviennent tortueux et présentent des spasmes. Privées d'oxygène et de nutriments, les cellules endométriales commencent alors à mourir, ce qui donne lieu à la menstruation vers le jour 28.

Nous avons tenu pour acquis que le cycle menstruel dure 28 jours, mais sa durée est en fait assez variable. Elle peut être aussi courte que 21 jours ou aussi longue que 40 jours. Un seul intervalle demeure relativement constant chez toutes les femmes : la période entre l'ovulation et le début de la menstruation, qui dure presque toujours 14 ou 15 jours.

LA PRODUCTION D'HORMONES PAR LES OVAIRES

Lorsque les ovaires deviennent actifs à la puberté et qu'ils commencent à fabriquer des ovules, la production d'hormones ovariennes s'amorce elle aussi. Les cellules folliculeuses des follicules mûrs et des follicules en voie de développement sécrètent des **œstrogènes***, qui déclenchent l'apparition des *caractères sexuels secondaires* féminins, lesquels comprennent :

- l'augmentation de volume des organes génitaux annexes (trompes utérines, utérus, vagin, organes génitaux externes) ;
- le développement des seins ;
- l'apparition de poils axillaires et pubiens ;
- l'augmentation des dépôts de tissu adipeux sous-cutané, principalement aux hanches et aux seins ;
- l'élargissement et l'allégement du bassin ;
- le début de la menstruation, c'est-à-dire du cycle menstruel.

La seconde hormone ovarienne, la **progestérone**, est sécrétée par le tissu glandulaire du *corps jaune* (voir la figure 16.7). Comme nous l'avons déjà expliqué, après l'ovulation, le follicule ovarique rompu se transforme en corps jaune, dont l'aspect et la fonction sont très différents de ceux du follicule en développement ou du follicule ovarique mûr. Une fois formé, le corps jaune sécrète de la progestérone (et un peu d'œstrogènes) tant que la LH est présente dans le sang. En général, entre 10 et 14 jours après l'ovulation, il a cessé de produire des hormones. La progestérone agit de concert avec les œstrogènes dans l'établissement du cycle menstruel, mais elle ne contribue pas à l'apparition des caractères sexuels secondaires. La progestérone exerce ses principaux effets durant la grossesse : elle contribue à maintenir celle-ci et prépare les seins à la lactation. (À partir du troisième mois de la grossesse, cependant, c'est le placenta, et non les ovaires, qui sécrète la progestérone.)

Les glandes mammaires

Les **glandes mammaires** sont présentes chez les deux sexes, mais elles fonctionnent seulement chez les femmes. Le rôle biologique des glandes mammaires est de sécréter du lait pour nourrir le bébé ; il commence en fait quand la reproduction a déjà été accomplie. À la puberté, la libération d'hormones sexuelles, en particulier les œstrogènes, entraîne l'augmentation du volume des glandes mammaires.

Au point de vue du développement, les glandes mammaires sont des glandes exocrines apparentées aux *glandes sudoripares*, et font en réalité partie de la peau. Chaque glande mammaire est localisée dans un sein, structure arrondie recouverte de peau située devant les muscles pectoraux. Légèrement au-dessous du centre de chaque sein, une région pigmentée appelée **aréole mammaire** entoure une protubérance centrale, le **mamelon** (figure 16.13).

Chaque glande mammaire se compose de 15 à 25 *lobes* disposés en rayons autour de l'aréole. Les lobes sont coussinés et séparés les uns des autres par du tissu conjonctif dense et du tissu adipeux. À l'intérieur de chaque lobe se trouvent des unités plus petites appelées *lobules*, qui renferment des groupes de **glandes alvéolaires**. Ces glandes sécrètent le lait chez la femme qui **allaite** (qui produit du lait). Les glandes alvéolaires de chaque lobule sécrètent le lait dans les **conduits lactifères** qui s'ouvrent par un ostium à la surface du mamelon.

Déséquilibre homéostatique

Le cancer du sein est la deuxième cause de mortalité chez les femmes en Amérique du Nord. Son incidence est aussi très élevée en Europe occidentale. Une femme sur huit souffrira un jour de cette maladie. Au Canada, on prévoyait que 22 300 femmes recevraient un diagnostic de cancer du sein en 2007 et

* Les ovaires produisent plusieurs œstrogènes, mais les plus importants sont l'*œstradiol*, l'*œstrone* et l'*œstriol*. L'œstradiol est le plus abondant, et c'est lui qui est responsable de la plupart des effets des œstrogènes.

Q **Les femmes qui ont la poitrine « plate » sont tout à fait aptes à nourrir leurs nouveau-nés. Ainsi, ce n'est pas le tissu glandulaire qui donne au sein l'essentiel de son volume. Alors, d'où vient ce dernier ?**

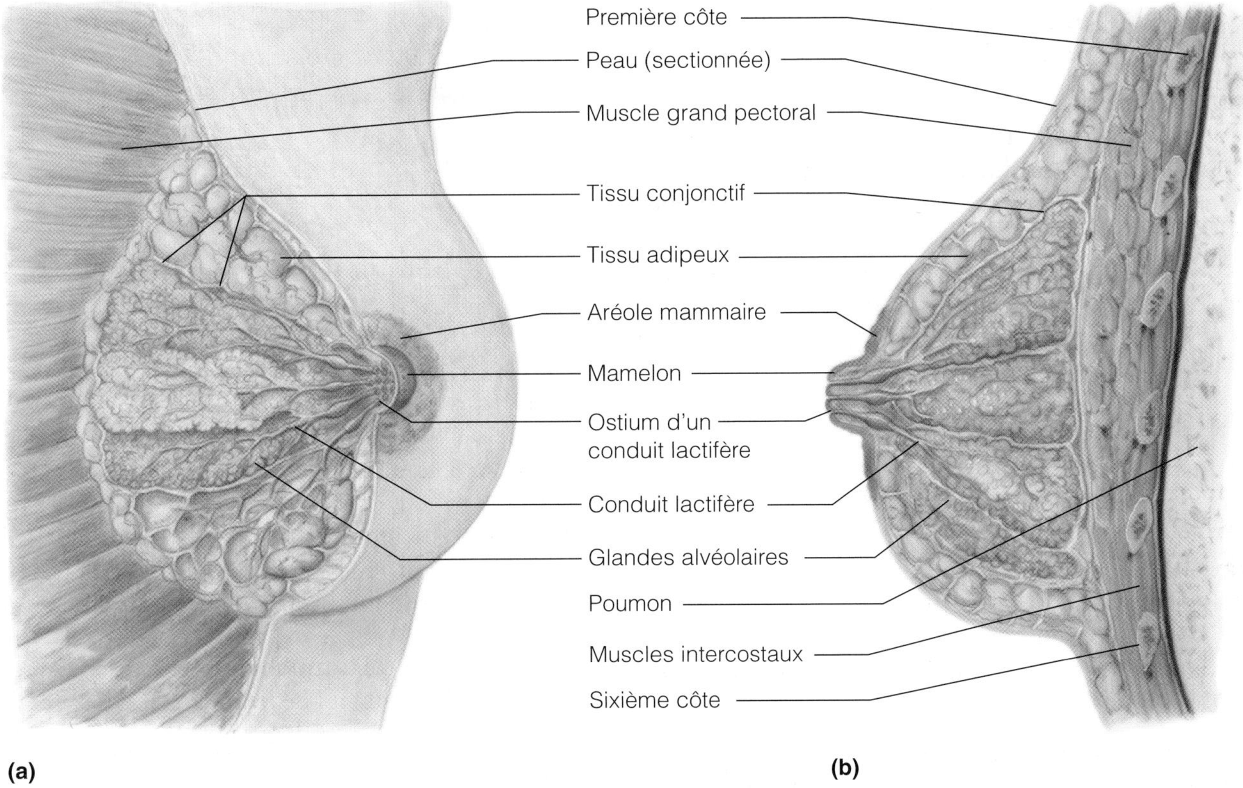
Première côte
Peau (sectionnée)
Muscle grand pectoral
Tissu conjonctif
Tissu adipeux
Aréole mammaire
Mamelon
Ostium d'un conduit lactifère
Conduit lactifère
Glandes alvéolaires
Poumon
Muscles intercostaux
Sixième côte
(a)
(b)

Figure 16.13 **La structure de la glande mammaire**

(a) Vue antérieure. **(b)** Coupe sagittale.

que 5300 en mourraient. Le cancer du sein se manifeste souvent par une modification de la texture de la peau, un plissement de la peau ou un écoulement du mamelon. Le dépistage précoce au moyen de l'autoexamen des seins et de la mammographie est sans aucun doute la meilleure façon d'augmenter ses chances de survivre au cancer du sein. Étant donné que la majorité des masses sont découvertes par la femme au cours d'un autoexamen, la pratique mensuelle de cet examen devrait faire partie des habitudes de vie de toutes les femmes. Actuellement, la Société canadienne du cancer recommande aux femmes de subir un examen clinique des seins tous les deux ans entre l'âge de 40 et 49 ans, et une **mammographie** tous les ans, entre l'âge de 50 et 69 ans (figure 16.14). La mammographie est un examen radiographique qui peut dépister les tumeurs cancéreuses encore trop petites pour être palpables (moins de 1 cm de diamètre). ▲

R **Du tissu adipeux.**

Un aperçu de la grossesse et du développement embryonnaire

La naissance d'un bébé est un événement si courant qu'on a tendance à oublier que cet accomplissement est une merveille : une seule cellule, l'ovule fécondé, se transforme en un être humain hautement organisé formé de billions de cellules. Le développement d'un embryon étant très complexe, il nous aurait fallu le présent manuel au

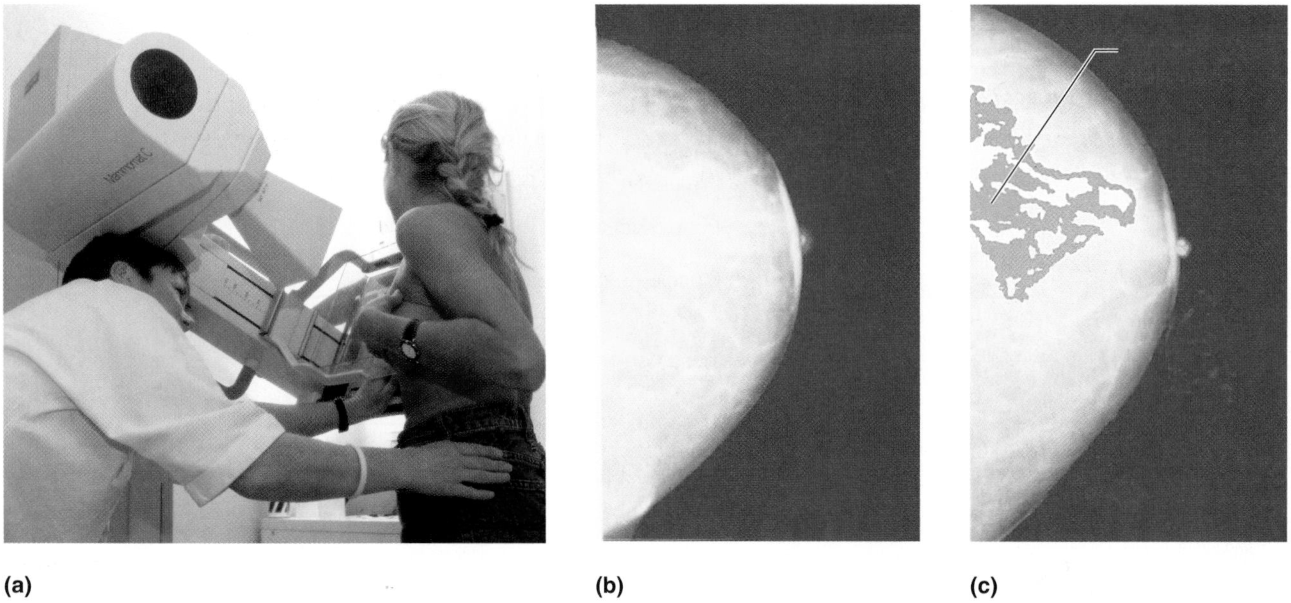
(a)
(b)
(c)

Figure 16.14 **Mammographie**

(a) Photographie d'une femme subissant une mammographie. **(b)** Sein normal. **(c)** Sein présentant une tumeur maligne.

complet pour le décrire. Nous nous limiterons donc à considérer les phénomènes importants de la grossesse et du développement embryonnaire et fœtal.

LE DÉROULEMENT DE LA FÉCONDATION

Pour que la fécondation soit possible, le spermatozoïde doit atteindre l'ovocyte secondaire. L'ovocyte est viable de 12 à 24 heures après son expulsion de l'ovaire, et les spermatozoïdes conservent généralement leur pouvoir de fécondation de 12 à 48 heures après l'éjaculation. Toutefois, certains « superspermatozoïdes » demeurent viables durant 72 heures. Donc, pour que la fécondation soit possible, le rapport sexuel doit avoir lieu au plus tôt 72 heures *avant* l'ovulation et au plus tard 24 heures *après*, au moment où l'ovocyte a atteint le premier tiers de la trompe utérine. Rappelez-vous que les spermatozoïdes sont des cellules mobiles qui se déplacent d'elles-mêmes grâce au mouvement en coup de fouet de leur queue. S'ils sont déposés dans le vagin de la femme à peu près au moment de l'ovulation, les spermatozoïdes sont attirés par l'ovocyte grâce à des substances chimiques qui agissent comme des « têtes chercheuses » et qui leur permettent de le repérer. Il faut de une à deux heures aux spermatozoïdes pour remonter les voies génitales de la femme jusqu'à l'extrémité des trompes utérines. Si un ovocyte est présent à ce moment-là dans une trompe, la fécondation est chose possible.

Lorsque les spermatozoïdes arrivent en masse autour de l'ovocyte, des centaines de leurs acrosomes se rompent, libérant des enzymes qui dégradent le « ciment » qui lie ensemble les cellules folliculeuses de la corona radiata autour de l'ovocyte. Une fois qu'un chemin a été tracé et qu'un spermatozoïde est entré en contact avec les récepteurs de l'enveloppe externe de l'ovocyte (appelée *zone pellucide*), sa tête (son noyau) est attirée dans le cytoplasme de l'ovocyte. Dans ce cas, on ne peut pas dire « premier arrivé, premier servi ». En effet, le spermatozoïde qui arrive plus tard, après que des centaines d'autres ont déclenché la réaction acrosomiale pour exposer la membrane plasmique de l'ovocyte, a les meilleures chances d'être *le* spermatozoïde fécondant. Une fois la tête du spermatozoïde à l'intérieur de l'ovocyte, le noyau de l'ovocyte secondaire termine sa deuxième division méiotique ; il forme alors l'ovule et un autre globule polaire.

L'entrée du spermatozoïde, l'« heureux élu », dans l'ovule fécondé entraîne des changements (dépolarisation de la membrane de l'ovocyte, durcissement de la zone pellucide, élimination des récepteurs de spermatozoïdes) qui empêchent d'autres spermatozoïdes d'entrer. Parmi les millions de spermatozoïdes éjectés au cours de l'éjaculation, *un seul* peut pénétrer dans l'ovocyte. La **fécondation** a lieu quand le matériel génétique d'un spermatozoïde fusionne avec celui d'un ovule pour former le noyau d'un ovule fécondé, appelé alors **zygote**. Le zygote est la toute première cellule du nouvel individu.

LE DÉVELOPPEMENT EMBRYONNAIRE ET FŒTAL

Pendant qu'il descend la trompe utérine (propulsé par péristaltisme et grâce au battement des cils des trompes), le zygote commence à subir des divisions mitotiques rapides et forme deux cellules, puis quatre, puis huit, et ainsi de suite. Ce stade, appelé **segmentation** et illustré à la figure 16.15, caractérise le début du développement embryonnaire. Comme les divisions se succèdent trop rapidement pour qu'il puisse y avoir une croissance

Q **Pourquoi le blastocyste multicellulaire est-il à peine plus gros que le zygote unicellulaire ?**

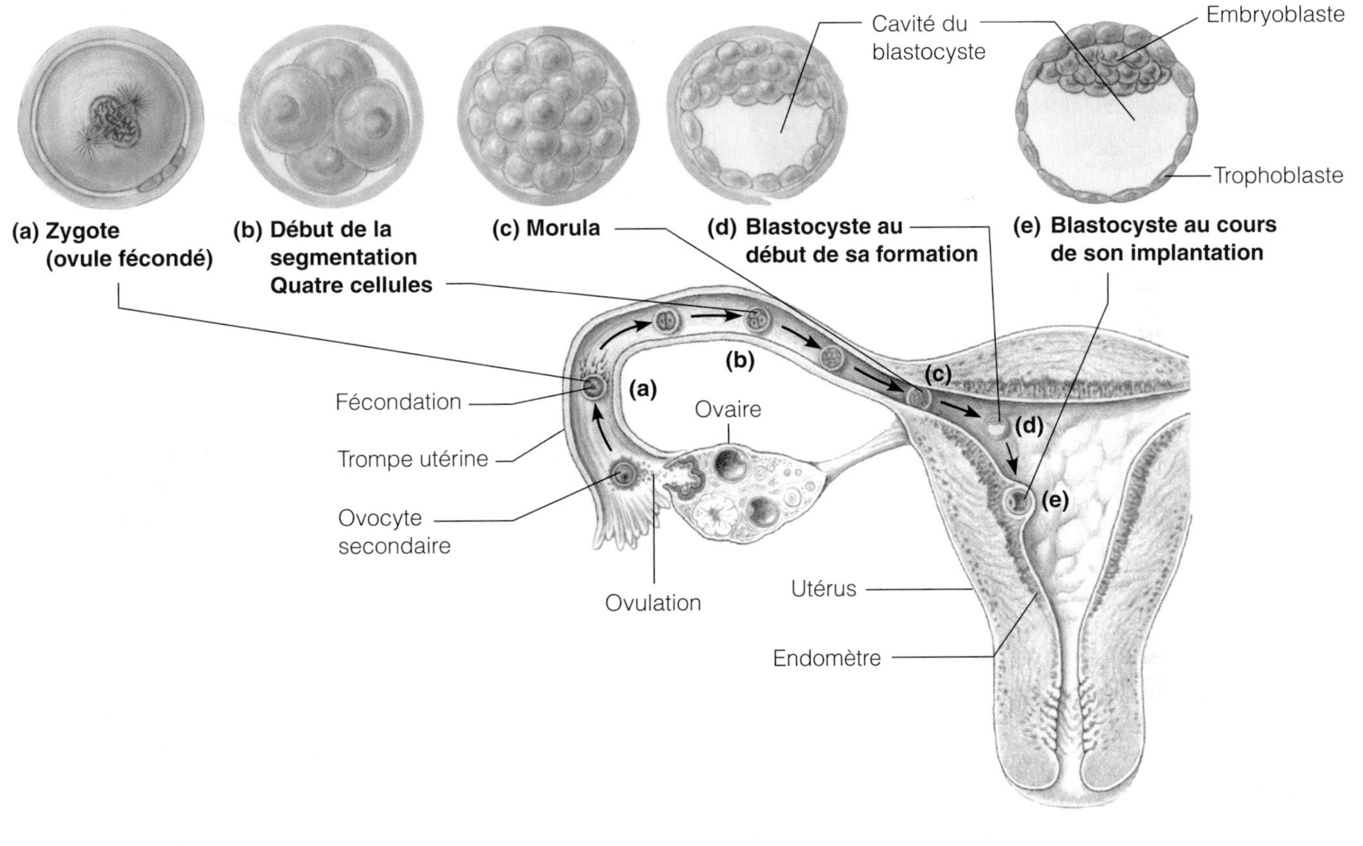
Cavité du blastocyste
Embryoblaste
Trophoblaste
(a) Zygote (ovule fécondé)
(b) Début de la segmentation Quatre cellules
(c) Morula
(d) Blastocyste au début de sa formation
(e) Blastocyste au cours de son implantation
Fécondation
Trompe utérine
Ovocyte secondaire
Ovaire
Ovulation
Utérus
Endomètre
(a)
(b)
(c)
(d)
(e)

Figure 16.15 **La segmentation est une série de divisions mitotiques en succession rapide qui débutent avec le zygote et se terminent avec le blastocyste.**

Le zygote commence à se diviser environ 24 heures après la fécondation et continue de se diviser rapidement (segmentation) pendant qu'il descend la trompe utérine en direction de l'utérus. Trois à quatre jours après l'ovulation, le préembryon atteint l'utérus et y flotte librement durant deux ou trois jours, nourri par les sécrétions des glandes endométriales. L'implantation du blastocyste dans l'endomètre a lieu environ sept jours après l'ovulation. **(a)** Zygote (ovule fécondé). **(b)** Quatre cellules. **(c)** Morula, boule solide de blastomères. **(d)** Blastocyste au début de sa formation : la morula se remplit de liquide qui y creuse une cavité. **(e)** Blastocyste au cours de son implantation, composé d'une paroi externe de cellules trophoblastiques et d'un amas excentrique de cellules appelé *embryoblaste*.

R **Parce que le zygote et sa descendance se divisent rapidement et manquent de temps pour croître entre les cycles de division. En conséquence, les cellules deviennent de plus en plus petites, et l'amas cellulaire qui se forme garde à peu près la taille qu'il avait au stade du zygote.**

entre chacune, les cellules filles sont de plus en plus petites; de plus, la rigidité de la zone pellucide ne permet pas l'expansion du diamètre de l'œuf fécondé. La segmentation garantit de la sorte que l'**embryon** (c'est ainsi que l'on nomme l'être en développement jusqu'à la neuvième semaine) sera constitué à partir d'un grand nombre de cellules. Pourquoi cette caractéristique est-elle importante? Pour la même raison qu'il est beaucoup plus facile d'essayer de construire un gratte-ciel à l'aide d'un grand nombre de briques qu'avec un gigantesque bloc de granit. Lorsqu'il arrive dans l'utérus (environ trois jours après l'ovulation, ou au jour 17 du cycle de la femme), l'embryon en développement est au stade de *morula*, c'est-à-dire qu'il forme une petite boule de 16 cellules (appelées *blastomères*) qui ressemble à une framboise microscopique. L'endomètre de l'utérus n'étant pas encore prêt à le recevoir, il flotte librement dans la cavité utérine, temporairement nourri des sécrétions de l'utérus. Pendant cette période où il n'est attaché à rien, l'embryon continue de se développer jusqu'à ce qu'il soit composé d'environ 100 cellules, puis une fois la zone pellucide dégradée, il se creuse pour former une sphère appelée **blastocyste**. Au même moment, comme nous l'avons déjà mentionné, son enveloppe se met à sécréter une hormone semblable à la LH: la **gonadotrophine chorionique humaine** (**hCG**, pour *human chorionic gonadotropin*). Cette hormone incite le corps jaune de l'ovaire à continuer de produire ses hormones. (Si tel n'était pas le cas, la couche fonctionnelle de l'endomètre se desquamerait bientôt comme durant la menstruation.) C'est aussi cette hormone que de nombreux tests de grossesse courants permettent de détecter dans l'urine de la femme.

Le blastocyste a deux régions fonctionnelles importantes: le *trophoblaste*, qui forme la grosse sphère remplie de liquide, et l'*embryoblaste*, un petit amas de cellules situé sur le côté (voir la figure 16.15e). Avant le jour 7 après l'ovulation, le blastocyste s'attache à l'endomètre et l'érode sur une petite portion pour s'enfouir dans la muqueuse épaisse et veloutée. Pendant tout ce temps, l'embryon continue à se développer, et les trois feuillets embryonnaires primitifs s'élaborent à partir de l'embryoblaste (figure 16.16). Les *feuillets embryonnaires primitifs* sont l'**ectoderme embryonnaire** (qui donnera naissance au système nerveux et à l'épiderme), l'**endoderme embryonnaire** (qui composera les muqueuses et les glandes associées) et le **mésoderme intraembryonnaire** (qui constituera tout le reste ou presque). Le quatorzième jour après l'ovulation (c'est-à-dire le jour même où la femme serait normalement menstruée),

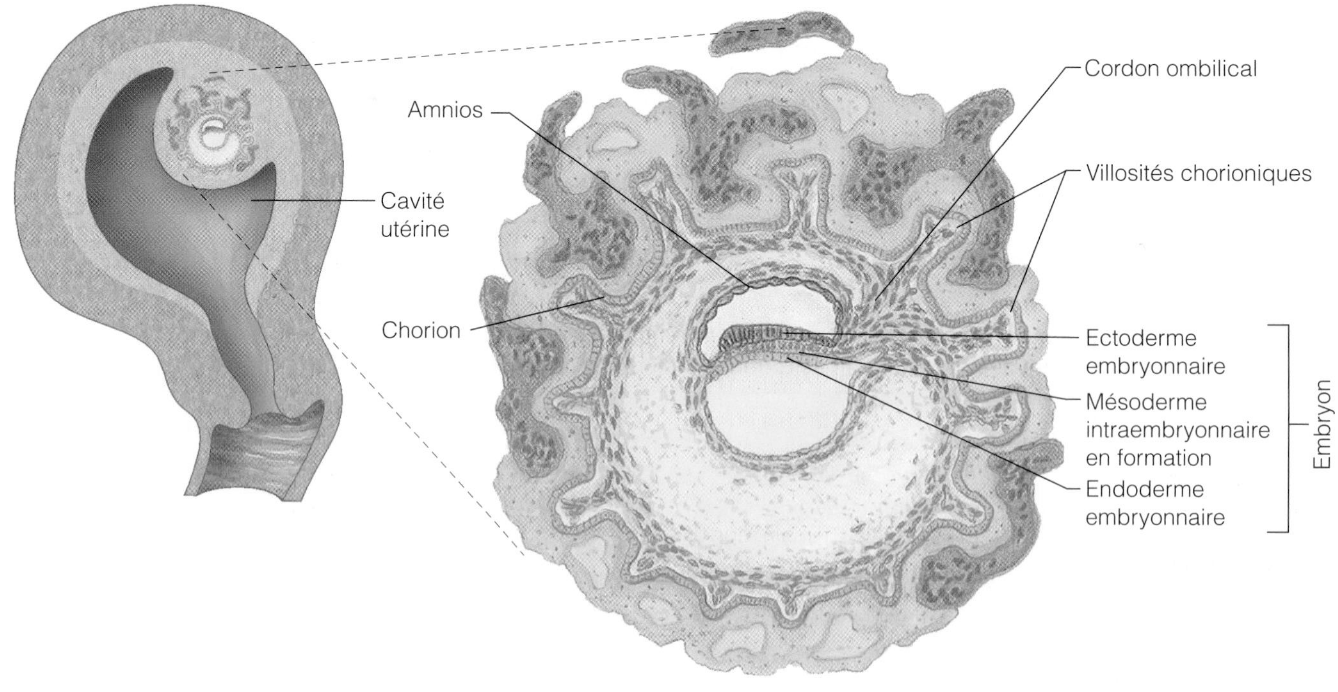

Amnios
Cavité utérine
Chorion
Cordon ombilical
Villosités chorioniques
Ectoderme embryonnaire
Mésoderme intraembryonnaire en formation
Endoderme embryonnaire
Embryon

Figure 16.16 **Embryon d'environ 22 jours**

Les membranes embryonnaires sont présentes.

l'embryon a terminé son implantation et la muqueuse de l'utérus a recouvert (en se reconstituant) l'embryon enfoui. Une fois l'embryon solidement implanté, des projections élaborées appelées **villosités chorioniques** se développent à partir du trophoblaste du blastocyste. Les villosités chorioniques, avec les tissus de l'utérus maternel, composent le **placenta**. Lorsque le placenta est formé, la structure aplatie que constitue l'embryon, maintenant entourée d'un sac rempli de liquide appelé **amnios**, s'y attache au moyen d'une tige de tissu parcourue de vaisseaux sanguins, le **cordon ombilical** (voir la figure 16.16). (Les caractéristiques des vaisseaux ombilicaux et de la circulation fœtale sont décrites aux pages 409-411.) En général, dès la troisième semaine, le placenta est en mesure de remplir ses fonctions : il apporte des nutriments et de l'oxygène dans le sang de l'embryon et débarrasse celui-ci des déchets. Tous ces échanges se font à travers la barrière placentaire. À la fin du deuxième mois de grossesse, le placenta est devenu un organe endocrinien qui produit des œstrogènes, de la progestérone et les autres hormones qui contribuent à maintenir la grossesse. C'est à ce moment que le corps jaune de l'ovaire devient inactif.

Après huit semaines de développement embryonnaire, toutes les structures de base sont établies. Tous les systèmes de l'organisme sont élaborés, du moins sous forme rudimentaire, et l'embryon ressemble déjà à un être humain. À partir de la neuvième semaine de développement, l'embryon devient un **fœtus**. Le développement fœtal se caractérise principalement par la croissance et la spécialisation des organes, ainsi que par la modification des proportions corporelles. Au début de la période fœtale, le fœtus mesure approximativement 3 cm du vertex (sommet du crâne) au coccyx (longueur VC) et pèse environ 1 g ; à la fin de cette période, il mesure en moyenne 36 cm et pèse de 2,7 à 4 kg ou plus. (La longueur totale du fœtus à la naissance est d'environ 55 cm.) Une croissance aussi phénoménale s'accompagne évidemment de changements notables dans les caractéristiques physiques (figure 16.17). Les changements les plus importants sont résumés dans le tableau 16.1. Théoriquement, 266 jours après la fécondation ou 280 jours après la dernière menstruation (à la fin du 10e mois lunaire), le fœtus est « à terme », c'est-à-dire prêt à naître.

LES EFFETS DE LA GROSSESSE CHEZ LA MÈRE

La **grossesse** (période qui s'étend de la conception à la naissance du bébé) peut être une période difficile pour la mère. En plus des modifications anatomiques évidentes, elle provoque des changements physiologiques importants.

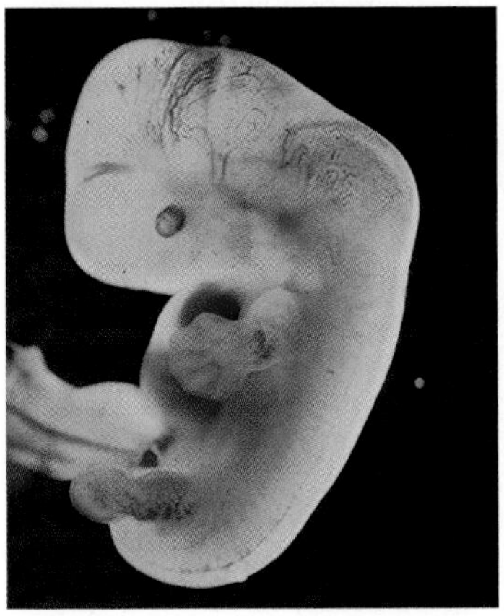

(a) Cinq semaines. Les bourgeons des membres, les yeux, le cœur, le foie et des ébauches de tous les autres organes ont commencé à se former dans l'embryon, qui ne mesure qu'environ 1 cm de long.

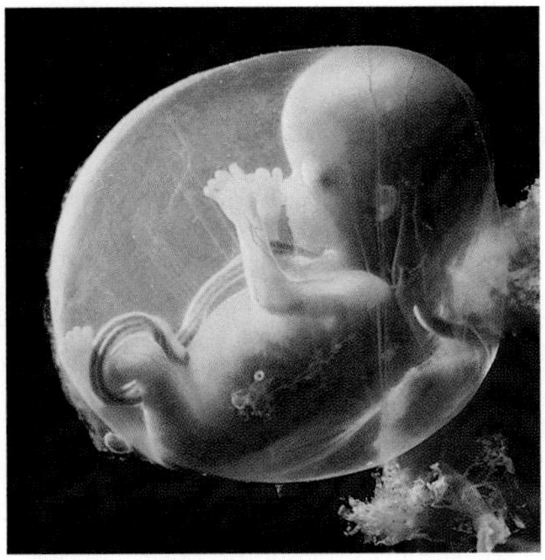

(b) Quatorze semaines. La croissance et le développement de l'être humain, appelé *fœtus* à ce stade, continuent durant le deuxième trimestre. Le fœtus mesure environ 12 cm de long.

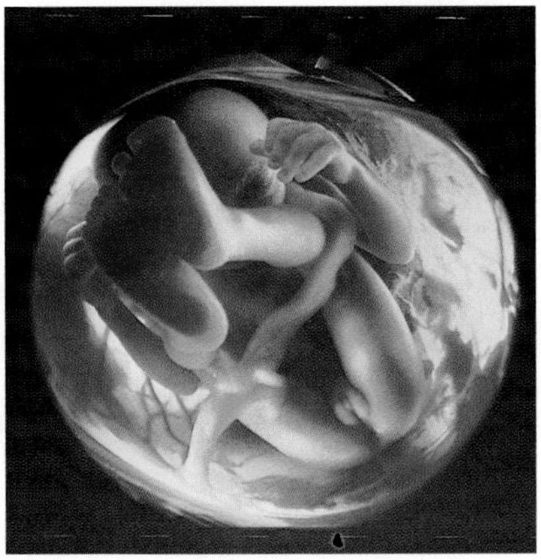

(c) Vingt semaines. À la fin du deuxième trimestre (à 24 semaines), la taille du fœtus atteint environ 23 cm.

Figure 16.17 **Le développement fœtal**

(Toutes les dimensions correspondent aux longueurs VC.)

Tableau 16.1 Le développement au cours de la période fœtale

Âge	Changements
8 semaines (fin de la période embryonnaire) 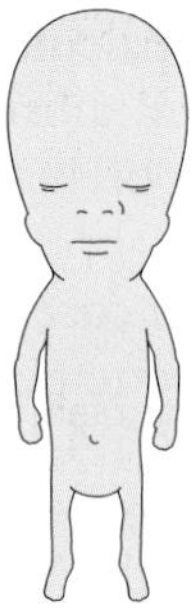 8 semaines	La tête est presque aussi grosse que le corps; les principales régions de l'encéphale sont présentes. Le foie est très gros par rapport aux autres organes et il commence à synthétiser des globules sanguins. Les membres sont apparus; bien que les mains et les pieds soient d'abord palmés, les doigts et les orteils sont distincts à la fin de cette période. Début de la formation des os. Le cœur pompe du sang depuis la quatrième semaine. Tous les systèmes de l'organisme sont présents, du moins sous forme rudimentaire. Longueur vertex-coccyx approximative: 3 cm; masse: 1 g.
De 9 à 12 semaines (troisième mois) 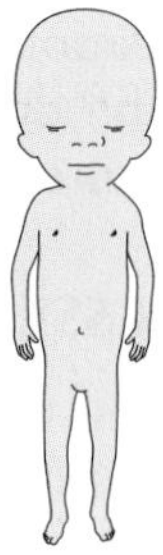 12 semaines	La tête domine encore, mais le corps s'allonge; l'encéphale continue de grossir. Les traits du visage sont ébauchés. Du tissu musculaire lisse commence à se développer dans les parois des viscères creux. La moelle osseuse commence à élaborer des globules sanguins. La formation des os s'accélère. On peut facilement déterminer le sexe d'après les organes génitaux externes. Longueur vertex-coccyx approximative à la fin de cette période: 9 cm.
De 13 à 16 semaines (quatrième mois) 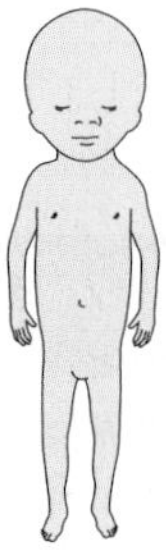 16 semaines	Les récepteurs sensoriels sont présents; les yeux et les oreilles adoptent leur forme et leur localisation caractéristiques; les yeux clignent et les lèvres font des mouvements de succion. Le visage a une apparence humaine et le corps commence à grossir plus vite que la tête. Les reins atteignent leur structure typique. La plupart des os sont maintenant distincts et les cavités des articulations sont apparentes. Longueur vertex-coccyx approximative à la fin de cette période: 14 cm.
De 17 à 20 semaines (cinquième mois)	Le corps est couvert de vernix caseosa (sécrétion composée de substance grasse provenant des glandes sébacées et de cellules épidermiques mortes); la peau présente un fin duvet (lanugo). Le fœtus adopte la position fœtale (en flexion antérieure) en raison du manque d'espace. Les membres atteignent presque leurs proportions finales. La mère sent les premiers mouvements actifs du fœtus. Longueur vertex-coccyx approximative à la fin de cette période: 19 cm.

Les modifications anatomiques

L'augmentation du volume de l'utérus au cours de la grossesse est tout à fait remarquable. De la grosseur du poing au début de la grossesse, l'utérus occupe déjà toute la cavité pelvienne à 16 semaines. À mesure que la grossesse avance, il monte de plus en plus haut dans la cavité abdominale. À la fin de la grossesse, il atteint le niveau du processus xiphoïde du sternum et occupe la majeure partie de la cavité abdominale. Les organes abdominaux sont repoussés vers le haut et entassés contre le diaphragme, qui est lui-même repoussé vers la cavité thoracique. Ce phénomène entraîne un écartement des côtes qui élargit le thorax.

L'augmentation du volume de l'abdomen vers l'avant modifie le centre de gravité de la femme, ce qui peut provoquer une accentuation de la courbure lombaire

Tableau 16.1 (*suite*)

Âge	Changements
De 21 à 30 semaines (sixième et septième mois)	Période d'importante augmentation du poids (possibilité de survie en cas de naissance prématurée à 27-28 semaines, mais l'hypothalamus est trop peu développé pour assurer la régulation de la température corporelle, et la production de surfactant par les poumons est encore insuffisante).
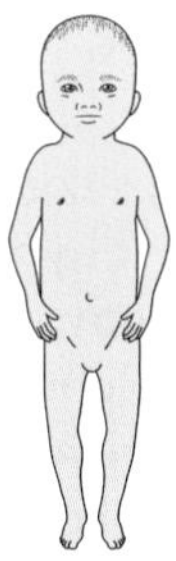	Début de la myélinisation de la moelle épinière ; les yeux sont ouverts.
	La peau est plissée et rouge ; les ongles des doigts et des orteils sont bien formés.
	Le corps est mince et bien proportionné.
	La moelle osseuse devient le seul endroit où sont sécrétés des globules sanguins.
	Les testicules atteignent le scrotum au septième mois (chez les garçons).
À la naissance	Longueur vertex-coccyx approximative à la fin de cette période : 28 cm.
De 30 à 40 semaines (à terme) (huitième et neuvième mois)	La peau est d'un blanc rosé ; de la graisse est déposée dans les tissus sous-cutanés.
	Longueur vertex-coccyx approximative à la fin de cette période : de 35 à 40 cm ; masse : de 2,7 à 4 kg.

(lordose), souvent accompagnée de douleurs lombaires, au cours des derniers mois de la grossesse. La **relaxine**, hormone sécrétée par le placenta (et présente, nous l'avons vu, dans le sperme), entraînerait un relâchement de la symphyse pubienne. Cette mobilité accrue facilitera l'accouchement, mais elle provoque entre-temps le dandinement au cours de la marche.

Il va de soi que la mère doit avoir une alimentation adéquate durant toute sa grossesse afin de fournir au fœtus tous les matériaux (notamment les protéines, le calcium et le fer) dont il a besoin pour l'élaboration de ses tissus et de ses organes. L'idée selon laquelle la femme enceinte devrait « manger pour deux » a incité beaucoup de femmes à manger *deux fois plus* que nécessaire pendant leur grossesse, ce qui, évidemment, entraîne une prise de poids excessive. En fait, la femme enceinte ne doit ajouter que 400 kJ à son apport quotidien au cours du premier trimestre de sa grossesse et 1300 kJ au cours des deux derniers trimestres pour assurer la croissance fœtale. Elle doit mettre l'accent sur la qualité des aliments plutôt que sur la quantité.

Déséquilibre homéostatique

Étant donné qu'un grand nombre de substances potentiellement néfastes peuvent traverser la barrière placentaire et pénétrer dans le sang fœtal, la femme enceinte doit prêter une grande attention à tout ce qu'elle absorbe. Les substances qui peuvent causer de graves anomalies congénitales (et même la mort fœtale) comprennent l'alcool, la nicotine et plusieurs types de médicaments (anticoagulants, antihypertenseurs, sédatifs et quelques antibiotiques). Certaines infections maternelles, tout particulièrement la rubéole, peuvent également entraîner des lésions graves chez le fœtus. La perte accidentelle du fœtus au cours des 20 premières semaines de gestation est appelée *avortement spontané,* ou *fausse couche.* (L'avortement provoqué peut être thérapeutique ou volontaire ; dans ce dernier cas, il est appelé **interruption volontaire de grossesse [IVG]**.) ▲

Les modifications physiologiques

Le système digestif Un grand nombre de femmes souffrent de *nausées* et de vomissements au cours des premiers mois de la grossesse, c'est-à-dire jusqu'à ce que leur organisme s'adapte aux taux élevés de progestérone et d'œstrogènes. Les *brûlures d'estomac* sont également un malaise courant attribuable au déplacement de l'estomac et de l'œsophage sous la poussée de l'utérus gravide, ce qui favorise le reflux du suc gastrique acide dans l'œsophage. Enfin, la constipation est fréquente parce que la motilité du tube digestif est réduite au cours de la grossesse, par suite de l'action de la progestérone.

Le système urinaire Les reins produisent plus d'urine pendant la grossesse, car ils doivent fonctionner davantage pour débarrasser l'organisme des déchets métaboliques du fœtus. Comme la vessie est comprimée par l'utérus gravide, la miction est plus fréquente et impérieuse. Elle devient parfois involontaire ; c'est de l'*incontinence urinaire d'effort*.

Le système respiratoire Les œstrogènes provoquent un gonflement et une congestion de la muqueuse nasale, qui peuvent s'accompagner de saignements de nez. Le volume courant et la fréquence respiratoire sont augmentés pendant la grossesse, mais le volume résiduel est diminué, de sorte qu'un grand nombre de femmes présentent de la *dyspnée* (gêne respiratoire) vers la fin de la grossesse.

Le système cardiovasculaire Les modifications physiologiques les plus importantes ont lieu sans doute dans le système cardiovasculaire. Le volume d'eau corporelle augmente. À la 32e semaine, le volume sanguin total s'est accru de 25 à 40 % afin de répondre aux besoins du fœtus. L'augmentation du volume sanguin permettra aussi à la femme de supporter une perte sanguine plus ou moins importante au moment de l'accouchement. La pression artérielle et le pouls s'accroissent, ce qui augmente le débit cardiaque de 20 à 40 %. Cette augmentation facilite la circulation du volume sanguin accru. Comme l'utérus exerce une pression sur les vaisseaux pelviens, le retour veineux des membres inférieurs peut être réduit, ce qui peut provoquer des varices ou de l'œdème.

L'ACCOUCHEMENT

L'accouchement, aussi appelé **parturition**, est le point culminant de la grossesse. Il survient habituellement dans les 15 jours autour de la date prévue. Les événements qui mènent à l'expulsion du fœtus à l'extérieur de l'utérus constituent le **travail**.

Le déclenchement du travail

Le mécanisme qui déclenche le travail n'est pas bien connu, mais il semble que plusieurs phénomènes et hormones y participent. Au cours des dernières semaines de la grossesse, les œstrogènes atteignent leurs plus hautes concentrations dans le sang maternel. Ces taux d'œstrogènes ont deux effets : ils stimulent la formation de récepteurs de l'*ocytocine* sur le myomètre (pour que celui-ci devienne plus sensible à l'ocytocine, hormone libérée par la neurohypophyse) et diminuent l'effet de la progestérone qui jusque-là empêchait la contraction du muscle utérin. Résultat : des contractions faibles et irrégulières de l'utérus apparaissent (*contractions de Braxton-Hicks*). En raison de ces contractions, beaucoup de femmes partent pour l'hôpital ou la maison des naissances en pensant que le travail est commencé, mais on les renvoie chez elles car c'est du **faux travail**.

Deux signaux chimiques concourent à transformer les contractions du faux travail en vrai travail. Certaines cellules du fœtus se mettent à synthétiser de l'ocytocine, qui exerce sur le placenta une action stimulant la sécrétion de *prostaglandines*. Ces deux hormones font augmenter la fréquence et la puissance des contractions. À ce moment, l'augmentation du stress émotionnel et physique active l'hypothalamus de la mère, qui envoie un signal à la neurohypophyse afin qu'elle libère de l'ocytocine. Ensemble, les taux accrus d'ocytocine et de prostaglandines déclenchent les contractions rythmiques du vrai travail. Une fois que l'hypothalamus est intervenu, un mécanisme de rétroactivation se met en branle : l'augmentation de la force des contractions provoque la libération d'ocytocine, qui provoque des contractions plus fortes, et ainsi de suite, ce qui fait descendre le fœtus dans le bassin de la mère (figure 16.18).

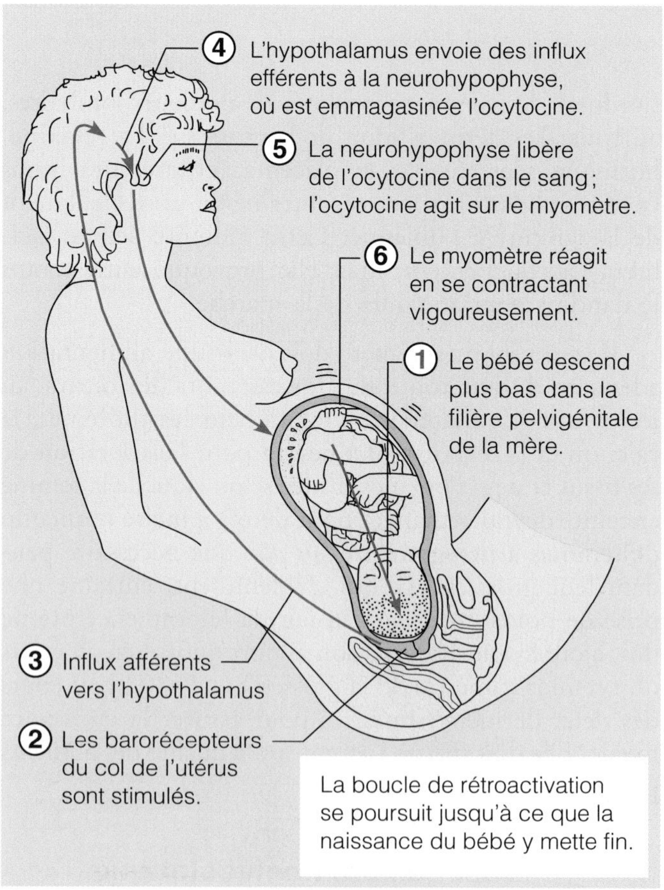

(4) L'hypothalamus envoie des influx efférents à la neurohypophyse, où est emmagasinée l'ocytocine.
(5) La neurohypophyse libère de l'ocytocine dans le sang ; l'ocytocine agit sur le myomètre.
(6) Le myomètre réagit en se contractant vigoureusement.
(1) Le bébé descend plus bas dans la filière pelvigénitale de la mère.
(3) Influx afférents vers l'hypothalamus
(2) Les barorécepteurs du col de l'utérus sont stimulés.
La boucle de rétroactivation se poursuit jusqu'à ce que la naissance du bébé y mette fin.

Figure 16.18 **Le mécanisme de rétroactivation permettant à l'ocytocine d'activer les contractions utérines au cours du travail**

Étant donné que l'ocytocine et les prostaglandines sont essentielles au déclenchement du travail, tout facteur qui empêche la sécrétion de l'une ou de l'autre de ces hormones empêchera le déclenchement de celui-ci. Par exemple, les antiprostaglandines comme l'aspirine et l'ibuprofène peuvent inhiber le déclenchement du travail. C'est pourquoi on emploie parfois ces médicaments pour prévenir un accouchement prématuré.

Les périodes du travail

Le travail est habituellement divisé en trois périodes (figure 16.19), dont voici la description.

Première période : la période de dilatation La **période de dilatation** va du déclenchement du vrai travail jusqu'au moment où le col de l'utérus est complètement dilaté (à un diamètre de 10 cm environ) par la tête du bébé. Au début du travail, des contractions faibles mais régulières commencent dans le haut de l'utérus et descendent vers le vagin. À mesure que le travail avance, elles deviennent plus vigoureuses et plus fréquentes, et la tête de l'enfant est poussée contre le col de l'utérus à chaque contraction, de sorte que le col se ramollit, s'amincit (*s'efface*) et se dilate. À un moment donné, l'amnios se rompt et le liquide amniotique s'écoule (on dit couramment que la femme *perd ses eaux*). La période de dilatation est la plus longue étape du travail : elle dure de 6 à 12 heures (et parfois beaucoup plus).

Deuxième période : la période d'expulsion La **période d'expulsion** s'étend de la dilatation complète à la naissance de l'enfant. Durant cette période, le bébé passe par le col de l'utérus et descend dans le vagin pour sortir du corps de la mère. Si la mère n'a pas subi d'anesthésie, elle ressent une envie croissante de faire des efforts expulsifs, c'est-à-dire de pousser avec ses muscles abdominaux. Cette période peut durer 2 heures, mais en général elle prend 50 minutes pour un premier accouchement et 20 minutes pour les suivants.

Dans la *présentation céphalique*, la position la plus fréquente, la tête du bébé exerce la pression qui provoque

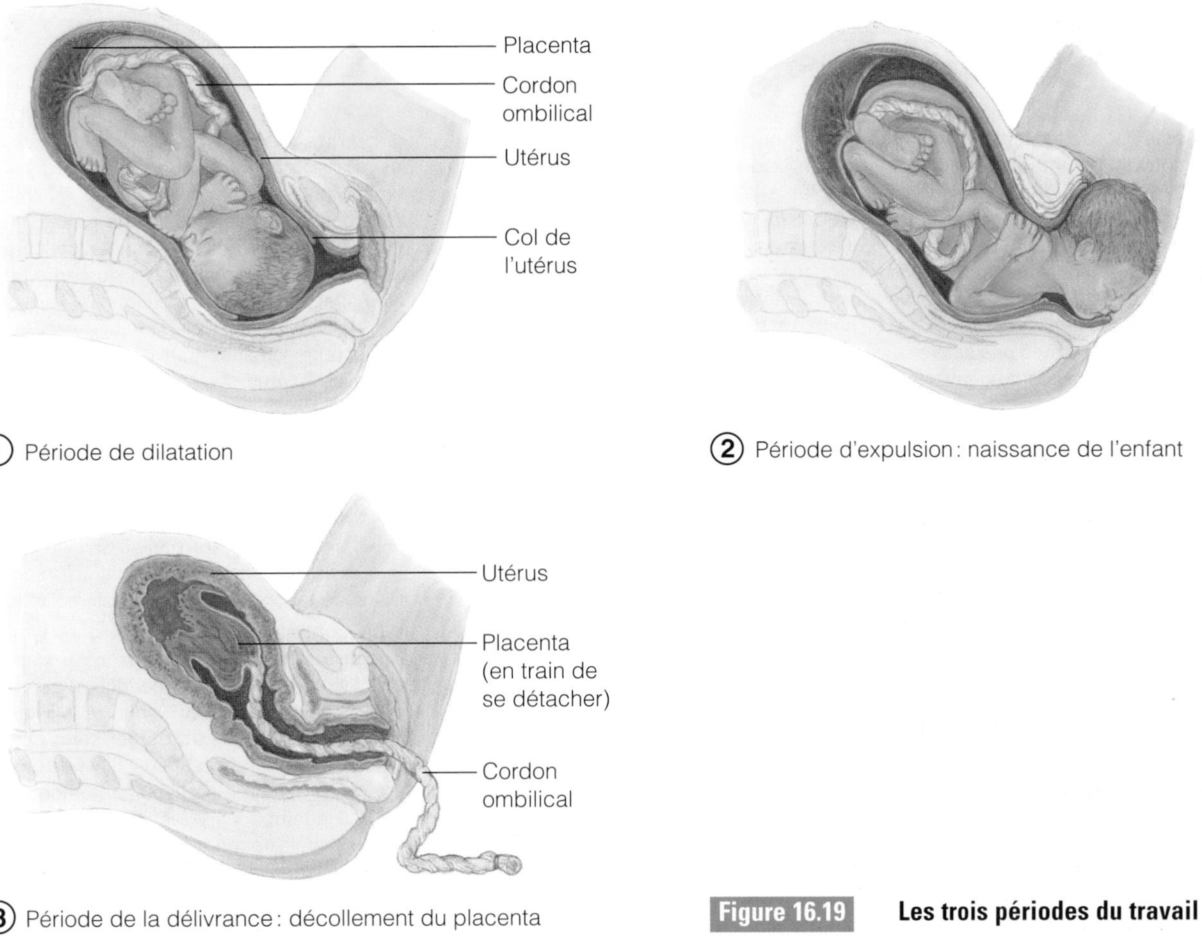
Placenta
Cordon ombilical
Utérus
Col de l'utérus
① Période de dilatation
② Période d'expulsion : naissance de l'enfant
Utérus
Placenta (en train de se détacher)
Cordon ombilical
③ Période de la délivrance : décollement du placenta

Figure 16.19 **Les trois périodes du travail**

la dilatation du col. En outre, la présentation céphalique permet qu'on retire le mucus des voies respiratoires du bébé et qu'il respire avant même d'être entièrement sorti du corps de la mère. Une fois la tête sortie, le reste du corps du bébé suit beaucoup plus facilement. Après la naissance, le cordon ombilical est clampé puis sectionné. En cas de *présentation du siège* (les fesses en premier) ou d'une autre présentation non céphalique, on ne profite pas de ces avantages, et l'accouchement est beaucoup plus difficile; il faut parfois recourir aux forceps.

Déséquilibre homéostatique

Lorsque la deuxième période du travail est particulièrement longue ou difficile, on parle de *dystocie*. La dystocie est associée à une diminution de l'apport d'oxygène au fœtus et risque de provoquer des lésions cérébrales (susceptibles de causer l'infirmité motrice cérébrale ou l'épilepsie) ou d'autres troubles chez l'enfant. C'est pourquoi on a souvent recours à une *césarienne* dans de tels cas. Au cours d'une césarienne, l'enfant est sorti de l'utérus par une incision pratiquée dans les parois abdominale et utérine. ▲

Troisième période: la période de la délivrance La **période de la délivrance** se caractérise par l'expulsion du placenta et se déroule dans les 15 minutes qui suivent la naissance du bébé. Les contractions utérines vigoureuses qui continuent après l'accouchement compriment les vaisseaux sanguins de l'utérus, réduisent le saignement et provoquent le décollement du placenta. On retire alors le placenta et les membranes fœtales qui en sont issues en tirant délicatement sur le cordon ombilical. Il est très important de retirer tous les fragments du placenta afin d'empêcher que les saignements continuent après l'accouchement (*hémorragie de la délivrance*).

GROS PLAN

La contraception: être ou ne pas être

Pour diverses raisons, les êtres humains choisissent souvent de pratiquer la **contraception**, ou *régulation des naissances*. Même si les hommes s'impliquent maintenant de plus en plus (au Québec, par exemple, le nombre annuel de stérilisations masculines est deux fois plus élevé que celui des stérilisations féminines), la contraception est restée longtemps une affaire de femmes, et la plupart des contraceptifs leur sont destinés.

Comme le montrent les flèches rouges du diagramme, à la page suivante, les méthodes de contraception n'ont pas le même site d'action, c'est-à-dire qu'elles n'exercent pas leur effet à la même étape du processus de la reproduction. Examinons comment quelques-unes des méthodes les plus courantes fonctionnent. Puisque la fiabilité de la méthode de contraception est capitale, nous donnerons, dans la plupart des cas, le taux d'efficacité ou le taux d'échec.

Les *contraceptifs oraux* (la «pilule») constituent la méthode de contraception la plus populaire en Amérique du Nord de même qu'en France, où 60 % des femmes les utilisent. Dans le cas des préparations vendues en plaquettes de 28 comprimés que la femme prend à raison de 1 comprimé par jour, les 20 ou 21 premiers comprimés renferment d'infimes quantités d'œstrogènes et de progestatifs (hormones semblables à la progestérone), tandis que les 7 derniers ne contiennent pas d'hormones. Il existe aussi des préparations qui ne comprennent que les 21 comprimés actifs. Les hormones présentes dans les contraceptifs oraux «endorment» le système de régulation hypothalamohypophysaire en créant des taux relativement constants d'hormones ovariennes, comme si la femme était enceinte (des œstrogènes et de la progestérone sont sécrétés pendant la grossesse). Aucun follicule ovarique ne se développe alors, et l'ovulation cesse. L'endomètre prolifère légèrement et se desquame chaque mois lorsque la prise de comprimés contenant des hormones est interrompue, mais l'écoulement menstruel est peu abondant. Cependant, l'équilibre hormonal étant réglé avec une très grande précision dans l'organisme, certaines femmes ne supportent tout simplement pas les changements produits par les contraceptifs oraux; elles souffrent notamment de nausées et d'hypertension.

Des études ont montré que la prise d'œstrogènes et de progestatifs comme traitement hormonal substitutif après la ménopause, ou de progestatifs comme moyen contraceptif augmentait les risques de cancer du sein. Toutefois, d'après les résultats d'une recherche publiée en 2007, il semble que les contraceptifs oraux à faible dose représenteraient aussi une protection contre certaines formes de cancer (cancers de l'ovaire, de l'endomètre et du corps de l'utérus, et cancer colorectal), quoique après huit ans d'utilisation ils augmenteraient les risques pour certaines autres formes de cancer (col de l'utérus, système nerveux central).

De nos jours, la pilule est l'un des médicaments les plus prescrits dans le monde: plus de 50 millions de femmes l'utilisent. Le taux d'échec des contraceptifs oraux est de moins de 8 grossesses par 100 femmes par année, en ce qui concerne l'utilisation courante, mais aussi bas que 0,1 lorsqu'ils sont utilisés de façon adéquate et systématique.

La contraception orale d'urgence ou *pilule du lendemain* est aussi un contraceptif hormonal, mais elle est beaucoup moins connue. Prise dans les 72 heures suivant un rapport sexuel non protégé, cette préparation concentrée d'œstrogènes et de progestérone «dérègle» les stimulus hormonaux normaux et empêche la fécondation d'avoir lieu ou l'ovule fécondé de s'implanter. Le taux de succès est de 98 % lorsque la première dose est prise très tôt après le rapport sexuel et la deuxième 12 heures après.

Depuis quelques années, ce moyen de contraception postcoïtale est disponible sans ordonnance et offert par certains centres de planification des naissances.

Parmi les autres méthodes de contraception, on trouve les dispositifs implantés sous la peau et les injections de progestérone synthétique. L'implant Norplant, composé de six petits bâtonnets de silicone libérant un progestatif sur une période de cinq ans, qui avait rapidement gagné en popularité après son approbation en 1994 au Canada, a été retiré du marché en 2002. Implanon, dispositif du même genre mais formé d'un seul bâtonnet demeurant en place durant trois ans, a été approuvé aux États-Unis en 2006. Il agit en bloquant l'ovulation et en modifiant les caractéristiques du mucus cervical. Le *Depo-Provera*, quant à lui, est une préparation de progestérone synthétique qui est restée très longtemps à l'étude en Amérique du Nord. Mis au point en 1957, il n'a été approuvé au Canada qu'en 1997 pour utilisation sous forme de contraceptif injectable à effet prolongé. Administré par injection intramusculaire, en dose de 150 mg tous les trois mois, son taux d'échec n'est que de 0,4 %. Simple, efficace et pratique, cette méthode n'a cependant pas que des avantages : elle retarde la fertilité après l'arrêt des injections et peut avoir des effets indésirables sur le poids et la densité de la masse osseuse.

Durant de nombreuses années, la deuxième méthode de contraception la plus utilisée a été le *dispositif intra-utérin* (*DIU*), couramment appelé *stérilet* (voir la photo, à la page suivante). Inséré dans l'utérus, ce dispositif de plastique ou de métal (cuivre) peut empêcher la fécondation ou l'implantation de l'ovule fécondé dans l'endomètre. Les DIU ont un taux d'échec presque aussi faible que celui de la pilule. Durant un certain temps, plusieurs fabricants les ont retirés du marché en raison de leur occasionnelle inefficacité et des risques de perforation de l'utérus et de pelvipéritonite. Un nouveau type de stérilet est aujourd'hui offert. Il libère de façon continue de la progestérone synthétique dans l'endomètre. Ce stérilet est particulièrement recommandé aux femmes qui ont déjà accouché ou qui n'ont qu'un seul partenaire sexuel et présentent un risque peu élevé de pelvipéritonite. Le DIU a l'avantage d'offrir une protection de longue durée (cinq ou six ans).

La *ligature des trompes* et la *vasectomie* (sectionnement et cautérisation des trompes utérines ou des conduits déférents) sont des méthodes contraceptives pour ainsi dire à toute épreuve, et c'est ce qui explique le fait qu'au Québec, par exemple, dans les années 1970, la ligature des trompes était si populaire : on estime que de 60 à 70 % des Québécoises de plus de 40 ans ont eu recours à cette méthode. Pour ce qui est de la vasectomie, entre 10 000 et 20 000 Québécois y recourent chaque année. En France, cependant, où la loi n'autorise la stérilisation contraceptive que depuis 2001, la vasectomie et la ligature sont beaucoup moins largement utilisées. Ces méthodes avaient l'inconvénient d'être définitives, mais on arrive maintenant à rétablir la perméabilité des trompes utérines et des conduits déférents chez un grand nombre des personnes qui le demandent.

Le *coït interrompu*, soit le retrait du pénis juste avant l'éjaculation, ne constitue pas une méthode de contraception efficace, car la maîtrise de l'éjaculation est toujours incertaine. Les *méthodes d'abstinence périodique* reposent sur la connaissance des périodes d'ovulation et de fertilité, et sur l'abstinence dans ces intervalles. On peut déterminer ces périodes au moyen 1) de l'enregistrement quotidien de la température de base (la température baisse légèrement juste avant l'ovulation, puis augmente légèrement après) ou 2) de l'évaluation des modifications de la glaire cervicale (la glaire devient d'abord collante, puis translucide et

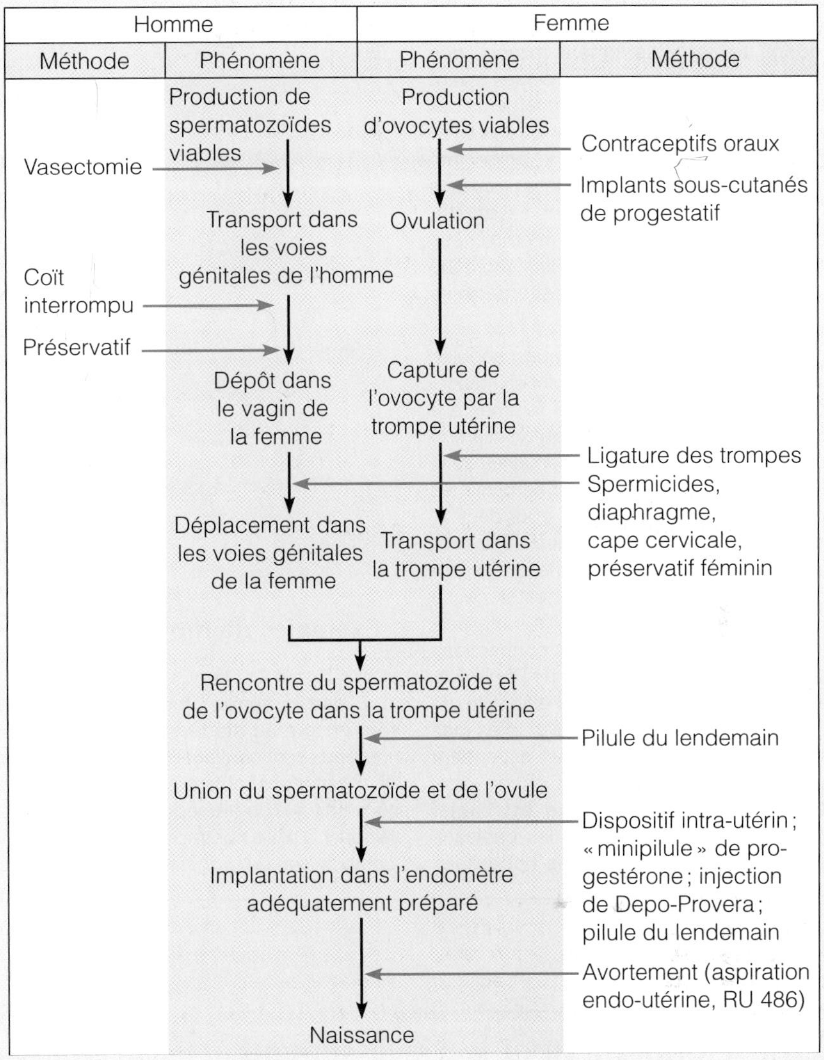

Homme
Femme
Méthode
Phénomène
Phénomène
Méthode
Production de spermatozoïdes viables
Production d'ovocytes viables
Vasectomie
Contraceptifs oraux
Implants sous-cutanés de progestatif
Transport dans les voies génitales de l'homme
Ovulation
Coït interrompu
Préservatif
Dépôt dans le vagin de la femme
Capture de l'ovocyte par la trompe utérine
Ligature des trompes
Spermicides, diaphragme, cape cervicale, préservatif féminin
Déplacement dans les voies génitales de la femme
Transport dans la trompe utérine
Rencontre du spermatozoïde et de l'ovocyte dans la trompe utérine
Pilule du lendemain
Union du spermatozoïde et de l'ovule
Dispositif intra-utérin ; « minipilule » de progestérone ; injection de Depo-Provera ; pilule du lendemain
Implantation dans l'endomètre adéquatement préparé
Avortement (aspiration endo-utérine, RU 486)
Naissance

Diagramme des phénomènes constituant le processus qui mène à la naissance d'un bébé

Les méthodes et les produits qui interrompent le processus sont indiqués par des flèches rouges pointant vers le site de leur action ; ils ont pour effet d'empêcher l'étape qui suit.

élastique comme du blanc d'œuf au cours de la période de fécondité). Ces méthodes exigent un enregistrement précis des données pendant plusieurs cycles avant qu'on puisse les utiliser efficacement. Les *barrières mécaniques*, telles que le diaphragme, la cape cervicale, le préservatif (voir la photo) ainsi que les gelées, mousses et éponges spermicides, sont assez efficaces, surtout quand elles sont employées par les deux partenaires. On leur reproche toutefois de gêner la spontanéité dans les rapports sexuels.

La *mifépristone* (*RU 486*), aussi appelée *pilule abortive*, a été mise au point en France, où elle est prescrite à 50 000 femmes annuellement depuis 1988. Lorsqu'on la prend au cours des sept premières semaines de la grossesse (en combinaison avec d'infimes quantités de prostaglandines pour déclencher des contractions utérines), elle provoque un avortement spontané en se liant aux sites récepteurs de la progestérone, ce qui bloque l'effet «calmant» de cette dernière sur l'utérus, cause des contractions utérines et favorise l'expulsion de l'embryon. La mifépristone a un taux d'efficacité de 96 à 98 % et n'entraîne à peu près pas d'effets indésirables. Elle n'est cependant pas encore approuvée au Canada. Aux États-Unis, la pilule abortive est l'objet d'une vive controverse entre les partisans du droit à l'avortement et ses opposants.

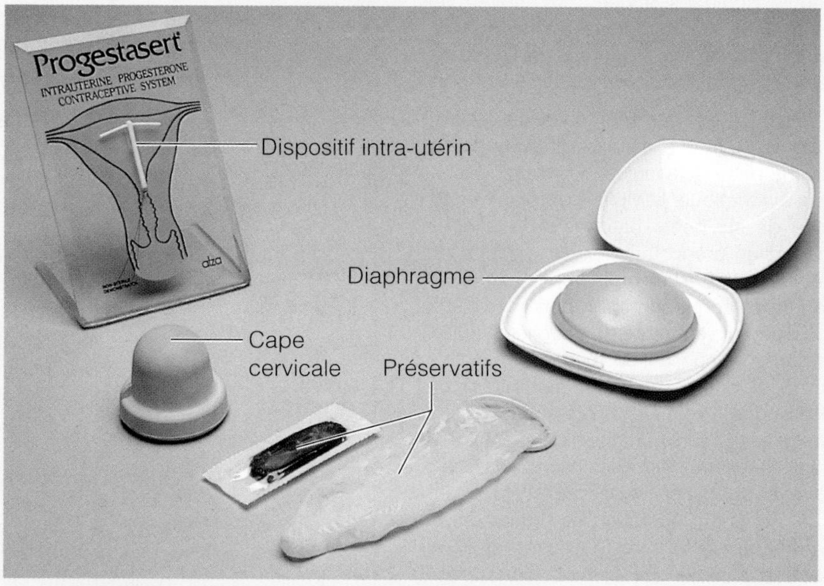
Progestasert
INTRAUTERINE PROGESTERONE CONTRACEPTIVE SYSTEM
Dispositif intra-utérin
Diaphragme
Cape cervicale
Préservatifs

Exemples de moyens de contraception

Plusieurs autres produits contraceptifs sont encore au stade expérimental, et de nouveaux sont continuellement mis au point. Deux pistes sont notamment explorées en ce qui a trait à la contraception masculine : développer la pilule contraceptive pour l'homme (combinaison de progestérone et de testostérone) et bloquer le passage du sperme dans les canaux déférents sans avoir recours à la vasectomie. Quelle que soit la méthode utilisée, cependant, aucune ne pourra être plus sûre que l'*abstinence totale* : mais peut-on réellement considérer cette dernière comme une méthode contraceptive ?

Le développement et le vieillissement du système génital

Bien que le sexe d'un individu soit déterminé au moment de la fécondation (les hommes ont les chromosomes sexuels X et Y et les femmes, deux chromosomes X), les gonades ne commencent à se former que vers la huitième semaine du développement embryonnaire. Avant ce stade, les structures génitales de tous les embryons sont *indifférenciées*. Après la formation des gonades, le développement des structures génitales annexes et des organes génitaux externes commence. La différenciation en structures masculines ou en structures féminines dépend entièrement de la présence ou de l'absence de testostérone. Ainsi, si l'embryon possède des testicules, ceux-ci, une fois formés, commencent à libérer de la testostérone, laquelle amorce le développement des conduits annexes masculins et des organes génitaux externes masculins. En revanche, si l'embryon possède des ovaires, qui ne produisent pas de testostérone, des conduits annexes féminins et des organes génitaux externes féminins se développent.

Déséquilibre homéostatique

Les problèmes associés à la production d'hormones sexuelles chez l'embryon provoquent des anomalies troublantes. Par exemple, s'il possède des testicules qui ne produisent pas de testostérone, un embryon sera de sexe génétique masculin, mais aura des organes génitaux annexes et externes féminins. En revanche, s'il est exposé à la testostérone (ce qui peut arriver si la mère a une tumeur de la surrénale qui sécrète des androgènes), un embryon de sexe génétique féminin possédera des ovaires, mais aura aussi des conduits et des glandes masculins ainsi qu'un pénis et un scrotum vide. On appelle les individus dont les organes génitaux annexes ne correspondent pas à leurs gonades *pseudohermaphrodites*, afin de les distinguer des vrais *hermaphrodites*, ces rares individus qui possèdent à la fois du

FAITES-EN
L'EXPÉRIENCE

Le déroulement de la mitose diffère de celui de la méiose

La méthode qui suit ne fait pas appel à une technique de pointe, mais elle permet de bien comparer le déroulement général et les résultats de la mitose et de la méiose.

Procurez-vous quatre stylos avec capuchons, deux d'une couleur et deux d'une autre (il s'agit ici de la couleur extérieure, et non de celle de l'encre). Les deux stylos de la même couleur représentent les chromatides sœurs d'un chromosome (2 chromatides sœurs = 1 chromosome). Ensemble, les quatre stylos représentent les chromatides sœurs d'une paire de chromosomes homologues (4 chromatides sœurs = 1 paire de chromosomes homologues; les chromosomes appartenant à une même paire sont appelés *homologues*).

Reportez-vous à la figure 3.15 et, en vous servant des stylos comme aide visuelle, suivez les déplacements des chromatides sœurs franchissant les diverses étapes de la mitose. Examinez maintenant la figure 16.3 et, toujours à l'aide des stylos, représentez les chromatides présentes dans un spermatocyte primaire, un spermatocyte secondaire et une spermatide. Quelles sont les différences entre la mitose et la méiose? (Voir la figure 17.1.)

tissu ovarien et du tissu testiculaire. Les pseudohermaphrodites ont parfois recours à la chirurgie afin que leur apparence (organes génitaux externes) corresponde à leur identité (gonades). ▲

Les testicules de l'embryon de sexe masculin se forment dans la cavité abdominale, à peu près au même endroit que les ovaires de l'embryon de sexe féminin. Ils descendent dans le scrotum environ un mois avant la naissance. La descente incomplète du testicule est appelée *cryptorchidie*. Comme cette anomalie entraîne la stérilité chez l'homme (et augmente le risque de cancer du testicule), on procède habituellement à une intervention chirurgicale pour la corriger chez le jeune enfant.

Déséquilibre homéostatique

La distribution anormale des chromosomes pendant la méiose peut entraîner des anomalies congénitales du système génital. Par exemple, les garçons qui ont un chromosome X supplémentaire (caryotype XXY du syndrome de Klinefelter) présentent les organes génitaux annexes masculins normaux, mais leurs testicules s'atrophient, ce qui cause la stérilité. D'autres anomalies peuvent apparaître quand un enfant possède un seul chromosome sexuel. Ainsi, les filles qui possèdent seulement un chromosome X (caryotype X0 du syndrome de Turner) semblent normales, mais elles n'ont pas d'ovaires; les embryons mâles qui ont seulement un chromosome Y (Y0) meurent au cours du développement embryonnaire. D'autres anomalies moins graves touchent principalement les garçons, par exemple le *phimosis*, caractérisé notamment par le rétrécissement du prépuce du pénis, et l'*hypospadias*, où la position de l'ostium externe de l'urètre est anormale. ▲

Étant donné que les organes génitaux ne fonctionnent pas avant la puberté, peu de problèmes touchent ce système au cours de l'enfance. La **puberté** est la période de la vie, entre 10 et 15 ans, où les organes génitaux atteignent leurs dimensions adultes et deviennent fonctionnels sous l'influence des hormones gonadiques (testostérone chez les garçons et œstrogènes chez les filles). Après cette période, la reproduction est possible jusqu'à la ménopause chez les femmes et jusqu'à un âge avancé chez les hommes. Comme nous avons déjà décrit dans ce chapitre le développement des caractères sexuels secondaires et les principaux événements de la puberté, nous n'y reviendrons pas ici. Répétons toutefois que la puberté est le début de la période où la reproduction est possible.

La puberté se déroule de la même manière chez tous, mais peut survenir à des âges très différents. Chez les garçons, le signal du déclenchement de la puberté est l'augmentation du volume des testicules et du scrotum, autour de l'âge de 13 ans, suivie de l'apparition des poils pubiens, axillaires et faciaux. La croissance du pénis s'étend sur deux ans. La maturité sexuelle sera révélée par la présence de spermatozoïdes matures dans le sperme. Entre-temps, le jeune homme a des érections intempestives et souvent gênantes de même que de fréquentes émissions nocturnes. Ces phénomènes sont attribuables à des poussées hormonales et à l'immaturité de la régulation hormonale.

Le premier signe de la puberté chez les filles est l'apparition des seins, souvent vers l'âge de 11 ans. La toute première menstruation, appelée **ménarche**, survient environ deux ans plus tard en général. L'ovulation est irrégulière et la fécondité incertaine jusqu'à la maturation de la régulation hormonale, qui nécessite encore deux années.

Déséquilibre homéostatique

Chez l'adulte, les infections constituent le trouble du système génital le plus fréquent. Les infections vaginales sont courantes chez les jeunes femmes et les femmes âgées, de même que chez les femmes dont la résistance est affaiblie. Les infections les plus répandues sont celles qui sont causées par *Escherichia coli* (bactérie qui se propage à partir du tube digestif), les ITS (telles que la blennorragie, la syphilis et l'herpès génital) et les infections causées par des levures. Les infections vaginales laissées sans traitement sont susceptibles de se propager dans les voies génitales de la femme, ce qui peut causer une pelvipéritonite et la stérilité. Les menstruations douloureuses ou anormales sont parfois attribuables à une infection ou à un déséquilibre hormonal.

Les troubles inflammatoires les plus courants chez les hommes sont l'*urétrite*, la *prostatite* et l'*épididymite*, lesquelles peuvent être consécutives à une maladie infectieuse transmise par contact sexuel. L'*orchite*, c'est-à-dire l'inflammation du testicule, est une affection rare mais grave qui peut entraîner la stérilité. Elle est le plus souvent attribuable à une infection transmissible sexuellement ou aux oreillons (chez l'homme adulte).

Comme nous l'avons déjà mentionné, les néoplasmes constituent un trouble très grave des organes du système génital. Les cancers du sein et du col de l'utérus sont les cancers du système génital les plus répandus chez la femme adulte, alors que le cancer de la prostate (souvent consécutif à l'hyperplasie de cet organe) touche fréquemment l'homme adulte. ▲

La plupart des femmes atteignent le sommet de leurs capacités reproductives vers la fin de la vingtaine. La fonction ovarienne diminue graduellement par la suite. En raison de la diminution des œstrogènes, l'ovulation devient irrégulière et la menstruation est de moins en moins longue et de moins en moins abondante. L'ovulation et la menstruation finissent par cesser définitivement, en même temps que disparaissent les capacités reproductives ; c'est ce qu'on appelle la **ménopause**. On considère que la ménopause s'est produite quand la femme n'a pas eu de menstruation pendant un an.

La sécrétion d'œstrogènes se poursuit durant un certain temps après la ménopause, mais les ovaires arrêtent un jour de remplir leur rôle de glandes endocrines. Privés de la stimulation exercée par les œstrogènes, les organes génitaux et les seins commencent à s'atrophier. Le vagin s'assèche : les rapports sexuels peuvent devenir douloureux (surtout s'ils sont rares) ; les infections vaginales sont plus fréquentes. L'arrêt de la sécrétion d'œstrogènes peut également provoquer d'autres changements : irritabilité et troubles de l'humeur (dépression chez certaines) ; vasodilatation importante des vaisseaux sanguins de la peau, qui causent les désagréables « bouffées de chaleur » accompagnées de sueurs abondantes ; amincissement graduel de la peau et perte de masse osseuse ; diminution progressive du rapport HDL-LDL dans le sang, ce qui accroît le risque de troubles cardiovasculaires chez la femme ménopausée. Si la femme le désire, son médecin peut lui prescrire de faibles doses d'œstrogènes et de progestérone afin de l'aider à traverser cette période difficile et de prévenir les troubles osseux et cardiovasculaires.

Il n'y a pas d'équivalent de la ménopause chez l'homme. On estime que seulement 30 % des hommes subissent des chutes brusques de la production de testostérone, phénomène que l'on pourrait appeler *andropause* (ou *hypoandrogénie*). Mais chez la plupart des hommes âgés, la sécrétion de testostérone diminue graduellement, et la fécondité persiste. Les hommes en bonne santé peuvent devenir pères même après l'âge de 80 ans.

Résumé du chapitre 16

L'ANATOMIE DU SYSTÈME GÉNITAL DE L'HOMME *(p. 571-575)*

1. Les testicules, gonades mâles, sont situés dans le scrotum, à l'extérieur de la cavité abdominopelvienne. Ils ont une fonction exocrine (ils produisent des spermatozoïdes) et une fonction endocrine (ils sécrètent de la testostérone).

2. Les voies génitales de l'homme comprennent l'épididyme, le conduit déférent et l'urètre. La maturation des spermatozoïdes a lieu dans l'épididyme. Au cours de l'éjaculation, les spermatozoïdes sont projetés par des conduits jusqu'à l'extérieur de l'organisme.

3. Les glandes annexes de l'homme sont les vésicules séminales, la prostate et les glandes bulbo-urétrales. Ensemble, ces glandes produisent un liquide qui active et nourrit les spermatozoïdes.

4. Les organes génitaux externes :
   a) Le scrotum est un sac de peau qui pend à l'extérieur de la cavité abdominopelvienne et maintient la température nécessaire à la production de spermatozoïdes viables.

Tous pour un, un pour tous

Les relations entre le système génital et les autres systèmes de l'organisme

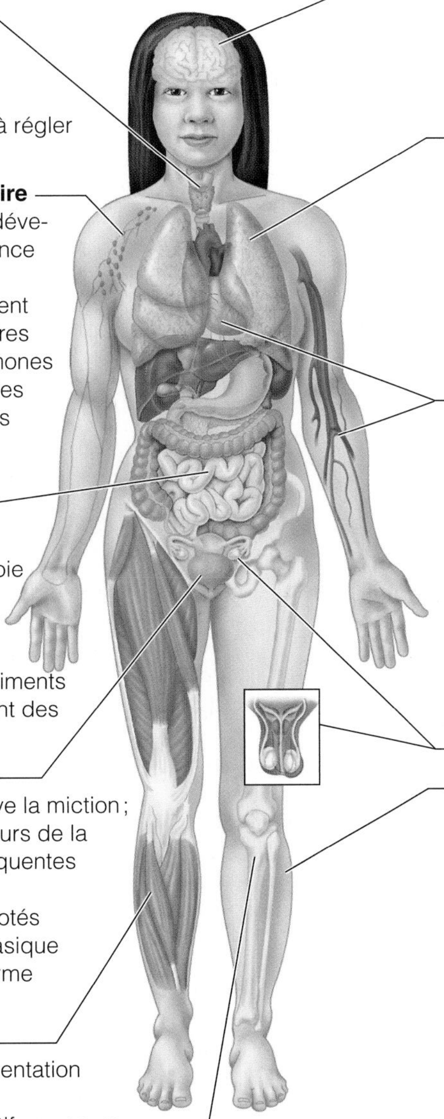

Système endocrinien
- Les hormones gonadiques exercent des rétroactions sur l'axe hypothalamohypophysaire ; les hormones placentaires aident à maintenir la grossesse.
- Les gonadotrophines contribuent à régler le fonctionnement des gonades.

Système lymphatique et immunitaire
- L'embryon et le fœtus en voie de développement échappent à la surveillance immunitaire (absence de rejet).
- Les vaisseaux lymphatiques drainent les liquides échappés des capillaires sanguins ; ils transportent les hormones sexuelles jusqu'au sang ; les cellules immunitaires protègent les organes génitaux contre les infections ; le lait maternel contient des IgA.

Système digestif
- Les organes du système digestif sont comprimés par le fœtus en voie de développement ; les brûlures d'estomac et la constipation sont fréquentes pendant la grossesse.
- Le système digestif fournit les nutriments nécessaires au bon fonctionnement des organes du système génital.

Système urinaire
- L'hyperplasie de la prostate entrave la miction ; la compression de la vessie au cours de la grossesse cause des mictions fréquentes et impérieuses.
- Les reins éliminent les déchets azotés et maintiennent l'équilibre acidobasique du sang maternel et fœtal ; le sperme est émis par l'urètre de l'homme.

Système musculaire
- Les androgènes favorisent l'augmentation de la masse musculaire.
- Les muscles abdominaux sont actifs au cours de l'accouchement ; les muscles du plancher pelvien soutiennent les organes génitaux et contribuent à l'érection du pénis et du clitoris.

Système nerveux
- Les hormones sexuelles masculinisent ou féminisent le cerveau ; elles influent sur la libido.
- L'hypothalamus règle le déroulement de la puberté ; la réponse sexuelle est une activité réflexe.

Système respiratoire
- La grossesse gêne la descente du diaphragme durant l'inspiration ; la femme enceinte présente souvent une dyspnée.
- Le système respiratoire fournit l'oxygène ; il rejette le gaz carbonique ; le volume courant et la fréquence respiratoire augmentent au cours de la grossesse, alors que le volume résiduel diminue.

Système cardiovasculaire
- Les œstrogènes font baisser le taux de cholestérol sanguin et contribuent au bon fonctionnement du système cardiovasculaire chez les femmes préménopausées ; la grossesse augmente le travail du système cardiovasculaire ; la testostérone stimule l'hématopoïèse.
- Le système cardiovasculaire apporte les nutriments aux organes du système génital ; l'érection est causée par une vasodilatation locale ; le sang transporte les hormones sexuelles.

Système génital

Système tégumentaire
- Les hormones sexuelles mâles (androgènes) activent les glandes sébacées qui lubrifient la peau et les poils ; les hormones gonadiques stimulent la distribution caractéristique du tissu adipeux ainsi que l'apparition de poils pubiens et axillaires ; les œstrogènes augmentent l'hydratation de la peau ; les œstrogènes et la progestérone produisent la pigmentation accrue de la peau du visage au cours de la grossesse.
- La peau protège les organes génitaux externes en les recouvrant ; les sécrétions des glandes mammaires (lait) nourrissent le bébé.

Système osseux
- Les androgènes masculinisent le squelette et augmentent la densité osseuse ; les œstrogènes féminisent le squelette et maintiennent la masse osseuse chez la femme.
- Le bassin renferme les organes génitaux internes ; un bassin trop étroit peut empêcher l'accouchement par voie vaginale.

b) Le pénis est formé de trois colonnes de tissu érectile entourant l'urètre. Le tissu érectile lui permet de devenir rigide et de pénétrer dans le vagin au cours des rapports sexuels.

LES FONCTIONS DU SYSTÈME GÉNITAL DE L'HOMME *(p. 575-577)*

1. La spermatogenèse (production de spermatozoïdes) commence à la puberté dans les tubules séminifères contournés en réaction à la libération de FSH. Elle fait intervenir la méiose, division nucléaire particulière qui réduit de moitié le nombre de chromosomes des spermatides qui en résultent. Un autre processus, appelé *spermiogenèse*, débarrasse les spermatides du cytoplasme superflu, ce qui est essentiel à la production de spermatozoïdes mobiles et fonctionnels.

2. La production de testostérone commence à la puberté sous l'influence de la LH. La testostérone est sécrétée par les endocrinocytes interstitiels du testicule. Elle provoque l'apparition des caractères sexuels secondaires masculins et est nécessaire à la maturation des spermatozoïdes.

L'ANATOMIE DU SYSTÈME GÉNITAL DE LA FEMME *(p. 578-582)*

1. Les ovaires, gonades femelles, sont situés contre les parois latérales du pelvis. Ils produisent des cellules sexuelles femelles (fonction exocrine) et sécrètent des hormones (fonction endocrine).

2. Les voies génitales:
   a) Les trompes utérines s'étendent de la proximité des ovaires jusqu'à l'utérus. Leurs extrémités sont dotées de franges qui effectuent un mouvement de «balayage» pour diriger les ovocytes éjectés de l'ovaire vers les trompes utérines, lesquelles conduisent l'ovocyte (l'embryon) jusqu'à l'utérus par péristaltisme et grâce au battement de leurs cils.
   b) L'utérus est un organe en forme de poire dans lequel l'embryon s'implante et se développe. Sa muqueuse (l'endomètre) se desquame chaque mois pendant la menstruation lorsqu'il n'y a pas eu fécondation. Le myomètre se contracte de façon rythmique au cours de l'accouchement.
   c) Le vagin est le conduit situé entre l'utérus et l'extérieur du corps. Il permet la sortie du fœtus ou l'écoulement du flux menstruel. Il reçoit également le pénis et le sperme au cours des rapports sexuels.

3. Les organes génitaux externes de la femme comprennent le mont du pubis, les grandes lèvres et les petites lèvres (replis de la peau), le clitoris, l'ostium du vagin, l'ostium de l'urètre et les glandes vestibulaires majeures.

LES FONCTIONS ET LES CYCLES DU SYSTÈME GÉNITAL DE LA FEMME *(p. 582-586)*

1. L'ovogenèse (production de cellules sexuelles femelles) se déroule dans les follicules ovariques. À la puberté, les follicules ovariques sont activés par la FSH et la LH; ils se développent et éjectent des ovocytes (ovulation) de façon cyclique. L'œuf femelle (ovule) n'est formé que si un spermatozoïde pénètre dans l'ovocyte secondaire. Chez la femme, la méiose produit un seul ovule fonctionnel (ainsi que trois globules polaires non fonctionnels), contrairement à la méiose chez l'homme, qui donne naissance à quatre spermatozoïdes fonctionnels.

2. La production d'hormones: les œstrogènes sont sécrétés par les follicules ovariques sous l'influence de la FSH. La progestérone, libérée en réponse à la LH, est le principal produit hormonal du corps jaune. Les œstrogènes stimulent le développement des caractères sexuels secondaires féminins.

3. Le cycle menstruel est établi par la modification de l'endomètre sous l'influence de la variation des taux sanguins des hormones ovariennes. Les phases du cycle menstruel sont les suivantes:
   a) La phase menstruelle: l'endomètre se desquame, ce qui provoque un écoulement sanguin. Les taux des hormones ovariennes sont à leur plus bas.
   b) La phase proliférative: l'endomètre se reconstitue, s'épaissit et se revascularise en réaction à l'augmentation des taux d'œstrogènes.
   c) La phase sécrétoire: les glandes de l'endomètre commencent à sécréter des nutriments et sa vascularisation augmente sous l'influence des taux croissants de progestérone.

   Si la fécondation n'a pas lieu, le cycle recommence tous les 28 jours environ.

LES GLANDES MAMMAIRES *(p. 586-587)*

Les glandes mammaires, situées dans les seins, produisent du lait après la naissance d'un bébé sous l'influence des hormones.

UN APERÇU DE LA GROSSESSE ET DU DÉVELOPPEMENT EMBRYONNAIRE *(p. 587-598)*

1. L'ovocyte est fécondable pendant 24 heures au maximum après son expulsion de l'ovaire; dans les voies génitales de la femme, les spermatozoïdes demeurent viables pendant une période allant jusqu'à 72 heures. Des centaines de spermatozoïdes doivent libérer leurs enzymes acrosomiales pour dégrader la corona radiata de l'ovocyte.

2. Après la pénétration du spermatozoïde, l'ovocyte secondaire termine la méiose II. Le noyau de l'ovule et celui du spermatozoïde fusionnent ensuite (fécondation), ce qui forme le zygote.

3. S'il y a fécondation, le développement de l'embryon commence immédiatement. La segmentation est la série de divisions mitotiques rapides qui suit la fécondation, sans qu'il y ait croissance des cellules. Elle commence au stade du zygote et se termine au stade du blastocyste.

4. Quatorze jours après l'ovulation, le jeune embryon (blastocyste) a terminé son implantation dans l'endomètre, et le placenta se forme. La libération de la gonadotrophine chorionique humaine (hCG) par le trophoblaste du blastocyste maintient la production d'hormones par le corps jaune, ce qui empêche la menstruation, jusqu'à ce que le placenta prenne la relève.

5. Le placenta répond aux besoins de respiration, de nutrition et d'excrétion de l'embryon, et produit les hormones de la grossesse.

6. Au cours des huit premières semaines du développement embryonnaire, la structure de base de tous les systèmes de l'organisme s'établit. À neuf semaines, l'embryon est appelé *fœtus*. La période fœtale se caractérise essentiellement par la croissance de celui-ci et par la spécialisation de ses organes et de ses tissus.

7. Le travail des systèmes respiratoire, urinaire et cardiovasculaire de la mère est accru pendant la grossesse en raison des besoins du fœtus en développement. Une bonne alimentation est essentielle à la santé du futur bébé.

8. L'accouchement (parturition) comprend une série d'événements qui constituent le travail. Le travail est déclenché par plusieurs facteurs, mais le plus important est la libération croissante d'ocytocine et de prostaglandines, qui provoquent des contractions utérines vigoureuses. Les trois périodes du travail sont la dilatation, l'expulsion et la délivrance.

LE DÉVELOPPEMENT ET LE VIEILLISSEMENT DU SYSTÈME GÉNITAL *(p. 598-600)*

1. Les structures du système génital des hommes et des femmes sont identiques au début du développement embryonnaire. À huit semaines, les gonades commencent à se former. C'est la présence ou l'absence de testostérone qui détermine le sexe des organes génitaux annexes et externes.

2. La distribution anormale des chromosomes sexuels au cours de la méiose peut entraîner des anomalies congénitales graves.

3. Le système génital est inactif pendant l'enfance. C'est au moment de la puberté que les organes génitaux atteignent leur taille adulte et acquièrent leurs capacités reproductives.

4. Les infections des voies génitales sont un problème courant chez les jeunes adultes. Les cancers du sein et du col de l'utérus sont fréquents chez les femmes. Chez les hommes, le cancer de la prostate est le plus répandu des cancers touchant le système génital.

5. À la ménopause, les capacités reproductives de la femme disparaissent et les organes génitaux s'atrophient. Des bouffées de chaleur et des troubles de l'humeur peuvent survenir. Chez la majorité des hommes, les capacités reproductives ne semblent pas diminuer de façon importante avec l'âge.

Questions de révision

QUESTIONS À CHOIX MULTIPLE

Pour certaines questions, il peut y avoir plus d'une bonne réponse.

1. Parmi les structures qui suivent, lesquelles sont des organes génitaux annexes de l'homme?
   a) Les gonades.
   b) Les gamètes.
   c) Les épaules larges.
   d) Les vésicules séminales.

2. Parmi les trajets qui suivent, lequel décrit correctement celui des spermatozoïdes de leur lieu d'origine à leur lieu de libération hors de l'organisme?
   a) Testicule, épididyme, conduit déférent, conduit éjaculateur, urètre.
   b) Testicule, conduit éjaculateur, épididyme, urètre.
   c) Tubules séminifères contournés, épididyme, conduit éjaculateur, conduit déférent, urètre.
   d) Testicule, épididyme, conduit déférent, conduit éjaculateur, uretère.

3. Laquelle des associations qui suivent est *incorrecte*?
   a) Clitoris et pénis.
   b) Testicule et ovaire.
   c) Tubule séminifère contourné et corps jaune.
   d) Trompe utérine et canal déférent.

4. Lesquels, parmi les énoncés qui suivent, sont *exacts*?
   a) La spermatogenèse peut se poursuivre durant toute la vie (même à un âge très avancé) chez l'homme.
   b) Un ovocyte primaire ne produit, par méiose, qu'un seul gamète.
   c) La méiose ne débute qu'à la puberté, chez l'homme et chez la femme.
   d) De l'ovogonie à l'ovule, il peut s'écouler une dizaine d'années ou davantage.

5. Dans l'utérus, le myomètre est la couche musculaire, alors que l'endomètre est:
   a) la séreuse.
   b) l'adventice.
   c) la sous-muqueuse.
   d) la muqueuse.

6. Tous les énoncés qui suivent concernant les gonadotrophines sont *vrais*, sauf un. Lequel?
a) Elles sont sécrétées par l'hypophyse.
b) Elles comprennent la LH et la FSH.
c) Elles jouent un rôle important tant chez l'homme que chez la femme.
d) Elles sont les hormones sexuelles sécrétées par les gonades.

7. La région située entre l'anus et le clitoris de la femme est:
a) le péritoine. **c)** la vulve.
b) le périnée. **d)** les lèvres.

8. Lesquelles des structures qui suivent sont attachées à l'ovaire?
a) Les franges de la trompe.
b) Le ligament propre de l'ovaire.
c) Le ligament suspenseur de l'ovaire.
d) Le ligament large de l'utérus.

9. L'ovule et le spermatozoïde ont ceci de semblable:
a) les deux sont produits dans les mêmes quantités chaque mois.
b) ils possèdent le même degré de mobilité.
c) ils ont environ la même taille.
d) ils possèdent le même nombre de chromosomes.

10. Choisissez l'énoncé qui est *faux* au sujet du col de l'utérus.
a) Il constitue la partie la plus supérieure de l'utérus.
b) Il fait saillie dans le vagin.
c) Ses glandes sécrètent un mucus.
d) Il se dilate au cours de la première période du travail.

11. Lequel des événements qui suivent *n'est pas* associé à la phase proliférative du cycle menstruel?
a) L'augmentation de la sécrétion des œstrogènes.
b) L'augmentation de la sécrétion de progestérone.
c) La formation de nouveaux vaisseaux sanguins et de nouvelles glandes dans la couche fonctionnelle de l'endomètre.
d) Le développement d'un certain nombre de follicules ovariques.

12. Après l'ovulation, le follicule ovarique rompu:
a) dégénère.
b) se transforme en corps jaune.
c) est rejeté comme un déchet.
d) se reconstitue et produit un autre ovocyte.

13. La couche externe du blastocyste, qui s'attache à la paroi utérine, est:
a) l'endoderme. **c)** l'amnios.
b) l'embryoblaste. **d)** le trophoblaste.

14. L'hormone (ou les hormones) dont un test de grossesse recherche la présence est (ou sont):
a) la progestérone sécrétée par le corps jaune.
b) les œstrogènes sécrétés par le placenta en formation.
c) l'hCG sécrétée par le blastocyste.
d) les œstrogènes sécrétés par les follicules ovariques.

15. La présentation la plus fréquente et la plus souhaitable pour la naissance est:
a) la présentation céphalique.
b) la présentation du siège.
c) les présentations autres que la présentation céphalique.
d) les pieds en premier.

16. À quel stade du développement embryonnaire les organes commencent-ils à se former?
a) Au premier trimestre.
b) Au deuxième trimestre.
c) Au troisième trimestre.
d) À la formation du blastocyste.

17. La vasectomie:
a) a pour premier effet d'empêcher la formation des spermatozoïdes.
b) bloque le passage des spermatozoïdes dans les voies génitales mâles.
c) empêche la production de testostérone.
d) bloque la libération de la testostérone.

18. Quelle séquence présente les événements qui suivent dans le bon ordre chronologique?
a) Fécondation, implantation, ovulation, segmentation.
b) Ovulation, implantation, fécondation, segmentation.
c) Fécondation, ovulation, segmentation, implantation.
d) Ovulation, fécondation, segmentation, implantation.

QUESTIONS À COURT DÉVELOPPEMENT

1. Quels organes constituent les gonades chez les hommes? Quelles sont leurs deux plus importantes fonctions?

2. Nommez, dans l'ordre, les organes qui constituent les voies génitales de l'homme, depuis les gonades jusqu'à l'extérieur du corps.

3. Quelle est la fonction du plasma spermatique? Nommez ses principales composantes et les trois types de glandes qui contribuent à produire ce liquide.

4. Le pénis contient du tissu érectile qui se gorge de sang au cours de l'excitation sexuelle. Quel terme décrit cet événement?

5. Définissez l'*éjaculation*; précisez les structures impliquées et leurs rôles. Expliquez pourquoi l'éjaculation et la miction ne peuvent pas se produire simultanément.

6. Pourquoi les gonades mâles ne se trouvent-elles pas dans la cavité abdominale ? Où sont-elles situées ?

7. Pourquoi l'hyperplasie de la prostate peut-elle causer un problème au cours de la miction ?

8. Quelles structures des testicules élaborent les cellules sexuelles ? Quand le processus de la spermatogenèse commence-t-il ? Qu'est-ce qui le déclenche ? Quelles sont les particularités de ce type de division ?

9. Le processus de la spermatogenèse produit des cellules sexuelles appelées *spermatides*. Comment les spermatides se transforment-elles en spermatozoïdes fonctionnels ? Comment se nomme ce processus ? Combien de temps faut-il à l'organisme pour produire un spermatozoïde (immature) ?

10. Expliquez pourquoi le dicton « Premier arrivé, premier servi » ne peut pas s'appliquer au voyage des spermatozoïdes à la rencontre de l'ovocyte.

11. La libération de testostérone entraîne l'apparition des caractères sexuels secondaires à la puberté. Nommez trois caractères sexuels secondaires masculins. Indiquez les trois structures sécrétrices impliquées dans le contrôle de la sécrétion de testostérone.

12. Expliquez pourquoi, en règle générale, la réponse sexuelle et les caractères sexuels secondaires de l'homme ne sont pas altérés par une vasectomie.

13. Nommez la gonade femelle et décrivez ses deux principales fonctions.

14. Pourquoi l'expression *système urogénital* s'applique-t-elle davantage à l'homme qu'à la femme ?

15. Nommez les structures des voies génitales de la femme et décrivez les principales fonctions de chacune. Nommez les organes génitaux externes de la femme et décrivez-en la localisation précise.

16. Puisque les trompes de l'utérus ne sont pas reliées directement aux ovaires, comment se fait-il que les « œufs » éjectés par l'ovaire ne se perdent pas tous dans la cavité péritonéale de la femme ?

17. Quelles hormones adénohypophysaires provoquent le développement d'un follicule ovarique et l'ovulation dans l'ovaire ? Qu'est-ce qu'un follicule ovarique ? Qu'est-ce que l'ovulation ?

18. La cellule femelle éjectée par l'ovaire n'est pas une cellule sexuelle mature (un ovule). Quand ou dans quelles conditions devient-elle mature ? Distinguez ovogonies, ovocytes primaires et ovocytes secondaires.

19. Quelle hormone peut être qualifiée de *féminisante* ? Quelles structures ovariennes produisent cette hormone ? Nommez l'autre hormone qui est sécrétée par l'ovaire. Quel est son rôle ?

20. Énumérez et décrivez les événements du cycle menstruel. Pourquoi le cycle menstruel est-il si important ?

21. Définissez la *ménopause*. Que signifie-t-elle pour la femme ?

22. Quel est le rôle des glandes mammaires ?

23. Combien de temps les spermatozoïdes et l'ovocyte secondaire demeurent-ils viables ? Définissez la *fécondation*. Où la fécondation a-t-elle lieu en général ? Décrivez le processus de l'implantation.

24. Quelles sont les fonctions du placenta ? À partir de quel moment se forme-t-il ?

25. Quelles modifications anatomiques et physiologiques la grossesse provoque-t-elle chez la femme ?

26. Qu'est-ce qui déclenche le travail à l'accouchement ? Quelles sont ses trois grandes périodes et quel est l'événement caractéristique de chaque période ?

27. Nommez trois des principales méthodes de contraception et expliquez le mode d'action de chacune.

28. Comparez les effets du vieillissement sur les organes génitaux de l'homme et de la femme.

Réflexion et application

1. Une femme qui souffre de douleurs intenses appelle son médecin et lui dit (en sanglotant) qu'elle va avoir son bébé « tout de suite ». Le médecin essaie de la calmer et lui demande pourquoi elle pense cela. La femme lui explique qu'elle a perdu ses eaux et que son mari voit la tête du bébé. a) A-t-elle raison de penser que l'accouchement est imminent ? Si oui, à quelle période du travail est-elle arrivée ? b) Pensez-vous que le couple a le temps de se rendre à l'hôpital, situé à 75 km de chez lui ? Pourquoi ?

2. Lucie a subi l'ablation chirurgicale de l'ovaire gauche et de la trompe utérine droite à l'âge de 17 ans en raison d'un kyste et d'une tumeur à ces organes. Maintenant âgée de 32 ans, elle se porte bien et est enceinte de son deuxième enfant. Comment Lucie a-t-elle pu concevoir un enfant avec un seul ovaire et une seule trompe qui, de surcroît, se trouvent très éloignés l'un de l'autre dans le bassin ?

3. Marius, 68 ans, a de la difficulté à uriner. Le médecin procède à un toucher rectal. Selon toute probabilité, de quel trouble souffre-t-il ? Quel est le but de l'examen rectal ?

4. Des étudiants en anatomie racontent que les glandes bulbo-urétrales des hommes fonctionnent comme les employés municipaux qui se rendent sur le site d'un défilé pour s'assurer qu'aucune voiture ne s'y trouvera quand le cortège passera. Que veulent-ils dire par cette analogie ?

5. Une jeune femme qui va bientôt se marier rend visite à son médecin pour subir un examen gynécologique et se renseigner sur les méthodes de contraception. Elle désire avoir une famille, mais « pas tout de suite ». Elle explique que, en raison de ses croyances religieuses, elle ne veut pas prendre de médicaments ni employer une méthode contraceptive mécanique. Quels sont les seuls choix possibles pour cette jeune femme ?

6. Monique a des contractions de Braxton-Hicks au cours du sixième mois de sa grossesse. Pourquoi son médecin lui prescrit-il de l'ibuprofène (par quel mécanisme ce médicament agira-t-il) ?

7. Au Moyen Âge, les garçons pourvus d'une belle voix de soprano étaient parfois castrés (on enlevait leurs testicules), pour que leur voix ne mue pas. Distinguez la cause et l'effet dans ce cas.

La génétique

CHAPITRE 17

Lorsque vous aurez étudié le présent chapitre, vous aurez une connaissance pratique des mécanismes de la transmission et de l'expression des gènes ; vous devriez de plus avoir atteint les objectifs d'apprentissage énumérés ci-dessous.

OBJECTIFS D'APPRENTISSAGE

Notions de base *(p. 608-612)*

- ❑ **1.** Expliquer l'objet de la génétique et montrer pourquoi la recherche en génétique humaine est particulièrement complexe.
- ❑ **2.** Définir la *méiose*. Comparer la méiose et la mitose ; définir *synapsis*, *chiasma*, *dyades*, *tétrades*, *enjambement* et *chromosomes recombinants* ; montrer pourquoi la méiose, et non la mitose, convient à la formation des gamètes.
- ❑ **3.** Expliquez les expressions *chromosomes homologues*, *nombre haploïde de chromosomes*, *nombre diploïde de chromosomes*, *chromatides sœurs*, *division réductionnelle* et *division équationnelle*.
- ❑ **4.** Définir les termes *allèle*, *locus*, *dominant*, *récessif*, *autosome*, *caryotype*, *génome*, *homozygote* et *hétérozygote*.
- ❑ **5.** Distinguer le génotype du phénotype.

Les sources sexuelles de variations génétiques *(p. 612-615)*

- ❑ **6.** Énumérer et décrire deux phénomènes qui créent des variations génétiques dans les gamètes.

Les types de transmission héréditaire *(p. 615-622)*

- ❑ **7.** Comparer et différencier l'hérédité dominante-récessive, la dominance incomplète et la codominance ; prédire, à l'aide d'une grille de Punnett, les résultats d'un croisement faisant intervenir chacun de ces types de transmission.
- ❑ **8.** Définir ce qu'est un porteur ; expliquer pourquoi les maladies héréditaires récessives sont plus fréquentes que les maladies héréditaires dominantes.
- ❑ **9.** Décrire le phénomène de transmission par allèles multiples ; donner un exemple chez l'humain et prédire, à l'aide d'une grille de Punnett, les résultats d'un croisement faisant intervenir ce type de transmission.
- ❑ **10.** Décrire le mécanisme de l'hérédité liée au sexe ; prédire, à l'aide d'une grille de Punnett, les résultats d'un croisement faisant intervenir ce type de transmission.
- ❑ **11.** Expliquer en quoi l'hérédité polygénique diffère de celle qui résulte de l'action d'une seule paire de gènes ; donner des exemples de caractères transmis de cette façon ; prédire, à l'aide d'une grille de Punnett, les résultats d'un croisement faisant intervenir ce type de transmission.
- ❑ **12.** Prédire, à l'aide d'une grille de Punnett, les résultats d'un croisement faisant intervenir deux paires de gènes (croisements dihybrides) dans les cas suivants : gènes non liés, gènes liés sans enjambement et gènes liés avec enjambement.

Les facteurs environnementaux et l'expression génique *(p. 622)*

❑ **13.** À l'aide d'exemples, montrer comment les facteurs environnementaux peuvent modifier l'expression génique; définir le terme *phénocopie*.

Le dépistage des maladies héréditaires, le conseil génétique et la thérapie génique *(p. 622-625)*

❑ **14.** Citer et décrire deux techniques de reconnaissance des porteurs; dresser et analyser un arbre généalogique pour suivre un caractère génétique dans une famille.

❑ **15.** Expliquer en quoi consiste la thérapie génique et indiquer les divers moyens qu'elle fait intervenir; donner un aperçu des problèmes techniques qu'elle éprouve et des questions d'ordre éthique qu'elle soulève.

La croissance et le développement d'un nouvel individu sont guidés par les gènes des chromosomes qu'il a reçus de ses parents, par l'intermédiaire de l'ovule et du spermatozoïde. Comme nous l'avons expliqué au chapitre 3, les *gènes*, ou segments d'ADN, renferment les « recettes » ou les « plans » pour la synthèse des protéines. Une grande partie des protéines sont des enzymes, qui dirigent la synthèse de presque toutes les molécules de l'organisme. En conséquence, les gènes s'expriment dans la couleur de vos yeux, déterminent votre sexe et votre groupe sanguin, etc. Comme vous le verrez, la capacité d'un gène de provoquer le développement d'un trait dépend des interactions avec d'autres gènes et des facteurs environnementaux.

La **génétique** (*genos*, « origine »), la science de l'hérédité, est une discipline relativement jeune, mais notre compréhension de la manière dont les gènes interagissent a beaucoup progressé depuis que l'Autrichien Gregor Mendel (1822-1884) a mis au jour les lois fondamentales de l'hérédité au milieu du XIXe siècle. La génétique humaine pose des problèmes complexes car, au contraire des pois qui furent l'objet des expériences de Mendel, les humains ont une longue durée de vie et une progéniture peu nombreuse. En outre, on ne peut pas les accoupler de manière expérimentale pour voir quel genre d'enfants ils auront! De plus, Mendel a étudié des traits dont il n'y a que deux (ou, au plus, quelques) formes d'expression possibles et non des traits qui s'expriment tout en nuances, comme c'est souvent le cas chez l'humain. Mais le désir de comprendre l'hérédité humaine est très puissant. Le Projet génome humain, auquel des chercheurs de six pays ont participé et qui s'est étalé sur une quinzaine d'années, a été, à toutes fins utiles, achevé en avril 2003: on avait alors déchiffré 99,99 % du génome humain, c'est-à-dire déterminé la séquence des trois milliards de paires de bases azotées de l'ADN humain, avec une précision de moins d'une erreur par 10 000 paires de bases. Grâce à ce Projet, on peut maintenant attribuer des fonctions à plus de 26 000 gènes de l'humain. D'autres recherches ont permis aux généticiens de manipuler et de fabriquer des gènes humains afin d'étudier leur expression et de soigner ou de guérir des maladies. Nous ferons un survol de certaines de ces percées, mais nous nous concentrerons ici sur l'étude des principes de l'hérédité.

Notions de base

On ne peut entreprendre l'étude de la génétique sans bien comprendre, au préalable, quelques notions fondamentales. Tout d'abord, l'être humain doit posséder deux jeux de chromosomes, c'est-à-dire un de chaque parent (voir la figure 16.4). La plupart des cellules de l'organisme renferment le **nombre diploïde de chromosomes**, qu'on représente par le symbole $\mathbf{2n}$. Chez les humains, celui-ci est de 46, et les cellules diploïdes contiennent 23 paires de chromosomes semblables appelés **chromosomes homologues**. Chaque paire est composée d'un membre qui provient du père (*chromosome paternel*) et d'un membre qui provient de la mère (*chromosome maternel*). En règle générale, les deux chromosomes d'une même paire se ressemblent et portent des gènes qui codent pour les mêmes traits, mais pas nécessairement pour la même expression de ces traits. (Prenons pour exemple les gènes homologues qui déterminent l'expression des taches de rousseur: le gène porté par le chromosome paternel peut coder pour la présence d'un grand nombre de taches de rousseur, alors que le gène porté par le chromosome maternel peut coder pour leur absence totale.) Les gamètes, quant à eux, renferment seulement 23 chromosomes, c'est-à-dire le **nombre haploïde de chromosomes**, ou ***n***; ils ne possèdent qu'un seul membre de chaque paire de chromosomes homologues. Lorsqu'ils s'unissent, un spermatozoïde et un ovule forment un ovule fécondé qui rétablit le nombre diploïde de chromosomes (46), caractéristique des cellules somatiques du corps humain.

La formation de gamètes chez l'homme et la femme fait intervenir la **méiose**, type de division nucléaire particulier qui, essentiellement, se produit seulement dans les gonades. Dans la *mitose* (le processus de division des autres cellules de l'organisme que nous avons vu au chapitre 3), les chromosomes répliqués sont distribués également aux deux cellules filles. Chacune des cellules filles reçoit donc un jeu de chromosomes identique à celui de la cellule mère. La méiose comporte quant à elle deux divisions nucléaires successives qui produisent quatre cellules filles plutôt que deux. Chacune de ces cellules filles possède la *moitié* moins de chromosomes qu'une cellule ordinaire. Ainsi, la méiose réduit le nombre de chromosomes de moitié (de $2n$ à n) dans les gamètes. La figure 17.1 présente une comparaison de la mitose et de la méiose.

LA MÉIOSE

Les événements de la méiose I diffèrent considérablement de ceux de la mitose, comme nous le verrons dans les paragraphes qui suivent.

Rappelez-vous que, avant la mitose, tous les chromosomes sont répliqués. Puis, les copies identiques restent ensemble, sous forme de *chromatides sœurs* unies par un centromère pendant toute la prophase et jusqu'à leur alignement au cours de la métaphase. Au moment de l'anaphase, les centromères se divisent et les chromatides se séparent afin de migrer vers les pôles opposés de la cellule. Chaque cellule fille hérite donc d'une copie de *chacun* des chromosomes de la cellule mère (voir la figure 17.1). Voyons maintenant en quoi la méiose se distingue de la mitose.

La méiose I

Comme dans la mitose, les chromosomes se répliquent avant le début de la méiose. La prophase de la méiose I est toutefois marquée par un phénomène absent au cours de la mitose (ainsi que pendant la méiose II): les chromosomes répliqués recherchent leurs chromosomes homologues et s'apparient avec eux sur toute leur longueur. Cet accolement des chromosomes homologues se fait en plusieurs points le long des homologues (et fait penser davantage à des boutonnières qu'à une fermeture à glissière). De ce processus, appelé **synapsis**, sont issus de petits groupes de quatre chromatides appelés **tétrades** (voir la figure 17.4). La synapsis est marquée par un autre phénomène unique au sein des tétrades, l'**enjambement**, ou *crossing-over*. L'enjambement est le croisement, à un ou plusieurs endroits, d'une chromatide maternelle et d'une chromatide paternelle. Les points de croisement sont appelés *chiasmas*. L'enjambement permet l'échange de matériel génétique entre les chromosomes maternels et paternels appariés; il contribue ainsi au «brassage» du matériel génétique.

Au cours de la métaphase I, les tétrades s'alignent au hasard sur la plaque équatoriale du fuseau mitotique, c'est-à-dire qu'on peut trouver des chromosomes maternels et paternels de chaque côté de la plaque équatoriale. Au cours de l'anaphase I, les deux chromatides sœurs de chacun des chromosomes homologues se comportent comme si elles formaient une unité (comme si la réplication n'avait pas eu lieu), et ce sont les *chromosomes homologues* (chacun constitué de deux chromatides sœurs, les dyades, réunies par un centromère) qui sont distribués aux pôles opposés de la cellule.

À la fin de la méiose I, on se trouve donc devant la situation suivante: chaque cellule fille possède *deux* copies d'un membre de chaque paire de chromosomes homologues (le chromosome maternel ou le chromosome paternel) et ne possède aucune copie de l'autre membre; chaque cellule fille possède la quantité diploïde d'ADN mais le nombre *haploïde* de chromosomes, puisque les chromatides sœurs unies sont considérées comme un seul chromosome. Étant donné que la méiose I diminue le nombre de chromosomes de $2n$ à n, on l'appelle aussi **division réductionnelle de la méiose**.

La méiose II

La deuxième division méiotique, ou méiose II, est identique à la mitose, sauf que les chromosomes *ne se répliquent pas* avant qu'elle commence. Les chromatides présentes dans les deux cellules filles de la méiose I sont simplement partagées entre les quatre cellules grâce à la division des centromères; il en résulte donc quatre cellules haploïdes, chacune possédant une seule copie de chaque molécule d'ADN. Étant donné que les chromatides sont réparties également dans les cellules filles (comme dans la mitose), la méiose II est aussi appelée **division équationnelle de la méiose**.

La méiose remplit donc deux fonctions importantes: 1) elle divise le nombre de chromosomes par deux; 2) elle crée des variations génétiques. Nous expliquerons cette dernière fonction un peu plus loin.

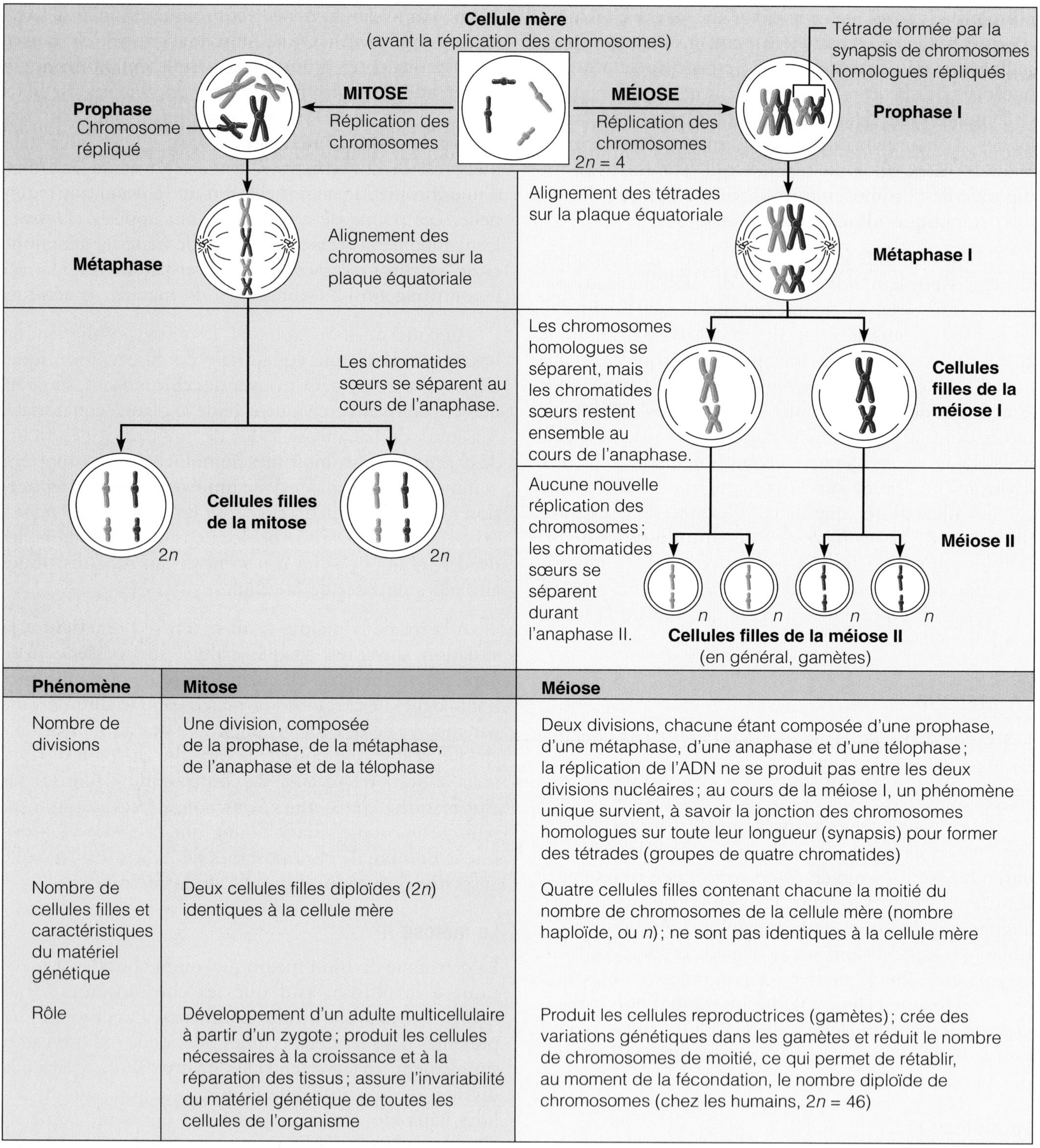

Cellule mère
(avant la réplication des chromosomes)
Tétrade formée par la synapsis de chromosomes homologues répliqués
Prophase
Chromosome répliqué
MITOSE
Réplication des chromosomes
MÉIOSE
Réplication des chromosomes
2n = 4
Prophase I
Alignement des tétrades sur la plaque équatoriale
Métaphase
Alignement des chromosomes sur la plaque équatoriale
Métaphase I
Les chromosomes homologues se séparent, mais les chromatides sœurs restent ensemble au cours de l'anaphase.
Les chromatides sœurs se séparent au cours de l'anaphase.
Cellules filles de la méiose I
Aucune nouvelle réplication des chromosomes ; les chromatides sœurs se séparent durant l'anaphase II.
Cellules filles de la mitose
2n
2n
Méiose II
n
n
n
n
Cellules filles de la méiose II
(en général, gamètes)

Phénomène	Mitose	Méiose
Nombre de divisions	Une division, composée de la prophase, de la métaphase, de l'anaphase et de la télophase	Deux divisions, chacune étant composée d'une prophase, d'une métaphase, d'une anaphase et d'une télophase ; la réplication de l'ADN ne se produit pas entre les deux divisions nucléaires ; au cours de la méiose I, un phénomène unique survient, à savoir la jonction des chromosomes homologues sur toute leur longueur (synapsis) pour former des tétrades (groupes de quatre chromatides)
Nombre de cellules filles et caractéristiques du matériel génétique	Deux cellules filles diploïdes (2*n*) identiques à la cellule mère	Quatre cellules filles contenant chacune la moitié du nombre de chromosomes de la cellule mère (nombre haploïde, ou *n*) ; ne sont pas identiques à la cellule mère
Rôle	Développement d'un adulte multicellulaire à partir d'un zygote ; produit les cellules nécessaires à la croissance et à la réparation des tissus ; assure l'invariabilité du matériel génétique de toutes les cellules de l'organisme	Produit les cellules reproductrices (gamètes) ; crée des variations génétiques dans les gamètes et réduit le nombre de chromosomes de moitié, ce qui permet de rétablir, au moment de la fécondation, le nombre diploïde de chromosomes (chez les humains, $2n = 46$)

Figure 17.1 **Comparaison de la mitose et de la méiose chez une cellule mère ayant un nombre diploïde (2*n*) de 4**

La mitose est illustrée à gauche, la méiose à droite. (Les phases de la mitose et de la méiose ne sont pas toutes représentées.)

LE VOCABULAIRE DE LA GÉNÉTIQUE

Les termes couramment employés en génétique vous seront maintenant présentés et expliqués. Ils apparaissent en gras (ou en italique), et leur définition est donnée dans le glossaire à la fin du manuel. Assurez-vous de bien comprendre chacun de ces termes avant d'aller plus loin.

Le caryotype, le génome et le gène

Comme nous l'avons mentionné, le noyau de toutes les cellules humaines, à l'exception des gamètes, renferme le nombre diploïde de chromosomes (46), composé de 23 paires de chromosomes homologues. Une de ces paires est constituée des chromosomes sexuels (X et Y), qui déterminent le sexe génétique (masculin : XY ; féminin : XX) ; les 44 autres chromosomes forment 22 paires d'autosomes, qui guident l'expression de la plupart des autres traits. Un caryotype humain regroupe l'ensemble des chromosomes d'une cellule diploïde humaine ; la figure 17.2 présente un tel caryotype où les chromosomes homologues sont classés selon leur taille, la position de leur centromère (ou la longueur de leur bras court et de leur bras long) et les motifs des bandes claires et sombres qu'ils portent. Un caryotype peut mettre en évidence des anomalies dans le nombre de chromosomes (par exemple, la trisomie 21 ou présence d'un chromosome 21 surnuméraire associé au syndrome de Down) ou dans la structure des chromosomes (pertes, inversions

Q **Lorsqu'on fait un caryotype, pourquoi utilise-t-on des cellules en métaphase plutôt qu'en interphase ?**

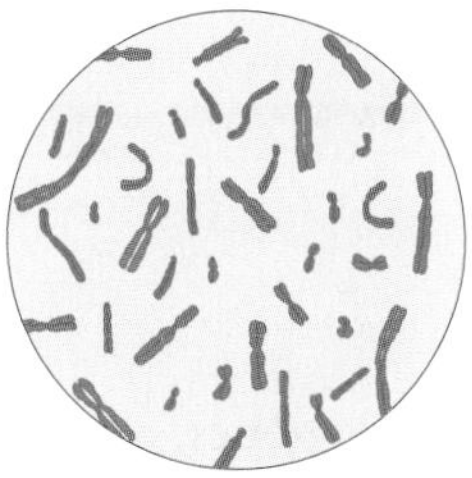

(a) La lame est examinée au microscope et les chromosomes sont photographiés.

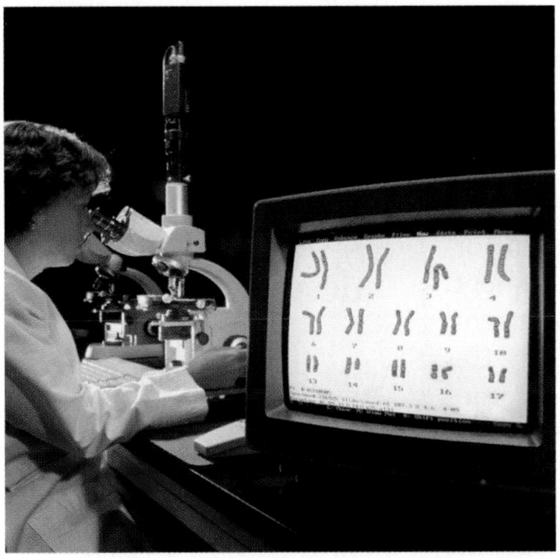

(b) La photographie est analysée par un ordinateur, qui réorganise les chromosomes en paires selon leur taille, l'endroit où se trouve leur centromère et la disposition de leurs différentes bandes.

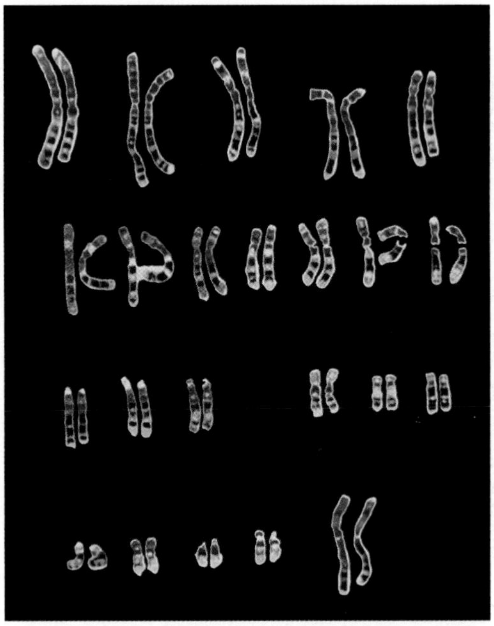

(c) La représentation chromosomique obtenue est le caryotype.

Figure 17.2 **La préparation d'un caryotype**

Après avoir cultivé des lymphocytes durant plusieurs jours, et stimulé leur division, on les traite à l'aide d'une substance qui arrête la mitose au stade de la métaphase, pendant lequel les chromosomes sont facilement identifiables, chacun portant deux chromatides sœurs réunies au niveau du centromère. On recueille ensuite les cellules pour les imbiber d'une solution qui stimule l'étalement de leurs chromosomes, puis on les examine au microscope. **(a)** Les chromosomes sur lame sont photographiés. **(b)** La photographie est analysée par un ordinateur qui dispose les chromosomes en paires homologues. **(c)** Le caryotype obtenu sert à déterminer la structure et le nombre des chromosomes.

R **Parce que le matériel génétique est à l'état de chromatine pendant l'interphase, c'est-à-dire qu'il est plus diffus dans le noyau, si bien qu'on ne peut pas repérer, et encore moins identifier, les différents chromosomes.**

ou duplications de segments qui peuvent entraîner la formation de gamètes anormaux). Le génome, c'est-à-dire le matériel génétique (l'ADN), est composé de deux ensembles d'instructions génétiques, un qui provient de l'ovule (23 chromosomes) et un qui provient du spermatozoïde (23 chromosomes). L'information génétique constitue, elle, le gène ou l'unité héréditaire. Un gène correspond à la séquence d'ADN qui donne les instructions nécessaires à la cellule pour fabriquer une protéine particulière. L'humain possède environ 25 000 gènes répartis inégalement entre 23 paires de chromosomes (n'ayant pas tous la même longueur, les chromosomes ne contiennent pas le même nombre de gènes). Un gène a un emplacement précis (*locus*) sur un chromosome ; ainsi, le gène déterminant le groupe sanguin dans le système ABO a le locus 9q34, ce qui signifie qu'il occupe la quatrième bande de la région 3 du bras long (q) du chromosome 9. Les gènes sont responsables de la transmission des traits normaux et anormaux d'une génération à l'autre. Un catalogue de plus de 18 000 gènes causant des maladies ou des anomalies héréditaires chez l'humain, constamment mis à jour, peut être consulté sur Internet (tableau 17.3, p. 624).

Les paires de gènes (allèles)

Étant donné que les chromosomes sont appariés (assortis par paires), les gènes le sont aussi. Par conséquent, chacun de nous reçoit deux gènes, un de chaque parent, qui interagissent pour dicter un trait particulier. Ces gènes appariés, qui occupent le même locus de chromosomes homologues, sont appelés **allèles**. Les allèles peuvent coder pour la même forme ou une forme différente d'un trait. Par exemple, parmi les allèles qui dictent si vous présentez ou non une hyperlaxité de l'articulation du pouce (particularité de la capsule articulaire entre le métacarpe et la phalange qui permet une hyperextension), il se peut que vous ayez un allèle qui code pour des ligaments tendus, et l'autre pour des ligaments relâchés. Lorsque les deux allèles qui déterminent un trait sont identiques, la personne est dite **homozygote** pour ce trait. Lorsque les deux allèles sont différents, la personne est dite **hétérozygote** pour ce trait.

Parfois, un allèle masque ou supprime l'expression de l'autre. Cet allèle est dit **dominant**, alors que l'allèle masqué est dit **récessif**. Par convention, l'allèle dominant est représenté par une majuscule (par exemple *P*), et l'allèle récessif par la forme minuscule de la même lettre (*p*). Les allèles dominants s'expriment, qu'il y en ait un ou deux ; les allèles récessifs doivent être tous deux présents pour pouvoir s'exprimer, ce qui constitue un état homozygote. Pour reprendre notre exemple de l'articulation du pouce, une personne qui possède la paire de gènes *PP* (homozygote dominant) ou *Pp* (hétérozygote) aura l'articulation du pouce relâchée. La combinaison *pp* (homozygote récessif) est nécessaire pour avoir l'articulation du pouce tendue.

Beaucoup de gens pensent que les traits dominants s'expriment nécessairement bien plus souvent, puisqu'ils sont apparents dès qu'un des deux allèles est dominant. Cependant, la dominance et la récessivité ne sont pas les seuls facteurs qui déterminent la fréquence d'un trait dans une population : celle-ci dépend aussi de l'abondance relative des allèles dominants et des allèles récessifs au sein de cette population.

Le génotype et le phénotype

Le patrimoine génétique d'une personne est son génotype. La façon dont il se manifeste chez cette personne est son phénotype. Ainsi, l'hyperlaxité du pouce est le phénotype produit par le génotype *PP* ou le génotype *Pp* ; l'articulation du pouce tendue est le phénotype résultant du génotype *pp*.

Les sources sexuelles de variations génétiques

Avant de considérer les interactions des gènes, voyons comment il se fait que chacun de nous (à l'exception des vrais jumeaux) soit différent, avec son génotype et son phénotype uniques. On a découvert, en effet, que les humains diffèrent les uns des autres par environ 3000 gènes (soit 12 % du génome). Cette variabilité traduit trois phénomènes, les deux premiers se produisant avant même que nos parents se rencontrent : la ségrégation indépendante des chromosomes homologues, l'enjambement des chromosomes homologues et la fécondation aléatoire des ovules par les spermatozoïdes. Ce dernier phénomène est, à lui seul, responsable du fait qu'un enfant ne porte qu'une des 7,2 billions de combinaisons de chromosomes qu'il aurait pu porter (car, comme nous le verrons plus loin, la femme peut produire 8,5 millions d'ovules différents et l'homme 8,5 millions de spermatozoïdes différents sur le plan de la combinaison de chromosomes, et c'est le hasard qui détermine quel ovule et quel spermatozoïde formeront le zygote). Nous traiterons plus en détail des deux phénomènes responsables de variations génétiques agissant avant la rencontre des gamètes.

LA SÉGRÉGATION INDÉPENDANTE DES CHROMOSOMES

Comme nous l'avons expliqué plus haut, toutes les paires de chromosomes homologues entrent en synapsis (s'accolent) pendant la méiose I, pour former des tétrades. La synapsis se produit au cours de la spermatogenèse et de l'ovogenèse. C'est le hasard qui détermine l'alignement et l'orientation des tétrades sur le fuseau mitotique de la métaphase de la méiose I, si bien que les chromosomes maternels et paternels sont distribués au hasard dans le noyau des cellules filles. Ainsi que le montre la figure 17.3, ce phénomène très simple mène à des variations remarquables chez les gamètes. La cellule de cet exemple a un nombre diploïde de six chromosomes, ce qui donne trois tétrades. Comme vous pouvez le voir, les différentes combinaisons d'alignement des trois tétrades font en sorte qu'il est possible d'obtenir huit types de gamètes. Parce que l'alignement des tétrades se fait au hasard et qu'un grand nombre de cellules mères subissent la méiose simultanément, chaque alignement et chaque type de gamète reviennent à la même fréquence que tous les autres.

Rappelez-vous deux points essentiels à propos de la métaphase I : 1) les deux allèles qui déterminent chaque trait subissent une **ségrégation**, c'est-à-dire qu'ils sont distribués à des gamètes différents ; 2) les allèles localisés sur différentes paires de chromosomes homologues sont distribués indépendamment les uns des autres. C'est ainsi que chaque gamète ne peut posséder qu'un seul allèle pour chaque trait et que cet allèle ne constitue que l'un des quatre allèles parentaux possibles.

Le nombre de types de gamètes résultant de la **ségrégation indépendante** des chromosomes homologues au cours de la méiose I peut se calculer pour tous les génomes à l'aide de la formule 2^n, n étant le nombre de paires homologues. Dans notre exemple, $2^n = 2^3$ (ou $2 \times 2 \times 2$), ce qui donne 8 types de gamètes. Le nombre de types de gamètes augmente considérablement à mesure que le nombre de chromosomes augmente. Une cellule possédant 6 paires de chromosomes homologues pourrait produire 2^6, ou 64, types de gamètes. Sur la seule base de l'assortiment indépendant, les testicules d'un homme peuvent donc produire 2^{23} types de gamètes, soit environ 8,5 millions, ce qui représente une incroyable diversité. Puisque les ovaires d'une femme seront le site de 500 méioses complètes au maximum au cours de sa vie, le nombre de types de gamètes produits est beaucoup plus petit. Il n'en reste pas moins que le nombre de types de gamètes différents que *pourrait* produire une femme est tout aussi grand que chez l'homme (2^{23}) et que chaque ovocyte expulsé de l'ovaire sera probablement différent des autres sur le plan génétique par suite de la ségrégation indépendante des chromosomes.

Q **Quel phénomène est à l'origine des variations représentées ci-dessous ?**

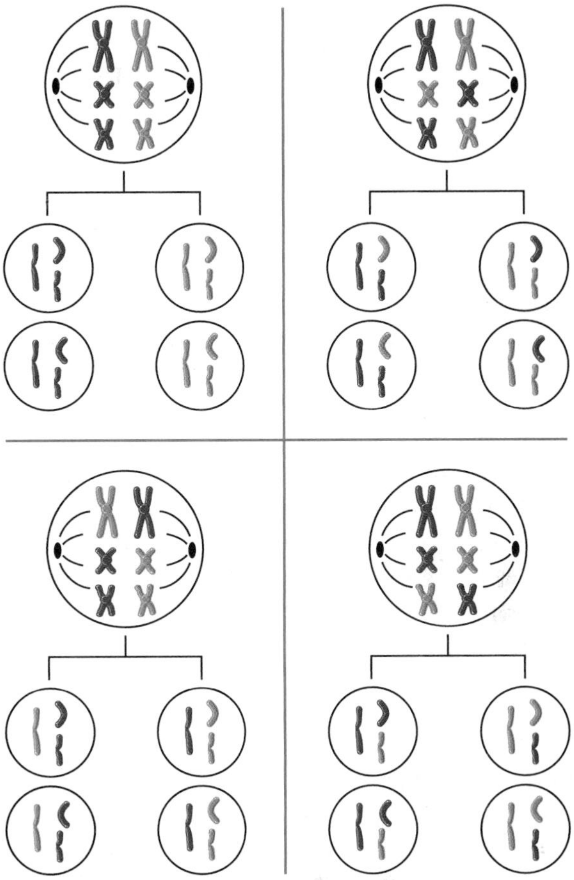

Figure 17.3 **Les variations chez les gamètes grâce à la ségrégation indépendante**

Durant la métaphase de la méiose I, les tétrades de chromosomes homologues (les deux homologues d'origine, chacun avec une chromatide sœur) s'alignent indépendamment les unes des autres. Les grands cercles montrent les alignements possibles dans une cellule mère ayant un nombre diploïde de 6 (les chromosomes homologues du père sont violets ; ceux de la mère sont verts). Les petits cercles représentent les gamètes résultant de chaque alignement. Certains gamètes renferment uniquement des chromosomes maternels ou des chromosomes paternels ; d'autres (la majorité) possèdent des combinaisons variées de chromosomes maternels et de chromosomes paternels.

R **L'alignement aléatoire des tétrades sur le fuseau mitotique de la métaphase.**

L'ENJAMBEMENT DES CHROMOSOMES HOMOLOGUES ET LES RECOMBINAISONS GÉNIQUES

D'autres variations proviennent de l'enjambement (*crossing-over*), et de l'échange de portions de chromosomes qui en résulte, au cours de la méiose I. On sait que les gènes de chaque chromosome sont alignés sur toute la longueur de celui-ci. Les gènes d'un chromosome sont dits **liés**, car ils sont physiquement attachés les uns aux autres et transmis en bloc à la cellule fille au cours de la *mitose*. Tel n'est pas le cas durant la *méiose*, car, nous l'avons vu, les chromosomes peuvent alors échanger de façon très précise des segments génétiques avec les chromosomes homologues, grâce à l'**enjambement**. Au cours de ce processus, deux chromatides non sœurs s'entrecroisent, se fracturent aux mêmes points puis se ressoudent en diagonale, ce qui fait apparaître les **chiasmas** (manifestation visible de l'enjambement). Après l'enjambement, certains gènes du chromosome paternel se retrouvent sur le chromosome maternel, tandis que les gènes correspondants du chromosome maternel se retrouvent sur le chromosome paternel. Cet échange de gènes produit des **chromosomes recombinants**, formés d'une combinaison du matériel génétique des deux parents.

Dans l'exemple hypothétique présenté à la figure 17.4, les gènes qui codent pour la couleur des cheveux et des yeux sont liés. Les chromosomes paternels renferment les allèles qui codent pour les cheveux blonds et les yeux bleus, alors que les allèles maternels codent pour les cheveux bruns et les yeux bruns. Le chiasma se trouve entre ces deux gènes liés, ce qui fait que certains gamètes possèdent les allèles pour les cheveux blonds et les yeux bruns, et certains autres possèdent les allèles pour les cheveux bruns et les yeux bleus. En raison de l'enjambement, deux des quatre chromatides de la tétrade ont des allèles mélangés, certains provenant de la mère et d'autres du père. C'est ainsi qu'au moment de la ségrégation des chromatides chaque gamète recevra une combinaison unique de gènes des parents.

Deux seulement des quatre chromatides d'une tétrade semblent prendre part à des enjambements et à des recombinaisons au cours de la synapsis, mais elles subissent un grand nombre de ces échanges chromosomiques. En outre, chaque enjambement entraîne la recombinaison de nombreux gènes, et pas seulement de deux comme dans notre exemple. En général, les chiasmas se produisent au hasard. Plus le chromosome est long, plus il peut subir d'enjambements et plus les gènes sont éloignés les uns des autres, plus les probabilités de recombinaisons entre ces gènes sont grandes (à l'inverse, deux gènes très rapprochés peuvent théoriquement ne jamais être recom-

Q **Que se passerait-il si l'enjambement se produisait *ailleurs* sur les chromosomes ?**

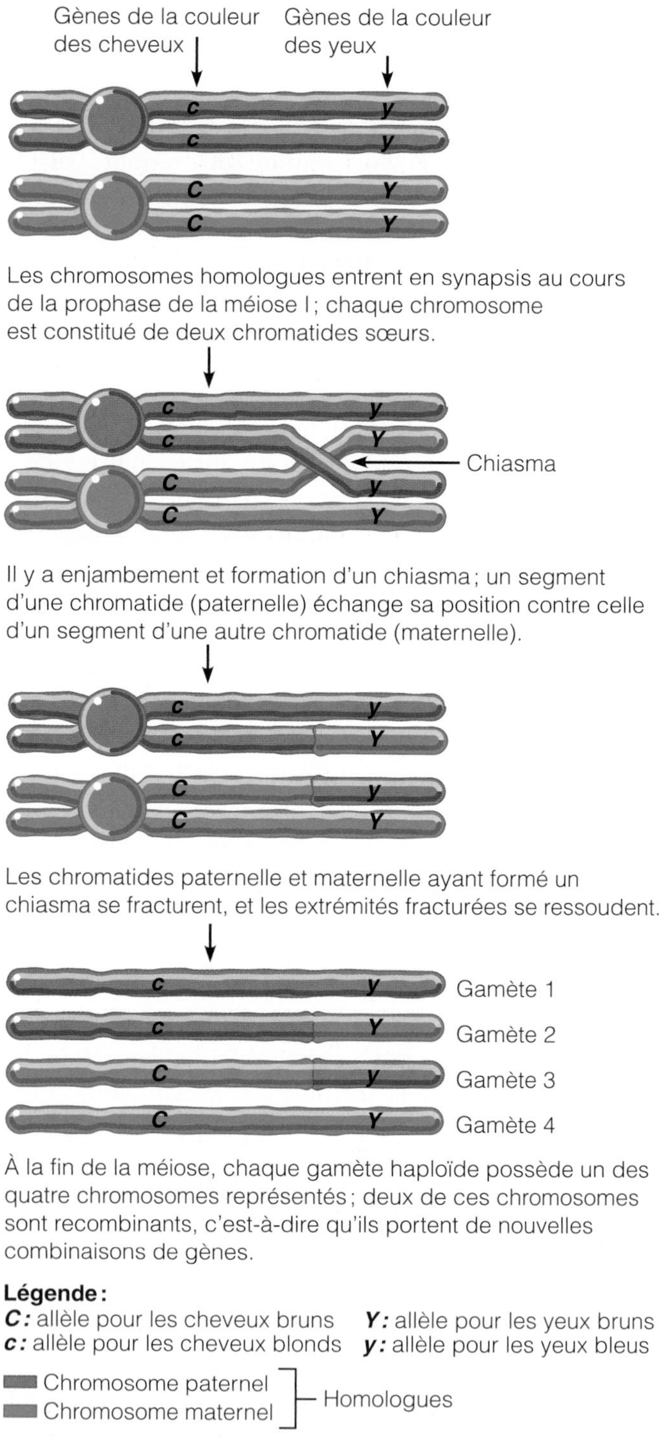

Gènes de la couleur des cheveux
Gènes de la couleur des yeux
c
y
C
Y
Les chromosomes homologues entrent en synapsis au cours de la prophase de la méiose I ; chaque chromosome est constitué de deux chromatides sœurs.
Chiasma
Il y a enjambement et formation d'un chiasma ; un segment d'une chromatide (paternelle) échange sa position contre celle d'un segment d'une autre chromatide (maternelle).
Les chromatides paternelle et maternelle ayant formé un chiasma se fracturent, et les extrémités fracturées se ressoudent.
Gamète 1
Gamète 2
Gamète 3
Gamète 4
À la fin de la méiose, chaque gamète haploïde possède un des quatre chromosomes représentés ; deux de ces chromosomes sont recombinants, c'est-à-dire qu'ils portent de nouvelles combinaisons de gènes.
Légende :
C : allèle pour les cheveux bruns
c : allèle pour les cheveux blonds
Y : allèle pour les yeux bruns
y : allèle pour les yeux bleus
Chromosome paternel
Chromosome maternel
Homologues

R **On obtiendrait une variété différente de gènes liés dans les gamètes.**

Figure 17.4 **L'enjambement et les recombinaisons géniques qui ont lieu au cours de la méiose I contribuent aussi aux variations génétiques dans les gamètes.**

binés et toujours se transmettre en bloc; cette relation entre la distance des gènes et le pourcentage d'enjambement a été mise à profit dans les travaux de cartographie des chromosomes). Comme les humains possèdent 23 tétrades, et que la plupart subissent des enjambements au cours de la méiose I, ce facteur à lui seul est à l'origine d'une quantité phénoménale de variations.

Une fois qu'on comprend ces sources de variations, on se rend compte que les gens ont souvent une conception erronée de l'hérédité. Ainsi, on entend dire des choses comme «Je suis à moitié française, au quart irlandaise et au quart espagnole», ce qui révèle la croyance que les gènes de chaque côté de la famille sont répartis avec une grande précision. Il est vrai que nous recevons la moitié de nos gènes de chaque parent, mais nous ne possédons pas le quart des gènes de chacun de nos grands-parents ou un huitième des gènes de nos arrière-grands-parents. (Reportez-vous à la figure 17.3 si cela vous surprend!) Par ailleurs, il n'existe pas de gènes «français», «irlandais» ou «espagnols».

Les types de transmission héréditaire

Chez les humains, quelques phénotypes peuvent être attribués à une seule paire de gènes (comme nous le verrons bientôt), mais ce genre de trait est peu courant dans la nature ou alors il ne concerne qu'une variation dans une seule enzyme (tandis que l'expression d'un trait est souvent le résultat de l'action de plusieurs enzymes différentes). La plupart des traits humains sont plutôt déterminés par des allèles multiples ou par l'interaction de plusieurs paires de gènes.

L'HÉRÉDITÉ DOMINANTE-RÉCESSIVE

L'**hérédité dominante-récessive** reflète l'interaction des allèles dominants et récessifs. Un diagramme simple, appelé **grille de Punnett** (nom du généticien anglais Reginald C. Punnett [1875-1967] qui l'a conçue), permet de représenter les combinaisons de gènes possibles pour un trait si les gamètes de deux parents dont on connaît le génotype s'unissent (figure 17.5). Dans l'exemple choisi, les deux parents ont le lobe des oreilles libre, c'est-à-dire non fixé à la peau de la tête, parce qu'ils possèdent l'allèle dominant (*L*) qui confère ce trait. En effet, ils sont tous deux hétérozygotes pour ce trait (*Ll*). Les allèles présents dans les gamètes de la mère sont indiqués d'un côté de la grille de Punnett et ceux qui sont présents dans les gamètes du père sont indiqués sur un côté adjacent. On combine les allèles horizontalement et verticalement pour déterminer les combinaisons de gènes (génotypes) possibles et leur fréquence dans la progéniture de ces parents. Après avoir rempli la grille de Punnett, on constate que les parents de notre exemple ont une probabilité de 25 % (une chance sur quatre) de produire un enfant homozygote dominant (*LL*); de 50 % (deux chances sur quatre) de produire

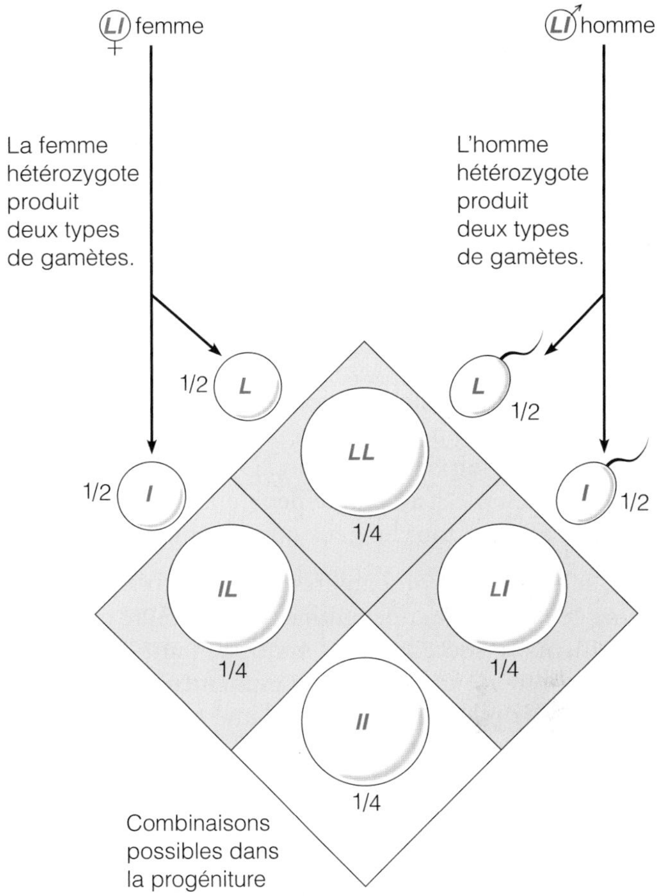

Ll femme
Ll homme
La femme hétérozygote produit deux types de gamètes.
L'homme hétérozygote produit deux types de gamètes.
1/2 L
1/2 l
L 1/2
l 1/2
LL
1/4
lL
1/4
Ll
1/4
ll
1/4
Combinaisons possibles dans la progéniture

Figure 17.5 **Les probabilités des différents génotypes et phénotypes à la suite de l'union de deux parents hétérozygotes**

La grille de Punnett montre toutes les combinaisons possibles des allèles du père et de la mère chez le zygote. Dans cet exemple, l'allèle *L* est dominant et détermine le trait «lobe des oreilles libre»; l'allèle *l* est récessif. *Remarque: Dans un génotype hétérozygote, on met l'allèle dominant en premier. Nous avons écrit ici «lL» pour montrer la provenance (mère ou père) des allèles.*

un enfant hétérozygote (*Ll*) ; de 25 % (une chance sur quatre) de produire un enfant homozygote récessif (*ll*). Les enfants *LL* et *Ll* auront le lobe des oreilles libre ; seuls les enfants *ll* auront le lobe des oreilles adhérent.

La grille de Punnett ne donne que la *probabilité* d'avoir un certain pourcentage d'enfants présentant un génotype (et un phénotype) donné. Plus la progéniture est nombreuse, plus il est vraisemblable que les proportions soient conformes aux prévisions. C'est la même chose que lorsqu'on joue à pile ou face : plus le nombre de fois qu'on lance la pièce de monnaie est élevé, meilleures sont les chances qu'on obtienne un nombre égal de côtés pile et de côtés face. Si on ne lance la pièce que deux fois, on pourrait bien avoir deux côtés face. De même, si le couple de notre exemple n'avait que deux enfants, il ne serait pas étonnant que tous les deux possèdent le génotype *Ll*.

Quelles sont les probabilités d'avoir deux enfants du même génotype ? Pour déterminer la probabilité que deux événements se succèdent, on multiplie l'une par l'autre la probabilité de chacun de ces événements. La probabilité d'avoir pile quand on lance une pièce est de 1/2, de sorte que la probabilité d'avoir pile deux fois de suite est de $1/2 \times 1/2 = 1/4$. Passons maintenant à la probabilité que notre couple ait deux enfants ayant le lobe des oreilles adhérent (*ll*). La probabilité qu'*un* enfant soit *ll* est de 1/4. Par conséquent, la probabilité que les *deux* enfants soient *ll* est de $1/4 \times 1/4 = 1/16$, c'est-à-dire d'un peu plus de 6 %. Cependant, il faut toujours se rappeler que la production de chaque zygote (donc de chaque enfant), tout comme chaque lancer de la pièce, est un *événement indépendant*, qui n'influe pas sur ce qui peut se passer par la suite. Si on obtient pile au premier lancer, on a encore la moitié des chances d'obtenir pile au deuxième lancer ; si le couple a un premier enfant qui est *ll*, il a encore 1/4 des chances d'avoir un deuxième enfant également *ll*.

Les traits dominants

Parmi les traits humains déterminés par des allèles dominants, on peut mentionner la pointe de cheveux sur le front, les fossettes, les taches de rousseur et les lèvres épaisses.

Les maladies héréditaires causées par des gènes dominants sont rares, car les *gènes dominants létaux* s'expriment toujours et provoquent la mort au stade embryonnaire ou fœtal, ou encore pendant l'enfance. Les gènes mortels sont donc rarement transmis aux générations suivantes. Cependant, il existe certaines maladies dominantes moins graves ou permettant à la personne de vivre assez longtemps pour se reproduire, comme l'achondroplasie et la chorée de Huntington. L'*achondroplasie* est un type de nanisme qui résulte d'une anomalie dans le processus d'ossification endochondrale ; les os longs ne se développent pas normalement et les membres sont très courts. La *chorée de Huntington* (voir p. 268-269) est une maladie mortelle du système nerveux qui se caractérise par la dégénérescence de deux des noyaux gris centraux (putamen et noyau caudé) et une atrophie du cortex cérébral. Elle se manifeste par des troubles mentaux et des contractions musculaires involontaires lentes en séries (chorée). Le gène en cause, situé sur le chromosome 4, est un *gène à retardement* qui s'exprime quand l'individu a environ 40 ans. Les enfants d'un parent atteint de la chorée de Huntington ont un risque de 50 % d'hériter du gène létal. (Le parent est hétérozygote, car l'état homozygote dominant est mortel pour le fœtus.) C'est pourquoi beaucoup de personnes qui ont un parent touché par cette maladie décident de ne pas avoir d'enfants. Le tableau 17.1 présente une liste de traits déterminés par un gène dominant et de quelques maladies déterminées par un gène récessif.

Les traits récessifs

Certains traits déterminés par des gènes récessifs sont des caractéristiques désirables. Par exemple, la vision normale est définie par des allèles récessifs, alors que l'astigmatisme est précisé par des allèles dominants. Cependant, parmi les traits récessifs, on trouve la plupart des maladies héréditaires. C'est le cas de l'*albinisme* (absence de pigmentation de la peau), de la *fibrose kystique du pancréas*, ou mucoviscidose (production de mucus plus visqueux que la normale réduisant l'écoulement des sécrétions des glandes exocrines, ce qui affecte surtout le fonctionnement des poumons et du pancréas ; voir p. 488), et de la *maladie de Tay-Sachs*. Cette maladie héréditaire touchant le métabolisme des lipides dans le cerveau est provoquée par un déficit enzymatique qui devient apparent quelques mois après la naissance.

La fréquence élevée des maladies héréditaires récessives par rapport à celle des maladies causées par un gène dominant reflète le fait que les personnes qui possèdent un allèle récessif (par exemple *m*) pour une maladie héréditaire récessive ne manifestent pas la maladie si l'autre allèle est dominant (*M*), mais peuvent transmettre le gène en cause à leur progéniture. On dit que ces personnes (*Mm*) sont des **porteurs** de la maladie.

LA DOMINANCE INCOMPLÈTE ET LA CODOMINANCE

Dans le cas de l'hérédité dominante-récessive, une variante d'un allèle masque complètement l'autre. Il existe toutefois certains traits qui présentent une **dominance**

Tableau 17.1 Les traits déterminés par l'hérédité dominante-récessive simple

Phénotypes attribuables à l'expression de: Gènes dominants (génotype ZZ ou Zz)	Gènes récessifs (génotype zz)
Capacité de rouler la langue en U[a]	Incapacité de rouler la langue en U
Lobes des oreilles libres	Lobes des oreilles adhérents
Astigmatisme	Vision normale
Taches de rousseur	Absence de taches de rousseur
Fossettes aux joues	Absence de fossettes
Arches plantaires normales	Pieds plats
Capacité de goûter le phénylthiocarbamide (PTC)[b]	Incapacité de goûter le PTC
Pointe de cheveux sur le front	Ligne des cheveux droite
Hyperlaxité du pouce	Ligaments du pouce tendus
Lèvres épaisses	Lèvres minces
Polydactylie (doigts et orteils surnuméraires)	Nombre normal de doigts et d'orteils
Syndactylie (doigts ou orteils soudés)	Doigts et orteils normaux
Achondroplasie (hétérozygote: nanisme; homozygote: mort fœtale)	Ossification endochondrale normale
Chorée de Huntington	Absence de chorée de Huntington
Pigmentation cutanée normale	Albinisme
Absence de la maladie de Tay-Sachs	Maladie de Tay-Sachs
Absence de la fibrose kystique du pancréas	Fibrose kystique du pancréas
État mental normal	Schizophrénie

a. Ce trait, qui a longtemps été utilisé comme exemple de transmission génétique simple selon le modèle dominant-récessif, est maintenant considéré comme faiblement lié à des facteurs génétiques.

b. Le PTC est une substance chimique amère, présente dans les légumes de la famille des crucifères tels que le radis et le chou. Soixante-quinze pour cent des Américains et des Européens perçoivent son goût.

incomplète. Très courante chez les plantes et certains animaux, la dominance incomplète l'est beaucoup moins chez l'être humain. Dans la dominance incomplète, l'individu hétérozygote montre un phénotype *intermédiaire* par rapport à celui des deux homozygotes. Par exemple, la fleur rose (*RB*) présente une partie des caractères de la fleur rouge (*RR*) et une partie des caractères de la fleur blanche (*BB*). Lorsque l'individu hétérozygote exprime toutes les caractéristiques déterminées par les deux allèles, il s'agit plutôt de **codominance**.

Le système MN pour les groupes sanguins chez l'humain présente un cas de codominance: le génotype L^ML^M correspond au groupe M, le génotype L^NL^N correspond au groupe N tandis que le génotype hétérozygote L^ML^N donne le groupe MN, un nouveau phénotype où chacun des allèles est entièrement exprimé. Mais le meilleur exemple de codominance chez les êtres humains est probablement celui de l'**anémie à hématies falciformes**, ou drépanocytose (voir chapitre 10, p. 371), maladie causée par la substitution d'un acide aminé dans la chaîne ß de la molécule d'hémoglobine (une valine se substitue à un acide glutamique). Lorsque la pression partielle d'oxygène est basse, les molécules d'hémoglobine qui contiennent ces chaînes anormales précipitent dans les globules rouges, qui prennent alors la forme d'une faucille (voir la figure 10.3b, p. 371). Les individus homozygotes pour ce trait (Hb^SHb^S) sont très malades. Chez eux, les infections, la gêne respiratoire et l'exercice peuvent provoquer des accès de falciformation. Les hématies en forme de faucille s'agglutinent dans les capillaires et les obstruent, ce qui entraîne des douleurs intenses de même que des lésions ischémiques aux organes vitaux (par exemple au cerveau ou au cœur). De plus, les hématies falciformes sont rapidement détruites, ce qui explique l'anémie grave dont souffrent les homozygotes. Les traitements de cette maladie comprennent la transfusion sanguine, qui permet de remplacer les hématies falciformes par des globules rouges normaux, la greffe de moelle osseuse et l'administration d'hydroxyurée.

Le phénomène de codominance se manifeste chez les individus hétérozygotes pour ce trait (Hb^AHb^S), qui expriment le phénotype des homozygotes normaux (Hb^AHb^A) *et* celui des homozygotes anémiques (Hb^SHb^S). Le gène qui détermine la formation de l'Hb^A et celui qui commande la formation de l'Hb^S sont donc codominants. Les individus hétérozygotes sont généralement en bonne santé, mais ils peuvent présenter des symptômes de falciformation en cas de réduction prolongée du taux sanguin d'oxygène, par exemple quand ils voyagent dans des régions de haute altitude.

Le gène responsable de l'anémie à hématies falciformes est particulièrement répandu chez les Noirs (ceux qui vivent dans les régions d'Afrique où le paludisme est endémique et ceux dont les ancêtres étaient originaires de ces régions). Il est également courant dans d'autres régions tropicales, en Inde et dans les pays de l'est de la Méditerranée. On estime que 10 % des Noirs américains sont hétérozygotes pour ce gène, appelé **trait drépanocytaire**. Cette fréquence élevée traduit le fait que l'état hétérozygote permet de résister au paludisme, ce qui constitue une adaptation importante pour les habitants de certaines régions d'Afrique.

Ce phénomène de protection conférée par un allèle chez les hétérozygotes ne se retrouve pas que dans l'exemple qu'on vient de citer, mais dans beaucoup d'autres cas. Ainsi, le gène de la phénylcétonurie à l'état hétérozygote protège contre les infections causées par des champignons microscopiques, et celui de la fibrose kystique du pancréas protège les porteurs contre des maladies entraînant des diarrhées mortelles, comme le choléra.

LA TRANSMISSION PAR ALLÈLES MULTIPLES

Chaque *individu* reçoit seulement deux allèles d'un même gène, mais certains gènes existent sous plus de deux formes alléliques à l'intérieur d'une *population*, ce qui mène à un phénomène appelé transmission par **allèles multiples**, ou **polymorphisme génétique**. La transmission des groupes sanguins du système ABO constitue un exemple de ce phénomène. Trois allèles déterminent le groupe sanguin ABO chez les humains : I^A, I^B et i. Les allèles I^A *et* I^B sont *codominants*, c'est-à-dire qu'ils s'expriment tous les deux quand ils sont présents ; l'allèle i est récessif. Chacun de nous reçoit deux de ces trois allèles. Un individu qui possède les allèles I^Ai est du groupe sanguin A (exemple de dominance complète) ; celui qui possède les allèles I^AI^B est du groupe sanguin AB (exemple de codominance). Les génotypes qui déterminent les quatre groupes sanguins du système ABO sont présentés au tableau 17.2. Les fréquences des différents groupes sanguins au Canada et en France apparaissent au tableau 10.3 (p. 381).

L'HÉRÉDITÉ LIÉE AU SEXE

Les traits héréditaires déterminés par des gènes localisés sur les chromosomes sexuels sont dits **liés au sexe**. Les chromosomes sexuels (X et Y) ne sont que partiellement homologues. En effet, certains gènes ne sont présents que sur un des deux chromosomes sexuels. Un grand nombre de gènes du chromosome X qui codent pour des caractères de nature non sexuelle sont absents sur le chromosome Y. Ainsi, les gènes qui codent pour certains facteurs de coagulation (en cause dans l'hémophilie ; voir le chapitre 10, p. 378), pour les cônes photorécepteurs de la rétine de l'œil (en cause dans le daltonisme et l'achromatopsie ; voir le chapitre 8, p. 314) et même pour les récepteurs de la testostérone sont présents sur le X mais non sur le Y. Un gène qu'on ne trouve uniquement que sur le chromosome X est dit **lié au chromosome X**. Pour ce qui est du chromosome Y (qui, soit dit en passant, a été découvert par une femme), il porte, par exemple, le gène (ou les gènes) déterminant le sexe masculin, notamment le gène *SRY* (pour *sex-determining region of the Y)* qui préside à la formation des testicules ; ce gène est absent du chromosome X. Le chromosome Y est trois fois plus petit que le chromosome X ; il ne contient que moins de 1 % de l'ADN d'une cellule. Le chromosome X porte plus de 1500 gènes, tandis que le chromosome Y en porte 230.

Tableau 17.2 Les groupes sanguins du système ABO

Groupe sanguin (phénotype)	Génotype
O	ii
A	I^AI^A ou I^Ai
B	I^BI^B ou I^Bi
AB	I^AI^B

Lorsqu'un homme reçoit un allèle récessif lié au chromosome X (par exemple celui de l'hémophilie ou du daltonisme), l'expression de ce gène n'est jamais masquée ou atténuée par un autre gène, puisqu'il ne possède pas d'allèle correspondant sur le chromosome Y. Le gène récessif s'exprime donc toujours, même s'il est seul. Par contre, les femmes doivent recevoir deux allèles récessifs liés au chromosome X pour que la maladie s'exprime. C'est pourquoi très peu de femmes présentent des maladies liées au chromosome X.

Les traits liés au chromosome X se transmettent de la mère à ses fils, jamais du père à ses fils, parce que les garçons ne reçoivent pas de chromosome X de leur père. La mère peut évidemment transmettre l'allèle récessif à ses filles, mais celles-ci ne l'exprimeront pas, sauf si elles ont reçu un autre allèle récessif sur le chromosome X provenant de leur père.

Puisque certains segments du chromosome Y n'ont pas d'équivalent sur le chromosome X, les traits déterminés par des gènes localisés sur ces segments (comme le gène *SRY* déjà mentionné) apparaissent seulement chez les hommes et se transmettent du père à ses fils. Ce type de transmission liée au sexe est appelé **hérédité liée au chromosome Y**. Mais très peu de gènes liés au chromosome Y ont jusqu'ici été clairement identifiés.

L'HÉRÉDITÉ POLYGÉNIQUE

Jusqu'à présent, nous avons étudié les traits qui se transmettent selon les mécanismes relativement simples de la génétique mendélienne classique. Ces traits ne peuvent avoir que deux, ou parfois trois, formes différentes. Cependant, un grand nombre de phénotypes dépendent de l'action conjointe de plusieurs paires de gènes situées à différents endroits des chromosomes. L'**hérédité polygénique** produit des variations phénotypiques *continues*, ou *qualitatives*, entre deux extrêmes, et elle explique de nombreuses caractéristiques humaines. Par exemple, la couleur de la peau humaine dépend de trois gènes distincts, ayant chacun deux allèles: *A*, *a*; *B*, *b*; *C*, *c*. Les allèles *A*, *B* et *C* confèrent des pigments cutanés foncés et leurs effets sont cumulatifs, alors que les allèles *a*, *b* et *c* donnent une peau pâle. Un individu possédant le génotype *AABBCC* aurait donc la peau la plus foncée possible, alors qu'une personne *aabbcc* aurait le teint très clair. L'union d'individus hétérozygotes pour au moins une de ces paires peut donner des enfants présentant une grande variété de pigmentation. La figure 17.6 illustre la gradation de la pigmentation cutanée en fonction du génotype. Si on trace une courbe de la distribution des phénotypes dans l'hérédité polygénique, on obtient une parabole.

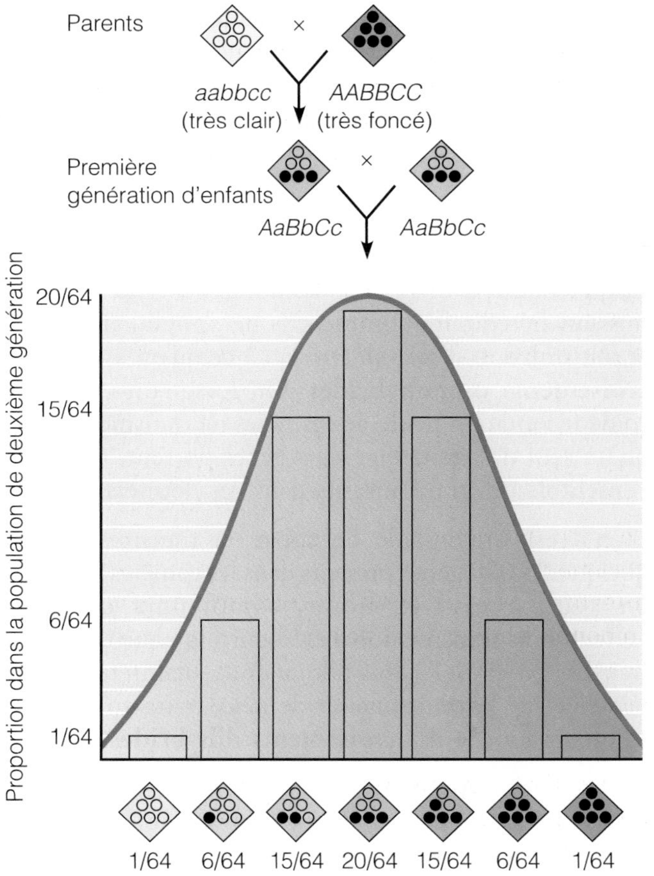
Parents
×
aabbcc
(très clair)
AABBCC
(très foncé)
Première
génération d'enfants
×
AaBbCc
AaBbCc
Proportion dans la population de deuxième génération
20/64
15/64
6/64
1/64
1/64
6/64
15/64
20/64
15/64
6/64
1/64

Figure 17.6 **L'hérédité polygénique: la pigmentation cutanée basée sur trois paires de gènes**

Les allèles qui codent pour la peau foncée ont une dominance incomplète sur ceux qui codent pour la peau claire. Chaque gène dominant (*A*, *B* et *C*) donne une unité de pigmentation au phénotype. Si, comme dans notre exemple, les parents homozygotes se situent aux extrémités opposées de l'éventail des phénotypes, chacun de leurs enfants hérite de trois unités de couleur foncée; ils sont hétérozygotes et ont une pigmentation intermédiaire. Quand des hétérozygotes s'unissent, leurs enfants (deuxième génération) peuvent présenter une très grande variété de pigmentation, comme le montre l'histogramme des types de pigmentation.

La quantité de pigment brun dans l'iris (qui détermine la couleur de l'œil) est polygénique, tout comme l'intelligence et la taille. La taille est fixée par quatre paires de gènes, et différentes combinaisons des allèles qui codent pour une grande ou une petite taille sont révélées par les différences de stature, de la même manière que pour la couleur de la peau. Le phénomène de l'hérédité polygénique permet de comprendre pourquoi des parents de taille moyenne peuvent avoir des enfants très grands ou très petits. Il permet aussi d'expliquer comment il se fait que deux parents aux yeux bleus peuvent avoir des enfants aux yeux brun pâle: ils pouvaient avoir des allèles ne produisant qu'une faible quantité de pigment (ce qui donnait une légère teinte de bleu à leurs iris); ces faibles quantités de pigment, en s'additionnant chez les enfants, peuvent produire une couleur brun pâle.

L'HÉRÉDITÉ CONCERNANT PLUS D'UN TRAIT : LE DIHYBRIDISME

Jusqu'ici nous avons étudié les différents types de transmission héréditaire comme s'ils ne s'appliquaient qu'à la transmission d'*un seul* trait ou à ce qu'on appelle des **croisements monohybrides**. Or, lorsqu'un spermatozoïde féconde un ovule, les gamètes ne transmettent pas qu'un seul des traits que leurs gènes portent, mais tout l'ensemble des traits inscrits dans ces derniers.

S'il est impensable de suivre la transmission des quelque 25 000 gènes présents dans les gamètes humains, on peut, à tout le moins, comprendre comment s'effectue la transmission héréditaire lorsque plus d'un trait est en cause. Nous allons donc maintenant nous pencher sur la transmission de *deux* traits en étudiant ce qu'on appelle des **croisements dihybrides**.

Les deux gènes que nous allons suivre peuvent être situés sur la même paire de chromosomes ou sur des paires de chromosomes différentes. Nous commencerons par ce dernier cas.

Les gènes non liés

Des gènes sont considérés comme **non liés** si chacune des paires de gènes est située sur une paire de chromosomes différente. Considérons un homme hétérozygote pour deux paires de gènes : son génotype est *AaBb*. La première paire de gènes (*Aa*) est située sur la paire de chromosomes 1, et la seconde paire de gènes (*Bb*) sur la paire de chromosomes 2. Cet homme s'unit à une femme ayant le même génotype que lui : cette femme aura elle aussi, quelque part sur sa paire de chromosomes 1, et au même endroit que l'homme (rappelez-vous la notion de locus), la paire de gènes *Aa* et, pareillement, sur sa paire de chromosomes 2, la paire *Bb*. On peut alors prévoir les probabilités des différents génotypes et phénotypes de leurs enfants, de la même façon que nous l'avons fait pour un croisement impliquant une seule paire de gènes (et un seul trait), soit en déterminant les allèles présents dans les gamètes et en construisant une grille de Punnett, où toutes les possibilités de rencontres de ces gamètes apparaîtront (voir la figure 17.5).

Pour déterminer les différentes combinaisons d'allèles présentes dans les gamètes de l'homme et de la femme, il faut se rappeler les particularités de la méiose : 1) elle sépare les paires de chromosomes de sorte que chaque gamète ne reçoit qu'un chromosome de chaque paire (voir la figure 17.1) ; 2) à la métaphase de la première division de la méiose, les tétrades de chromosomes homologues s'alignent indépendamment les unes des autres (au hasard) de sorte qu'un alignement quelconque a autant de chances de se produire qu'un autre (voir la figure 17.3) ; 3) un très grand nombre de cellules subissent la méiose simultanément chez l'homme ou auraient pu être menées jusqu'à l'ovulation chez la femme. En appliquant ces principes à la formation des gamètes dans notre cas, nous déterminerons que les différents gamètes possibles de l'homme (et de la femme) seront présents dans des proportions égales : *AB*, *Ab*, *aB* et *ab*. La figure 17.7 montre les deux types d'alignement possibles des tétrades à la métaphase I de la méiose et les résultats chez les gamètes.

Figure 17.7 Les deux types d'alignements possibles des tétrades à la métaphase I d'une méiose effectuée dans une cellule mère *AaBb* où les deux paires de gènes ne sont pas liées

Chacun des deux alignements de tétrades illustrés a 50 % de chances de se produire ; étant donné qu'un très grand nombre de cellules mères subissent la méiose, les différents types de gamètes qui en résulteront seront présents avec une probabilité ou une fréquence égale.

Revenons à notre question de départ : que peut-on attendre comme génotypes et phénotypes, et dans quelles proportions chez les enfants (**génération F_1**, ou première génération filiale) issus d'un croisement dihybride impliquant des gènes non liés entre un homme de génotype *AaBb* et une femme de génotype *AaBb* (**génération P_1**, ou génération parentale) ? On obtiendra la réponse en faisant le bilan de la grille de Punnett construite avec les gamètes que nous venons de déterminer (figure 17.8).

Les gènes liés

Nous avons défini et expliqué la notion de gènes liés lorsque nous avons traité de l'enjambement des chromosomes homologues et des recombinaisons génétiques. Rappelons que deux paires de gènes sont dites *liées* lorsqu'elles sont situées sur la même paire de chromosomes. Théoriquement, ces deux paires de gènes devraient se transmettre en bloc et les allèles devraient se trouver unis dans les gamètes de la même façon que dans la cellule mère. Si, pour reprendre l'exemple de la section précédente, chez l'homme de génotype *AaBb*, l'allèle *A* était situé sur le même chromosome que l'allèle *B*, et donc, l'allèle *a* sur le même chromosome que l'allèle *b*, soit l'autre chromosome de la paire, les gamètes ne devraient théoriquement porter que les combinaisons d'allèles *AB* et *ab* (50 % de chaque type).

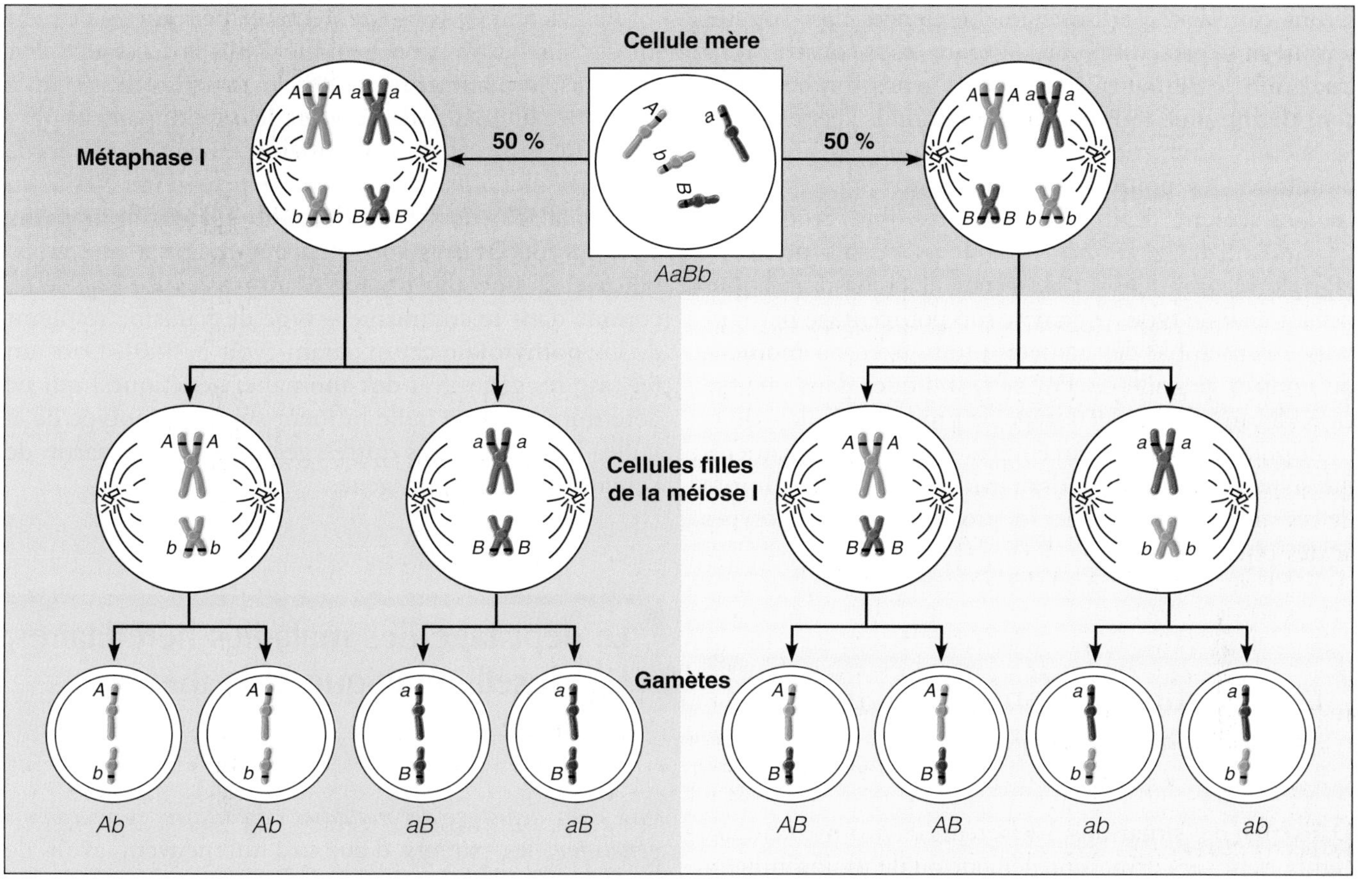

Cellule mère
Métaphase I
50 %
50 %
AaBb
Cellules filles de la méiose I
Gamètes
Ab
Ab
aB
aB
AB
AB
ab
ab

Figure 17.8 **Les probabilités des différents génotypes et phénotypes chez les enfants issus d'une union entre deux parents hétérozygotes pour deux paires de gènes non liés**

Pour établir les probabilités des différents génotypes issus d'un tel croisement (ou les **rapports génotypiques**), il suffit de grouper les génotypes semblables apparaissant dans la grille de Punnett en tenant compte du nombre de fois où ils apparaissent. Pour trouver les probabilités des phénotypes (ou les **rapports phénotypiques**), il faut déterminer le phénotype de chacun des génotypes groupés et additionner les phénotypes semblables.

P_1 ♂ *AaBb* × ♀ *AaBb*

F_1

♂ \ ♀	**AB**	**Ab**	**aB**	**ab**
AB	*AABB*	*AABb*	*AaBB*	*AaBb*
Ab	*AABb*	*AAbb*	*AaBb*	*Aabb*
aB	*AaBB*	*AaBb*	*aaBB*	*aaBb*
ab	*AaBb*	*Aabb*	*aaBb*	*aabb*

Fréquence des génotypes : 1 *AABB*; 2 *AABb*; 2 *AaBB*; 4 *AaBb*; 1 *AAbb*; 2 *Aabb*; 1 *aaBB*; 2 *aaBb*; 1 *aabb*

Fréquence des phénotypes : 9 *AB*; 3 *Ab*; 3 *aB*; 1 *ab*

Toutefois, comme nous l'avons montré à la figure 17.4, selon la distance qui sépare ces gènes, on observe, à la prophase de la méiose I, un pourcentage plus ou moins grand d'enjambements de chromosomes (entre les chromatides non sœurs) et de recombinaisons de gènes entre la paire *Aa* et la paire *Bb*; de telle manière que l'individu *AaBb* produira un certain pourcentage de gamètes *Ab* et *aB* en plus des gamètes *AB* et *ab*. Ainsi, dans le cas de gènes liés, l'union d'un homme de génotype *AaBb* et d'une femme *AaBb* pourra produire les mêmes génotypes et phénotypes que dans le cas de gènes non liés, mais les probabilités de ces génotypes et phénotypes seront différentes puisque les fréquences des gamètes seront, au départ, différentes. Lorque nous construisions une grille de Punnett dans le cas de gènes non liés, nous considérions que tous les gamètes produits l'étaient dans les mêmes proportions et il n'était donc pas nécessaire d'indiquer les pourcentages de chaque type, puisque ceux-ci étaient égaux. Dans le cas d'un croisement impliquant des gènes liés, et donc un certain pourcentage de recombinaisons de gènes, il faudrait indiquer devant chaque type de gamète son pourcentage par rapport à l'ensemble des gamètes produits et, au moment de remplir la grille de Punnett, indiquer dans chaque case, devant chaque génotype, le produit (résultat de la multiplication) des pourcentages des types de gamètes qui se rencontrent. Il faudrait évidemment tenir compte de ces valeurs pour calculer les probabilités des génotypes et des phénotypes.

Les facteurs environnementaux et l'expression génique

Dans bien des situations, les facteurs environnementaux l'emportent sur l'expression génique ou du moins influent sur elle. Alors que notre génotype semble aussi stable que le rocher de Gibraltar (en l'absence de mutations), notre phénotype présente davantage de ressemblances avec l'argile. Dans le cas contraire, nous ne pourrions pas bronzer au soleil, les femmes culturistes ne pourraient pas développer de gros muscles et nous ne pourrions espérer guérir les maladies héréditaires.

Il arrive que des facteurs maternels tels que les médicaments ou les agents pathogènes empêchent l'expression génique normale au cours du développement embryonnaire. Ce fut le cas chez les enfants de mères ayant pris de la thalidomide pendant la grossesse. La thalidomide était un médicament prescrit au cours des années 1950 et 1960, notamment aux femmes enceintes, pour combattre les nausées matinales et d'autres symptômes. À cette époque, le public ignorait que ce médicament avait des effets secondaires néfastes sur le développement fœtal et qu'il provoquait des malformations. Ces enfants ont acquis un phénotype différent de celui qui était dicté par leurs gènes (membres raccourcis ou manquants, doigts ou orteils en trop ou palmés, etc.). On appelle **phénocopies** ce genre de phénotypes provoqués par des facteurs environnementaux mais qui ressemblent aux phénotypes causés par des mutations génétiques (modifications permanentes et transmissibles de l'ADN).

Les facteurs environnementaux peuvent également influer sur l'expression génique après la naissance. Par exemple, la malnutrition chez le nourrisson affecte la croissance ultérieure du cerveau, le développement physique et la taille. C'est ainsi qu'une personne qui possède les gènes dictant une haute taille peut rester petite en cas de malnutrition. Par ailleurs, les déficits hormonaux au cours de la croissance peuvent mener à une croissance et à une morphologie anormales du squelette, comme dans le crétinisme – type de nanisme résultant de l'hypothyroïdie chez l'enfant (voir p. 340). Dans un tel cas, des gènes (ou des anomalies génétiques) qui ne déterminent pas la taille influent sur le phénotype de la taille. L'influence des autres gènes fait donc partie de l'environnement d'un gène.

Le dépistage des maladies héréditaires, le conseil génétique et la thérapie génique

Grâce au *dépistage des maladies héréditaires* et au *conseil génétique*, les parents d'aujourd'hui peuvent avoir de l'information et faire des choix dont on ne rêvait même pas au siècle dernier. Les nouveau-nés subissent des examens de dépistage de plusieurs anomalies physiques (dysplasie congénitale de la hanche, imperforation de l'anus, etc.) et de certaines maladies (comme la phénylcétonurie; voir p. 532). (Au Canada, sur 350 000 naissances annuelles, de 2 à 3 % sont des enfants ayant une anomalie congénitale.) Ces examens sont effectués beaucoup trop tard pour que les parents puissent décider s'ils veulent avoir l'enfant ou non, mais ils leur permettent de savoir qu'un traitement est essentiel au bien-être de celuici. Les anomalies physiques sont habituellement corrigées au moyen d'une intervention chirurgicale, et la phénylcétonurie est soignée par un régime strict qui exclut la majorité des aliments contenant de la phénylalanine.

Les personnes qui ont un parent atteint de la chorée de Huntington ont évidemment intérêt à avoir recours à ces techniques, mais beaucoup d'autres maladies héréditaires peuvent toucher les bébés. Par exemple, une femme qui est enceinte pour la première fois à l'âge de 35 ans peut désirer savoir si son bébé est atteint de la trisomie 21 (syndrome de Down), anomalie chromosomique plus fréquente quand la mère a dépassé cet âge.

Selon la maladie qu'on recherche, le dépistage peut être effectué avant la conception (reconnaissance des porteurs) ou à l'aide de procédés de diagnostic prénatal (amniocentèse ou biopsie des villosités choriониques). Nous ne traiterons ici que du dépistage avant la conception.

LA RECONNAISSANCE DES PORTEURS

Lorsqu'une personne désirant avoir un enfant est atteinte d'une maladie héréditaire récessive et que son partenaire n'est pas atteint de la même maladie, il faut déterminer si le partenaire est hétérozygote pour le gène récessif en cause. S'il ne l'est pas, l'enfant ne recevra qu'un seul gène récessif et n'exprimera pas le trait. Mais si le partenaire *est* porteur, l'enfant court un risque de 50 % de recevoir les deux gènes nuisibles.

Il existe deux méthodes de détection des porteurs : l'arbre généalogique et les analyses sanguines. Au moyen de l'**arbre généalogique**, ou lignage, on suit un trait génétique dans plusieurs générations, ce qui permet de faire des prédictions pour l'avenir. Un conseiller génétique recueille de l'information sur les phénotypes du plus grand nombre possible de membres de la famille, puis construit l'arbre généalogique. La figure 17.9a montre comment se construit et se lit un arbre généalogique. L'exemple choisi est celui du trait des cheveux laineux, trait rare qui apparaît chez les Européens du Nord. Les cheveux laineux, qui résultent de la présence d'un allèle dominant (*L*), sont duveteux et cassants. Les individus qui présentent le phénotype des cheveux laineux (symboles violets) ont au moins un gène dominant (ils sont *LL* ou *Ll*), alors que ceux qui ont des cheveux normaux sont obligatoirement homozygotes récessifs (*ll*). S'il remonte dans l'arbre généalogique à partir du bas en appliquant les règles de l'hérédité dominante-récessive, le conseiller génétique peut déduire les génotypes des parents. Étant donné que trois de leurs six enfants (rangée du milieu) ont des cheveux normaux (*ll*), il sait que chacun des parents doit posséder au moins un gène récessif. La mère a les cheveux laineux, déterminés par le gène *L*, de sorte que son génotype doit être *Ll*. Le père a les cheveux normaux, de sorte qu'il doit être homozygote récessif (*ll*). À partir de ces données, nous devrions pouvoir déterminer les génotypes de leurs enfants.

La figure 17.9b montre l'arbre généalogique de la transmission de l'albinisme, trait récessif. Essayez d'en faire l'analyse. Ces arbres généalogiques représentent deux des cas les plus simples, car de nombreux traits humains sont déterminés par des allèles multiples ou par plus d'une paire de gènes (hérédité polygénique), ce qui rend leur transmission beaucoup plus difficile à élucider.

On effectue des analyses sanguines très simples pour détecter le gène en cause dans l'anémie à hématies falciformes chez les hétérozygotes ; des analyses poussées de la *chimie sanguine* ainsi que des *sondes d'ADN* permettent de détecter la présence d'autres gènes récessifs non exprimés. À l'heure actuelle, ces analyses permettent de reconnaître les porteurs des gènes de maladies telles que la maladie de Tay-Sachs, la fibrose kystique du pancréas, l'amyotrophie spinale infantile (maladie affectant les neurones moteurs) et des anomalies de l'hémoglobine.

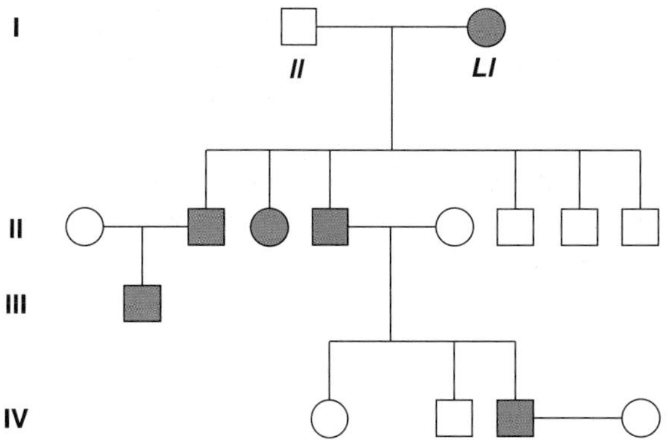
I
II
III
IV
ll
Ll

(a) Arbre généalogique de la transmission d'un trait dominant

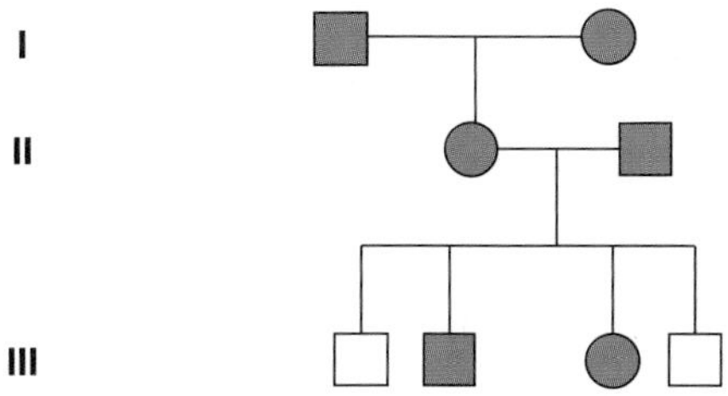
I
II
III

(b) Arbre généalogique de la transmission d'un trait récessif

Figure 17.9 L'analyse de l'arbre généalogique permet de détecter les porteurs de gènes particuliers.

Les cercles représentent des femmes, et les carrés des hommes. Les traits horizontaux indiquent l'union de deux individus ; les traits verticaux montrent les enfants issus de cette union. Les différentes générations sont indiquées par des chiffres romains. **(a)** Arbre généalogique de la transmission du gène des cheveux laineux dans trois générations d'une famille. Les symboles violets représentent les individus qui expriment le trait dominant des cheveux laineux. Les symboles blancs représentent les individus qui n'expriment pas ce trait ; ces individus sont homozygotes récessifs (*ll*). **(b)** Arbre généalogique de la transmission du trait récessif de l'albinisme (absence de pigmentation de la peau) dans trois générations d'une famille (*P* : pigmentation, dominant ; *p* : albinisme, récessif). Les deux parents de la deuxième génération ont la peau colorée (symboles violets), mais deux de leurs quatre enfants ont le trait de l'albinisme (symboles blancs). Conclusion : ces deux parents sont hétérozygotes et ils ont la peau colorée parce que l'allèle pour ce trait est dominant.

LA THÉRAPIE GÉNIQUE

Les progrès réalisés en matière de diagnostic des maladies génétiques ont été suivis de près par la mise au point de nouvelles applications thérapeutiques permettant d'atténuer, voire de guérir, certaines affections, particulièrement celles qui sont engendrées par la déficience d'un seul gène ou d'une seule protéine. En effet, le génie génétique permet maintenant de corriger une anomalie attribuable à un gène défectueux au moyen de la version normale de ce gène. La thérapie génique, au sens large, comprend toute introduction dans une cellule de segments d'ADN ou d'ARN pouvant avoir un effet thérapeutique, à l'aide d'un vecteur (virus), de liposomes (vésicules artificielles aux parois constituées de phospholipides) ou par des moyens physiques (microinjection de particules recouvertes d'ADN, par exemple). Cette introduction peut être de type *ex vivo* (des cellules sont extraites de l'organisme, cultivées, modifiées génétiquement et réintroduites dans celui-ci), *in situ* (le vecteur contenant les « bons » gènes est introduit dans le tissu cible) ou *in vivo* (le vecteur et les gènes qu'on lui fait transporter sont introduits dans l'organisme par la circulation sanguine). Elle peut viser non seulement à introduire un gène qui accomplira la fonction qu'un gène défectueux devrait accomplir (faire produire une protéine que le gène défectueux ne peut pas faire produire), mais aussi à introduire un gène susceptible de faire synthétiser par la cellule cible une nouvelle protéine ayant

Tableau 17.3 Liste de la plupart des maladies, anomalies ou traits génétiques de l'humain mentionnés dans le chapitre (texte et questions de révision) et leur numéro dans la banque de données OMIM

Dans la banque de données OMIM (pour *Online Mendelian Inheritance in Man*), on peut trouver le locus d'un gène humain ainsi que de multiples données concernant ce gène et le trait qui lui est associé (description, mode de transmission, historique si c'est une maladie, etc.). Cette banque peut être consultée sur Internet (http ://www.ncbi.nlm.nih.gov/entrez/query.fcgi ?db=OMIM). Il suffit d'y entrer le numéro du gène qui nous intéresse.

Maladie, anomalie ou trait héréditaire	Numéro	Maladie, anomalie ou trait héréditaire	Numéro
Achondroplasie	100800	Fossettes aux joues	126100
Achromatopsie	262300 +	Groupes sanguins, système ABO	110300
Albinisme	203100 +	Groupes sanguins, système Rh	111680
Amelogenesis imperfecta	301201 +	Hémophilie A	306700
Amyotrophie spinale infantile	253300 +	Hypercholestérolémie familiale	144010
Anémie à hématies falciformes	603903	Hyperlaxité du pouce	130050 +
Anosmie	107200	Ichtyose	308100
Astigmatisme	603047	Imperforation de l'anus	305450 +
Capacité de goûter le PTC	607751	Maladie de Tay-Sachs	272800
Capacité de rouler la langue en U	189300	Myopathie de Duchenne	310200
Chorée de Huntington	143100	Phénylcétonurie	261600
Couleur des cheveux	601800 +	Pointe de cheveux sur le front	194000
Couleur des yeux	227220 +	Polydactylie	174200
Deutéranopie	303800	Schizophrénie	181500 +
Droitier/gaucher	139900	Syndactylie	185900 +
Dysplasie congénitale de la hanche	142669	Testicules (gène *SRY*)	480000
Fibrose kystique du pancréas	219700		

Remarques :

1) Le signe « + » à la suite de certains numéros indique que ce trait a plusieurs formes, que sa transmission est de nature polygénique ou que ce numéro ne correspond qu'à un des symptômes d'un ensemble plus vaste (syndrome).

2) Les numéros débutant par 1, 2 ou 6 indiquent des gènes liés aux autosomes ; ceux qui commencent par 3, des gènes liés au chromosome X et ceux qui commencent par 4, des gènes liés au chromosome Y.

des effets thérapeutiques; elle peut également chercher à bloquer l'expression d'un gène dont l'effet est néfaste (par exemple, on peut chercher à faire produire par les cellules cancéreuses une protéine qui inhibe l'expression d'un oncogène). Des centaines d'essais cliniques sont actuellement en cours sur des milliers de patients à l'échelle planétaire, dans une foule de domaines: cancers surtout mais aussi maladies neurodégénératives (une injection du gène permettant la production d'acide gammaaminobutyrique [GABA, pour *gamma-aminobutyric acid*] dans les noyaux basaux a eu des effets bénéfiques sur des parkinsoniens), sida et autres maladies virales, hémophilie, fibrose kystique du pancréas, hypercholestérolémie familiale, drépanocytose, immunodéficience sévère combinée (SCID, pour *severe combined immunodeficiency*), diabète, myopathie de Duchenne, pour ne citer que ceux-là. Parmi les succès obtenus jusqu'à présent chez l'humain, on peut citer le cas d'individus guéris, en 2000, d'une forme de SCID liée au chromosome X (bien que deux personnes traitées aient par la suite été atteintes de leucémie) et le transfert efficace du gène de la dystrophine (gène déflectueux chez les sujets atteints de la myopathie de Duchenne). Certaines percées sont vraiment étonnantes: par exemple, en 2002, des chercheurs ont réussi à créer un stimulateur cardiaque en introduisant dans des cellules non spécialisées un gène qui leur a permis d'accomplir la même fonction que les cellules du tissu nodal.

Jusqu'à maintenant, cependant, la thérapie génique a souvent donné des résultats mitigés. Les problèmes éprouvés sont liés à plusieurs facteurs, dont les trois qui suivent: 1) les gènes introduits à l'aide de vecteurs contiennent encore une certaine quantité d'ADN étranger qui peut causer des infections, des réactions importantes du système immunitaire du receveur (ce qui a entraîné la mort, à Philadelphie, en 1999, d'un individu traité pour une maladie métabolique, des adénovirus ayant été utilisés comme vecteurs) ou même des cancers; 2) les gènes introduits peuvent aussi prendre pour cibles des tissus autres que ceux pour lesquels ils étaient destinés; 3) les gènes introduits peuvent s'exprimer trop faiblement, trop fortement ou leur expression peut n'être que transitoire. De plus, les interventions dans ce domaine sont démesurément coûteuses: à qui profiteront-elles surtout? Certaines questions éthiques, religieuses et sociales épineuses doivent absolument être posées avant qu'on aille plus loin: qui doit payer? Comment détermine-t-on qui aura accès à ces nouvelles thérapies? Sommes-nous en train de jouer aux apprentis sorciers? Pour contribuer réellement au bien-être de l'humain, la thérapie génique, comme beaucoup d'autres nouveaux outils que nous offrent la science et les techniques modernes, aura besoin de toute la sagesse de l'humain!

Résumé du chapitre 17

La génétique est la science de l'hérédité et des mécanismes de transmission des gènes.

NOTIONS DE BASE *(p. 608-612)*

1. La méiose, processus de base de la production des gamètes, est composée de deux divisions nucléaires successives, sans réplication de l'ADN entre les deux divisions. Elle réduit de moitié le nombre de chromosomes et crée des variations génétiques. La synapsis et l'enjambement (*crossing-over*) sont des phénomènes uniques à la méiose.

2. Le vocabulaire de la génétique

- **a)** L'ensemble complet de chromosomes (nombre diploïde) forme le *caryotype* d'un organisme; le complément génétique complet est le *génome*. Le génome complet d'une personne est composé de deux ensembles d'instructions, un reçu de chaque parent. Un *gène* est l'unité héréditaire, possédant un emplacement particulier sur un chromosome et constituée par la séquence d'ADN nécessaire à la synthèse d'une protéine spécifique par la cellule.
- **b)** Les gènes qui codent pour le même trait et occupent le même locus de chromosomes homologues sont appelés *allèles*.
- **c)** Les allèles peuvent avoir la même expression ou une expression différente. Lorsque les allèles d'une paire sont identiques, la personne est homozygote pour ce trait; lorsque les allèles sont différents, la personne est hétérozygote.
- **d)** Le matériel génétique d'une cellule est son génotype; le phénotype est la façon dont ces gènes sont exprimés.

LES SOURCES SEXUELLES DE VARIATIONS GÉNÉTIQUES *(p. 612-615)*

1. La ségrégation indépendante des chromosomes

- **a)** Au cours de la méiose I de la gamétogenèse, les tétrades s'alignent au hasard sur la plaque équatoriale, puis les chromatides sont distribuées au hasard dans les cellules filles. Ce phénomène est appelé *ségrégation* *indépendante des chromosomes homologues.* Chaque gamète reçoit un seul allèle de chaque paire de gènes.

b) Chaque alignement différent au cours de la métaphase I produit un assortiment différent des chromosomes parentaux dans les gamètes, et toutes les combinaisons des chromosomes maternels et des chromosomes paternels sont également possibles.

2. L'enjambement des chromosomes homologues et les recombinaisons géniques

Au cours de la méiose I, deux des quatre chromatides (une maternelle et une paternelle) peuvent s'enjamber à un ou plusieurs endroits pour échanger des segments génétiques correspondants. Les chromosomes recombinants contiennent de nouvelles combinaisons de gènes, qui s'ajoutent aux variations produites par la ségrégation indépendante.

LES TYPES DE TRANSMISSION HÉRÉDITAIRE *(p. 615-622)*

1. L'hérédité dominante-récessive

a) Les allèles dominants s'expriment toujours, qu'ils soient seuls ou avec un autre allèle dominant; les allèles récessifs doivent être présents en double pour pouvoir s'exprimer.

b) Dans le cas de traits transmis selon le mode dominant-récessif, les lois de la probabilité donnent les résultats pour un grand nombre d'unions.

c) Les maladies héréditaires proviennent plus souvent d'un état homozygote récessif que d'un état homozygote dominant ou hétérozygote, parce que les gènes dominants s'expriment toujours et que la grossesse se termine généralement par un avortement spontané si ces gènes sont létaux. L'achondroplasie et la chorée de Huntington sont deux maladies héréditaires causées par un gène dominant; la fibrose kystique du pancréas et la maladie de Tay-Sachs sont causées par des gènes récessifs.

d) Les porteurs sont des hétérozygotes qui portent un gène récessif nuisible (dont ils n'expriment pas le trait) et qui peuvent le transmettre à leurs enfants.

2. La dominance incomplète et la codominance

Dans la dominance incomplète, la personne hétérozygote présente un phénotype situé entre celui des homozygotes dominants et celui des homozygotes récessifs. Dans la codominance, les deux allèles expriment pleinement leurs caractéristiques respectives. L'anémie à hématies falciformes est un exemple de codominance.

3. La transmission par allèles multiples

La transmission par allèles multiples caractérise des gènes qui existent sous forme de plus de deux allèles dans la population. Seulement deux de ces allèles sont transmis d'une génération à l'autre, mais selon les lois du hasard. La transmission des groupes sanguins du système ABO est un exemple de transmission par allèles multiples dans lequel l'allèle I^A et l'allèle I^B sont codominants.

4. L'hérédité liée au sexe

Les traits déterminés par des gènes situés sur les chromosomes X et Y sont dits *liés au sexe.* Le petit chromosome Y ne possède pas la plupart des gènes du chromosome X. Les gènes récessifs présents seulement sur le chromosome X s'expriment toujours chez l'homme, même s'ils ne sont représentés que par un seul allèle. Les anomalies liées au chromosome X, transmises de mère en fils, comprennent l'hémophilie et le daltonisme. On ne connaît que très peu de gènes clairement reconnus comme étant liés au chromosome Y; ces gènes se transmettent seulement de père en fils.

5. L'hérédité polygénique

Dans l'hérédité polygénique, plusieurs paires de gènes interagissent pour produire des phénotypes qui présentent des variations qualitatives dans une large plage. La taille, la couleur des yeux et la pigmentation de la peau sont des exemples d'hérédité polygénique.

6. L'hérédité concernant plus d'un trait

Un *croisement monohybride* implique la transmission d'un seul trait. On peut suivre la transmission simultanée de deux traits (on parle alors de *croisement dihybride*). Ces deux traits peuvent être donnés par des gènes situés sur des paires de chromosomes différentes (gènes non liés) ou sur la même paire de chromosomes (gènes liés). Dans le cas de gènes liés, il faut tenir compte des possibilités d'enjambement et de recombinaisons des gènes pour prédire les probabilités des différents génotypes et phénotypes de la F_1.

LES FACTEURS ENVIRONNEMENTAUX ET L'EXPRESSION GÉNIQUE *(p. 622)*

1. Les facteurs environnementaux peuvent exercer une influence sur l'expression du génotype.

2. Les facteurs maternels qui traversent la barrière placentaire peuvent affecter l'expression des gènes fœtaux. Les phénotypes produits par l'environnement mais qui ressemblent à des phénotypes déterminés génétiquement sont appelés *phénocopies.* Pendant l'enfance, les carences nutritionnelles et les déficits hormonaux peuvent empêcher la réalisation de la croissance et du développement déterminés par les gènes.

LE DÉPISTAGE DES MALADIES HÉRÉDITAIRES, LE CONSEIL GÉNÉTIQUE ET LA THÉRAPIE GÉNIQUE *(p. 622-625)*

1. La reconnaissance des porteurs

On peut évaluer la possibilité qu'un individu porte un gène récessif nuisible en dressant son arbre généalogique. Certains de ces gènes peuvent être détectés au moyen d'analyses sanguines et de sondes d'ADN.

2. La thérapie génique

L'intervention la plus courante en thérapie génique consiste à introduire, par l'entremise d'un vecteur viral notamment, un gène corrigé dans les cellules malades afin d'en assurer le fonctionnement normal. Au départ, la thérapie génique a surtout servi à traiter des maladies liées à un seul gène déficient; mais elle est appliquée aujourd'hui à des maladies acquises comme le cancer, les maladies neurodégénératives, des maladies virales et plusieurs autres maladies. Avant de l'utiliser couramment, il faudra cependant maîtriser de nombreux facteurs liés à la technique elle-même et résoudre de sérieuses questions de nature éthique.

Questions de révision

QUESTIONS À CHOIX MULTIPLE

Pour certaines questions, il peut y avoir plus d'une bonne réponse.

1. Lesquels, parmi les énoncés qui suivent, sont *corrects*?

a) Deux chromosomes homologues portent nécessairement des allèles identiques d'une même paire de gènes.
b) Une tétrade est composée de quatre chromatides homologues.
c) Un enjambement se fait entre les deux chromatides paternelles ou entre les deux chromatides maternelles d'une tétrade.
d) Il y a autant de tétrades qui sont formées qu'il y a de paires de chromosomes dans une cellule.

2. Laquelle, parmi les caractéristiques qui suivent, *n'est pas* associée à la méiose?

a) Il y a deux divisions cellulaires et production de quatre cellules filles.
b) Les cellules produites ne portent qu'un seul des deux allèles de chaque paire de gènes.
c) Les cellules produites sont haploïdes.
d) Chaque cellule fille reçoit une copie de chacun des chromosomes de la cellule mère.
e) Ce mécanisme ne sert qu'à la production des gamètes.

3. Par suite de la ségrégation indépendante des chromosomes homologues à la première division de la méiose, une cellule mère ayant un nombre diploïde de huit chromosomes pourrait produire combien de gamètes différents?

a) 4. **b)** 8. **c)** 16. **d)** 32. **e)** 64.

4. Lesquelles, parmi les associations qui suivent et qui sont relatives à différents termes du vocabulaire génétique, sont *exactes*?

a) Matériel génétique – génotype.
b) Expression du matériel génétique – phénotype.
c) Chromosomes qui dictent la majorité des caractéristiques du corps – autosomes.
d) Formes possibles d'un même gène – allèles.
e) Individus qui portent deux allèles identiques pour un trait particulier – hétérozygotes.
f) Allèle qui s'exprime, qu'il soit seul ou en double – récessif.
g) Individus qui portent deux allèles différents pour un trait particulier – homozygotes.
h) Allèle qui doit être présent en double pour pouvoir s'exprimer – dominant.
i) Ensemble complet des chromosomes d'un organisme – caryotype.

5. Lesquelles, parmi les associations qui suivent et qui sont relatives au type d'hérédité, sont *exactes*?

a) Seuls les fils présentent le trait – liée au sexe.
b) Les homozygotes et les hétérozygotes ont le même phénotype – polygénique.
c) Les hétérozygotes ont un phénotype qui se situe entre ceux des homozygotes – dominance incomplète.
d) Les phénotypes des enfants peuvent être plus variés que ceux des parents – par allèles multiples.
e) Transmission des groupes sanguins du système ABO – dominante-récessive.
f) Transmission de la taille – polygénique.

6. Quels énoncés, parmi ceux qui suivent, s'appliquent à la transmission de traits récessifs liés au chromosome X?

a) Le père peut transmettre le trait à son fils.
b) Il n'y a jamais de filles affichant le trait au niveau du phénotype.
c) Les filles peuvent n'être que porteuses du trait sans en être affectées.
d) Les hommes peuvent afficher le trait au niveau du phénotype avec un seul allèle récessif.

7. Lorsqu'un gène présente des allèles multiples, combien d'allèles possède un individu pour ce gène?

a) Un seul. **d)** Trois.
b) Deux. **e)** Trois et plus.
c) Deux et plus.

QUESTIONS À COURT DÉVELOPPEMENT

1. Comparez la mitose et la méiose sur les plans qui suivent: nombre de divisions, nombre de cellules produites, nombre de membres de chacune des paires de chromosomes dans chaque cellule produite et utilité du processus pour l'organisme.

2. Faites un schéma d'une plaque équatoriale de mitose et d'une plaque équatoriale de méiose I (pour une cellule mère n'ayant qu'une seule paire de chromosomes) et expliquez la différence en ce qui concerne l'état des chromosomes qui y sont alignés. Indiquez dans ce schéma, par une ligne, où se fera la séparation de ces chromosomes au cours de l'anaphase.

3. Quelles sont les deux grandes fonctions de la méiose?

4. Décrivez deux mécanismes qui créent des variations génétiques dans les gamètes.

5. Un individu possède le génotype *AaBBCcDD*. Trouvez tous les types de gamètes qu'il peut produire, si on suppose que toutes les paires de gènes sont situées sur des paires de chromosomes différentes.

6. Un individu possède le génotype suivant *AaBbCc*. Trouvez tous les types de gamètes qu'il peut produire, en tenant compte des précisions suivantes: 1) les allèles *A*, *b* et *C* sont situés sur le même chromosome; 2) la paire de gènes *Aa* est située très près de la paire *Bb* de sorte qu'il n'y a pas de recombinaisons entre ces deux paires de gènes; 3) la paire de gènes *Cc* est située très loin des deux premières.

7. La plupart des enfants albinos naissent de parents à la pigmentation normale. Les albinos sont homozygotes pour un gène récessif (*aa*). Que pouvez-vous dire sur le génotype des parents qui ne sont pas albinos?

8. Expliquez pourquoi la fréquence des maladies héréditaires dominantes est moins élevée que celle des maladies héréditaires récessives.

9. Expliquez pourquoi les femmes ne sont que très rarement affectées par les maladies liées au chromosome X.

10. Parmi les six génotypes possibles en ce qui concerne le système ABO pour les groupes sanguins, sur quel génotype se base-t-on pour dire que, dans ce trait, un des mécanismes de transmission héréditaire impliqué est la codominance? Expliquez votre réponse.

11. À la lumière des notions apprises dans ce chapitre, diriez-vous que *congénital* et *génétique* sont deux termes synonymes? Expliquez.

Réflexion et application

1. Un homme atteint de cécité pour le vert (ou deutéranopie, forme de daltonisme, anomalie liée au chromosome X) se marie avec une femme qui a une vision normale mais dont le père souffrait aussi de ce problème. (a) Quelles sont les probabilités que leur premier enfant soit un garçon atteint de deutéranopie? une fille atteinte? (b) S'ils ont quatre enfants, quelles sont les probabilités que deux seront des garçons atteints de deutéranopie? (Réfléchissez bien à la dernière question avant de répondre.)

2. Philippe souffre d'anosmie (il ne peut percevoir les odeurs, trait récessif lié au chromosome X). Sa conjointe, Sophie, ne souffre pas d'un tel problème. La sœur de Sophie et son mari, qui ne sont pas atteints, ont eu un garçon atteint d'anosmie. (a) Déterminez les génotypes possibles de toutes les personnes citées. (b) Philippe et Sophie pourraient-ils avoir un garçon anosmique? une fille anosmique? Expliquez en précisant quel devrait être alors le génotype de Sophie et en construisant une grille de Punnett.

3. On croyait, il y a quelques années, que la présence de longs poils dans les oreilles était un trait donné par un allèle situé sur la partie du chromosome Y qui n'a pas de région homologue sur le chromosome X, donc un caractère exclusivement masculin, mais on sait maintenant que des femmes peuvent également afficher ce trait. (a) Si on suppose qu'un tel allèle aurait pu être ainsi lié au chromosome Y, l'union d'un homme aux oreilles poilues et d'une femme aux oreilles normales aurait-elle pu donner des garçons aux oreilles poilues (et si oui, dans quelles proportions)? (b) Nous n'avons pas précisé si le trait était dominant ou récessif: était-il nécessaire de le faire pour qu'il soit possible de répondre à la question? Pourquoi?

4. Une anomalie dans le développement de l'émail dentaire (appelée *amelogenesis imperfecta*) est conférée par un allèle dominant lié au chromosome X. (a) Quel pourrait être le génotype d'un homme atteint de cette anomalie? (b) Les femmes pourraient-elles être affectées? (c) Si oui, précisez le ou les génotypes de ces femmes. (d) Les femmes peuvent-elles être seulement « porteuses » de cette anomalie? (e) Une femme ayant l'anomalie et dont le père était normal s'unit à un homme normal: ce couple peut-il avoir (et si oui, dans quelles proportions) des filles atteintes? des garçons atteints?

5. Quelques étudiants d'un cours de biologie humaine se réunissent pour regarder un match de hockey. L'un d'eux lance à la blague que la passion du hockey, au Québec, est tellement associée aux gars qu'elle doit dépendre d'un gène lié au chromosome Y. On lui fait remarquer que ce gène serait plutôt lié au chromosome X, puisqu'il y a un certain nombre de filles qui s'y intéressent. Poursuivant cette hypothèse farfelue, on en arrive à décider que l'allèle impliqué est dominant puisqu'il y a davantage d'hommes passionnés de hockey que d'hommes indifférents. (a) Peut-on se baser sur la fréquence d'un caractère dans une population pour déterminer si le gène responsable est dominant ou récessif? (Voir la section « Les paires de gènes [allèles] », p. 612.) (b) Supposons que la passion du hockey soit un caractère lié au sexe et que l'allèle responsable soit dominant (*H*); indiquez alors quels seraient les différents génotypes et les phénotypes correspondants qui pourraient être présents dans la population québécoise, chez l'homme et chez la femme, par rapport à ce caractère.

6. Mme Sauriol et son mari vont voir un conseiller en génétique. Mme Sauriol est enceinte (sans l'avoir désiré) et s'inquiète parce que le frère de son mari est mort de la fibrose kystique du pancréas (maladie autosomique récessive). Elle n'a jamais entendu parler d'un cas de cette maladie dans sa famille. Pensez-vous qu'on devrait recommander à Mme Sauriol de subir des analyses biochimiques pour détecter le gène nuisible? Justifiez votre réponse.

7. M. Lebrun et sa femme sont tous deux porteurs de l'allèle récessif à l'origine de la phénylcétonurie, trouble métabolique. Quelles sont les probabilités de chacun des scénarios qui suivent? (a) Leurs trois enfants auront la maladie. (b) Aucun de leurs enfants n'aura la maladie. (c) Au moins un de leurs enfants aura la maladie. (d) Au moins un de leurs enfants aura le phénotype normal.

8. La capacité de goûter le phénylthiocarbamide (PTC) dépend de la présence d'un gène dominant (*G*); ceux qui ne peuvent le goûter sont homozygotes pour le gène récessif (*g*). C'est une situation classique d'hérédité dominante-récessive. (a) Dans le cas d'une union entre des parents hétérozygotes qui auront trois enfants, quelle proportion des enfants pourront goûter le PTC? Quelles sont les probabilités que tous les trois en seront capables? ou incapables? Quelles sont les probabilités que deux en seront capables et l'autre incapable? (b) Dans le cas d'une union entre des parents *Gg* et *gg*, quel est le pourcentage des enfants qui seront capables de goûter le PTC? Quel est le pourcentage des enfants qui seront incapables de le goûter? Quelle est la proportion des enfants qui seront homozygotes récessifs? hétérozygotes? homozygotes dominants?

9. Une femme du groupe sanguin A a deux enfants, un du groupe O et l'autre du groupe B. (a) Quel est le génotype de la mère? (b) Quels sont le génotype et le phénotype du père? (c) Quel est le génotype de chaque enfant?

10. Une femme du groupe sanguin B dont le père est du groupe O a pour conjoint un homme du groupe A dont la mère est du groupe B. (a) Déterminez les génotypes de tous les individus. (b) Si ce couple a quatre enfants, quels groupes sanguins devrait-on trouver dans cette progéniture et dans quelles proportions?

11. Quel sera l'éventail des pigmentations cutanées chez les enfants dont les parents ont les génotypes qui suivent? (a) *AABBCC* × *aabbcc*. (b) *AABBCC* × *AaBbCc*. (c) *AAbbcc* × *aabbcc*. *Remarque: AABBCC = très foncé; aabbcc = très clair.*

12. Sachant que le trait «lèvres minces» (*m*) est récessif et que le trait «lèvres épaisses» est dominant (*M*), déterminez les génotypes possibles des individus appartenant à la famille qui suit et tracez son arbre généalogique, en respectant les règles utilisées à la figure 17.9:

- Éric, aux lèvres minces, a pour conjointe Stéphanie, aux lèvres épaisses.
- Ce couple a un garçon et une fille aux lèvres épaisses et deux garçons aux lèvres minces.
- Le père d'Éric avait les lèvres épaisses, sa mère les lèvres minces et son oncle (le frère du père d'Éric) les lèvres épaisses.
- Quant aux parents de Stépanie, ils avaient aussi tous les deux les lèvres épaisses, mais Stéphanie avait un frère et une sœur qui tous les deux avaient les lèvres minces.

13. Pour son cours de biologie, Bertrand doit établir un arbre généalogique des fossettes aux joues. L'absence de fossettes est récessive; leur présence révèle un allèle dominant. Bertrand a des fossettes, tout comme ses trois frères. Sa mère et sa grand-mère maternelle n'ont pas de fossettes, mais son père et ses autres grands-parents en ont. Construisez un arbre généalogique de trois générations de la famille de Bertrand. Inscrivez le génotype de chaque personne et indiquez le phénotype en coloriant le symbole des individus affichant le trait récessif.

14. Déterminez si le trait étudié dans l'arbre généalogique qui suit est dominant ou récessif, et inscrivez sous chacun des symboles représentant les individus de la famille son ou ses génotypes possibles.

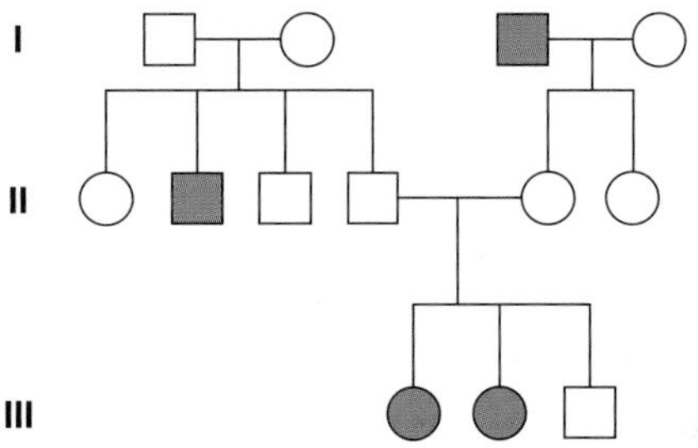
I
II
III

15. Dans la maladie de Tay-Sachs qui se caractérise par un déficit en enzyme métabolisant les lipides dans les cellules du cerveau, le génotype homozygote dominant confère un taux d'enzyme maximal, le génotype homozygote récessif se traduit par une absence complète d'enzyme tandis que le génotype hétérozygote produit un taux moyen d'enzyme, intermédiaire entre les deux autres génotypes. Un taux moyen d'enzyme n'entraîne pas la maladie de Tay-Sachs. Un homme porteur de la maladie de Tay-Sachs s'unit à une femme porteuse de la même maladie: quels phénotypes peut-on s'attendre à trouver chez leurs enfants, et dans quelles proportions? Distinguez, dans votre réponse, le phénotype «taux d'enzyme» et le phénotype «maladie de Tay-Sachs».

16. Un éleveur possède un animal affichant un caractère dominant qu'il aimerait reproduire chez ses descendants. Le génotype de cet animal pourrait être homozygote (de lignée pure) aussi bien qu'hétérozygote. L'éleveur croise cet animal avec un autre possédant le phénotype récessif. Présentez les résultats qu'il pourra obtenir (génotypes, phénotypes et proportions) et les conclusions qu'il pourra en tirer sur le génotype inconnu de son animal.

17. Chez la drosophile (ou mouche du vinaigre), mouche très utilisée pour la recherche en génétique, le trait «corps noir» est associé à un allèle appartenant à la même paire de gènes qu'un autre allèle donnant le trait «corps brun». Après de nombreux croisements entre un mâle et une femelle au corps noir, on a obtenu 308 mouches au corps noir et 103 mouches au corps brun. (a) Quel est l'allèle dominant (noir ou brun)? (b) Que peut-on en déduire en ce qui concerne le génotype des deux parents au corps noir?

18. En croisant une plante aux fleurs pourpres avec une plante de la même espèce mais d'une variété à fleurs blanches, on a obtenu, après récolte des graines, semis, germination, floraison et décompte de chaque phénotype de la F_1, les résultats qui suivent : 84 plantes à fleurs pourpres et 79 à fleurs blanches. (a) Déterminez les génotypes en présence dans ce croisement, à la P_1. (b) Peut-on déterminer, à partir de ces résultats, quel était le trait dominant (fleurs pourpres ou fleurs blanches) ? Expliquez.

19. Chez le cheval, le pelage rouge est donné par le génotype *RR* et le pelage blanc par le génotype *rr*. Le génotype *Rr* donne un troisième phénotype, le pelage rouan (combinaison de rouge et de blanc). Un croisement entre un cheval et une jument rouans donnerait quels génotypes et phénotypes, et dans quelles proportions ?

20. On a découvert que notre sensibilité aux mauvaises odeurs provient d'un gène qui détermine le type de récepteurs olfactifs que nous possédons. C'est ce qui expliquerait que l'odeur de la sueur (ou plus précisément de l'androsténone, molécule volatile qu'elle contient) peut être perçue différemment selon le génotype de chacun. Le gène du récepteur olfactif de cette molécule présente deux allèles : un allèle normal et un allèle ayant subi une mutation. Les individus pour qui l'odeur de la sueur est très intense et désagréable possèdent deux représentants de l'allèle normal tandis que l'androsténone de la sueur n'a pas d'odeur pour ceux qui possèdent les deux allèles mutés. Ceux qui portent un allèle normal et un allèle muté perçoivent l'odeur de la sueur mais beaucop moins intensément que ceux qui possèdent les deux allèles non mutés. De quel type de transmission héréditaire s'agit-il (dominance incomplète ou codominance) ? Expliquez.

(Pour tous les problèmes qui suivent, sauf les numéros 31 et 32, considérez que les gènes en cause ne sont pas liés.)

21. Un homme du groupe sanguin A positif (l'allère Rh positif est dominant) et sa conjointe du groupe O négatif ont eu un premier enfant du groupe sanguin O négatif. De quels groupes sanguins pourraient être les autres enfants de cette famille et dans quelles proportions chaque groupe sanguin devrait-il apparaître ?

22. Déterminez les rapports génotypiques et phénotypiques attendus dans le cas de l'union qui suit : un homme gaucher (trait récessif) et aux cheveux noirs (trait dominant) et sa conjointe aux cheveux blonds et droitière. Tenez compte du fait que le père de la femme était gaucher et que la mère de l'homme était blonde.

23. Un homme souffrant d'astigmatisme (trait dominant) et ayant les pieds plats (trait récessif) s'unit à une femme souffrant aussi d'astigmatisme mais dont les arches plantaires sont normales. (a) Déterminez les génotypes possibles de l'homme et de la femme. (b) En supposant que toutes les paires de gènes dont le génotype est incertain sont hétérozygotes, trouvez les rapports génotypiques et phénotypiques qui pourraient résulter d'une telle union.

24. Après de longues recherches, Geneviève finit par retrouver ses parents biologiques. Au moment de leur rencontre, elle remarque qu'ils ont tous deux, comme elle, des taches de rousseur et des fossettes aux joues, deux traits dominants. On lui montre les photos de Luc, son frère décédé qu'elle n'a jamais vu ; elle est étonnée de constater que celui-ci n'avait ni taches de rousseur ni fossettes. (a) Geneviève a-t-elle raison d'être étonnée des phénotypes de Luc ? Quelles étaient les probabilités que ce frère ait eu de tels traits ? (b) Après cette rencontre, et d'après ce que Geneviève a appris sur son frère, quels génotypes sommes-nous en mesure de lui attribuer ?

25. Sur une île faisant partie d'un archipel très isolé et qui n'a pas encore reçu de nom, on découvre que les humains ont tous trois doigts aux mains et un seul œil au milieu du front. L'anthropologue qui a découvert ces êtres étranges s'installe dans l'île, s'éprend d'une insulaire et fonde une famille avec elle. Ils ont six enfants qui ont cinq doigts aux mains et deux yeux. Des études ont montré que les deux traits plutôt particuliers des insulaires sont associés à des allèles mutés récessifs, les allèles normaux étant dominants. Un des enfants de l'anthropologue, devenu adulte, s'unit à une naufragée « normale » venant d'une autre île de l'archipel. Ce couple pourra-t-il avoir des enfants ayant trois doigts aux mains et un seul œil ? Expliquez votre réponse en précisant quels devraient être alors les génotypes de la naufragée et de son conjoint, et démontrez à l'aide d'une grille de Punnett.

26. Chantale est atteinte d'hypercholestérolémie familiale (taux élevé de cholestérol dans le sang représentant la maladie autosomique dominante la plus fréquente), qu'elle a hérité de sa mère ; elle n'a cependant pas d'autres problèmes de santé héréditaires. Son conjoint, Daniel, souffre aussi d'une maladie héréditaire, l'ichtyose, qui produit une sécheresse de la peau entraînant une desquamation anormale de l'épiderme par suite d'une déficience enzymatique entraînant une accumulation de cholestérol dans les cellules de la peau ; l'allèle responsable est récessif et lié au chromosome X. Le taux de cholestérol sanguin de Daniel est toutefois normal. Si on suppose que Chantale n'est pas porteuse de l'ichtyose, et que l'allèle de l'hypercholestérolémie est totalement absent de la famille de Daniel, déterminez si ce couple peut avoir : a) une fille atteinte d'hypercholestérolémie et d'ichytose ; b) une fille phénotypiquement normale pour les deux traits ; c) un garçon atteint d'hypercholestérolémie dont la peau serait normale ; d) un garçon phénotypiquement normal pour les deux traits.

27. Un homme ayant le lobe des oreilles libre et possédant une pointe de cheveux sur le front s'unit à une femme ayant les deux mêmes traits. Sachant que ces traits sont conférés par des allèles dominants et que toutes les paires de gènes en cause dans la génération parentale sont hétérozygotes (sauf la paire de gènes pour les lobes des oreilles chez la femme qui est homozygote), déterminez les génotypes et les phénotypes attendus chez les enfants ainsi que leurs proportions.

28. On a effectué divers croisements chez la tomate pour étudier la transmission de deux caractères : un concernant les feuilles, soit « feuilles normales » (*M*) ou « feuilles marbrées » (*m*), et l'autre concernant la couleur des fruits, soit « fruits rouges » (J) ou « fruits jaunes » (j). Trouvez les génotypes des plantes de la P_1 dans le cas des trois croisements qui suivent et démontrez, à l'aide de grilles de Punnett, que les rapports phénotypiques obtenus correspondent bien à ceux qui étaient attendus :

1er croisement :

P_1 : plante à feuilles normales et à fruits rouges × plante à feuilles normales et à fruits rouges

F_1 : 185 plantes à feuilles normales et à fruits rouges
57 plantes à feuilles normales et à fruits jaunes
63 plantes à feuilles marbrées et à fruits rouges
20 plantes à feuilles marbrées et à fruits jaunes

2e croisement :

P_1 : plante à feuilles marbrées et à fruits rouges × plante à feuilles normales et à fruits jaunes

F_1 : 83 plantes à feuilles normales et à fruits rouges
76 plantes à feuilles normales et à fruits jaunes
81 plantes à feuilles marbrées et à fruits rouges
78 plantes à feuilles marbrées et à fruits jaunes

3e croisement :

P_1 : plante à feuilles normales et à fruits rouges × plante à feuilles marbrées et à fruits rouges

F_1 : 166 plantes à feuilles normales et à fruits rouges
154 plantes à feuilles marbrées et à fruits rouges
0 plante à feuilles normales et à fruits jaunes
0 plante à feuilles marbrées et à fruits jaunes

29. Chez le lapin, le poil court est donné par un allèle dominant (L) et le poil long par un allèle récessif (l). Le pelage noir est attribuable à un allèle dominant (B) et le pelage brun à un allèle récessif (b). On croise un lapin hétérozygote pour les deux paires de gènes avec un lapin homozygote dominant pour la première paire et homozygote récessif pour la seconde paire. Quels génotypes et phénotypes (et dans quelles proportions) devrait-on attendre d'un tel croisement ?

30. Un croisement est effectué entre deux plants de pois : le pollen (apportant le gamète mâle) d'une plante à graines jaunes (V) et ridées (r) est déposé sur le stigmate des fleurs d'une plante à graines vertes (v) et rondes (R) de façon à féconder les ovules (produisant le gamète femelle) et à produire des fruits (des gousses contenant des graines). (a) Quels pourraient être les génotypes de la plante fournissant le pollen ? (b) Quels pourraient être les génotypes de la plante recevant le pollen ? (c) Quelles pourraient être les quatre combinaisons possibles de génotypes en présence, chez la P_1 dans ce croisement ? (d) Si seule la plante fournissant le pollen était de lignée pure (homozygote pour les deux paires de gènes) et que ce croisement a produit 180 graines, quels types de graines et combien de graines de chaque type aurait-on dû obtenir ?

31. Plusieurs croisements ont été effectués entre des drosophiles aux yeux sépia (couleur brune) et aux poils surnuméraires et des drosophiles aux yeux rouges et sans poils surnuméraires. La couleur sépia est donnée par un allèle récessif (s) de même que la présence de poils surnuméraires (p) ; les deux autres traits sont dominants. On n'a obtenu, de ces croisements, que deux types de mouches réparties à peu près également en deux groupes : des mouches aux yeux rouges et aux poils surnuméraires, et des mouches aux yeux sépia et sans poils surnuméraires. (a) Déterminez les génotypes possibles des mouches de la P_1 et de la F_1. (b) Sachant que ces deux paires de gènes sont liées, précisez comment elles étaient liées chez les mouches aux yeux rouges et sans poils surnuméraires de la P_1 (tracez les chromosomes et situez les allèles sur ces chromosomes). (c) D'après ces résultats, semble-t-il y avoir eu enjambement impliquant ces deux paires de gènes ? Expliquez.

32. Charles, aux cheveux bruns (C) et aux yeux bruns (B), a pour conjointe Catherine, aux cheveux blonds (c) et aux yeux bruns. La couleur des cheveux et la couleur des yeux chez l'humain sont données par des gènes liés. Négligeons le fait que la transmission de la couleur des yeux dépend de plusieurs gènes et tenons pour acquis que Charles a un génotype hétérozygote pour les deux paires de gènes et que, chez lui, les deux allèles dominants sont sur le même chromosome ; chez Catherine, la paire de gènes donnant la couleur des yeux est hétérozygote. Ce couple pourrait-il avoir des enfants aux cheveux bruns et aux yeux bleus (b) ? Expliquez dans quel cas et prouvez-le à l'aide d'une grille de Punnett.

Appendice A

Éléments de formation des mots en anatomie et physiologie humaines

Les exemples en caractères gras sont des termes apparaissant dans le glossaire à la fin du manuel; pour les exemples en caractères ordinaires, vous trouverez la référence au chapitre où le terme apparaît. La définition du terme choisi pour exemple est donnée dans les cas où celui-ci n'apparaît pas dans le manuel.

Préfixes et éléments initiaux

a, an	absence, manque: **anaérobie**
ab	éloignement: **abduction**
acro	extrémité: **acrosome**
ad	vers, à: **adduction**
adéno	glande: **adénohypophyse**
aéro	air: **aérobie**
allo	autre, dissemblable: **allogreffe**
ambi	autour, des deux côtés: ambidextre (capable d'utiliser également les deux mains)
amyl	amidon: **amylase salivaire**
ana	en sens contraire, de nouveau: **anabolisme**
andro	homme, mâle: **androgènes**
angio	vaisseau: **angine de poitrine**
ano, procto	anus: **canal anal**
anté	avant, devant: **antérieur**
anti	contre, opposé à: **anticodon**
api	sommet: surface apicale d'une membrane (chapitre 3)
artério	artère: **artériosclérose**
arthro	articulation: **arthrose**
bi	double: **biceps**
bili	bile: **vésicule biliaire**
bio	vie: biologie (chapitre 1)
blast	bourgeon, germe: **blastocyste**
brachio	bras: muscle biceps brachial (chapitre 5)
brady	lent: **bradychardie**
broncho	bronche: **bronchopneumopathie chronique obstructive**
bucco	joue: région buccale (chapitre 1)
carcin	cancer: carcinome (chapitre 3)
cardio	cœur: **révolution cardiaque**
caryo	noyau: **caryotype**
cata	vers le bas: **catabolisme**
cérébro	encéphale, cerveau: **liquide cérébrospinal**
cervic	nuque, col: vertèbres cervicales (chapitre 5)
chol	bile: **conduit cholédoque**
cholécysto	vésicule biliaire: **cholécystokinine**
chondro	cartilage: **chondrocyte**
ciné, kiné	mouvement: **énergie cinétique**
circum	autour: **circumduction**
co	ensemble: **codominance**
colo	colon: cancer colorectal (chapitre 3)
contra	contre, opposé à: **controlatéral**
cost	côte: cartilage costal (chapitre 5)
cranio, céphalo	tête: présentation céphalique (chapitre 16)
cuti, derm, dermato	peau: **épiderme**
cyst	vessie: **cystite**
cyto	cellule: **cytosquelette**
derm	peau: **dermatite**
dia	à travers: **diaphragme**
dorso	dos: **racine dorsale du nerf spinal**
duodéno	duodénum: ulcère gastroduodénal (chapitre 14)
dys	anormal, difficile: **dyspnée**
ec, ex, ecto	hors de: **ectoderme embryonnaire**
em, en	dans, au-dedans: **emmétropie**
embole	caillot circulant: **embolie**
endo	en dedans, interne: **endocarde**
entéro	intestin: réflexe entérogastrique (chapitre 14)
épi	sur, au-dessus: **épiphyse**
équi	égal: **division équationnelle de la méiose**
éryth	rouge: **érythrocyte**
eu	bien, normal: **eupnée**
ex	hors, éloigné: **extension**
extra	en dehors, en sus: **liquide extracellulaire**
fibro	fibre: **fibrose**
gastro	estomac: **suc gastrique**
gingiva	gencive: gingivite (inflammation des gencives)
glosso	langue: **nerf glossopharyngien**
glyco	sucre: **glycogène**
gyn	féminin: gynécomastie (chapitre 9)
héma, hémato, hémo	sang: **hématocrite**
hémi	à moitié: **hémisphère cérébral**
hépa, hépato	foie: **système porte hépatique**
hétéro	différent, autre: **hétérozygote**
histo	tissu: **histologie**
homo	même: **homologues**
hydro	eau: **hydrolyse**
hyper	excès: **hypersensibilité de type I**
hypo	au-dessous, insuffisant: **hypoglycémie**
hystér, hystéro	utérus: hystérectomie (ablation de l'utérus)
iléo	iléum: **valve iléocæcale**
im	non: lymphocytes immatures (chapitre 12)
in	dans, dedans: **influx nerveux**
infra	dessous: rayons infrarouges (chapitre 2)
inter	entre: **membrane interosseuse**
intra, intro	à l'intérieur: **liquide intracellulaire**
iso	égal: **isotope**
juxta	près de: **néphrons juxtamédullaires**
labio	lèvre: tubercule labioscrotal (tissu qui formera le scrotum)
laparo	lombes, abdomen: laparoscopie (examen de la cavité abdominale à l'aide d'un appareil qui y a été introduit par une courte incision pratiquée au-dessus de l'ombilic)
laryngo	larynx: **laryngopharynx**

latéro	côté : **régions latérales**
leuco	blanc : **leucocyte**
lipo	graisse : **lipide**
lympho	lymphe : **lymphocyte**
macro	grand : **macrophagocyte**
mal	mauvais, anormal : **maladie auto-immune**
mast	sein : mastectomie (chapitre 12, « Réflexion et application », nº 4)
médi	milieu : **coupe médiane**
méga, mégalo	grand : **mégacaryocytes**
men	mois : **menstruation**
méso	milieu : **mésoderme intraembryonnaire**
méta	entre, au-délà : **métaphase**
mono	unique : **croisement monohybride**
morpho	forme : morphologie (étude de la forme et de la structure des organismes)
multi	nombreux : **allèles multiples**
musculo, myo	muscle : myoglobine (pigment qui se lie à l'oxygène dans les muscles)
myélo	moelle : cellules souches myéloïdes (chapitre 10)
myo	muscle : **myocarde**
naso, rhino	nez : **nasopharynx**
natri	sodium : **facteur natriurétique auriculaire**
néo	nouveau : **néoplasme**
néphro	rein : **néphron**
neuro	nerf : **neurofibre**
nitro	azote : nitrosamine (chapitre 13)
noci	douleur : nocicepteur (chapitre 10)
noct, nyct	nuit : nycturie (chapitre 15)
oculo	œil : nerf oculomoteur (chapitre 8)
odonto	dent : apophyse odontoïde (chapitre 5)
oligo	peu : **oligurie**
onco	masse : oncogène (chapitre 3)
ophtalmo	œil : **ophtalmique**
orchis	testicule : **cryptorchidie**
ortho	droit, normal : orthopédie (correction des difformités de l'appareil locomoteur)
os, stomato	bouche : stomatite (inflammation de la bouche)
ostéo	os : **ostéoblaste**
oto	oreille : **otite moyenne**
pan	tout : pandémie (chapitre 12)
pancréa	pancréas : pancréatite (inflammation du pancréas)
para	à côté, complémentaire : **partie parasympathique du système nerveux autonome**
path	maladie : pathologie (étude des maladies)
ped	enfant, pied : pédiatre (médecin spécialisé dans le traitement des maladies infantiles)
per	à travers, par : percutané (qui se fait à travers la peau)
péri	autour : **système nerveux périphérique**
phago	ingestion : **phagocytose**
pharyngo	pharynx : **amygdale pharyngienne**
phlébo	veine : phlébite (inflammation des veines)
photo	lumière : **photorécepteurs**
phrén	diaphragme, intelligence : nerfs phréniques (chapitre 13)
pneumo	air, poumon : pneumothorax (chapitre 13)
pod	pied : **podocytes**
poly	beaucoup, nombreux : **polysaccharide**
post	après : neurofibres postganglionnaires (chapitre 7)
pré	avant : neurofibres préganglionnaires (chapitre 7)
pseudo	faux : pseudopode (chapitre 3)

psych	esprit : psychotropes (chapitre 7)
pulmo, pneum, pneumo	poumon (sac rempli d'air) : pneumothorax (chapitre 13)
pyel	pelvis du rein : pyélite (inflammation de la muqueuse du bassinet)
pyo	pus : pyogène (qui produit du pus)
pyro	fièvre : **pyrogène**
quadri	quatre : **quadriplégie**
rachi	colonne vertébrale : **bulbe rachidien**
radio	radiation : **radio-isotope**
re	retour en arrière, répétition : **régénération**
réno	rein : **pelvis rénal**
rétro	en arrière, derrière : **rétroactivation**
rhin	nez : rhinencéphale (chapitre 7)
sacro	sacrum : **canal sacral**
salpingo	trompe utérine : salpingite (inflammation de la trompe utérine)
sarco	chair : **sarcomère**
scléro	dur, durcissement : **sclère**
soma	corps : cellules somatiques (chapitre 17)
sténo	étroit : **sténose**
sub	sous : veine subclavière (chapitre 11)
super	au-dessus, excès : **superficiel**
supra	au-dessus : muscle supraépineux (muscle de l'épaule)
sym, syn	ensemble : **syndesmose**
tachy	rapide : **tachycardie**
télo	extrémité : **télophase**
tétra	quatre : **tétrade**
therm	chaleur : thermogenèse (chapitre 14)
thoraco	poitrine, thorax : **conduit thoracique**
thrombo	caillot (de sang) : **thrombine**
thyro	thyroïde, porte : **thyroxine**
tom	section : **tomographie**
tonsillo	tonsille (amygdale) : tonsillite (chapitre 12)
trachéo	trachée : trachéotomie (chapitre 13)
trans	à travers, par-dessus : **coupe transversale**
trauma	blessure : traumatisme
tri	trois : **triiodothyronine**
tubo, salpingo	trompe utérine : salpingite (inflammation de la trompe utérine)
ultra	au-delà : rayons ultraviolets (chapitre 1)
uni	un : unicellulaire (organisme constitué d'une seule cellule)
uro	urine, organes urinaires : urobiline (chapitre 15)
vagino, colpo	vagin : colposcopie (examen visuel du vagin)
vaso	vaisseau : **vasoconstriction**
xéro	sec : xérostomie (arrêt ou diminution de la salivation)
zyg	jumeau : **zygote**

Suffixes et éléments finaux

able	qui peut être : viable (qui peut vivre)
algie	douleur : névralgie (douleur le long du parcours d'un nerf)
ase	enzyme : **amylase salivaire**
cèle	tumeur, tuméfaction : méningocèle (hernie de la moelle épinière contenant des méninges)

centèse	prélèvement de liquide par ponction chirurgicale : amniocentèse (chapitre 17)
cide	tueur, destruction : bactéricide (qui tue les bactéries)
cule	petit : **homoncule somesthésique**
cyte	cellule : **plasmocyte**
dipsie	soif : polydipsie (chapitre 9)
ectasie	dilatation, étirement : **atélectasie**
ectomie	excision, ablation chirurgicale : appendicectomie (ablation de l'appendice)
émie	sang : **anémie**
esthésie	sensation : **aire somesthésique primaire**
férent	porter : **afférent**
forme	aspect : **appendice vermiforme**
gène, génèse, génétique	formation, origine : **ovogenèse**
gramme	tracé, marque : **électrocardiogramme**
ise	traitement : hémodialyse (chapitre 15)
isme	affection : **gigantisme**
ite	inflammation : **hépatite**
lemme	gaine, enveloppe : **sarcolemme**
lithe, lithique	pierre, calcul : lithotritie extracorporelle (chapitre 15)
logie	étude : biologie (chapitre 1)
lyse	désintégration : **hémolyse**
mégalie	accroissement : **acromégalie**
mètre	instrument qui mesure : sphygmomanomètre (servant à mesurer la pression artérielle)
oïde	ressemblance : **côlon sigmoïde**
ome	tumeur : adénome (chapitre 3)
ose	maladie, affection : **artériosclérose**
pathie	maladie : **arthropathies goutteuses**
phage	manger : **macrophagocyte**
phasie	parole : aphasie (chapitre 7)
phile	aimer : **granulocyte basophile**
phobe	craindre : hydrophobe (molécule sans affinité pour l'eau)
plasme	forme : **cytoplasme**
plégie	paralysie : **paraplégie**
rragie	jaillir : **hémorragie**
rrhée	écoulement excessif : diarrhée (évacuation anormale de selles)
scope	instrument d'examen optique : sthétoscope (instrument servant à écouter les bruits produits par l'organisme)
scopie	examen visuel : endoscopie (méthode d'exploration visuelle d'une cavité de l'organisme)
some	corps : **chromosome**
stase	arrêt : **hémostase**
tomie	couper : **anatomie**
urie	urine : **oligurie**
zyme	ferment : **enzyme**

Adapté de : Margaret Ling, directrice, Vocational Nursing, Santa Rosa Junior College, Santa Rosa, Californie ; Kozier, B., G. Erb, A.J. Berman et K. Burke, *Fundamentals of Nursing : Concepts and Procedures*, 6e éd., Prentice Hall, 2000.

Appendice B

Tableau périodique des éléments

Dans le tableau périodique, les éléments sont disposés selon leur numéro atomique et leur masse atomique en rangées horizontales appelées *périodes* et en 18 colonnes verticales appelées *groupes*, ou *familles*. Les groupes d'éléments sont en outre catégorisés dans la série A ou la série B.

Les éléments de chaque groupe de la série A présentent des propriétés chimiques et physiques semblables. Cela reflète le fait que chacun des membres d'un groupe particulier possède le même nombre d'électrons de valence. Par exemple, les éléments du groupe IA possèdent un électron de valence, ceux du groupe IIA en ont deux et ceux du groupe VA, cinq. Par contre, si on considère une période en allant de gauche à droite, les propriétés des éléments changent progressivement, des propriétés très métalliques des groupes IA et IIA aux propriétés non métalliques du groupe VIIA (chlore et autres) et, enfin, aux éléments inertes (gaz rares) du groupe VIIIA. Ces différences dans les propriétés des éléments traduisent l'augmentation continue du nombre d'électrons de valence à l'intérieur d'une période (de gauche à droite).

Les éléments de la série B sont appelés *éléments de transition*. Tous ces éléments sont des métaux, et ils possèdent en général un ou deux électrons de valence. (Dans ces éléments, certains électrons occupent des couches électroniques plus éloignées du noyau avant que les couches qui sont près de celui-ci soient pleines.)

Dans le présent tableau, les couleurs indiquent l'état (solide, liquide ou gazeux) dans lequel se trouve un élément pur dans les conditions normales (25 °C et 1 atm). Les éléments dont le symbole est en noir sont solides. Les symboles en rouge représentent les éléments à l'état gazeux et les symboles en bleu, à l'état liquide. Les symboles en vert désignent des éléments qui n'existent pas dans la nature et qui sont créés grâce à une réaction nucléaire quelconque.

Les 12 éléments les plus abondants dans le corps humain sont énumérés au tableau 2.3, page 32. Ils sont accompagnés de leur symbole, de leur numéro atomique, de leur nombre de masse, de leur masse atomique et de leur nombre d'électrons dans la couche de valence.

Tableau périodique des éléments

Éléments représentatifs (des grands groupes) : IA, IIA ; IIIA à VIIIA

Éléments (métaux) de transition : IIIB à IIB

	IA	IIA	IIIB	IVB	VB	VIB	VIIB	VIIIB	VIIIB	VIIIB	IB	IIB	IIIA	IVA	VA	VIA	VIIA	VIIIA
1	1 **H** 1,0079																	2 **He** 4,003
2	3 **Li** 6,941	4 **Be** 9,012											5 **B** 10,811	6 **C** 12,011	7 **N** 14,007	8 **O** 15,999	9 **F** 18,998	10 **Ne** 20,180
3	11 **Na** 22,990	12 **Mg** 24,305											13 **Al** 26,982	14 **Si** 28,086	15 **P** 30,974	16 **S** 32,066	17 **Cl** 35,453	18 **Ar** 39,948
4	19 **K** 39,098	20 **Ca** 40,078	21 **Sc** 44,956	22 **Ti** 47,88	23 **V** 50,942	24 **Cr** 51,996	25 **Mn** 54,938	26 **Fe** 55,845	27 **Co** 58,933	28 **Ni** 58,69	29 **Cu** 63,546	30 **Zn** 65,39	31 **Ga** 69,723	32 **Ge** 72,61	33 **As** 74,922	34 **Se** 78,96	35 **Br** 79,904	36 **Kr** 83,8
5	37 **Rb** 85,468	38 **Sr** 87,62	39 **Y** 88,906	40 **Zr** 91,224	41 **Nb** 92,906	42 **Mo** 95,94	43 **Tc** 98	44 **Ru** 101,07	45 **Rh** 102,906	46 **Pd** 106,42	47 **Ag** 107,868	48 **Cd** 112,411	49 **In** 114,82	50 **Sn** 118,71	51 **Sb** 121,76	52 **Te** 127,60	53 **I** 126,905	54 **Xe** 131,29
6	55 **Cs** 132,905	56 **Ba** 137,327	57 **La** 138,906	72 **Hf** 178,49	73 **Ta** 180,948	74 **W** 183,84	75 **Re** 186,207	76 **Os** 190,23	77 **Ir** 192,22	78 **Pt** 195,08	79 **Au** 196,967	80 **Hg** 200,59	81 **Tl** 204,383	82 **Pb** 207,2	83 **Bi** 208,980	84 **Po** 209	85 **At** 210	86 **Rn** 222
7	87 **Fr** 223	88 **Ra** 226,025	89 **Ac** 227,028	104 **Rf** 261	105 **Db** 262	106 **Sg** 263	107 **Bh** 262	108 **Hs** 265	109 **Mt** 266	110 **Uun** 269	111 **Uuu** 272	112 **Uub** 277		114		116		

Terres rares

Lanthanides	58 **Ce** 140,115	59 **Pr** 140,908	60 **Nd** 144,24	61 **Pm** 145	62 **Sm** 150,36	63 **Eu** 151,964	64 **Gd** 157,25	65 **Tb** 158,925	66 **Dy** 162,5	67 **Ho** 164,93	68 **Er** 167,26	69 **Tm** 168,934	70 **Yb** 173,04	71 **Lu** 174,967
Actinides	90 **Th** 232,038	91 **Pa** 231,036	92 **U** 238,029	93 **Np** 237,048	94 **Pu** 244	95 **Am** 243	96 **Cm** 247	97 **Bk** 247	98 **Cf** 251	99 **Es** 252	100 **Fm** 257	101 **Md** 258	102 **No** 259	103 **Lr** 262

Appendice C

Vitamines et minéraux : sources, fonctions, problèmes de carence et d'excès

Vitamines et minéraux	Principales sources alimentaires	Principales fonctions	Signes de carence grave et prolongée	Signes d'excès grave
Vitamines liposolubles				
A (rétinol)	Produits laitiers enrichis, fromage, beurre, œufs, foie, fruits et légumes orange foncé, légumes-feuilles vert foncé	Santé des yeux, de la peau, des dents et des os ; synthèse d'hormones	Cécité nocturne ; kératinisation de l'épithélium, y compris de la cornée de l'œil (xérophtalmie) causant la cécité permanente ; peau sèche et squameuse ; vulnérabilité accrue aux infections	Douleurs osseuses et articulaires, sécheresse et démangeaison de la peau, lèvres gercées, nausées et vomissements, perte de poids
D (calciférol)	Lait enrichi, jaune d'œufs, foie (les rayons ultraviolets du soleil fournissent plus de vitamine D que les aliments)	Favorise l'absorption et l'utilisation du calcium et du phosphore (pour des dents et des os forts)	Rachitisme (malformations osseuses) chez l'enfant ; ostéomalacie (ramollissement des os) chez l'adulte	Dépôt de calcium dans les tissus mous, calculs rénaux, fatigue
E (tocophérol)	Huiles végétales, jaune d'œuf, produits céréaliers complets, légumes-feuilles verts	Antioxydant prévenant les dommages aux membranes cellulaires et ceux qui sont causés par l'athérosclérose	Anémie et effets neurologiques possibles	Généralement non toxique ; étourdissements, faiblesse, peut aggraver le problème de coagulation du sang lié à la carence en vitamine K
K (naphtoquinone)	Légumes-feuilles verts, chou, chou-fleur, foie ; surtout synthétisée par les bactéries de l'intestin	Contribue à la formation de certaines protéines, surtout les protéines de coagulation ; contribue à la phosphorylation oxydative	Coagulation du sang déficiente entraînant une hémorragie plus ou moins grave au siège de lésions	Dommages au foie et anémie, interaction indésirable avec les anticoagulants
Vitamines hydrosolubles				
B_1 (thiamine)	Porc, abats, légumineuses, arachides, produits céréaliers enrichis ou complets	Coenzyme participant au métabolisme énergétique	Troubles nerveux, œdème occasionnel, épuisement, insuffisance cardiaque ; béribéri	Pouls rapide, faiblesse, céphalée, insomnie
B_2 (riboflavine)	Produits laitiers, produits céréaliers enrichis et complets, légumes-feuilles verts	Coenzyme participant au métabolisme énergétique	Lésions de la peau et des muqueuses ; troubles oculaires	Généralement non toxique

Vitamines et minéraux	Principales sources alimentaires	Principales fonctions	Signes de carence grave et prolongée	Signes d'excès grave
B_3 (niacine)	Noix, légumineuses, produits céréaliers enrichis et complets, viande, poisson, tous les aliments contenant des protéines	Coenzyme participant au métabolisme énergétique ; vasodilatation des vaisseaux sanguins	Faiblesse, étourdissements, anorexie, confusion, diarrhée, éruptions cutanées ; appelée *maladie des 4D* : dermatite, diarrhée, démence et décès (si non traitée)	Rougeurs au visage, au cou et aux mains ; dommages possibles au foie, langue tuméfiée, hypotension artérielle
B_5 (acide pantothénique)	Viande, œufs ; présente dans de nombreux aliments et fabriquée en petites quantités par les bactéries de la flore intestinale	Coenzyme participant au métabolisme énergétique	Fatigue, vomissements, symptômes imprécis	Généralement non toxique ; diarrhée occasionnelle
B_6 (pyridoxine)	Aliments riches en protéines	Coenzyme participant au métabolisme des acides aminés	Troubles nerveux, cutanés et musculaires ; anémie ; risques de cardiopathie	Dommages aux nerfs, faiblesse, ballonnement
B_8 (biotine)	Foie, rognons, jaune d'œuf, légumes verts ; présente dans de nombreux aliments	Coenzyme participant au métabolisme énergétique ; synthèse des lipides	Inflammation de la peau, anorexie, nausée, épuisement	Considérée comme non toxique
B_9 (folate)	Légumes-feuilles verts, jus d'orange, noix, légumineuses, produits céréaliers ; une certaine quantité est synthétisée par les bactéries intestinales	Coenzyme participant au métabolisme de l'ADN et de l'ARN	Anémie mégaloblastique (érythrocytes hypertrophiés et immatures) ; troubles digestifs	Masque la carence en vitamine B_{12} ; perturbe l'effet des médicaments antiépileptiques, diarrhée, insomnie
B_{12} (cyanocobalamine)	Viande, poisson, volaille, lait, fromage, œufs ; absente des aliments d'origine végétale	Coenzyme participant au métabolisme de l'ADN et de l'ARN ; contribue à l'entretien des neurones (formation de myéline)	Anémie mégaloblastique, fatigue	Considérée comme non toxique
C (acide ascorbique)	Agrumes et légumes-feuilles vert foncé, brocoli, chou, chou-fleur, fraise, melon, tomate, pomme de terre	Participe à la synthèse du collagène ; fonction antioxydante ; favorise la détoxification ; améliore l'absorption et l'utilisation du fer	Scorbut (cas de carence extrême) ; pétéchies (petites hémorragies) ; faiblesse, cicatrisation ralentie ; déficience immunitaire	Des doses massives peuvent causer des troubles gastro-intestinaux et de la fatigue ; facteur de confusion dans certains tests de laboratoire
Minéraux				
Calcium (Ca)	Produits laitiers, légumes-feuilles vert foncé, brocoli, crevettes, saumon, palourdes, jus d'orange enrichi, légumineuses, tofu	Activation de certaines enzymes ; formation des os et des dents ; coagulation du sang ; contraction musculaire ; transmission des influx nerveux ; pression artérielle	Retard de croissance chez l'enfant ; perte de masse osseuse (ostéoporose) chez l'adulte ; troubles musculaires	La plupart du temps, excrétion du calcium excédentaire ; malabsorption possible de certains autres minéraux ; dommages rénaux dans certains cas ; troubles neuromusculaires

Vitamines et minéraux	Principales sources alimentaires	Principales fonctions	Signes de carence grave et prolongée	Signes d'excès grave
Phosphore (P)	Produits laitiers, viande, volaille, œufs, légumineuses, noix, céréales entières	Formation des os et des dents ; équilibre acidobasique ; composant des coenzymes, des acides nucléiques, des phospholipides et de l'ATP	Faiblesse ; déminéralisation osseuse	Malabsorption de certains minéraux tels que le calcium, le fer et le magnésium
Magnésium (Mg)	Céréales entières, noix, légumineuses, légumes-feuilles vert foncé	Composant des enzymes ; formation des os et des dents	Faiblesse, anomalie de croissance chez l'enfant, confusion ; troubles neuromusculaires	Toxicité non attestée, mais possibilité de diarrhée en présence de quantités extrêmes
Soufre (S)	Acides aminés soufrés présents dans les protéines alimentaires animales ou végétales (légumineuses)	Composant du cartilage, des tendons et de nombreuses protéines	Lié à une carence en protéines	Un excès d'acides aminés soufrés peut perturber la croissance ; dommages au foie
Sodium (Na)	Sel présent en abondance dans la plupart des aliments ; sauce soja, salaisons de viandes, marinades, soupes en conserve, fromage fondu	Équilibre hydrique et acidobasique, transmission des influx nerveux	Rare ; crampes musculaires ; perte d'appétit, faiblesse	Hypertension artérielle chez certaines personnes, œdème
Potassium (K)	Viande, poisson, volaille, lait, nombreux fruits et légumes, légumineuses, bananes	Équilibre hydrique ; fonction nerveuse et musculaire	Rare ; faiblesse musculaire ; fatigue, confusion ; problèmes cardiaques	Faiblesse musculaire ; arrêt cardiaque
Chlore (Cl)	Sel de table (comme le sodium)	Contribution à l'équilibre acidobasique ; formation du suc gastrique ; transport du gaz carbonique dans le sang	Crampes musculaires ; perte d'appétit ; croissance perturbée chez l'enfant	Vomissements
Fer (Fe)	Viande rouge, abats, jaune d'œuf, légumineuses, céréales et pains fortifiés, légumes-feuilles verts, fruits séchés, mélasse	Composant de l'hémoglobine et des enzymes ; respiration cellulaire	Anémie, faiblesse, infections, fatigue	Aigu : choc, mort Chronique : dommage au foie et au pancréas, insuffisance cardiaque
Iode (I)	Poissons et fruits de mer, sel iodé	Composant des hormones thyroïdiennes	Hypertrophie de la glande thyroïde, gain de poids chez l'adulte ; arriération physique et mentale chez le nourrisson (crétinisme)	Hyperthyroïdie
Fluor (Fl)	Eau et dentifrices fluorés ; fruits de mer	Formation des os et des dents	Fréquence accrue des caries dentaires	Aigu : douleurs au niveau du système digestif Chronique : dents tachetées (fluorose) ; déformation osseuse

Vitamines et minéraux	Principales sources alimentaires	Principales fonctions	Signes de carence grave et prolongée	Signes d'excès grave
Zinc (Zn)	Viande, poisson, volaille, céréales entières, pains de céréales entières, légumineuses, noix	Composant des enzymes ; nécessaire à la croissance, à la cicatrisation et à la production de diverses protéines ; production des spermatozoïdes	Anomalie de croissance ; dermite séborrhéique ; infertilité ; déficience immunitaire ; perte du goût et de l'odorat, difficultés d'apprentissage	Aigu : nausées ; vomissements ; diarrhée Chronique : perturbation du métabolisme du cuivre et de la fonction immunitaire ; anémie grave
Sélénium (Se)	Poissons et fruits de mer, viande, céréales entières	Antioxydant ; composant de certaines coenzymes ; étroitement lié à la vitamine E	Maladies cardiovasculaires	Affections des systèmes nerveux et digestif ; perte de poids et de cheveux
Cuivre (Cu)	Mollusques et crustacés, noix, légumineuses, abats, céréales entières	Composant des enzymes, production de l'hémoglobine	Rare ; anémie ; changements osseux (ostéoporose) et cardiovasculaires	Rare ; vomissements, diarrhée
Chrome (Cr)	Viande, huile végétale, céréales entières, fromage	Participation au métabolisme du glucose et au métabolisme énergétique ; associé à l'insuline (serait utile dans le cas de diabète de type II)	Perturbation du métabolisme du glucose	Dommages aux poumons et aux reins (exposition professionnelle seulement)
Manganèse (Mn)	Noix, céréales entières, légumes-feuilles verts, fruits	Composant des enzymes ; fonctionnement normal des neurones	—	Dommages au système nerveux central (exposition professionnelle seulement)
Molybdène (Mo)	Abats, légumineuses, céréales, fruits de mer	Composant des enzymes ; intervient dans les processus de détoxification (du mercure notamment)	Perturbation de l'excrétion de l'azote et troubles neurologiques	Inhibition des enzymes ; perturbation du métabolisme du cuivre et du fer

Source : Adaptation de <www.wvda.org>,

Glossaire

A

Abdomen Partie du corps comprise entre le diaphragme et le bassin.

Abduction Mouvement qui écarte un membre du plan médian du corps.

Absorption Passage d'une substance dans un vaisseau sanguin ou à travers une membrane.

Accepteur de protons Substance qui reçoit et lie les protons libérés dans une réaction; les bases sont des accepteurs de protons.

Accident vasculaire cérébral (AVC) Arrêt de l'irrigation sanguine d'une région du cerveau, causé notamment par le blocage d'un vaisseau sanguin cérébral.

Accommodation Changement dans la courbure du cristallin pour assurer la vision de près des objets.

Acétabulum Cavité de la face latérale de l'os coxal dans laquelle vient se loger la tête du fémur.

Acétylcholine (ACh) Médiateur chimique libéré par certaines terminaisons nerveuses, au niveau des terminaisons neuromusculaires notamment.

Acétylcholinestérase (AChE) Enzyme qui dégrade l'acétylcholine en acide acétique et en choline dans la fente synaptique.

Acide Substance qui libère des ions hydrogène lorsqu'elle est en solution; donneur de protons; comparer avec *base*.

Acide aminé Composé organique contenant de l'azote, du carbone, de l'hydrogène et de l'oxygène; unité de base des protéines.

Acide chlorhydrique (HCl) Acide qui contribue à la digestion des protéines dans l'estomac; sécrété par les cellules pariétales de l'estomac.

Acide gammaaminobutyrique (GABA) Acide aminé jouant le rôle de neurotransmetteur dans le SNC.

Acide gras Unité de base des triglycérides et des phospholipides.

Acide lactique Produit du métabolisme anaérobie, en particulier dans le muscle.

Acide nucléique Groupe de molécules organiques dont font partie l'ADN et l'ARN.

Acide urique Produit (déchet azoté) du métabolisme des acides nucléiques alimentaires et tissulaires.

Acidose État caractérisé par une concentration sanguine d'ions hydrogène trop élevée et un pH artériel trop bas.

Acidose physiologique État d'un organisme dont le sang artériel a un pH situé entre 7,35 et 7,0.

Acné Affection de la peau attribuable à l'inflammation des glandes sébacées.

Acromégalie Épaississement de certains tissus osseux et mous chez l'adulte, caractérisé par une hypertrophie des os du visage, des mains et des pieds; attribuable à une hypersécrétion de l'hormone de croissance.

Acromion Processus qui termine l'épine scapulaire du côté latéral; point le plus élevé de l'épaule.

Acrosome Structure du spermatozoïde, similaire à un gros lysosome, coiffant son noyau et contenant une enzyme qui aide le gamète mâle à pénétrer dans l'ovocyte.

Actine Protéine contractile du muscle, constituant les myofilaments minces.

Activateur de la prothrombine Substance complexe constituée par l'association de facteurs de coagulation qui permet la transformation de la prothrombine en thrombine.

Acuité visuelle Capacité de discrimination de l'œil.

Adaptation 1) Modification d'une structure ou d'une réaction face à un nouvel environnement; 2) diminution de la transmission de l'influx nerveux dans un nerf sensitif lorsqu'un récepteur est stimulé continuellement et sans modification de la force du stimulus.

Adduction Mouvement qui amène un membre vers le plan médian du corps.

Adénohypophyse Lobe antérieur de l'hypophyse formé de tissu glandulaire qui synthétise la GH et la PRL ainsi que les stimulines.

Adhérence interthalamique Commissure médiane reliant les deux masses jumelles du thalamus; aussi appelée *commissure grise*.

ADN (acide désoxyribonucléique) Acide nucléique présent dans toutes les cellules vivantes; porte l'information génétique de l'organisme.

Adrénaline Principale hormone sécrétée par la médulla surrénale; permet la résistance au stress de courte durée.

Aérobie Qui a besoin d'oxygène.

Afférent Qui véhicule un liquide ou un influx nerveux vers un centre ou jusqu'à celui-ci.

Agent pathogène Microorganisme (bactéries, champignons microscopiques, virus, etc.) qui provoque une maladie.

Agglutination Amas de cellules (étrangères); produite par la liaison de complexes antigène-anticorps.

Agglutinines Anticorps du plasma qui, en réagissant avec les agglutinogènes de globules rouges étrangers, provoquent l'agglutination.

Agglutinogènes Antigènes des globules rouges qui provoquent l'agglutination.

Agranulocytes Catégorie de leucocytes dépourvus de granulations cytoplasmiques visibles; comprennent les lymphocytes et les monocytes.

Aine Région de contact entre l'abdomen et la face antérieure de la cuisse; aussi appelée *région inguinofémorale*.

Aire auditive associative Région du cortex cérébral qui interprète les stimulus auditifs et permet de les reconnaître.

Aire auditive primaire Région du cortex cérébral qui reçoit l'information auditive.

Aire de Broca Voir *Aire motrice du langage.*

Aire de Werncike Aire du cortex cérébral qui permet la compréhension du langage, située dans la partie postérieure du lobe temporal.

Aire gustative Région du cortex cérébral percevant les sensations gustatives.

Aire motrice du langage Aire du cortex cérébral essentielle à l'utilisation du langage, située à la base du gyrus précentral d'un seul hémisphère, le gauche généralement; aussi appelée *aire de Broca.*

Aire motrice primaire Région du cortex cérébral située à l'avant du sillon central de l'hémisphère cérébral et qui permet les mouvements conscients des muscles squelettiques.

Aire somesthésique primaire Région du cortex cérébral, située dans le lobe pariétal, où sont localisés et interprétés les influx nerveux provenant des récepteurs sensoriels autres que ceux des organes des sens (vue, ouïe, odorat et goût).

Aire vestibulaire Région du cortex cérébral liée à l'équilibre.

Aire visuelle associative Région du cortex cérébral qui interprète les stimulus visuels et permet de les reconnaître.

Aire visuelle primaire Région du cortex cérébral qui reçoit l'information visuelle.

Aires associatives Aires du cortex cérébral qui ne sont pas qualifiées par l'adjectif *primaire* et qui servent à interpréter les sensations.

Aires motrices Régions du cortex cérébral qui régissent les mouvements volontaires.

Albumines Protéines présentes chez presque tous les animaux; les plus abondantes des protéines plasmatiques.

Alcalose État caractérisé par une faible concentration sanguine d'ions hydrogène et un pH artériel trop élevé.

Aldostérone Hormone (minéralocorticoïde) sécrétée par le cortex surrénal; joue un rôle important dans la réabsorption des ions sodium et de l'eau par les reins.

Allèles Gènes codant pour le même trait et occupant le même locus de chromosomes homologues.

Allèles multiples Type de transmission héréditaire caractérisé par le fait que le gène existe sous plus de deux formes dans une population; par exemple la transmission des groupes sanguins du système ABO.

Allergie Réaction immunitaire anormalement vigoureuse à un antigène ne représentant aucun danger pour l'organisme; aussi appelée *hypersensibilité.*

Allogreffe Greffe dans laquelle le donneur est une personne non apparentée au receveur.

Alopécie Calvitie.

Alvéole 1) Petite cavité ou dilatation en forme de sac; 2) alvéole pulmonaire: une des nombreuses cavités microscopiques des poumons où s'effectuent les échanges gazeux.

Amines biogènes Neurotransmetteurs synthétisés à partir d'acides aminés, tels que la sérotonine, l'histamine et l'adrénaline.

Amnios Membrane fœtale qui forme un sac rempli de liquide autour de l'embryon et du fœtus.

Amygdale linguale Ensemble de follicules lymphoïdes situé à la base de la langue.

Amygdale pharyngienne Amygdale située dans la partie supérieure du nasopharynx; aussi appelée *végétations adénoïdes.*

Amygdales Organes du système lymphatique, formant un anneau autour de l'entrée du pharynx; éliminent les agents pathogènes qui entrent dans la gorge; aussi appelées *tonsilles.*

Amygdales palatines Amygdales logées dans les parois latérales de l'oropharynx, à la limite du palais mou.

Amylase salivaire Enzyme de la salive qui amorce la digestion de l'amidon dans la bouche.

Anabolisme Phase du métabolisme nécessitant de l'énergie, dans laquelle des substances simples sont combinées afin de former des substances plus complexes.

Anaérobie Qui ne nécessite pas d'oxygène.

Anaphase Troisième phase de la mitose.

Anatomie Étude de la structure des organismes vivants.

Androgènes Hormones sécrétées par les testicules et le cortex surrénal qui déterminent l'apparition des caractères sexuels secondaires masculins; hormones sexuelles mâles.

Anémie Réduction de la capacité du sang à transporter l'oxygène résultant d'un nombre insuffisant d'érythrocytes ou d'anomalies de l'hémoglobine.

Anémie à hématies falciformes Maladie héréditaire dont la transmission est un exemple de codominance; l'hémoglobine de l'individu atteint est anormale, ce qui amène les globules rouges à prendre la forme de faucilles lorsque la pression partielle d'oxygène est basse; aussi appelée *drépanocytose.*

Anévrisme Poche remplie de sang, formée dans une paroi artérielle; causé par l'affaiblissement ou la dilatation de la paroi.

Angine de poitrine Douleur thoracique intense causée par l'interruption temporaire de l'apport d'oxygène au muscle cardiaque.

Angiographie cérébrale Technique d'imagerie qui permet d'évaluer l'état des artères cérébrales qui desservent l'encéphale ou celui des artères carotides chez les personnes ayant subi un accident vasculaire cérébral ou un accident ischémique transitoire.

Angiotensine II Puissant facteur synthétisé par une série de réactions déclenchée par la rénine et provoquant la libération d'aldostérone et une hausse de pression artérielle.

Angle latéral de l'œil Angle formé, du côté temporal, par l'union des paupières; aussi appelé *canthus externe.*

Angle médial de l'œil Angle formé, du côté nasal, par l'union des paupières; aussi appelé *canthus interne.*

Angle sternal Repère anatomique important situé à la jonction du manubrium et du corps du sternum.

Annexes cutanées Structures dérivées de l'épiderme comprenant les glandes sébacées et sudoripares, les poils et les follicules du poil, et les ongles.

Anoxie Manque d'oxygène.

Anse du néphron Partie intermédiaire du tubule rénal, entre le tubule contourné proximal et le tubule contourné distal.

Antérieur Vers l'avant ou à l'avant du corps.

Anticodon Groupe de trois nucléotides d'un ARNt s'unissant au codon.

Anticorps Substance spécialisée produite par l'organisme qui procure l'immunité contre un antigène spécifique.

Anticorps monoclonaux Préparations d'anticorps purs descendant d'une seule cellule et qui sont spécifiques à un seul antigène.

Antigène Toute substance (toxines, protéines étrangères ou protéines des bactéries comprises) qui, une fois dans l'organisme, est reconnue comme étrangère et active le système immunitaire.

Anus Extrémité distale du tube digestif; orifice du rectum.

Aorte Principale artère systémique; naît du ventricule gauche du cœur.

Aorte abdominale Portion de l'aorte qui suit l'aorte thoracique et donne naissance, en se divisant, aux artères iliaques communes droite et gauche.

Aorte ascendante Première portion de l'aorte, mesurant environ cinq centimètres et se courbant vers la gauche pour donner la crosse de l'aorte.

Aorte thoracique Portion de l'aorte qui suit la face antérieure de la colonne vertébrale.

Apex Pointe d'un organe conique (par exemple le cœur).

Apnée Arrêt temporaire de la respiration.

Aponévrose Feuillet de tissu fibreux ou membraneux reliant un muscle et la partie du corps qu'il fait bouger.

Appareil lacrymal Structure accessoire de l'œil constituée de la glande lacrymale et des conduits qui drainent les sécrétions lacrymales dans la cavité nasale.

Appareil vestibulaire Structure contenant les récepteurs de l'équilibre situés dans l'oreille interne.

Appendice vermiforme Sac de forme tubulaire et flexueuse attaché au gros intestin.

Apport énergétique Énergie dégagée par l'oxydation des aliments.

Aqueduc du mésencéphale Canal du mésencéphale qui relie les troisième et quatrième ventricules.

Arachnoïde Méninge intermédiaire (entre la dure-mère et la pie-mère) ressemblant à une toile d'araignée.

Arbre généalogique Schéma qui permet de suivre un trait génétique dans plusieurs générations et grâce auquel on peut faire des prédictions pour l'avenir.

Arc réflexe Voie nerveuse d'un réflexe qui fait intervenir des structures du SNC et du SNP.

Arc vertébral Arc formé par la fusion des prolongements postérieurs du corps vertébral; comprend les lames et les pédicules.

Arcade alvéolaire Saillie sur le maxillaire ou la mandibule maintenant les dents en place.

Aréole mammaire Région circulaire et pigmentée entourant le mamelon.

ARN (acide ribonucléique) Acide nucléique qui contient du ribose; participe à la synthèse des protéines.

Artère Vaisseau qui transporte le sang sortant du cœur dans la circulation.

Artères coronaires Artères qui naissent de la base de l'aorte et encerclent le cœur en irriguant le myocarde.

Artères pulmonaires Ramifications du tronc pulmonaire qui amènent le sang du ventricule droit vers les poumons.

Artériole Petite artère qui aboutit aux capillaires.

Artériole glomérulaire afférente Artériole, née d'une artère interlobulaire du rein, qui alimente le glomérule du rein.

Artériole glomérulaire efférente Artériole qui draine le glomérule du rein et se ramifie en capillaires péritubulaires.

Artériole terminale Artériole menant à la dérivation vasculaire et aux lits capillaires.

Artériosclérose Lésions prolifératives et dégénératives des artères provoquant une diminution de leur élasticité.

Arthrite Inflammation des articulations.

Arthropathies goutteuses Variétés d'arthrite où le taux excessif d'acide urique se dépose dans les tissus mous des articulations (le plus souvent celle du gros orteil); aussi appelées *goutte*.

Arthrose Forme d'arthrite dégénérative chronique affectant les cartilages articulaires et qui s'observe plus fréquemment chez les personnes âgées.

Articulation Point de contact de deux ou plusieurs os.

Articulation cartilagineuse Os unis par du cartilage; dépourvue de cavité articulaire.

Articulation condylaire Articulation synoviale dans laquelle la surface articulaire ovale d'un os s'ajuste au creux complémentaire ovale d'un autre os; permet des mouvements le long de deux axes; par exemple les articulations entre les métacarpes et les phalanges.

Articulation en selle Articulation synoviale dans laquelle chacune des deux surfaces articulaires possède à la fois une partie concave dans une direction et une partie convexe dans l'autre direction; permet des mouvements le long de deux axes (par exemple l'articulation entre le carpe et le métacarpe du pouce).

Articulation fibreuse Os reliés par du tissu conjonctif dense; dépourvue de cavité articulaire.

Articulation plane Articulation synoviale dans laquelle les surfaces articulaires sont plates et ne permettent que de légers mouvements de glissement (par exemple entre la plupart des os du poignet).

Articulation sphéroïde Articulation synoviale dans laquelle la tête sphérique d'un os s'emboîte dans la cavité concave d'un autre os; permet tous les types de mouvements (par exemple l'articulation entre l'humérus et la scapula).

Articulation trochléenne Articulation synoviale dans laquelle l'extrémité convexe ou cylindrique d'un os s'ajuste à la surface concave d'un autre os; permet des mouvements dans un seul plan (par exemple l'articulation du coude).

Articulation trochoïde Articulation synoviale dans laquelle l'extrémité arrondie d'un os s'adapte à un anneau osseux ou formé d'un ligament d'un autre os; permet à un os de tourner sur lui-même (par exemple entre l'atlas et l'axis).

Articulation synoviale Articulation mobile présentant une cavité articulaire délimitée par une membrane fibreuse, externe, et par une membrane synoviale, interne.

Aspartate Acide aminé jouant le rôle de neurotransmetteur dans le SNC.

Asthme Maladie ou réaction allergique à de nombreux agents irritants qui se caractérise par un bronchospasme et de la difficulté à respirer.

Astigmatisme Inégalité de la courbure des différentes parties du cristallin (ou de la cornée) qui produit une vision floue.

Astrocytes Gliocytes du SNC en forme d'étoile et intervenant dans les échanges entre les capillaires et les neurones.

Ataxie Problème de coordination musculaire.

Atélectasie Affaissement des alvéoles pulmonaires qui les rend inaptes à la ventilation, même si la circulation sanguine fonctionne.

Athérosclérose Accumulation de dépôts lipidiques sur la paroi des grosses artères ; premier stade de l'artériosclérose et du durcissement des artères.

Atlas Première vertèbre cervicale ; s'articule avec l'os occipital et la deuxième vertèbre cervicale (axis).

Atome La plus petite particule d'un élément ; indivisible par les méthodes chimiques ordinaires.

ATP (adénosine triphosphate) Composé qui est la principale source d'énergie intracellulaire ; énergie de la cellule.

Atrium du cœur Voir *Oreillette.*

Atrophie Diminution du volume d'un organe ou d'une cellule résultant d'une maladie ou de l'immobilité.

Autoantigènes Molécules protéiques très variées qui se trouvent à la surface de nos cellules et que le système immunitaire reconnaît comme faisant partie du soi ; aussi appelés *marqueurs du soi.*

Autogreffes Greffes de tissus prélevés dans une région de l'organisme puis transplantés dans une autre région sur la même personne.

Avortement Expulsion spontanée ou provoquée de l'embryon ou du fœtus avant qu'il soit viable hors de l'utérus.

Axillaire Région de l'aisselle.

Axis Deuxième vertèbre cervicale ; possède un processus vertical appelé *dent de l'axis* qui permet la rotation de l'atlas.

Axone Prolongement du neurone qui propage les influx nerveux hors du corps cellulaire ; prolongement efférent ; structure conductrice du neurone.

Axone postganglionnaire Axone d'un neurone moteur autonome qui rejoint un organe effecteur ; le corps cellulaire de ce neurone est situé dans un ganglion périphérique.

Axone préganglionnaire Axone d'un neurone moteur autonome qui rejoint un ganglion périphérique ; le corps cellulaire de ce neurone est situé dans le SNC.

B

Bactérie Microorganisme généralement unicellulaire ; se trouve chez les humains et les autres animaux, dans les plantes, le sol, l'air et l'eau ; assure un grand nombre de fonctions.

Barorécepteur Terminaison nerveuse sensible à l'étirement des vaisseaux ; situé dans la paroi des sinus carotidiens et du sinus de l'aorte.

Barrière air-sang Voir *Membrane alvéocapillaire.*

Barrière hématoencéphalique Mécanisme qui inhibe le passage de substances du sang aux tissus de l'encéphale ; composée des capillaires les moins perméables de l'organisme.

Base Substance pouvant se lier avec les ions hydrogène ; accepteur de protons ; comparer avec *acide.*

Base du cœur Face postérosupérieure du cœur, de laquelle émergent tous les gros vaisseaux du cœur.

Base du poumon Large face inférieure du poumon, reposant sur le diaphragme.

Bassin Partie la plus inférieure du squelette du tronc ; aussi appelé *pelvis.*

Bâtonnets Les plus nombreuses des deux types de cellules photoréceptrices de la rétine ; présentent une grande sensibilité à la lumière.

Bénin Non malin.

Biceps Constitué de deux chefs ; se dit surtout de certains muscles squelettiques.

Bile Liquide jaune verdâtre ou brunâtre élaboré et sécrété par le foie, emmagasiné dans la vésicule biliaire et libéré dans l'intestin grêle ; émulsionne les lipides.

Blastocyste Stade du début du développement embryonnaire ; l'embryon a alors la forme d'une sphère creuse.

Bloc cardiaque Trouble de la transmission des influx des oreillettes aux ventricules.

Bol alimentaire Masse arrondie de nourriture préparée par la bouche avant la déglutition.

Bouche Cavité tapissée d'une muqueuse, constituant le début du tube digestif et limitée notamment par les lèvres, les joues et le palais ; aussi appelée *cavité orale.*

Bourse Sac fibreux aplati, tapissé d'une membrane synoviale et contenant une mince pellicule de liquide synovial ; réduit la friction entre les structures présentes dans une articulation.

Bradycardie Fréquence cardiaque anormalement lente (inférieure à 60 batt./min).

Bronche principale Une des deux grosses divisions de la trachée qui mène aux poumons ; chacune se ramifie en bronches secondaires, tertiaires et ainsi de suite.

Bronchioles Les plus fines ramifications des bronches.

Bronchite chronique Grave inflammation de la muqueuse des voies respiratoires inférieures provoquant une accumulation excessive de mucus qui entrave la ventilation et les échanges gazeux.

Bronchopneumopathie chronique obstructive (BPCO) Ensemble de diverses maladies respiratoires comprenant notamment la bronchite chronique et l'emphysème pulmonaire, et possédant certains points en commun sur les plans des causes, des symptômes et de l'évolution.

Bruits bronchovésiculaires Bruits produits par l'expulsion de l'air dans les grands conduits respiratoires.

Bruits du cœur Bruits émis au cours de chaque révolution cardiaque (« toc-tac ») et causés par la fermeture des valves auriculoventriculaires ainsi que par celle des valves de l'aorte et du tronc pulmonaire.

Brûlure Détérioration des tissus de la peau associée à une destruction des cellules occasionnée par divers facteurs comprenant la chaleur, le courant électrique, les rayonnements ionisants et des substances chimiques.

Brûlure du deuxième degré Brûlure où l'épiderme et la couche superficielle du derme sont endommagés ; en général, la peau se régénère et ne garde pas de cicatrice.

Brûlure du premier degré Brûlure où seul l'épiderme est touché ; la moins grave des trois types de brûlures, elle guérit facilement.

Brûlure du troisième degré Le plus grave des types de brûlures ; toute l'épaisseur de la peau étant détruite, aucune régénération n'est possible ; aussi appelée *brûlure profonde.*

Brûlures profondes Voir *Brûlure du troisième degré.*

Brûlures superficielles Brûlures du premier et du deuxième degré.

Bulbe de l'œil Sphère creuse, dont la paroi est formée de trois tuniques et l'intérieur rempli de liquides ; constitue l'œil proprement dit.

Bulbe rachidien Partie inférieure du tronc cérébral s'unissant à la moelle épinière ; contient d'importants tractus et de nombreux noyaux présidant à des fonctions viscérales vitales.

C

Cæcum Segment en cul-de-sac constituant la portion initiale du gros intestin.

Cage thoracique Voir *Thorax osseux.*

Cal fibreux Étape de la consolidation d'une fracture où interviennent plusieurs types de cellules de tissu conjonctif.

Cal osseux Étape de la consolidation d'une fracture ; composé d'os spongieux qui remplace graduellement le cal fibreux.

Calcanéus Os du tarse formant le talon ; supporte, avec le talus, presque tout le poids du corps.

Calcitonine Hormone libérée par la glande thyroïde qui produit une diminution du taux de calcium sanguin.

Calculs biliaires Particules de cholestérol cristallisé ou de sels de calcium qui se forment dans la vésicule biliaire et les conduits biliaires.

Calculs rénaux Concrétions solides qui se forment dans le rein.

Calice rénal Extension en forme de coupe du pelvis rénal, où débouche le sommet d'une pyramide.

Calicules gustatifs Récepteurs du goût situés sur la langue, le palais mou, le pharynx, le larynx et la face interne des joues.

Canal alimentaire Voir *Tube digestif.*

Canal anal Partie du gros intestin qui va du rectum à l'anus.

Canal carotidien Dans l'os temporal, lieu d'entrée de l'artère carotide interne vers l'encéphale.

Canal central de la moelle épinière Canal situé au centre de la moelle épinière, entouré de substance grise et communiquant avec le quatrième ventricule ; contient du liquide cérébrospinal.

Canal central de l'ostéon Canal autour duquel sont disposées de façon concentrique les lamelles osseuses de l'os compact ; permet le passage de vaisseaux sanguins et de neurofibres desservant l'os.

Canal optique Ouverture dans l'os sphénoïde qui offre un passage au nerf optique.

Canal sacral Prolongement du canal vertébral dans le sacrum.

Canal vertébral Une des deux subdivisions de la cavité postérieure ; cavité qui part de la cavité crânienne et se rend presque à l'extrémité de la colonne vertébrale. Les parois de cette cavité, qui loge la moelle épinière, sont formées par les vertèbres.

Canalicules Canaux très fins qui irradient du canal central de l'ostéon et servent de relais entre les ostéocytes.

Canalicules lacrymaux Deux petits canaux du côté médial de l'œil qui recueillent les larmes et les acheminent vers le sac lacrymal.

Canaux ligand-dépendants Canaux ioniques qui s'ouvrent quand un ligand approprié se lie à la membrane.

Canaux perforants de l'os compact Canaux perpendiculaires au grand axe de la diaphyse et permettant la communication entre l'extérieur et l'intérieur de l'os compact.

Canaux voltage-dépendants Canaux ioniques qui s'ouvrent et se ferment en réponse à des modifications du potentiel de membrane.

Cancer Néoplasme malin et invasif qui peut se propager dans tout l'organisme et à toutes les structures.

Cancérogène Facteur qui provoque un cancer.

Canthus externe Voir *Angle latéral de l'œil.*

Canthus interne Voir *Angle médial de l'œil.*

Capacité pulmonaire totale Quantité maximale d'air que les poumons peuvent contenir ; somme de la capacité vitale et du volume résiduel, soit environ 6000 mL chez l'homme et 4500 mL chez la femme.

Capacité vitale Volume de gaz qui peut être expulsé des poumons au cours d'une expiration forcée faite après une inspiration forcée ; quantité totale d'air que l'on peut mobiliser, qui correspond à la somme du volume courant, du volume de réserve inspiratoire et du volume de réserve expiratoire.

Capillaire Le plus petit des vaisseaux sanguins ; relie une artériole et une veinule.

Capillaires lymphatiques Vaisseaux microscopiques en cul-de-sac, très perméables, situés entre les cellules et les capillaires sanguins et retournant au sang le surplus de liquide interstitiel.

Capillaires péritubulaires Second des deux lits capillaires associés aux néphrons ; sont issus de l'artériole glomérulaire efférente et recueillent les substances réabsorbées.

Capillaires vrais Capillaires où s'effectuent les échanges entre le sang et le liquide interstitiel (par opposition à la dérivation vasculaire où ne s'effectuent pas d'échanges).

Capitulum de l'humérus Processus arrondi situé sur la face latérale de l'extrémité distale de l'humérus et s'articulant avec la tête du radius.

Capsule articulaire Une des composantes d'une articulation synoviale; enveloppe constituée d'une membrane fibreuse externe et d'une membrane synoviale interne qui enferme les surfaces articulaires.

Capsule de Bowman Voir *Capsule glomérulaire rénale.*

Capsule fibreuse du rein Couche transparente et fibreuse protectrice qui entoure chaque rein.

Capsule glomérulaire rénale Structure en forme de coupe à double paroi située à l'extrémité d'un néphron et qui enveloppe le glomérule du rein; aussi appelée *capsule de Bowman.*

Capsule interne Groupe de neurofibres de projection formant une bande compacte qui passe entre le thalamus et certains des noyaux basaux.

Caractères sexuels secondaires Caractères anatomiques, non directement associés à la reproduction, qui se développent sous l'influence des hormones sexuelles (type masculin ou féminin de développement musculaire, de croissance des os, de distribution des poils, etc.).

Cardia Région de l'estomac qui entoure l'orifice par lequel la nourriture pénètre dans cette partie du tube digestif.

Carpe Les huit os du poignet.

Cartilage Tissu conjonctif blanc, semi-opaque, ferme mais élastique.

Cartilage articulaire Cartilage hyalin recouvrant la surface des os qui s'articulent.

Cartilage élastique Type de cartilage que l'on trouve dans les structures qui nécessitent de l'élasticité, comme dans le pavillon de l'oreille.

Cartilage épiphysaire Disque plat de cartilage hyalin entre l'épiphyse et la diaphyse qui assure la croissance en longueur d'un os long.

Cartilage fibreux Type de cartilage très compressible; forme les disques intervertébraux.

Cartilage hyalin Type de cartilage le plus répandu dans l'organisme; contient d'abondantes fibres collagènes et a un aspect vitreux.

Cartilage thyroïde Grand cartilage en forme de bouclier constituant les parois antérieures du larynx; la saillie à l'avant forme la pomme d'Adam.

Caryotype Chromosomes (nombre diploïde) présentés par paires de chromosomes homologues disposés des plus longs aux plus courts; chez l'humain, constitué de 44 autosomes et de 2 chromosomes sexuels.

Catabolisme Processus par lequel les cellules vivantes dégradent les substances complexes en substances plus simples; métabolisme destructeur.

Catalyseur Substance qui accélère la vitesse d'une réaction chimique mais qui n'est ni consommée ni transformée par la réaction.

Cataracte Opacité du cristallin qui embrouille la vision.

Catécholamines Adrénaline, noradrénaline et dopamine.

Caudal Vers la queue; chez les humains, partie inférieure du corps.

Cavité abdominale Subdivision supérieure de la cavité abdominopelvienne; contient l'estomac, le foie, les intestins et d'autres organes.

Cavité abdominopelvienne Une des deux subdivisions de la cavité antérieure, située au-dessous de la cage thoracique; peut être subdivisée elle-même en deux autres cavités: la cavité abdominale et la cavité pelvienne (voir ces termes).

Cavité antérieure Une des deux grandes cavités internes de l'organisme contenant toutes les structures situées à l'intérieur de la poitrine et de l'abdomen; constituée de deux subdivisions: la cavité thoracique et la cavité abdominopelvienne (voir ces termes).

Cavité articulaire Une des composantes de toute articulation synoviale; cavité délimitée par la capsule articulaire et remplie de liquide synovial.

Cavité crânienne Une des deux subdivisions de la cavité postérieure; espace délimité par les os du crâne et protégeant l'encéphale.

Cavité glénoïdale de la scapula Cavité peu profonde de la scapula qui reçoit la tête de l'humérus.

Cavité médullaire Cavité de la diaphyse d'un os long contenant de la moelle rouge chez l'enfant et de la moelle jaune chez l'adulte.

Cavité orale Voir *Bouche.*

Cavité pelvienne Subdivision inférieure de la cavité abdominopelvienne; renferme les organes génitaux internes, la vessie et le rectum.

Cavité pleurale Espace plus virtuel que réel entre les deux feuillets de la plèvre dans lequel se trouve le liquide pleural permettant un contact étroit entre les deux feuillets.

Cavité postérieure Une des deux grandes cavités internes de l'organisme; possède deux subdivisions: la cavité crânienne et le canal vertébral (voir ces termes).

Cavité propre de la bouche Région limitée en avant et latéralement par les dents.

Cavité subarachnoïdienne Espace compris entre l'arachnoïde et la pie-mère où circule le liquide cérébrospinal.

Cavité thoracique Une des deux subdivisions de la cavité antérieure, située au-dessus de la cavité abdominopelvienne et séparée du reste de la cavité antérieure par le diaphragme; contient notamment les poumons et le cœur.

Cavum de la dent Cavité au centre de la dent contenant des vaisseaux sanguins et des neurofibres; aussi appelé *chambre pulpaire.*

Ceinture pectorale Voir *Ceinture scapulaire.*

Ceinture pelvienne Formée des deux os coxaux; attache le membre inférieur au squelette axial.

Ceinture scapulaire Structure formée de la clavicule et de la scapula; attache le membre supérieur au squelette axial; aussi appelée *ceinture pectorale.*

Cellule Unité de base biologique des organismes vivants; structure qui comprend un noyau et divers organites et qui est délimitée par une membrane.

Cellule caliciforme Cellule (glande unicellulaire) qui sécrète du mucus.

Cellule cible Cellule qui porte des récepteurs protéiques spécifiques, ce qui lui permet de réagir à une hormone particulière.

Cellule mémoire Cellule des clones de lymphocytes B et de lymphocytes T qui est responsable de la mémoire immunitaire.

Cellules B Voir *Lymphocytes B.*

Cellules C Voir *Cellules parafolliculaires.*

Cellules de Schwann Voir *Neurolemmocytes.*

Cellules folliculeuses Cellules qui enveloppent un follicule ovarique et sécrètent des œstrogènes.

Cellules ganglionnaires Cellules de la rétine dont les axones forment le nerf optique.

Cellules gustatives Cellules épithéliales des calicules gustatifs qui réagissent aux substances dissoutes dans la salive et qui sont les récepteurs du goût.

Cellules neurosécrétoires Cellules de l'hypothalamus qui synthétisent les hormones emmagasinées dans la neurohypophyse (ADH et ocytocine) ainsi que les hormones de libération (RH) et les hormones d'inhibition (IH) agissant sur l'adénohypophyse.

Cellules NK Voir *Cellules tueuses naturelles.*

Cellules olfactives Neurones bipolaires munis de cils et constituant les récepteurs de la région olfactive de la muqueuse du nez.

Cellules parafolliculaires Cellules se trouvant entre les follicules thyroïdiens ou dans leur paroi et qui sécrètent la calcitonine; aussi appelées *cellules C.*

Cellules principales gastriques Cellules des glandes gastriques qui produisent et libèrent le pepsinogène.

Cellules sensorielles ciliées Récepteurs de l'audition situés dans l'organe spiral de la cochlée.

Cellules T Voir *Lymphocytes T.*

Cellules tueuses naturelles Lymphocytes particuliers qui peuvent provoquer la lyse de la membrane plasmique d'une cellule indésirable (cellules cancéreuses ou infectées) avant que le système immunitaire entre en action; aussi appelées *cellules NK.*

Cément Tissu conjonctif osseux qui recouvre la racine de la dent.

Centre de régulation Un des trois éléments essentiels de tout mécanisme de régulation; fixe le niveau où la variable doit être maintenue, analyse l'information qu'il reçoit et détermine la réaction appropriée.

Centre germinatif Région centrale d'un follicule lymphoïde qui grossit lorsque les lymphocytes B qui s'y trouvent donnent naissance aux plasmocytes.

Centre inspiratoire autostimulé Centre nerveux situé dans le bulbe rachidien qui établit le rythme respiratoire de base.

Centriole Petite structure composée de microtubules, située à proximité du noyau de la cellule; joue un rôle dans la division cellulaire.

Centromère Petit corpuscule en forme de bouton reliant les deux chromatides d'un chromosome au cours de la mitose.

Cercle artériel du cerveau Anastomose artérielle située à la base du cerveau.

Cérumen Substance cireuse jaune brunâtre localisée dans le méat acoustique externe.

Cerveau Partie la plus volumineuse de l'encéphale; formée des hémisphères cérébraux droit et gauche; aussi appelé *prosencéphale.*

Cerveau postérieur Voir *Rhombencéphale.*

Cervelet Partie de l'encéphale située sous les lobes occipitaux du cerveau et qui assure la coordination des mouvements.

Cervix Col d'un organe.

Cétose Forme d'acidose causée par l'accumulation des corps cétoniques dans le sang; caractéristique du diabète sucré.

Chaîne de transport des électrons Voie métabolique qui se déroule à l'intérieur des mitochondries, dans laquelle l'énergie provenant des atomes d'hydrogène à haute énergie est utilisée pour fabriquer de l'ATP. L'union des atomes d'hydrogène et des atomes d'oxygène produit de l'eau.

Chaînes latérovertébrales Voir *Troncs sympathiques.*

Chambre pulpaire Voir *Cavum de la dent.*

Chiasma Manifestation visible de l'enjambement (voir ce terme).

Chiasma optique Croisement partiel des neurofibres des nerfs optiques.

Chimiorécepteur Récepteur sensible aux substances chimiques en solution.

Chimiotactisme Déplacement d'une substance chimique ou de cellules en suivant un gradient chimique.

Choanes Orifices internes qui font communiquer les cavités nasales avec le pharynx.

Choc anaphylactique Réaction allergique de type I qui affecte l'organisme entier et peut être mortelle; survient habituellement lorsque l'allergène est introduit directement dans le sang (par exemple une piqûre d'insecte ou une injection).

Cholécystokinine (CCK) Hormone de l'intestin qui stimule la contraction de la vésicule biliaire et la libération de suc pancréatique riche en enzymes.

Cholestérol Stéroïde présent dans les graisses animales ainsi que dans la majorité des tissus de l'organisme; synthétisé par le foie, il sert lui-même de point de départ pour la synthèse de vitamine D, de certaines hormones et des sels biliaires.

Chondrocyte Cellule adulte du tissu cartilagineux.

Chorée de Huntington Affection héréditaire survenant généralement à l'âge mûr et amenant une dégénérescence des noyaux basaux puis du cortex cérébral.

Chorion Membrane fœtale superficielle; contribue à l'élaboration du placenta.

Choroïde Élément de la tunique vasculaire et intermédiaire de l'œil; membrane nutritive et pigmentée.

Chromatide Chacun des deux filaments identiques réunis par un centromère et résultant de la réplication de l'ADN; les chromatides sont visibles à la prophase et se séparent à l'anaphase.

Chromatine Structure du noyau qui porte les gènes; présente durant l'interphase.

Chromosome Bâtonnet composé de chromatine enroulée; visible au cours de la division cellulaire.

Chromosomes homologues Chromosomes semblables appartenant à la même paire.

Chromosomes recombinants Chromosomes comprenant une combinaison du matériel génétique des deux parents, produite par échange de gènes entre le chromosome maternel et le chromosome paternel.

Chromosomes sexuels Chromosomes, X et Y, qui déterminent le sexe génétique.

Chyme Bouillie crémeuse et semi-liquide formée dans l'estomac de nourriture partiellement digérée et de sécrétions gastriques.

Cils 1) Petites projections à la surface de la cellule qui bougent à l'unisson et déplacent des substances à la surface de celle-ci (par exemple les cils qui font remonter le mucus dans les voies respiratoires); 2) poils implantés sur le bord libre des paupières.

Cils olfactifs Longues projections qui émergent des cellules olfactives et baignent dans un mucus; leur stimulation est à l'origine des influx nerveux responsables de la perception des odeurs.

Circulation pulmonaire Réseau de vaisseaux sanguins qui apportent le sang aux poumons pour qu'y soient effectués les échanges gazeux, puis qui renvoient le sang au cœur.

Circulation systémique Réseau de vaisseaux sanguins qui apportent le sang riche en oxygène et en nutriments à tous les organes du corps et débarrassent ces derniers de leurs déchets.

Circumduction Mouvement circulaire d'une partie du corps; caractéristique des articulations sphéroïdes comme l'épaule.

Cirrhose Maladie chronique du foie, caractérisée par la fibrose (croissance excessive de tissu conjonctif).

Clavicule Os mince incurvé s'articulant avec le sternum à sa partie médiale et avec la scapula à sa partie latérale.

Clitoris Petite structure érectile chez la femme, située à la partie antérieure de la vulve; homologue du pénis chez l'homme.

Clone Descendance d'une même cellule.

Clou plaquettaire Petite masse que forment les plaquettes agrégées à la suite de la rupture de l'endothélium d'un vaisseau; première étape de l'hémostase; aussi appelé *thrombus blanc.*

Coagulation Formation du caillot.

Coccyx Segment inférieur de la colonne vertébrale constitué de trois à cinq vertèbres soudées.

Cochlée Cavité de l'oreille interne semblable à une coquille d'escargot; abrite le récepteur de l'audition.

Codominance Type de transmission héréditaire où l'individu hétérozygote exprime *toutes* les caractéristiques déterminées par les deux allèles d'un gène.

Codon Groupe de trois nucléotides de l'ARNm, complémentaire de l'anticodon.

Coenzyme Substance non protéique qui permet à une enzyme de remplir sa fonction; la plupart des vitamines.

Col de l'utérus Partie inférieure et étroite de l'utérus qui conduit au vagin.

Collagène Protéine du tissu conjonctif.

Collet de la dent Partie de la dent qui relie la couronne à la racine.

Colliculus Quatre structures arrondies (une paire de colliculus supérieurs et une paire de colliculus inférieurs) situées sur la partie dorsale du mésencéphale; centres de réflexes visuels et auditifs.

Côlon ascendant Partie du gros intestin qui monte du côté droit de la cavité abdominale.

Côlon descendant Partie du gros intestin qui descend le long du côté gauche de la cavité abdominale.

Côlon sigmoïde Partie du gros intestin, en forme de S, qui fait suite au côlon descendant.

Côlon transverse Partie du gros intestin qui traverse la cavité abdominale horizontalement.

Colonne vertébrale Axe osseux constitué d'os appelés *vertèbres* et de deux os formés de vertèbres fusionnées (sacrum et coccyx); aussi appelée *rachis.*

Colonnes rénales Prolongements du tissu cortical des reins entre les pyramides rénales.

Commissure Groupe de neurofibres qui relient les aires homologues des hémisphères cérébraux (par exemple la commissure antérieure et la commissure postérieure du cerveau).

Commissure grise 1) Pont de substance grise qui relie les deux masses symétriques formant la substance grise de la moelle épinière et entourant son canal central; 2) synonyme d'*adhérence interthalamique* (voir ce terme).

Complément Système composé de protéines plasmatiques circulant normalement sous une forme inactive; lorsqu'elles sont activées par la fixation du complément, ces protéines causent la lyse des cellules étrangères, et accentuent la phagocytose et la réaction inflammatoire.

Complexe golgien Ensemble constitué de saccules et de vésicules, situé près du noyau de la cellule; prépare et emballe les molécules.

Composé Substance constituée de deux ou plusieurs éléments dont les atomes sont unis par des liaisons chimiques.

Composé inorganique Substance chimique qui ne contient pas de carbone (par exemple l'eau); le CO et le CO_2 sont exceptionnellement considérés comme des substances inorganiques.

Composé organique Substance chimique contenant du carbone (par exemple les protéines, les glucides et les lipides).

Conductivité Capacité de transmettre un courant électrique.

Conduit cholédoque Conduit par lequel la bile est libérée dans le duodénum.

Conduit cochléaire Labyrinthe membraneux rempli d'endolymphe qui parcourt l'intérieur de la cochlée et renfermant l'organe spiral.

Conduit cystique Conduit par lequel la bile est évacuée de la vésicule biliaire.

Conduit déférent Conduit qui va de l'épididyme à l'urètre; propulse les spermatozoïdes dans l'urètre au cours de l'éjaculation.

Conduit éjaculateur Canal pair qui s'étend de l'extrémité terminale du conduit déférent à la première partie de l'urètre.

Conduit hépatique commun Conduit par lequel la bile quitte le foie.

Conduit lacrymonasal Conduit qui recueille les larmes venant du sac lacrymal et qui s'ouvre dans la cavité nasale par un pore sous le cornet nasal inférieur.

Conduit lactifère Conduit par lequel le lait maternel passe des glandes alvéolaires au mamelon.

Conduit lymphatique droit Gros conduit lymphatique qui reçoit la lymphe du bras droit et du côté droit de la tête et du thorax ; déverse la lymphe dans la veine subclavière droite.

Conduit thoracique Gros conduit lymphatique qui reçoit la lymphe provenant de toutes les régions de l'organisme non drainées par le conduit lymphatique droit ; déverse la lymphe dans la veine subclavière gauche.

Condyle Protubérance arrondie située à l'extrémité d'un os qui s'articule avec un autre os.

Cône d'implantation Région du corps cellulaire d'un neurone où l'axone prend naissance.

Cônes Un des deux types de cellules photoréceptrices de la rétine ; permettent la vision des couleurs.

Congénital Présent à la naissance.

Conjonctive Mince muqueuse protectrice qui tapisse les paupières et recouvre la surface antérieure du bulbe de l'œil ; sécrète un mucus lubrifiant prévenant la dessiccation de l'œil.

Consolidation mnésique Processus qui permet aux souvenirs transférés dans la mémoire à long terme de devenir permanents.

Constriction Rétrécissement du diamètre d'un vaisseau ou d'un conduit.

Contraception Prévention de la conception ; régulation des naissances.

Contraction Développement d'un état de tension ou raccourcissement ; caractéristique des cellules musculaires.

Contractions de Braxton-Hicks Voir *Faux travail.*

Controlatéral Du côté opposé.

Convergence Se dirigeant vers un point commun depuis plusieurs directions.

Cordages tendineux Fins cordons blancs, ressemblant à des tendons, qui ancrent les lames des valves auriculoventriculaires aux muscles papillaires des parois des ventricules.

Cordes vocales Replis de la muqueuse du larynx qui, en vibrant au passage de l'air expiré, émettent des sons ; aussi appelées *plis vocaux.*

Cordon dorsal Division de la substance blanche de la moelle épinière ; contient uniquement des faisceaux et des tractus ascendants.

Cordon latéral Division de la substance blanche de la moelle épinière ; contient des tractus ascendants et des tractus descendants.

Cordon ombilical Tige de tissu parcourue de vaisseaux sanguins qui relie l'embryon et le fœtus au placenta.

Cordon spermatique Gaine de tissu conjonctif qui enveloppe le conduit déférent ainsi que les vaisseaux sanguins et les nerfs qui le desservent.

Cordon ventral Division de la substance blanche de la moelle épinière ; contient des tractus ascendants et des tractus descendants.

Cornée Dans l'œil, portion antérieure transparente de la tunique fibreuse du bulbe.

Cornes dorsales Les deux projections postérieures de la substance grise de la moelle épinière, vue en coupe transversale.

Cornes ventrales Les deux projections antérieures de la substance grise de la moelle épinière, vue en coupe transversale.

Cornets Projections osseuses de la paroi latérale des cavités nasales recouvertes de la muqueuse nasale ; servent à filtrer l'air inspiré, et contribuent à le réchauffer et à l'humidifier.

Cornets nasaux inférieurs Os de la face ; os fins en forme de volute formant une partie des parois latérales des cavités nasales.

Cornets nasaux moyen et supérieur Prolongements de l'os ethmoïde formant une partie des parois latérales de la cavité nasale.

Corona radiata Neurofibres de projection faisant suite à la capsule interne qui rayonnent en éventail jusqu'au cortex cérébral à travers la substance blanche.

Corps amygdaloïde Amas de corps cellulaires faisant partie des noyaux basaux sur le plan anatomique et du système limbique sur le plan fonctionnel.

Corps calleux Commissure unissant les deux hémisphères cérébraux.

Corps cellulaire Centre métabolique du neurone, contenant le noyau et la plupart des organites.

Corps ciliaire Partie de la tunique vasculaire de l'œil, située derrière l'iris ; par ses muscles lisses, adapte la courbure du cristallin à la distance des objets.

Corps de Nissl Voir *Substance chromatophile.*

Corps du sternum Partie médiane du sternum, entre le manubrium et le processus xiphoïde.

Corps jaune Structure endocrine formée dans l'ovaire, par transformation du follicule ovarique, après l'ovulation ; sécrète de la progestérone et des œstrogènes.

Corps mamillaires Structures faisant saillie sur le plancher de l'hypothalamus, à l'arrière de l'hypophyse ; centres réflexes qui interviennent dans l'olfaction.

Corps pinéal Glande du système endocrinien sécrétant la mélatonine ; un des éléments de l'épithalamus.

Corps strié Ensemble formé par le noyau lenticulaire et le noyau caudé, et traversé par des neurofibres de projection.

Corps vertébral Partie discoïde constituant la région portante d'une vertèbre.

Corps vitré Substance gélatineuse qui sert à renforcer l'œil et à prévenir l'affaissement de ses parois vers l'intérieur.

Corpuscules nerveux terminaux Extrémités renflées des ramifications des axones, contenant des vésicules où sont emmagasinés les neurotransmetteurs.

Cortex Couche superficielle d'un organe.

Cortex cérébral Couche superficielle de substance grise du cerveau contenant les corps cellulaires des neurones qui participent aux fonctions des hémisphères cérébraux.

Cortex rénal Partie la plus externe du rein qui renferme la majorité des néphrons.

Cortex surrénal Partie externe de la glande surrénale composée de tissu glandulaire et constituée de trois couches cellulaires distinctes: la zone glomérulée sécrétant les minéralocorticoïdes, la zone fasciculée sécrétant les glucocorticoïdes et la zone réticulée sécrétant les hormones sexuelles.

Corticostéroïdes Trois glandes classes d'hormones sécrétées par le cortex surrénal: les minéralocorticoïdes, les glucocorticoïdes et les hormones sexuelles.

Corticotrophine (ACTH) Hormone de l'adénohypophyse (stimuline) qui régit l'activité endocrine de la partie corticale de la glande surrénale.

Cortisol Glucocorticoïde sécrété par le cortex surrénal, comme la cortisone, qui aide l'organisme à résister aux facteurs de stress prolongés.

Cortisone Voir *Cortisol.*

Côtes Os plats recourbés formant la paroi latérale de la cage thoracique.

Côtes flottantes Les deux dernières paires de côtes n'ayant pas de point d'ancrage sur le sternum.

Couche basale Couche la plus profonde de l'épiderme; ses cellules produisent constamment par mitose des nouvelles cellules qui remplacent celles qui meurent dans les couches superficielles de l'épiderme; aussi appelée *stratum basal.*

Couche claire Quatrième couche de l'épiderme en partant de la base de celui-ci; formée de cellules mortes et remplies de kératine, ne se trouve que là où la peau est très épaisse; aussi appelée *stratum lucidum.*

Couche cornée Couche la plus superficielle de l'épiderme et pouvant constituer jusqu'aux trois quarts de son épaisseur; constituée de cellules mortes kératinisées, protège les cellules plus profondes.

Couche de valence Couche d'énergie la plus externe d'un atome qui contient des électrons; renferme les électrons chimiquement réactifs.

Couche électronique Région de l'espace occupée par les électrons (leur niveau d'énergie).

Couche épineuse Deuxième couche de l'épiderme en partant de la base de celui-ci; aussi appelée *stratum spinosum.*

Couche granuleuse Troisième couche de l'épiderme en partant de la base de celui-ci; aussi appelée *stratum granulosum.*

Couche leucocytaire Mince couche qui se forme à la surface de séparation des érythrocytes et du plasma lorsqu'on centrifuge un échantillon de sang.

Coup de chaleur Insuffisance des processus normaux de refroidissement de l'organisme sous l'effet de la chaleur qui peut produire une boucle de rétroactivation néfaste si des mesures correctives immédiates ne sont pas prises.

Coupe Section dans un organe ou un organisme, effectuée selon un plan défini, dans le but d'en examiner la structure interne.

Coupe coronale Voir *Coupe frontale.*

Coupe frontale Coupe verticale qui divise l'organisme (ou l'organe) en deux parties: antérieure et postérieure; aussi appelée *coupe coronale.*

Coupe horizontale Voir *Coupe transversale.*

Coupe médiane Voir *Coupe sagittale.*

Coupe sagittale Coupe verticale qui divise le corps en deux parties, droite et gauche; aussi appelée *coupe médiane.*

Coupe sagittale médiane Coupe sagittale située exactement sur le plan médian du corps divisant celui-ci en deux parties (droite et gauche) symétriques.

Coupe transversale Coupe horizontale qui divise l'organisme (ou l'organe) en deux parties supérieure et inférieure; aussi appelée *coupe horizontale* ou *coupe transverse.*

Coupe transverse Voir *Coupe transversale.*

Courant (électrique) Déplacement, directement proportionnel au voltage, des charges électriques d'un point à un autre.

Courbures primaires Courbures des segments thoracique et sacrococcygien de la colonne vertébrale présentes à la naissance.

Courbures secondaires Courbures cervicale et lombaire de la colonne vertébrale apparaissant après la naissance.

Couronne de la dent Partie de la dent visible au-dessus de la gencive.

Coxal Relatif à la hanche.

Crâne Ensemble d'os entourant et protégeant l'encéphale.

Créatine phosphate Molécule à haute énergie particulière qui permet la formation d'ATP dans la cellule musculaire.

Créatinine Déchet azoté provenant du métabolisme de la créatine dans le tissu musculaire.

Crête ampullaire Région réceptrice située à la base de chaque canal semi-circulaire et contenant les récepteurs de l'équilibre dynamique.

Crête du tibia Bord saillant sur la face antérieure du tibia, facilement palpable sous la peau.

Crête iliaque Bord supérieur de l'aile du sacrum.

Crête intertrochantérique Ligne proéminente située sur la face postérieure de l'extrémité proximale du fémur et qui sépare le grand et le petit trochanter.

Crête neurale Petits groupes de cellules provenant des plis neuraux de l'embryon où prendront naissance certains neurones destinés à se loger dans les ganglions.

Crête sacrale médiane Ligne médiane de la face postérieure du sacrum formée par la fusion des processus épineux des vertèbres sacrales.

Crista galli Processus osseux de la face supérieure de l'os ethmoïde auquel est fixé la dure-mère recouvrant l'encéphale.

Cristallin Structure élastique de l'œil, à double convexité, qui permet la mise au point sur la rétine de la lumière qui pénètre dans l'œil.

Croisement dihybride Croisement entre deux individus dans lequel on étudie la transmission de deux traits héréditaires.

Croisement monohybride Croisement entre deux individus dans lequel on étudie la transmission d'un seul trait héréditaire.

Croissance Une des fonctions vitales; augmentation de volume de l'organisme, habituellement par la multiplication des cellules.

Crosse de l'aorte Deuxième portion de l'aorte, située sous le sternum, courbée vers la gauche, débouchant dans l'aorte thoracique et donnant naissance au tronc brachiocéphalique, à l'artère carotide commune gauche et à l'artère subclavière gauche.

Crossing-over Voir *Enjambement.*

Crural Relatif à la jambe.

Cryptorchidie Trouble du développement caractérisé par la descente incomplète du testicule dans le scrotum.

Cupule Structure en forme de capuchon, tel le capuchon gélatineux qui recouvre les cellules réceptrices ciliées de la crête ampullaire.

Cutané Relatif à la peau.

Cyanose Coloration bleutée des muqueuses et de la peau attribuable à un apport insuffisant d'oxygène au sang.

Cycle cellulaire Série de transformations que subit une cellule entre l'instant où elle est formée et le moment où elle se divise.

Cycle de Krebs Voie métabolique aérobie se déroulant dans les mitochondries pendant laquelle de l'énergie est libérée au cours du métabolisme des glucides, des graisses et des acides aminés, et du gaz carbonique est produit.

Cycle menstruel Série de modifications cycliques subies par l'endomètre de l'utérus chaque mois en réponse aux variations des taux sanguins des hormones ovariennes.

Cycle ovarien Cycle mensuel comprenant le développement du follicule ovarique, l'ovulation et la formation du corps jaune dans l'ovaire.

Cystite Inflammation de la vessie.

Cytocinèse Division du cytoplasme qui débute vers la fin de la division du noyau de la cellule.

Cytoplasme Tout le matériau compris dans une cellule, à l'exception de celui du noyau.

Cytosol Un des éléments du cytoplasme; liquide translucide dans lequel les autres éléments cellulaires se trouvent en suspension.

Cytosquelette Réseau complexe de structures protéiniques qui s'étend dans le cytosol; « squelette » et « musculature » de la cellule.

D

Débit cardiaque Quantité de sang (en litres) éjectée par un ventricule en une minute; la valeur moyenne chez l'adulte est de 5250 mL/min.

Déchets azotés Déchets métaboliques provenant de la dégradation de substances contenant de l'azote (protéines, acides nucléiques) et éliminés par les reins (par exemple l'urée, l'acide urique, la créatinine).

Défécation Élimination du contenu des intestins (fèces).

Déficit immunitaire Trouble résultant de la production ou du fonctionnement inadéquats des cellules immunitaires ou de certaines molécules (complément, anticorps, etc.) nécessaires à la réaction immunitaire normale.

Déglutition Action d'avaler; mécanisme complexe ayant une première étape orale volontaire et une seconde étape pharyngo-œsophagienne involontaire.

Dendrite Prolongement ramifié du neurone qui sert de structure réceptrice de l'influx nerveux; propage l'influx nerveux vers le corps cellulaire.

Dent de l'axis Processus vertical de la deuxième vertèbre cervicale qui s'articule avec la première vertèbre cervicale et joue un rôle de pivot permettant de tourner la tête d'un côté à l'autre. Voir *Axis.*

Dentine Tissu calcifié qui forme la majeure partie de la dent; située sous l'émail.

Dents canines Dents qui, semblables à des crocs, déchirent et transpercent.

Dents de lait Voir *Dents déciduales.*

Dents déciduales Dents des premières éruptions dentaires; aussi appelées *dents de lait.*

Dents incisives Dents en forme de ciseau qui servent à couper.

Dents molaires Dents aux couronnes larges munies de tubercules arrondis, bien adaptées pour broyer; les dents prémolaires ont les mêmes caractéristiques.

Dents permanentes Dents définitives (32 au total) qui apparaissent après les dents déciduales, soit entre l'âge de 6 et de 25 ans.

Dents prémolaires Voir *Dents molaires.*

Dépense énergétique Somme de l'énergie immédiatement perdue sous forme de chaleur, de l'énergie utilisée pour effectuer un travail et de l'énergie emmagasinée sous forme de lipides ou de glycogène.

Dépolarisation Perte d'un état de polarité; perte ou diminution d'un potentiel de membrane négatif.

Dérivation vasculaire Vaisseau qui relie directement l'artériole et la veinule situées de part et d'autre d'un lit capillaire.

Dermatite Inflammation de la peau; allergies de la peau non spécifiques.

Derme Partie profonde de la peau; composé de tissu conjonctif dense.

Déséquilibre homéostatique Perturbation de l'homéostasie responsable de la plupart des maladies.

Déshydratation 1) Perte excessive d'eau de l'organisme; 2) au cours d'une réaction de synthèse, formation d'une liaison chimique qui entraîne la perte d'une molécule d'eau.

Desmosome Jonction intercellulaire jouant un rôle mécanique.

Détroit inférieur du bassin Ouverture inférieure du bassin.

Détroit supérieur du bassin Ouverture supérieure du bassin.

Dette d'oxygène Volume d'oxygène nécessaire après une période d'exercice pour oxyder l'acide lactique formé pendant cette période.

Diabète sucré Maladie causée par la libération insuffisante d'insuline ou par un trouble lié aux récepteurs de l'insuline; l'utilisation des glucides par les cellules est inadéquate.

Diapédèse Passage des leucocytes par la paroi intacte des vaisseaux jusqu'aux tissus.

Diaphragme 1) Toute cloison ou paroi séparant une région d'une autre; 2) muscle respiratoire qui sépare la cavité thoracique de la cavité abdominopelvienne.

Diaphyse Corps d'un os long.

Diarthrose Articulation mobile.

Diastole Période de relâchement (entre les contractions) au cours de laquelle le cœur se remplit de sang.

Diencéphale Partie de l'encéphale située entre les hémisphères cérébraux et le mésencéphale ; comprend le thalamus, le troisième ventricule, l'hypothalamus et l'épithalamus.

Différence de potentiel Voltage mesuré entre deux points de charges contraires ; aussi appelé *potentiel*.

Diffusion Dispersion des particules dans un gaz ou une solution menant à la répartition uniforme des particules.

Diffusion facilitée Diffusion faisant intervenir un canal protéique ou un transporteur protéique.

Diffusion simple Diffusion non assistée de solutés à travers une membrane à perméabilité sélective.

Digestion Processus chimique ou mécanique de dégradation des aliments.

Digital Relatif aux doigts et aux orteils.

Disaccharide Littéralement, sucre double, formé par une réaction de synthèse combinant deux sucres simples (par exemple le sucrose et le lactose).

Disque du nerf optique Aire de la rétine où les cellules photoréceptrices sont absentes, car il s'agit de l'endroit où le nerf optique sort du bulbe de l'œil ; aussi appelé *tache aveugle*.

Disques intercalaires Imbrications des membranes des cellules du muscle cardiaque contenant des jonctions ouvertes permettant une transmission rapide de l'influx électrique à travers le cœur.

Disques intervertébraux Disques de cartilage fibreux situés entre les vertèbres.

Distal Éloigné du point d'attache d'un membre ou de l'origine d'une structure.

Diurétique Substance qui augmente la production d'urine.

Diverticule Poche ou sac dans la paroi d'une structure ou d'un organe creux.

Division cellulaire Période du cycle cellulaire pendant laquelle la cellule se reproduit ; comprend la mitose et la cytocinèse.

Division équationnelle de la méiose Deuxième division de la méiose qui ne modifie pas le nombre de départ (n) de chromosomes.

Division réductionnelle de la méiose Première division de la méiose qui diminue le nombre de chromosomes de $2n$ à n.

Dominance incomplète Type de transmission héréditaire où l'individu hétérozygote montre un phénotype intermédiaire par rapport à celui des deux homozygotes.

Dominant Se dit de allèle qui masque ou supprime l'expression de l'autre allèle.

Dorsal Relatif au dos ; postérieur.

Dorsiflexion Mouvement d'élévation qui consiste à fléchir le pied pour que sa face supérieure s'approche du tibia (se tenir sur ses talons).

Drépanocytose Voir *Anémie à hématies falciformes*.

Duodénum Premier segment de l'intestin grêle.

Dure-mère La plus superficielle et la plus résistante des trois méninges (membranes) qui recouvrent l'encéphale et la moelle épinière.

Dyade Deux chromatides sœurs unies par leur centromère.

Dyspnée Respiration difficile.

Dystrophie musculaire Ensemble de maladies héréditaires qui touchent les muscles.

E

Eau Un des besoins vitaux de l'organisme ; substance la plus abondante dans l'organisme, constituant notamment la base des sécrétions et des excrétions.

Ectoderme embryonnaire Un des feuillets embryonnaires primitifs ; le plus externe.

Effecteur 1) Organe, glande ou muscle pouvant être activé par des terminaisons nerveuses ; 2) troisième élément essentiel de tout mécanisme de contrôle ; apporte une réponse au stimulus.

Efférent Qui conduit loin ou en éloignant.

Éjaculation Émission soudaine de sperme des voies génitales par le pénis.

Électrocardiogramme (ECG) Enregistrement graphique de l'activité électrique du cœur.

Électroencéphalogramme (EEG) Enregistrement graphique de l'activité électrique des cellules nerveuses du cerveau.

Électrolyte Substance chimique qui se dissocie en ions lorsqu'elle est mise en solution, et est capable de conduire un courant électrique ; tous les sels sont des électrolytes.

Électron Particule subatomique de charge négative et de masse presque nulle en orbite autour du noyau de l'atome.

Élément Une des substances fondamentales de matière (par exemple l'oxygène, l'hydrogène et le carbone).

Éléments figurés Portion cellulaire du sang ; comprennent les érythrocytes, les leucocytes et les plaquettes.

Émail Substance dure et calcifiée qui recouvre la couronne de la dent.

Embole Caillot sanguin ou masse adipeuse qui se détache de la paroi d'un vaisseau et qui flotte librement dans la circulation.

Embolie Obstruction d'un vaisseau sanguin par un embole.

Embryoblaste Amas de cellules situé dans le blastocyste et donnant naissance à l'embryon.

Embryon Nom donné à un être vivant au début de son développement ; chez l'humain, durant les deux premiers mois après la conception.

Éminence intercondylaire Région située dans l'épiphyse proximale du tibia, entre les condyles médial et latéral.

Emmétropie « Vision harmonieuse » obtenue lorsque l'œil forme correctement les images sur la rétine.

Emphysème pulmonaire Maladie causée par une distension permanente des alvéoles pulmonaires associée à une détérioration des parois alvéolaires qui conduit à la fibrose des tissus du poumon.

Encéphalographie gazeuse Radiographie des ventricules après avoir prélevé un peu de liquide cérébrospinal pour le remplacer par de l'air ; permet de diagnostiquer l'hydrocéphalie.

Endocarde Endothélium qui tapisse l'intérieur du cœur.

Endocardite Infection bactérienne de l'endocarde.

Endocrinocytes alpha Cellules des îlots pancréatiques sécrétant le glucagon.

Endocrinocytes bêta Cellules des îlots pancréatiques qui sécrètent l'insuline.

Endocrinocytes gastro-intestinaux Cellules du tube digestif qui élaborent des hormones locales jouant un rôle de régulation de la digestion.

Endocrinocytes interstitiels Cellules des testicules situées entre les tubes séminifères qui sécrètent la testostérone.

Endocytose Mécanisme de transport actif qui permet l'entrée de grosses particules dans la cellule.

Endocytose par récepteurs interposés Mécanisme très sélectif employé par la cellule pour absorber certaines molécules; assurée par des récepteurs protéiques membranaires qui se lient seulement à certaines substances.

Endoderme embryonnaire Un des feuillets embryonnaires primitifs; le plus interne.

Endolymphe Liquide épais contenu dans le labyrinthe membraneux.

Endomètre Muqueuse qui tapisse la cavité utérine.

Endomysium Fine gaine de tissu conjonctif qui enveloppe chaque fibre musculaire.

Endonèvre Mince couche de tissu conjonctif qui entoure chaque fibre dans un nerf.

Endorphines Neuropeptides qui agissent comme des opiacés naturels en réduisant la perception de la douleur.

Endoste Fine membrane située du côté interne de la diaphyse et composée de cellules produisant la substance osseuse.

Endothélium Couche simple de cellules squameuses qui tapisse les cavités internes du cœur, des vaisseaux sanguins et des vaisseaux lymphatiques.

Énergie Capacité de fournir un travail.

Énergie chimique Énergie emmagasinée dans les liaisons chimiques.

Énergie cinétique Énergie du mouvement.

Énergie de rayonnement Énergie du spectre électromagnétique qui comprend la chaleur, la lumière, les rayons infrarouges, les rayons ultraviolets ainsi que d'autres ondes.

Énergie électrique Énergie résultant du mouvement de particules chargées.

Énergie mécanique Énergie produisant directement un mouvement de matière.

Énergie potentielle Énergie se trouvant sous une forme stockée ou inactive.

Enjambement Processus se produisant durant la méiose I, au cours duquel deux chromatides non sœurs s'échangent des segments génétiques; un des facteurs de variation génétique; aussi appelé *crossing-over*.

Enképhalines Neuropeptides agissant comme des opiacés naturels en réduisant la perception de la douleur dans certaines conditions stressantes.

Enveloppe nucléaire Membrane double délimitant le noyau d'une cellule.

Enzyme Protéine fonctionnelle formée par les cellules vivantes qui joue le rôle de catalyseur dans les réactions chimiques de l'organisme.

Épendymocytes Gliocytes tapissant les cavités de l'encéphale et de la moelle épinière et dont le battement des cils fait circuler le liquide cérébrospinal.

Épicarde Séreuse qui épouse la surface externe du cœur et qui fait partie intégrante de la paroi de l'organe; aussi appelé *lame viscérale du péricarde séreux*.

Épicondyle Saillie sur un os située au-dessus d'un condyle et ne jouant pas un rôle dans l'articulation.

Épiderme Partie superficielle de la peau, avasculaire, constituée de 90 % de kératinocytes; ses cellules épithéliales sont disposées en quatre ou cinq couches.

Épididyme Segment des voies génitales de l'homme où les spermatozoïdes accomplissent leur maturation; se poursuit par le conduit déférent.

Épiglotte Cartilage élastique situé derrière la gorge; recouvre l'orifice du larynx pendant la déglutition.

Épimysium Couche de tissu conjonctif dense qui entoure un muscle.

Épine ischiatique Saillie étroite et pointue de l'ischium; repère anatomique important pour les femmes enceintes.

Épinèvre Gaine fibreuse résistante qui enveloppe l'ensemble des fascicules dans un nerf.

Épiphyse Extrémité de l'os long.

Épithalamus Partie du diencéphale formant le toit du troisième ventricule comprenant le corps pinéal et le plexus chroroïde du troisième ventricule.

Épithélium L'un des tissus primaires; recouvre la surface du corps et tapisse ses cavités, ses conduits et ses vaisseaux; aussi appelé *tissu épithélial*.

Épithélium pseudostratifié prismatique Type d'épithélium où certaines cellules semblent plus courtes que les autres et donnent l'impression que l'épithélium est constitué de plusieurs couches; tapisse notamment les voies respiratoires supérieures.

Épithélium simple cuboïde Type d'épithélium formé d'une seule couche de cellules en forme de cubes; présent dans les glandes et leurs conduits ainsi que dans les tubules rénaux notamment.

Épithélium simple prismatique Type d'épithélium formé d'une seule couche de cellules hautes et très rapprochées; constitue notamment la muqueuse tapissant le tube digestif.

Épithélium simple squameux Type d'épithélium formé d'une seule couche de minces cellules s'imbriquant les unes dans les autres comme les carreaux d'un dallage; forme habituellement des membranes où se produisent la filtration ou l'échange de substances.

Épithélium stratifié squameux Type d'épithélium généralement formé de plusieurs couches de cellules dont la première couche seulement est faite de cellules squameuses; présent dans les endroits sujets à l'usure.

Épithélium transitionnel Type d'épithélium fait de plusieurs couches de cellules squameuses tapissant la vessie, les uretères et l'urètre, organes soumis à des étirements considérables.

Équilibre acidobasique Condition de l'organisme dans laquelle, grâce à divers mécanismes (systèmes tampons, respiration, travail des reins), le pH des liquides de l'organisme est maintenu constant.

Équilibre dynamique Sens qui perçoit les mouvements angulaires (ou rotatifs) de la tête dans l'espace.

Équilibre statique Sens de la position de la tête dans l'espace par rapport à la force gravitationnelle.

Érection Augmentation du volume du pénis qui devient rigide au cours de l'excitation sexuelle.

Érythrocyte Cellule sanguine rouge; aussi appelé *globule rouge.*

Érythropoïèse Formation des érythrocytes.

Érythropoïétine Hormone élaborée par les reins et le foie qui augmente la production de globules rouges.

Espace mort anatomique Volume d'air de la zone de conduction qui n'atteint pas les alvéoles pulmonaires et ne participe donc pas aux échanges gazeux, soit environ 150 mL.

Estomac Organe du tube digestif, situé du côté gauche de la cavité abdominale; participe à la digestion des protéines notamment.

Eupnée Fréquence respiratoire normale.

Éversion Mouvement spécial du pied consistant à tourner la plante vers l'extérieur.

Excitabilité Faculté de percevoir les changements (stimulus) de l'environnement et d'y réagir.

Excrétion Élimination des déchets de l'organisme.

Exercice aérobique Exercice qui augmente la force et la souplesse des muscles et accroît leur résistance à la fatigue (par exemple la course); aussi appelé *exercice d'endurance.*

Exercice contre résistance Exercice au cours duquel un poids immobile est opposé au muscle; ce type d'exercice augmente le volume musculaire; aussi appelé *exercice isométrique.*

Exercice d'endurance Voir *Exercice aérobique.*

Exercice isométrique Voir *Exercice contre résistance.*

Exocrine Qualifie une cellule ou une glande qui libère sa sécrétion à l'extérieur de l'organisme (ce qui inclut la lumière du tube digestif).

Exocytose Mécanisme de transport actif qui permet la sortie de grosses particules à l'extérieur de la cellule.

Expiration Action par laquelle l'air sort des poumons.

Extension Mouvement qui augmente l'angle entre les os d'une articulation (par exemple le redressement du genou fléchi).

F

Facteur de stress Stimulus qui, directement ou indirectement, provoque le déclenchement par l'hypothalamus de réactions visant à réduire le stress (par exemple la réaction de lutte ou de fuite).

Facteur intrinsèque Substance sécrétée par l'estomac; nécessaire à l'absorption de la vitamine B_{12}.

Facteur natriurétique auriculaire (FNA) Hormone libérée par le cœur et dont la fonction consiste à réduire le volume sanguin et la pression artérielle.

Faisceau Ensemble de fibres musculaires ou de neurofibres retenues ensemble par du tissu conjonctif.

Faisceau auriculoventriculaire Élément du système de conduction cardiaque, situé dans le septum interventriculaire.

Faisceau cunéiforme Un des faisceaux de la voie ascendante spécifique, situé dans le cordon dorsal de la moelle épinière.

Faisceau gracile Un des faisceaux de la voie ascendante spécifique, situé dans le cordon dorsal de la moelle épinière.

Faisceau pyramidal Voir *Tractus corticospinal.*

Fascia Couches de tissu conjonctif qui recouvrent et séparent les muscles en loges musculaires.

Fascicule Regroupement d'axones dans un nerf enveloppé dans le périnèvre.

Fatigue musculaire Fatigue qui apparaît dans le muscle squelettique après une longue période de travail et qui le rend incapable de se contracter même en présence de stimulations.

Fausses côtes Les cinq dernières paires de côtes dont le point d'attache au sternum est indirect ou inexistant.

Faux du cerveau Cloison plate formée par la couche interne de la dure-mère qui fixe l'encéphale au crâne.

Faux travail Contractions faibles et irrégulières de l'utérus, appelées *contractions de Braxton-Hicks,* qui font croire à beaucoup de femmes vers les dernières semaines de la grossesse que le vrai travail est commencé.

Fèces Substance éliminée par l'intestin; composées de résidus alimentaires, de sécrétions et de bactéries.

Fécondation Fusion du matériel génétique d'un spermatozoïde avec celui d'un ovule.

Fémoral Relatif à la cuisse.

Fémur L'unique os de la cuisse.

Fente synaptique Espace rempli de liquide au niveau de la synapse entre deux neurones.

Fentes intercellulaires Espaces entre les membranes plasmiques (non unies par des jonctions serrées) des cellules formant la paroi des capillaires.

Feuillets embryonnaires primitifs Tissus primaires formés dans l'embryon (ectoderme embryonnaire, mésoderme intraembryonnaire et endoderme embryonnaire) qui donnent naissance à tous les tissus de l'organisme.

Fibre musculaire squelettique Cellule musculaire squelettique.

Fibres de Sharpey Fibres de tissu conjonctif servant de points d'ancrage entre le périoste et l'os sous-jacent.

Fibrillation Contractions rapides et irrégulières du muscle cardiaque.

Fibrine Protéine fibreuse et insoluble qui forme, au cours de la coagulation du sang, un filet qui emprisonne les érythrocytes et les plaquettes.

Fibrinogène Protéine du plasma transformée en fibrine au cours de la coagulation du sang.

Fibrose Forme de réparation des tissus entraînant la prolifération de tissu conjonctif dense.

Fibrose kystique du pancréas Voir *Mucoviscidose.*

Fibula Os de la jambe; os mince en forme de baguette parallèle au tibia.

Fibulaire Relatif à la région de la fibula, ou os latéral de la jambe.

Fièvre Température corporelle anormalement élevée, constituant une réaction systémique aux microorganismes envahisseurs.

Filaments intermédiaires Éléments du cytosquelette ressemblant à des cordages et s'opposant aux forces d'étirement qui agissent sur la cellule.

Filets olfactifs Ramifications nerveuses dont l'ensemble constitue le nerf olfactif.

Filtration 1) Passage d'un solvant ou d'une substance dissoute à travers une membrane ou un filtre; 2) mécanisme de transport passif se produisant à travers les capillaires; 3) première étape de la formation de l'urine se produisant au niveau du glomérule du rein.

Fissure 1) Rainure profonde du cerveau; 2) échancrure dans un os.

Fissure orbitaire supérieure Fente dans l'os sphénoïde par laquelle passent les nerfs crâniens III, IV et VI qui régissent les mouvements des yeux.

Fixation du complément Liaison des protéines du complément à certains glucides ou à certaines protéines (comme des anticorps), eux-mêmes liés à la surface des cellules étrangères, ce qui entraîne des lésions dans ces cellules et leur éventuelle destruction.

Flagelle Long prolongement de la membrane plasmique de certaines bactéries et des spermatozoïdes; propulse la cellule.

Flexion Mouvement qui diminue l'angle entre les os d'une articulation.

Flexion plantaire Action de pointer les orteils vers le bas, par exemple pour se tenir sur la pointe des pieds.

Fœtus Nom donné à l'être en développement dans l'utérus; chez l'humain, du troisième mois de gestation à la naissance.

Foie La plus grosse glande de l'organisme, située du côté droit de la cavité abdominale; remplit des centaines de fonctions métaboliques et joue un rôle dans la digestion en produisant la bile.

Follicule du poil Structure d'origine épidermique qui contient la racine du poil.

Follicule ovarique Structure sacciforme située dans un ovaire et comprenant un œuf immature enveloppé de cellules folliculeuses.

Follicule ovarique mûr Follicule en voie d'ovulation.

Follicule thyroïdien Structure creuse qui emmagasine une substance collante contenant une protéine dont est dérivée l'hormone thyroïdienne.

Follicules lymphatiques agrégés Organes lymphatiques situés dans la paroi de l'intestin grêle, empêchant les bactéries de franchir la paroi intestinale.

Fontanelles Chez le bébé, intervalles membraneux reliant les os entre eux dans certaines régions du crâne où le tissu osseux ne s'est pas encore formé.

Foramen Orifice ou ouverture dans un os ou entre deux cavités.

Foramen jugulaire Ouverture à la jonction de l'os occipital et des os temporaux fournissant un passage à la veine jugulaire.

Foramen magnum Ouverture sur la face inférieure de l'os occipital par laquelle l'encéphale communique avec la moelle épinière.

Foramen obturé Grande ouverture dans l'os coxal que délimitent le pubis et l'ischium; par cette ouverture presque entièrement fermée par une membrane passent quelques nerfs et vaisseaux sanguins vers la région antérieure de la cuisse.

Foramen vertébral Orifice dans une vertèbre offrant un passage à la moelle épinière.

Formation réticulaire Masse diffuse de substance grise qui s'étend le long du tronc cérébral et régit les fonctions motrices des viscères.

Formations lymphatiques associées aux muqueuses (MALT) Ensemble de petites masses tissulaires non encapsulées dont font partie les amygdales et les follicules lymphatiques agrégés qui protègent les voies respiratoires et digestives contre les corps étrangers.

Fornix Commissure reliant l'hippocampe et les corps mamillaires.

Fosse coronoïdienne Dépression à la face antérieure de l'extrémité distale de l'humérus qui permet au processus correspondant de l'ulna de jouer librement lorsque le coude est fléchi.

Fosse intercondylaire Échancrure profonde à la face postérieure de l'extrémité distale du fémur.

Fosse olécrânienne Dépression à la face postérieure de l'extrémité distale de l'humérus qui reçoit l'olécrâne lorsque le coude est étendu.

Fossette Dépression servant souvent de surface articulaire.

Fossette centrale Minuscule dépression située du côté latéral de la rétine qui ne contient que des cônes; aussi appelée *fovea centralis*.

Fovea centralis Voir *Fossette centrale*.

Franges de la trompe Projections en forme de doigts qui recouvrent partiellement l'ovaire et dont les mouvements poussent l'ovocyte vers la trompe utérine.

Frein de la langue Repli de muqueuse qui relie la langue au plancher de la bouche et limite son mouvement vers l'arrière.

Fréquence cardiaque Nombre de battements cardiaques par minute; sa valeur moyenne chez l'adulte au repos est de 75.

Frisson Contractions involontaires de faible amplitude des muscles squelettiques qui accroissent la température corporelle.

Fundus Base d'un organe; partie la plus éloignée de l'ouverture de l'organe (par exemple le fundus de l'estomac, le fundus de l'utérus).

Fuseau mitotique Assemblage de microtubules jouant un rôle d'échafaudage sur lequel les chromosomes se fixent et se déplacent durant la mitose.

Fusiforme Se dit d'un muscle qui a l'aspect d'un fuseau avec un ventre épais (par exemple le biceps brachial).

G

Gaine de myéline Couches concentriques de membrane de neurolemmocytes enroulées autour de l'axone.

Gaine de tendon Bourse allongée qui entoure un tendon soumis à un frottement.

Gamète Cellule sexuelle ; spermatozoïde ou ovule.

Gamétogenèse Formation des gamètes.

Ganglion Petit groupe de corps cellulaires de neurones, situé dans le SNP.

Ganglion prévertébral Ganglion sympathique situé à l'avant de la colonne vertébrale dans la région abdominale ; les ganglions prévertébraux principaux sont le ganglion cœliaque et les ganglions mésentériques supérieur et inférieur.

Ganglion spinal Regroupement des corps cellulaires des neurones sensitifs, situé sur la racine dorsale du nerf spinal.

Ganglion terminal Ganglion de la partie parasympathique du SNA, situé à proximité de l'organe effecteur.

Gastrine Hormone sécrétée par l'estomac qui stimule la sécrétion gastrique, notamment la libération d'acide chlorhydrique.

Gencive Partie de la muqueuse buccale qui recouvre les arcades alvéolaires et protège le collet des dents.

Gène Unité biologique de l'hérédité située dans la chromatine ; transmet l'information héréditaire.

Gène lié au chromosome X Gène qui ne se trouve que sur le chromosome X (et non sur le Y).

Gènes liés Gènes dont les locus sont situés sur le même chromosome.

Gènes non liés Gènes dont les locus sont situés sur des paires de chromosomes différentes.

Génétique Science de l'hérédité.

Génome Matériel génétique contenu dans une cellule ; composé de deux ensembles d'instructions génétiques.

Génotype Le patrimoine génétique d'une personne ; *AA*, *Aa* et *aa* sont des exemples de génotypes.

Gigantisme Croissance exagérée causée par l'hypersécrétion de l'hormone de croissance au cours de l'enfance.

Glande Organe spécialisé dans la sécrétion ou l'excrétion de substances qui seront utilisées par l'organisme ou éliminées.

Glande endocrine Glande dépourvue de conduits qui déverse ses sécrétions hormonales directement dans le sang.

Glande exocrine Glande dotée de conduits à travers lesquels ses sécrétions sont transportées vers la surface du corps (peau ou muqueuse).

Glande lacrymale Glande située au-dessus du bord latéral de l'œil et produisant les larmes.

Glande thyroïde Une des plus grosses glandes endocrines, située sur la face antérieure de la trachée ; sécrète deux hormones agissant sur le métabolisme.

Glandes alvéolaires Glandes constituées de nombreuses alvéoles (par exemple celles qui se trouvent dans les lobules des glandes mammaires).

Glandes bulbo-urétrales Glandes de la grosseur d'un pois, situées sous la prostate ; produisent une petite quantité d'un épais mucus avant l'éjaculation.

Glandes de Bartolin Voir *Glandes vestibulaires majeures.*

Glandes mammaires Glandes sécrétrices de lait, situées dans les seins.

Glandes parathyroïdes Petites glandes endocrines situées sur la face postérieure de la glande thyroïde ; sécrètent une hormone agissant sur le taux de calcium sanguin.

Glandes parotides Grosses glandes salivaires situées à l'avant des oreilles.

Glandes salivaires Trois paires de glandes qui déversent leur sécrétion (la salive) dans la bouche.

Glandes sébacées Glandes qui déversent une sécrétion huileuse appelée *sébum* dans les follicules du poil.

Glandes sublinguales Glandes salivaires situées sur le plancher de la bouche.

Glandes submandibulaires Glandes salivaires situées à la face médiale de la base de la mandibule.

Glandes sudoripares apocrines Variété la moins abondante des glandes sudoripares et ne se trouvant presque exclusivement que dans les régions axillaire et urogénitale ; produisent une sécrétion contenant de l'eau, des sels et des protéines.

Glandes sudoripares mérocrines Type de glandes sudoripares les plus nombreuses et réparties sur tout le corps ; sécrètent une solution salée appelée *sueur.*

Glandes surrénales Glandes endocrines situées au-dessus des reins ; chacune est formée d'une médulla et d'un cortex.

Glandes tarsales Glandes sébacées modifiées associées au bord libre des paupières qui produisent une sécrétion lubrifiante.

Glandes vestibulaires majeures Glandes de la grosseur d'un pois situées de part et d'autre de l'ostium du vagin ; sécrètent du mucus qui lubrifie la portion distale du vagin pendant les rapports sexuels ; aussi appelées *glandes de Bartolin.*

Glaucome Augmentation anormale de la pression intraoculaire.

Gliocytes Cellules du système nerveux qui, entre autres fonctions, isolent, protègent et soutiennent les neurones.

Gliocytes ganglionnaires Gliocytes du SNP qui entourent l'amas de corps cellulaires dans les ganglions.

Globule polaire Cellule minuscule produite dans l'ovaire au cours de la méiose.

Globule rouge Voir *Érythrocyte.*

Globulines Groupes de protéines plasmatiques comprenant des molécules de transport et des facteurs de coagulation.

Globus pallidus Amas de corps cellulaires faisant partie des noyaux basaux ; avec le putamen, constitue le noyau lenticulaire.

Glomérule du rein Bouquet de capillaires artériels dans le rein ; produit le filtrat.

Glotte Ouverture entre les cordes vocales dans le larynx.

Glucagon Hormone sécrétée par les endocrinocytes alpha des îlots pancréatiques ; augmente le taux de glucose sanguin.

Glucide Composé organique contenant du carbone, de l'hydrogène et de l'oxygène ; comprend les monosaccharides (comme le glucose), les disaccharides (comme le sucrose) et les polysaccharides (comme l'amidon et le glycogène).

GlucocorticoïdesHormones du cortex surrénal qui augmentent le taux de glucose sanguin et contribuent à la résistance aux facteurs de stress prolongés.

Glucose Principal sucre présent dans le sang; monosaccharide.

Glutamate Acide aminé jouant le rôle de neurotransmetteur dans le SNC.

Glycérol Sucre simple modifié (sucre-alcool); l'une des unités de base des graisses.

Glycine Acide aminé jouant le rôle de neurotransmetteur dans le SNC.

Glycogène Principal glucide mis en réserve dans les tissus animaux; polysaccharide.

Glycogenèse Synthèse du glycogène à partir du glucose.

Glycogénolyse Dégradation du glycogène en glucose.

Glycolyse Dégradation du glucose en acide pyruvique; processus anaérobie.

Goitre Hypertrophie bénigne de la glande thyroïde.

Gonade Organe produisant les gamètes; ovaire chez la femme et testicule chez l'homme.

Gonadotrophine chorionique humaine (hCG) Hormone semblable à l'hormone lutéinisante (LH), sécrétée dès la première semaine de grossesse par la membrane entourant l'embryon puis par la partie fœtale du placenta; incite le corps jaune à continuer à produire les hormones nécessaires à la grossesse.

Gonadotrophines Hormones qui régissent le fonctionnement des gonades; sécrétées par l'adénohypophyse.

Gorge Voir *Pharynx.*

Goutte Voir *Arthropathies goutteuses.*

Gradient de concentration Différence dans la concentration d'un soluté entre deux points qui permet la diffusion d'une substance de la région ayant la plus forte concentration vers la région ayant la plus faible concentration.

Gradient de pression Différence dans la pression hydrostatique entre deux points qui permet la filtration (entre autres échanges).

Gradient électrochimique Différence de concentrations ioniques et de charges électriques entre une région et une autre.

Graisses neutres Voir *Triglycérides.*

Grand bassin Région supérieure du bassin limitée latéralement par les ailes de l'ilium.

Grand omentum Double couche de péritoine qui part de la grande courbure de l'estomac, recouvre les organes abdominaux et s'attache à la paroi abdominale postérieure.

Grande courbure de l'estomac Face latérale convexe de l'estomac.

Grande incisure ischiatique Grande entaille dans le bord postérieur de l'ischium qu'empruntent le nerf sciatique et des vaisseaux sanguins pour pénétrer dans la cuisse.

Grandes lèvres Replis allongés de peau adipeuse portant des poils et s'étendant vers l'arrière à partir du mont du pubis.

Granulocyte basophile Globule blanc dont les granulations se teintent en bleu foncé avec des colorants basiques; possède un noyau relativement pâle et un cytoplasme d'apparence granulaire.

Granulocyte éosinophile Globule blanc dont les granulations absorbent un colorant, l'éosine.

Granulocyte neutrophile Type de globule blanc le plus abondant.

Granulocytes Globules blancs qui contiennent des granulations dans leur cytoplasme; comprennent les granulocytes neutrophiles, les granulocytes éosinophiles et les granulocytes basophiles.

Grille de Punnett Diagramme permettant de présenter les combinaisons de gènes possibles pour un trait si les gamètes de deux parents dont on connaît le génotype s'unissent.

Gros intestin Partie du tube digestif qui va de la valve iléocæcale à l'anus; absorbe l'eau, des sels et des vitamines et évacue les fèces.

Grossesse Période qui s'étend de la conception à la naissance du bébé.

Gustation Goût.

Gyrus Saillies de tissu nerveux à la surface du cortex cérébral.

Gyrus du cingulum Structure du système limbique qui entoure le corps calleux et joue un rôle notamment dans l'expression gestuelle des émotions.

Gyrus postcentral Gyrus situé à l'arrière du sillon central de l'hémisphère cérébral.

Gyrus précentral Gyrus situé à l'avant du sillon central de l'hémisphère cérébral.

H

Haptène Un des constituants de l'antigène dont dépend la spécificité de ce dernier.

Haustrations du côlon Saillies transversales (petits renflements) sur la face externe du côlon.

Hématocrite Pourcentage d'érythrocytes dans le volume sanguin total.

Hématome Masse de sang coagulé; sa formation constitue la première étape de la consolidation d'une fracture.

Hématopoïèse Formation des cellules sanguines.

Hémisphère cérébral La partie supérieure et la plus grosse de l'encéphale; les deux hémisphères cérébraux forment le cerveau.

Hémocytoblastes Cellules souches de la moelle osseuse qui donnent naissance à tous les éléments figurés du sang.

Hémoglobine Pigment de l'érythrocyte qui transporte l'oxygène et une partie du gaz carbonique.

Hémolyse Rupture des érythrocytes.

Hémophilie Affection hémorragique héréditaire attribuable à l'absence d'un facteur de coagulation.

Hémorragie Écoulement de sang provoqué par la rupture d'un vaisseau sanguin; saignement.

Hémostase Arrêt des saignements.

Hépatite Inflammation du foie.

Hérédité polygénique Type de transmission héréditaire où les traits dépendent de l'action conjointe de plusieurs paires de gènes situées à différents locus.

Hétérozygote Se dit d'un génotype où les deux allèles de la paire sont différents; *Aa* est un génotype hétérozygote.

Hiatus sacral Grande ouverture à la base du sacrum qui marque la fin du canal sacral.

Hile Échancrure d'un organe où pénètrent et d'où sortent des vaisseaux.

Hippocampe Repli du cortex cérébral de la face interne du lobe temporal; structure du système limbique qui joue un rôle dans la mémoire.

Histamine Substance qui cause la vasodilatation et une augmentation de la perméabilité vasculaire.

Histologie Branche de l'anatomie qui étudie la structure microscopique des tissus.

Homéostasie État d'équilibre de l'organisme, ou stabilité du milieu interne de l'organisme.

Homologues Structures ou organes apparentés sur les plans de la structure et de l'origine, mais pas nécessairement sur celui de la fonction; voir aussi *chromosomes homologues.*

Homoncule moteur « Petit homme » dessiné au-dessus du gyrus situé à l'avant du sillon central de l'hémisphère cérébral; la quantité de surface corticale réservée à la motricité de chaque partie du corps correspondant à la proportion du gyrus occupée par le schéma de cette partie du corps.

Homoncule somesthésique « Petit homme » dessiné au-dessus du gyrus postcentral; la quantité de surface corticale réservée à la sensibilité de chaque partie du corps correspondant à la proportion du gyrus occupée par le schéma de cette partie du corps.

Homozygote Se dit d'un génotype où les deux allèles de la paire sont identiques; *AA* ou *aa* sont deux génotypes homozygotes.

Hormone antidiurétique (ADH) Hormone libérée par la neurohypophyse et qui stimule la réabsorption de l'eau par les reins.

Hormone de croissance (GH) Hormone qui stimule la croissance en général; sécrétée par l'adénohypophyse.

Hormone de libération (RH ou RF) Hormone synthétisée par l'hypothalamus qui commande la sécrétion d'une hormone particulière de l'adénohypophyse.

Hormone d'inhibition (IH) Hormone synthétisée par l'hypothalamus qui inhibe la sécrétion d'une hormone particulière de l'adénohypophyse.

Hormone folliculostimulante (FSH) Hormone sécrétée par l'adénohypophyse (stimuline) qui stimule la maturation des follicules ovariques chez la femme et la production des spermatozoïdes chez l'homme.

Hormone lutéinisante (LH) Hormone sécrétée par l'adénohypophyse (stimuline) qui contribue à la maturation des cellules dans l'ovaire et déclenche l'ovulation chez la femme. Chez l'homme, elle est responsable de la production de testostérone par les endocrinocytes interstitiels du testicule.

Hormone thyroïdienne La principale hormone métabolique, comprenant deux hormones, la thyroxine et la triiodothyronine.

Hormones Messagers chimiques sécrétés par les glandes endocrines; assurent la régulation d'un grand nombre de fonctions.

Humérus Os unique du bras.

Humeur aqueuse Liquide aqueux présent dans la chambre antérieure de l'œil.

Hyalin Transparent comme du verre.

Hydrolyse Processus dans lequel l'eau est utilisée pour dégrader une substance en particules plus petites.

Hymen Mince repli de la muqueuse vaginale qui ferme partiellement la portion distale du vagin.

Hyperleucocytose Élévation du nombre de leucocytes à la suite d'une infection bactérienne ou virale.

Hypermétropie Difficulté à voir de près.

Hyperplasie Augmentation de volume d'un tissu ou d'un organe, par augmentation du nombre de ses cellules qui sont par ailleurs normales.

Hyperpnée Forme de respiration profonde et vigoureuse sans augmentation marquée de la fréquence respiratoire.

Hyperpolarisation Augmentation du potentiel de membrane d'un neurone jusqu'à ce qu'il devienne plus négatif que le potentiel de repos.

Hypersensibilité Voir *Allergie.*

Hypersensibilité anaphylactique Voir *Hypersensibilité de type I.*

Hypersensibilité de type I Type de réaction allergique survenant généralement quelques secondes après le deuxième contact avec l'allergène et provoqué par la libération d'histamine lorsque les anticorps IgE se lient à des mastocytes; aussi appelée *hypersensibilité anaphylactique.*

Hypersensibilité de type IV Type de réaction allergique à médiation cellulaire, où interviennent les lymphocytes T auxiliaires, les lymphocytes T cytotoxiques, les macrophagocytes et des lymphokines; aussi appelée *hypersensibilité retardée* (elle met de un à trois jours à apparaître).

Hypersensibilité retardée Voir *Hypersensibilité de type IV.*

Hypertension artérielle Pression artérielle anormalement élevée (140/90 ou plus).

Hypertonique Qui présente une tension ou un tonus excessif ou supérieur à la normale; se dit d'une solution plus concentrée qu'une autre en solutés.

Hypertrophie Augmentation du volume d'un tissu ou d'un organe sans relation avec la croissance générale du corps.

Hyperventilation Mécanisme homéostatique qui consiste en une respiration profonde et rapide ayant pour conséquence de chasser le gaz carbonique du sang et d'augmenter le pH sanguin pour le ramener à sa valeur normale.

Hypoderme Tissu sous-cutané situé juste sous la peau, constitué essentiellement de tissu adipeux.

Hypoglycémie Taux de glucose sanguin plus bas que la normale.

Hypophyse Petite glande neuroendocrine suspendue à la partie inférieure de l'hypothalamus et logée dans une cavité de l'os sphénoïde; est constituée de deux parties, l'adénohypophyse et la neurohypophyse; assure diverses fonctions, dont la régulation de l'activité des gonades, de la glande thyroïde et du cortex surrénal ainsi que celle de la lactation et de l'équilibre hydrique.

Hypotension artérielle Pression artérielle anormalement basse (inférieure à 100 mm Hg).

Hypothalamus Région du diencéphale qui constitue le plancher du troisième ventricule cérébral ; centre important du SNA.

Hypothermie Diminution extrême de la température corporelle.

Hypotonique Qui présente une tension ou un tonus inférieur à la normale ; se dit d'une solution moins concentrée qu'une autre en solutés.

Hypoxie Apport insuffisant d'oxygène aux tissus.

I

Ictère Accumulation de pigments biliaires dans le sang qui produit une coloration jaune de la peau ; aussi appelé *jaunisse*.

Iléum Dernier segment de l'intestin grêle, situé entre le jéjunum et le cæcum du gros intestin.

Ilium Grand os évasé qui constitue la majeure partie de l'os coxal.

Îlots de Langerhans Voir *Îlots pancréatiques*.

Îlots pancréatiques Minuscules amas de tissu disséminés entre les cellules acineuses du pancréas et qui produisent les hormones insuline et glucagon ; aussi appelés *îlots de Langerhans*.

Immunité Capacité de l'organisme à résister à de nombreux agents (vivants ou inanimés) qui causent des maladies ; résistance aux maladies.

Immunité à médiation cellulaire Voir *Immunité cellulaire*.

Immunité à médiation humorale Voir *Immunité humorale*.

Immunité cellulaire Immunité conférée par les lymphocytes T ; aussi appelée *immunité à médiation cellulaire*.

Immunité humorale Immunité assurée par les anticorps libérés par les lymphocytes B sensibilisés et leurs descendants circulant dans le plasma ; aussi appelée *immunité à médiation humorale*.

Immunité humorale active Immunité produite par la rencontre avec un antigène ; permet l'acquisition d'une mémoire immunitaire.

Immunité humorale passive Immunité de courte durée résultant de l'introduction d'anticorps provenant d'un animal immunisé ou d'un donneur humain ; aucune mémoire immunitaire n'est établie.

Immunocompétence Capacité des cellules immunitaires de l'organisme de reconnaître des antigènes spécifiques (en s'y liant) ; reflète la présence de récepteurs liés à leur membrane plasmique.

Immunoglobuline (Ig) Molécule protéique libérée par les plasmocytes qui assure l'immunité humorale ; anticorps.

Implantation Processus par lequel l'ovule fécondé devenu embryon s'enfouit dans l'endomètre de l'utérus.

Incisure jugulaire Échancrure du bord supérieur concave du manubrium (sternum) ; repère anatomique important.

Incisure scapulaire Dépression sur le bord supérieur de la scapula par laquelle passent des nerfs.

Incisure trochléaire Échancrure située sur l'épiphyse proximale de l'ulna qui s'articule avec la trochlée de l'humérus.

Inclusion cytoplasmique Substance chimique qui peut être présente ou non dans une cellule (par exemple une gouttelette de lipide dans la cellule adipeuse).

Infarctus du myocarde Région du tissu cardiaque dont les cellules sont mortes, le plus souvent par suite d'une ischémie.

Inférieur Relatif à une position vers le bas de l'axe du corps.

Influx nerveux Propagation d'un potentiel d'action le long d'une neurofibre.

Information sensorielle Information sur les changements se produisant à l'intérieur et à l'extérieur de l'organisme, recueillie par les récepteurs sensoriels.

Inguinal Relatif à la région où la cuisse rejoint le tronc.

Innervation Distribution des nerfs dans une région de l'organisme.

Insertion musculaire Point d'attache mobile d'un muscle.

Inspiration Action par laquelle l'air entre dans les poumons.

Insuffisance cardiaque Trouble dans lequel l'action de pompage du cœur est si faible que la circulation ne suffit plus à satisfaire les besoins des tissus.

Insuline Hormone hypoglycémiante sécrétée par le pancréas qui influe sur le métabolisme des glucides et des graisses, le taux de glucose sanguin et d'autres processus systémiques.

Insulinorésistance Incapacité des récepteurs de l'insuline de réagir à l'hormone, cause du diabète sucré de type II.

Intégration Traitement et interprétation de l'information sensorielle, effectués dans les centres nerveux et déterminant l'action à entreprendre s'il y a lieu.

Interférons Petites protéines libérées par les cellules infectées par un virus qui, en diffusant vers les cellules voisines non encore touchées, contribuent à les protéger contre ce virus (et contre d'autres types de virus également).

Interphase Période de la vie d'une cellule pendant laquelle elle croît et accomplit ses activités métaboliques.

Interneurone Voir *Neurone d'association*.

Intestin grêle Partie du tube digestif qui va du muscle sphincter pylorique à la valve iléocæcale ; principal organe de la digestion.

Intracellulaire À l'intérieur d'une cellule.

Inversion Mouvement qui tourne la plante du pied vers le plan médian.

Ion Atome possédant une charge positive ou une charge négative.

Ions bicarbonate (HCO_3^-) Forme sous laquelle la plus grande partie du gaz carbonique est transportée dans le plasma sanguin et où elle joue un rôle tampon très important.

Iris Muscle pigmenté, involontaire, qui agit comme un diaphragme sur l'œil.

Ischémie Diminution de l'irrigation sanguine locale.

Ischium Un des trois os dont la fusion forme l'os coxal ; la partie la plus inférieure de cet os.

Isogreffe Greffe dans laquelle le donneur est un individu génétiquement identique au receveur (son vrai jumeau).

Isométrique De la même longueur ; pendant une contraction isométrique, le muscle ne raccourcit pas et aucun mouvement n'est effectué.

Isotonique Qui présente une tension uniforme; de la même tonicité; pendant une contraction isotonique, le muscle raccourcit et un mouvement est effectué.

Isotope Forme atomique différente du même élément; les isotopes ne contiennent pas tous le même nombre de neutrons.

Isthme Partie étroite d'un organe.

J

Jaunisse Voir *Ictère.*

Jéjunum Partie de l'intestin grêle qui s'étend entre le duodénum et l'iléum.

Jonction membranaire Élément spécialisé de la membrane plasmique des cellules épithéliales; comprend les jonctions serrées, les desmosomes et les jonctions ouvertes.

Jonction neuromusculaire Région où un neurone moteur entre en contact avec une fibre musculaire squelettique.

Jonction ouverte Région permettant le passage de substances à travers les membranes plasmiques de cellules adjacentes.

Jonction serrée Région où les membranes plasmiques de cellules adjacentes sont fusionnées; jonction imperméable.

Joues Parois latérales de la bouche.

Joule (J) Unité d'énergie équivalant au travail produit par une force de un newton qui déplace son point d'application de un mètre dans sa propre direction; on emploie généralement le kilojoule (kJ) pour parler des échanges d'énergie associés aux réactions biochimiques et mesurer la valeur énergétique des aliments.

K

Kératine Protéine insoluble présente dans certains tissus comme les cheveux, les poils et les ongles, ainsi que l'épiderme.

Kératinocytes Cellules de l'épiderme qui synthétisent la kératine.

Kilojoule (kJ) Voir *Joule.*

Kinines Substances libérées au cours de la réaction inflammatoire et qui provoquent notamment la dilatation des vaisseaux sanguins et une augmentation de leur perméabilité.

L

Labyrinthe Cavités osseuses et membranes de l'oreille interne.

Lacrymal Relatif aux larmes.

Lacune osseuse Petite cavité dans laquelle se loge une cellule osseuse.

Lame 1) Couche ou plaque mince; 2) partie d'une vertèbre située entre le processus transverse et le processus épineux.

Lame basilaire de la cochlée Membrane de la cochlée contenant les cellules réceptrices de l'audition.

Lame criblée de l'ethmoïde Région criblée de nombreux trous à la partie supérieure de l'os ethmoïde; ces trous livrent passage aux neurofibres olfactives.

Lame viscérale du péricarde séreux Voir *Épicarde.*

Lamelles de l'ostéon Lamelles osseuses disposées en cercles concentriques autour d'un canal dans un ostéon de l'os compact.

Langue Organe composé de muscles squelettiques occupant le plancher de la bouche.

Laryngopharynx Troisième partie du pharynx située derrière l'épiglotte; c'est là que les voies respiratoires et digestives divergent.

Larynx Organe cartilagineux situé entre la trachée et le pharynx; organe de la phonation; un de ses cartilages, l'épiglotte, dirige l'air et les aliments vers les conduits appropriés.

Latéral Opposé au plan médian du corps.

Leucémie État cancéreux caractérisé par une production anormalement élevée de leucocytes immatures.

Leucocyte Globule blanc.

Leucocytose Augmentation du nombre de leucocytes dans le sang.

Leucopénie Diminution du nombre de leucocytes dans le sang.

Lèvres Parties charnues protégeant la partie antérieure de la bouche.

Liaison chimique Relation énergétique entre des atomes; fait intervenir une interaction entre des électrons.

Liaison covalente Liaison chimique formée par le partage d'électrons entre des atomes.

Liaison hydrogène Liaison faible dans laquelle un atome d'hydrogène forme un pont entre deux atomes électronégatifs; importante liaison intramoléculaire.

Liaison ionique Liaison chimique formée par le transfert d'un électron ou plus entre des atomes; les atomes qui en résultent, appelés *ions*, portent des charges opposées et s'attirent.

Liés au sexe Se dit de traits héréditaires déterminés par des gènes localisés sur les chromosomes sexuels X ou Y.

Ligament Bande de tissu conjonctif dense qui relie des os.

Ligament falciforme du foie Délicat cordon mésentérique qui suspend le foie au diaphragme et à la paroi abdominale.

Ligament péridontal Ligament qui ancre la dent dans l'os de la mâchoire.

Ligne épiphysaire Mince ligne de tissu osseux traversant l'épiphyse d'un os long d'adulte; constitue le reliquat du cartilage épiphysaire.

Ligne intertrochantérique Ligne située sur la face antérieure de l'épiphyse proximale du fémur séparant le grand et le petit trochanter.

Limbe strié Nom donné à l'ensemble des microvillosités intestinales; aussi appelé *bordure en brosse.*

Lipide Composé organique contenant du carbone, de l'hydrogène et de l'oxygène; comprend les triglycérides, les phospholipides et les stéroïdes.

Lipoprotéines de basse densité (LDL) Petits complexes lipides-protéines qui transportent le cholestérol et les autres lipides dans le sang vers les cellules de l'organisme; qualifiées de *mauvais cholestérol.*

Lipoprotéines de haute densité (HDL) Petits complexes lipides-protéines qui transportent dans le sang le cholestérol hors des cellules (ou des artères) vers le foie qui l'élimine dans la bile; qualifiées de *bon cholestérol.*

Liquide cérébrospinal (LCS) Liquide produit par les plexus choroïdes; remplit les ventricules et entoure le SNC en formant un coussin aqueux protecteur.

Liquide extracellulaire Liquide situé à l'intérieur de l'organisme, mais à l'extérieur des cellules.

Liquide interstitiel Liquide situé entre les cellules.

Liquide intracellulaire Liquide présent à l'intérieur des cellules; forme les deux tiers du volume total d'eau de l'organisme.

Liquide synovial Liquide sécrété par la membrane synoviale; lubrifie les surfaces articulaires et nourrit les cartilages articulaires; aussi appelé *synovie*.

Lits capillaires Réseaux constitués de regroupements de capillaires.

Lobe insulaire Cinquième lobe de l'hémisphère cérébral enfoui dans le sillon latéral.

Lobes Régions des hémisphères cérébraux délimitées par des sillons ou des fissures; le lobe frontal, les lobes pariétaux, les lobes temporaux et le lobe occipital sont nommés d'après les os qui les surmontent.

Lombaire Relatif à la région du dos entre les côtes et les hanches.

Luette Voir *Uvule palatine*.

Lumière Cavité à l'intérieur d'un tube, d'un vaisseau sanguin ou d'un organe creux.

Lymphe Liquide situé dans les tissus et circulant dans les vaisseaux lymphatiques.

Lymphocyte Globule blanc dépourvu de granulations; est formé dans la moelle osseuse et arrive à maturité dans le tissu lymphoïde.

Lymphocyte T auxiliaire Lymphocyte T qui organise l'immunité cellulaire en entrant en contact direct avec d'autres cellules immunitaires et en libérant des substances chimiques appelées *lymphokines*; intervient aussi dans l'immunité humorale en interagissant avec les lymphocytes B.

Lymphocyte T cytotoxique Voir *Lymphocyte T tueur*.

Lymphocyte T suppresseur Lymphocyte T de régulation qui supprime la réaction immunitaire.

Lymphocyte T tueur Lymphocyte T effecteur qui tue directement les cellules étrangères; aussi appelé *lymphocyte T cytotoxique*.

Lymphocytes B Lymphocytes qui déterminent l'immunité humorale; les cellules de leur clone se différencient en plasmocytes producteurs d'anticorps; aussi appelés *cellules B*.

Lymphocytes T Lymphocytes responsables de l'immunité cellulaire; comprennent les lymphocytes T auxiliaires, tueurs et suppresseurs, et les cellules mémoire; aussi appelés *cellules T*.

Lymphokines Protéines qui interviennent dans les réactions immunitaires à médiation cellulaire et accentuent les réactions immunitaire et inflammatoire.

Lysosomes Organites issus du complexe golgien qui renferment de puissantes enzymes digestives.

Lysozyme Enzyme présente dans la sueur, la salive et les larmes; peut détruire certaines bactéries.

M

Macrophagocyte Cellule particulièrement abondante dans les tissus lymphatique et conjonctif; élimine les cellules et les particules étrangères, et joue un rôle important dans la réaction immunitaire comme présentateur d'antigènes aux lymphocytes T et B.

Macula Région ou tache colorée.

Macules Épaississements des parois du saccule et de l'utricule (sacs membraneux du vestibule de l'oreille) contenant des cellules réceptrices permettant l'équilibre dynamique.

Maintien des limites Une des fonctions vitales qui se réalise grâce à la membrane entourant chaque cellule et au système tégumentaire recouvrant l'ensemble du corps; les limites à maintenir sont celles entre le milieu interne et le milieu externe (environnement).

Maladie auto-immune Production d'anticorps ou de lymphocytes T effecteurs qui attaquent les propres tissus de la personne (par exemple la sclérose en plaques et le diabète de type I).

Maladie d'Alzheimer Maladie dégénérative de l'encéphale qui conduit à la démence.

Maladie de Parkinson Trouble des noyaux basaux de l'encéphale (dégénérescence des neurones de la substantia nigra qui produisent de la dopamine) survenant le plus souvent chez des personnes dans la cinquantaine et la soixantaine.

Malin Potentiellement mortel; relatif aux néoplasmes qui s'étendent et causent la mort, comme le cancer.

Malléoles Bosses interne et externe de la cheville; la malléole interne (médiale) est située à l'extrémité distale du tibia et la malléole externe (latérale) à l'extrémité distale de la fibula.

Mamelon Protubérance centrale de l'aréole mammaire où s'ouvrent les conduits lactifères.

Mammographie Examen radiographique des seins pouvant dépister les tumeurs cancéreuses encore trop petites pour être palpables.

Manubrium sternal Un des trois os fusionnés pour former le sternum; partie supérieure du sternum.

Marqueurs du soi Voir *Autoantigènes*.

Masse atomique Moyenne des nombres de masse de tous les isotopes d'un élément.

Mastication Fragmentation physique des aliments avec les dents; première étape de la digestion mécanique.

Matière Tout ce qui occupe un volume et possède une masse.

Matrice extracellulaire Matériau non vivant du tissu conjonctif composé de substance fondamentale et de fibres, qui sépare les cellules vivantes.

Méat Orifice d'un conduit.

Méat acoustique externe Conduit dans l'os temporal qui s'étend du pavillon de l'oreille jusqu'au tympan et à l'oreille moyenne.

Méat acoustique interne Conduit dans l'os temporal qui ouvre le passage aux nerfs crâniens VII et VIII.

Mécanisme de rétroactivation Voir *Rétroactivation*.

Mécanisme de rétro-inhibition Voir *Rétro-inhibition*.

Mécanisme de transport actif Voir *Transport actif*.

Mécanisme de transport passif Voir *Transport passif.*

Mécanorécepteur Récepteur sensible aux facteurs mécaniques tels que le toucher, les vibrations et l'étirement.

Médial Vers le plan médian du corps.

Médiastin Région de la cavité thoracique située entre les poumons et abritant le cœur et d'autres organes.

Médulla Partie centrale de certains organes.

Médulla rénale Région du rein située sous le cortex qui contient les pyramides rénales.

Médulla surrénale Partie interne de la glande surrénale, constituée de tissu nerveux; sécrète de l'adrénaline et de la noradrénaline.

Mégacaryocytes Cellules multinucléées de la moelle osseuse qui se brisent en fragments anucléés pour former les plaquettes.

Méiose Processus de division nucléaire au cours de la formation des gamètes qui réduit de moitié le nombre de chromosomes et donne quatre cellules haploïdes.

Mélanine Pigment foncé synthétisé par les mélanocytes; donne sa couleur à la peau.

Mélanocyte Cellule présente dans la couche basale de l'épiderme qui synthétise la mélanine.

Mélatonine Hormone sécrétée par le corps pinéal qui, croit-on, jouerait un rôle important dans l'établissement du cycle jour-nuit de l'organisme.

Membrana tectoria du conduit cochléaire Membrane gélatineuse qui surmonte les cellules sensorielles ciliées de l'organe spiral et permet l'inflexion des cils de ces cellules.

Membrane alvéolocapillaire Membrane constituée de la paroi des alvéoles et de celle des capillaires pulmonaires et de leurs membranes basales fusionnées; les échanges gazeux se produisent à travers cette membrane; aussi appelée *barrière air-sang.*

Membrane basale Mince couche de matériau extracellulaire à laquelle sont attachées les cellules épithéliales sur les muqueuses.

Membrane des statoconies Membrane parsemée de minuscules cristaux dans laquelle les cils des membranes réceptrices des macules pénètrent.

Membrane du tympan Membrane qui transmet les vibrations acoustiques.

Membrane interosseuse Membrane flexible qui unit, sur toute leur longueur, l'ulna et le radius dans l'avant-bras, et le tibia et la fibula dans la jambe.

Membrane plasmique Membrane qui renferme le contenu de la cellule; enveloppe extérieure de la cellule.

Membrane synoviale de la capsule articulaire Couche interne de la capsule articulaire composée de tissu conjonctif aréolaire et sécrétant la synovie.

Mémoire à court terme Premier des deux stades de la mémoire dont la capacité est limitée à sept ou huit unités d'information; aussi appelée *mémoire de travail.*

Mémoire à long terme Second des deux stades de la mémoire qui semble dotée d'une capacité illimitée.

Mémoire de travail Voir *Mémoire à court terme.*

Mémoire déclarative Catégorie de la mémoire (mémoire des faits et des événements) associée à l'apprentissage conscient de données explicites telles que des noms, des visages, des mots et des dates.

Mémoire procédurale Catégorie de la mémoire qui concerne généralement des activités motrices; passe par un apprentissage moins conscient que la mémoire déclarative.

Ménarche Début de la fonction menstruelle; première menstruation.

Méninges Membranes protectrices de l'encéphale et de la moelle épinière; comprend la dure-mère, l'arachnoïde et la pie-mère.

Méningite Inflammation des méninges.

Ménopause Période de la vie de la femme où les organes génitaux commencent à s'atrophier et où cessent les cycles ovariens et les menstruations.

Menstruation Écoulement utérin périodique et cyclique de sang, de sécrétions, de tissus et de mucus qui se produit en l'absence de grossesse chez la femme adulte.

Mésencéphale Partie du tronc cérébral s'étendant entre les corps mamillaires et le pont; constitué antérieurement par les pédoncules cérébraux et postérieurement par les colliculus supérieurs et inférieurs.

Mésentère Double couche de péritoine qui soutient la plupart des organes de la cavité abdominale.

Mésoderme intraembryonnaire Un des feuillets embryonnaires primitifs, situé entre l'ectoderme et l'endoderme embryonnaires.

Métabolisme Une des fonctions vitales; ensemble des réactions chimiques qui ont lieu dans les cellules de l'organisme.

Métabolisme basal Vitesse à laquelle l'énergie est dépensée (la chaleur est produite) par l'organisme par unité de temps dans des conditions contrôlées (basales), soit 12 heures après un repas et au repos.

Métabolisme total Quantité totale de kilojoules nécessaire à l'ensemble des activités de l'organisme et dont le facteur le plus important est le travail musculaire.

Métacarpiens Les cinq os de la paume de la main.

Métaphase Deuxième phase de la mitose, durant laquelle les chromosomes se regroupent et s'alignent sur la plaque équatoriale.

Métastase Propagation du cancer d'une structure ou d'un organe à d'autres qui n'y sont pas liés directement.

Métatarsiens Les cinq os du segment antérieur de la voûte plantaire.

Métencéphale Vésicule encéphalique secondaire qui donne naissance au pont et au cervelet.

Microcirculation Circulation du sang d'une artériole à une veinule qui se fait par l'entremise d'un lit capillaire.

Microfilaments Un des éléments du cytosquelette qui concourent à la mobilité et aux changements de forme des cellules.

Microglies Gliocytes du SNC en forme d'araignée qui jouent le rôle de macrophagocytes.

Microtubules Un des éléments du cytosquelette qui déterminent la forme générale et la répartition des organites.

Microvillosités Minuscules extensions présentes sur la surface libre de certaines cellules épithéliales; accroissent la surface de contact avec le milieu externe (par exemple les microvillosités intestinales).

Miction Émission d'urine ; vidange de la vessie.

Minéralocorticoïdes Hormones stéroïdes du cortex surrénal qui règlent le métabolisme des minéraux et l'équilibre hydrique.

Minéraux Composés inorganiques présents dans la nature.

Mitochondries Organites cytoplasmiques en forme de bâtonnets responsables de la production d'ATP.

Mitose Division du noyau de la cellule ; est souvent suivie de la division du cytoplasme de la cellule.

Moelle épinière Centre nerveux situé dans le canal vertébral ; s'étend du bulbe rachidien à la région lombaire.

Moelle jaune Tissu remplissant la cavité médullaire de la diaphyse adulte et servant principalement de réservoir pour le tissu adipeux.

Moelle rouge Tissu se trouvant à l'intérieur de tous les os chez l'enfant, et de certains os seulement chez l'adulte ; siège de la formation des cellules du sang.

Molécule Particule composée de deux ou de plusieurs atomes unis par des liaisons chimiques.

Molécule polaire Molécule asymétrique qui contient des atomes non équilibrés sur le plan électrique.

Monocyte Gros globule blanc possédant un noyau échancré ; sans granulations cytoplasmiques ; se transforme en macrophagocyte après son arrivée dans les tissus.

Monosaccharide Littéralement, un sucre ; composant des glucides (par exemple le glucose et le fructose) ; aussi appelé *sucre simple*.

Mont du pubis Région adipeuse arrondie qui recouvre la symphyse pubienne chez la femme.

Mouvement Une des fonctions vitales ; cette fonction comprend toutes les activités permises par le système musculaire, soit aussi bien le déplacement de substances dans l'organisme, le déplacement d'une partie de l'organisme ou le déplacement de tout l'organisme lui-même.

Mouvements de masse Ondes de contraction puissantes qui parcourent de grandes sections du côlon trois ou quatre fois par jour et permettent la propulsion du contenu colique.

Mouvements non respiratoires de l'air Mouvements, relevant pour la plupart de l'activité réflexe, qui font circuler l'air dans les poumons et peuvent modifier le rythme respiratoire normal (par exemple la toux, l'éternuement, le rire et les pleurs).

Mucoviscidose Maladie héréditaire potentiellement mortelle qui cause l'hypersécrétion d'un mucus très visqueux qui bloque les voies respiratoires et les conduits qui transportent les enzymes pancréatiques et la bile à l'intestin grêle ; aussi appelée *fibrose kystique du pancréas*.

Mucus Liquide visqueux et épais sécrété par les glandes muqueuses et les muqueuses ; humidifie la surface libre des membranes.

Muqueuse Membrane formée d'un épithélium posé sur une couche de tissu conjonctif lâche et tapissant les cavités du corps qui s'ouvrent sur l'extérieur (voies respiratoires, urinaires et génitales, et tube digestif).

Murmures vésiculaires Bruits plutôt doux produits par le passage de l'air dans les alvéoles pulmonaires.

Muscle agoniste Muscle qui est le principal responsable d'un mouvement particulier.

Muscle antagoniste Muscle qui s'oppose à un mouvement d'un autre muscle ou qui produit un effet contraire.

Muscle cardiaque Muscle spécialisé du cœur ; muscle strié involontaire.

Muscle fixateur Muscle qui immobilise une articulation ou un os ; stabilise l'origine d'un muscle afin que la tension soit utilisée pour mouvoir l'os d'insertion.

Muscle lisse Muscle composé de cellules fusiformes non striées ; muscle involontaire.

Muscle sphincter de l'urètre Anneau musculaire squelettique (volontaire) dans la région où l'urètre traverse le plancher pelvien.

Muscle sphincter externe de l'anus Sphincter volontaire composé de muscle squelettique qui entoure le canal anal.

Muscle sphincter interne de l'anus Sphincter involontaire composé de muscle lisse qui entoure le canal anal.

Muscle sphincter pylorique Valve située entre l'estomac et le duodénum.

Muscle squelettique Muscle composé de cellules cylindriques multinucléées présentant des stries évidentes ; muscle qui s'attache au squelette ; muscle volontaire.

Muscle strié Muscle composé de fibres musculaires striées ; comprend le muscle cardiaque et le muscle squelettique.

Muscle synergique Muscle qui aide un autre muscle ou groupe de muscles à effectuer le mouvement désiré.

Muscle volontaire Muscle soumis aux commandes volontaires ; muscle squelettique.

Muscles arrecteurs des poils Petits muscles lisses associés aux follicules des poils ; leur contraction provoque le redressement des poils.

Muscles de la loge postérieure de la cuisse Ensemble de trois muscles : le muscle biceps fémoral, le muscle semi-membraneux et le muscle semi-tendineux.

Muscles du bulbe de l'œil Six muscles attachés à la surface du bulbe de l'œil et permettant ses mouvements.

Muscles intercostaux externes Muscles inspiratoires qui, en se contractant, permettent à la cavité thoracique de prendre du volume.

Muscles papillaires Colonnes charnues qui se projettent dans les ventricules cardiaques et auxquelles sont rattachés les cordages tendineux.

Musculeuse Partie de la paroi du tube digestif ; formée de myocytes lisses disposés en une couche longitudinale à l'extérieur et en une couche circulaire à l'intérieur.

Myélencéphale Vésicule encéphalique secondaire qui deviendra le bulbe rachidien.

Myéline Substance lipidique cireuse et blanchâtre recouvrant les neurofibres.

Myocarde Tissu musculaire constituant la paroi du cœur.

Myofibres de conduction cardiaque Fibres musculaires cardiaques modifiées qui font partie du système de conduction du cœur, situées dans le septum interventriculaire et les parois ventriculaires.

Myofibrille Organite contractile présent dans le cytoplasme des cellules musculaires.

Myofilament Filament qui compose la myofibrille; deux types: actine et myosine.

Myofilament épais Filament de myosine.

Myofilament mince Filament d'actine.

Myomètre Épaisse couche musculaire de la paroi utérine.

Myopie Difficulté à voir de loin.

Myosine Une des principales protéines contractiles, constituant les myofilaments épais qui se trouvent dans le muscle.

Myxœdème Conséquence de l'hypothyroïdie chez l'adulte.

N

Narcolepsie Trouble du sommeil caractérisé par de courtes périodes de sommeil diurne qui peuvent survenir à tout moment.

Narines Orifices externes du nez par lesquels l'air pénètre dans les voies respiratoires.

Nasal Relatif au nez.

Nasopharynx Partie supérieure du pharynx par laquelle passe l'air provenant des cavités nasales.

Nécrose Mort ou désintégration d'une cellule ou des tissus causée par une maladie ou un traumatisme.

Néoglucogenèse Formation, dans le foie, de glucose à partir de molécules non glucidiques.

Néoplasme Masse anormale de cellules attribuable à une prolifération anarchique; peut être malin.

Néphron Unité structurale et fonctionnelle du rein comprenant le glomérule du rein et le tubule rénal.

Néphrons corticaux Néphrons situés presque entièrement dans le cortex rénal.

Néphrons juxtamédullaires Néphrons situés très près de la jonction du cortex et de la médulla rénale et dont les anses s'enfoncent profondément dans la médulla rénale.

Nerf Faisceau de neurofibres constituant le SNP.

Nerf cochléaire Branche du nerf crânien VIII qui achemine les influx nerveux de la cochlée au tronc cérébral.

Nerf facial Nerf crânien VII qui achemine les influx provenant des calicules gustatifs de la partie antérieure de la langue.

Nerf glossopharyngien Nerf crânien IX; nerf mixte qui dessert la langue et le pharynx.

Nerf moteur Nerf qui contient des neurofibres motrices; transmet des influx du SNC vers les effecteurs.

Nerf optique Nerf crânien II qui transporte les influx nerveux de la vision vers l'aire visuelle du cortex cérébral.

Nerf sensitif Nerf qui contient des neurofibres sensitives; transmet des influx dirigés vers le SNC.

Nerf vague Nerf crânien X; nerf mixte qui dessert un territoire très étendu comprenant la langue, le cou et les viscères du tronc et de l'abdomen.

Nerf vestibulaire Branche du nerf crânien VIII informant le cervelet sur la position de la tête dans l'espace et sur ses mouvements.

Nerfs crâniens Les 12 paires de nerfs qui émergent de l'encéphale.

Nerfs intercostaux Nerfs spinaux qui innervent les muscles intercostaux (muscles de la respiration).

Nerfs mixtes Nerfs qui contiennent des neurofibres sensitives et des neurofibres motrices; transmettent des influx dirigés vers le SNC et des influx qui en proviennent.

Nerfs phréniques Nerfs spinaux qui innervent le diaphragme.

Nerfs spinaux Les 31 paires de nerfs qui émergent de la moelle épinière.

Neurofibre Axone d'un neurone.

Neurofibres adrénergiques Neurofibres qui libèrent de la noradrénaline lorsqu'elles sont stimulées.

Neurofibres associatives Neurofibres qui transmettent les influx nerveux à l'intérieur d'un même hémisphère cérébral.

Neurofibres cholinergiques Neurofibres qui libèrent de l'acétylcholine lorsqu'elles sont stimulées.

Neurofibres commissurales Neurofibres qui relient les aires homologues des hémisphères cérébraux et permettent leur coordination; forment des commissures dont la principale est le corps calleux.

Neurofibres de projection Neurofibres qui relient le cortex cérébral au reste du système nerveux ainsi qu'aux récepteurs et aux effecteurs.

Neurofibrilles Filaments intermédiaires situés dans le corps cellulaire du neurone et jouant un rôle dans le maintien de la forme de la cellule.

Neurolemme Portion du neurolemmocyte constituée de la plus grande part de son cytoplasme qui entoure la gaine de myéline.

Neurolemmocytes Gliocytes du SNP qui forment les gaines de myéline autour des neurofibres; aussi appelés *cellules de Schwann.*

Neurone Cellule du système nerveux spécialisée dans la propagation et la transmission des influx nerveux dans l'organisme.

Neurone afférent Neurone qui propage les influx nerveux vers le SNC. Voir *Neurone sensitif.*

Neurone bipolaire Neurone ayant deux prolongements, un axone et un dendrite; on ne trouve ce type de neurone que dans certains organes des sens (par exemple dans la rétine de l'œil).

Neurone d'association Neurone qui relie un neurone sensitif et un neurone moteur dans les voies nerveuses; aussi appelé *interneurone.*

Neurone de deuxième ordre Deuxième de la série de trois neurones constituant les faisceaux et les tractus ascendants qui transportent les influx sensitifs vers l'encéphale; transmet l'influx de la moelle épinière ou du bulbe rachidien au thalamus ou au cervelet.

Neurone de premier ordre Premier de la série de trois neurones constituant les faisceaux et les tractus ascendants qui transportent les influx sensitifs vers l'encéphale; transmet les influx des récepteurs à la moelle épinière ou au tronc cérébral.

Neurone de troisième ordre Troisième de la série de trois neurones constituant les faisceaux et les tractus ascendants qui transportent les influx sensitifs vers l'encéphale ; achemine les influx du thalamus aux aires somesthésiques du cortex cérébral.

Neurone efférent Neurone qui propage les influx nerveux hors du SNC. Voir *Neurone moteur.*

Neurone moteur Neurone qui transmet les influx nerveux du SNC jusqu'aux viscères, aux muscles et aux glandes ; aussi appelé *neurone efférent.*

Neurone sensitif Neurone qui déclenche et propage l'influx nerveux après la stimulation du récepteur ; aussi appelé *neurone afférent.*

Neuropeptides Neurotransmetteurs constitués de chaînes d'acides aminés.

Neurotransmetteur Substance chimique libérée par les neurones et qui, en se liant aux récepteurs des neurones ou des cellules effectrices, stimule ou inhibe ces cellules.

Neutralisation Blocage des effets nocifs des exotoxines bactériennes ou des virus par la liaison d'anticorps à leurs sites fonctionnels.

Neutron Particule subatomique dépourvue de charge électrique ; se trouve dans le noyau de l'atome.

Névroglie Tissu (gliocytes) du SNC qui assure plusieurs fonctions (de soutien, notamment), mais qui ne propage pas l'influx nerveux.

Nœud atrioventriculaire Amas spécialisé de cellules cardionectrices situé à la jonction des oreillettes et des ventricules du cœur ; aussi appelé *nœud auriculoventriculaire.*

Nœud auriculoventriculaire Voir *Nœud atrioventriculaire.*

Nœud lymphatique Amas de tissu lymphatique ; se trouve surtout dans les régions axillaires, inguinales et cervicale ; filtre la lymphe et produit des lymphocytes.

Nœud sinusal Amas de cellules spécialisées du myocarde situé dans la paroi de l'oreillette droite ; centre rythmogène du cœur.

Nœuds de la neurofibre Intervalles réguliers entre les neurolemmocytes entourant une neurofibre myélinisée ; aussi appelés *nœuds de Ranvier.*

Nœuds de Ranvier Voir *Nœuds de la neurofibre.*

Nombre de masse Somme de la masse des protons et des neutrons dans le noyau d'un atome.

Nombre diploïde de chromosomes ($2n$) Nombre de chromosomes des cellules somatiques, possédant deux jeux de chromosomes.

Nombre haploïde de chromosomes (n) Nombre de chromosomes des gamètes qui ne contiennent qu'un seul jeu de chromosomes (ou un seul membre de chaque paire de chromosomes).

Non-soi Se dit de toute substance ou cellule qui ne se trouve pas normalement dans l'organisme et que le système immunitaire considère comme étrangère.

Noradrénaline Une des deux hormones de la médulla surrénale qui permet la résistance au stress de courte durée.

Noyau 1) Centre de régulation dans la plupart des cellules, qui renferme le matériel génétique de la cellule ; 2) groupe de corps cellulaires dans le SNC.

Noyau caudé Amas de corps cellulaires faisant partie des noyaux basaux ; en forme de virgule, se recourbe par-dessus le diencéphale.

Noyau lenticulaire Masse ovoïde constituée de corps cellulaires et qui borde latéralement la capsule interne ; avec le noyau caudé, forme le corps strié.

Noyaux basaux Agrégats de substance grise situés au cœur de la substance blanche des hémisphères cérébraux ; participent à la régulation des activités motrices volontaires.

Nucléoles Corpuscules sphériques denses dans le noyau de la cellule ; interviennent dans la synthèse des ribosomes.

Nucléotide Unité de base des acides nucléiques ; formé d'un sucre, d'un groupement phosphate et d'une base azotée.

Numéro atomique Nombre de protons dans un atome.

Nutriments Substances provenant de l'alimentation et servant à produire de l'énergie ou des unités de base pour la construction des cellules.

O

Occipital Relatif à la face postérieure de la tête.

Occlusion Fermeture ou obstruction.

Ocytocine Hormone libérée par la neurohypophyse qui stimule la contraction de l'utérus pendant l'accouchement et l'éjection du lait au cours de l'allaitement.

Œdème Accumulation anormale de liquide dans une partie du corps ou un tissu ; cause un gonflement.

Œdème pulmonaire Fuite de liquide dans les alvéoles pulmonaires et les tissus des poumons, conséquence possible de l'insuffisance cardiaque touchant le ventricule gauche.

Œsophage Tube qui achemine la nourriture du laryngopharynx à l'estomac.

Œstradiol Une des hormones sexuelles provoquant l'apparition des caractères sexuels secondaires chez la femme.

Œstrogènes Hormones sécrétées par l'ovaire et le cortex surrénal qui stimulent l'apparition des caractères sexuels secondaires féminins ; hormones sexuelles femelles comprenant l'œstradiol et l'œstrone.

Œstrone Une des hormones sexuelles provoquant l'apparition des caractères sexuels secondaires chez la femme.

Olécrâne Saillie osseuse du coude ; projection osseuse de la partie proximale de l'ulna.

Olfaction Odorat.

Oligodendrocytes Gliocytes du SNC dotés de prolongements qui, en s'enroulant autour des neurofibres, produisent des gaines de myéline.

Oligurie Débit urinaire anormalement bas.

Ombilic Nombril ; marque l'endroit où le cordon ombilical était fixé pendant la vie fœtale.

Omoplate Voir *Scapula.*

Ondes alpha Un des quatre types d'ondes cérébrales les plus fréquemment enregistrées dans un électroencéphalogramme ; ondes assez régulières et rythmiques et de faible amplitude qui indiquent un état de veille et de relaxation mentale.

Ondes bêta Un des quatre types d'ondes cérébrales les plus fréquemment enregistrées dans un électroencéphalogramme ; ce sont des ondes plus irrégulières et à fréquence plus élevée que les ondes alpha qui se produisent à l'état de veille active.

Ondes delta Un des quatre types d'ondes cérébrales les plus fréquemment enregistrées dans un électroencéphalogramme ; ondes de forte amplitude caractéristiques du sommeil profond ou d'un état où le système réticulaire activateur ascendant est amorti.

Ondes thêta Un des quatre types d'ondes cérébrales les plus fréquemment enregistrées dans un électroencéphalogramme ; ondes très irrégulières courantes chez les enfants mais jugées anormales chez les adultes éveillés.

Ongle Annexe cutanée ; modification écailleuse de l'épiderme.

Ophtalmique Relatif à l'œil.

Opposition Action par laquelle le pouce est mis en contact avec le bout des doigts de la même main ; mouvement unique qui fait de la main humaine un outil si bien adapté à la préhension et à la manipulation des objets.

Opsines Protéines qui forment les pigments visuels en s'unissant au rétinal.

Optique Relatif à l'œil ou à la vision.

Orbite Cavité abritant l'œil.

Oreillette Cavité supérieure du cœur recevant le sang en provenance des veines ; aussi appelée *atrium du cœur.*

Organe Structure composée d'au moins deux types de tissus et destinée à exercer une fonction précise dans l'organisme.

Organe cible Organe sur lequel agit une hormone donnée, car il porte des récepteurs protéiques spécifiques à cette hormone.

Organe spiral Épithélium situé dans le conduit cochléaire et contenant les récepteurs de l'audition.

Organes génitaux annexes Structures autres que les gonades participant à la reproduction.

Organes lymphatiques Structures du système lymphatique ; entre autres, vaisseaux lymphatiques, nœuds lymphatiques, rate et amygdales ; voir *Système lymphatique.*

Organisme Tout être vivant.

Organites Petites structures cellulaires spécialisées qui exécutent certaines fonctions métaboliques spécifiques (par exemple les mitochondries, les nucléoles et les ribosomes).

Orientation Ensemble de termes employés pour décrire précisément la position d'une structure par rapport à une autre.

Origine musculaire Point d'attache d'un muscle qui demeure relativement fixe pendant la contraction musculaire.

Oropharynx Deuxième partie du pharynx comprise entre le palais mou et l'ouverture et l'épiglotte, par laquelle passe l'air et les aliments.

Os compact Type de tissu osseux dense possédant une structure complexe ; présent dans la diaphyse et à la périphérie de l'épiphyse des os longs de même que dans la couche externe des autres types d'os.

Os courts Os généralement de forme cubique (par exemple les os du carpe).

Os hyoïde Os en forme de fer à cheval situé dans la région médiane du cou, au-dessus du larynx, où il est retenu par des ligaments aux os temporaux ; le seul os qui ne s'articule pas directement avec un autre os.

Os irréguliers Os qui n'appartiennent à aucune des trois autres catégories d'os (longs, courts ou plats) (par exemple les vertèbres).

Os longs Os habituellement plus longs que larges, comprenant un corps et deux extrémités ; tous les os des membres sont des os longs.

Os plats Os minces, aplatis et en général courbés (par exemple l'os occipital et la plupart des autres os de la tête).

Os spongieux Type de tissu osseux constitué de lamelles disposées irrégulièrement et entrecoupées de nombreuses cavités ; constitue la couche interne des épiphyses des os longs et des autres types d'os.

Osmose Diffusion d'un solvant à travers une membrane ; le déplacement se fait d'une solution diluée à une solution plus concentrée.

Osselets de l'ouïe Les trois os de l'oreille moyenne qui transmettent les vibrations sonores : le malléus, l'incus et le stapès.

Ossification endochondrale Type d'ossification de la plupart des os où ceux-ci se développent en prenant pour « modèles » les structures du cartilage hyalin.

Ossification intramembraneuse Type d'ossification caractéristique des os plats où ces derniers se forment à partir de membranes fibreuses.

Ostéoblaste Cellule productrice de matière osseuse.

Ostéoclaste Grosse cellule qui détruit la matrice osseuse.

Ostéocyte Cellule osseuse mûre.

Ostéon Ensemble constitué de lamelles osseuses concentriques entourant un canal ; unité structurale de l'os compact.

Ostéoporose Ramollissement des os qui résulte du ralentissement graduel du dépôt de matière osseuse ; maladie fréquente chez les personnes âgées.

Ostium Petit orifice dans un organe ou un canal.

Otite moyenne Inflammation de l'oreille moyenne.

Ovaire Organe sexuel femelle où sont produits les ovules et les hormones sexuelles.

Ovocyte Œuf immature.

Ovocyte secondaire Cellule issue de la première division de la méiose dans l'ovocyte primaire ; libéré hors de l'ovaire au cours de l'ovulation.

Ovocytes primaires Cellules issues des ovogonies qui se trouvent dans les follicules ovariques primaires ; commencent (mais n'achèvent pas) la première division de la méiose avant la naissance.

Ovogenèse Processus de formation de l'ovule.

Ovogonies Cellules souches femelles qui produisent les ovocytes primaires par mitose.

Ovulation Expulsion de l'ovule (ou ovocyte secondaire) par l'ovaire.

Ovule Gamète femelle.

Oxygène Substance qui fait partie des besoins vitaux ; gaz formant 20 % de l'air que nous respirons et permettant les réactions chimiques par lesquelles les cellules tirent des nutriments l'énergie nécessaire à l'entretien de la vie.

Oxyhémoglobine Hémoglobine liée à de l'oxygène.

P

Palais Paroi supérieure de la bouche.

Palais mou Partie postérieure du palais, non supportée par des os.

Palais osseux Partie antérieure du palais, supportée par des os.

Palpation Examen par le toucher.

Pancréas Glande située derrière l'estomac, entre la rate et le duodénum ; produit des sécrétions endocrines et exocrines.

Papille Petite saillie ressemblant à un mamelon.

Papilles du derme Projections du derme présentes dans certaines régions, conférant à la surface externe du derme un relief accidenté ; à l'origine des empreintes digitales.

Papilles gustatives Petites éminences situées sur la face dorsale de la langue et portant, dans le cas des papilles fungiformes et des papilles circumvallées, les calicules gustatifs.

Paralysie Perte de la fonction musculaire.

Paraplégie Paralysie des deux membres inférieurs.

Parathormone (PTH) Hormone synthétisée par les glandes parathyroïdes qui régit le taux de calcium sanguin en l'augmentant.

Pariétal Relatif à la paroi d'une cavité.

Parotidien Relatif à la glande parotide ; situé près de l'oreille.

Partie membranacée de l'urètre Deuxième partie de l'urètre qui s'étend de la partie prostatique au pénis.

Partie parasympathique du SNA Favorise la détente et l'économie d'énergie. Voir *Système nerveux autonome.*

Partie prostatique de l'urètre Première partie de l'urètre qui est enveloppée par la prostate.

Partie spongieuse de l'urètre Troisième partie de l'urètre qui chemine sur toute la longueur du pénis.

Partie sympathique du SNA S'oppose aux fonctions parasympathiques ; responsable de la réaction de lutte ou de fuite ; voir *Système nerveux autonome.*

Parturition Accouchement.

Paupière Structure accessoire de l'œil constituée d'un repli cutané et portant les cils, les glandes tarsales et les glandes ciliaires ; joue un rôle protecteur.

Peau Organe formé de l'épiderme et du derme.

Pectoral Relatif à la poitrine.

Pédicule Prolongement postérieur du corps vertébral qui fusionne avec la lame pour former l'arc vertébral.

Pédoncules cérébraux Renflements à la partie antérieure du mésencéphale, formés de tractus acheminant des influx ascendants et descendants.

Pelvis Voir *Bassin.*

Pelvis rénal Cavité aplatie en forme d'entonnoir du côté latéral du hile du rein et communiquant avec l'uretère ; recueille l'urine provenant des calices rénaux.

Pénis Organe de la copulation et de la miction chez l'homme.

Penné Se dit d'un arrangement particulier des faisceaux musculaires dans un muscle squelettique ; un muscle penné a des faisceaux courts fixés en diagonale à un tendon central.

Pepsine Enzyme du suc gastrique, produit par l'activation du pepsinogène, capable de digérer les protéines dans un milieu de pH acide.

Pepsinogène Enzyme protéolytique inactive produite et libérée par les glandes gastriques.

Péricarde Séreuse qui enveloppe le cœur.

Périmysium Gaine de tissu conjonctif enveloppant des faisceaux de fibres musculaires.

Périnée Région du corps située entre l'anus et le scrotum chez l'homme et entre l'anus et la vulve chez la femme.

Périnèvre Enveloppe de tissu conjonctif épais regroupant les axones en fascicules dans les nerfs.

Période d'expulsion Deuxième période du travail qui s'étend de la dilatation complète du col de l'utérus à la naissance de l'enfant.

Période de dilatation Première période du travail qui va du déclenchement du vrai travail jusqu'au moment où le col de l'utérus est complètement dilaté.

Période de la délivrance Troisième et dernière période du travail caractérisée par l'expulsion du placenta.

Périoste Membrane de tissu conjonctif dense qui recouvre l'os et permet la nutrition et la croissance de ce dernier.

Péristaltisme Ondes de contraction et de relâchement qui se produisent dans les organes creux ; pousse les substances dans l'organe.

Péritoine Séreuse qui tapisse l'intérieur de la cavité abdominale (péritoine pariétal) et recouvre les surfaces des organes abdominaux (péritoine viscéral).

Péritonite Inflammation du péritoine.

Perméabilité Propriété d'une membrane qui permet le passage des molécules et des ions.

Perméabilité sélective Propriété d'une membrane qui ne laisse passer que certaines substances.

Peroxysomes Organites constitués de sacs membraneux contenant des oxydases qui servent à neutraliser un grand nombre de substances nuisibles ou toxiques.

Petit bassin Région inférieure du bassin située sous les ailes de l'ilium et circonscrite de tous côtés par des os.

Petit omentum Double couche de péritoine qui s'étend du foie jusqu'à la petite courbure de l'estomac.

Petite courbure de l'estomac Face médiale concave de l'estomac.

Petites lèvres Chez la femme, replis de peau mince et dépourvue de poils, entourés par les grandes lèvres et limitant la région du vestibule.

PF_3 Phospholipide qui recouvre les plaquettes et participe, avec d'autres facteurs, à la formation de l'activateur de la prothrombine, ce qui déclenche le processus de la coagulation.

pH (potentiel d'hydrogène) Symbole de la concentration des ions hydrogène; unité de mesure de l'alcalinité ou de l'acidité relative d'une solution.

Phagocyte Cellule capable d'englober et d'ingérer des particules étrangères ou des cellules dangereuses pour l'organisme.

Phagocytose Ingestion de particules solides par une cellule.

Phalanges Os des doigts et des orteils.

Pharynx Tube musculaire, en forme d'entonnoir, qui s'étend entre la région postérieure des cavités nasales et l'œsophage; communément appelé *gorge*.

Phénocopie Phénotype provoqué par des facteurs environnementaux qui ressemblent à un phénotype causé par des mutations génétiques.

Phénotype Façon dont le génotype se manifeste chez une personne; le phénotype *A* se manifeste chez une personne dont le génotype est *Aa*.

Phospholipide Triglycéride modifié contenant un groupement phosphate fréquemment associé à un composé azoté.

Photorécepteurs Cellules réceptrices spécialisées de la rétine (cônes et bâtonnets) qui réagissent à l'énergie lumineuse.

Phrénique Qui se rapporte au diaphragme.

Physiologie Étude du fonctionnement des organismes vivants.

Pie-mère La plus interne des trois méninges; délicate membrane adhérant fermement à la surface de l'encéphale et de la moelle épinière.

Pinocytose Capture de liquide extracellulaire par une cellule.

Placenta Organe temporaire qui fournit les nutriments et l'oxygène nécessaires au fœtus en développement, élimine ses déchets métaboliques et sécrète les hormones de la grossesse.

Plan Ligne imaginaire le long de laquelle on effectue une coupe à travers une paroi du corps ou un organe; il existe trois types de plans: frontal, sagittal et transversal; voir *Coupe*.

Plaque neurale Épaississement de l'ectoderme le long de l'axe médian dorsal de l'embryon, qui apparaît au cours de la troisième semaine de développement; donnera le tube neural qui lui-même sera à l'origine des organes du SNC.

Plaquettes Fragments cellulaires présents dans le sang; jouent un rôle dans la coagulation.

Plasma Portion liquide du sang.

Plasmocyte Cellule du clone d'un lymphocyte B; produit et libère des anticorps.

Pleurésie Inflammation de la plèvre.

Plèvre Séreuse formée de deux feuillets dont l'un recouvre les poumons (plèvre viscérale) et l'autre tapisse la cavité thoracique (plèvre pariétale); le liquide pleural joue un rôle de lubrification et permet un contact étroit entre les deux feuillets.

Plexus Réseau de nerfs, de vaisseaux sanguins ou de vaisseaux lymphatiques.

Plexus choroïde Amas de capillaires dans les ventricules cérébraux, qui sécrètent le liquide cérébrospinal.

Plexus des nerfs spinaux Réseaux complexes de nerfs formés par les rameaux ventraux des nerfs spinaux (à l'exception des nerfs T_1 à T_{12}) qui fournissent la sensibilité et la motricité aux membres.

Plexus myentérique Voir *Plexus sous-muqueux entérique.*

Plexus sous-muqueux entérique Important plexus intrinsèque du tube digestif qui, avec le plexus myentérique et le plexus sous-séreux entérique, permet le fonctionnement automatique et relativement autonome de cet organe.

Plis circulaires Replis profonds de la muqueuse et de la sous-muqueuse intestinale.

Plis gastriques Replis de la muqueuse de l'estomac.

Plis vocaux Voir *Cordes vocales.*

Podocytes Cellules très modifiées en forme de pieuvre, possédant de longs prolongements et formant la couche interne de la capsule glomérulaire rénale.

Poils Annexes cutanées formées surtout de cellules kératinisées mortes et ayant quelques fonctions protectrices mineures.

Points de compression Endroits de l'organisme où l'on peut sentir et mesurer le pouls; points que l'on comprime pour arrêter l'afflux de sang au cours d'une hémorragie.

Polarisation État de la membrane plasmique d'un neurone ou d'une cellule musculaire non stimulée lorsque l'intérieur de la cellule est relativement négatif par rapport à l'extérieur; état de repos.

Polyarthrite rhumatoïde Maladie inflammatoire chronique auto-immune pouvant toucher de nombreuses articulations; se manifeste par une inflammation de la membrane synoviale.

Polycythémie Augmentation anormale du nombre d'érythrocytes dans le sang.

Polymorphisme génétique Voir *Allèles multiples.*

Polypeptide Chaîne d'acides aminés.

Polysaccharide Littéralement, nombreux sucres; polymère de monosaccharides liés (par exemple l'amidon et le glycogène).

Polyurie Production d'un volume urinaire anormalement élevé.

Pompe à sodium et à potassium Pompe à solutés qui transporte des ions sodium à l'extérieur de la cellule en même temps qu'elle transporte des ions potassium à l'intérieur; essentielle à la propagation de l'influx nerveux.

Pompes à solutés Transporteurs protéiques qui permettent le passage à travers la membrane plasmique de certaines substances, contre leur gradient de concentration; leur fonctionnement nécessite de l'ATP.

Pont Partie du tronc cérébral qui relie le bulbe rachidien au mésencéphale et, ainsi, les centres cérébraux supérieurs et inférieurs entre eux.

Ponts d'union Saillies à l'extrémité des filaments de myosine qui lient ensemble les filaments minces et les filaments épais pendant la contraction.

Pore gustatif Orifice par lequel les microvillosités émergent des cellules gustatives.

Pores nucléaires Espaces formés par la fusion des deux feuillets de l'enveloppe nucléaire par où des substances peuvent traverser cette dernière.

Porteur Personne hétérozygote dans le cas d'une maladie héréditaire récessive ; cette personne n'est pas atteinte de la maladie mais peut la transmettre à ses descendants.

Position anatomique Posture de référence, position standard employée pour décrire avec précision une partie du corps et éviter la confusion ; le corps est debout, les pieds joints, les bras pendant de chaque côté et les paumes tournées vers l'avant.

Potentiel d'action Phénomène qui se produit lorsqu'un stimulus d'intensité suffisante est appliqué à un neurone ou à une cellule musculaire, ce qui permet aux ions sodium de pénétrer dans la cellule et d'inverser la polarité. Voir *Différence de potentiel.*

Potentiel de repos Différence de potentiel entre l'intérieur et l'extérieur d'une cellule au repos ; dans un neurone, ce potentiel varie entre −40 et −90 mV selon le type de neurone.

Potentiel gradué Modification locale du potentiel de membrane qui est directement proportionnelle à l'intensité du stimulus et diminue selon la distance.

Pouls Expansion et rétraction rythmiques des artères résultant de la contraction du cœur ; peut être perçu à l'extérieur de l'organisme.

Poumons Organes de la respiration occupant la plus grande partie de la cavité thoracique, à la paroi de laquelle ils sont rattachés par les feuillets de la plèvre.

Précipitation Formation de complexes insolubles qui se déposent et ne font plus partie d'une solution.

Prépuce Repli de peau autour de l'extrémité proximale du gland du pénis.

Presbyacousie Forme de surdité de perception qui survient dans la soixantaine et qui est attribuable à la détérioration et à l'atrophie de l'organe spiral.

Presbytie Perte du pouvoir d'accommodation s'aggravant avec l'âge.

Présentation de l'antigène Processus essentiel à l'activation et à la sélection clonale des lymphocytes T, au cours duquel un lymphocyte T se lie simultanément à un fragment d'antigène (le non-soi) présenté par le macrophagocyte et à une glycoprotéine spécifique (le soi) qui se trouve à la surface de celui-ci.

Pression artérielle diastolique Pression sanguine mesurée au cours du relâchement des ventricules.

Pression artérielle systolique Pression exercée dans les artères par le ventricule gauche durant la systole.

Pression atmosphérique Un des besoins vitaux ; force exercée par l'air sur la surface du corps.

Pression sanguine Pression que le sang exerce sur la paroi interne d'un vaisseau.

Prolactine (PRL) Hormone de l'adénohypophyse qui stimule la production de lait par les glandes mammaires.

Processus articulaires Projections paires latérales par rapport au foramen vertébral d'une vertèbre ; participent à l'articulation des vertèbres entre elles.

Processus coracoïde Saillie de la scapula qui ressemble à un doigt recourbé et qui sert de point d'attache musculaire.

Processus coronoïde de l'ulna Saillie osseuse à l'extrémité proximale de l'ulna qui délimite, avec l'olécrâne, l'incisure trochléaire.

Processus épineux Protubérance impaire issue de la face postérieure de l'arc vertébral.

Processus mastoïde Bosse grossière de l'os temporal, en arrière et au-dessous du méat acoustique externe ; renferme les cellules mastoïdiennes.

Processus palatins Prolongements des maxillaires qui constituent la partie antérieure du palais osseux de la bouche.

Processus styloïde Saillie osseuse effilée qui peut servir de point d'attache musculaire ; présente par exemple sur l'os temporal.

Processus transverse Protubérance latérale du corps vertébral.

Processus xiphoïde Un des trois os soudés qui forment le sternum ; partie inférieure du sternum.

Processus zygomatique du temporal Mince prolongement osseux de l'os temporal qui s'articule en avant avec l'os zygomatique.

Progestérone Hormone sécrétée par le corps jaune de l'ovaire qui établit le cycle menstruel de concert avec les œstrogènes.

Prolactine (PRL) Hormone protéique de l'adénohypophyse ; stimule et maintient la production de lait par les seins de la mère.

Pronation Rotation de l'avant-bras vers l'intérieur qui fait croiser le radius sur l'ulna, la paume étant dirigée vers le bas.

Prophase Première phase de la mitose, au cours de laquelle les chromosomes apparaissent.

Propriocepteur Récepteur situé dans une articulation, un muscle ou un tendon ; capte de l'information relative à la locomotion, à la posture et au tonus musculaire.

Prosencéphale La plus antérieure des vésicules encéphaliques primitives ; aussi appelé *cerveau antérieur*, il se divise en télencéphale et en diencéphale.

Prostaglandines Substances hormonales à action locale, synthétisées à partir de lipides de la membrane plasmique.

Prostate Organe impair situé sous la vessie et entourant la partie supérieure de l'urètre ; produit environ le tiers du volume du liquide spermatique.

Protéine Substance organique complexe azotée ; principal matériau de structure des cellules.

Protéine fibreuse Protéine ressemblant à des cordes, présente le plus souvent dans les structures de l'organisme ; joue un rôle essentiel dans les liaisons entre les structures et le maintien de la résistance de certains tissus ; aussi appelée *protéine structurale.*

Protéine fonctionnelle Voir *Protéine globulaire.*

Protéine globulaire Protéine dont la structure est approximativement sphérique ; comprend l'hémoglobine, les enzymes et certaines hormones ; aussi appelée *protéine fonctionnelle.*

Protéine structurale Voir *Protéine fibreuse.*

Prothrombine Protéine présente dans le plasma qui se transforme en thrombine au cours du processus de coagulation.

Proton Particule subatomique de charge positive ; se trouve dans le noyau de l'atome.

Proximal Vers le point d'attache d'un membre ou l'origine d'une structure.

Puberté Période de la vie où les organes génitaux deviennent fonctionnels.

Pubien Relatif à la région des organes génitaux.

Pubis Partie antérieure de l'os coxal.

Pulmonaire Relatif aux poumons.

Pulpe de la dent Ensemble des structures (vaisseaux sanguins, neurofibres notamment) contenues dans le cavum de la dent.

Pupille Ouverture centrale de l'iris qui laisse pénétrer la lumière dans l'œil.

Pus Liquide produit par la réaction inflammatoire ; composé de globules blancs, de débris de cellules mortes et d'un liquide clair.

Putamen Amas de corps cellulaires faisant partie des noyaux basaux ; avec le globus pallidus, constitue le noyau lenticulaire.

Pyélonéphrite Inflammation du pelvis rénal et des tissus du rein avoisinants.

Pyramides de Malpighi Voir *Pyramides rénales.*

Pyramides rénales Régions à peu près triangulaires de la médulla rénale dont les bases sont orientées vers le cortex rénal et où se trouvent les anses de Henlé des néphrons et les tubules rénaux collecteurs ; aussi appelées *pyramides de Malpighi.*

Pyrogène Substance chimique sécrétée par les cellules exposées à des corps étrangers et qui provoque la fièvre.

Q

Quadriplégie Paralysie des quatre membres.

Quatrième ventricule Cavité remplie de liquide cérébrospinal, située à l'arrière du pont et du bulbe rachidien et à l'avant du cervelet ; communique avec le canal central de la moelle épinière.

Queue de cheval Ensemble des nerfs spinaux situés à l'extrémité inférieure du canal vertébral.

R

Rachis Voir *Colonne vertébrale.*

Racine de la dent Partie de la dent recouverte de cément et enchâssée dans le maxillaire.

Racine dorsale du nerf spinal Une des deux racines d'un nerf spinal par laquelle les neurofibres sensitives pénètrent dans la moelle épinière.

Racine ventrale du nerf spinal Une des deux racines d'un nerf spinal contenant les axones de neurones moteurs.

Radicaux libres Sous-produit normal du métabolisme cellulaire mais dont l'accumulation peut avoir des effets désastreux sur la cellule.

Radioactivité Processus de dégradation spontanée des isotopes les plus lourds pendant lequel des particules ou de l'énergie sont émis à partir du noyau de l'atome, qui devient plus stable.

Radio-isotope Isotope qui présente de la radioactivité ; ce sont les isotopes les plus lourds de certains éléments qui sont radioactifs.

Radius Os latéral de l'avant-bras.

Rameau communicant blanc Regroupement de fibres nerveuses myélinisées préganglionnaires qui vont du nerf spinal à un ganglion du tronc sympathique.

Rameau communicant gris Regroupement de fibres nerveuses amyélinisées postganglionnaires allant d'un ganglion du tronc sympathique vers le nerf spinal.

Rameau dorsal du nerf spinal Petite ramification mixte d'un nerf spinal à sa sortie de la moelle épinière ; innerve la peau et les muscles de la partie postérieure du tronc.

Rameau ventral du nerf spinal Ramification mixte d'un nerf spinal à sa sortie de la moelle épinière ; ces rameaux forment (à l'exception des nerfs T_1 à T_{12}) des réseaux complexes, les plexus des nerfs spinaux.

Rate Organe du système lymphatique, situé du côté gauche de la cavité abdominale ; filtre le sang, détruit les globules rouges détériorés, emmagasine les plaquettes et sert de réservoir sanguin.

Rayonnement Moyen par lequel l'organisme perd de la chaleur par la surface de la peau.

Réabsorption tubulaire Retour des composants du filtrat des tubules rénaux au sang des capillaires péritubulaires.

Réaction chimique Processus de formation, de réarrangement ou de rupture des liaisons chimiques.

Réaction d'échange Réaction chimique dans laquelle il y a simultanément création et rupture de liaisons ; les atomes se combinent à des atomes différents.

Réaction de dégradation Réaction chimique dans laquelle une molécule est brisée en molécules plus petites ; c'est une hydrolyse lorsque la réaction se fait par l'apport d'une molécule d'eau.

Réaction de neutralisation Réaction chimique entre un acide et une base, produisant de l'eau et un sel.

Réaction de synthèse (déshydratation) Réaction chimique dans laquelle des molécules se combinent pour former une molécule plus grosse et plus complexe ; la formation de chaque liaison chimique entraîne la perte d'une molécule d'eau.

Réaction immunitaire Défense dirigée contre des antigènes spécifiques par des lymphocytes activés (lymphocytes T et B).

Réaction immunitaire primaire Réaction initiale du système immunitaire à un antigène ; comprend la sélection clonale et établit la mémoire immunitaire.

Réaction immunitaire secondaire Deuxième réaction du système immunitaire à un antigène déjà rencontré ; plus rapide et vigoureuse que la réaction primaire.

Réaction inflammatoire Réaction de défense de l'organisme aux lésions ; provoque la dilatation des vaisseaux sanguins et une augmentation de la perméabilité des vaisseaux.

Récepteur 1) Terminaison nerveuse périphérique spécialisée qui répond à divers types de stimulus; 2) molécule qui se lie spécifiquement avec d'autres molécules, comme des hormones et des neurotransmetteurs; 3) un des trois éléments essentiels d'un mécanisme de régulation; structure dont le rôle consiste à capter des changements dans l'environnement et à y réagir.

Récepteur osmotique Structure sensible à la pression osmotique, ou concentration, d'une solution.

Récepteurs olfactifs Récepteurs occupant l'épithélium de la région olfactive de la muqueuse du nez et contenant les cellules olfactives qui captent les odeurs.

Récepteurs sensoriels spécifiques Récepteurs regroupés dans des organes volumineux et complexes ou dans des amas localisés (récepteurs de la vision, de l'ouïe, du goût et de l'odorat).

Récessif Se dit d'un allèle dont l'expression est masquée par l'autre allèle.

Rectum Partie du gros intestin qui va du côlon sigmoïde au canal anal.

Réduction Intervention qui consiste à réaligner les parties fracturées d'un os (ou un os luxé).

Réflexe Réaction automatique, rapide, prévisible à un stimulus.

Réflexe d'évacuation Réflexe spinal déclenché par l'étirement de la paroi du rectum et provoquant la contraction des parois du côlon sigmoïde et du rectum ainsi que le relâchement des sphincters de l'anus.

Réflexes autonomes Réflexes qui régissent l'activité des muscles lisses, du cœur et des glandes.

Réflexes somatiques Réflexes qui ont pour effecteurs les muscles squelettiques.

Réfraction Déviation des rayons lumineux.

Régénération Remplacement du tissu détruit par un tissu de même type.

Région constante Région de chacune des quatre chaînes d'un anticorps; identique (ou presque) dans tous les anticorps d'une classe donnée.

Région épigastrique Région anatomique supérieure par rapport à la région ombilicale.

Région inguinofémorale Voir *Aine.*

Région ombilicale Région anatomique située derrière l'ombilic (nombril) et autour de celui-ci.

Région pubienne Région anatomique inférieure par rapport à la région ombilicale.

Région variable Région de chacune des quatre chaînes d'un anticorps, variant de composition d'un anticorps à l'autre et réagissant à l'antigène.

Régions hypochondriaques Régions anatomiques situées de part et d'autre (à droite et à gauche) de la région épigastrique et contenant les côtes inférieures.

Régions inguinales Régions anatomiques latérales (à droite et à gauche) par rapport à la région pubienne.

Régions latérales Régions anatomiques situées de part et d'autre (à droite et à gauche) de la région ombilicale.

Règle des neuf Méthode qui permet de calculer le pourcentage de la surface corporelle lésée dans une brûlure.

Rein Organe pair, en forme de haricot, situé contre la paroi abdominale postérieure qui sert à former l'urine.

Relaxine Hormone sécrétée par le placenta qui entraînerait un relâchement de la symphyse pubienne, facilitant ainsi l'accouchement.

Remaniement osseux Processus de réorganisation continuelle de la structure osseuse essentiel au maintien des proportions normales et de la force des os.

Remnographie Technique d'imagerie médicale basée sur le phénomène de la résonance magnétique et qui permet de déceler rapidement la plupart des tumeurs, des lésions intracrâniennes, des plaques de scléroses et des infarctus.

Rénine Enzyme sécrétée par les reins qui joue un rôle dans l'augmentation de la pression artérielle, en stimulant la sécrétion d'aldostérone et en catalysant la réaction qui produit de l'angiotensine II.

Repolarisation Retour du potentiel de membrane à l'état de repos initial (polarisé).

Réponse graduée Variation du degré de contraction musculaire selon le changement de la fréquence ou de la force du stimulus.

Réponse motrice Troisième grande fonction du système nerveux qui consiste à activer des muscles ou des glandes.

Reproduction Une des fonctions vitales; production de descendants s'effectuant au niveau cellulaire et au niveau de l'organisme.

Résistance périphérique Résistance opposée à l'écoulement du sang par les vaisseaux sanguins systémiques; mesure de la friction du sang.

Respiration cellulaire Ensemble des processus métaboliques qui produisent de l'ATP; aussi appelée *respiration interne.*

Respiration cellulaire aérobie Respiration dans laquelle l'oxygène est consommé et le glucose entièrement dégradé; les produits finals sont l'eau, le gaz carbonique et de grandes quantités d'ATP.

Respiration externe Échanges gazeux entre les alvéoles et le sang (échange des gaz pulmonaires).

Respiration interne Utilisation de l'oxygène par les cellules de l'organisme; aussi appelée *respiration cellulaire.*

Réticulum endoplasmique (RE) Réseau de membranes tubulaires ou sacculaires présent dans le cytoplasme de la cellule; le RE rugueux est parsemé de ribosomes, contrairement au RE lisse.

Réticulum sarcoplasmique Réticulum endoplasmique lisse de la fibre musculaire qui emmagasine le calcium et le libère pour provoquer la contraction musculaire.

Rétinal Dérivé de la vitamine A qui forme les pigments visuels en s'unissant à une opsine.

Rétine Tunique sensitive de l'œil; contient les photorécepteurs (cônes et bâtonnets).

Rétroactivation Rétroaction dans laquelle le changement produit va dans la même direction que la fluctuation initiale ; aussi appelée *mécanisme de rétroactivation.*

Rétro-inhibition Mécanisme de régulation d'un processus biologique ; le mécanisme, par sa réponse au stimulus de départ, met fin à celui-ci ou réduit son intensité ; aussi appelée *mécanisme de rétro-inhibitioin.*

Révolution cardiaque Succession d'étapes produisant un battement cardiaque complet, pendant lequel les oreillettes et les ventricules se contractent.

Rhodopsine Pigment visuel violet des bâtonnets formé par l'union de l'opsine et du rétinal ; sa décomposition sous l'effet de la lumière engendre les influx nerveux permettant la vision.

Rhombencéphale Une des trois vésicules encéphaliques primitives ; aussi appelé *cerveau postérieur*, il se divise en métencéphale et en myélencéphale.

Ribosomes Organites cytoplasmiques qui constituent le siège de la synthèse des protéines.

Rotation Mouvement d'un os autour de son axe longitudinal (par exemple lorsqu'on fait non de la tête).

S

Sacral Relatif au sacrum ; partie inférieure du dos.

Sacrum Segment de la colonne vertébrale issu de la fusion graduelle de cinq vertèbres ; situé entre le segment lombaire et le coccyx.

Salive Mélange de mucus et de liquides séreux sécrété par les glandes salivaires et libéré dans la bouche.

Sang Tissu conjonctif composé de cellules (globules sanguins) qui baignent dans une matrice liquide (plasma).

Sarcolemme Membrane plasmique d'un myocyte.

Sarcomère La plus petite unité contractile de la fibre musculaire ; s'étend d'une strie Z jusqu'à la suivante.

Scapula Os plat triangulaire de la ceinture scapulaire ; aussi appelée *omoplate.*

Scissure de Rolando Voir *Sillon central de l'hémisphère cérébral.*

Scissure de Sylvius Voir *Sillon latéral.*

Sclère Partie externe, blanche et opaque de la tunique fibreuse du bulbe ; protège l'œil et maintient sa forme ; aussi appelée *sclérotique.*

Sclérotique Voir *Sclère.*

Scrotum Sac externe contenant les testicules.

Sébum Sécrétion huileuse des glandes sébacées.

Second messager Molécule intracellulaire produite par la liaison d'une substance chimique à un récepteur de la membrane plasmique ; médiateur de la réaction cellulaire.

Secousse musculaire Contraction brusque et isolée d'un muscle, suivie d'un relâchement.

Sécrétine Hormone produite par la muqueuse duodénale qui stimule la libération de suc pancréatique riche en ions bicarbonate et accroît la sécrétion de bile par le foie.

Sécrétion 1) Passage d'une substance formée par la cellule vers l'extérieur de celle-ci ; 2) produit de la cellule qui est transporté vers l'extérieur de celle-ci.

Sécrétion tubulaire Troisième étape de la formation de l'urine, faisant passer les substances des capillaires péritubulaires à la lumière du tubule rénal.

Segmentation 1) Phase du début du développement embryonnaire où les divisions cellulaires rapides ne sont pas séparées par des périodes de croissance ; 2) mécanisme de la digestion mécanique qui fait subir à la nourriture des mouvements de brassage dans le tube digestif, la mélangeant ainsi aux sucs digestifs.

Ségrégation Distribution des chromosomes (et des allèles qu'ils portent) dans des gamètes différents au cours de la première division de la méiose.

Ségrégation indépendante Distribution des différentes paires de chromosomes homologues (et des allèles qu'ils portent) indépendamment les unes des autres au cours de la première division de la méiose.

Sel Composé ionique qui se dissocie en particules chargées (autres que les ions hydrogène ou hydroxyle) lorsqu'il est dissous dans l'eau.

Sélection clonale Processus au cours duquel un lymphocyte B ou un lymphocyte T est sensibilisé par la liaison avec un antigène.

Selle turcique Cavité située sur la ligne médiane de l'os sphénoïde et où est logée l'hypophyse.

Septum interatrial Cloison qui sépare longitudinalement les oreillettes du cœur.

Septum interventriculaire Cloison qui sépare longitudinalement les ventricules du cœur.

Séreuse Membrane composée d'un épithélium simple squameux reposant sur une couche mince de tissu conjonctif aréolaire et tapissant les cavités du corps qui ne s'ouvrent pas sur l'extérieur (à l'exception des cavités articulaires).

Sérosité Liquide lubrifiant transparent sécrété par les cellules d'une séreuse.

Sérotonine 1) Substance libérée par les plaquettes provoquant des spasmes vasculaires lorsqu'un vaisseau est endommagé ; 2) neurotransmetteur (amine biogène) dans le SNC qui pourrait intervenir notamment dans le sommeil et la régulation de l'humeur.

Sérum Liquide qui suinte du caillot lorsque celui-ci se rétracte.

Seuil d'excitation Niveau critique de dépolarisation que doit produire une stimulation pour déclencher un potentiel d'action.

Sida Syndrome d'immunodéficience acquise ; type de déficit immunitaire causé par le virus de l'immunodéficience humaine (VIH) ; les symptômes comprennent une perte pondérale importante, des sueurs nocturnes, la tuméfaction des nœuds lymphatiques et des infections opportunistes.

Signes vitaux Ensemble de mesures permettant d'évaluer rapidement l'état d'un sujet ; comprennent le pouls, la pression artérielle, la fréquence respiratoire et la température corporelle.

Sillon 1) Dépression linéaire ; 2) rainure superficielle du cerveau.

Sillon central de l'hémisphère cérébral Sillon qui sépare le lobe frontal du lobe pariétal ; aussi appelé *scissure de Rolando.*

Sillon de clivage Étranglement qui apparaît à l'équateur de la cellule au cours de la cytocinèse et qui sépare la masse cytoplasmique en deux.

Sillon latéral Profond sillon qui sépare le lobe temporal des lobes frontal et pariétal dans l'hémisphère cérébral ; aussi appelé *scissure de Sylvius.*

Sillon neural Invagination de la plaque neurale de l'embryon.

Sillon pariétooccipital Sillon qui sépare le lobe occipital de l'hémisphère cérébral du lobe pariétal.

Sinus 1) Canal servant au passage du sang et de la lymphe ; 2) partie dilatée d'un conduit.

Sinus paranasaux Cavités remplies d'air et tapissées d'une muqueuse dans certains os du crâne.

Site actif Région d'une enzyme, constituée d'atomes s'ajustant à d'autres molécules de forme et de charges complémentaires et interagissant chimiquement avec ces dernières.

Site de fixation à l'antigène Site formé par l'association des régions variables de la chaîne lourde et de la chaîne légère de chaque moitié d'un anticorps ; la forme particulière de ce site lui permet de « s'ajuster » à un antigène spécifique.

Soluté Substance dissoute dans une solution.

Solution Mélange homogène de deux constituants ou plus.

Solvant Le constituant le plus abondant dans une solution.

Sommation Accumulation des effets, en particulier de ceux des stimulus musculaires, sensoriels ou mentaux.

Sommeil Inconscience partielle à laquelle on peut mettre fin par une stimulation.

Sommeil lent Sommeil constitué de quatre stades au cours desquels la fréquence des ondes cérébrales diminue tandis que leur amplitude augmente.

Sommeil paradoxal Sommeil au cours duquel les signes vitaux s'intensifient et les muscles squelettiques sont temporairement paralysés ; les rêves se produisent généralement durant ce stade du sommeil.

Souffle cardiaque Bruit anormal du cœur (résultant d'un trouble des valves).

Sous-muqueuse Couche de tissu conjonctif lâche située juste à l'extérieur de la muqueuse dans la paroi du tube digestif.

Spasme vasculaire Rétrécissement local d'un vaisseau endommagé qui endigue l'écoulement de sang jusqu'au moment de la coagulation.

Spermatides Cellules issues de la deuxième division de la méiose dans les testicules, avant qu'elles soient transformées en spermatozoïdes.

Spermatocytes primaires Cellules qui subissent la première division de la méiose, dans les tubules séminifères contournés du testicule.

Spermatogenèse Processus de formation des spermatozoïdes chez l'homme ; comprend la méiose.

Spermatogonies Cellules souches primitives du testicule qui subissent des divisions mitotiques rapides et produisent, à partir de la puberté, des spermatocytes primaires.

Spermatozoïde Gamète mâle.

Sperme Liquide produit par les glandes génitales mâles ; comprend les spermatozoïdes et le plasma spermatique.

Spermiogenèse Dernière phase du développement des spermatozoïdes, au cours de laquelle ils deviennent des spermatozoïdes matures avec une tête, une pièce intermédiaire et une queue.

Sphincter Muscle circulaire qui entoure un orifice ; agit comme une valve.

Sphincter lisse de l'urètre Épaississement de la musculeuse de la vessie à la jonction de l'urètre et de la vessie qui ferme l'urètre et empêche l'écoulement de l'urine entre les mictions.

Sphincter précapillaire Manchon de muscle lisse à la racine de chaque capillaire vrai qui régit l'écoulement du sang dans le capillaire.

Squameux 1) Plat, semblable à une écaille ; 2) relatif aux cellules aplaties et minces qui forment la surface libre de certains tissus épithéliaux.

Squelette appendiculaire Os des membres et des ceintures qui sont attachés au squelette axial.

Squelette axial Os de la tête, de la colonne vertébrale et du thorax, et du sternum.

Statoconies Minuscules cristaux composés de protéines et de carbonate de calcium, situés dans l'utricule et le saccule de l'oreille interne.

Sténose Rétrécissement anormal ; diminution du calibre d'un orifice.

Sternum Os plat formant la partie antérieure du thorax osseux et s'articulant avec les vraies côtes.

Stéroïdes Groupe de substances chimiques (lipides) auquel appartiennent certaines hormones et le cholestérol.

Stimulines Hormones de l'adénohypophyse qui régissent l'action d'un autre organe endocrinien : la TSH, l'ACTH, la FSH et la LH.

Stimulus Agent excitant ou irritant ; changement de l'environnement qui produit une réaction.

Stratum Couche.

Stratum basal Voir *Couche basale.*

Stratum granulosum Voir *Couche granuleuse.*

Stratum lucidum Voir *Couche claire.*

Stratum spinosum Voir *Couche épineuse.*

Strie A Bande sombre du sarcomère comportant les myofilaments de myosine.

Strie I Bande claire s'étendant sur deux sarcomères adjacents et ne comportant que des myofilaments d'actine.

Substance blanche Partie du SNC de couleur blanchâtre ; contient des groupements denses d'axones myélinisés.

Substance chromatophile Réticulum endoplasmique rugueux du neurone ; aussi appelée *corps de Nissl.*

Substance grise Partie du SNC de couleur grise ; contient surtout des corps cellulaires de neurones et des neurofibres amyélinisées.

Substance P Neuropeptide ; important médiateur de messages nociceptifs.

Substances antimicrobiennes Substances élaborées par le système de défense non spécifique, comprenant le complément, l'interféron et des substances libérées au cours de la réaction inflammatoire.

Suc gastrique Sécrétion des glandes de l'estomac composée d'enzymes protéolytiques, d'acide chlorhydrique et de mucus.

Suc pancréatique Sécrétion du pancréas contenant des enzymes qui contribuent à la dégradation de toutes les catégories d'aliments.

Sucre simple Voir *Monosaccharide.*

Sueur Sécrétion acide composée surtout d'eau, de sels minéraux et de traces de déchets métaboliques, libérée par les glandes sudoripares à la surface de la peau.

Superficiel Se dit de ce qui est situé près de la surface ou à la surface du corps.

Supérieur Relatif à la tête ou au haut d'une structure ou du corps.

Supination Rotation latérale de l'avant-bras pour tourner la paume en position antérieure.

Surdité de perception Surdité résultant d'une lésion ou d'une dégénérescence des cellules sensorielles ciliées, du nerf cochléaire ou des neurones de l'aire auditive du cortex cérébral.

Surdité de transmission Surdité temporaire ou permanente qui résulte d'entraves à la propagation des vibrations jusqu'aux liquides de l'oreille interne.

Surface apicale Surface libre d'une membrane ou d'une cellule exposée à l'extérieur de l'organisme ou à la cavité d'un organe interne.

Surfactant Substance chimique recouvrant les parois des alvéoles pulmonaires qui réduit la tension superficielle, prévenant l'affaissement des alvéoles après chaque expiration.

Suture coronale Suture située à la jonction des os pariétaux et de l'os frontal.

Suture lambdoïde Suture située à la jonction de l'os occipital et des os pariétaux.

Suture sagittale Suture située à la jonction des deux os pariétaux, à la ligne médiane du crâne.

Sutures Articulations fibreuses immobiles qui unissent les os du crâne chez l'adulte.

Sutures squameuses Sutures situées à la jonction des os temporaux et des os pariétaux.

Symbole chimique Symbole formé d'une ou de deux lettres employé pour désigner un élément.

Symphyse pubienne Disque de cartilage fibreux formant l'articulation antérieure des deux os coxaux.

Synapse Jonction fonctionnelle entre deux neurones.

Synapsis Appariement des chromosomes homologues sur toute leur longueur qui se produit au cours de la prophase I de la méiose.

Synarthrose Articulation immobile.

Syndesmose Type d'articulation fibreuse dans laquelle les fibres de tissu conjonctif sont plus longues que dans les sutures et permettent donc un certain « jeu » ; par exemple l'articulation qui relit les extrémités distales du tibia et de la fibula.

Syndrome d'immunodéficience acquise Voir *Sida.*

Syndrome de Cushing Maladie attribuable à une production excessive de glucocorticoïdes ; se caractérise par l'accumulation de tissu adipeux, le gain pondéral et l'ostéoporose.

Synovie Voir *Liquide synovial.*

Système Ensemble d'organes qui travaillent de concert pour accomplir une fonction vitale (par exemple le système nerveux).

Système cardiovasculaire Système qui distribue le sang dans toutes les parties du corps.

Système de conduction du cœur Tissu spécialisé qui provoque la dépolarisation du muscle cardiaque des oreillettes aux ventricules et qui détermine le rythme cardiaque de base.

Système de défense non spécifique Ensemble de structures comme la peau et les muqueuses, de mécanismes innés comme la réaction inflammatoire et de molécules qui empêchent l'entrée et la propagation de microorganismes à l'intérieur du corps.

Système de défense spécifique Système fonctionnel plutôt qu'anatomique constitué de molécules et de cellules logées dans le tissu lymphatique ; a pour fonction de protéger l'organisme contre tout corps étranger, mais doit d'abord avoir été sensibilisé par une exposition à ce corps étranger avant de pouvoir protéger l'organisme ; aussi appelé *système immunitaire.*

Système digestif Système qui transforme les aliments en nutriments absorbables et élimine les résidus non digérés.

Système du lemnisque médial Voir *Voie ascendante spécifique.*

Système endocrinien Système regroupant les organes internes qui sécrètent des hormones.

Système génital Système destiné à la reproduction.

Système immunitaire Voir *Système de défense spécifique.*

Système limbique Ensemble de structures situées dans les hémisphères cérébraux et le diencéphale et constituant ce qu'on appelle le *cerveau émotionnel et viscéral* ou encore le *cerveau affectif.*

Système lymphatique Système composé des vaisseaux lymphatiques, des nœuds lymphatiques et autres organes et amas de tissu lymphatiques ; joue un rôle complémentaire à celui du système cardiovasculaire et remplit une fonction primordiale dans la défense de l'organisme contre les agressions.

Système musculaire Système composé des muscles squelettiques et de leurs attaches de tissu conjonctif.

Système nerveux Système de régulation qui agit rapidement, au moyen d'influx nerveux, pour déclencher la contraction musculaire ou la sécrétion glandulaire.

Système nerveux autonome (SNA) Portion du système nerveux qui régit les activités automatiques ou involontaires, comme celles des muscles lisses, du muscle cardiaque et des glandes ; comprend deux parties : la partie sympathique et la partie parasympathique ; aussi appelé *système nerveux involontaire.*

Système nerveux central (SNC) L'encéphale et la moelle épinière.

Système nerveux involontaire Voir *Système nerveux autonome.*

Système nerveux parasympathique Voir *Partie parasympathique du SNA.*

Système nerveux périphérique (SNP) Principalement formé de nerfs ; relie toutes les parties du corps au SNC.

Système nerveux somatique Subdivision du système nerveux périphérique qui permet une maîtrise consciente des muscles squelettiques ; aussi appelé *système nerveux volontaire.*

Système nerveux sympathique Voir *Partie sympathique du SNA.*

Système nerveux volontaire Voir *Système nerveux somatique.*

Système osseux Système de protection et de soutien composé principalement d'os et de cartilages.

Système porte hépatique Circulation dans laquelle la veine porte recueille les nutriments dissous provenant de l'intestin et les achemine au foie, où ils sont traités.

Système rénine-angiotensine Système formé par une enzyme fabriquée par les reins (la rénine) et le produit de la réaction qu'elle catalyse (l'angiotensine II) ; cette dernière substance cause une vasoconstriction et une augmentation de la pression artérielle ainsi qu'une libération d'aldostérone.

Système respiratoire Système où s'effectuent les échanges gazeux ; constitué notamment du nez, du pharynx, du larynx, de la trachée, des bronches et de leurs ramifications, et des poumons.

Système réticulaire activateur ascendant Groupe de neurones particuliers faisant partie de la formation réticulaire ; intervient dans la conscience et la régulation des cycles veille-sommeil.

Système tampon Voir *Tampon.*

Système tégumentaire La peau et ses dérivés.

Système urinaire Système principalement responsable de l'équilibre hydrique, électrolytique et acidobasique, et de l'élimination des déchets azotés ; comprend les reins, les uretères, la vessie et l'urètre.

Systémique Relatif à tout l'organisme.

Systole Période de contraction du cœur.

T

Tableau périodique Tableau contenant la liste complète des éléments connus classés en rangées d'après leur numéro atomique.

Tache aveugle Voir *Disque du nerf optique.*

Tachycardie Fréquence cardiaque anormalement élevée (supérieure à 100 batt./min).

Talus Un des sept os du tarse, situé entre le tibia et le calcanéus ; avec le calcanéus, supporte presque tout le poids du corps.

Tampon Une ou plusieurs substances qui contribuent à stabiliser le pH d'une solution.

Tarse Les sept os de la moitié postérieure du pied (cheville et talon).

Tégument Autre nom de la peau.

Télencéphale Partie la plus antérieure de l'encéphale constituée des deux hémisphères cérébraux.

Télodendrons Ramifications à l'extrémité de l'axone qui portent les corpuscules nerveux terminaux.

Télophase Dernière phase de la mitose au cours de laquelle, notamment, les chromosomes redeviennent de la chromatine.

Température corporelle Température de l'organisme dont le maintien à environ 37 °C constitue un des besoins vitaux.

Tendon Bande de tissu conjonctif dense qui relie un muscle à un os.

Tendon calcanéen Voir *Tendon d'Achille.*

Tendon d'Achille Tendon qui fixe le muscle du mollet au calcanéus (talon) ; aussi appelé *tendon calcanéen.*

Tente du cervelet Cloison formée par la couche interne de la dure-mère qui sépare le cervelet du cerveau.

Terminaisons axonales Ramifications d'un axone au niveau d'une fibre musculaire.

Testicule Organe sexuel mâle qui produit les spermatozoïdes et les hormones sexuelles.

Testostérone Hormone sexuelle mâle produite par les testicules ; suscite la virilisation pendant la puberté ; nécessaire à la production de spermatozoïdes.

Tétanos 1) Contraction musculaire prolongée ; 2) maladie infectieuse.

Tête osseuse Une des trois parties du squelette axial ; formée des os du crâne et des os de la face.

Tétrade Groupe de quatre chromatides provenant de la réplication de chacun des chromosomes d'une paire.

Thalamus Masse de substance grise située dans le diencéphale du cerveau.

Thorax osseux Une des trois parties du squelette axial ; os qui forment la charpente du thorax ; comprend le sternum, les côtes et les vertèbres thoraciques ; aussi appelé *cage thoracique.*

Thrombine Enzyme qui provoque la coagulation en transformant le fibrinogène en fibrine.

Thrombopénie Insuffisance du nombre de plaquettes circulantes.

Thrombophlébite Inflammation d'une veine causée par la formation d'un caillot.

Thromboplastine tissulaire Substance libérée par les tissus endommagés qui joue un rôle important dans la coagulation.

Thromboxane A_2 Substance libérée par les plaquettes lorsqu'un vaisseau est endommagé et provoque des spasmes vasculaires.

Thrombus Caillot qui se développe dans un vaisseau sanguin intact et qui y demeure.

Thrombus blanc Voir *Clou plaquettaire.*

Thymosine Hormone sécrétée par le thymus et jouant un rôle dans la réaction immunitaire.

Thymus Glande endocrine située à l'arrière du sternum et jouant un rôle dans la réaction immunitaire.

Thyréotrophine (TSH) Hormone de l'adénohypophyse (stimuline) qui influe sur le développement et l'activité de la glande thyroïde.

Thyroxine (T_4) Hormone sécrétée par les follicules thyroïdiens et agissant sur le métabolisme.

Tibia Un des deux os de la jambe, le plus large des deux et situé du côté médial ; s'articule avec le fémur.

Tissu Groupe de cellules semblables qui remplissent une même fonction ; les tissus primaires de l'organisme sont le tissu épithélial, le tissu conjonctif, le tissu musculaire et le tissu nerveux.

Tissu adipeux Tissu conjonctif lâche dont les cellules servent de réserve de lipides.

Tissu aréolaire Tissu conjonctif lâche, spongieux et souple qui forme un filet autour des organes qu'il contribue à protéger ; le tissu conjonctif le plus répandu dans l'organisme.

Tissu conjonctif Tissu primaire ; prend des formes et assure des fonctions très variées ; remplit notamment des fonctions de soutien, de stockage et de protection.

Tissu conjonctif dense Tissu conjonctif où les fibres collagènes prédominent ; forme les tendons et les ligaments.

Tissu conjonctif lâche Tissu conjonctif mou contenant plus de cellules et moins de fibres que tous les autres types de tissu conjonctif ; comprend le tissu aréolaire, le tissu adipeux et le tissu conjonctif réticulaire.

Tissu conjonctif réticulaire Tissu conjonctif lâche composé d'un fin réseau de fibres réticulaires entrelacées et de cellules réticulaires ressemblant à des fibroblastes : forme la trame des nœuds lymphatiques et de la rate notamment.

Tissu épithélial Voir *Épithélium.*

Tissu musculaire Tissu primaire ; formé de myocytes ayant la propriété de se contracter pour produire du mouvement ; comprend le tissu musculaire squelettique, lisse et cardiaque.

Tissu musculaire cardiaque Tissu qui forme le muscle cardiaque ; ses myocytes, répondant à des commandes involontaires, sont ramifiés, plutôt courts, striés et n'ont qu'un seul noyau.

Tissu musculaire lisse Tissu qui forme la paroi des organes creux (par exemple l'estomac et la vessie) ; ses myocytes fusiformes n'ont qu'un seul noyau et sont dépourvus de stries ; répond à des commandes involontaires et ses contractions sont généralement lentes.

Tissu musculaire squelettique Tissu formant les muscles du squelette et répondant à des commandes volontaires ; ses myocytes longs et cylindriques ont plusieurs noyaux et un aspect strié.

Tissu nerveux Tissu primaire ; composé de neurones et de gliocytes.

Tissu osseux Tissu de type conjonctif qui forme les os ; composé de cellules (ostéocytes) situées dans des lacunes et entourées d'une matrice très dure faite de sels de calcium et de fibres collagènes.

Tomographie Technique d'imagerie médicale qui permet d'obtenir la radiographie d'un organe par tranches successives.

Tomographie par émission de positons (TEP) Technique d'imagerie médicale qui consiste à évaluer l'activité biochimique d'un organe au moyen de radio-isotopes et de leurs émissions, produisant des rayons gamma à haute énergie.

Tonus musculaire Légère contraction continue d'un muscle en réaction à l'activation des récepteurs de l'étirement ; permet aux muscles de rester fermes et prêts à répondre à une nouvelle stimulation.

Trabécules Bandes fibreuses qui se projettent de la capsule d'un organe à l'intérieur de celui-ci.

Trachée Tube renforcé d'anneaux cartilagineux qui s'étend du larynx aux bronches.

Tractus Dans le SNC, regroupement de neurofibres qui prennent naissance et se terminent aux mêmes endroits et qui partagent la même fonction.

Tonsilles Voir *Amygdales.*

Tractus corticonucléaire Un des tractus de la voie motrice principale ; transporte les influx nerveux du cortex cérébral vers les noyaux des nerfs crâniens qui régissent la motricité des muscles squelettiques de la tête et du cou.

Tractus corticospinal Regroupement des axones des neurones moteurs de l'aire motrice primaire s'étendant jusque dans la moelle épinière ; c'est la voie motrice principale ; aussi appelé *faisceau pyramidal.*

Tractus du lemnisque médial Une des composantes de la voie ascendante spécifique ; prend naissance dans le bulbe rachidien et se termine dans des noyaux particuliers du thalamus.

Tractus réticulospinal Tractus appartenant à la voie motrice secondaire qui assure la contraction musculaire semi-volontaire ; maintient l'équilibre en faisant varier le tonus des muscles posturaux.

Tractus rubrospinal Tractus appartenant à la voie motrice secondaire qui assure la contraction musculaire semi-volontaire ; véhicule des influx moteurs qui régissent le tonus des muscles squelettiques.

Tractus spinocérébelleux Tractus des voies ascendantes qui transmettent au cervelet l'information sur l'étirement des muscles et des tendons ; ne contribuent pas aux sensations conscientes.

Tractus spinothalamique latéral Un des deux tractus constituant la voie ascendante non spécifique ; situé dans le cordon latéral de la moelle épinière.

Tractus spinothalamique ventral Un des deux tractus constituant la voie ascendante non spécifique ; situé dans le cordon ventral de la moelle épinière.

Tractus tectospinal Tractus appartenant à la voie motrice secondaire qui assure la contraction musculaire semi-volontaire ; régit les mouvements de la tête en réponse aux stimulus visuels.

Tractus vestibulospinal Tractus appartenant à la voie motrice secondaire qui assure la contraction musculaire semi-volontaire ; joue un rôle dans le maintien de l'équilibre et du tonus musculaire.

Traduction Étape de la synthèse des protéines pendant laquelle l'ARNm est décodé.

Trait drépanocytaire État associé au génotype hétérozygote en ce qui concerne la drépanocytose, ou anémie à hématies falciformes ; ce génotype permet de résister au paludisme.

Traitement immunosuppresseur Traitement effectué après une greffe d'organe ou de tissu dans le but de prévenir le rejet du greffon par le système immunitaire.

Transcription Étape de la synthèse des protéines au cours de laquelle l'information passe de l'ADN à l'ARNm.

Transport actif Mouvement net d'une substance à travers une membrane contre un gradient de concentration ou un gradient électrique ; nécessite la libération et l'utilisation d'énergie cellulaire ; aussi appelé *mécanisme de transport actif.*

Transport passif Mécanisme de transport membranaire qui ne nécessite pas d'énergie cellulaire (ATP) (par exemple la diffusion, qui utilise l'énergie cinétique) ; aussi appelé *mécanisme de transport passif.*

Travail Événements qui mènent à l'expulsion du fœtus à l'extérieur de l'utérus.

Triglycérides Graisses et huiles composées d'acides gras et de glycérol ; aussi appelés *graisses neutres.*

Trigone vésical Base lisse et triangulaire de la vessie délimitée par les ostiums des uretères et l'ostium interne de l'urètre.

Triiodothyronine (T_3) Hormone formée à partir de la thyroxine dans les tissus cibles.

Triplet Séquence de trois bases azotées de l'ADN qui code pour un acide aminé.

Trochanter Processus gros et épais.

Trochlée humérale Surface articulaire située sur la face antérieure et du côté médial de l'extrémité distale de l'humérus ; ressemble à un sablier couché sur le côté et s'articule avec l'ulna.

Trompe auditive Conduit qui relie l'oreille moyenne au pharynx ; permet d'équilibrer la pression de part et d'autre du tympan ; autrefois appelée *trompe d'Eustache.*

Trompe de Fallope Voir *Trompe utérine.*

Trompe utérine Conduit dans lequel l'ovule est transporté jusqu'à l'utérus ; aussi appelée *trompe de Fallope.*

Tronc cérébral Structure de l'encéphale constituée du mésencéphale, du pont et du bulbe rachidien.

Tronc pulmonaire Grosse artère par laquelle le sang quitte le ventricule droit en direction des poumons.

Troncs sympathiques Chaînes de ganglions qui s'étendent de part et d'autre de la colonne vertébrale ; aussi appelés *chaînes latérovertébrales.*

Trophoblaste Couche superficielle des cellules du blastocyste.

Tube digestif Tube musculeux continu dans la cavité abdominale qui va de la bouche à l'anus ; aussi appelé *canal alimentaire.*

Tube neural Tube s'étendant le long de l'axe médian dorsal de l'embryon et qui deviendra le SNC.

Tubercule Petite protubérance arrondie.

Tubérosité Volumineuse protubérance, plus grosse qu'un tubercule.

Tubérosité ischiatique Région épaisse de l'ischium qui supporte entièrement le poids du corps en position assise.

Tubérosité tibiale Région rugueuse située à la face antérieure du tibia à laquelle le ligament patellaire est attaché.

Tubule contourné distal (TCD) Troisième et dernière partie du tubule rénal où s'effectue une partie de la réabsorption et de la sécrétion.

Tubule contourné proximal (TCP) Première partie du tubule rénal et la plus longue ; c'est dans cette partie du tubule rénal que s'effectue la majeure partie de la réabsorption.

Tubule rénal collecteur Tubule situé dans les pyramides rénales recevant le filtrat provenant de nombreux néphrons et déversant l'urine dans le calice et le pelvis rénal.

Tubules séminifères contournés Tubules situés dans les testicules ; fabriquent les spermatozoïdes.

Tubules T Prolongements du sarcolemme à l'intérieur du myocyte formant de longs tuyaux qui constituent des canaux de communication ; aussi appelés *tubules transverses.*

Tubules transverses Voir *Tubules T.*

Tunique Revêtement ou couche d'un tissu.

Tunique externe Couche la plus superficielle de la paroi des vaisseaux ; surtout composée de tissu conjonctif.

Tunique intime Couche la plus interne de la paroi d'un vaisseau sanguin et lymphatique ; composée d'un endothélium reposant sur une membrane basale.

Tunique moyenne La plus épaisse des trois couches constituant la paroi des vaisseaux sanguins, située entre les deux autres ; composée de myocytes lisses et de tissu élastique.

U

Ulcère Lésion ou érosion d'une muqueuse, comme l'ulcère de l'estomac.

Ulna Un des deux os qui constituent le squelette de l'avant-bras, situé du côté médial.

Unité motrice Ensemble formé par un neurone et toutes les fibres musculaires squelettiques qu'il dessert.

Unités de pH Unités servant à mesurer et à exprimer la concentration relative d'ions hydrogène (et hydroxyle) dans une solution.

Urée Principal déchet azoté fabriqué par le foie au cours du catabolisme des acides aminés et excrété dans l'urine.

Uretère Conduit qui transporte, par péristaltisme, l'urine du rein à la vessie.

Urètre Conduit musculaire qui transporte l'urine (chez la femme) ou l'urine ou le sperme (chez l'homme) de la vessie à l'extérieur de l'organisme.

Urine Filtrat contenant des déchets et des ions excédentaires, excrété par les reins.

Utérus Organe creux situé entre le rectum et la vessie destiné à héberger l'ovule fécondé.

Uvule palatine Prolongement digitiforme du palais mou ; aussi appelée *luette.*

V

Vaccin Introduction délibérée d'un antigène dans l'organisme dans le but de le protéger contre le microorganisme porteur de cet antigène, grâce à l'immunité humorale active.

Vaisseau chylifère Capillaire lymphatique modifié situé au cœur de chaque villosité de l'intestin grêle qui participe à l'absorption des lipides.

Vagin Tube à paroi mince situé entre la vessie et le rectum, chez la femme ; reçoit le pénis au cours d'une relation sexuelle et permet la sortie du bébé à l'accouchement ou le flux menstruel pendant les menstruations.

Valve de l'aorte Valve qui empêche le sang de refluer dans le cœur lorsque le ventricule gauche se contracte.

Valve du tronc pulmonaire Valve qui empêche le sang de refluer dans le cœur lorsque le ventricule droit se contracte.

Valve iléocæcale Sphincter situé à la jonction de l'iléum et du cæcum, empêchant le retour du contenu du côlon vers l'iléon.

Valves auriculoventriculaires Valves situées à la jonction des oreillettes et des ventricules et qui empêchent le sang de refluer dans les oreillettes au cours de la systole ventriculaire.

Valvules 1) Pochettes en forme de demi-lune qui forment les valves de l'aorte et du tronc pulmonaire; 2) replis de la tunique interne des veines, empêchant le reflux du sang.

Vasculaire Relatif aux vaisseaux sanguins.

Vasoconstriction Contraction des muscles lisses des vaisseaux sanguins qui produit une réduction de leur calibre.

Vasodilatation Relâchement des muscles lisses des vaisseaux sanguins qui produit leur dilatation.

Vasopressine Autre nom de l'hormone antidiurétique.

Veine Vaisseau sanguin qui retourne vers le cœur le sang provenant de la circulation.

Végétation adénoïde Voir *Amygdale pharyngienne.*

Veines brachiocéphaliques Les deux grosses veines (droite et gauche) qui s'unissent pour former la veine cave supérieure.

Veines caves Les deux gros vaisseaux sanguins (veine cave supérieure et veine cave inférieure) qui recueillent le sang pauvre en oxygène provenant des veines et l'acheminent vers le côté droit du cœur.

Veines pulmonaires Les quatre veines qui ramènent le sang purifié des poumons vers l'oreillette gauche.

Veinule Petite veine recueillant le sang sortant des capillaires.

Veinule postcapillaire Veinule recueillant le sang sortant des lits capillaires ou de la dérivation vasculaire.

Ventilation pulmonaire Respiration; formée de l'inspiration et de l'expiration.

Ventral Relatif à l'avant; antérieur.

Ventricules 1) Les deux cavités inférieures du cœur qui constituent les principales pompes sanguines; 2) quatre cavités de l'encéphale contenant du liquide cérébrospinal.

Vertèbres Os irréguliers formant la colonne vertébrale; 7 vertèbres forment le segment cervical, 12 forment le segment thoracique, 5 le segment lombaire; le sacrum et le coccyx sont constitués de vertèbres soudées.

Vésicule biliaire Poche située sous le lobe droit du foie; emmagasine la bile.

Vésicules de sécrétion Vésicules intracellulaires contenant des protéines modifiées et provenant de l'étranglement des sacs membraneux du complexe golgien.

Vésicules de transport Vésicules intracellulaires provenant du réticulum endoplasmique rugueux et contenant des protéines se dirigeant vers le complexe golgien.

Vésicules encéphaliques primitives Les trois régions formées par des constrictions à l'extrémité rostrale du tube neural chez l'embryon; sont, dans l'ordre, en direction caudale: le prosencéphale, le mésencéphale et le rhombencéphale.

Vésicules encéphaliques secondaires Les cinq vésicules issues de la division des vésicules encéphaliques primitives au cours de la formation de l'encéphale chez l'embryon; sont, de l'extrémité rostrale à l'extrémité caudale: le télencéphale, le diencéphale, le mésencéphale, le métencéphale et le myélencéphale.

Vésicules séminales Glandes situées à la base de la vessie produisant 60 % du volume du plasma spermatique.

Vessie Sac musculaire lisse, situé en position rétropéritonéale dans le pelvis, qui emmagasine temporairement l'urine.

Vestibule 1) Portion plus large au commencement d'un canal ou d'une cavité; 2) région de la vulve limitée par les petites lèvres et contenant l'ostium externe de l'urètre et l'ostium du vagin.

Vestibule de la bouche Espace limité à l'extérieur par les lèvres et les joues, et à l'intérieur par les dents et les gencives.

Villosités arachnoïdiennes Prolongements de l'arachnoïde pénétrant dans la dure-mère et faisant passer le liquide cérébrospinal dans le sang veineux.

Villosités chorioniques Projections développées à partir du trophoblaste du blastocyste et constituant, avec les tissus de l'utérus, le placenta.

Villosités intestinales Saillies digitiformes de la muqueuse de l'intestin grêle qui accroissent considérablement la surface de contact pour l'absorption.

Viscéral Relatif à un organe interne ou à la partie interne d'une structure.

Viscère Organe interne.

Viscosité État de ce qui est collant ou épais.

Vitamines Composés organiques dont l'organisme a besoin en très petites quantités pour la croissance et le maintien des capacités physiologiques.

Voie afférente Voir *Voie sensitive.*

Voie antérolatérale Voir *Voie ascendante non spécifique.*

Voie ascendante non spécifique Une des trois grandes voies qu'emprunte l'information somesthésique se rendant au cortex cérébral; achemine les influx venant de récepteurs sensoriels liés à la douleur, à la température et au toucher grossier, sensations conscientes mais difficiles à localiser avec exactitude sur la surface du corps; aussi appelée *voie antérolatérale.*

Voie ascendante spécifique Une des trois grandes voies qu'emprunte l'information somesthésique se rendant au cortex cérébral; voie de la transmission précise et directe des influx provenant d'un type unique (ou de quelques types apparentés) de récepteurs sensoriels qu'on peut localiser avec précision; aussi appelée *système du lemnisque médial.*

Voie efférente Voir *Voie motrice.*

Voie motrice Voie formée de neurofibres qui transportent les influx nerveux des centres nerveux vers les muscles et les glandes; aussi appelée *voie efférente.*

Voie sensitive Voie formée de neurofibres qui transportent les influx nerveux vers le SNC; aussi appelée *voie afférente.*

Voltage Mesure de l'énergie potentielle produite par la séparation de charges électriques.

Volume courant (V_T) Quantité d'air inspirée ou expirée en une respiration normale, soit environ 500 mL.

Volume de réserve expiratoire (VRE) Quantité d'air qui peut être évacuée après une expiration normale, soit entre 2100 et 3200 mL.

Volume de réserve inspiratoire (VRI) Quantité d'air qui peut être inspirée, après une inspiration normale, avec un effort, soit environ 1200 mL.

Volume systolique Volume de sang éjecté par un ventricule à chaque battement; sa valeur moyenne est de 70 mL/batt.

Vraies côtes Les sept premières paires de côtes jointes directement au sternum par des cartilages costaux.

Vulve Organes génitaux externes de la femme.

X

Xénogreffe Greffe dans laquelle le donneur et le receveur n'appartiennent pas à la même espèce.

Z

Zone ciliaire Ligament suspenseur qui relie le cristallin au corps ciliaire dans la partie antérieure de l'œil.

Zone de conduction Partie du système respiratoire où circule l'air allant vers la zone respiratoire et venant de celle-ci; comprend toutes les structures respiratoires allant du nez jusqu'aux bronchioles respiratoires.

Zone motrice somatique Subdivision de la substance grise de la moelle épinière, située dans la corne ventrale; contient des neurones moteurs somatiques.

Zone motrice viscérale Subdivision de la substance grise de la moelle épinière, située dans la corne latérale; contient des neurones moteurs viscéraux.

Zone papillaire Couche supérieure du derme, portant dans certaines régions les papilles du derme.

Zone respiratoire Partie du système respiratoire où s'effectuent les échanges gazeux; comprend les bronchioles respiratoires, les conduits alvéolaires, les saccules alvéolaires et les alvéoles pulmonaires.

Zone réticulaire Couche la plus profonde du derme, constituée de fibres collagènes et de fibres élastiques et contenant des vaisseaux sanguins, des glandes sudoripares et sébacées, et des récepteurs nerveux.

Zone sensitive somatique Subdivision de la substance grise de la moelle épinière, située dans la corne dorsale; contient des interneurones recevant de l'information sensorielle des neurones sensitifs somatiques.

Zone sensitive viscérale Subdivision de la substance grise de la moelle épinière, située dans la corne dorsale; contient des interneurones recevant de l'information sensorielle des neurones sensitifs viscéraux.

Zygote Ovule fécondé; produit par la fusion de deux gamètes.

Sources

des photographies et des illustrations

Photographies

Chapitre 1
1.1 (6) : Dorling Kindersley. 1.6 Jenny Thomas/Addison Wesley Longman, Inc. ; (a) : Howard Sochurek ; (b) : Petit Format/Photo Researchers, Inc. ; (c) : Howard Sochurek. Gros plan (a) : Howard Sochurek ; (b) : © 1994 Dr Richard D'Amico/ Custom Medical Stock Photo, Inc.

Chapitre 2
2.8 (b) : George Bernard/ Animals. Gros plan : Geoff Tomkinson/SPL/Photo Researchers, Inc.

Chapitre 3
3.7 (a) : Gracieuseté des Drs J.V. Small et G. Rinnerthaler/Austrian Academy of Sciences. Gros plan (a , b et c) : David M. Phillips/Visuals Unlimited. 3.12 (b) : Dr Birgit H. Satir, professeur au département d'Anatomy and Structural Biology, Albert Einstein College of Medicine. 3.18 (a) Dr Gladden Willis/Visuals Unlimited ; (b, e et f) : Allen Bell, University of New England/ Pearson Education/Benjamin Cummings Publishing Company ; (c) : Carolina Biological/Visuals Unlimited ; (d) : Robert Calentine/Visuals Unlimited. 3.19 (c et g) : Allen Bell, University of New England/ Pearson Education/Benjamin Cummings Publishing Company ; (a, b, d, e et h) : Ed Reschke ; (f) : Carolina Biological/Visuals Unlimited. 3.20 (a) : Eric Graves/Photo Researchers, Inc. ; (b) : Ed Reschke ; (c) : Allen Bell, University of New England/ Pearson Education/Benjamin Cummings Publishing Company. 3.21 : Biophoto Associates/Photo Researchers, Inc.

Chapitre 4
4.3 : Tirée de *Gray's Anatomy*, Henry Gray, Churchill Livingstone, Royaume-Uni. Gros plan : Pearson Education/PH College/ Dorling Kindersley. 4.5 : Tirée de *Fundamentals of Nursing*, 4e édition, Kozier, Erb, et Olivieri, Redwood City, CA, Benjamin Cummingm, 1991. 4.6 (a) : Carolina Biological/Visuals Unlimited ; (b) : John D. Cunningham/Visuals Unlimited. 4.8 : CNRI/ Science Photo Library/ Photo Researchers, Inc. 4.10 (a) : Martin Rotker ; (b et c) : NMSB/Custom Medical Stock Photo, Inc. 4.11 (b) en haut : Dorling Kindersley ; (b) au milieu : Dr. P. Marazzi/SLP/ Photo Researchers, Inc. ; (b) en bas : Jon Meyer/Custom Medical Stock Photo, Inc. 4.12 (a) : Bart's Medical Library/Phototake NYC ; 4.12 (b) : Dr. P. Marazzi/ SLP/Photo Researchers, Inc.

Chapitre 5
Gros plan (toutes les photos) : John Wilson White/Addison Wesley/ Addison Wesley Longman. 5.30 : CNRI/SPL/ Photo Researchers, Inc. 5.31 : Carolina Biological Supply Company/ Phototake NYC. 5.33 (toutes les photos) : Professeur P. Motta/ SPL/Photo Researchers.

Chapitre 6
Tableau 6.1 (à gauche) : Eric Graves/Photo Researchers, Inc. ; (au centre) : Ed Reschke ; (à droite) : Allen Bell, University of New England/Pearson Education/Benjamin Cummings Publishing Company. 6.4 (b) : Eric Graves/ Photo Researchers, Inc. 6.11 (a) : Bob Daemmrich/The Images Works ; (b) : Vandystadt Angence De Presse/Photo Researchers, Inc. 6.13 (toutes les photos) : John Wilson White/Addison Wesley Longman, Inc. Gros plan : Francisco Cruz/SuperStock.

Chapitre 7
7.4 (b) : Victor Eroschenko, University of Idao/Benjamin Cummings Publishing Company. 7.16 (d) : Jim Selby/SPL/ Custom Medical Stock Photo, Inc. 7.20 (b) : Tirée de *A Stereoscopic Atlas of Human Anatomy*, Dr David L. Bassett. 7.23 (a) : Peter J. Ocello. 7.24 (b) : Patrick Lynch/ Photo Researchers, Inc. 7.30 (b) : Tirée de *A Stereoscopic Atlas of Human Anatomy*, Dr David L. Bassett. Gros plan (1) : Toby Talbot/Associated Press Photo. Gros plan (2, a) : Alexander Tsiara/Photo Researchers, Inc.

Chapitre 8
8.3 (b) : Tirée de *A Stereoscopic Atlas of Human Anatomy*, Dr David L. Bassett. 8.7 : NMSB/ Custom Medical Stock Photo, Inc. 8.8 : A. L. Blum/ Visuals Unlimited. 8.13 (b) : John Wilson White/Addison Wesley/Addison Wesley Longman, Inc.

Chapitre 9
Gros plan : Chuck Savage/ Corbis. 9.6 (b) : Ed Reschke. 9.7 : John Paul Kay/Peter Arnold, Inc. 9.8 : Ralph Eagle/Photo Researchers, Inc. 9.11 (a et b) : Gracieuseté de Dr. Charles B. Wilson, Neurological Surgery, University of California Medical Center, San Francisco. 9.13 (a) : Victor Eroschenko/Benjamin Cummings Publishing Company.

Chapitre 10
10.2 : Victor Eroschenko/ Benjamin Cummings Publishing Company. 10.3 (a et b) : Stanley Flegler/Visuals Unlimited. 10.7 : Lennart Nilsson/ Albert Bonniers Forlag. 10.8 (toutes les photos) : Pearson Education/Benjamin Cummings Publishing Company. Gros plan : Ed Eckstein/ Phototake NYC.

Chapitre 11
11.8 (a) : Tirée de *Tissues and Organs : A Text-Atlas of Scanning Electron Microscopy*, Dr R. G. Kessell et Dr R. H. Kardon, W. H. Freeman & Co., 1979. Tous droits réservés. Gros plan (a) : GA/ CNRI/Phototake NYC ; (b, toutes les photos) : Custom medical Stock Photo, Inc.

Chapitre 12
12.7 (a) : Lennart Nilsson/ Albert Bonniers Forlag AB. 12.15 (a) : Arthur J. Olson, The Scripps Research Institute. Gros plan :

Montaignier/Institut Pasteur/ Photo Researchers, Inc.

Chapitre 13
13.3 (b) : Science Photo Library/Photo Researchers, Inc.13.4 (a) : Richard Tauber/Pearson Education/ Benjamin Cummings Publishing Company. 13.5 (b) : CNRI/SPL/Photo Researchers, Inc. Gros plan (toutes les photos) : Martin M. Rotker.

Chapitre 14
14.4 (a) : Tirée de *Color Atlas of Histology*, 3ᵉ édition, de Leslie Gartner et James Hiatt, © Lippincott Williams & Wilkins, 1990. 14.5 (a) : Tirée de *A Stereoscopic Atlas of Human Anatomy*, de Dr David L. Bassett. Gros plan (1) : Javier Domingo/Phototake NYC. 14.19 (b) : Stephen Frisch. Gros plan (2) : Dorling Kindersley.

Chapitre 15
15.1 (b) : Richard Tauber/ Pearson Education/Benjamin Cummings Publishing Company. 15.2 (a) : Tirée de *A Stereoscopic Atlas of Human Anatomy*, de Dr David L. Bassett. 15.3 (d) : Professeur P. Motta/SPL/ Photo Researchers. Gros plan : Hank Morgan/ Science Source/Photo Researchers, Inc.

Chapitre 16
16.5 (a) : Manfred Kage/ Peter Arnold, Inc. 16.11 : C. Edelman/La Vilette/Petit Format/Photo Researchers, Inc. 16.14 (a) : Superstock ; (a et b) Dr Richard D'Amico/Custom Medical Stock Photo, Inc. 16.17 (toutes les photos) : Tirées de *A Child is Born*, de Lennart Nilsson, © Dell Publishing. Gros plan : Anthony Loveday/ Benjamin Cummings.

Chapitre 17
17.2 (b) : Lester Lefkowitz/ Corbis Bettmann ; (c) : L. Williatt, East Anglian Regional Genetics/SPL/ Photo Researchers, Inc.

Illustrations

Sauf mention contraire, les illustrations ont été réalisées par Imagineering STA Media Services.

Chapitre 3
3.2 : Carla Simmons/ Kristin Mount. 3.3 : Tomo Narashima. 3.7 : Tomo Narashima. 3:15 : Adaptée de *Biology : Concepts and (Connections)*, 3ᵉ édition, Campbell, Mitchell, Reece et Taylor, fig. 8.6, © Benjamin Cummings, 2000.

Chapitre 4
4. 1 : Precision Graphics/ Imagineering. 4.2 : Kristin Mount/Precision Graphics. 4.4 : Tomo Narashima. 4.6 : Precision Graphics/ Imagineering.

Chapitre 5
Gros plan : Adaptée de *Nature*, Ranier I. Kotz, Reinhard Windhager, *et al.*, 13 juillet 2000, vol. 406, p. 143, fig. 1, © Macmillan Publishers Limited, 2000. 5.5, 5.28 : Barbara Cousins/ Kristin Mount. 5.6 : Raychel Ciemmna/kristin Mount. 5.7, 5.8, 5.9, 5.11, 5.17 : Kristin Mount. 5.16, 5.19, 5.22, 5.24, 5.25 : Laurie O'Keefe/Kristin Mount.

Chapitre 6
6.8 : Precision Graphics/ Imagineering. 6.14 : Adaptée de *Fundamentals of Anatomy & Physiology*, 4ᵉ édition, Martini, fig. 11.1, Upper Saddle River, Prentice-Hall, © Frederic H. Martini, 1998. 6.15, 6.16, 6.20, 6.21 : Raychel Ciemmna/ Kristin Mount. 6.17, 6.18, 6.19 : Kristin Mount.

Chapitre 7
7.21 : Adaptée de *Human Anatomy*, 3ᵉ édition, Marib et Mallatt, fig. 13.10, © Benjamin Cummings, 2003. 7.27 : Adaptée de *Human Anatomy*, 3ᵉ édition, Marib et Mallatt, fig. 13.24, © Benjamin Cummings, 2003. 7.32 : Laurie O'Keefe/ Kristin Mount. 7.33 : Laurie O'Keefe/Kristin Mount. 7.37 : Adaptée de *Human Anatomy*, 3ᵉ édition, Marib et Mallatt, fig. 13.34, © Benjamin Cummings, 2003. 7.38 : Charles Hoffman/Kristin Mount. 7.39 : Precision Graphics/ Imagineering.

Chapitre 8
8.14a : Adaptée de *Biology : Concepts and Connections*, 4ᵉ édition, Campbell, Mitchell, Reece et Taylor, fig. 29.9D, © Benjamin Cummings, 2003.

Chapitre 9
9.10 : Precision Graphics/Imagineering.

Chapitre 11
11.4 : Barbara Cousins/ Imagineering. 11.5 : Barbara Cousins/Kristin Mount. 11.8b : Adaptée de *Principes d'anatomie et de physiologie*, Tortora et Grabowski, fig. 21.1, © ERPI, 2001. 11.13, 11.14, 11.15 : Kristin Mount.

Chapitre 14
14.3 : Adaptée de *Anatomy & Physiology*, 4ᵉ édition, Seeley, Stephens et Tate, fig. 24.2, page 778, WCB/ McGraw Hill, © The McGraw Hill Companies, Inc., 1998. 14.4, 14.5 : Kristin Otwell/Kristin Mount. 14.19 : Adaptée de *Biology : Concepts and Connections*, 3ᵉ édition, Campbell, Mitchell, Reece et Taylor, © Benjamin Cummings, 2000.

Chapitre 15
15.6 : Linda McVay/ Imagineering.

Chapitre 16
16.3, 16.5 : Precision Graphics/Imagineering. 16.8 : Martha Blake/ Kristin Mount.

Chapitre 17
17.7 : Adaptée de Imagineering STA Media Services.

Index

Les lettres *f* et *t* renvoient respectivement à une figure ou à un tableau ; les **caractères gras** à l'endroit où le terme est défini dans le texte.

A

F

G

N

P

Q

R

T

U

V

W

Z